Dictionnaire freudien

Pour Annick

Dictionnaire freudien

Claude Le Guen

et

Dominique Bourdin
Pierre Chauvel
Françoise Cribier
Annick Le Guen

QUADRIGE

PUF

ISBN 978-2-13-080864-0
ISSN 1762-7370

Dépôt légal — 1re édition : 2008, novembre
1re édition « Quadrige » : 2018, octobre

170 bis, boulevard du Montparnasse, 75014 Paris

PLAN DE L'OUVRAGE

Avertissement

Nous avons voulu permettre au consultant du dictionnaire de repérer rapidement les différentes parties de chaque entrée ; pour ce faire, nous avons attribué une mise en forme distincte pour chacune d'elles.

Les notions et concepts freudiens, objets de ce dictionnaire, sont tous développés en suivant la même progression. À la suite du lexème qui spécifie l'**entrée** (avec ses **traductions** en *allemand, anglais, espagnol, italien* et *portugais*) se trouve la **définition** (en caractères gras) proprement dite. À la suite est faite une « **mise en situation** » historique, culturelle et linguistique de la notion (en caractères italiques sur fond gris). La partie suivante, la plus importante, en étudie l'apparition et l'évolution au plus près du **texte freudien**, en suivant le développement selon sa chronologie. Les « **questions et enjeux** » pouvant être ainsi soulevés sont discutés dans la dernière partie (en caractères romains sur fond gris).

En *notes de bas de page* on trouve les références des passages plus particulièrement évoqués et des citations dans : 1 / l'édition française la plus commune ; 2 / les *Œuvres complètes de Freud [OCF]* (aux PUF) ; 3 / les *Gesammelte Werke [GW]* (Fischer Verlag) ; la référence complète de chacune est donnée à la première citation, la pagination seule (selon le même ordre) dans les suivantes.

En fin d'ouvrage, un INDEX peut aider le lecteur à trouver l'entrée qui l'intéresse.

Préface à la deuxième édition

Dans cette nouvelle édition du *Dictionnaire freudien* il importait d'abord de corriger les inévitables erreurs, artefacts et fautes d'impression, de mettre à jour les références des nouveaux volumes parus aux *OCF*. Il fallait aussi, prenant du recul, réévaluer l'ensemble en appréciant ce qui devait être amélioré : refondre certains textes, introduire des définitions qui, pour diverses raisons, s'étaient trouvées écartées.

Cinq articles sont refondus : « Construction-reconstruction », « Investissements », « Névrose obsessionnelle », « Paranoïa », « Sublimation ». Deux ont été remplacés : « Inconscient » par « Inconscient, préconscient, conscient », et « Motricité-motilité » par « Motilité, motricité, décharge motrice ». Neuf sont ajoutés : « Animisme », « Biologie », « Civilisation et société », « Croyance, religion », « Détresses », « Inquiétante étrangeté », « Principe de constance », « Psychanalyse appliquée », « Réaction thérapeutique négative ».

Ces modifications nous ont semblé souhaitables, voire nécessaires. Il n'en demeure pas moins qu'il convient d'appréhender, après coup, ce qui fit hier écarter certaines notions, comme de comprendre ce qui nous conduit aujourd'hui à en ajouter d'autres.

Après nous être employés, quinze années durant, à concevoir puis élaborer ce dictionnaire, nous avions comme une impatience à le voir achevé : pouvoir enfin le toucher. Cela put induire quelques omissions ou méconnaissances, voire favoriser certains oublis engageant sans doute nos idéologies implicites, inconscientes comme l'est toute idéologie. C'est d'ailleurs sans doute de celle-ci que relevait ce sentiment qu'il convenait d'écarter ce qui ne nous semblait pas spécifiquement psychanalytique pour nous cantonner aux notions et concepts avérés comme tels, et d'abord aux plus métapsychologiques d'entre eux. Ce faisant, nous nous sommes enfermés dans une représentation de la psychanalyse qui, à bien y regarder, est peut-être moins profondément freudienne que nous aimions le penser.

Qu'est-ce à dire ? Certes, Freud élabora le projet de clarifier et approfondir les hypothèses théoriques sur lesquelles la psychanalyse est fondée, de les établir en tant que « science psychanalytique » devant prendre pleinement sa place parmi les « sciences de la nature » ; ce serait là une « métapsychologie ». C'est ainsi qu'en 1915 il regroupa cinq essais majeurs sous le titre, justement, de *Métapsychologie.* Dix ans plus tard il dut admettre qu'il ne s'agissait là que d'une « ébauche », d'une « superstructure spéculative », et que « le temps d'une telle fixation théorique n'était pas encore venu ». Pour autant, la représentation qu'il s'en faisait comme la tâche qu'il lui assignait n'était en aucune façon restrictive : si la métapsychologie devait d'abord apprécier les processus psychiques en fonction des trois coordonnées de la dynamique, de la topique et de l'économique, elle ne s'enfermait pas dans cette exigence méthodologique ; elle entendait se situer dans une approche plus vaste : dans ce qui peut être considéré comme étant l'*épistémologie* psychanalytique.

C'est ainsi que, très régulièrement, Freud redit que le processus culturel, tout comme le développement de l'individu, participent du processus plus général de la vie, nous fournissant ses trois références clés : la biologie comme « processus de vie », la sociologie avec l'histoire comme « processus culturel », la psychologie comme « développement de l'individu », toutes trois délimitant des champs spécifiques auxquels correspondent des sciences particulières qui, toutes, portent sur un seul et même objet : l'homme – là se trouve l'essentiel. Tout au long, le texte freudien s'attache à témoigner de cette consubstantialité, si bien qu'il ne serait pas faux de dire que, si la psychanalyse est d'abord une psychologie, elle est surtout une anthropologie.

Le rappel de l'assise biologique du psychisme est régulier et constant, depuis les premiers travaux jusqu'aux tout derniers; « la conscience a une fonction biologique », si bien que « pour le psychique, le biologique joue véritablement le rôle du roc d'origine sous-jacent ». La part sociale de l'entreprise freudienne est tout aussi constante, comme en témoigne le fait que près de la moitié de l'œuvre est consacrée à des travaux présentés comme « sociaux » mais qui n'en sont pas moins des temps essentiels dans le développement de la pensée et la conceptualisation métapsychologique (depuis *Totem et tabou* jusqu'à *Moïse et le monothéisme* en passant par *Psychologie des foules et analyse du moi*). S'il en est ainsi, c'est que toute discipline traitant du comportement des hommes en société ne peut rien être d'autre que de la psychologie appliquée: « À strictement parler, il n'y a en effet que deux sciences: la psychologie, pure et appliquée, et la science de la nature ». Et, pour la psychanalyse, les sciences de la nature sont d'abord les biologiques, si bien que le psychanalyste ne doit jamais oublier que, pour lui, « le psychique repose sur l'organique, bien que son travail ne puisse poursuivre le psychique que jusqu'à ce fondement et pas au-delà », la limite du champ analytique se situant entre cet au-delà et son en-deçà (idée que l'on retrouve dans la définition de la pulsion comme concept limite entre le psychique et le biologique).

La position freudienne est des plus claires: la biologie, science de la vie et soubassement indispensable au fonctionnement psychique, relève d'un champ qui échappe à l'analyse; la psychologie, avec la psychanalyse au premier chef, a pour domaine l'activité psychique en tant que manifestation spécifiquement humaine; les sciences de la société (aussi vastes soient leurs champs) ne sauraient en être elles-mêmes qu'une application particulière. Ceci implique un ordre épistémologique dans l'étude des organisations: il faut un saut qualitatif pour passer du biologique au psychologique, mais un changement quantitatif suffit pour atteindre à la vie sociale.

Mais ces champs s'interpénètrent. « La psychologie individuelle est aussi, d'emblée et simultanément, une psychologie sociale » puisque dans la vie individuelle l'autre intervient régulièrement: « les premiers rapports de l'individu à ses parents et à ses frères et sœurs, [comme à bien d'autres...] sont à considérer comme des phénomènes sociaux », qui ne s'opposent pas à ce qui est psychique mais aux processus narcissiques. « L'opposition entre les actes psychiques sociaux et narcissiques se situe donc exactement à l'intérieur même du domaine de la psychologie individuelle ».

Lorsque, aujourd'hui, nous reprenons le premier état du dictionnaire et que nous en appréhendons l'ensemble, nous sommes frappés de constater que cette argumentation court tout au long des textes ; pourtant, en toute méconnaissance, nous avons écarté les notions qui, à une première approche, nous apparaissaient sociales. Que pareille attitude soit de fait largement répandue dans les cercles psychanalytiques ne peut que renforcer l'hypothèse, déjà évoquée, selon laquelle une « idéologie implicite » serait à l'œuvre dans de telles options. La conclusion s'imposait : il convenait de réintroduire les définitions des notions écartées ; dans un dictionnaire qui se présente comme freudien, c'est bien le moins de référer les thèmes qui occupent près de la moitié du texte freudien lui-même. C'est donc ainsi que vous trouverez, dans cette deuxième édition, non seulement les entrées « Civilisation et société », « Croyance, religion », mais aussi « Animisme » et « Biologie ».

À bien y regarder, d'autres mises à l'écart durent relever d'un procès assez voisin ; ainsi l'« Inquiétante étrangeté », au dire même de Freud, était un « divertissement » plutôt littéraire... D'autres nous semblèrent peut-être trop techniques, comme la « Psychanalyse appliquée », voire la « Réaction thérapeutique négative ». Mais, à notre grande honte, quelques omissions semblent avoir été, tout simplement, le fait de négligences (nous ne nous sommes pas aventurés à faire l'analyse de ces « oublis », si ce n'est *in pectore*) ; ce fut le cas de « Détresses » et du « Principe de constance ». Il nous apparut aussi qu'une notion plus en prise sur la pratique de la cure, comme l'est la « Réaction thérapeutique négative », méritait de se voir consacrer une entrée.

Ainsi fut fait, en espérant que ce fut pour le mieux.

Claude LE GUEN

Préface à la première édition

UN *DICTIONNAIRE FREUDIEN* ?

Pourquoi le circonscrire ainsi ? Pourquoi n'avoir pas fait plutôt un « dictionnaire de la psychanalyse » ? Lorsqu'il y a une quinzaine d'années s'engagea l'aventure, tel était bien mon projet. Avec quelques collègues, nous entreprîmes alors quelques travaux préparatoires, tels que recenser les termes à y faire figurer. Pour nombre d'entre eux, la tâche était simple et le choix aisé. Avec d'autres, nous étions hésitants, parfois franchement perplexes. Celui-ci ou cet autre faisait-il vraiment partie du corpus ? Mais quel était véritablement ce corpus ? Quelles notions, quels concepts devaient être reconnus comme appartenant au champ propre de la psychanalyse ? Toutes questions pertinentes, mais auxquelles nous ne nous sentions pas en mesure d'apporter de réponses suffisamment claires. Aussi, tout en continuant d'y réfléchir, nous nous attachâmes d'abord à la mise en œuvre de la lexicographie – ce qui n'allait pas de soi et posait maints autres problèmes qui retinrent alors prioritairement notre attention.

L'inventaire des entrées à retenir me préoccupait toujours : celles-ci n'étaient-elles pas l'objet même du dictionnaire, et leurs définitions sa raison d'être ? S'il m'arrivait momentanément d'oublier la difficulté, elle resurgissait au détour d'une notion dont la présence n'offrait pourtant nulle ambiguïté. Mais de se frotter ainsi, et de plus en plus, au travail de conceptualisation psychanalytique – à commencer par celui de Freud – finit par porter ses fruits : la prolifération des termes, leur exubérance touffue se révélait être surtout une apparence, parfois même une illusion. À bien y regarder, après Freud, assez peu de concepts nouveaux furent intégrés durablement au corpus ; quelques notions apparurent, sans doute, mais qui ne se soutiennent que de s'étayer sur l'apport freudien – des dérivés, en quelque sorte. Il y eut, à l'occasion, mutations de mots ; il n'y eut pas changement de paradigmes (au sens de Thomas S. Kuhn). Ceci ne saurait surprendre, puisque la science psychanalytique étant une création de Freud, ce sont ses concepts qui la fondent et, pour l'essentiel, l'ont maintenue. La conséquence en est que non seulement tout ce qui s'élabora depuis ne put se faire qu'en prenant appui sur ces fondements, s'y enracinant, mais que les intellections qui eurent à en traiter s'en nourrirent et s'en justifient encore. Cela va de soi et j'aurais dû le savoir. En fait, je le savais, mais sans doute superficiellement : je ne l'avais pas encore « compris » selon l'étymologie, c'est-à-dire « pris avec moi, pris en moi », incorporé en somme ; je n'étais donc pas prêt à les restituer dans un dictionnaire.

Certes, plein de nouveaux termes sont advenus dans notre champ ; voire pointèrent quelques idées nouvelles, dont certaines furent d'importance – mais sans doute moins qu'il n'y paraît. Bien des auteurs crurent en créer, en fabriquent encore en habillant autrement les mots anciens ; après avoir un temps fait florès, la plupart tombent dans l'oubli. Quelques-uns de ces apports ont pourtant perduré : ce sont généralement ceux qui apportèrent réellement quelque chose de nouveau dans la psychanalyse – comme, pour ne prendre que cet exemple mais qui est loin d'être le seul, l'« identification projective » selon Mélanie Klein. Mais ces notions elles-mêmes dépendent de l'élaboration freudienne – et d'ailleurs leurs auteurs s'en réclament. En ayant moi-même introduit quelques-uns que je veux croire originaux (tels l'« Œdipe originaire » ou les « représentations motrices »), je sais qu'ils n'existent que par Freud, et lui doivent tout. En somme, *tout dictionnaire général de psychanalyse est d'abord un dictionnaire des concepts freudiens* auxquels furent ajoutées des notions dérivées et auxiliaires. Pour autant, l'importance de celles-ci, comme celle de leurs auteurs, ne doit surtout pas être méconnue, pouvant d'ailleurs mériter à l'occasion de faire l'objet d'un dictionnaire propre (comme, par exemple, ce fut le cas pour le « Dictionnaire des termes winnicotiens »[1]). Leur base commune, la référence que l'on doit considérer comme universelle en psychanalyse, n'en demeure pas moins celle des notions et concepts, des termes mêmes que créa Freud.

Aussi, à bien y regarder, il s'avérait que le dictionnaire de la psychanalyse que nous ambitionnions de faire devait être, avant tout, un dictionnaire qui recueille les mots et les idées qui se découvrent au fil du texte freudien lui-même. De surcroît, si ce dictionnaire voulait être clair et (projet sans doute illusoire) échapper aux querelles d'écoles, il se devait de *n'être que cela, mais l'être entièrement*. Voilà qui clarifiait la tâche, mais ne la simplifiait pas. Tenter de comprendre ce que devait s'efforcer d'être un tel ouvrage impose une approche méthodologique, épistémologique même, qui m'a guidé dans la conception d'un modèle heuristique à appliquer à chaque définition. Il sembla vite évident que, selon nos prémisses, le noyau de chacune ne pouvait que s'originer dans le texte freudien lui-même, s'attachant à suivre pas à pas la réflexion de Freud dans son approche de l'idée, puis dans l'élaboration de la notion, enfin dans la construction du concept – parcours qui se révèle très divers selon les cas. Tantôt une intuition, généralement en prise sur la clinique, s'impose d'emblée et ne sera pas remise en question (telles les résistances) ; parfois, après une introduction précoce, la progression est difficile, faite de détours et de retours, de remises en question, de corrections et de révisions (ainsi du refoulement) ; d'autres fois le terme ne fait qu'une brève apparition (ce fut le cas des fantasmes originaires), ou tombe comme en désuétude (la pulsion d'emprise en est un exemple) sans être toujours véritablement abandonné ; une notion disparaît pour réapparaître, resignifiée comme concept après bien des années (les défenses) ; une autre encore se maintient mais se voit sur le tard reprise d'une tout autre façon jusqu'à prendre un sens nouveau (le clivage). Ces

1. Jan Abram, *Le Langage de Winnicott,* trad. fr. Cléopâtre Athanassiou-Popesco, Paris, Popesco, 2001.

cheminements sur les voies de la recherche sont fort instructifs sur l'élaboration de la pensée psychanalytique ; il importe de bien les suivre car ils nous en apprennent beaucoup sur cette pensée elle-même et sur les articulations qu'elle établit entre les différents concepts.

Le corpus freudien est trop souvent présenté comme une œuvre achevée, voire un monolithe. Lorsqu'on l'examine de près, comme nous avons dû le faire, pareille appréciation se dévoile comme résultant d'une méprise ; à l'évidence, ce qui se révèle va même tout à l'encontre d'un tel jugement. Peu de créateurs remirent aussi régulièrement en question leurs découvertes, reconnurent aussi souvent leurs incertitudes. Plus Freud progresse dans sa recherche, plus il s'interroge et relativise les formes premières de ses assertions, nous invitant alors, avec insistance, à nous interroger nous-mêmes sur ses doutes et sur leurs raisons, à reprendre l'histoire et l'évolution du concept – dirons-nous alors qu'il nous provoque, tendant là un piège à la facilité : nous aimerions tant que ses vérités soient là une fois pour toutes qu'il nous arrive de souffrir lors de ses remises en question, voire de regretter ce qu'elles viennent relever, d'autant que nous nous sentons parfois embarrassés pour les resituer. Seule la référence aux textes, seule une lecture s'en tenant tant à la diachronie des notions qu'à leur mise en perspective permettent de saisir pleinement leur place et leur sens dans la pensée qui les élabore, dans la psychanalyse elle-même. C'est ce que nous avons tenté de faire. Mais il va de soi que ce dictionnaire ne fournit qu'une approche et ne saurait se substituer à la lecture du texte lui-même – nous voudrions seulement qu'en fournissant les indispensables repères textuels il puisse aider à l'appréhension de la pensée, à en situer le fil et à le suivre.

Mais d'autres repères doivent être fournis au lecteur pour l'aider à apprécier un item lexicographique, qu'il soit notion, concept, ou simple terme de commodité ; ils varient plus ou moins selon chacun, mais certains jalons peuvent se retrouver. Disons que, pour commencer, il importe de situer chacun d'un point de vue *historique,* appréciant non seulement sa place et sa signification par rapport à la culture contemporaine au temps où Freud l'énonça, mais aussi sa situation et son évolution dans le corpus analytique ; c'est dire qu'ils doivent être aussi appréciés au point de vue *culturel,* mais en englobant cette fois l'époque contemporaine. Il convient enfin de s'intéresser à l'aspect *linguistique* : d'abord au mot allemand élu par Freud, et l'on sait qu'il préférait les mots simples afin de « rester en contact avec le mode de pensée populaire ». C'est pourquoi, par exemple, il choisit de désigner les nouvelles instances psychiques par « deux simples pronoms [le moi et le ça] au lieu d'introduire pour elles des noms grecs bien sonnants »[1]. Il faut aussi, et peut-être surtout puisque nous devons faire avec la transposition d'une langue dans une autre, nous intéresser au mot français proposé comme équivalent, d'autant que le choix put à l'occasion poser des problèmes. Nous rendrons rapidement compte des difficultés, mentionnant les diverses options, sans hésiter à faire part de notre point de vue. Cette section se retrouve dans chaque « entrée », signifiée comme **mise en situation** ; elle est tantôt brève, tantôt plus longue, c'est selon.

À la suite se trouve la partie de l'article qui, sous l'intitulé de **texte freudien,** rend compte du traitement de la notion par Freud : il s'agit là de fournir *la* référence, cœur véritable de l'article définitoire. Cette part aurait dû être la plus facile à élaborer si l'on considère qu'il suffit de suivre le texte, fût-ce avec la plus grande attention. Or, ce fut surtout celle qui s'avéra la plus ardue, car le faux-sens guette, si facilement provoqué par les choix théoriques, et d'abord par ceux propres au rédacteur de la définition, à commencer par les options qu'impliquent ses idéologies implicites. Il ne saurait suffire de se vouloir fidèle à la pensée de Freud ; il faut, avec constance, toujours revenir au texte, le reprendre, le confronter et le reprendre encore. C'est pourquoi non seulement cette section est celle qui a suscité la plus grande vigilance des coordinateurs (de nos coordinatrices en fait), mais c'est aussi la raison qui fait que toutes les rédactions d'articles furent soumises à tous les directeurs, puis discutées en groupe ; parfois cela pouvait aller assez vite, mais d'autres fois d'assez longs débats s'engageaient, d'ailleurs des plus stimulants.

Le lecteur trouvera ensuite une discussion critique de la thèse freudienne, posant les **questions et enjeux** qui peuvent transparaître à sa

1. *La question de l'analyse profane* (1926e), Paris, Gallimard, 1986, p. 46 ; *OCF* XVIII, p. 17 ; *GW* XIV, p. 222.

lecture. Il n'était pas question de soulever alors toute la problématique propre à chaque concept : une encyclopédie n'y aurait suffi ; nous avons entendu seulement relever les questions que Freud pose explicitement, celles aussi que son texte soulève implicitement aujourd'hui. Tout questionnement est porteur d'enjeux ; nous ne pouvions qu'évoquer ceux-ci, mais nous devions faire bref car on débouche là très vite sur les débats les plus actuels, controverses que ce dictionnaire n'a nulle vocation à traiter, mais qu'il peut néanmoins, qu'il doit implicitement suggérer. Même en limitant ainsi notre champ, ce fut là sans doute la partie de chacune de nos entrées qui s'avéra la plus délicate, la plus incertaine, mais peut-être aussi la plus passionnante ; c'est sans doute celle aussi qui suscitera le plus d'objections, et tel est bien le but que nous avons recherché : non pas ouvrir quelques polémiques mais, en conclusion de la lecture de l'article, engager le lecteur à poser des questions qu'il ne s'était peut-être pas posées jusqu'alors – retrouvant, d'une certaine façon, nos propres surprises dans notre progression dans la redécouverte du texte freudien.

Dans la chronologie de notre rédaction, la dernière étape fut celle de la **définition** elle-même ; c'est pourtant celle que, comme il va de soi, le lecteur trouve en premier. Ce fut, à chaque fois, une tâche difficile, et ce n'est pas un hasard si tant de dictionnaires de psychanalyse préfèrent l'esquiver (ce que n'a pas fait le *Vocabulaire de la psychanalyse* de J. Laplanche et J.-B. Pontalis, qui a parfaitement assumé l'épreuve). Là encore, et sans doute plus qu'ailleurs, nous ne pouvions que coller au texte freudien. Aussi, nous avons tenu à ce que nos propres définitions s'inspirent largement de celles de Freud lui-même lorsqu'il en proposa, qu'elles les reprennent en s'efforçant de les condenser, quitte à les reproduire textuellement lorsque c'était possible – car s'il a assez régulièrement précisé le sens qu'il attribuait aux concepts qu'il utilisait, il le faisait généralement assez longuement, ne se souciant guère de les ramasser dans un texte court, comme le veut l'usage lexicographique. Parfois, cela fut facile, d'autres fois plus ardu, en raison de la grande complexité du concept qui ne permet guère d'accéder à la sobriété souhaitée – nous nous sommes alors efforcés de sacrifier plutôt la concision et de sauvegarder la précision.

Tout cela est *affaire de méthodologie*. Freud lui-même ne pouvait que s'en soucier, en venant ainsi inévitablement à s'interroger sur cet aboutissement que représentent les définitions. Il s'en est expliqué à plusieurs reprises, notamment dans les temps où il conceptualisait la *Métapsychologie*. Dans cet ouvrage (« tentative » pour parvenir au « but extrême susceptible d'être atteint par la psychologie », vaste synthèse finalement considérée comme prématurée[1]), il fournit un véritable énoncé de la méthode, fait en termes simples. En principe, tout analyste l'a lu et relu, et c'est bien évidemment ce que nous avons fait – puis refait à la lumière de nos progressions dans nos tentatives pour exprimer et justifier nos propres interprétations. Nous avons alors dû constater combien nous avions en partie méconnu la portée de ces fondements de la recherche en psychanalyse – d'où la pensée qui nous est venue qu'il pouvait en aller de même pour d'autres. C'est pourquoi nous nous permettons de rapporter ici les paragraphes placés au tout début de l'ouvrage, pour l'introduire. La citation en est certes assez longue, mais nous pensons qu'elle vaut la peine d'être relue ; que le lecteur qui croit la connaître suffisamment nous pardonne, et passe au paragraphe suivant.

« Nous avons souvent entendu soutenir l'exigence selon laquelle une science doit être édifiée sur des concepts clairs et strictement définis. En réalité, aucune science, pas même les plus exactes, ne commence par de telles définitions. Le véritable début de l'activité scientifique consiste bien plutôt dans la description de phénomènes, qui sont ensuite groupés, ordonnés et intégrés dans des ensembles. Dans la description, déjà, on ne peut éviter d'appliquer au matériel certaines idées abstraites que l'on puise ici ou là et certainement pas dans l'expérience nouvelle. De telles idées – les concepts fondamentaux ultérieurs de la science – sont, dans l'élaboration future du matériau, encore plus indispensables. Elles doivent comporter d'abord une certaine mesure d'indétermination ; il ne peut être question de cerner clairement leur contenu. Aussi longtemps qu'elles se trouvent dans cet état, on se met d'accord sur leur signification en renvoyant de façon répétée au matériel de l'expérience auquel elles semblent être empruntées mais qui, en réalité, leur est soumis. Elles ont donc, en toute rigueur, le caractère de conventions, encore que tout dépende

1. *Sigmund Freud présenté par lui-même* (1925d), Paris, Gallimard, 1984, p. 99 ; *OCF* XVII (« Autoprésentation »), p. 106 ; *GW* XIV, p. 85.

du fait qu'elles ne sont tout de même pas choisies arbitrairement, mais au contraire se trouvent déterminées par des relations significatives au matériau empirique, relations qu'on croit deviner avant même de pouvoir en prendre connaissance et en faire la démonstration. Ce n'est qu'après une exploration plus approfondie du domaine phénoménal en question que l'on peut aussi en saisir plus strictement les concepts scientifiques fondamentaux et les modifier progressivement pour les rendre, dans une large mesure, utilisables et en même temps exempts de toute contradiction. C'est alors qu'il peut être temps de les enfermer dans des définitions. Mais le progrès de la connaissance ne souffre pas non plus une rigidité des définitions. Comme l'exemple de la physique l'enseigne de manière éclatante, même les "concepts fondamentaux" qui ont été fixés dans des définitions subissent un constant changement de contenu. » [1]

C'est donc ces « constants changements de contenu » admis par Freud, revendiqués même, qu'il importe de repérer et dont nous avons essayé de rendre compte. Lorsque, à la suite, il fournit l'exemple d'un tel « concept fondamental conventionnel » aussi obscur que nécessaire – « la pulsion », en l'occurrence – nous devons constater que presque un siècle plus tard celui-ci nous demeure à peu près aussi obscur, et pourtant tout autant nécessaire. Raison de plus d'aller voir d'assez près comment Freud s'en est arrangé dans ses écrits successifs, dans ses repentirs comme dans ses avancées, dans ses doutes avoués comme dans ceux qu'il suscite en nous, avec l'espoir d'éclairer quelque peu nos incertitudes présentes.

L'année suivante, il précise que « les tentatives de définition conduisent toujours à des difficultés » et il estime que, pour son lecteur, elles sont accrues de ce que, au fil de sa recherche, lui-même dut passer d'une présentation descriptive à une conception dynamique, puis à une autre économique, « rendant difficile à comprendre combien les mots techniques employés sont nombreux à signifier la même chose et n'alternent que pour des raisons d'euphonie » [2]. Nous

1. « Pulsions et destins des pulsions » (1915c), *Métapsychologie*, Paris, Gallimard, 1968, p. 11-12 ; *OCF* XIII (2e éd.), p. 165-166 ; *GW* X, p. 210-211.

2. *Conférences d'introduction à la psychanalyse* (1916-1917), Paris, Gallimard, 1999, p. 386 et 479-480 ; *OCF* XIV, p. 313 et 391 ; *GW* XI, p. 314 et 392.

eûmes à nous en souvenir lorsque nous dûmes nous confronter aux discussions et controverses, souvent passionnées, que purent soulever certains « mots techniques » de Freud, de ceux-là qui, pourtant, semblent bien « signifier la même chose ». C'est d'autant plus embarrassant que cela put parfois être prétexte à l'introduction d'intéressantes distinctions, comme par exemple entre « surmoi » et « idéal du moi », voire « moi idéal ». Il n'en faut pourtant pas moins savoir que, quel que soit le sort (parfois heureux) que d'autres leur réservèrent par la suite, pour Freud ces termes étaient synonymes ; il importe sans doute plus encore de comprendre pourquoi il avait choisi de procéder ainsi, comme s'il tenait à maintenir les ambiguïtés, voire les ambivalences, étant loin d'ignorer les interrogations qui pouvaient se poser – et qui, de fait, se posaient déjà.

D'autres fois, cette apparente désinvolture freudienne, ce souci de choisir aussi ou d'abord les mots pour leur « euphonie », suscita des discussions que nous dirons « traductologiques ». Ernest Jones nous a rapporté comment Freud – qui a traduit cinq gros ouvrages d'anglais en allemand (dont le dernier volume des *Essais* de John Stuart Mill) et de français en allemand (dont les *Leçons cliniques* de Jean Martin Charcot), qui aimait traduire et était « très doué pour ce travail » – comment Freud, donc, s'y prenait : « Au lieu de reproduire méticuleusement les idiotismes de la langue étrangère, il lisait un passage, fermait le livre et pensait à la façon dont un écrivain allemand aurait exprimé les mêmes pensées. » [1] Pareille méthode choque certains, à commencer par Jean Laplanche traducteur de Freud[2]. À lire Umberto Eco, je retire le sentiment que c'est bien celle qui lui convient, à lui qui considère qu'une traduction ne peut être qu'une négociation qui implique presque toujours une perte, à lui qui, « bien entendu », incite les traducteurs de ses propres ouvrages à « ne pas traduire littéralement son texte » [3], lui dont la traductrice, justement, nous dit qu'il « nous enseigne que la fidélité n'est pas la reprise du *mot à mot* mais du *monde à monde* ». En fait, et sans vouloir en méconnaître

1. Ernest Jones, *La vie et l'œuvre de Sigmund Freud,* Paris, PUF, 1958, t. I, p. 61.
2. In *Traduire Freud,* Paris, PUF, 1989, p. 10.
3. Umberto Eco, *Dire presque la même chose,* Paris, Grasset, 2003, p. 168.

l'importance, nous soupçonnons ces problèmes de traduction d'être des déplacements ; derrière eux pourrait bien se cacher l'impérissable question de la *lettre* et du *sens*. À l'évidence, Freud fait primer celui-ci sur le textuel. Pour lui, l'essentiel n'est pas dans ce qui se trouve écrit mais dans ce que cela veut dire, n'est pas dans la fidélité au texte mais dans celle aux pensées qui l'inspirent – en somme, pour reprendre des mots qui purent un temps agiter la psychanalyse en France, il en tient pour le signifié contre le signifiant… On devine la part des « idéologies » psychanalytiques qui peuvent ici sous-tendre certaines prises de position ; nous n'en sommes pas indemnes, même si nous avons appris à nous en défier. Pour autant, dans cet ouvrage et afin que le lecteur puisse y retrouver ses propres jalons, nous mentionnons les différents lexèmes qui peuvent se rencontrer dans les traductions françaises, quitte à justifier nos préférences.

Ce qui, en tout cela, se trouve mis en question, n'est autre que *la pensée de Freud*. Nous ne saurions prétendre à nous en faire les garants, pas plus que nous ne nous posons comme des intervenants « objectifs » ; nous nous proposons seulement d'aider le lecteur à trouver des repères sûrs, et à s'y appuyer. Ce qui put nous aider dans cette démarche fut sans doute celle-là même que nous dûmes faire par et pour nous-mêmes, au fil de la rédaction de ce dictionnaire ; elle nous a marqués, a changé certaines de nos façons de voir et de penser, a infléchi la représentation que nous nous faisions de la création et de l'œuvre freudiennes. On ne reprend pas l'ensemble de ses notions et concepts, on ne s'attache pas à comprendre et expliquer (pour soi-même d'abord) tous les termes de Freud, un à un – au mot à mot en quelque sorte, mais en fait concept par concept, et ce pendant des années –, sans se retrouver dans une nouvelle relation avec ces mots et avec les idées qu'ils portent. Répétons-le : nous eûmes quelques surprises ; nous avons surtout compris autrement, tantôt un peu, parfois beaucoup, ce que nous savions déjà – ou pensions savoir. En fait, la mutation s'est surtout faite dans notre approche. Nous n'allons pas faire l'inventaire de nos découvertes, d'autant qu'elles furent parfois très privées ; elles peuvent cependant transparaître, ou non, au fil de chaque entrée.

Depuis le début de cette préface, à plusieurs reprises nous avons évoqué *la conception de ce dictionnaire*. Sans doute serait-il bon de dire un mot de *sa confection*. Il y a plus d'une quinzaine d'années, Michel Prigent, Président du Directoire des Presses Universitaires de France, me suggéra d'entreprendre un dictionnaire de la psychanalyse ; il n'eut pas à attendre mon accord car j'y réfléchissais depuis quelque temps déjà. Satisfait de sa proposition, je pouvais dorénavant y penser de façon plus pragmatique et, surtout, me mettre à l'ouvrage. Il y a quatre ou cinq ans, Michel Prigent toujours, qui s'enquérait de mon travail et en suivait la progression, me demanda s'il ne serait pas pertinent d'en faire plutôt un « dictionnaire des concepts freudiens » ; j'acquiesçais tout de suite car c'était là même ce que j'en étais venu à envisager. Si je rapporte ces anecdotes, c'est qu'elles témoignent d'une rencontre, que je crois assez rare, entre un éditeur et un auteur. Certaines choses nous séparent, voire nous opposent ; il y a pourtant entre nous comme une connivence, et je pense que ce dictionnaire en a largement profité : nous nous écoutons l'un l'autre, toujours il m'a laissé une liberté pleine et entière, comme j'ai toujours su prendre en compte ses avis. Rare occurrence…

Ce dictionnaire paraît donc aux PUF ; ce n'est pas un hasard. C'est là, en France et de beaucoup, le premier éditeur de psychanalyse. Nous (je m'autorise ce « nous » pour évoquer la Société psychanalytique de Paris, dont je suis membre, comme mes collaborateurs), nous y publions notamment la *Revue française de psychanalyse* et les collections des *Monographies* et des *Débats de psychanalyse* ; des liens se sont tissés autour de ce qu'il convient de désigner comme un *pôle éditorial* commun. C'est déjà beaucoup. Mais pour ce *Dictionnaire freudien* ce n'est pas l'essentiel : il y a plus de quarante ans, les PUF publièrent le *Vocabulaire de la psychanalyse* de Jean Laplanche et J.-B. Pontalis ; nous nous situons dans son prolongement. Prolongement, et non pas filiation, même si nous en sommes, de fait, les héritiers : pour le marquer, nous avons repris le mode de présentation de chaque entrée lorsque, sous le nom à définir, nous donnons sa traduction dans cinq langues de référence, suivie de la définition elle-même. L'esprit qui nous a animé me semble en être proche. Un désaccord avec J. Laplanche apparaît pourtant à propos de certains termes qu'il crut devoir retenir pour la publication des *Œuvres complètes de Sigmund Freud* en français (toujours aux PUF) : je n'en discuterai pas ici, mais, inévitablement, cela transparaît, voire se montre au fil de nos définitions même si, bien sûr, figurent aussi dans cet ouvrage les lexèmes ainsi proposés avec, à l'occasion, les raisons de nos réserves.

Avant tout, *un dictionnaire est un outil,* et un outil se doit d'être commode, ce qui n'est pas toujours facile à concevoir, ni aisé à réaliser. La meilleure méthode pour qu'il en aille ainsi est sans doute de faire en sorte qu'il soit d'abord outil pour ses concepteurs eux-mêmes. C'est ce faisant que, comme à notre insu, nous nous sommes retrouvés passant nos premières années de travail à élaborer l'instrument, de la façon la plus empirique qui soit. J'ai réuni des gens avec qui j'avais déjà travaillé et dont j'appréciais les qualités ; j'ai instauré un séminaire de « sémantique des concepts freudiens » regroupant une trentaine de participants et dans lequel chacun s'essayait à l'art rigoureux de la définition ; j'ai établi des « équipes de rédaction » pour travailler sur la conception du dictionnaire lui-même ; j'ai essayé plein de choses... En fait, pas tellement pour finir, car toutes ces expériences se complétaient et poursuivaient le même but : élaborer la méthode pour construire un dictionnaire de psychanalyse. Concevoir l'outil...

Pour une part, les personnes changèrent, car si la tâche est passionnante elle peut être aussi ingrate ; surtout, elle est longue, ce qui peut rebuter. Il y eut des séparations, des amitiés se nouèrent. Faire l'historique de cette élaboration serait trop long, voire fastidieux ; il y eut maintes péripéties, parfois plaisantes, parfois mouvementées. Il y en eut aussi de tragiques. Je pense à la mort de deux collaboratrices qui m'assistaient directement, coordonnant l'entreprise ; je tiens à évoquer leur mémoire. Il y eut d'abord Agnès Oppenheimer, que je connaissais depuis sa participation au « Refoulement » (il s'agit là du thème d'un Congrès qu'il y a plus de vingt ans j'avais longuement travaillé avec une vingtaine de collègues), Agnès qui était devenue une amie et qu'une maladie fulgurante emporta en quelques jours. Il fallait poursuivre malgré le deuil, et Martine Lussier prit sa suite. Je la connaissais moins mais j'avais pu apprécier ses grandes qualités, tant humaines qu'intellectuelles, à l'occasion de ses participations au séminaire ; dix-huit mois plus tard, elle aussi mourait, d'une façon presque aussi brutale. J'étais accablé, désemparé, pris dans une immense tristesse. J'aurais tant aimé que l'une comme l'autre (de surcroît, elles étaient amies, ce que j'ignorais tout d'abord) aillent jusqu'à l'aboutissement, jusqu'à la réalisation de ce dictionnaire qui les passionnait… Son achèvement leur est en quelque sorte dédié. D'autres proximités se confirmèrent, ou se découvrirent : Pierre Chauvel d'abord, qui avait déjà participé à la préparation du congrès sur le refoulement et dont j'avais pu éprouver pleinement la valeur, Dominique Bourdin dont je découvris les compétences et les qualités à l'occasion de son travail dans mon séminaire, puis ce fut Françoise Cribier que je connus et appréciais dans les mêmes circonstances ; Annick Le Guen, quant à elle, m'accompagne depuis cinquante ans. À noter que les auteurs des articles de ce dictionnaire ont aussi participé, en son temps, au « séminaire sur la sémantique des concepts freudiens ».

Lorsque je me retourne ainsi sur ces années, je me dis que ce dictionnaire eut sa vie propre ; il l'a toujours d'ailleurs, et l'aura de plus en plus jusqu'à ce moment où il va m'échapper complètement pour s'en aller la réaliser avec d'autres, livré aux mains d'inconnus – même si ceux-ci, *les lecteurs*, furent présents tout au long de son élaboration, jusqu'à l'avoir déterminée. En effet, pour vérifier l'adéquation de l'instrument, nous nous questionnions régulièrement sur ce qu'en apprécieraient ses utilisateurs. C'est un outil très spécialisé, certes, mais nous devions nous efforcer de le concevoir « universel » (au sens où l'on parle d'une « clé », d'une « pince universelle ») ; c'est-à-dire qu'il importait qu'il puisse être utilisé aussi bien par l'analyste expérimenté que par l'étudiant en sciences humaines à ses débuts, voire tout simplement (ne serait-ce pas ce que l'on puisse espérer de mieux ?) par un esprit curieux et averti. Nous ne saurons si nous y sommes parvenus que lorsque sera venu le moment où ce dictionnaire se verra utilisé au quotidien. Nous l'avons « testé » sur quelques volontaires, des cobayes en somme, à qui nous avons proposé de lire certaines de nos définitions ; leurs remarques nous furent profitables et nous leur en sommes gré. Pour autant, même confortés, nous demeurons dans l'expectative…

Mais un outil ne doit pas seulement être maniable, opératoire ; encore faut-il qu'il puisse servir à quelque chose. La raison d'être d'un dictionnaire est de proposer des *réponses accessibles* aux questions que se pose le lecteur ; telle est sa vocation première. Nous souhaiterions pourtant offrir l'occasion à ce lecteur, à ce personnage mythique qui ne nous a pas quittés et que nous interrogions régulièrement, d'aller plus loin. Nous aimerions qu'après avoir lu quelques réponses, qu'il s'en trouve satisfait ou non, il se pose de nouvelles questions, non seulement celles qui peuvent renvoyer à d'autres concepts et donc à d'autres entrées, mais surtout qu'il se questionne sur le questionnement de Freud lui-même, par lui-même. Pour notre part, tout au moins, c'est ce que nous continuons à faire, nous disant, *in fine,* que notre tâche est loin d'être achevée.

DE LA NATURE DES APPORTS CONCEPTUELS FREUDIENS

Des questions, nous n'avons cessé d'en rencontrer dans le texte de Freud, et donc de lui en poser ; nous voudrions situer ce qui put nous apparaître comme un peu de l'essentiel des réponses que nous y avons trouvées. Dans son ouvrage ultime, l'*Abrégé de psychanalyse,* qui entend présenter de façon concise et précise les « doctrines de la psychanalyse » qu'il nous lègue, dès les toutes premières lignes Freud rappelle que celle-ci suppose un postulat fondamental : « De ce que nous appelons psychisme (vie psychique) deux choses nous sont connues : d'une part son organe somatique, le cerveau (système nerveux), d'autre part nos activités de conscience dont nous avons une connaissance directe et que nulle description ne saurait mieux faire connaître. Tout ce qui se trouve entre ces deux points extrêmes nous demeure inconnu et s'il y avait entre eux quelque connexion, elle nous fournirait tout au plus une localisation précise des processus conscients sans nous permettre de les comprendre »[1] (« localisation » que réalisent partiellement aujourd'hui les neurosciences, sans d'ailleurs comprendre beaucoup plus les processus eux-mêmes). Donc, entre ces deux termes de notre connaissance règne l'inconnu

1. *Abrégé de psychanalyse* (1940a [1938]), Paris, PUF, 1949, p. 3 ; *OCF* XX, p. 233 ; *GW* XVII, p. 67.

et, d'une certaine façon, l'inconnaissable – par des voies directes à tout le moins. Nous en sommes réduits à *des hypothèses*. Freud va finir par en concevoir et en situer deux, déterminantes : à l'une des extrémités, la cérébrale, il pose l'hypothèse d'un *ça* qui contient tout ce qui a été apporté à la naissance et toutes les pulsions émanant du somatique ; à l'autre il suppose un *moi*, différenciation du ça sous l'effet de la réalité extérieure, celle d'un monde du dehors que ce moi entreprend de modifier. Nous avons rencontré ce postulat, comme ses deux « extrémités », en ces lieux où naissent et s'éploient les deux hypothèses freudiennes fondatrices telles que nous les avons retrouvées tout au long de l'œuvre. Nous voudrions essayer de resituer l'idée qui l'anime, telle que nous l'avons entendue.

Le fait psychique se situe entre le biologique et le culturel

Constater que Freud a pris acte de ce fait n'est certes pas nouveau. Nous avons néanmoins été frappés de la constance et de l'assurance avec lesquelles il implique la biologie dans les fondements mêmes de la psychanalyse, comme de l'importance qu'il accorde à la référence à la société tout au long de ses développements ; ces données s'avèrent lui être absolument nécessaires pour asseoir sa compréhension du fonctionnement et de la nature du psychisme. Il nous fallut constater que, jusqu'à cette relecture, nous en avions sous-estimé l'importance et, sans doute, les implications. On peut l'apprécier en constatant que la reconnaissance même d'un inconscient ne se fonde que des « processus physiques ou somatiques [qui] accompagnent les phénomènes psychiques » et qu'il convient de « mettre l'accent, en psychologie, sur ces processus somatiques », aboutissant à juger tout à fait autrement les processus conscients. Un exemple en est fourni par l'angoisse, cette manifestation psychique majeure responsable du refoulement dont l'origine (comme celle des affects, d'ailleurs) n'est pas à rechercher sur « le terrain proprement psychologique [mais sur celui] voisin de la physiologie »[1]. On est ainsi conduits à la « seconde hypothèse fondamentale » de la psychanalyse : « Les processus accompagnateurs

1. *Inhibition, symptôme et angoisse* (1926d), Paris, PUF, 1951, p. 9-10 ; *OCF* XVII, p. 211-212 ; *GW* XIV, p. 120-121.

d'ordre soi-disant somatique constituent justement le psychisme et ne se préoccupent pas tout d'abord de la qualité de conscience. »[1]

On peut mesurer l'importance de cette conjonction historique du biologique et du culturel pour déterminer le psychisme dans le recours régulier, insistant, à la phylogenèse et aux traces laissées par la préhistoire de l'humanité (depuis l'« époque glaciaire ») dans ce qui détermine et construit les humains d'aujourd'hui. Cette assurance freudienne embarrasse souvent la communauté psychanalytique ; elle nous semble pourtant essentielle pour comprendre l'œuvre et, surtout, cette façon qu'avait Freud de se saisir de la totalité de ce qui fonde la condition humaine, dans l'indissociable interdépendance de ses constituants – et jusqu'au au-delà, puisqu'il l'étend au « vivant », voire à la « matière inanimée ». C'est là, pour Freud, une conviction déterminante, matérialiste comme l'est d'ailleurs celle, complémentaire, de son athéisme affirmé et assumé. Sans elles, et aussi incomplètes et finalement insatisfaisantes apparussent-elles à Freud lui-même, la dernière théorie des pulsions nous demeure obscure, devient même incompréhensible ; elle ne saurait certes être parfaite mais, depuis, nul n'a su trouver mieux…

Il nous fallut aussi reconsidérer les audaces freudiennes à la lumière de leurs implications. Nous avons dû constater à quel point elles pouvaient apparaître comme des *apories* ; et c'est bien ainsi qu'elles ont souvent été jugées. Il n'est d'ailleurs pas exclu que les psychanalystes eux-mêmes, de par la familiarité quotidienne qu'ils engagent avec les concepts freudiens, aient sous-estimé ce qu'ils pouvaient avoir de scandaleux. Il convient alors de se souvenir qu'ils sont nés dans un contexte bien particulier, au cours d'une période aussi insolite que « scandaleuse », tout au moins pour ce qui est des sciences mais aussi des arts, du politique, et sans doute de tout ce qui fonde cette « culture » qu'invoque Freud avec constance ; elle prit fin avec la guerre de 1914 et on peut se demander si le déclenchement de celle-ci n'eut pas quelques rapports avec cette efflorecence bouleversante. Pour des raisons qu'il ne nous appartient pas de discuter ici, le début

1. *Abrégé de psychanalyse* (1940a [1938]), Paris, PUF, 1949, p. 19 ; *OCF* XX, p. 248 ; *GW* XVII, p. 80.

du XXe siècle est un moment scientifiquement exceptionnel, marqué par des ruptures, des « coupures épistémologiques » (au sens de Louis Althusser). Les plus notables, en physique, sont d'abord dues à Albert Einstein avec la théorie de la relativité, puis à Niels Bohr, avec celle des quanta. (Il n'est sans doute pas indifférent que, vingt ans plus tard, Freud ait entretenu une correspondance avec le premier, et se soit tenu au courant des découvertes du second.) C'est donc dans ce début de siècle que Freud, venu de ce que l'on nommerait aujourd'hui la neurobiologie, rompt totalement avec tout l'entendement psychologique pour construire une théorie qui, véritablement, révolutionne, pour concevoir une pensée radicalement nouvelle. À la différence de tant d'autres, ces créations, d'Einstein à Freud, ne sont pas techniques (même si elles ont des conséquences pratiques) et ne doivent rien à une instrumentation ; on pourrait presque dire qu'elles ont été élaborées sur un coin de table, et on pense à ces « expériences de pensée » qu'initia Galilée, dont Ernst Mach et surtout Albert Einstein, étaient férus – à ceci près que, cette fois, les leurs débouchèrent sur des réalisations concrètes. Je ne suis pas sûr qu'il faille rechercher une parenté quelconque entre les aboutissements de ces élaborations ; je tends seulement à penser que le climat intellectuel et culturel (pourtant apparemment des plus conformistes) leur était alors particulièrement propice, jusqu'à provoquer une remise en question radicale des modes de pensée. Freud eut sa part dans l'aventure et, pour lui, tout cela commence avec l'inconscient lui-même.

L'inconscient, aporie créatrice des concepts freudiens

Lorsque le 21 septembre 1897 Freud écrit à Wilhelm Fliess : « Il faut que je te confie le grand secret qui, au cours de ces derniers mois, s'est lentement révélé. Je ne crois plus à ma *neurotica* » [1] (néologisme latinisant pour désigner sa théorie de la séduction et l'abus sexuel précoce traumatique de jeunes enfants par un adulte, qu'il avait jusque-là considérée comme responsable de la névrose ultérieure), il explique cet abandon par les déconvenues pratiques que lui réservaient ses thérapies, et surtout par le constat que ce qui est inconscient ne

1. *La naissance de la psychanalyse* (1950a [1887-1902]), Paris, PUF, 1956, p. 190-192 ; *Lettres à Wilhelm Fliess (1887-1904)*, Paris, PUF, 2006, p. 334-335.

contient aucun indice de réalité. La compréhension du refoulement et des forces inconscientes qui l'agissent lui échappe donc. Il se dit alors surpris de ne se sentir ni « déprimé », ni « penaud ». Pourtant, lorsqu'il en rédige le récit trente ans plus tard, il décrit ce renoncement comme « un rude coup » qui aurait bien pu « avoir des répercussions désastreuses » : sa perplexité était grande, il était désemparé, « avait perdu le sol de la réalité » et pensa « laisser en plan tout le travail »[1] ; il se trouvait comme dans un grand vide. Ce fut pourtant le traumatisme de cette déconvenue qui libéra sa pensée ; cette vacuité ouvrait la porte à la création.

Il se trouve alors dans une période de grands bouleversements : il s'est convaincu non seulement de l'origine sexuelle des névroses, mais aussi et surtout de l'existence d'une sexualité infantile, ce qui lui avait d'ailleurs valu des reproches de Joseph Breuer et occasionna leur rupture. Il avait dû constater la très forte résistance que ses patients opposaient aux investigations au cours du traitement et en avait déduit qu'ils exerçaient un refoulement non conscient ; il en avait conclu devoir abandonner la méthode cathartique et l'avait remplacée par ce qu'il nomma méthode psychanalytique ; il avait enfin, au début de l'été, entrepris son autoanalyse. Tout était en place pour que soit conçue la « psychanalyse » en tant que théorie du psychisme ; tout sauf l'essentiel : changer radicalement sa façon de penser. Il y fallait un changement de paradigme (au sens de Thomas Kuhn), de référentiel (selon Ferdinand Gonseth).

Le déclencheur de ce renversement épistémologique fut la reconnaissance d'une méprise sur le sens et la fonction de la réalité dans la causalité des névroses, d'une erreur sur le statut même de cette réalité. Freud en vint à se demander quel pouvait bien être ce réel auquel il avait affaire, celui-là même qui lui faisait perdre ses repères et s'effondrer jusqu'à la concrétude du sol sur lequel il s'appuyait. Ce fut la découverte bouleversante, renversante, que « la réalité psychique importait plus que la réalité matérielle »[2] ! Jusque-là, lorsqu'il parlait

1. *Sigmund Freud présenté par lui-même* (1925d), Paris, Gallimard, 1984, p. 57-58 ; *OCF* XVII (« Autoprésentation »), p. 81-82 ; *GW* XVI, p. 59-60. – Et *Contribution à l'histoire du mouvement psychanalytique* (1914d), Paris, Gallimard, 1991, p. 31-32 ; *OCF* XII, p. 260 ; *GW* X, p. 55.

2. *Ibidem.*

d'inconscient, il se référait simplement à des choses qui n'étaient pas conscientes ; en somme, il décrivait – ce qui ne menait nulle part, ou tout au moins pas vers des conceptions nouvelles. Mais, en déplaçant la réalité de la scène de l'extérieur tangible vers un intérieur jusque-là impalpable, il crée en fait un nouveau lieu et une nouvelle norme de référence qu'il doit nommer : ce qui était *inconscient* se substantifie ; dorénavant il va traiter de l'*inconscient*. Lorsqu'il entendra montrer en quoi Pierre Janet s'est déconsidéré à ses yeux, il dira que c'est du moment où il déclara que lorsqu'il « avait parlé d'actes psychiques “inconscients”, [...] c'était seulement “une façon de parler” [en français dans le texte] » [1] – Janet avait renoncé, il n'avait pas eu l'audace de penser la réalité de l'insaisissable : il n'avait pas su changer de référent jusqu'à se rendre capable de percevoir qu'il existait *un* inconscient.

Nous autres, psychanalystes, avons aujourd'hui tendance à faire comme si l'idée d'un inconscient s'était maintenant imposée à tous ; je n'en suis pas si sûr et, si le mot est effectivement devenu d'un usage banal, c'est selon une acception le plus souvent assez éloignée du concept freudien. Il faut bien convenir que ce n'est pas parce que nous-mêmes l'utilisons tous les jours que nous savons vraiment le justifier. Dans notre pratique – y compris dans notre pratique théorique –, nous contournons trop souvent le constat d'évidence posé par Freud dès la première page de son essai clé sur « L'inconscient » (essai que Karl Abraham, en 1916, désigne comme « l'écrit le plus important, le plus fondamental, [qui] donne à notre science un soubassement ferme et définitif » [2], mais « fixation théorique » que Freud jugera finalement prématurée [3] bien que n'ayant rien à en retirer, seulement à lui en ajouter). Il indique alors que, « naturellement, nous ne connaissons l'inconscient que comme conscient », et ce « *naturellement* » mérite qu'on y insiste : c'est tellement naturel, cela va tellement de soi que, jusqu'à Freud, on l'a pris pour du conscient, jusqu'à l'ignorer. « Naturellement

1. *Sigmund Freud présenté par lui-même* (1925d), Paris, Gallimard, 1984, p. 53 ; *OCF* XVII (« Autoprésentation »), p. 78 ; *GW* XVI, p. 56.

2. *Correspondance S. Freud-K. Abraham (1907-1926)*, Paris, Gallimard, 1969, p. 238 (lettre du 1er avril 1916).

3. *Sigmund Freud présenté par lui-même* (1925d), Paris, Gallimard, 1984, p. 99 ; *OCF* XVII (« Autoprésentation »), p. 106-107 ; *GW* XVI, p. 85.

– donc – nous ne connaissons l'inconscient que comme conscient, une fois qu'il a subi une transposition ou traduction en conscient », le traitant donc alors comme si c'était du conscient – ce que bien sûr il ne saurait être. Autrement dit : l'inconscient lui-même, nous ne le connaissons pas, nous ne pouvons pas le connaître directement, nous ne le connaîtrons jamais, mais nous devons pourtant travailler sur lui, et avec lui, tout en ne devant jamais oublier que notre connaissance n'en peut être qu'indirecte – toute la difficulté étant de situer les voies de ce « non direct ». Même s'il semble fort naturel – au point que ce pourrait être un truisme – de constater qu'on ne sait connaître quelque chose qu'en en prenant conscience, il n'en demeure pas moins que nous nous trouvons là face à *une aporie.* De fait, elle se trouvait déjà dans la langue mais s'est trouvée révélée par la substantivation de l'inconscient. Freud le savait, et c'est pourquoi il pose l'inconscient (le substantif, l'adjectif ne posant pas de problème) comme une *hypothèse* de travail, fût-elle « nécessaire et légitime » [1], commode et féconde de surcroît – il le référera toujours ainsi et appuiera sa construction théorique sur le hiatus incontournable entre le constat phénoménologique et son implication hypothétique. Il n'aura de cesse de redire que nous ne saurions connaître l'inconscient lui-même, que notre savoir s'arrête au ressenti des manifestations que nous lui attribuons. Quelle que soit sa confiance dans les progrès à venir de la biologie (et elle est grande), il exclut la possibilité que soit trouvé un jour un lieu, anatomique ou physiologique, qui puisse correspondre à ce système. L'inconscient est un concept topique qui ne saurait être situé – *deuxième aporie.* Et pourtant, il faut bien faire comme s'il était tangible et comme si le processus avait un espace ; ce sera désigné comme « système », comme « instance » dans les constructions théoriques de la psychanalyse qui ont pour vocation de comprendre le fonctionnement psychique (d'abord et surtout chez l'homme sain), ce pourquoi « l'hypothèse de l'inconscient est *nécessaire* et *légitime* ».

Elle est *nécessaire,* d'abord de façon pragmatique, résultant du constat de l'état très lacunaire des données de la conscience qui ne

1. « L'inconscient » (1915e), *Métapsychologie,* Paris, Gallimard, 1968, p. 65-66 ; *OCF* XIII, p. 207-208 ; *GW* X, p. 264-265.

comprend à chaque instant qu'un contenu minime ; la connaissance consciente se trouve donc en état de latence pendant de longues périodes, et la qualité inconsciente de nombre d'actes psychiques peut apparaître comme une évidence. Pourtant, si tout cela plaide pour une *qualité* « inconsciente », ce ne saurait prouver l'existence d'une *entité* « inconscient ». Il en faut plus.

Justement : l'hypothèse est aussi *légitime* ; elle est justifiée, on pourrait même dire qu'elle est raisonnable. Nous pensons en prêtant notre propre conscience à tout être extérieur ; « notre compréhension présuppose cette identification ». Jadis, nous l'appliquions aux animaux, à la nature – et ce furent les religions, y compris les plus sophistiquées comme les monothéismes. L'hypothèse que « l'autre » est conscient repose sur une inférence : elle résulte de la certitude immédiate que nous avons de notre propre conscience. Nous jugeons les manifestations que nous remarquons en nous sans savoir les relier au reste de la vie psychique, comme si elles appartenaient à un tiers, les expliquant en leur attribuant une vie psychique propre, ce qui nous conduit à résister à la connaissance de nous-même, d'autant que nombre de ces processus latents ont « des particularités étranges, voire incroyables, à l'encontre des propriétés de la conscience que nous connaissons » – on ne peut qu'en conclure qu'ils sont à situer ailleurs, privés de conscience. Il y a donc des processus psychiques inconscients en soi que notre conscience perçoit comme s'ils étaient extérieurs. La psychanalyse condense les deux extrémités de l'histoire de la connaissance de soi que se sont données les hommes au cours de leur histoire : d'une part l'hypothèse d'un inconscient dérive de l'animisme primitif qui projetait partout sa propre conscience, et d'autre part elle prend la suite d'Emmanuel Kant considérant que notre perception externe dépend de conditions subjectives qui ne doivent pas être confondues avec le perçu inconnaissable[1]. Nous retrouvons ainsi la conviction freudienne de la complémentarité des savoirs biologiques, sociaux, culturels… et psychiques.

Il est donc « légitime » de poser un inconscient. Pour autant, la proposition est-elle suffisamment solide ? « Il serait mis fin à tous les

1. *Ibidem*, p. 66-74 ; p. 207-213 ; p. 264-270.

malentendus si, désormais, dans la description des diverses sortes d'actes psychiques, nous nous abstenions totalement de regarder s'ils sont conscients ou inconscients, et si nous les classions et les mettions en corrélation uniquement selon leurs relations aux pulsions et aux buts, selon leur composition et leur appartenance aux systèmes psychiques superposés les uns aux autres. » Lisant ce texte de 1915, nous sommes frappés de constater qu'il annonce très exactement le projet que, changeant une fois encore de référentiel mais sans rien abandonner de ses acquis, réalisera huit ans plus tard la seconde topique. Freud poursuit : « Pour diverses raisons cela est irréalisable et nous ne pouvons donc pas échapper à l'équivocité consistant à employer les mots conscient et inconscient, tantôt dans un sens descriptif, tantôt au sens systématique où ils signifient appartenance à des systèmes déterminés et possession de certaines propriétés. On pourrait encore tenter d'éviter la confusion en désignant les systèmes psychiques reconnus par des noms arbitrairement choisis dans lesquels la consciencialité n'est pas effleurée. » Et, là encore, l'idée sera appliquée avec l'invention d'un *moi* et d'un *ça*. « Seulement il faudrait au préalable rendre compte de ce sur quoi se fonde la différenciation des systèmes et, là, on ne pourrait contourner la consciencialité, étant donné qu'elle constitue le point de départ de toutes nos investigations » [1] – et nous retrouvons le maintien des acquis, et aussi la nécessité de continuer de se référer au fait d'*être conscient* et donc, surtout, à l'inconscient ; celui-ci ne peut donc que perdurer, au-delà même de sa mise à l'écart. *Autre aporie.* Ce faisant, la psychanalyse « s'est donné une nouvelle façon de poser la question et un nouveau contenu », ajoutant à sa conception *dynamique* des processus psychiques une référence *topique*[2].

La dernière œuvre, dans laquelle Freud rassemble brièvement les connaissances qu'il nous lègue, reprend ces thèmes et en confirme les conclusions. « Les phénomènes étudiés par la psychologie sont en eux-mêmes aussi inconnaissables que ceux des autres sciences [...], mais il est possible d'établir des lois qui les régissent et de suivre en de

1. *Ibidem,* p. 75-76 ; p. 213-214 ; p. 271.
2. *Ibidem,* p. 77 ; p. 215 ; p. 272.

longues séries sans lacunes leurs relations réciproques et leurs interdépendances. C'est là ce qu'on appelle la "compréhension" de cette catégorie de phénomènes naturels ; il y faut une création d'hypothèses et de concepts nouveaux ». Au paragraphe suivant, il poursuit : « Toute science repose sur des observations et des expériences que nous transmet notre appareil psychique, mais comme c'est justement cet appareil que nous étudions, l'analogie [avec les autres sciences] cesse ici. Nos observations se pratiquent à l'aide du même appareil de perception et nous nous servons précisément des lacunes dans les séries de processus psychiques. Nous reconstituons en effet ce qui manque par des déductions plausibles et le traduisons en matériel conscient. En agissant de la sorte nous ajoutons, pour ainsi dire, aux phénomènes psychiques inconscients une série complémentaire de faits conscients. La certitude relative de notre science du psychisme repose sur la puissance convaincante de ces déductions. »[1] Son « objectivité » repose donc sur l'inévitable indistinction, j'aurais envie de dire l'imparable confusion, entre le sujet observant et l'objet observé, ce qui fait qu'elle repose aussi et encore sur une *nouvelle aporie* concernant l'inconscient, suscitée par cette nécessaire collusion.

(Je ne peux ici qu'ouvrir une parenthèse pour remarquer que nous trouvons là une illustration de la rencontre – rencontre et non pas modèle – avec les modes de pensée alors contemporains : celle de l'indétermination quantique qui pose la nécessité de décrire le monde en fonction des moyens qui servent à l'explorer, c'est-à-dire en incluant cette exploration dans la réalité même du monde. C'est d'ailleurs là ce qui rend insolite, et parfois difficilement appréhendable, la situation de cure psychanalytique.) L'une des conséquences de cette « aporie » est la grande difficulté que l'on rencontre pour asseoir une théorie apte à en rendre compte. C'est ainsi que, après avoir rappelé les trois qualités du psychisme en *conscient, préconscient* et *inconscient*, Freud précise qu'il « ne s'agit pas d'une théorie proprement dite mais d'un premier compte rendu de faits observés,

1. *Abrégé de psychanalyse* (1940a [1938]), Paris, PUF, 1949, p. 21-22 ; *OCF* XX, p. 249 ; *GW* XVII, p. 81.

qui cherche non pas à expliquer ces faits mais à les serrer d'aussi près que possible. Les complexités qui s'y révèlent mettent en relief toutes les difficultés auxquelles se heurtent nos recherches »[1], difficultés que ne solutionneront que partiellement les réévaluations et resignifications de la deuxième théorie des pulsions et de la nouvelle topique.

Avec celles-ci, nous avons certes affaire à de véritables théories mais, comme c'est souvent le cas avec les axiomatiques, elles nous font perdre quelque chose de l'intuition originelle. D'où *la nécessité de revenir au couple conscient-inconscient* pour délimiter le champ même de la recherche : c'est bien l'état de conscience qui « constitue le point de départ de toutes nos investigations »[2]. Nous pouvons donc penser que la nature aporétique des propositions freudiennes – même si elles sont d'abord des constats – en laisse supposer plus, débouchant sur d'autres interrogations. Mais, avant d'aller plus loin, sans doute convient-il de préciser que lorsque je parle d'aporie, je l'entends plus selon son acception aristotélicienne que platonicienne ; en fait, sans doute serait-il plus congruent de parler ici d'*antinomies*.

Quoi qu'il en soit, tout se passe comme si les incontournables apories (nous en avons relevé quatre), les inéluctables antinomies portées par le passage du qualificatif au substantif, par la conceptualisation et la formalisation d'***un*** inconscient, devaient *se retrouver dans les concepts qui vont en découler*. Car, il faut bien le constater : si *tous* les concepts qui lui succéderont en portent la marque, c'est parce qu'ils en sont issus, à commencer par ceux qu'à plusieurs reprises Freud désigne comme « fondamentaux », véritables « piliers de la théorie psychanalytique », à savoir : l'hypothèse de processus inconscients, la théorie de la résistance et du refoulement, l'importance accordée à la sexualité infantile avec le complexe d'Œdipe. Ils sont déterminants au point que celui « qui n'est pas en mesure de souscrire à tous ne devrait pas compter parmi les psychanalystes »[3]. L'incons-

1. *Ibidem,* p. 24 ; p. 251 ; p. 83.

2. « L'inconscient » (1915e), *Métapsychologie,* Paris, Gallimard, 1968, p. 75-76 ; *OCF* XIII, p. 213-214 ; *GW* X, p. 271.

3. Par exemple dans « "Psychanalyse" et "Théorie de la libido" » (1923a), *Résultats, idées, problèmes, II,* Paris, PUF, 1984, p. 65 ; *OCF* XVI, p. 196 ; *GW* XIII, p. 223.

cient les origine : il les a tous fondés. C'est sans doute pourquoi il put apparaître à certains comme un postulat ; c'est seulement une hypothèse, hypothèse rendue nécessaire par la découverte de la sexualité infantile et l'expérience des résistances et du refoulement. Ce n'est en aucune façon une conséquence, et ceci est épistémologiquement déterminant : « Je m'élèverai très énergiquement contre quelqu'un qui prétendrait ranger la doctrine du refoulement et de la résistance parmi les présupposés de la psychanalyse, et non parmi ses résultats »[1] – idem pour la sexualité infantile. L'hypothèse de l'inconscient permet non seulement de comprendre les autres concepts, mais elle les détermine ; le vérifier est aisé, dès l'instant où l'on regarde d'un peu près chacun d'entre eux, comme nous avons dû le faire. Quel que soit le modèle qui puisse être proposé, le fait d'être conscient ou non s'avère être la condition première pour différencier des systèmes : « Il constitue le point de départ de toutes nos investigations. »[2]

C'est d'ailleurs ce que vérifiera la mise en place des nouvelles instances, amenée par les insuffisances du système *Pcs-Ics,* et ce en dépit des éclaircissements convaincants apportés par l'idée qu'une représentation consciente se différencie d'une inconsciente en ce qu'elle « comprend la représentation de chose plus la représentation de mot »[3]. Cette « hypothèse » fut une « première tentative » pour spécifier l'inconscient[4], mais elle ne rend pas compte des sensations et affects qui deviennent conscients directement (les représentations de mot permettant de transformer les pensées surinvesties en perceptions). Ainsi on se trouve tracer les contours d'un moi qui part du système perception, englobe le préconscient mais est aussi, pour une part, inconscient – et c'est là où Freud en appelle à Groddeck pour qui « ce que nous appelons notre moi se comporte dans la vie de façon essentiellement passive, [... et] nous sommes "vécus" par des

1. *Contribution à l'histoire du mouvement psychanalytique* (1914d), Paris, Gallimard, 1991, p. 30 ; *OCF* XII, p. 259 ; *GW* X, p. 54.

2. « L'inconscient » (1915e), *Métapsychologie,* Paris, Gallimard, 1968, p. 76 ; *OCF* XIII, p. 214 ; *GW* X, p. 271.

3. *Ibidem,* p. 118 ; p. 242 ; p. 300.

4. *Le moi et le ça* (1923b), *Essais de psychanalyse,* Paris, Payot, 1981, p. 231 ; *OCF* XVI, p. 264 ; *GW* XIII, p. 247.

puissances inconnues impossibles à dominer » ; à sa suite, ces dernières seront nommées le *ça*[1]. Même s'il a été engendré par l'idée qu'il y a un inconscient, le *ça* est plus vaste que lui et ne saurait s'y réduire ; en même temps, il doit y revenir et s'y ressourcer pour se justifier.

Je ne ferai pas ici l'inventaire analytique des concepts pour y repérer l'influence aporétique des fondements de l'inconscient lui-même ; cela dépasserait le cadre légitime d'une préface de dictionnaire – mais j'aurai bientôt l'occasion de le faire car l'expérience s'avère intéressante. Ici et maintenant, je me bornerai à illustrer la façon dont on pourrait rendre compte de la façon dont la situation aporétique peut venir déterminer la construction métapsychologique, avec un exemple simple. L'*ambivalence,* on le sait, est la coexistence d'affects opposés dans l'investissement d'un même objet. Si en bonne logique, et dans la conduite de la vie quotidienne, « je l'aime » et « je le hais » sont exclusifs l'un de l'autre, la psychanalyse, à la suite d'Eugen Bleuler, a pu montrer que cette confusion est non seulement possible mais fréquente, voire même la règle dans le fonctionnement psychique. À bien y regarder, la situation ainsi mise au jour est une aporie, ce qui ne va pas sans poser quelques difficultés, d'autant que ce sont les pulsions fondamentales qui se trouvent ainsi mises en œuvre. Si nous regardons comment Freud les a résolues, nous constatons que : il pose une instance, le *ça,* où tout est inconscient et dans laquelle les deux sentiments pulsionnels sont bien là mais s'ignorent totalement l'un l'autre ; il pose une autre instance, le *moi,* dérivée de la première et signifiée par l'apparition de la conscience, dans laquelle les deux termes coexistent au prix d'un conflit – « conflit d'ambivalence ». La conflictualisation a permis d'accueillir la situation antinomique, de la surmonter en la dépassant (c'est là, très précisément, l'*Aufhebung* hégélien, terme allemand par lequel Freud, pour sa part, désigne la « levée du refoulement »). Si, en resignifiant une antinomie dans une contradiction conflictuelle, Freud a fort habilement résolu une difficulté dans l'explication du fonctionnement psychique, il doit constater qu'il demeure un reste au terme de cette opération. Dorénavant, l'ambivalence va étendre son champ et, en se retrouvant dans la dua-

1. *Ibidem,* p. 235-236 ; p. 267-268 ; p. 250-251.

lité antinomique de l'Éros et de la pulsion de mort, elle va retrouver de fait l'aporie initiale.

Avec cette digression ambivalentielle et aporétique, je voulais seulement signaler l'un des débouchés de cette entreprise lexicographique qui s'est proposé de saisir la dimension historique de la pensée freudienne dans son développement ; ce n'est donc là qu'un exemple. C'est aussi une interrogation. Je ne pense d'ailleurs pas que de tels commentaires soient véritablement à leur place dans une préface ; j'en viens à me demander si je ne suis pas en train de rêver à une réécriture du *Dictionnaire freudien* ? C'est comme si j'avais du mal à le quitter... C'est sans doute le cas. Il faut pourtant lui dire adieu. Alors, merci à ceux qui m'accompagnèrent dans cette rédaction, merci à ceux qui vont se l'approprier en le lisant à leur façon, quelle que soit celle-ci.

Claude LE GUEN

Liste des entrées
(avec auteurs)

A

ABRÉACTION et MÉTHODE CATHARTIQUE

all. : ***Abreagieren*** et ***kathartische Methode.*** – angl. : *abreaction* et *cathartic method.* – esp. : *abreaccón* et *metodo catártico.* – ital. : *abreazione* et *método catartico.* – port. : *abreação* et *método catártico*

Ces deux notions appartiennent à la « préhistoire » de la psychanalyse ; elles furent d'abord élaborées par Joseph Breuer, puis reprises par Freud dans le cadre de leurs travaux communs sur l'hystérie, à un moment où l'« hypnose » dominait encore la thérapeutique des névroses. L'*abréaction* est une décharge émotionnelle qui vient libérer l'affect lié à un trauma, et à son souvenir, demeurés inconscients parfois pendant longtemps. La *catharsis* est une méthode thérapeutique visant, par la remémoration et le récit (généralement sous hypnose), à provoquer la libération des affects pathogènes ainsi « coincés » (leur abréaction).

MISE EN SITUATION

Abréaction et méthode cathartique furent d'abord proposées par Joseph Breuer dès 1880-1881 (à une époque où les travaux de Jean-Martin Charcot n'étaient pas encore développés) dans le cadre de ses recherches sur la psychothérapie des hystériques; il les délaissa ensuite jusqu'à ce qu'une quinzaine d'années plus tard Freud, qui en avait eu connaissance, lui propose sa collaboration, et insiste pour en reprendre l'étude avec lui – ce qui aboutit aux Études sur l'hystérie *publiées en 1895. Cette période (1892-1893), que Freud qualifie de « préhistoire »*[1]*, s'est avérée déterminante : « préhistoire », certes, mais il n'en demeure pas moins que « la méthode cathartique est le précurseur direct de la psychanalyse et, malgré tous les élargissements de l'expérience et toutes les modifications de la théorie, elle est toujours contenue en elle comme son noyau »*[2]*.*

Les deux termes, introduits par Breuer et repris par Freud, sont inhabituels : Abreagieren *(abréaction) est un néologisme construit pour la circonstance par adjonction du préfixe* ab *(qui indique l'éloignement) au verbe* reagieren *(réagir).* Catharsis *est un mot grec (purgation, voire purification) employé par Aristote pour indiquer l'effet du spectacle tragique. Les deux notions sont complémentaires : l'abréaction est un effet moteur de l'excitation, la catharsis est la méthode qui la met en œuvre (elle est donc dite « cathartique »). S'ils cessent d'appartenir au corpus freudien à partir de 1895, les mots n'en sont pas bannis pour autant, d'autant moins que leur importance dans la création de la méthode psychanalytique proprement dite est régulièrement rappelée.*

1. « Psycho-Analysis » (1926f), *Résultats, idées, problèmes, II,* Paris, PUF, 1984, p. 153 ; *OCF* XVII, p. 289 ; *GW* XIV, p. 299.

2. « Petit abrégé de psychanalyse » (1924f [1923]), *Résultats, idées, problèmes, II,* Paris, PUF, 1984, p. 101 ; *OCF* XVI, p. 337 ; *GW* XIII, p. 409.

LE TEXTE FREUDIEN

Dans une lettre à Wilhelm Fliess du début de l'été 1892, Freud l'informe que Breuer est prêt à publier avec lui « la théorie de l'abréaction et nos autres travaux sur l'hystérie » (c'est là le véritable début de leur correspondance et, dans cette lettre, pour la première fois il recourt au tutoiement) ; six mois plus tard, il lui annonce que le livre paraîtra le 1er janvier 1893[1]. Il apparaît ainsi que Fliess était déjà au courant des travaux sur l'abréaction, et connaissait donc la méthode cathartique, mais ce sont là les seules mentions qui en sont faites dans un échange épistolaire pourtant fort riche ; en fait, en cette année 1892, Freud vient de changer d'ami privilégié. La rédaction des *Études sur l'hystérie* a révélé des divergences entre les deux auteurs, Joseph Breuer référant les limitations imposées par des « états hypnoïdes » pour expliquer l'effet traumatique alors que Freud l'attribue à leur contenu qui, en s'opposant aux tendances dominantes de la vie psychique, suscite des « défenses ». Ces désaccords théoriques, perceptibles dans le dernier chapitre des *Études*, contribuèrent sans doute à mettre fin à la relation privilégiée des deux hommes (sans pour autant les brouiller comme ce fut le cas avec Fliess et Jung), mais ils ne seront véritablement explicités et publiés par Freud que trente ans plus tard[2].

En 1895 les *Études sur l'hystérie* (en fait, déjà dans la *Communication préliminaire* de 1893) entendent faire connaître « une nouvelle méthode d'étude et de traitement des phénomènes hystériques » : la *méthode cathartique*, basée sur le phénomène nouvellement reconnu d'*abréaction*[3] – **abréaction qui correspond à une décharge émotionnelle accompagnant le récit d'un événement traumatique dont le souvenir s'accompagne d'un affect intense** ; s'il y a eu, lors de l'incident,

1. *La naissance de la psychanalyse. Lettres à Wilhelm Fliess. Notes et plans (1887-1902)* (1950a [1887-1902]), Paris, PUF, 1956, p. 57 (lettre du 28 juin 1892), et p. 58 (lettre du 18 décembre 1892). – *Lettres à Wilhelm Fliess* (éd. complète), Paris, PUF, 2006, p. 45 et p. 52.

2. « "Psychanalyse" et "Théorie de la libido" » (1923a), *Résultats, idées, problèmes, II*, Paris, PUF, 1984, p. 53-54 ; *OCF* XVI, p. 185-186 ; *GW* XIII, p. 213-214.

3. *Études sur l'hystérie* (1895d), Paris, PUF, 1956, p. IX ; *OCF* II, p. 17 ; *GW* I, p. 77.

des phénomènes d'excitation, ceux-ci « se reproduisent dans toute leur intensité pour disparaître ensuite à jamais ». Cette observation des hystériques montre que l'incident traumatique a continué à agir durant toutes les années qui le séparent de sa remémoration jusqu'à provoquer, lors de celle-ci, une très vive réaction ; ainsi : *« c'est de réminiscence surtout que souffre l'hystérique »*. À noter que cette abréaction est rendue possible du fait que « l'être humain trouve dans le langage un équivalent de l'acte » ; ce peut d'ailleurs être les paroles elles-mêmes (plaintes, confidences) qui agissent[1]. Un procédé thérapeutique, appelé *« méthode cathartique »*, est dès lors conçu pour utiliser cette abréaction : « **Il supprime les effets de la représentation qui n'avait pas été primitivement abréagie en permettant à l'affect coincé de celle-ci de se déverser verbalement** ; il amène cette représentation à se modifier par voie associative en l'attirant dans le conscient normal. » Cette méthode supprime les symptômes, souvent « à jamais »[2].

En 1895 on trouve, dans le livre publié, plusieurs récits de « succès thérapeutiques ». En fin d'ouvrage, Freud conclut que si « cette méthode est très capable de supprimer à volonté tout symptôme hystérique », elle est vaine avec les autres psychonévroses. Surtout, « le procédé est fatigant pour le médecin [...] et exigeant pour les malades », ce qui le conduit à envisager, dès lors, de se passer de l'hypnose et à chercher une autre méthode[3].

Dans les mêmes temps (entre la *Communication préliminaire* et les *Études* proprement dites), il a pu constater que « chaque événement, chaque impression psychique est munie d'une certaine valeur affective » ; elle doit être éliminée, ce que permet l'abréaction[4]. Il précise « l'hypothèse qui se trouve au fondement de la théorie de l'abréaction » : **dans le psychisme, quelque chose de l'ordre de l'excitation et de l'affect, ayant « tous les caractères d'une quantité », peut varier et**

1. *Ibidem,* p. 4-6 ; p. 27-28 ; p. 85-86.

2. *Ibidem,* p. 12-13 ; p. 38 ; p. 97.

3. *Ibidem,* p. 213 ; p. 290 ; p. 264.

4. « Quelques considérations pour une étude comparative des paralysies motrices organiques et hystériques » (publié en français) (1893c), in *Archives neurologiques,* 1893, XXVI, p. 42, et in *Névrose, psychose et perversion,* Paris, PUF, 1973, p. 58 ; *OCF* I, p. 364 ; *GW* I, p. 54.

se décharger, « s'étend sur les traces mnésiques des représentations un peu comme une charge électrique sur la surface des corps »[1].

Mais, dorénavant et comme annoncé à la fin des *Études sur l'hystérie,* la *« méthode de libre association »* va remplacer la *« méthode cathartique »* et, dans le même mouvement, réduire la portée de la notion d'*abréaction.*

Il faut attendre 1914 pour qu'elle soit de nouveau mentionnée pour expliquer le travail de « perlaboration des résistances » dans la cure qui peut être « comparé, au point de vue théorique, à l'abréaction des charges affectives séquestrées par le refoulement et sans laquelle le traitement hypnotique demeurait inopérant »[2].

Ensuite, les deux notions ne réapparaissent guère que dans les ouvrages qui reprennent l'histoire de l'invention de la psychanalyse, apportant d'ailleurs des définitions souvent plus abouties, rappelant l'importance de leur rôle dans la conception de la psychanalyse elle-même, à commencer par la notion d'inconscient. La psychanalyse est bel et bien la fille de la méthode cathartique, qui demeure d'ailleurs « **contenue en elle comme son noyau** »[3]. Certes, « le traitement cathartique donnait d'excellents résultats, mais ceux-ci n'étaient pas durables, dépendants de la relation personnelle au médecin » ; ils étaient, de fait, fonctions du transfert, que d'ailleurs ils exprimaient. C'est donc sur celui-ci, abordable par les techniques de libre association et d'analyse des résistances, que va dorénavant porter le travail de recherche, et pouvoir se fonder la psychanalyse[4].

1. « Les psychonévroses de défense » (1894a), *Névrose, psychose et perversion,* Paris, PUF, 1973, p. 14 ; *OCF* III, p. 17-18 ; *GW* I, p. 74.

2. « Remémoration, répétition et perlaboration » (1914g), *De la technique psychanalytique,* Paris, PUF, 1953, p. 115 ; *OCF* XII, p. 196 ; *GW* X, p. 136.

3. Cf. « "Psychanalyse" et "Théorie de la libido" » (1923a), *Résultats, idées, problèmes, II,* Paris, PUF, 1984, p. 52-54 ; *OCF* XVI, p. 183-186 ; *GW* XIII, p. 211-214. – « Petit abrégé de psychanalyse » (1924f [1923]), *Résultats, idées, problèmes, II,* Paris, PUF, 1984, p. 101 ; *OCF* XVI, p. 337 ; *GW* XIII, p. 409. – *Sigmund Freud présenté par lui-même* (1925d), Paris, Gallimard, 1984, p. 37-38 et 51-52 ; *OCF* XVII (« Autoprésentation »), p. 69-77 ; *GW* XIV, p. 46-47 et 55-56.

4. « Psycho-Analysis » (1926f), *Résultats, idées, problèmes, II,* Paris, PUF, 1984, p. 153-154 ; *OCF* XVII, p. 289-290 ; *GW* XIV, p. 299-300.

Assez curieusement, l'abréaction réapparaît sur un mode actuel, quasiment polémique, dans *Inhibition, symptôme et angoisse* ; mais c'est alors à l'initiative de Otto Rank, qui avance que « devient névrosé celui qui ne parvient jamais à abréagir pleinement le traumatisme de la naissance en raison de la force de celui-ci ». Freud le critique vivement, arguant que ce n'est pas parce que, pour l'enfant, l'objet maternel psychique remplace la situation fœtale biologique que, dans celle-ci, la mère puisse être considérée comme un objet pour le fœtus ; une telle explication n'est pas recevable[1]. D'ailleurs, on ne sait trop ce que veut dire ici « abréaction du traumatisme » ; entendue à la lettre, pareille idée impliquerait que « le névrosé se rapproche d'autant plus de la guérison qu'il reproduit plus souvent et plus intensément l'affect d'angoisse » – or, justement, cette contradiction avec les faits avait, en son temps, conduit Freud a renoncer à la méthode cathartique et à la théorie de l'abréaction[2].

QUESTIONS ET ENJEUX

La « méthode cathartique », avec l'« abréaction » qui la permet, ayant été abandonnées par Freud dès 1895-1896, nous pourrions ici les négliger comme simples témoins d'une « préhistoire » à laquelle elles appartiennent dorénavant. Abandonnées, certes, mais nullement rejetées. Puisqu'elles furent d'abord « le précurseur direct de la psychanalyse, [...] son noyau », nous devons nous interroger sur ce qu'a pu signifier cet abandon, d'autant que, comme Freud y insiste à plusieurs reprises, son « succès pratique était remarquable », ses défauts devant être imputés à l'hypnose[3].

Ce qui demeure de l'abréaction est d'abord l'importance déterminante du facteur quantitatif, tel qu'il se reconnaît dans la « charge

1. *Inhibition, symptôme et angoisse* (1926d [1925]), Paris, PUF, 1951, p. 62-63 ; *OCF* XVII, p. 254 ; *GW* XIV, p. 169.

2. *Ibidem,* p. 78-79 ; p. 266 ; p. 182-183.

3. Par exemple in *Sigmund Freud présenté par lui-même* (1925d), Paris, Gallimard, 1984, p. 38 ; *OCF* XVII (« Autoprésentation »), p. 69 ; *GW* XIV, p. 47.

affective », facteur étiologique majeur qui permet la mise en œuvre d'un traitement (la catharsis) ; on reconnaît là ce qui va permettre la conceptualisation du « point de vue économique ». Si cet affect est déjà reconnu comme lié à ce qu'a pu vivre l'individu – donc à ses souvenirs –, sa détermination par la sexualité infantile est encore largement méconnue, dissimulée par la pratique de l'hypnose et de la suggestion. Il faudra que le transfert soit reconnu pour que s'établisse le lien entre l'histoire infantile et l'expression de sentiments puissants lors du traitement, la part majeure de la sexualité (l'actuelle comme l'infantile) se dévoilant à cette occasion. L'hypnose et la suggestion doivent alors être abandonnées ; la libre association est mise en place, l'interprétation du transfert et celle des résistances sont désormais possibles : la psychanalyse est née. Le passage de la méthode cathartique à la méthode psychanalytique a été rendu possible par la reconnaissance du *sens* à attribuer aux symptômes ; ce « passage » est un élargissement, un enrichissement bien plus qu'un remplacement. Abréaction et catharsis sont bien devenues caduques, mais ce ne sont pas des arbres morts ; elles ont fourni les graines, ou plutôt les greffons qui purent produire la psychanalyse.

Le meilleur exemple de cette filiation est sans doute fourni, comme le souligne Freud, par la *perlaboration,* cette part du travail analytique qui s'avère être la plus agissante, la plus « modificatrice », et que l'on peut « comparer, au point de vue théorique, à l'"abréaction" des charge affectives séquestrées par le refoulement »[1]. Le « noyau » de l'*abréaction* a, effectivement, donné l'arbre de la *perlaboration.*

Claude Le Guen

Accomplissement de souhait → Désir et besoin

ACTE MANQUÉ

all. : ***Fehlleistung.*** – angl. : *parapraxis.* – esp. : *acto equivocado.* – ital. : *atto mancato.* – port. : *atto falho*

1. « Remémoration, répétition et perlaboration » (1914g), *De la technique psychanalytique,* Paris, PUF, 1953, p. 115 ; *OCF* XII, p. 196 ; *GW* X, p. 136.

Formations symptomatiques motrices propres à la vie courante, les actes manqués aboutissent à un agissement autre que celui visé consciemment ; l'explication de leurs formations, avec l'interprétation du rêve et les associations libres, fournit la preuve de l'existence de l'inconscient et donne la voie d'accès à sa compréhension. Il peut s'agir d'*actes* proprement dits, mais aussi de *lapsus* (ratés de la parole, de l'écoute et de la lecture), d'*erreurs* et d'*oublis*. Véritables retours du refoulé, résultats d'un compromis, ils témoignent d'un désir inconscient sous-jacent ; ce faisant, ce sont autant des demi-réussites que des demi ratés.

MISE EN SITUATION

D'avoir compris que les actes manqués ont un sens permit à Freud – conjointement à la découverte du sens des rêves révélé par leur interprétation – de mettre en évidence l'existence d'un inconscient chez tous les individus, bien portants comme névrosés. C'est dire leur importance fondamentale, et même fondatrice pour la psychanalyse. Un « acte manqué » est le résultat d'une action qui n'a pas atteint l'objectif consciemment visé, qui l'a donc « manqué », et généralement remplacé par un autre ; ici, le verbe (fût-il au participe passé) est plus déterminant que le substantif, le « faire » prenant une importance prépondérante.

« Acte manqué » est la traduction littérale du substantif allemand Fehlleistung. *Cette notion, générique, regroupe tous les ratés moteurs, qu'ils portent sur l'action elle-même ou sur les actes de parole, de lecture, de remémoration et d'oubli, etc. ; ils sont fort nombreux, chaque verbe pouvant être connoté de façon à indiquer le ratage de l'action, aboutissant à autant de formes d'actes manqués. Comme le remarque Freud*[1]*, en allemand bon nombre de ces phénomènes sont désignés par des mots comportant le préfixe* ver- *(très plurivoque, extensif, celui-ci échappe à toute systématisation et on doit considérer, avec Cambon que, dans l'usage freudien à tout le*

1. *Psychopathologie de la vie quotidienne* (1901b), Paris, Gallimard, 1997, p. 385 ; *OCF* V, p. 33 ; *GW* IV, p. 268.

moins, ver- *s'ajoute à une action verbale pour marquer qu'elle manque sa visée)*[1] *; il s'agit donc d'abord de verbes :* sich versprechen *(faire un lapsus linguae),* sich verlesen *(faire un lapsus de lecture),* sich vergriffen *(faire un geste de travers),* vergessen *(oublier),* verllieren *(perdre), etc. Le français ne disposant pas de cette commodité préfixale, le choix des équivalents ne va pas sans poser quelques problèmes aux traducteurs qui doivent se résoudre à une certaine pluralité ; pour autant, la sémantique ne saurait poser ici de véritables problèmes, l'idée à exprimer étant fort claire. Précisons que ces « manqués » ne sont pas des absences ; à être ratés ces actes ne sont pas pour autant supprimés – bien au contraire, même – ce qui fait qu'ils sont tout autant des demi-succès que des demi-échecs.*

Il y a donc pluralité de tels actes. Des écrits majeurs avec, dès 1901, la Psychopathologie de la vie quotidienne, *qui leur est entièrement consacrée (ouvrage désigné comme le « pendant » de* L'interprétation des rêves*), et se présente comme essentiellement descriptive ; en 1916, non seulement toute la première partie des* Conférences d'introduction à la psychanalyse *les prend comme sujet-titre, mais il en est question tout au long du livre qui s'attache cette fois à en faire aussi la théorie. Dès lors, l'essentiel est dit ; Freud n'en reparlera guère que dans ses textes retraçant l'histoire de la psychanalyse, pour confirmer toute leur importance.*

Il y a autant de possibilités d'actes manqués qu'il y a d'actes. Lorsqu'il les récapitule, pour en traiter, Freud inclut explicitement dans sa liste, à côté de ce qu'en français on tend à considérer comme acte manqué proprement dit, les différents lapsus : linguae *(de parole),* calami *(d'écriture et de lecture), auditifs, de mémoire avec les oublis passagers, etc. –, chacun d'eux n'étant qu'une forme particulière d'acte manqué. C'est ce qui nous a conduit, dans ce dictionnaire, à ne conserver que la seule entrée « Actes manqués », les lapsus, erreurs, oublis et autres en faisant partie (à noter qu'ici les « oublis » seront aussi traités, largement, avec l'article « Souvenirs »).*

1. *Ibidem,* « Notice terminologique » de l'édition Gallimard, p. 599-600.

LE TEXTE FREUDIEN

La correspondance avec Wilhelm Fliess témoigne déjà de l'intérêt que porte Freud aux oublis de noms propres. C'est ainsi qu'en 1898 il fait part de l'analyse qu'il a pu faire de son oubli du nom du poète Julius Mosen : il l'avait refoulé car il l'associait à certains souvenirs infantiles ; les noms de remplacement qui lui venaient étaient significatifs et renvoyaient à « deux groupes de matériaux tout à fait à la manière d'un symptôme » – il déplore alors que la discrétion ne lui permette pas de faire état de cette étude (elle ne se retrouve d'ailleurs dans aucun ouvrage). Un mois plus tard, il communique à Fliess l'analyse qu'il a pu faire d'un autre oubli, celui du nom de Signorelli, qui correspondait, là encore, au refoulement d'un souvenir[1] ; cette fois, il pourra utiliser cet exemple, d'abord la même année comme argument d'un petit article qui conclut sur **l'importance du refoulement dans l'oubli chez les névrosés et, tout pareillement, chez les êtres normaux**[2].

En 1901, cet article sera largement repris, à l'identique, dès les premières pages de la *Psychopathologie de la vie quotidienne,* passant en revue leurs différentes formes, fournissant autant de chapitres : **oublis de noms et de mots, lapsus de parole, de lecture et d'écriture, autres oublis divers, actes et gestes manqués, actes symptomatiques et fortuits, erreurs...** Les exemples abondent, pleins d'anecdotes souvent drôles ; Freud signale d'ailleurs leur parenté avec celui du mécanisme du mot d'esprit, voire du sarcasme[3]. (Nombre d'entre eux seront repris, quinze ans plus tard, dans les quatre

1. *La naissance de la psychanalyse. Lettres à Wilhelm Fliess. Notes et plans (1887-1902)* (1950a [1887-1902]), Paris, PUF, 1956, p. 232-233 (lettre du 26 août 1898), et p. 235 (lettre du 22 septembre 1898). – *Lettres à Wilhelm Fliess* (éd. complète), Paris, PUF, 2006, p. 413 et p. 416.

2. « Sur le mécanisme psychique de l'oubli » (1898b), *Résultats, idées, problèmes, I,* Paris, PUF, 1984, p. 99-107 ; *OCF* III, p. 244-250 ; *GW* I, p. 520-526.

3. *Psychopathologie de la vie quotidienne* (1901b), Paris, Gallimard, 1997, p. 88-89 ; *OCF* V, p. 118 ; *GW* IV, p. 45 (aussi, par exemple : *Conférences d'introduction à la psychanalyse* (1916-1917), Paris, Gallimard, 1999, p. 302 ; *OCF* XIV, p. 242 ; *GW* XI, p. 242).

premières *Conférences d'introduction à la psychanalyse.*) Tous permettent de démontrer que, « derrière les petits troubles fonctionnels de la vie quotidienne de personnes bien portantes, il y a un sens et une intention », que ces troubles aboutissent à des **erreurs** qui sont **« de nature motrice ». Tout acte manqué est « la figuration symbolique d'une pensée qui, à proprement parler, n'est pas destinée à être admise de façon sérieuse, consciente »** [1]. La conclusion de l'ouvrage est que l'investigation psychanalytique permet de montrer que certains actes, qui n'apparaissent pas intentionnels, se dévoilent « avoir bel et bien une motivation et être déterminés par des mobiles inconnus de la conscience » ; ces actes-là, qui peuvent être situés « dans les limites de la normale », se présentent comme troubles momentanés, accessibles à une correction [2].

On peut être surpris de ce que ce livre volumineux, qui abonde en anecdotes, apparaisse si limité en commentaires théoriques ; Freud ne s'en expliquera qu'en 1924 dans la préface de sa 10e édition : il a voulu, en accumulant les exemples, convaincre un large public (le livre connaîtra d'ailleurs de nombreuses rééditions et traductions) de « l'existence de processus psychiques inconscients et pourtant efficients » mais, dans le même temps, il a tenu à « éviter toutes les considérations théoriques sur la nature de cet inconscient » [3]. Il nous fournit pourtant, *a minima,* quelques indications.

Les actes manqués sont le résultat d'un conflit entre un élément refoulé dont la remémoration susciterait une gêne, et une volonté contraire de satisfaire le désir refoulé ; comme la conscience méprise ces manifestations motrices, elle laisse s'exprimer par elles-mêmes les motions réprimées, ce qui fait que les actes manqués « sont la plupart du temps la figuration symbolique de fantasmes ou de désirs », impulsions relevant souvent de l'égoïsme, de la jalousie, de l'hostilité, mettant fréquemment en jeu les divers courants sexuels [4]. Point

1. *Psychopathologie de la vie quotidienne* (1901b), Paris, Gallimard, 1997, p. 271-273 ; *OCF* V, p. 251-252 ; *GW* IV, p. 179-180.

2. *Ibidem,* p. 384-385 ; p. 355-356 ; p. 267-268.

3. *Ibidem,* p. 432, n. 1 ; p. 368, n. 1 ; p. 302, n. 1.

4. *Ibidem,* p. 437-438 ; p. 372 ; p. 305-306.

important : le mécanisme des actes manqués concorde, sur des points essentiels, avec celui de la formation des rêves ; de surcroît, **les symptômes psychonévrotiques répètent les traits essentiels de ce mode de travail.** Il faut donc en conclure que la frontière entre la norme et l'anormalité est flottante. Le caractère commun des uns et des autres est de permettre de remonter à l'origine et de retrouver un matériel imparfaitement refoulé, qui « n'a pourtant pas été privé de toute capacité à se manifester » [1].

Lorsque, dix ans plus tard, il prononce *Cinq conférences sur la psychanalyse* à l'intention d'un public américain, il ne manque pas d'évoquer ces « petits actes manqués des gens normaux aussi bien que des nerveux », actes insignifiants, oublis, lapsus divers et tous ces ratés qu'on fait passer pour de l'inattention... Ces petites choses, « ces actes sont éminemment pleins de sens » et souvent aisément interprétables ; dans la mesure où ils expriment des impulsions et intentions inconscientes, ils dérivent « des mêmes motions de désir et des mêmes complexes refoulés que nous avons appris à connaître en tant qu'ils créent des symptômes et façonnent des rêves ». Car ce sont bel et bien des « symptômes », pouvant permettre d'accéder à ce qui est caché dans la vie psychique. Ils se manifestent avec fréquence chez tous, bien tolérés car ils semblent sans importance ; ils peuvent pourtant « prétendre à une haute valeur théorique, parce qu'ils nous prouvent l'existence du refoulement et de la formation substitutive, même dans les conditions de la santé » [2].

Le fonctionnement des actes manqués est dès lors bien connu ; il n'y aura plus lieu d'y revenir pour le corriger, tout au plus pour y ajouter quelques cas exemplaires, d'autant que Freud aimait les collectionner. Pour ce qui est de la théorie de ce fonctionnement – et quoi qu'il ait pu dire en 1901 de son évitement voulu de « toutes considérations théoriques » – il en a, de fait, dit très tôt l'essentiel en situant les actes manqués comme le résultat d'un conflit entre le désir refoulé et son refoulement. Mais lorsqu'il entreprend en 1916 et 1917 de récapituler

1. *Ibidem*, p. 440-443 ; p. 374-376 ; p. 308-310.

2. *Sur la psychanalyse (cinq conférences)* (1910a), Paris, Gallimard, 1991, p. 81-82 ; *OCF* X, p. 35-36 ; *GW* VIII, p. 37-38.

les acquis de l'analyse, il ne saurait négliger d'**explorer théoriquement le fonctionnement des actes manqués.** C'est ainsi que les *Conférences d'introduction à la psychanalyse* commencent avec eux; la première partie de l'ouvrage est même intitulée « Les actes manqués », et leur est consacrée. « Quelqu'un veut dire quelque chose et dit à la place un autre mot » ; c'est donc là le « lapsus linguae », proposé ici comme parangon des actes manqués. À la suite, Freud cite les autres *lapsus*: ceux d'écriture, de lecture et d'audition, qui forment une première catégorie d'actes manqués; le phénomène princeps du deuxième groupe est l'*oubli* passager, notamment d'un nom ou d'un projet; la troisième série, de laquelle le caractère temporaire est absent, concerne la *perte* et le fait d'*égarer* quelque chose, certaines *erreurs* (à nouveau temporaires) pouvant y être rattachées – sans compter un certain nombre d'autres phénomènes semblables [1].

Tous ont un *sens,* et l'effet du lapsus est « **un acte psychique de plein droit qui poursuit aussi son propre but comme une énonciation dotée d'un contenu et d'une signification** » ; l'acte manqué est lui-même « une action tout à fait recevable, qui a simplement pris la place d'une autre » [2]. Aussi, leur énigme est assez simple : « Ce ne sont pas des occurrences fortuites mais des mises en acte psychiques qu'il faut prendre au sérieux, qui ont leur sens, et sont produits par l'action conjointe – ou plutôt l'action antagonique de deux intentions différentes. » [3]

Certes, la phonie des mots, leurs analogies et associations usuelles facilitent le lapsus; sans pour autant livrer son élucidation. Il y faut d'abord une tendance perturbée, indubitable, consciente; face à elle, une tendance perturbatrice, moins probante, seulement indiquée par l'effet du lapsus. Encore faut-il savoir la reconnaître d'après la déformation; ce n'est pas toujours facile, mais on peut s'aider en demandant au parleur de dire là-dessus la première idée qui lui vient à l'esprit – et « c'est déjà une psychanalyse »... [4].

1. *Conférences d'introduction à la psychanalyse* (1916-1917), Paris, Gallimard, 1999, p. 31-32; *OCF* XIV, p. 19-20; *GW* XI, p. 18-19.

2. *Ibidem,* p. 44; p. 30; p. 29.

3. *Ibidem,* p. 56; p. 39; p. 37.

4. *Ibidem,* p. 59-61; p. 41-43; p. 39-41.

Si les cas d'oublis ont en général des motifs fort clairs, il n'est pas rare que ceux de perte d'objet soient difficiles à comprendre, d'autant que celle-ci est généralement douloureuse, et on se refuse à croire à quelque intention sous-jacente ; pourtant, il s'avère souvent que, par exemple, on se soit fâché avec le donateur. On peut, bien sûr, retrouver la même intention hostile à l'égard d'objets qu'on brise. Certaines fois, les actes manqués s'accumulent et se combinent, révélant « un degré d'obstination qui n'est presque jamais le fruit du hasard ». Leurs fréquentes permutations mettent en évidence que **l'importance de l'acte manqué relève de « l'intention qu'il sert lui-même et qui doit être atteinte par les voies les plus diverses »**, l'essentiel ne saurait en aucun cas tenir à sa forme ou aux moyens qu'il met en œuvre[1].

Les *actions fortuites* et les *actions symptomatiques* sont des phénomènes très proches ; même si elles ne sont pas « manquées » au plein sens du terme, elles n'en sont pas moins pareillement pourvues de sens, interprétables comme indices d'autres processus psychiques plus importants. Il est clair que tous ces actes manqués résultent de « l'interférence de deux intentions différentes dont l'une peut être dite perturbée et l'autre perturbante » ; reste la question de savoir ce que sont ces intentions perturbantes qui soudain entrent en scène, comme celle de connaître leur rapport aux intentions perturbées ? Il peut y avoir une relation de contenu, contradiction qu'il importe de rectifier ou manque qu'il faut compléter (par exemple : le lapsus, en affirmant le contraire, vient représenter le conflit entre deux tendances incompatibles). Mais d'autres fois, et tout aussi bien, les contenus perturbants peuvent être tout à fait étrangers à l'intention perturbée ; on peut alors demeurer perplexe… L'observation tend à montrer que « la perturbation provient d'une suite de pensées qui avait occupé la personne concernée peu de temps auparavant, et qui continue à agir » ; elle est comme un véritable *« écho »*, mais pas nécessairement celui des paroles prononcées : **ici le lien associatif entre le perturbant et le perturbé n'est pas dans le contenu, mais établi artificiellement, souvent de façons très forcées.**

1. *Ibidem*, p. 69-72 ; p. 50-52 ; p. 48-50.

Reste la question principale de savoir de quel ordre sont ces intentions perturbatrices ? On peut distinguer trois groupes : – dans le premier, la tendance perturbante est connue du parleur et ressentie avant le lapsus ; – dans le deuxième, si la tendance perturbante est bien reconnue par le parleur il ignore totalement qu'elle était active juste avant le lapsus, ce qui fait qu'il accepte l'interprétation de son lapsus mais demeure étonné ; – dans le troisième groupe, l'interprétation est énergiquement récusée par le parleur qui non seulement conteste qu'elle ait pu être en lui avant le lapsus, mais affirme qu'elle lui est tout à fait étrangère. Il faut accepter « l'hypothèse que puissent se manifester chez le parleur des intentions dont lui-même ignore tout, mais que l'on peut inférer par d'autres indices ». Dans les deux premiers groupes la tendance perturbante est reconnue, mais a été repoussée, et c'est alors que survient le lapsus : le mécanisme consiste donc à l'extérioriser en modifiant l'expression de la tendance admise. **« La répression de l'intention est la condition indispensable pour que se produise un lapsus linguae.** » Dans le premier groupe l'intention se signale à l'attention avant même la prise de parole mais est refusée, dans le deuxième le refus va plus loin puisque l'intention échappe de suite à l'attention, sans pour autant empêcher la prise de parole ; dans le troisième groupe, enfin, on peut supposer que la tendance qui se manifeste dans l'acte manqué est repoussée depuis longtemps, ce qui explique qu'elle échappe à l'attention et soit carrément déniée.

Les actes manqués sont des actes psychiques dont on peut dévoiler sens et intention, résultats de l'interférence de deux intentions différentes dont l'une, repoussée quant à sa mise en œuvre, se manifeste en perturbant l'autre ; elle doit avoir été déjà perturbée elle-même pour devenir perturbante. Ainsi **les actes manqués sont des compromis, signifiant une demi-réussite et un demi-échec pour chacune des deux intentions.** Sans doute des conditions particulières sont-elles nécessaires pour qu'ils puissent se produire, « mais nous n'avons pas la moindre idée de quel ordre elles peuvent être » [1].

Tout l'intérêt des actes manqués tient à que « ce sont des phénomènes fréquents, également faciles à observer sur sa propre personne,

1. *Ibidem,* p. 78-86 ; p. 58-64 ; p. 55-61.

et dont l'apparition ne suppose nullement qu'on soit malade »[1]. Ce sont des substituts de quelque chose qui est présent mais demeure inaccessible à la conscience du sujet – qui est donc inconscient et, plus précisément, actuellement inconscient. « À cette dénomination n'est encore liée aucune construction théorique que ce soit ; ici, à l'emploi du mot "inconscient", en tant qu'il est une description pertinente et aisée à comprendre, il n'y a rien à redire. »[2] Comme les actes manqués et comme les rêves, les symptômes névrotiques ont un sens qui renvoie à la vie des patients ; on peut seulement affirmer qu'il en va toujours ainsi, dans tous les cas, mais on ne saurait le prouver – pourtant, il suffit d'en faire l'expérience par soi-même pour en acquérir la conviction[3]. **« L'introduction à la psychanalyse est donnée par l'étude des actes manqués et du rêve ; la théorie des névroses est la psychanalyse elle-même. »**[4] Actes manqués, libre association d'idées, rêves des névrosés, permettent de deviner le sens des symptômes, de mettre au jour les investissements de la libido ; « ils nous montrent, sous la forme de l'accomplissement de souhait, quelles motions de souhaits ont succombé au refoulement, et à quels objets la libido soustraite au moi s'est accrochée »[5].

Freud n'a désormais plus lieu de revenir sur les actes manqués, y compris sur leur théorie. Mais lorsqu'en 1925 il reprend son parcours pour en retracer l'histoire, il souligne comment – tout comme pour l'interprétation des rêves – « l'analyse se sert aussi de l'étude des menus actes manqués et actions symptomatiques si fréquents » ; il réfère alors la *Psychopathologie de la vie quotidienne* qui entendait déjà démontrer que ces phénomènes n'ont rien de fortuit, qu'ils sont « pleins de sens et interprétables, permettant de conclure à des motions et intentions réprimées ou refoulées ». Cet ouvrage, avec *L'interprétation des rêves,* met en évidence que chacun de ces phénomènes (*acte manqué* et *rêve*) « appartient à la vie psychique normale,

1. *Ibidem,* p. 102 ; p. 78 ; p. 75.
2. *Ibidem,* p. 146 ; p. 113 ; p. 111.
3. *Ibidem,* p. 330 ; p. 266 ; p. 265.
4. *Ibidem,* p. 481 ; p. 392 ; p. 393.
5. *Ibidem,* p. 578-579 ; p. 473 ; p. 474.

et peut se produire chez tout homme en bonne santé » ; ils sont construits comme un symptôme et leur explication « nécessite les mêmes hypothèses, à savoir le refoulement de motions pulsionnelles, les formations de substitutions et de compromis » ; c'est là ce qui permet de considérer que « la psychanalyse n'est plus une science auxiliaire de la psychopathologie, mais bien plutôt l'instauration d'une psychologie nouvelle et plus approfondie », devenue indispensable pour comprendre le normal[1].

Cela se trouve confirmé, un peu moins de dix ans plus tard, dans les *Nouvelles conférences d'introduction à la psychanalyse* : pour avoir le droit d'introduire la notion d'un inconscient, il fallut s'appuyer sur l'acquis de l'expérience des actes manqués. Pour expliquer, par exemple, un lapsus chez une certaine personne, nous devons supposer qu'elle a eu une intention de parler ; nous pouvons en être certain à partir de la perturbation survenue dans le discours, mais comme nous constatons qu'elle ne s'est pas imposée, nous devons en conclure que l'idée était inconsciente. Si nous en faisons part à son auteur il peut la reconnaître comme lui appartenant et son caractère inconscient n'était donc que temporaire, ou il peut la désavouer et nous devons en conclure qu'elle est inconsciente de façon permanente. C'est ainsi que nous avons acquis le droit de nommer « inconscient ce que nous avions qualifié de latent »[2].

À noter qu'en 1936, faisant à Romain Rolland le récit du « Trouble de mémoire sur l'Acropole » qui lui était advenu trente ans plus tôt, il décrit le *sentiment d'étrangeté* qui l'avait alors saisi et dont il se protégea « au prix d'un énoncé erroné sur le passé » ; ce sont là des « **phénomènes bizarres et encore bien peu compris** », désignés comme « sensations » mais à l'évidence « processus compliqués, liés à des contenus déterminés et à des décisions quant à ces contenus », fréquents dans les affections psychiques mais aussi connus chez les gens normaux ; à l'évidence, ce sont là des « **actes manqués, constitués d'une façon aussi anormale que les rêves** ». Cela conduit aux banals phénomènes de *fausse reconnaissance* et de *déjà vu*, mais aussi à ceux

1. *Sigmund Freud présenté par lui-même* (1925d), Paris, Gallimard, 1984, p. 78-79 ; *OCF* XVII, p. 93 ; *GW* XIV, p. 72-73.

2. *Nouvelles conférences d'introduction à la psychanalyse* (1933a [1932]), Paris, Gallimard, 1984, p. 98-99 ; *OCF* XIX, p. 155 ; *GW* XV, p. 78.

plus inquiétants de *dépersonnalisation* et de *dédoublement de la personnalité* – mais « tout cela est encore si obscur, si peu dominé par la science », que Freud s'interdit d'en discuter davantage[1].

QUESTIONS ET ENJEUX

Lorsque Freud cherche à initier à la psychanalyse « une assistance mêlée de médecins et de profanes », éprouvant à cette occasion « le besoin de ramasser et de récapituler la matière analytique », il s'attache d'abord à des « phénomènes qui sont très fréquents, très connus et très peu pris en considération, qui n'ont rien à voir avec des maladies dans la mesure où ils peuvent être observés chez toute personne en bonne santé ; il s'agit – bien sûr – de ce qu'on appelle *actes manqués* »[2]. Ce sont cette banalité et cette normalité mêmes qui les rendent si exemplaires et leur confèrent une telle valeur conceptuelle ; ils sont communs et ordinaires et c'est là ce qui avait conduit Freud, au temps des premières avancées de la psychanalyse, à intituler *Psychopathologie de la vie quotidienne* l'ouvrage qu'il plaçait comme pendant de *L'interprétation des rêves* – ces autres activités psychiques propres à tout un chacun. Il ne cesse de s'émerveiller de leur évidence et de la méconnaissance dans laquelle on les tient ; il les « collectionne » et nombre de correspondants lui en transmettent ; dans ses ouvrages il en multiplie les exemples, comme pour se faire irréfutable, car il ne cesse de s'étonner de la méconnaissance dans laquelle on tient ce qu'ils impliquent. Lorsque, par exemple, un président d'assemblée annonce dans son allocution d'ouverture : « Je déclare la séance levée », témoignant à l'évidence de son souhait d'en avoir fini, tous les auditeurs le comprennent ainsi, mais bien peu acceptent l'idée que, derrière cet aveu, est à l'œuvre un élément psychique qui connaît le vœu que rejette la conscience, et agit à son

1. « Un trouble de mémoire sur l'Acropole (lettre à Romain Rolland) » (1936a), *Résultats, idées, problèmes, II,* Paris, PUF, 1984, p. 226-227 ; *OCF* XIX, p. 334-335 ; *GW* XVI, p. 254-255.

2. *Conférences d'introduction à la psychanalyse* (1916-1917), Paris, Gallimard, 1999, p. 13-14, p. 31 ; *OCF* XIV, p. 5, p. 19 ; *GW* XI, p. 3, p. 18.

insu – ce processus est donc *inconscient,* démontrant ainsi l'existence d'une telle instance. Il faut alors s'interroger sur les raisons qui amènent à ce refus par le conscient, ce qui fait apparaître que ce *refoulement* est provoqué par un sentiment d'interdit, de honte qui, dans la plupart des cas, implique la sexualité – voire, si on remonte suffisamment loin, la sexualité infantile. C'est là énoncer toute la théorie psychanalytique ; c'est bien sur les actes manqués que celle-ci repose, peut-être même plus encore que sur les rêves, souvent énigmatiques et dépourvus de la simplicité évidente des lapsus et autres. Ces banalités du quotidien ont « une haute valeur théorique », peut-être même la plus haute, car ils sont la meilleure preuve de l'existence du refoulement, de l'inconscient et de la formation de symptômes chez tous les humains, qu'ils soient névrosés ou en bonne santé[1]. Il ne serait pas faux de dire que *les actes manqués témoignent de l'universalité anthropologique de l'explication psychanalytique.* Très tôt la description des actes manqués, tout comme le constat de leur diversité, retint Freud ; leur compréhension était sans doute une condition nécessaire à l'élaboration de la psychanalyse.

Il n'eut de cesse de redire qu'avec eux nous avons affaire à quelque chose d'aussi simple qu'universel, plus abordable même que le rêve (cette autre « *via regia* [voie royale] qui mène à la connaissance de l'inconscient dans la vie psychique »[2]) car encore plus familier et plus proche de la conscience ; ce sont sans doute ces caractères qui firent que Freud n'eut pas à revenir sur les actes manqués, si ce n'est pour en confirmer le rôle dans l'histoire de la psychanalyse ; il n'eut rien à y ajouter, si ce n'est quelques nouveaux exemples pour enrichir encore la psychopathologie quotidienne.

Nous sommes ainsi conduits à nous interroger sur la place et la fonction de l'acte lui-même. Très tôt, Freud situe l'effet moteur du développement de l'affect[3], tellement important pour le fonctionnement psychique ; affectivité et motilité sont liées et normalement régies par le système Cs, le refoulement visant à empêcher tant le développement de l'affect et le déclenchement de l'activité musculaire

1. *Sur la psychanalyse (cinq conférences)* (1910a), Paris, Gallimard, 1991, p. 82 ; *OCF* X ; p. 36 ; *GW* VIII, p. 38.

2. *L'interprétation des rêves* (1900a), Paris, PUF, 1967, p. 517 ; *OCF* IV, p. 663 ; *GW* II-III, p. 613.

3. *Ibidem*, p. 495 ; p. 637 ; p. 588.

que l'accès à la conscience qui vont avec. Si l'affectivité se manifeste en décharges sécrétoires et vaso-régulatrices transformant le corps de façon interne, son contrôle par la Cs n'est pas très ferme ; en revanche, l'action de la motilité qui cherche à agir sur le monde extérieur est clairement dominée par le Cs, ce qui fait qu'elle résiste normalement à la névrose. L'importance du système Cs (Pcs) pour l'acte et l'affect nous permet de comprendre le rôle des représentations substitutives dans la pathologie[1] – à commencer par celui des actes manqués dès la vie quotidienne.

La décharge motrice doit « débarrasser l'appareil psychique de l'accroissement des excitations » et, modifiant ainsi la réalité, « elle se change en action » ; la suspension de la décharge permet la pensée (et avec elle le langage), l'appareil psychique supportant alors l'accroissement de la tension d'excitation en liant les investissements[2]. Ainsi, tant la séparation d'un dehors et d'un dedans que l'opposition d'un moi et d'un non-moi sont conquises par une action capable d'apaiser les excitations externes (mais pas les pulsionnelles)[3] ; l'efficacité et/ou la vanité de ses actes conduisent le jeune enfant à se représenter sa place dans le monde – si bien que pour lui, comme pour les civilisations, « au commencement était l'acte »[4].

Pourtant... Pourtant, lorsqu'à la fin de sa vie, il se décide à confier épistolairement un ancien souvenir de trouble de mémoire avec sentiment d'étrangeté, correspondant à un « énoncé erroné sur le passé », il le présente d'une façon toute différente : de tels phénomènes sont bien des actes manqués, dont la formation s'apparente à celle des rêves, mais tout cela est « anormal », ces phénomènes sont « bizarres et bien peu compris »[5]. Aurait-il rencontré là, dans la remontée de ce passé

1. « L'inconscient » (1915e), *Métapsychologie*, Paris, Gallimard, 1968, p. 85 ; *OCF* XIII, p. 218 ; *GW* X, p. 277-278.

2. « Formulations sur les deux principes du cours des événements psychiques » (1911b), *Résultats, idées, problèmes, I*, Paris, PUF, 1984, p. 138 ; *OCF* XI, p. 16 ; *GW* VIII, p. 233.

3. « Pulsions et destins des pulsions » (1915c), *Métapsychologie*, Paris, Gallimard, 1968, p. 35-36 ; *OCF* XIII, p. 181 ; *GW* X, p. 338.

4. *Totem et tabou* (1912-1913a), Paris, Gallimard, 1993, p. 318 ; *OCF* XI, p. 382 ; *GW* IX, p. 194.

5. « Un trouble de mémoire sur l'Acropole (lettre à Romain Rolland) » (1936a), *Résultats, idées, problèmes, II*, Paris, PUF, 1984, p. 226-227 ; *OCF* XIX, p. 334-335 ; *GW* XVI, p. 254-255.

erroné, le point où survient l'inconnu et où ça devient insondable ? Ce pourrait bien être semblable à ce qu'il évoque ailleurs comme « ombilic du rêve », marqué par un enchevêtrement de pensées que l'on ne saurait démêler ; l'interprétation ne peut qu'en demeurer inachevée[1]. Sans doute y a-t-il aussi, sans doute doit-il y avoir, un *« ombilic des actes manqués »* par où ça plonge dans l'inconnaissable ?

Claude LE GUEN

ACTIVITÉ-PASSIVITÉ (actif-passif)

all. : ***Aktivität-Passivität.*** – angl. : *activity-passivity.* – esp. : *actividad-passividad.* – ital. : *attività-passività.* – port. : *atividade-passividade*

L'opposition actif-passif représente l'une des trois polarités de la vie psychique (à côté de sujet-objet et plaisir-déplaisir), précurseur du pôle *masculin-féminin* auquel elle se soudera sans qu'il soit possible, pour autant, d'établir une correspondance actif = masculin et passif = féminin (simplement, la féminité donne plutôt une préférence à des buts passifs, quitte à se faire active pour les imposer). Proches du biologique, activité et passivité sont des caractères propres aux buts pulsionnels et non à la pulsion elle-même qui, de par son caractère poussant, est toujours active, même lorsqu'elle se fixe un but passif. Le renversement de l'activité produit la passivité, l'inverse étant tout aussi vrai ; les deux tendances peuvent varier quantitativement mais coexistent de façon constante, aboutissant à l'ambivalence.

MISE EN SITUATION

Les adjectifs « actif-passif » ainsi que les substantifs « activité-passivité » (comme en allemand Aktivität-Passivität *et* aktiv-passiv*)*

1. *L'interprétation des rêves* (1900a), Paris, PUF, 1967, p. 103, n. 2 et p. 446 ; *OCF* IV, p. 146, n. 2 et p. 578 ; *GW* II-III, p. 116, n. 1 et p. 530.

appartiennent au langage courant et n'impliquent pas, en eux-mêmes, de signification particulière en psychanalyse. Le plus généralement, Freud les apparie en les opposant, les rassemblant dans un « pôle » – ce qui, en la substantivant, à tendance à tirer vers l'ontologie la forme adjectivale. Assez tôt, il va chercher à placer un couple organisateur aux fondements de la dynamique psychique. Son expérience clinique lui ayant montré que les références au « masculin » et au « féminin », telles qu'elles s'offrent spontanément à l'esprit, « ne valent rien en psychologie » car elles sont trop confuses, il va recourir aux notions d'« activité » et de « passivité », qui d'ailleurs les précèdent dans l'ontogenèse. Partant de l'idée que la pulsion est toujours active, même lorsque son but est passif, il choisit de poser que la libido est masculine, dans tous les cas. La référence au couple fondateur actif-passif sera maintenue jusqu'à la fin de l'œuvre, quitte à réviser les articulations entre les deux notions et à ce que soit de plus en plus relativisée leur conjonction avec la dualité des sexes.

LE TEXTE FREUDIEN

Dans ses ***tout premiers écrits*** Freud avance l'idée qu'avec la névrose obsessionnelle l'activité caractérise plutôt les hommes, les femmes privilégiant l'hystérie et la passivité[1].

À partir de **1905**, et durant **plus de dix ans,** il va reprendre, confirmer et développer l'idée d'un appariement de l'activité-passivité avec le masculin-féminin (ce qu'il atténuera et nuancera ensuite, et de plus en plus). Cela commence avec les *Trois essais sur la théorie sexuelle* où, dès ce moment, sont avancées quelques notions clés, à commencer par celle selon laquelle l'opposition entre les pôles *actif* et *passif* « se trouve partout dans la vie sexuelle », et ce bien avant que,

1. *La naissance de la psychanalyse. Lettres à Wilhelm Fliess. Notes et plans (1887-1902)* (1950a [1887-1902]), Paris, PUF, 1956, p. 96, 132, 137, 202. Et « L'hérédité et l'étiologie des névroses » (1896a), *Névrose, psychose et perversion,* Paris, PUF, 1973, p. 58-59 ; *OCF* III, p. 120 ; *GW* I, p. 421.

s'appuyant sur elle, puisse se développer l'opposition entre *masculin* et *féminin* ; à cela s'ajoute le constat que la pulsion d'emprise entraîne l'activité « par l'intermédiaire de la musculature corporelle »[1]. Une autre idée est évoquée sur un mode hypothétique : si seulement on savait mieux ce que recouvrent les concepts de « masculin et féminin », on pourrait soutenir que, « de façon régulière et conforme à des lois, la libido est de nature masculine », chez la femme comme chez l'homme, que son objet soit l'homme ou la femme[2] ; elle ne sera reprise dans aucun texte, seulement mentionnée quelques années plus tard lors d'interventions orales aux réunions de la Société psychanalytique de Vienne, avec d'ailleurs des propositions qui seront pareillement abandonnées[3].

Freud recherche un **couple organisateur à placer aux fondements de la dynamique psychique** ; son expérience clinique lui ayant montré l'inanité des concepts de « masculin » et « féminin » en psychologie, il pense préférable de recourir aux notions d'activité et de passivité, d'autant que ce sont celles qui servent le plus en psychanalyse ; mieux vaut donc s'en tenir au caractère masculin de la libido[4]. Les pulsions elles-mêmes se manifestent comme actives ou passives, organisant de la sorte des couples d'opposés tels que sadisme-masochisme ou voyeurisme-exhibitionnisme[5]. Rejetant explicitement son ancienne conception rapprochant l'hystérie de la passivité et la névrose obsessionnelle de l'activité, il redit que l'opposition sexuée masculin-féminin ne saurait exister au stade du choix d'objet prégénital, dans lequel seules existent des tendances à but actif et passif, la « soudure » de celles-là sur celles-ci ne se faisant que plus tard. Est

1. *Trois essais sur la théorie sexuelle* (1905d), Paris, Gallimard, 1987, p. 129 et 161 ; *OCF* VI, p. 135 et 158 ; *GW* V, p. 99 et 120-121.

2. *Ibidem.* Il convient de noter que cette phrase a été maintenue telle quelle dans les nombreuses rééditions allemandes augmentées et rectifiées (1910, 1915, 1920, 1924).

3. *Les premiers psychanalystes (minutes de la Société psychanalytique de Vienne)* (1976a), Paris, Gallimard, 1976, t. I (1906-1908), p. 201, et t. II (1908-1910), Paris, Gallimard, 1978, p. 422.

4. *Ibidem.*

5. *Sur la psychanalyse (cinq conférences)* (1910a), Paris, Gallimard, 1991, p. 96 ; *OCF* X, p. 43 ; *GW* VIII, p. 46.

confirmé le **rôle de soutien de l'activité attribué à la pulsion d'emprise** (aboutissant, dans la sexualité, au sadisme), **la passivité relevant pour sa part de l'érotisme anal**[1]. Les caractères d'activité et de passivité sont à attribuer *aux buts* des pulsions mais, lorsqu'ils coexistent dans la vie psychique, ils reflètent la bisexualité de chacun, conformément aux présupposés cliniques de la psychanalyse[2].

En **1915**, avec la *Métapsychologie,* Freud revient sur le caractère « poussant » qui doit être posé comme étant l'« essence des pulsions » (celles-ci étant elles-mêmes l'« essence » du fonctionnement psychique) ; « **toute pulsion est un morceau d'activité** » : il n'y a pas de pulsions passives, seulement des pulsions à but passif[3]. Surtout, peut s'expliciter le passage d'un état à l'autre : il y a **renversement dans le contraire,** c'est-à-dire tout à la fois *renversement d'une pulsion de l'activité à la passivité,* et *retournement sur la personne propre,* mouvements qui se rejoignent ou se confondent[4]. Mais ces transformations de la pulsion ne sont que partielles : pour une part, non seulement la direction active persiste régulièrement à côté de la passive, mais tous les stades pulsionnels subsistent côte à côte ; ce qui importe est le mécanisme de la satisfaction – ce qui conduit à poser la notion d'*ambivalence*[5].

Le meilleur exemple de celle-ci apparaît à l'occasion de la transposition de l'amour en haine, qui est d'ailleurs le seul cas de transformation d'une pulsion en son contraire ; mais elle ne met pas directement en cause la passivité. Plus que cette opposition « amour-haine », il convient ici de surtout considérer **« aimer-être aimé », opposition qui correspond précisément au retournement de l'activité**

1. « La disposition à la névrose obsessionnelle. Une contribution au problème du choix de la névrose » (1913f), *Névrose, psychose et perversion,* Paris, PUF, 1973, p. 191-194 ; *OCF* XII, p. 87-90 ; *GW* VIII, p. 445-448.

2. « L'intérêt de la psychanalyse » (1913j), *Résultats, idées, problèmes, I,* Paris, PUF, 1984, p. 205 ; *OCF* XII, p. 117 ; *GW* VIII, p. 411.

3. « Pulsions et destins des pulsions » (1915c), *Métapsychologie,* Paris, Gallimard, 1968, p. 18 ; *OCF* XIII, p. 169 ; *GW* X, p. 214-215.

4. *Ibidem,* p. 25-26 ; p. 174 ; p. 220.

5. *Ibidem,* p. 30-32 ; p. 177-178 ; p. 223-224.

en passivité, situation qui peut se ramener à la position fondamentale du *narcissisme* : s'aimer soi-même[1].

Dans les trois polarités qui dominent la vie psychique, l'*activité-passivité* prend une part primordiale. L'opposition *plaisir-déplaisir* est liée à des sensations variables déterminantes dans le choix de nos actions. Celle entre *sujet (moi)* et *objet (monde extérieur)* est imposée par le constat précoce que les actions musculaires peuvent réduire les excitations externes mais sont impuissantes face aux excitations pulsionnelles ; **le moi est passif vis-à-vis des excitations externes, actif du fait de ses propres pulsions.** Ce n'est que plus tard (bien après la phase sadique-anale, lors de la génitale)[2], que l'activité viendra se souder à la masculinité, la passivité à la féminité, pour aboutir au pôle *masculin-féminin* ; c'est là un « fait biologique », mais qui n'est ni impératif, ni exclusif[3]. La vie psychique est dominée par ces trois grandes polarités, avec leurs destins pulsionnels propres : l'activité-passivité est la polarité *biologique,* moi-monde extérieur est la polarité *réelle,* plaisir-déplaisir est la polarité *économique*[4].

Le cas de « L'homme aux loups », en 1917-1918, permet de repérer le moment de la **« soudure » entre actif-passif et masculin-féminin.** Ce patient, adulte, cherchait à effacer par ses fantasmes le souvenir d'un événement qui lui apparaît maintenant blessant pour sa virilité ; pour ce faire, il le remplace par une attitude inverse imaginaire selon laquelle il se serait montré agressif : il aurait été puni pour avoir voulu voir sa sœur nue et se serait mis en colère, récit qui lui permet de nier son rôle passif vis-à-vis de cette sœur[5]. Lors de sa phase sadique-anale, il avait remplacé son ancienne identification active au père par une attitude passive à laquelle l'avait contraint la séduction par sa sœur, lui donnant un objectif sexuel passif. Il suit alors un chemin

1. *Ibidem,* p. 34-35 ; p. 180 ; p. 226.

2. *Conférences d'introduction à la psychanalyse* (1916-1917), Paris, Gallimard, 1999, p. 416 ; *OCF* XIV, p. 339 ; *GW* XI, p. 339.

3. « Pulsions et destins des pulsions » (1915c), *Métapsychologie,* Paris, Gallimard, 1968, p. 35-36 ; *OCF* XIII, p. 181 ; *GW* X, p. 227.

4. *Ibidem,* p. 44 ; p. 186-187 ; p. 232.

5. « Extrait de l'histoire d'une névrose infantile (L'homme aux loups) » (1918b [1914]), *Cinq psychanalyses,* Paris, PUF, 1954, p. 335 ; *OCF* XIII, p. 17 ; *GW* XII, p. 43.

allant de sa sœur à son père, de la passivité envers la femme à la passivité envers l'homme, renouant ainsi avec une phase ancienne de développement ; l'identification est remplacée par le choix d'objet : l'attitude active se transforme en attitude passive du fait de la séduction, dont elle est le signe[1]. Une nouvelle phase de son organisation sexuelle s'est trouvée signifiée par le rêve de ses quatre ans qui réactivait la scène originaire, le ramenant à l'organisation prégénitale : jusqu'alors les contraires avaient été actif et passif, sa séduction lui avait fixé un objectif sexuel passif qui se transforma (par régression au stade sadique-anal) en celui, masochique, d'être battu et puni. À cette occasion, il découvrait le vagin, le sens biologique de mâle et femelle ; il faisait équivaloir actif à mâle et passif à femelle : « Son objectif sexuel passif aurait ainsi dû à présent se transformer en un objectif féminin », mais il succomba au refoulement et fut alors remplacé par la peur du loup[2]. Ce faisant, il ne s'agissait là pas tant du triomphe de sa virilité que d'une réaction contre sa tendance féminine passive : en effet, **le moi n'a pas de tendances sexuelles mais ne s'intéresse qu'au maintien de son narcissisme**[3]. Son enfance avait été marquée par des oscillations entre activité et passivité, sa puberté par une lutte pour affirmer sa virilité, la période qui avait suivi sa maladie par une lutte pour conquérir l'objet de la tendance masculine[4]. Ce renversement de l'activité en passivité, lors de la transformation du fantasme incestueux en fantasme masochiste, est propre au garçon – notons-le – et ne se produirait pas chez la fille, ce supplément de déformation pouvant dispenser le fantasme d'avoir à demeurer refoulé[5].

Au-delà du principe de plaisir, en **1920,** attribue un nouveau destin à l'activité et la passivité. Prenant l'exemple d'un enfant qui joue avec une bobine, Freud montre qu'il utilise le jeu pour maîtriser l'événe-

1. *Ibidem,* p. 341 ; p. 25 ; p. 52.
2. *Ibidem,* p. 357 ; p. 44 ; p. 74.
3. *Ibidem,* p. 411-412 ; p. 109-110 ; p. 147.
4. *Ibidem,* p. 417 ; p. 116 ; p. 153.
5. « Un enfant est battu. Contribution à la genèse des perversions sexuelles » (1919e), *Névrose, psychose et perversion,* Paris, PUF, 1973, p. 229-230 ; *OCF* XV, p. 131 ; *GW* XII, p. 210.

ment : « Il était passif mais, en le répétant, aussi déplaisant soit-il, il assume un rôle actif. »[1] En outre, ce sont des comportements actifs et passifs qui se trouvent au cœur de ces « éternels retour du même » dans lesquels une « force démoniaque », un « trait de caractère immuable » aboutit à des « compulsions de destin », à ces énigmatiques « névroses de destiné »[2]. Mais ces traits introduisent surtout à la compulsion de répétitions ; en fait, avec celle-ci, plus que de passivité il s'agit alors de « l'inertie dans la vie organique » avec, à terme, la mort[3].

Dans *Inhibition, symptôme et angoisse,* en **1926,** Freud revient sur la fonction du jeu pour illustrer la défense contre l'angoisse ; celle-ci est la réaction originaire à la détresse suscitée par le traumatisme, elle est ensuite reproduite dans la situation de danger afin de donner l'alarme : elle en est le signal. Après avoir vécu passivement le traumatisme, le moi le répète activement mais de façon atténuée, en espérant parvenir ainsi à en diriger le cours ; le jeu ne procède pas autrement : **en passant de la passivité à l'activité, l'enfant « cherche à maîtriser psychiquement les impressions de sa vie »**[4].

Dans les années **1930** vont être **accentuées les réserves sur les correspondances d'actif avec masculin et de passif avec féminin,** d'autant qu'il faut bien constater qu'on peut d'autant leur reprocher leur légèreté que la psychologie ne saurait être à même de nous révéler les caractères « masculin » ou « féminin » ; l'anatomie seule en est capable (ce qui n'est pas sans nous renvoyer à l'aphorisme freudien énonçant que « l'anatomie, c'est le destin »[5]) ; il faut donc bien constater que la théorie de la bisexualité demeure d'autant plus obscure qu'il s'avère impossible de la rattacher à la théorie des pulsions[6]. C'est surtout la

1. *Au-delà du principe de plaisir* (1920g), *Essais de psychanalyse,* Paris, Payot, 1981, p. 54 et 78 ; *OCF* XV, p. 286 et 306 ; *GW* XIII, p. 13 et 36.

2. *Ibidem,* p. 62-63 ; p. 292-294 ; p. 20-21.

3. *Ibidem,* p. 80-82 ; p. 308-310 ; p. 38-40.

4. *Inhibition, symptôme et angoisse* (1926d [1925]), Paris, PUF, 1951, p. 96 ; *OCF* XVII, p. 281 ; *GW* XIV, p. 200.

5. « La disparition du complexe d'Œdipe » (1924d), *La vie sexuelle,* Paris, PUF, 1969, p. 121 ; *OCF* XVII, 1992, p. 31 ; *GW* XIII, p. 400.

6. *Malaise dans la civilisation* (1930a [1929]), Paris, PUF, 1971, p. 58, n. 1 ; *OCF* XVIII, p. 293, n. 1 ; *GW* XIV, p. 467.

reprise en compte de l'Œdipe et des rapports mère-fille qui conduisent à ce qu'il faut bien considérer comme des *révisions* ; en effet, à l'égard de sa mère, les buts sexuels de la fille sont actifs *et* passifs. En outre, dans les deux sexes, régulièrement et dans tous les domaines de la vie psychique, une impression éprouvée passivement fait naître, chez l'enfant, une réaction active ; il y a là une **révolte contre la passivité** et une **préférence pour le rôle actif.** Certes, les premières expériences sexuelles infantiles avec la mère sont passives ; une partie de sa libido y demeure fixée, alors qu'une autre cherche à les transformer en activité. C'est ainsi qu'en jouant à la poupée les filles témoignent certes de leur féminité, mais elles extériorisent ainsi son côté actif ; la fille atteste là de « l'exclusivité du lien à la mère avec négligence complète de l'objet-père »[1].

Comme son nom l'indique (en allemand comme en français) la pulsion « pousse » depuis la source jusqu'à son but (qui est d'abolir l'état d'excitation corporel qu'elle représente) ; c'est dire que, **dans son essence, la pulsion est psychiquement active, indifférente au sexe** (redisons-le encore avec Freud : parler de pulsions actives et passives veut seulement dire que *leurs buts* sont actifs ou passifs et, pour atteindre un but passif, il faut souvent beaucoup d'activité)[2]. **Même dans la vie sexuelle on ne saurait faire coïncider le comportement masculin avec l'activité, le comportement féminin avec la passivité ;** non seulement la mère est pleinement active face à l'enfant, mais bien des femmes sont capables d'être très actives et nombre d'hommes ne sauraient vivre sans se soumettre passivement – autrement dit, faire coïncider « actif » avec « masculin » et « passif » avec « féminin » est une erreur ; c'est inopportun et n'apporte rien. Tout au plus pourrait-on songer à caractériser la féminité par la préférence donnée à des buts passifs, ce qui est fort différent de la passivité puisque **une grande part d'activité peut être nécessaire pour imposer un but passif** ; peut-être même y a-t-il, chez la femme, une préférence pour un comportement passif et pour des aspirations à des buts passifs – encore faut-il

1. « Sur la sexualité féminine » (1931b), *La vie sexuelle,* Paris, PUF, 1969, p. 149 ; *OCF* XIX, p. 21-22 ; *GW* XIV, p. 530-531.

2. *Nouvelles conférences d'introduction à la psychanalyse* (1933a [1932]), Paris, Gallimard, 1984, p. 131 ; *OCF* XIX, p. 179 ; *GW* XIV, p. 103.

« ne pas sous-estimer l'influence des organisations sociales » qui ont trop souvent acculé les femmes à des situations et des statuts de passivité. Disons-le avec Freud : « Tout cela est encore bien loin d'être tiré au clair. »[1]

Et en **1938**, il faut bien constater que « la psychanalyse n'a contribué en rien à résoudre ce problème ». **Le psychisme se limite à refléter la grande opposition biologique des sexes** et nous nous heurtons à la difficulté que représente le constat que « l'individu ne réagit pas seulement conformément à son propre sexe mais est toujours accessible, dans une certaine mesure, aux réactions du sexe opposé » ; même si, par commodité, « nous appelons mâle tout ce qui est fort et actif, féminin tout ce qui est faible et passif », il n'en demeure pas moins que « le fait de la bisexualité psychologique pèse sur nos recherches et rend difficile toute description »[2]. La bisexualité, comme l'opposition des sexes qui la fonde, apparaît comme une donnée incontournable dont le psychisme ne peut témoigner ; nous avons là le reflet de leur ancrage biologique qui, avec celui du pôle actif-passif, auquel il se soude, contribue à son caractère énigmatique. Disons que les uns et les autres – à commencer par la bisexualité – *tendent alors à apparaître plus comme constats que comme concepts.*

QUESTIONS ET ENJEUX

Il n'en demeure pas moins que *le couple actif-passif se découvre fort utile pour que puisse apparaître le couple masculin-féminin* ; pourtant, la nature de leur interaction n'est pas forcément évidente, d'autant que Freud s'en explique peu. Pour en rendre compte, il use d'un mot qu'il n'applique à aucune autre situation psychique mais que, là-dessus, il introduit dans plusieurs textes parus entre 1913 et 1918 – mot qui ne sera pas repris par la suite, semble-t-il, mais qu'il ne récusera pas. Il parle alors de « souder » *(verlöten)*, d'une

1. *Ibidem*, p. 154-155 ; p. 199 ; p. 123.

2. *Abrégé de psychanalyse* (1940a) [1938]), Paris, PUF, 1985, p. 58-59 ; *OCF* XX, p. 282-283 ; *GW* XVII, p. 114-115.

action de « soudure ». Dans la mesure où sont en cause deux états, deux mouvements successifs, il pourrait sembler que l'on se trouve ici dans une situation voisine de celle des pulsions partielles s'appuyant les unes sur les autres et se superposant, ou encore de celle qui met en œuvre les choix d'objets aux différents stades ; dans de tels cas, le processus invoqué est celui de l'« étayage ». Or, lorsqu'il s'agit du pôle actif-passif permettant d'accéder au pôle masculin-féminin, l'étayage n'apparaît à aucun moment du commentaire freudien, selon lequel il incombe à la soudure de rendre compte du processus. Quelles peuvent être, pour ce faire, les raisons de Freud ?

L'étayage suppose que le premier terme (l'étai) modèle, oriente le nouveau venu (l'étayé) et que, de surcroît, pour une part, il persiste à ses côtés ; une certaine corrélation travaille donc entre eux. Or c'est justement ce que Freud en vient assez tôt à écarter en ce qui concerne les enchaînements entre actif-passif et masculin-féminin : les deux pôles ne sauraient être superposés l'un à l'autre. En quoi consiste donc la « soudure » ? Lorsque Freud s'y réfère, à chaque fois il la définit d'abord comme « un fait biologique » qui ne saurait, pour autant, être ni impératif, ni exclusif[1] ; disons que ce qui se passe là n'est pas sans nous rappeler le « schéma héréditaire individuel » qui, doté d'une existence indépendante telle que les événements se trouvent remaniés par les fantasmes, fait que « le schéma triomphe de l'expérience individuelle »[2] – c'est là un processus inéluctable, mais qui laisse une grande latitude aux événements particuliers propres à chacun, d'autant qu'ils vont être remaniés en se confrontant au schéma. Quelque chose d'assez voisin se produit lors de la soudure d'actif sur masculin et de passif sur féminin : c'est tout autant inéluctable, et pareillement superfétatoire – ce qui fait que l'on ne saurait rien tirer, pour la compréhension du fonctionnement psychique, du rabattage des uns sur les autres.

Si on regarde de plus près le mouvement que décrit Freud, on voit comment (à cette époque prégénitale où n'existe pas encore la distinction mâle-femelle) l'activité va infiltrer la sexualité anale pour aboutir au sadisme, alors que le courant passif donnera une prédis-

1. *Métapsychologie* (1915-1917), Paris, Gallimard, 1968, p. 36 ; *OCF* XIII, p. 181 ; *GW* X, p. 227.

2. « Extrait de l'histoire d'une névrose infantile (L'homme aux loups) » (1918b [1914]), *Cinq psychanalyses*, Paris, PUF, 1954, *OCF* XIII, p. 418 ; *GW* XII, p. 117 ; p. 155.

position à l'homosexualité ; mais il s'agit là de pulsions partielles qui ne mettent pas en œuvre l'opposition des sexes. Rappelons-le : on doit bien distinguer le passage étayé des pulsions partielles à la pulsion génitale d'avec la soudure du masculin-féminin sur actif-passif ; c'est pourtant cette soudure qui va assurer la continuité de ces divers processus : la polarité actif-passif est bien « *le précurseur de la polarité sexuelle* avec laquelle elle se soudera »[1]. Ainsi, l'opposition entre actif et passif se fond dans celle entre masculin et féminin qui, jusqu'à ce moment, n'avait pas de signification psychologique. La soudure de l'activité à la masculinité et de la passivité à la féminité est bien un fait biologique, mais qui n'est d'aucune façon aussi impératif et exclusif que nous pouvons être enclins à l'admettre[2]. Dans la même ligne, on doit considérer que, avec la coexistence dans la vie psychique des tendances « actives » et « passives », se reflète la bisexualité des individus ; là encore, ces tendances en sont les « précurseurs »[3].

Ce qui est décrit là est tout de même assez particulier puisque, si l'opposition actif-passif, « issue du biologique », n'étaie pas celle de masculin-féminin mais vient s'y souder (il est même arrivé à Freud d'écrire qu'elle « s'y fond », ce qui est autre chose qu'une soudure, mais il ne reprendra pas le mot), c'est pour venir lui donner une « signification psychologique ». Remarquons pourtant que la différence des sexes est tout autant issue du biologique, mais elle n'est pas véritablement au travail tant que la génitalité n'est pas atteinte, tant qu'elle ne s'est pas « psychologisée » ; elle est, tout un temps, comme en latence, et il lui faut un précurseur : tel est effectivement la fonction de l'activité-passivité. Mais cette arrivée tardive, œdipienne en somme, confère une grande importance aux événements extérieurs et aux circonstances de la vie ; c'est bien pourquoi cette autre polarité ne saurait avoir ni la belle simplicité, ni la commode dichotomie, ni la franche détermination de la première : aussi déterminé

1. « La disposition à la névrose obsessionnelle. Une contribution au problème du choix de la névrose » (1913f), *Névrose, psychose et perversion,* Paris, PUF, 1973, p. 194 ; *OCF* XII, p. 90 ; *GW* VIII, p. 448.

2. « Pulsions et destins des pulsions » (1915c), *Métapsychologie,* Paris, Gallimard, 1968, p. 36 ; *OCF* XIII, p. 181 ; *GW* X, p. 227.

3. « L'intérêt de la psychanalyse » (1913j), *Résultats, idées, problèmes, I,* Paris, PUF, 1984, p. 205 ; *OCF* XII, p. 117 ; *GW* VIII, p. 411.

biologiquement soit-il, le couple masculin-féminin n'en est pas moins pris d'emblée dans le psychologique, alors que l'actif-passif demeure ancré dans le biologique. Il importe pourtant que les deux pôles apparaissent reliés pour que soit assurée la cohérence, l'unité de l'individu – et qu'il puisse se constituer de véritables objets. C'est justement pour réaliser ce lien, ce pont, cet engrènement entre le biologique et le psychologique qu'opère la « soudure », ce concept « oublié » (c'est bien pourquoi nous avons dû nous y attarder quelque peu). Cette soudure se révèle effectivement nécessaire à maintenir la cohérence et l'unité de l'être, voire du sujet. Il n'en demeure pas moins que, d'une certaine façon, elle apparaît aussi comme – pourrait-on dire – une convention (voire un postulat), à la fois nécessaire et flexible.

Ainsi que l'énonce Freud dans le même texte – et ce sera la conclusion de cet article sur ce thème –, l'étude de la polarité actif-passif témoigne de « l'importante médiation qu'édifie la psychanalyse entre la biologie et la psychologie ».

Claude Le Guen

AFFECT

all. : ***Affekt.*** – angl. : *affect.* – esp. : *afecto.* – ital. : *affetto.* – port. : *afeto*

Un affect correspond à une décharge pulsionnelle, perçue comme sensation, dont il est l'expression quantitative ; il est ainsi à la base du fonctionnement psychique. Au sens dynamique, il englobe des innervations et décharges motrices déterminées, les perceptions des actions motrices, ainsi que les sensations directes de plaisir et de déplaisir qui lui donnent sa tonalité fondamentale ; d'un point de vue topique, au sens strict, l'affect n'est jamais inconscient : il ne peut être éprouvé que par le moi ; économiquement, sa répression est le but véritable et premier du refoulement, qu'il justifie. Reproductions d'événements vitaux anciens, d'ordre physiologique, les affects sont les cristallisations d'une réminiscence, évoquant ainsi des accès hystériques.

MISE EN SITUATION

Le terme fut emprunté à l'allemand par les traducteurs de Freud. À la différence du vieux mot « angoisse », celui d'« affect » est donc fort récent, seulement attesté en français depuis 1951 ; en 1965 encore, la première édition du Dictionnaire de la langue française *de Paul Robert l'ignore (il sera introduit dans le Supplément de 1974). Les termes jusqu'alors utilisés étaient « sensation », « sentiment » (ces deux mots étant souvent utilisés par Freud comme synonymes d'affect), « émotion », « humeur » (référant implicitement l'organicité des « humeurs du corps ») ; son équivalant psychiatrique est « thymie ». Le mot apparaît en 1890, avec déjà le sens qu'il conservera*[1]*. Dans un texte paru en français en 1895*[2] *(dans la* Revue neurologique*) Freud parle d'un « état émotif », ce qu'il va retraduire ensuite en allemand par* Affekt *(notons d'ailleurs que les dictionnaires allemand-français en donnent pour traduction : « passion », « émotion »). Le germanisme «* Affect *» a la même racine latine que ses équivalents dans les langues romanes (Spinoza, qui écrivait en latin, utilisait le terme affectus pour désigner non seulement « les affections du corps » mais aussi « les idées de ces affections »*[3]*) ; sa parfaite acception par le français contemporain tient sans doute à sa proximité avec les termes avérés de « affecter », « affection » (et leurs dérivés) ; quoi qu'il en soit, il s'agit bien là d'indiquer ce « qui relève du sentiment et non de la raison [...] : les tendances, émotions, passions, etc. ».*

La notion d'affect recouvre tout un panorama de sentiments, sensations, émotions et humeurs dont Freud ne dresse pas la liste mais qu'il nomme au fil de son œuvre ; cela va des larmes jusqu'à la vengeance[4] *en passant par l'effroi*[5]*, sans bien sûr oublier l'amour sous toutes ses*

1. « Traitement psychique » (1905b [1890]), *Résultats, idées, problèmes, I,* Paris, PUF, 1984, p. 7 ; *OCF* I, p. 159-160 ; *GW* V, p. 295-296.

2. « Obsessions et phobies. Leur mécanisme psychique et leur étiologie » (publié en français) (1895c), *Névrose, psychose et perversion,* Paris, PUF, 1973 ; *OCF* III ; *GW* I.

3. B. Spinoza, *Éthique, II . I.*

4. *Études sur l'hystérie (communication préliminaire)* (1893a), Paris, PUF, 1956, p. 5 ; *OCF* II, p. 28 ; *GW* I, p. 86.

5. *Trois essais sur la théorie sexuelle* (1905d), Paris, Gallimard, 1987, p. 136 ; *OCF* VI, p. 140 ; *GW* V, p. 104.

formes[1], *ni même le deuil*[2]. *Tous sont des expressions des sensations directes de plaisir et de déplaisir ; ce sont elles qui confèrent à l'affect sa tonalité fondamentale*[3]. *On notera : d'une part, que la douleur constitue un cas particulier puisqu'elle « tient le milieu entre perception interne et externe »*[4]*; et que d'autre part (et plus particulièrement dans la foule) la peur panique abolit tous les liens affectifs*[5]. *Ajoutons que « tous les processus affectifs relativement intenses empiétant sur la sexualité »*[6], *« tous les affects devenant capables de se transformer en angoisse »*[7], *celle-ci doit occuper une place prépondérante, voire primordiale – prééminence inscrite dans la désignation de l'angoisse de la naissance comme « prototype des états d'affect », même si ceux-ci ne sauraient s'y réduire*[8] *; il n'en demeure pas moins que « l'angoisse n'est rien d'autre qu'un état d'affect, donc une réunion de sensations déterminées de la série plaisir-déplaisir »*[9].

Pour autant, si ce que nous nommons aujourd'hui « affect » est sans doute de ces « mots qui s'entendent aisément sans que l'on ait à les définir », en expliciter le sens en psychanalyse n'est guère aisé. Ce l'est d'autant moins que, si nous sommes ainsi renvoyés à des

1. *Psychologie des foules et analyse du moi* (1921c), *Essais de psychanalyse*, Paris, Payot, 1981, p. 150-151 ; *OCF* XVI, p. 29 ; *GW* XIII, p. 98.

2. *Inhibition, symptôme et angoisse* (1926d [1925]), Paris, PUF, 1951, p. 54 ; *OCF* XVII, p. 247 ; *GW* XIV, p. 161.

3. *Conférences d'introduction à la psychanalyse* (1916-1917), Paris, Gallimard, 1999, p. 501 ; *OCF* XIV, p. 411-412 ; *GW* XI, p. 411-412, et aussi : *Au-delà du principe de plaisir* (1920g), *Essais de psychanalyse*, Paris, Payot, 1981, p. 44 ; *OCF* XV, p. 277 ; *GW* XIII, p. 3.

4. *Le moi et le ça* (1923b), *Essais de psychanalyse*, Paris, Payot, 1981, p. 234 ; *OCF* XVI, p. 267 ; *GW* XIII, p. 250.

5. *Psychologie des foules et analyse du moi* (1921c), *Essais de psychanalyse*, Paris, Payot, 1981, p. 157 ; *OCF* XVI, p. 35 ; *GW* XIII, p. 105.

6. *Trois essais sur la théorie sexuelle* (1905d), Paris, Gallimard, 1987, p. 136 ; *OCF* VI, p. 140 ; *GW* V, p. 104.

7. « Analyse d'une phobie chez un petit garçon de cinq ans (Le petit Hans) » (1909b), *Cinq psychanalyses*, Paris, PUF, 1954, p. 115 ; *OCF* IX, p. 30 ; *GW* VII, p. 270.

8. *Inhibition, symptôme et angoisse* (1926d [1925]), Paris, PUF, 1951, p. 90 et 55 ; *OCF* XVII, p. 276 et 248 ; *GW* XIV, p. 194-195 et 163.

9. *Nouvelles conférences d'introduction à la psychanalyse* (1933a [1932]), Paris, Gallimard, 1984, p. 111-112 ; *OCF* XIX, p. 164-165 ; *GW* XV, p. 87-88.

humeurs relevant du sens commun, il s'agit là plus encore d'une donnée métapsychologique fondamentale ; de surcroît, tel qu'introduit et utilisé par Freud, le terme est spécifique au champ qu'il a défini, venant signifier la rupture opérée avec la psychologie « classique » : « Ce que je viens de vous dire sur les affects n'est pas un bien reconnu de la psychologie normale. Ce sont au contraire des conceptions qui ont pris naissance sur le sol de la psychanalyse et qui n'ont pas d'autre patrie. Ce qu'en psychologie vous pouvez apprendre au sujet des affects est, pour nous psychanalystes, proprement incompréhensible et impossible à discuter. Mais nous ne tenons pas non plus notre savoir concernant les affects pour très assuré » [1] *– ce qu'il confirmera encore dix ans plus tard en constatant que nous ne savons pas ce qu'est un affect*[2].

LE TEXTE FREUDIEN

Dès l'un de ses tout ***premiers écrits,*** en 1890 dans un ouvrage de vulgarisation « à l'usage des familles », Freud donne déjà l'essentiel des caractères des affects ; s'ils ont bien un rapport tout à fait particulier aux processus corporels, en fait « tous les états psychiques », y compris ceux que nous avons l'habitude de considérer comme des « processus de pensée », sont dans une certaine mesure *« affectifs »*, et tous s'accompagnent de manifestations corporelles[3]. Dans ses premiers travaux portant sur le fonctionnement psychique (1893) le recours aux affects s'impose ; ce sont eux qui justifient la « catharsis » qui doit permettre à l'affect étouffé par « la représentation qui n'avait pas été primitivement abréagie [...] de se déverser verbalement », amenant ainsi « cette représentation à se modifier par voie

1. *Conférences d'introduction à la psychanalyse* (1916-1917), Paris, Gallimard, 1999, p. 502 ; *OCF* XIV, p. 411 ; *GW* XI, p. 411.

2. *Inhibition, symptôme et angoisse* (1926d [1925]), Paris, PUF, 1951, p. 55 ; *OCF* XVII, p. 247 ; *GW* XIV, p. 162.

3. « Traitement psychique » (1905b [1890]), *Résultats, idées, problèmes, I,* Paris, PUF, 1984, p. 7 ; *OCF* I, p. 160-161 ; *GW* I, p. 295-296.

associative »[1]. Son fonctionnement dans l'appareil psychique s'ébauche très tôt : **l'affect « s'étend sur les traces mnésiques des représentations,** un peu comme une charge électrique sur la surface des corps »[2] ; permettant une libération soudaine de la tension, il se distingue des « états de désir » voisins où elle s'accumule de façon quantitative[3] ; ajoutons qu'il doit être situé tant en fonction de la biologie que du psychisme.

Ceci sera repris en **1900** et développé dans *L'interprétation des rêves,* ouvrage qui débute véritablement la réflexion sur le fonctionnement de l'affect en partant du constat que **c'est par son fond affectif, bien plus que par son contenu représentatif, que le rêve s'impose comme un fait psychologique d'expérience.** Les représentations subissent des déplacements et des substitutions, alors que les affects ne changent pas ; d'où le constat, à la suite, que « l'affect a toujours raison, du moins pour ce qui est de sa qualité », son intensité étant variable[4] (même s'il peut paraître changer en participant au déguisement de la pensée du rêve, un contenu « pénible », par exemple, apparaissant pour travestir le souhait)[5]. Si les représentations étaient libres dans l'inconscient le refoulement aboutirait à faire du plaisir un déplaisir ; aussi la répression doit s'exercer sur la part représentative de l'inconscient, car c'est elle qui pourrait dégager du déplaisir. Ceci est sous-tendu par une hypothèse sur le développement de l'affect : celui-ci doit être considéré comme effet moteur et sécrétoire, **« la clef de son innervation se trouvant dans les représentations de l'inconscient ».** Ce travail relève en fait du préconscient ; en son absence, les excitations inconscientes pourraient provoquer des affects qui, renvoyant à d'anciens refoulements, susciteraient du

1. *Études sur l'hystérie (communication préliminaire)* (1893a), Paris, PUF, 1956, p. 12 ; *OCF* II, p. 38 ; *GW* I, p. 97.

2. « Les psychonévroses de défense » (1894a), *Névrose, psychose et perversion,* Paris, PUF, 1973, p. 4 et 14 ; *OCF* III, p. 6 et 18 ; *GW* I, p. 63 et 74.

3. « Esquisse d'une psychologie scientifique » (1950c [1895]), *La naissance de la psychanalyse,* Paris, PUF, 1956, p. 339.

4. *L'interprétation des rêves* (1900a), Paris, PUF, 1967, p. 392-393 ; *OCF* IV, p. 509-510 ; *GW* II-III, p. 463-464.

5. *Ibidem,* p. 132 ; p. 181 ; p. 151.

déplaisir, de l'angoisse[1]. Ce sont là, certes, des bases solides pour aborder l'affect, mais Freud ne les exploitera que bien plus tard ; lorsqu'en 1917 il reprendra longuement l'étude des rêves, il regrettera encore d'avoir négligé « le problème des affects dans le rêve, qui mériterait d'être étudié pour lui-même »[2].

Un problème apparu très tôt est effectivement celui des liens entre affect et angoisse, d'autant que **tous les processus affectifs un peu marqués empiètent sur la sexualité**[3] ; c'est ainsi qu'il peut y avoir un « renversement de l'affect »[4] et que, chez les hystériques par exemple, une excitation sexuelle peut se transformer en dégoût, voire susciter de l'angoisse (à noter que l'expression « interversion de l'affect » ne sera pas reprise, le processus paraissant devoir prendre place parmi les « renversements du contenu de la pulsion » qui seront théorisés dix ans plus tard[5]). Lorsque l'angoisse s'installe, elle absorbe les autres sentiments ; sous l'effet du refoulement des représentations chargées d'affect – qui, de la conscience, descendent dans l'inconscient –, tous les affects sont susceptibles de se transformer en angoisse[6]. Les bases sont dès lors en place, mais il s'agit là plus d'une description, voire d'une clinique, que d'une véritable théorie de l'affect.

Celle-ci commencera à être formalisée en **1915**, dans la *Métapsychologie*. De façon très précoce, le contenu de la pulsion peut être renversé en son contraire dans le cas de la *transposition de l'amour en haine* (l'objet étant souvent le même, nous avons là le meilleur exemple d'une ambivalence de sentiment) ; mais si « aimer » renvoie

1. *Ibidem*, p. 495 ; p. 637 ; p. 588.

2. *Conférences d'introduction à la psychanalyse* (1916-1917), Paris, Gallimard, 1999, p. 275 ; *OCF* XIV, p. 220-221 ; *GW* XI, p. 220.

3. *Trois essais sur la théorie sexuelle* (1905d), Paris, Gallimard, 1987, p. 136 ; *OCF* VI, p. 140 ; *GW* V, p. 104.

4. « Fragment d'une analyse d'hystérie (Dora) » (1905e [1900]), *Cinq psychanalyses*, Paris, PUF, 1954, p. 18 ; *OCF* VI, p. 209 ; *GW* V, p. 187.

5. « Pulsions et destins des pulsions » (1915c), *Métapsychologie*, Paris, Gallimard, 1968, p. 34-41 ; *OCF* XIII (2e éd.), p. 180-185 ; *GW* X, p. 225-230.

6. « Analyse d'une phobie chez un petit garçon de cinq ans (Le petit Hans) » (1909b), *Cinq psychanalyses*, Paris, PUF, 1954, p. 115 ; *OCF* IX, p. 30 ; *GW* VII, p. 270.

de plus en plus à la relation de plaisir du moi à l'objet, pour se fixer finalement sur les objets sexuels, « haïr » n'a pas de relation aussi intime au plaisir sexuel, la relation au déplaisir étant déterminante : les prototypes de la haine résultent de la lutte du moi pour se protéger et s'affirmer, et non pas de la vie sexuelle[1].

Quelle que soit l'étroitesse des liens que Freud a pu constater entre affect, représentation et trace mnésique, la clinique le conduit, lorsqu'il reprend l'étude des destins du refoulement, à décomposer le représentant pulsionnel (représentation investie de libido) en une « **représentation** » **proprement dite**, et en un « **montant d'affect** », *quantum,* quantité de pulsion détachée de la représentation et s'exprimant en processus ressentis sous la forme d'affects. À ceux-ci, le refoulement réserve un destin différent de celui de la représentation : ou la pulsion est réprimée et on n'en trouve aucune trace, ou elle se manifeste comme affect marqué qualitativement d'une façon quelconque, ou elle se transforme en angoisse. La raison d'être du refoulement étant l'évitement du déplaisir, « **le destin du montant d'affect appartenant au représentant est de loin plus important que celui de la représentation** » ; c'est dire qu'un refoulement qui ne réussit pas à empêcher le déplaisir ou l'angoisse a échoué[2].

La pulsion ne connaît pas l'opposition conscient/inconscient ; nous ne pouvons en connaître que dans la mesure où elle est attachée à une représentation ou apparaît sous forme d'affect. Mais les rapports de l'affect à l'inconscient sont difficiles à préciser (difficulté qui persistera après l'introduction de la topique moi-ça) ; ainsi, le refoulement peut déplacer un affect sur une autre représentation qui semble en être la manifestation, nous conduisant alors à considérer comme « inconsciente » la motion d'affect originaire, bien que cet affect n'ait jamais été inconscient : seule sa représentation a succombé au refoulement. La connexion ainsi établie est d'abord défensive ; il s'agit là de l'un des destins du refoulement, refoulement qui ne peut être considéré comme réussi que lorsqu'il a pu inhiber le développement de l'affect

1. « Pulsions et destins des pulsions » (1915c), *Métapsychologie,* Paris, Gallimard, 1968, p. 34-41 ; *OCF* XIII (2e éd.), p. 180-185 ; *GW* X, p. 225-230.

2. « Le refoulement » (1915d), *Métapsychologie,* Paris, Gallimard, 1968, p. 55-56 ; *OCF* XIII, p. 195-196 (2e éd.) ; *GW* X, p. 253-254.

(tel est même son « but spécifique ») – devenu « inconscient », il ne subsiste que comme « un rudiment qui n'a pu se développer », alors que la représentation inconsciente refoulée « demeure dans le système *Ics* comme formation réelle ». S'il y a bien des représentations inconscientes, au sens strict il n'y a pas d'affects inconscients ; toute la différence tient à ce que « **les représentations sont des investissements qui se fondent sur des traces mnésiques, tandis que les affects et sentiments correspondent à des processus de décharge,** finalement perçus comme sensations ».

Le constat que le refoulement peut inhiber la transposition de la motion pulsionnelle en affect montre la domination du système *Cs* sur affectivité et motilité : non seulement le refoulement tient à l'écart de la conscience, mais empêche aussi le développement d'affect et d'activité musculaire – sa domination sur l'affect étant moins ferme que sur la motricité. La lutte entre systèmes *Cs(Pcs)* et *Ics* pour s'assurer le contrôle de l'affect entraîne la formation de *représentations de substituts* qui conduisent à relativiser la divergence des destins de l'affect d'avec sa représentation lors du refoulement : ainsi l'affect peut se développer directement à partir du système *Ics,* ayant alors toujours la forme d'une angoisse prenant la place de tous les affects refoulés, mais fréquemment la motion pulsionnelle doit attendre de trouver, dans le système *Cs,* une représentation de substitut dont la nature détermine le caractère qualitatif de l'affect. S'il est incontestable que lors du refoulement l'affect est séparé de sa représentation, le processus véritable, en règle générale, peut être énoncé ainsi : « **Un affect ne se produit pas tant que n'a pas réussi la percée qui lui donne une nouvelle façon d'être représentée dans le système *Cs.*** » [1]

L'année suivante, en **1916-1917** dans les *Conférences d'introduction à la psychanalyse,* peut être donnée une définition explicite de cette « chose très composite ». *L'affect englobe des innervations et décharges motrices déterminées, ainsi que des sensations de deux sortes : les perceptions des actions motrices et les sensations directes de plaisir-déplaisir qui confèrent à l'affect sa tonalité fondamentale.* Mais

1. « L'inconscient » (1915e), *Métapsychologie,* Paris, Gallimard, 1968, p. 82-86 ; *OCF* XIII (2e éd.), p. 218-221 ; *GW* X, p. 276-278.

l'essence de l'affect serait plus profonde encore, noyau qui assure la cohésion de l'ensemble en répétant « une expérience vécue déterminée, chargée de signification, qui fut très précoce et de nature très générale », qu'il faut situer dans la préhistoire de l'espèce et non de l'individu. Ainsi, et nous verrons que c'est là une idée qui sera reprise et toujours maintenue, « **l'état d'affect serait construit comme un accès hystérique** », il apparaîtrait comme « **la cristallisation d'une réminiscence** » ; l'affect normal serait alors comparé à « l'expression d'une hystérie générique devenue héréditaire » – ce qui pourrait faire s'interroger sur la part de « souffrance » (on pense ici à la remarque des *Études sur l'hystérie* en 1895 : « c'est de *réminiscence* surtout que *souffre* l'hystérique » [1]), d'angoisse inhérente à l'« affect normal ». Mais Freud ne pose pas encore la question. L'affect d'angoisse est pourtant lui-même la répétition d'une impression précoce : celle survenue lors de la naissance avec ses sensations corporelles, de déplaisir, de décharges (résultat du bouleversement réel produit par l'anoxie brutale, donc toxique) ; c'est là « le prototype de l'effet d'un danger pour la vie, répété depuis lors par nous sous forme d'état d'angoisse » [2].

De **1920** à **1923**, avec les trois ouvrages habituellement désignés comme *Essais de psychanalyse,* Freud élabore une nouvelle systématique pulsionnelle et une topique nouvelle. Assez curieusement, dans ces textes il évite alors de nommer l'affect comme tel, parlant plutôt de « sensations » et de « sentiments » – même si c'est bien là d'affects qu'il s'agit ; il ne s'explique d'ailleurs pas sur ce glissement sémantique, mais il semblerait, sans que ce soit systématique, que l'affect doive désigner plutôt un état lié à une décharge et la sensation un éprouvé, un « ressenti » ; quoi qu'il en soit, il reprendra ensuite le terme d'affect.

À l'encontre de ce qui se passe pour la compréhension de l'angoisse, à propos de laquelle, comme il le notera dix ans plus tard, « tout est en évolution, en mutation » [3], la *théorie de l'affect* proprement dite

1. *Études sur l'hystérie (communication préliminaire)* (1893a), Paris, PUF, 1956, p. 5 ; *OCF* II, p. 28 ; GW I, p. 86.

2. *Conférences d'introduction à la psychanalyse* (1916-1917), Paris, Gallimard, 1999, p. 501-502 ; *OCF* XIV, p. 410-411 ; *GW* XI, p. 410-411.

3. *Nouvelles conférences d'introduction à la psychanalyse* (1933a [1932]), Paris, Gallimard, 1984, p. 126 ; *OCF* XIX, p. 175 ; *GW* XV, p. 99.

n'est pas profondément remaniée ; si cette période va bien apporter certains aménagements et précisions, les élaborations nouvellement introduites ne vont pas véritablement la bouleverser : bien plus que sur sa fonction, les changements se porteront sur le sens à attribuer à ses faillites, lorsque la compulsion de répétition fait aussi réapparaître d'anciennes expériences ne comportant aucune possibilité de plaisir[1] – comme « au-delà » de celui-ci ?

C'est que **l'affect relève du plaisir et du déplaisir,** ces sensations tellement impératives, mais tellement obscures et provenant de la région psychique la moins accessible ; aussi, si on ne saurait se dispenser d'y toucher, on devra considérer que la meilleure hypothèse est la plus lâche. Il apparaît toujours souhaitable de mettre en relation plaisir et déplaisir avec la quantité d'excitation non liée, « le déplaisir correspondant à une élévation et le plaisir à une diminution de cette quantité »[2]. Les processus primaires, non liés, produisent des sensations beaucoup plus intenses que les processus liés, secondaires ; ils sont aussi les premiers à apparaître et il n'en est pas d'autres aux tout débuts de la vie psychique. Nous devons ainsi considérer que l'aspiration au plaisir, comme les affects qui en relèvent, sont à ce moment beaucoup plus intenses, mais plus restreints. Et si ensuite le principe de plaisir est plus assuré, il n'en a pas moins été en partie dompté, comme doivent l'être aussi les affects. Toujours est-il que ce qui **« détermine les sensations de plaisir et de déplaisir doit être présent dans le processus secondaire aussi bien que dans le processus primaire ».**

Mais alors, les *sensations* ne représentent-elles pas la différence entre processus liés et non liés ? Cette sensation de tension, qu'est l'affect, n'est-elle pas fonction de la grandeur absolue de l'investissement tandis que plaisir-déplaisir correspondrait à la modification d'investissement dans l'unité de temps ? Freud laisse ouvertes ces questions, d'autant que le problème alors posé n'est pas tant de connaître la nature et la forme des affects de plaisir et de déplaisir, et encore

1. *Au-delà du principe de plaisir* (1920g), *Essais de psychanalyse,* Paris, Payot, 1981, p. 60 ; *OCF* XV, p. 290 ; *GW* XIII, p. 18.

2. *Ibidem,* p. 43-44 ; p. 277-278 ; p. 3-4.

moins leur lieu bien connu (sachant que l'essentiel tient à ce que plaisir et déplaisir, qui sont des sensations conscientes, sont liés au moi)[1], que de savoir au « service » de quelle pulsion se mettra le principe qui les régit. Ainsi, la répétition de situations qui n'ont jamais pu être sources de plaisir – que l'on pourrait qualifier de « faillites affectives » dans la suprématie du plaisir – conduisent Freud à imaginer un « au-delà » placé sous la domination de la pulsion de mort. Éros ne pouvant se comporter que comme un « perturbateur », « le principe de plaisir semble être en fait au service des pulsions de mort »[2]. Cela pourrait bien justifier de considérer que d'être « affecté » empêche de penser, expliquant ainsi que, dans une foule, il y a « exaltation des affects et inhibition de la pensée »[3]. L'une des modalités de la séparation de la fonction intellectuelle d'avec le processus affectif sera particulièrement mise en évidence par l'étude sur « La négation »[4].

En **1923,** dans *Le moi et le ça,* la réflexion repart de la description avancée dans la *Métapsychologie ;* elle y ajoutera cependant que, à la différence de ce qui provient de l'intérieur, **les sentiments n'ont pas besoin de se transposer en perceptions externes pour devenir conscients.** S'il est ainsi confirmé que les « sensations », qui proviennent des couches les plus profondes de l'appareil psychique, sont bien ce qu'il y a de plus originaire et de plus élémentaire, il n'est pas tout à fait correct de parler de « sensations inconscientes », différenciées des « représentations inconscientes » par le fait qu'elles n'ont pas besoin de créer des « termes intermédiaires » pour accéder à la conscience si bien que, transmises directement, les sensations ne connaissent pas de préconscient : elles « sont ou bien conscientes ou bien inconscientes »[5]. Ajoutons enfin que ce ne sont pas tant les sensations ayant le caractère du plaisir qui sont dérangeantes, mais

1. *Ibidem,* p. 47 ; p. 281 ; p. 7 (note ajoutée en 1925).

2. *Ibidem,* p. 113-114 ; p. 336-337 ; p. 68-69.

3. *Psychologie des foules et analyse du moi* (1921c), *Essais de psychanalyse,* Paris, Payot, 1981, p. 47 ; *OCF* XVI, p. 26 ; *GW* XIII, p. 95.

4. « La négation » (1925h), *Résultats, idées, problèmes, II,* Paris, PUF, 1985, p. 136 ; *OCF* XVII, p. 167-168 ; *GW* XIV, p. 12.

5. *Le moi et le ça* (1923b), *Essais de psychanalyse,* Paris, Payot, 1981, p. 231-235 ; *OCF* XVI, p. 264-267 ; *GW* XIII, p. 247-250.

celles de déplaisir (donc d'angoisse) qui poussent au changement et à la décharge ; c'est pourquoi le déplaisir est à considérer comme une élévation et le plaisir comme un abaissement de l'investissement d'énergie.

Mais certains sentiments, dont l'efficience même tient à leur « inconscience », ont une place particulière ; ce sont les *sentiments sociaux* qui dépendent d'identifications reposant sur un idéal du moi identique. Au premier rang d'entre eux se trouve le *sentiment de culpabilité inconscient,* résultat de « la tension entre les exigences de la conscience morale et les relations du moi » ; ce sentiment, souvent « emprunté » par identification et alors plus facilement réductible, découle du complexe d'Œdipe et relève du surmoi[1]. L'expression de « sentiment inconscient » ne va d'ailleurs pas sans faire problème et, dès l'année suivante, Freud note que non seulement elle est refusée par les patients, mais qu'elle est « psychologiquement incorrecte » ; il propose donc de parler plutôt de « besoin de punition », ce qui est tout aussi pertinent[2].

En **1926,** dans *Inhibition, symptôme et angoisse,* c'est plus la théorie de l'angoisse que celle de l'affect à proprement parler qui se trouve approfondie – même si les deux sont inséparables puisque l'angoisse est un affect. Il apparaît en effet nécessaire de corriger la thèse de 1915 et de considérer dorénavant que l'angoisse n'est pas une manifestation à chaque fois nouvelle que produirait le refoulement, mais qu'elle « **reproduit, sous forme d'état d'affect, une image mnésique préexistante** ». À la question de l'origine de l'angoisse, comme des affects en général, il est une fois de plus répondu que nous entrons ainsi dans le domaine de la physiologie ; dans la vie psychique, les états d'affect sont comme des sédiments d'événements traumatiques très anciens qui, face à des situations analogues, font retour comme symboles mnésiques (c'est ce qu'implique leur assimilation aux accès hystériques, toujours maintenue). Enfin, nous ne devons pas l'oublier : « **Un symbole d'affect est une nécessité biologique pour la situation de**

1. *Ibidem,* p. 250 et 265-266 ; p. 280 et 293-294 ; p. 265 et 279-280.

2. « Le problème économique du masochisme » (1924c), *Névrose, psychose et perversion,* Paris, PUF, 1973, p. 294 et 296 ; *OCF* XVII, p. 18 et 21 ; *GW* XIII, p. 379 et 382.

danger » [1], ce précurseur originaire de l'angoisse, et donc des affects. Même si, parmi ceux-ci, elle est sans doute la moins mal comprise, l'angoisse n'est qu'un « affect de déplaisir » parmi d'autres (tension, douleur, deuil), mais nous ne saisissons pas ce qui les différencie ; pourtant, n'importe quel déplaisir ne saurait être qualifié d'angoisse, celle-ci devant comporter d'autres particularités – mais « réussirons-nous jamais à comprendre ce qui différencie ces divers affects de déplaisir ? » [2].

Il ne faudrait donc pas, référant le traumatisme de la naissance, attribuer à l'angoisse une situation exceptionnelle ; les autres affects sont, pareillement, des « reproductions d'événements anciens, d'importance vitale, éventuellement préindividuels ». Freud va alors redire, ce qui apparaît ici comme l'une de ses propositions *princeps,* que les affects sont des « accès hystériques généraux, typiques, congénitaux », qu'il compare aux crises de la névrose hystérique « tardives, acquises individuellement », dont la genèse et le sens font appel à des symboles mnésiques [3]. Il retrouve là son intuition de 1893 qui annonçait que « c'est de réminiscence surtout que souffre l'hystérique » [4]. Disons alors que **les affects sont aussi une façon de se souvenir.** Comme l'angoisse, ils ne peuvent être ressentis que par le moi ; n'étant pas des organisations, pas plus le surmoi que le ça ne saurait en éprouver. Par contre, avec une fréquence extrême, il arrive souvent que, dans le ça, s'enclenchent des processus suscitant dans le moi un développement d'angoisse [5].

En **1932,** les *Nouvelles conférences* apportent là-dessus certaines précisions. Repartant encore une fois du rêve, Freud souligne que les représentations s'y différencient par les grandeurs variables des quanta d'affect qui les investissent ; elles s'en séparent de telle sorte

1. *Inhibition, symptôme et angoisse* (1926d [1925]), Paris, PUF, 1951, p. 9-10 ; *OCF* XVII, p. 211-212 ; *GW* XIV, p. 120-121.

2. *Ibidem,* p. 55 et 57 ; p. 247 et 249 ; p. 162 et 164.

3. *Ibidem,* p. 57 ; p. 249 ; p. 164.

4. *Études sur l'hystérie (communication préliminaire)* (1893a), Paris, PUF, 1956, p. 5.

5. *Inhibition, symptôme et angoisse* (1926d [1925]), Paris, PUF, 1951, p. 65 ; *OCF* XVII, p. 256 ; *GW* XIV, p. 171.

que ceux-ci peuvent être liquidés, déplacés ou conservés, qu'ils peuvent être métamorphosés ou ne pas apparaître – quoi qu'il en soit, les représentations dépouillées de l'affect reviennent « en tant que force sensorielle des images du rêve », mais elles glissent alors vers des éléments indifférents de sorte que le secondaire semble passer au premier plan, l'essentiel ne trouvant qu'une exposition accessoire et peu claire. Ce déplacement de l'affect contribue largement aux déformations propres au rêve mais, Freud le rappelle, *L'interprétation des rêves* le signalait déjà trente ans plus tôt, et les *Conférences d'introduction* quinze ans[1]. S'il y a quelque chose de nouveau en 1932, c'est sans doute l'accent mis sur l'importance de la détermination par l'affect : dorénavant, **l'essentiel dans le déplacement porte clairement sur l'affect, et non sur la représentation** ; il en va d'ailleurs de même dans les autres procédés de déformation, telle la condensation.

Mais l'attention se porte surtout *ce qui se passe dans le ça,* où dominent le facteur quantitatif et le principe de plaisir ; il y a là des investissements pulsionnels réclamant leur décharge, suscitant donc des affects. « Tout cela est dans le ça », nous dit Freud, mais, surtout, l'énergie de ces motions pulsionnelles y est beaucoup plus mobile et plus capable de décharge qu'elle ne l'est dans les autres provinces psychiques (sinon, il n'y aurait pas ces déplacements caractéristiques du ça, indifférents à la qualité de l'investi). Et Freud d'ajouter : « On donnerait beaucoup pour pouvoir mieux comprendre ces choses ! »[2] On ne peut que le suivre dans cette appréciation car, si nous comprenons que l'« autre état » de l'énergie dans le ça doit ici désigner son caractère « non lié », en ce qui concerne la décharge qui, passant du ça dans le moi, évoquerait alors une représentation, nous demeurons perplexe. Nous pouvons d'abord nous souvenir que, dans le ça, cette énergie suscite un montant d'affect qui émergera dans le moi, y représentant la pulsion et y cherchant alors une représentation qu'elle investit. Ce faisant, elle vient la justifier, lui donnant sa raison d'être, son « sens » ; après tout, affect et représentation de mot partagent ce

1. *Nouvelles conférences d'introduction à la psychanalyse* (1933a [1932]), Paris, Gallimard, 1984, p. 31-33 ; *OCF* XIX, p. 100-102 ; *GW* XV, p. 20-22.

2. *Ibidem,* p. 104 ; p. 158 ; p. 81.

caractère d'être avant tout conscients – disons qu'effectivement une **décharge d'affect apparaissant dans le moi ne se justifie qu'à pouvoir être aussi désignée comme une représentation.** Ne serait-ce pas une affaire de transformation du quantitatif en qualitatif ? Quoi qu'il en soit, nous avons l'impression de toucher là quelque chose qui pourrait bien être essentiel dans la tâche d'approfondir l'opposition/similitude entre affect et représentation – mais Freud ne reviendra pas là-dessus.

Par la suite, en effet, s'il réfère régulièrement l'affect, il n'y apporte plus rien de véritablement nouveau. Même si nous ne savons toujours pas ce qu'est un affect[1], il semble bien que la détermination de son rôle et de sa fonction dans le fonctionnement psychique – c'est-à-dire sa place dans la « théorie psychanalytique » – puisse être alors considérée comme aboutie. Elle n'en laisse pas moins ouvertes plusieurs questions.

QUESTIONS ET ENJEUX

Pour Freud donc – nous ne saurions trop le répéter – c'est parce que l'affect s'impose à lui comme une manifestation première de la pulsion, aussi mystérieuse qu'elle, aussi élémentaire, tout autant en prise sur la biologie, qu'il lui attribue une place essentielle tant dans la compréhension clinique des psychonévroses que dans la théorie du fonctionnement psychique : la psychanalyse « ramène tous les processus psychiques au jeu de forces qui s'activent ou s'inhibent, se combinent, entrent dans des compromis, etc. ». Ces forces sont d'abord pulsionnelles, donc organiques, d'une formidable puissance ; elles se représentent dans le psychisme par des « représentations affectivement investies. La doctrine des pulsions est un domaine obscur, même pour la psychanalyse »[2]. Au sein même de cette « doctrine », la libido relève de la « théorie de l'affectivité », désignant

1. *Inhibition, symptôme et angoisse* (1926d [1925]), Paris, PUF, 1951, p. 55 ; *OCF* XVII, p. 247 ; *GW* XIV, p. 162.

2. « Psycho-Analysis » (1926f), *Résultats, idées, problèmes, II,* Paris, PUF, 1984, p. 155 ; *OCF* XVII, p. 291 ; *GW* XIV, p. 301.

la quantité d'énergie qui exprime « ce que nous résumons sous le nom d'amour »[1]; l'angoisse elle-même est un affect, et sans doute le premier dans l'histoire individuelle, même si elle ne saurait occuper une place exceptionnelle parmi les affects[2] – ce qui ne va pas sans poser quelques problèmes pour situer son statut, sur lequel nous allons d'ailleurs avoir à revenir. C'est à la pulsion que l'affect doit cette proximité si souvent répétée avec ce qu'il y a de plus profond en l'homme, jusqu'au socle biologique. Son « noyau, qui assure la cohésion d'ensemble », est fait d'expériences très profondes, extrêmement précoces qui, au-delà de « la préhistoire de l'individu », renvoient à celle de l'espèce (transmission phylogénétique qui tendrait à rapprocher les affects des fantasmes originaires) – ce qui rappelle l'assertion souvent reprise selon laquelle, telle une attaque d'hystérie, « l'état affectif serait la cristallisation d'une réminiscence »[3].

Apparue tôt, et dès lors donnée comme une référence centrale, la théorie de l'affect est affirmée comme *spécifique de la psychanalyse* et, si elle va se parfaire au fil de l'œuvre, ses lignes directrices seront maintenues tout au long : comme pour la motricité, qui lui est régulièrement associée, ses deux références princeps sont situées aux deux extrémités du psychisme avec l'ancrage dans le biologique d'une part, sa signification par le moi de l'autre, la pulsion assurant le pont entre les deux. C'est bien là ce qui garantit *son universalité et sa pérennité* : déplaisir-plaisir sont d'abord des affects, et c'est en tant que tel que le « principe » qui porte leur nom oriente le fonctionnement psychique, avec le principe de réalité qui en découle. Ce lien énergétique entre ces deux extrêmes de la vie en établit la permanence ; au-delà des multiples apparences qu'il peut prendre et des diverses transformations qu'il peut subir, l'affect conserve autant la brutale simplicité assurée par la poussée pulsionnelle, qu'il promeut les sophistications propres au moi – mais c'est là, aussi, ce qui lui confère cette nature énigmatique, rappelée avec constance mais

1. *Psychologie des foules et analyse du moi* (1921c), *Essais de psychanalyse,* Paris, Payot, 1981, p. 150 ; *OCF* XVI, p. 29 ; *GW* XIII, p. 98.

2. *Inhibition, symptôme et angoisse* (1926d [1925]), Paris, PUF, 1951, p. 57 ; *OCF* XVII, p. 249 ; *GW* XIV, p. 164.

3. *Conférences d'introduction à la psychanalyse* (1916-1917), Paris, Gallimard, 1999, p. 501-502 ; *OCF* XIV, p. 411 ; *GW* XI, p. 411.

demeurée sans doute suffisamment scandaleuse pour avoir incité certains à chercher à s'en affranchir.

Tout au long de l'œuvre, la théorie freudienne de l'affect (à la différence de celle de l'angoisse, pourtant censée être dans sa dépendance) ne sera pas véritablement remise en question quant à ses fondements, mais subira des aménagements en fonction des remaniements; les uns seront explicités, les autres demeurant plus ou moins latents. Pour ce qui est de l'explicite, l'assertion de la première topique selon laquelle « il n'y a pas d'affect inconscient au sens strict » se trouve encore renforcée dans la deuxième qui précise que « l'essentiel est que plaisir et déplaisir sont liés au moi » [1], que « le moi est bien le lieu de l'affect » [2]; l'aboutissement de la théorie de l'angoisse va même conduire à retirer à la libido la capacité de se transformer directement en angoisse pour faire de l'angoisse un signal intentionnel du moi visant à influencer l'instance plaisir-déplaisir [3]. Quelques questions doivent pourtant être posées.

La première est de savoir *comment situer l'affect par rapport au ça* qui, n'étant pas une organisation, ne saurait ni éprouver de l'affect, ni en contenir ? Même s'il ne peut alors être « affecté » lui-même, le ça, lieu privilégié des décharges pulsionnelles, va très souvent enclencher des processus qui occasionneront des affects, et d'abord des angoisses qui seront ressentis dans le moi; or ces « décharges », qui sont le fait de la pulsion, définissent les affects. Qu'est-ce qui peut faire que, au moment où elles se produisent, elles ne sauraient être, dès ce moment, qualifiées d'affects ? Pour devenir un affect et être éprouvée comme telle, une décharge pulsionnelle doit être « perçue par le moi »; de ce moment seulement, lorsque le moi se l'approprie, le fonde et s'y représente, l'affect existe à proprement parler – c'est là un processus qui n'est pas sans évoquer celui de l'après-coup. Le moi s'efforce alors de canaliser ces décharges, recourant pour ce faire au principe de réalité; ainsi celui-ci, au service du moi, contribue à y faire advenir les affects, venant « détrôner le principe de plaisir qui domine sans restriction le cours des processus

1. *Au-delà du principe de plaisir* (1920g), *Essais de psychanalyse,* Paris, Payot, 1981, p. 47; *OCF* XV, p. 281; *GW* XIII, p. 7.

2. *Inhibition, symptôme et angoisse* (1926d [1925]), Paris, PUF, 1951, p. 9-10; *OCF* XVII, p. 211-212; *GW* XIV, p. 120-121.

3. *Ibidem,* p. 90-91; p. 276; p. 194-195.

dans le ça »[1] – ce qui n'en laisse pas moins ouverte la question de savoir de quoi sont faits ces plaisirs, bases du principe qu'ils doivent définir, s'ils opèrent en un lieu qui ne peut qu'ignorer les affects eux-mêmes ?

Un problème qui ne saurait être esquivé est de comprendre le *statut de l'angoisse par rapport à l'affect.* Même si, là-dessus, les propos de Freud paraissent explicites, une contradiction demeure, liée tant à leur origine qu'à ce que nous avons repéré tout à l'heure comme étant leur base « phylogénétique ». Certains affects donc, à commencer par l'angoisse, renverraient à une expérience vécue, précise, pleine de sens, « impression très précoce de nature très générale », à situer dans la préhistoire de l'espèce et non de l'individu ; pour ce qui concerne plus spécifiquement l'*affect d'angoisse,* celui-ci viendrait répéter l'acte de naissance « devenu le modèle de l'effet d'un danger de mort et répété depuis par nous sous la forme de l'état d'angoisse »[2] – ce qui sera régulièrement confirmé[3]. On pourrait donc être tenté de penser que, puisque la première angoisse est fondée par le premier « acte » de la naissance, devint-elle ainsi le « premier affect », elle n'en précède pas moins celui-ci. Il en irait ainsi dans chaque histoire individuelle sans doute, mais peut-être même dans la métapsychologie, comme pouvait d'ailleurs le laisser entendre le constat que, s'il « est possible que le développement de l'affect parte directement du système *Ics,* dans ce cas il a toujours un caractère d'angoisse »[4] – ce qui laisserait supposer que l'instance la plus « primaire » ne connaîtrait que l'angoisse, ignorant l'affect ? Pareille primauté de l'angoisse pourrait être lourde de conséquences, et d'abord sur la pulsion de mort.

Il semble que Freud ait clairement perçu *le danger pour sa nouvelle élaboration pulsionnelle* car il va régulièrement corriger cette

1. *Nouvelles conférences d'introduction à la psychanalyse* (1933a [1932]), Paris, Gallimard, 1984, p. 103-105 ; *OCF* XIX, p. 157-159 ; *GW* XV, p. 81-82.

2. *Conférences d'introduction à la psychanalyse* (1916-1917), Paris, Gallimard, 1999, p. 501-502 ; *OCF* XIV, p. 411 ; *GW* XI, p. 411.

3. Notamment dans *Inhibition, symptôme et angoisse* (1926d [1925]), Paris, PUF, 1951, p. 9-10 ; *OCF* XVII, p. 211-212 ; *GW* XIV, p. 120-121, ainsi que dans les *Nouvelles conférences d'introduction à la psychanalyse* (1933a [1932]), Paris, Gallimard, 1984, p. 116 ; *OCF* XIX, p. 168 ; *GW* XV, p. 91.

4. « Le refoulement » (1915d), *Métapsychologie,* Paris, Gallimard, 1968, p. 86 ; *OCF* XIII (2e éd.), p. 220 ; *GW* X, p. 278.

« impression » en soulignant que « nous ne devons pas surestimer cette relation », que « par là nous n'avons rien avancé qui soit susceptible de conférer à l'angoisse une situation exceptionnelle parmi les états d'affect » car tous sont pareillement des « reproductions d'événements anciens, d'importance vitale, éventuellement pré-individuels ». Mais il faut bien constater que, sur ces « autres affects » et sur leur genèse, il ne nous en dira guère plus, se bornant à rappeler que, fonctionnant comme des réminiscences d'événement anciens, tous doivent être considérés comme des « accès hystériques »[1]. Il va cependant proposer une solution en scindant l'affect d'angoisse, retrouvant alors les deux pôles familiers du biologique et du moi; c'est ainsi que, toujours à propos du traumatisme de la naissance, il fait remonter la réaction d'angoisse aux situations de danger, la naissance devenant alors le prototype de celles-ci – ce qui en limite la portée et la rapproche des autres affects. Nous avons alors deux éventualités possibles : ou bien cet affect d'angoisse se reproduit automatiquement dans des situations de danger, « réaction impropre après qu'il ait été approprié dans la première situation de danger », ou bien le moi reproduit cet affect comme un signal, « comme un moyen de provoquer l'intervention du mécanisme plaisir-déplaisir ».

Freud considère avoir *redonné à l'affect d'angoisse « l'importance biologique qui lui revient »*, et avoir aussi confirmé le rôle du moi comme lieu de l'angoisse, moi provoquant l'angoisse selon ses besoins. L'origine de l'angoisse est donc double : soit automatique et quasiment biologique, soit produite par le moi face à une menace[2]. Nous nous trouvons alors avec deux sortes d'affects : – l'une, angoisse première liée à un événement dont l'expression physiologique a laissé une telle trace d'affect, n'est autre que le processus de la naissance (« la toute première angoisse aurait donc été toxique », antérieure à tout moi possible)[3] ; – l'autre sorte recouvrant les affects de plaisir et de déplaisir, qui appartiennent au moi. Si cela donne une cohésion certaine aux rapports entre affect et angoisse, on peut tout

1. *Inhibition, symptôme et angoisse* (1926d [1925]), Paris, PUF, 1951, p. 57 ; *OCF* XVII, *GW* XIV, p. 249 ; p. 164.

2. *Ibidem*, p. 90-91 ; p. 276 ; p. 195.

3. *Nouvelles conférences d'introduction à la psychanalyse* (1933a [1932]), Paris, Gallimard, 1984, p. 112 ; *OCF* XIX, p. 164 ; *GW* XV, p. 88.

de même se demander ce qui pousse Freud à les ranger dans une seule catégorie, sous la prééminence de l'affect ? Il semble bien que la cohérence qu'il recherche soit d'abord métapsychologique, celle-ci exigeant la double référence à la biologie et au moi sous la domination de l'affect qui en est la part expressément psychique. Il n'en demeure pas moins que persiste quelque embarras à devoir qualifier d'affect d'angoisse une décharge survenue là où il n'y a pas encore de moi. Ne faudrait-il pas alors reprendre le constat de Freud à propos du rapport de l'angoisse à la libido et au symptôme : « On sent qu'il manque ici quelque chose qui, de morceaux, ferait une unité ? » [1] On le voit, le double arrimage à la pulsion et au moi n'en est pas moins solidement maintenu ; il lui appartient même de jouer un rôle déterminant dans la compréhension et le traitement des psychonévroses par cet avatar de l'affect qu'est l'angoisse.

Claude Le Guen

AGRESSION et DESTRUCTION (pulsions), AGRESSIVITÉ

all. : ***Aggressiontrieb*** et ***Destruktiontrieb – Aggression (Aggressivität).*** – angl. : *aggressive drive* et *destructive drive – aggressiveness (aggressivity).* – esp. : *instinto agressivo* et *instinto destructivo – agressividad.* – ital. : *pulsione aggressiva* et *pulsione distruttiva – aggressività.* – port. : *instinto agressivo* et *instinto destrutivo – agressividade (agressão)*

Les pulsions d'agression et/ou de destruction (Freud use des deux conjonctions) dérivent de la pulsion de mort ; elles sont discernables car imprégnées d'éléments libidinaux, plus significatifs dans le cas de la pulsion d'agression. Dans certains cas, et selon le contexte, les deux termes sont synonymes ou distincts en fonction de leur but, extérieur ou intérieur. L'agressivité est une tendance qui les représente – pour l'essentiel sous une forme motrice agie ou fantasmée. De fait, l'agressivité prend place parmi les affects.

1. *Ibidem*, p. 116 ; p. 168 ; p. 91.

MISE EN SITUATION

*Les problèmes de traduction se trouvent ici limités du fait que Freud utilise les formes latines des mots allemands (*Aggression *et* Destruktion*) de préférence aux termes plus germaniques (tel* Überfall*) ; à noter que pour signifier « agressivité » il use plutôt d'*Aggression *que d'*Aggressivität, *tout en lui attribuant le plus souvent le même sens. En fait, sans jamais en méconnaître la concrétude, il parle relativement peu d'agressivité, celle-ci se retrouvant plutôt dans les notions de sadisme et de masochisme.*

D'abord minorée sans être ignorée, l'agressivité est longtemps tenue en lisière de la sexualité, la pulsion d'agression étant rejetée. Ce n'est qu'à partir de 1923, avec la mise en place du surmoi et en s'appuyant sur la pulsion de mort, que la notion va être véritablement explorée, d'ailleurs plus en tant que « pulsion d'agression et/ou de destruction » que comme agressivité, celle-ci demeurant un affect parmi d'autres.

LE TEXTE FREUDIEN

Assez curieusement, la notion d'agression ne se rencontre pas dans les textes pré-analytiques (si ce n'est une brève mention de « pulsions hostiles à l'endroit des parents » dans une lettre à Wilhelm Fliess en 1897)[1], et d'ailleurs pas plus dans *L'interprétation des rêves*. Ce n'est qu'en 1905 qu'elle apparaît dans deux textes qui remarquent que, depuis notre enfance individuelle et celle de la civilisation, nos impulsions hostiles sont soumises aux mêmes refoulements que nos aspirations sexuelles[2], que la sexualité humaine comporte une part

1. *La naissance de la psychanalyse. Lettres à Wilhelm Fliess. Notes et plans (1887-1902)* (1950a [1887-1902]), Paris, PUF, 1956, p. 183 (manuscrit N du 31 . 05 . 1897). – *Lettres à Wilhelm Fliess* (éd. complète), Paris, PUF, 2006, p. 316.

2. *Le mot d'esprit et sa relation à l'inconscient* (1905c), Paris, Gallimard, 1988, p. 197 ; *OCF* VII, p. 120 ; *GW* VI, p. 111.

d'agression, le sadisme correspondant à « une composante agressive de la pulsion sexuelle devenue autonome » et occupant la position principale[1].

Il faut attendre **1909** pour que, suite à un article d'Alfred Adler de 1908, soit discutée (et rejetée) l'éventualité d'une *« pulsion d'agression »,* ce qui conduit Freud à prendre véritablement en compte l'agressivité. À propos de l'analyse du petit Hans, il indique être arrivé à la conclusion que, dans ce cas de phobie, l'angoisse s'expliquerait par le refoulement de tendances agressives, ce qui semblerait confirmer les vues d'Adler ; pour autant, il ne saurait se résoudre à « admettre une pulsion spéciale d'agression à côté des pulsions d'auto-conservation et sexuelle, et de plain pied avec eux ». Ne peut être là en cause que cet attribut de toutes les pulsions, et qui tient à leur essence active, poussante : leur capacité de mettre la motricité en action ; les autres pulsions ne conserveraient plus comme spécificité que leur relation à un certain but, sans les moyens de l'atteindre qui leur aurait été enlevé par la « pulsion d'agression » ; « en dépit de toute l'incertitude et de toute l'obscurité de notre théorie des pulsions, je préfère m'en tenir provisoirement à notre conception actuelle, qui **laisse à chaque pulsion la faculté de devenir agressive** ». Et, dans les pulsions refoulées par Hans, Freud tend à reconnaître les composantes familières de la libido sexuelle[2].

Six ans passent avant que le thème ne soit repris en **1915,** mais cette fois *à propos de la haine,* dont le « sens originaire » désigne la relation à un monde extérieur excitant : « L'extérieur, l'objet, le haï seraient, tout au début, identiques. » Si l'objet est source de plaisir, il est aimé et incorporé au moi mais, inversement, quand il occasionne du déplaisir, il est mis à distance et nous le haïssons : « **Cette haine peut ensuite aller jusqu'à une propension à l'agression** », avec l'intention d'anéantir l'objet[3].

1. *Trois essais sur la théorie sexuelle* (1905d), Paris, Gallimard, 1987, p. 69 ; *OCF* VI, p. 91 ; *GW* V, p. 57.

2. « Analyse d'une phobie chez un petit garçon de cinq ans (Le petit Hans) » (1909b), *Cinq psychanalyses,* Paris, PUF, 1954, p. 192-193 ; *OCF* IX, p. 122-123 ; *GW* VII, p. 371-372.

3. « Pulsions et destins des pulsions » (1915c), *Métapsychologie,* Paris, Gallimard, 1968, p. 39-40 ; *OCF* XIII (2ᵉ éd.), p. 183-184 ; *GW* X, p. 228-229.

On aurait pu penser qu'en 1920, la grande réélaboration des pulsions mettrait l'agression au premier plan ; elle est seulement mentionnée, à propos de l'*opposition entre pulsions de vie et pulsions de mort,* pour noter que la relation à l'objet montre cette autre polarité entre amour et haine (tendresse et agressivité) – et Freud de s'exclamer : « Si seulement nous parvenions à mettre en relation ces deux polarités, à ramener l'une à l'autre ! » Il mentionne Sabina Spielrein qui, en 1912, a caractérisé la composante sadique de la pulsion sexuelle comme « destructrice » [1], et aussi August Stärcke et Otto Rank qui vont dans le même sens ; il constate que tout cela exige « une clarification, qui fait encore défaut, dans la doctrine des pulsions ».

Un an plus tard, la perplexité demeure. Considérant le narcissisme des petites différences, il y reconnaît « une aptitude à la haine, une agressivité dont l'origine est inconnue », mais qui doit sans doute être considérée comme « élémentaire » (une note rappelle ici la tentative d'*Au-delà du principe de plaisir* de relier l'opposition aimer-haïr à celle entre pulsions de vie et de mort, soulignant que les pulsions sexuelles sont les plus purs représentants des pulsions de vie, mais ne dit rien de l'autre pôle) [2].

En **1923, l'agressivité est enfin prise pleinement en compte,** et la **pulsion d'agression reconnue.** Freud, dans l'histoire du « petit Hans » (1909), rajoute une note à la critique portée à Adler, indiquant qu'il a dû, depuis, poser lui aussi l'existence d'une *« pulsion d'agression »,* mais qu'elle est autre et qu'il « préfère l'appeler *"pulsion de destruction"* ou *"pulsion de mort"* » ; son opposition avec les pulsions libidinales se révèle dans l'ancienne polarité de l'amour et de la haine [3]. Au début de la même année, cherchant appui auprès de la biologie pour asseoir sa théorie des pulsions, il précise que lorsque les premières

1. *Au-delà du principe de plaisir* (1920g), *Essais de psychanalyse,* Paris, Payot, 1981, p. 101-102 et 103, n. 13 ; *OCF* XV, p. 327 et 328 n. 2 ; *GW* XIII, p. 57-58 et 59, n. 2 (l'article de S. Spielrein s'intitule : « La destruction comme cause du devenir »).

2. *Psychologie des foules et analyse du moi* (1921c), *Essais de psychanalyse,* Paris, Payot, 1981, p. 163-164 ; *OCF* XVI, p. 40 ; *GW* XIII, p. 111.

3. « Analyse d'une phobie chez un petit garçon de cinq ans (Le petit Hans) » (1909b), *Cinq psychanalyses,* Paris, PUF, 1954, p. 193 ; *OCF* IX, p. 123 ; *GW* VII, p. 372.

pulsions, travaillant sans bruit, poursuivent le but de conduire l'être vivant à la mort, elles « mériteraient par là le nom de *"pulsions de mort"* » ; **lorsqu'elles se tournent vers l'extérieur, elles apparaîtraient comme tendances de *destruction* ou d'*agression*** – les autres pulsions seraient les pulsions sexuelles, ou « de vie » [1], sans que l'on sache très bien si celles-ci doivent vraiment être considérées comme relevant ou non des « premières pulsions ».

Dans *Le moi et le ça,* la même année **1923**, la question est reprise. L'organisation des êtres vivants pluricellulaires leur aurait permis de neutraliser la pulsion de mort de la cellule individuelle et de dériver sur le monde extérieur les tendances destructrices par l'entremise de la musculature ; désormais (de manière partielle) **la pulsion de mort se manifesterait sous la forme de pulsion de destruction,** dans la mesure où elle est tournée vers le monde extérieur et contre d'autres êtres. Dans cette pulsion de destruction, à laquelle la haine indique la voie, nous trouvons un représentant de cette pulsion de mort si difficile à saisir. Les pulsions de mort peuvent être ainsi traitées de différentes manières : en partie déviées vers l'extérieur sous forme d'agression, ou en partie rendues inoffensives par leur union avec des composantes érotiques, mais la plus grande part poursuit son travail interne sans entraves. D'où l'énigme posée par la *mélancolie* dans laquelle le surmoi semble devenir une culture de pulsions de mort. « Plus un homme restreint son agressivité envers l'extérieur, plus il devient sévère, donc agressif, dans son idéal du moi » ; c'est comme un retournement sur le moi. On sait que le surmoi est né par une identification au modèle paternel, processus qui peut être assimilé à une désexualisation, voire une sublimation, mais qui pourrait bien aussi renvoyer à une désunion pulsionnelle, la sublimation retirant à la composante érotique la force de lier toute la destruction – alors « **celle-ci devient libre comme tendance à l'agression et à la destruction** ». Dans la *névrose obsessionnelle,* la désunion amour-agressivité résulte d'une régression dans le ça qui va s'étendre sur le surmoi, aiguisant la sévérité contre le moi ; le

1. « "Psychanalyse" et "Théorie de la libido" » (1923a), *Résultats, idées, problèmes, II,* Paris, PUF, 1984, p. 76 ; *OCF* XVI, p. 208 ; *GW* XIII, p. 232.

moi, qui a maîtrisé la libido par identification, est puni par le surmoi, par l'agressivité qui était mêlée à la libido[1].

L'année suivante, l'*étude du masochisme* ne peut que reprendre le problème. Confronté au besoin de punition exigé par le surmoi, le masochiste doit agir contre lui-même, détruire ses perspectives, anéantir sa propre existence. La répression culturelle des pulsions retourne le sadisme contre la personne, retient une grande part des pulsions destructrices qui prennent alors la forme d'une augmentation du masochisme dans le moi ; « **la destruction qui fait retour du monde extérieur est aussi reprise par le surmoi** » qui se dresse contre le moi. Le caractère dangereux du masochisme moral tient à ce qu'il s'origine dans la pulsion de mort et correspond à la partie qui ne s'est pas tournée vers l'extérieur en tant que destruction. Mais comme ce masochisme a aussi la signification d'une composante érotique, **même l'autodestruction de la personne ne peut se produire sans revêtir une signification libidinale**[2].

Dans *Malaise dans la civilisation,* en **1930,** l'agression est pleinement reprise, précisée, clairement objectalisée à la lumière des difficultés qu'elle pose à l'intégration de l'individu dans la société. L'homme compte, parmi ses aptitudes pulsionnelles, un très fort penchant à l'agression, ce qui fait que, en plus de prendre son prochain comme objet sexuel possible, il s'offre la tentation de satisfaire sur lui son agression, de l'exploiter, d'en user sexuellement malgré lui, de le voler, l'humilier, le martyriser et le tuer… **Cette tendance à l'agression est le principal facteur de perturbation dans nos rapports sociaux ;** nous pouvons la déceler en nous comme chez autrui, et elle impose d'énormes efforts à la civilisation. Cette hostilité primaire dresse les hommes les uns contre les autres, menace ruine. C'est encore l'agressivité que l'on retrouve comme un sédiment au fond de toutes les relations tendres et amoureuses ; le privilège qu'impliquent les relations sexuelles elles-mêmes ne peut qu'être source des envies les plus fortes et de l'hostilité la plus véhémente – « il n'est manifestement pas facile

1. *Le moi et le ça* (1923b), *Essais de psychanalyse,* Paris, Payot, 1981, p. 254-257 et 269-270 ; *OCF* XVI, 284-286 et 297-298 ; *GW* XIII, p. 269-271 et 284-285.

2. « Le problème économique du masochisme » (1924c), *Névrose, psychose et perversion,* Paris, PUF, 1973, p. 297 ; *OCF* XVII, p. 22-23 ; *GW* XIII, p. 284-285.

aux hommes de renoncer à satisfaire ce penchant à l'agression qui est le leur » ; le faire est pour eux source de malaise. La tendance à l'agression comme prédisposition originelle ne va d'ailleurs pas sans évoquer l'hypothèse d'une pulsion de mort qui, lorsqu'elle a été énoncée, a rencontré de la résistance, même au sein des milieux psychanalytiques. Dans le sadisme et le masochisme, furent toujours reconnues les manifestations érotisées de la pulsion de destruction, qu'elle soit tournée vers l'extérieur ou l'intérieur ; l'agression est omniprésente dans les phénomènes de la vie, tout comme la destruction non érotisée – **même si elles se dérobent lorsqu'elles sont tournées au-dedans**. Freud reconnaît avoir longtemps manifesté une vive résistance à l'idée d'une pulsion d'agression lorsqu'elle se fit jour ; aussi, il peut comprendre ceux qui ne veulent rien connaître de « **la tendance native de l'homme à la "méchanceté", à l'agression, à la destruction, à la cruauté** »[1].

Pour appréhender comment la civilisation peut tenter d'inhiber pareille agressivité, il faut revenir à l'histoire du développement de l'individu. Afin de rendre l'agression inoffensive, il l'introjecte ; ce faisant, elle est retournée contre le moi où elle sera reprise par cette partie du moi qu'est le surmoi, surmoi qui se montrera aussi sévère à l'égard du moi, avec la même propension à l'agression que celui-ci aurait souhaité exercer à l'encontre d'étrangers. Ainsi se fait jour une conscience de culpabilité qui se manifeste comme besoin de punition : **c'est en affaiblissant l'individu que la civilisation maîtrise son dangereux désir d'agression, elle le désarme en le faisant surveiller par une instance intérieure.** L'agressivité de l'enfant se veut à la mesure de l'agression punitive qu'il impute au père, mais la sévérité de son surmoi ne reproduit nullement celle d'un traitement qui lui aurait été infligé ; les deux sont pour une part indépendantes – agissent là conjointement des facteurs congénitaux et des influences de l'environnement réel. Et lorsque, par une agressivité intense (mais aussi une sévérité équivalente du surmoi) l'enfant riposte aux premières grandes frustrations pulsionnelles, il reproduit une réaction phylogénétique[2]. Une thèse peut être énoncée :

1. *Malaise dans la civilisation* (1930a [1929]), Paris, PUF, 1971, p. 64-68 et 74-75 ; *OCF* XVIII, p. 297-300 et 305-306 ; *GW* XIV, p. 470-473 et 478-479.

2. *Ibidem*, p. 79-80 et 88-89 ; p. 310 et 317-318 ; p. 482-483 et 489-490.

« Quand une tendance pulsionnelle se trouve refoulée, ses éléments libidinaux sont transposés en symptômes, ses composantes agressives en sentiments de culpabilité. » [1]

En **1933**, dans les *Nouvelles conférences sur la psychanalyse,* un retour sur la théorie des pulsions est l'occasion de confirmer que, pour l'essentiel, elle s'appuie sur des considérations biologiques qui conduisent à supposer qu'existent deux sortes de pulsions : les pulsions sexuelles (l'Éros), et les pulsions d'agression qui visent à la destruction – ce qui ne va pas sans rappeler l'opposition entre aimer et haïr, voire celle entre attirance et répulsion de la physique inorganique. Et de s'interroger encore sur le rejet qui accueillit cette hypothèse, comme si celui-ci témoignait d'un puissant facteur affectif : pourquoi lui-même tarda-t-il si longtemps à reconnaître une pulsion d'agression ? Remarquons-le, la dualité ici désignée est celle entre *pulsions sexuelles* et *pulsions d'agression,* entre *Éros* et *destruction,* sans que soit ici nommée la pulsion de mort. À la suite peut être affirmé que **sadisme et masochisme sont d'excellents exemples du mélange entre l'Éros et l'agressivité, rapport exemplaire qui doit se retrouver dans toutes les motions pulsionnelles** [2]. Quelques pages plus loin – à la suite du rappel de l'hypothèse que la vie serait née de la matière inanimée il y a fort longtemps, et aussi de celle qui envisage qu'une pulsion se serait dès lors constituée pour rétablir l'état inorganique –, cette pulsion d'autodestruction est reconnue comme devant être l'expression d'une *pulsion de mort,* enfin nommée dans ce texte [3].

Revenant ensuite sur l'origine du besoin inconscient de punition, Freud y reconnaît l'action de notre conscience dans l'inconscient, correspondant à « une part d'agression intériorisée et reprise par le surmoi ». Mais il hésite devant l'hypothèse que toute agression revenue du monde extérieur serait liée par le surmoi puis dirigée contre le moi, agissant comme « libre pulsion de destruction dans le moi et le ça » ; quoi qu'il en soit, on peut penser que, **lors de l'instauration du sur-**

1. *Ibidem,* p. 99 ; p. 326 ; p. 499.

2. *Nouvelles conférences d'introduction à la psychanalyse* (1933a [1932]), Paris, Gallimard, 1984, p. 139-141 ; *OCF* XIX, p. 186-187 ; *GW* XV, p. 110-111.

3. *Ibidem,* p. 144 ; p. 190 ; p. 114.

moi, la part d'agression dirigée contre les parents a été utilisée pour établir cette instance. Tout comme les pulsions sexuelles, les pulsions d'agression menacent la vie en société ; celle-ci doit donc, avant tout, limiter l'agressivité : telle est la fonction impartie au surmoi qui, tirant à lui les motions agressives dangereuses, s'en sert pour contrôler le moi ; mais celui-ci supporte mal de devoir se sacrifier aux nécessités sociales, de se soumettre aux tendances destructives agressives qu'il aurait tant aimé exercer contre d'autres. **Heureusement, les pulsions d'agression sont toujours alliées aux pulsions érotiques**[1].

La répression de son agressivité par *la femme* favoriserait le développement de fortes pressions masochistes qui parviennent à « lier érotiquement les tendances destructrices tournées vers le dedans ». La petite fille apparaît moins agressive et rétive que le garçon du même âge, mais plus intelligente et plus vive, formant des investissements d'objets plus forts ; on aurait pu s'attendre à ce qu'à la phase sadique-anale se manifeste chez elle un retard de l'agressivité, mais **ses impulsions agressives sont tout aussi violentes** et, à l'entrée dans la phase phallique, les différences des sexes s'effacent complètement derrière leurs concordances[2].

En **1937**, dans « L'analyse avec fin et l'analyse sans fin », l'exploration de la façon dont la pulsion d'agression détermine les rapports du surmoi au moi se complète. Déjà la conscience de culpabilité et le besoin de punition, représentant une partie du moi liée par le surmoi, rendent celui-ci connaissable, mais il doit y avoir d'autres éléments de cette force qui œuvrent, libres ou liées, on ne sait trop où ; s'y adjoignent les manifestations du masochisme et de la réaction thérapeutique négative, formant un tableau qui écarte l'idée que le cours des événements psychiques soit exclusivement dominé par l'aspiration au plaisir. Ces phénomènes viennent confirmer **l'existence d'une puissance psychique que, « d'après ses buts, nous appelons pulsion d'agression ou de destruction, et que nous dérivons de l'originaire pulsion de mort »** ; conjuguée avec Éros, elle explique la grande variété des manifestations de la vie, puisque chacune de ces pulsions

1. *Ibidem*, p. 147-149 ; p. 192-194 ; p. 116-118.
2. *Ibidem*, p. 155-158 ; p. 199-201 ; p. 123-126.

ne saurait intervenir seule. Nous demeurons pourtant incapables de tirer au clair la façon dont ces forces se rencontrent et s'associent, se relâchent ou se dissolvent, exercent leur hégémonie ; « influencer psychiquement le simple masochisme met déjà notre capacité à rude épreuve ». **L'activité de la pulsion de destruction est loin d'être cantonnée à la pathologie et se retrouve abondamment dans la vie psychique normale ;** la *tendance au conflit* s'ajoute aux situations de la vie sans tenir compte de la quantité de libido, elle est indépendante, et on ne peut la ramener qu'à « l'intervention d'*une part d'agression libre* ». La question se pose alors de savoir si cette conception de telles manifestations de la pulsion de destruction ou d'agression ne doit pas être étendue à d'autres conflits, conduisant à réviser tout ce que nous savons du conflit psychique. Nos conflits internes de civilisés ne seraient-ils pas l'équivalent des combats extérieurs qu'eut à mener l'homme primitif, aujourd'hui intériorisés à la faveur d'un repli considérable de l'agressivité sous la contrainte de la civilisation[1] ?

L'année suivante, dans cette brève récapitulation du corpus qu'est l'*Abrégé de psychanalyse,* Freud commence par dire les grandes hésitations, les longues tergiversations qui précédèrent la reconnaissance de deux pulsions fondamentales : Éros qui cherche à lier, à conserver et agrandir les unités, et la pulsion de destruction qui vise à briser les rapports, à détruire. Le but final de la pulsion de destruction est de ramener ce qui vit à l'état inorganique : elle est donc pulsion de mort ; si nous voulons bien admettre que le vivant est apparu après l'inanimé, dont il est issu, nous devons conclure que « **la pulsion de mort se conforme à la formule suivant laquelle une pulsion tend à restaurer un état antérieur ». Mais il n'est hélas pas possible d'appliquer la même formule à Éros,** car cela supposerait que la substance vivante aurait d'abord constitué une unité, se serait plus tard morcelée, puis tendrait à se réunir à nouveau…

Dans les fonctions biologiques, les deux pulsions fondamentales sont ou antagonistes, ou combinées. Ainsi, manger détruit l'objet

1. « L'analyse avec fin et l'analyse sans fin » (1937c), *Résultats, idées, problèmes, II,* Paris, PUF, 1984, p. 258-260 ; *OCF* XX, p. 44-45 ; *GW* XVI, p. 88-90.

pour l'incorporer, et l'acte sexuel est une agression visant à l'union la plus intime – c'est là ce qui confère toute sa diversité aux phénomènes de la vie. Toute modification dans le mélange des pulsions a d'énormes retentissements : trop d'agressivité sexuelle fait d'un amoureux un sadique meurtrier, un effondrement de cette agressivité le rend timide ou impuissant. Les deux pulsions fondamentales se rencontrent partout, et dans toutes les régions du psychisme. Dans l'état initial, l'énergie disponible de l'Éros (la libido) se trouve tout entière dans le moi-ça encore indifférencié, où elle sert à neutraliser les tendances destructrices qui y sont également présentes ; les destins ultérieurs de cette libido sont faciles à suivre.

Observer les destins de la pulsion de destruction est plus malaisé : **tant qu'elle agit intérieurement comme pulsion de mort, elle reste muette, et nous ne pouvons l'observer que lorsqu'elle se tourne vers l'extérieur** pour se manifester en tant que pulsion de destruction ; cette diversion, conservatrice de l'individu, s'accomplit grâce au système musculaire. Avec l'instauration du surmoi, une part importante de la pulsion d'agression se fixe à l'intérieur du moi, sur un mode autodestructeur. Nous rencontrons là l'un des dangers de la civilisation qui ainsi oblige l'individu à réfréner son agressivité, ce qui ne peut être que malsain et pathogène : **une agressivité entravée peut conduire à l'autodestruction** un sujet qui retourne son agression contre lui-même, s'infligeant le traitement qu'il aurait souhaité appliquer à autrui. Quoi qu'il en soit, une fraction d'autodestruction demeure dans l'individu jusqu'à ce qu'elle finisse par le tuer, sans doute lorsque sa libido se trouve épuisée ou malheureusement fixée. Nous pouvons supposer que « l'individu meurt de ses conflits internes », tandis que l'espèce succombe lorsqu'elle ne peut plus s'adapter aux modifications du monde extérieur [1]. Les tendances agressives peuvent être rapportées à la libido, comme en témoignent les tendances sadiques surgies dès l'apparition des premières dents puis, de façon encore plus marquée, lors de la phase sadique-anale dans laquelle la satisfaction est directement recherchée dans l'agression ; le sadisme apparaît

1. *Abrégé de psychanalyse* (1940a [1938]), Paris, PUF, 1985, p. 8-10 ; *OCF* XX, p. 237-239 ; *GW* XVII, p. 70-72.

comme « union pulsionnelle entre des tendances purement libidinales et d'autres purement destructives, union qui dès lors persistera à jamais »[1].

QUESTIONS ET ENJEUX

On aurait pu penser que les pulsions d'auto-conservation, dites aussi « pulsions du moi » car elles doivent conserver et donc protéger celui-ci, seraient désignées comme devant assurer de ce fait une *fonction d'agression.* Non seulement Freud ne le dit jamais, mais, lorsqu'il doit imputer l'agressivité à l'une des deux pulsions fondamentales de l'époque (soit avant 1920), c'est à la pulsion sexuelle qu'il attribue « une part d'agression » – là est même la raison qu'il invoque pour récuser une « pulsion d'agression »[2]. L'agressivité n'est d'ailleurs jamais désignée comme pouvant exercer une action défensive. Il pourrait sembler qu'il y ait là comme un « point aveugle » autour de l'agressivité ; sans être ignorée – loin de là –, celle-ci demeurera longtemps à l'arrière-plan de l'élaboration, comme si Freud ne savait alors qu'en faire dans la théorie.

« Je me rappelle ma propre résistance à la conception d'une pulsion de destruction quand elle se fit jour dans la littérature psychanalytique ; et combien j'y étais inaccessible », en vient-il finalement à constater en 1930, parlant même à ce propos de sa « répugnance »[3]. De fait, on peut être surpris de constater que les premiers textes, fondateurs, depuis *L'interprétation des rêves* jusqu'aux *Trois essais sur la théorie sexuelle,* ne mentionnent pas l'agression. Si en 1905 sont bien évoquées des « pulsions hostiles » à l'égard de nos parents et de nos semblables, pulsions extrêmement précoces mais combattues par l'éducation, il s'agit toujours d'une « adjonction d'agression » à la sexualité, corres-

1. *Ibidem,* p. 14-15 ; p. 243 ; p. 76.

2. « Analyse d'une phobie chez un petit garçon de cinq ans (Le petit Hans) » (1909b), *Cinq psychanalyses,* Paris, PUF, 1954, p. 192 ; *OCF* IX, p. 122 ; *GW* VII, p. 371.

3. *Malaise dans la civilisation* (1930a [1929]), Paris, PUF, 1971, p. 75 ; *OCF* XVIII, p. 306 ; *GW* XIV, p. 479.

pondant à la nécessité biologique qu'a le mâle de surmonter la résistance de l'objet sexuel[1]. Si l'insistance d'Alfred Adler à proposer une « pulsion d'agression » fait sortir Freud de sa réserve, l'amenant à en parler, c'est pour rejeter fermement pareille idée ; tout en reconnaissant que la clinique paraît aller dans le sens de l'hypothèse adlérienne, il n'en refuse pas moins une telle pulsion qui ne saurait avoir d'autonomie, et ne peut que témoigner d'un attribut commun à toutes les pulsions : leur caractère moteur, « pulsionnel », justement. Il importe de « laisser à chaque pulsion la faculté de devenir agressive »[2] – en somme, les raisons du rejet sont, pour l'essentiel, théoriques.

Lorsqu'en 1912 Sabina Spielrein publie un article montrant que la composante sadique de la pulsion sexuelle agit comme pulsion destructrice, Freud l'écarte (comme d'ailleurs d'autres textes de August Stärcke et Otto Rank allant dans le même sens), ne le trouvant « pas clair » ; il reconnaîtra pourtant, en 1920, que ce travail anticipait toute une part de sa propre « spéculation » sur la pulsion de mort[3]. Il est tout de même assez remarquable que « Pulsions et destins des pulsions » en 1915 puisse consacrer de nombreuses pages à la haine (et à l'amour) sans parler d'agressivité, si ce n'est dans une petite phrase, quasi prémonitoire des développements à venir, constatant que « cette haine peut ensuite aller jusqu'à une propension à l'agression contre l'objet, une intention de l'anéantir » – mais cet aperçu demeure sans commentaires[4]. Peut-être plus surprenant encore : dans *Au-delà du principe de plaisir* il n'est jamais parlé d'agression alors qu'il s'agit d'introduire la polarité Éros-pulsion de mort sauf, là encore, dans une brève remarque indiquant que l'amour d'objet offre une polarité du même genre entre « amour (tendresse) et haine (agressivité) ». C'est

1. *Le mot d'esprit et sa relation à l'inconscient* (1905c), Paris, Gallimard, 1988, p. 197 ; *OCF* VII, p. 121 ; *GW* VI, p. 111. – Et *Trois essais sur la théorie sexuelle* (1905d), Paris, Gallimard, 1987, p. 69 ; *OCF* VI, p. 81 ; *GW* V, p. 57.

2. « Analyse d'une phobie chez un petit garçon de cinq ans (Le petit Hans) » (1909b), *Cinq psychanalyses*, Paris, PUF, 1954, p. 192 ; *OCF* IX, p. 122 ; *GW* VII, p. 371.

3. *Au-delà du principe de plaisir* (1920g), *Essais de psychanalyse*, Paris, Payot, 1981, p. 103, n. 13 ; *OCF* XV, p. 328, n. 2 ; *GW* XIII, p. 59, n. 2.

4. « Pulsions et destins des pulsions » (1915c), *Métapsychologie*, Paris, Gallimard, 1968, p. 40 ; *OCF* XIII (2e éd.), p. 184 ; *GW* X, p. 229.

sans doute en ce point, peut-on penser, que pourraient se trouver les raisons de l'attitude assez particulière de Freud.

Freud a pu, assez tôt, constater l'*existence de sentiments hostiles chez l'enfant*, voire en évoquer la violence ; il a de même remarqué combien l'éducation s'efforce d'y mettre des limites, comme elle le fait à l'encontre des pulsions sexuelles. Si l'agressivité est bien une manifestation qu'il constate, on a tout de même l'impression qu'il a du mal à l'intégrer en tant que notion propre dans sa représentation du psychisme – d'où sa « répugnance », même s'il l'attribue d'abord à l'idée d'une pulsion spécifique d'agression. Son refus de celle-ci n'a pourtant pas été total d'emblée. Dans la même année 1908, dans des interventions à la Société psychanalytique de Vienne, il n'hésite pas à évoquer la « pulsion d'agression » à propos de l'impuissance et du sadisme[1] mais, quelques mois plus tard, il la rejette vivement dans les commentaires sur « Le petit Hans »[2]. Il est vrai que, cette fois, il nomme Adler : au-delà du manque de sympathie qu'il y avait entre les deux hommes (quelques années plus tard, elle deviendra une haine franche et tenace), une opposition théorique se faisait jour et Freud pressentait que la pulsion d'agression façon Adler visait à attaquer sa propre théorie des pulsions – s'il voulait bien admettre l'existence d'agressivités (comment ne pas le faire ?), il refusait celle d'une pulsion distincte. Lorsque, l'opposant à l'Éros, Freud introduit la pulsion de mort, sa démarche est différente ; elle l'est au point que l'on pourrait dire qu'avec celle-ci, dans ce premier temps, il s'agit de bien autre chose que d'agression : il entend d'abord satisfaire son exigence épistémologique dualiste, beaucoup plus que rendre compte du couple amour-haine, même s'il affecte alors d'assimiler les deux polarités. Il va, par la suite, réagir d'une double façon : tantôt il maintient cette équivalence et parle alors de « pulsion de mort ou d'agression ou de destruction », tantôt il les distingue pour faire de la pulsion d'agression une « dérivation » de la pulsion de mort tournée vers l'extérieur et à laquelle est venue se mêler de la pulsion sexuelle. Cette dernière acception clarifie la construction théorique, si bien que l'un des derniers textes peut expliquer qu'il existe une pulsion de

1. *Les premiers psychanalystes (minutes de la Société psychanalytique de Vienne)* (1976a), Paris, Gallimard, 1976, t. I (1906-1908), p. 408 et 420 (séances du 6 mai et du 3 juin 1908).

2. *Ibidem*, p. 192-193 ; *OCF* IX, p. 122-123 ; *GW* VII, p. 371-372.

mort, originaire, produisant des dérivations plus ou moins teintées de libido qui, selon leur but, pourront être nommées « pulsion d'agression » ou « pulsion de destruction »[1].

À vrai dire, la *distinction entre pulsion d'agression et pulsion de destruction* en fonction de leurs buts n'est clairement posée qu'avec ce texte quasi ultime de Freud, l'*Abrégé de psychanalyse*. En 1923, la différenciation était pourtant ébauchée à propos d'états amoureux qui s'ignorent, dans lesquels éclate une agressivité qui pourrait bien témoigner de ce que la tendance à la destruction de l'objet devance son investissement érotique, avant que les deux composantes s'associent[2] ; l'agression apparaît donc comme une destruction libidinalisée.

Agresser n'est pas forcément détruire, même si l'éventualité n'est pas à écarter ; on peut penser que la première action, qui témoigne d'abord d'un souci d'autoprotection, est plus proche du plaisir et de la sexualité que la seconde qui, visant à anéantir, ne peut qu'être imprégnée de mort. La façon dont Freud les apparie semble aller dans ce sens ; soit il réunit pulsion d'agression avec pulsion de destruction, soit pulsion de destruction avec pulsion de mort, mais pratiquement jamais pulsion d'agression avec pulsion de mort. La différence de but, censée distinguer agression et destruction, consisterait à viser plutôt l'extérieur pour la première (l'agression suppose un objet, et c'est ainsi qu'elle peut imprégner la sexualité), plutôt l'intérieur pour la seconde (on s'agresse soi-même pour se détruire, comme dans la mélancolie et, d'une certaine façon, la destruction est toujours autodestruction). Cela semble implicite dans le texte freudien mais, il faut le reconnaître, n'est guère explicité, l'essentiel demeurant pour Freud de tout situer, *in fine*, en dépendance de la pulsion de mort.

On peut considérer que le premier geste d'amour est l'incorporation, que la première manifestation de haine est le rejet ; « exprimé dans le langage des motions pulsionnelles les plus anciennes, les motions orales : cela je veux le manger, je veux l'introduire en moi, ou bien je veux le cracher, l'exclure hors de moi »[3]. Pour autant, le

1. « L'analyse avec fin et l'analyse sans fin » (1937c), *Résultats, idées, problèmes, II*, Paris, PUF, 1985, p. 260 ; *OCF* XX, p. 45 ; *GW* XVI, p. 90.

2. *Le moi et le ça* (1923b), *Essais de psychanalyse*, Paris, Payot, 1981, p. 256-257 ; *OCF* XVI, p. 286 ; *GW* XIII, p. 271.

3. « La négation » (1925h), *Résultats, idées, problèmes, II*, Paris, PUF, 1984, p. 137 ; *OCF* XVII, p. 168-169 ; *GW* XIV, p. 13.

rejet n'est pas en soi une destruction, mais seulement le désir « que ça ne soit pas », ou tout au moins « pas en moi », alors que « l'action de manger est une destruction de l'objet avec pour but final l'incorporation »[1], incorporation de ce qui a été désiré – et qui, du coup, risque de manquer, d'où la frustration, puis la colère... En ses temps premiers, le petit d'hommes ne saurait encore se poser « le dilemme manger ou être mangé qui domine le monde vivant organique »[2] ; seule s'offre l'alternative du « manger ou cracher » dans laquelle « l'emprise amoureuse sur l'objet coïncide encore avec l'anéantissement de celui-ci »[3] ; la destruction n'apparaîtra qu'avec l'expulsion-rétention sadique-anale[4]. Voilà qui ne nous facilite pas les choses pour situer les éventuelles primats et « précessions »...

Pendant longtemps, face à *« l'incertitude et à l'obscurité de la théorie des pulsions »*[5], Freud préféra s'en tenir strictement à la polarité « pulsions du moi-pulsions sexuelles » et rejeter l'idée d'une pulsion d'agression ; en dépit des témoignages cliniques, celle-ci lui semblait venir contester le principe dualiste qu'il entendait fermement maintenir – il ne lui restait plus qu'à ranger l'agressivité parmi les attributs de la sexualité. La force de conviction des faits le contraint, plus de vingt ans ayant passés, à constater qu'il ne comprenait plus comment il avait pu demeurer aveugle à l'omniprésence de l'agression et de la destruction non érotisée, comment il avait négligé de leur accorder toute leur place. Il est vrai qu'il ajoutait aussitôt que la soif de destruction, lorsqu'elle se tourne au-dedans, se dérobe en grande partie lorsqu'elle n'est pas teintée d'érotisme[6]. Ainsi, même dans les cas les plus graves de masochisme moral que nous pouvons consta-

1. *Abrégé de psychanalyse* (1940a [1938]), Paris, PUF, 1985, p. 8 ; *OCF* XX, p. 238 ; *GW* XVII, p. 70.

2. *Nouvelles conférences d'introduction à la psychanalyse* (1933a [1932]), Paris, Gallimard, 1984, p. 149 ; *OCF* XIX, p. 194 ; *GW* XV, p. 118.

3. *Au-delà du principe de plaisir* (1920g), *Essais de psychanalyse,* Paris, Payot, 1981, p. 102 ; *OCF* XV, p. 327 ; *GW* XIII, p. 58.

4. *Abrégé de psychanalyse* (1940a [1938]), Paris, PUF, 1985, p. 14 ; *OCF* XX, p. 243 ; *GW* XVII, p. 76.

5. « Analyse d'une phobie chez un petit garçon de cinq ans (Le petit Hans) » (1909b), *Cinq psychanalyses,* Paris, PUF, 1954, p. 193 ; *OCF* IX, p. 123 ; *GW* VII, p. 372.

6. *Malaise dans la civilisation* (1930a [1929]), Paris, PUF, 1971, p. 75 ; *OCF* XVIII, p. 306 ; *GW* XIV, p. 479.

ter, l'autodestruction ne peut se produire sans revêtir aussi une signification libidinale[1]. Nous nous trouvons là face à la grande difficulté – presque aporétique – que nous posent les pulsions de mort : elles sont, « pour l'essentiel, muettes »[2].

Mais la situation des pulsions d'agression et de destruction par rapport à la pulsion de mort s'éclaire à la fin de l'œuvre ; comme nous l'avons vu, elles ne sauraient plus être confondues. À côté des éclats libidinaux, de « tout ce bruit de la vie qui provient surtout de l'Éros »[3] – à côté mais intriqués à eux – nous constatons comme une « fureur », manifestation d'une puissance que, en fonction de ses buts, « nous appelons pulsion d'agression ou de destruction, et que nous dérivons de l'originaire pulsion de mort »[4] qui demeure inexorablement silencieuse et muette, inconnaissable en elle-même, comme l'inconscient.

Claude Le Guen

AMBIVALENCE

all. : ***Ambivalenz.*** – angl. : *ambivalence.* – esp. : *ambivalencia.* – ital. : *ambivalenza.* – port. : *ambivalência*

L'*ambivalence* correspond à la coexistence d'affects opposés, et parfois de représentations opposées, dans l'investissement d'un même objet. L'ambivalence caractérise, selon Eugen Bleuler, la sémiologie de la schizophrénie, mais Freud applique le concept de façon beaucoup plus large au transfert, à la clinique des névroses et de la mélancolie, ainsi qu'aux relations inconscientes au père œdipien. Il voit l'essence de l'ambivalence dans la conjonction d'amour et de haine à

1. « Le problème économique du masochisme » (1924c), *Névrose, psychose et perversion,* Paris, PUF, 1973, p. 297 ; *OCF* XVII, p. 22-23 ; *GW* XIII, p. 383.

2. *Le moi et le ça* (1923b), *Essais de psychanalyse,* Paris, Payot, 1981, p. 260 et 274-275 ; *OCF* XVI, p. 289 et 301 ; *GW* XIII, p. 275 et 289.

3. *Ibidem.*

4. « L'analyse avec fin et l'analyse sans fin » (1937c), *Résultats, idées, problèmes, II,* Paris, PUF, 1985, p. 260 ; *OCF* XX, p. 45 ; *GW* XVI, p. 90.

l'égard du même objet et s'intéresse surtout au conflit d'ambivalence. Au plan métapsychologique, il décrit une ambivalence pulsionnelle, à comprendre à partir des couples d'opposés formés par certaines pulsions partielles, et de leurs possibilités de transformation. Enfin, l'ambivalence caractérise fondamentalement la relation primordiale au père de la horde, et plus largement l'ensemble du complexe paternel, dans la vie psychique individuelle mais aussi dans la culture.

MISE EN SITUATION

C'est Eugen Bleuler qui introduit et caractérise le concept d'ambivalence, notamment dans son ouvrage princeps de 1911, Dementia præcox ou groupe des schizophrénies*; il la classe parmi les symptômes fondamentaux de la schizophrénie. Elle apparaît tantôt comme un symptôme spécifique, une disposition de l'esprit du schizophrène à réaliser simultanément des états psychiques opposés, tantôt comme une fonction normale, dont l'exercice se trouve altéré dans l'expérience schizophrénique. Il en décrit trois sortes : l'ambivalence affective, l'ambivalence de la volonté et l'ambivalence intellectuelle qui désigne la coexistence dans un même énoncé de deux propos contradictoires.*

Chez Freud, le terme d'ambivalence n'apparaît qu'après son introduction par Bleuler, mais des notes ou des ajouts la réintroduiront dans des rééditions d'œuvres antérieures.

Dans l'utilisation explicite qu'il fait du concept, on peut distinguer cinq phases (qui chronologiquement se recouvrent partiellement) :

— l'emprunt du concept à Bleuler et son application au transfert et à la clinique des névroses ;

— son élaboration phylogénétique (Totem et tabou)*;*

— son élaboration métapsychologique (« Pulsions et destins des pulsions ») ;

— l'approfondissement de la clinique de l'ambivalence et ses conséquences théorico-cliniques ;

— l'application de la réflexion sur l'ambivalence aux problèmes posés par la culture et la religion.

LE TEXTE FREUDIEN

L'AMBIVALENCE DANS LES NÉVROSES

Avant même l'introduction du terme d'ambivalence, la réalité clinique qu'il désigne est déjà développée dans les « Remarques sur un cas de névrose obsessionnelle (L'homme aux rats) » en 1909, à propos des particularités psychologiques des obsédés concernant la superstition et la mort. Par rapport à ses propres superstitions, l'homme aux rats soutient deux opinions différentes et opposées et non une seule encore indéterminée. Il oscille entre les deux en fonction de son attitude envers ses troubles obsessionnels en général : il se moque de sa crédulité s'il a maîtrisé une obsession, mais tout étaie ses croyances lorsqu'il est sous l'empire d'une compulsion non résolue. L'incertitude et le doute soutiennent son besoin de s'interroger sur les grands problèmes de l'existence et les questions métaphysiques. Par ailleurs, il prend une vive part aux deuils, imagine même la mort des gens pour pouvoir exprimer ses condoléances. Il s'est tôt préoccupé de la mort de son père, et sa maladie peut être considérée comme une réaction au souhait compulsif de cette mort. L'intensité de l'amour conditionne la haine refoulée[1].

Dans l'article de 1912 sur « La dynamique du transfert », Freud utilise le concept bleulérien pour exposer la coexistence d'un transfert négatif avec un transfert tendre dans les formes curables de psychonévrose ; **l'ambivalence de sentiments est normale**, dans une certaine mesure, **mais serait excessive chez les névrosés**[2]. Elle caractérise en particulier, de façon précoce, la vie instinctuelle dans la névrose obsessionnelle, dont elle serait même l'une des conditions constitutionnelles. L'ambivalence de l'afflux des sentiments, donc la double caractéristique de conflit interne et d'excès, est ce qui permet

1. « Remarques sur un cas de névrose obsessionnelle (L'homme aux rats) » (1909d), *Cinq psychanalyses*, Paris, PUF, 1970, p. 216 ; *OCF* IX, p. 156-157 ; *GW* VII, p. 403-404.

2. « La dynamique du transfert » (1912b), *De la technique psychanalytique*, Paris, PUF, 1981, p. 59 ; *OCF* XI, p. 115 ; *GW* VIII, p. 373.

le mieux de comprendre comment les transferts sont mis au service de la résistance. De Bleuler, Freud retient essentiellement « l'ambivalence de sentiments », c'est-à-dire la première forme d'ambivalence ; il l'applique à la relation de transfert ou aux névrosés, et non pas à la schizophrénie.

À cette première acception se rattachent essentiellement certains emplois de la notion en 1914 (même s'ils sont postérieurs à *Totem et tabou*).

La réflexion freudienne note la **position ambivalente à l'égard de chaque substitut paternel** d'un rêveur devenu malade, principalement du fait de son angoisse envers son père (*Matériaux de contes dans les rêves,* 1914) ; il songe probablement ici à « L'homme aux loups », car les « Extraits de l'histoire d'une névrose infantile (L'homme aux loups) » (rédigé en 1914) souligne la propension extraordinaire du patient à l'ambivalence : elle se caractérise par sa netteté, son intensité, sa persistance inhabituelle, son extraordinaire extension[1]. Les couples de pulsions partielles opposées se manifestent avec une force égale ou suscitent d'incessantes oscillations ; le combat d'ambivalence s'exerce aussi en matière religieuse, la critique s'enracinant dans le rapport ambivalent au père : d'une part, le relâchement de la relation au père suscite l'investissement religieux compensateur, mais le doute puis la critique de la religion (dont il perçoit avec acuité l'ambivalence interne) permettent de maintenir l'attachement paternel : « Il se défendit contre Dieu pour pouvoir rester attaché au père, ce en quoi il prit à vrai dire la défense de l'ancien père contre le nouveau. »[2] Mais l'hostilité contre le nouveau Dieu prend elle-même appui sur une motion hostile au père[3] ; la position ambivalente à l'égard de chaque substitut du père se maintient tout au long de la vie comme elle le fait au cours du traitement[4].

1. « Extrait de l'histoire d'une névrose infantile (L'homme aux loups) » (1918b [1914]), *Cinq psychanalyses,* Paris, PUF, 1970, p. 340 ; Paris, PUF « Quadrige », p. 516 ; *OCF* XIII, p. 24 ; *GW* XII, p. 51.

2. *Ibidem,* p. 373 ; p. 556 ; p. 63 ; p. 97.

3. *Ibidem,* p. 415-416 ; p. 606 ; p. 113 ; p. 152.

4. *Ibidem,* p. 345 ; p. 522 ; p. 30 ; p. 58.

L'article sur « La psychologie du lycéen » (1914) nous offre un autre exemple, emprunté cette fois à la vie quotidienne et non à la pathologie des névrosés : le respect et les attentes tournés vers le père omniscient des années d'enfance sont transférés sur les professeurs ; l'ambivalence acquise dans la famille, lorsque le père a déçu l'enfant, leur est aussi adressée, rendant compte de l'attitude de lutte et de critique que suscitent aussi les enseignants. Mais **c'est d'abord à l'égard du père que se maintiennent à la fois la motion tendre et la motion hostile, c'est-à-dire l'ambivalence de sentiments.** En référence explicite au mythe d'Œdipe, l'admiration et l'amour pour le père (dont Dieu sera l'image exaltée) et son rôle de perturbateur surpuissant de la vie pulsionnelle sont ainsi constitutifs de l'ambivalence de sentiments.

Le transfert, l'Œdipe et la pathologie névrotique, notamment obsessionnelle, mais aussi celle de « L'homme aux loups » : tel est le champ où se déploie d'abord chez Freud le concept d'ambivalence. Il concerne au premier chef la relation au père.

Psychogenèse de l'ambivalence

La réflexion sur le rapport à l'origine, ainsi qu'à la mort, se trouve au centre des élaborations freudiennes, passant **du constat clinique de l'ambivalence à une psychogenèse de l'ambivalence.** Littérature, mythes et contes sont désormais convoqués dans la réflexion, par exemple dans « Le motif du choix des coffrets » (1913), où la troisième des filles du roi Lear, la plus belle et la meilleure des femmes – correspondant au troisième coffret – est en fait une figure de la mort[1], tout comme la déesse de l'amour put être identifiée à une déesse de la mort plus archaïque. Choisir la troisième fille – derrière sa docilité et surtout son mutisme, elle est la femme destructrice, figure de la terre-mère – c'est choisir, accepter la mort... Dans la langue du rêve, les concepts sont ambivalents, avec de fréquentes substitutions de contraires et condensation d'opposés (« L'intérêt de la psychanalyse », 1913)[2].

1. « Le motif du choix des coffrets » (1913f), *L'inquiétante étrangeté et autres essais,* Paris, Gallimard, 1985, p. 79 ; *OCF* XII, p. 63 ; *GW* X, p. 35.

2. « L'intérêt de la psychanalyse » (1913j), *Résultats, idées, problèmes, I,* Paris, PUF, 1984, p. 193 ; *OCF* XII, p. 105 ; *GW* VIII, p. 397.

C'est surtout dans ***Totem et tabou*** (1913) que Freud élabore avec audace et ampleur sa propre conception de l'ambivalence, plaçant ainsi la formation de la religion sur le terrain du complexe paternel : elle est édifiée sur l'ambivalence qui le domine. Tel est le lien entre clinique et théorie du religieux ; la place du concept d'ambivalence dans cette élaboration est centrale.

Le terme d'ambivalence revient avec insistance dans l'ouvrage, et le deuxième essai, *Le tabou et l'ambivalence des sentiments,* lui est spécifiquement consacré. Interdictions immotivées et énigmatiques[1], les tabous, permanents ou temporaires, peuvent toucher non seulement la consommation alimentaire, la liberté de mouvement, la maladie ou la mort, mais des personnes comme les rois et les prêtres, voire la relation entre belle-mère et gendre. **L'étude du tabou met au premier plan l'ambivalence des sentiments** *(Gefühlregung).* Il rapproche les interdictions compulsionnelles des interdits, et notamment des interdits du toucher que l'on rencontre en ethnologie. Les choses « impossibles » sont ainsi porteuses d'une dangerosité contagieuse ; celui qui a transgressé le tabou devient lui-même tabou[2]. De même, le névrosé pense que la transgression entraînerait de terribles malheurs, que tout ce qui oriente les pensées vers ce qui est interdit, voire qui établit un contact par la pensée, est défendu au même titre que le contact physique immédiat.

Le caractère principal de cette constellation psychique réside dans le comportement ambivalent envers l'objet, ou plutôt envers l'acte de le toucher : le névrosé ne cesse de vouloir l'accomplir, il y voit la jouissance suprême, mais il n'a pas le droit de l'accomplir et l'a aussi en horreur[3]. Aucun compromis n'est possible entre les deux courants, localisés séparément dans la vie psychique : si **l'interdiction est consciente, le désir persistant de toucher est inconscient.** Sans ce facteur topique, une ambivalence ne subsisterait pas aussi longtemps et n'aurait pas de telles conséquences. Actions compulsionnelles,

1. *Totem et tabou* (1912-1913a), Paris, Gallimard, 1993, p. 115 ; *OCF* XI, p. 230 ; *GW* IX, p. 36.

2. *Ibidem,* p. 116 ; p. 229 ; p. 37.

3. *Ibidem,* p. 119 ; p. 232 ; p. 40.

mesures de défense et commandements compulsionnels sont issus de motions ou de tendances ambivalentes; soit elles correspondent simultanément au désir et au contre-désir, soit elles sont au service de l'une des deux tendances opposées.

L'ambivalence se manifeste-t-elle également dans les prescriptions taboues ? La dangerosité attachée à la transgression n'est compréhensible que par la propriété d'attiser l'ambivalence de l'homme et de l'amener à la tentation de transgresser l'interdiction[1]. « Le fondement du tabou est une action interdite pour laquelle il existe une forte inclination dans l'inconscient. »[2] Or, les deux interdictions taboues les plus anciennes sont les deux lois fondamentales du totémisme : ne pas tuer l'animal totem, éviter le commerce sexuel avec les membres du sexe opposé du même clan. Le tabou, comme forme générale de législation, est une formation plus récente, mais les tabous qui se rattachent aux ennemis, aux chefs et aux morts, portent bien la marque de l'ambivalence. En témoigne la pratique du deuil de l'ennemi chez les Indiens d'Amérique du Nord. La peur des esprits des tués et la propagation du tabou à tout ce qui a été en contact avec eux dérivent de l'ambivalence des sentiments envers l'ennemi[3].

Le contact inconsidéré avec le roi, porteur d'une mystérieuse force magique, est dangereux et entraîne la mort ; le contact réglé par le rite devient le remède. La tradition de l'effet curatif de l'attouchement royal est avéré en Europe jusqu'à l'époque classique ; le toucher bienveillant voulu par le roi est bénéfique, tandis que le toucher du roi par un sujet est implicitement agressif, et de ce fait sacrilège. L'excès de sollicitude anxieuse est repérable dans le cérémonial tabou qui, dans la névrose, s'explique par un courant hostile inconscient psychiquement actif juxtaposé à une tendresse prédominante, ce qui réalise le cas typique d'une attitude ambivalente. **La voix de l'hostilité est couverte par une augmentation démesurée de la tendresse qui se manifeste sous forme d'anxiété, et devient compulsionnelle pour maintenir refoulé le courant inverse.** Aux chefs et aux personnes privilégiées

1. *Ibidem,* p. 123 ; p. 235 ; p. 43.
2. *Ibidem,* p. 123 ; p. 235 ; p. 42.
3. *Ibidem,* p. 136 ; p. 245 ; p. 53.

seraient ainsi adressées vénération et même adoration, mais accompagnées d'un intense courant hostile inconscient, voire une méfiance plus directe, réalisant la position de l'ambivalence de sentiments. Le cérémonial qui règle le rapport au roi manifeste d'ailleurs à l'évidence son double sens – qui s'origine dans les tendances ambivalentes – puisqu'il contraint les rois tout autant qu'il les élève. La pratique de destitution du roi, voire son meurtre, lorsqu'il a déçu l'attente du peuple, correspond au comportement paranoïaque qui transforme en persécuteur la personne aimée à qui il était prêté une toute-puissance invraisemblable. Il est ainsi mis au rang des pères, car ce modèle se retrouve dans la relation ambivalente de l'enfant au père ; ainsi l'action compulsionnelle, prétendue protection contre l'action interdite, « est véritablement la répétition de ce qui est interdit » [1].

Les prescriptions taboues envers les morts reflètent, dans le deuil, l'ambivalence des survivants envers le mort [2] ; aujourd'hui l'ambivalence a diminué, sauf chez les névrosés, mais le deuil s'accompagne souvent de doutes torturants qui sont des reproches compulsionnels : l'endeuillé s'accuse de négligences qui auraient provoqué la mort comme s'il reconnaissait indirectement en lui un désir inconscient de cette mort. **Cette hostilité cachée derrière un amour tendre existe presque toutes les fois où la liaison affective à une personne déterminée est intense ; elle est le cas classique, le prototype de l'ambivalence des sentiments** [3].

Dans les sociétés anciennes, le caractère démoniaque des âmes mortes depuis peu, comme la nécessité de se protéger de leur hostilité par des prescriptions taboues, est ainsi élucidé : la perte douloureuse rend nécessaire une protection contre l'hostilité latente projetée sur la personne morte. Punition et repentir s'expriment dans la peur et les renoncements que l'on s'impose, déguisés en mesures de protection contre le démon hostile. À nouveau, le tabou s'est développé sur le terrain d'une attitude affective ambivalente : le tabou des morts vient lui aussi de l'opposition entre la douleur consciente et la satisfaction

1. *Ibidem,* p. 150 ; p. 256 ; p. 65.
2. *Ibidem,* p. 166 ; p. 268 ; p. 78.
3. *Ibidem,* p. 164 ; p. 267 ; p. 76.

inconsciente procurée par le décès; la notion générale de démon a pu être tirée de cette relation significative aux morts. L'ambivalence qui lui est inhérente s'est par la suite exprimée dans l'histoire de l'humanité par deux formations psychiques opposées, qui ont cependant une même racine: la peur des démons et des revenants d'une part, le culte des ancêtres de l'autre. L'ambivalence des survivants a diminué à travers les âges, et la piété est une formation cicatricielle; même si l'hostilité inconsciente demeure décelable, elle n'est intense que dans les reproches compulsionnels des névrosés. **La conscience de la faute est parente de l'angoisse; l'interdit moral, comme le tabou, implique le désir inconscient; tous deux s'expliquent et se justifient par l'attitude ambivalente à l'égard de l'impulsion au meurtre**[1].

L'analyse du « petit Hans »[2] éclaire la question du totémisme par le déplacement sur l'animal des sentiments que lui inspire son père. En proie au conflit que constitue son ambivalence envers son père, il trouve un soulagement en déplaçant ses sentiments hostiles et craintifs sur un substitut. Mais le déplacement ne liquide pas le conflit en ce qu'il ne parvient pas à séparer nettement les sentiments tendres des sentiments hostiles: le conflit continue, déplacé sur l'animal, auquel s'étend désormais l'ambivalence. On observe également chez le petit Arpad (soigné par Sandor Ferenczi), à deux ans et demi, un déplacement sur un coq, animal-totem envers lequel il est très ambivalent: il s'identifie à lui; c'est aussi pour lui une fête quand on égorge de la volaille, mais ensuite il embrasse et caresse la figure égorgée, ou bien il nettoie et câline les figurines en forme de poule qu'il a lui-même maltraitées. Dans la formule du totémisme, nous pouvons à bon droit remplacer l'animal totem par le père, d'ailleurs souvent qualifié d'« ancêtre » ou de « père originaire ». De par leur contenu, les deux prescriptions taboues, ce noyau du totémisme (tuer le totem et user sexuellement d'une femme appartenant au totem), coïncident avec les deux crimes d'Œdipe…

1. *Ibidem,* p. 178; p. 278; p. 87.

2. « Analyse d'une phobie chez un petit garçon de cinq ans (Le petit Hans) » (1909b), *Cinq psychanalyses,* Paris, PUF, 1954; *OCF* IX; *GW* VII.

À partir de là, Freud élabore le mythe fondateur du père de la horde originaire. Les frères qui s'ameutèrent pour le meurtre du père étaient en proie, à son égard, aux mêmes sentiments contradictoires que ceux dont nous pouvons prouver l'existence et qui forment le contenu de l'ambivalence du complexe paternel (l'Œdipe) : ils haïssaient le père qui leur faisait obstacle, mais l'aimaient et l'admiraient aussi[1]. Le sentiment de culpabilité des fils est ainsi à l'origine des deux tabous fondamentaux du totémisme, système fondé sur un contrat conclu avec les frères pour tenter d'apaiser le père offensé. Ultérieurement, **toutes les religions s'avèrent des essais de solution de ce problème créé par la tension que constitue l'ambivalence** ; la rébellion des fils y réapparaît derrière les travestissements et les retournements.

La religion totémique ne comporte pas seulement les repentirs et les tentatives de propitiation ; elle sert aussi à rappeler le triomphe remporté sur le père, répète le sacrifice de l'animal-totem et se réapproprie dans le repas totémique les qualités du père. Ultérieurement, les premières phases de domination des deux nouvelles formations substitutives du père – les dieux et les rois – font connaître les manifestations les plus énergiques de l'ambivalence qui reste caractéristique de la religion. Le roi étranger, figure d'un dieu, mis à mort lors d'une fête, en témoigne : l'immolation d'un dieu dans les religions sémitiques manifeste la permanence du même objet de l'acte sacrificiel, le père. La doctrine chrétienne reconnaît de façon voilée l'acte coupable de l'époque originaire, et établit une réconciliation avec le père d'autant plus complète qu'avec le sacrifice s'accomplit aussi le renoncement pulsionnel ; mais, dans ce mouvement où la religion du fils remplace celle du père et redonne vie à l'ancien repas totémique sous la forme de la communion, l'ambivalence retrouve son rôle, et le but vers lequel tendaient les désirs hostiles au père est également atteint : le fils devient lui-même un dieu à côté du père – ou plutôt, au fond, à sa place[2].

1. *Ibidem*, p. 291 ; p. 362 ; p. 172-173.
2. *Ibidem*, p. 308 ; p. 374 ; p. 186.

Le tabou a pour condition une ambivalence originelle; il est né des processus préhistoriques qui ont conduit à la formation de la famille, de la société humaine et de ses traditions religieuses (même si, dans les usages de tabou observés aujourd'hui en ethnologie, on ne peut plus y reconnaître une telle signification première, car les peuples les plus primitifs sont déjà très éloignés des temps originaires). D'importantes formations culturelles ont pour racine le point unique qu'est le rapport au père; nous y rencontrons **l'ambivalence des sentiments au sens propre, c'est-à-dire la conjonction d'amour et de haine à l'égard du même objet.** Nous retrouvons cette ambivalence dans le complexe d'Œdipe, dans les commencements de la religion et de la morale, de la société et de l'art, elle forme le noyau de toutes les névroses – pourtant, **de son origine, nous ne savons rien.** On peut seulement supposer qu'elle est un phénomène fondamental, originellement constitutif de notre vie affective. Mais il existe une autre possibilité (que préfère Freud) : elle aurait été acquise par l'humanité dans et avec le complexe paternel.

L'AMBIVALENCE PULSIONNELLE

Une nouvelle élaboration conceptuelle, métapsychologique cette fois, permet en 1915 de **caractériser l'ambivalence pulsionnelle.** Les emplois du terme « ambivalence » dans les *Trois essais sur la théorie sexuelle* au fil de leurs révisions, relèvent d'une conceptualisation affirmée. Une section ajoutée en 1915, portant sur les *phases de développement de l'organisation sexuelle,* décrit les « organisations prégénitales » ; tout un paragraphe est ensuite consacré à l'ambivalence, et porte ce titre. Elle est elle-même présentée comme **équivalent des organisations prégénitales** qui restent déterminées par des pulsions partielles et ne sont pas encore subordonnées à l'organisation génitale et à la fonction de reproduction. Cette forme d'organisation sexuelle peut se maintenir toute la vie et accaparer en permanence une grande partie de l'activité sexuelle[1]. Elle est à considérer comme archaïque du fait de la prédominance du sadisme et du rôle de cloaque qu'y joue la

1. *Trois essais sur la théorie sexuelle* (1905d), Paris, Gallimard, 1987, p. 129; *OCF* VI, p. 135; *GW* V, p. 99.

zone anale. Les couples d'opposés pulsionnels s'y développent de manière sensiblement identique : c'est ainsi que Freud comprend désormais l'« heureuse dénomination » proposée par Bleuler, mais appliquée cette fois au mécanisme pulsionnel lui-même.

Dans « Pulsions et destins des pulsions » (1915), est explicitée la conception développée la même année dans cet additif des *Trois essais sur la théorie sexuelle* : l'ambivalence est à appréhender dans la reconnaissance, à côté d'une motion pulsionnelle active, de son contraire passif[1]. N'étant plus seulement de l'ordre de l'affect, **l'ambivalence concerne le développement même des destins de la pulsion,** et notamment la possibilité de son renversement dans le contraire. Sadisme-masochisme et plaisir de regarder-plaisir de montrer sont ainsi les mieux connues des pulsions sexuelles qui se manifestent comme ambivalentes ; il convient pourtant de noter la **variabilité quantitative de l'ambivalence** d'un individu à l'autre, d'un groupe à un autre, voire d'une culture à une autre. Or celle-ci est mise en rapport avec l'originaire collectif : une forte ambivalence pulsionnelle aujourd'hui, même individuelle, doit être mise en relation avec un héritage archaïque, puisque la part des motions actives non transformées dans la vie pulsionnelle a été plus grande aux temps originaires.

Enfin, l'analyse de la genèse complexe de l'amour et de la haine permet de comprendre **pourquoi l'amour est si souvent ambivalent,** c'est-à-dire accompagné de motions de haine envers le même objet. L'amour n'entre en effet dans une opposition (apparemment) simple avec la haine que lorsque s'établit l'organisation génitale[2]. En revanche, la haine mêlée à l'amour provient en partie des stades préliminaires de l'amour, aux buts sexuels provisoires, incomplètement dépassés : incorporer ou dévorer est ainsi un type d'amour compatible avec la suppression de l'objet dans son individualité et peut donc être qualifié d'ambivalent. De même, dans l'emprise, mise en œuvre par l'organisation prégénitale sadique-anale, endommager ou détruire l'objet n'entre pas en ligne de compte, et l'amour peut à peine se

1. « Pulsions et destins des pulsions » (1915c), *Métapsychologie,* Paris, Gallimard, 1968, p. 31 ; *OCF* XIII, p. 176 ; *GW* X, p. 224-225.

2. *Ibidem,* p. 42 ; p. 184 ; p. 231.

distinguer de la haine dans son comportement envers l'objet. Pour une autre part, la haine envers l'objet aimé provient de réactions de refus de la part du moi, du fait de conflits fréquents entre les intérêts du moi et ceux de l'amour[1].

Dans la même perspective, « Considérations actuelles sur la guerre et sur la mort » (1915) rattachent l'ambivalence affective à l'opposition par couples sous laquelle se présentent les motions pulsionnelles, comme à la proximité entre l'amour intense et la haine violente. Les formations réactionnelles en sont facilitées[2] (ce que précise aussi l'article « Le refoulement » : c'est parce que l'impulsion à refouler est entrée dans un rapport d'ambivalence que le processus est possible). C'est l'un des éléments qui peut donner l'illusion d'une élaboration psychique et d'une formation éthique chez les individus des nations civilisées, ce que la violence d'une situation de guerre dément au prix d'une douloureuse désillusion car les motions pulsionnelles, malgré les formations réactionnelles et les inhibitions, sont restées élémentaires : il n'y a aucune extirpation du mal[3], et la régression peut déchaîner la violence pulsionnelle.

Mais l'ambivalence de sentiments se manifeste aussi dans les contradictions de l'homme primitif face à la mort, sans doute même avec moins de restrictions qu'aujourd'hui. Les morts ennemis contraignent à songer à sa propre mort, tandis que les défunts aimés sont aussi à quelque égard des étrangers et des ennemis qui ont suscité des sentiments hostiles[4]. Le double mouvement de reconnaissance et de déni de la mort amène l'élaboration des croyances aux esprits, qui sont des fantômes redoutés en même temps qu'une espérance ultérieure d'immortalité. Aujourd'hui encore, « l'homme des premiers temps continue de vivre inchangé dans notre inconscient »[5], notre inconscient est inaccessible à la représentation de la mort

1. *Ibidem,* p. 42 ; p. 184 ; p. 232.

2. « Considérations actuelles sur la guerre et sur la mort » (1915b), *Essais de psychanalyse,* Paris, Payot, 1981, p. 17 ; *OCF* XIII, p. 134 ; *GW* X, p. 332.

3. *Ibidem,* p. 16 ; p. 134 ; p. 331.

4. *Ibidem,* p. 32 ; p. 147 ; p. 346-347.

5. *Ibidem,* p. 35 ; p. 151 ; p. 350.

propre, plein de plaisir au meurtre de l'étranger, ambivalent à l'égard de la personne aimée[1]. **Le conflit ambivalentiel rend également compte des vœux de mort inconscients envers les personnes les plus chères, et hérite d'une partie de nos tendances au déni de la mort.**

Vue d'ensemble sur les névroses de transfert (1915) rappelle ainsi que, **dans la névrose obsessionnelle, il s'agit dès le début de défense contre une pulsion ambivalente**[2] ; le premier refoulement a une issue heureuse, opère ensuite une formation réactionnelle grâce à l'ambivalence, mais un troisième temps caractérise le surgissement de la représentation obsessionnelle et l'énergie psychique qu'elle accapare.

Ambivalence et identification

Freud élabore dans « Deuil et mélancolie » (1915) les rapports entre l'ambivalence et l'identification narcissique. L'ouvrage amorce ainsi ce qui nous semble une nouvelle étape dans l'approfondissement de la clinique de l'ambivalence. En effet, il s'agit de comprendre comment « l'ombre de l'objet est tombée sur le moi » [3] – au point que la perte de l'objet est devenue une perte du moi : l'investissement d'objet régresse au narcissisme, et l'identification narcissique avec l'objet devient le substitut de l'investissement d'amour. Malgré le conflit avec la personne aimée, la relation d'amour n'a donc pas à être abandonnée, d'autant que l'identification est aussi la première manière, ambivalente dans son expression, selon laquelle le moi élit un objet en voulant se l'incorporer par la voie de la dévoration, conformément à la phase orale ou cannibalique[4] (cf. « Pulsions et destins des pulsions » et le travail d'Abraham sur *La mélancolie*). La perte de l'objet manifeste cette ambivalence constitutive. Le deuil prend ainsi une configuration pathologique liée au conflit d'ambivalence lorsque existe une disposi-

1. *Ibidem,* p. 39 ; p. 154 ; p. 354.

2. *Vue d'ensemble sur les névroses de transfert. Un essai métapsychologique* (1985a [1915]), Paris, Gallimard, 1986, p. 22 ; *OCF* XIII, p. 284-285 ; *GW* XIX *(Nachtragsband),* p. 2.

3. « Deuil et mélancolie » (1917e [1915]), *Métapsychologie,* Paris, Gallimard, 1968, p. 156 ; *OCF* XIII, p. 268 ; *GW* X, p. 435.

4. *Ibidem,* p. 157 ; p. 268 ; p. 436.

tion à la névrose obsessionnelle : il se manifeste alors par des autoreproches selon lesquels on aurait soi-même consommé, c'est-à-dire voulu la perte de l'objet d'amour. Mais la mélancolie implique en outre la rentrée régressive de la libido liée à l'identification narcissique et déborde largement le cas bien clair de la perte par la mort. **Le conflit d'ambivalence englobe toutes les situations où l'opposition entre haine et amour a pu se former ou se renforcer** ; il peut être lié aux expériences vécues de menace de perte d'objet ou être plus constitutionnel, mais si l'objet est abandonné, l'amour pour l'objet ne peut l'être et se réfugie dans l'identification narcissique. La haine exerce son activité sur cet objet substitutif en l'injuriant, le rabaissant en un auto-tourment source d'une jouissance sadique[1].

L'investissement d'amour connaît ainsi un double destin : régression à l'identification, mais aussi, sous l'influence du conflit d'ambivalence, régression au stade du sadisme. Par rapport au deuil normal, **c'est donc l'ambivalence qui caractérise la mélancolie** : le rapport à l'objet n'y est pas simple, mais compliqué par un conflit d'ambivalence. Le déroulement du travail de mélancolie tient à la multiplicité des combats d'ambivalence inconscients, qui tentent de permettre comme dans le deuil le détachement d'avec l'objet ; chacun de ces combats, un à un, relâche la fixation de la libido à l'objet, en le dévalorisant et en l'abaissant. Mais, dans la mélancolie, l'issue en est une régression de la libido, une « fuite dans le moi » : le processus peut alors devenir conscient et se présente comme un conflit entre une partie du moi et l'instance critique.

Clinique de l'ambivalence

Les années qui suivent prolongent ces analyses, soit pour diffuser les conceptions psychanalytiques déjà établies, soit pour approfondir et préciser la clinique de l'ambivalence, y compris en prenant appui sur des œuvres littéraires. La référence à *Totem et tabou* est fréquente. Ce qui est peut-être le plus frappant est la concomitance d'une banalisation de la notion dans son aspect descriptif désormais acquis, et la mise en évidence de nouveaux liens, notamment un rapport plus systématique entre l'ambivalence de sentiments envers un objet et le

1. *Ibidem*, p. 159 ; p. 270 ; p. 438.

clivage de sa représentation entre deux substituts puissants, l'un bon, l'autre mauvais.

Dans les *Conférences d'introduction à la psychanalyse,* en 1917, le concept d'ambivalence sert essentiellement à caractériser l'ambivalence affective, la montre à l'œuvre dans la névrose et dans le transfert (ce que reprendra brièvement l'article d'encyclopédie « Psychanalyse » de 1922) ainsi que dans la suggestion hypnotique, mais évoque aussi l'ambivalence des mots[1]. Le caractère universel de l'ambivalence dans les relations humaines est souligné, et Freud note que le même enfant œdipien qui exprime son hostilité envers son père peut aussi, en d'autres occasions, faire preuve d'une grande tendresse ; ces attitudes ambivalentes entreraient en conflit chez l'adulte, tandis qu'elles se concilient fort bien chez l'enfant, comme elles vivent ensuite côte à côte, et d'une façon durable, dans l'inconscient[2].

Toute **une clinique de l'ambivalence** s'élabore dans les années 1919-1923. Cela commence avec « Das Unheimliche ». (Nous donnons ici son intitulé original car le mot est spécifiquement allemand et, de l'aveu même de Freud, quasi intraduisible ; l'usage a prévalu d'user de la périphrase « L'inquiétante étrangeté », voire tout simplement de « L'inquiétant » [dans les *OCF*], mais évitant alors de traduire *heimlich.*) L'étude sémantique sur *heimlich/unheimlich* menée par Freud au début de l'article souligne à l'envi l'ambiguïté des termes et la possibilité pour « *heimlich* » de désigner des impressions opposées, c'est-à-dire précisément ambivalentes. Dans l'une de ses significations, « *heimlich* » coïncide avec « *unheimlich* », du fait du rapprochement entre ce qui est familier et ce qui est caché ou secret. « "*Heimlich*" est donc un mot qui développe sa signification en direction d'une ambivalence, jusqu'à finir par coïncider avec son opposé "*unheimlich*". "*Unheimlich*" est en quelque sorte une espèce de "*heimlich*". »[3] Une note souligne le clivage de l'imago paternelle

1. *Conférences d'introduction à la psychanalyse* (1916-1917), Paris, Gallimard, 1999, p. 229-230 ; *OCF* XIV, p. 183-184 ; *GW* XI, p. 430.

2. *Ibidem,* p. 422 ; p. 344 ; p. 344.

3. « L'inquiétante étrangeté » (1919h), *L'inquiétante étrangeté et autres essais,* Paris, Gallimard, 1985, p. 223 ; *OCF* XV, p. 159 ; *GW* XII, p. 238.

dans l'histoire racontée par Hoffmann : l'imago-père est présentée comme « décomposée par ambivalence »[1] entre les deux opposés que sont le père et Coppélius. **L'ambivalence semble donc tendre à unifier, ou au contraire à permettre de cliver...** Notre perplexité ne sera pas levée par le dernier emploi du terme dans cet article, qui rappelle l'origine éminemment équivoque et ambivalente de l'attitude sentimentale envers le mort[2].

« Une névrose diabolique au XVIIe siècle » (écrit en 1922) comporte un passage consacré à l'ambivalence d'Haitzmann (peintre « possédé » qui avait conclu un pacte avec le Diable dont Freud analyse le cas). Dieu est substitut du père, un père exhaussé, tel qu'on le voit dans l'enfance – représentation fondue avec la trace mnésique transmise du père originaire. **Ce rapport au père était originellement ambivalent ou le devint rapidement,** englobant un sentiment de tendre soumission mais aussi une hostilité pleine de défi. La même ambivalence domine le rapport de l'espèce humaine à sa divinité[3]. Le conflit non parvenu à son terme entre l'attirance pour le père et d'autre part l'angoisse et le défi explique des caractères et des destins décisifs des religions. Le Diable du Moyen Âge est ange déchu, et Dieu et Diable étaient originellement identiques, même figure ultérieurement décomposée en deux, dotées de propriétés opposées : cette décomposition d'une représentation à contenu de sens opposé – ambivalent – en deux opposés aux contrastes tranchés, est un processus bien connu. Les contradictions dans la nature originelle de Dieu sont un reflet de l'ambivalence qui domine le rapport de l'individu à son père personnel. Le père est donc l'image originaire individuelle aussi bien de Dieu que du Diable[4]. Mais les religions supportent en outre l'effet d'après-coup indélébile de la référence implicite inévitable à un père originaire primitif qui était un être mauvais, moins semblable à Dieu qu'au Diable. Dessins de brigands, animaux suscitant la phobie, sont aussi,

1. *Ibidem,* p. 232 ; p. 165 ; p. 244.

2. *Ibidem,* p. 248 ; p. 177 ; p. 256.

3. « Une névrose diabolique au XVIIe siècle » (1923d), *L'inquiétante étrangeté et autres essais,* Paris, Gallimard, 1985, p. 287 ; *OCF* XVI, p. 230 ; *GW* XIII, p. 331.

4. *Ibidem,* p. 289 ; p. 231 ; p. 332.

chez l'enfant, des substituts du père, représentant des parties clivées de celui-ci. Pour Haitzmann, le deuil après la perte du père se mue en mélancolie du fait de l'ambivalence du rapport avec lui[1] – même si l'on ne peut mettre en évidence les facteurs accidentels de son ambivalence et leur rapport avec l'inhibition du peintre comme on le ferait avec un patient en analyse.

Entre ces deux études littéraires, la clinique de l'ambivalence s'élabore aussi à partir de la pratique analytique de Freud. Une note ajoutée en 1919, et incluse dans le texte même de *L'interprétation des rêves* en 1930, évoque (paragraphe sur les « rêves absurdes ») les rêves de morts aimés : ils posent des difficultés d'interprétation, du fait précisément de « l'ambivalence affective à l'égard du mort »[2]. Les alternances de vie et de mort de la personne dont on rêve veulent présenter l'indifférence du rêveur – indifférence qui n'est pas réelle mais désirée, et qui est destinée à déguiser ses attitudes affectives souvent contradictoires. Il s'agit donc des formes de figuration en rêve de l'ambivalence dont Freud se préoccupe alors comme le montre l'article de 1922 : « Remarques sur la théorie et la pratique de l'interprétation du rêve ». Quand il existe chez le patient un conflit d'ambivalence, l'émergence d'une pensée hostile, ou d'un rêve à contenu hostile ne signifie pas le dépassement de la motion tendre, ni une solution au conflit. Chaque nuit peut même apporter deux rêves dont chacun prend une position opposée[3]. Renforcer chacune des deux tendances permet une isolation fondamentale des deux motions contrastantes dont chacune sera menée à son terme ; l'oubli de l'un des rêves indique simplement que l'une des positions l'emporte provisoirement, mais cela peut se modifier dès la nuit suivante. Par ailleurs, les patients qui apportent des rêves de confirmation aux interprétations de l'analyste sont ceux chez qui le doute joue le rôle de résistance principale. Freud évoque à ce propos, sans le nommer, « L'homme

1. *Ibidem*, p. 290 ; p. 232 ; p. 333.

2. *L'interprétation des rêves* (1900a), Paris, Paris, PUF, p. 367 (traduction de Meyerson) ; *OCF* IV, p. 479 ; *GW* II-III, p. 433.

3. « Remarques sur la théorie et la pratique de l'interprétation du rêve » (1923c), *Résultats, idées, problèmes, II*, Paris, PUF, 1985, p. 83 ; *OCF* XVI, p. 171 ; *GW* XIII, p. 305.

aux loups », frappé par la concordance entre l'interprétation de ses rêves et les idées de Freud, mais se demandant dans un doute compulsif, du fait de son ambivalence extrême, si ses rêves de confirmation ne pouvaient pas être simplement des rêves de complaisance, expression de sa docilité envers Freud, ou de son souhait de guérison[1].

« Psychogenèse d'un cas d'homosexualité féminine » (1920) est de toute évidence un cas clinique dans lequel **l'idéalisation massive repose sur une forte ambivalence envers les objets d'amour parentaux.** Freud s'y intéresse particulièrement à la question du choix d'objet homosexuel, et il souligne combien la relation à sa mère avait sans doute été très ambivalente dès le début[2] : déçue par son père, qui donne à sa mère et non à elle l'enfant masculin désiré, la jeune fille revivifie son amour antérieur pour sa mère, et même le renforce, mais en se mettant à la place du père, et en déplaçant, en transposant cette tendresse passionnée sur une autre femme plus âgée qu'elle – le tout avec un extrême souci de provoquer le regard de son père… Les poètes nous ont d'ailleurs fort bien montré, précise ultérieurement Freud, combien de personnes aiment sans le savoir ou ne savent pas si elles aiment, ou encore croient haïr alors qu'elles aiment[3] ! La conscience que nous avons de notre vie amoureuse est particulièrement lacunaire ou faussée.

L'ambivalence amour-haine de la vie amoureuse est d'ailleurs brièvement évoquée sur un plan plus métapsychologique dans *Au-delà du principe de plaisir* (1920), en relation avec un sadisme originel. Freud repousse l'hypothèse d'un masochisme originel (auquel il se ralliera ultérieurement) dans le cours d'une discussion soucieuse d'unifier l'amour et la haine, de faire dériver l'une de l'autre, mais sans y parvenir : le sadisme originaire ne peut être réduit à l'ambivalence initiale de l'amour dévorateur – qui relève déjà d'une mise au service de la libido de ce sadisme –, lequel est en fait une pulsion de mort qui, par l'influence de la libido, est repoussée du moi et

1. *Ibidem*, p. 86 ; p. 174-175 ; p. 309.

2. « Psychogenèse d'un cas d'homosexualité féminine (1920a), *Névrose, psychose et perversion*, Paris, PUF, 1973, p. 257 ; *OCF* XV, p. 247 ; *GW* XII, p. 285.

3. *Ibidem*, p. 265 ; p. 257 ; p. 296.

désormais tournée vers l'objet[1]. Autrement dit, on ne peut faire l'économie d'une hypothèse sur la pulsion de mort, et le dualisme pulsionnel est incontournable. **L'ambivalence interne à l'amour est déjà le résultat d'une intrication entre pulsion de mort et libido, mais c'est le sadisme originel qui donne à l'ambivalence sa force destructrice.**

Selon « Sur quelques mécanismes névrotiques dans la jalousie, la paranoïa et l'homosexualité » (1922), l'ambivalence se manifeste aussi dans la projection vers l'extérieur, sur d'autres, de ce que le jaloux ou le persécuté ne veulent pas voir en eux-mêmes. Or, chez le paranoïaque, c'est justement la personne la plus aimée du même sexe qui devient le persécuteur. Cette inversion d'affects s'explique par le fait que **l'ambivalence de sentiments, constamment présente, fournit à la haine son fondement pour se défendre contre l'homosexualité**[2]. L'ambivalence de sentiments rend ainsi le même service au persécuté que la jalousie au jaloux. Dans le cas de jalousie qu'il expose, Freud souligne une ambivalence extraordinaire dans le rapport au père : son patient est à la fois le plus accompli des rebelles et s'est développé à l'écart des souhaits et idéaux du père ; il est en même temps le plus soumis des fils, qui se refuse après la mort du père, par une « tendre conscience de culpabilité »[3], à avoir des relations avec une femme, tandis qu'il aménage tout de manière à être exploité par les autres hommes dont il se méfie constamment.

À la clinique individuelle, il faut d'ailleurs joindre *l'analyse des phénomènes de foule et de groupes*. Commentant Gustave Le Bon, dans *Psychologie des foules et analyse du moi* (1921), Freud rapproche l'idée du faible niveau moral des foules de la possibilité d'y voir coexister les idées les plus opposées sans que de leur contradiction surgisse un conflit[4]. Le psychisme inconscient, l'enfant et le

1. *Au-delà du principe de plaisir* (1920g), *Essais de psychanalyse,* Paris, Payot, 1981, p. 102 ; *OCF* XV, p. 327, 306 ; *GW* XIII, p. 58.

2. « Sur quelques mécanismes névrotiques dans la jalousie, la paranoïa et l'homosexualité » (1922b [1921]), *Névrose, psychose et perversion,* Paris, PUF, 1973, p. 275 ; *OCF* XVI, p. 91 ; *GW* XIII, p. 200.

3. *Ibidem,* p. 276 ; p. 92 ; p. 201.

4. *Psychologie des foules et analyse du moi* (1921c), *Essais de psychanalyse,* Paris, Payot, 1981, p. 135 ; *OCF* XVI, p. 17 ; *GW* XIII, p. 84.

névrosé réagissent de même. En particulier, les positions ambivalentes de l'enfant envers ceux qui lui sont les plus proches subsistent longtemps : s'il ne peut éviter le conflit, il déplace l'une des motions ambivalentes sur un père substitutif. Le névrosé, pour sa part, entretient parfois fort longtemps dans des fantasmes l'un des courants de son ambivalence. La maturation consiste dans une intégration de plus en plus grande de la personnalité, et une unification du moi, grâce au rassemblement des pulsions sous le primat de la génitalité. L'examen de la différence entre foules avec meneur (directement idéalisé ou incarnant une idée prégnante) et foules sans meneur, permet de rappeler la **présence constante de sentiments hostiles dans toutes les relations investies, y compris dans les groupes et les institutions**[1]. L'ambivalence est donc constante. On la retrouve dans les processus d'identification, notamment du fait que l'identification au père est « ambivalente dès le début », car elle se présente comme un rejeton de la première phase orale de la libido, mais dont l'ambivalence est renforcée lors du mouvement d'hostilité œdipien.

L'AMBIVALENCE ET L'ŒDIPE

Le moi et le ça (1923) précise les rapports entre l'ambivalence et les identifications œdipiennes. Lors de l'Œdipe, le souhait d'éliminer le père pour le remplacer auprès de la mère donne à l'identification au père une tonalité hostile. Le rapport au père devient donc ambivalent ou plutôt, l'ambivalence contenue dès le début dans l'identification devient manifeste[2]. L'issue du complexe d'Œdipe simple, positif, est un renforcement de l'identification au père, qui consolide la masculinité. Mais, la plupart du temps, le complexe se développe dans sa forme complète, incluant l'Œdipe inversé, du fait de la bisexualité originaire de l'enfant, et **l'ambivalence du garçon ne se porte pas que sur le père, mais connaît aussi une hostilité jalouse envers la mère,** de même qu'il témoigne aussi d'une position féminine envers le père. Il se pourrait, ajoute Freud, que l'ambivalence constatée dans le rapport

1. *Ibidem,* p. 163 ; p. 40 ; p. 111.

2. *Le moi et le ça* (1923b), *Essais de psychanalyse,* Paris, Payot, 1981, p. 244 ; *OCF* XVI, p. 276 ; *GW* XIII, p. 260.

aux parents soit à référer complètement à la bisexualité – au lieu d'être développée par la position de rivalité à partir de l'identification.

Outre l'importance de la bisexualité, le texte étudie l'interprétation de l'ambivalence par rapport à la deuxième théorie des pulsions, et plus particulièrement par rapport à la désunion (ou démixtion, ou démélange) pulsionnelle : une régression de la libido peut en être une, et il faut se demander si l'ambivalence courante, renforcée dans la prédisposition constitutionnelle à la névrose, ne peut être conçue comme le résultat d'un démélange. Mais elle serait alors si originelle qu'il faut plutôt voir **l'ambivalence comme une liaison non accomplie.** Les polarités de l'amour et de la haine ne nous montrent pas seulement la haine comme compagnon de l'amour (ambivalence) ou son précurseur fréquent, mais la transformation fréquente de l'une en l'autre, et réciproquement, ce qui rend difficile de les distinguer radicalement en reliant l'une aux pulsions érotiques et l'autre à la pulsion de mort.

Il n'y a pas seulement succession entre amour et haine pour des raisons claires, telles que des griefs ou des situations où l'hostilité précède l'amour. La clinique de l'ambivalence nous montre la défense contre une liaison homosexuelle intense par la transformation de la personne aimée en persécuteur, que le malade peut éventuellement agresser dangereusement : ici, l'amour semble bien s'être mué en haine. Dans l'homosexualité, comme dans les liens sociaux désexualisés, la rivalité initiale est violente et entraîne un penchant à l'agression qui doit être surmonté pour que l'objet puisse être aimé ou devenir l'objet d'une identification. Or, **c'est précisément la position ambivalente qui permet de rendre compte du processus : il n'y a pas transformation directe de l'amour en haine, ou inversement, mais retrait d'énergie libidinale à l'un des courants, tendre ou hostile, et déplacement de cette libido qui vient renforcer l'autre courant**[1]. Freud propose d'allier ainsi la clinique de l'ambivalence avec sa nouvelle théorie pulsionnelle. Mais c'est au prix de l'hypothèse d'une énergie déplaçable indifférenciée.

1. *Ibidem*, p. 257 ; p. 286 ; p. 271-272.

On pourrait dire qu'*Inhibition, symptôme et angoisse* (1926) applique aux névroses classiques les acquis de la réflexion théorico-clinique plus récente sur l'ambivalence. En reprenant le cas du petit Hans, Freud met l'ambivalence au premier plan dans cette phobie, formée d'une attente anxieuse déterminée : le cheval va le mordre. Sa position œdipienne met Hans aux prises avec un conflit d'ambivalence ; la phobie est une tentative pour le résoudre[1].

Une autre issue serait le renforcement de la motion tendre aux dépens de l'hostilité : la part d'excès et de contrainte dans la tendresse est alors l'indice que la position manifeste n'est pas la seule présente et se tient sur ses gardes pour maintenir son contraire refoulé, par formation réactionnelle[2]. **Une modification du moi peut s'ensuivre, comme dans la résolution du conflit d'ambivalence par l'hystérie,** où la haine contre une personne aimée est tenue en sujétion par un excès de tendresse et d'anxiété, la disposition d'amour restant attachée à cet objet déterminé, sans la facilité au déplacement dans le choix d'objet que l'on trouve dans la névrose obsessionnelle.

Celle-ci nous en apprend beaucoup sur la formation de symptôme : la plupart, en plus de leur signification originelle, ont acquis aussi celle d'un opposé direct, témoignage de la puissance de l'ambivalence qui joue un si grand rôle dans cette névrose[3]. Une forme fruste en est la succession de deux actions contraires, l'une exécutant une prescription que la seconde annule. Dans la cure, le névrosé obsessionnel a du mal à se conformer à la règle fondamentale, et son moi reste vigilant du fait de la haute tension conflictuelle entre son moi et son ça, et il se défend contre l'émergence des fantasmes ou contre la manifestation des tendances ambivalentes[4]. Cherchant ainsi à empêcher des associations, il se conforme de fait à l'antique tabou du toucher et recourt à l'isolation.

1. *Inhibition, symptôme et angoisse* (1926d [1925]), Paris, PUF, 1951, p. 20 et 22 ; *OCF* XVII, p. 219 et 221 ; *GW* XIV, p. 130 et 132.

2. *Ibidem,* p. 20 ; p. 220 ; p. 130.

3. *Ibidem,* p. 33 ; p. 230 ; p. 142.

4. *Ibidem,* p. 44 ; p. 239 ; p. 152.

Ampleur de l'ambivalence

Les autres écrits de cette période se réfèrent à l'ambivalence comme repère ou explication. Les analyses de *L'avenir d'une illusion* (1927) prennent appui sur la reconnaissance de l'ambivalence envers le père pour qui on n'éprouve pas moins de peur que d'attirance et d'admiration. L'exemple de Dostoïevski montre la complication introduite dans le conflit d'ambivalence envers le père lorsque la bisexualité est fortement marquée[1] ; la masculinité est menacée par la castration ; l'amour pour le père est traité comme un danger pulsionnel interne.

Loi psychologique générale, l'ambivalence des investissements de sentiment ne peut que se retrouver dans l'abandon par la petite fille de la première liaison à la mère et dans les reproches que son avidité et sa déception en viennent à lui adresser, comme Freud le constate dans « Sur la sexualité féminine » en 1931. Si l'adulte normal réussit sans doute à séparer les deux motions et à ne pas haïr son objet d'amour, cette ambivalence reste conservée toute la vie chez beaucoup d'êtres humains[2] : pour le névrosé obsessionnel, haine et amour se contrebalancent ; pour le primitif, l'ambivalence est prépondérante. De même, **la liaison primitive de la petite fille à sa mère ne peut être que fortement ambivalente,** ce qui, avec d'autres facteurs, la pousse à se détourner de sa mère. Les garçons n'ont pas la même difficulté, malgré une ambivalence aussi intense envers la mère, parce qu'ils peuvent la liquider en déplaçant tous leurs sentiments hostiles vers le père.

Le texte de 1932 sur « La féminité » opère une certaine réévaluation (au service de la mise en évidence insistante du complexe de castration chez la femme) en insistant davantage sur la force et la durée de la première liaison de la fillette à sa mère – tout en réaffirmant que les désirs envers la mère sont pleinement ambivalents[3]. L'ambivalence

1. « Dostoïevski et le parricide » (1928b [1927]), *Résultats, idées, problèmes, II,* Paris, PUF, 1984, p. 169 ; *OCF* XVIII (« Dostoïevsky et la mise à mort du père »), p. 215.

2. « Sur la sexualité féminine » (1931b), *La vie sexuelle,* Paris, PUF, 1969, p. 147-148 ; *OCF* XIX, p. 19-20 ; *GW* XIV, p. 528.

3. « La féminité » (1933a), *Nouvelles conférences d'introduction à la psychanalyse* (1933a [1932]), Paris, Gallimard, 1984, p. 162 ; *OCF* XIX, p. 204 ; *GW* XV, p. 129.

n'est pas perdue de vue puisque le choix d'objet sexuel par étayage selon le type paternel devrait assurer un mariage heureux : **c'est contre la mère que s'est renforcée l'ambivalence.** Mais, fort souvent, l'hostilité rejoint la liaison positive et empiète sur le nouvel objet : l'époux recueille avec le temps l'héritage maternel et l'ambivalence qui concernait la mère. L'envie du pénis, toujours active, et l'identification à la mère après la naissance d'un enfant, peuvent aussi menacer la relation de couple ; un nouveau mariage est parfois plus satisfaisant que celui où s'est exprimé l'ambivalence. Mais c'est surtout la satisfaction sans restriction liée à la naissance d'un fils qui, en compensant l'envie du pénis, permet à la femme de connaître **la relation la plus exempte d'ambivalence**[1]. Le mariage lui-même ne serait pleinement assuré que lorsque la femme a fait de son mari aussi un fils, et se comporte en mère avec lui.

La conférence de 1932 sur « Angoisse et vie pulsionnelle » réfère l'ambivalence à la présentation des stades de développement libidinal tels que les comprend Karl Abraham : les premières manifestations d'ambivalence apparaissent au stade sadique-oral, et elles seront beaucoup plus nettes au stade suivant, sadique-anal[2]. Rappelons notamment comment la dévalorisation de la zone anale et l'équivalence entre or et excréments en sont une éclatante manifestation. Freud voit dans les différenciations établies par Abraham des points d'appui pour la recherche devant des névroses déterminées des points de disposition dans le développement libidinal.

Ambivalence et culpabilité

Malaise dans la civilisation (1929) aborde un problème jusque-là laissé en suspens depuis *Totem et tabou* : quel est le lien entre l'ambivalence et le sentiment de culpabilité ? Si le meurtre du père peut expliquer la culpabilité, il faut cependant que le remords ait une source dans ce qui a précédé la mise à mort du père originaire. Il est à

1. *Ibidem*, p. 178-179 ; p. 216-217 ; p. 142-143.

2. « Angoisse et vie pulsionnelle » (1933), *Nouvelles conférences d'introduction à la psychanalyse* (1933a [1932]), Paris, Gallimard, 1989, p. 134 ; *OCF* XIX, p. 182 ; *GW* XV, p. 106.

comprendre comme le résultat de la première ambivalence de sentiments envers le père, haï mais aussi aimé par les fils : la haine une fois satisfaite par le meurtre, l'amour se fit jour dans le remords de l'acte. La part de l'amour dans la conscience morale est ainsi mise en évidence en même temps que le caractère inévitable du sentiment de culpabilité : **que l'on ait ou non mis le père à mort, on ne peut que se trouver coupable, car la culpabilité est l'expression du conflit d'ambivalence, du combat éternel entre Éros et la pulsion de destruction ou de mort.** Ce conflit est attisé par l'exigence de la vie sociale, mais il se forme dans la famille et se manifeste lors du complexe d'Œdipe qui, en instituant la conscience morale, crée le premier sentiment de culpabilité[1]. Avant l'Œdipe, la conscience de la faute est simplement l'expression immédiate de l'angoisse devant l'autorité externe.

D'autre part, cherchant à réunir les hommes et à créer des liens entre eux (tâche assignée par Éros et suscitée par Anankè), la culture renforce le sentiment de culpabilité. Par ailleurs, malgré la similarité entre développement individuel et développement de la culture, un conflit entre l'aspiration au bonheur, selon le principe de plaisir et l'aspiration à la réunion avec les autres dans la communauté, entre égoïsme et altruisme, est lui-même source d'ambivalence envers la culture – d'autant que, comme les pères, grands hommes et professeurs suscitent eux-mêmes l'ambivalence[2]. La culture, comme parcours de développement menant de la famille à l'humanité, ne peut donc qu'accroître le sentiment de culpabilité, comme conséquence du conflit d'ambivalence inné, c'est-à-dire comme conséquence aussi de l'éternel désaccord entre amour et tendance à la mort – à un niveau que l'individu a du mal à supporter, comme en témoigne Gœthe.

Freud est ici particulièrement explicite : **l'ambivalence est initiale et générale, elle a pour effet direct la culpabilité**, celle-ci étant l'expression psychique de la dualité pulsionnelle entre Éros et Thanatos. Freud en vient même à parler du « conflit d'ambivalence des deux pulsions originaires », associant ainsi en un raccourci de langage

1. *Malaise dans la civilisation* (1930a [1929]), Paris, PUF, 1971, p. 90-91 ; *OCF* XVIII, p. 319-320 ; *GW* XIV, p. 491-492.

2. « Allocution pour la remise du Prix Goethe » (1930d), *OCF* XVIII, p. 354 ; *GW* XIV, p. 550.

l'ambivalence de sentiments et la dualité pulsionnelle comprise comme une sorte d'ambivalence ontologique... Théorie pulsionnelle, clinique de l'ambivalence et analyse de la culture trouvent leur unité [1].

L'AMBIVALENCE RELIGIEUSE

La réflexion sur l'ambivalence se maintient jusqu'à la fin de l'œuvre freudienne (cf. « Constructions dans l'analyse » en 1937 ; l'*Abrégé de psychanalyse* en 1938). Dans *L'homme Moïse et la religion monothéiste* (1939), Freud montre combien les élaborations de *Totem et tabou* demeurent essentielles à ses yeux, et il en prolonge les conséquences, notamment pour comprendre l'ambivalence religieuse et sa force à la lumière du clivage de la figure de Moïse qu'il hasarde. C'est naturellement l'ambivalence de la relation au père originaire, haï et craint, mais aussi vénéré et pris pour modèle, qui sert de référence. On sait que la dualité affective de cette relation est reportée sur l'animal totémique, qui devient donc lui-même objet d'ambivalence. En lien avec l'exigence du renoncement aux pulsions, l'ambivalence de la notion de sacré trouve ainsi son fondement, et s'applique notamment à des préceptes qui, tels que l'exogamie, prolongent la volonté du père.

Mais un second temps est décrit en 1939 : le retour du refoulé religieux suscite d'abord la sidération enthousiaste, l'extase. « Tout morceau de passé qui revient se fraie un chemin avec une puissance particulière, exerce une influence incomparablement forte sur les masses humaines et élève une prétention irrésistible à la vérité. » [2] Or, l'ambivalence demeure sous-jacente, elle agit toujours, et ce retour ne peut éviter de s'accompagner d'un fort sentiment de culpabilité. Freud va plus loin, puisqu'il s'efforce de rendre compte des différences entre monothéisme juif et monothéisme chrétien à la lumière de ces perspectives – **l'ambivalence caractérise fondamentalement toute religion.** Le judaïsme, religion du père, désavoue le meurtre du père et suit la voie

1. *Malaise dans la civilisation* (1930a [1929]), Paris, PUF, 1971, p. 91 et 97 ; *OCF* XVIII, p. 320 et 324 ; *GW* XIV, p. 493 et 497.

2. *L'homme Moïse et la religion monothéiste* (1939a), Paris, Gallimard, 1986, p. 175 ; *OCF* XX, p. 164 ; *GW* XVI, p. 190.

de la plus grande spiritualisation possible. L'ambivalence appartient à l'essence de la relation au père, mais aucun espace n'est laissé à la haine meurtrière contre le père ; celle-ci est inversée en conscience de culpabilité, par formation réactionnelle, et donne lieu à la fois à la grandeur éthique et à des commandements rigoureux, mais vétilleux. L'origine en est l'hostilité réprimée à l'égard de Dieu. Le christianisme est au contraire caractérisé par un demi aveu, mais transpose le meurtre : c'est le fils qui est tué, et cette mort même ouvre la voie de la réconciliation. L'assurance que la victime est fils de Dieu correspond au chaînon intermédiaire entre illusion et vérité historique ; or, il faut noter la force de l'ambivalence dans le christianisme, puisque la réconciliation avec le père y devient son éviction au profit du fils[1]. Pactisant d'ailleurs avec les rituels méditerranéens, le christianisme s'écarte du monothéisme pur. Issu d'une religion du Père, le christianisme devient une religion du Fils, sans échapper à la fatalité d'avoir à écarter le père.

QUESTIONS ET ENJEUX

Omniprésence de l'ambivalence

L'élucidation de l'ambivalence religieuse dans la structuration des monothéismes achève le déploiement du concept d'ambivalence dans l'œuvre freudienne. Il n'est donc pas limité à son acception purement clinique, mais suit tous les linéaments et les détours de la relation au père, et aux substituts du père, dans l'ontogenèse comme dans la culture. Freud utilise les différenciations d'Abraham, mais sans s'attacher comme lui à définir un stade préambivalent, et sans postuler de véritable dépassement de l'ambivalence. Le sentiment de culpabilité, tout au plus, en est l'héritier.

Nous avons pu remarquer combien la notion d'ambivalence se trouve réinterprétée dans chacune des deux théories des pulsions. Dans la première théorie des pulsions, elle caractérise essentiellement

1. *Ibidem*, p. 177-179 et 210-212 ; p. 165-167 et 190-192 ; p. 192-193 et 219-221.

certains destins élémentaires de la pulsion ; dans la seconde, elle en vient à se confondre avec la dualité pulsionnelle elle-même.

Si Freud rappelle constamment jusqu'aux années 1920 qu'il a emprunté le terme d'ambivalence à Bleuler, il en fait cependant un usage profondément différent, centré sur sa mise en évidence dans la névrose obsessionnelle (et non plus dans la schizophrénie), mais se déployant dans tout le spectre de la sexualité infantile et des différentes pathologies des névroses et des névroses narcissiques.

C'est essentiellement l'ambivalence des sentiments qui a retenu son attention. Cependant, son analyse du tabou lui fait décrire des ambivalences de la volonté, et nous en retrouvons également nombre d'exemples dans les symptômes obsessionnels. L'ambivalence que Bleuler appelait intellectuelle, si frappante chez le schizophrène, n'est guère reprise ; on la reconnaît cependant d'une part dans les rapports de l'obsessionnel à la superstition, d'autre part par le biais de l'analyse des renversements de la pulsion (mais la question de la représentation de but s'y associe à des facteurs dynamiques).

Le conflit d'ambivalence

Ce qui est surtout à souligner est que, chez Freud, l'essentiel de la notion d'ambivalence n'est pas descriptif, sémiologique. C'est le **conflit d'ambivalence** qui est décisif, et cette expression revient constamment. **Le concept est donc fondamentalement dynamique,** et, si l'exigence première se porte vers la compréhension de son origine – ontogénétique et phylogénétique –, la tâche permanente consiste dans l'étude des défenses qu'il suscite : déplacement dans la phobie, projection dans la paranoïa, aménagement topique dans le refoulement, traitement du retour du refoulé (formation réactionnelle, sentiment de culpabilité), déni dans l'idéalisation, clivage des deux motions opposées... Freud a particulièrement décrit le rôle moteur de l'ambivalence dans la constitution de la formation réactionnelle.

Ambivalence et métapsychologie

En première topique, l'ambivalence caractérise l'essence du symptôme névrotique, compromis entre désir et défense. Elle explique la formation, et la forme, de nombreux symptômes. Elle est rendue possible par les retournements pulsionnels. Elle s'enracine dans le complexe paternel. Elle se manifeste dans la sexualité infantile par l'amour oral, qui ne se distingue pas de la destruction, puis commence à s'élaborer dans la phase anale (à laquelle régressent les névrosés obsessionnels). L'Œdipe en est la pleine réalisation, mais aussi l'issue.

En seconde théorie des pulsions, l'ambivalence acquiert une sorte de réalité ontologique indépassable, du fait de la dualité pulsionnelle d'Éros et des pulsions de mort, et de leur intrication. Parallèlement, la clinique de l'ambivalence s'est considérablement complexifiée, et conduit de plus en plus à des descriptions qui ne relèvent plus seulement de la névrose, impliquent nombre de paradoxes et comportent l'énigme du sentiment de culpabilité inconscient.

Ambivalence et culture

Freud met l'ambivalence à la source des formations culturelles, ou du moins de leur nécessité, qu'il s'agisse de l'horreur de l'inceste ou du meurtre du père primitif. L'ambivalence est l'un des principaux arguments freudiens en faveur de son analogie entre l'enfant, le primitif et le névrosé, qui fut décisive dans l'intérêt porté par Freud à la culture et à la religion. Ses réflexions sur la force des idées religieuses, jusqu'à la fin de son œuvre, en sont inséparables. On ne peut, sans trahir et mutiler le propos freudien, réduire l'ambivalence à la clinique individuelle, notamment à ses formes dans la régression de la névrose obsessionnelle et à son élaboration dans l'Œdipe. Cette articulation entre l'ontogenèse et l'origine de la culture est essentielle à l'intelligence de l'œuvre freudienne, de son inspiration et de sa cohérence, comme en témoigne la fréquence des allusions récurrentes à *Totem et tabou*.

Élaboration de l'ambivalence

L'importance que Freud confère à l'ambivalence est donc extrême. Moins par sa complexité que par son universalité. Et il s'est attaché à en décrire la multiplicité des formes cliniques ou culturelles, et à élaborer les liens avec nombre de concepts essentiels de la psychanalyse : complexe d'Œdipe, sentiment de culpabilité, dualité pulsionnelle. Ce qui lui importe, c'est de manifester la présence de l'ambivalence au cœur des symptômes névrotiques et du complexe paternel (et plus tardivement dans la relation à la mère), puis finalement dans toute la vie humaine, et d'explorer les voies qui permettent de surmonter l'ambivalence.

On peut néanmoins penser que la question plusieurs fois effleurée des rapports exacts de l'ambivalence avec le clivage – notamment le clivage des imagos parentales –, clivage que l'ambivalence permet, provoque et/ou explique, reste en suspens dans son œuvre. C'est dans l'œuvre de Mélanie Klein que la question se trouve reprise à nouveaux frais, dans une conception où le clivage entre bon et mauvais objet ainsi que la question de l'idéalisation assument pour une part l'héritage de l'ambivalence.

Dominique Bourdin

Amnésie → Oubli

AMOUR et HAINE

all. : ***Liebe*** et ***Haß***.– angl. : *love* et *hatred*. – esp. : *amor* et *odio*. – ital. : *amore* et *odio*. – port. : *amore* et *ódio*

L'amour est une modalité de mise en œuvre des pulsions sexuelles qui suppose un investissement libidinal de l'objet total, se distinguant ainsi des pulsions partielles. Il comporte des formes prégénitales et des formes génitales, inclut toujours de l'ambivalence ; la psychosexualité infantile est largement l'histoire de son émergence, de son élaboration et de ses choix d'objet (narcissiques ou étayés sur les figures parentales). L'amour entre dans un rapport complexe avec l'un de ses opposés, la haine. Il est sous-jacent à la suggestion, et l'état amoureux ressemble beaucoup à l'hypnose. Il intervient dans le transfert, voire le constitue, comme il constitue (plus ou moins désexualisé) les identifications permettant le lien social.

La haine n'est pas simplement un affect parmi d'autres ; elle est un mouvement pulsionnel fondamental qui forme avec l'amour une opposition complexe. Elle contribue, par le rejet à l'extérieur de ce qui se trouve craché/haï, à la constitution du moi et à la distinction entre le moi et la réalité extérieure. Ainsi fondée sur les pulsions

d'auto-conservation, elle intervient dans l'ambivalence œdipienne du fait de la rivalité avec le père (ou, pour la fille, avec la mère). L'amour coexiste avec la haine dans l'ambivalence des sentiments ; il peut aussi être remplacé par la haine (forme de maintien du lien). Amour et haine s'opposent ensemble à l'indifférence ou insensibilité.

MISE EN SITUATION

La question de la haine est présente sous deux formes dans l'œuvre de Freud qui montre d'une part la fonction métapsychologique de la haine comprise comme mouvement pulsionnel essentiel à la structuration du psychisme, caractéristique notamment des renversements pulsionnels et formant avec l'amour un couple d'opposés en relation complexe, susceptible de se manifester par de l'ambivalence. Il rend compte, d'autre part, des affects de haine dans leur manifestation clinique, qu'ils soient conscients, coexistant ou non avec l'amour – voire manifestant un amour dénié ou refoulé – ou inconscients, dans une ambivalence où seuls les sentiments d'amour sont conscients. Les diverses manifestations d'ambivalence retiennent particulièrement l'attention de Freud.

Il est remarquable que le terme soit beaucoup plus fréquent dans la première partie de l'œuvre, avec un pic vers 1915 dans la Métapsychologie, *moment où Freud conceptualise sa conception de la haine, que dans la fin de l'œuvre – à l'exception de remarques dans* Le moi et le ça *et de certaines considérations éparses. Il convient ici de souligner que l'amour ne se confond ni chronologiquement, ni conceptuellement avec Éros.*

À côté de quelques moments d'élaboration ciblés (comme sur les types de choix d'objet en 1914, les rapports avec la haine en 1915) l'amour, très souvent nommé au fil de l'œuvre, est le plus généralement traité de façon descriptive ; il n'en donne pas moins lieu à une sémiologie qui décline magistralement les formes de réalisation des pulsions sexuelles.

LE TEXTE FREUDIEN

PREMIÈRES RÉFLEXIONS

Si amour et haine sont régulièrement évoqués dans les travaux des premières années, ils ne sont guère approfondis ; nous nous bornerons donc à les mentionner. Dans l'article « Sur les souvenirs-écrans » (1899), après avoir noté qu'avec la faim l'amour est l'un des plus grands ressorts de l'existence, Freud rapporte un souvenir dans lequel il joue un rôle essentiel sous la forme d'ôter sa fleur à une jeune fille, en un fantasme érotique audacieux, « complément régulier de la timidité juvénile »[1].

Les rêves dissimulent souvent des désirs d'amour et de haine, aussi *L'interprétation des rêves* (1900) évoque l'amour œdipien, les vœux de mort envers les parents[2], et la haine à propos du traitement des affects dans le rêve ; la haine intense a besoin de légitimation, il lui faut se dissimuler et rester inconsciente ou trouver un prétexte pour s'exprimer tout en se masquant. Selon les *Trois essais sur la théorie sexuelle* (1905), l'amour suscite une surestimation sexuelle qui affaiblit le jugement et rend crédule, ce qui est à la source de l'autorité[3] ; la tendresse de la mère éveille la pulsion sexuelle de l'enfant et la tétée du sein de la mère est prototype de toute vie amoureuse[4].

Dans les années qui suivent, la réflexion de Freud est à l'affût de la compréhension de l'ambivalence et des rapports entre amour et haine. Ainsi, au cours d'une discussion à la Société psychanalytique de Vienne, il affirme comme un acquis que « tout acte de haine naît de l'érotisme » ; l'amour dédaigné, en particulier, rend cette

1. « Sur les souvenirs-écrans » (1899a), *Névrose, psychose et perversion*, Paris, PUF, 1973, p. 126 ; *OCF* III, p. 269-270 ; *GW* I, p. 546.

2. *L'interprétation des rêves* (1900a), Paris, PUF, 1967, p. 225 ; *OCF* IV, p. 298 ; *GW* II-III, p. 264.

3. *Trois essais sur la théorie sexuelle* (1905d), Paris, Gallimard, 1987, p. 58 ; *OCF* VI, p. 83 ; *GW* V, p. 49-50.

4. *Ibidem*, p. 165 ; p. 161 ; p. 124.

transformation possible[1]. La même année, dans *Le délire et les rêves dans la « Gradiva » de Jensen,* le héros guérit lors d'une récidive de l'amour, « puissance thérapeutique »[2] face au délire – « si nous regroupons sous le nom d'amour les multiples composantes de la pulsion sexuelle »[3].

Un souvenir d'enfance de Léonard de Vinci (1909) étudie la possibilité d'une sublimation des affects d'amour et de haine. Les hommes aiment ou haïssent impulsivement, et la réflexion peut tout au plus atténuer les effets de ces affects. Léonard de Vinci pense qu'il faudrait aimer, comme lui, de façon à retenir l'affect et à le soumettre au travail de la pensée pour évaluer d'abord l'objet[4]. Chez lui, les affects sont soumis à la pulsion d'investigation : il n'aime ni ne hait mais se demande d'où vient ce qu'il lui faut aimer ou haïr ; amour et haine se convertissent en intérêt pour la pensée. Léonard a transformé la passion en poussée de savoir, peut-être au prix d'une certaine perte de passion ; il a « fait de l'investigation au lieu d'aimer »[5]. Sa mère, insatisfaite, l'avait mis à la place de son mari, éveillant en lui un érotisme précoce. L'amour de la mère pour le nourrisson qu'elle allaite est de la nature d'un rapport amoureux pleinement satisfaisant, forme de bonheur qui permet aussi de satisfaire sans reproche des désirs pervers longtemps refoulés[6].

L'AMBIVALENCE ENTRE L'AMOUR ET LA HAINE

Dans l'« Analyse d'une phobie chez un petit garçon de cinq ans (Le petit Hans) » (1908), Hans connaît son premier conflit d'ambivalence dans le rapport œdipien : il doit désormais « haïr comme concurrent

1. *Minutes de la Société psychanalytique de Vienne* (1979a), Paris, Gallimard, 1979, t. I *(1906-1908),* p. 184 (séance du 10 avril 1907).

2. *Le délire et les rêves dans la « Gradiva » de Jensen* (1907a), Paris, Gallimard, 1986, p. 57 ; *OCF* VIII, p. 121 ; *GW* VII, p. 47.

3. *Ibidem,* p. 241 ; p. 121 ; p. 118.

4. *Un souvenir d'enfance de Léonard de Vinci,* Paris, Gallimard, 1991, p. 74-75 ; *OCF* X, p. 98 ; *GW* VIII, p. 141.

5. *Ibidem,* p. 85 ; p. 99-100 ; p. 142.

6. *Ibidem,* p. 215 ; p. 143 ; p. 188.

ce même père qu'il aimait de tout temps et qu'il devait continuer à aimer »[1]. L'année suivante, avec les « Remarques sur un cas de névrose obsessionnelle (L'homme aux rats) »), Freud constate que dans la phase passionnée **l'état amoureux se mêle souvent à la haine** ; cette coexistence persiste dans la névrose obsessionnelle, l'hystérie et la paranoïa. Quand le patient s'étonne de ce que sa crainte de la mort de son père (décédé depuis plusieurs années) puisse avoir été un souhait inconscient, alors qu'il était la personne qu'il chérissait le plus au monde, Freud lui objecte que « c'est justement cet amour si intense qui est la condition du refoulement de la haine »[2]. Il a acquis la conviction de la toute-puissance de son amour et de sa haine, à la suite du suicide d'une demoiselle d'un certain âge qui lui avait fait des avances : l'obsédé surestime l'action de ses sentiments sur le monde extérieur mais ignore leur action interne et sa haine est ce qui produit les obsessions dont il ne comprend pas l'origine. Le patient de Freud prend une vive part à tous les deuils : « Ainsi les obsédés, dans tout conflit vital, sont-ils à l'affût de la mort d'une personne qui leur importe. »[3] Un état amoureux se perçoit souvent au début sous forme de haine, l'amour auquel la satisfaction est refusée se transforme souvent partiellement en haine, et les poètes nous enseignent que l'amour passionné fait coexister ces sentiments contradictoires. **L'amour n'a pas éteint la haine, il n'a pu que la refouler ; dans l'inconscient, elle reste indestructible.** Par formation réactionnelle, l'amour conscient s'accroît considérablement pour maintenir son contraire dans le refoulement. « Une séparation très précoce des contraires, accompagnée du refoulement de l'un de ces deux sentiments, de la haine en général, semble être la condition de cette constellation si étrange de la vie amoureuse »[4], qui caractérise la névrose obsessionnelle : si à un

1. « Analyse d'une phobie chez un petit garçon de cinq ans (Le petit Hans) » (1909b), *Cinq psychanalyses,* Paris, PUF, 1970, p. 189 ; *OCF* IX, p. 117 ; *GW* VII, p. 365.

2. « Remarques sur un cas de névrose obsessionnelle (L'homme aux rats) » (1909d), *Cinq psychanalyses,* Paris, PUF, 1970, p. 206 et 216 ; *OCF* IX, p. 145 et 156 ; *GW* VII, p. 391 et 403.

3. *Ibidem,* p. 253 ; p. 204 ; p. 453.

4. *Ibidem,* p. 255 ; p. 206 ; p. 455.

amour intense s'oppose une haine presque aussi forte, le résultat immédiat en est une aboulie partielle, une incapacité de décision dans toutes les actions dont le motif efficient est l'amour, indécision qui par déplacement s'étend peu à peu à l'activité entière et constitue l'empire du doute et de la compulsion.

La haine, maintenue par l'amour dans l'inconscient, joue aussi un grand rôle dans la genèse de l'hystérie et de la paranoïa. Dans ces cas de haine inconsciente, les composantes sadiques de l'amour auraient été développées de façon trop forte et se seraient trouvées réprimées de façon trop précoce et trop intense. Les phénomènes névrotiques seraient alors déterminés d'une part par la tendresse consciente renforcée réactivement, et d'autre part par le sadisme se manifestant sous forme de haine dans l'inconscient.

Les « Remarques psychanalytiques sur l'autobiographie d'un cas de paranoïa *(dementia paranoides)* (Le Président Schreber) » montrent que, tandis que dans la névrose obsessionnelle l'amour intense masque la haine refoulée, une transformation d'affects intervient dans le délire de persécution : ce qui aurait dû être éprouvé intérieurement comme de l'amour est perçu de l'extérieur comme de la haine[1]. Dans son étude, Freud déploie les formes de transformation défensives de la formulation de l'amour homosexuel. « Je l'aime, lui l'homme » devient « je ne l'aime pas, je le hais (parce qu'il me persécute) » dans le délire de persécution ; « ce n'est pas lui que j'aime, c'est elle que j'aime » devient « c'est elle qui m'aime » dans l'érotomanie ; et « ce n'est pas moi qui aime l'homme, c'est elle qui l'aime » dans le délire de jalousie (qui comporte aussi une version féminine) – voire « je n'aime pas du tout, je n'aime personne », car je n'aime que moi dans la surestimation du moi propre[2].

Une remarque des *Minutes de la Société psychanalytique de Vienne* résume la compréhension du concept d'ambivalence : d'une part c'est « la transformation de l'activité en passivité » (sadisme/masochisme) ; d'autre part, « la transformation dans l'opposé maté-

1. « Remarques psychanalytiques sur l'autobiographie d'un cas de paranoïa *(dementia paranoides)* (Le Président Schreber) » (1911c [1910]), *Cinq psychanalyses*, Paris, PUF, 1970, p. 289-290 ; *OCF* X, p. 263 ; *GW* VIII, p. 276.

2. *Ibidem*, p. 308-310 ; p. 285-287 ; p. 299-301.

riel dont le seul exemple semble être la transformation de l'amour en haine »[1].

Totem et tabou (1913) évoque l'organisation narcissique et sa permanence. Même après avoir trouvé des objets externes pour sa libido, l'être humain reste narcissique et ses investissements d'objet sont des émanations de la libido résidant dans le moi. « **Les états amoureux, états psychologiquement si remarquables, prototypes normaux des psychoses,** correspondent au degré maximal de ces émanations, en comparaison avec le niveau de l'amour du moi. »[2] L'œuvre comporte un certain nombre de repères : dans la royauté des origines, selon James G. Frazer, le roi ne vit que pour ses sujets ; s'il se relâche ou échoue dans sa tâche, le dévouement et la vénération religieuse dont il était l'objet se muent en haine et en mépris. « Aujourd'hui encore adoré comme dieu, il pourra lui arriver d'être tué demain comme criminel. »[3] Ce n'est pas là contradiction mais comportement logique : si le roi est leur dieu, il doit se montrer protecteur.

Une seconde occurrence de la notion de haine concerne le rapport des survivants aux morts, historiquement caractérisé par une diminution de l'ambivalence. « Là où la haine satisfaite et la tendresse douloureuse se combattaient autrefois s'élève maintenant la piété, comme une formation cicatricielle. »[4]

Reprenant le cas de Sandor Ferenczi sur le « petit homme coq » qui, à cinq ans, après une période où il s'identifiait à un coq, prend un comportement ambivalent envers son animal-totem, à qui il porte à la fois une haine et un amour excessifs ; c'est une fête pour lui quand on égorge de la volaille. Il peut danser des heures autour du cadavre des bêtes, sans aucune inhibition de sa haine satisfaite ; l'enfant transpose sur l'animal son ambivalence œdipienne envers

1. *Les premiers psychanalystes (minutes de la Société psychanalytique de Vienne)* (1983a), Paris, Gallimard, 1983, t. IV (1912-1918), p. 130 (séance du 16 octobre 1912).

2. *Totem et tabou* (1912-1913a), Paris, Gallimard, 1993, p. 209 ; *OCF* XI, p. 299 ; *GW* IX, p. 110.

3. *Ibidem,* p. 140 ; p. 248-249 ; p. 57.

4. *Ibidem,* p. 172 ; p. 273 ; p. 83.

son père. De même, le petit Hans témoigne du respect et de l'intérêt aux chevaux en même temps qu'il en a peur. Dès que sa peur a diminué, il s'identifie avec l'animal redouté, fait le cheval qui gambade et à son tour mord le père. Freud pense donc retrouver dans les phobies infantiles, sous une forme négative, certains traits du totémisme, notamment l'ambivalence des sentiments.

Cette haine envers le père est portée au paroxysme dans la situation originaire de la horde primitive : les frères sont en proie à l'égard du père aux sentiments contradictoires que l'on retrouve chez les enfants et chez les névrosés. « Ils haïssaient le père qui faisait si puissamment obstacle à leur besoin de pouvoir et à leurs exigences sexuelles, mais ils l'aimaient et l'admiraient aussi. » [1] C'est pourquoi les motions tendres ressurgissent après qu'ils aient éliminé le père, satisfait leur haine et réalisé leur désir d'identification avec lui, sous forme de repentir et de culpabilité collective. Dans une obéissance après coup, ils renient leur forfait et instaurent les tabous fondamentaux du totémisme, qui répondent aux deux désirs refoulés du complexe d'Œdipe : le meurtre du père et la satisfaction sexuelle avec ses femmes.

La vie amoureuse

Les deux premières « Contributions à la psychologie de la vie amoureuse » étudient deux modalités de la vie amoureuse masculine. « Un type particulier de choix d'objet chez l'homme » (1910) décrit les conditions d'amour nécessaires pour certains hommes : léser un tiers, et non choisir une femme libre et seule, élire celle qui a mauvaise réputation et dont la fidélité est douteuse. Jaloux des étrangers qui approchent l'aimée, l'amant se consume pour celle qu'il vénère dans une intense surestimation sexuelle, avec le fantasme de la sauver. Ces traits découlent de la fixation infantile à la mère[2].

1. *Ibidem,* p. 291 ; p. 362 ; p. 173.

2. « Un type particulier de choix d'objet chez l'homme » (1910h), *La vie sexuelle,* Paris, PUF, 1969, p. 48-50 ; *OCF* X, p. 192-195 ; *GW* VIII, p. 67-71.

Dans l'enfance, la tendresse des parents et d'autres adultes, « qui dénie rarement son caractère érotique » [1], augmente les apports érotiques aux investissements des pulsions du moi, précise « Sur le plus général des rabaissements de la vie amoureuse » (1912). Ces fixations tendres de l'enfant attirent un érotisme dévié de ses buts sexuels. À la puberté s'y ajoute un puissant courant sensuel qui investit de libido les objets du choix infantile primaire. La barrière de l'inceste pousse à chercher d'autres objets, étrangers, plus appropriés pour la vie sexuelle. Ils sont choisis selon l'imago des objets infantiles, et attirent à eux la tendresse attachée aux parents. Tendresse et sensualité peuvent alors aller de pair ; l'état amoureux sensuel suscite la surestimation de l'objet sexuel. Chez certains, l'impuissance tient à ce que leur sensualité est fixée à des fantasmes incestueux inconscients ; l'activité sexuelle esquive le courant tendre et ne cherche que des objets qui n'évoquent pas les personnes incestueuses. Les personnes estimées, proches des objets infantiles, suscitent une tendresse sans effet érotique, et leur vie amoureuse reste clivée : « Là où ils aiment, ils ne désirent pas, et là où ils désirent, ils ne peuvent pas aimer. » [2] Pour tenir leur sensualité à distance de leurs objets aimés, ils sont en quête d'objets qu'ils n'ont pas besoin d'aimer, car leur principale défense contre l'impuissance consiste dans le rabaissement de l'objet sexuel.

Le *transfert* offre un intérêt particulier pour l'étude des fixations amoureuses. Tout être humain, en fonction de sa constitution et des influences de son enfance, a acquis une singularité dans sa vie amoureuse : « les conditions qu'il pose, dans les pulsions qu'il satisfait ainsi, et dans les buts qu'il se fixe » [3], souligne Freud dans « La dynamique du transfert » (1912).

Les « Observations sur l'amour de transfert » (1914) partent de la situation, difficile à résoudre, où une patiente manifeste qu'elle est

1. « Sur le plus général des rabaissements de la vie amoureuse (Contribution à la psychologie amoureuse, II) » (1912d), *La vie sexuelle*, Paris, PUF, 1969, p. 57 ; *OCF* XI, p. 131 ; *GW* VIII, p. 80.

2. *Ibidem*, p. 59 ; p. 133 ; p. 82.

3. « La dynamique du transfert » (1912b), *De la technique psychanalytique*, Paris, PUF, 1981, p. 50 ; *OCF* XI, p. 108 ; *GW* VIII, p. 364.

tombée amoureuse de son psychanalyste[1]. Si une cure est entreprise avec un autre médecin, la patiente en tombera amoureuse : c'est la situation analytique, et non les qualités personnelles du médecin qui ont suscité l'état amoureux. Malgré la réprobation des proches (mais « l'amour des proches ne saurait guérir une névrose »[2]), il faut donc choisir entre garder sa névrose ou accepter cette situation d'un état amoureux qui, dans le traitement analytique (et non dans d'autres où il pourrait surgir aussi, mais inexprimé et inanalysé), peut contribuer au rétablissement de la patiente. **On ne peut préparer les patients à l'apparition du transfert amoureux, et il ne fait pas avancer la cure :** la patiente y perd sa compréhension et son intérêt pour le traitement, et ne veut parler ni entendre parler de rien d'autre que de son amour, en un changement de scène complet qui réintroduit brutalement la réalité, comme un signal d'incendie lors d'une représentation théâtrale[3].

Le transfert d'amour doit être traité comme quelque chose de non réel, qu'il faut ramener à ses origines inconscientes, et qui aidera ce qui est le plus caché dans la vie amoureuse à accéder à la conscience. Le refoulement sexuel, sans être supprimé, est repoussé à l'arrière-plan, et la patiente se sent « suffisamment en confiance pour amener au jour toutes les conditions d'amour »[4], les fantasmes de sa vie sexuelle et les caractères particuliers de son état amoureux qui ouvrent la voie aux fondements infantiles de son amour. Dans ces conditions, que l'amour soit mesuré ou non, on parvient généralement à poursuivre le travail de la cure. Mais certaines femmes, enfants de la nature, ne supportent aucun succédané et, accessibles seulement « à la logique de la soupe avec des arguments de boulette » (Heine), ne voudront pas prendre le psychique en échange de leur passion élémentaire. L'amour de transfert[5] est une résistance : sinon cet amour rendrait docile au traitement, puisque l'être aimé l'exige, et accepterait

1. « Observations sur l'amour de transfert » (1915a [1914]), *De la technique psychanalytique,* Paris, PUF, 1953, p. 116 ; *OCF* XII, p. 199 ; *GW* X, p. 306.

2. *Ibidem,* p. 118 ; p. 201 ; p. 309.

3. *Ibidem,* p. 119 ; p. 202 ; p. 310.

4. *Ibidem,* p. 124 ; p. 206 ; p. 315.

5. *Ibidem,* p. 125 ; p. 207 ; p. 316.

de passer par l'achèvement de la cure pour réaliser ses désirs. Cet amour n'est fait que de répétitions et de décalques de réactions antérieures, y compris infantiles ; la résistance n'enlève rien de sa force à l'authenticité de l'amour, et la réédition de traits infantiles est caractéristique de tous les états amoureux. « L'amour de transfert a peut-être un degré de liberté moindre que l'amour survenant dans la vie », il permet de reconnaître plus clairement sa dépendance à l'état infantile, se montre moins souple et moins apte à la modification, mais ne se montre pas moins capable d'imposer la réalisation du but amoureux. **On n'a donc nul droit le lui contester le caractère d'un amour authentique, et les états amoureux « normaux » sont tout aussi déraisonnables.** Mais l'amour de transfert est provoqué par la situation analytique, exacerbé par la résistance et particulièrement indifférent à la réalité, insoucieux des conséquences et aveuglé dans la surestimation de la personne aimée[1].

« Pour introduire le narcissisme » (1914) s'attache au choix d'objet amoureux. À côté des choix d'objet par étayage sur les personnes qui ont donné leurs soins au nourrisson et au jeune enfant, ceux dont le développement libidinal a connu une perturbation (comme les pervers et les homosexuels) choisissent leur objet d'amour ultérieur sur le modèle de leur propre personne : « Ils se cherchent eux-mêmes comme objet d'amour en donnant à voir le choix d'objet qu'on nommera narcissique. »[2] Le plein amour d'objet selon le type par étayage caractérise surtout l'homme, avec une surestimation sexuelle issue du narcissisme originel de l'enfant et transférée sur l'objet sexuel. L'état amoureux se ramène alors à un appauvrissement du moi en libido au profit de l'objet. Chez la femme (encore que bien des femmes aiment selon le type masculin de choix d'objet), surtout si elle est belle, la surestimation sexuelle va dans le sens d'une autosuffisance qui les fait non pas chercher à aimer, mais à être aimée, ce qui exerce un grand charme sur les hommes. « Le narcissisme d'une personne déploie un grand attrait sur ceux qui se sont dessaisis de toute la mesure de leur

1. *Ibidem,* p. 127 ; p. 209 ; p. 317-318.

2. « Pour introduire le narcissisme » (1914c), *La vie sexuelle,* Paris, PUF, 1969, p. 94 ; *OCF* XII, p. 231 ; *GW* X, p. 154.

propre narcissisme et sont en quête de l'amour d'objet. »[1] Les femmes narcissiques qui restent froides envers l'homme peuvent accéder à l'amour d'objet par l'enfant qu'elles mettent au monde « partie de leur corps qui se présente à elles comme un objet étranger, auquel elles peuvent maintenant, en partant du narcissisme, vouer un plein amour d'objet »[2].

Au total, « **On aime 1° selon le type narcissique : a / ce que l'on est soi-même ; b / ce que l'on a été soi-même ; c / ce que l'on voudrait être soi-même ; d / la personne qui a été une partie du propre soi. 2° selon le type par étayage : a / la femme qui nourrit ; b / l'homme qui protège ; c / et les lignées de personnes substitutives qui en partent.** »[3] Dans le choix d'objet narcissique, être aimé constitue le but et la satisfaction. À l'inverse, l'amour des objets n'élève pas le sentiment de soi, car de grands investissements libidinaux sont retirés au moi[4]. Si les investissements d'amour sont conformes au moi, aimer est valorisé comme toute activité du moi ; si la libido est refoulée, l'investissement d'amour est ressenti comme un amoindrissement du moi et la satisfaction amoureuse est impossible. « Un amour réel heureux correspond aussi à l'état originaire où libido d'objet et libido du moi ne peuvent être différenciées l'une de l'autre. »[5] **L'état amoureux est un débordement de la libido du moi sur l'objet** qui « a la force de supprimer les refoulements et de réinstaurer les perversions. Il élève l'objet sexuel au rang d'idéal sexuel »[6]. Dans l'amour objectal ou par étayage, il se produit sur la base des conditions d'amour infantiles : ce qui accomplit cette condition d'amour est idéalisé. Dans le choix narcissique, l'amour peut offrir une satisfaction substitutive aux obstacles que rencontre l'idéal du moi : on aime ce que l'on a été ou celui qui possède les qualités que l'on n'a pas.

1. *Ibidem*, p. 94 ; p. 232 ; p. 155.
2. *Ibidem*, p. 95 ; p. 233 ; p. 156.
3. *Ibidem*, p. 95-96 ; p. 233-234 ; p. 156-157.
4. *Ibidem*, p. 102 ; p. 241 ; p. 166.
5. *Ibidem*, p. 102 ; p. 241 ; p. 166.
6. *Ibidem*, p. 104 ; p. 243 ; p. 168.

L'OPPOSITION COMPLEXE ENTRE HAINE ET AMOUR

Dans « Pulsions et destins des pulsions », en 1915, Freud aborde la transposition apparente de l'amour en haine. Les autres composantes de ce qui deviendra la fonction sexuelle fonctionnent sur un mode autoérotique, tandis que les relations entre l'amour et la haine permettent d'observer le seul cas de transformation d'une pulsion en son contraire direct : la transformation de l'amour en haine. Comme ils se dirigent très souvent simultanément sur le même objet, « cette coexistence fournit aussi l'exemple le plus important d'une ambivalence du sentiment »[1].

Ces rapports s'accordent difficilement avec notre représentation des pulsions, car l'amour n'est pas une simple pulsion partielle. **Tendance sexuelle totale, aimer entre dans trois oppositions et non dans une seule : aimer/haïr, mais aussi aimer/être aimé et enfin aimer et haïr pris ensemble s'opposent à l'état d'indifférence ou insensibilité**[2]. Ces trois oppositions correspondent aux trois polarités de la vie psychique : sujet (moi)/objet (monde extérieur) ; plaisir/déplaisir ; actif/passif.

Il est une situation originaire où se rencontrent les deux premières polarités. Tout au début de la vie psychique, au stade autoérotique, le moi se trouve investi par les pulsions, et en partie capable de les satisfaire sur lui-même. Le monde extérieur est alors indifférent pour ce qui est de la satisfaction, il n'est pas investi par l'intérêt. Le moi coïncide alors avec ce qui est plaisant, et le monde extérieur avec ce qui est indifférent ou éventuellement, comme source d'excitation, déplaisant[3]. Sous l'action du principe de plaisir, les expériences des pulsions d'autoconservation amènent le moi à prendre en lui, à introjecter comme sources de plaisir les objets qui lui procurent des satisfactions, tandis qu'il expulse ce qui, parmi les excitations internes, provoque du déplaisir. Le moi-réalité du début se trouve ainsi transformé en un moi-plaisir purifié : le monde extérieur se décompose pour lui en une partie plaisir, désormais incorporée, et un reste qui lui

1. « Pulsions et destins des pulsions » (1915c), *Métapsychologie,* Paris, Gallimard, 1968, p. 33 ; *OCF* XIII, p. 178 ; *GW* X, p. 225.

2. *Ibidem,* p. 34 ; p. 178 ; p. 226.

3. *Ibidem,* p. 36 ; p. 180 ; p. 228.

est étranger, et qui comporte une part de lui-même rejetée dans le monde extérieur et ressentie comme hostile. Les deux polarités en sont infléchies : le moi-sujet correspond au plaisir (stade du narcissisme primaire), tandis que le monde extérieur est assimilé au déplaisir, substitué à l'indifférence antérieure. Cette première polarité se trouve associée à la seconde, car le sens originaire de la haine désigne aussi la relation au monde extérieur étranger qui apporte les excitations. L'indifférence devient ainsi un cas particulier de la haine et de l'aversion après avoir été leur précurseur. « **L'extérieur, l'objet, le haï seraient, tout au début, identiques.** » [1] Quand l'objet s'avère être une source de plaisir, il est aimé mais aussi incorporé au moi : pour le moi-plaisir purifié, l'objet continue à coïncider avec l'étranger et le haï.

L'opposition amour/haine reproduit ainsi la polarité plaisir/déplaisir, tout comme le couple d'opposés amour/indifférence reproduit la polarité entre le moi et le monde extérieur. C'est après que le stade purement narcissique a été relayé par le stade de l'objet que plaisir et déplaisir signifient les relations du moi à l'objet. Si l'objet est source de sensations de plaisir, une tendance motrice veut le rapprocher du moi, l'incorporer dans le moi et l'objet dispensateur de plaisir exerce ainsi un attrait qui nous amène à dire que nous « aimons » l'objet. Si au contraire l'objet est source de sensations de déplaisir, une tendance s'efforce d'accroître la distance entre lui et le moi, de répéter à son propos la tentative originaire de fuite devant le monde extérieur émetteur d'excitations. Nous ressentons de la répulsion envers l'objet et nous le haïssons. Cette haine peut aller jusqu'à une propension à l'agression contre l'objet, une intention de l'anéantir [2]. Lorsque l'éloignement s'avère impossible, la haine devient tendance à l'agression ; il convient de distinguer clairement entre haine et agressivité : la haine est un éprouvé de répulsion, lié au déplaisir et à une tendance motrice qui est d'éloignement, tandis que l'agression suppose une forme de rapproché de l'objet, voire un corps à corps…

Dire qu'une pulsion « hait » un objet apparaît plus choquant que de dire qu'une pulsion « aime » un objet, ce qui, à la rigueur, semble

1. *Ibidem,* p. 38 ; p. 181 ; p. 229.
2. *Ibidem,* p. 39 ; p. 182 ; p. 230.

possible. On ne peut donc utiliser les termes d'amour et de haine pour la relations des pulsions (nécessairement partielles) à leurs objets ; **les notions d'amour et de haine conviennent seulement lorsqu'il s'agit des relations du « moi-total » aux objets**[1]. L'usage linguistique ne parle pas d'amour envers les objets qui sont nécessaires à notre auto-conservation : nous en avons besoin, nous les apprécions, nous les aimons bien *(Gerne haben)*, ce qui est autre chose que d'aimer *(lieben)*. Le terme d'amour se fixe finalement sur les objets sexuels au sens strict et sur ceux qui satisfont des pulsions sexuelles sublimées. Le lien au plaisir sexuel et à la fonction sexuelle est moins déterminante pour le terme de « haine », fixé seulement par la relation au déplaisir. « Le moi hait, déteste, poursuit avec l'intention de détruire tous les objets qui sont pour lui les sources de sensations de déplaisir »[2], qu'ils signifient une frustration de la satisfaction sexuelle ou des besoins de conservation. **Les prototypes véritables de la relation de haine ne proviennent pas de la vie sexuelle, mais de la lutte du moi pour sa conservation et son affirmation**[3].

Tout en étant dans une totale opposition quant à leur contenu (opposition « matérielle » dans le vocabulaire freudien), amour et haine ne sont donc pas entre eux dans une relation simple. Ils ne sont pas dérivés d'une réalité originaire commune, mais ont des origines différentes et des développements spécifiques avant de se constituer en opposés sous l'influence de la relation plaisir-déplaisir.

La haine, en tant que relation à l'objet, est plus ancienne que l'amour. Elle provient, comme Freud l'a montré dans les pages précédentes de son essai, du « refus primordial que le moi narcissique oppose au monde extérieur »[4] qui suscite une multitude d'excitations. Comme manifestation de la réaction de déplaisir suscitée par les objets, elle demeure en relation intime avec les pulsions de conservation du moi – ce qui fait que pulsions du moi et pulsions sexuelles peuvent facilement s'opposer entre elles d'une façon qui reproduit ou répète celle de

1. *Ibidem,* p. 39 ; p. 182 ; p. 230.
2. *Ibidem,* p. 40 ; p. 183 ; p. 230.
3. *Ibidem.*
4. *Ibidem,* p. 42 ; p. 184 ; p. 231.

la haine et de l'amour. Quand les pulsions du moi dominent la fonction sexuelle, comme c'est le cas au stade de l'organisation sadique-anale, le but pulsionnel lui-même prend les caractères de la haine.

La genèse de l'amour et son histoire permettent de comprendre pourquoi il se présente si souvent comme ambivalent, c'est-à-dire accompagné de motions de haine visant le même objet. La haine mêlée à l'amour provient pour une part des stades préliminaires de l'amour, incomplètement dépassés (attirance éprouvée comme désir d'incorporer et de dévorer) ; pour une autre part, elle se fonde dans des réactions de refus de la part des pulsions du moi, liés aux conflits entre les intérêts du moi et ceux de l'amour, qui peuvent lui donner bien des motifs réels et actuels. Dans les deux cas, ce sont les pulsions de conservation du moi qui sont à la source des motions de haine.

Ainsi, quand la relation d'amour à un objet déterminé est rompue, il n'est pas rare de la voir remplacée par de la haine. En fait, la haine, motivée dans la réalité, est renforcée par la régression de l'amour au stade préliminaire sadique, de sorte que la haine acquiert un caractère érotique et, maintenant le lien à l'objet, « garantit ainsi la continuité d'une relation d'amour »[1].

Réfléchissant à la désillusion entraînée par la guerre, Freud se demande dans « Considérations actuelles sur la guerre et sur la mort » (1915) pourquoi des peuples qui se croyaient civilisés peuvent se retourner les uns contre les autres, pleins de haine et d'horreur. Inhibées, dirigées vers d'autres buts, contenues par l'angoisse sociale liée au blâme de la communauté, les pulsions donnent lieu à des formations réactionnelles (favorisés par les couples d'opposés pulsionnels) qui donnent l'illusion d'un changement de leur contenu. Le facteur éducatif de contrainte externe agit dans le sens de la moralité, mais les individus-peuples, y compris en temps de paix, continuent le plus souvent de se haïr et de se mépriser. Lorsque de grandes foules d'hommes se trouvent réunies, seules persistent les attitudes primitives les plus grossières. L'inhibition est absente dans la joie éprouvée devant la mort de l'ennemi ; il y a une forte ambivalence des sentiments devant la mort de personnes aimées (possession intérieure deve-

1. *Ibidem*, p. 43 ; p. 184 ; p. 232.

nue partie constituante de notre propre moi) et en même temps étrangères et haïes – « ce qui a fait naître chez les hommes l'esprit de recherche »[1], et suscité l'invention des esprits, d'abord mauvais démons liés à la culpabilité, puis âmes distinctes des corps, apaisant l'angoisse de sa propre mort. L'inconscient des hommes actuels se comporte envers la mort comme l'homme des origines, comme en témoignent les vœux de mort inconscients ou les épanouissements de la vie amoureuse liés à la réaction contre des impulsions hostiles. De même, dans la guerre, nous redevenons des héros qui ne peuvent croire à leur propre mort ; les étrangers y redeviennent des ennemis dont on doit provoquer ou souhaiter la mort ; nous sommes alors poussés à ne pas nous arrêter à la mort des personnes aimées.

Décrivant dans « Deuil et mélancolie » (1915) ce qui différencie le deuil de la mélancolie, en dépit de tout ce qui les rapproche, Freud souligne ce que le mélancolique éprouve comme une violente haine de lui-même : « Il se fait des reproches, s'injurie et s'attend à être jeté dehors et puni »[2] ; il se rabaisse et se juge indigne, dans un véritable « délire de petitesse », lié à un travail intérieur comparable au deuil et qui le consume. Le trait le plus frappant est l'absence de correspondance entre l'auto-dépréciation et sa justification réelle ; de plus, la honte devant les autres fait défaut. Ces critiques sévères s'appliquent beaucoup mieux à une autre personne que le malade aime, a aimée ou devrait aimer. Il s'agit de plaintes portées contre l'autre, de la lutte pour l'amour et de la révolte contre la perte de l'amour, du fait d'un préjudice ou d'une déception de la part de la personne aimée qui a ébranlé la relation d'amour. L'identification narcissique avec l'objet devient le substitut de l'investissement d'amour, ce qui permet de ne pas abandonner la relation d'amour malgré le conflit avec la personne aimée, au prix d'une régression au narcissisme originaire et au désir d'incorporer l'objet, selon la phase cannibalique du développement de la libido. Par rapport au deuil normal, la relation à l'objet dans la mélancolie est compliquée par un conflit d'ambivalence au

1. « Considérations actuelles sur la guerre et sur la mort » (1915b), *Essais de psychanalyse,* Paris, Payot, 1981, p. 32 ; *OCF* XIII, p. 148 ; *GW* X, p. 347.

2. « Deuil et mélancolie » (1917e [1915]), *Métapsychologie,* Paris, Gallimard, 1968, p. 150 ; *OCF* XIII, p. 264 ; *GW* X, p. 431.

cœur de la relation d'amour : l'amour pour l'objet, qui ne peut être abandonné tandis que l'objet lui-même est abandonné, s'est réfugié dans l'identification narcissique ; la haine entre alors en action sur cet objet substitutif en l'injuriant, en le rabaissant, en le faisant souffrir et en prenant à cette souffrance une satisfaction sadique[1]. Telle est la torture que s'inflige le mélancolique et qui, indubitablement, lui procure de la jouissance, satisfaisant des tendances sadiques et haineuses qui, visant un objet, ont subi un retournement sur la personne propre (comme cela se produit aussi dans la névrose obsessionnelle).

Ce sadisme explique aussi la tendance au suicide du mélancolique ; comme chez le névrosé, il s'agit du retournement sur soi d'une impulsion meurtrière contre autrui. L'analyse de la mélancolie nous enseigne que le moi – originairement formé par l'amour de soi-même, immense charge de libido narcissique qui devrait faire obstacle à toute autodestruction – ne peut se tuer que lorsqu'il peut, par le retour sur lui-même de l'investissement d'objet, se traiter lui-même comme objet. Il peut alors diriger contre lui-même l'hostilité qui vise un objet et qui représente la réaction originaire du moi contre des objets du monde extérieur. Dans le suicide, comme dans l'état amoureux extrême, le moi est écrasé par l'objet.

Clinique de l'amour

Dans celle des *Conférences d'introduction à la psychanalyse* (1916-1917), consacrée à la théorie de la libido, sont articulées diverses formes d'amour. L'égoïsme veille à ce que la tendance dirigée vers l'objet ne porte pas préjudice au moi, mais l'investissement proprement narcissique, libidinal, est variable. L'altruisme ne coïncide pas avec l'investissement d'objet libidinal, dans la mesure où manquent les tendances sensuelles, dirigées vers la satisfaction sexuelle. « Mais dans le plein état amoureux, l'altruisme se conjoint à l'investissement d'objet libidinal. »[2] L'objet sexuel attire en général une part du nar-

1. *Ibidem,* p. 159 ; p. 270 ; p. 438.

2. *Introduction à la psychanalyse,* Paris, Payot, 1988, p. 394 ; *Conférences d'introduction à la psychanalyse* (1916-1917), Paris, Gallimard, 1999, p. 530 ; *OCF* XIV, p. 432-433 ; *GW* XI, p. 433.

cissisme du moi (surestimation sexuelle). S'il s'y ajoute le report de l'égoïsme sur l'objet sexuel, celui-ci devient tout-puissant et a pour ainsi dire absorbé le moi. Dans le combat contre les résistances, c'est uniquement le rapport au médecin qui permet leur surmontement, car le transfert positif revêt le médecin d'une autorité qui devient croyance accordée aux communications et conceptions du médecin ; la croyance est en effet un rejeton de l'amour[1].

C'est ainsi que « le médecin se sert dans son œuvre d'éducation, de telle ou telle composante de l'amour »[2], ne faisant que répéter dans cette post-éducation ce qui a permis la première éducation, car l'amour est, à côté de la nécessité de la vie, la grande éducatrice ; l'être humain inachevé est amené, par l'amour de ceux qui lui sont le plus proches, à respecter les commandements de la nécessité.

« Un enfant est battu » (1919) nous montre l'enfant empêtré dans les excitations de son complexe parental. En particulier dans l'Œdipe féminin, la petite fille, tendrement fixée au père, qui a tout fait pour gagner son amour, connaît le germe d'une position de haine et de concurrence envers la mère, qui coexiste avec le courant de tendre dépendance ; plus tard, ou cette position devient consciente, ou elle donne lieu à une liaison d'amour réactionnelle excessive à la mère[3]. Le fantasme de fustigation, dans sa première phase, naît de la réaction de jalousie, de haine et de mépris envers le frère et la sœur plus jeune, qui a dépossédé l'enfant de sa sécurité dans l'inébranlable amour des parents et de sa toute-puissance imaginaire : être battu est à ce moment une révocation de l'amour et une humiliation pour ce rival[4]. L'ensemble de l'analyse du fantasme montre la genèse de la perversion, qui n'existe plus à l'état isolé, mais naît de l'amour d'objet incestueux de l'enfant, sur le terrain de son complexe

1. *Ibidem,* p. 423 ; p. 565 ; p. 462 ; p. 463.

2. « Quelques types de caractère dégagés par le travail psychanalytique » (1916d), *L'inquiétante étrangeté et autres essais,* Paris, Gallimard, 1985, p. 141 ; *OCF* XV, p. 16 ; *GW* X, p. 366.

3. « Un enfant est battu. Contribution à la genèse des perversions sexuelles » (1919e), *Névrose, psychose et perversion,* Paris, PUF, 1973, p. 226 ; *OCF* XV, p. 127 ; *GW* XII, p. 206.

4. *Ibidem,* p. 227 ; p. 128 ; p. 206.

d'Œdipe qui est parfois, après son effondrement, le seul reste, héritier de sa charge libidinale. La perversion initiale a poussé le complexe d'Œdipe dans une direction particulière et l'a contraint à une manifestation résiduelle inhabituelle[1].

« Psychogenèse d'un cas d'homosexualité féminine » (1920) est un cas clinique dans lequel l'idéalisation massive repose sur une forte ambivalence envers les objets d'amour parentaux. Freud s'intéresse particulièrement à la question du choix d'objet homosexuel et souligne l'ambivalence de la relation à sa mère[2] : déçue par son père, qui donne à sa mère et non à elle l'enfant masculin désiré, la jeune fille revivifie son amour antérieur pour sa mère, et même le renforce, mais en se mettant à la place du père, et en déplaçant, en transposant cette tendresse passionnée sur une autre femme plus âgée qu'elle – le tout avec un extrême souci de provoquer le regard de son père... Les poètes nous ont d'ailleurs fort bien montré, précise ultérieurement Freud, combien de personnes aiment sans le savoir ou ne savent pas si elles aiment, ou encore croient haïr alors qu'elles aiment[3] ! La conscience que nous avons de notre vie amoureuse est particulièrement lacunaire ou faussée.

La foule, l'hypnose, l'état amoureux

Psychanalyse des foules et analyse du moi (1921) définit l'extension de l'amour (ce que présupposaient déjà Platon ou saint Paul) : il comprend bien l'amour entre les sexes avec pour but l'union sexué, mais s'étend aussi à l'amour de soi, l'amour pour les parents et les enfants, l'amitié et l'amour pour les hommes en général, ainsi que le dévouement à l'idéal. Toutes ces tendances sont l'expression des mêmes motions pulsionnelles[4]. En psychanalyse, ces pulsions amoureuses sont plutôt appelées « pulsions sexuelles », de par leur prove-

1. *Ibidem*, p. 232 ; p. 134 ; p. 212.

2. « Psychogenèse d'un cas d'homosexualité féminine » (1920a), *Névrose, psychose et perversion*, Paris, PUF, 1973, p. 257 ; *OCF* XV, p. 247 ; *GW* XII, p. 285.

3. *Ibidem*, p. 265 ; p. 257 ; p. 296.

4. *Psychologie des foules et analyse du moi* (1921c), *Essais de psychanalyse*, Paris, Payot, 1981, p. 150 ; *OCF* XVI, p. 29 ; *GW* XIII, p. 98.

nance. Ce sont justement les tendances inhibées quant au but sexuel qui aboutissent à des liaisons durables ; l'amour sensuel s'éteint dans la satisfaction, il ne dure que s'il est assorti de composantes tendres[1]. L'amour de soi ne trouve sa limite que dans l'amour de l'étranger, l'amour pour les objets. L'intolérance se dissipe par la formation en masse et dans la masse où les individus, au moins pour un temps, se conduisent comme s'ils étaient semblables, s'assimilent à l'autre et n'éprouvent pas de répulsion envers lui[2]. Cette restriction de l'amour-propre narcissique implique une liaison libidinale, une relation d'amour qu'on ne peut réduire à la communauté d'intérêts, et indique que l'essence de la formation en une foule consiste en des liaisons libidinales d'une nouvelle sorte entre les membres de ce collectif[3], qui évoquent l'état amoureux et les identifications (elle-même ambivalentes comme l'est dès le début l'identification au père devenu l'idéal de l'enfant).

Dans l'état amoureux, et dans les foules, s'instaurent la surestimation sexuelle et l'idéalisation qui faussent le jugement, déviation et écart par rapport au but sexuel, créant l'illusion que l'objet est aimé à cause de ses qualités, alors que c'est la satisfaction sensuelle qui lui prête ces qualités. L'objet y est traité comme le moi propre, et la libido narcissique déborde sur l'objet. À l'adolescence, en particulier les femmes admirées que l'on exalte ne sont pas toujours celles que l'on désire, même si une synthèse entre amour sensuel et pulsions de tendresse inhibées quant au but, peut fréquemment s'effectuer. Dans bien des choix amoureux, il est clair que l'objet sert à remplacer un idéal du moi non atteint. « On l'aime à cause des perfections auxquelles on a aspiré pour le moi propre et qu'on voudrait maintenant se procurer par ce détour pour la satisfaction de son narcissisme. »[4] Si le processus s'accentue, le moi, de plus en plus dénué de revendications, se sacrifie tandis que l'objet, de plus en plus grandiose, entre en possession de la totalité de l'amour de soi du moi ; il a en quelque sorte consommé le

1. *Ibidem*, p. 180 ; p. 53 ; p. 127.
2. *Ibidem*, p. 164 ; p. 40 ; p. 112.
3. *Ibidem*, p. 165 ; p. 41 ; p. 113.
4. *Ibidem*, p. 177 ; p. 51 ; p. 124.

moi. La satisfaction sexuelle abaisse cette surestimation, mais l'amour malheureux connaît une exacerbation du processus et l'aveuglement d'amour. Les individus de la foule, reviviscence de la horde originaire, ont besoin du mirage selon lequel ils sont aimés de manière égale et équitable par le meneur – ou par le Christ dans le cas de l'Église[1] (ce qui est un remaniement idéaliste des rapports dans la horde originaire où ils sont persécutés de manière égale[2]). Du point de vue de la théorie de la libido, **l'état amoureux repose sur la présence simultanée de tendances sexuelles directes et de tendances inhibées quant au but,** l'objet attirant sur lui une partie de la libido du moi narcissique.

Il conviendrait d'élucider l'état amoureux par l'hypnose plutôt que l'inverse. L'hypnotiseur suscite docilité et absence de critique, il est l'objet unique, rien d'autre que lui n'est pris en compte ; l'hypnose repose entièrement sur les tendances sexuelles inhibées quant au but (ce qui favorise l'écart entre le moi et l'idéal du moi) et met l'objet à la place de l'idéal du moi. La relation hypnotique est un abandon amoureux sans restriction, avec exclusion de satisfaction sexuelle[3]. L'existence en foule multiplie ce processus et concorde avec l'hypnose, mais y ajoute l'identification avec d'autres individus[4]. Hypnose et formation en masse sont tous deux des héritages provenant de la phylogenèse. La névrose, qui reste aux prises avec le conflit psychique, l'hypnose et la formation en masse sont, à la différence de l'état amoureux, des régressions. Mais « de l'état amoureux jusqu'à l'hypnose, il n'y a manifestement pas un grand pas »[5]. Et ce sont des relations d'amour, des liaisons de sentiments, cachées « derrière l'écran, le paravent de la suggestion »[6], qui constituent l'âme de la masse et la maintiennent en cohésion.

Les amoureux se suffisent à eux-mêmes et réagissent donc contre le sentiment de masse, notamment par la pudeur et la jalousie[7]. C'est

1. *Ibidem*, p. 154 ; p. 32 ; p. 102.
2. *Ibidem*, p. 193 ; p. 64 ; p. 139.
3. *Ibidem*, p. 179 ; p. 53 ; p. 126.
4. *Ibidem*, p. 216 ; p. 82 ; p. 160.
5. *Ibidem*, p. 179 ; p. 53 ; p. 126.
6. *Ibidem*, p. 152 ; p. 30-31 ; p. 100.
7. *Ibidem*, p. 213 ; p. 79 ; p. 15.

seulement lorsque recule jusqu'à s'effacer le facteur tendre et donc personnel de la relation d'amour que sont possibles les relations sexuelles devant d'autres ou en groupe – ce qui est une régression à un état antérieur où l'état amoureux ne jouait pas encore de rôle dans les relations sexuées. Celui-ci n'apparaît probablement que tardivement dans les relations sexuelles entre homme et femme, et l'antagonisme entre amour sexué et liaison de masse est donc tardif aussi. L'amour des frères, à la fois sensuel et tendre, comme celui envers les mères et les sœurs, poussa au meurtre du père qui entraîna par réaction l'interdiction sexuelle des femmes aimées dès l'enfance et l'exogamie, poussant les hommes vers les femmes étrangères non aimées – ce fut la première dissociation entre tendresse et sensualité[1]. Puissantes, les tendances sexuelles directes désagrègent la formation en masse (d'où le célibat prescrit aux prêtres catholiques) ; l'amour pour la femme tend à rompre les liaisons de race, de nation ou de classe, ce qui a des effets culturels importants ; l'amour homosexuel se concilie mieux avec les liens collectifs.

L'intrication entre amour et haine

« Sur quelques mécanismes névrotiques dans la jalousie, la paranoïa et l'homosexualité » (1922) rappelle l'analyse des retournements liés à la défense contre l'homosexualité proposés dans le cas Schreber : « Je ne l'aime pas, c'est elle qui l'aime. »[2] Le jaloux comme le persécuté projettent sur d'autres ce qu'ils ne veulent pas percevoir en eux. Le jaloux reconnaît, en la grossissant, l'infidélité de sa femme en lieu et place de sa propre infidélité, restée inconsciente. Chez le paranoïaque, la personne du même sexe la plus aimée devient le persécuteur ; l'ambivalence explique l'inversion d'affect. La jalousie permet ainsi, comme l'ambivalence chez le persécuté, une défense contre l'homosexualité[3]. Certains choix d'objet homosexuels reposent sur

1. *Ibidem*, p. 214 ; p. 80 ; p. 158.

2. « Sur quelques mécanismes névrotiques dans la jalousie, la paranoïa et l'homosexualité » (1922b [1921]), *Névrose, psychose et perversion*, Paris, PUF, 1973, p. 273 ; *OCF* XVI, p. 89 ; *GW* XIII, p. 198.

3. *Ibidem*, p. 275 ; p. 91 ; p. 200.

une forte jalousie envers les frères plus âgés, en lien avec l'attachement à la mère, inversée en rejet des femmes, et avec des sentiments d'identification, tendres et sociaux, apparus comme formations réactionnelles contre les impulsions d'agression refoulées. Ainsi le rival devient objet d'amour[1].

En établissant la seconde topique, *Le moi et le ça* (1923) se trouve confronté à la question de la désintrication (ou désunion) pulsionnelle. Le sadisme pervers serait le résultat et le modèle d'une désintrication relative où la pulsion de destruction est régulièrement mise au service d'Éros à des fins de décharge[2]. L'ambivalence est-elle le résultat d'une désintrication, ou bien, vu son caractère originaire, n'est-elle pas plutôt une union pulsionnelle qui ne s'est pas accomplie ? À la place de l'opposition pulsions de vie/pulsion de mort, nous pouvons mettre la polarité de l'amour et de la haine : les manifestations de l'amour représentent aisément Éros et l'on peut « montrer dans la pulsion de destruction à laquelle la haine indique la voie, un représentant de cette pulsion de mort si difficile à saisir »[3]. Or la haine n'est pas seulement, avec une régularité inattendue, le compagnon de l'amour (ambivalence), elle n'est pas seulement un précurseur fréquent dans les relations humaines, mais **elle se transforme en amour et l'amour en haine dans toutes sortes de conditions.** S'il ne s'agit pas d'une simple succession temporelle, alors la distinction fondamentale pulsions érotiques / pulsion de mort, « qui suppose des processus physiologiques aux directions opposées »[4], est remise en cause. Non pas tant par les cas où l'on aime d'abord et hait ensuite, ni par les situations où l'hostilité sert de précurseur à l'amour (où peut-être la composante destructive précède simplement la composante érotique dans l'investissement de l'objet). Mais la paranoïa pourrait poser problème car l'amour semble bien s'y être transformé en haine du fait d'un lien homosexuel trop fort dans lequel la personne la plus aimée

1. *Ibidem*, p. 280 ; p. 96-97 ; p. 205-206.

2. *Le moi et le ça* (1923b), *Essais de psychanalyse,* Paris, Payot, 1981, p. 255 ; *OCF* XVI, p. 284 ; *GW* XIII, p. 270.

3. *Ibidem,* p. 256 ; p. 285 ; p. 271.

4. *Ibidem.*

devient le persécuteur. Dans la genèse de l'homosexualité mais aussi des liens sociaux désexualisés, la recherche psychanalytique met au jour l'existence de sentiments de rivalité violents induisant une tendance agressive ; c'est seulement ensuite, en ayant surmonté ces sentiments, que l'objet précédemment haï devient l'objet aimé, ou la matière d'une identification. Faut-il alors admettre une transposition directe de la haine en amour ? Le processus à l'œuvre dans la paranoïa amène plutôt à penser que l'ambivalence était présente dès le début et que la transformation s'opère par un déplacement réactionnel de l'investissement. Quelque chose d'analogue survient lorsque la rivalité hostile, surmontée, conduit à l'homosexualité. « Ainsi, pour aucun de ces cas nous n'avons besoin d'admettre une transformation directe de la haine en amour, qui serait inconciliable avec le caractère qualitativement différent des deux espèces de pulsions. »[1] Mais il faut, pour rendre compte de ces transformations, faire l'hypothèse d'une énergie déplaçable indifférenciée venant s'ajouter aux motions qualitativement différenciées, érotique ou destructive, et augmenter son investissement total.

Inhibition, symptôme et angoisse (1926) rappelle comment la petite fille est menée par le complexe de castration à l'investissement d'objet tendre. Chez la femme, le danger de la perte d'objet est le déterminant, non comme perte réelle ou effet de son absence, mais comme perte d'amour de la part de l'objet[2]. Dans l'émergence d'angoisse, la perte d'amour joue dans l'hystérie un rôle semblable à celui de la menace de castration dans les phobies, et de l'angoisse devant le surmoi dans la névrose obsessionnelle. L'absence de la mère est traumatique si l'enfant éprouvait un besoin qui se trouve non satisfait ; si le besoin n'est pas actuel, c'est une situation de danger ; si la mère est là, mais devenue mauvaise pour l'enfant, la perte de l'amour devient à son tour un danger[3]. Les situations de satisfaction, répétées, ont créé un objet (d'abord la mère) suscitant un investissement intense ; la douleur

1. *Ibidem*, p. 258 ; p. 287 ; p. 272.

2. *Inhibition, symptôme et angoisse* (1926d [1925]), Paris, PUF, 1951, p. 68 ; *OCF* XVII, p. 258 ; *GW* XIV, p. 174.

3. *Ibidem*, p. 100 ; p. 284 ; p. 203.

est une réaction à la perte d'objet, l'angoisse réagit au danger que cette perte entraîne et, par déplacement, au danger de la perte d'objet elle-même.

Dans « Dostoïevski et le parricide » (1928) apparaissent les déterminations du complexe de castration, et notamment le refoulement de la haine. En contraste avec ses faiblesses morales, Dostoïevski a un grand besoin d'amour ; il manifeste sa capacité à aimer par une bonté excessive qui le fait porter secours là où il eût été en droit de haïr et de se venger. Or, dans son œuvre, il privilégie les caractères violents, meurtriers, égocentriques. Sa très forte pulsion de destruction est dans la vie dirigée principalement contre sa propre personne et s'exprime sous forme de masochisme et de sentiment de culpabilité. Les attaques hystériques que sont ses crises d'épilepsie ont valeur de punition : on a souhaité la mort d'un autre, maintenant on est cet autre, et on est mort soi-même. Pour le petit garçon, cet autre est le père et l'attaque hystérique est une autopunition pour le souhait de mort contre le père haï. Freud rappelle alors sa thèse du meurtre du père originaire puis la rapporte à l'ambivalence œdipienne et à l'angoisse de castration : « Ce qui rend la haine du père inacceptable, c'est l'angoisse devant le père. »[1] Celle-ci subit un renforcement pathogène, en cas de forte bisexualité, par angoisse devant la position féminine. La haine du père est abandonnée sous l'effet de l'angoisse d'un danger extérieur, tandis que l'éprouvé d'amour pour le père est traité comme un danger pulsionnel interne.

L'identification avec le père, autre conséquence du refoulement de la haine du père dans le complexe d'Œdipe, suscite une nouvelle instance permanente dans le moi : le surmoi, héritier de l'influence des parents. Condamné injustement, Dostoïevski se laisse punir par un remplaçant du père. Dans *Les frères Karamazov,* la sympathie de l'auteur pour le criminel est sans limites : il est presque un rédempteur ayant pris sur lui la faute, puisqu'il n'est plus nécessaire de tuer maintenant qu'il l'a fait. Il y a ici identification sur la base d'impulsions meurtrières semblables.

1. « Dostoïevski et le parricide » (1928b [1927]), *Résultats, idées, problèmes, II,* Paris, PUF, 1984-1985, p. 169 ; *OCF* XVIII, p. 215 ; *GW* XIV, p. 407.

L'AMOUR DU PROCHAIN ET LA PULSION D'AGRESSION

En 1929, *Malaise dans la civilisation* aborde les limites du moi. Dans l'état amoureux, la frontière entre moi et objet menace de s'effacer : l'amoureux affirme que toi et moi ne font qu'un et il est prêt à se comporter comme s'il en était ainsi[1]. Dans bien des états pathologiques également, la délimitation entre le moi et le monde extérieur devient incertaine. Le sentiment du moi n'a pas existé dès le début de la vie psychique et le sentiment océanique fait partie des régressions à l'indifférenciation d'avant la délimitation du moi. Chacun de nous, sur un point ou un autre se conduit comme un paranoïaque et tente de corriger la réalité. Les religions de l'humanité sont comme un délire de masse destiné à créer une assurance sur le bonheur et une protection efficace contre la souffrance. L'amour ne se contente pas de l'évitement du déplaisir, mais passe outre sans lui prêter attention, gardant son aspiration originelle et passionnée au bonheur, attendant toute satisfaction du fait d'aimer et d'être aimé. L'amour sexué en particulier procure l'expérience d'un plaisir qui terrasse et fournit le modèle de notre aspiration au bonheur. Mais « **jamais nous ne sommes davantage privés de protection contre la souffrance que lorsque nous aimons,** jamais nous ne sommes davantage dans le malheur »[2] que lorsque nous avons perdu l'objet d'amour ou son amour. Pour trouver son bonheur dans la voie de l'amour, sans rester dépendant d'un morceau du monde extérieur (l'objet d'amour choisi), l'accent principal doit être déplacé de « être aimé » à « aimer soi-même » : en dirigeant son amour non sur des objets individuels mais sur tous les humains, on se protège contre la perte d'objet, et en déviant son amour du but sexuel, en faisant de la pulsion une motion inhibée quant au but, on évite les désillusions et oscillations de l'amour génital, le remplaçant par un état de tendre sensibilité[3]. Mais un amour qui ne choisit pas perd une part de sa valeur et se montre

1. *Malaise dans la civilisation* (1930a [1929]), Paris, PUF, 1971, p. 8 ; *OCF* XVIII *[Le Malaise dans la culture]*, p. 251 ; *GW* XIV, p. 423.

2. *Ibidem,* p. 28 ; p. 269 ; p. 441.

3. *Ibidem,* p. 53 ; p. 288 ; p. 461.

injuste envers l'objet d'autant que les hommes ne sont pas tous dignes d'être aimés.

Terrassant le père, les fils font l'expérience qu'une union peut être plus forte que l'individu. La vie en commun des hommes fut doublement fondée par la contrainte au travail que crée la nécessité extérieure et par la puissance de l'amour qui ne voulait pas être privé de l'objet sexuel, ni de l'enfant. « Éros et Anankè sont ainsi devenus les parents de la culture humaine. »[1] Mais la culture restreint drastiquement la liberté laissée à la sexualité, tandis que l'amour sexuel, rapport entre deux personnes, tend à exclure le tiers et à perdre tout intérêt pour le monde environnant ; Éros agit pour l'union des êtres avec une particulière puissance dans l'état amoureux, mais suscite une autosuffisance du couple, sans vouloir aller au-delà[2].

Une des exigences idéales de la société s'énonce : « Tu aimeras ton prochain comme toi-même. » Mais l'amour est précieux, impose des devoirs, suppose un objet qui le mérite, c'est-à-dire qui me ressemble assez pour que je puisse m'aimer en lui, ou qui ressemble à mon idéal, ou qui soit lié à quelqu'un que j'aime. De plus, mon amour pour les miens est une préférence, et je suis injuste envers eux si je mets l'étranger sur le même pied qu'eux. Si je dois aimer tous les êtres d'un amour universel, il risque de ne leur revenir que très peu d'amour, alors même que l'étranger suscite plutôt l'hostilité, voire ma haine : il n'a pas d'égards pour moi, n'a pas de scrupule à me nuire si cela l'arrange, sans mesurer le dommage qu'il me fait ; plus il a d'assurance, plus je me sens en détresse. Aime ton prochain comme il t'aime serait compréhensible ; aime tes ennemis semble particulièrement abusif. L'exigence éthique semble donner des primes à la méchanceté et dénie que l'homme n'est pas un être doux, en besoin d'amour, tout au plus en mesure de se défendre ; il compte aussi parmi ses aptitudes pulsionnelles un fort penchant à l'agression. « Le prochain n'est pas seulement pour lui un aide et un objet sexuel possible, mais aussi une tentation, celle de satisfaire sur lui son agression, d'exploiter sans dédommagement sa force de travail, de l'utiliser sexuellement sans son consente-

1. *Ibidem*, p. 51 ; p. 287 ; p. 460.
2. *Ibidem*, p. 60 ; p. 294 ; p. 467.

ment, de s'approprier ce qu'il possède, de l'humilier, de lui causer des douleurs, de le martyriser et de le tuer. »[1] Cette tendance à l'agression que nous pouvons déceler en nous-mêmes, et supposer à bon droit chez autrui, perturbe nos rapports avec le prochain et impose à la culture ses efforts ; celle-ci impose à son tour, autant qu'elle le peut, des restrictions à la sexualité et au penchant à l'agression, sacrifices qui rendent difficile de s'y trouver heureux. Si la pulsion de mort est silencieuse, elle est contrainte de se mettre au service de l'Éros dès qu'elle se tourne contre le monde extérieur par le penchant à l'agression : elle anéantit quelque chose, au lieu de son propre soi, et diminue l'auto-destruction. C'est quelque chose d'extérieur, l'angoisse devant la perte d'amour et la punition – qui est aussi la perte de la protection de l'autre contre les dangers –, qui va déterminer le mal comme ce qui ne doit pas être exécuté ni même désiré[2]. À ce stade, la culpabilité n'est encore qu'angoisse devant la perte d'amour, angoisse sociale. Dans cette logique, le destin est un substitut de l'instance parentale : quand on connaît le malheur, on n'est plus aimé par cette puissance suprême et l'on s'incline devant le surmoi éventuellement compris comme volonté divine[3]. L'éthique de l'amour du prochain est une tentative thérapeutique, mais la culture comme le surmoi tiennent trop peu compte du bonheur du moi et des résistances contre les observances éthiques : la domination sur le ça ne peut s'accroître indéfiniment, et le commandement de l'amour universel est impraticable : une inflation aussi grandiose de l'amour ne peut que le dévaluer[4].

Dans le type libidinal érotique, selon « Des types libidinaux » (1931), l'intérêt principal est tourné vers la vie amoureuse. Pour les individus de ce type, aimer et surtout être aimé est ce qu'il y a de plus important ; leur angoisse est celle de la perte d'amour, ce qui les rend dépendants des autres qui peuvent leur refuser l'amour[5]. Les

1. *Ibidem*, p. 64-65 ; p. 298 ; p. 471.

2. *Ibidem*, p. 81 ; p. 311 ; p. 483-484.

3. *Ibidem*, p. 83-84 ; p. 314 ; p. 486.

4. *Ibidem*, p. 104 ; p. 330 ; p. 503.

5. « Des types libidinaux » (1931a), *La vie sexuelle*, Paris, PUF, 1969, p. 157 ; *OCF* XIX, p. 4 ; *GW* XIV, p. 510.

revendications pulsionnelles du ça ont la première place. Si le type est mixte, érotico-obsessionnel, la puissance de la vie pulsionnelle est restreinte par l'influence du surmoi et la dépendance envers les vestiges des parents, des éducateurs ou des modèles. Le type érotique-narcissique, peut-être le plus fréquent, réunit des opposés qui peuvent se modérer mutuellement.

En 1932, dans « Pourquoi la guerre ? », Freud approuve l'idée avancée par Einstein d'une pulsion de haine et d'extermination expliquant l'émergence si facile de l'enthousiasme guerrier, et il la rapproche de son hypothèse d'une pulsion de destruction, qu'il nomme aussi cette fois « pulsion d'agression ». Il présente cette théorie comme une transposition de l'opposition entre l'amour et la haine, qui est peut-être en relation originaire avec le couple attraction/répulsion, mais il insiste sur la liaison (intrication) entre les deux types de pulsion. Ainsi, la pulsion d'auto-conservation est assurément de nature érotique, mais a besoin de disposer de l'agression pour imposer sa visée ; la pulsion dirigée vers l'objet a besoin d'emprise, pour s'approprier cet objet. Les motifs idéaux masquent parfois les motifs destructeurs ; parfois les motifs idéaux s'imposent, mais la destructivité renforce la violence guerrière. Le retournement de l'agression vers l'intérieur est paradoxalement la source des sentiments moraux, tandis qu'il existe un soulagement à préserver sa vie en détournant sur l'extérieur et la vie d'autrui sa destructivité. Il est donc vain de vouloir supprimer les penchants agressifs des hommes ; identification et autorité extérieure sont nécessaires pour les contenir et pour permettre la répression pulsionnelle nécessaire au processus de la culture[1].

Dans les *Nouvelles conférences d'introduction à la psychanalyse* (1933), Freud rappelle sa nouvelle théorie des pulsions ; l'opposition entre Éros et les pulsions d'agression est-elle un essai de transfiguration théorique de l'opposition banale aimer/haïr, laquelle coïncide peut-être avec l'opposition de la physique entre attraction et répulsion ? Ce qui est remarquable, c'est qu'elle ait été perçue comme une innovation qu'il fallait récuser. Il a fallu longtemps pour reconnaître

1. « Pourquoi la guerre ? » (1933b), *Résultats, idées, problèmes, II,* Paris, PUF, 1985, p. 209-212 ; *OCF* XIX, p. 75-78 ; *GW* XVI, p. 20-23.

une pulsion d'agression, parce que cela contredit des préjugés et des conventions ; l'être humain peut être brutal ou cruel, mais il faut qu'il ait un bon naturel. L'expérience historique et personnelle ne va pourtant pas dans ce sens ; la croyance en la bonté de la nature humaine serait plutôt de ces illusions dont on attend un allègement de la vie alors qu'elle n'apportent que dommage[1]. Deux autres aspects de la force de l'amour et hostilité sont abordés dans ces conférences : d'une part les vicissitudes de la liaison à la mère dans le développement infantile, si forte malgré tant de frustrations, avec le grief spécifique à la petite fille qui rend sa mère responsable de son manque de pénis[2] ; d'autre part, la transposition de la relation au père éducateur et protecteur dans l'investissement religieux, l'amour pour Dieu et la conscience d'être aimé de lui[3].

QUESTIONS ET ENJEUX

L'IMPORTANCE DE LA HAINE

La haine est essentielle à la métapsychologie freudienne, notamment pour élaborer le devenir pulsionnel en première théorie des pulsions. La haine est concomitante de la découverte d'un monde extérieur et d'une possibilité d'objectalité, d'abord menaçante. Lors de l'élaboration de la seconde topique, le sentiment inconscient de culpabilité est davantage exploré tandis que la haine s'y trouve réinterprétée à partir de l'intrication-désintrication entre pulsions de vie et pulsions de mort. Le phénomène clinique fondamental qui sert d'aiguillon pour penser la haine est la compréhension de l'ambivalence. Freud, qui parle habituellement d'hostilité envers le père *(Feindseligkeit)* quand il décrit l'Œdipe, choisit parfois délibérément le vocabulaire plus intentionnel et plus investi de la haine, peut-être

1. *Nouvelles conférences d'introduction à la psychanalyse* (1933a [1932]), Paris, Gallimard, 1984, p. 140 ; *OCF* XIX, p. 187 ; *GW* XV, p. 110.
2. *Ibidem*, p. 164-166 ; p. 206-208 ; p. 131-133.
3. *Ibidem*, p. 218-219 ; p. 248 ; p. 176-177.

lors des impasses de l'Œdipe, notamment à propos de Dostoïevski. La haine aide à reconnaître le penchant à l'agression, mais l'objet y est investi, et elle relève donc d'une intrication avec Éros, comme le sadisme.

Éros et l'amour

Si Éros, et non pas la seule sexualité, est l'expression des pulsions de vie, l'extension freudienne de l'amour inclut non seulement la mise en œuvre des pulsions sexuelles, mais la considération portée à l'objet ou à soi-même, et l'exercice des pulsions inhibées quant au but – particulièrement manifeste dans le courant tendre de la sexualité – ainsi que le changement de but sexuel dans la sublimation qui est une autre forme d'investissement, désexualisée dans une certaine mesure. C'est cette extension qui permet l'extrême richesse de la réflexion clinique, voire phénoménologique, de Freud sur l'amour, que l'on ne saurait réduire à ses fondements métapsychologiques, puisqu'elle s'étend de la vie amoureuse à la discussion éthique.

L'amour est l'investissement d'un objet, mais sous-tend aussi les capacités d'identification, primaire et narcissique surtout, mais aussi secondaires, surtout lorsque l'objet manque ou menace de manquer. Il tend à prendre des formes semblables aux liens suscités par l'hypnose ; il est à la fois perturbateur du lien social par l'élection passionnelle de l'objet, et tissu du lien social fondé sur l'homosexualité latente et la culpabilité inconsciente par rapport à l'objet. Car l'amour suscite et permet l'ambivalence et son élaboration. Il s'enracine dans les soins donnés par la mère, première séductrice, implique l'identification au père de la préhistoire personnelle, éveille et maintient le besoin de protection, mais aussi l'effort pour satisfaire l'objet et être digne de lui, fût-ce à ses propres dépens, provoquant ainsi l'émergence de l'idéal et de la capacité de culpabilité en réponse à l'angoisse de castration. Il intervient ainsi dans la formation du surmoi œdipien, même si celui-ci tend ultérieurement à s'impersonnaliser. L'amour quête des substituts lorsque les objets fondamentaux sont reconnus comme perdus, changeant d'objet pour retrouver une possibilité de lien objectal. Narcissique lorsqu'il se porte sur le sujet lui-même, ou sur des objets investis sur un mode narcissique, l'amour est aussi l'émergence d'un rapport à l'objet qui se dégage du narcissisme par la reconnaissance des différences (celle des générations et celle des sexes, celle entre soi et l'autre). C'est par le lien qu'il construit l'individualité, et l'on comprend que Freud ait été amené à discuter de façon critique les éthiques, religieuses ou non, qui prônent un amour qui renoncerait à la différenciation du moi, et qui dénierait les différences.

Modalité de mise en œuvre des pulsions sexuelles, impliquant le courant tendre en même temps que le désir érotique (qui peuvent être névrotiquement dissociés), *l'amour n'est conceptualisé par Freud que dans certains de ses aspects* : d'une part sa complexe opposition avec la haine – mais aussi avec l'indifférence ainsi qu'avec la perversion –, d'autre part, sa forme et sa valeur dans l'amour de transfert. Mais il est **surtout décrit**, tout au long de l'œuvre : ses modalités prégénitales et génitales, ses formes de choix d'objet, ses capacités idéalisantes et hypnotiques, son aptitude à la fixation, son rôle dans la sexualité infantile et dans la crise œdipienne, dans les identifications, dans le lien social, dans les émergences passionnelles et paranoïaques (dont la jalousie), dans la force des idées religieuses, dans l'impasse de la prescription morale et religieuse d'un devoir d'aimer, dans les resurgissements puissants de ce qui fut traumatique.

Dominique BOURDIN

ANAL (et phase anale)

all. : ***Anal.*** – angl. : *anal.* – esp. : *anal.* – ital. : *anale.* – port. : *anal*

L'activité de la zone anale relève d'abord des autoérotismes de la sexualité infantile et peut prendre une part déterminante dans l'expression symptomatique d'une névrose, notamment dans la névrose obsessionnelle. Parmi les théories sexuelles infantiles, la conception anale de la naissance des enfants témoigne d'un moment archaïque du développement qui fait ensuite généralement l'objet d'un refoulement. L'érotisme anal, dans lequel l'organe olfactif joue un rôle non négligeable, se caractérise aussi par l'intensité de ses conflits d'ambivalence et une prééminence de mouvements pulsionnels sadiques. L'extinction de l'érotisme anal manifeste peut faire place, par formations réactionnelles et sublimation, aux traits de

caractère anal qu'est la conjonction de l'attachement à l'ordre (et à la propreté), de l'économie et de l'entêtement. La fixation à l'organisation prégénitale sadique-anale, favorisée par une prématurité du moi par rapport au développement de la libido, est la plus proche de l'organisation sexuelle marquée par le primat du génital, qui peut y régresser, notamment dans la névrose obsessionnelle. Dans les destins pulsionnels de l'érotisme anal, les déplacements et les équivalences symboliques amènent les fèces à signifier aussi d'une part l'argent, d'autre part l'enfant.

MISE EN SITUATION

Nous parlons aujourd'hui d'analité, mais Freud n'emploie jamais le substantif. Seul l'adjectif anal fait partie de la sémantique freudienne, par lui-même ou dans des expressions telles que caractère anal (Analcharakter), *érotisme anal* (Analerotik), *zone, orifice ou muqueuse anale. À proprement parler, ce sont les notions de zone érogène, d'érotisme anal et de caractère anal qui constituent la conceptualisation freudienne : la notion temporelle de stade, proposée dans les* Trois essais sur la théorie sexuelle, *puis élaborée avec de multiples distinctions par Karl Abraham, n'y apparaît que secondairement par rapport à la notion spatiale de zone érogène.*

L'étude de la sexualité anale est située dans des moments précis de l'œuvre freudienne : mise en évidence de l'importance de l'érotisme anal et notion d'organisation prégénitale dans les Trois essais sur la théorie sexuelle *(1905), puis références nombreuses dans les années 1908-1914 où se conceptualisent les notions-clés d'érotisme anal et de caractère anal ; reprises entre 1915 et 1917, puis en 1921-1922, insistantes mais sans apport réellement nouveau, rappel de l'acquis antérieur en 1929 dans* Le Malaise dans la culture, *pour en élargir la portée. Enfin, les* Nouvelles conférences d'introduction à la psychanalyse *proposent une synthèse des thèses freudiennes. Peu de notions freudiennes sont aussi stables et aussi précisément délimitées.*

LE TEXTE FREUDIEN

HISTORIQUE DU CONCEPT

Les notions d'érotisme anal et d'organisation prégénitale sont dégagées en 1905, tandis que, dans les années 1908-1914, Freud articule érotisme anal et caractère anal.

Érotisme anal et organisations prégénitales (1905)

En **1905**, dans les *Trois essais sur la théorie sexuelle,* la première mention de la zone anale fait partie de la quatrième section de l'essai consacré à la sexualité infantile, qui porte sur les « manifestations sexuelles masturbatoires ». L'activité de la zone anale relève donc des **autoérotismes de la sexualité infantile,** décrits comme étayés sur les fonctions du corps correspondant aux besoins biologiques de l'auto-conservation. La signification érogène de ce lieu du corps est « originellement très grande » [1], et fréquemment cette zone conserve toute la vie sa sensibilité à la stimulation. Les troubles intestinaux si fréquents de l'enfance peuvent prendre une part déterminante dans l'expression symptomatique d'une névrose ultérieure. « Des enfants qui utilisent la stimulabilité érogène de la zone anale se trahissent en ce qu'ils retiennent les masses de selles jusqu'à ce que celles-ci suscitent, par leur accumulation, de violentes contractions musculaires » : exerçant ainsi un fort stimulus sur la muqueuse, les selles suscitent une sensation douloureuse, mais aussi de la volupté, gain marginal de plaisir qui prédispose à la singularité ou à la névrose, d'autant que l'enfant en dispose à sa propre convenance et non selon l'attente de la personne qui prend soin de lui.

Le contenu intestinal est un corps stimulant pour une surface muqueuse sexuellement sensible ; il se comporte comme le précurseur d'un autre organe encore immature. Il constitue aussi le premier « cadeau », qui devient aussi l'« enfant », évacué par l'intestin dans les

1. *Trois essais sur la théorie sexuelle* (1905d), Paris, Gallimard, 1987, p. 111 ; *OCF* VI, p. 121 ; *GW* V, p. 86.

théories sexuelles infantiles. D'abord intentionnelle, pour « une stimulation en quelque sorte masturbatoire de la zone anale », ou pour l'utiliser dans ses relations avec l'entourage, la rétention des masses fécales reste une des racines de la constipation si fréquente chez les névrosés. « Toute la signification de la zone anale se reflète alors dans le fait que l'on ne trouve que peu de névrosés qui n'aient en propre leurs usages, cérémonies, etc., scatologiques » [1], qu'ils tiennent secrets. La stimulation directement masturbatoire à l'aide du doigt, à partir d'une démangeaison, n'est pas rare dans l'enfance.

Un autre passage des *Trois essais sur la théorie sexuelle* précise la notion d'**organisations prégénitales** : il s'agit bien d'organisations de la vie sexuelle, et pas seulement d'autoérotismes anarchiques juxtaposés ; elles correspondent à la sexualité infantile lorsque « les zones génitales n'ont pas encore endossé leur rôle prépondérant ». Deux d'entre elles « évoquent des rechutes à des états d'animalité primitive » : l'organisation orale ou cannibalique et l'organisation sadique-anale. Dans l'organisation sadique-anale, la « relation d'opposition qui parcourt la vie sexuelle » est déjà développée, mais comme une opposition entre actif et passif qui ne peut encore être désignée par les termes masculin et féminin. L'activité s'instaure par la pulsion d'emprise, en rapport avec la musculature du corps, tandis que la muqueuse intestinale érogène est l'organe à but sexuel passif. Leurs objets ne coïncident pas. D'autres pulsions partielles entrent en même temps en action de façon autoérotique. Dans cette phase, la polarité sexuelle et l'objet étranger peuvent ainsi être mis en évidence (Freud pose ici des bases pour la définition des composantes de la pulsion qu'il systématisera en 1915). Mais ce qui fait défaut, c'est la « subordination à la fonction de reproduction », donc le primat du génital. Or cette forme d'organisation sexuelle, d'allure archaïque du fait de la prédominance du sadisme et du rôle de cloaque de la zone anale, « peut se maintenir tout au long de la vie et tirer durablement à soi une grande part de l'activité sexuelle » [2]. En outre, les couples d'opposés pulsionnels s'y développent de pair, suscitant un état d'ambivalence,

1. *Ibidem*, p. 111-113 ; p. 121-122 ; p. 86-88.
2. *Ibidem*, p. 128-129 ; p. 134-135 ; p. 98-99.

selon le terme d'Eugen Bleuler. Enfin, précise Freud, c'est l'analyse des névroses qui nous permet de construire cette hypothèse des organisations prégénitales. La diversité de développement des zones érogènes entraîne une multiplicité de constitutions sexuelles. Les sources de l'excitation sexuelle, directes et indirectes, fournissent des affluents chez tous les individus, mais ne sont pas chez tous de force égale. Toutes les voies de liaison qui mènent à la sexualité peuvent d'ailleurs être reparcourues en sens inverse, régression manifestée dans les troubles des fonctions corporelles et dans la symptomatologie des névroses[1].

La récapitulation qui termine les *Trois essais sur la théorie sexuelle* revient sur la succession des érotismes oral et anal (pour lequel il rappelle la prédominance du sadisme), organisations prégénitales, tandis qu'une troisième phase, qui ne va chez l'enfant que jusqu'au primat du phallus, est centrée sur les zones génitales. L'incertitude du but sexuel et le « regroupement défectueux des diverses composantes pulsionnelles » n'empêchent pas la richesse psychique de ces phases prégénitales, « précurseur significatif de l'organisation définitive ultérieure »[2], laquelle les englobe et les unifie sans les annuler – selon le rythme spécifiquement humain du développement sexuel en deux temps séparés par la période de latence.

Étude systématique de l'érotisme anal (1908-1909)

Théorie sexuelle infantile anale

En 1908, l'article sur « Les théories sexuelles infantiles » met en évidence l'importance de **l'interprétation anale,** seconde des solutions infantiles à la curiosité sexuelle concernant la mise au monde des enfants. Elle survient lorsque l'intuition de la pénétration sexuelle du pénis du père dans la mère se heurte d'une part à la croyance au pénis de la mère, d'autre part à l'ignorance du vagin. La rumination intellectuelle et le doute ainsi éveillés, tout en subissant un refoulement, restent des prototypes de toute pensée ultérieure relevant de la

1. *Ibidem,* p. 139-140 ; p. 142-143 ; p. 106-107.
2. *Ibidem,* p. 183 ; p. 172 ; p. 135.

curiosité sexuelle. Mais dans un premier temps, pour se représenter comment le bébé sort du corps de la mère, l'enfant ne peut penser qu'à l'orifice intestinal : « L'enfant doit être évacué comme un excrément, une selle. » Plus tard, d'autres hypothèses prennent corps : sortie par le nombril, ouverture du ventre. Celles-ci restent conscientes, car elles ne sont pas choquantes, et favorisent l'oubli de la solution anale antérieure : « Les mêmes enfants ont alors tout à fait oublié qu'ils croyaient, dans les années antérieures, à une autre théorie de la naissance à laquelle fait à présent obstacle le refoulement, intervenu entre-temps, des composantes sexuelles anales. » À l'époque de l'éclosion de la théorie anale, on parle encore sans honte des selles et l'enfant reste proche de ses penchants coprophiliques. « Il n'y avait rien de dégradant à venir au monde comme un de ces tas de crotte que le dégoût n'avait pas encore proscrits », et la théorie cloacale, valable pour tant d'animaux, apparaissait comme la plus naturelle et la plus vraisemblable. Mais si les enfants sont mis au monde par l'anus, « l'homme peut aussi bien enfanter que la femme » [1], et le petit garçon peut forger le fantasme qu'il fait lui-même des enfants. Il ne s'agit pas là de penchants féminins, mais de la présence encore active de l'érotisme anal. Parfois, la théorie cloacale subsiste consciemment au cours de l'enfance, ou dans la maladie mentale, sur le modèle d'un conte où manger quelque chose fait avoir un enfant. L'identité entre les selles et l'enfant est alors maximale : les selles sont un enfant (et réciproquement, mais Freud ne le précise pas, l'enfant peut être vécu et traité comme une selle).

L'érotisme anal et la formation du caractère

Toujours en **1908,** l'article intitulé « Caractère et érotisme anal » décrit le caractère anal, mettant ainsi en évidence un des effets essentiels de l'érotisme anal : son importance dans la formation du caractère. Parmi les personnes auxquelles vient en aide la psychanalyse, on rencontre fréquemment un ensemble de **traits de caractère précis,** associé à l'importance dans l'enfance de la fonction corporelle anale et des organes concernés par celle-ci. Ces personnes sont **ordonnées,**

1. « Les théories sexuelles infantiles » (1908c), *La vie sexuelle,* Paris, PUF, 13e éd., 2002, p. 21-22 ; *GW* VII, p. 181.

dans la propreté corporelle comme dans l'accomplissement de leurs devoirs, **économes,** parfois jusqu'à l'avarice, et **entêtées,** ce qui peut aller jusqu'au défi et à l'esprit vindicatif. Économie et entêtement sont les traits les plus constants et les plus liés.

La forte accentuation érogène de la zone anale marque leur enfance : refus de vider son intestin sur le pot, du fait du gain de plaisir lié à la défécation, plaisir pris, même devenu plus âgé, à retenir ses selles, souvenirs (généralement projetés sur autrui) de manipulations réelles ou mentales des excréments. Une fois l'enfance passée, rien de ces singularités ne demeure ; mais si la zone anale a perdu sa signification érogène, la triade de propriétés de caractère (rigueur, économie, entêtement) en a pris la place. Pour justifier cette affirmation, Freud rappelle les thèses des *Trois essais sur la théorie sexuelle* de 1905 sur l'excitation sexuelle, les zones érogènes, le rôle de la période de latence et les formations réactionnelles « contre-puissances, comme la honte, le dégoût, et la morale, qui s'opposent comme des digues à la mise en activité ultérieure des fonctions sexuelles ».

Formations réactionnelles et sublimation ne sont pas clairement distinguées : « Puisque l'érotisme anal appartient à ces composantes de la pulsion, qui, au cours du développement, et dans le sens de l'éducation de notre civilisation actuelle, deviennent inutilisables pour des fins sexuelles, nous sommes portés à reconnaître, dans les traits de caractère si fréquemment accusés par les anciens tenants de l'érotisme anal – être ordonné, économe et entêté –, les résultats les plus directs et les plus constants de la sublimation de l'érotisme anal. » On peut noter que, dans cette triade, l'ordre relève clairement de la formation réactionnelle, tandis que l'économie et l'entêtement sont des déplacements de but du mouvement pulsionnel, qui répondent donc plus directement à la définition classique de la sublimation. Freud développe les liens associatifs entre entêtement ou défi et analité, puis il évoque ce qui manifeste le rapport entre intérêt pour l'argent et défécation, associations qui permettent le renoncement au symptôme de la constipation. « En vérité, partout où a régné ou bien persiste le mode de pensée archaïque, dans les civilisations anciennes, dans le mythe, les contes, les superstitions, dans la pensée inconsciente, dans le rêve et dans la névrose, l'argent est mis en relation intime avec l'excrément. » Ainsi, l'or dont le diable fait cadeau se change en excréments après son départ. La névrose suit cette voie ouverte par les récits traditionnels et reprise par certains usages linguistiques, en prenant les mots dans toute la force et la signification de leur (double) sens originaire. « Il est possible que l'opposition entre ce à quoi l'homme a appris à accorder le plus de valeur et ce qui est le plus dénué de valeur, et qu'il rejette comme déchet a conditionné cette identification de l'or et de l'excrément. » **L'intérêt pour l'argent apparaît lorsque s'est éteint l'intérêt érotique porté à la défécation**, ce qui est un exemple clair de changement de but pulsionnel.

En revanche, on ne trouvera pas trace de « caractère anal » chez ceux qui, adultes, ont conservé la propriété érogène de leur zone anale, comme par exemple certains homosexuels. Freud conclut en indiquant qu'il existe peut-être d'autres organisations de caractère liées au destin de l'excitation de zones érogènes précises, mais qu'il ne peut l'affirmer que pour l'ambition démesurée et « brûlante » des anciens énurétiques. Il propose une formulation générale de ces destins pulsionnels : « Les traits de caractère qui demeurent sont, soit la continuation inchangée des pulsions originaires, soit la sublimation de celles-ci, soit des formations réactionnelles contre ces pulsions. »[1] Cette fois, la distinction entre le retournement en son contraire de la formation réactionnelle et le changement de but pulsionnel de la sublimation est clairement indiquée.

Le plaisir anal chez le petit Hans

Dans la constitution sexuelle du petit Hans (« Analyse d'une phobie chez un petit garçon de cinq ans »), c'est la zone génitale qui est d'emblée la plus intensément source de plaisir. Mais « à côté d'elle est seul encore attesté chez lui le plaisir excrémentiel rattaché aux orifices de l'évacuation des urines et des selles »[2]. Ainsi joue-t-il, lorsqu'il surmonte sa maladie avec un fantasme de bonheur, à conduire des enfants aux waters, à leur faire faire « wiwi » et à leur essuyer le derrière, ce qui implique que les soins de ce genre reçus

1. « Caractère et érotisme anal » (1908b), *Névrose, psychose et perversion*, Paris, PUF, 1981, p. 145-148 ; *OCF* VIII, p. 190-194 ; *GW* VII, p. 205-209.

2. « Analyse d'une phobie chez un petit garçon de cinq ans (Le petit Hans) » (1909b), *Cinq psychanalyses*, Paris, PUF, 1954, p. 170 ; *OCF* IX, p. 95 ; *GW* VII, p. 342.

comme enfant étaient source de plaisir. Issus des zones érogènes, ces soins conduisaient aussi au choix d'objet, puisqu'ils étaient obtenus à l'aide de sa mère, mais il a également pu se procurer ce plaisir de façon autoérotique, et être de ces enfants « qui aiment retenir les *excreta* jusqu'à ce que leur évacuation puisse leur ménager un stimulus de volupté » [1]. Ce qui lui fait si peur plus tard, « faire du remue-ménage avec les jambes » (gigoter), va dans ce sens sans que, chez cet enfant devenu propre de bonne heure, le plaisir anal ne soit marqué d'une accentuation particulière.

En lien avec la chute du cheval et celle de son ami jouant au cheval, Hans s'occupe au cours de sa cure du complexe « *Lumpf* » (« caca » en allemand), malgré les résistances de son père, et montre du dégoût pour ce qui lui rappelle l'évacuation des selles. Plus jeune, il aimait s'imposer à sa mère, puis à Bertha, pour les accompagner aux waters, sensible au plaisir-désir de regarder une personne aimée faire ses besoins, signe d'un « entrecroisement de pulsions ». Le père de Hans finit par admettre la symbolique du *Lumpf* en reconnaissant les analogies entre une voiture à la lourde charge et un ventre chargé de la masse des selles, entre la façon dont la voiture sort du portail et celle dont on chasse les selles du ventre, etc. [2].

Pendant la phobie, le refoulement de ces composantes apparaît nettement : honte d'uriner devant les autres, auto-reproches de mettre son doigt au fait-wiwi, répulsion à regarder les gens faire leurs besoins, effort pour renoncer à l'onanisme, dégoût devant le « Lumpf », le « wiwi » et ce qui les rappelle, sauf dans son jeu final où ce dernier refoulement est levé [3].

L'érotisme anal de « l'homme aux rats »

La cure de « L'homme aux rats » est évidemment une source essentielle, et dans les « Remarques sur un cas de névrose obsessionnelle » de **1909** qui exposent les premières séances de la cure de « L'homme aux rats » puis les réflexions de Freud sur la névrose obsessionnelle

1. *Ibidem*, p. 170 ; p. 96 ; p. 343.
2. *Ibidem*, p. 191 ; p. 112 ; p. 359.
3. *Ibidem*, p. 191 ; p. 121 ; p. 369.

(ou de contrainte) Freud souligne combien la punition infligée par l'introduction de rats dans l'anus (source d'une jouissance inconsciente dissimulée par l'horreur consciente) stimule la production de matériel associatif et éveille une foule de souvenirs, témoignant de la série de significations symboliques acquises par les rats entre le récit du capitaine et son exhortation à rendre l'argent. « La punition aux rats remua avant tout l'érotisme anal qui, dans son enfance, avait joué un grand rôle et avait été entretenu par une irritation provoquée par les vers qui s'était prolongée pendant des années. Les rats en vinrent ainsi à signifier : argent, corrélation qui s'annonça par l'idée incidente *Raten zu Ratten* (acomptes pour rats). » Le patient se forge une sorte de monnaie-rats, pour évaluer par exemple le prix d'une heure de traitement. Tant de florins, tant de rats, devient la langue dans laquelle se transpose l'ensemble de ses intérêts pour l'argent rattachés à l'héritage du père, à partir du pont verbal *Rate-Ratten*. La **signification-argent des rats** prend aussi appui sur l'exhortation du capitaine à rendre le montant du remboursement à partir d'un autre pont verbal (*Spielratte* – rat de jeu) renvoyant au père comme joueur, tandis que le rat, porteur d'infections, signifie également l'angoisse de la syphilis, impliquant des doutes sur la conduite du père, et renvoie de ce fait au pénis, dans une identification entre le rat et le pénis assimilé à un gros ver – susceptible, comme dans l'enfance, de fouiller dans l'anus. Animal sale, le rat renvoie fantasmatiquement aussi bien aux relations sexuelles anales, avec le père comme avec la bien-aimée, qu'à l'équivalence entre argent et sexualité dans la prostitution qu'il haïssait. « Toutes les motions jusque-là réprimées de cruauté égoïste et sexuelle » [1] se sont trouvées réveillées du fait du récit de la punition par les rats introduits dans l'anus, tandis que la dimension de contrainte passe par l'**équivalence** (appelée par la référence à la demoiselle aux rats dans l'œuvre d'Ibsen) **entre les rats et les enfants,** mordants, voraces et sales, comme il le fut lui-même. C'est ainsi que le capitaine avocat de telles punitions prit la place du père et éveilla sa rancœur.

1. « Remarques sur un cas de névrose obsessionnelle (L'homme aux rats) » (1909d), *Cinq psychanalyses*, Paris, PUF, 1954, p. 238-239 ; *OCF* IX, p. 183-185 ; *GW* VII, p. 432-434.

Il faudrait ajouter à ces remarques sur l'érotisme anal de l'homme aux rats l'analyse de ses **conflits d'ambivalence** entre amour et haine, ainsi que les remarques finales sur le devenir de l'odorat chez l'enfant renifleur, en opposition avec l'exigence de refoulement du plaisir-désir olfactif, maintenu dans la vie animale mais réprimé par la civilisation. Si le *Journal* de la cure de l'homme aux rats permet de suivre de plus près les mouvements du matériel associatif du patient de Freud et la façon dont celui-ci l'interprète, il ne comporte pas d'élément décisif nouveau sur le contenu et la portée de l'érotisme anal. On peut simplement noter l'érotisme anal du père lui-même qui « **aimait beaucoup** des mots comme **"cul"** et **"chier"** » (souligné par Freud), et le mouvement identificatoire de l'enfant qui l'imite impunément grâce à la protection de sa mère, mais qui se sent profondément humilié lorsque, à onze ans, celle-ci décide de le « laver à fond » [1].

Déploiement et enjeux de l'érotisme anal

En **1910**, dans la première des *Contributions à la psychologie de la vie amoureuse* consacrée à « Un type particulier de choix d'objet chez l'homme » (l'amour pour une femme qui n'est pas libre et qui a mauvaise réputation), la conclusion rapproche la description qui vient d'être faite de la mise en place de l'érotisme anal : la volonté de Freud de dégager des types psychopathologiques extrêmes et circonscrits avec précision [2].

Un souvenir d'enfance de Léonard de Vinci (**1910**) comporte une note de bas de page qui accompagne la description des comptes que fait Léonard, portant trace du deuil de la mère et de son refoulement et conduisant à l'affirmation sur l'homosexualité de Léonard : « Par cette relation érotique à la mère, je suis devenu un homosexuel. » Cette note précise simplement que « les formes d'expression sous lesquelles peut se manifester chez Léonard la libido refoulée, goût du

1. *L'homme aux rats. Journal d'une analyse,* Paris, PUF, 1974, p. 67.

2. « Un type particulier de choix d'objet chez l'homme » (1910h), *La vie sexuelle,* Paris, PUF, 1971, p. 55 ; *OCF* X, p. 200 ; *GW* VIII, p. 77.

détail et intérêt pour l'argent, font partie des traits de caractère procédant de l'érotisme anal »[1].

Universalité du plaisir anal

Toujours en **1910,** Freud écrit le 20 juin au Dr Friedrich S. Krauss, directeur de la revue *Anthropophyteia,* une lettre (publiée dans le n° 7). Il y répond à une question sur la valeur scientifique de la collecte de plaisanteries et de traits d'esprit érotiques que propose cette revue. La position freudienne est nette : ces historiettes nous disent quelles pulsions sexuelles partielles sont conservées dans un groupe d'êtres humains comme particulièrement aptes à l'obtention de plaisir, et elles confirment l'investigation psychanalytique chez les névrosés. Freud précise sa pensée à propos de l'exemple qu'il juge le plus important, la **pulsion partielle anale** : « La psychanalyse nous a forcés à affirmer que la région de l'anus – normalement et même chez les individus non pervers – est le siège d'une sensibilité érogène et se comporte à certains égards tout comme un organe génital. » Médecins et psychologues se sont indignés lorsque les psychanalystes parlèrent d'un érotisme anal et du caractère anal qui en résulte. « L'*Anthropophyteia* vient ici en aide à la psychanalyse, en montrant combien il est vraiment universel que les humains s'attardent, avec la marque du plaisir, à cette région du corps, à ses activités, voire au produit de sa fonction. » Sinon, ces histoires susciteraient le dégoût, ou bien ce serait tout le public populaire qu'il faudrait qualifier de « pervers », au nom d'une position moralisante. Freud montre ensuite la portée des traits d'esprit érotiques proprement dits, avant de conclure que toutes ces histoires grivoises et scatologiques qui sont si populaires « constituent de remarquables auxiliaires pour l'exploration de la vie d'âme inconsciente des humains, tout à fait comme les rêves et les mythes et légendes »[2].

Du point de vue de l'analité, Freud établit ici l'universalité d'une érogénéité et d'une fixation anale, refusant de la limiter aux pervers

1. *Un souvenir d'enfance de Léonard de Vinci,* Paris, Gallimard, 1991, p. 183 (éd. bilingue) ; *OCF* X, p. 133 ; *GW* VIII, p. 177.

2. « Lettre au docteur Friedrich S. Krauss sur l'*Anthropophyteia* », *OCF* X, p. 217 ; *GW* VIII, p. 224-225.

et aux névrosés. La valorisation donnée ainsi au comique populaire tendancieux est également de nature à rapprocher psychanalyse et sensibilité commune.

La symbolique de l'excrément

L'article de **1911** « Rêves dans le folklore », écrit en collaboration avec Ernst Oppenheim, comporte, après la section consacrée à la symbolique du pénis, un long développement sur la symbolique de l'excrément et les rêves correspondants. Substance hautement appréciée dans l'enfance, l'excrément donne satisfaction aux pulsions coprophiles. Le refoulement et les effets de l'éducation amènent au contraire son mépris, et en font une expression de la dépréciation et de la dérision, même si le trait d'esprit peut réouvrir pour un bref moment l'accès à « cette source de plaisir ensevelie » [1], témoignant ainsi de sa permanence dans l'inconscient. Mais le reste le plus significatif de la valorisation antérieure est chez l'adulte le transfert sur l'or de cet attachement. Outre les références à l'article de 1908 « Caractère et érotisme anal », Freud souligne l'ancienneté de cette relation entre merde et or par une référence à Jeremias (1905) indiquant que, selon un mythe oriental ancien, l'or serait la merde de l'enfer. Dans les rêves du folklore, **l'or est symbole de l'excrément,** et le dormeur rêve d'or ou de trésor quand il ressent le besoin d'évacuer un excrément. Le tas d'excrément est fréquemment l'indication de l'endroit où le trésor est trouvé et Freud en donne un exemple tiré des *Facéties* de Poggio (1905). Le diable y est dispensateur de trésor et séducteur, ce qui n'est pas étonnant, puisque le diable, ange refoulé du Paradis, n'est « rien d'autre que la personnification de la vie pulsionnelle inconsciente refoulée » [2]. D'autres exemples, puisés notamment dans les histoires rassemblées par la revue *Anthropophyteia,* mettent en rapport la même thématique avec un autre habillage lié au partage du même lit et à la visite de fantômes et d'esprits de défunts ; ils font apparaître une « corrélation entre la poussée défécatoire et l'**angoisse de mort** » [3].

1. S. Freud (et D. E. Oppenheim), « Rêves dans le folklore » (1911b), *Résultats, idées, problèmes, I,* Paris, PUF, 1984, p. 152 ; *OCF* XI, p. 66 ; *GW* XIX, p. 584.

2. *Ibidem,* p. 154 ; p. 67 ; p. 585.

3. *Ibidem,* p. 156 ; p. 68 ; p. 588.

Mais le fil de merde et parfois de pisse de ces rêves est aussi la symbolisation d'une tentative d'érection et d'évacuation de semence qui, secondairement, régresse vers l'évacuation de l'excrément. **Derrière le pressant besoin excrémentiel se fait jour le besoin sexuel.** Celui-ci aspire à l'objet idéal, inaccessible, figuré par la montée au ciel, tandis que l'épouse réellement présente ne suscite pas d'érection ; le souhait de mort envers elle se retourne en angoisse de mort ; « mais la libido sexuelle déçue se fait relayer sur la voie de la régression par la motion de souhait excrémentielle, qui injurie et souille l'objet sexuel non valable »[1]. Dans le cas du compagnon de lit masculin, le fantôme visiteur est féminin, et le dédain pour l'objet sexuel masculin se fraie une voie par la souillure de l'excrément, ressentie par l'autre comme une injure.

D'autres exemples ajoutent l'enterrement dans le sol qui confirme le souhait de mort, ou l'arrachage d'herbe (en tirant sur les poils de la femme qui proteste), évocation de l'onanisme (« s'en arracher une »). Les rêves de trésor enfoui comportent peu d'angoisses de mort (épargnant la punition pour le souhait de mort) ; certains de ces rêves débouchent non sur une défécation pendant le sommeil, mais sur une activité directement sexuelle de manipulation des parties génitales de la femme. Du fait du mouvement régressif, les rêves de défécation peuvent être aussi des rêves d'impuissance : à qui ne peut plus coïter, reste la consolation de chier. L'érotisme anal, antérieur à l'érotisme génital, réapparaît. « Le rêve de défécation devient ainsi le rêve de l'homme qui ne peut plus satisfaire la femme, tout comme celui de cet autre homme qu'une femme ne satisfait plus. »[2] Deux rêves de jaloux, dont l'un est tiré du *Tiers livre* de Rabelais, confirment cette interprétation : comment maintenir sans le perdre le lien sexuel avec une femme plus jeune que soi. Mais, dans cette fin du texte freudien, la symbolique génitale l'emporte sur la symbolique anale, sans l'effacer pour autant. En tout cas, Freud souligne la **concordance entre ces récits et l'interprétation psychanalytique des rêves** : l'on peut y trouver des confirmations précieuses des concep-

1. *Ibidem*, p. 160 ; p. 75 ; p. 591.
2. *Ibidem*, p. 165 ; p. 81 ; p. 597.

tions psychanalytiques si l'on ne se laisse pas arrêter « par la nature souvent répugnante, sale et indécente du matériel populaire »[1] ; inversement, ces récits, derrière le plaisir grossier, témoignent de réactions psychiques significatives et fortes devant des impressions ou des déceptions de la vie.

L'érotisme anal dans la vie psychique

Une remarque incidente du texte de **1912** « Discussion sur l'onanisme », à propos des désaccords avec Wilhelm Stekel, revient sur l'universalité des composantes du psychisme. L'érotisme anal fait partie de complexes et conflits psychiques, qui se trouvent chez les gens sains comme chez les névrosés. « Nous nous sommes même habitués à imputer à tout homme de la culture une certaine mesure de refoulement des motions perverses, d'érotisme anal, d'homosexualité, etc., de même qu'un fragment de complexe paternel et maternel, et d'autres complexes encore », tout comme un corps organique est composé de carbone, d'oxygène, d'hydrogène, d'azote et d'un peu de soufre. Dans le psychisme comme dans la composition chimique des corps organiques, ce qui crée les différenciations « c'est le rapport quantitatif de ces éléments et la constitution des liaisons qu'ils établissent entre eux »[2]. Ces complexes et conflits existent chez tous ; s'ils sont devenus pathogènes, il faut savoir par quels mécanismes. Les rapports quantitatifs entre les éléments psychiques, donc le point de vue économique, et les modes de liaison, donc le point de vue dynamique, sont donc ce qui est à examiner pour déterminer les mécanismes pathologiques ; mais l'érotisme anal, comme les autres composantes du psychisme, est une réalité universelle.

Le petit article de **1913**, « Deux mensonges d'enfants », concerne les mensonges enfantins relevant de l'effet de motions d'amour très fortes. Une petite fille de sept ans détourne quelques piécettes pour acheter des couleurs qui lui ont été refusées pour peindre des œufs de Pâques. D'endiablée, elle devient timorée après la punition qui suit cet acte, et adulte, refuse aide ou argent de sa mère et de son mari. À trois

1. *Ibidem,* p. 168 ; p. 84 ; p. 600.

2. « Pour introduire la discussion sur l'onanisme » (1912f), *Résultats, idées, problèmes, I,* Paris, PUF, 1984, p. 180 ; *OCF* XI, p. 162 ; *GW* VIII, p. 338-339.

ans et demi, jalouse, elle avait trahi auprès de sa mère le secret d'une liaison amoureuse de sa bonne alors que celle-ci achetait son silence par des pièces de monnaie. « Prendre de l'argent de quelqu'un avait donc eu très tôt pour elle la signification de l'abandon corporel, de la relation d'amour. Prendre de l'argent du père avait la valeur d'une déclaration d'amour. » Avouer s'être approprié l'argent aurait été trahir ce motif inconscient. Le châtiment de ce mensonge par le père fut vécu comme un refus de la tendresse qu'elle lui offrait. « Il est à peine besoin de souligner que dans la petite expérience vécue de l'enfant se trouve un de ces cas si extraordinairement fréquents de persistance de l'érotisme anal antérieur dans la vie amoureuse ultérieure. Le plaisir à colorier les œufs provient lui aussi de la même source. » [1]

« Un rêve comme preuve » **(1913)** comporte un exemple de défi envers une tante prise pour modèle et envers qui il existe une dépendance financière, trait de caractère de « provenance érotique-anale » [2].

L'organisation érotique anale

« La disposition à la névrose obsessionnelle » (1913) a pour sous-titre « Une contribution au problème du choix de la névrose ». Freud y présente une femme atteinte d'hystérie d'angoisse, du fait de l'impossibilité de son mari aimé de lui faire un enfant. Le mari, interprétant intuitivement la situation, réagit par une défaillance dans la relation sexuelle que sa femme interprète à son tour comme une impuissance durable. C'est dans ce contexte que survient la névrose obsessionnelle (ou névrose de contrainte). Elle se caractérise par des compulsions de lavage et des « mesures de protection des plus énergiques contre de graves préjudices que d'autres auraient à redouter d'elle, donc en formations réactionnelles contre des motions érotiques-anales et sadiques ». Cette **régression sadique-anale** correspond à la dévalorisation de sa vie sexuelle survenue du fait de l'impuissance de l'homme qui comptait pour elle. Ce mécanisme régressif présuppose non seulement le regroupement des auto-

1. « Deux mensonges d'enfants » (1913g), *Névrose, psychose et perversion,* Paris, PUF, 1973, p. 185 ; *OCF* XII, p. 71 ; *GW* VIII, p. 424-425.

2. « Un rêve comme preuve » (1913a), *Névrose, psychose et perversion,* Paris, PUF, 1973 ; *OCF* XII, p. 19 ; *GW* X, p. 21.

érotismes dans le narcissisme, où l'objet coïncide encore avec le moi propre, mais encore un stade intermédiaire où « les pulsions partielles sont déjà regroupées en vue du choix d'objet, où l'objet comme une personne étrangère se confronte déjà à la personne propre, mais où le primat des zones génitales n'est pas encore institué. Les pulsions partielles qui dominent cette organisation prégénitale sont bien plutôt les pulsions érotiques anales et les pulsions sadiques ».

Freud étudie cet « ordre sexuel prégénital » selon cinq considérations.

Tout d'abord, dans la névrose obsessionnelle, les motions de **haine** et d'**érotisme anal** jouent un rôle extraordinaire, comme Ernest Jones l'a mis en relief (« Haine et érotisme anal dans la névrose obsessionnelle », 1913), car elles deviennent, par régression, les représentantes des pulsions génitales. Enfant, cette patiente avait eu une période de fantasmes de fustigation sadiques. Elle connut une période heureuse dans sa vie génitale puis la névrose s'instaura, et réactiva l'organisation sadique-anale ; chez d'autres, l'organisation sexuelle anale n'est jamais surmontée et la névrose obsessionnelle s'installe de façon chronique avec des moments d'exacerbation.

Deuxièmement, l'opposition entre masculin et féminin (introduite par la fonction de reproduction) n'est pas encore présente au moment du choix d'objet prégénital. « À sa place, nous trouvons l'opposition entre tendances à but actif et tendances à but passif, qui se soudera plus tard à l'opposition des sexes. » La « pulsion d'emprise ordinaire, que nous appelons précisément sadisme lorsque nous la trouvons au service de la fonction sexuelle », procure l'activité. Même dans la vie sexuelle normale pleinement développée, cette pulsion assure d'importants services auxiliaires. « Le courant passif est alimenté par l'érotisme anal dont la fonction érogène correspond à l'ancien cloaque indifférencié » ; l'accentuation de cet érotisme anal au stade prégénital prédispose à l'homosexualité lorsque est atteint le stade du primat des organes génitaux, avec les remaniements libidinaux qui en découlent. Dénier l'existence d'une organisation prégénitale de la vie sexuelle et considérer qu'il n'y a de sexualité qu'à partir du stade génital, sauf dans le cas des névroses où le refoulement sexuel sexualise de façon compensatoire des pulsions originairement non sexuelles, c'est se placer hors de la psychanalyse, en se privant de la corrélation psychanalytique entre santé, perversion et névrose.

Troisièmement, les forces pulsionnelles se rencontrent aussi dans les **procès de la formation du caractère** « plus impénétrables et plus inaccessibles à l'analyse que ceux de la névrose ». Or c'est dans le domaine du caractère que l'on assiste fréquemment à la transformation, lorsque les fonctions génitales ont été abandonnées, de la douce jeune fille, de l'épouse aimante et de la tendre mère en une femme querelleuse, ergoteuse, mesquine et avare, vieux dragon aux traits typiquement sadiques et érotiques anaux. La régression de caractère se fait sans conflit manifeste, après refoulement ou répression de l'ordre génital, tandis que, dans la névrose obsessionnelle, interviennent une lutte pour ne pas donner cours à la régression sadique anale, la constitution de formations réactionnelles, de symptômes constituant des compromis, ainsi qu'un clivage marqué entre activités conscientes et réactions inconscientes.

Les quatrième et cinquième remarques concernent moins directement l'aspect anal de « l'organisation sexuelle prégénitale sadico-érotique-anale ». L'une souligne que la pulsion de savoir, « rejeton de la pulsion d'emprise, sublimé et rehaussé jusqu'à l'intellectuel » pourrait se substituer au sadisme dans le mécanisme de la névrose de contrainte où elle occupe souvent une large place « repoussée sous la forme du doute » [1]. Par ailleurs, il faut inclure dans la prédisposition à la névrose de contrainte un développement du moi qui devance celui de la libido et détermine le choix d'objet, laissant une fixation à l'ordre sexuel prégénital anal – à la différence de l'hystérie, qui reste caractérisée par le primat des organes génitaux.

L'analité de l'homme aux loups

Le cas de « L'homme aux loups », présenté dans le texte de **1914**, « À partir de l'histoire d'une névrose infantile », présente et analyse un riche matériel anal qui témoigne du mode de raisonnement clinique de Freud.

1. « La disposition à la névrose obsessionnelle. Une contribution au problème du choix de la névrose » (1913f), *Névrose, psychose et perversion,* Paris, PUF, 1973, p. 192-196 ; *OCF* XII, p. 88-92 ; *GW* VIII, p. 446-450.

Pendant l'absence estivale des parents, le caractère de cet enfant changea, il devint irritable, mécontent, susceptible, éclatant en de violentes colères. Comment comprendre cette modification de caractère, postérieure à la première séduction ? Freud la rattache à la répression de l'onanisme imposé par la Nania. « La vie sexuelle à ses commencements, sous la direction de la zone génitale, avait donc succombé à une inhibition extérieure et, par l'influence de celle-ci, avait été renvoyée à une phase, antérieure, d'organisation prégénitale. »[1] La **vie sexuelle du garçon prit ainsi un caractère sadique-anal,** tourmentant les petits animaux et surtout sa Nania. Parallèlement, se développaient des fantasmes de garçons battus, notamment sur le pénis, ou d'héritier du trône enfermé dans un espace étroit et frappé. Du fait de son intense ambivalence et de la conscience de culpabilité pour l'onanisme, les tendances passives masochistes surgirent en même temps ou peu après les tendances actives sadiques, manifestant la formation concomitante de couples de pulsions partielles opposées. Chez lui, aucune des positions libidinales constituées ne fut totalement supprimée par une position ultérieure, mais elles subsistaient en une oscillation incessante.

À partir de la puberté, il ressentit « les grosses fesses voyantes »[2] comme le charme le plus fort de la femme, et la position *a tergo* de la femme resta déterminante pour lui lors de ses accès d'états amoureux compulsifs incontrôlables. Freud évoque ici la question de savoir s'il faut faire remonter cette tendance pulsionnelle à une impression déterminée de l'enfance (l'observation du coït des parents) ou si elle peut être simplement rattachée à la texture de la prédisposition érotique-anale, trait archaïque de la névrose obsessionnelle : « On peut en effet concevoir l'accouplement par derrière – *more ferrarum* – comme la forme phylogénétiquement la plus ancienne. »[3]

L'observation de la relation sexuelle des parents fut pour l'enfant source de sa conviction de la réalité de la castration, déjà envisagée

1. « À partir de l'histoire d'une névrose infantile (L'homme aux loups) » (1918b [1914]), *Cinq psychanalyses,* Paris, PUF, 1954, p. 339 ; *OCF* XIII, p. 23 ; *GW* XII, p. 50.

2. *Ibidem,* p. 353 ; p. 39 ; p. 68.

3. *Ibidem.*

auparavant. Il voyait maintenant la blessure dont avait parlé sa Nania, comprenait qu'elle était la condition de la relation avec le père et il ne pouvait plus la confondre avec le « panpan » comme dans l'observation des petites filles [1], bien que son érotisme anal ait subsisté sous d'autres formes. Le rêve aux loups qui réveilla la scène originaire suscita de l'angoisse, l'amenant à se réfugier auprès de sa Nania, pour fuir le père, récusant maintenant le souhait d'une satisfaction sexuelle par le père.

S'organisant en névrose obsessionnelle, l'**ambivalence** des sentiments de Sergueï envers le père trouva son expression dans ses ruminations, ses doutes et ses attaques quant à la religion. Amour et haine se rencontraient pour le combat d'ambivalence dans la thématique religieuse. « C'était donc l'ancien amour pour son père, devenu manifeste à l'époque la plus précoce, auquel il empruntait son énergie pour combattre Dieu et sa perspicacité pour critiquer la religion. » [2] Il en résultait comme symptôme des idées blasphématoires, la contrainte à penser « Dieu-ordure », « Dieu-cochon », résultat de compromis dans la logique de l'érotisme anal.

Tout le chapitre VII est consacré au rassemblement des **traits d'érotisme anal**, sur le terrain d'une constitution sadique-anale, dans la névrose obsessionnelle de l'homme aux loups, en articulation avec son complexe de castration. L'érotisme anal est fondamental pour l'édification de la vie sexuelle et de l'ensemble de la vie psychique. « Une des manifestations les plus importantes de l'érotisme, remodelé, à partir de cette source, se trouve dans la façon de traiter l'argent, lequel matériau précieux a attiré à lui, au cours de la vie, l'intérêt psychique qui à l'origine revenait aux excréments, le produit de la zone anale. » [3] L'intérêt pour l'argent, dans sa dimension libidinale, se ramène au plaisir excrémentiel, tandis que le comportement normal consiste à garder son rapport à l'argent exempt d'influence libidinale pour le régler en tenant compte du réel. Riche au moment de sa cure, du fait de l'héritage de son père, l'homme aux loups, tout en étant

1. *Ibidem*, p. 357 ; p. 43 ; p. 73.
2. *Ibidem*, p. 373 ; p. 63 ; p. 97.
3. *Ibidem*, p. 378 ; p. 69 ; p. 103.

attaché à être considéré comme riche, ne savait ni combien il possédait, ni ce qu'il dépensait. Il faisait de violents reproches à sa mère lors de toutes leurs discussions d'argent, même s'il reconnaissait sa générosité irréprochable devant ses revendications financières ; il pouvait osciller entre avarice et prodigalité, et même exprimer comme une consolation à la perte de sa sœur le fait de ne pas avoir à partager l'héritage. Des accidents intestinaux marquent ses préoccupations de don d'argent et ses angoisses d'échecs, et sa constipation ne cédait qu'aux lavements répétés (lesquels déchiraient pour un temps le voile qui le séparait du monde, en un fantasme de renaissance où est mis au monde, par l'acte du père, l'enfant-excrément) [1]. Le trouble intestinal fut reconnu par Freud comme la part d'hystérie présente régulièrement à la base d'une névrose obsessionnelle, et céda lorsque Freud eut promis le rétablissement de cette fonction, et mené l'analyse de l'incrédulité et des doutes du patient. L'incontinence enfantine, et le plaisir devant les traits d'esprit et les exhibitions à caractère anal se sont d'ailleurs longtemps maintenus chez lui.

Freud souligne le changement d'attitude de Sergueï : pendant un temps, il fait ses besoins dans son lit sans honte, car c'est une manifestation de défi contre la gouvernante haïe. Puis, à quatre ans et demi, à l'époque de l'angoisse, il éprouve une telle honte d'avoir souillé sa culotte pendant la journée qu'il pense ne plus pouvoir vivre ainsi, plainte formulée en identification avec des mots de sa mère, elle-même anxieuse et souffrant du bas-ventre – et du fait d'une angoisse de mort liée au risque de dysenterie intervenue entre-temps. Selon la construction de Freud, c'est par une évacuation de selles que l'enfant interrompit la scène originaire à laquelle il assista : il y eut donc excitation de la zone anale comme signe de son excitation sexuelle, conformément à sa constitution sexuelle : « Il prend d'emblée une position passive, montre plus d'inclination à s'identifier ultérieurement avec la femme qu'avec l'homme. » [2]

Freud étudie ensuite la **transposition pulsionnelle qui permet le passage de l'excrément cadeau à sa nouvelle signification d'enfant,** à

1. *Ibidem,* p. 402 ; p. 97 ; p. 134.
2. *Ibidem,* p. 386 ; p. 78 ; p. 113.

partir du souvenir-écran de sa fureur de n'avoir pas eu assez de cadeaux (donc de satisfaction sexuelle anale) à Noël. Sergueï passe de sa méfiance envers les enfants (ou les petits oiseaux), par peur d'être dépossédé de sa place au désir de donner un enfant au père. L'argent peut alors lui aussi signifier l'enfant et assumer l'expression de la satisfaction féminine (homosexuelle)[1]. D'où les motions de jalousie envers sa sœur quand le père lui donne de l'argent, la satisfaction (malgré son réel chagrin) de se retrouver unique après sa mort, ou les reproches à sa mère (d'avoir aimé un autre enfant). C'est ainsi que la mise en relation de Dieu avec l'excrément prend tout son sens : « chier sur Dieu » ou « chier quelque chose pour Dieu » signifie aussi lui faire cadeau d'un enfant et se faire offrir par lui en cadeau un enfant, le symptôme unissant en lui les deux significations de l'excrément cadeau et de l'excrément enfant[2]. On retrouve ici le même consentement que chez le président Schreber : renoncer à sa masculinité en échange d'être aimé en tant que femme ; chez Sergueï, c'est le trouble intestinal qui s'est mis au service du courant homosexuel et exprime la position féminine envers le père.

Mais alors la **colonne d'excrément jouant le rôle d'un organe actif** se comporte comme le pénis envers la muqueuse vaginale et en est le précurseur. Il s'ensuit que « l'abandon de l'excrément en faveur (pour l'amour) d'une autre personne devient, quant à lui, le prototype de la castration, c'est le premier cas de renoncement à un morceau du corps propre pour gagner la faveur d'une autre personne aimée »[3]. Freud formule alors la clef des transpositions pulsionnelles à partir de l'érotisme anal. L'amour narcissique porté au pénis ne va pas sans une contribution de l'érotisme anal. L'excrément, l'enfant, le pénis font alors une unité, une sorte de concept inconscient, celui du « petit » séparable du corps. « C'est par ces voies de liaison que peuvent s'effectuer des déplacements et des renforcements de l'investissement libidinal qui ont de l'importance pour la pathologie et sont mis à découvert par l'analyse. »[4]

1. *Ibidem,* p. 387 ; p. 80 ; p. 115.
2. *Ibidem,* p. 388 ; p. 81 ; p. 116.
3. *Ibidem,* p. 389 ; p. 81 ; p. 116.
4. *Ibidem,* p. 389 ; p. 82 ; p. 117.

Finalement, « l'organisation sadique-anale se laisse facilement reconnaître en tant que formation prolongeant l'organisation orale ». La violente activité musculaire exercée sur l'objet qui la caractérise se rapproche de l'acte préparatoire à celui de manger comme la bête. Il s'autonomise, et l'organe récepteur passif se détache de la zone buccale pour se former dans la zone anale. Les organisations humaines prégénitales se prêtent aux parallèles biologiques et apparaissent alors comme des restes d'équipement qui se sont maintenus dans maintes classes d'animaux[1]. Chez Sergueï, l'érotisme anal direct ne se fait pas remarquer de façon frappante ; les excréments ont changé « leur signification tendre pour une signification offensive, sadique, tandis que le sentiment de culpabilité alimente la transformation du sadisme en masochisme. La phase sadique-anale persiste et reste dominante, même dans la période marquée par la phobie d'animal ; la victoire de la masculinité se montre en ceci seulement que désormais, aux buts sexuels passifs de l'organisation dominante (qui sont masochistes, mais non pas féminins), on réagit avec angoisse. Il n'existe là aucune motion sexuelle masculine victorieuse, mais seulement une motion passive et une rébellion contre celle-ci »[2].

L'analité dans la mélancolie

« Deuil et mélancolie » (**1915**) analyse la double régression du mélancolique, d'une part à l'identification narcissique, d'autre part, sous l'influence du conflit d'ambivalence, au sadisme et s'interroge sur le mécanisme énigmatique de la tendance au suicide dans la mélancolie. Le moi ne peut se tuer que lorsqu'il peut se traiter lui-même comme un objet et diriger contre soi l'hostilité qui vise un objet. Dans ce contexte, Freud note que « l'un des caractères frappants de la mélancolie, le relief pris par l'angoisse d'appauvrissement, dérive de l'érotisme anal arraché à ses liaisons et régressivement transformé »[3].

1. *Ibidem,* p. 408 ; p. 105 ; p. 143.

2. *Ibidem,* p. 411 ; p. 108 ; p. 146.

3. « Deuil et mélancolie » (1917e [1915]), *Métapsychologie,* Paris, Gallimard, 1968, p. 161 ; *OCF* XIII, p. 271 ; *GW* X, p. 439.

« Vaterarsch », *un symptôme relevant de l'érotisme anal*

Dans le très court texte « Parallèle mythologique avec une représentation de contrainte d'ordre plastique » (**1916**), Freud présente et analyse un symptôme qui associe pensée obsessionnelle et image obsessionnelle, et le rapproche de la figure mythologique de Baubo. Un patient mettait en rapport, à une certaine époque, quand son père entrait dans la pièce, d'une part un mot, « *Vaterarsch* » (cul de père), d'autre part une image, celle de la moitié inférieure d'un corps nu, sans indication d'organes génitaux, pourvu de bras et de jambes, mais sans tête ni buste. Les traits du visage étaient peints sur le ventre. Cet homme de vingt et un ans, intelligent et moralement élevé, s'était adonné jusqu'à dix ans à un érotisme anal vivace, sous diverses formes. Il le surmonta, mais, ultérieurement, sa vie sexuelle régressa au stade anal du fait de sa lutte contre l'érotisme génital. Il aimait et respectait son père, mais le redoutait et voyait en lui, par comparaison avec sa volonté personnelle de répression pulsionnelle et d'ascèse, un goinfre tourné vers la jouissance des choses matérielles. *Vaterarsch* était une germanisation malicieuse du terme « patriarche », l'image une caricature ramenant l'être à un seul organe, comme dans l'identification de l'organe génital à l'être entier. Cette figure rappelle Baubo, faisant rire Déméter endeuillée qui cherchait sa fille enlevée, en dévoilant son ventre où figurait un visage[1].

Les transpositions pulsionnelles

En **1917**, Freud développe la question « Des transpositions pulsionnelles, en particulier dans l'érotisme anal », reprenant un thème déjà abordé dans l'« Histoire d'une névrose infantile », au chapitre VII, et dans un ajout de 1915 aux *Trois essais sur la théorie sexuelle*. Il s'agit des destins de l'érotisme anal, dont les « sources organiques » ne sont pas ensevelies par l'entrée en scène de l'organisation génitale.

L'article rappelle les traits caractéristiques du caractère anal, lié à la force des composantes pulsionnelles érotiques-anales mais manifesté

1. « Parallèle mythologique avec une représentation de contrainte d'ordre plastique » (1916b), *L'inquiétante étrangeté et autres essais*, Paris, Gallimard, 1985, p. 131-133 ; *OCF* XV, p. 3-4 ; *GW* X, p. 398-400.

par ces modes de réaction du moi que sont la méticulosité, l'avarice et l'entêtement. Une « analyse particulièrement contraignante » (celle de l'homme aux loups) a fait admettre à Freud l'existence d'une organisation prégénitale sadique-anale, avant la phase du primat génital.

Il s'ensuit une question : **que deviennent ultérieurement les motions pulsionnelles érotiques-anales ?** Subsistent-elles, mais refoulées ? Sont-elles absorbées par « transposition en particularités du caractère » ? Ou bien sont-elles accueillies dans la nouvelle configuration de la sexualité, déterminée par le primat des organes génitaux ? Aucun de ces destins ne saurait être exclusif ; de quelle façon interviennent ces diverses possibilités ? Devant un matériel abondant, mais opaque, Freud propose une contribution qui ne se prétend pas complète. Dans les productions de l'inconscient (idées incidentes, fantasmes et symptômes), « les **concepts d'excrément (argent, cadeau), d'enfant et de pénis sont mal discriminés** et facilement échangés les uns contre les autres » ; pour mieux dire, « ces éléments sont fréquemment traités comme s'ils étaient équivalents les uns aux autres et pouvaient se remplacer les uns les autres sans inconvénient ». Ainsi, dans la langue symbolique, l'enfant s'appelle, tout comme le pénis, le « petit », et « petit » peut même secondairement désigner aussi l'organe génital féminin.

Freud commence par une transposition génitale : il évoque la présence de l'envie du pénis chez des femmes névrosées, son absence chez d'autres, et le remplacement chez certaines de l'envie du pénis par le souhait ultérieur (mais toujours dans l'enfance) d'avoir un enfant. Ainsi le souhait infantile du pénis, lorsqu'il n'y a pas de névrose, se transforme en souhait visant l'homme ; ce processus « translate un morceau de la masculinité narcissique de la jeune femme en féminité ». Par une autre voie, une part de l'érotisme prégénital devient apte à être utilisé dans la phase du primat génital. **L'enfant,** comme dans l'analyse du petit Hans, est considéré comme « Lumpf », quelque chose qui se détache du corps en passant par l'intestin. Une part de l'investissement libidinal qui a porté sur le contenu intestinal peut donc être étendu à l'enfant, dans la conception anale de la naissance par l'intestin. L'expression « faire cadeau d'un enfant » en témoigne : l'excrément est en effet le premier cadeau, une partie de son corps dont le nourrisson ne se sépare que sur les exhortations de la personne aimée. « Lors de la défécation l'enfant se trouve placé devant une première décision, choisir entre position narcissique et position d'amour d'objet », soit en retenant l'excrément pour sa satisfaction autoérotique et plus tard pour l'affirmation de sa propre volonté (défi découlant d'une persévérance narcissique dans l'érotisme anal, source de l'entêtement), soit en acceptant ce sacrifice par amour.

C'est sans doute **le cadeau** (et non par l'or, l'argent comme monnaie) qui est la première signification vers laquelle s'achemine la transformation de l'intérêt pour l'excrément. L'enfant ne connaît l'argent que sous la forme du cadeau, et dans le traitement psychanalytique, les cadeaux déchaînent des tempêtes transférentielles. « L'intérêt pour l'excrément est donc pour une part perpétué en tant qu'intérêt pour l'argent, d'autre part translaté dans le souhait visant l'enfant », dans lequel coexistent une motion érotique-anale et une motion génitale (envie de pénis). Mais **le pénis a aussi une signification érotique-anale,** car l'organisation érotique-anale le met en rapport avec le conduit muqueux rempli et excité. La balle ou le bâton d'excrément est pour ainsi dire le premier pénis ; les fantasmes et jeux pervers peuvent prolonger fort avant dans l'enfance cet érotisme anal organisé, représentant pénis et vagin par le bâton d'excrément et l'intestin. Dans la névrose obsessionnelle (ou de contrainte), les fantasmes originellement conçus sur un mode génital sont commués en anal, le pénis s'y trouve remplacé par le bâton d'excrément, le vagin par l'intestin.

Si l'intérêt pour l'excrément passe de façon normale à l'arrière-plan, cette analogie organique a pour effet qu'il se transfère au pénis. La conception anale de la naissance est ultérieure, et l'enfant est héritier de l'érotisme anal, mais son prédécesseur a été le pénis. Pour éviter la confusion dans ces multiples relations excrément-pénis-enfant, Freud propose un schéma qui les condense et les reformule synthétiquement : le défi procède de l'érotisme anal utilisé narcissiquement, comme réaction du moi aux exigences des autres ; l'intérêt pour l'excrément transite par l'intérêt pour le cadeau, puis pour l'argent ; avec l'entrée en scène du pénis, apparaît chez la fille l'envie du pénis, qui se transpose plus tard en intérêt pour l'homme porteur du pénis, après s'être déjà transformé en souhait visant l'enfant ; l'analogie organique pénis-enfant (« le petit ») favorise les conjonctions, et une voie rationnelle conduit du désir d'enfant au désir pour l'homme.

Plus clairement encore chez l'homme, la découverte faite par l'enfant du manque de pénis chez la femme favorise la compréhension du pénis comme détachable du corps, ce qui le fait entrer en analogie avec l'excrément. « L'ancien défi anal intervient ainsi dans la constitution du complexe de castration »[1], substitut psychique de l'ancienne analogie organique prégénitale où le contenu de l'intestin était précurseur du pénis. L'enfant reconnu comme « Lumpf » est investi d'un puissant intérêt érotique-anal, renforcé par l'expérience sociale qui fait de l'enfant une preuve d'amour, un cadeau. Colonne d'excrément, pénis, enfant sont tous trois des corps solides qui excitent un conduit muqueux – le vagin ou le rectum – en entrant ou en sortant. La recherche sexuelle infantile ne connaît en général que l'analogie avec la colonne d'excrément, sans mettre au jour la fonction du pénis.

Notons que, toujours en **1917**, dans la troisième des *Contributions à la psychologie de la vie amoureuse,* consacrée au « Tabou de la virginité », Freud décrit à nouveau la transposition pulsionnelle de l'envie du pénis chez la fille, en la rattachant au complexe de castration, à partir des situations d'hostilité envers l'homme après la relation sexuelle.

Synthèse pédagogique

Dans la troisième partie des *Leçons d'introduction à la psychanalyse* de **1917,** Freud rappelle dans le chapitre consacré à la vie sexuelle de l'être humain la conception infantile sadique du coït ainsi que de la naissance par l'anus : « L'enfant vient donc au jour comme une balle d'excrément »[2], théorie sexuelle infantile qui n'est abandonnée qu'après la dévalorisation de tous les intérêts anaux. Le chapitre XXI, qui porte sur le développement de la libido, reformule la notion d'organisation sexuelle prégénitale et le rôle qu'y joue l'opposition entre actif et passif, comme précurseur de l'opposition entre

1. « Sur les transpositions des pulsions, plus particulièrement dans l'érotisme anal » (1917c), *La vie sexuelle,* Paris, PUF, 1969, p. 106-112 ; *OCF* XV, p. 56-61 ; *GW* X, p. 403-409.

2. *Leçons d'introduction à la psychanalyse* (1916-1917 [1915-1916]), Paris, Payot, 1973, p. 298 ; Paris, Gallimard, 1999, p. 403 ; *OCF* XIV, p. 328 ; *GW* XI, p. 329.

masculin et féminin, ce qui apparaît comme masculin dans ce niveau d'organisation de la sexualité relevant en fait de la pulsion d'emprise (mobilisant aussi les pulsions de regarder et de savoir), tandis que la zone érogène de l'issue intestinale est le lieu des tendances à but passif. « L'organisation sadique-anale est le stade préliminaire le plus proche de la phase du primat génital. »[1]

Même si la question n'est pas explicitement abordée par Freud en **1919,** dans son article princeps sur le masochisme lié aux fantasmes de fustigation, « Un enfant est battu », le lecteur ne peut éviter de voir la part que prend un érotisme anal particulièrement vivace, participant éventuellement d'une organisation sadique-anale, à cette élaboration fantasmatique.

Les effets de l'interdit portant sur le plaisir anal

En **1920,** dans une **note ajoutée** au paragraphe des *Trois essais sur la théorie sexuelle* consacré à l'activité de la zone anale, Freud salue le travail de Lou Andreas-Salomé sur la signification de l'érotisme anal (« "Anal" et "sexuel" » paru dans *Imago* en 1916). Elle en « approfondit de façon extraordinaire » la compréhension en exposant que le premier interdit que rencontre l'enfant, celui de tirer du plaisir de l'activité anale et de ses produits, est déterminant pour tout son développement. À cette occasion, l'enfant a inévitablement le pressentiment d'un environnement hostile à ses motions pulsionnelles, apprend à séparer son être propre de cette entité étrangère et effectue ensuite le premier refoulement portant sur ses possibilités de plaisir. L'anal reste dès lors « le symbole de tout ce qui est à rejeter, à éliminer de la vie ». À la distinction nette exigée plus tard entre « processus anal » et « processus génital » s'opposent les étroites analogies et relations anatomiques et fonctionnelles existant entre les deux. L'appareil génital reste voisin du cloaque, et, comme le précise Lou Salomé, « chez la femme, il est même seulement pris en location à celui-ci »[2].

1. *Ibidem,* p. 308 ; p. 416 ; p. 339 ; p. 339.

2. *Trois essais sur la théorie sexuelle* (1905d), Paris, Gallimard, 1987, p. 112-113 ; *OCF* VI, p. 122 ; *GW* V, p. 88.

Une précision importante est donnée dans une note de 1920 à la fin de l'essai sur la sexualité infantile : tout individu dispose d'un érotisme oral, anal, urinaire, etc. Constater les complexes psychiques qui y correspondent ne signifie pas juger de l'anormalité ou de la névrose. « Les différences qui séparent le normal et l'anormal ne peuvent résider que dans la force relative de chacune des composantes de la pulsion sexuelle et dans l'utilisation qui en est faite au cours du développement. »[1]

Références éparses

D'autres cas d'érotisme anal sont évoqués par Freud, par exemple en **1921** dans « Psychanalyse et télépathie »[2], mais sans ajouter d'éléments nouveaux à une théorisation désormais pleinement élaborée. Ainsi, en **1922,** les « Remarques sur la théorie et la pratique de l'interprétation du rêve » présentent un cas clinique dans lequel le rêve d'une patiente présente un jeune homme qui assassine sa bien-aimée et évoque le cacao qui donne mal à la tête aux femmes. Les enfants naissent par quelque chose que l'on mange, comme dans les contes, et l'érotisme anal associe classiquement ici la conception sadique du coït et la naissance anale[3]. L'article « Psychanalyse » de **1922** résume la thèse de l'organisation prégénitale sadique-anale[4].

Reprises ultérieures et élaborations complémentaires

Dans *Inhibition, symptôme et angoisse* (**1926**), Freud **articule la régression de la libido et la sévérité du surmoi dans la névrose obsessionnelle** (ou de contrainte). « En fait le surmoi, qui est issu du ça, ne peut justement pas se soustraire à la régression et à la démixtion pulsionnelle qui y sont intervenues. Il n'y aurait pas à s'étonner qu'il

1. *Ibidem,* p. 139 ; p. 142 ; p. 106.

2. « Psychanalyse et télépathie » (1941d [1921]), *Résultats, idées, problèmes, II,* Paris, PUF, 1985, p. 12 ; *OCF* XVI, p. 105 ; *GW* XVII, p. 32.

3. « Remarques sur la théorie et la pratique de l'interprétation du rêve » (1923c), *Résultats, idées, problèmes, II,* Paris, PUF, 1985, p. 89-90 ; *OCF* XVI, p. 178 ; *GW* XIII, p. 313.

4. « "Psychanalyse" et "Théorie de la libido" » (1923a), *Résultats, idées, problèmes, II,* Paris, PUF, 1984, p. 62 ; *OCF* XVI, p. 194 ; *GW* XIII, p. 221.

devienne de son côté plus dur, plus tourmenteur, plus dénué d'amour que dans un développement normal. »[1] Pendant le temps de la latence, la lutte contre la masturbation est traitée comme une tâche majeure, ce qui engendre des symptômes qui subliment des composantes anales érotiques et revêtent le caractère d'un cérémonial pour les actes habituellement automatiques de la vie quotidienne, développant le penchant à la répétition et à la dépense de temps qui se manifestera éventuellement lors d'une grave affection ultérieure. À la puberté, les motions agressives de l'époque précoce se réveillent et une part plus ou moins grande des nouvelles motions libidinales, parfois leur totalité, se trouve déjà engagée dans une voie régressive maquée par les visées agressives et destructives. C'est sous la bannière de l'éthique que s'engage alors le combat contre la sexualité.

En **1929**, dans *Malaise dans la civilisation,* Freud caractérise le procès du développement de la culture par les modifications qu'il effectue sur les prédispositions pulsionnelles humaines. L'exemple le plus remarquable en est l'érotisme anal de l'adolescent : son intérêt originel pour la fonction d'excrétion et ses produits se mue en parcimonie, sens de l'ordre et propreté, traits qui, lorsqu'ils s'intensifient, forment le caractère anal. « Or nous avons trouvé que l'ordre et la propreté sont des revendications culturelles essentielles, bien que leur nécessité vitale n'apparaisse pas précisément comme évidente, pas plus que leur aptitude à être des sources de jouissance. » La similitude entre le procès culturel et le développement libidinal s'impose alors à nous ; d'autres pulsions se déplacent et reportent sur d'autres voies les conditions de leur satisfaction, ce qui coïncide souvent, mais pas toujours, avec la sublimation pulsionnelle. La culture s'édifie donc largement sur du renoncement pulsionnel, suscitant en retour une tendance à l'hostilité envers la culture, ainsi que des risques de troubles psychiques s'il n'y a pas de compensation pour l'économie psychique. Les « refoulements organiques », notamment, sont liés au **recul du rôle de l'olfaction,** lui-même à rapprocher de la station verticale ; de même, on ne peut méconnaître le rôle du facteur social dans

1. *Inhibition, symptôme et angoisse* (1926d [1925]), Paris, PUF, 1986, p. 36 ; *OCF* XVII, p. 233 ; *GW* XIV, p. 145.

l'aspiration culturelle à la propreté, mise en œuvre bien avant les justifications hygiéniques après coup. « L'incitation à la propreté découle de la pressante nécessité de mettre à l'écart les excréments devenus désagréables à la perception sensorielle. » Or les excréments ne suscitent chez les jeunes enfants aucune répugnance, ils leur apparaissent au contraire comme ayant de la valeur en tant que partie du corps qui s'est détachée. L'éducation insiste pour les rendre rapidement dégoûtants, répugnants et sans valeur, et elle y est aidée par le destin des stimuli olfactifs. « L'érotisme anal succombe donc d'abord au "refoulement organique" qui a frayé la voie à la culture. »[1] Le **facteur social qui assure la mutation de l'érotisme anal** est manifeste dans le fait que l'odeur de ses propres excréments est à peine choquante, tandis que celle des excréments de l'autre est insupportable. Le malpropre, qui ne dissimule pas ses excréments, offense donc l'autre en ne lui témoignant aucun égard, ce qui est clair dans de nombreuses injures. De même, si « chien » est un terme injurieux, c'est parce que cet être attachant est un animal olfactif qui ne craint pas ses excréments, et qui n'a pas honte de ses fonctions sexuelles.

Dans une note consacrée à la bisexualité psychique, Freud souligne la difficulté qui demeure pour articuler bisexualité et théorie pulsionnelle, d'autant qu'à l'érotisme s'ajoutent fréquemment, mal distingués, les penchants à l'agression. La dévalorisation de l'odorat amène une répugnance qui touche facilement l'ensemble de la sexualité et pas seulement l'érotisme anal. Tout cela contribue à éloigner la pleine satisfaction sexuelle et à repousser la satisfaction loin du but sexuel, du côté des sublimations et des déplacements de la libido[2]. Enfin, discutant comme illusoires les thèses communistes de l'abolition de la propriété privée, Freud souligne que cela ne supprimerait pas les **motions agressives,** qui préexistent à la propriété et commencent dès la chambre d'enfants « à peine la propriété a-t-elle abandonné sa forme originaire, anale »[3].

1. *Malaise dans la civilisation* (1930a [1929]), Paris, PUF, 1971, p. 50, n. 1 ; *OCF* XVIII, p. 286, n. 1 ; *GW* XIV, p. 459, n. 1.

2. *Ibidem,* p. 58, n. 1 ; p. 292, n. 2 ; p. 465, n. 2.

3. *Ibidem,* p. 67 ; p. 300 ; p. 473.

Les *Nouvelles conférences* (1933), outre un développement spécifique, comportent deux mentions significatives de la problématique anale. La première intervient dans la « Révision de la doctrine du rêve » : Freud rapproche des rêves et des motifs mythologiques, que l'interprétation des rêves éclaire, et indique : « C'est ainsi par exemple que dans la légende du labyrinthe, on peut reconnaître la présentation d'une naissance anale ; les parcours enchevêtrés sont l'intestin, le fil d'Ariane le cordon ombilical. » [1] La deuxième remarque, dans « De la féminité », concerne la phase phallique de la petite fille, où Freud récuse la thèse de sensations vaginales précoces, arguant qu'elles ne sauraient être différenciées de sensations anales ou vulvaires [2].

Mais c'est surtout dans « Angoisse et vie pulsionnelle » que Freud revient sur les notions de plaisir d'organe et de zones érogènes, pour rappeler les notions d'organisations prégénitales et génitales, présentées systématiquement en termes de phases ou de stades : « À un second stade, ce sont les impulsions sadiques et anales qui s'avancent au premier plan, certainement en corrélation avec la venue des dents, le renforcement de la musculature et la maîtrise des fonctions sphinctériennes. » [3]

Freud intègre les travaux de Karl Abraham (*Essai d'une histoire du développement de la libido,* 1924), conscient d'apports et de connaissances nouvelles sur les organisations précoces de la libido. Abraham **différencie deux stades dans la phase anale** : « Au premier de ces deux stades prévalent les tendances destructives, anéantir et perdre, au stade ultérieur les tendances amicales pour l'objet, maintenir et posséder. C'est donc au milieu de cette phase que survient pour la première fois la prise en considération de l'objet en tant que précurseur d'un

1. « Révision de la doctrine du rêve » (1933), *Nouvelles conférences d'introduction à la psychanalyse,* Paris, Gallimard « Folio », 1984, p. 38 ; in *Nouvelle suite des leçons d'introduction à la psychanalyse, OCF* XIX, p. 106 ; *GW* XV, p. 26.

2. « De la féminité » (1933a), *Nouvelles conférences d'introduction à la psychanalyse,* Paris, Gallimard « Folio », 1984, p. 38 ; in *Nouvelle suite des leçons d'introduction à la psychanalyse, OCF* XIX, p. 201 ; *GW* XV, p. 126.

3. « Angoisse et vie pulsionnelle » (1933), *Nouvelles conférences d'introduction à la psychanalyse,* Paris, Gallimard « Folio », 1984, p. 133 ; in *Nouvelle suite des leçons d'introduction à la psychanalyse, OCF* XIX, p. 181 ; *GW* XV, p. 105.

investissement d'amour ultérieur. » Une subdivision analogue intervient dans la phase orale. La valeur de ces nouvelles subdivisions tient à leur apport pour la recherche, dans le développement de la libido, de points de disposition à telle affection, telle la névrose de contrainte ou la mélancolie, à partir de la corrélation entre fixation de la libido, disposition et régression.

Une modification théorique est à prendre en compte : si la systématisation en stades s'accentue, ce n'est plus pour montrer la succession des configurations, mais paradoxalement pour souligner « quelle part de chaque phase antérieure reste conservée à côté et derrière les configurations ultérieures, acquérant une représentance durable dans l'économie de la libido et dans le caractère de la personne ». Fréquemment se produisent des **régressions** à des phases antérieures, et des régressions déterminées sont caractéristiques de formes de maladie déterminées. Transpositions pulsionnelles et régressions ont été particulièrement étudiées dans les excitations provenant des sources de la zone anale érogène. Selon Abraham, l'anus, embryologiquement, correspond à la bouche originaire, qui a migré pour descendre jusqu'à l'extrémité de l'intestin. Avec la dévalorisation de l'excrément, cet intérêt pulsionnel de source anale passe à des objets qui peuvent être donnés en cadeau, puisque l'excrément « fut le premier cadeau que put faire le nourrisson, dont il se dessaisissait par amour pour celle qui prenait soin de lui ». Puis, cet ancien excrément se transpose en valeur accordée à l'or et à l'argent (comme monnaie), mais fournit aussi sa contribution à l'investissement affectif de l'enfant et du pénis. En effet, les enfants restent longtemps attachés à la théorie cloacale et pour eux, dans un premier temps, l'enfant naît de l'intestin comme un morceau d'excrément : la défécation est le modèle de la naissance. Le pénis a lui aussi son précurseur dans la colonne d'excrément, et lorsque l'enfant, de mauvaise grâce, a pris conscience que tous les humains ne possèdent pas de pénis, le pénis lui apparaît comme détachable du corps, comme l'excrément, « premier morceau de corporéité auquel on a dû renoncer ». Une grande part d'érotisme anal est ainsi translatée en investissement du pénis, lequel reçoit en plus un investissement oral peut-être plus puissant encore, en tant qu'héritier du mamelon de la tétée.

Freud résume ainsi, plus clairement que jamais et en y intégrant les apports de Karl Abraham, le jeu des **transpositions pulsionnelles** car, précise-t-il, on ne peut comprendre les symptômes, les fantasmes et les idées incidentes influencées par l'inconscient si l'on ne connaît pas « ces relations profondes. Excrément-argent-cadeau-enfant-pénis sont traités ici comme ayant la même signification et représentés d'ailleurs par des symboles communs »[1]. L'intérêt ultérieur pour le vagin est d'ailleurs lui aussi principalement d'origine anale, car, selon le mot de Lou Andreas-Salomé, il est « pris en location » au rectum. La clinique des homosexuels, de même que les rêves où un espace unique est secondairement cloisonné en deux manifestent ce rapport du vagin à l'intestin. Enfin, le souhait chez la fille de posséder un pénis se mue en souhait visant un enfant, puis en souhait d'un homme, porteur de pénis et dispensateur d'enfant, là encore à partir d'un intérêt originairement érotique-anal, qui trouve accueil dans l'organisation génitale ultérieure. Freud conclut cette synthèse en y ajoutant, dans le domaine de la formation du caractère, la triade de l'ordre, de l'économie et de l'entêtement, qui absorbe et utilise autrement, chez certaines personnes, l'érotisme anal. Le caractère anal est dans une certaine opposition avec l'érotisme anal non élaboré.

QUESTIONS ET ENJEUX

Les réflexions freudiennes sur l'érotisme anal et le caractère anal sont parmi les conceptualisations les plus précises et les plus élaborées de l'œuvre. Leur construction s'opère en des moments déterminés. L'année 1905 correspond à la mise en évidence de l'importance de la zone anale et de l'existence d'organisations prégénitales, premières mises en forme de la perversion polymorphe de la sexualité infantile. En 1908-1909, c'est la période des élaborations essentielles, soutenues par la réflexion clinique sur la cure de l'homme aux rats : place de l'analité dans les théories sexuelles infantiles, importance de l'érotisme

1. *Ibidem*, in *Nouvelle suite des leçons d'introduction à la psychanalyse*, p. 134-137 ; p. 182-184 ; p. 106-108.

anal, théorisation du caractère anal. Trois apports complémentaires viennent ensuite : la symbolique de l'excrément (1911), l'approfondissement de l'étude de l'organisation érotique anale (1913), et, surtout, l'étude des « transpositions pulsionnelles » qui conduisent de l'organisation sexuelle anale à la génitalité (1917). La cure de l'homme aux loups est ici l'appui clinique essentiel. La fin de l'œuvre comporte trois reprises élaboratives : ajustement entre la régression anale de la libido et la deuxième topique (1926) ; articulation avec les réflexions sur la culture, notamment avec la verticalisation humaine et le recul de l'olfactif (1929) ; intégration des élaborations de Karl Abraham en 1924 qui entraînent une accentuation de la théorie des stades mais aussi une insistance sur l'accueil des traits précoces dans les organisations plus élaborées, et notamment sur celui des organisations prégénitales dans la génitalité.

Importance des autoérotismes

Les autoérotismes oraux et anaux sont directement référés à des **zones érogènes** déterminées. C'est dans la **spatialité corporelle** que Freud reconnaît l'ancrage, la source des pulsions partielles et la **multiplicité spécifique du sexuel infantile** en tant que pervers polymorphe. Il est donc impossible de dissocier la compréhension freudienne de la sexualité de sa prise en compte du corps : si la pulsion est un concept-limite entre le somatique et le psychique, la dimension biologique de l'existence humaine est intrinsèquement l'une des frontières irréductibles de la psychanalyse, ce dont rend compte, en première topique, la notion d'étayage de la pulsion sexuelle sur l'auto-conservation.

En même temps, la notion d'autoérotisme fait éclater toute autonomisation du biologique, qui ne saurait, hors de l'animalité, se suffire à lui-même. Les autoérotismes introduisent en effet d'emblée la référence au plaisir, et sont le fondement premier de la notion de **principe de plaisir.** Implicitement, d'ailleurs, ce mouvement pour retrouver le plaisir éprouvé, première polarité de toute vie psychique, implique déjà une logique de répétition, dont l'œuvre freudienne ne pose que beaucoup plus tard les autres déterminations : tendance à la compulsion, y compris au-delà du principe de plaisir. Au-delà ou en deçà du corps est en effet l'inertie, celle d'avant la vie qui, de ce fait, contredit les mouvements de vie en visant la déliaison comme voie vers la réduction totale de toute tension.

Mais l'anarchie des autoérotismes rencontre très tôt la tendance aux liaisons : il importe de remarquer le rôle de la **tension, dans la compréhension freudienne du sexuel infantile, entre perversion polymorphe et organisations prégénitales.** Ce sont seulement la deuxième théorie des pulsions – en posant Éros comme la force qui établit des liaisons toujours plus étendues – et la deuxième topique – en dégageant les fonctions du moi – qui permettent pleinement de comprendre ce que Freud pose d'emblée : le passage de l'anarchie pulsionnelle à l'organisation sexuelle, fût-elle prégénitale.

L'organisation prégénitale anale

En effet, les organisations prégénitales sont bien des organisations de la vie sexuelle, et pas seulement des autoérotismes anarchiques juxtaposés ; elles correspondent à la sexualité infantile lorsque « les zones génitales n'ont pas encore endossé leur rôle prépondérant ».

L'organisation orale ou cannibalique et l'organisation sadique-anale se caractérisent par une **apparence d'animalité** du fait de leur ancrage direct dans la fonction corporelle. Mais il ne faut pas s'y tromper : **l'association avec les pulsions sadiques** (elles-mêmes appuyées dans le premier cas sur la denture ou dans le second sur la musculature) témoigne d'une **mise en relation organisatrice.** Celle-ci est particulièrement manifeste dans l'érotisme anal, par la façon dont s'y déploient et s'y élaborent les **polarités actif/passif** d'une part, et **autoérotique (narcissique)/objectal** d'autre part. La primitivité (rôle du cloaque, importance de l'olfaction, absence des dégoûts ultérieurs) s'y associe aux opérations de maîtrise et de différenciation. On aimerait d'ailleurs que Freud ait plus explicitement articulé cette mise en forme avec le passage des autoérotismes au narcissisme, dans la mesure où le début de la prise en compte de l'objet, dans son extériorité, fût-ce sur un mode sadique, est aussi un facteur de rassemblement des autoérotismes et de possibilité de réflexivité (en particulier sous la forme de l'instance critique permettant la formation d'idéal mais aussi les vécus projectifs de persécution).

Ce qui fait défaut à ces organisations sexuelles, c'est le primat du génital, lui-même conçu comme « subordination à la fonction de reproduction », ce qui est non pas une relativisation du principe de plaisir, mais une focalisation de celui-ci. Or cette focalisation est beaucoup plus qu'un centrage ; elle est une forme de transcendance interne au principe de plaisir, au sens où celui-ci s'y dépasse lui-même en s'ouvrant sur plus que lui-même : sur une relation qui d'une part hiérarchise entre elles les zones corporelles, d'autre part déborde doublement le seul individu puisque la visée de plaisir suppose alors à la fois la relation à un autre semblable et différent (l'autre sexe) et l'orientation vers l'enfant. Or c'est l'organisation anale elle-même qui, par sa symbolique, prépare et organise cette « transposition pulsionnelle ». Néanmoins, la forme d'organisation sexuelle anale, d'allure archaïque du fait de la prédominance du sadisme et du rôle de cloaque de la zone anale, « peut se maintenir tout au long de la vie et tirer durablement à soi une grande part de l'activité sexuelle » [1]. En outre, les couples d'opposés pulsionnels s'y développent de pair, suscitant un état d'ambivalence, selon le terme d'Eugen Bleuler : l'**ambivalence psychique** est anale avant d'être œdipienne.

Si l'on tient compte de l'importance décisive de l'ancrage dans une zone érogène, et de cette description du primat du génital, on voit que la notion temporelle de « stade » ou de « phase » est secondaire par rapport à celle de spatialité d'une part, de prééminence logique du génital d'autre part. S'il est une certaine **successivité dans l'apparition** des différentes organisations sexuelles, cela ne signifie nullement que l'une remplace l'autre, puisque les plus anciennes peuvent se maintenir, et que la vie psychique peut y régresser.

Multiplicité de constitutions sexuelles

Les sources de l'excitation sexuelle fournissent des affluents chez tous les individus, mais toutes ne sont pas de force égale : les **facteurs économiques** sont essentiels à la diversité des constitutions psychiques. Les facteurs **dynamiques** aussi, et les destins de l'érotisme anal sont un lieu d'observation privilégié des points de **fixation** et des mouvements de **régression.** La théorisation de la symptomatologie de contrainte de la névrose obsessionnelle et celle des dispositions à cette névrose sont une contribution décisive à l'élaboration de ces notions.

1. *Trois essais sur la théorie sexuelle* (1905d), Paris, Gallimard « Folio », 1987, p. 128-129 ; *OCF* VI, p. 134-135 ; *GW* V, p. 98-99.

Tout individu dispose d'un érotisme oral, anal, urinaire, etc. Constater les complexes psychiques qui y correspondent ne signifie pas juger de l'anormalité ou de la névrose. À partir de 1920, Freud précise à plusieurs reprises que la différence entre normalité et pathologie est d'ordre économique, et tient non pas à des différences de nature mais à la force relative des composantes de la pulsion sexuelle, et aux utilisations différentes de composantes analogues. Ceci fonde la confiance dans les remaniements possibles au cours d'une cure psychanalytique, par l'analyse des résistances et la dissolution des fixations défensives servant de points de régression.

Le caractère anal

L'un des destins de l'érotisme anal est le caractère anal. Outre qu'il témoigne d'un ensemble organisé au niveau du caractère et non plus dans la seule constitution sexuelle, il montre le jeu articulé de formations réactionnelles et de sublimations. À part les mentions du lien entre érotisme urétral et ambition « brûlante », il est une des contributions freudiennes les plus importantes à la **notion de caractère.** L'article de 1916, « Quelques types de caractère dégagés par le travail psychanalytique » témoigne de l'intérêt de Freud pour la mise en évidence de **configurations caractérielles,** comme il en manifeste plus tard pour celle de constitutions libidinales à propos « Des types libidinaux » (1931).

L'intérêt particulier de l'**ordre anal,** c'est que l'on peut repérer aussi clairement les caractéristiques de l'érotisme anal comme tel, de l'organisation sexuelle sadique-anale qui en est une mise en forme (en association avec le sadisme infantile), et du caractère anal qui en est une transformation. Cette possibilité de suivre les **destins** de la pulsion partielle ouvre la pensée freudienne à une réflexion sur la transformation psychique, spécifiée par les chemins pris par les « transpositions » des pulsions. On peut y remarquer la solidité des configurations anales, ce qui donnera leur force spécifique aux résistances anales dans la cure, mais fait aussi de l'analité un lieu privilégié d'une part de la **construction et de la permanence du caractère,** d'autre part de la **possibilité de sublimer** les pulsions partielles. Freud mentionne d'ailleurs à plusieurs reprises combien le sadisme anal sous-tend la pulsion de savoir. Force des fixations et ouverture indéfinie des destins de transformation, tel est le paradoxe qui organise la pulsionnalité anale. Rien de surprenant du fait de son ancrage organique : **fermeture et ouverture des sphincters,** coexistence de l'activité et de la passivité organisant la **bisexualité psychique,** et **retenue ou don** dans la relation à l'objet.

L'APPORT DES DISCIPLES

Il est peu de notions freudiennes pour lesquelles Freud ait si élogieusement cité et souligné l'apport de certains de ses disciples.

Lou Andreas-Salomé (1916), en montrant l'importance du cloaque chez la fille, souligne la force de l'organisation anale et son rôle déterminant dans l'investissement du vagin. Sa contribution, qui précède d'un an l'article de Freud sur les transpositions pulsionnelles dans l'érotisme anal, ouvre certainement la voie à la réflexion freudienne qui passe des équivalences symboliques mises en évidence en 1908, puis plus précisément en 1911, à l'étude de la construction de ces équivalences ainsi que des voies de passage pulsionnel de l'anal au génital.

Karl Abraham, en systématisant en 1924 les différents stades de l'organisation de la libido renforce chez Freud la présentation en termes temporels des destins de la libido et du devenir de l'analité. Néanmoins, Freud prend d'autant plus soin de préciser l'importance d'une part de l'accueil des phases antérieures dans les suivantes, d'autre part des possibilités de régression. Une psychanalyse des « stades de développement », linéaire, est donc une caricature de sa pensée. En revanche, l'apport d'Abraham qui subdivise les phases orale et anale ne saurait être sous-estimé : il établit en effet clairement la permanence du sadisme entre l'oralité mordante et l'analité de rétention, montrant ainsi à la fois sa permanence et sa transformation. Plus encore, il témoigne de l'apparition progressive, au cours du développement de l'érotisme anal et de son déploiement en organisation sadique-anale, de la prise en compte de l'objet. Celui-ci, qui suscite d'abord la défense et l'agression sadique est ensuite celui qui permet le déploiement des significations de réparation, et particulièrement de cadeau et d'enfant. Même s'il reste caractérisé par la pulsion partielle, l'ordre anal est celui qui **transforme l'objet du plaisir en objet total aimé,** au prix du passage par l'objet d'emprise (lequel succède à l'objet oral dévoré).

Rien n'est figé, et les organisations prégénitales sont en constant mouvement, du fait même de la poussée de la pulsion, c'est-à-dire qu'elles sont le lieu d'un remaniement permanent qui organise les refoulements fondamentaux, les modalités défensives, les fixations et l'organisation du caractère. Un des grands intérêts de l'étude des textes freudiens sur l'érotisme anal et ses destins est précisément de montrer, contre toute psychopathologie ou caractérologie simplificatrice, des structures ou des configurations psychiques complexes susceptibles de transformations. Névrose obsessionnelle ou névroses de caractère suscitent l'immobilisation plus ou moins permanente de ces potentialités d'évolution – notamment des évolutions vers un primat génital selon le principe de plaisir, sans contradiction trop grande entre les satisfactions inconscientes et le plaisir consciemment éprouvé.

La conception freudienne du symbolisme

Ceci suppose que la **chaîne symbolique du produit anal, l'excrément,** ait pu se constituer dans toute sa richesse et sa complexité : l'attachement trop direct à l'érotisme anal ne peut qu'entraîner la répulsion et la réprobation. Son inversion en formations réactionnelles trop serrées donne lieu à la contrainte en place de plaisir. La fixation à l'un des moments de la chaîne symbolique favorise les angoisses liées aux mouvements régressifs. La libre circulation tant régressive que progrédiente au sein de la configuration symbolique est probablement facteur de sublimation et de plaisir créateur. Surtout, c'est le déploiement de ce mouvement symbolique qui sous-tend la possibilité du passage de l'érotisme oral à l'investissement de l'enfant et du pénis, et pour la femme à celui de l'homme porteur de pénis et dispensateur d'enfant.

L'étude très systématique du symbolisme excrémentiel est un trait frappant des textes freudiens sur l'érotisme anal. Mais on risquerait de n'en retenir que le résultat : fèces = cadeau = argent = enfant = pénis. Or ce qui importe à Freud, ce sont toujours les **voies de passage d'une signification à une autre, indice des transformations pulsionnelles** sous-jacentes qui sont à l'œuvre. Le symbolisme freudien n'est pas une symbolique figée, pas même dans l'interprétation des rêves, encore moins dans les destins de l'érotisme. Ce n'est pas non plus un ordre symbolique, qui s'imposerait comme une loi. Il s'agit très clairement du compte rendu d'explorations de la réalité psychique, qui permettent à Freud de dégager une sorte de cartographie des voies qui conduisent à des **équivalences suffisamment significatives pour entraîner le mouvement pulsionnel** vers une configuration et des relations nouvelles. Nous y trouvons d'importants repères pour comprendre d'une part la notion même de réalité psychique, d'autre part celle de représentation psychique à un niveau plus élémentaire que ne l'est le scénario d'un fantasme originaire ou d'un rêve.

Analité et culture

Des rapports entre plaisir anal et culture, Freud ne développe que deux aspects, mais ils sont essentiels. Le premier est générique et relie le passage à la station debout – verticalisation qui constitue l'espèce humaine et l'éloigne du primat de l'olfaction – à **la nécessité pour l'homme d'une transformation de la pulsion partielle anale.** Nous avons ici un des ancrages élémentaires postulés par Freud de la contradiction active entre culture et pulsion : la culture s'édifie sur un certain degré de répression pulsionnelle, favorisant dans les meilleurs cas les refoulements et les autres destins transformateurs de la pulsion.

Le second aspect a déjà été évoqué par la mise en évidence de la condition de ces transformations : la possibilité de figuration-présentation *(Darstellung)* d'équivalences symboliques susceptibles de soutenir le mouvement pulsionnel autrement qu'en le réprimant purement et simplement. Freud note que même l'ordre et la propreté dans le caractère anal – qui correspondent à un retournement en son contraire, selon la forme de transformation la plus simple et la plus limitée, celle de la formation réactionnelle (dont l'énergie demeure l'érotisme anal initial mais selon une position défensive) –, trouvent une incitation et un renforcement dans la pression sociale de la civilisation et de l'éducation.

Mais ce sont surtout les transformations psychiques plus complexes qui supposent que la force pulsionnelle en vienne à se manifester activement dans des équivalences symboliques qui témoignent d'une **transformation de la force en sens,** grâce aux capacités de figuration ou de représentation, et du fait du langage. De ce point de vue, la vie psychique est culture, et même source de toute culture. Or Freud montre que, dans ce procès, l'érotisme anal joue un rôle décisif particulièrement clair.

Sexualité anale et sexualité génitale

Quand Freud parle d'organisations prégénitales, il pose, à la différence des autoérotismes purement juxtaposés, un **premier mode de structuration de la libido.** Autrement dit, on peut penser qu'un moi est en train de s'organiser.

Dans ces premières formes de structure psychique, nous dit Freud, **le moment anal est essentiel au premier choix d'objet.** Même si l'opposition entre masculin et féminin n'est pas encore présente au moment du choix d'objet prégénital, une première forme d'objectalité va se manifester, suscitant d'ailleurs l'intervention de la pulsion d'emprise, dont l'utilité demeure importante dans la sexualité génitale. Freud voit dans l'accentuation de l'érotisme anal passif au stade prégénital une prédisposition à l'homosexualité lorsqu'est atteint le stade génital. Le passage, réversible, de la sexualité anale à la sexualité génitale est parfois formulé crûment par Freud (ainsi, le fil de merde peut symboliser une tentative d'érection). Mais ce qui importe surtout, c'est la notion même de « transposition » pulsionnelle : elle signifie la possibilité d'une **réinterprétation d'une position sexuelle dans une autre,** et donc la génitalisation possible des expériences qui se sont constituées et accumulées lors des phases de la sexualité prégénitale.

L'un des exemples les plus clairs et les plus significatifs est **la polarité entre activité et passivité comme précurseur anal de l'opposition entre masculin et féminin.** On y voit clairement s'organiser les deux séries complémentaires : actif, phallique, masculin, par opposition à passif, châtré, féminin. Mais le premier niveau de chaque série, prégénital, montre que Freud n'assimile nullement la féminité à la passivité ; en revanche, la permanence inconsciente des théories sexuelles infantiles peut toujours ramener par régression aux conceptions antérieures. Il en est de même pour les théories sadiques du coït, ou pour la conception anale de la naissance.

Les interruptions dans le développement de la libido et les régressions peuvent favoriser des expressions pulsionnelles (et relationnelles) dans lesquelles le primat du génital n'est pas assuré. Freud souligne la **prématurité du moi par rapport au développement de la**

libido dans les fixations anales, avec ses effets de perturbation du développement de la masculinité ou de la féminité. Mais inversement, le primat du génital n'est pas le renoncement aux positions antérieures ni la négation des modes d'organisation prégénitaux de la sexualité. L'insistance sur la sévérité du surmoi, réinterprétation en deuxième topique de la composante sadique des régressions anales, n'efface pas plus ce qui précède que la génitalité ne fait disparaître les mouvements pulsionnels oraux et anaux. L'**accueil des positions libidinales antérieures par la sexualité génitale** est essentiel.

Ancrage sur le corps propre, destins des pulsions partielles, logique des « transpositions » pulsionnelles sont les données structurelles des organisations prégénitales que les destins de l'érotisme anal mettent particulièrement en évidence, d'autant que l'organisation prégénitale sadique-anale est la plus proche de l'organisation génitale.

Dominique BOURDIN

ANGOISSE

all. : ***Angst.*** – angl. : *anxiety.* – esp. : *angustia.* – ital. : *angoscia.* – port. : *angústia*

Affect de déplaisir, l'angoisse est de la libido transformée. Autant répétition du traumatisme qu'attente de celui-ci, elle est indéterminée et sans objet. Pouvant remplacer tous les affects (dont elle est une altération), à l'origine des symptômes névrotiques, elle apparaît comme le phénomène fondamental et le problème capital de la névrose. D'abord réaction originaire automatique à la détresse dans le traumatisme, elle est ensuite reproduite comme signal d'angoisse face aux situations de danger. Toujours en relation avec la menace d'une séparation, la perte de l'objet la détermine. Signal intentionnel du moi visant à influencer l'instance plaisir-déplaisir, elle a une composante organique spécifique (tout déplaisir n'est pas angoisse) ; réunion de sensations se rapportant à des organes déterminés (poumons, cœur), accompagnées d'actions de décharge, elle serait la reproduction de l'expérience vécue de la naissance, événement incorporé héréditairement et comparable à l'accès hystérique individuel.

MISE EN SITUATION

Dans les langues indo-européennes, pour lesquelles nous donnons les équivalences, les mots désignant l'angoisse sont tous dérivés du latin angere *(serrer), issu du grec* agko *(j'étrangle)*[1]. *Cette étymologie, exprimant une sensation tant physique que morale, est explicitement référée par Freud*[2]. *Déjà en 1690, Furetière donnait « angoisse » comme un « vieux mot [XII*e *siècle] qui signifie douleur violente [et qui] se dit plus communément des affections de l'esprit ». Si Freud ne fit que reprendre le « vieux mot » usuel, il sut en spécifier la pathologie et en situer la place et le rôle dans le fonctionnement psychique.*

Il réserve à l'angoisse une place privilégiée dans son œuvre : un chapitre entier des Conférences d'introduction à la psychanalyse *lui est nommément consacré, un autre des* Nouvelles conférences d'introduction à la psychanalyse, *et surtout un ouvrage – clé auquel il fournit son argument central :* Inhibition, symptôme et angoisse *–, sans compter de multiples pages dans grand nombre de textes. Une telle abondance interdit, bien évidemment, de chercher à se faire exhaustif ; nous ne saurions pourtant éluder la tâche d'en rendre compte, même si elle semble avoir rebuté nombre d'exégètes.*

En psychanalyse, l'approche de l'angoisse est parfois l'occasion d'une certaine confusion due au fait qu'elle se retrouve dans trois notions parfaitement distinctes, quelles que soient leurs interrelations. Il y a d'abord « l'angoisse proprement dite », qui non seulement se trouve au cœur de toutes les névroses (y compris les narcissiques) mais est à la source du fonctionnement psychique ; c'est elle qui est l'objet de cet article. Il y a « l'hystérie d'angoisse », névrose de transfert majeure dont les phobies constituent le symptôme principal. Il y a enfin « la névrose d'angoisse », névrose

1. S'il existe bien en anglais un mot de même racine, *anguish,* l'usage psychanalytique anglo-saxon, à la suite de Strachey, lui a préféré *anxiety* qui signifie plutôt « anxiété » mais dont la racine reste la même.

2. *Conférences d'introduction à la psychanalyse* (1916-1917), Paris, Gallimard, 1999, p. 502 ; *OCF* XIV, p. 411 ; *GW* XI, p. 411.

actuelle à laquelle Freud doit se confronter très tôt ; ne résultant pas d'un conflit infantile mais d'un désordre sexuel immédiat, elle n'implique pas directement le refoulement et n'est pas pleinement accessible à la psychanalyse (ce qui explique que, tout en maintenant la notion, Freud ne reviendra guère sur cette névrose). Ces distinctions bien posées, il n'en demeure pas moins que les trois notions sont liées : c'est bien sûr toujours de la même angoisse phénoménale qu'il s'agit, et la névrose d'angoisse est souvent le point de départ d'une psychonévrose, à commencer par une hystérie d'angoisse.

LE TEXTE FREUDIEN

Dans les **premiers travaux freudiens,** l'angoisse proprement dite n'apparaît guère pour elle-même ; absent de la *Communication préliminaire* de 1893 et des *Études sur l'hystérie* de 1895, le mot figure la même année dans « La névrose d'angoisse et la neurasthénie », mais il ne s'agit alors que de fournir un point de rencontre à un « complexe de symptômes » que Freud entend individualiser. On peut néanmoins reconnaître, dans ces écrits, les prémices de développements ultérieurs sur l'angoisse elle-même, puisque les principaux caractères, donnés dès cette époque, sont : *les rapports avec la sexualité et l'excitation libidinale, la proximité avec le somatique et l'ancrage biologique et phylogénétique.*

En **1900,** dans *L'interprétation des rêves,* Freud s'intéresse de façon très concrète à l'angoisse ; la clinique le lui impose, tout comme les réflexions sur l'affect qu'il lui revient d'illustrer : **l'angoisse est un affect qu'un refoulement fait apparaître comme déplaisir.** Plusieurs traits tendent assez tôt à la spécifier, lui assurant un statut particulier. C'était déjà le cas, nous venons de le voir, de la sexualité et de l'excitation libidinale comme de l'ancrage biologique et phylogénétique ; maintenant l'angoisse est située *par rapport au refoulement et au préconscient* qui dominent les représentations de l'inconscient : sinon des excitations inconscientes déclencheraient des affects qui, renvoyant à des refoulements antérieurs, apparaîtraient comme déplaisir, provoquant de l'angoisse[1]. Il ne serait alors pas faux de dire que l'angoisse est une pathologie des affects (ce que Freud explicitera bien plus tard en disant d'elle qu'elle est « la seule à provoquer des réactions qui se distinguent comme anormales »[2]).

En **1905**, les *Trois essais sur la théorie sexuelle* montrent que **l'angoisse des enfants est, à l'origine, « l'expression du fait que la personne aimée leur manque »**, raison pour laquelle ils abordent les étrangers avec angoisse ; de la libido est transformée en angoisse lorsqu'elle ne peut être satisfaite, et celle-ci « est à peu près à la libido ce que le vinaigre est au vin » ; cette notion est l'un des résultats « les plus importants de la recherche psychanalytique »[3]. Ainsi se déclenche le refoulement ; ainsi s'explique son caractère « envahissant » : une fois établie, l'angoisse absorbe tous les autres sentiments, et **« tous les affects deviennent capables de se transformer en angoisse »**[4].

En **1909**, par une note ajoutée à *L'interprétation des rêves,* Freud remarque que **la naissance est le premier occasion de manifestation d'angoisse et est ainsi « la source et le modèle de toute angoisse »**[5] ; cette idée sera reprise dès l'année suivante[6], puis abondamment développée et utilisée par la suite. En **1915,** la *Métapsychologie* va revenir sur plusieurs de ces points, même si son centre d'intérêt se porte, de façon plus générale, sur l'affect ; mais l'angoisse demeure un destin

1. *L'interprétation des rêves* (1900a), Paris, PUF, 1967, p. 494-495 ; *OCF* IV, p. 587-588 ; *GW* II-III, p. 539-540.

2. *Inhibition, symptôme et angoisse* (1926d [1925]), Paris, PUF, 1951, p. 74 ; *OCF* XVII, p. 249 ; *GW* XIV, p. 164.

3. *Trois essais sur la théorie sexuelle* (1905d), Paris, Gallimard, 1987, p. 167-168 ; *OCF* VI, p. 162-163 ; *GW* V, p. 125-126 (cette dernière remarque figure dans une note rajoutée en 1920).

4. « Analyse d'une phobie chez un petit garçon de cinq ans (Le petit Hans) » (1909b), *Cinq psychanalyses,* Paris, PUF, 1954, p. 115 ; *OCF* IX, p. 30 ; *GW* VII, p. 270.

5. *L'interprétation des rêves* (1900a), Paris, PUF, 1967, p. 344, n. 1 ; *OCF* IV, p. 449 n. 1 ; *GW* II-III, p. 405, n. 1.

6. « Un type particulier de choix d'objet chez l'homme » (1910h), *La vie sexuelle,* Paris, PUF, 1969, p. 54 ; *OCF* X, p. 199 ; *GW* VIII, p. 76.

pulsionnel possible[1] et, lorsqu'il part directement de l'inconscient, l'affect a toujours un caractère d'angoisse, « angoisse contre laquelle tous les affects "refoulés" sont échangés »[2].

En **1916-1917,** dans les *Conférences d'introduction à la psychanalyse* en est approfondie l'étude, une recension en est effectuée, mais l'approche va demeurer essentiellement descriptive : Freud en aborde les « formes phénoménales » et entend traiter de *sa clinique* et de *son étiologie.* À l'**angoisse névrotique,** il va d'abord opposer une **angoisse réaliste** *(Realangst)*[3] qui apparaît comme réaction à la perception d'un danger externe dont la menace est ressentie comme réelle ; liée au réflexe de fuite, elle serait apparemment rationnelle et compréhensible : si elle s'en tenait là, elle serait alors simplement « une manifestation de la pulsion d'auto-conservation ». Pourtant, face à la réalité du danger il serait plus efficace de pouvoir s'éviter l'angoisse avec son inévitable cortège d'inhibitions paralysantes qui, tout comme dans l'angoisse névrotique, empêchent une réponse adaptée : il faut donc en conclure que *« le développement d'angoisse n'est jamais quelque chose d'adéquat ».* À l'encontre de la peur, *l'angoisse est d'abord un état et néglige l'objet* ; la frayeur, en revanche, vise un danger qui n'a pas été signalé, de sorte que « **l'être humain se protège de la frayeur par l'angoisse** »[4].

Dans le noyau de l'angoisse *se répète une expérience vécue chargée de signification,* précoce et générale, renvoyant à la préhistoire de l'individu et de l'espèce. Plus spécifiquement et très

1. *Métapsychologie* (1915-1917), Paris, Gallimard, 1968, p. 56 et 83 ; *OCF* XIII, p. 198 et 219 ; *GW* X, p. 256 et 277.

2. *Ibidem,* p. 86 ; p. 220 ; p. 278.

3. Différentes traductions sont proposées à *Realangst,* terme qui est introduit dans les *Conférences d'introduction à la psychanalyse :* « angoisse réelle » par S. Jankélévitch (Payot, 1971) ; « angoisse devant un danger réel » par J. Laplanche et J.-B. Pontalis qui ne veulent pas ici « entrer dans la théorie freudienne de l'angoisse », et ne proposent d'ailleurs pas une entrée « angoisse » (*Vocabulaire de la psychanalyse,* Paris, PUF, 1967) ; « angoisse de réel » par J. Laplanche *et alii* (*Traduire Freud,* in *OCF,* Paris, PUF, 1989) ; « angoisse réaliste » par F. Cambon (Paris, Gallimard, 1999), que nous avons retenue ici.

4. *Conférences d'introduction à la psychanalyse* (1916-1917), Paris, Gallimard, 1999, p. 498-500 ; *OCF* XIV, p. 408-410 ; *GW* XI, p. 408-410.

particulièrement, l'affect d'angoisse reproduit ce qui s'est passé à la naissance ; il y a eu alors un énorme accroissement physiologique de stimulus, dû à l'interruption du renouvellement du sang et à l'anoxie, ce qui a provoqué une expérience vécue d'angoisse : « La première angoisse a donc été de nature toxique. » De surcroît, à ce bouleversement physiologique vient s'ajouter la séparation angoissante d'avec la mère. La répétition, au fil de générations innombrables, du premier état d'angoisse, l'incorpore radicalement à l'organisme : ainsi, « un individu particulier ne peut pas échapper à l'affect d'angoisse » [1].

Cette ***étiologie*** posée, Freud en vient à ***la clinique de l'angoisse névrotique***. Il décrit : 1 / Une **angoisse d'attente** qui flotte librement, toujours prête à s'accrocher aux premières représentations qui se présente, elle oriente et influence le jugement, elle est « à l'affût de la moindre occasion qui puisse la justifier ». Lorsque cette « attente angoissée » est extrême, elle constitue une « névrose d'angoisse ». 2 / Une **angoisse des phobies**, indépendante de la précédente, associée à certains objets et situations, ces phobies appartenant à l'hystérie d'angoisse. 3 / Des **équivalents d'angoisse** sans rapports avec un danger menaçant, de conditions d'apparition très variables, pouvant même apparaître comme une « attaque d'angoisse libre » ; il se peut alors que ce que nous reconnaissons comme angoisse fasse défaut, ou ait perdu sa netteté, bien que ces états soient assimilables à l'angoisse.

Comment rapprocher ces angoisses, et comment les comprendre ? Pour qu'il y ait de l'angoisse, « **il faut aussi que soit présent quelque chose face à quoi l'on est angoissé** » ; en outre, ce dont il s'agit là est dans un rapport étroit avec la vie sexuelle (excitations vaines, angoisses de la puberté et de la ménopause). À ces situations il convient d'ajouter celle du petit enfant confronté à des personnes étrangères en l'absence de sa mère, dont la déception et le désir douloureux rendent inutilisable la libido qui se transpose alors en angoisse, « répétant la condition du premier état d'angoisse de la naissance », de la séparation d'avec la mère.

1. *Ibidem*, p. 501-502 ; p. 416-422.

Comme les symptômes qui l'accompagnent, l'angoisse doit remplacer un processus refoulé afin de supprimer un affect, sans égard à sa qualité propre : l'angoisse peut être échangée contre toutes les motions affectives dès lors que le contenu a succombé au refoulement (ce qui se vérifie exemplairement dans les névroses) ; en somme, les symptômes ne se forment que pour échapper à l'angoisse, qui serait sans cela inévitable. Le lien entre angoisse réaliste et angoisse névrotique peut maintenant être établi : le développement d'angoisse étant la réaction réaliste du moi au danger (le signal qui engage à fuir), on peut considérer que, **dans l'angoisse névrotique, le moi tente une fuite du même genre face à la libido qu'il traite alors comme un danger externe** ; de même, le développement d'angoisse névrotique suscite la formation de symptômes amenant une liaison de l'angoisse. Mais comment l'angoisse, qui est censée être issue de la libido, peut-elle être une fuite devant la libido [1] ?

D'autres questions demeurent. Ainsi, bien que conscient par nature, le développement d'angoisse est intimement lié au système inconscient ; si l'affect d'angoisse est un processus de décharge, il est fort difficile de dire ce qui lui correspond dans l'inconscient. Disons que la libido refoulée se décharge dans l'immédiat sous forme d'angoisse puis, dans les névroses, elle se trouve liée par des processus défensifs. Un autre point inexpliqué tient à ce que l'angoisse réaliste doit être évaluée comme une manifestation des pulsions d'auto-conservation du moi [2] ; ce qui ne va pas sans reposer la question de savoir quelle est la nature des énergies psychiques alors dépensées, et à partir de quels systèmes psychiques [3]. Ainsi, à partir de l'angoisse et la libido, s'annoncent tant la nouvelle théorie pulsionnelle que la nouvelle topique.

Pourtant, les « essais » de **1920-1923** ne vont guère s'attarder sur l'angoisse. On peut ainsi constater qu'en **1920,** dans *Au-delà du principe de plaisir,* le thème de la pulsion de mort n'appelle pas celui de l'angoisse ; il y est tout au plus indiqué que l'angoisse, attente du danger et préparation à celui-ci, ne saurait engendrer une névrose

1. *Ibidem,* p. 504-515 ; p. 416-422.
2. *Ibidem,* p. 519 et 521 ; p. 425 et 426.
3. *Ibidem,* p. 511-513 ; p. 418-420.

traumatique car il y a en elle quelque chose qui protège contre l'effroi[1] : **elle a une véritable fonction défensive** et elle représente la « dernière ligne de défense du pare-excitation »[2]. Celle-ci va pourtant pouvoir s'effondrer, comme dans la panique, dans « l'angoisse de la foule » qui surgissent lorsque s'évanouissent les liens libidinaux[3].

En **1923**, *Le moi et le ça* apporte un important complément à la compréhension de l'angoisse. Menacé par les trois dangers du monde extérieur, de la libido du ça et des exigences du surmoi, le moi suit les avertissements du principe de plaisir et, retirant son investissement de la perception menaçante ou du processus du ça estimé tel, il les transforme en angoisse de débordement ou d'anéantissement ; **l'angoisse de conscience, qui apparaît face au surmoi, provient de l'angoisse de castration.** Il convient alors de distinguer l'*angoisse d'objet* (angoisse du réel) de l'*angoisse libidinale* névrotique, et de l'*angoisse de mort* ; pour celle-ci, qui pose un difficile problème, on peut envisager que le moi délaisse son investissement narcissique, s'abandonne lui-même pour un autre objet. L'angoisse de mort est une affaire entre moi et surmoi et, là où nous pouvons la voir survenir, elle est analogue à l'angoisse qui apparaît comme processus interne face à un danger extérieur – ainsi qu'il en est dans la mélancolie. Face à un danger réel extrême, la réaction du moi est la même : estimant ne pouvoir le surmonter, « il se voit abandonné de toutes les puissances protectrices et se laisse mourir ». Là encore, nous retrouvons la même situation originaire : celle de la naissance, celle de la séparation d'avec la mère qui protège, angoisse de la nostalgie infantile ; tout **comme l'angoisse de conscience, l'angoisse de mort est une élaboration de l'angoisse de castration**[4]. S'éloignant ainsi de l'étude phénoménale Freud va s'attacher, dorénavant, à reconsidérer son approche.

1. *Au-delà du principe de plaisir* (1920g), *Essais de psychanalyse,* Paris, Payot, 1981, p. 50 ; *OCF* XV, p. 282 ; *GW* XIII, p. 10.

2. *Ibidem,* p. 74 ; p. 303 ; p. 32.

3. *Psychologie des foules et analyse du moi* (1921c), *Essais de psychanalyse,* Paris, Payot, 1981, p. 157 ; *OCF* XVI, p. 35 ; *GW* XIII, p. 105.

4. *Le moi et le ça* (1923b), *Essais de psychanalyse,* Paris, Payot, 1981, p. 273-274 ; *OCF* XVI, p. 300-301 ; *GW* XIII, p. 288.

En **1926**, *Inhibition, symptôme et angoisse* témoigne de la nécessité qu'éprouve alors Freud d'élaborer véritablement une **théorie de l'angoisse** ; celle-ci fournit, de fait, le thème central de ce livre. Pour ce faire, il va commencer par rectifier la conception de sa fonction dans le refoulement : le moi retire son investissement au représentant à refouler et l'utilise à libérer le déplaisir, provoquant l'angoisse ; ce n'est donc plus l'investissement de la motion refoulée qui serait automatiquement transformée en angoisse, et il convient dorénavant de « **se tenir fermement à l'idée que le moi est réellement le lieu de l'angoisse** ». L'angoisse ne saurait être une manifestation nouvelle chaque fois ; tout au contraire elle reproduit, mais cette fois comme affect, une image préexistante, *renvoyant in fine à la situation de la naissance.* Si nous voulons aller plus loin quant à l'origine de l'angoisse et des affects, « nous quittons le terrain proprement psychologique pour le domaine voisin de la physiologie » : nous sommes alors renvoyés à des événements traumatiques très anciens, réapparaissant comme symboles mnésiques assimilables aux accès hystériques[1]. C'est ainsi que vont s'établir les rapports entre les refoulements après coup et le refoulement originaire.

Comme en témoignent les phobies d'animaux du petit Hans et de l'homme aux loups, le moteur du refoulement est bien l'angoisse de castration, mais c'est le refoulant lui-même, *c'est le moi qui suscite l'affect d'angoisse.* « Ainsi, **c'est l'angoisse qui produit le refoulement** et non pas, comme je l'ai jadis pensé, le refoulement qui produit l'angoisse » ; « ***jamais l'angoisse ne naît de la libido refoulée*** »[2]. Si, d'un point de vue descriptif, après le refoulement il y a bien apparition d'une certaine quantité d'angoisse en lieu et place de la manifestation de libido attendue, il ne saurait s'agir d'une transformation directe de la libido en angoisse.

L'idée erronée résultait de l'étude des *névroses actuelles* dans lesquelles certaines pratiques sexuelles, inhibant la satisfaction, suscitent de l'angoisse, laissant alors penser que de la libido s'est ainsi

1. *Inhibition, symptôme et angoisse* (1926d [1925]), Paris, PUF, 1951, p. 9-10 ; *OCF* XVII, p. 211-212 ; *GW* XIV, p. 120-121.

2. *Ibidem*, p. 28 ; p. 226 ; p. 137.

transformée (observation toujours valable d'ailleurs) ; d'un autre côté, il apparaît que le refoulement inflige une perturbation à la libido du ça et il n'est donc pas exclu que de la libido puisse alors se transformer en angoisse. Mais comment concilier ceci avec le constat que « l'angoisse des phobies est une angoisse du moi, apparaît dans le moi, ne provient pas du refoulement mais le suscite ? *Non liquet !* ». L'unicité de l'angoisse et de son origine ne peut être maintenue, bien des névroses ne présentant pas d'angoisse ; l'hystérie de conversion, par exemple, nous convainc que les liens entre angoisse et formation de symptômes sont un peu lâches[1], formés afin d'éviter la situation de danger signalée par l'angoisse ; c'est d'ailleurs ainsi que « l'angoisse de castration » débouchera sur « la peur de la castration » – dont l'angoisse de mort elle-même est un analogon[2].

L'angoisse de castration apparaît comme le noyau de la théorie de l'angoisse et du refoulement ; elle doit être reconnue comme étant la « réaction à une perte, à une séparation »[3]. Mais, si elle est certes une sensation de déplaisir, n'importe quel déplaisir (tension, douleur, deuil) ne saurait être qualifié d'angoisse ; il faut que s'y ajoute une « note spéciale », très discrète et difficilement isolable, sans doute liée aux sensations corporelles qui l'accompagnent (respiratoires, cardiaques), soulignant l'importance des processus de décharge, se distinguant ainsi des autres états de déplaisir. Elle se fonde sur une élévation du niveau d'excitation qui crée le déplaisir et aboutit aux décharges qui viennent la soulager ; mais à cette *conception physiologique* doit être ajouté un important *facteur historique* qui vient lier les sensations et les innervations de l'angoisse, et nous retrouvons le traumatisme de la naissance – ce qui ne lui confère cependant nulle situation exceptionnelle par rapports aux autres affects. Donc, depuis les premiers temps, un *état de danger* déclenche une angoisse qui fonctionne comme un signal et suscite des réactions qui, après avoir été appropriées, vont devenir inadéquates ; voilà qui donne deux formes d'angoisse : l'**angoisse automatique** et l'**angoisse-signal,** les

1. *Ibidem,* p. 29 et 31 ; p. 228 et 230 ; p. 140 et 142.
2. *Ibidem,* p. 52-53 ; p. 245-247 ; p. 159-160.
3. *Ibidem,* p. 54 ; p. 246 ; p. 160.

conditions d'apparition de chacune étant bien spécifiques[1]. Chez l'enfant, les manifestations d'angoisse ne nous sont compréhensibles que dans quelques situations très particulières : lorsqu'il se retrouve seul, qu'il est dans le noir, et lorsqu'il découvre une personne étrangère au lieu de celle qui est familière, la mère le plus généralement ; il s'agit toujours, en fait, de l'absence de la personne aimée, ardemment désirée. Nous avons là un bon accès à la compréhension de l'angoisse, qui doit aider à surmonter les conditions qui la provoquent. L'intense investissement de l'image mnésique de la mère aboutit à transformer ce désir en une angoisse qui est donc la *réaction à l'absence ressentie de l'objet* (ce qui n'est pas sans évoquer aussi l'angoisse de castration et celle de la naissance) ; elle ne s'apaisera, dans les meilleurs des cas, qu'avec le retour de la mère. À partir de cette expérience nouvelle, répétant des situations antérieures analogues de perturbation économique, le danger se déplace de la situation elle-même (accroissement de la tension du besoin) à la perte de l'objet qui la détermine ; il y a insatisfaction et le signal d'angoisse est dorénavant déclenché par l'absence de la mère, ou ce qui l'évoque. L'enfant passe ainsi d'une angoisse automatique à sa reproduction intentionnelle comme signal du danger, utilisant une image mnésique antérieure – mais, dans ces deux cas, « l'angoisse apparaît comme le produit de l'état de détresse psychique du nourrisson »[2].

Avec cette nouvelle conception, la perte de l'objet est la condition déterminante de l'angoisse ; elle va permettre d'en spécifier les différentes formes qui vont apparaître successivement, chacune correspondant à un mode particulier de relation à cette perte. Nous avons, dans l'ordre : – L'**angoisse originaire de la naissance,** survenue lors de la séparation d'avec la mère, qui est physiologique et correspond à la perception douloureuse de l'anoxie provoquant la décharge motrice respiratoire et phonatoire ; elle est donc parfaitement adaptée, elle est même vitale. – Une **angoisse automatique,** involontaire, qui surgit lorsque le nourrisson se trouve dans une situation d'insatisfaction (besoin, douleur) ; cette angoisse demeure appropriée puisqu'elle va,

1. *Ibidem*, p. 55-58 ; p. 247-249 ; p. 162-164.
2. *Ibidem*, p. 61-62 ; p. 253 ; p. 168.

là encore, déclencher une décharge musculaire s'accompagnant de cris permettant d'appeler la mère, afin qu'elle fasses cesser la menace. – Le **signal d'angoisse** en est une reproduction intentionnelle (il met donc en jeu le moi) ; il apparaît à partir du huitième mois, au moment où la situation de danger se trouve associée à la perte de l'objet, et donc au risque que représente l'absence de la mère. – L'**angoisse de castration,** qui est la transformation suivante de l'angoisse, survient à la phase phallique, est, elle aussi, une angoisse de séparation, également soumise à la condition déterminant la perte de l'objet. – L'**angoisse morale** et l'**angoisse sociale** sont l'avatar suivant, résultats de l'évolution de l'angoisse de castration lorsque l'instance parentale devient impersonnelle et que se constitue le *surmoi* ; c'est dorénavant à lui, à ses menaces de punition et à la perte de son amour, que le moi attribue le danger auquel il va répondre en déclenchant le signal d'angoisse. – L'**angoisse de mort,** enfin, est la forme ultime prise par l'angoisse confrontée au surmoi, lorsqu'elle se trouve projetée dans les puissances du destin (elle est aussi « angoisse pour la vie »)[1].

La ***nouvelle topique*** n'a rien ici bouleversé ; elle confirme le point central en redisant que *« le moi est le véritable lieu de l'angoisse »* ; nous pourrions préciser qu'il en est le seul. Si le *surmoi* peut occasionner de l'angoisse au moi, il ne saurait lui-même en contenir. Pour ce qui est du *ça,* il ne peut éprouver de l'angoisse puisqu'il n'est pas une organisation et ne saurait juger des situations de danger ; en revanche, il est très fréquent que, dès les refoulements les plus précoces, se génèrent *dans le ça* des processus suscitant de l'angoisse, que ce soit de façon automatique (renvoyant au danger originaire, comme dans les névroses actuelles), ou en tant que signal d'angoisse (forme dérivée et intentionnelle, comme dans les psychonévroses). Ces développements des différentes situations de danger à partir du modèle originaire de la naissance ne sauraient aboutir à ce que les nouvelles conditions déterminant l'angoisse puissent enlever aux précédentes toute efficacité, même s'il est vrai qu'à telle période de développement du moi répond telle condition déterminant l'angoisse : *la détresse psychique correspond à l'immaturité du moi, la perte de l'objet à la dépendance des*

1. *Ibidem,* p. 63-64 ; p. 254-255 ; p. 169-170.

premières années, la castration à la phase phallique, l'angoisse devant le surmoi à la période de latence. Mais toutes ces menaces, ces dangers, toutes ces conditions suscitant l'angoisse peuvent très bien coexister, voire s'activer en même temps, pour inciter le moi à déclencher l'angoisse, même à des époques postérieures à celles où les circonstances correspondaient à l'apparition d'angoisse[1]. La forme de la névrose peut même dépendre de la situation de danger génératrice d'angoisse.

Il est maintenant possible de resituer les acquis antérieurs, qu'il ne s'agit pas de renier. Ainsi, il s'avère possible que de l'angoisse naisse directement de la libido dans les circonstances suscitant des *névroses actuelles,* dans lesquelles nous retrouvons un « état de détresse du moi face à une tension de besoin excessive », rappelant celui de la naissance. Il s'avère maintenant de peu d'intérêt que le trop-plein de libido se décharge en angoisse puisque, les psychonévroses se développant facilement à partir de névroses actuelles, le moi, ayant appris à suspendre temporairement l'angoisse, afin d'en faire l'économie, tente de la lier en formant des symptômes[2].

Pour autant, le danger de castration ne saurait être l'unique moteur de la névrose; ceci est bien illustré par les questions posées par l'**angoisse chez la femme.** Chez elle, non seulement le danger de castration ne saurait être prépondérant, mais la situation de danger active, décisive, y est celle de la *perte de l'objet*; donc, dans son cas, il ne s'agit pas tant de l'absence ou de la perte réelle de l'objet, mais bien plutôt de la perte d'amour de l'objet[3].

L'angoisse ne saurait être considérée comme un symptôme, et il est plus juste de considérer que *la formation de symptôme est une tentative d'échapper à l'angoisse*; celle-ci serait « le phénomène fondamental et le problème capital de la névrose »[4]. Disons qu'elle présuppose nécessairement le symptôme car, si le moi n'activait pas ainsi l'instance plaisir-déplaisir, il ne saurait arrêter le danger qui se

1. *Ibidem,* p. 65-67 ; p. 256-257 ; p. 171-172.
2. *Ibidem.*
3. *Ibidem,* p. 67-68 ; p. 257 ; p. 172-173.
4. *Ibidem,* p. 69 ; p. 259 ; p. 175.

prépare dans le ça ; il y a une tendance à limiter le plus possible le développement d'angoisse, à la réduire, à « n'utiliser l'angoisse que comme signal »[1]. L'étude de l'angoisse vient ainsi « transfigurer la rationalité du comportement du moi dans la défense » en la situant en fonction du développement de l'appareil psychique, et en s'en justifiant[2].

Le moi se trouve placé au centre de ce débat. Les objections ayant conduit à reconsidérer la thèse qui, en liant intimement l'angoisse à la libido, était en désaccord avec le caractère général de l'angoisse comme réaction au déplaisir, sont nées d'un présupposé, tendance à « considérer le moi comme le seul et unique lieu de l'angoisse », ce qui était une conséquence de la division structurale de l'appareil psychique entre un moi et un ça. *Il fallait que ce soit le moi qui puisse rendre compte de l'angoisse* ; comme il utilise une énergie désexualisée, le rapport entre angoisse et libido s'en trouvait à son tour relâché[3].

Une **appréciation globale,** reprenant les nouveaux acquis, peut maintenant être portée. En faisant de *l'angoisse éprouvée lors de la naissance le prototype de toutes les situations de danger,* en la situant comme un état d'affect parmi les autres, on définit encore mieux sa fonction : provoquer l'intervention du mécanisme plaisir-déplaisir, que ce soit sous forme de reproduction automatique ou de signal volontaire. En opérant ce recentrement, « l'affect d'angoisse retrouvait l'importance biologique qui lui revient » ; l'angoisse est ainsi reconnue comme réaction générale à la situation de danger, le moi confirmé comme étant son lieu, se voyant attribuer la fonction de la provoquer pour ses besoins de défense. L'angoisse, dans le cours de la vie, peut donc *avoir deux origines* : soit involontaire et automatique lorsque s'instaure une situation de danger analogue à celle de la naissance, soit produite par le moi pour l'inciter à éviter un danger[4].

1. *Ibidem,* p. 70 ; p. 260 ; p. 176.
2. *Ibidem,* p. 72 ; p. 261 ; p. 178.
3. *Ibidem,* p. 89-90 ; p. 275 ; p. 194.
4. *Ibidem,* p. 90-91 ; p. 276 ; p. 195.

L'**indétermination de l'objet, son absence,** est l'une des caractéristiques inhérentes à l'angoisse (lorsqu'elle en trouve un, cela devient de la *peur*) ; une autre tient à sa relation avec l'*attente* (qui est angoisse *de* quelque chose)[1]. Diverses questions se posent alors, à commencer par celle de la distinction entre l'*angoisse réaliste,* angoisse devant un danger réel, connu, et l'*angoisse névrotique,* apparaissant devant un danger ignoré, pulsionnel. La cure analytique, en tendant à amener à la conscience ce danger inconnu du moi, efface la différence, permettant de *traiter l'angoisse névrotique comme si elle était angoisse devant un danger réel.* Si, face à celui-ci, nous avons à la fois l'accès d'angoisse et l'action pour se protéger, on peut penser qu'il en sera de même face au danger pulsionnel – les deux réactions pouvant coopérer ou non. La situation de danger nous renvoie à notre faiblesse, à la reconnaissance de notre détresse matérielle lors du danger réel, comme de notre détresse psychique lors du danger pulsionnel ; elle prend alors une autres signification, et une telle *situation de détresse* peut être nommée *traumatique,* bien différente donc de la *situation de danger.*

La fonction du traumatisme est essentielle. On peut la résumer en disant que la situation de danger est une situation de détresse reconnue, évoquant une circonstance semblable, attendue et redoutée ; l'angoisse est la réaction originaire face à la détresse dans le traumatisme, reproduite ensuite, face au danger, comme signal d'alarme. Le moi, qui a subi passivement le traumatisme, le répète activement mais sur un mode atténué, dans l'espoir de parvenir à en diriger le cours à son gré. Effectivement, *tout tient au passage de la réaction d'angoisse originelle (situation de détresse) à l'attente de celle-ci (situation de danger)*[2]. Mais l'angoisse névrotique a elle aussi une base réelle, puisque la revendication pulsionnelle est elle-même réelle ; *si c'est bien la même réaction d'angoisse qu'utilise le moi pour se défendre contre le danger pulsionnel que celle qui lui sert contre le danger extérieur, la relation intime entre angoisse et névrose s'éclaire. Cette orientation*

1. *Ibidem,* p. 94 ; p. 279 ; p. 197-198.
2. *Ibidem,* p. 96 ; p. 281 ; p. 199-200.

défensive débouche sur une névrose « en raison d'une imperfection de l'appareil psychique » [1].

Reste la question du **rapport de l'angoisse au deuil.** Quand, comment la séparation d'avec l'objet va-t-elle *produire l'angoisse, le deuil, ou simplement de la douleur* ? Pour tenter de répondre, il convient de repartir « de la seule situation que nous croyions comprendre, celle du nourrisson qui, au lieu de sa mère, aperçoit une personne étrangère », et qui manifeste alors cette angoisse caractéristique qui se rapporte au danger de la perte de l'objet, mais est bien sûr plus compliquée. En effet, sa réaction laisse supposer qu'en plus de l'angoisse, l'enfant ressent de la douleur, comme si deuil et angoisse étaient alors confondus : « Il ne peut encore distinguer l'absence temporaire de la perte durable » dès qu'il ne voit plus sa mère, il fait comme s'il ne devait plus jamais la revoir. Mal comprise, la situation lui apparaît traumatique pour peu qu'à ce moment il éprouve un besoin, mais elle devient danger si ce besoin n'est pas actuel. « *La première condition déterminant l'angoisse qui soit introduite par le moi lui-même est donc celle de la perception de l'objet, assimilée à celle de la perte de l'objet* » ; il ne saurait alors s'agir de la perte d'amour. Par la suite, l'objet peut être présent mais devenir mauvais ; la perte de son amour devient un danger et conduit à l'angoisse. Mais il existe une différence fondamentale entre cette situation et celle de la naissance qui tient à ce que, lors de celle-ci, il n'y avait pas d'objet dont l'enfant puisse éprouver l'absence, seule demeurait l'angoisse ; c'est la répétition des satisfactions qui révèle l'objet, la mère en l'occurrence (ou qui en tient lieu), expliquant que, lorsqu'il y a besoin, elle est investie de façon très intense – on pourrait parler de « nostalgie ». Ce nouvel état est la cause de la réaction de douleur, de fait réaction à la perte de l'objet ; l'angoisse est la réaction au danger qu'implique cette perte et, par un déplacement de plus, elle est réaction au danger de la perte de l'objet [2].

Le **sentiment de culpabilité** lui-même est une variante topique, identique à l'angoisse devant le surmoi. En effet, l'angoisse peut se présen-

1. *Ibidem,* p. 97 ; p. 282 ; p. 200-201.
2. *Ibidem,* p. 98-100 ; p. 283-285 ; p. 202-203.

ter de façons extrêmement variées, se dissimulant derrière n'importe quel symptôme, pouvant tantôt accaparer bruyamment le champ entier de la conscience, tantôt se cacher si parfaitement que nous en sommes réduits à parler d'angoisse inconsciente, voire d'une possibilité d'angoisse si nous voulons être plus rigoureux pour évoquer la conscience morale, puisque l'angoisse est avant tout une sensation[1].

En **1932,** dans les *Nouvelles conférences d'introduction à la psychanalyse,* Freud apporte « **certaines nouveautés concernant notre conception de l'angoisse et des pulsions** ». Il parle de « conception » afin de signifier qu'il entend « introduire les représentations abstraites correctes dont l'application à la matière brute de l'observation fait naître en elle l'ordre et la transparence » ; c'est dire qu'il entend bien proposer là *une théorie de l'angoisse.* Après avoir, en une dizaine de pages exemplaires, donné un « abrégé » de ses acquis antérieurs[2], il nous propose ce qu'il entend y apporter de nouveau. Repartant du refoulement, il va d'abord chercher à *spécifier le mécanisme du refoulement en fonction des instances.*

Le **moi** « applique un investissement d'essai et éveille l'automatisme plaisir-déplaisir par le signal d'angoisse ». Plusieurs réactions peuvent alors s'ensuivre : – soit, face à la force de l'accès d'angoisse, le moi se retire ; – soit il peut lui opposer un contre-investissement qui, uni à l'énergie de la motion refoulée, forme le symptôme ; – soit ce contre-investissement est reçu dans le moi comme une formation réactionnelle, un renforcement de dispositions déterminées, une modification durable. Plus l'angoisse peut être réduite à un simple signal, plus le moi peut ainsi se consacrer aux défenses et à lier le refoulé, plus le processus se rapproche d'une élaboration normale (sans l'atteindre pour autant)[3].

Dans le ça, les choses sont plus difficiles à deviner. En fait, il semble qu'existe une *correspondance étroite entre ce qui se passe dans le moi*

1. *Malaise dans la civilisation* (1930a [1929]), Paris, PUF, 1971, p. 94-95 ; *OCF* XVIII, p. 322-323 ; *GW* XIV, p. 494-495.

2. *Nouvelles conférences d'introduction à la psychanalyse* (1933a [1932]), Paris, Gallimard, 1984, p. 111-121 ; *OCF* XIX, p. 164-171 ; *GW* XV, p. 87-95.

3. *Ibidem,* p. 123 ; p. 173-174 ; p. 97.

et dans le ça. Lors du refoulement, le principe de plaisir-déplaisir, éveillé par le signal d'angoisse, va régir ce qui se passe dans le ça ; il peut donc modifier profondément la motion pulsionnelle. Très souvent ceci entraîne, au lieu d'un rabaissement de la libido (résultat habituel du refoulement), une régression de l'organisation libidinale à un stade antérieur. *Ce processus, qui n'a lieu que dans le ça, se produit sous l'influence du même conflit que celui que le signal d'angoisse introduit dans le moi*[1].

À propos de l'angoisse, « **tout est en évolution, en mutation** », remarque Freud. Il devient ainsi possible de compléter la description du moi : s'il apparaît faible face au ça, il n'en est pas moins la partie la mieux organisée, orientée vers la réalité ; il convient donc de *reconnaître au moi une influence sur les processus qui ont lieu dans le ça*, influence obtenue par le signal d'angoisse, qui actionne le principe quasi tout-puissant de plaisir-déplaisir[2].

Un **facteur traumatique** explique comment l'angoisse névrotique peut être assimilée à une angoisse réelle face à un danger extérieur. L'essentiel tient à l'état d'excitation et de tension psychique qui, ne pouvant être maîtrisé, est ressenti comme déplaisir (y compris pour la naissance, ce prototype de l'état d'angoisse). Ainsi, l'objet de l'angoisse est, à chaque fois, l'apparition d'un facteur traumatique ne pouvant être liquidé selon le principe de plaisir (c'est là, encore une fois, une question de quantités). Puisque seule la grandeur de l'excitation peut aboutir à un facteur traumatique, la constitution de traumatismes en dehors des situations de danger devient dès lors possible lorsque l'angoisse n'apparaît pas comme un signal mais surgit avec une motivation nouvelle ; tel est d'ailleurs le cas des refoulements originaires. Si nous ne pouvons plus dire que la libido elle-même est transformée en angoisse, nous devons considérer qu'il y a une **double origine de l'angoisse** : *tantôt conséquence directe du facteur traumatique, tantôt signal indiquant une menace de réapparition d'un tel facteur*[3].

1. *Ibidem*, p. 124-125 ; p. 174-175 ; p. 98.
2. *Ibidem*, p. 126 ; p. 175-176 ; p. 99.
3. *Ibidem*, p. 126-128 ; p. 177 ; p. 101.

À ce point parvenu, Freud semble avoir considéré qu'il a exposé tout ce qu'il avait à nous dire sur l'angoisse. Jusqu'à la fin, jusqu'à l'*Abrégé de psychanalyse* en **1938**, il n'y reviendra plus, la référant simplement, à l'occasion, comme une donnée acquise.

QUESTIONS ET ENJEUX

L'angoisse est sans conteste un affect ; elle est un affect de déplaisir, et définie comme telle dès les premiers travaux qui la situent clairement en dépendance de l'affect. La question demeure pourtant posée de son statut ?

Dans un premier temps « l'affect proprement dit » est au premier plan, et c'est surtout de lui qu'il est traité ; il y a certes le cas particulier de l'« affect d'angoisse » (dont la dénomination indique clairement qu'il s'agit avant tout d'un affect), mais il est alors abordé de façon descriptive, « phénoménale » dit Freud [1], essentiellement clinique de fait. À partir de 1923, mais surtout de 1926 puis de 1933, il propose une « théorie de l'angoisse », spécifique et complexe, qui tend à occuper la plus grande place, supplantant quasiment l'affect (ne serait-ce que par le nombre de pages qui lui sont consacrées), tendant même à le mettre dans sa dépendance théorique.

En dépit de ce renversement, Freud tient pourtant à maintenir et réaffirmer la primauté de l'affect : même en faisant de l'état d'angoisse une reproduction du traumatisme de la naissance, « nous n'avons rien avancé qui soit susceptible de conférer à l'angoisse une situation exceptionnelle parmi les états d'affect » [2] – ce qui d'ailleurs ne l'empêche pas, quelques pages plus loin, d'évoquer « le privilège dont semble bénéficier l'affect d'angoisse, sur tous les autres affects », qui est d'être le seul à provoquer des réactions que l'on peut reconnaître comme anormales, ou encore d'avancer que sa liaison avec l'« essence du danger » permet à l'affect d'angoisse de conquérir « une position exceptionnelle dans

1. Par exemple dans *Conférences d'introduction à la psychanalyse* (1916-1917), Paris, Gallimard, 1999, p. 504 ; *OCF* XIV, p. 412 ; *GW* XI, p. 412.

2. *Inhibition, symptôme et angoisse* (1926d [1925]), Paris, PUF, 1951, p. 57 ; *OCF* XVII, p. 249 ; *GW* XIV, p. 164.

l'économie psychique »[1]. Alors, l'angoisse ? Affect comme les autres, ou affect exceptionnel ?

Nous sommes ici confrontés à l'*irréductible singularité du statut de l'affect* qui tient sans doute aux conditions mêmes de l'invention de la psychanalyse et à sa vocation thérapeutique originelle. Ce dont elle traite est d'abord l'affect douloureux, voire la pathologie de l'affect, c'est-à-dire l'angoisse, qui se trouve ainsi « placée au centre de notre intérêt pour les problèmes des névroses » – d'où son importance pour signifier et déterminer les symptômes. Aussi inévitable et nécessaire que puisse s'avérer son rôle dans le développement et le fonctionnement psychique, l'angoisse n'en demeure pas moins une fuite du moi devant sa libido, dont elle est pourtant issue[2] ; elle en est une transformation, une « altération » que Freud illustrera en disant « qu'elle est à la libido ce que le vinaigre est au vin », précisant même que ce rapport de dégradation est « un des résultats les plus importants de la recherche psychanalytique »[3]. Ainsi s'explique d'ailleurs l'importance qui finit par lui être attribuée car on sait que la méthode psychanalytique, pour comprendre le fonctionnement normal, a toujours privilégié l'approche par les manques et les ratés, les pathologies et les inadéquations, les oublis, actes manqués et symptômes. Il était donc logique que l'angoisse, cet « affect altéré », finisse par se retrouver au cœur de l'étude du fonctionnement psychique et, plus encore, au centre même de celui-ci – que ce soit par rapport à la libido et au principe de plaisir, ou aux instances de la nouvelle topique[4].

Cette singularité peut nous permettre d'appréhender ce qui détermine la *métapsychologie du couple affect-angoisse entre 1923 et 1926*. À bien y regarder, les thèmes sont à peu près les mêmes avant et après cette charnière, ceux qui avaient été avancés lors de la première époque se trouvant réaménagés à la deuxième. Ainsi que nous l'avons vu, dès 1895 sont énoncés le rapport de l'angoisse à la sexualité et à l'excitation libidinale, comme son ancrage biologique. En 1905, apparaît le rôle décisif de l'absence de la personne aimée, ainsi que la transformation de

1. *Ibidem*, p. 74 ; p. 77 ; p. 264.

2. *Conférences d'introduction à la psychanalyse* (1916-1917), Paris, Gallimard, 1999, p. 512-513 ; *OCF* XIV, p. 419-420 ; *GW* XI, p. 419-420.

3. *Trois essais sur la théorie sexuelle* (1905d), Paris, Gallimard, 1987.

4. *Inhibition, symptôme et angoisse* (1926d [1925]), Paris, PUF, 1951, p. 89-90 ; *OCF* XVII, p. 275 ; *GW* XIV, p. 193.

la libido en angoisse ; en 1909 est posée la naissance comme première angoisse, source et modèle de toutes les autres ; de 1909 à 1915 est approfondie l'acquisition par les affects du caractère d'angoisse, possibilité reconnue pour tous, au point que celle-ci doit être admise comme un destin pulsionnel toujours réalisable, voire nécessaire ; en 1916-1917 est établie la distinction, toute relative d'ailleurs, entre une « angoisse réaliste » et une « angoisse névrotique », alors que l'inadéquation de toute angoisse est confirmée, ce qui conduit à distinguer différentes formes cliniques. Enfin, en 1923, annonçant des réélaborations toutes proches, une « angoisse de conscience », produit du surmoi, est individualisée, débouchant sur l'angoisse de mort comme élaboration de l'angoisse de castration.

Quels seront les *apports de 1926, puis de 1932* ? Surtout une autre façon d'appréhender les données existantes car, en effet, « il n'est pas nécessaire d'ôter toute valeur à nos découvertes antérieures, il faut seulement les intégrer à nos vues les plus récentes » [1] – ce qui aboutit, en fait, à conceptualiser ce qui était encore surtout une description. On peut considérer que jusqu'à cette époque dominait une *théorie de l'affect*, de l'affect normal, pourrait-on dire ; sans être abandonnée, celle-ci va cependant se faire moins prégnante, l'intérêt se portant dorénavant vers l'affect d'*angoisse* comme altération traumatique de la libido, débouchant sur la *nouvelle conception de l'angoisse* – qui d'ailleurs, comme le souligne Freud, va demeurer en mutation et en évolution.

Les découvertes antérieures à 1926 demeurent donc pertinentes ; elles sont, pour l'essentiel, des acquis. Apparaissent pourtant deux véritables bouleversements, qu'il convient ici de rappeler, quitte à répéter brièvement ce que nous avons déjà pu formuler. Ces apports vont achever de dégager l'étude de l'angoisse de celle de son étiologie et de sa clinique, lui conférant un *statut conceptuel doté de sa théorie propre*. Le premier constate que le refoulement ne produit pas l'angoisse mais est, au contraire, suscité par elle[2] ; à vrai dire, ce qui est là renouvelé est la métapsychologie du refoulement proprement dit plus que celle de l'angoisse. L'autre innovation – sans doute la plus importante – concerne l'angoisse elle-même ; sa nouvelle conception la fait apparaître comme *réaction à une perte*, la séparation

1. *Ibidem*, p. 65-66 ; p. 256 ; p. 171.
2. *Ibidem*, p. 27-28 ; p. 226 ; p. 137.

constituant le danger pulsionnel déclenchant. Si l'idée avait été avancée dès 1905, la nouveauté radicale tient à la fonction centrale qu'elle se voit attribuée. La séparation de la naissance est confirmée comme prototype de toutes les situations de danger et préfigure toutes les séparations à venir, sa nature biologique lui conférant un caractère automatique ; par la suite, nous l'avons vu, le déclenchement intentionnel d'un signal pourra l'évoquer afin de mettre en place les protections contre la menace qu'elle représente. Ce faisant, l'enfant va passer du réflexe physiologique à la réaction psychique ; il le fera, pour la première fois, en découvrant la perte de la personne aimée – ainsi « l'angoisse apparaît comme l'état de détresse psychique du nourrisson »[1].

Nous en sommes ainsi arrivé à *deux formes d'angoisse* bien distinctes, que ce soit dans leurs temps d'apparition (originelle et préobjectale, puis secondaire et objectale), ou dans leur rapport à la conscience (automatique ou intentionnelle), enfin dans leur effet et leur fonction (traumatique et défensif). Elles n'en sont pas moins étroitement apparentées entre elles (comme elles le sont l'une et l'autre à l'affect) par ce que Freud appelle précisément l'« essence de l'affect ». Un « facteur historique » est venu s'ajouter au « facteur physiologique » pour susciter deux modèles, deux « prototypes » du fonctionnement de l'angoisse : le premier type s'avère rapidement inadéquat mais il va fournir l'étayage d'un autre qui aura valeur de signal activant les défenses ; le premier sera le plus souvent occulté mais ne disparaîtra pas pour autant. Nous retrouvons là – et ce n'est certes pas un hasard – un processus voisin tant de celui qui étaie les pulsions sexuelles sur les pulsions d'autoconservation, que de celui qui permet le choix d'objet par étayage.

Si on choisit maintenant d'aborder l'angoisse *selon* ses *rapports aux pulsions,* il apparaît qu'à l'origine l'« angoisse réaliste » est une manifestation de l'auto-conservation au services des pulsions du moi ; elle est donc utile et nécessaire. Elle pourra le demeurer plus tard face aux pulsions sexuelles si elle fonctionne comme « état d'alerte face au danger » permettant de mobiliser les défenses selon un véritable processus de secondarisation ; elle ne conservera cette fonction bénéfique que si elle sait se faire très discrète, si elle demeure une simple ébauche, un signal. Si ce signal d'angoisse en vient à se développer un peu trop, l'angoisse risque de déborder le moi – et il faut bien

1. *Ibidem,* p. 62 ; p. 253 ; p. 168.

constater que, de fait, « le développement d'angoisse n'est jamais quelque chose d'adéquat » : elle demeure inadaptée « par nature », pourrait-on dire. Un exemple de ce rapport étroit et nécessaire de l'angoisse aux formations psychonévrotiques nous est fourni par l'équivalence que Freud établit régulièrement entre l'angoisse de la naissance (incorporée par l'hérédité) et l'accès hystérique (acquis de façon individuelle), tous deux étant la cristallisation d'une réminiscence[1].

Inadéquate sans doute, l'angoisse n'en est pas moins fatale, inévitable et nécessaire, puisqu'elle doit « remplir une fonction biologiquement indispensable de réaction à l'état de danger », se modelant sur le processus de la naissance[2], apparaissant dès la mise en route des processus physiologiques de respiration et de circulation (elle est un processus « toxique » indispensable) ; c'est pourquoi la question de l'origine de l'angoisse nous fait « quitter le terrain proprement psychologique pour le domaine voisin de la physiologie »[3]. D'abord au service des pulsions d'auto-conservation, fonctionnant comme une défense du moi, l'affect d'angoisse ne pourra qu'altérer la libido (dont il est une forme d'expression) lorsqu'il lui faudra lutter contre le danger des pulsions sexuelles (notamment par le refoulement)[4], se retrouvant ainsi à la source des symptômes et des inhibitions.

Les *relations de l'angoisse aux instances* sont tout aussi déterminantes. Cette question ne pouvait effectivement se poser qu'avec l'introduction de la nouvelle topique ; c'est d'ailleurs elle qui conduit Freud à élaborer sa théorie de l'angoisse.

Rappelons encore une fois que si le surmoi est bien un puissant générateur d'angoisse, il n'y a aucune raison de lui attribuer une manifestation quelconque d'angoisse. Parler d'une angoisse du ça est une expression maladroite car, d'une part, l'angoisse étant un affect,

1. *Conférences d'introduction à la psychanalyse* (1916-1917), Paris, Gallimard, 1999, p. 498-502 ; *OCF* XIV, p. 408-411 ; *GW* XI, p. 408-411. Et *Nouvelles conférences d'introduction à la psychanalyse* (1933a [1932]), Paris, Gallimard, 1984, p. 123 ; *OCF* XIX, p. 173-174 ; *GW* XV, p. 97.

2. *Inhibition, symptôme et angoisse* (1926d [1925]), Paris, PUF, 1951, p. 57 ; *OCF* XVII, p. 249 ; *GW* XIV, p. 164.

3. *Ibidem*, p. 9 ; p. 211 ; p. 120.

4. *Nouvelles conférences d'introduction à la psychanalyse* (1933a [1932]), Paris, Gallimard, 1984, p. 116-117 ; *OCF* XIX, p. 167-169 ; *GW* XV, p. 91-92.

elle ne peut être éprouvée que par le moi et, d'autre part, le ça n'étant pas une organisation et ne pouvant apprécier les situations de danger, il ne saurait éprouver de l'angoisse, comme peut le faire le moi ; en revanche, dans le ça peuvent se développer des processus qui occasionnent de l'angoisse dans le moi. Indiscutablement, définitivement pourrait-on dire, « le moi est le véritable lieu de l'angoisse » (comme le laissait prévoir très tôt l'attribution de l'intentionnalité à l'angoisse-signal, point que confirmera donc la nouvelle topique). Qui plus est : il apparaît légitime de considérer que l'angoisse appartient au fonctionnement « normal » du moi, dont elle témoigne.

Si les choses sont à peu près claires avec l'angoisse-signal, l'*angoisse automatique* persiste à faire problème. Apparaissant à une époque où il n'y a pas encore de moi constitué, elle ne peut être que non consciente : si, lors de la naissance, il y a bien danger, ce danger n'a encore aucun contenu psychique[1] ; il n'y a rien, là et en un tel moment, qui puisse ressembler à un moi. On retrouve ainsi une contradiction comparable à une autre assez voisine : il fallut certes réviser l'idée que la libido pouvait se transformer en angoisse, mais il importait aussi de constater que, lors du refoulement – « de l'angoisse se forme à partir de l'investissement libidinal des motions pulsionnelles » –, ce qui vient contredire la thèse réaffirmée et vérifiée selon laquelle l'angoisse appartient au moi et apparaît dans le moi. « Voilà une contradiction qui ne paraît pas facile à résoudre. *Non liquet !* »[2]

Sans doute convient-il, pour tenter de répondre à ce qui pourrait bien apparaître comme une aporie, de suivre Freud dans le déplacement théorique qu'il opère avec sa nouvelle conception de l'angoisse, la centrant cette fois sur l'objet ou, plus précisément, *sur la perte de l'objet*. Mais nous devons, d'abord, lever une ambiguïté, qui tient à ce que l'angoisse est caractérisée par l'absence d'objet (lorsqu'elle en a trouvé un, elle doit être nommée « peur » et devient symptôme)[3] ; or, lorsque Freud parle de l'angoisse de castration comme prototypique de l'angoisse, cela n'implique-t-il pas que cette angoisse ait pour objet la castration ? En fait, c'est simplement là (comme pour l'« angoisse du ça ») une appellation maladroite, car ce qui provoque

1. *Inhibition, symptôme et angoisse* (1926d [1925]), Paris, PUF, 1951, p. 59 ; *OCF* XVII, p. 250 ; *GW* XIV, p. 165.

2. *Ibidem*, p. 27-29 ; p. 226-228 ; p. 137-139.

3. *Ibidem*, p. 94 ; p. 279 ; p. 197.

alors l'angoisse est la confrontation au danger représenté par la menace de castration, qui ne deviendra peur de la castration que lorsque celle-ci pourra être représentée, devenant objet de la peur. Mais si elle ne représente pas l'objet, l'angoisse ne s'en détermine pas moins par rapport aux objets – ce à quoi on devait d'ailleurs s'attendre puisque, le siège de l'angoisse étant le moi, l'objet (qui est d'abord objet du moi) est nécessairement impliqué. Donc, pour qu'il y ait angoisse, « il faut aussi que soit présent quelque chose face à quoi l'on est angoissé » [1] : le développement d'angoisse signale la situation de danger, suscitant alors des symptômes pour l'éviter [2]. Sans doute pouvons-nous dire que si l'angoisse n'a pas d'objet, il existe un objet de l'angoisse [3].

Avec sa nouvelle conception de l'angoisse, Freud aboutit à une formalisation en quatre temps du danger de la séparation : 1 / lors de la naissance, il s'agit de la séparation d'avec le corps de la mère non encore reconnue comme objet, dans une situation de danger primaire ; 2 / avec l'expérience qu'un objet extérieur peut mettre fin au danger apparaît l'angoisse de la perte de l'objet-mère protecteur ; 3 / à la phase phallique va se constituer l'angoisse de castration qui est, elle aussi, « une angoisse de séparation soumise à la même condition déterminant la perte de l'objet » ou, chez la femme, « la perte d'amour de la part de l'objet » ; 4 / avec la constitution du surmoi, s'il devient difficile d'identifier le danger de séparation, on peut pourtant considérer que l'angoisse morale et sociale, qui caractérise cette époque, est dominée par la peur de perdre l'amour du surmoi [4].

Il n'en demeure pas moins que si « les différents résultats de notre recherche ne sont pas exactement contradictoires », il faut bien constater qu'ils ne concordent pas non plus ; « il manque ici quelque chose qui, de morceaux, ferait une unité ». Freud admet son embarras, mais

1. *Conférences d'introduction à la psychanalyse* (1916-1917), Paris, Gallimard, 1999, p. 508 ; *OCF* XIV, p. 416 ; *GW* XI, p. 416.

2. *Inhibition, symptôme et angoisse* (1926d [1925]), Paris, PUF, 1951, p. 52 ; *OCF* XVII, p. 245 ; *GW* XIV, p. 159.

3. *Nouvelles conférences d'introduction à la psychanalyse* (1933a [1932]), Paris, Gallimard, 1984, p. 127 ; *OCF* XIX, p. 176-177 ; *GW* XV, p. 100.

4. *Inhibition, symptôme et angoisse* (1926d [1925]), Paris, PUF, 1951, p. 62-64 ; *OCF* XVII, p. 253-255 ; *GW* XIV, p. 168-170.

n'en maintient pas moins fermement ses deux données de base, pourtant d'abord peu conciliables. L'une est donc nouvelle et veut que la thèse qui fait du moi le seul siège de l'angoisse, que lui seul puisse la produire et en ressentir, constitue « une position nouvelle, solide, à partir de laquelle bien des situations présentent un autre aspect » ; c'est ainsi qu'une correspondance s'établit entre chacune des trois sortes d'angoisse et les trois relations de dépendance du moi : l'angoisse réelle avec le monde extérieur, l'angoisse névrotique avec le moi, et l'angoisse morale avec le surmoi. Cette nouvelle conception fait passer au premier plan la fonction qu'a l'angoisse d'indiquer une situation dangereuse[1]. Pourtant, avec une fermeté égale, est maintenue l'autre donnée, la toute première, qui considère la naissance comme « notre prototype de l'état d'angoisse » ; il s'agit là de l'angoisse automatique, et c'est bien elle qui demeure la référence indépassable. La seule solution devient alors, effectivement, de rompre l'ancienne unicité de l'affect ; il convient, dorénavant, de se résigner à ne plus voir d'objection à « une double origine de l'angoisse » : tantôt conséquence directe du facteur traumatique, tantôt signal indiquant une menace de réapparition d'un tel facteur[2]. C'est là, effectivement, un véritable bouleversement dans la pensée de Freud ; pour en arriver là, il lui fallut tant quelques réflexions nouvelles qu'une reprise théorique d'ensemble pour resituer les acquis.

Ainsi, l'unicité étiologique peut se retrouver et elle va réapparaître d'une autre façon. Il est un point commun, le *traumatisme,* qui se retrouve aussi bien dans les angoisses premières que secondes, dans les angoisse réelles que les angoisses névrotiques et les angoisses face à un danger. Dans toutes ces situations où le principe de plaisir est mis en défaut, nous sommes, de fait, arrivé à une situation simple : « Ce qui est redouté, l'objet de l'angoisse est, à chaque fois, l'apparition d'un facteur traumatique qui ne peut être liquidé selon la norme du principe de plaisir. » Le traumatisme apparaît non seulement comme un ambassadeur du principe de réalité, mais comme un agent régulateur possible de notre économie psychique. Mais il y a là encore quelque chose de plus qui pourrait bien être la solution que nous cherchons : « Il s'agit ici partout de la question des quantités relatives. » C'est seulement la grandeur du montant d'excitations qui,

1. *Nouvelles conférences d'introduction à la psychanalyse* (1933a [1932]), Paris, Gallimard, 1984, p. 116 ; *OCF* XIX, p. 167 ; *GW* XV, p. 91.

2. *Ibidem,* p. 126-128 ; p. 175-177 ; p. 99-101.

d'une impression, fait un facteur traumatique paralysant l'action du principe de plaisir ; c'est elle qui donne toute sa portée à la situation de danger. Par cette proposition, que Freud qualifie de « prosaïque », il devient compréhensible que des facteurs traumatiques se constituent en dehors de toutes situations de danger, là où l'angoisse ne saurait donc fonctionner comme signal, mais resurgit avec une motivation nouvelle. L'angoisse-signal n'apparaîtra qu'avec les refoulements plus tardifs. Les premiers refoulements se constituent directement lorsque le moi rencontre une revendication libidinale excessive, provoquée par des facteurs traumatiques, mais ils n'en forment pas moins leur angoisse sur le modèle de celle de la naissance[1].

À l'ombre de la libido et de la pulsion, l'approche économique reprend ainsi tous ses droits, mais alors resituée dans la perspective d'une détermination historique (symbolique donc), et resignifiée par elle. C'est par là, par sa nécessaire implication du moi comme de ses objets, par son rapport privilégié aux symptômes qui la place au centre même des névroses, que l'angoisse fournit l'un de ses principaux axes à la cure analytique, à l'établissement et à l'interprétation du transfert.

Claude Le Guen

ANIMISME, pensée animique

all. : ***Animismus***. – angl. : *animism*. – esp. : *animismo*. – ital. : *animismo*. – port. : *animismo*.

L'animisme est un système de pensée qui, au-delà de l'explication d'un phénomène isolé, permet de concevoir le tout du monde comme un unique ensemble cohérent. Des esprits, ou démons, sont la cause des processus naturels : tout est doué de vie. Cette conception du monde procède de l'extension par projection de la représentation de l'âme humaine à tous les êtres. La surestimation des actes psychiques, sur le modèle de l'hallucination de la satisfaction d'un désir, permet

1. *Ibidem*.

d'agir sur le monde en fonction de ses propres souhaits ; le principe régissant la magie, technique de base du mode de pensée animiste, est la toute-puissance des pensées (telle qu'elle se retrouve dans la névrose obsessionnelle). L'animisme est la première forme de vision du monde, et précède la religion dont il pose les conditions préalables. On en décèle encore maintes traces dans notre vie contemporaine, non seulement dans les superstitions, mais au fondement même de nos conceptions du langage, de la croyance et de la philosophie.

Le mode de pensée animique, qui consiste donc à attribuer aux choses et à la nature une âme analogue à l'âme humaine, se rencontre couramment chez les primitifs et les enfants.

MISE EN SITUATION

Freud emprunte la notion d'animisme à l'ethnologie du début du XXe *siècle, prenant surtout appui sur les travaux de Frazer (*Totémisme et exogamie, *1910) et de Wundt (*Psychologie des peuples, *1906), mais il en fait un usage spécifique, notamment dans le souci d'établir un parallèle entre les sociétés primitives, l'infantile et les symptômes névrotiques. Son intérêt est contemporain des premiers désaccords qui surgissent avec Jung. Dès février 1911, dans une lettre, Freud laisse entendre qu'il a en gestation une vaste synthèse sur l'origine, l'histoire et la psychologie des religions situant l'animisme dans une conception évolutionniste, de façon proche de la « loi des trois états » d'Auguste Comte : phase animiste marquée par la toute-puissance des pensées, phase religieuse, phase scientifique. Il accorde une importance essentielle à la dimension psychologique du totémisme avec la toute-puissance des pensées, la magie qui en est la technique d'action (en référence aux travaux d'Hubert et de Mauss), ainsi qu'aux caractéristiques de la vision du monde propre à l'animisme. La projection qui fait apparaître des forces animées (douées d'âmes) dans toutes les réalités naturelles est moins étudiée par Freud, qui s'attache surtout à reconnaître dans l'émergence de multitudes d'esprits et de démons la trace d'une évolution vers la constitution des religions.*

Les traducteurs des OCF, *à l'encontre des indications de Freud, ont choisi de traduire* Seele *par* ***âme*** *(avec l'adjectif* ***animique****) plutôt que par* ***psyché*** *(et* ***psychique****), tirant ainsi la notion tant vers des implications spirituelles et religieuses que vers une séparation tranchée d'avec le corps ; sans entrer ici dans la discussion de la pertinence de ce choix nous signalons au lecteur les risques de confusion que cela peut entraîner.*

LE TEXTE FREUDIEN

L'animisme est mentionné pour la première fois dans le supplément du texte de 1911 consacré au président Schreber et à sa prétention à fixer le soleil sans en être ébloui ; le rapport au soleil renvoie à un symbole paternel sublimé ; la mise à l'épreuve parentale « fait pénétrer profondément dans le mode de pensée totémique des peuples primitifs » : le totem (animal ou force de la nature), conçu sur un mode animiste, épargne les membres de sa tribu car ils sont ses enfants et il est leur ancêtre. « Les forces édificatrices des mythes de l'humanité ne sont pas épuisées », pas plus que celles qui édifient les religions ; les névroses (au sens large) engendrent les mêmes productions psychiques qu'autrefois. Freud annonce son projet d'étendre ce principe et d'ajouter à sa réflexion ontogénique, sur l'individu, une « amplification » anthropologique et phylogénétique[1].

L'ÉLABORATION DANS *TOTEM ET TABOU*

La réflexion sur l'animisme constitue le troisième essai de *Totem et tabou* (1913) explicitant que, dans les sociétés anciennes, les pensées inconscientes de meurtre et les vœux de mort suffisent à tuer[2]. La

1. *Cinq psychanalyses*, Paris, PUF, 1954, p. 323-324 ; *OCF* X, p. 303 ; *GW* VIII, p. 318.

2. *Totem et tabou* (1912-1913a), Paris, Gallimard, 1993, p. 166 ; *OCF* XI, p. 269 ; *GW* IX, p. 78.

projection dans des démons des motions mauvaises internes n'est qu'une part du système qui forme leur « vision du monde » (« *Weltanschauung* » couramment traduit aussi par « idéologie »)[1], dont l'organisation narcissique se caractérise par la surestimation des actes psychiques[2]. L'animisme (selon Tylor) est la doctrine portant sur les représentations d'âmes et les êtres spirituels[3] ; les peuples primitifs, passés ou actuels, peuplent le monde d'une multitude d'êtres spirituels, bienveillants ou mal intentionnés, et ces esprits ou démons sont la cause des processus naturels ; tout dans la nature est doué de vie. Aujourd'hui, nous avons restreint l'existence des esprits, et nous expliquons les processus naturels par des forces physiques impersonnelles, mais nous restons proches d'un autre aspect de cette philosophie de la nature primitive, croyant aussi à une présence d'âme chez les humains et à la transmigration possible de ces âmes chez d'autres humains. D'abord semblables aux individus, ces âmes n'ont été que progressivement dématérialisées, considérées comme de purs esprits ; ces représentations d'âmes seraient le noyau du système animiste : les esprits sont des âmes devenues autonomes, et les âmes des animaux, des plantes et des choses ont été formées par analogie avec les âmes humaines. L'observation des phénomènes du sommeil, du rêve et de la mort serait à l'origine de la formation de cette théorie. L'immortalité, la continuation de la vie irait de soi ; la mort n'aurait été acceptée que tardivement et avec hésitation. Wundt considère que l'animisme est le produit nécessaire d'une conscience formatrice de mythes, expression spirituelle de l'état de nature de l'homme qui se retrouve chez les différents peuples. « L'animisme est un système de pensée, il ne donne pas seulement l'explication d'un phénomène isolé, mais il permet de concevoir, à partir d'un seul point, le tout du monde comme un unique ensemble cohérent ». L'humanité a produit successivement trois visions du monde (« *Weltanschauung* ») : l'animiste (mythologique), la religieuse, la scientifique (Auguste Comte). L'animisme explique l'essence du monde de façon exhaustive et le mythe

1. *Ibidem*, p. 171 ; p. 272 ; p. 81.
2. *Ibidem*, p. 316 ; p. 380 ; p. 192.
3. *Ibidem*, p. 187-188 ; p. 283 ; p. 93.

repose sur des présuppositions animistes, mais la relation entre mythe et animisme reste à clarifier ; l'animisme n'est pas encore une religion, mais contient les conditions préalables sur lesquelles celles-ci s'édifieront plus tard. « Or **cette première vision du monde de l'humanité est une théorie psychologique** »[1]. On peut en déceler aujourd'hui des traces dans les superstitions où elles survivent comme fondements de notre langage, de nos croyances et de notre philosophie.

C'est le besoin pratique de s'emparer du monde (pas seulement un désir spéculatif) qui a suscité la création de ce premier système de pensée qui va de pair avec les pratiques visant à dominer les hommes, les animaux et les choses ; sa stratégie est magique. Elle prend la connexion idéelle pour une causalité réelle ; elle est un précurseur de la technique, et en développe les formes et les présupposés. L'action magique rappelle aussi la satisfaction hallucinatoire des souhaits chez l'enfant, mais en y adjoignant la volonté, tout comme chez l'enfant le jeu relaie l'hallucination de la satisfaction selon une technique purement sensorielle. Jeu et technique imitative suffisent en raison de la valeur prépondérante accordée au souhait. Avec le temps, l'accent se déplace des motifs de l'action magique vers l'action elle-même, manifestant mieux encore la surestimation des actes psychiques. « Il semble maintenant que ce ne soit rien d'autre que l'action magique qui, en vertu de sa ressemblance avec ce qui est souhaité, obtient par contrainte que cela advienne »[2]. Lorsque ces procédures magiques sont encore en usage mais qu'intervient un doute, expression d'un refoulement, les hommes ajouteront l'idée que l'invocation des esprits ne peut agir que si l'on croit en eux (la force d'enchantement de la prière suppose elle aussi la foi et la piété). La possibilité d'une magie contagieuse par contiguïté montre également que, à partir des souhaits, la valorisation psychique s'est étendue à tous les actes psychiques, d'où une surestimation générale des processus psychiques, manière de concevoir la réalité qui surestime la pensée. Les choses s'effacent derrière les représentations qu'on en a ; les relations entre représentations sont présupposées exister aussi entre les choses.

1. *Ibidem*, p. 191 ; p. 286 ; p. 96.
2. *Ibidem*, p. 202 ; p. 294 ; p. 104.

Comme la pensée, le monde magique peut ignorer les distances et rassembler instantanément ce qui est éloigné dans l'espace et le temps, traiter comme actuel ce qui est passé. « L'image en miroir du monde intérieur ne peut, à l'époque animiste, que rendre invisible cette autre image du monde que nous croyons connaître »[1]. Le contact (direct ou figuré) conjoint les deux principes de l'association : contiguïté et ressemblance ; l'identité dans le processus psychique est garantie par l'usage du même terme, comme cela s'était révélé dans l'analyse du tabou. En résumé : la « toute-puissance des pensées » (expression que Freud emprunte à « l'homme aux rats » pour désigner un fonctionnement prédominant dans la névrose obsessionnelle[2]) est le principe qui régit la magie, technique du mode de pensée animiste. Freud rapproche la très grande estime qu'accordent les primitifs et les névrosés aux actes psychiques, correspondant à une pensée hautement sexualisée, avec le narcissisme dont elle est un élément essentiel[3]. Sur ce, il reformule sa conception évolutionniste du développement des représentations du monde de l'humanité : à la phase animiste succède la phase religieuse dans laquelle l'homme cède aux dieux la toute-puissance sans y renoncer vraiment (il guide les dieux en exerçant sur eux de multiples influences), tandis que « dans la vision du monde scientifique, il n'y a plus de place pour la toute-puissance de l'homme, il a reconnu sa petitesse et s'est soumis avec résignation à la mort comme à toutes les autres nécessités naturelles »[4]. Mais une part de la croyance primitive en la toute-puissance survit dans la confiance en la puissance de l'esprit humain, capable de prendre en compte les lois naturelles qui régissent la réalité.

Le point commun de la toute-puissance des pensées autorise à comparer les stades de développement libidinal avec les visions du monde : la phase animiste correspond donc au narcissisme, la phase religieuse à la découverte de l'objet caractérisée par le lien aux parents, la phase scientifique trouve son pendant dans la maturité de

1. *Ibidem*, p. 203 ; p. 295 ; p. 105.
2. *Ibidem*, p. 204-205 ; p. 295-296 ; p. 106-107.
3. *Ibidem*, p. 210 ; p. 299 ; p. 110.
4. *Ibidem*, p. 210 ; p. 298 ; p. 109.

l'individu « qui a su renoncer au principe de plaisir pour, s'adaptant à la réalité, chercher son objet dans le monde extérieur » [1]. Seul l'art sait maintenir une toute-puissance des pensées capable de créer grâce à l'illusion artistique, apportant de la satisfaction dans un jeu aux effets affectifs aussi puissants que s'il s'agissait de quelque chose de réel. Mais ceci ne peut être que parce qu'avant d'être de « l'art pour l'art », l'activité artistique a été au service de tendances pratiques, dont nombre étaient magiques.

Première conception du monde, l'animisme est une conception psychologique qui n'a nul besoin de recours à une science qui ne peut apparaître que lorsque l'homme prend conscience de son ignorance du monde ; il lui faut donc chercher des moyens pour le connaître. La représentation que s'en fait l'animiste est aussi naturelle qu'évidente ; il sait comment sont les choses du monde puisqu'elles sont telles qu'il les ressent, reportant dans le monde extérieur les conditions structurelles de sa psyché. La technique animiste (la magie) dévoile clairement l'intention de placer la réalité sous la contrainte des lois de la vie psychique, sans que pour autant les esprits (correspondant à une doctrine ultérieure mais pouvant être aussi traités par la magie) aient forcément de rôle à jouer. La magie réserve encore la totalité de la toute-puissance aux pensées, tandis que l'animisme en a cédé une partie aux esprits, projections des motions affectives, « et s'est ainsi engagé dans la voie menant à la formation d'une religion » [2]. De la représentation primitive de la vie psychique (« l'âme ») on ne peut attendre plus que de celle que l'on s'en fait aujourd'hui : qu'elle respecte la distinction entre les activités psychiques consciente et inconsciente. « L'âme animiste réunit plutôt en elle des déterminations appartenant aux deux côtés » [3] ; sa fugitivité et sa mobilité, sa capacité de quitter le corps et de prendre possession d'un autre corps sont des caractères qui rappellent l'essence de la conscience. Mais sa manière d'être cachée, son immutabilité et son indestructibilité, nous devons les attribuer aujourd'hui aux processus inconscients, ces véritables

1. *Ibidem*, p. 211 ; p. 300 ; p. 111.
2. *Ibidem*, p. 213 ; p. 302 ; p. 112.
3. *Ibidem*, p. 216 ; p. 304-305 ; p. 115.

porteurs de l'activité psychique. La systématisation animiste ressemble aux élaborations secondaires du rêve et risque d'être mal comprise, ne percevant pas, derrière la « superstition » marquant telle coutume ou prescription, les élaborations culturelles et psychiques marquées par le refoulement (comme pour l'angoisse, les rêves ou les démons)[1]. Or la psychologie des peuples animistes nous est peut-être aussi difficile d'accès que la vie psychique de l'enfant « que nous, adultes, ne comprenons plus et dont nous avons pour cette raison sous-estimé la richesse et la finesse de sentiment »[2].

Dans sa défense et sa discussion des théories du totémisme, qui introduit au mythe du meurtre du père et du repas cannibalique, et en posant que l'animal totem est un substitut du père, Freud se réfère à Wundt pour souligner que l'objet totem original et le plus répandu est l'animal, notamment les « animaux à âme » tels que oiseaux, serpents, lézards, souris, particulièrement mobiles et donc aptes à transporter l'âme qui quitte le corps. « L'animal totem est un rejeton des transformations animales de l'âme souffle »[3], ce qui relie directement le totémisme à l'animisme.

Permanence de la référence à l'animisme

Dans la seconde partie de « L'intérêt de la psychanalyse » (1913) qui s'intéresse aux « sciences non psychologiques », Freud reprend les thèses de *Totem et tabou* en se référant à l'article de Ferenczi sur « Le développement du sens de la réalité et ses stades » (1913). La psychanalyse « établit un rapport intime entre toutes les productions psychiques des individus et des communautés en postulant la même source dynamique pour les uns et pour les autres »[4] – il s'agit de procurer un soulagement, une décharge aux tendances affectives auxquelles la réalité ne permet pas la satisfaction. Comme les affections névrotiques, l'histoire des civilisations témoigne du principe de

1. *Ibidem*, p. 221 ; p. 308 ; p. 119.
2. *Ibidem*, p. 223 ; p. 310 ; p. 121.
3. *Ibidem*, p. 255 ; p. 334 ; p. 145.
4. « L'intérêt de la psychanalyse » (1913j), *Résultats, idées, problèmes*, *I*, Paris, PUF, 1984, p. 208 ; *OCF* XII, p. 120 ; *GW* VIII, p. 415.

l'évitement du déplaisir ; l'étude des peuples primitifs montre les hommes « embarrassés tout d'abord dans des croyances infantiles de toute-puissance »[1]. Nombre de formations psychiques et culturelles sont autant d'efforts pour nier les perturbations de cette toute-puissance et pour tenir à distance l'action de la réalité sur la vie affective. L'interprétation freudienne est évolutionniste : parallèlement à la domination progressive du monde par l'homme, qui permet davantage de satisfaction par une adaptation efficace au monde extérieur, la conception du monde « s'écarte de plus en plus de la croyance primitive à la toute-puissance et s'élève de la phase animiste à la phase scientifique par l'intermédiaire de la phase religieuse »[2]. Les névroses sont des tentatives pour résoudre individuellement les mêmes difficultés de l'insatisfaction par une compensation du désir mais le recul du facteur social et la prépondérance du facteur sexuel « transforment ces résolutions névrotiques de la tâche psychologique en caricatures inutilisables »[3] qui permettent néanmoins d'éclairer et d'interpréter les phases initiales de l'histoire de l'humanité.

Dans l'essai de 1915 sur « L'inconscient », Freud élargit et situe le sens et l'intérêt de la référence psychanalytique à l'animisme : « L'hypothèse psychanalytique de l'activité psychique inconsciente nous apparaît d'un côté comme une prolongation lointaine de l'animisme primitif »[4], qui faisait voir en toutes choses des portraits vivants des hommes eux-mêmes, et de l'autre comme une illustration des positions kantiennes sur la perception : la réalité n'est pas nécessairement comme elle nous apparaît. Il est intéressant de voir l'hypothèse de l'inconscient ainsi légitimée par Freud à partir de deux arguments radicalement opposés : l'expérience primitive du monde, et l'élaboration philosophique du criticisme.

La *Vue d'ensemble sur les névroses de transfert* (texte de 1915 non publié) propose une reconstitution de l'histoire de l'humanité,

1. *Ibidem*, p. 209 ; p. 121 ; p. 416.

2. *Ibidem*.

3. *Ibidem*.

4. « L'inconscient » (1915e), *Métapsychologie*, Paris, Gallimard, 1968, p. 73 ; *OCF* XIII, p. 210 ; *GW* X, p. 270.

devenue universellement anxieuse, les névroses étant censées « donner témoignage de l'histoire du développement psychique de l'être humain »[1]. La succession historique suivrait ainsi la succession clinique : hystérie d'angoisse–hystérie de conversion–névrose obsessionnelle–démence précoce–paranoïa–mélancolie-manie. L'hystérie d'angoisse comporte un maximum de facteurs phylogénétiques, l'hystérie de conversion témoigne du conflit entre conservation et reproduction, tandis que le développement de l'intelligence, avec l'apparition du langage, favorise la croyance en la toute-puissance des pensées. Le monde est compris à partir du moi ; « c'est alors le temps de la vision animiste du monde et de sa technique magique »[2].

« Le tabou de la virginité » (1918) s'appuie sur la réflexion que le primitif met un tabou là où il redoute un danger – quelles que soient, comme dans la névrose, les justifications élaborées après coup. Ce danger est toujours psychique, car celui-ci ne se distingue pas du danger matériel puisque, selon la conception animiste du monde, « tout danger prend bien sa source dans le dessein hostile d'un être animé qui lui ressemble »[3] ; s'y ajoute la projection dans le monde extérieur de ses propres motions internes d'hostilité, imputées aux objets désagréables ou étrangers. La femme est ainsi reconnue, elle aussi, comme source de dangers, et le premier acte sexuel avec elle représente un danger particulièrement intense.

La réflexion sur « L'inquiétante étrangeté » (1919) comporte un développement qui réfère les situations inquiétantes au principe de la toute-puissance des pensées, et de ce fait à l'animisme : « L'analyse des cas d'inquiétant nous a ramenés à cette ancienne conception du monde qu'est l'animisme, qui se caractérisait par le peuplement du monde avec des esprits humains, par la surestimation narcissique des processus psychiques propres, la toute-puissance des pensées et la technique de la magie fondée sur elle, l'attribution à des personnes et

1. *Vue d'ensemble sur les névroses de transfert. Un essai métapsychologique* (1985a [1915]), Paris, Gallimard, 1986, p. 30 ; *OCF* XIII, p. 291 ; *GW* XIX, p. 641.

2. *Ibidem*, p. 37 ; p. 295 ; p. 646.

3. « Le tabou de la virginité » (1918a [1917]), *La vie sexuelle*, Paris, PUF, 1969, p. 73 ; *OCF* XV, p. 88 ; *GW* XII, p. 170.

à des choses étrangères de forces d'enchantement aux gradations soigneusement établies (mana), ainsi que par toutes les créations grâce auxquelles le narcissisme illimité de cette période de l'évolution se défendait contre l'objection irrécusable de la réalité »[1]. Chaque individu semble traverser dans son développement individuel une phase correspondant à cet « animisme des primitifs », qui a laissé des restes et des traces ; ce qui paraît inquiétant touche à ces restes d'une attitude psychique animiste – dont le caractère inquiétant était déjà mentionné dans *Totem et tabou* – et les incite à s'exprimer. Notre pensée actuelle conserve d'ailleurs l'angoisse primitive devant la mort, tout comme le refoulement qui fait que ce qui est primitif puisse faire retour comme quelque chose d'inquiétant. L'homme inquiétant est celui à qui l'on prête des intentions mauvaises accompagnées de la possibilité de recourir à des forces secrètes, ce qui nous replace sur le terrain de l'animisme. De même : l'effet inquiétant produit par l'effacement de la frontière entre fantasme et réalité, ou celui d'un symbole se mettant à assumer toute la signification de ce qu'il symbolise, doivent être référés à l'animisme ; c'est aussi ce qui rend inquiétantes les pratiques magiques. Néanmoins, les accomplissements de souhaits immédiats dont fourmillent les contes n'ont pas d'effet inquiétant ; de manière générale, le conte se place délibérément et sans ambiguïté du point de vue animiste de la toute-puissance des pensées, sans que ce parti pris suscite d'impression inquiétante[2]. Adhérant ouvertement au mode de pensée animiste, mais sans y croire, le conte de fées ne suscite pas le débat, implicite à l'effet inquiétant, sur la réalité des phénomènes racontés. En fait, le sentiment d'inquiétante étrangeté surgit dans la mesure où quelque chose demeure des anciennes convictions animistes, lorsque ressurgit l'idée que ces possibilités, auxquelles nous pensions avoir cessé de croire, pourraient bien être effectives. Ces croyances continuent de vivre en nous, à l'affût d'une confirmation. « Pour celui qui, au contraire, a liquidé en lui, radicalement et définitivement, ces convictions animistes, l'inquiétant de cette sorte-là fait

1. « L'inquiétante étrangeté » (1919h), *L'inquiétante étrangeté et autres essais*, Paris, Gallimard, 1985, p. 245 ; *OCF* XV, p. 174 ; *GW* XII, p. 253.

2. *Ibidem*, p. 253 ; p. 181 ; p. 260.

défaut »[1] et les plus étranges coïncidences ou faits énigmatiques ne feront pas surgir d'angoisse susceptible de se manifester comme inquiétante. Il en va autrement de l'inquiétant provenant des complexes infantiles refoulés – mais complexes infantiles et convictions primitives sont en étroite corrélation, ce qui tend à estomper cette distinction.

Au début de *Psychologie des foules et analyse du moi* (1921), une note réfère *Totem et tabou* et l'animisme : la foule « ne supporte aucun ajournement entre son désir et la réalisation effective du désiré. Elle a le sentiment de toute-puissance ; pour l'individu dans la masse disparaît la notion de l'impossible »[2].

L'« Autoprésentation » de 1924 rappelle les thèses de *Totem et tabou* sur l'effroi devant l'inceste, les interdictions par tabou, l'animisme et le totémisme. Freud souligne, dans le système cosmique de l'animisme, le recours au « principe de la surestimation de la réalité psychique », de cette « toute-puissance des pensées »[3] qui est aussi au principe de la magie, précisant sa parenté avec la névrose obsessionnelle, étrange affection où sont encore en vigueur les présupposés de la vie intellectuelle primitive.

Inhibition, symptôme et angoisse (1926) comporte une mention exclusivement clinique de l'animisme, à propos des rituels de la névrose obsessionnelle avec l'annulation rétroactive, cette « magie négative » qui tend à abolir l'événement déplaisant lui-même[4].

Les dernières mentions de l'animisme apparaissent en 1933 dans les *Nouvelles conférences d'introduction à la psychanalyse*. Le primitif, l'inculte et sans doute aussi l'enfant trouvent toujours une raison, une explication à ce qui leur arrive ; ce n'est qu'avec la pensée scientifique qu'apparaissent le doute, la suspension du jugement, la distinction des valeurs entre divers arguments ; ainsi l'hostilité envers la mère prend-

1. *Ibidem*, p. 256 ; p. 183 ; p. 262.

2. *Psychologie des foules et analyse du moi* (1921c), *Essais de psychanalyse*, Paris, Payot, 1966, p. 92-93 ; *OCF* XVI, p. 14 ; *GW* XIII, p. 82.

3. *Sigmund Freud présenté par lui-même* (1925d), Paris, Gallimard, 1984, p. 112-113 ; *OCF* XVII (« Autoprésentation »), p. 114 ; *GW* XIV, p. 92.

4. *Inhibition, symptôme et angoisse* (1926d [1925]), Paris, PUF, 1951, p. 42 ; *OCF* XVII, p. 237 ; *GW* XIV, p. 160.

elle appui sur les retraits du sein, sans doute aussi sur des angoisses d'empoisonnement. L'animisme peut ainsi tout expliquer et, aujourd'hui encore, pour certains milieux sociaux, on ne saurait mourir que tué par un autre, ne serait-ce que le médecin[1]. De même, lors d'un décès, l'angoisse névrotique habituelle fait s'accuser soi-même d'être la cause de cette mort, ou de n'avoir su l'empêcher.

Dans sa discussion sur les visions du monde (*Weltanschauung*), Freud rappelle les exigences éthiques de la religion reproduisant sans modification les interdits et les injonctions parentales. L'assurance d'être aimé de Dieu et la conscience de l'aimer fondent la confiance face aux dangers de la nature et des hommes, la protection de Dieu dépendant du respect de ces exigences éthiques ; par la prière on s'assure une influence sur la volonté divine, donc une participation à sa toute-puissance : « La vision du monde religieuse est déterminée par la situation de notre enfance »[2]. Freud rappelle ensuite les positions animistes, religions sans Dieu mais peuplées d'êtres spirituels, souvent hostiles aux hommes (les démons), mais insiste aussi sur la puissance magique et sa mise en œuvre par l'action symbolique : « quand il voulait de la pluie [l'homme primitif] faisait lui-même quelque chose d'analogue à la pluie ». La confiance en la magie découlerait de la surestimation des opérations intellectuelles propres de la croyance en la « toute-puissance des pensées », que nous retrouvons du reste chez nos névrosés obsessionnels[3]. La fierté de l'acquisition du langage a favorisé la tendance à conférer au mot une puissance d'enchantement – trait repris par les religions, notamment dans les récits de la création. La force du souhait ne suffit pas ; l'animiste comptait sur un acte pour amener la nature à imiter : répandre de l'eau pour obtenir la pluie, pratiquer un commerce sexuel en plein champ pour rendre la terre fertile. Beaucoup de manifestations de l'animisme se sont maintenues jusqu'à aujourd'hui, car ce qui s'est un

1. « La féminité » (1933a), *Nouvelles conférences d'introduction à la psychanalyse* (1933a [1932]), Paris, Gallimard, 1984, p. 164 ; *OCF* XIX, p. 206 ; *GW* XV, p. 131.

2. « D'une vision du monde », *Nouvelles conférences d'introduction à la psychanalyse* (1933a [1932]), Paris, Gallimard, 1984, p. 219 ; *OCF* XIX, p. 248 ; *GW* XV, p. 177.

3. *Ibidem*, p. 220 ; p. 249 ; p. 177-178.

jour procuré une expression psychique ne disparaît pas facilement. On en trouve trace dans les superstitions qui accompagnent la plupart du temps la religion, mais aussi dans la philosophie qui en conserve le trait essentiel de « la surestimation de l'enchantement du mot, la croyance que les processus réels du monde suivent les voies que notre pensée entend leur assigner »[1] : ce serait là un animisme sans actions magiques. Freud s'interroge ensuite sur le passage de l'animisme à la religion, dont la première forme serait le totémisme : elle apporte la capacité à la liaison psychique de l'angoisse des démons. Aujourd'hui, l'esprit scientifique soumet la religion à la critique, et elle n'y résiste pas. Notons que la différenciation entre les êtres vivants et une nature non vivante récuse radicalement l'animisme originel. Le destin de l'humanité ne confirme pas plus l'idée d'une providence que celle d'une justice qui récompenserait la vertu. « Des puissances obscures, dénuées de sentiment et dénuées d'amour, déterminent le destin humain. […] C'est ici, de nouveau, l'occasion de renoncer à une part de cette dotation d'âme qui, provenant de l'animisme, s'était réfugiée dans la religion »[2].

QUESTIONS ET ENJEUX

La question de l'animisme est essentielle pour établir la prévalence et l'antériorité de la réalité psychique dans l'évolution historique. Freud réfère l'émergence des interdits primitifs et des tabous au mode de pensée caractéristique d'une vision du monde animiste susceptible de prêter à l'univers les caractéristiques de la réalité psychique. La découverte du narcissisme comme investissement de soi antérieur à l'investissement d'objet se trouve confortée par la réflexion sur l'origine des conceptions religieuses et les formes primitives de la pensée et de l'action. La sexualisation de la pensée accompagne l'investissement narcissique du monde sur le mode de la toute-puissance des pensées. Si Freud montre beaucoup moins

1. *Ibidem*, p. 221 ; p. 250 ; p. 178.
2. *Ibidem*, p. 223-224 ; p. 252 ; p. 180.

d'intérêt direct pour la vision d'un monde comme universellement animé, il note dans les *Nouvelles conférences* que la différenciation entre les êtres doués de vie et une nature non vivante récuse radicalement l'animisme originel.

L'animisme aux sources de la pensée

L'animisme est, pour Freud, une conception psychologique du monde qui, à ce titre, importe moins en tant que projection dotant toute réalité d'une âme et d'une intention qu'en tant qu'expression d'un narcissisme originel. Ce présupposé fait qu'un certain nombre d'assertions mériteraient discussion, mais la description et l'interprétation freudiennes de l'animisme prennent tout leur sens comme arguments au service de la reconnaissance de la réalité psychique, susceptible de négliger ou d'ignorer sa différence avec la réalité matérielle, et ayant des effets universels sur l'histoire de l'humanité. La réalité psychique n'est pas seulement individuelle, elle est culturelle ; elle est même au fondement de toute culture. Cette position freudienne est essentielle, prenant appui sur la méthode comparative (nous y reviendrons), et fournit une alternative aux interprétations jungiennes de l'inconscient collectif et de la primauté du mythique sur le sexuel. Plus loin dans l'œuvre, la discussion sur la « vérité historique » par opposition avec la « vérité matérielle » prendra le relais de ce débat, tant au niveau de l'histoire des religions qu'à celui de la psychogenèse.

La magie aux sources de la technique

La technique magique relève de la toute-puissance des pensées en tant qu'elle suppose le pouvoir de réaliser ses souhaits. Elle repose sur la puissance du symbole (Freud n'emploie pas le terme) et surtout du geste symbolique : pour obtenir la pluie, le chamane fait quelque chose d'analogue à la pluie. Elle agit selon un modèle associatif, par contiguïté ou ressemblance. Plus largement, la pensée animiste est un système, une théorie explicative du monde, exhaustive, sans reste ni doute ; c'est tout en même temps une pensée pratique qui agit sur le monde pour réaliser les souhaits des hommes. La technique magique précéderait les représentations des esprits et des démons et en resterait en partie indépendante : « Au commencement était l'acte »[1], selon le mot de Goethe.

La pensée évolutionniste

Freud situe l'animisme comme ayant été la première des visions du monde produites par l'humanité : conceptions successivement animiste (ou mythologique), religieuse, scientifique. Il s'inscrit ainsi dans une conception évolutionniste de l'histoire des idées, à la manière d'Auguste Comte plutôt que de Spencer. Faut-il alors réduire sa réflexion sur l'animisme à son évolutionnisme et le considérer comme simplificateur ou dépassé, en tout cas daté ?

Si le schéma freudien des trois *Weltanschauung* peut être discuté, Freud lui-même témoigne d'une pensée nuancée : la technique magique-narcissique précède l'animisme proprement dit, le tabou en découle, l'invention des esprits et des démons amorce dans l'animisme lui-même la phase religieuse. Et la fonction du mythe originaire du meurtre du père est précisément d'établir un point de départ qui soit une rupture, posant une conception beaucoup plus structurale de la configuration nécessaire à l'origine de la civilisation, répression pulsionnelle marquée par l'apparition de la culpabilité. Autrement dit, l'évolutionnisme freudien est à considérer de façon plus nuancée qu'il n'y paraît.

Ce qui est vrai, c'est que Freud entend suivre le destin d'un certain nombre de productions psychiques dans l'histoire de la civilisation. L'intérêt n'est pas tant la ligne d'évolution que les formes de transformation. Ainsi la toute-puissance des pensées, prévalente et non mise en question dans la magie et dans l'animisme, se voit déléguée aux démons, puis aux dieux avec la religion. Elle semble disparaître dans la pensée scientifique qui, distinguant entre réalité psychique et réalité matérielle, a conscience des limites de son pouvoir – qui ne tient qu'à la reconnaissance et l'utilisation de forces et de lois naturelles impersonnelles. Mais la confiance dans la pensée rationnelle n'en reste pas moins un avatar.

1. *Totem et tabou* (1912-1913a), Paris, Gallimard, 1993, p. 318 ; *OCF* XI, p. 382 ; *GW* IX, p. 194.

Plus encore : lorsque Freud décrit l'acceptation de la mort, avec les hasards et coups du sort impersonnels qui fondent le destin humain, il constate que, face à eux, la pensée scientifique doit reconnaître ses limitations ; son langage est alors paradoxalement quasi identique à celui dont il usait pour décrire la croyance animiste dans les démons ; seule l'intentionnalité disparaît.

La pensée comparative

Une autre constante freudienne est la comparaison entre la pensée primitive, la névrose et l'infantile. Cette unité du fonctionnement psychique, primitif ou régressé, est l'un des arguments freudiens en faveur de la nature fondamentalement inconsciente du psychisme et de la reconnaissance de la réalité psychique et de ses caractères.

Mais là encore, l'insistance freudienne pourrait nous pousser à simplifier et caricaturer sa pensée. Or, si l'animisme est fondamentalement analogue au mode de pensée obsessionnel du fait d'un même recours à la toute-puissance des pensées et aux croyances magiques (d'où les rituels conjuratoires de la fatalité), Freud n'en souligne pas moins une différence majeure : la névrose utilise la toute-puissance des pensées de façon fantasmatique, tandis que les peuples animistes cherchent à agir sur la réalité par la magie. De ce point de vue, la magie mise en œuvre par l'animisme est plus proche encore du jeu de l'enfant et des capacités de symbolisation concrète de la pensée infantile. Mais le théâtre des démons, par la gravité de ses questions sur le destin et par l'angoisse qu'il manifeste et exprime, est loin de la libre créativité du jeu. D'autant que les productions animistes, en tant qu'elles tendent vers la religion par la conception des esprits et des démons, relèvent davantage d'une projection analogue à celles, délirantes, d'un président Schreber (Freud s'y réfère explicitement) que de la simple extension de la réalité psychique à la représentation du monde extérieur.

Autrement dit, si la pensée comparative souligne les analogies et les continuités, elle sait aussi montrer la complexité des fonctionnements et leurs différenciations. Et parfois le mouvement s'inverse : notre compréhension de l'animisme est partielle et approximative car nous y sommes devenus largement étrangers (même s'il reste actif inconsciemment en nous en nombre de domaines, notamment lorsque l'angoisse s'en mêle) ; peut-être nous est-il aussi difficilement accessible que peut l'être pour l'adulte la pensée et le jeu d'un enfant…

L'animisme et la mort

L'animisme nous reste le plus compréhensible et le plus proche lorsque nous sommes en présence de la mort. Peut-être d'ailleurs son origine provient-elle des perplexités et des questions surgissant devant le cadavre : qu'est devenu le souffle ? Quel est le destin de ce qui animait ce corps ? Ici, *Totem et tabou* annonce les réflexions de 1915 dans « Actuelles sur la guerre et la mort » où sont traitées, sans qu'il soit explicitement question de l'animisme, les hypothèses sur l'origine des croyances aux esprits et celle des religions. Chez l'adulte civilisé, en tout cas, on constate un resurgissement des croyances animistes face à la mort.

L'inquiétante étrangeté

Pour l'homme animiste, sa représentation est naturelle et va de soi ; il sait comment sont les choses du monde : elles sont telles que l'être humain se ressent lui-même. Il reporte dans le monde extérieur les expériences et les conditions de sa propre psyché. De même le conte reproduit les relations et les efficacités symboliques propres à l'animisme, mais sur un mode explicitement fictif, ce qui fait disparaître l'effet troublant des causalités magiques et de la toute-puissance qui peuvent s'y manifester.

En revanche, l'inquiétant surgit lorsque les conceptions animistes réapparaissent là où on ne les attendait pas, alors que le doute est déjà effectif. Au contact de la vie et de la mort, par exemple, où quand ce qui est mécanique paraît vivant. Beaucoup de choses seront inquiétantes aux yeux de celui qui n'a pas réellement abandonné les anciennes croyances animistes, même si elles sont désormais inconscientes. Et la permanence de la pensée magique aux niveaux inconscient et préconscient est beaucoup plus fréquente qu'on ne pourrait le penser, comme la clinique le confirme, bien au-delà des seules symptomatologies obsessionnelles. Mais même pour le rationaliste le plus avéré, qui aurait liquidé en lui toute trace d'animisme, le resurgissement de l'infantile est source d'inquiétante étrangeté. Nous n'y échappons jamais entièrement.

Animisme et religion

L'étude de l'animisme comme précurseur et condition préalable de l'apparition des religions est une position anthropologique reprise par Freud, et qui reste soutenable aujourd'hui. Mais c'est actuellement le chamanisme qui semble avoir une certaine mode et connaît une extension, voire une universalisation surprenante (au-delà des terres sibériennes et nord-américaines où le phénomène est effectivement attesté). À l'époque de Freud, c'est le totémisme australien qui sert de référence. Depuis on a amplement montré (Claude Lévi-Strauss a rassemblé ces critiques dans *Le totémisme aujourd'hui*) combien la notion anthropologique de totémisme avait arbitrairement regroupé des pratiques et des conceptions hétérogènes. Quoi qu'il en soit, l'intérêt de Freud pour l'animisme déborde la seule description et l'analyse technique de ces phénomènes culturels. En particulier, son insistance sur le caractère psychologique du système animiste établit la puissance créative des productions psychiques humaines et se met au service de la reconnaissance d'une réalité psychique irréductible à la réalité externe. L'importance que Freud lui donne dans l'émergence des cultures humaines et dans l'origine et les représentations des religions est une voie fort intéressante. Nous y trouvons, au moins autant que dans les critiques explicites de l'illusion religieuse, les sources d'une analyse critique très fine, proprement psychanalytique, de la croyance, que celle-ci soit religieuse ou non, partagée ou non. Or les résistances au changement psychique reposent souvent sur des convictions profondément enracinées, qui ne sont pas toujours des symptômes, mais peuvent témoigner de la force des identifications aliénantes et des effets de suggestion. Aussi bien la clinique que la réflexion sur la culture ont tout à gagner à se saisir des outils freudiens d'analyse de la croyance, qui vont bien au-delà des convictions rationalistes de Freud.

En même temps, l'animisme est pour ainsi dire une religion sans dieu ni croyance, un enchantement du monde qui ouvre la voie aux religions sans s'y inscrire effectivement. Il peut tout aussi bien nourrir des croyances aux esprits que voir dans la nature vivante la seule réalité, à la fois psychique et matérielle, qui fait vivre et se correspondre une multiplicité de correspondances et de symboles (cf. Baudelaire : « La Nature est un temple où de vivants piliers... » bruissent de correspondances symboliques). *Totem et tabou* éclaire effectivement non pas tant les conditions historiques que les conditions structurales (« psychiques ») de l'émergence des religions, des interdits, de la culpabilité et de la civilisation. De ce point de vue, c'est une œuvre majeure et magistrale, et Freud ne cesse de s'y référer dans toute la suite de son œuvre.

L'animisme, l'art et la puissance du verbe

Freud ne s'y trompe pas : refoulée, la puissance de l'animisme demeure active, bien au-delà du moment des croyances animistes et des rituels magiques. L'animisme est au principe de notre langage et de notre foi en la puissance des mots. Il en demeure quelque chose, ne serait-ce que par les livres religieux ou de sagesse ; bien au-delà de la foi en l'efficace magique du langage, la littérature pose que nommer serait créer et dominer.

C'est aussi pourquoi, malgré toute sa prétention rationnelle, la philosophie ne saurait renier son héritage animiste – Freud épingle notamment l'idéalisme philosophique. La tendance philosophique au système et à la quête d'une causalité fondamentale qui épuise le réel s'y enracine tout aussi bien. Plus largement, et paradoxalement, la foi dans les mots et leur capacité conceptuelle est le présupposé de toute rationalité possible...

À l'opposé, pour ainsi dire de cette ambition de maîtrise du réel par la pensée, l'animisme est aussi ce qui inspire le jeu et l'art, domaines dans lesquels, à la faveur de la symbolisation, du faux-semblant et de l'illusion reconnue, il garde sa légitimité.

Rappelons que c'est le contact qui conjoint les deux principes de l'association (ressemblance et contiguïté) qui permet l'efficacité magique, et plus largement, les reconnaissances et correspondances animistes qui veulent que toute réalité soit vivante. Ce sont ces mêmes principes qui permettent les jeux du langage de la métaphore et de la métonymie, et donc la métaphorisation du langage caractéristique des associations libres. Sans être une technique magique, pas plus qu'elle n'est une suggestion, la cure analytique reprend sans vergogne les deux outils les plus puissants de la pensée animiste. Elle réenchante ainsi le langage, ou plutôt lui permet de retrouver ses enracinement inconscients, le libre jeu des processus primaires et la créativité onirique qui favoriseront les levées de refoulement, quitte à réactiver parfois de l'inquiétante étrangeté.

Si le système de pensée animiste ignore le principe de réalité et la causalité de type scientifique, qui suppose de distinguer la réalité psychique de la réalité matérielle, il explore largement les possibilités de la réalité psychique. Sans doute la toute-puissance des pensées doit-elle faire l'objet d'une critique, mais la psychanalyse ne saurait ignorer qu'elle hérite aussi de cette impressionnante *Weltanschauung* dont Freud sut percevoir l'importance.

Dominique BOURDIN

ANNULATION RÉTROACTIVE et ISOLATION

all. : ***Ungeschehenmachen*** et ***Isolierung***. – angl. : *undoing what has been done* et *isolation*. – esp. : *anulació retroactiva* et *aislamiento*. – ital. : *annullamento retroattivo* et *isolamento*. – port. : *anulação retroativa* et *isolamento*

Techniques motrices de la défense, généralement concomitantes ; elles sont plus particulièrement actives dans les névroses obsessionnelles, où elles témoignent de la faiblesse du moi confronté à l'énorme tension conflictuelle entre ça et surmoi. À l'état d'ébauches, elles se rencontrent dans la vie normale. L'*annulation*, suscitée par un doute, est une opération en deux temps au cours de laquelle le second consiste à supprimer, par un acte de pensée et comme par magie, des faits premiers, passés et jugés condamnables (pensées, paroles, actes) ; il s'agit donc de faire en sorte qu'ils n'aient pas eu lieu. L'*isolation* suit la très ancienne injonction obsessionnelle du tabou du toucher ; après la survenue de quelque chose de névrotiquement significatif et désagréable est intercalée une suspension durant laquelle plus rien ne saurait arriver, aucune perception effectuée et aucune action accomplie.

MISE EN SITUATION

Si Isolierung *ne pose aucune difficulté de traduction,* Ungeschehenmachen *a suscité quelques hésitations dans la mesure où c'est là un mot composé ; si le sens en est clair (« faire en sorte que ça ne se soit pas produit »), comment le rendre au mieux ? L'expression « annulation rétroactive » est assez vite devenue courante dans les langues romanes ; on peut pourtant lui reprocher d'être pléonastique : ne saurait être annulé que ce qui a été fait antérieurement, aussi l'ajout de « rétroactif » est-il parfaitement superfétatoire (on peut penser que, par cette redondance, les traducteurs entendaient souligner que c'est bien un acte passé que vise cette action). Le terme même d'annulation impliquant clairement la suppression d'un acte antérieur (telle est même sa définition lexicale), il s'avère être ainsi une traduction fort correcte du terme allemand ; c'est donc celui que nous utiliserons ici. Dans les années 1990, les traducteurs des* Œuvres complètes de Freud *en français ont préféré faire du mot-à-mot et recourir à l'expression « rendre non advenu » ; elle est fidèle mais, pour autant, est-elle pertinente ?*

L'annulation et l'isolation occupent une place assez particulière dans l'œuvre freudienne dans la mesure où elles n'y sont véritablement traitées qu'à deux reprises, mais le sont alors assez longuement, et de façon précise. Elles sont d'abord explicitées en 1909, dans l'étude de « L'homme aux rats » ; dès cette époque, l'une et l'autre sont données comme symptômes spécifiques de la psychonévrose obsessionnelle. Il faudra ensuite attendre 1926 pour que ces symptômes défensifs (ce sont d'ailleurs eux qui conduisent à « revenir au vieux concept de défense »[1]) soient pleinement explicités et conceptualisés ; ils le sont d'ailleurs longuement et complètement – ce qui justifie sans doute Freud de ne plus y revenir par la suite.

1. *Inhibition, symptôme et angoisse* (1926d [1925]), Paris, PUF, 1951, p. 92 ; *OCF* XVII, p. 277 ; *GW* XIV, p. 196.

LE TEXTE FREUDIEN

Dès 1894, Freud est amené à décrire des défenses qui séparent la représentation de l'affect ; ainsi devenu libre, celui-ci établit des « fausses connexions » avec d'autres représentations qui deviennent alors obsédantes. Le mécanisme de l'isolation est reconnaissable, mais n'est pas nommé[1].

Il faut attendre 1909 pour qu'il soit décrit à l'occasion de l'étude d'« Un cas de névrose obsessionnelle (L'homme aux rats) ». Le point de départ est le doute, qui porte ici sur l'amour de ce patient pour son amie ; il s'agit en fait d'une lutte entre l'amour et la haine pour une même personne – et cela s'exprime par un acte compulsionnel significatif : voyant une pierre sur le chemin que doit suivre sa voiture, il pense qu'elle pourrait la faire verser et il l'enlève, mais annule ensuite ce geste d'amour en remettant la pierre en place pour que la voiture la heurte et qu'elle se blesse. Ce geste ne correspond nullement à une lutte contre la morbidité des actes (comme voudrait le faire croire le malade) mais, accompli compulsivement, il trahit sa participation pathologique : le motif du deuxième acte est le contraire de celui du premier ; « **de tels actes compulsionnels, à deux temps, dont le premier temps est annulé par le second, sont caractéristiques de la névrose obsessionnelle** ». Bien entendu, le sens de ces compulsions est ensuite rationalisé, mais leur sens véritable est d'**exprimer le conflit des deux tendances,** contradictoires mais d'intensité presque égale, que sont l'amour et la haine. Ce processus à deux temps est particulièrement intéressant car il montre un nouveau mode de formation de symptômes : au lieu, comme dans l'hystérie, de trouver un compromis entre les deux contraires, ici les deux tendances contradictoires se satisfont l'une après l'autre, en essayant de créer un lien logique entre elles. Plus loin dans le texte, après avoir rapporté un nouvel exemple d'annulation par ce patient, Freud note que d'autres s'efforcent d'« ***isoler*** **soigneusement leurs actions de défense de tout le reste** », mais, à la

1. « Les psychonévroses de défense » (1894a), *Névrose, psychose et perversion,* Paris, PUF, 1973, p. 6 ; *OCF* III, p. 9 ; *GW* I, p. 65-66.

longue, toutes ces techniques s'avèrent vaines[1]. Dans les années suivantes, ces mécanismes ne seront plus évoqués qu'incidemment, lors d'interventions à la Société psychanalytique de Vienne[2].

Ce n'est que près de quinze ans plus tard, dans *Inhibition, symptôme et angoisse* (en 1926), qu'approfondissant l'étude des mécanismes élevés par le moi pour se défendre, Freud entreprend de montrer comment les symptômes de la psychonévrose obsessionnelle « revêtent deux formes et suivent deux tendances opposées », **l'une faite d'interdictions et d'autres symptômes de nature négative, l'autre de satisfactions substitutives dissimulées sous un déguisement symbolique.** Le groupe négatif est défensif, répressif et le plus ancien, mais la maladie se prolongeant les satisfactions prennent le dessus; les symptômes s'installent lorsque interdiction et satisfaction s'amalgament, l'injonction d'abord défensive prenant aussi valeur de satisfaction. Pour ce faire, des modes de liaison fort artificiels sont souvent utilisés, témoignant de la tendance du moi à la synthèse; dans les cas extrêmes, la plupart des symptômes acquièrent, en plus de leur signification originelle, une autre opposée; cela témoigne d'une puissante *ambivalence* qui – sans que nous sachions pourquoi – joue un si grand rôle dans la névrose obsessionnelle. Dans la forme la plus fruste, le symptôme opère en deux temps : **une action déterminée est immédiatement suivie d'une seconde qui la supprime.** De ce premier aperçu des symptômes obsessionnels se dégage l'impression qu'ils sont le théâtre d'un combat continu contre le refoulé, combat qui tourne au désavantage des forces refoulantes; cela montre aussi que moi et surmoi prennent une part importante à leur formation[3].

Le moi, qui est alors incapable de jouer un rôle de médiation dans ces conflits, élabore des symptômes qui vont remplacer le refoule-

1. « Remarques sur un cas de névrose obsessionnelle (L'homme aux rats) » (1909d), *Cinq psychanalyses*, Paris, PUF, 1954, p. 223-224 et 257; *OCF* IX, p. 165-166 et 209; *GW* VII, p. 413-414 et 458.

2. *Les premiers psychanalystes (minutes de la Société psychanalytique de Vienne)* (1976a), Paris, Gallimard, 1979, t. III (1910-1911), p. 299 (le 8 novembre 1911); et t. IV, Paris, Gallimard, 1983, p. 230 (le 14 mai 1913).

3. *Inhibition, symptôme et angoisse* (1926d [1925]), Paris, PUF, 1951; *OCF* XVII, p. 229-230; *GW* XIV, p. 142.

ment ; il en forme beaucoup plus dans la névrose obsessionnelle que dans l'hystérie, car il se cramponne opiniâtrement à la réalité et à la conscience, s'y consacre tout entier, surinvestissant l'activité de pensée érotisée. Ainsi met-il en œuvre deux techniques bien particulières : l'*annulation* et l'*isolation*.

***L'annulation* est un mécanisme qui remonte à très loin, et dont le champ d'application est très vaste. « Elle est, pour ainsi dire, une magie négative. »** Par un symbolisme moteur, elle cherche à « effacer en soufflant dessus », non pas tant les conséquences d'un événement (impression, expérience vécue), que cet événement lui-même ; on retrouve d'ailleurs cette technique dans les pratiques magiques et le cérémonial religieux. Dans la névrose obsessionnelle, elle est patente dans les « symptômes en deux temps » où le deuxième acte supprime le premier : alors que les deux actes ont bien été commis, tout doit alors se passer comme si rien n'était arrivé. **Dans le cérémonial de l'obsessionnel, si la première source tient aux mesures de prévention pour empêcher que quelque chose n'arrive (elles sont rationnelles), la seconde ressort de l'intention d'annulation (elle est magique et la plus ancienne).** L'annulation s'esquisse déjà dans la façon « normale » de traiter un événement comme « non arrivé », mais alors on se borne à ne pas se soucier de ses conséquences ; dans la névrose, c'est **le passé lui-même que l'on cherche à supprimer, à « refouler de façon motrice »**. La compulsion à la *répétition* part de la même intention ; fréquente chez l'obsessionnel, elle s'accompagne d'une conjonction d'intentions contradictoires : ce qui ne s'est pas passé comme cela aurait dû l'être est annulé en se répétant autrement. Par la suite, cette propension à annuler une expérience traumatique s'avère être un motif de premier ordre pour former des symptômes.

***L'isolation* consiste à intercaler une pause (durant laquelle plus rien ne saurait arriver) après un événement désagréable (ou après une action significative pour la névrose), pause durant laquelle rien ne devrait être perçu, ni aucun acte accompli.** Elle aussi est propre à la névrose obsessionnelle, et se rapporte également à la sphère motrice. Si, dans l'hystérie, l'amnésie peut mettre fin à une impression traumatique, dans la névrose obsessionnelle, elle n'y parvient pas le plus souvent ; l'expérience vécue n'est pas oubliée mais est dépouillée de son affect, ses relations associatives sont interrompues, si bien qu'elle demeure comme isolée, sans avoir à être reproduite dans le cours de l'activité intellectuelle. **L'effet de cette isolation est alors le même que lors d'un refoulement avec amnésie.** Cette technique est donc reproduite dans les isolations de la névrose obsessionnelle, mais **elle y est aussi renforcée, de façon motrice, dans une visée magique.** Ce qui est ainsi mis à l'écart est justement ce qui forme un ensemble associatif ; l'isolation motrice doit « donner une garantie pour l'interruption de la corrélation dans la pensée ».

Le processus normal de la *concentration* fournit un prétexte à ce procédé névrotique ; lorsqu'une tâche importante retient toute notre attention, elle ne doit pas être perturbée par d'autres exigences ; c'est ainsi que l'homme normal use de la concentration. Normalement, le moi effectue un grand travail d'isolation pour orienter le cours de la pensée ; *dans la pratique analytique,* il nous faut apprendre au moi à renoncer temporairement à la concentration, pourtant tout à fait justifiée dans la vie. L'obsessionnel a une difficulté particulière à suivre la règle fondamentale de l'analyse : son moi est plus vigilant, **ses isolations sont plus tranchées en raison de l'énorme tension conflictuelle entre son surmoi et son ça,** il a trop à se défendre contre l'irruption des fantasmes inconscients et les ambivalences. Toujours tendu, il renforce cette compulsion par des actes magiques d'isolation, symptômes portant le caractère du cérémonial ; ce faisant, le moi suit l'une des plus anciennes et des plus fondamentales injonctions de la névrose obsessionnelle : *le tabou du toucher.* La raison de cette fuite du contact, qui conduit à des systèmes si compliqués, tient à ce que c'est par le toucher, par le contact corporel, que s'expriment les investissements de l'objet, agressifs ou tendres. **L'isolation est suppression de la possibilité de contact,** de toute espèce de toucher ; quand l'obsessionnel isole ainsi une impression ou une activité, il nous fait comprendre, symboliquement, qu'il « ne veut pas laisser les pensées qui s'y rapportent se toucher par association avec d'autres » [1].

Dans la névrose obsessionnelle donc, **les événements pathogènes demeurent conscients, mais ils sont « isolés »** – sans que nous comprenions très bien comment. Même si le résultat est le même que dans

1. *Ibidem,* p. 41-45 ; p. 236-239 ; p. 149-152.

l'amnésie hystérique, nous pensons pourtant que le processus par lequel une exigence pulsionnelle est éliminée dans la névrose obsessionnelle ne saurait être le même que dans l'hystérie. La névrose obsessionnelle aboutit à une régression des motions pulsionnelles à une phase libidinale antérieure ; sans rendre un refoulement superflu, elle agit manifestement dans le même sens que le refoulement. Le contre-investissement, également présent dans l'hystérie, joue dans la névrose obsessionnelle un rôle particulièrement important dans la protection du moi, par modification réactionnelle. Les deux procédés – l'« isolation » qui s'exprime directement dans le symptôme, et l'« annulation » qui vise bien à la défense mais n'a plus aucune ressemblance avec le refoulement – apparaissent comme **défenses spécifiques de la névrose obsessionnelle** ; comme toutes les défenses, ils visent à protéger le moi contre les exigences pulsionnelles[1].

QUESTIONS ET ENJEUX

L'annulation et l'isolation ne posèrent pas de problèmes particuliers à Freud. Élaborées en deux temps (1909 et 1926), correspondant aux deux topiques, clairement énoncées et solidement appuyées sur des constats cliniques, elles ne donnèrent pas lieu à révisions. Si les deux procédés appartiennent indiscutablement aux défenses obsessionnelles, ils n'en sont pas moins présents dans la vie psychique normale, à l'état d'ébauche, dans la mesure où ils renvoient à ces périodes anciennes du développement où dominent pensée magique et croyance en la toute-puissance de la pensée, ce qui les désigne comme appartenant à la « sphère motrice » : pour eux, il s'agit toujours de *faire*, de *faire que rien ne se soit passé* dans un cas, de *faire que ça ne touche à rien* dans l'autre.

L'*annulation* est le procédé qui, au premier regard, apparaît la plus « fou », puisqu'il vise, par le recours à un symbolisme moteur, à « effacer en soufflant dessus » non pas les conséquences d'un événement, mais cet événement lui-même. Généralement suscitée au départ

1. *Ibidem*, p. 92-93 ; p. 278 ; p. 196-197.

par un doute opposant la haine et l'amour, l'annulation retrouve le doute dans sa réalisation, rien ne pouvant assurer que l'événement lui-même s'est véritablement trouvé effacé. En ce sens, les satisfactions substitutives déguisées qu'elle entraîne, amalgamant l'interdiction à la satisfaction et générant les symptômes, apparaissent comme ayant elles-mêmes valeur défensive. Mais le prix à payer est lourd puisque, sous une apparence qui se veut rationnelle, ce n'est pas le désir condamnable qu'il faut supprimer, ce sont le passé et la réalité qui doivent être abolis. Cette tâche impossible ne peut que conduire à des répétitions compulsives, interminables et toujours insatisfaites, dans une espèce de bégaiement de la symbolique motrice.

L'*isolation* pose un autre genre de problème. Elle semble d'abord moins surprenante, prolongeant l'attitude normale de concentration qui exige de ne pas se laisser troubler par d'autres exigences que celles qui réclament toute notre attention (ce qui s'avère d'ailleurs gênant pour la pratique analytique de la libre association). La question qu'elle nous pose est de la situer par rapport au *clivage* qui, lui aussi, renvoie à un déni de la réalité, se rencontre aussi dans la névrose obsessionnelle, et dont on retrouve des ébauches dans la vie normale. Freud n'évoque jamais une proximité entre les deux notions. On peut néanmoins se demander s'il n'y pensait pas lorsqu'il s'interrogeait pour savoir si ce qu'il pensait avoir découvert avec le clivage « doit être considéré comme connu depuis longtemps et allant de soi, ou comme tout à fait nouveau et déconcertant » – ce qui serait plutôt le cas [1].

Si l'on s'en tient au clivage de la vie « normale », voire au clivage névrotique « banal », il est certain que les différences avec l'isolation ne sont pas toujours évidentes ; mais si l'on considère le clivage psychotique – qui lui est véritablement « nouveau et déconcertant » – la confusion n'est plus possible : là c'est le moi lui-même qui se trouve clivé, c'est lui qui est atteint, et non plus la réalité (ou le passé). La lutte se déroule alors entre le ça et le moi, et non pas entre le ça et le surmoi, comme elle le fait dans l'isolation (et l'annulation).

Si les choses sont claires, Freud n'en a pas moins soulevé quelques interrogations, en fait plus liées à la névrose obsessionnelle qu'à ces symptômes proprement dits. Pourquoi l'ambivalence y est-elle si prégnante ? Pourquoi les événements pathogènes y demeurent-ils

1. « Le clivage du moi dans le processus de défense » (1940e [1938]), *Résultats, idées, problèmes, II,* Paris, PUF, 1984, p. 283 ; *OCF* XX, p. 221 ; *GW* XVII, p. 59.

conscients, suscitant de telles défenses ? Nous n'en savons trop rien. Nous pouvons seulement penser que ces modes de défense sont plus anciens que le refoulement, en espérant qu'ils pourront, de ce fait, nous aider à mieux comprendre le refoulement lui-même, cette « défense pas comme les autres ».

Claude LE GUEN

APPAREIL PSYCHIQUE

all. : ***psychischer*** ou ***seelischer Apparat.*** – angl. : *psychic* ou *mental apparatus.* – esp. : *aparato psiquico.* – ital. : *apparato psichico* ou *mentale.* – port. : *aparêlho psiquico*

Le terme « Appareil psychique » désigne un dispositif fictif, variable dans sa conception selon les évolutions de la théorie, qui apparaît à Freud comme une nécessité pour l'élaboration de la métapsychologie, et particulièrement pour ce qui concerne la théorie des pulsions, des représentations, du refoulement. On peut le considérer comme une manière de figurer la liaison du corporel au psychique, de façon toujours métaphorique, à partir de données neurologiques ou, plus largement, biologiques, qui restent plus ou moins contingentes. Freud le définit ainsi *in fine* dans l'*Abrégé de psychanalyse* : « Nous admettons que la vie psychique est la fonction d'un appareil auquel nous attribuons une étendue spatiale et que nous supposons formé de plusieurs parties. » [1]

MISE EN SITUATION

La notion d'appareil psychique provient sans doute de la formation scientifique de Freud, et pas seulement de sa formation de neurologue. Cependant, la première version de l'appareil doit

1. *Abrégé de psychanalyse* (1940a [1938]), Paris, PUF, 1985, p. 3 ; *OCF* XX, p. 233 ; *GW* XVII, p. 67.

beaucoup à son travail sur « La conception des aphasies », et particulièrement à son approche de l'appareil du langage. Il n'y fait pourtant que rarement allusion. Il faut sans doute rapprocher cela de l'hésitation qu'il manifeste (ainsi d'ailleurs que Joseph Breuer) à utiliser des connaissances anatomiques ou physiologiques concernant l'appareil cérébral pour représenter les conditions du fonctionnement psychique. Ainsi, Breuer annonce, dans le chapitre « Considérations théoriques » des Études sur l'hystérie, *« qu'il sera peu question du cerveau et pas du tout des molécules », avant d'y venir longuement quelques pages plus loin, s'excusant alors de ce qu'il nomme une « redescente vers les mères »* [1] *!*

La démarche de Freud peut paraître symétrique, mais inversée : si son intention manifeste dans l'« Esquisse d'une psychologie scientifique » est de faire entrer la psychologie dans le cadre des sciences naturelles, en s'appuyant notamment sur une théorie des neurones, il abandonne bientôt ce projet, à tel point qu'il renonce à poursuivre ce travail. Cependant, la nécessité de concevoir un appareil psychique lui apparaîtra constamment comme une nécessité de l'élaboration théorique.

LE TEXTE FREUDIEN

L'APPAREIL PSYCHIQUE DANS LA PREMIÈRE TOPIQUE

Son étude commence par l'« Esquisse pour une psychologie scientifique ». Si ce titre n'a pas été choisi par Freud lui-même, il correspond sans doute à son esprit. Il faut souligner qu'il ne l'a pas publié, et qu'il a très vite répudié cette œuvre pourtant conçue et réalisée dans l'enthousiasme. Elle constituait un outil de travail et un ensemble d'hypothèses fécondes, qui nous permet notamment d'appréhender l'archéologie de l'appareil psychique, sur la base d'éléments tirés formellement de notions neurologiques. On peut la considérer comme un premier essai systématique de création d'un modèle d'appareil psy-

1. S. Freud et J. Breuer, *Études sur l'hystérie* (1895d), Paris, PUF, 1989, p. 152.

chique, où la recherche d'un ancrage corporel, neurologique, est corrélative d'une démarche métaphorique fertile.

Une question préliminaire se pose : pourquoi un appareil ? Ou un système, pour représenter le psychique, l'âme, et ses conflits ? Sans doute en raison de la nécessité de disposer d'un substrat, intégrant d'abord, puis débordant de toute part le modèle cytologique ou neurologique. Il est fortement marqué par son but explicite d'établir une psychologie dans le cadre des sciences naturelles, avec deux orientations : – représenter les processus psychiques comme des états quantitativement déterminés ; – représenter leur support sur des « particules matérielles », en fait les neurones, le système des neurones.

Le **concept de quantité**[1] est d'abord pris en compte, et cela indique déjà la prééminence de l'économique dans la théorie, qui ne se démentira pas par la suite. La *quantité* reste au long du texte une notion indéterminée, que l'on peut cependant rattacher aux stimuli internes (Q) et externes (Qπ), la notion de quantité intégrant l'intensité et un facteur temporel qui reste flou. Le principe fondamental de l'« inertie des neurones » implique que ces derniers tendent à se débarrasser des « quantités ». Ce principe est bouleversé par les stimuli internes ou endogènes (la faim, la respiration, la sexualité), que l'organisme ne peut fuir, à l'encontre de ce qu'il fait devant les stimuli externes. On reconnaît ici la direction essentielle de l'ouvrage : établir une théorie du refoulement, ici montrer l'*appareil capable d'assurer le refoulement*, comme équivalent de la fuite devant les dangers extérieurs. Le principe d'inertie, de retour au niveau le plus bas de quantité (Qπ), s'applique au système des neurones. Leur tendance originelle est le retour au niveau O. « L'urgence de la vie » *(Not des Lebens)* oblige le système à supporter une certaine quantité. On voit que la notion assez indéterminée de « quantité » contient déjà les éléments de base des principes freudiens, de plaisir, de déplaisir, annonce le principe de nirvana et par là un aspect de la spéculation sur la pulsion de mort.

1. *La naissance de la psychanalyse. Lettres à Wilhelm Fliess. Notes et plans (1887-1902)*, Paris, PUF, 1973, p. 325.

Le **mode de décharge** (*Abfuhr*) **de l'appareil,** ou plutôt du système à ce moment du texte, se résume à la motricité, l'acte moteur étant conçu sur le modèle de l'arc réflexe. Plus loin, Freud mentionne également une décharge possible par les processus excrétoires, ce qui ouvre d'autres perspectives, notamment sur la décharge sexuelle, l'éjaculation, l'orgasme.

Après avoir défini les conditions économiques du fonctionnement de l'appareil, Freud en établit la structure complexe, dans une tentative de lier les notions les plus actuelles, en son temps, de la neurophysiologie des neurones et sa conception du fonctionnement psychique. Un point essentiel est qu'il prend en compte neurones et système des neurones, mais que sa théorie se développe en fait à partir de l'unité définie comme « neurone investi », soulignant encore le primat accordé à l'économique.

La théorie des neurones et barrières de contact tente de résoudre le problème posé par la mémoire[1] : en effet après l'excitation, les neurones doivent rester à jamais différents, tandis que les nouvelles excitations doivent se trouver dans les mêmes conditions que leurs devancières. Les neurones devraient alors être à la fois influencés, et pourtant inchangés, « neutres ». L'idée, admise à l'époque, de différencier des cellules de perception et des cellules de souvenir ne repose sur rien, reconnaît Freud. En fait, il retient tout de même cette idée en admettant une différence des « barrières de contact » entre les neurones, telles que certains se laissent traverser par l'excitation, comme si les barrières n'existaient pas, tandis que d'autres ne permettent à la « quantité » qu'un passage partiel et difficile : les premiers neurones φ, sont voués à la *perception,* les seconds, ψ, impermables à la quantité, sont responsables de la *mémoire* et des phénomènes psychiques en général. Les barrières de contact entre ces derniers neurones se modifient avec la fréquence des excitations, elles deviennent plus ou moins imperméables, selon le frayage *(Bahnung)* qui désigne en fait une facilitation qu'entraînent la fréquence et l'intensité des excitations reçues.

Ce dispositif complexe a pour but de concilier la contradiction entre le principe de retour au 0 et la nécessité du développement de la

1. *Ibidem*, p. 318.

psyché. Freud tente dès lors de tester la vraisemblance de son système tout en l'élargissant aux dimensions d'un véritable appareil psychique, qui reste parallèle à l'appareil cérébral et n'est pas encore ramené à n'être qu'une référence métaphorique. Ainsi propose-t-il d'identifier le système ψ à la substance grise corticale (précisément le *pallium*), sans contact direct avec le monde environnant, dont il ne reçoit les « quantités » que par l'intermédiaire du système de neurones φ, dont la nature reste finalement imprécise. Le point le plus important pour la suite du développement théorique reste que l'ensemble [neurones φ-terminaisons nerveuses] joue à la fois un rôle de réception des excitations et d'« écran à l'égard des quantités », ce que désignera plus tard le terme de « pare-excitation ».

Le problème de la perception amène Freud à concevoir un nouveau système de neurones ώ totalement imperméables à la quantité, et donc sans frayage, sans mémoire. Leur fonction est de **recevoir les perceptions, les qualités**, grâce à une faible quantité provenant des neurones ψ ou φ, et de réguler les qualités de plaisir et déplaisir. Un fait essentiel dans leur fonctionnement est que les transmissions de qualité qu'ils reçoivent ne laissent aucune trace, n'est pas durable, ce que nous retrouverons tout au long du développement théorique. Sur la base de cet appareillage, dont il ne méconnaît nullement le caractère hypothétique et moins encore les lacunes, Freud aborde et développe les **problèmes de la douleur et de la satisfaction**[1]. La douleur est liée à une augmentation de quantité, sans doute, mais aussi plus généralement à la rupture de la continuité de « l'appareil des terminaisons nerveuses ». La question de la satisfaction l'amène à dépasser le cadre strict de l'appareil qu'il élabore : la satisfaction résulte d'une modification extérieure, venant d'un « individu secourable *[hilfreich]* » attiré par les cris de l'enfant (*hilflos*). La satisfaction ouvre ainsi la voie de « la compréhension » dont l'extrême importance est ici soulignée[2].

Dès lors, l'appareil difficilement élaboré devient réellement un appareil psychique, dans la relation avec la « personne secourable ».

1. *Ibidem*, p. 326.
2. *Ibidem*, p. 336.

Freud décrit ainsi les effets de l'« action spécifique » qui entraîne la satisfaction : une décharge s'effectue avec suppression de la tension ayant entraîné une « perception » du déplaisir. À partir de là, Freud entre délibérément dans une élaboration métapsychologique tout en continuant à se référer à l'**appareil neuronal** qu'il a proposé. Mais, au fil de ce développement, la référence devient de plus en plus lâche, à l'exception de la prise en compte de la « quantité » et du frayage, qui devient un soubassement de la théorie de l'association, et plus généralement du fonctionnement psychique.

Un an plus tard, Freud communique à Wilhelm Fliess dans La lettre dite 52[1] le résultat de ses spéculations sur l'appareil et le *mécanisme* psychique. Il se le représente comme un ensemble de couches empilées, stratifiées, dont, de temps à autre, le matériel présent, sous forme de traces de souvenirs, est remis en ordre, subit une retranscription *(Umschrift)*, en fonction de nouvelles relations. La nouveauté théorique essentielle est que la mémoire n'est pas présente une fois mais plusieurs fois, sans qu'il puisse indiquer le nombre des inscriptions possibles. Il souligne que les inscriptions sont séparées d'après les neurones qui les transportent, et il propose l'idée qu'elles puissent être disposées selon une stratification allant de la perception à la conscience, ce que nous retrouverons pour l'essentiel au travers des remaniements théoriques ultérieurs.

Ainsi est présenté, de manière très condensée, un modèle d'appareil, accompagné d'un schéma, qui reprend certains éléments de l'« Esquisse d'une psychologie scientifique », notamment de la théorie des neurones. Cependant, cette fois, le projet d'établir une psychologie nouvelle, ce qui sera une métapsychologie, est plus explicite. Le but est toujours d'assurer la théorie du refoulement, en s'appuyant sur un appareil psychique représenté comme une stratification concernant :

— *la perception,* qui part des neurones W (pour *Wahrnehmung,* antérieurement ώ), « où apparaissent les perceptions et auxquels s'attache la conscience » et qui ne conservent en eux-mêmes aucune trace des événements car « **conscience et mémoire s'excluent** » ;

1. *Ibidem,* p. 153 et suivantes.

— *les signes de perception,* premier enregistrement sous-jacent incapable de devenir conscient, (de telles strates se retrouveront dans la description de *L'interprétation des rêves*) ;

— *l'inconscient est une seconde inscription,* disposé à peu près selon des « relations de causalité », dit Freud. « Les traces de l'inconscient correspondraient peut-être à des souvenirs de concepts. » Ces obscurités sont à considérer comme une première approche de la métapsychologie de l'inconscient ;

— *le préconscient est la troisième transcription* liée aux représentations de mot et correspondant à notre « moi officiel ». Dès ce moment, Freud indique que la pensée consciente provient ultérieurement de la réactivation des représentations de mot, de façon hallucinatoire. Il est à souligner que « les neurones de conscience sont à nouveau les neurones de la perception », et comme tels sans mémoire.

La nouvelle élaboration de l'appareil psychique est en continuité, sur certains plans, avec la précédente, mais l'on voit que le rôle accordé aux neurones est considérablement réduit. La continuité essentielle est dans la nécessité de concevoir un appareil afin de poursuivre l'élaboration du concept de refoulement, qui est considéré dans ce texte comme un échec de traduction entre les inscriptions des divers niveaux des stratifications de l'appareil. Ce dernier permet aussi de représenter les survivances d'un mode de fonctionnement révolu, comparées aux *« fueros »* [1] (en établissant un parallèle avec la persistance de droits anciens au pays basque, en opposition à la loi espagnole). De cette manière, peuvent être abordés les « anachronismes » du fonctionnement psychique, c'est-à-dire l'anachronisme des exigences pulsionnelles, qui obéissent en effet à une législation plus archaïque.

Le chapitre VII de *L'interprétation des rêves* est à la fois une reprise et un dépassement des études antérieures sur l'appareil psychique. Il s'insère dans l'étude du rêve, ce qui a deux conséquences : les problèmes de la perception, de la représentation, de la figuration y sont au premier plan, tandis que la question de l'économique, de la « quantité », sans être absente, est étudiée dans le registre des faibles

1. *Ibidem,* p. 156, n. 1.

investissements. De plus, les divers aspects de la régression sont essentiels dans les considérations sur le fonctionnement de l'appareil. La référence scientifique de Freud, à ce moment, est avant tout la *Psychophysique* de Fechner, et notamment son hypothèse selon laquelle « la scène où le rêve se meut est peut-être bien autre que celle de représentation de la vie éveillée », qui conduit à l'idée d'un « lieu psychique » [1].

Ce *lieu psychique* est tout à fait indépendant de toute notion de localisation anatomique, il est défini par rapport à l'appareil psychique, « **instrument qui sert aux productions psychiques** », comparé ici à un appareil d'optique, microscope, appareil photographique, télescope, et qui est dirigé vers des stimuli internes et externes. Le lieu psychique « correspond à un point de cet appareil où se forme l'image », qui peut être un point idéal, auquel ne correspond aucune partie tangible de l'appareil. Lieu virtuel, donc, qui permet une figuration de la réalité psychique.

Deux schémas sont alors proposés, dans le but de situer l'ensemble des *instances* ou *systèmes* dans une organisation spatiale. L'intérêt en est d'établir une topique, qui ne sera plus fondamentalement remise en cause. Cet appareil garde en fait les avancées de la « Lettre 52 », à ceci près que les instances recevant les inscriptions sont plus nombreuses, et surtout que l'appareil est orienté d'une extrémité sensible à une extrémité motrice, ce qui laisse intact le modèle de l'appareil réflexe, « modèle de toute production psychique ». L'autre exigence fondamentale est à nouveau affirmée : l'appareil perceptif ne retient rien, comme la conscience il exclut la mémoire. Celle-ci est affectée aux strates (S) recevant les traces mnésiques, qui pourront réaliser entre elles le processus de l'association. Ainsi, le système dépourvu de mémoire donne à la conscience toute la multiplicité des qualités sensibles, tandis que les souvenirs, du moins leur trace *(Erinnerungspur)*, sont par nature inconscients : encore une fois, *la mémoire et la qualité qui caractérise la conscience s'excluent l'une l'autre dans les systèmes psy* [2].

1. *L'interprétation des rêves* (1900a), Paris, PUF, 1967, p. 455 ; *OCF* IV, p. 589, *GW* II-III, p. 545.

2. *Ibidem*, p. 458 ; p. 593 ; p. 545.

Une nouvelle complication se fait jour avec la prise en compte de l'instance critique, qui interdit éventuellement l'accès à la conscience, d'où le nouveau schéma où elle apparaît comme fonction du préconscient. Celui-ci remplit entre autres une fonction d'écran entre inconscient et conscient (et accès à la motricité). À propos de la topique dans l'appareil, il faut encore souligner que les deux extrémités de l'appareil s'équivalent : « [...] le système succédant au préconscient est celui auquel nous devons attribuer la conscience... ainsi P = C, perception = conscience. »

Les conditions de l'investissement dans l'appareil, c'est-à-dire les conditions de son fonctionnement, essentiellement au cours du rêve, reposent avant tout sur la régression, le caractère régrédient du processus psychologique. Ces caractères permettent la *marche en arrière de quelque acte complexe de représentation vers la matière première des traces mnésiques*. Ce qui permet la reviviscence sensorielle de ces traces par l'investissement du système perceptif. Ainsi est mis en valeur le rôle de l'investissement dans les divers systèmes de l'appareil psychique, opposant le fonctionnement *de jour,* de la perception vers la motilité, courant qui s'interrompt la nuit et n'oppose aucun obstacle au courant régressif. C'est là un abord limité du fonctionnement économique de l'appareil, essentiel cependant à la conception du rêve et plus généralement de l'hallucinatoire.

En dépit de la date de sa rédaction, la « Note sur le "bloc-notes magique" » peut légitimement être rapprochée de la première topique, dont elle complète la théorie. En effet, en 1924, Freud revient sur cette conception de l'appareil psychique bien que, depuis 1920, le modèle représentant le jeu des instances soit devenu totalement différent, dans sa forme comme dans la représentation topique qu'il offre. Curieusement, cette « Note » ne retient des nouvelles conceptions établies dans *Au-delà du principe de plaisir* que la notion de pare-excitation. Cela montre clairement qu'il n'y a aucune opposition entre les deux modes de pensée, en première et seconde topique, notamment que les concepts d'appareil psychique ne s'opposent pas, le second ne se substituant pas au premier. La question de la mémoire et de la perception est ainsi reprise à partir du modèle concret du *bloc-notes,* dont la structure est soigneusement décrite : une couche superficielle faite d'une feuille de celluloïd et d'une feuille de papier ciré, séparables, appliquées sur un bloc de résine ou de cire, dont les feuilles peuvent être écartées. La feuille de celluloïd joue le rôle de pare-excitation, la feuille de papier ciré de première couche d'inscription, dont nous avons vu la description dans la « Lettre 52 », les deux feuilles sont comparées au système *Pc-Cs,* qui reçoit les perceptions mais ne les retient pas. Les impressions profondes, visibles seulement sous certaines conditions d'éclairage, donnent une idée des inscriptions, des traces mnésiques inconscientes. On a justement insisté sur le sens de la première phrase du texte : « Si je n'ai pas confiance en ma mémoire... », car on y voit l'essentiel de la théorie de la mémoire dans l'appareil psychique où les traces mnésiques persistent, mais en plusieurs lieux d'un bloc magique, d'où leurs modifications[1].

Les descriptions précédentes de l'appareil psychique et de son fonctionnement dans la première topique montrent les diverses tentatives d'approche d'une théorie de la psyché, que Freud nomme tantôt psychologie (comme dans l'« Esquisse d'une psychologie scientifique »), tantôt métapsychologie. Dans tous les cas, il s'agit de schémas qui soutiennent le projet métapsychologique, c'est-à-dire qu'**ils établissent les rapports des forces et du sens dans la psyché,** soit encore le jeu de la représentation et de l'investissement qui sous-tend les divers modèles d'appareil. Nous avons jusqu'ici considéré essentiellement le problème de la perception et de la représentation, et seulement à l'occasion le problème économique. Freud ne traite d'ailleurs qu'assez peu cet aspect dans les textes consacrés à l'appareil, sinon dans *L'interprétation des rêves,* et de façon très globale dans l'« Esquisse d'une psychologie scientifique ».

Nous entendons nous limiter ici à définir de façon générale le travail de l'appareil psychique, tel qu'il est conçu dans la première topique. Il consiste essentiellement à assurer le mouvement des investissements des représentations (avec le jeu des contre-investissements, désinvestissements, surinvestissements). Il permet ainsi le changement de statut (ou de niveau énergétique) des représentations, de telle façon, qu'à

1. « Note sur le "bloc-notes magique" » (1925a [1924]), *Résultats, idées, problèmes, II,* Paris, PUF, 1985, p. 119-124 ; *OCF* XVII, p. 139-143 ; *GW* XIV, p. 3-8.

partir du refoulé originaire un investissement crée une représentation de chose, grâce à la rencontre d'une figuration qui donne forme ou permet une représentation au représentant (ou à la représentance) d'origine, qui reste présent, et essentiel *(Vorstellungsrepräsentanz)*. Ainsi se constitue une **identité de perception entre la chose et sa représentation.** Un nouvel investissement et une nouvelle charge énergétique ouvrent la possibilité d'un processus qui conduit à la représentation de mot, au niveau préconscient, en passant ou non par l'étape de la levée du refoulement. De là, un surinvestissement ouvre les possibilités de la pensée consciente, et l'accès à la reconnaissance de **l'identité de pensée.** Ultérieurement, seront prises en compte l'ouverture permise au procès de la pensée par l'intervention de la négativité, qui est en ce temps avant tout la dénégation.

L'appareil psychique dans la deuxième topique

Le renouvellement de la théorie des pulsions, à partir de 1920, impose une modification des schémas représentant l'appareil psychique. D'une manière globale, on peut admettre que la mise en place des instances de la personnalité : *moi, surmoi idéal du moi, ça,* se superpose à la stratification topique que nous avons vue dans la première topique et la modifie. La deuxième topique introduit donc une nouvelle répartition où le moi est une instance au même titre que le ça et le surmoi-idéal du moi et n'est plus la personne totale qu'il désignait le plus souvent auparavant.

En suivant le développement de la notion d'appareil psychique, nous voyons persister, dans *Au-delà du principe de plaisir,* certains éléments établis depuis l'« Esquisse d'une psychologie scientifique », notamment le fait de considérer la surface de l'appareil comme une métaphore du cortex cérébral. L'idée d'une surface qui reçoit les excitations en n'opposant aucune résistance à leur passage, grâce au frayage, et qui ne retient aucune trace, est maintenue. Sur le plan énergétique, est souligné que le système conscience-perception est le domaine de l'énergie librement mobile et ne transmet pas d'énergie liée, par opposition au régime qui prévaut dans les couches sous-jacentes, et « l'on doit s'exprimer sur ces points de la façon la moins stricte possible ». La nouveauté est constituée par l'introduction d'un pare-excitation[1] dont nous verrons l'importance dans l'élaboration de la nouvelle théorie du traumatisme et dans la généralisation de cette théorie « au-delà » de la **domination du principe de plaisir,** qui était la règle ou même la nécessité théorique jusqu'ici.

L'idée de pare-excitation provient de la nécessité de protéger le système conscience-perception : si ce dernier recevait l'ensemble des excitations externes et internes, il ne pourrait sans doute y survivre. Une couche dédifférenciée, dévitalisée, ayant subi un « dépérissement » tient en partie l'excitation à l'écart. Ce qui la traverse est transmis aux couches sous-jacentes qui peuvent se consacrer à la réception des excitations atténuées. Le rôle du pare-excitation est plus important encore que celui de la couche réceptrice. Il prend en compte en effet les conditions du traumatisme et protège le psychisme d'un risque de désorganisation. Il est d'autant plus essentiel que **l'appareil psychique ne peut travailler qu'avec de petites quantités d'énergie.**

La couche protectrice superficielle laisse cependant leur place aux organes des sens : ils sont aussi sensibles que la couche corticale de la « vésicule », qui figure l'origine du psychisme, mais ils sont protégés contre l'excès d'excitation : leur rôle spécifique est de prélever au profit de l'appareil psychique un échantillonnage du monde extérieur à la manière d'antennes qui en approchent et s'en retirent. Cette alternance dans le prélèvement des excitations externes, en fait corrélatif de l'investissement des organes sensoriels, permet une inexcitabilité périodique, dont on peut penser qu'elle constitue leur protection[2]. Il s'agit d'une théorie, implicite ou en tout cas non développée, de la perception qui, loin d'être passive, est soumise à l'investissement pulsionnel. Notons encore que l'alternance des investissements introduit la possibilité de concevoir la temporalité, qui participe elle-même à la maîtrise des excitations.

La conception du conscient-perception est ainsi nettement modifiée : le danger extérieur est pris en compte dans une théorie traumatique, dans laquelle le trauma ne paraît pas seulement d'origine

1. *Au-delà du principe de plaisir* (1920g), *Essais de psychanalyse,* Paris, Payot, 1981, p. 69-74 ; *OCF* XV, p. 298-304 ; *GW* XIII, p. 25-33.

2. « Note sur le "bloc-notes magique" » (1925a [1924]), *Résultats, idées, problèmes, II,* Paris, PUF, 1985, p. 123 ; *OCF* XVII, p. 143 ; *GW* XIV, p. 8.

interne, pulsionnelle. En relation avec l'importance accrue qu'il prend, les systèmes de protection et de réception de l'excitation sont plus sophistiqués et se rapprochent d'une représentation du corps qui annonce que « le moi est corporel ». Cependant, l'accent porté sur le traumatisme d'origine externe et sur le pare-excitation, ne modifie pas l'importance des conditions traumatiques liées aux pulsions. **Il n'y a pas de pare-excitation interne :** pour se défendre contre l'excès d'excitation pulsionnelle, non liée, l'appareil psychique n'a d'autre moyen que de transférer l'excitation, processus qui a une grande importance économique (cf. les névroses traumatiques). Le pare-excitation retrouve ainsi son efficacité, évite un trop grand déplaisir dont la conséquence pourrait être une désorganisation, sinon un dépérissement, de l'appareil psychique.

Dans cet abord, il apparaît que, si le modèle de la première topique est conservé, la question de l'énergie et du traumatisme (interne ou externe à l'appareil) devient l'objet essentiel du développement théorique, plus encore que les conditions de la perception et de la représentation, désormais suffisamment établies. *C'est le moi comme instance qui prend forme ici* en intégrant et en dépassant le système conscience-perception. Une organisation capable de survivre au trauma apparaît, sous une forme moins abstraite, plus corporelle. Freud revient à plusieurs reprises sur l'opposition énergie liée-énergie libre, où la liaison prépare au trauma ou bien, en l'absence de préparation, permet « d'en assurer la maîtrise rétroactive sous développement d'angoisse ». Il indique encore que la tâche des couches supérieures de l'appareil psychique est « de lier l'excitation pulsionnelle lorsqu'elle arrive sous forme de processus primaire. L'échec de la liaison provoquerait une perturbation analogue à la névrose traumatique » [1].

Dans *Le moi et le ça*, la deuxième topique est établie ; pour autant, le modèle de l'appareil psychique qui soutient l'ensemble de la théorie à travers son évolution n'est pas abandonné.

Dans un premier temps, la notion du moi reprend les niveaux conscient et préconscient de la première topique mais comporte

1. *Au-delà du principe de plaisir* (1920g), *Essais de psychanalyse*, Paris, Payot, 1981, p. 70-78 ; *OCF* XV, p. 299-306 ; *GW* XIII, p. 27-36.

désormais une part inconsciente. C'est l'occasion de revenir avec une rigueur accusée sur le concept d'inconscient, de distinguer nettement l'inconscient descriptif de l'inconscient dynamique, qui seul intéresse l'analyse, et de justifier à partir du moi total, qui était la référence dans la première topique, l'introduction du moi comme instance. Il est l'organisation qui, avec une autonomie relative, exerce un contrôle sur la conscience, la motilité, les processus de décharge des excitations. Même si le moi va dormir, la censure du rêve reste une de ses fonctions, ce qui pose notamment la question de ses limites avec le surmoi, qui est introduit dans ce même texte. Toutefois, il est souligné que les refoulements partent du moi, de même que les résistances qui se manifestent dans l'analyse à l'approche du refoulé. C'est à ce propos que **la nécessité d'un moi inconscient** s'impose : le patient est dominé par une résistance lorsque, au cours de l'analyse il s'approche du refoulé, mais de cette résistance il ne sait rien, alors même qu'elle part nécessairement du moi. Il y a donc dans le moi quelque chose d'inconscient, qui se comporte comme le refoulé, et demande un travail particulier pour devenir conscient. À l'opposition conscient-inconscient, à laquelle on pouvait ramener jusque-là le conflit névrotique, se substitue l'opposition entre le moi cohérent et le refoulé « séparé de lui par clivage » (clivage est ici à entendre en son sens banal du mot clivage, et non selon celui qu'il prendra après 1927). On peut toutefois souligner que Freud préfère ne pas employer ici le terme de « refoulement », et que c'est tout à fait à dessein. Il remarque en effet que, si tout refoulé est *Ics,* tout *Ics* n'est pas pour autant refoulé[1]. Dès lors, la question de l'appareil psychique va devoir être de nouveau prise en compte, avec le moi, avant d'être apparemment laissée de côté dans le développement théorique. Malgré l'introduction du moi comme nouvelle instance, le fonctionnement *Pcs* et *Cs-perception* de la première topique est conservé sans modification majeure à ce qui a été établi antérieurement, notamment sur le rôle des représentations de mot. La **notion du ça est** une création originale, bien qu'elle soit formellement empruntée à Groddeck, qui la tient d'ailleurs de

1. *Le moi et le ça* (1923b), *Essais de psychanalyse,* Paris, Payot, 1981, p. 228 ; *OCF* XVI, p. 262-263 ; *GW* XIII, p. 244.

Nietzsche. Le système *Pc*, et ce qui reste de l'appareil psychique dans son ancienne acception, apparaît désormais comme posé sur le ça. Le moi s'organise autour de ce système qui en constitue le noyau. Un nouveau schéma est proposé, où persistent *Pc-Cs* et *Pcs* ainsi que le refoulé, et où sont représentées les nouveautés que constituent le ça, le moi, incomplètement séparés par les résistances du refoulement. Il convient encore de souligner l'ajout d'une « *calotte acoustique* » [1] posée de travers, d'un seul côté, ce qui est présenté comme une concession à l'anatomie, et qui souligne probablement et le rôle des représentations (acoustiques) de mot, et l'origine « du surmoi dans l'entendu », comme il sera dit plus tard dans le même texte.

Le terme d'appareil psychique n'est plus utilisé dans la suite de l'ouvrage. La nouvelle topique est désormais établie avec la mise en place des trois instances : moi, surmoi avec idéal du moi, dans leur relation au ça. Elle peut être considérée comme une représentation, satisfaisante à ce moment, d'un appareil psychique.

Dans les *Nouvelles conférences d'introduction à la psychanalyse*, le terme d'« appareil psychique » apparaît peu ; il désigne, là encore, l'ensemble des *trois « provinces » psychiques* que forment moi, surmoi (idéal du moi) et ça. Nous n'entrerons pas dans les détails du nouveau schéma ainsi proposé, l'ensemble du modèle restant à peu près conforme à la description introduite dans *Le moi et le ça* (le titre de cette conférence est « La décomposition de la personnalité psychique », et c'est bien une vue d'ensemble de la *personnalité* psychique qu'elle entend fournir) ; elle vise surtout à l'approfondissement de la nature et du rôle du surmoi. On observe au passage que les termes « personnalité psychique » et « appareil psychique de la personne », sont ici synonymes, l'intention de Freud étant de rendre compte des relations structurales de la personnalité psychique. On peut penser qu'à ce moment de la pensée de Freud cette dernière dénomination lui apparaît de fait plus adéquate que celle d'appareil psychique ; il s'attache en effet à montrer le caractère imprécis des limites qui séparent et maintiennent éventuellement une unité ou une communication entre les diverses instances, ce qui ne répond pas à une vue

1. *Ibidem*, p. 237 ; p. 259 ; p. 252.

particulièrement structurale. Il est possible de considérer que le recours à la notion de personnalité psychique vaut pour une atténuation de celle d'appareil psychique qui pourrait évoquer davantage une « structure ». La conception des limites des instances à l'intérieur de l'appareil ne se fait pas sur le mode du clivage, où la brisure, à l'intérieur de l'instance « moi » [1], se produit selon des directions aussi prédéterminées que les lignes de clivage d'un cristal le sont par sa structure, l'accent est porté au contraire sur l'aspect plutôt impressionniste des limites entre les instances, plus semblables à des *champs de couleur qui s'estompent* qu'à des lignes nettes [2].

La relation du moi et du système *Pc-Cs* est alors précisée : le moi proprement dit, *dans la mesure où il se laisse séparer du ça et du surmoi,* est dans une relation essentielle avec cette « partie extrême, superficielle, de l'appareil psychique que nous désignons comme système *Pc-Cs* ». Il s'agit de *l'organe sensoriel* de tout l'appareil, sensible aux excitations qui proviennent de l'extérieur, mais aussi de l'intérieur ; sa fonction est de donner naissance au phénomène de la conscience. Quoi qu'il en soit, le dessin proposé pour figurer les composants de la personnalité diffère peu du précédent, à ceci près qu'il reste ouvert vers le bas. Vers quel espace ? Il « est ouvert à son extrémité vers le somatique, et là il recueille en lui les besoins pulsionnels qui trouvent en lui leur expression psychique ». On peut y voir également l'ouverture à la phylogenèse, à l'apport des générations antérieures (aussi évoqué dans ce texte) dans un appareil qui, jusque-là, ne paraissait s'ouvrir que sur le monde extérieur et le ça.

Dans l'*Abrégé de psychanalyse,* ouvrage ultime, qui répond à l'intention de « rassembler les doctrines de la psychanalyse afin d'en donner un exposé, d'une façon pour ainsi dire dogmatique, sous une forme aussi concise et aussi précise que possible », non seulement Freud en revient systématiquement à l'appareil psychique en soulignant ainsi l'importance qu'il y attache, mais il en fait le titre de son premier chapitre. Notons pourtant qu'il s'y réfère de manière finale-

1. *Nouvelles conférences d'introduction à la psychanalyse* (1933a [1932]), Paris, Gallimard, 1984, p. 82 ; *OCF* XIX, p. 141-142 ; *GW* XV, p. 64.

2. *Ibidem,* p. 109 ; p. 162-163 ; p. 86.

ment assez lâche, les deux temps de la théorie apparaissant inégalement associés dans cette recollection finale. Après avoir nettement établi l'identité du psychisme et de l'âme, Freud affirme qu'en sont connues : – d'une part son organe corporel, avec sa scène, son théâtre *(Schauplatz)* constitué par le cerveau, – d'autre part nos actes conscients. Dès le début de l'ouvrage est fermement soulignée la continuité de la conception de l'appareil psychique avec la métapsychologie, à travers les bouleversements apportés par la théorie des pulsions et la nouvelle conception topique. « Nous admettons que la vie psychique est la fonction d'un appareil auquel nous attribuons une étendue spatiale et que nous supposons formé de plusieurs parties. » Cette définition est suivie d'un rappel de la comparaison avec un appareil optique, comme pour souligner que rien n'est à retrancher des premiers travaux sur l'appareil psychique. Suit un bref rappel des instances qui le constituent : d'abord le *ça,* qui contient tout ce qui est apporté en naissant : le constitutionnel, l'héréditaire, et avant tout les pulsions, d'origine corporelle, qui trouvent dans le ça une première expression psychique, qui nous demeure inconnue ; puis le *moi,* et enfin le *surmoi.* On note ce qui peut apparaître comme une « curiosité » : « Ce schéma d'un appareil psychique vaut aussi pour les animaux supérieurs [...], il convient d'admettre l'existence d'un surmoi partout où, comme chez l'homme, l'être a dû subir dans son enfance une assez longue dépendance. La distinction du moi d'avec le ça est un fait indéniable. » [1]

La fin de l'ouvrage (inachevé) consacre deux chapitres (« L'appareil psychique et le monde intérieur », et « Le mode extérieur ») à donner une vue d'ensemble condensée de l'appareil et de ses fonctions. La description part du noyau, *l'obscur ça,* où agissent les pulsions organiques, qui résultent de la fusion en proportion variable des *forces primitives Éros et destruction.* Il est intéressant de noter cette distinction entre *forces* (désignant ce qui est habituellement nommé pulsions dans la deuxième topique) et *pulsions organiques,* qui ne sont pas davantage précisées. Cela implique un originaire, antérieur à ce que

1. *Abrégé de psychanalyse* (1940a [1938]), Paris, PUF, 1967, p. 3-6 ; *OCF* XX, p. 233-235 ; *GW* XVII, p. 67-69.

l'on peut nommer pulsion, antérieur sans doute à tout appareil psychique, sinon à tout appareil. L'idée de *force* laisse entendre un économique à l'état pur, pour autant qu'on puisse le concevoir. Le ça obéit à l'inexorable principe de plaisir, est-il encore rappelé, en même temps que demeure la permanence de la question : *quand et comment ce principe peut-il être surmonté* ? Sachant qu'il exige la diminution, et peut-être même finalement la disparition des tensions provoquées par les besoins (nirvana), cela amène encore une fois aux relations entre le principe de plaisir et les forces originaires de l'Éros et de la pulsion de mort. Question qui reste non résolue. On peut considérer cependant que la prise en compte du moi, abordée tout aussitôt, apporte les éléments d'une réponse : son rôle est en effet essentiellement *d'élever les processus du ça à un niveau dynamique plus élevé* (peut-être en transformant de l'énergie libre, mobile, en énergie liée), et cela paraît être la fonction primordiale de l'appareil psychique.

Se pose alors la question des relations de la psychose au clivage du moi. Peut-on considérer qu'elle relève de l'étude de l'appareil psychique ? Ce serait alors admettre que le concept de moi recouvre finalement celui d'appareil psychique. Nous avons eu sporadiquement l'occasion de le noter, tout en constatant que, finalement, l'idée d'appareil psychique paraissait tout de même nécessaire pour une prise en compte globale de la personnalité[1]. Mais nous constatons qu'au-delà du champ de la névrose, dans un domaine (fétichisme, perversions, psychoses) que Freud a longtemps situé aux limites, sinon hors des limites de l'analyse, la référence à un appareil psychique perd de sa pertinence.

QUESTIONS ET ENJEUX

Finalement, l'*appareil* apparaît comme l'échafaudage nécessaire au développement de la théorie de la *personnalité* psychique. On peut d'ailleurs penser que son intérêt essentiel fut de permettre à Freud

1. *Ibidem,* p. 69-84 ; p. 293-305 ; p. 125-138.

d'éviter des termes dont l'usage faisait courir un risque de banalisation : c'est ce qui est arrivé avec le mot « moi » avant qu'il ne prenne une véritable consistance métapsychologique en 1923, ou encore avec les mots de « personne », « personnalité », « sujet », etc., de fait rarement utilisés. Dans le même ordre d'idées, il permet de bien situer le champ de la psychanalyse dans le domaine scientifique, avec même une tonalité technique. Cela souligne encore le souhait de se démarquer d'une métaphysique, que rappelle pourtant le choix du terme *métapsychologie* pour désigner l'ensemble des fonctions de l'appareil psychique. Cependant, l'appareil trouve sa limite avec la constatation que, « dans notre domaine scientifique comme dans tous les autres », nous cherchons à augmenter par divers artifices le champ de ce que nous laissent entrevoir nos perceptions, mais que « la réalité demeurera à jamais "inconnaissable" » [1]. En fait, le sens et la fonction de la notion même d'appareil psychique n'est pas tant de décrire une réalité objective du psychisme (ou de l'âme), que de concevoir un instrument psychique apte à l'analyse – les métaphores optiques proposées le montrent d'ailleurs clairement. Mais il ne s'agit pas seulement de décrire ou définir une réalité structurale ; l'appareil est aussi, voire d'abord, un moyen de mettre en évidence la dynamique psychique, les conditions de changements de niveau de l'énergie pulsionnelle.

Le travail de l'appareil psychique consiste essentiellement à assurer le jeu des investissements, contre-investissements, désinvestissements et surtout surinvestissements, jeu qui reste régi par le principe de plaisir-déplaisir. C'est ce qui permet le changement de statut des représentations à partir de la représentance originaire, suivant en cela l'intuition développée à partir des appareils décrits et schématisés dès *L'interprétation des rêves*. On voit ainsi que l'échafaudage (ou plutôt la « construction auxiliaire », ou « de secours », la « fiction », suivant des termes que Freud emploie à propos de l'appareil psychique), a la mission de représenter l'appareil du patient en analyse, en même temps que celui de l'analyste qui tente d'en approcher la « réalité ». Si nous repartons de la remarque selon laquelle « l'appareil psychique, qui est tourné vers le monde extérieur par les organes des sens de son système perceptif, est lui-même monde extérieur pour l'organe des sens de la conscience » [2], nous

1. *Ibidem*, p. 71 ; p. 294-295 ; p. 126-127.

2. *L'interprétation des rêves* (1900a), Paris, PUF, 1967, p. 522 ; *OCF* IV, p. 671, *GW* II-III, p. 621.

pouvons ajouter que l'appareil de l'analyste est tourné vers celui du patient, en même temps qu'il est tourné vers lui-même, tandis qu'un rapport similaire s'établit à un autre niveau dans l'appareil du patient : sans représentations-but, celui-ci se transfère et se projette vers l'appareil qui l'observe en même temps qu'il s'identifie à lui. Il va de soi qu'aucune « localité » cérébrale ne répond à un tel jeu, qui n'a d'ailleurs pas non plus de correspondance « optique ». Pourtant, on peut admettre que l'appareil psychique est un *appareil à représenter les représentations* (plutôt que les pensées, comme l'avancera Wilfred Ruprecht Bion dans une autre perspective). Remarquons cependant que *Vorstellung* désigne sans doute la représentation comme nous l'entendons, mais aussi et surtout l'imagination, l'idée, sinon la pensée. Il faut surtout retenir que la notion d'appareil psychique, désigne une étendue ; en fait, il ne rend compte de l'espace psychique que par approches approximatives, qui peuvent d'ailleurs être modifiées. Ainsi elle appartient à « une superstructure *[Überbau]* spéculative de la psychanalyse dont chaque pièce peut être sacrifiée ou échangée sans dommage ni regret, dès l'instant où une insuffisance est avérée » [1].

Pierre CHAUVEL

APRÈS-COUP

all. : ***nachträglich*** et ***Nachträglichkeit.*** – angl. : *deferred action.* – esp. : *aplazada.* – ital. : *posteriore.* – port. : *posterioridade*

Processus par lequel le souvenir d'un événement, d'une impression, prend sens à l'occasion de la survenue d'un événement nouveau qui déclenche une angoisse ; tout se passe comme si celui-ci, dans un deuxième temps et comme opérant sous l'effet d'une contrainte, faisait exister le premier en le signifiant. Cette prise de conscience, régulièrement traumatique, déclenche généralement un refoulement ; le « refoulement proprement dit », qui procède de cette manière, est ainsi appelé « refoulement après coup ». Processus essentiel du fonctionnement

1. *Sigmund Freud présenté par lui-même* (1925d), Paris, Gallimard, 1984, p. 55 ; *OCF* XVII (« Autoprésentation »), p. 80 ; *GW* XIV, p. 58.

psychique normal, l'après-coup contribue à la constitution des névroses ; il assure l'efficience de la cure. La locution adverbiale « après coup » *(nachträglich)* décrit le processus, qui se trouve désigné, conceptuellement, par le recours au substantif *(Nachträglichkeit)* sans en infléchir le sens.

MISE EN SITUATION

Le nachträglich *germanique ne va pas sans poser des problèmes de traduction. Si les dictionnaires allemand-français s'accordent pour proposer « après coup », à côté de « plus tard » et de « ultérieurement », tous termes témoignant d'une « postériorité », il n'en demeure pas moins que l'expression « après coup », généralement retenue en français, introduit une notion de « coup » tout à fait étrangère au terme allemand. Comme le développement de la notion freudienne implique une référence au traumatisme, il est certain que s'offre ainsi la tentation d'une dérive sémantique autour de l'idée de « coup », à laquelle ont cédé nombre d'auteurs, et qui n'a pas été sans susciter quelques interprétations abusives (on a ainsi vu apparaître un « avant-coup », étranger ici tant à la langue allemande qu'à la pensée freudienne). Nous avons là un exemple de l'influence de la langue sur la façon de penser.*

Cela s'illustre aussi avec la langue anglaise. Ne possédant pas véritablement d'équivalant au Nachträglich germanique, Strachey a proposé, dans la « Standard edition », de le traduire par deferred action, *terme qui s'est imposé chez les auteurs anglo-saxons. Cette « action différée », en mettant l'accent sur le premier temps, dont l'effet est simplement « différé » et non pas révélé par le second, néglige le double mouvement temporel, tendant ainsi à induire le lecteur en erreur. On peut penser que cette traduction est responsable d'une certaine méconnaissance de la notion d'après-coup par les Anglo-Saxons (c'est ce qui a pu conduire Jean Laplanche, dans le cadre du Comité des langues de la Fédération européenne de psychanalyse, à proposer* afterwards [1]*). Il est probable que ces difficulté sémantiques n'ont pas aidé à l'appropriation de la*

1. Cf. le *Glossaire* (entrées en 3 langues, équivalences en 6 langues) publié en 1997 par la Fédération européenne de psychanalyse.

notion par la communauté analytique. Il revient à Jacques Lacan d'avoir, en France, attiré l'attention sur l'idée d'après-coup dans l'œuvre freudienne[1]; elle fut rapidement reprise, notamment par J. Laplanche et J.-B. Pontalis[2]. Depuis, elle s'est très vite imposée, tout au moins aux auteurs francophones, et le Nachträglichkeit freudien suscite régulièrement nombre de commentaires, voire d'exégèses.

LE TEXTE FREUDIEN

L'idée apparaît en **1895** et sera reprise les années suivantes. Freud entend montrer comment un événement apparemment anodin peut provoquer l'irruption brutale d'un déplaisir lorsqu'il entre en relation avec la trace mnésique d'un événement antérieur à connotation sexuelle. Une patiente relate comment, lors d'un incident de la vie courante, elle éprouva une décharge sexuelle, sans alors relier les deux faits; lors de leur remémoration se produit un affect absent lors de l'incident lui-même: « Nous ne manquons jamais de découvrir qu'un souvenir refoulé ne s'est transformé *qu'après coup* en traumatisme. »[3] Mais il y a aussi des après-coups non névrotiques, des souvenirs érotiques pouvant déclencher une décharge bien plus forte que lors de l'excitation première. Lorsqu'ils portent sur des zones sexuelles abandonnées, ils peuvent provoquer, après coup, un déplaisir, un dégoût: nous nous détournons alors de ce souvenir, c'est là un refoulement[4]. « Les traumatismes infantiles agissent après coup

1. J. Lacan, « Fonction et champ de la parole et du langage » (1953), et « Position de l'inconscient » (1960), *Écrits,* Paris, Seuil, 1966, p. 256 et 839.

2. J. Laplanche et J.-B. Pontalis, *Vocabulaire de la psychanalyse,* Paris, PUF, 1967, p. 33-36.

3. « Esquisse d'une psychologie scientifique » (1950c [1895]), *La naissance de la psychanalyse,* Paris, PUF,1956, p. 366. L'idée sera reprise l'année suivante dans « L'hérédité et l'étiologie des névroses » (1896a), *Névrose, psychose et perversion,* Paris, PUF, 1973, p. 57; *OCF* III, p. 118; *GW* I, p. 419.

4. Lettre à Fliess du 14 novembre 1897, dans *La naissance de la psychanalyse,* Paris, PUF, 1956, p. 206.

comme des expériences neuves, mais alors de façon inconsciente »[1] ; les troubles des psychonévroses résultant, par le moyen de l'après-coup, de traces psychiques inconscientes, ils deviennent compréhensibles et « accessibles à la psychothérapie »[2].

En **1900**, dans *L'interprétation des rêves,* est clairement reconnue la succession inductive qui spécifie le rapport allant de la réalité (l'impression indifférente de la journée) jusqu'à l'inconscient (source véritable du rêve) ; elle va de l'après-coup à la contrainte qui le détermine, mais le rapport entre cette impression et la véritable source inconsciente du rêve ne s'établit qu'après coup, pendant le travail même du rêve, comme si une contrainte obligeait à « établir une liaison précisément avec cette impression récente bien qu'indifférente », mais encore faut-il qu'elle lui soit appropriée d'une manière quelconque[3]. Ce terme de « contrainte » – avec ce qu'il implique de nécessité – est essentiel pour toute la pensée métapsychologique telle qu'elle va se développer au cours des années suivantes. Ainsi, dans le même mouvement, va se préciser le rapport du sujet à son histoire en montrant que « les soi-disant souvenirs » de la première enfance ne sont nullement des vestiges d'événements réels ; ce n'en sont que des réélaborations ultérieures, effectuées par la suite sous l'influence de forces psychiques[4].

Dès lors, l'essentiel du processus est en place ; les notions qu'il implique (décharge sexuelle, contrainte, angoisse, traumatisme, refoulement, fonctionnement psychique normal aussi bien que névrotique, effet psychothérapique) sont parfaitement identifiées, et ses caractères sont, dès cette époque, clairement énoncés ; par la suite, l'après-coup demeurera inchangé dans son principe. En 1909, dans les commentaires sur le « petit Hans », il peut ainsi venir justifier

1. « Nouvelles remarques sur les psychonévroses de défense » (1896b), *Névrose, psychose et perversion,* Paris, PUF, 1973, p. 65, n. 2 ; *OCF* III, p. 128, n. 1 ; *GW* I, p. 384.

2. « La sexualité dans l'étiologie des névroses » (1898a), *Résultats, idées, problèmes, I,* 1984, p. 93 ; *OCF* III, p. 236 ; *GW* I, p. 512.

3. *L'interprétation des rêves* (1900a), Paris, PUF, 1967, p. 160 ; *OCF* IV, p. 215 ; *GW* II-III, p. 184.

4. *Psychopathologie de la vie quotidienne* (1901b), Paris, Gallimard, 1997, p. 103 ; *OCF* V, p. 130 ; *GW* IV, p. 56.

explicitement tant les fonctionnements du refoulement que de l'angoisse de castration[1].

En **1915**, avec le refoulement, l'après-coup trouve un champ d'application privilégié. L'idée d'un rapport entre l'un et l'autre, comme avec le traumatisme, était donc apparue dès 1895[2]. En cette année 1915, Freud en reprend la clinique, partant d'un cas qui ne va pas sans évoquer celui qui lui avait permis d'introduire la notion ; cette fois il ne s'agit plus d'une jeune hystérique, mais d'un délire paranoïaque dans lequel l'après-coup est alors désigné comme fréquent et caractéristique[3]. Surtout, la *Métapsychologie* va permettre d'en aboutir la théorie en spécifiant le deuxième stade du processus : « Le refoulement proprement dit concerne les rejetons psychiques du représentant refoulé », voire d'autres chaînes de pensées qui s'associent avec lui. De par cette relation, ces représentations suivent le même chemin que le refoulé originaire : « Le refoulement proprement dit est donc un refoulement après coup » [4] – et Freud va user des deux syntagmes comme de véritables synonymes.

Dire que le refoulement proprement dit fonctionne en après-coup ne vise pas seulement à indiquer qu'il apparaît dans un second temps par rapport au refoulement originaire et en fonction de lui, mais implique surtout l'idée que le refoulement résulte de la conjonction de deux mouvements aux contextes historiques bien différents : l'un, actuel, correspond à une « répulsion venue du conscient », alors que l'autre, antérieur, correspond à une « attraction par ce qui a déjà été refoulé ». Ce mouvement, postérieur et régrédient, remonte théoriquement jusqu'au refoulement originaire (celui-ci demeura-t-il inacces-

1. « Analyse d'une phobie chez un petit garçon de cinq ans (Le petit Hans) » (1909b), *Cinq psychanalyses*, Paris, PUF, 1954, p. 115 et 179 ; *OCF* IX, p. 30 et 106 ; *GW* VII, p. 271 et 353.

2. « Esquisse d'une psychologie scientifique » (1950c [1895]), *La naissance de la psychanalyse*, Paris, PUF,1956, p. 366.

3. « Communication d'un cas de paranoïa en contradiction avec la théorie psychanalytique » (1915f), *Névrose, psychose et perversion*, Paris, PUF, 1973, p. 216 ; *OCF* XIII (2e éd.), p. 319 ; *GW* X, p. 243.

4. « Le refoulement » (1915d), *Métapsychologie*, Paris, Gallimard, 1968, p. 49 ; *OCF* XIII (2e éd.), p. 193 ; *GW* X, p. 260.

sible à la prise de conscience) dont « l'attraction s'exerce sur tout ce avec quoi il peut établir des liaisons » : il n'y aurait pas de refoulement « s'il n'y avait pas quelque chose de déjà refoulé qui soit en mesure de recevoir ce qui est repoussé par le conscient ». Par les effets d'après-coups successifs, ils s'appuient les uns sur les autres (dans *nachträglich, « tragen »* indique cette notion de porter, voire d'étayer), s'en déterminent, « les rejetons du refoulé proliférant dans l'obscurité ». Le refoulement s'avère extrêmement mobile : l'inconscient est vivant, il évolue, « accessible aux événements de la vie » [1]. Ainsi, le rejeton du refoulé demeure tout à la fois pérenne et sensible aux aléas actuels : le « nouveau refoulé » – qui agit en raison du sens que lui confère, en après coup, le « déjà refoulé » – vient, en « retour », resignifier celui-ci ; de la sorte sont assurées tant la permanence que l'évolutivité de l'histoire. C'est en raison même de ce fonctionnement en après-coup que les rejetons du refoulé vont pouvoir, déformés, accéder à la conscience, et qu'ils seront éventuellement analysables.

Dès **1918**, Freud va parfaire l'étude du processus et l'aboutir, en s'appuyant sur l'organisation du complexe d'Œdipe par l'angoisse de castration : de la scène originaire émanent toute une série de courants dont la conjonction après coup fait véritablement éclater la libido ; « l'activation de cette scène (j'évite à dessein le mot "souvenir") a la même action que si elle était une expérience vécue récente. La scène agit après coup et n'a entre-temps, durant l'intervalle entre un an et demi et quatre ans, rien perdu de sa fraîcheur ». Surtout, le processus va continuer de structurer l'histoire dans une succession d'après-coups : l'homme de trente ans, l'analysé, peut décrire les impressions et émotions de ses quatre ans avec des mots qu'il ignorait alors, et « ceci est tout simplement un deuxième cas d'après-coup » ; à un an et demi l'enfant éprouve une impression qu'il ne comprend pas, dont il n'est saisi que lors de sa réanimation à quatre ans, et ce n'est qu'en analyse, vingt ans plus tard, dans l'analyse, qu'il peut appréhender consciemment ce qui s'est alors passé. C'est avec raison que l'analysé néglige ces trois phases pour replacer « son moi présent dans la situation depuis longtemps révolue ». Avec une bonne observation et une

1. *Ibidem*, p. 50, 53 et 101.

interprétation correcte, on peut « négliger la distance entre la deuxième et la troisième phase temporelle »[1]. C'est là dire clairement que le complexe d'Œdipe, comme le complexe de castration, ne peuvent se constituer qu'après coup, et se construisent selon des après-coups successifs.

À partir de **1920**, si la notion demeure bien présente dans l'ensemble de l'œuvre, le processus semble suffisamment connu et le mécanisme n'est plus explicité ; le mot n'en apparaît pas moins régulièrement pour venir signifier un développement psychique – et il le fait dans un sens tout à fait conforme à ce qui en fut dit antérieurement. Ainsi, encore dans les textes impliquant le complexe d'Œdipe, l'après-coup se trouve systématiquement et préférentiellement référé. Par exemple : « La perte de son propre pénis est devenue elle aussi représentable, la menace de castration parvient après coup à faire effet. »[2] Ou bien : épier le coït parental, dans la petite enfance, peut être l'occasion de la première excitation sexuelle et, « par ses influences après coup, devenir le point de départ de tout le développement sexuel »[3]. Ou même (référence intéressante car l'après-coup, habituellement désigné comme moteur du complexe de castration du garçon, y est explicitement situé dans le cadre de la sexualité féminine) : chez la femme, le dégoût, ce symptôme de défense, « s'installe à l'origine comme une réaction après coup à l'acte sexuel vécu d'une manière passive » ; il pourra, par la suite, réapparaître lors d'un souvenir, d'un fantasme, ou d'une autre représentation de cet acte[4]. Alors même qu'il en décrit l'une des modalités de fonctionnement, Freud peut s'abstenir de le nommer : ainsi, lorsqu'il rapporte com-

1. « Extrait de l'histoire d'une névrose infantile (L'homme aux loups) » (1918b [1914]), *Cinq psychanalyses,* Paris, PUF, 1954, p. 354 ; *OCF* XIII, p. 42-43, n. 1 ; *GW* XII, p. 72, n. 1.

2. « La disparition du complexe d'Œdipe » (1924d), *La vie sexuelle,* Paris, PUF, 1969, p. 119 ; *OCF* XVII, p. 29 ; *GW* XIII, p. 398.

3. « Quelques conséquences psychiques de la différence anatomique entre les sexes » (1925j), *La vie sexuelle,* Paris, PUF, 1969, p. 125 ; *OCF* XVII, p. 194 ; *GW* XIV, p. 22.

4. *Inhibition, symptôme et angoisse* (1926d [1925]), Paris, PUF, 1951, p. 2 ; *OCF* XVII, p. 206 ; *GW* XIV, p. 114.

ment le petit garçon aperçoit pour la première fois la région génitale d'une fille, il est perplexe, irrésolu, surtout peu intéressé. En fait, il ne voit rien ou dénie ce qu'il voit; « ce n'est que plus tard, lorsqu'une menace de castration a pris de l'influence sur lui, que cette observation devient pour lui pleine de signification » et, lorsqu'il y repense, « il est la proie d'une terrible tempête émotionnelle et se met à croire en la réalité d'une menace dont il se riait jusqu'alors »[1].

Mais si, à partir de 1920, l'après-coup est toujours bien présent dans les textes traitant du fonctionnement psychique en s'appuyant sur la clinique, il convient de noter qu'il n'apparaît pas dans ceux, plus « spéculatifs », impliquant la dernière théorie des pulsions – il n'y a pas d'après-coup dans *Au-delà du principe de plaisir*. Si le mot est mentionné une fois dans *Psychologie des foules et analyse du moi*[2], c'est incidemment. Plus étonnant peut-être, il n'apparaît jamais dans *Le moi et le ça*. On le retrouve pourtant dans des œuvres postérieures, et plus particulièrement dans toutes celles qui traitent du complexe d'Œdipe, de la castration et de la féminité.

QUESTIONS ET ENJEUX

Dès l'époque « préanalytique », l'idée d'un processus après coup est présente dans le mode de pensée de Freud ; elle va même l'organiser. La conception en persiste identique tout au long de l'œuvre, et on doit considérer qu'elle contribue notamment à spécifier sa théorie du fonctionnement psychique. Assez curieusement peut-être (et au contraire de ce qu'il fait, dans les mêmes textes, à propos de la sexualité infantile), lui-même semble ne s'être jamais interrogé sur ce qu'elle pouvait avoir d'éventuellement « bouleversant », tant comme

1. « Quelques conséquences psychiques de la différence anatomique entre les sexes » (1925j), *La vie sexuelle*, Paris, PUF, 1969, p. 127 ; *OCF* XVII, p. 195 ; *GW* XIV, p. 24.

2. *Psychologie des foules et analyse du moi* (1921c), *Essais de psychanalyse*, Paris, Payot, 1981, p. 209 ; *OCF* XVI, p. 76 ; *GW* XIII, p. 154.

conception du fonctionnement psychique que comme fondement possible d'une théorie de la mémoire ou de l'histoire. C'est sans doute ce sentiment d'« évidence » (n'éprouvant nul besoin de se justifier) qui a pu conduire un certain nombre de commentateurs à considérer qu'il « n'en a pas donné de définition et encore moins de théorie d'ensemble »[1].

Certes, Freud n'écrivit jamais d'article ou de chapitre sous cet intitulé, comme il pu le faire pour le refoulement ou la négation par exemple. Mais, tout compte fait, il ne procéda ainsi qu'avec un nombre assez restreint de concepts : c'est ainsi que l'Œdipe lui-même (dans le fonctionnement duquel, justement, l'après-coup joue un grand rôle), en dépit de son importance nodale et très tôt annoncée, ne fut véritablement décrit et théorisé que fort tard (dans les années 1920) alors qu'il structurait le corpus analytique depuis ses origines. À bien y regarder, il nous apparaît cependant que les citations que nous avons pu faire témoignent de ce que, très tôt, Freud a non seulement décrit le mécanisme en après-coup, mais a clairement élaboré une véritable théorie de l'après-coup. À la lecture des différents textes, on découvre une claire exposition du processus : – fonctionnellement et d'un point de vue descriptif, comme le montre la fonction qualificative, de beaucoup la plus utilisée, de la locution adverbiale « après coup » *(nachträglich)* pour marquer la réactivation actuelle d'un événement antérieur ; – conceptuellement et d'un point de vue structurel, comme en témoigne le recours au substantif « après-coup » *(Nachträglichkeit)*. Nous nous sommes efforcés, dans ce travail et conformément aux indications de Grevisse, de rendre compte de la distinction entre les deux formes en recourant aux orthographes françaises de : « après coup » pour la locution adverbiale, « après-coup » pour le substantif. Si celui-ci est indiscutablement moins fréquent que l'autre dans le texte freudien, il désigne très clairement, lorsqu'il est utilisé, un processus spécifique à valeur conceptuelle ; ajoutons qu'il n'est guère possible de relever dans l'œuvre de moments et/ou de contextes significatifs pouvant rendre compte du passage du qualificatif au substantif.

La définition nous en apparaît donc nettement énoncée, tout comme la théorie qu'elle sous-tend assez clairement : toujours associé à la notion de traumatisme, l'après-coup est fondé sur un fonction-

1. Ainsi de Laplanche et Pontalis, dans leur *Vocabulaire de la psychanalyse,* qui précisent d'ailleurs qu'eux-mêmes « n'entendent pas [en] proposer de théorie ».

nement en trois temps : 1 / perception passive d'un événement ; 2 / période de latence active ; 3 / moment organisateur du processus (c'est lui qui attribue un sens à ce qui s'est déroulé jusqu'alors). Il y a ainsi mise en rapport actif d'événements séparés et jusqu'alors indifférents, mais qui vont dorénavant s'organiser comme termes d'un conflit qui perdurera au travers de nouveaux après-coups (c'est ce qui nous a conduits à parler d'« historisation »).

En situant le concept, nous avons été amenés à constater les erreurs d'interprétation qu'entraînait, à l'occasion, le « coup » de l'après-coup ; pour autant, l'interrogation qui put parfois conduire à une réponse maladroite n'est pas sans quelque pertinence : si l'après-coup implique bien l'idée d'une postériorité, celle-ci ne peut que postuler un antérieur... quel est-il ? Freud se borne à situer un traumatisme (d'où, sans doute, le malentendu suscité en français par la locution « après-coup »), coup premier donc, d'ordre sexuel et refoulé – mais il ne précise pas comment ce trauma peut susciter un retour du refoulé sous forme d'après-coup, laissant supposer (mais il ne nous en dit rien) qu'une contrainte a joué durant la latence séparant les deux temps ; il ne nous appartient certes pas ici de répondre à sa place, mais ne pourrait-on penser que cela opère selon un processus d'étayage ?

En terminant notre parcours du texte freudien, nous avons été amenés à constater que l'après-coup n'apparaissait pas dans les écrits traitant de la dernière théorie des pulsions, et notamment pas dans *Au-delà du principe de plaisir,* alors que l'on pouvait penser que la notion de répétition aurait pu l'impliquer ? On peut alors se demander si cette absence ne témoignerait pas de quelque embarras théorique, puisque l'après-coup demeure très présent dans des œuvres postérieures, et notamment dans celles traitant de l'Œdipe. Serait-ce que le principe de répétition, en fait, s'en accommoderait assez mal ? La compatibilité s'avérait-elle difficile entre les implications de la pulsion de mort et les principes régissant l'après-coup qui ne peuvent qu'être ceux du *sens* et de la *vie* ?

Ceci nous conduit à faire une incise à propos de l'*histoire,* du *temps,* et de la *mémoire,* toutes notions que nous avons dû évoquer. Si le fonctionnement en après-coup peut d'abord apparaître paradoxal au regard de l'histoire, il devient parfaitement aberrant par rapport au temps : comment quelque chose qui n'existe pas encore peut-il provoquer un événement qui le fera exister ? Plus encore que comme une désarticulation, l'après-coup fonctionne comme une négation, et même une abolition du temps – c'est même là qu'il trouve son efficience. Remarquablement pertinent pour exprimer l'essence de l'histoire et rendre compte de la façon dont celle-ci produit et intègre un surcroît de sens, l'après-coup devient pour le temps un véritable non-sens : il lui enlève toute signification tout en niant sa linéarité orientée (le *sens* de la « flèche du temps »). Nous ajouterons que l'après-coup est l'instrument utilisé par le moi dans ses relations au ça, qu'il est le procédé dont use le système *Pc-Cs* pour tenter de contrôler l'*Ics* : c'est grâce à lui qu'il devient possible de faire travailler ensemble *les souvenirs et la perception,* d'intégrer les événements actuels (en rapport avec le milieu) dans l'histoire (et donc dans la mémoire), d'orienter le jeu des investissements, de lier les perceptions aux pulsions. De la même façon « que l'on peut dire en gros que les perceptions ont pour le moi la même signification que les pulsions pour le ça » [1], on peut considérer, « en gros », que le traumatisme est l'après-coup de l'affect comme le refoulement est l'après-coup de la représentation, la conjonction de l'un et de l'autre étant la condition nécessaire à la prise de sens (celle-ci dût-elle être aussitôt refoulée) et à la constitution de l'histoire.

Nous ne saurions en terminer sans un dernier mot sur la *théorie du fonctionnement psychique* : s'élaborant dans une suite d'ouvrages métapsychologiques tout au long de l'œuvre [2], elle tend à nous apparaître comme sous-tendue par une *théorie de l'après-coup* : explicitement assez souvent (comme dans le rêve, le refoulement, l'Œdipe, la cure, par exemple), implicitement avec constance. Mais sans doute cet « implicite », laissant dans l'ombre l'après-coup, a-t-il pu contribuer à sa méconnaissance par les successeurs.

Claude Le Guen

1. *Le moi et le ça* (1923b), *Essais de psychanalyse,* Paris, Payot, 1981, p. 253.

2. Depuis 1900 et *L'interprétation des rêves,* jusqu'en 1926 avec *Inhibition, symptôme et angoisse,* en passant en 1915 par la *Métapsychologie,* pour enfin aboutir en 1938 à l'*Abrégé de psychanalyse.*

ASSOCIATION LIBRE, ATTENTION EN ÉGAL SUSPENS (flottante), RÈGLE FONDAMENTALE

all. : *freie Assoziation, gleischwebende Aufmerksamkeit, Grundregel.* – angl. : *free association, attention (evently) suspended, fundamental rule.* – esp. : *associatión libre, atención (parejamente) flottante, regle fundamental.* – ital. : *libera associazione, attenzione (ugualmente) fluttuante, regola fondamentale.* – port. : *associação livre, atenção flutuante, regra fundamental*

Associations libres et *attention en égal suspens* (dite aussi *attention flottante*) sont les deux faces – les deux « pendants », disait Freud – d'une même technique visant à permettre l'émergence des processus inconscients ; indissociables et complémentaires, elles établissent la *règle fondamentale* de la situation analytique, qu'elles justifient.

Associer librement est la tâche de l'analysé qui doit exprimer directement tout ce qui lui passe par l'esprit, sans aucune discrimination, et aussi incongrues, inintéressantes, honteuses ou folles que lui semblent ses pensées. Garder une *attention en égal suspens* est la tâche de l'analyste qui, dans ce que dit le patient, doit porter son attention sur tout d'une égale façon, laissant en suspens ses propres sentiments et convictions ; seule cette attitude permet de pleinement entendre, sans interférer, ce que dit librement l'analysé. On conçoit que cette technique d'attention soit le complément naturel et nécessaire de celle d'associations ; elle exige, pour l'analyste, une prise de distance suffisante à l'égard de ses propres résistances – d'où le précepte impératif, pour lui, de s'être préalablement soumis à une *psychanalyse personnelle.* La *règle fondamentale* organise le processus analytique en prescrivant au patient de tout dire, et seulement de dire ; son rôle est d'institutionnaliser la pratique de libre association.

Ces quatre notions, qui ont valeur de préceptes, fondent la *situation psychanalytique,* les deux *techniques* déterminant les deux *règles.*

MISE EN SITUATION

La technique de « libre association », consistant à laisser le patient totalement libre de ses associations d'idées au cours du traitement, s'est constituée progressivement ; comme Freud n'en a rendu compte que lorsqu'elle a été dûment établie, il n'est pas possible de lui fixer une date d'apparition – on considère généralement qu'elle s'est élaborée de 1892 à 1898. Il s'agit bien d'une « technique », c'est-à-dire que, conformément à sa définition lexicale, elle a trait au fonctionnement, à la pratique et à l'application de connaissances théoriques dans un domaine donné. Ce sont d'ailleurs les difficultés et échecs rencontrés dans l'application de l'hypnose – alors même qu'il tenait à conserver l'aptitude à associer qu'elle suscite – qui conduisent Freud, au fil de nombre d'expériences psychothérapiques, à chercher un procédé meilleur. Lorsque, en 1914, il regarde en arrière, il constate que ce n'est « qu'au moment où il a rejeté la technique de l'hypnose et introduit celle des associations libres » qu'a pu commencer la psychanalyse[1]. C'était une condition nécessaire, mais non suffisante. Il n'en demeure pas moins que l'invention de la technique de la liberté associative a précédé celle de la psychanalyse, et l'a conditionnée.

Mais une psychanalyse se fait à deux, et ce qui s'y passe implique nécessairement les deux protagonistes ; c'est bien pourquoi, d'emblée, Freud précise ce que doit être l'attitude du thérapeute. Il aura ensuite à corriger ses premières indications, mais le principe est déjà là, jusqu'à pouvoir être énoncé clairement, à l'usage du psychanalyste, comme position d'« attention en égal suspens », pendant de l'association libre imposée au psychanalysé[2]. Les deux attitudes sont complémentaires, mais ne sont pas symétriques, la deuxième étant, en quelque sorte, « au service » de la première.

1. *Sur l'histoire du mouvement psychanalytique* (1914d), Paris, Gallimard, 1991, p. 14-15 ; *OCF* XII, p. 250 ; *GW* X, p. 45 – et aussi ; « "Psychanalyse" et "Théorie de la libido" » (1923a), *Résultats, idées, problèmes, II,* Paris, PUF, 1984, p. 54 ; *OCF* XVI, p. 185 ; *GW* XIII, p. 213.

2. « Conseils aux médecins sur le traitement analytique » (1912e), *De la technique psychanalytique,* Paris, PUF, 1953, p. 67 ; *OCF* XI, p. 150 ; *GW* VIII, p. 382.

Cette complémentarité des deux préceptes techniques nous amène à considérer que, lorsque Freud parle de la « règle fondamentale » – règle qui doit être imposée au patient et qu'il se doit de respecter – il vise bien les deux, même si, généralement, il ne réfère explicitement que la libre association.

Ces termes sont clairs, et le sont d'autant plus que Freud a créé ces trois expressions, et qu'il les a donc signifiées fort clairement. Des trois, le seul qui pose quelque problème de traduction est celui de gleischwebende Aufmerksamkeit, *dans la mesure où le français ne dispose pas d'un équivalent satisfaisant et que l'on échappe difficilement à la périphrase. Il a longtemps été traduit par « attention flottante », expression certes insatisfaisante mais, au demeurant, acceptable, la véritable difficulté ne relevant pas de querelles traductologiques, mais tenant à la façon de rendre compte de quelque chose d'assez difficile à saisir – me semble-t-il – pour qui n'en a pas eu une expérience durable. L'idée est d'indiquer que l'analyste doit être attentif mais n'exercer aucun choix dans ce qu'il écoute : son attention « flotte », comme « suspendue » ; elle est « équitable », pourrait-on dire, entre les différentes associations qui s'offrent à elle. En fait, il s'agit d'être attentif sans prêter attention... Pour tenter de faire comprendre ce que peut être pareille attitude, apparemment paradoxale, Freud considère que, en analysant, « on capte de la sorte l'inconscient du patient avec son propre inconscient »[1]. Phrase éclairante ou énigmatique, c'est selon...*

LE TEXTE FREUDIEN

Dans le quatrième chapitre (qu'il a rédigé) des *Études sur l'hystérie,* Freud explique longuement comment, utilisant le procédé cathartique de Joseph Breuer, il s'est trouvé confronté aux difficultés posées par le fait qu'un certain nombre de malades ne pouvaient ou ne voulaient être hypnotisés, alors que cela lui paraissait tellement

1. « "Psychanalyse" et "Théorie de la libido" » (1923a), *Résultats, idées, problèmes, II,* Paris, PUF, 1984, p. 56 ; *OCF* XVI, p. 188 ; *GW* XIII, p. 215.

souhaitable « pour élargir le champ de la mémoire ». Il dut imaginer une technique permettant de se passer de l'hypnose tout en conservant la richesse associative qu'elle suscite. C'est ainsi que, pressant les malades de retrouver leurs souvenirs, il les fit s'allonger, fermant les yeux et se concentrant ; il constata alors qu'apparaissaient, « sans la moindre hypnose, de nouveaux souvenirs s'étendant plus loin dans le passé ». Mais il fallait souvent beaucoup d'insistance (« le traitement psychanalytique était implacable, épuisant », commentera-t-il quinze ans plus tard)[1], ce qui laissait penser qu'il y avait là une résistance à la prise de conscience, et qu'il fallait trouver un moyen de la vaincre. Il use alors d'un « petit artifice technique » (quelque autre manœuvre ferait aussi bien l'affaire) : il pose sa main sur le front du patient et lui enjoint de dire toutes les images ou les idées qui lui viennent, « même s'il pense qu'elles n'ont aucun rapport avec ce qu'on recherche, qu'il ne s'agit pas de cela, ou encore s'il les trouve désagréables à révéler ». Ce faisant, il détourne son attention de ses réflexions conscientes, et Freud s'aperçoit que « la représentation pathogène soi-disant oubliée est là, toute proche, et qu'on y accède par des associations facilement accessibles »[2]. Ainsi, le malade se met à participer au travail, « une foule de réminiscences surgissent en lui [… et] on le laisse reproduire ses souvenirs sans chercher à l'influencer ». C'est souvent décousu, mais n'en fournit pas moins de riches matériaux, même s'ils demandent du travail à l'analyste qui cherche à les reconnaître, apprécier leur profondeur, et déterminer « les points où se relient entre elles les associations d'idées cherchées » – d'autant qu'il existe des lacunes, et que se font nombre de « fausses connexions ». Le médecin doit se rendre à l'évidence « qu'il n'est en mesure ni d'imposer au malade quoi que ce soit relativement aux choses que celui-ci prétend ignorer, ni d'influencer les résultats de l'analyse en suscitant son expectative dans un certain sens »[3]. Ainsi la

1. « Perspectives d'avenir de la thérapeutique analytique » (1910d), *De la technique psychanalytique,* Paris, PUF, 1953, p. 24 ; *OCF* X, p. 63 ; *GW* VIII, p. 105.

2. *Études sur l'hystérie* (1895d), Paris, PUF, 1956, p. 215-218 ; *OCF* II, p. 292-294 ; *GW* I, p. 267-268.

3. *Ibidem,* p. 235-239 ; p. 240-243 ; p. 295-300.

pratique de la psychothérapie des hystériques a conduit Freud à **élaborer progressivement, dès les années 1890, la technique des *associations libres,*** celle-là même qui va s'avérer comme l'un des fondements de la psychanalyse.

C'est d'ailleurs ainsi que Freud en « est venu à l'interprétation du rêve » : les patients à qui il demandait de lui communiquer tout ce qui leur venait à l'esprit inséraient souvent un rêve dans leurs associations, le conduisant à « traiter le rêve lui-même comme un symptôme et à lui appliquer la méthode de l'interprétation élaborée pour ceux-ci » – c'est-à-dire que, ayant allongé le patient les yeux fermés, il cherchait à obtenir de lui un renforcement de son attention pour les perceptions psychiques, et une mise hors circuit de sa critique ; il lui intime de « **communiquer tout ce qui lui passe par l'esprit, et ne pas réprimer telle idée incidente** parce qu'elle lui paraît être sans importance ou ne pas relever du thème, ou telle autre parce qu'elle lui paraît insensée ». On peut remarquer que l'état psychique ainsi suscité est assez voisin de celui de l'endormissement (voire de l'état hypnotique)[1].

Dans son récit du cas « Dora » (rédigé dès 1900 mais publié en 1905), Freud indique que, depuis les *Études sur l'hystérie,* « la technique psychanalytique a subi une transformation fondamentale ». Alors qu'à l'époque il partait des symptômes en se proposant de les résoudre les uns après les autres, maintenant il « laisse au malade lui-même le soin de choisir le thème du travail journalier et prend par conséquent chaque fois pour point de départ la surface que son inconscient offre à son attention »[2]. Si le matériel apparaît alors morcelé, entrelaçant différents contextes, réparti sur des époques éloignées, la nouvelle technique s'avère cependant « de beaucoup supérieure à l'ancienne », même s'il peut sembler qu'elle demeure assez semblable à celle précédemment décrite. On peut penser que **ce qui a changé est l'attitude de l'analyste, qui ne « presse » plus le patient, le laissant maintenant vraiment libre de ses associations.** (En 1909, la

1. *L'interprétation des rêves* (1900a), Paris, PUF, 1967, p. 94-95 ; *OCF* IV, p. 136-137 ; *GW* II-III, p. 105-106.

2. « Fragment d'une analyse d'hystérie (Dora) (1905e [1900]), *Cinq psychanalyses,* Paris, PUF, 1954, p. 5 ; *OCF* VI, p. 192 ; *GW* V, p. 169.

publication du cas de « L'homme au rats » confirme la généralisation du recours à l'association libre.)[1]

Entre-temps, en effet, il est apparu que la **libre association du patient n'est possible que si lui répond une attitude équivalente du psychanalyste,** lui-même excluant tout choix dans son écoute, comme le patient doit le faire dans son dire. Il s'agit là de la technique de l'***attention en égal suspens*** *(pareillement flottante)*, qui s'est constituée progressivement, parallèlement à celle de la libre association ; elle se trouve finalement explicitée assez longuement en 1912 dans les « Conseils aux médecins sur le traitement analytique ».

Le premier devoir de l'analyste est de retenir tout ce qu'apportent les patients au cours d'un traitement (noms, dates, événements, particularité, associations et productions morbides) ; cet exercice peut paraître une gageure, mais il est pourtant très simple. La technique utilisée consiste à exclure tous les moyens auxiliaires (telle la prise de notes), à « ne porter son attention sur rien de particulier et à accorder à tout ce qu'il nous est donné d'entendre la même *"attention en égal suspens"*, selon la dénomination que j'ai déjà employée ». Ce faisant, non seulement on s'épargne un effort d'attention qui serait vite épuisant, voire impossible, mais surtout on évite de sélectionner et/ou d'éliminer, parmi le matériel offert, ce qui fait courir le grave danger de ne jamais trouver rien d'autre que ce que l'on sait déjà ; or, la plupart du temps, nous entendons des choses simples dont le sens n'est reconnu qu'après coup. D'où cette prescription : **l'analyste doit « porter son attention sur tout d'une égale façon »** – ce qui n'est, finalement, qu'un équivalent de l'association libre, « le pendant nécessaire de ce qui est exigé de l'analysé : raconter sans critique ni sélection tout ce qui lui vient à l'idée », et qui constitue la ***« règle psychanalytique fondamentale »***. Pour l'analyste, la forme prise par la « règle » peut s'énoncer ainsi : « Tenir tous les effets ressortissant à la conscience à distance de sa capacité d'attention et s'abandonner pleinement à sa "mémoire inconsciente" ou, pour l'exprimer de façon plus technique : écouter sans se soucier de savoir si l'on porte ou non attention à

1. « Remarques sur un cas de névrose obsessionnelle (L'homme aux rats) » (1909d), *Cinq psychanalyses*, Paris, PUF, 1954, p. 202 ; *OCF* IX, p. 139 ; *GW* VII, p. 385.

quelque chose. » Il s'agit donc, pour l'analyste, de garder une attitude que l'on pourrait qualifier de « désaffectée », ce que Freud illustre en proposant le modèle du chirurgien : « Celui-ci en effet, laissant de côté toute réaction affective et jusqu'à toute sympathie humaine, ne poursuit qu'un seul but : mener aussi habilement que possible son opération à bien. » L'analyste ne doit pas plus choisir ce sur quoi il va porter son attention que le patient lorsqu'il raconte ce qui lui passe par l'esprit ; « pour le résumer en une formule : **il doit tourner vers l'inconscient émetteur du malade son propre inconscient en tant qu'organe récepteur,** se régler sur l'analysé comme le récepteur du téléphone est réglé sur l'émetteur ». Mais, pour que le psychanalyste puisse se servir de son inconscient comme d'un instrument, il lui faut avoir éliminé, en lui-même, toute « résistance susceptible d'empêcher les perceptions de son inconscient d'arriver jusqu'à son conscient ». Et c'est pourquoi il est impératif qu'il se soit « soumis à une purification psychanalytique, avoir pris connaissance de ceux de ses propres complexes qui risqueraient de gêner sa compréhension des propos de l'analysé » [1] ; c'est-à-dire **avoir suivi une analyse personnelle.**

Lorsque, trois ans plus tard, en 1915 dans la *Métapsychologie,* Freud établit la théorie du refoulement – et donc des résistances –, il ne peut que rappeler comment « la pratique de la technique psychanalytique » lui a permis d'en connaître. Nous demandons constamment au patient de nous livrer ses idées en renonçant à toute critique, ces « rejetons du refoulé qui, en raison de leur éloignement ou de leur déformation, peuvent franchir la censure du conscient » ; à partir de là « nous reconstituons une traduction consciente du représentant refoulé ». Mais un moment vient où, dans le déroulement des idées, quelque chose se bloque : le patient « tombe sur une formation de pensée dans laquelle la relation au refoulé agit avec une telle intensité qu'il doit répéter sa tentative de refoulement » [2]. Ainsi va la psychanalyse...

1. « Conseils aux médecins sur le traitement analytique » (1912e), *De la technique psychanalytique,* Paris, PUF, 1953, p. 61-67 ; *OCF* XI, p. 145-150 ; *GW* VIII, p. 377-382.

2. « Le refoulement » (1915d), *Métapsychologie,* Paris, Gallimard, 1968, p. 50-51 ; *OCF* XIII (2e éd.), p. 194-195 ; *GW* X, p. 252.

Dorénavant, **la technique biface de l'association libre et de l'attention flottante,** la règle fondamentale donc, est parfaitement aboutie ; la pratique a confirmé la confiance qu'on pouvait lui accorder. Aussi, appliquée avec constance, elle n'aura plus à être reprise, si ce n'est dans des textes retraçant la naissance et le développement de la psychanalyse, tels : en 1923 « "Psychanalyse" et "Théorie de la libido" » où Freud se borne à redire comment, grâce à cette technique, l'analyste peut en arriver à « capter l'inconscient du patient avec son propre inconscient » [1], ou en 1925 son « Autoprésentation » [2].

On doit noter que, la même année, dans une lettre à Ludwig Binswanger, il se fait plus modeste : sa « proposition d'**appréhender l'inconscient de l'analysant avec son propre inconscient** », si elle se veut « modeste et rationaliste », ne devrait pourtant pas dissimuler d'autres problèmes importants ; « je voulais simplement dire qu'on devait se libérer de l'intensification consciente de certaines attentes, donc **créer le même état en soi que celui exigé de l'analysant** » [3].

En 1938, l'*Abrégé de psychanalyse* ne peut que réaffirmer brièvement les principes fondamentaux : « Voici donc conclu notre pacte avec les névrosés : sincérité totale contre discrétion absolue. [...] Nous ne demandons pas seulement au patient de dire ce qu'il sait, ce qu'il dissimule à autrui, mais aussi ce qu'il ne sait pas. C'est pourquoi nous lui expliquons plus en détail ce que nous entendons par sincérité. Nous lui imposons d'obéir à la *règle fondamentale* analytique. » [4]

1. « "Psychanalyse" et "Théorie de la libido" » (1923a), *Résultats, idées, problèmes, II*, Paris, PUF, 1984, p. 54-56 ; *OCF* XVI, p. 185-188 ; *GW* XIII, p. 213-215.

2. *Sigmund Freud présenté par lui-même* (1925d), Paris, Gallimard, 1984, p. 67-70 ; *OCF* XVII (« Autoprésentation »), p. 86-88 ; *GW* XIV, p. 65-67.

3. *Correspondance Sigmund Freud-Ludwig Binswanger* (1992 [1908-1938]), Paris, Calmann-Lévy, 1995, p. 258 (lettre du 22 février 1925), et *in* L. Binswanger, *Discours, Parcours et Freud*, Paris, Gallimard, 1970, p. 339.

4. *Abrégé de psychanalyse* (1940a [1938]), Paris, PUF, 1985, p. 41 ; *OCF* XX, p. 267 ; *GW* XVII, p. 99.

QUESTIONS ET ENJEUX

Les termes de *freie Assoziation* et de *gleischwebende Aufmerksamkeit* ne posent pas de difficultés de traduction particulières, si ce n'est l'habituelle hésitation dans la recherche de l'impossible « mot juste ». Le premier est bien rendu par « association libre » (la seule incertitude possible étant l'ordre des mots), mais le second, s'il ne fait pas problème dans sa signification (il s'agit d'indiquer que l'attention, demeurant égale, ne doit se porter sur aucune idée ou objet plus que sur un autre) peine à la rendre de façon concise – d'où le recours à la paraphrase avec les propositions d'*attention également flottante* et d'*attention en égal suspens* qui se sont succédé, et qui d'ailleurs persistent côte à côte, comme en égal flottement...

Pour ce qui est des notions elles-mêmes, en soi, celles d'*associations libres* et *attention en égal suspens* ne posent pas véritablement de problèmes ; elles ont la force et la simplicité – la « modestie et le rationalisme », disait Freud – de la concrétude des pratiques bien comprises. Cela tient sans doute à ce que ce sont d'abord des « techniques », progressivement élaborées et vérifiées par l'expérience, pour pallier les insuffisances d'une autre technique, avec le souci constant de faire en sorte qu'elles puissent répondre aux questions théoriques ainsi soulevées – cette façon d'ainsi « faire agir de concert l'investigation et le traitement » apparaissant à Freud comme « l'un des titres de gloire de la psychanalyse » [1]. Celle-ci n'a d'ailleurs pu se constituer et s'élaborer que parce que la « technique des associations libre » (dont celle de l'« attention flottante » n'est qu'un corollaire) était déjà à disposition. On peut penser que ce rapport théorico-pratique – qui nous rappelle que Freud fut d'abord un neurophysiologiste expérimentateur avant d'être un psychiatre – a déterminé le développement et la structuration de la psychanalyse.

Certains points méritent cependant d'être précisés. Ainsi peut-on remarquer que l'exigence de liberté dans les associations ne se justifie, comme paradoxalement, que de la certitude qu'elles se trouvent rigoureusement *déterminées* : c'est là le préalable déterministe freudien. C'est

1. « Conseils aux médecins sur le traitement analytique » (1912e), *De la technique psychanalytique*, Paris, PUF, 1953, p. 64 ; *OCF* XI, p. 148 ; *GW* VIII, p. 380.

justement ce qui permet à Freud de dire que nous attendons du patient non seulement tout ce qu'il sait et tout ce qu'il cache, mais aussi tout ce qu'il ne sait pas. Cela n'est possible que parce qu'a été reconnu très tôt que « chaque fois qu'un élément psychique est lié à un autre par une association choquante et superficielle, il existe aussi entre les deux un lien naturel et profond soumis à la résistance de la censure » ; on en rend compte plus théoriquement en disant que « quand nous renonçons aux représentations-but conscientes, ce sont les représentations-but cachées qui dirigent le cours de nos représentations » [1]. En somme, la liberté des associations n'est féconde que parce qu'elle permet de mettre au jour les contraintes qui les déterminent.

Nous avons cité une lettre à Binswanger dans laquelle Freud, en 1925, évoquant ces techniques qui soutiennent sa « proposition d'appréhender l'inconscient de l'analysant avec son propre inconscient », précise que cela ne doit pas « dissimuler d'autres problèmes importants » – mais ne nous dit pas lesquels. On ne peut que penser à ceux que suscite l'idée d'une communication d'inconscient à inconscient. Nous avons là derrière, bien sûr, toute la question du transfert et du contre-transfert mais, en outre, se profile celle de la « transmission télépathique » à laquelle s'intéresse beaucoup Freud depuis 1921 – il est d'ailleurs remarquable que lorsqu'il traite de celle-ci il la compare à ce qui se passe « lorsqu'on parle et qu'on écoute au téléphone » [2], soit exactement la même image qu'il avait utilisée (à propos de l'attention flottante) pour illustrer la façon dont un inconscient doit en écouter un autre [3]. C'est sans doute cette idée, selon laquelle le traitement psychanalytique suppose un inconscient qui puisse en appréhender un autre, qui conduit Freud à se préoccuper de la transmission de pensée, jusqu'à lui consacrer deux articles en 1921-1922, puis l'une des *Nouvelles conférences d'introduction à la psychanalyse* en 1933 – et ce en dépit d'une ambivalence déclarée : « Ma position personnelle reste récalcitrante, ambivalente. » [4]

1. *L'interprétation des rêves* (1900a), Paris, PUF, 1967, p. 450-451 et 452 ; *OCF* IV, p. 583 et 584 ; *GW* II-III, p. 535 et 536-537.

2. *Nouvelles conférences d'introduction à la psychanalyse* (1933a [1932]), Paris, Gallimard, 1984, p. 77 ; *OCF* XIX, p. 138 ; *GW* XV, p. 59.

3. « Conseils aux médecins sur le traitement analytique » (1912e), *De la technique psychanalytique*, Paris, PUF, 1953, p. 66 ; *OCF* XI, p. 149-150 ; *GW* VIII, p. 381.

4. « Psychanalyse et télépathie » (1941d [1921]), *Résultats, idées, problèmes, II*, Paris, PUF, 1984, p. 11 ; *OCF* XVI, p. 105 ; *GW* XVII, p. 31.

Comme en témoigne sa correspondance, il prend d'ailleurs beaucoup de précautions pour l'évoquer, craignant d'en choquer plus d'un, ce qui fut d'ailleurs le cas. Il paraît pourtant difficile d'éviter la question (même si les successeurs l'esquivent très généralement), dès l'instant où l'on admet que ce qui se passe dans la situation analytique, entre associations libres et attention flottante, en vient souvent à ressembler beaucoup à ce que pourrait être une communication d'inconscient à inconscient. (Je me permettrai ici une incise pour noter que tout psychanalyste en a fait l'expérience.) *In fine,* Freud refusait de se prononcer, mais tenait à ce que la question demeure ouverte. Ajoutons seulement qu'il est assez remarquable que ce soit le même processus technique – la conjonction entre attention flottante et associations libres – que nous avons pu qualifier comme ayant « la force et la simplicité de la concrétude des pratiques bien comprises », qui se trouve pouvoir évoquer une télépathie dont Freud reconnaissait qu'elle pouvait avoir des relents mystiques.

Si les harmoniques et correspondances entre la technique des associations libres et son « pendant » qu'est l'attention flottante, semblent assez évidentes, on peut se demander comment, par rapport à elles, doit être située la règle fondamentale ? Lorsque Freud la nomme, c'est pour indiquer qu'elle doit être imposée au patient, lui enjoignant de dire tout ce qui lui passe par l'esprit, « en éliminant toute objection logique et affective qui le pousserait à choisir » entre les idées qui lui viennent. Serait-elle alors, tout simplement, une autre façon de désigner les associations libres ? Non, car celles-ci représentent la technique qu'il appartient à l'analyste de mettre en œuvre, alors que la « règle » est l'impératif adressé au patient, qui doit s'y soumettre car elle conditionne le déroulement même de l'analyse. En ce sens, on comprend qu'elle ne concerne pas l'attention flottante qui demeure l'affaire du seul analyste ; elle ne l'en implique pas moins puisque celle-ci est un corollaire de la libre association – la règle imposée à l'analyste étant celle de son analyse personnelle. Ces notions forment un tout, et c'est bien pourquoi nous les avons ici réunies.

Claude LE GUEN

ATTENTION

all. : ***Aufmerksamkeit.*** – angl. : *attention.* – esp. : *atencion.* – ital. : *attenzione.* – port. : *antencao*

L'attention est une fonction du moi au service des pulsions d'autoconservation. Elle est rendue nécessaire par l'échec de la satisfaction hallucinatoire qui impose le remplacement du principe de plaisir par le principe de réalité. Elle s'acquiert au cours de la répétition des expériences de satisfaction. Elle consiste en une activité de recherche du moi qui doit « explorer périodiquement les données du monde extérieur pour que celles-ci lui soient connues à l'avance quand surgit un besoin intérieur impossible à ajourner »[1]. La fonction d'attention utilise « un mécanisme biologique ». Son effet est un surinvestissement perceptif qui est une transformation qualitative du perçu. Par les liaisons qu'elle opère, elle instaure les premiers processus de pensée et permet la transformation de processus primaires inconscients en processus secondaires du *Pcs-Cs.* À l'attention consciente, volontaire, est rattachée une activité auto-observatrice et auto-critique qui veille au respect des lois de la logique.

La cure analytique impose une forme d'attention particulière, puisque le psychanalyste doit s'abstenir d'exercer son attention consciente, volontaire et critique pour laisser flotter son attention inconsciente-préconsciente ; elle est alors dite « flottante » ou « en égal suspens », complément de la technique d'associations libres du patient, et fonde avec elle la règle fondamentale de la situation analytique.

MISE EN SITUATION

« Aufmerksamkeit » *est un substantif fondé sur le verbe* « merken » *qui signifie « s'apercevoir de » et le préfixe* « auf » *qui indique un*

1. « Formulations sur les deux principes du cours des événements psychiques » (1911b), *Résultats, idées, problèmes, I,* Paris, PUF, 1984, p. 137 ; *OCF* XI, p. 15 ; *GW* X, p. 232.

mouvement vers le haut. Parmi les traductions du terme, on trouve : « s'éveiller à la perception » et « dresser l'oreille ». Freud a fait de l'attention une fonction, terme biologique qui désigne, selon le dictionnaire Larousse *édité à cette époque, « un ensemble d'opérations coordonnées de telle sorte qu'elles aboutissent au maintien de la vie ».* ***L'attention est donc d'emblée inscrite dans l'auto-conservation.***

Le terme apparaît dans l'« Esquisse d'une psychologie scientifique » de 1895, ouvrage destiné aux neurologues, non publié par Freud. Il correspond au langage neurophysiologique de l'essai ; la notion est largement développée dans la troisième partie consacrée aux processus de pensée dans leur rapport aux processus perceptifs. Freud ne reviendra sur ces notions qu'en 1925, dans les articles « Note sur le "bloc-notes magique" » et « La négation », en des termes donnant à penser qu'elles étaient acquises par ses lecteurs, ce qui ne pouvait être le cas, l'essai ayant été mis de côté. La définition la plus complète du concept est donnée dans le texte de 1911 « Formulations sur les deux principes du cours des événements psychiques ». La fonction d'attention y apparaît comme un concept fondamental, par son implication dans la perception, mais aussi la mémorisation, la représentation du temps et les premiers processus de pensée. L'attention, en tant que fonction, occupera cette place importante dans la description du fonctionnement psychique, jusqu'au texte de 1914, « Pour introduire le narcissisme ». Ensuite, elle disparaît de la terminologie jusqu'à la théorisation de l'angoisse de 1925 où elle est rapportée à l'angoisse réelle, décrite comme « un état d'attention sensorielle accru »[1]. La disparition du terme n'implique pas pour autant la disparition du concept. La fonction d'attention, telle qu'elle avait été décrite dans le texte de 1911, est implicite dans la description, régulièrement faite, d'une activité exploratoire, périodique du moi, qui envoie dans le système perception des investissements d'essai, par l'intermédiaire des organes des sens, régulièrement comparés à des antennes. C'est le modèle utilisé dans la description de la production du signal d'angoisse, ainsi que dans le travail d'ajournement par la pensée qui reposent sur des « essais expérimentaux », des « tâtonnements moteurs ». ***En deuxième topique, l'attention***

1. « Angoisse et vie pulsionnelle » (1933), *Nouvelles conférences d'introduction à la psychanalyse* (1933a [1932]), Paris, Gallimard, 1989, p. 112 ; *OCF* XIX, p. 165 ; *GW* XV, p. 88.

disparaît derrière les surinvestissements qu'elle implique, processus de liaison entre réalité extérieure et réalité psychique, définissant le travail du moi dans les processus perceptifs, la production du signal d'angoisse et les processus de pensée.

L'intérêt de Freud pour cette fonction montre l'importance qu'il donnait à la participation de la sensorialité dans toutes les activités humaines les plus élevées, y compris dans le travail du chercheur scientifique. L'état d'attention est l'état de « pensée observante » du chercheur, qui, « ayant perçu quelque chose, se demande : "Que signifie cela ? Où cela va-t-il me mener ?" »[1]*. En faisant de l'état d'attention une règle technique du psychanalyste en séance, Freud fait du psychanalyste un chercheur scientifique, qui doit être attentif à ses perceptions et se fier à elles ; le psychanalyste comme le chercheur scientifique, « doit se laisser surprendre par tout fait inattendu »*[2] *et il doit utiliser ses « méthodes techniques comme les physiciens se servent de l'expérimentation »*[3]*. Freud fait de cette technique le « pendant » de la règle psychanalytique fondamentale d'associations libres imposée au patient.*

L'état d'attention de l'analyste en séance est toutefois particulier, puisqu'il s'agit d'échapper au « danger inséparable de toute attention voulue » : il convient, en se fiant entièrement à sa « mémoire inconsciente », de prêter « à tout la même attention "flottante", suivant l'expression que j'ai adoptée »[4]*. Le terme allemand* gleichschwebende *est composé de l'adverbe* gleich *qui signifie également et de l'adjectif* schwebende *qui introduit à la fois la temporalité, « être en suspens » et la spatialité « être en suspension, planer ». La traduction par « flottante » ne tient pas compte de la temporalité, et celle par « en égal suspens » de la spatialité. Or, la configuration spatiale, qui renvoie à la perception, est importante et plusieurs fois évoquée par Freud : « Il importe au plus haut degré dans le traitement que*

1. « Esquisse d'une psychologie scientifique » (1950c [1895]), *La naissance de la psychanalyse,* Paris, PUF, 1956, p. 374.

2. « Conseils aux médecins sur le traitement psychanalytique » (1912e), *De la technique psychanalytique,* Paris, PUF, 1953, p. 65 ; *OCF* XI, p. 148 ; *GW* VIII, p. 380.

3. *Abrégé de psychanalyse* (1940a [1938]), Paris, PUF, 1985, p. 71 ; *OCF* XX, p. 295 ; *GW* XVII, p. 127.

4. « Conseils aux médecins sur le traitement psychanalytique » (1912e), *De la technique psychanalytique,* Paris, PUF, 1953, p. 62 ; *OCF* XVI, p. 146 ; *GW* VIII, p. 377.

l'analyste sache à tout moment ce qui occupe la surface psychique du malade. » [1]

Freud ne modifiera jamais cette règle de technique analytique qui sera évoquée dans les mêmes termes en 1923, avec cependant cette importante précision qu'il s'agit pour l'analyste de capter « l'inconscient du patient avec son propre inconscient » [2]*. Mais de quel inconscient s'agit-il ? L'inconscient refoulé ou l'inconscient du moi, théorisé la même année, comme « un troisième inconscient non refoulé » ? La question se pose en effet de la topique de ces « perceptions sensorielles primaires » qui sont à l'origine du travail de chercheur qu'est le travail du psychanalyste.*

L'état d'attention de l'analyste en séance est inséparable de la notion de fonction d'attention sans laquelle il ne peut être compris, et c'est pour des raisons de commodité que nous les aborderons l'un après l'autre.

LE TEXTE FREUDIEN

La fonction d'attention

Le concept d'attention est rigoureusement défini dans l'« Esquisse d'une psychologie scientifique » de 1895. Nous nous devons d'en détailler la troisième partie, véritable traité de l'attention. **Freud définit la « fonction d'attention » par les liens qu'elle établit entre la perception, la motricité et la mémoire. Ces liens sont à l'origine des processus de pensée.** La fonction d'attention est fondée sur un **mécanisme biologique** ; il s'appuie sur le schéma simple du réflexe de défense, et parle alors d'attention réflexe.

Conformément au principe d'inertie, un stimulus perceptif génère une excitation qui provoque une décharge motrice. Perception et

1. « Le maniement de l'interprétation des rêves en psychanalyse » (1911e), *De la technique psychanalytique,* Paris, PUF, 1953, p. 44 ; *OCF* XI, p. 44 ; *GW* VIII ; p. 351.

2. « "Psychanalyse" et "Théorie de la libido" » (1923a), *Résultats, idées, problèmes, II,* Paris, PUF, 1984, p. 55 ; *OCF* XVI, p. 188 ; *GW* XIII, p. 215.

mouvement produisent une image perceptive et une image motrice dans « le système des neurones perceptifs », et toute réactivation de l'image perceptive provoquera la réactivation de l'image motrice. Celle-ci constitue une annonce de mouvement, c'est-à-dire une annonce de décharge provoquant une sensation de plaisir, dite « indice de qualité ». Les indices de qualité qui attestent de la réalité d'une décharge perceptive constituent aussi des indices de réalité. Ils vont agir comme « signal biologique informant qu'une certaine quantité d'investissement doit être envoyé dans la même direction », c'est-à-dire vers la perception qui va être surinvestie. **L'attention est un mécanisme qui « se conforme aux perceptions tout en agissant sur elles ». Elle aboutit à un surinvestissement de la perception qui est « un investissement plus poussé de l'objet perçu » :** la perception devient non pas plus vive mais plus distincte, faisant apparaître de nouveaux aspects d'elle-même. Tout un réseau d'investissements perceptifs se constitue, répétitivement réactivé et susceptible d'enregistrements constitutifs de la mémoire[1].

L'obligation pour une perception d'être qualifiée pour déclencher ce mécanisme pose d'emblée toute la complexité du processus perceptif. Freud n'entend pas réduire l'attention à un mécanisme automatique. Il en fait une **fonction biologique, déterminée par la répétition d'expériences déplaisantes : « L'attention est biologiquement déterminée, c'est-à-dire qu'elle a subsisté au cours de l'évolution parce que tout autre comportement était exclu étant donné le déplaisir qu'il créait. »**[2] L'attention trouve son prototype dans l'expérience de satisfaction du besoin acquise par la répétition du fait de satisfaction auquel participent l'infans et l'objet secourable, « bien au courant », qui deviendra objet de son désir. Il se déroule en deux temps, celui de la détresse précédant celui de la satisfaction. Dans le premier temps, l'association du cri à fonction de décharge de l'infans devant la poussée constante d'excitations endogènes, et de la perception de l'objet, dont l'attention a été attirée par ce cri, confère à celui-ci un caractère

1. « Esquisse d'une psychologie scientifique » (1950c [1895]), *La naissance de la psychanalyse*, Paris, PUF, 1956, p. 344, 371 et 373.

2. *Ibidem*, p. 372.

hostile ; il convient de noter que c'est le caractère hostile de l'objet qui attire en premier l'attention et qui détermine un surinvestissement de la perception de l'objet. Le deuxième temps est celui de la satisfaction, suppression de l'excitation grâce à l'intervention de l'objet. Il y a alors une association entre la décharge du mouvement réflexe de succion, l'apaisement de la tension du besoin et la perception de l'objet secourable. Là encore, c'est la qualification de l'objet par le plaisir de la satisfaction qui attire l'attention et provoque le surinvestissement de la perception. L'**expérience biologique** enseigne aussi qu'il faut différer la décharge tant que certaines conditions ne sont pas remplies du côté de la perception. Il s'agit pour le moi de s'assurer qu'il y a **une identité de perception entre l'investissement idéatif (celui de l'objet désiré) et l'investissement perceptif surgi.** Dans ce but, le moi doit apprendre à utiliser le mécanisme d'attention par lequel « l'individu passe des indices de qualité (parce qu'ils appartiennent à des perceptions capables de susciter quelques satisfactions) à la perception surgie ». **Freud en fait une loi dite « loi biologique de l'attention » : « Quand surgit un indice de réalité, l'investissement perceptif alors présent doit être surinvesti.** » Ce mécanisme est indispensable au fonctionnement psychique : « Nous voyons ainsi l'impossibilité de se passer du mécanisme d'attention grâce auquel, dans chaque cas, le moi investit les neurones dans lesquels un investissement est déjà apparu. »[1]

Lors de la répétition des états de besoin se produiront non des états de décharge mais des « **états d'expectation** ». C'est alors que s'instaure l'« **attitude psychique** » appelée attention. L'attention, par les surinvestissements qu'elle induit, crée des réseaux associatifs qui lient les grandes quantités d'excitations. La fonction d'attention est une fonction inhibitrice qui permet la suspension de la décharge. **L'activité de l'attention, pendant ce temps d'expectation, instaure les premiers processus de pensée.** La première étape de ces processus est le *jugement,* décrit comme un processus d'analyse provoqué « par une dissemblance entre l'investissement du souvenir empreint de désir et l'investissement perceptif qui lui ressemble ». Il nécessite un temps

1. *Ibidem,* p. 380-382.

d'expectation dans lequel l'attention, fondée sur les images motrices, joue un très grand rôle : « Le jugement se fonde sur des expériences somatiques, des sensations et des images motrices propres au sujet. » Son but est l'identité de perception entre l'investissement perceptif et l'investissement idéatif de façon à obtenir la satisfaction dans les meilleurs délais. Dans le cas où l'image mnémonique et la perception surgie ne s'accordent d'aucune manière, l'attention va se porter sur cette perception pour en obtenir une connaissance approfondie dans un but de reconnaissance. Ainsi, « l'intérêt pour l'être humain vient de ce que c'est un objet du même ordre qui a apporté la première satisfaction (ou son premier déplaisir) ».

Il s'agit, grâce aux investissements d'attention, de découvrir une certaine voie en excluant les voies auxquelles s'attache du déplaisir. Là encore intervient le mécanisme d'attention. « Nous voyons comment, à l'aide du mécanisme qui attire l'attention du moi sur un investissement nouveau de l'image pénible, le moi arrive quelque fois à arrêter le passage de quantité émanant de cette image et menant à la production de déplaisir. Il y parvient grâce à un investissement latéral considérable. »[1] Le souvenir d'une perception pénible préalablement investie par l'attention déclenchera donc un déplaisir réduit en quantité du fait des investissements latéraux, « jusqu'au moment où, après plusieurs répétitions, il n'est plus qu'un signal d'une intensité que le moi est capable de supporter »[2]. **Le mécanisme d'attention permet donc la transformation du déclenchement de déplaisir en simple signal.** Il est aussi le meilleur instrument dont dispose le moi pour empêcher tout déclenchement d'affect. Le souvenir douloureux est alors « maîtrisé », « dompté ». Les souvenirs non domptés sont ceux qui ont échappé aux investissements d'attention.

Ce premier processus de pensée est une pensée à but pratique ; elle évite les voies auxquelles s'attache du déplaisir par l'utilisation des signaux de déplaisir. Orientée vers un but, la satisfaction dans les plus brefs délais est, du même coup, très limitée et ne permet pas une connaissance approfondie d'un objet. C'est par contre ce que permet

1. *Ibidem*, p. 342-350.
2. *Ibidem*, p. 369.

la pensée consciente observante : « C'est la pensée du chercheur qui, ayant perçu quelque chose, se demande : que signifie cela ? Où cela va-t-il me mener ? »[1] La pensée observante permet une pensée théorique qui s'affranchit du but immédiat de satisfaction par le moyen des associations verbales grâce au **mécanisme d'attention, appliqué aux indications sonores du langage.**

Les images mnémoniques acquièrent une qualité par leur liaison avec les images auditives et les images verbales motrices, portant les processus de pensée sur le plan même des processus perceptifs en leur donnant une réalité[2]. À partir du moment où les pensées s'accompagnent de qualités comme les perceptions extérieures, elles sont susceptibles d'attirer sur elles l'attention sans pour autant s'accompagner de représentations de but, ce qui garantit l'impartialité du cours des associations. Mais Freud remarque qu'il y a toujours des investissements de but et que c'est « une tâche ardue que de se maintenir entièrement dans la recherche pure »[3].

Effectivement, les dysfonctionnements des processus de pensée sont inévitables, tous rapportés par Freud à des dysfonctionnements de l'attention. Toutes les irruptions de grandes quantités s'opposent à l'activité de l'attention et au processus de pensée. Elles effacent les voies nouvelles, entraînent une perte de pouvoir de sélection, d'efficacité et de logique. C'est notamment l'effet de la douleur, « le plus impérieux de tous les processus »[4]. Inversement, la prolongation excessive du temps d'expectation liée à un excès d'attention complique la pensée par la survenue d'indices de qualités en excès. Un défaut d'attention entraîne des perceptions inexactes, génératrices « d'erreur de jugement par prémisses erronées »[5]. Enfin, les fixations de l'attention sur des buts entravent la pensée théorique et gênent la pensée pratique s'ils sont trop nombreux.

1. *Ibidem*, p. 374.
2. *Ibidem*, p. 374-377.
3. *Ibidem*, p. 384.
4. *Ibidem*, p. 326.
5. *Ibidem*, p. 393.

L'attention est une fonction de transformation et elle joue un rôle fondamental dans la construction de l'appareil psychique de *L'interprétation des rêves* (en 1900). Elle intervient dans la transformation des processus primaires inconscients en processus secondaires préconscients-conscients.

La fonction d'attention permet l'activité exploratoire du *Pcs,* qui « tâtonne, fluctue, fait des investissements en tous sens et les retire », dans une recherche permanente des voies menant à l'identité de perception. Celle-ci est toujours définie comme une première activité de pensée « qui n'est qu'un chemin détourné qui va du souvenir de la satisfaction pris comme représentation-but à l'investissement identique de ce même souvenir, investissement qui sera atteint par le moyen de l'expérience motrice »[1]. Ce travail de recherche doit pouvoir s'affranchir de la régulation par le principe de déplaisir de façon à disposer de tout le matériel mnésique. C'est ce que permettent les liaisons effectuées par l'attention entre les images mnésiques et les souvenirs des signes du langage. Ceux-ci confèrent aux processus de pensée des qualités qui leur sont propres, les rendant bien moins dépendantes des risques de déplaisir. *L'identité de perception fait place à une identité de pensée.* Dans le *Pcs* peuvent s'effectuer les activités de pensée les plus compliquées, sans pour autant qu'elles accèdent à la conscience, bien qu'elles soient pourvues de qualité. **L'accès à la conscience est dépendant lui-même d'un deuxième réglage, plus fin, par l'attention :** « Le fait de devenir conscient dépend d'une orientation d'une certaine fonction psychique, l'attention qui, semble-t-il, ne peut être dépensée qu'en certaines quantités, et qui peut être détournée des pensées en question par d'autres buts. »[2] Grâce aux qualités conférées par les signes du langage au système préconscient, la conscience « devient aussi l'organe du sens d'une partie de nos processus de pensée »[3]. Le devenir conscient implique de nouveau un surinvestissement qui « crée une nouvelle série qualitative et par

1. *L'interprétation des rêves* (1900a), Paris, PUF, 1967, p. 509-512 ; *OCF* IV, p. 654-658 ; *GW* III, p. 604-608.

2. *Ibidem,* p 504 ; p. 649 ; p. 598.

3. *Ibidem,* p. 488 ; p. 629 ; p. 580.

là un nouveau réglage qui constitue peut-être un des privilèges de l'homme sur l'animal »[1].

L'attention est indispensable à la transformation du déplaisir en simple signal. Par les liaisons qu'elle crée, elle sert la tendance de la pensée qui « doit être de s'affranchir toujours davantage de la régulation excessive par le principe de plaisir et de réduire le développement des affects à un minimum utilisable comme signal »[2]. Mais l'inhibition ne doit pas être totale et un début de déplaisir est nécessaire ; **en effet, étant une qualité, l'affect est indispensable au fonctionnement de l'attention.**

L'activité transformatrice de l'attention a cependant ses limites, inhérentes à son propre fonctionnement : du côté *Ics-Pcs,* l'attention attirée par une représentation empreinte de déplaisir, participe au retrait d'investissement du refoulement et empêche l'accès à la conscience des représentations refoulées. Du côté *Pcs-Cs,* l'attention qui participe aux activités de pensée les plus complexes intervient dans la pensée critique. Elle est éveillée par les erreurs de logique qui suscitent un sentiment de déplaisir dans la mesure où elles résultent d'une infraction aux lois biologiques. La pensée critique intervient comme une instance auto-observante, contrôlante, qui veille au respect de ces lois, au service de l'auto-conservation. Elle participe à la censure et c'est elle qui, restée éveillée pendant le sommeil, participe à l'élaboration secondaire des rêves « qu'elle contrôle, critique, se réservant le droit de les interrompre ». L'attention intervient dans « la perception endo-psychique du délire d'observation, la conscience morale et la censure du rêve » qui seront toujours rassemblés par Freud[3]. La nécessité d'imposer le respect de la logique est la deuxième limite de la fonction d'attention ; imposant sa logique, elle empêche l'irruption de pensées n'entrant pas dans un système logique. Elle est prise dans le paradoxe de sa double fonction, à la fois « charge d'énergie mobile » dans une recherche constante de nouvelles représentations à investir et au service du respect des lois de la pensée logique qui assurent

1. *Ibidem,* p. 524 ; p. 672 ; p. 622.
2. *Ibidem,* p. 512 ; p. 657 ; p. 607.
3. *Ibidem,* p. 430-431 ; p. 556-557 ; p. 509-510.

l'auto-conservation mais qui sont un obstacle au surgissement de pensées qui ne s'y conforment pas.

L'attention doit être endormie dans sa fonction de gardien de la logique, pour permettre au libre fonctionnement de son activité exploratoire de s'exercer. Telle est la fonction du rêve. Sommeil et rêve mettent en évidence le jeu entre attention *Pcs* et attention *Cs* qui règle la marche des investissements. Dans le sommeil, le *Pcs* qui obéit au désir de dormir retire une grande part de ses investissements et diminue son attention pour les processus de pensée au profit des perceptions. Le retrait d'investissement *Pcs* et l'arrêt du courant, qui le jour va de la perception à la motilité, accentuent l'attraction des souvenirs inconscients qui ont gardé « une grande vivacité sensorielle ». Les pensées refoulées vont alors être soumises aux processus primaires de l'inconscient : déplacement et condensation aboutissent à une identité de perception sur un mode hallucinatoire. Le rêve, devenu contenu perceptif, peut alors attirer dans un mouvement progrédient l'attention de la conscience. Une partie de l'énergie restée inemployée de l'attention *Pcs* va participer à l'élaboration secondaire du rêve, au prix d'un léger travail.

Ainsi, « chaque rêve éveille » et permet l'accès au *Pcs* de souvenirs refoulés par le surgissement d'indices de qualité inconnus qui attirent l'attention consciente. Dans la vie éveillée, l'activité *Pcs* dominante qui endigue l'excitation ne permet pas à ce mouvement progrédient de s'effectuer. On voit ainsi le moi profiter de son propre endormissement pour se laisser éveiller à de nouvelles qualités[1].

N'y aurait-il pas d'autres moyens pour faire taire ce gardien gênant qu'est devenue l'attention ? Certes l'alcool en est un, mais *l'étude du mot d'esprit* de 1905 en fait découvrir à Freud un autre, bien plus amusant.

La pensée ludique joue et se joue de l'attention. Avoir de l'esprit, c'est pratiquer la technique de l'attention en virtuose, « mêler plaisir personnel et recherche savante »[2]. Il s'agit de trouver habilement les

1. *Ibidem*, p. 488-489 ; p. 629-630 ; p. 579-580.

2. *Le mot d'esprit et sa relation à l'inconscient* (1905c), Paris, Gallimard, 1988, p. 46-47 ; *OCF* VII, p. 19 ; *GW* VI, p. 7-8.

ressemblances cachées entre des choses dissemblables, de relier avec rapidité des représentations étrangères les unes aux autres, de concilier l'inconciliable. C'est une opération intellectuelle utilisant une technique analogue à celle du travail du rêve, puisqu'il s'agit de « créer un réseau de relations inhabituelles en utilisant la technique de condensation »[1]. La pensée ludique joue de l'attention comme d'un instrument par l'habillage des formes qui dévoile le sens et dissimule le non-sens, jeu de double, double langage, double processus. Le mot d'esprit est l'art d'utiliser une technique pour mieux se jouer de l'attention de l'autre. Tous les moyens sont bons pour « se soustraire à la pression de la raison critique ». Il s'agit, comme dans l'hypnose, de captiver l'attention par l'effet de surprise du non-sens pour mieux la détourner de son activité inhibitrice de gardien de la logique. Il sera alors possible de la prendre de court, de l'« embrouiller » par des mots aux caractères multivoques qui font apparaître acceptable et sensé le non-sens : « Il s'agit de faire admettre comme valable des raisonnements rejetés par la logique. »[2] Alors le but sera atteint d'un plaisir partagé avec l'autre, « témoignant d'un accord profond sur le plan psychique »[3]. D'autres plaisirs vont venir s'y adjoindre : – plaisir économique de l'allégement des contraintes de la raison critique ; – plaisir de la simple activité, libre de tout besoin de notre appareil psychique ; – plaisir de retrouver le jeu de l'enfance et ses modes de pensée.

Le plaisir de la pensée ludique est le plaisir d'avoir su ruser avec l'attention, avec peut-être l'espoir d'y échapper. Au service des pulsions d'auto-conservation, l'attention est en effet un douloureux rappel de la dépendance infantile au monde extérieur et à l'objet.

L'article de 1905, *Trois essais sur la théorie sexuelle,* précisant les rapports entre pulsions sexuelles et pulsions d'auto-conservation, souligne que fonction d'attention et sexualité sont seulement dans des rapports d'influence réciproque du fait de la co-excitation : « Puisque nous savons que la concentration de l'attention peut éveiller une excitation sexuelle, nous pouvons supposer que, par un processus sur la

1. *Ibidem,* p. 78 ; p. 39 ; p. 29.
2. *Ibidem,* p. 235-236 ; p. 148 ; p. 140-141.
3. *Ibidem,* p. 275 ; p. 175 ; p. 169.

même voie, mais dirigé en sens inverse, l'état d'excitation sexuelle influera sur l'utilisation de l'attention disponible. »[1] C'est là une première théorisation de la sublimation.

En 1911, « Formulations sur les deux principes du cours des événements psychiques » rassemble, en les clarifiant, les propriétés de la fonction d'attention décrites dans l'« Esquisse d'une psychologie scientifique ». **L'attention y apparaît comme une fonction d'adaptation de l'appareil psychique à la réalité, au service de l'auto-conservation.** Devant l'échec de la tentative de satisfaction par l'hallucinatoire, l'appareil psychique « dut se résoudre à représenter l'état réel du monde extérieur et à rechercher une modification réelle ». Dans ce but, « une fonction particulière est instituée qui doit prélever périodiquement des données du mode extérieur pour que celles-ci lui soient connues à l'avance quand surgit un besoin intérieur impossible à ajourner : l'attention »[2]. Elle est rattachée à la conscience, ou plutôt au système perception-conscience, en cours de conceptualisation, et elle participe au remplacement du principe de plaisir par le principe de réalité auquel se soumettent les pulsions d'auto-conservation. Les pulsions sexuelles, du fait de l'autoérotisme (et de la latence), ne suivent pas le même développement et restent bien plus longtemps sous la domination du principe de plaisir. Elles ne sont pas tributaires de la fonction d'attention pour leur satisfaction.

Les propriétés de l'attention sont à nouveau précisées. L'attention fait de la perception un mécanisme actif : « Elle va à la recherche des impressions des sens au lieu d'attendre passivement leur apparition » ; activité périodique, elle participe à la représentation psychique du temps ; elle est constitutive de la mémoire « en introduisant un système de marques » ; elle permet le jugement de réalité qui doit décider « impartialement si une représentation déterminée est vraie ou fausse »[3].

1. *Trois essais sur la théorie sexuelle* (1905d), Paris, Gallimard, 1987, p. 106 ; *OCF* VI, p. 142 ; *GW* V, p. 107.

2. « Formulations sur les deux principes du cours des événements psychiques » (1911b), *Résultats, idées, problèmes, I,* Paris, PUF, 1984, p. 136-137 ; *OCF* XI, p. 15 ; *GW* VIII, p. 232.

3. *Ibidem.*

Là encore, l'instauration de la fonction d'attention, par les liens qu'elle crée, fonde l'activité de pensée dont la condition nécessaire est « une transformation des investissements librement déplaçables en investissements liés ». **La pensée à ce stade originaire est inconsciente, comme le sont les premiers processus de l'attention : « La pensée est vraisemblablement à l'origine inconsciente dans la mesure où elle se borne à s'élever au-dessus de la pure activité de représentation en se tournant vers les relations entre les impressions laissées par les objets. »** [1]

« Pour introduire le narcissisme », en 1914, **affirme l'existence de pulsions sexuelles du moi, modifie la distribution de la fonction d'attention. L'élaboration d'une satisfaction narcissique donne à cette fonction une place vis-à-vis de la pulsion sexuelle équivalente à celle qu'elle tenait pour les pulsions d'auto-conservation.** L'homme ne veut pas renoncer à la satisfaction narcissique de son enfance, celle du temps où « il était lui-même son propre idéal », et il a « une aspiration ardente à retrouver le narcissisme primaire ». La satisfaction narcissique s'obtient quand il y a identité entre l'idéal du moi, « substitut du narcissisme perdu de l'enfance » et le moi réel. Elle est précédée d'un jugement de réalité que permet une activité d'auto-observation, doublée d'une activité auto-critique. Celle-ci est l'héritage de « l'influence critique des parents telle qu'elle se transmet par les voix » [2]. Le délire d'auto-observation du paranoïaque est d'ailleurs aussi appelé « délire d'attention ».

Freud théorise la satisfaction narcissique de la pulsion sexuelle sur le modèle de la satisfaction du besoin de la pulsion d'auto-conservation. Jusqu'alors fonction du système *Pc-Cs,* l'attention pourrait devenir aussi la fonction d'une nouvelle instance, la conscience morale, précurseur du surmoi : « Il ne serait pas étonnant que nous trouvions une instance psychique qui accomplisse la tâche de veiller à ce que soit assurée la satisfaction narcissique provenant de l'idéal du moi et qui, dans cette intention, observe sans cesse le moi actuel et le mesure à son idéal. » [3]

1. *Ibidem,* p. 138 ; p. 16 ; p. 233-234.
2. « Pour introduire le narcissisme » (1914c), *La vie sexuelle,* Paris, PUF, 1982, p. 98 ; *OCF* XII, p. 236-237 ; *GW* X, p. 160-161.
3. *Ibidem,* p. 99 ; p. 238 ; p. 162.

Disparition de l'attention dans la terminologie freudienne de la métapsychologie de 1915 et développement du concept de surinvestissements

À partir de 1914, l'attention disparaît, pour quelques années, presque totalement du vocabulaire freudien. Dans la *Métapsychologie* de 1915, il n'y a qu'une occurrence du concept rapportée à sa fonction de censure, contrôlant l'accès à la conscience des rejetons *Pcs* de l'*Ics* : « Le devenir conscient est restreint par telle ou telle orientation de l'attention. »[1]

Par contre, de nouveaux développements sont donnés aux surinvestissements attribués jusqu'alors à la fonction d'attention. Ils concernent les représentations de mots et le processus de deuil.

Les surinvestissements, qui effectuent la liaison entre les représentations de chose fondées sur les traces mnésiques de perceptions visuelles et les traces mnésiques des perceptions auditives constituent les représentations de mots. Ils introduisent une organisation psychique plus élevée et permettent le remplacement des processus primaires de l'*Ics* par les processus secondaires du *Pcs*. Il s'agit d'une transformation qualitative qui permet aux représentations de chose d'accéder à la conscience grâce à un deuxième surinvestissement de l'attention[2].

Dans le deuil, la représentation de l'objet perdu, qualifié par la douleur de la perte, est surinvestie : « Chacun des souvenirs, chacun des espoirs par lesquels la libido était liée à l'objet est mis sur le métier, **surinvesti,** et le détachement de la libido est accompli sur lui. »[3] Un jugement de réalité est rendu et « la réalité prononce son verdict, l'objet n'existe plus ». Une action spécifique est accomplie, la fuite, c'est-à-dire le retrait d'investissement.

On peut penser que l'attention participe de ces trois grandes institutions du moi décrites par Freud dans « Deuil et mélancolie » :

1. « L'inconscient » (1915e), *Métapsychologie,* Paris, Gallimard, 1946, p. 105 ; *OCF* XIII, p. 230 ; *GW* X, p. 291.

2. *Ibidem,* p. 118 ; p. 239-240 ; p. 300.

3. « Deuil et mélancolie » (1917e [1915]), *Métapsychologie,* Paris, Gallimard, 1968, p. 150 ; *OCF* XIII, p. 263 ; *GW* X, p. 430.

l'épreuve de réalité (étayée sur la musculature qui permet de différencier excitation interne et externe), la censure de la conscience et la conscience morale maintenant individualisée en instance, séparée du reste du moi[1].

L'attention étant partout, est-elle nulle part ? N'aurait-elle été qu'un concept d'attente appelé à se différencier ensuite ? Qu'en reste-t-il dans la deuxième topique ?

L'attention dans le remaniement théorique de 1920 : disparition d'un terme et permanence d'un concept

L'essai de 1920, *Au-delà du principe de plaisir,* confirme le bouleversement théorico-clinique amorcé par l'introduction du narcissisme. La question de l'originaire est interrogée, dans un cheminement à rebours vers un en-deça de la psychanalyse. On retrouve dans l'article des notions concernant la perception qui avaient été abordées dans l'essai de 1895 et mises de côté. Fait étonnant, aucune mention n'est faite de l'attention.

Cependant, la notion est implicite dans tous les processus de transformation psychique de l'excitation, qu'elle soit endogène ou exogène. **Le concept de pare-excitations contre les excitations exogènes, théorisé dans cet article pour la première fois, est indissociable de l'activité exploratoire des organes des sens qui appartiennent au système *Pc-Cs*. Ils sont ici comparés à « des antennes qui font des tentatives d'approche vers le monde extérieur pour à nouveau s'en retirer ». Il s'agit de ne prélever que de « petits échantillons du monde extérieur », « d'en déguster des quantités minimes »[2]. Ce mode de travail discontinu du système *Pc-Cs* est à l'origine de la constitution de la temporalité. Nous retrouvons ici la notion d'une activité exploratoire, périodique, qui dans l'article de 1911 était dévolue à la fonction d'attention.**

Le décentrage opéré dans le remaniement théorique de 1920 confère une antériorité à « une fonction de l'appareil psychique qui,

1. *Ibidem,* p. 155 ; p. 266 ; p. 433.

2. *Au-delà du principe de plaisir* (1920g), *Essais de psychanalyse,* Paris, Payot, 1981, p. 70 ; *OCF* XV, p. 299 ; *GW* XIII, p. 27.

sans contredire le principe de plaisir, est pourtant indépendante de lui et semble plus originaire que la recherche du gain de plaisir et l'évitement du déplaisir ». Le principe de plaisir n'est plus un automatisme mais « un mode primaire de travail de l'appareil psychique » qui ne peut se mettre en place qu'une fois effectuée « l'autre tâche de l'appareil psychique qui consiste à maîtriser, lier l'excitation, non pas sans doute en opposition avec le principe de plaisir mais indépendamment de lui et partiellement sans en tenir compte »[1]. Freud ne nomme pas cette fonction qui serait plus originaire que le principe de plaisir. Est-ce la fonction biologique d'attention qui, grâce aux surinvestissements des perceptions, assurait les liaisons entre l'investissement de l'objet désiré, une image motrice et des perceptions visuelles et surtout acoustiques ?

En 1923, s'opère un **retour au rapport attention-perception,** ce qui impose d'examiner ce qu'il en est de l'**attention consciente, de l'attention inconsciente et de l'inconscient du moi dans la nouvelle topique.**

Dans *Le moi et le ça* de 1923, Freud théorise « un troisième inconscient non refoulé », l'inconscient du moi. Le moi est désormais divisé, il doit lutter contre des résistances provenant de sa part inconsciente. La perception devient un processus dynamique ; elle est le résultat d'un conflit à l'intérieur du moi dans lequel l'attention joue un rôle important : « Il faut un grand effort pour apporter à l'inaperçu assez d'attention. Quand on y est parvenu, ce qui était auparavant inaperçu n'est pas maintenant retenu par la conscience mais au contraire lui paraît assez souvent complètement étranger, opposé et repoussé avec brusquerie par elle. »[2]

C'est la question du *déni de la réalité* qui apparaît ici, annonçant l'article de 1938 « Le clivage du moi dans le processus de défense ». L'effort d'attention provient de cette part du moi qui veut rester en situation d'allégeance avec la réalité. Mais le moi, « valet obséquieux du ça », « fait miroiter l'illusion que le ça obéit aux avertissements de la réalité », et l'attention, devenue instrument au service de ce valet

1. *Ibidem,* p. 75, 78 ; p. 303, 306 ; p. 32, 36.

2. *Le moi et le ça* (1923b), *Essais de psychanalyse,* Paris, Payot, 1981, note p. 227 ; *OCF* XVI, p. 261 ; *GW* XIII, p. 243.

« complaisant, opportuniste et menteur », se laisse facilement détourner par le miroir aux alouettes des substituts de la castration que sont les fétiches. Le moi leur porte « un intérêt extraordinairement accru », dira Freud dans l'article de 1927 sur « Le fétichisme ».

L'article de 1924, « Note sur le "bloc-notes magique" », reprend la notion d'une activité exploratoire du système *Pc-Cs,* mode de travail discontinu à l'origine de la représentation du temps dévolu jusqu'alors à l'attention via les organes des sens. Mais, fait nouveau, il s'agit maintenant d'une activité inconsciente et non préconsciente : « Ce serait comme si **l'inconscient,** par le moyen du système *Pc-Cs,* étendait vers le monde extérieur des antennes qui sont rapidement retirées après en avoir "comme dégusté les excitations". »[1] L'inconscient dont il s'agit serait-il cet inconscient du moi qui « ne coïncide pas avec le refoulé » ?

L'article « La négation », écrit quelques mois plus tard, reprend cette description d'une technique de perception du moi pour **l'appliquer aux processus de pensée** : « La perception n'est pas un processus purement passif mais le moi envoie périodiquement dans le système de perception de petites quantités d'investissements grâce auquel il déguste les stimuli externes pour, après chacune de ces incursions tâtonnantes, se retirer à nouveau. » Cette technique est appliquée aux processus de pensée : « L'ajournement par la pensée est à considérer comme un acte d'essai, un tâtonnement avec des dépenses de décharge réduite. » L'ajournement par la pensée est un temps d'expectation qui permet un jugement d'existence. Il s'agit « de savoir si quelque chose présent dans le moi comme représentation peut aussi être retrouvé dans la réalité ». Il est alors dit que cet ajournement par la pensée a déjà été évoqué dans un autre endroit. Effectivement nous retrouvons ici tous les processus attribués à la fonction d'attention en 1895 et repris en 1911 dans « Formulations sur les deux principes du fonctionnement psychique ». Ils consistent dans la mise en place d'une épreuve réalité et de la recherche d'une identité de perception entre

1. « Note sur le "bloc-notes magique" » (1925a [1924]), *Résultats, idées, problèmes, II,* Paris, PUF, 1985, p. 123 ; *OCF* XVII, p. 143 ; *GW* XIV, p. 8.

l'objet réel et l'objet représenté avec une mise en jeu de la motricité : l'ajournement par la pensée est un « tâtonnement moteur ».

Avec l'idée que les processus de pensée se font grâce à l'envoi périodique de petites quantités d'investissements sur le modèle de la perception, nous pénétrons « peut-être pour la première fois la façon dont s'engendre la fonction intellectuelle à partir du jeu des motions pulsionnelles » [1].

Dans la nouvelle théorisation de l'angoisse de *Inhibition, symptôme et angoisse* (en 1925), complétée par la XXXIIe des *Nouvelles conférences d'introduction à la psychanalyse,* l'attention prend tout naturellement une place importante, aussi bien en ce qui concerne la description de l'angoisse réelle (« un état d'attention sensorielle accru ») que dans l'élaboration de la théorie du signal d'angoisse. Le véritable noyau du danger est de nature économique : il consiste en la perturbation économique considérable créée par l'accroissement continu de l'excitation du besoin non satisfait. Avec l'expérience qu'un objet externe peut mettre fin à cette situation, le contenu du danger se déplace de la situation économique à ce qui en est la condition déterminante, la perte de la perception de l'objet. C'est un mécanisme projectif (mise à l'extérieur d'un danger interne) qui constitue un énorme progrès dans l'auto-conservation : « Il signe le passage du biologique au psychique. » Le danger pulsionnel, inconnu, a été transformé en un danger réel, accessible à la conscience, la perte de la perception de la mère, qui va désormais être qualifiée d'un affect d'angoisse, signal d'un danger [2].

La XXXIIe conférence des *Nouvelles conférences d'introduction à la psychanalyse* (1932) développe les avancées de 1925. On retrouve ici la description d'une activité de pensée, définie comme un état expectation, au cours duquel s'instaure une activité de jugement « guidée par des expériences réelles faites ». Ainsi s'opèrent des surinvestissements qui permettent que l'affect d'angoisse soit dompté, réduit à un signal selon « une technique qui est au fond identique à la pensée

1. « La négation » (1925h), *Résultats, idées, problèmes, II,* Paris, PUF, 1985, p. 137-138 ; *OCF* XVII, p. 169-170 ; *GW* XIV, p. 15.

2. *Inhibition, symptôme et angoisse* (1926d [1925]), Paris, PUF, 1981, p. 62 ; *OCF* XVII, p. 253 ; *GW* XIV, p. 168.

normale. Penser c'est agir à titre d'essai avec de petites quantités d'énergie »[1]. **Au cours de ces situations d'expectation se reproduisent sous forme de signal les sensations de déplaisir qui se trouvent au commencement de la situation de danger redoutée. Grâce à ces investissements d'essai, ces tâtonnements, le moi peut éveiller le fonctionnement plaisir-déplaisir. Tous ces processus (« non-conscients ou préconscients » ?) constituent l'activité du moi, qui « doit observer le monde extérieur, en consigner une reproduction fidèle dans les traces mnésiques de ses perceptions, écarter par l'activité de l'épreuve de réalité ce qui, dans cette image du monde extérieur, est adjonction de source d'excitation interne »[2]. L'attention, une fonction dont on ne peut se passer ?**

L'ÉTAT D'ATTENTION DE L'ANALYSTE

Dans l'article de 1912, « Conseils aux médecins sur le traitement analytique », Freud fait de l'attention une technique de l'analyse. « Cette technique est très simple. D'après elle, nous ne devons attacher d'importance particulière à rien de ce que nous entendons et il convient que nous prêtions à tout la même *"attention en égal suspens"*, dite encore *"attention flottante"*. Elle exige de l'analyste de ne pas laisser quelque influence que ce soit s'exercer sur sa faculté d'observation et de se fier entièrement à "sa mémoire inconsciente." » Cette règle technique, qui consiste à ne rien distinguer particulièrement au cours des séances, fait pendant « à la règle imposée à l'analysé de ne rien omettre de ce qui lui vient à l'esprit en renonçant à toute critique et à tout choix ».

Cette technique « très simple » soulève de nombreuses difficultés. Tout d'abord, il faut exclure de l'attention analytique tout ce qui serait attention voulue, c'est-à-dire toute l'activité critique de la fonction d'attention. Il faut, pour l'analyste, faire taire l'instance d'auto-observation qui joue le rôle de censeur entre *Pcs* et *Cs*. Il est interdit d'interdire et les règles abondent : l'analyste doit « renoncer à sa

1. *Nouvelles conférences d'introduction à la psychanalyse* (1933a [1932]), Paris, Gallimard, 1984, p. 122 ; *OCF* XIX, p. 173 ; *GW* XV, p. 96.

2. *Ibidem*, p. 105 ; p. 158 ; p. 82.

propre censure », « éviter l'attention voulue », « éviter toute spéculation », « ne soumettre les matériaux à un travail de synthèse qu'une fois l'analyse terminée ». En fait, « il lui faut se laisser surprendre par tout fait inattendu ». Freud décrit là un état particulier de l'analyste en séance. On évoque l'état de sommeil qui permet au rêveur d'être éveillé par son rêve, mais aussi tous ces états où l'attention volontaire et critique est détournée : l'hypnose, l'ivresse, l'état amoureux, et aussi le plaisir des jeux d'esprit de la pensée ludique. Il importe de négliger les buts conscients du traitement, mais la suspension des représentations-but conscients entraîne vite leur remplacement par des représentations-but inconscients. L'une d'elles pourrait être le désir d'atteindre un idéal. Or, « l'orgueil éducatif est aussi peu souhaitable que l'orgueil thérapeutique ». En effet, « les erreurs de mémoire ne se produisent que dans les circonstances où le médecin est gêné par ses propres réactions, c'est-à-dire quand l'idéal qu'il poursuit est loin d'être atteint ». Enfin, et là est la dernière interdiction, il faudrait « laisser de côté toute réaction affective et jusqu'à toute sympathie humaine », et avoir pour modèle le chirurgien qui aurait « la froideur des sentiments que nous exigeons de l'analyste »[1].

Il ne s'agit donc pas de s'abandonner au principe de plaisir. Les nombreuses obligations et règles de l'analyste sont là pour le rappeler. Le psychanalyste doit pouvoir se servir de son inconscient comme d'un « organe récepteur », qu'il tournerait vers « l'inconscient émetteur du malade », et il lui faut « se régler sur l'analysé comme le récepteur du téléphone est réglé sur l'émetteur »[2]. Cette activité psychique inconsciente de l'analyste, évoquée plusieurs fois dans le texte de 1912, est reprise en 1922 dans « "Psychanalyse" et "Théorie de la libido" » : « L'expérience montra bientôt que le médecin analyste se comporte ici de la façon la plus appropriée s'il s'abandonne lui-même dans un état d'attention *"flottante"*, évite le plus possible la réflexion et la formation d'attente consciente, ne veut de ce qu'il a

1. « Conseils aux médecins sur le traitement psychanalytique » (1912e), *De la technique psychanalytique,* Paris, PUF, 1953, p. 62-70 ; *OCF* XI, p. 145-154 ; *GW* VIII, p. 376-386.

2. *Ibidem,* p. 66 ; p. 150 ; p. 382.

entendu rien fixer de façon particulière dans sa mémoire, et capte de la sorte l'*Ics* du patient avec son propre *Ics.* »[1]

Trois ans plus tard, dans une lettre à Ludwig Binswanger, il précise qu'« il n'est question de l'*Ics* qu'au sens descriptif. On devrait dire *Pcs* plutôt qu'*Ics* ». Freud reconnaît alors que « sa proposition dissimule d'autres problèmes importants ». L'un d'eux pourrait être celui posé par la difficile distinction entre *Ics* et *Pcs,* déjà évoquée en 1912 avec la question de la naissance de la pensée, dans ce temps d'indifférenciation entre activité psychique *Pcs* et activité *Ics,* lorsque *Ics* au sens descriptif et *Pcs* se confondent dans les temps primaires des premiers processus de pensée. Freud propose alors une analogie grossière, mais qui n'est pas inappropriée, avec ce qui se passe lors du tirage d'une photographie où « le premier temps est le négatif », nécessaire pour parvenir au positif ; dans le fonctionnement psychique, ce sont les résistances qui témoignent de l'état précédent de « négatif »[2]. Mais, dans le courrier de 1925, un seul problème est évoqué : celui de l'état du psychanalyste en séance, qui doit « créer le même état en soi que celui exigé de l'analysant »[3].

Dans l'*Abrégé de psychanalyse,* en 1938, le travail de l'analyste en séance est comparé à celui du physicien : le psychanalyste utilise ses « méthodes techniques comme les physiciens se servent de l'expérimentation ». Utilisant sa technique d'attention, il effectue un travail scientifique défini par sa proximité avec les perceptions sensorielles primaires : « Le bénéfice qu'apporte le travail scientifique par rapport à nos perceptions sensorielles primaires, c'est la découverte de connexions et d'interdépendances présentes dans le monde extérieur et qui peuvent, de façon plus ou moins fidèle, se reproduire ou se refléter dans le monde intérieur de notre pensée. »[4]

1. « "Psychanalyse" et "Théorie de la libido" » (1923a), *Résultats, idées, problèmes, II,* Paris, PUF, 1985, p. 55 ; *OCF* XVI, p. 187 ; p. 215.

2. « Note sur l'inconscient en psychanalyse » (1912g), *Métapsychologie,* Paris, Gallimard, 1970, p. 183-184 ; *OCF* XI, p. 177-178 ; *GW* VIII, p. 264.

3. *Sigmund Freud-Ludwig Binswanger : correspondance 1908-1938,* Paris, Calmann-Lévy, 1995 (lettre du 12 novembre 1925), p. 258.

4. *Abrégé de psychanalyse* (1940a [1938]), Paris, PUF, 1967, p. 71 ; *OCF* XX, p. 295 ; *GW* XVII, p. 127.

QUESTIONS ET ENJEUX

La nécessité d'une approche rigoureuse de ce concept dans l'œuvre de Freud se fait d'autant plus sentir qu'il a fini par prendre une place importante dans les recherches actuelles des neurosciences.

La première question concerne la topique de l'attention

L'attention est une fonction du système perception-conscience. Elle peut être consciente, volontaire : résultat d'un effort du moi quand celui-ci, empressé de se soumettre au ça, ne veut pas voir, ou encore quand il importe de respecter les lois de la logique dans un but d'auto-conservation. Mais, la plupart du temps, elle reste involontaire et n'est pas consciente ; la question qui se pose est de savoir si elle est préconsciente ou inconsciente, et, si c'est le cas, de quel inconscient il s'agit.

Son rôle dans le fonctionnement du préconscient, « lieu des processus secondaires et des représentations de mots », ne fait pas de doute : elle est par définition une fonction au service du principe de réalité et de la secondarisation des processus ; fonction créatrice de surinvestissements, elle assure la transformation des représentations de chose en représentations de mots. Ces surinvestissements seraient d'ailleurs « peut-être un des privilèges de l'homme sur l'animal » [1].

Mais, pour constituer un inconscient, il faut une activité psychique préalable, inconsciente, l'inconscience étant « une phase régulière et inévitable des processus qui constituent notre activité psychique ». La participation de l'attention est essentielle dans ces premiers temps « du négatif » [2]. Sa conceptualisation, dans l'« Esquisse d'une psychologie scientifique » de 1895, repose sur un mécanisme biologique, un automatisme qui serait du même ordre que l'automatisme du réflexe

1. *L'interprétation des rêves* (1900a), Paris, PUF, 1967, p. 524 ; *OCF* IV, p. 672 ; *GW* II-III, p. 622.

2. « Note sur l'inconscient en psychanalyse » (1912g), *Métapsychologie,* Paris, Gallimard, 1968, p. 184 ; *OCF* XI, p. 178 ; *GW* VIII, p. 264.

de fuite, mais avec un résultat inverse, et Freud en fait un comportement « biologiquement déterminé ». L'attention implique une observation du monde extérieur et son enregistrement sous forme de traces, avec des ajustements permanents entre expériences présentes et expériences passées, au plus près des perceptions de mouvements, de sons et d'images. À travers ce déploiement de la sensorialité, on évoque l'instinct, ainsi que l'inscription de ce comportement dans l'évolution de l'espèce. Le vocabulaire de Freud concernant l'attention se fait effectivement animalier, référé au monde des insectes, comme l'indique l'emploi renouvelé du terme d'antennes pour décrire cette exploration tâtonnante du monde extérieur. La transmission psychique directe dans « Les grands états d'insectes » pourrait même constituer un modèle de référence pour comprendre les cas observés de transmission de pensée, est-il dit en 1932. Dans ce même article, traitant de la télépathie, Freud affirme avoir inséré « l'inconscient entre le physique et ce qu'on appelait jusqu'alors « psychique » [1].

Dans l'article « Note sur le "bloc-notes magique" », écrit quelques années auparavant, l'activité exploratoire, suivant un mode de travail discontinu, dévolu jusqu'alors à l'attention, est clairement inconsciente : « Ce serait comme si l'inconscient, par le moyen du système *Pc-Cs,* étendait vers le monde extérieur des antennes qui sont rapidement retirées après en avoir "comme dégusté les excitations". »[2] La même année, dans l'article « La négation », Freud décrit dans les mêmes termes l'activité de pensée du moi, sur le modèle des processus perceptifs. L'inconscient dont il était question dans la citation précédente est donc bien un inconscient du moi, défini en 1924 comme un « troisième inconscient non refoulé ». Cet inconscient, qui n'est pas le préconscient, se situerait au plus près de la sensorialité et des automatismes biologiques. Non référé à la sexualité, il apparaît proche de l'inconscient décrit par les cognitivistes.

1. *Nouvelles conférences d'introduction à la psychanalyse* (1933a [1932]), Paris, Gallimard, 1984, p. 77-78 ; *OCF* XIX, p. 136-137 ; *GW* XV, p. 59-60.

2. « Note sur le "bloc-notes magique" » (1925a [1924]), *Résultats, idées, problèmes, II,* Paris, PUF, 1985, p. 123 ; *OCF* XVII, p. 143 ; *GW* XIV, p. 8.

La topique de l'attention amène la référence pulsionnelle au cœur du débat entre psychanalystes et cognitivistes

Dès les premiers écrits traitant des processus cognitifs, l'attention est **clairement référée à la pulsion. Elle le sera toujours dans un fonctionnement psychique sous le primat du principe de plaisir.** La théorisation d'une deuxième topique et l'élargissement du champ de l'inconscient qu'elle propose posent la question de la référence pulsionnelle de l'attention, dans un fonctionnement psychique au-delà du principe de plaisir.

Selon la première topique, **l'attention est une fonction au service de la pulsion.** Le mécanisme biologique de la fonction d'attention est, comme le principe de plaisir sur lequel il s'appuie, un postulat selon lequel tout objet perçu est surinvesti dès l'instant où il est qualifié par une sensation de la série déplaisir-plaisir. L'objet, à condition d'être qualifié, suscite l'intérêt et déclenche une activité de recherche d'une identité de perception entre « un investissement du souvenir et un investissement perceptuel qui lui ressemble ». **Il s'agit là d'un « intérêt cogitatif », qui est proportionnel à l'« intérêt affectif »** [1]. C'est une première activité de pensée, qui passe par un jugement et implique la mémorisation de traces perceptives, et la motricité. Ce mécanisme crée d'emblée un réseau associatif, qui endigue, par les liaisons qu'il crée, la montée continue de l'excitation. **La fonction d'attention, fonction biologique au service de la pulsion d'auto-conservation, utilise ce mécanisme pour atteindre son but : la satisfaction, en assurant le relais du principe de plaisir par le principe de réalité,** rendu nécessaire par l'échec de la tentative de satisfaction par le processus primaire de l'hallucination. Pour ce faire, l'attention « prélève périodiquement des données du monde extérieur pour que celles-ci lui soient connues à l'avance quand surgit un besoin intérieur impossible à ajourner » [2]. Par les liaisons qu'elle crée, **l'attention est une fonction de transformation** ; elle sert les processus de pensée dont

1. « Esquisse d'une psychologie scientifique » (1950c [1895]), *La naissance de la psychanalyse,* Paris, PUF, 1986, p. 346-352.

2. « Formulations sur les deux principes du cours des événements psychiques » (1911b), *Résultats, idées, problèmes, I,* Paris, PUF, 1984, p. 137 ; *OCF* XI, p. 15 ; *GW* VIII, p. 232.

la tendance « doit être de s'affranchir toujours d'avantage de la régulation excessive par le principe de plaisir et de réduire le développement des affects à un minimum utilisable comme signal »[1]. Sur le modèle de la théorisation du signal d'angoisse, **la production de signal d'affect, est le rôle essentiel de l'attention dans un fonctionnement psychique régulé par le principe de plaisir**; s'il doit être dompté et même réduit au minimum, l'affect n'en est pas moins nécessaire au fonctionnement des processus de pensée, du fait même qu'il est une *qualité*. La description en 1924 des processus de pensée sur le modèle des processus perceptifs, fait dire à Freud que nous pénétrons « peut-être pour la première fois la façon dont s'engendre la fonction intellectuelle à partir du jeu des motions pulsionnelles »[2].

Toutes les opérations de transformations psychiques, y compris les plus élevées, sont donc chargées d'investissements. **Par les surinvestissements qu'elle induit, l'attention apparaît comme une fonction de la pulsion, au service de « l'exigence de travail qui est imposée au psychique en conséquence de sa liaison au corporel »**[3]. Serait-ce parce qu'elle s'efface derrière ces surinvestissements intervenant dans tous les processus de transformation psychique qu'elle disparaît de la terminologie freudienne en 1914 ?

Dans le tournant de 1914, marqué par l'introduction du narcissisme, attention et pulsion restent-elles indissociables ?

L'introduction du narcissisme en 1914 accompagne la découverte d'une *nouvelle clinique*. Le cas de « L'homme aux loups » amène à penser un fonctionnement psychique dans lequel les processus intellectuels sont coupés de leurs racines pulsionnelles : « Son intelligence irréprochable était comme coupée des forces pulsionnelles qui

1. *L'interprétation des rêves* (1900a), Paris, PUF, 1967, p. 512 ; *OCF* IV, p. 657 ; *GW* III, p. 607.

2. « La négation » (1925h), *Résultats, idées, problèmes, II,* Paris, PUF, 1985, p. 138 ; *OCF* XVII, p. 170 ; *GW* XIV, p. 8.

3. « Pulsions et destins des pulsions » (1915c), *Métapsychologie,* Paris, Gallimard, 1946, p. 18 ; *OCF* XIII, p. 167 ; *GW* X, p. 214.

dominaient son comportement. »[1] Ce sera aussi le cas de la jeune patiente homosexuelle de 1920, qui, tout en étant, suivant la même « tactique russe », « très coopérante du point de vue intellectuel, sans se départir de sa tranquillité d'âme », était animée d'une passion homosexuelle « d'une force élémentaire », « une tempête psychique »[2]. La question est celle de l'existence de processus cognitifs très développés, coupés de tout investissement libidinal (des processus cognitifs comme il en existe au sein des « grands états d'insectes » ?). La question de l'existence de pulsions du moi, de nature non sexuelle, n'est pas éliminée par l'introduction du narcissisme qui affirme la nature libidinale des pulsions d'auto-conservation. Le narcissisme, qui prend en considération la satisfaction libidinale de l'individu, est à distinguer de l'égoïsme, dont il est le complément libidinal ; l'égoïsme, « intérêt du moi », concerne la seule utilité pour l'individu. Seul le narcissisme intégral du dormeur rétablit un état où se retrouvent unis libido et intérêt. **L'attention, dont le terme « intérêt » est synonyme, est donc clairement distingué de l'investissement libidinal**[3].

Encore et toujours, se trouve posée la question de la *nature de l'énergie de pulsions d'auto-conservation* qui ne seraient pas, en principe, de nature libidinale. Dès 1900, l'attention avait été définie comme une énergie d'investissement mobile dont le *Pcs* disposerait. La nature de cette énergie mobile sera toujours questionnée. En 1923, Freud émet « l'hypothèse dont nous ne pouvons absolument pas nous passer, d'une énergie déplaçable qui, en soi indifférente, peut venir s'ajouter à une motion qualitativement différenciée »[4]. Nous savons depuis 1914 que cette énergie psychique indifférente ne deviendrait libido que par l'acte d'investissement d'objet[5]. Affirmer la préexis-

1. « Extrait de l'histoire d'une névrose infantile (L'homme aux loups) » (1918b [1914]), *Cinq psychanalyses*, Paris, PUF, 1954, p. 328 ; *OCF* XIII (2e éd.), p. 9 ; *GW* XII, p. 33.

2. « Psychogenèse d'un cas d'homosexualité féminine » (1920a), *Névrose, psychose et perversion*, Paris, PUF, 1973, p. 262 ; *OCF* XV, p. 253 ; *GW* XII, p. 291.

3. *Conférences d'introduction à la psychanalyse* (1916-1917), Paris, Gallimard, 1999, p. 524-526 ; *OCF* XIV, p. 428-429 ; *GW* XI, p. 429-430.

4. *Le moi et le ça* (1923b), *Essais de psychanalyse*, Paris, Payot, 1981, p. 258 ; *OCF* XVI, p. 287 ; *GW* XIII, p. 272.

5. « Pour introduire le narcissisme » (1914c), *La vie sexuelle*, Paris, PUF, 1969, p. 85 ; *OCF* XII, p. 223 ; *GW* X, p. 144.

tence d'une telle énergie indifférenciée, mais distincte de la libido, remettrait en question la dualité pulsionnelle. En 1923, l'énergie « déplaçable » proviendrait de la réserve de libido narcissique et serait de l'Éros désexualisé, énergie à l'œuvre dans la sublimation. Les processus de pensée seraient alors inclus dans les déplacements de cette énergie indifférente, sublimée.

La question reste cependant posée de l'antériorité d'un fonctionnement psychique non régulé par l'automatisme plaisir-déplaisir. La fonction d'attention serait-elle cette fonction, décrite en 1920 comme « fonction de l'appareil psychique, qui, sans contredire le principe de plaisir, est pourtant indépendante de lui et semble plus originaire que la recherche de gain de plaisir par l'évitement de déplaisir » ? **Les mécanismes de l'attention seraient alors un mode originaire de fonctionnement du psychisme, au plus près de la sensorialité, au plus près des rythmes biologiques et de leur pulsatilité**, précédent et étayant « le mode primaire de travail psychique » du principe de plaisir[1].

Les paradoxes de l'état d'attention du psychanalyste

La règle technique, imposée à l'analyste, d'être dans un état d'attention « en égal suspens » ou « flottante » est le pendant de la règle d'associer librement de l'analysé ; l'un et l'autre ont l'obligation de renoncer à toute critique et à tout choix. Le médecin doit « éviter de laisser s'exercer sur sa faculté d'observation quelque influence que ce soit et se fier entièrement à sa mémoire inconsciente ». Le psychanalyste doit donc renoncer à exercer son attention volontaire, consciente, celle qui censure et critique au nom du respect des lois de la logique et de l'auto-conservation. Il lui faut, comme dans l'état de sommeil, endormir ce gardien gênant, pour « se laisser surprendre par tout fait inattendu » et s'éveiller à ce qui occupe l'actuelle surface psychique du patient, comme un rêveur s'éveille aux perceptions des souvenirs refoulés de ses rêves. Dans cet état de régression proche de celui du sommeil, les deux partenaires pourront alors se comporter « à la manière d'un voyageur qui, assis près de la fenêtre de son

1. *Au-delà du principe de plaisir* (1920g), *Essais de psychanalyse*, Paris, Payot, 1981, p. 75, 78 ; *OCF* xv, p. 303, 306 ; *GW* xiii, p. 32, 36.

compartiment », contemplerait le paysage qui se déroule[1]. Mais « un grain de sable », le transfert, vient rompre leur similitude. Le plaisir du patient à associer librement avait pour motif essentiel un tendre attachement à l'égard du médecin ; les quantités d'affects engagées dans le transfert sur le psychanalyste sont le moteur du traitement, loin devant l'intérêt intellectuel d'une compréhension de soi. **L'affect est donc le point de divergence de deux règles techniques imposées à chacun des partenaires.**

La place énigmatique de l'affect du psychanalyste révèle la contradiction inhérente à l'état dit d'« attention flottante ». Comment être à la fois dans l'état régressif induit par la levée de la censure *Cs-Pcs* et « laisser de côté toute réaction affective et jusqu'à toute sympathie humaine » ? Le détournement de l'activité de censure de l'attention aurait pu ouvrir la voie du plaisir partagé avec l'autre d'une pensée ludique, « témoignant d'un accord profond sur le plan psychique ». Mais ici, seule la froideur des sentiments est requise. Le clivage professionnel, nécessaire au chirurgien, serait-il le mode « opératoire » du psychanalyste ?

Quel est cet inconscient « au sens descriptif » dont le psychanalyste doit se servir comme d'un instrument à capter l'inconscient du patient, sur le modèle du récepteur téléphonique « retransformant en ondes sonores les vibrations téléphoniques »[2] ? L'inconscient utilisé par le psychanalyste en séance (« on devrait dire le *Pcs* plutôt que l'*Ics* », sera-t-il dit dans la lettre de 1925 à Ludwig Binswanger) serait-il réductible à ce troisième inconscient non refoulé, l'inconscient du moi au plus proche des perceptions sensorielles primaires ?

Penser ainsi reviendrait à mettre de côté toute la dimension de transformation qui définit l'attention. L'attention, fonction de liaison, transforme l'irruption de grandes quantités d'affect en signal d'affect. Dire que le psychanalyste doit s'abstenir de toute « réaction affective » ne signifie pas qu'il ne soit pas réceptif à ses propres signaux d'affect. **L'état d'attention « en égal suspens » doit être envisagé dans sa signification de retenue, de mise en latence, par l'utilisation des surinvestissements qui lient les contenus perceptifs rendus plus sensibles par la**

1. « Le début du traitement » (1913c), *De la technique psychanalytique*, Paris, PUF, 1953, p. 94 ; *OCF* XII, p. 176 ; *GW* VIII, p. 468.

2. « Conseils aux médecins sur le traitement psychanalytique » (1912c), *De la technique psychanalytique*, Paris, PUF, 1953, p. 66 ; *OCF* XI, p. 150 ; *GW* VIII, p. 381.

régression et les investisements libidinaux. Définir l'attention de l'analyste en séance comme une communication d'inconscient à inconscient revient à poer la question complexe de la transmission de pensée, à l'égard delaquelle Freud se montrait si ambivalent. L'image de la transmissin par téléphone, utilisée dans les deux cas, confirme le lien fait entr ces deux états. Ainsi se retrouvent, dans la pratique analytique, touts les énigmes des phénomènes télépathiques, et les mêmes contradictins. D'une part, la télépathie serait quelque chose de « purement soiatique », un « équivalent physique de l'acte psychique », une « transnission psychique *directe* », du même ordre que la « volonté généraldes grands états d'insectes » [1]. D'autre part, elle s'inscrirait sur la tra:ctoire de la transformation pulsionnelle : de telles transmissions réus:ssent sans difficultés, si elles portent sur des souvenirs « à tonalité foıement affective » ; elles « se réalisent particulièrement bien au momet où une représentation émerge de l'inconscient, ou bien, pour m'exrimer en termes théoriques, dès qu'elle passe du processus primaire aıprocessus secondaire » [2].

Ces aspects contradicoires de l'attention, **à la fois phénomène au plus près du somatique efonction de transformation intervenant dans les activités psychiques ls plus élevées**, amène à penser deux niveaux d'écoute de l'analyste, qi, loin d'entrer en contradiction, se compléteraient et seraient dans ur oscillation et une intrication permanentes. Il y aurait un **niveau sensoiel, proche de ces phénomènes télépathiques, « une transmission psyaique directe, d'ordre physiologique et non psychologique », et « urmode originaire, archaïque de communication entre les individus »**[3]. Ce niveau d'écoute « subsistant à l'arrière-plan », et pouvant s'impser dans certaines conditions, viendrait étayer un deuxième niveau imliquant le travail de transformation pulsionnelle de l'attention en égl suspens.

Françoise CRIBIER

1. *Nouvelles conférences dintroduction à la psychanalyse* (1933a [1932]), Paris, Gallimard, 1984, p. 77 ; *OCF* IX, p. 137 ; *GW* XV, p. 59.

2. « Quelques supplément:à l'ensemble de l'interprétation des rêves » (1925i), *Résultats, idées, problèmes, I*. Paris, PUF, 1984, p. 151 ; *OCF* XVII, p. 187 ; *GW* I, p. 572.

3. *Nouvelles conférences dintroduction à la psychanalyse* (1933a [1932]), Paris, Gallimard, 1984, p. 77 ; *OCF* IX, p. 137 ; *GW* XV, p. 59.

Attention en égal suspens → Associatio libre, attention en égal suspens (flottante), règle fondamentale

Attention flottante → Association libre, ttention en égal suspens (flottante), règle fondamentale

Auto-conservation (pulsions d') → Pulions du moi, pulsions d'auto-conservation

Autoérotisme → Narcissisme et autoérotsmes

B

Besoin de punition → Culpabilité (sentiment inconscient de)

Besoin vital → Désir et besoin

BIOLOGIE, sciences de la nature

all. : ***Biologie*, *Naturwissenschaft*.** – angl. : *biology*, *natural science*. – esp. : *biologia*, *ciencias naturales*. – ital. : *biologia*, *scienze naturali*. – port. : *biologìa*, *ciências naturais*

En psychanalyse comme ailleurs le mot « biologie », conformément à ses racines grecques, désigne la science du vivant et de la vie ; posée comme science de l'inconscient et du fonctionnement psychique, la psychanalyse prend naturellement place au sein des sciences de la nature. Des processus biologiques étant à la base du fonctionnement psychique, elle s'efforce de dévoiler ce qui peut se passer lors de la conjonction entre une perturbation corporelle et une perturbation psychique ; sans jamais méconnaître les déterminations par la biologie, elle veille à demeurer dégagée de tous ses présupposés [1]. L'édifice

1. *Conférences d'introduction à la psychanalyse* (1916-1917), Paris, Gallimard, 1999, p. 27 ; *OCF* XIV, p. 15 ; *GW* XI, p. 14.

doctrinal qu'elle s'est créé est une superstructure qui devra trouver l'assise de ses fonctions organiques.

MISE EN SITUATION

Ce n'est pas à cause d'un usage particulier qu'en aurait eu Freud que le terme figure dans ce dictionnaire ; il y prend place en raison de l'importance résolument fondamentale, proprement épistémologique qu'il lui a dévolue dans la construction de la psychanalyse. Avant d'en venir à la « créer », il ne s'était résolu à exercer la médecine qu'après avoir pris conscience des « conditions matérielles très précaires dans lesquelles vivait sa famille » ; jamais il n'éprouva de « prédilection particulière pour le statut et l'activité de médecin » et « les spécialités médicales ne l'attiraient pas, à l'exception de la psychiatrie » [1] *; c'est ainsi qu'il choisit de rejoindre des laboratoires de recherche où il reçut une formation de biologiste (plus spécialement d'anatomophysiologiste). Les dictionnaires et encyclopédies le désignent généralement comme « médecin viennois », ce qui n'est certes pas une contre-vérité mais doit être nuancé car, selon ses dires, il n'aimait ni la médecine qu'il tenait à distance, ni les Viennois qui le lui rendaient bien (« à Vienne, on m'évitait »* [2]*) ; il alla d'ailleurs chercher à Paris et à Berlin, puis à Nancy, les compléments neurologiques et psychiatriques qu'il pensait lui manquer. Retenons surtout – ce qui est loin d'être anodin – que c'est bien un biologiste qui créa la psychanalyse.*

La ***situation épistémologique*** *de celle-ci se trouve ainsi posée ; elle est régulièrement discutée par Freud qui entend la situer et la définir, dans sa singularité, au sein des sciences naturelles. « Le processus culturel de l'humanité, comme le développement de l'individu, sont des processus vitaux, qui doivent donc participer du processus plus général de la vie »* [3] *; c'est là impliquer les trois références clés de ce*

1. *Sigmund Freud présenté par lui-même* (1925d), Paris, Gallimard, 1984, p. 14-18 ; *OCF* XVII [« Autoprésentation »], p. 57-58 ; *GW* XVI, p. 34-35.

2. *Ibidem*, p. 81 ; *OCF* XII, p. 94 ; *GW* X, p. 74.

3. *Malaise dans la civilisation* (1930a [1929]), Paris, PUF, 1971, p. 99-100 ; *OCF* XVIII, p. 326-327 ; *GW* XIV, p. 499.

que l'on nommera plus tard les sciences humaines : la biologie (le « processus de vie »), la sociologie avec l'histoire (le « processus culturel »), la psychologie avec le développement psychique individuel (le « processus psychique »). Chacun de ces procès délimite un champ spécifique ; ils correspondent à des « points de vue » permettant d'approcher les objets de sciences particulières (aussi générales celles-ci puissent-elles apparaître), et d'en déterminer les spécificités. L'essentiel tient à ce que ces disciplines portent toutes sur un seul et même objet, qui leur est commun : l'homme. Entre organisme, psyché et socius, cela s'intrique, s'articule, se complète, s'échange, au point que les frontières peuvent parfois paraître incertaines ; ce qui ne saurait surprendre puisque, en dernière analyse, l'objet qu'elles cernent est bien le même (on a d'ailleurs pu rattacher la pensée freudienne au positivisme).

Tout au long, le texte freudien s'attache à montrer combien ces trois domaines sont consubstantiels l'un à l'autre ; le rappel de l'assise biologique du psychisme est régulier et constant depuis les premiers travaux jusqu'aux derniers ; « la conscience a une fonction biologique » [1]*, si bien que « pour le psychique le biologique joue véritablement le rôle du roc d'origine sous-jacent »* [2]*. C'est que, « à strictement parler, il n'y a en effet que deux sciences : la psychologie, pure et appliquée, et la science de la nature »* [3]*. Sur ces « sciences de la nature », Freud se fait aussi explicite pour inciter les psychanalystes à ne jamais oublier que « le psychique repose sur l'organique, bien que son travail ne puisse poursuivre le psychique que jusqu'à ce fondement et pas au-delà »* [4]*, la « limite » du champ analytique se situant entre cet « au-delà » et son « en-deçà » (idée que l'on retrouve dans la définition*

1. « Analyse d'une phobie chez un petit garçon de cinq ans (Le petit Hans) » (1909b), *Cinq psychanalyses*, Paris, PUF, 1954, p. 196 ; *OCF* IX, p. 127 ; *GW* VII, p. 375 (cf. aussi, par ex., *L'interprétation des rêves* ou *Le moi et le ça*).

2. « L'analyse avec fin et l'analyse sans fin » (1937c), *Résultats, idées, problèmes, II*, Paris, PUF, 1984, p. 268 ; *OCF* XX, p. 55 ; *GW* XVI, p. 99.

3. *Nouvelles conférences d'introduction à la psychanalyse* (1933a [1932]), Paris, Gallimard, 1984, p. 240 ; *OCF* XIX, p. 265 ; *GW* XV, p. 194.

4. « Le trouble psychogène de la vision dans la conception psychanalytique » (1910i), *Névrose, psychose et perversion*, Paris, PUF, 1973, p. 172 ; *OCF* X, p. 185 ; *GW* VIII, p. 101.

de la pulsion comme « concept limite » entre le psychique et le biologique[1]).

La position freudienne sur ces trois dimensions anthropologiques est ainsi fort claire : la biologie, science de la vie et soubassement indispensable au fonctionnement psychique, relève d'un champs qui échappe à la psychanalyse mais qu'elle ne saurait ignorer ; la psychologie a pour domaine cette activité psychique en tant que manifestation spécifiquement humaine ; les sciences sociales (aussi vastes soient leurs champs) ne sauraient en être elles-mêmes qu'une application particulière. Ceci implique un « ordre » épistémologique dans l'étude des organisations : il faut un saut qualitatif pour passer du biologique au psychologique (on change de champ), mais un changement quantitatif suffit pour en arriver à la vie en société (on reste dans le même champ) – étant entendu que ces différents champs se recoupent et se superposent, voire s'influencent sans pour autant perdre leurs spécificités.

LE TEXTE FREUDIEN

Dès les premières lignes de l'« Esquisse d'une psychologie scientifique », Freud signifie son intention de « faire entrer la psychologie dans le cadre des sciences naturelles » ; trois ans plus tard il opère un véritable renversement de son approche, voire de son mode de pensée : il écrit à Fliess que, s'il est bien convaincu que la psychologie a des fondements biologiques, il pense devoir « se comporter comme s'il n'avait affaire qu'à des facteurs psychologiques »[2]. Si c'est là une conviction qu'il n'aura de cesse de répéter, il tient à préciser, à propos de Dora en 1905, que « **seule la technique thérapeutique est purement psychologique** », que « la théorie ne néglige nullement d'indi-

1. « Pulsions et destins des pulsions » (1915c), *Métapsychologie*, Paris, Gallimard, 1968, p. 18 ; *OCF* XIII (2e éd.), p. 169 ; *GW* X, p. 214.

2. *La naissance de la psychanalyse*, Paris, PUF, 1956, 9 septembre 1895, « Esquisse », p. 315, et lettres du 22 septembre 1898, p. 235 ; *Lettres à Wilhelm Fliess*, Paris, PUF, 2006 (édition complète), p. 603 et p. 416.

quer le fondement organique des névroses », notamment par le biais de la sexualité[1].

La même année 1905, dans les *Trois essais sur la théorie sexuelle*, il remarque combien « la sexualité de la plupart comporte une part d'agression [...] dont la signification biologique pourrait résider dans la nécessité de surmonter la résistance de l'objet sexuel »[2]. L'enfant grandissant, les forces psychiques dresseront des obstacles à la pulsion sexuelle, resserrant son cours ; on pourra alors éprouver « le sentiment que l'édification de ces digues est l'œuvre de l'éducation, et il est certain que l'éducation y contribue largement ; en réalité cette évolution est organiquement déterminée, héréditairement fixée et peut à l'occasion s'effectuer sans le moindre concours de l'éducation. L'éducation reste entièrement dans le domaine qui lui a été assigné lorsqu'elle se borne à suivre les lignes tracées organiquement et à leur imprimer une forme plus nette et plus profonde »[3] ; et de conclure l'ouvrage sur le regret de « l'insuffisance de notre savoir sur les processus biologiques qui constituent l'essence de la sexualité, » débouchant sur notre incapacité à former une théorie qui recouvre le normal comme le pathologique dans la vie sexuelle[4].

La biologie est notre assise mais aussi notre limite ; même si « nous sommes préparés par d'importantes analogies biologiques à ce que le développement psychique de l'individu répète en raccourci le cours du développement de l'humanité »[5], il n'en demeure pas moins que « les pulsions et leurs transformations sont le point ultime que la connaissance psychanalytique peut atteindre, et à partir de là elle cède la place à l'investigation biologique »[6] ; il doit rester entendu que « la psychanalyse n'oublie jamais que le psychique repose sur l'organique,

1. « Fragment d'une analyse d'hystérie (Dora) » (1905e), *Cinq psychanalyses*, Paris, PUF, 1954, p. 84 ; *OCF* VI, p. 292 ; *GW* V, p. 276.

2. *Trois essais sur la théorie sexuelle* (1905d), Paris, Gallimard, 1987, p. 69 ; *OCF* VI, p. 91 ; *GW* V, p. 57.

3. *Ibidem*, p. 100 ; p. 112-113 ; p. 78.

4. *Ibidem*, p. 196 ; p. 181 ; p. 145.

5. *Un souvenir d'enfance de Léonard de Vinci* (1910c), Paris, Gallimard, 1987, p. 114 ; *OCF* X, p. 123 ; *GW* VIII, p. 167.

6. *Ibidem*, p. 177 ; p. 163 ; p. 209.

bien que son travail ne puisse poursuivre le psychique que jusqu'à ce fondement et pas au-delà »[1].

Face à la question de savoir quels facteurs peuvent provoquer des névroses, « le travail psychanalytique se démet et abandonne le problème à la recherche biologique »[2]. Si la psychanalyse a bien montré qu'une bonne moitié des tâches de la psychiatrie incombe à la psychologie, elle n'a en aucune façon « une conception purement psychologique des troubles psychiques et ne méconnaît nullement que l'autre moitié du travail psychiatrique a pour contenu l'influence des facteurs organiques sur l'appareil psychique »[3]. Il n'en est pas moins **nécessaire de « tenir à l'écart les points de vue biologiques pendant le travail psychanalytique** et de ne pas utiliser de tels points de vue à des fins heuristiques » ; pour autant, « une fois le travail psychanalytique accompli, il nous faut trouver la jonction avec la biologie »[4]. À chaque occasion, Freud va répéter ces avertissements et mises en garde; ainsi dans « Pour introduire le narcissisme » en 1914: « Comme je me suis en général efforcé de maintenir à distance de la psychologie tout ce qui lui est hétérogène, et même la pensée biologique, je veux avouer ici expressément que l'hypothèse de pulsions du moi et de pulsions sexuelles séparées, et donc la théorie de la libido, repose pour une très petite part sur un fondement psychologique et s'appuie essentiellement sur la biologie »[5].

L'année suivante l'ouvrage princeps, *Métapsychologie*, introduit le premier essai, « Pulsions et destins des pulsions », par un bref rappel des exigences de scientificité et de leurs contingences, à commencer par celles résultant de la jeunesse d'une science pour qui des concepts

1. « Le trouble psychogène de la vision dans la conception psychanalytique » (1910i), *Névrose, psychose et perversion*, Paris, PUF, 1973, p. 172 ; *OCF* X, p. 185 ; *GW* VIII, p. 101.

2. « La disposition à la névrose obsessionnelle » (1913i), *Névrose, psychose et perversion*, Paris, PUF, 1973, p. 190 ; *OCF* XII, p. 86 ; *GW* VIII, p. 443.

3. « L'intérêt de la psychanalyse » (1913j), *Résultats, idées, problèmes, I*, Paris, PUF, 1984, p. 197 ; *OCF* XII, p. 109 ; *GW* VIII, p. 401.

4. *Ibidem*, p. 205 ; p. 116 ; p. 410.

5. « Pour introduire le narcissisme » (1914c), *La vie sexuelle*, Paris, PUF, 1969, p. 86 ; *OCF* XII, p. 116 ; *GW* X, p. 110.

fondamentaux clairs ne pourront être élaborés qu'au terme d'un long travail de description qui ne peut éviter le recours à certaines idées abstraites, puisées ici ou là ; on ne saurait clairement les cerner mais elles deviendront les concepts fondamentaux de la nouvelle science. En attendant, on renvoie à l'expérience ; si ces idées apparaissent ainsi comme des conventions elles n'en sont pas moins déterminées par des relations significative au matériau empirique, et « il y a un concept fondamental conventionnel de ce genre, encore assez obscur pour l'instant, dont nous ne pouvons nous passer en psychologie : c'est celui de *pulsion* » [1] – d'où le constat que « **la plus importante des *présuppositions* dont nous nous sommes servis pour nous guider dans l'élaboration du monde des phénomènes psychologiques est de nature *biologique*** » [2], ce qui conduit à considérer que « le concept de "pulsion" nous apparaît comme un concept-limite entre le psychique et le somatique » [3]. Trois grandes polarités dominent la vie psychique, et donc les motions pulsionnelles ; « de ces trois polarités on pourrait caractériser celle de l'activité-passivité comme polarité *biologique*, celle du moi-monde extérieur comme polarité *réelle*, et enfin celle du plaisir-déplaisir comme polarité *économique* » [4].

Inlassablement l'enracinement biologique de la psychanalyse est réaffirmé, comme est fermement rappelée sa nécessaire indépendance : si la psychanalyse a bien vocation à explorer « la rencontre d'une perturbation corporelle avec une perturbation psychique », il n'est pas moins impératif pour elle de « demeurer dégagée de tout présupposé de nature anatomique, chimique ou physiologique » en n'usant que de concepts purement psychologiques [5]. L'édifice doctrinal créé pour elle « est en réalité une superstructure qui doit être assise un jour sur ses fondations organiques ; mais nous ne les connaissons pas

1. « Pulsions et destins des pulsions » (1915c), *Métapsychologie*, Paris, Gallimard, 1968, p. 11-12 ; *OCF* XIII, p. 165-16 ; *GW* X, p. 210-211.

2. *Ibidem*, p. 15 ; p. 168 ; p. 213

3. *Ibidem*, p. 18 ; p. 169 ; p. 214

4. *Ibidem*, p. 44 ; p. 187 ; p. 232

5. *Conférences d'introduction à la psychanalyse* (1916-1917), Paris, Gallimard, 1999, p. 27 ; *OCF* XIV, p. 15 ; *GW* I, p. 14.

encore. **En tant que science, la psychanalyse n'est pas caractérisée par la matière qu'elle traite mais par la technique avec laquelle elle travaille** » [1].

Reprenant la théorie des pulsions, Freud rappelle que la distinction entre pulsions sexuelles et pulsions du moi repose sur leurs sources et que « la discussion qui s'y rapporte ne peut être menée sur les concepts mais doit s'en tenir aux faits biologiques qui se trouvent derrière », mais cette question « n'est pas pour la psychanalyse d'une grande portée et ne relève pas non plus de sa compétence » [2]. La sexualité ne débutant qu'avec la pulsion sexuelle qui la détermine, elle est d'abord un fait biologique, et ce constat impose certaines limites à notre recherche. Ainsi « la psychanalyse ne peut élucider l'essence de ce que, au sens conventionnel ou au sens biologique, on nomme "masculin" et "féminin" ; [...] et si l'on tente de les ramener à des concepts plus originaires, la masculinité se volatilise en activité et la féminité en passivité, ce qui est trop peu » [3].

Lourd d'implications est le fait que les pulsions participent naturellement de la vie organique ; ayant dit ceci et s'y appuyant pour développer la psychanalyse, nous devons bien nous « rendre compte que la nécessité de faire des emprunts à la science biologique a considérablement accru le degré d'incertitude de notre spéculation » [4]. Pourtant, même si « le travail psychanalytique tend habituellement à développer ses théories aussi indépendamment que possible de celles des autres sciences, il se voit malgré tout contraint, pour sa théorie des pulsions, de chercher appui auprès de la biologie » [5] ; ainsi c'est « sur la base de réflexions théoriques appuyées sur la biologie [que] nous supposâmes l'existence d'une *pulsion de mort* qui a pour tâche de ramener le vivant organique à l'état inanimé, tandis que l'Éros

1. *Ibidem*, p. 492 ; p. 402 ; p. 403-404.

2. *Ibidem*, p. 524-525 ; p. 428 ; p. 428.

3. « La psychogenèse d'un cas d'homosexualité féminine » (1920a), *Névrose, psychose et perversion*, Paris, PUF, 1973, p. 270 ; *OCF* XV, p. 262 ; *GW* XIII, p. 301.

4. *Au-delà du principe de plaisir* (1920g), *Essais de psychanalyse*, Paris, Payot, 1981, p. 110 ; *OCF* XV, p. 334 ; *GW* XIII, p. 65.

5. « "Psychanalyse" et "Théorie de la libido" » (1923a), *Résultats, idées, problèmes, II*, Paris, PUF, 1984, p. 26 ; *OCF* XVI, p. 207-208 ; *GW* XIII, p. 233.

poursuit le but de compliquer la vie en rassemblant, de façon toujours plus extensive, la substance vivante éclatée en particules, et de la maintenir » [1]. Il est légitime que, « pour la doctrine des pulsions, le travail psychanalytique cherche dans la biologie un étayage » [2] et constate « qu'à chacune des deux espèces de pulsion soit ordonné un processus physiologique particulier » [3]. Ainsi, par la musculature, la libido dérive la pulsion destructrice vers l'extérieur ; une partie, au service de la pulsion sexuelle, constitue le sadisme, une autre demeure dans l'organisme et donne le masochisme originaire, mais « la physiologie ne nous apporte aucune compréhension des voies et des moyens par lesquels peut s'accomplir ce domptage de la pulsion de mort par la libido » [4].

Qu'il s'agisse de l'évolution de la civilisation ou du développement de l'individu, nous nous trouvons face des processus vitaux qui participent donc du caractère le plus général de la vie [5]. Avec le rappel de la nécessaire indépendance de la psychanalyse, revient alors le postulat de la pensée freudienne sur les fondements de la nature humaine, encore réaffirmé en 1933 : « Aussi jalousement que nous défendions d'habitude l'indépendance de la psychologie par rapport à toute autre science, on se trouve ici dans l'ombre de ce fait biologique inébranlable qui veut que l'individu vivant sert deux intentions : l'autoconservation et la conservation de l'espèce » [6]. Si on veut aller au-delà, disons que la psychanalyse est incapable de créer une idéologie (une conception du monde, une *Weltanschauung*), et qu'elle « n'en a d'ailleurs nul

1. *Le moi et le ça* (1923b), *Essais de psychanalyse*, Paris, Payot, 1981, p. 254 ; *OCF* XVI, p. 283 ; *GW* XIII, p. 268-269.

2. « "Psychanalyse" et "Théorie de la libido" » (1923a), *Résultats, idées, problèmes, II*, Paris, PUF, 1984, p. 76 ; *OCF* XVI, p. 208 ; *GW* XIII, p. 232.

3. *Le moi et le ça* (1923b), *Essais de psychanalyse*, Paris, Payot, 1981, p. 254 ; *OCF* XVI, p. 283-284 ; *GW* XIII, p. 268-269.

4. « Le problème économique du masochisme » (1924c), *Névrose, psychose et perversion*, Paris, PUF, 1973, p. 291 ; *OCF* XVII, p. 16 ; *GW* XIII, p. 376.

5. *Malaise dans la civilisation* (1930a [1929]), Paris, PUF, 1971, p. 99-100 ; *OCF* XVIII [*Malaise dans la culture*], p. 326-327 ; *GW* XIV, p. 499.

6. *Nouvelles conférences d'introduction à la psychanalyse* (1933a [1932]), Paris, Gallimard, 1984, p. 129 ; *OCF* XIX, p. 178 ; *GW* XV, p. 102.

besoin, elle est une partie de la science et peut se rattacher à la conception du monde scientifique », aussi incomplète que demeure inévitablement celle-ci [1].

« **Pour le psychique le biologique joue véritablement le rôle du roc d'origine sous-jacent** » [2] ; l'ayant rappelé, le dernier ouvrage, bien qu'inachevé, peut proposer ce qui ressemble fort à une conclusion. Il commence par noter que les choses se compliquent du fait que « toutes les sciences reposent sur des observations et des expériences que transmet notre appareil psychique, mais comme c'est justement cet appareil que nous étudions, l'analogie cesse ici. Nos observations se pratiquent à l'aide du même appareil de perception et nous nous servons précisément des lacunes dans les séries de processus psychiques. Nous reconstituons en effet ce qui manque par des déductions plausibles et le traduisons en matériel conscient. En agissant de la sorte nous ajoutons, pour ainsi dire, une série complémentaire de faits conscients. La certitude relative de notre science du psychisme repose sur la puissance convaincante de ces déductions » [3].

Nous avons cependant quelques certitudes : les pulsions, physiologiquement sexualisées, sont déterminantes dans la causation des névroses ; le fait qu'aucune autre fonction que la fonction sexuelle n'ait été réprimée aussi énergiquement et aussi largement au cours du développement culturel a certainement joué un rôle ; nous ne disposons que de quelques indices pour déceler une connexion plus étroite : le début de la différenciation du moi d'avec le ça est aussi l'époque de la première floraison sexuelle, et des modifications biologiques de la vie sexuelle (instauration en deux temps de la fonction, disparition du caractère périodique de l'excitabilité sexuelle et modification du rapport entre menstruation féminine et excitation masculine) ont certainement eu une grande importance dans le développement menant de l'animal vers l'homme. Il incombera à la science future, et notamment

1. *Ibidem*, p. 243 ; p. 267 ; p. 197.

2. « L'analyse avec fin et l'analyse sans fin » (1937c), *Résultats, idées, problèmes, II*, Paris, PUF, 1984, p. 268 ; *OCF* XX, p. 55 ; *GW* XVI, p. 99.

3. *Abrégé de psychanalyse* (1940a), Paris, PUF, 1949, p. 21-22 ; *OCF* XX, p. 249 ; *GW* XVII, p. 81.

à la biologie, de grouper ces données encore isolées pour en tirer des vues nouvelles. « Nous n'avons peut-être pas tort de dire que le point faible de l'organisation du moi gît dans son comportement à l'égard de la fonction sexuelle, comme si l'opposition biologique entre conservation de soi et conservation de l'espèce avait trouvé là une expression psychologique » ; à quoi il convient d'ajouter que le fait biologique de l'existence de deux sexes demeure une grande énigme que la psychanalyse n'a en rien contribué à résoudre car elle ressort de la biologie et, dans le psychisme, nous ne découvrons que des reflets de cette opposition fondamentale et fondatrice [1].

QUESTIONS ET ENJEUX

Situer la position de la psychanalyse par rapport à la biologie apparaît à Freud comme une nécessité : la biologie, science de la vie, ne peut que conditionner le fonctionnement psychique, elle en est l'assise mais aussi la limite. C'est ainsi que la plus importante des présuppositions qui l'ait guidé dans l'élaboration de la psychanalyse est de nature *biologique* : elle opère avec le concept de tendance qui veut que le système nerveux ait pour fonction d'écarter les excitations pour tendre vers un état de non-excitation [2].

Le psychique repose sur l'organique et s'il est vrai que la psychanalyse doit en poursuivre l'étude jusqu'à atteindre ce fondement, elle doit s'y arrêter ; cela s'illustre au mieux avec le concept de pulsion, point ultime au-delà duquel la place doit être laissée à la biologie. Le fonctionnement psychique put commencer à être compris lorsque fut découvert le rôle fondamental qu'y prend la sexualité ; or, ne débutant qu'avec la pulsion sexuelle qui la détermine, la sexualité est d'abord un fait biologique.

Que la pulsion soit un « concept-limite entre psychique et somatique » fait que, tout en étant la part la plus importante de la doctrine

1. *Ibidem*, p. 54-58 ; p. 278-282 ; p. 111-115.

2. « Pulsions et destins des pulsions » (1915c), *Métapsychologie*, Paris, Gallimard, 1968, p. 15-16 ; *OCF* XIII, p. 168 ; *GW* X, p. 213.

psychanalytique, la théorie des pulsions en est aussi la plus incomplète[1], si bien que la psychanalyse ne dispose pas d'une véritable théorie des pulsions[2]. Que celles-ci participent naturellement de la vie organique est un constat d'autant plus lourd d'implications que nous ne pouvons faire autrement que de nous y appuyer pour développer la psychanalyse ; ce faisant, nous devons bien nous rendre compte que « la nécessité de faire des emprunts à la science biologique a considérablement accru le degré d'incertitude de notre spéculation »[3]. D'où le constat que la psychanalyse doit d'autant mieux connaître ses limites et savoir identifier les problèmes qu'il lui faut abandonner à la biologie les causes des troubles du développement[4], avec la nécessité de veiller à respecter les champs et à ne pas mélanger point de vue biologique et travail psychanalytique[5].

Plus que sur les spécificités de chacune des deux sciences, *c'est sur le croisement tellement singulier entre le psychique et le biologique que travaille la psychanalyse*, espérant « dévoiler le terrain commun à partir duquel devient compréhensible la rencontre d'une perturbation corporelle avec une perturbation psychique »[6] ; dans cette recherche, il importe de ne jamais perdre de vue la singularité psychanalytique. C'est pourquoi l'ancien biologiste qu'est Freud met régulièrement en garde les psychanalystes contre tout présupposé biologique et toute importation de notions étrangères à la psychanalyse ; certes, son « édifice théorique, que nous avons créé, est en réalité une superstructure qui doit être assise un jour sur ses fondations organiques ; mais nous ne les connaissons pas encore »[7] ; en attendant, la psychanalyse « doit absolument travailler avec des concepts qui soient

1. Ajout de 1924 aux *Trois essais sur la théorie sexuelle* (1905d), Paris, Gallimard, 1987, p. 84 n. 1 ; *OCF* VI, p. 102 n. 1 ; *GW* V, p. 67 n. 1.

2. *Sigmund Freud présenté par lui-même* (1925d), Paris, Gallimard, 1984, p. 95-96 ; *OCF* XVII, p. 104 ; *GW* XIV, p. 83.

3. *Au-delà du principe de plaisir* (1920g), *Essais de psychanalyse*, Paris, Payot, 1981, p. 110 ; *OCF* XV, p. 334 ; *GW* XIII, p. 65.

4. « La disposition à la névrose obsessionnelle » (1913f), *Névrose, psychose et perversion*, Paris, PUF, 1973, p. 190 ; *OCF* XII, p. 86 ; *GW* VIII, p. 443.

5. *Ibidem*, p. 205 ; p. 116 ; p. 410.

6. *Conférences d'introduction à la psychanalyse* (1916-1917), Paris, Gallimard, 1999, p. 27 ; *OCF* XIV, p. 15 ; *GW* XI, p. 14.

7. *Ibidem*, p. 492 ; p. 402 ; p. 403-404.

purement psychologiques »[1]. Mais, une fois accompli le travail psychanalytique en ayant tenu à l'écart les points de vue biologiques, veillant à « ne pas utiliser de tels points de vue à des fins heuristiques afin de ne pas être égaré dans le jugement impartial porté sur les faits psychanalytiques, il nous faut trouver la jonction avec la biologie »[2].

Si celle-ci est bien la science qui est le plus immédiatement, naturellement et fondamentalement en prise avec l'objet psychanalytique, si « pour le psychique le biologique joue véritablement le rôle du roc d'origine sous-jacent »[3], c'est aussi par la biologie que la psychanalyse peut s'intégrer aux sciences, voire à « la science » pour ceux qui se réclament d'une *Weltanschauung* de scientificité. L'édifice doctrinal qu'elle s'est créé est une superstructure provisoire qui devra un jour trouver ses fondements organiques (conformément aux présupposés positivistes de Freud), même si nous ne pouvons deviner ce qu'il en ira alors.

Dans notre approche de la question, un *problème épistémologique* mettant en cause la biologie s'est, de fait, trouvé posé : « En tant que science, la psychanalyse n'est pas caractérisée par la matière qu'elle traite mais par la technique avec laquelle elle travaille »[4] (ceci doit justifier son application à l'histoire des civilisations ou à la science des religions aussi bien qu'au traitement des névroses). La conclusion n'en est pas moins qu'elle « ne poursuit pas d'autre fin et n'opère pas autre chose que la mise au jour de l'inconscient dans la vie psychique »[5] – ce qui semble bien poser l'inconscient comme la « matière qu'elle traite ». Alors ? La « technique avec laquelle elle travaille » est avant tout, voire exclusivement, celle de la cure : à savoir l'usage du transfert et du contre-transfert, des associations libres du patient et de l'attention flottante de l'analyste. Et si ces techniques sont bien les conditions impératives à la mise au jour de l'inconscient, on voit d'autant moins la place que pourrait y prendre la biologie que,

1. *Ibidem*, p. 27 ; p. 15 ; p. 14.

2. « L'intérêt de la psychanalyse » (1913j), *Résultats, idées, problèmes*, *I*, Paris, PUF, 1984, p. 205 ; *OCF* XII, p. 116 ; *GW* VIII, p. 410.

3. « L'analyse avec fin et l'analyse sans fin » (1937c), *Résultats, idées, problèmes*, *II*, Paris, PUF, 1984, p. 268 ; *OCF* XX, p. 55 ; *GW* XVI, p. 99.

4. *Conférences d'introduction à la psychanalyse* (1916-1917), Paris, Gallimard, 1999, p. 492 ; *OCF* XIV, p. 402 ; *GW* XI, p. 403-404.

5. *Ibidem*.

comme Freud y insiste, on doit veiller à ne pas la mélanger avec le travail psychanalytique ?

Les choses se compliquent encore si l'on a présent à l'esprit l'avertissement de 1915 selon lequel « nous ne connaissons naturellement l'inconscient que comme conscient, une fois qu'il a subi une transposition ou traduction en conscient » [1] ; il est impossible de connaître l'inconscient directement. Pourtant nous l'étudions, faisant comme s'il était tangible ; nous en repérons les manifestations et croyons les comprendre. Il y a là comme une aporie, d'autant qu'il nous est signifié en 1925 que le mot psychanalyse ne désigne plus seulement un procédé thérapeutique spécifique mais « est maintenant aussi le nom d'une science, celle du psychique inconscient », science d'ailleurs apte à fournir d'importantes contributions à des champs variés du savoir puisque « le domaine d'application de la psychanalyse s'étend exactement aussi loin que celui de la psychologie, à laquelle elle ajoute un complément d'une portée considérable » [2]. *Quid* alors ici de la biologie ?

La réponse, dont l'explicitation semble bien avoir été esquivée par Freud, se trouve peut-être dans une lettre qu'il adressa à Georg Groddeck, et où il lui redit combien il apprécie ses conceptions sur les rapports entre le psychique et le somatique. « L'acte inconscient exerce sur les processus somatiques une action plastique intense que n'obtient jamais l'acte conscient », lui écrit donc Freud. Et il poursuit en fournissant la clé d'une note assez énigmatique de « L'inconscient » [3] qui, impliquant Ferenczi, visait en fait la façon dont « le facteur psychique joue un rôle d'une ampleur insoupçonnée dans la naissance des maladies organiques ». Quelle différence entre psychique et somatique ? « L'inconscient est certainement le véritable intermédiaire entre les deux, peut-être est-il le chaînon manquant tant cherché » [4]. Il semble bien avoir là livré à Groddeck la teneur de discussions avec Ferenczi, qui ne lui semblait sans doute pas encore

1. « L'inconscient » (1915e), *Métapsychologie*, Paris, Gallimard, 1968, p. 65 ; *OCF* XIII, p. 207 ; *GW* X, p. 264.

2. *Sigmund Freud présenté par lui-même* (1925d), Paris, Gallimard, 1984, p. 119 ; *OCF* XVII [« Autoprésentation »], p. 118 ; *GW* XVI, p. 96.

3. « L'inconscient » (1915e), *Métapsychologie*, Paris, Gallimard, 1968, p. 98 ; *OCF* XIII, p. 228 ; *GW* X, p. 286.

4. *Correspondance (1873-1939)*, Paris, Gallimard, 1965, lettre du 5 juin 1917, p. 345-346.

assez mûre pour être développée plus largement ; il ne s'agit de rien de moins que du « terrain commun » entre psyché et soma, du lieu de rencontre entre psychanalyse et biologie, le « chaînon manquant » qui les unit n'étant rien d'autre que l'inconscient lui-même. En révélant des phénomènes ne pouvant s'expliquer que par l'existence d'un inconscient, la « technique », qui est d'abord celle de la cure, peut justifier la psychanalyse comme science ; si l'on considère que cet inconscient assure bien un lien et une communauté entre psychique et biologique, on peut désormais parler d'une « science de l'inconscient ». L'aporie est peut-être ainsi dépassée ?

Mais des complications resurgissent lorsqu'on veut prendre en compte la polarité de l'amour et de la haine, qui s'est trouvée au départ de la réflexion qui a conduit à Éros et mort : non seulement la haine est le compagnon régulier de l'amour (ambivalence), mais elle-même peut se transformer en amour et réciproquement ; « si, plutôt qu'une succession cette transformation est une relève, le sol se dérobe pour une distinction aussi fondamentale que celle des pulsions érotiques et des pulsions de mort, qui présuppose l'existence de processus physiologiques aux directions opposées »[1], donc existant avant toute ambivalence. Il y a là une difficulté, voire une impasse ; « le problème de la qualité des motions pulsionnelles [...] est encore très obscur »[2] et on constate une fois de plus que, quelle que soit l'importance de la référence biologique pour penser la psychanalyse, en dépit du « terrain commun », les deux champs demeurent irréductibles. Pour autant, ils ne sauraient s'ignorer ; il apparaît à Freud que, en pareille occurrence, c'est la psychanalyse qui doit le moins méconnaître la biologie.

Si la psychanalyse ne doit pas méconnaître la biologie, elle n'a pas pour autant à la connaître (au sens savant du terme) ; lorsqu'elle la rencontre, elle fait un constat de présence et laisse à d'autres, aux biologistes essentiellement, la tâche exploratrice, consciente de ne rien avoir d'essentiel à leur apporter ; c'est là une différence considérable avec les sciences sociales où elle peut revendiquer un droit d'ingérence. Ainsi, lorsque la psychanalyse est confrontée à un fait biologique (prenons l'exemple de l'état de détresse du nouveau-né),

1. *Le moi et le ça* (1923b), *Essais de psychanalyse*, Paris, Payot, 1981, p. 256 ; *OCF* XVI, p. 286 ; *GW* XIII, p. 21.

2. *Ibidem*, p. 258 ; p. 287 ; 273.

elle en prend acte ; elle cherche à en comprendre les répercussions et conséquences sur la suite du fonctionnement psychique (la première angoisse face au constat d'un non-soi, d'un non-moi, auquel succédera la nostalgie), toutes situations dont elle peut, dont elle doit chercher à rendre compte – mais pour ce qui en est du fait biologique lui-même, elle ne peut que s'abstenir.

Dans cette démarche freudienne on reconnaît l'influence du positivisme, encore largement dominant en ce début de siècle ; on devine celle de certaines positions des néo-positivistes du « Cercle de Vienne », contemporains du Freud de la 2ᵉ topique (mais qu'il ignorait, semble-t-il). Sa confiance dans les progrès à venir de la recherche biologique est grande : « la biologie est vraiment un domaine aux possibilités illimitées ; nous devons nous attendre à recevoir d'elle les lumières les plus surprenantes, [... et celles-ci] feront peut-être s'écrouler tout l'édifice artificiel de nos hypothèses ». Près d'un siècle plus tard les progrès s'avèrent effectivement considérables mais les faire-part de décès de la psychanalyse, aussi récurrents que stéréotypés, ne semblent avoir nullement fait s'écrouler l'édifice – en dépit d'insuffisances et d'obscurités persistantes dans son champ, lacunes qui exigeront encore bien du travail. Mais, au point où nous en sommes « ne jugez pas trop durement un premier essai pour rendre sensible le psychique si difficilement saisissable » [1].

Claude LE GUEN

BISEXUALITÉ

all. : ***Bisexualität***. – angl. : *bisexuality*. – sp. : *bisexualidad*. – ital. : *bissessualità*. – port. : *bissexualidade*

Chaque être possède originellement et constitutionnellement, quel que soit son sexe, des caractères biologiques et anatomiques tant masculins que féminins, ce qui a des conséquences importantes sur son organisation et son fonctionnement psychiques.

1. *Nouvelles conférences d'introduction à la psychanalyse* (1933a [1932]), XXXIᵉ conférence sur « La décomposition de la personnalité psychique », Paris, Gallimard, 1984, p. 109 ; *OCF* XIX, p. 162 ; *GW* XV, p. 85-86.

MISE EN SITUATION

La réunion des deux sexes anatomiques – et non plus seulement de leurs caractères – dont le but est la « procréation », n'existe qu'en botanique ; l'androgynie humaine ne concerne que l'individu du sexe masculin. Freud ne retient le terme de « bisexualité » que dans ses conséquences sur le développement psycho-sexuel de chaque individu. Cette bisexualité lui fut suggérée par Wilhelm Fliess, et il l'adopta d'emblée, la considérant « comme la plus importante au point de vue de [ses] travaux ». Elle y est d'ailleurs référée tout au long de l'œuvre, depuis La naissance de la psychanalyse *en 1896 jusqu'à* Abrégé de psychanalyse *et* Le président T. W. Wilson *en 1938.*

LE TEXTE FREUDIEN

Pourtant, Freud n'a jamais consacré d'article à ce thème, même si, dans sa *Correspondance avec Wilhelm Fliess,* il l'avait envisagé sous le titre « De la bisexualité humaine ». Mais il ne dispose, à cette époque, que d'un seul élément, qui repose – comme il le pense depuis longtemps – sur « l'idée que le refoulement n'est possible que du fait d'une réaction entre deux courants sexuels ». S'il s'élève contre le postulat de Fliess (qui identifie la bisexualité à la bilatéralité), il maintient et adopte d'emblée sa conception de la bisexualité elle-même. Si, pendant un temps, travaillant sur les rêves, il s'en éloigne et « l'enfouit dans une fosse obscure », il pense, deux ans plus tard, que la bisexualité « primitive » ou « originelle » est incontournable et considère **« chaque acte sexuel comme un événement impliquant quatre personnes »** [1]. La bisexualité est en outre responsable de traces d'homosexualité chez tout un chacun.

1. *La naissance de la psychanalyse. Lettres à Wilhelm Fliess. Notes et plans (1887-1902)* (1950a [1887-1902]), Paris, PUF, 1973, p. 297, 215 et 257.

Dans *L'interprétation des rêves,* en 1900, on retrouve cette constance de la bisexualité pour expliquer le choix entre perversion et névrose, celle-ci ne pouvant se résoudre « que si l'on admet sans réserves la bisexualité originelle de l'individu »[1]. D'ailleurs, « le refoulement et les névroses, donc l'autonomie de l'inconscient, présupposent [également] l'existence d'une bisexualité ». C'est ainsi que, lors de l'interprétation de certains rêves, on doit en tenir compte, le rêveur réalisant des tendances homosexuelles. Mais, critiquant Wilhelm Stekel et Alfred Adler, Freud pense par contre que tous les rêves ne sont pas interprétables par la bisexualité. Les tendances homosexuelles se retrouvent en tant que traces chez tout névrosé ainsi que dans les symptômes hystériques où deux fantasmes coexistent. Mais on ne peut « éviter de parler de **ce qu'il y a de généralement biologique et anatomique dans la bisexualité** ».

En 1905, dans les *Trois essais sur la théorie sexuelle,* à propos de l'inversion qui est un trouble du développement de la pulsion sexuelle, Freud évoque et discute certains auteurs pour infirmer les théories de la dégénérescence et des caractères acquis ou innés, qui n'expliquent pas suffisamment la nature de l'inversion. On ne peut pas plus transférer la conception de l'hermaphrodisme anatomique (qui relève de la norme) au domaine de l'hermaphrodisme psychique, qui résulte de la bisexualité originelle ; ces caractères n'ont qu'une très faible interdépendance, voire aucune dépendance. Il convient également de faire de grandes réserves quant à un seul modèle, l'inversion faisant apparaître une grande variété de « mélanges ». Les Grecs, virils mais invertis, étaient attirés non pas par la virilité de leur objet d'amour, mais par le caractère féminin des jeunes garçons ; « dans ces cas, l'objet sexuel n'est pas, par conséquent, le même sexe, mais la réunion des deux caractères sexuels, le compromis en quelque sorte, entre deux motions » qui sont « le reflet de la propre nature bisexuelle de l'intéressé »[2]. Il n'y a pas d'inversion du caractère chez ces hommes, dont la virilité psychique est compatible avec leur comportement, contrai-

1. *L'interprétation des rêves* (1900a), Paris, PUF, 1967, p. 515 ; *OCF* IV, p. 661 ; *GW* II-III, p. 611.

2. *Trois essais sur la théorie sexuelle* (1905d), Paris, Gallimard, 1987, p. 50 ; *OCF* VI, p. 77 ; *GW* V, p. 44.

rement (et « malheureusement ») aux femmes inverties actives ; pour elles, « les caractères somatiques et psychiques masculins » sont très fréquents et « exigent de leur objet sexuel la féminité ».

Mais **si la bisexualité et les influences extérieures participent à l'inversion, elles n'en sont pas les seules causes et ne sauraient l'expliquer** ; il faut que « dans l'individu quelque chose vienne la soutenir ». L'inversion est extrêmement complexe et « englobe des types très différents d'activité et de développement sexuels ». Il conviendrait même d'établir une distinction entre « l'inversion concernant le caractère sexuel de l'*objet* ou celui du *sujet* ». À noter que Sandor Ferenczi se refuse « à mettre dans le même sac » toutes les inversions sous prétexte qu'elles ont en commun l'homosexualité, aussi les nomme-t-il « *homoérotismes* ». À propos du rôle de la bisexualité primitive dans le retour des désirs sexuels infantiles refoulés – qui se renouvellent au cours du développement et peuvent devenir des forces pulsionnelles des symptômes névrotiques –, Freud constate qu'il a mis de côté « les questions encore obscures des perversions et de la bisexualité » pour expliquer les rêves sexuels[1]. Cependant, dans le *couple d'opposés* sadisme/machosisme, « on serait tenté de mettre cette présence simultanée d'opposés en rapport avec l'opposition du masculin et du féminin réunis dans la bisexualité ». Mais, en psychanalyse, il faut souvent « les remplacer par celle d'actif et de passif »[2].

« L'activité autoérotique est la même pour les deux sexes », ce qui implique la suppression de la différence des sexes pendant l'enfance, celle-ci n'apparaissant qu'à la puberté ; jusque-là la petite fille a « une sexualité entièrement masculine ». La libido ne peut donc être que de nature masculine, aussi bien chez la femme que chez l'homme, « abstraction faite de son objet », puisqu'elle est toujours active même si elle se donne un but passif. Sans le facteur déterminant de la bisexualité, on ne « peut guère comprendre les manifestations sexuelles » dans les deux sexes. Il faut bien constater, en 1905, que ces concepts de « masculin » et « féminin » sont des plus confus et admettre que, **chez chaque être humain, on retrouve « un mélange de ses propres**

1. *Ibidem,* p. 51-52 ; p. 77-79 ; p. 44-46.
2. *Ibidem,* p. 72 ; p. 103 ; p. 69.

caractères sexuels biologiques et des traits biologiques de l'autre sexe et un amalgame d'activité et de passivité » [1].

En 1908, « Les fantasmes hystériques et leur relation à la bisexualité » montrent qu'il est dans la nature du « symptôme hystérique [de survenir] comme compromis entre deux motions d'affect ou motions pulsionnelles opposées ». Ce compromis est « l'expression d'une part d'un fantasme sexuel inconscient masculin, d'autre part d'un fantasme sexuel inconscient féminin », l'un de ceux-ci venant d'une motion homosexuelle. La constitution bisexuelle se retrouve avec netteté dans l'analyse des psychonévroses, et tout aussi bien chez le masturbateur qui tente, « dans ses fantasmes inconscients, de ressentir ce qu'éprouvent aussi bien l'homme que la femme » [2]. L'année suivante, les « Considérations générales sur l'attaque hystérique » notent que la coexistence des deux fantasmes suppose, dans un même matériel, une *identification multiple* et plusieurs fantasmes. La crise d'hystérie utilise la déformation et la condensation comme dans les processus du rêve ; la déformation « est due au *renversement antagoniste des innervations,* analogue à la transformation d'un élément en son contraire » [3].

Ce n'est que dix ans plus tard que Freud revient sur la question dans « Un enfant est battu » pour redire son opposition à la théorie du refoulement selon Fliess, qui, s'appuyant sur la constitution bisexuelle, pense que « le combat des caractères sexuels serait le motif du refoulement » chez l'homme, le refoulé inconscient étant à ramener à des motions pulsionnelles féminines, et l'inverse pour la femme. Il réfute également la théorie de la « protestation virile » d'Alfred Adler, qui écarterait la ligne féminine et serait « dans tous les cas le motif de refoulement » [4]. En 1920, « Psychogenèse d'un cas

1. *Ibidem,* p. 161-162 ; p. 157-159 ; p. 120-121.

2. « Les fantasmes hystériques et leur relation à la bisexualité » (1908a), *Névrose, psychose et perversion,* Paris, PUF, 1973, p. 155 et 162 ; *OCF* VIII, p. 185 ; *GW* VII, p. 198.

3. « Considérations générales sur l'attaque hystérique » (1909a), *Névrose, psychose et perversion,* Paris, PUF, 1973, p. 162 ; *OCF* VIII, p. 246 ; *GW* VII, p. 236-237.

4. « Un enfant est battu. Contribution à la genèse des perversions sexuelles » (1919e), *Névrose, psychose et perversion,* Paris, PUF, 1973, p. 240-241 ; *OCF* XV, p. 143-144 ; *GW* XII, p. 222-223.

d'homosexualité féminine » admet l'extrême difficulté du traitement de l'inversion génitale (ou homosexualité), ne serait-ce que pour rétablir au moins une fonction bisexuelle. Tout en confirmant que, dans « les deux sexes le degré d'hermaphrodisme psychique est dans une large mesure indépendant du degré d'hermaphrodisme physique »[1], Freud précise que cette indépendance serait plus nette chez l'homme. La jeune fille homosexuelle, dont il rapporte le cas, avait choisi un objet sexuel correspondant non seulement à son idéal féminin, mais également à son idéal masculin : cet objet « unifiait la satisfaction de la direction homosexuelle de ses désirs avec celle de leur direction hétérosexuelle ». Il ne faut donc pas perdre de vue « la bisexualité générale de l'être humain »[2] dans la genèse de l'inversion, d'autant que, normalement et la vie durant, la libido oscille dans ses choix, de l'objet masculin à l'objet féminin ; cet objet est, finalement, une réalisation de désir bisexuelle.

On doit donc séparer, dans l'homosexualité, tant les questions de choix d'objet, que celles de position et de caractère sexuel puisque, **de par leur bisexualité originaire, « tous les individus normaux présentent à côté de leur hétérosexualité manifeste une proportion très considérable d'homosexualité latente ou inconsciente »**[3]. Si la psychanalyse peut « dévoiler les mécanismes psychiques qui ont conduit à la décision du choix d'objet », elle ne peut élucider l'« essence » de ce qu'on nomme masculin et féminin dans la bisexualité originaire ; c'est pourquoi elle ne saurait avoir « une thérapeutique de l'inversion universellement applicable », et ne peut donc résoudre le problème de l'homosexualité[4].

Platon, dans *Le banquet,* propose une parabole que Freud rapporte dans *Au-delà du principe de plaisir,* y voyant l'illustration de ce que, dès ses origines, la pulsion sexuelle avec ses variations quant à l'objet serait double. Jadis existaient trois sexes, le troisième (dit *androgyne*)

1. « Psychogenèse d'un cas d'homosexualité féminine » (1920a), *Névrose, psychose et perversion,* Paris, PUF, 1973, p. 252 ; *OCF* XV, p. 242 ; *GW* XII, p. 280.

2. *Ibidem,* p. 255 ; p. 246 ; p. 283.

3. *Ibidem,* p. 269 ; p. 261 ; p. 300.

4. *Ibidem,* p. 269-270 ; p. 261-262 ; p. 300-301.

tenant des deux autres réunis, si bien que tout en eux était double. Un jour, Zeus décida de les partager en deux, mais « une nostalgie poussait les deux moitiés à se rejoindre [... et] elles s'enlaçaient l'une l'autre, dans la passion de ne faire qu'un ». Ce pourrait bien être là, pense Freud, un modèle de la substance vivante qui, lorsqu'elle prit vie, fut déchirée en particules qui « depuis lors tendent à se réunir à nouveau sous l'effet des pulsions sexuelles... » et de conclure que lui-même « ne sait pas dans quelle mesure il y croit » [1].

Si dans *Le moi et le ça* est bien montré comment les identifications primaires aux parents vont influencer les choix d'objets ultérieurs, Freud ajoute que deux facteurs interviennent et compliquent ces relations, à savoir : « La disposition triangulaire de la relation œdipienne et la bisexualité constitutionnelle de l'individu » qui s'y ajoute ; c'est ainsi que l'identification au père ou à la mère dépend « de la force relative des dispositions sexuelles masculines et féminines ». Le complexe d'Œdipe, *dans sa forme complète,* est double, « positif et négatif, sous la dépendance de la bisexualité originaire de l'enfant ». Ainsi le garçon, tout en s'identifiant au père peut, dans le même temps, se comporter comme une fille envers lui. Cette complexité qu'apporte la bisexualité fait dire à Freud qu'il « est bien difficile d'y voir clair dans les relations des choix d'objet et des identifications primitifs, et encore plus difficile de les décrire d'une façon compréhensible », et il avance l'hypothèse que l'ambivalence dans les rapports aux parents « doit être entièrement rattachée à la bisexualité » et non plus (ou plus seulement) dépendre de l'identification et de l'attitude de la rivalité[2].

Là-dessus, dans « Dostoïevski et le parricide », sont apportés quelques éclairages. Quand « le facteur constitutionnel que nous appelons la bisexualité se trouve être plus fortement développé », il vient compliquer le complexe d'Œdipe du petit garçon qui (au lieu de tenter d'éliminer le père rival tout en redoutant d'en être puni par la castration, et de vouloir préserver sa masculinité en renonçant à la mère et à l'élimination du père) renforce son inclination vers la fémi-

1. *Au-delà du principe de plaisir* (1920g), *Essais de psychanalyse,* Paris, Payot, 1981, p. 106-108 ; *OCF* XV, p. 331-332 ; *GW* XIII, p. 62-63.

2. *Le moi et le ça* (1923b), *Essais de psychanalyse,* Paris, Payot, 1981, p. 244-246 ; *OCF* XVI, p. 275-277 ; *GW* XIII, p. 259-262.

nité au détriment de sa masculinité : il veut prendre la place de la mère auprès du père, mais au prix d'une castration qui renforce l'angoisse devant la position féminine. C'est ainsi « qu'une forte prédisposition bisexuelle vient conditionner ou renforcer la névrose » [1].

En 1929, examinant les sorts faits par la civilisation à la sexualité, Freud énumère diverses causes capables de s'opposer à la pleine satisfaction, entraves qui contraindraient à suivre d'autres voies. Il émet alors l'hypothèse que l'homme a une « disposition non équivoque à la bisexualité », ses deux parties *masculine* et *féminine* ayant pu être, à l'origine, hermaphrodites. Mais seule l'anatomie peut révéler « le caractère propre du "masculin" ou du "féminin", ce qui fait que mieux vaut recourir à l'opposition actif-passif ». Il ne faut pourtant pas perdre de vue que c'est à tort que « nous faisons correspondre l'activité avec la masculinité, la passivité avec la féminité », puisqu'on retrouve beaucoup d'exceptions à cette concordance. L'une des entraves à la sexualité serait donc la bisexualité dans la mesure où, dans la vie sexuelle, elle entraîne tout individu à vouloir « satisfaire des désirs masculins et féminins ; nous sommes prêts à accepter aussi l'éventualité qu'ils ne soient pas tous satisfaits par le même objet ». Et Freud de regretter que la théorie de la bisexualité demeure très obscure, si bien que « nous devons en psychanalyse considérer comme une grave lacune l'impossibilité de la rattacher à la théorie des pulsions » [2].

Si la double orientation, active et passive, correspond à la constitution bisexuelle dans l'Œdipe du garçon, la fille n'aurait une activité sexuelle active, donc masculine, que dans la masturbation, celle-ci n'étant que clitoridienne ; elle devra s'en éloigner, voire l'abandonner complètement pour atteindre un véritable développement féminin, aidée en cela par « l'humiliation narcissique qui se rattache à l'envie du pénis » – est-il noté en 1925 dans « Quelques conséquences psychiques de la différence anatomique entre les sexes ». Pourtant, critiquant les féministes, Freud leur accorde le fait que tous les individus, par suite « de leur constitution bisexuelle et de leur hérédité croisée, possèdent à

1. « Dostoïevski et le parricide » (1928b [1927]), *Résultats, idées, problèmes, II*, Paris, PUF, 1984, p. 169 ; *OCF* XVIII, p. 215 ; *GW* XIV, p. 407.

2. *Malaise dans la civilisation* (1930a [1929]), Paris, PUF, 1971, p. 58, n. 1 ; *OCF* XVIII, p. 292, n. 2 ; *GW* XIV, p. 465, n. 2.

la fois des traits masculins et des traits féminins »[1]. En 1931, dans « Sur la sexualité féminine », il découvre la période préœdipienne du lien à la mère si importante pour la petite fille ; il n'en conclut pas moins qu'elle doit s'en détourner pour ouvrir la voie vers la féminité. Chez elle, la bisexualité serait beaucoup plus accentuée puisqu'elle possède deux organes génitaux : le vagin féminin et le clitoris « atrophié » mais analogue au pénis, donc masculin. Cette infériorité serait la cause de son « envie du pénis », et la cause de son abandon de l'activité masturbatoire masculine, qui ouvrirait alors la voie à la masculinité[2].

Dans *Le président T. W. Wilson,* ouvrage écrit en collaboration avec William C. Bullitt, n'apparaissent plus les nuances décrites dans *Malaise dans la civilisation* à propos de masculin/actif et féminin/passif ; mais, plus avant dans l'ouvrage, est dit avec force que, sans la bisexualité, « la société humaine ne pourrait exister. Si l'homme n'était qu'activité agressive, et la femme passivité, la race humaine aurait cessé d'exister longtemps avant l'aube de l'histoire, car les hommes se seraient massacrés jusqu'au dernier ». La bisexualité est dans la nature humaine, et si les individus « n'étaient pas bisexuels, ils ne seraient pas humains. Naître bisexuel est aussi normal que naître avec deux yeux. Un mâle ou une femelle sans bisexualité seraient aussi inhumains qu'un cyclope »[3].

QUESTIONS ET ENJEUX

Lorsque nous suivons la démarche de Freud sur la bisexualité, nous pouvons être dérouté de ce qu'il recourt tout autant, voire indifféremment, au couple actif-passif qu'au masculin-féminin, l'activité ne concernant que le masculin et la passivité que le féminin, tout

1. « Quelques conséquences psychologiques de la différence anatomique entre les sexes » (1925j), *La vie sexuelle*, Paris, PUF, 1969, p. 129 et 131-132 ; *OCF* XVII, p. 198 et 201-202 ; *GW* XIV, p. 26-27 et 30.

2. « Sur la sexualité féminine » (1931b), *La vie sexuelle*, Paris, PUF, 1969, p. 140, 141, 151 et 154 ; *OCF* XIX, p. 10, 12, 14 et 28 ; *GW* XIV, p. 518-520, 533 et 535.

3. S. Freud et W. Bullitt, *Le président T. W. Wilson (1930-1938)* (1966b), Paris, Payot, 1990, p. 89-90 et 112.

en nous disant régulièrement que l'on retrouve un amalgame de ces notions chez tout individu. S'il précise bien qu'actif et passif ne concernent que les buts de la pulsion, et non pas la pulsion sexuelle elle-même, il est parfois difficile de distinguer la pulsion de son but lorsqu'il est question d'actif-passif, puisque la pulsion est par définition toujours active.

À le lire, et quoiqu'il en dise, il semble privilégier l'activité associée au masculin au détriment (relatif) de la passivité associée au féminin, celle-ci pouvant prendre alors une connotation quelque peu péjorative. Ne pourrait-on pas y reconnaître le « roc de la féminité » ? Ou peut-être, plus précisément, le refus plus prononcé du féminin chez l'homme (par rapport à ce « roc »), et l'acceptation plus évidente chez la femme de sa bisexualité, et non pas seulement par rapport à son « petit pénis atrophié ». Lorsque cette petite fille doit renoncer au « petit garçon » qu'elle est, en même temps qu'à ses buts actifs, pour pouvoir accéder à sa sexualité féminine, celle-ci ne reprend sans doute pas tout le féminin de la pulsion sexuelle qui, elle, demeure entièrement bisexuelle. Il en va de même de la virilité qui n'est pas l'équivalent du masculin de la bisexualité. Féminité et virilité sont des qualités qu'on ne saurait attribuer à la pulsion qui, par définition, ne peut en avoir.

Si l'objet satisfait en partie la pulsion sexuelle du sujet, ce n'est que dans la mesure où, par lui-même, il est tout aussi bisexuel. Nous retrouvons là ces « quatre personnes » impliquées dans l'acte sexuel, également impliquées dans la constitution du complexe d'Œdipe où les choix d'objet ne peuvent être qu'ambivalents, tout comme les identifications.

Il n'y a pas d'antagonique à la bisexualité, à l'encontre de ce qu'il en va dans les couples d'opposés. La bisexualité postule – ce qui n'est pas rien – une complémentarité de chaque sexe avec le sexe opposé, ce qui se retrouve dans les inversions, certains symptômes, rêves et fantasmes, à commencer par les originaires. Peut-être pourrait-on dire que la pulsion sexuelle est duelle en elle-même, retrouvant ainsi cette dualité dans l'homosexualité latente de chaque être, « entretenue » par la bisexualité originaire. Cette homosexualité serait un des buts et un des objets de la pulsion « duelle », que l'on aurait à connaître.

Annick LE GUEN

But de la pulsion → **Pulsion**

C

ÇA

all. : *Es*. – angl. : *id*. – esp. : *ello*. – ital. : *es*. – port. : *id*

Le ça est le psychique originaire, origine et réservoir de l'énergie psychique, de la libido, des pulsions ; pulsions de vie et de mort s'y mélangent. Désigné comme système, ou instance, le ça est introduit dans le « point de vue théorique » connu comme « 2e topique » ; celle-ci se veut un outil mieux adapté à la construction et au maniement métapsychologique que la première qui se bornait à référer les qualités « conscient » et « inconscient ». Associé au moi (et au surmoi) comme élément composant la personnalité psychique, le ça et ce qu'il figure – tout comme le *das Es* allemand – substantifie un pronom impersonnel pour représenter l'indéterminé, voire l'indéterminable de ce qui demeure inexorablement inconscient dans le psychisme individuel depuis son origine. S'ancrant dans le biologique et les expériences des générations antérieures, il se situe ainsi au-delà de ce que pouvait admettre la première conception de l'inconscient. Pour autant ce pronom neutre, démonstratif quelque peu désinvolte, n'écarte nullement la notion d'inconscient qu'il cherche seulement à rendre plus opératoire, plus large et plus claire ; surtout moins offerte aux malentendus car elle désigne une province psychique plutôt qu'une qualité du psychisme.

Le ça est indissociable de l'autre grande instance, que d'ailleurs il engendre : le moi (et de leur produit commun : le surmoi–idéal du moi) ; les rapports et limites entre ces instances sont fluctuants et flous, tels des champs de couleur qui s'estompent comme il peut en aller chez les peintres. Si la division entre ça et moi correspond à celle entre inconscient et conscient, ces qualités-là ne sont qu'un indice et non l'essentiel – essentiel qui nous demeure opaque car nous ignorons la véritable nature de la différence. La psychanalyse n'en peut pas moins, n'en doit pas moins être définie comme une « psychologie du ça ».

MISE EN SITUATION

Dès 1915 Freud souhaitait pouvoir laisser de côté la question de savoir si les actes psychiques sont conscients ou inconscients afin de pouvoir les classer et les relier uniquement selon leur rapport aux pulsions et aux buts, d'éviter la confusion en les désignant par des noms arbitrairement choisis qui ne feraient pas la moindre allusion au fait d'être conscient[1] *; c'est ce qu'il réalise en 1923 en introduisant une nouvelle topique (indissociable de la nouvelle théorie des pulsions qui vient d'être élaborée), suscitée tant par les difficultés persistantes pour rendre compte des rapports entre conscient et inconscient*[2] *que par le constat que (dans ce qui est depuis longtemps désigné comme moi, commande l'accès à la motilité et contrôle ses propres processus partiels, va dormir la nuit en maintenant la censure et générant les refoulements) se manifestent des résistances dont ce moi ne sait rien. Freud pense avoir trouvé des éclaircissements dans les indications de Georg Groddeck pour qui « ce que nous appelons notre moi se comporte dans la vie de façon essentiellement passive et nous sommes "vécus" par des forces inconnues et impossibles à maîtriser »*[3]*. Aussi, alors qu'il achève* Le moi et le ça, *il lui écrit et*

1. « L'inconscient » (1915e), *Métapsychologie*, Paris, Gallimard, 1968, p. 75 ; *OCF* XIII, p. 211-212 ; *GW* X, p. 271.

2. *Le moi et le ça* (1923b), *Essais de psychanalyse*, Paris, Payot, 1981, p. 230-234 ; *OCF* XVI, p. 263-267 ; *GW* XIII, p. 246-250.

3. *Ibidem*, p. 235 ; p. 268 ; p. 251.

lui rappelle l'une de ses premières lettres (juin 1917) où il lui confirmait avoir tôt adopté son « ça » ; supposant qu'il a emprunté le terme à Nietzsche, il lui demande son accord pour le mentionner dans son écrit en cours[1] *; c'est bien ce qu'il fera en indiquant que « cette expression grammaticale [ça] est tout à fait courante [chez Nietzsche] pour désigner ce qui, dans notre vie, est impersonnel et, pour ainsi dire, soumis à la nécessité de la nature »*[2]*. Si la dette est reconnue (le mot est emprunté et avec lui l'idée que notre moi est vécu par des forces qui le dépassent), le ça freudien n'en est pas moins autre chose : un système (une instance) ancré dans le biologique, réservoir des pulsions, matrice du moi, « c'est un chaos »*[3]*.*

*Le point de vue se fait structural : l'*Ics *(substantif) ne coïncide pas avec le refoulé car si tout refoulé est ics (adjectif), tout* Ics *n'est pas refoulé pour autant (*ics *est la qualité d'un acte psychique déterminé, l'*Ics *désigne l'inconscient en tant que système). Ainsi se fait jour un troisième inconscient,* Ics *du moi qui n'est pas refoulé et n'est pas latent au sens du préconscient. L'entité qui part du système* Pc *et qui est tout d'abord* Pcs*, éventuellement* Cs*, est nommée le moi, tandis que l'autre partie du psychisme, de très loin la plus étendue, dans laquelle le moi se continue et qui se comporte comme ics, est désignée comme le ça.*

LE TEXTE FREUDIEN

La deuxième topique et le ça ; le moi et le ça

Dans la suite de la révision fondamentale de la théorie des pulsions d'*Au-delà du principe de plaisir* (1920), Freud est amené à reprendre en 1923 le concept d'inconscient. Il n'en met pas en question la notion même, ni les deux catégories déjà connues, à savoir

1. Georg Groddeck, *Ça et moi. Lettres à Freud, Ferenczi et quelques autres*, Paris, Gallimard, 1977, lettres de Freud de Noël 1922 et du 6 juin 1917, p. 93-94 et p. 42.

2. *Le moi et le ça* (1923b), *Essais de psychanalyse*, Paris, Payot, 1981, p. 236 n. 4 ; *OCF* XVI, p. 268 n. 2 ; *GW* XIII, p. 251 n. 2.

3. *Nouvelles conférences d'introduction à la psychanalyse* (1933a [1932]), Paris, Gallimard, 1984, p. 102 ; *OCF* XIX, p. 156 ; *GW* XV, p. 80.

l'inconscient descriptif, c'est-à-dire le préconscient, latent, et l'inconscient dynamique, essentiellement le refoulé, qu'il soit primaire, voire originaire, ou secondaire, ni sa valeur fondamentale pour l'analyse (reconnaître l'inconscient est un *schibboleth,* qui sépare ce qui relève ou non de l'analyse, et tout aussi bien permet de considérer qui est analyste et qui ne l'est pas). Si *tout refoulé est ics* (adjectif), *tout Ics* (substantif) *n'est pas pour autant refoulé*[1]. Le jeu de la majuscule indique la place essentielle de cet *Ics,* représentant une entité qui contient l'inconscient au sens du refoulé. Il s'agit d'un premier abord de la part inconsciente du moi, qui se manifeste dans la cure comme résistance inconsciente : le moi du patient ne sait rien de la résistance qui se manifeste sans qu'il l'éprouve lorsque l'on s'approche du refoulé. Il faut dès lors reprendre la question du conflit névrotique jusque-là considéré comme conflit entre le conscient et l'inconscient refoulé. Le moi et le conscient ne coïncident pas, le moi comporte une part inconsciente considérable, qui n'est pas refoulée.

La reconnaissance de ce qui devient une instance, le moi, implique pour Freud une nouvelle approche globale de la conception de l'appareil psychique, en fait une reprise plus rigoureusement métapsychologique de ce qui était désigné comme *Pc-Cs, Pcs, Ics,* avec ou sans majuscule ; plus rigoureusement, au sens où les points de vue dynamique mais surtout topique et économique vont être appréciés dans une nouvelle perspective. Soulignons que ces changements ne mettront pas en cause la validité de la première topique, mais s'y ajouteront, comme il est habituel dans la formation de la théorie freudienne. La nécessité de la conception du ça apparaît donc à partir d'un nouvel abord du moi, ou plutôt d'un changement radical de sa signification : jusque-là le moi était considéré le plus souvent comme l'individu ou la personne totale et représentait sur le plan métapsychologique une organisation essentiellement défensive, centrée sur le refoulement. L'essentiel de ce qui deviendra le moi de la deuxième topique était, et restera, désigné comme système *Pc-Cs* (perception-conscience) et *Pcs* (préconscient). Désormais, cet ensemble est considéré comme le

1. *Le moi et le ça* (1923b), *Essais de psychanalyse,* Paris, Payot, 1981, p. 229 ; *OCF* XVI, p. 262 ; *GW* XIII, p. 244.

noyau du moi développé à la surface du ça, sans l'envelopper totalement, et fusionnant avec lui, dans les couches profondes, plus précisément, si l'on suit le schéma proposé par Freud, dans sa partie inférieure. Cependant, « ***un individu est selon nous un ça psychique, inconnu et inconscient, à la surface duquel est posé le moi qui s'est développé à partir du système* Pc *comme de son noyau*** »[1]. Ce qui souligne une fois de plus, mais cette fois dans le langage de la deuxième topique, que l'essentiel de « l'individu » est le ça, et que le moi ne peut que le conduire à la manière d'un cavalier qui conduit sa monture où il le veut, en orientant les forces de l'animal selon son projet, ce qui n'exclut pas qu'il aille en fait où le veut le cheval-ça. Cette métaphore équestre doit être complétée par la représentation d'une communication largement ouverte entre le moi inconscient et le ça.

Une place particulière est réservée au refoulé, qui certes fait partie du ça, et même se fond avec lui, mais reste séparé du moi par les résistances du refoulement. Cependant, le refoulé est une partie du ça, et de ce fait reste en communication avec le moi inconscient, ce qui offre un nouvel aperçu dynamique sur la théorie du retour du refoulé ou des rejetons de l'inconscient ; notons la reprise de l'opposition **principe de plaisir-principe de réalité,** mais cette fois dans les termes et perspectives de la nouvelle topique[2] : le moi est la partie du ça qui a été modifiée sous l'influence directe du monde extérieur par l'intermédiaire du Pcs-Cs, nous est-il dit, ce qui unit dans les termes les deux topiques ; il (le moi) cherche à mettre le principe de réalité à la place du principe de plaisir qui règne dans le moi. Il est ajouté, dans ce contexte, que « la perception joue pour le moi le rôle qui dans le ça échoit à la pulsion ». On peut comprendre que la perception de la réalité par le moi s'oppose à la satisfaction hallucinatoire de la pulsion qui est le fait du ça. Les termes du conflit entre les instances sont ainsi clairement posés, mais il apparaît aussi que les positions sont inconciliables, d'autant plus peut-être que les pulsions sont aussitôt désignées comme passions, ce qui marque une grande différence avec

1. *Ibidem,* p. 236 ; p. 268 ; p. 252.
2. *Ibidem,* p. 237 ; p. 269 ; p. 252.

le concept de pulsion de 1915 et en souligne la violence et l'absence de représentation, même au sens de la représentation de chose. Ceci en appelle sans doute déjà à la nécessité du troisième terme que sera le surmoi-idéal du moi, lui aussi dérivé du ça, et gardant avec lui une relation bien plus directe que celle qui persiste entre moi et ça.

Cependant, si pour ce qui concerne le moi l'importance de la perception est confirmée par l'investissement du corps, de sa surface, des sensations qui en proviennent et qui sont à l'origine de la différenciation du moi d'avec le ça, par contre la relation du ça et des pulsions n'est pas davantage développée. Nous en restons de ce fait à la théorie établie en 1915 [1] qui montre le destin des pulsions et le travail psychique des représentations, investies de libido, au travers des instances de la première topique, à partir de l'*Ics*. Mais l'apport essentiel de la deuxième théorie des pulsions est de poser l'existence d'une pulsion de mort (d'agression, de destruction) et d'une pulsion de vie ou Éros.

Le ça, le moi et le surmoi (idéal du moi)

Au début les premiers investissements d'objet du ça (objets incestueux), à la phase orale primitive se distinguent à peine des identifications. Si par l'effet du refoulement l'objet du ça est abandonné, il peut, selon le mécanisme d'abord décrit pour ce qui concerne la mélancolie, être ré-érigé dans le moi. Ainsi est réalisée une identification secondaire, qui contribue à la constitution du moi. De cette manière, **le moi peut approfondir ses relations avec le ça** : adoptant les « traits de l'objet » il peut s'attirer l'amour du ça, ce qui est une source du narcissisme secondaire, car la libido d'objet sexuelle, venue du ça, se transforme en libido narcissique secondaire [2].

La première identification de ce type a concerné le père de la préhistoire personnelle, qui, dès ce moment, a constitué **l'idéal du moi** : Freud insiste sur le fait qu'il s'agit d'une identification directe,

1. « Pulsions et destins des pulsions » (1915c), *Métapsychologie*, Paris, Gallimard, 1968.

2. *Le moi et le ça* (1923b), *Essais de psychanalyse*, Paris, Payot, 1981, p. 242 ; *OCF* XVI, p. 274 ; *GW* XIII, p. 258.

qu'aucun amour d'objet n'a précédée, qu'il concerne le père mais aussi éventuellement la mère, l'un et l'autre étant équivalents et phalliques, tant que la différence sexuelle n'est pas reconnue[1]. Ultérieurement, le jeu des investissements et identifications des objets parentaux aboutira au complexe d'Œdipe complet, positif et négatif, direct et inversé, comportant des variations multiples en fonction des investissements bisexuels. Quoi qu'il en soit, ce complexe, concernant les investissements du ça, appartient au ça et reste inconscient. Plus tard, lors de la « disparition » (aussi désignée comme démolition, ou fracas, *Zertrümmerung*) du complexe d'Œdipe, la première identification persistera comme idéal du moi, les identifications suivantes la renforceront ou constitueront des précipités ou des résidus du ça dans le moi. Ce qui nous importe dans ces circonstances est d'observer la nature très variée des relations du ça à l'égard des instances qui dérivent de lui. Elles peuvent être directes, comme dans le cas de l'identification primaire, origine de l'idéal du moi. Le surmoi, quant à lui, est issu de la disparition du complexe d'Œdipe, et ainsi, essentiellement des « **résidus des premiers investissements d'objet** ». Mais son origine ne se limite pas là. Freud rappelle qu'il fait remonter l'origine du surmoi au temps du totémisme, aux expériences vécues en ce temps, ce qui l'amène à développer la théorie de la transmission héréditaire. Celle-ci ne peut concerner le moi, qui certes est l'intermédiaire nécessaire pour toute relation du ça avec la réalité extérieure, mais seul le ça peut garder les traces des expériences accumulées, si du moins elles se répètent avec une fréquence et une force suffisante de génération en génération. Elles se transposent alors « en expériences vécues du ça, dont les empreintes sont maintenues en hérédité ». Ainsi se conçoit un « **ça héréditaire** » qui « héberge les restes d'existence d'innombrables moi, et, lorsque le moi puise son surmoi dans le ça, peut-être ne fait-il que remettre au jour les figures du moi les plus anciennes, et les ressusciter »[2]. Cette vision audacieuse donne une sorte de concrétude au père de la préhistoire, dont la nostalgie tou-

1. *Ibidem*, p. 243, n. 6 ; p. 275, n. 1 ; p. 259.
2. *Ibidem*, p. 251-252 ; p. 281-282 ; p. 266-267.

jours reviviscente entretient les expériences du ça qui se retrouvent dans le surmoi.

Freud rappelle à de nombreuses reprises la question des **limites entre les instances**, que l'on ne doit pas figer, qui sont semblables non au trait d'un dessin mais aux champs estompés de couleur qu'utilisent les peintres « modernes ». Il souligne le danger qu'il y aurait à les matérialiser en omettant leur origine commune dans le ça, évidente pour le moi, qui n'est que la partie organisée du ça, modifiée par le contact avec la réalité extérieure, et qui l'est aussi pour le surmoi, dérivé du moi lors de la première identification mais qui reste ouvert à la plus large communication avec le ça.

LES ÉNERGIES DU ÇA

Freud évoque aussi bien l'énergie psychique que la libido, sans qu'une différence claire soit marquée, sauf lorsqu'il en évoque une fraction désexualisée et déplaçable, capable de renforcer une motion pulsionnelle déterminée, qu'elle soit érotique ou destructive, mais surtout érotique. Il semble reprendre alors la polémique commencée à propos de Carl Gustav Jung, qui dénaturait la notion de libido, en faisant une énergie psychique non spécifique, ce qui n'était pas acceptable. L'**énergie indifférente** dont il parle désormais ne constitue qu'un appoint énergétique possible à une motion qui reste, elle, tout à fait orientée, soit vers la sexualité, soit vers l'agression ou la destruction. Dans les deux cas, elle constitue un appoint d'énergie non spécialisée déplaçable sur les objets du ça. Un tel déplacement d'énergie est caractéristique du ça, c'est-à-dire du processus primaire, comme cela avait été décrit à propos du travail du rêve, le moi exigeant « une plus grande exactitude dans le choix de l'objet aussi bien que de la voie de décharge ». Son rôle essentiel, d'un point de vue économique, est d'éviter les stases de la libido, en permettant par l'afflux d'énergie, par exemple d'une motion pulsionnelle à une autre, la survenue d'une décharge libidinale. L'origine de cette énergie désexualisée est un processus de sublimation, portant tout particulièrement sur l'énergie des pulsions partielles, du moins est-ce dans ce cas qu'il est le plus facilement observé. Comme toute autre sublimation, celle-ci passe par l'intermédiaire du moi, avec des conséquences que nous allons reprendre à propos des pulsions dans le ça.

Il nous faut encore souligner que Freud localise désormais l'**origine de la libido** dans le ça et non dans le moi comme il l'avait précédemment avancé. Le moi reste cependant le « réservoir principal de la libido, et c'est de lui que partent les investissements et vers lui qu'ils retournent lorsque les objets sont désinvestis »[1]. **Les énergies à l'œuvre dans le ça sont mobiles, non liées** ; l'énergie libre caractérise les processus primaires et leur dynamique, ce qui est en rapport avec les processus de condensation et de déplacement qui dominent dans le ça. La liaison, en rapport avec le surinvestissement, permet le passage à l'état préconscient ou conscient dans le moi, autrement dit l'investissement des représentations par une énergie liée.

Les pulsions et le ça, l'ambivalence

Les pulsions ont pour le ça la même signification que les perceptions pour le moi, mais le moi est également soumis à l'action des pulsions. Telle est la complexité des relations que renforce encore le fait que le moi est une partie modifiée (organisée, sera-t-il précisé dans *Inhibition, symptôme et angoisse*) du ça. La théorie des pulsions sexuelles, établie dans « Pulsions et destins des pulsions » n'est pas remise en cause, mais elle intègre désormais dans **le concept d'Éros ou pulsion de vie l'essentiel des pulsions d'auto-conservation, ou pulsions du moi.**

La deuxième théorie des pulsions, introduisant donc l'opposition Éros et pulsion de mort, trouve sa place dans la nouvelle topique. Pour ce qui concerne le ça, **les pulsions sont envisagées essentiellement sous l'angle de l'union ou de la désunion pulsionnelles** (*Entmischung* opposé de *Mischung*, mélange). Nous nous limiterons aux exemples typiques **d'union ou de désunion** pulsionnelles que donne Freud. Le modèle du sadisme montre l'union d'Éros et d'une composante de la pulsion de destruction, au service éventuellement d'une fin sexuelle, tandis que le sadisme sous forme d'une perversion montre l'exemple d'une désunion pulsionnelle. Sur un autre plan, la crise épileptique est

1. *Ibidem*, p. 242, n. 5 ; p. 274, n. 1 ; p. 258, n. 1.

le produit et le signe d'une désunion pulsionnelle[1]. Les névroses graves montrent la « place prépondérante prise par la pulsion de mort ». La régression de la libido, par exemple, de la phase génitale à la phase sadique-anale peut être considérée comme un effet de la désunion pulsionnelle, tandis que le progrès d'une phase génitale précoce à la phase définitive aurait pour condition un apport de composantes érotiques.

Plus généralement, **le problème de l'ambivalence** pourrait être considéré du point de vue de **la désunion pulsionnelle,** ou d'une union pulsionnelle non accomplie dans le ça. En fait, c'est le premier point de vue qui prévaut, et Freud montre le rôle et l'extension considérables de la désintrication et de la libération de pulsion de mort. L'énergie déplaçable provient de la désexualisation de la libido, c'est-à-dire de la sublimation des pulsions du ça. Cette notion atteint alors une extension considérable, englobant notamment le processus d'identification, essentiel à la formation du surmoi et plus encore du moi, à partir des investissements d'objet abandonnés par le ça. Dans le sens le plus large, son domaine s'étend de l'identification aux processus et au travail de pensée ; elle a pour résultat général de désexualiser la libido, aux dépens de la satisfaction érotique directe, en même temps qu'elle permet la réalisation de l'intention érotique qui consiste à unir et lier. Elle travaille sans doute à la satisfaction de l'idéal du moi, et, par conséquent, elle favorise l'investissement narcissique : le moi est ainsi davantage investi de libido désexualisée, au sens du narcissisme secondaire. La conséquence en est aussi la privation d'un plaisir direct de décharge : dès lors « le moi travaille à l'encontre des desseins de l'Éros et se met au service des motions pulsionnelles adverses »[2].

Dans le même temps, **le ça, guidé par le principe de plaisir, lutte pour la satisfaction des tendances directement sexuelles.** Mais Freud souligne la similitude entre l'état qui suit la satisfaction complète et le moment de la mort, voire la mort réelle chez les animaux inférieurs.

1. *Ibidem,* p. 255 ; p. 284 ; p. 270.

2. *Le moi et le ça* (1923b), *Essais de psychanalyse,* Paris, Payot, 1981, p. 259-260 ; *OCF* XVI, p. 288-289 ; *GW* XIII, p. 274-275.

On pourrait ainsi admettre la possibilité d'une satisfaction totale sous l'égide du principe de plaisir aboutissant à l'accomplissement du principe de nirvana, allant ainsi à l'extrême du principe de constance. Dans ce cas les pulsions de mort, muettes, triompheraient du bruit de la vie. Il reste cependant que la satisfaction (*Befriedigung*, qui est aussi apaisement) efface les revendications du ça aussi bien érotique que meurtrier et s'oppose donc à la satisfaction complète. La récusation de l'idée d'assimiler principe de nirvana et principe de plaisir est d'ailleurs reprise à propos du masochisme où il est montré que « le principe de Nirvâna, qui ressortit à la pulsion de mort, a subi dans l'être vivant une modification qui l'a transformé en principe de plaisir »[1].

Nous rapporterons brièvement quelques références datant de 1924 et précédant les développements des *Nouvelles conférences* (1933), à commencer par le « Petit abrégé de psychanalyse » où Freud rappelle que « si on accepte la distinction que j'ai proposée récemment qui décompose l'appareil psychique en un moi tourné vers le monde extérieur et pourvu de conscience, et un ça inconscient dominé par ses besoins pulsionnels, la psychanalyse est alors à définir comme une psychologie du ça (et de ses effets sur le moi) »[2]. Ceci souligne l'importance aussi bien théorique que pratique des modifications apportées à la définition de l'appareil psychique, sans pour autant les développer.

En 1924, les rapports du ça et de la psychose sont brièvement étudiés dans « La perte de la réalité dans la névrose et dans la psychose »[3]. Nous rappellerons seulement que dans la névrose le moi en situation d'allégeance par rapport à la réalité, réprime un fragment du ça, mais le même moi se met dans la psychose au service du ça en se retirant d'un fragment de la réalité. La perte de la réalité est donnée au départ pour ce qui concerne la psychose, mais est évitée dans la névrose, bien que la relation à la réalité y soit troublée, nous ne

1. « Le problème économique du masochisme » (1924c), *Névrose, psychose et perversion*, Paris, PUF, 1973, p. 288 ; *OCF* XVII, p. 12 ; *GW* XIII, p. 372-373.

2. « Petit abrégé de psychanalyse » (1924f), *Résultats, idées, problèmes, II*, Paris, PUF, 1985, p. 112 ; *OCF* XVI, p. 354 ; *GW* XIII, p. 427.

3. « La perte de la réalité dans la névrose et dans la psychose » (1924e), *Névrose, psychose et perversion*, Paris, PUF, 1973.

développerons pas ce point. Deux temps sont donc à distinguer dans la psychose, le premier coupant le moi de la réalité, le second essayant de réparer les dégâts et reconstituant aux frais du ça la relation à la réalité. Si névrose et psychose sont également l'expression de la rébellion du ça contre la réalité, la nécessité, l'anankè, la particularité de la psychose reste que la réalité est déniée puis reconstruite, remplacée, ce qui somme toute est comparable au comportement « normal » qui vise à modifier le monde extérieur dans un sens conforme au désir du ça. Mais la psychose n'aboutit qu'à produire des modifications intérieures, de manière autoplastique, alors que la névrose ne dénie pas la réalité mais tente de la fuir.

Dans les *Nouvelles conférences d'introduction à la psychanalyse*[1], Freud propose une vue d'ensemble du ça, que nous résumerons. Le ça, désigné comme instance ou comme province psychique, est **un chaos, comparable à un chaudron plein d'excitations en ébullition.** Ouvert à une extrémité vers le somatique, il recueille les besoins pulsionnels qui trouvent en lui leur expression psychique. Il n'a pas d'organisation, il ne produit pas de volonté d'ensemble, mais seulement l'aspiration à satisfaire les besoins pulsionnels, en observant le principe de plaisir. Il ne connaît pas de contradiction, les motions opposées coexistent en lui sans s'annuler ni se soustraire les unes des autres, mais elles peuvent se réunir en des formations de compromis pour l'évacuation de l'énergie, sous la contrainte économique prédominante. Il ignore la contradiction et le temps, qui sont caractéristiques du moi. Le contenu du ça, le refoulé, est insensible au temps, il reste inaltérable. (Il convient de noter que cette inaltérabilité du refoulé avait été récusée sept ans plus tôt[2], mais Freud a laissé la question en suspens.)

Les destins du refoulé sont divers. Sans doute les désirs anciens persistent, mais ne sont-ils pas modifiés par les inhibitions, par la formation de rejetons ? Un désir ancien que l'on croyait disparu ne peut-il être ranimé par régression ? Freud insiste à propos du

1. *Nouvelles conférences d'introduction à la psychanalyse* (1933a [1932]), Paris, Gallimard, 1984, p. 100-110 ; *OCF* XIX, p. 155-163 ; *GW* XV, p. 79-86.

2. *Inhibition, symptôme et angoisse* (1926d [1925]), Paris, PUF, 1951, p. 67, n. 1 ; *OCF* XVII, p. 257, n. 1 ; *GW* XIV, p. 172, n. 1.

complexe d'Œdipe sur « la différence entre le simple refoulement et la suppression d'une vieille motion de désir ». Nous pouvons ajouter que ces éventualités dépassent sans doute le cadre du complexe d'Œdipe – dont on peut douter qu'il disparaisse – qui reste le problème essentiel du refoulé et de son retour.

Le ça ne connaît pas de jugement de valeur, pas de bien ni de mal, pas de morale. Le facteur économique domine en lui tous les processus, qui sont ici beaucoup plus mobiles que dans les autres instances, d'où les déplacements et condensations caractéristiques du ça et qui visent à faciliter la décharge. L'énergie des motions pulsionnelles reste mobile, non liée, au contraire ici encore de l'état de liaison qui est spécifique des énergies du moi. Le moi est son serviteur qui lui fait connaître le monde extérieur, et favorise le compromis entre ça et réalité extérieure en observant le principe de réalité.

Dans l'*Abrégé de psychanalyse*, les relations du ça (dont **la seule qualité est d'être inconscient**) avec le préconscient et le moi sont précisées : pendant le long développement qui conduit du ça originaire au développement du moi, aussi bien des éléments de la réalité extérieure que des contenus du ça passent à l'état préconscient et intègrent ainsi le moi. Le moi « soumet à son influence des couches toujours plus profondes du ça » ; il élève les processus du ça à un niveau dynamique plus élevé, peut-être en transformant de l'énergie libre en énergie liée. Mais ce processus est réversible et de trop excessives forces pulsionnelles comme de trop puissantes excitations extérieures, donc **des traumas d'origine extérieure ou interne,** peuvent ramener ce qui est devenu partie du moi à n'être plus qu'une « fraction du ça » [1].

Le ça, le ténébreux ça, « retranché du monde extérieur, a son propre univers de perception » [2]. Il ressent avec acuité les variations de tension des émois (motions) pulsionnels, qui deviennent conscients en tant qu'impressions de la série plaisir-déplaisir. Il s'agit là d'autoperceptions qui « régissent despotiquement les phénomènes à l'intérieur du ça ». On voit à quel point ce qui régit les variations du plaisir

1. *Abrégé de psychanalyse* (1940a [1938]), Paris, PUF, 1985, p. 26-27 ; *OCF* XX, p. 251-254 ; *GW* XVII, p. 84-86.

2. *Ibidem*, p. 73 ; p. 295-297 ; p. 128-129.

et du déplaisir reste indécis entre les territoires du moi et du ça. Notamment, l'auto-perception dont parle Freud met en cause le moi, du moins le préconscient, ce qui montre le flou des limites entre instances, ce qui est d'ailleurs nécessaire car le ça n'est pas accessible directement mais seulement par l'intermédiaire d'une autre instance.

QUESTIONS ET ENJEUX

On ne peut que s'interroger sur ***ce qui a nécessité l'introduction de la notion du ça,*** alors que celle d'inconscient semblait rendre compte de l'inconnu et du refoulé, y compris du refoulé originaire, dont les limites pouvaient être repoussées à volonté, notamment au travers des générations. Ce qui apparaît d'abord est l'importance du changement de perspective. Freud rappelle à ce propos que l'inconscient, tout comme le conscient, était considéré comme une qualité du psychique tandis que le ça prend la signification d'une province psychique (ou d'un royaume). On passe ainsi **d'une qualité du psychique à la notion d'une étendue** dont les limites sont variables et qui est régie par les niveaux d'énergie. De ce fait, la question des limites se pose de façon très différente pour ce qui concerne respectivement l'inconscient et le ça. En particulier, la question du refoulé originaire disparaît pratiquement, dès lors que les générations antérieures sont virtuellement présentes dans le ça, au-delà des identifications aux parents dans le cadre de l'Œdipe, aux grands-parents par l'intermédiaire du surmoi-idéal du moi des parents. De même, la limite du somatique et du psychique n'apparaît plus essentiellement comme l'articulation où se constitue le monde des pulsions et de leurs représentations inconscientes puis préconscientes. Si l'acquis fondamental de la métapsychologie n'est pas repris, ni modifié, et reste sous-jacent, il n'est pourtant pratiquement plus question des représentations de chose ou de mot. Le terme plus vague de **motion pulsionnelle** en prend la place et souligne encore la prédominance de l'économique. Le terme même justifie une brève discussion : *Triebregung* peut légitimement être traduit ainsi, bien que le français détourne le sens plus que ne le fait Freud. Le terme *Regung* est en effet des plus usuels et désigne le mouvement, et dans le domaine psychologique plus particulièrement l'émotion. L'association à la pulsion évoque donc l'activation, la poussée pulsionnelle, sa mise en mouvement. Cela souligne encore la prédominance dans la deuxième topique du point de vue économique et dynamique.

Le passage de **l'opposition de la pulsion sexuelle à la pulsion d'auto-conservation, ou pulsion du moi, à l'opposition de la pulsion de vie à la pulsion de mort** souligne la prise en compte du passage de la matière inanimée, morte, à l'excitation vivante, érotique. Mais la question principale est à l'inverse l'idée d'une poussée, et pas seulement d'une nécessité biologique, vers le retour à l'inanimé, ce qui est le but final de la pulsion de mort.

D'autre part, la pulsion de vie est « mêlée » dans le ça à la pulsion de mort, ce qui pose un problème : si l'énergie de la pulsion de vie, la libido, est aisément reconnue, la pulsion de mort quant à elle ne disposerait pas d'énergie propre (ce qui paraît en contradiction avec l'idée même de pulsion). **Toute manifestation, toute motion pulsionnelle, dépendrait d'un mélange des deux pulsions,** où la pulsion de mort se traduirait sous forme d'agressivité, déchargée à l'extérieur ou à l'encontre du moi lui-même. Notons que la charge agressive des manifestations pulsionnelles avait été reconnue dès la première topique, sans être rattachée à une dualité pulsionnelle. Le mélange pulsionnel peut être stable, mais peut aussi se défaire. On peut alors se demander, en raison du manque supposé d'énergie propre à la pulsion de mort, ce qu'il advient de cette pulsion à l'état isolé. S'agit-il alors de la « culture pure de pulsion de mort » qui caractérise la mélancolie, ou encore de ce qui est la cause de la crise d'épilepsie, que l'on pourrait voir comme un processus soudain de désunion pulsionnelle ?

À l'opposé, la haine, dans ses rapports complexes avec l'amour, ne pose pas de difficultés conceptuelles particulières : les deux pulsions y restent mêlées, et la régression suffit le plus souvent à rendre compte des diverses variations des affects. Rappelons que le problème de la haine avait été largement développé dans la première topique[1] ou l'amour et la haine de l'objet dans leur rapport avec le narcissisme étaient montrés. La deuxième topique apporte cependant un nouvel éclairage sur la haine dont est victime le moi de la part du surmoi,

1. « Pulsions et destins des pulsions » (1915c), *Métapsychologie,* Paris, Gallimard, 1968, p. 38-44 ; *OCF* XIII, p. 180-187 ; *GW* X, p. 226-232.

lorsqu'il reprend à son compte la haine dont est capable **le ça meurtrier,** nous allons revenir plus loin à ce point.

L'essentiel du bouleversement théorique qu'apporte le concept de ça tient, comme nous l'avons évoqué, au dépassement de la première topique centré sur les divers niveaux de représentation inconscients, préconscients et conscients. L'accent est porté sur l'énergie et le mouvement essentiellement dans un **en-deçà de la représentation** avec pour conséquence une prise en compte accrue de l'économique et de l'affect, des « sentiments ». L'exemple s'en trouve dans la longue élaboration du **sentiment de culpabilité inconscient.** Freud rappelle que ce qui devient conscient fut autrefois perception *Cs,* à l'exception des sentiments[1]. Le problème vient des perceptions internes et particulièrement de celles qui ont un caractère de déplaisir, « car les sensations de plaisir n'ont en rien un caractère poussant ». Parmi les sensations déplaisantes, qui sont conscientes ou inconscientes sans que le préconscient, c'est-à-dire le lien avec les représentations de mot, intervienne d'aucune manière, le sentiment de culpabilité tient une place toute particulière, notamment sous sa forme inconsciente. Freud admet cette idée faute de mieux, car il a toujours insisté sur le fait qu'un sentiment est nécessairement conscient. Il en reconnaît cependant le rôle économique essentiel, en ce sens que ce n'est pas seulement le plus profond, mais aussi le plus élevé (la morale et l'autocritique) qui sont inconscientes et appartiennent donc au ça. Ceci amène aux développements concernant la part inconsciente du surmoi, en deçà de sa formation en tant que réaction et résultat du refoulement du complexe d'Œdipe.

Le ça apporte en effet le patrimoine hérité des générations antérieures : « Nous l'avons fait provenir tout droit des expériences vécues qui ont conduit au totémisme. »[2] Les apports des expériences du moi, lui-même issu du ça, lorsqu'il a échoué dans la maîtrise du complexe d'Œdipe, renforcent la formation réactionnelle du surmoi-idéal du moi, largement inconsciente du fait de sa communication avec le ça. Les considérations ultérieures sur la cruauté du surmoi confirment en effet que, dans la mélancolie et la névrose obsessionnelle grave, **le surmoi-idéal du moi est aussi hypermoral que le ça est**

1. *Le moi et le ça* (1923b), *Essais de psychanalyse,* Paris, Payot, 1981, p. 230-231 ; *OCF* XVI, p. 264 ; *GW* XIII, p. 246-247.

2. *Ibidem,* p. 251 ; p. 281 ; p. 266.

amoral, et cruel comme seul le ça peut l'être. De la même façon, lorsque le surmoi exerce un sadisme extrême à l'égard du moi dans le masochisme ou la réaction thérapeutique négative, le sadisme provient du ça et se donne pour manifestation morale[1].

Nous voyons ainsi une signification essentielle de l'introduction du concept de ça : la censure de la première topique ne suffit pas, il faut concevoir une force pulsionnelle, antérieure aux représentations pulsionnelles, qui anime la répression dès l'origine des choix érotiques incestueux. Cette force participe de la pulsion originaire de mort, pré-surmoïque en quelque sorte, elle s'intégrera au surmoi-idéal du moi proprement dit. C'est une des voies par lesquelles « le contenu du ça peut pénétrer dans le moi »[2]. Lorsqu'elle prédomine, le surmoi hait le moi, jusqu'à susciter l'angoisse de mort ou même exiger sa mort. C'est à ce point que Freud reprend la définition du ça, **qui ne peut dire ce qu'il veut,** car il n'a pas de lien direct avec le préconscient : « Éros et pulsion de mort combattent en lui... Nous pourrions présenter les choses comme si le ça se trouvait sous la domination des muettes mais puissantes pulsions de mort qui veulent le repos et veulent amener au repos ce trouble-paix d'Éros, en suivant les signaux du principe de plaisir ; mais nous craindrions de sous-estimer ainsi le rôle de l'Éros. »[3]

« La perception joue pour le moi le rôle qui, dans le ça, échoit à la pulsion » avons-nous relevé, ce qui nous amène à préciser les ***relations du ça et de la pulsion.***

L'ouverture de la communication entre le ça et le soma prend une place prépondérante. Rappelons que leur jonction est, dans la première topique, le lieu d'origine de la pulsion : « Le concept de "pulsion" nous apparaît comme un concept limite entre le psychique et le somatique »[4], et cette avancée théorique fondamentale n'est pas remise en cause. Dans le concept de ça il semble que ce soit l'arrière-plan de la représentance pulsionnelle qui devient la visée essentielle de Freud. Le chaos, et le chaudron en ébullition qui le contient, selon les images qu'il propose, sont avant tout l'expression de l'énergie psychique, de la libido régulée

1. *Ibidem,* p. 269-270 ; p. 297 ; p. 284.
2. *Ibidem,* p. 271 ; p. 298-299 ; p. 286.
3. *Ibidem,* p. 274 ; p. 301 ; p. 289.
4. « Pulsions et destins des pulsions » (1915c), *Métapsychologie,* Paris, Gallimard, 1968, p. 18 ; *OCF* XIII, p. 167 ; *GW* X, p. 215.

par le seul principe de plaisir-déplaisir. Ce dernier intervient seul dans les processus du ça. Le ça, qui est la plus ancienne des provinces ou instances psychiques, contient « tout ce qui est apporté en naissant, tout ce qui a été constitutionnellement déterminé, donc avant tout les pulsions émanées de l'organisation somatique »[1] qui trouvent un premier mode d'expression psychique. Des *Trois essais sur la théorie sexuelle* à l'*Abrégé de psychanalyse* le fond reste le même : les pulsions proviennent du corps, considéré en son entier comme « une zone érogène ». On peut voir là une généralisation d'un autoérotisme originaire qui s'organise en pulsions partielles à partir de zones érogènes plus précises. Il est pourtant remarquable que Freud cesse très vite d'utiliser le terme de « **plaisir d'organe** » pour désigner l'investissement et le plaisir tiré de l'excitation de telles zones : il faut en effet distinguer organe et zone érogène. Cette dernière ne se limite pas à l'organe excitable, son excitation n'est pas univoque, par exemple la bouche jouit dans l'ingestion de nourriture, le suçotement, le baiser d'une autre bouche, à défaut de pouvoir se baiser soi-même (« Dommage que je ne puisse me donner à moi-même un baiser », commentait Freud)[2]. Les forces qui représentent dans le psychisme les exigences d'ordre somatique, les pulsions, viennent soumettre cet originaire qui appartient au ça ou au moi-ça indifférencié[3]. Dès l'origine, elles exigent la conservation de la vie en même temps que le ça la néglige et ne se protège pas contre les dangers qui la menacent, ce qui peut apparaître comme une manifestation de la pulsion de mort.

Pour revenir à la question de la perception, le ça peut apparaître comme isolé du monde extérieur – mais ce n'est pas là une séparation absolue – et « a son propre univers de perception ». Cet univers est constitué essentiellement par les variations de tension des besoins pulsionnels ressentis comme sensations dans la série plaisir-déplaisir, dont nous avons vu le caractère inexorable ; ainsi Freud confirme le caractère immédiatement conscient des besoins et des affects perçus dans le ça[4]. Dans le même temps, il soulève la question théorique

1. *Abrégé de psychanalyse* (1940a [1938]), Paris, PUF, 1985, p. 4 ; *OCF* XX, p. 235 ; *GW* XVII, p. 67-68.

2. *Trois essais sur la théorie sexuelle* (1905d), Paris, Gallimard, 1987, p. 106 ; *OCF* VI, p. 117 ; *GW* V, p. 83.

3. *Abrégé de psychanalyse* (1940a [1938]), Paris, PUF, 1985, p. 7-9 ; *OCF* XX, p. 237-238 ; *GW* XVII, p. 70-71.

4. *Ibidem*, p. 75 ; p. 108 ; p. 130.

fondamentale « non encore élucidée, des relations entre le principe de plaisir et les deux forces primitives, Éros et pulsion de mort ». Notons qu'il revient aussitôt, comme pour l'illustrer, à un abord rapide des problèmes posés par le clivage du moi et la psychose. Il ne prend en compte ici que les manifestations extérieures d'un défaut ou d'un déni de la perception de la réalité extérieure, dans le cas du fétichisme ou de la psychose, ou d'un refus de perception, de prise en compte, d'une exigence pulsionnelle venant du ça, du fait du refoulement.

Cependant, les questions qui concernent la représentance originaire des pulsions, en rapport avec l'action des forces pulsionnelles naissant du soma, restent sans réponse, sinon que l'approche de l'origine du psychisme se verra qualifier de roc d'origine, biologique, qui se confond avec le refus du féminin [1]. Rappelons que les schémas freudiens représentant l'appareil psychique de la deuxième topique sont, pour l'un fermé, pour l'autre ouvert, au-delà du soma, ce qui pourrait être un rappel de « l'ombilic du rêve », figuration sans doute du lien avec le féminin.

Pierre CHAUVEL

CARACTÈRE

all. : ***Charakter***. – angl. : *character*. – esp. : *carácter*. – ital. : *carattere*. – port. : *caráter*

Le « caractère » n'est, à proprement parler, ni une notion, ni un concept freudien. Le mot est d'abord à entendre en son sens usuel et vague qui désigne un ensemble de traits distinctifs et particuliers d'une personne. On peut le situer, dans le texte freudien, à la rencontre de la formation réactionnelle, de la sublimation, de l'identification, sur le modèle de celle qui est à l'origine du surmoi. Il est particulièrement mis en valeur dans ses rapports avec l'analité, dans le contexte de la disposition à la névrose obsessionnelle. Les rapports du caractère avec l'érotisme urétral y sont plus brièvement étudiés, de

1. « L'analyse avec fin et l'analyse sans fin » (1937c), *Résultats, idées, problèmes, II*, Paris, PUF, 1985, p. 268 ; *OCF* XX, p. 55 ; *GW* XVI, p. 99.

même que sont référés le caractère oral, le caractère hystérique voire paranoïaque.

MISE EN SITUATION

Le caractère n'est pas en soi l'objet d'une étude systématique de la part de Freud qui ne s'y intéresse que du point de vue de la pratique analytique, avec des variations importantes qui conduisent d'abord à le considérer essentiellement comme une conséquence des formations réactionnelles aux pulsions prégénitales, notamment anales. Il ne le décrit pas comme étant essentiellement un facteur de résistance à l'analyse, et plus généralement à tout changement, ainsi que le développe Wilhelm Reich avec la notion d'« armure caractérielle » (à noter que le terme de « névrose de caractère » est inconnu de Freud). Il le rapproche au contraire de la sublimation dans la mesure où les pulsions prégénitales, notamment anales, sont sublimées de leur but pour participer à la formation du caractère. Finalement celui-ci est considéré comme la conséquence positive du trauma œdipien, historique et fondateur. Au sens restreint, c'est une formation ou une déformation du moi, ce qui permet de le situer comme une organisation défensive, indépendante du refoulement. Il arrive que sa signification s'étende jusqu'à être synonyme de surmoi, qui est un reste des premières identifications du moi et a aussi la signification d'une formation réactionnelle énergique contre les premiers choix d'objet, œdipiens.

LE TEXTE FREUDIEN

Les *Trois essais sur la théorie sexuelle* contiennent quelques directions de recherche sur le caractère et notamment sur « le caractère hystérique qui dénote une part de refoulement sexuel qui dépasse la mesure normale avec un accroissement des résistances à la pulsion sexuelle que nous connaissons bien sous les noms de pudeur, de dégoût et de morale ; une fuite quasi instinctive devant les préoccupations concernant les problèmes sexuels »[1]. D'autre part, à propos de la sublimation, il apparaît que « ce que nous appelons le caractère d'un être humain est en grande partie construit avec un matériel d'excitations sexuelles et s'assemble à partir de pulsions fixées depuis l'enfance, de constructions provenant de la sublimation et d'autres constructions destinées à maintenir efficacement dans les dessous les pulsions perverses reconnues comme inutilisables »[2]. On ne s'étonne pas du rôle accordé à la perversion dans ce texte et, du même coup, de l'importance que prennent dans ce contexte et la sublimation et la formation réactionnelle (considérée comme une sous-espèce de la sublimation). Ces hypothèses concernant la nature et le rôle de la sublimation, de la formation réactionnelle et, à l'origine, de la perversion se retrouveront dans les développements ultérieurs concernant le caractère.

Nous ne ferons que mentionner *L'interprétation du rêve* et ses quelques notations à propos du caractère de l'enfant : sage ou vilain, celui-ci est absolument égoïste tant que ne se constitue pas « un moi secondaire » (selon l'expression de Meynert) venant recouvrir le « caractère primaire » par le développement de la moralité, qui tend à disparaître si l'on « tombe malade d'hystérie », et l'on peut alors constater que « la concordance entre ce que l'on appelle le caractère hystérique et celui d'un enfant vilain est des plus frappantes » ; en revanche l'obsessionnel développe une hypermoralité qui s'impose au caractère primaire[3].

La relation entre l'analité et la formation du caractère est mise en évidence dans « Caractère et érotisme anal »[4]. L'association d'un certain type de caractère et d'un « comportement d'organe » est donnée comme un fait d'observation, soutenu d'aucune attente théorique. Quoi qu'il en soit, l'association retenue, exemplaire, est celle

1. *Trois essais sur la théorie sexuelle* (1905d), Paris, Gallimard, 1987, p. 79 ; *OCF* VI, p. 98 ; *GW* V, p. 64.

2. *Ibidem*, p. 190 ; p. 173 ; p. 140.

3. *L'interprétation des rêves* (1900a), Paris, PUF, 1967, p. 218-219 ; *OCF* IV, p. 290-291 ; *GW* II-III, p. 256-257.

4. « Caractère et érotisme anal » (1908b), *Névrose, psychose et perversion*, Paris, PUF, 1973 ; *OCF* VIII ; *GW* VII.

retrouvée chez une même personne, à la fois **ordonnée, économe et entêtée.** Chacun de ces mots recouvre une série de *traits de caractère* : qui est ordonné est aussi bien propre que scrupuleux et digne de confiance ; l'économe peut aussi bien être avare ; quant à l'entêtement, il conduit à une attitude de défi, voire à l'emportement ou à un esprit vindicatif. Ces traits tiennent l'un à l'autre (surtout les deux derniers), formant ainsi un *complexe caractériel.* Un tel caractère associe aux composantes de la pulsion anale des formations réactionnelles contre celle-ci, essentiellement : honte, dégoût et morale, qui constituent une « sublimation » de l'érotisme anal, et sont aussi les bases du « caractère anal ». Parmi les autres pulsions partielles susceptibles de fonder des traits caractériels, Freud ne retient ici que la continuation de l'érotisme urétral, chez les anciens énurétiques, en ambition démesurée et « brûlante ». En définitive, **les traits de caractère sont « soit la continuation inchangée des pulsions originaires, soit la sublimation de celles-ci, soit des formations réactionnelles contre ces pulsions »** [1].

Dans « La disposition à la névrose obsessionnelle » [2] les conditions de la formation des traits de caractère anal sont opposées à celles de la névrose, en l'occurrence la névrose obsessionnelle. **Pour le caractère, le refoulement n'entre pas en action,** ou bien il substitue au refoulé des formations réactionnelles et des sublimations. De ce fait, les processus de formation du caractère sont moins accessibles à l'analyse que ne le sont les processus névrotiques. Au passage, Freud signale « l'altération du caractère des femmes » lorsqu'elles ont renoncé à leur fonction génitale ; des traits d'érotisme sadique-anal (elles deviennent querelleuses, tracassières, avares...) apparaissent, qui ne se manifestaient pas auparavant... L'intérêt de ces remarques est de montrer que **la régression de la vie sexuelle au stade sadique-anal n'est pas seulement le retour au précurseur de la phase génitale : il en prend la suite et le relais** « une fois accomplie la fonction des organes génitaux », ce qui laisse entendre que chaque stade est en fait une étape de la vie pulsionnelle qui a son autonomie par rapport à ce

1. *Ibidem,* p. 148 ; p. 194 ; p. 208-209.

2. « La disposition à la névrose obsessionnelle. Une contribution au problème du choix de la névrose » (1913i), *Névrose, psychose et perversion,* Paris, PUF, 1973, p. 195 ; *GW* VIII.

qui la précède et ce qui la suit. La régression n'est pas une dégradation ni une désorganisation pulsionnelle, mais la reprise dynamique d'un stade antérieur. La métaphore qui compare les divers stades pulsionnels à des éruptions successives de lave trouve ici une application.

La proximité de l'altération du caractère avec la névrose obsessionnelle est évidente, mais il ne s'agit pas, dans le cas de la régression névrotique, d'un refoulement « facilement exécuté » comme cela se produit lors de la formation du caractère ; elle survient au contraire dans une situation conflictuelle où des formations réactionnelles, des symptômes, des *clivages des activités psychiques,* les uns conscients, les autres inconscients[1], s'opposent à la régression.

Une nouvelle approche dans *Le moi et le ça*[2] montre le rôle de l'**identification** dans la formation du caractère est démontré. Le processus en est semblable à ce qui a été décrit à propos de la souffrance mélancolique : il dérive de l'érection de l'objet perdu dans le moi ; reconnu dans toute son extension, ce processus veut qu'un investissement d'objet puisse être remplacé par une identification, permettant, pour une grande part, la mise en forme du moi, et notamment de son caractère. Le moi peut ainsi être considéré comme **un précipité des investissements d'objet abandonnés,** qui contient l'**histoire de ces choix d'objet.** À propos de l'exemple de femmes aux nombreuses expériences amoureuses, Freud avance que l'on croit pouvoir mettre en évidence les reliquats de leurs investissements d'objet dans leurs traits de caractère, ajoutant que l'investissement d'objet et l'identification peuvent être simultanés et que le caractère peut être modifié avant même que l'objet ait été abandonné. Dans ce cas, la modification du caractère pourrait survivre à la relation d'objet et, en un certain sens, la conserver. Le caractère développe ensuite une résistance variable aux influences des objets abandonnés plus tardivement, mais il reste qu'il est formé de façon générale et durable par les premières identifications.

1. *Ibidem,* p. 196. La notion de clivage se rapproche ici du sens qu'elle prendra à partir de 1927.

2. *Le moi et le ça* (1923b), *Essais de psychanalyse,* Paris, Payot, 1981, p. 240-242 ; *OCF* XVI, p. 272-273 ; *GW* XIII, p. 256-258.

Il existe là un parallèle avec la formation de l'idéal du moi, résultat de la première identification antérieure à tout choix d'objet ; on peut la rapprocher d'une formation de caractère. En effet, en raison de la proximité de la formation réactionnelle avec le caractère – qui en est une conséquence – nous pouvons remarquer que « le surmoi n'est pas seulement un résidu des premiers choix d'objet du ça, mais qu'il a aussi la signification d'une formation réactionnelle énergique contre eux »[1]. On peut admettre ici que **le caractère, en tant que formation réactionnelle, a la signification d'un reste des choix d'objet** et que, en tant qu'identification, il est une formation réactionnelle contre ces choix (ce que l'on retrouvera avec la théorie du traumatisme dans *L'homme Moïse et la religion monothéiste*).

Les *Nouvelles conférences d'introduction à la psychanalyse*[2] offrent une recollection des divers aspects déjà vus ; ainsi : le surmoi prend la place laissée par le complexe d'Œdipe[3] et les identifications qui surviennent ultérieurement (notamment aux parents) apportent leur contribution à la formation du caractère, mais elles ne concernent alors que le moi. Ici encore surmoi et idéal du moi apparaissent comme des précipités d'identification, tout comme le caractère, mais ils sont le résultat des plus anciennes identifications. Nous retrouvons la notion de « précipités d'identification » et de « formation réactionnelle » dans les deux cas, ce qui amène à **considérer le caractère comme une formation relativement tardive établie sur le modèle du surmoi,** sans atteindre pour autant au statut d'instance. Le rôle des formations réactionnelles, *acquises dans les refoulements,* est souligné ; à ce propos nous devons rappeler qu'elles étaient auparavant considérées comme distinctes du refoulement ; elles en sont ici rapprochées, alors que Freud avait pourtant admis que les formations de caractère sont éventuellement plus proches de la conscience que ne l'est le refoulé et que, de ce fait, elles ne peuvent être considérées

1. *Ibidem,* p. 246, p. 277, p. 262.

2. *Nouvelles conférences d'introduction à la psychanalyse* (1933a [1932]), Paris, Gallimard, 1984 ; *GW* XV.

3. *Ibidem,* p. 90 ; *GW* XV, p. 70.

comme constitutives d'une névrose, bien qu'elles y soient souvent associées.

À propos, encore une fois du *caractère anal* et de la triade associant ordre, économie et entêtement, l'importance des précipités et des formations réactionnelles prégénitales déterminées est encore rappelée, ainsi que le rapport de l'ambition avec l'érotisme urétral. La relation est certes étroite entre érotisme et trait de caractère, qui est lié à une satisfaction érotique directe, montrant ainsi le parallèle et la différence avec l'organisation névrotique : **le trait de caractère n'est pas une *disposition* à la névrose.**

La question générale du caractère est traitée de façon nouvelle, en relation cette fois avec la théorie du traumatisme, dans *L'homme Moïse et la religion monothéiste*[1]. Les effets du traumatisme sont d'ordre positif ou négatif. Les effets positifs sont des efforts pour remémorer l'expérience oubliée, pour la rendre réelle, en vivre une répétition, faire revivre une expérience affective dans une relation analogue à une nouvelle personne. Tous ces *efforts* sont réunis sous les dénominations de « fixation au traumatisme » ou de « contrainte de répétition » ; ils peuvent être intégrés dans le moi, principalement **sous la forme de traits de caractère immuables,** dont l'origine historique est oubliée. Notons que la positivité consiste précisément dans l'effort de fixation ou de répétition, alors qu'au contraire la névrose représente le négatif dans la mesure où les défenses s'opposent à la remémoration ; mais il faut tenir compte du fait que **les évitements, inhibitions ou phobies, contribuent fortement à la formation du caractère :** ils sont aussi *des fixations au traumatisme, tout comme leurs antithèses, sauf qu'il s'agit de fixations de tendance contraire.* Ainsi les traits de caractère, en d'autres termes les indices de fixation, relèvent tantôt de la contrainte de répétition qui pousse à la remémoration en y échouant, tantôt de la formation de compromis réalisée par les symptômes où se réunissent les deux sortes de tendances issues des traumatismes. Les changements de caractère, lorsqu'ils aboutissent à une stabilité, exercent une intense contrainte et, surtout, sont

1. *L'homme Moïse et la religion monothéiste* (1939a), Paris, Gallimard, 1986, p. 163-164 ; *OCF* XX, p. 155 ; *GW* XVI, p. 181.

indépendants de l'organisation des autres processus psychiques adaptés aux exigences du monde réel.

Il importe de remarquer que la nouvelle prise en compte des relations entre les traumatismes infantiles et les formations de caractère s'insère dans une réflexion sur la *période de latence*. Au cours de celle-ci surviennent des manifestations de défense en rapport avec la névrose infantile, et notamment des modifications du moi, *comparables à la formation de cicatrices*. Freud apporte l'exemple d'un enfant dont les conflits œdipiens entraînent, entre autres, des modifications du caractère qui varient d'une latence sans histoire apparente à une position passive et masochiste lors de la puberté, puis à une identification au caractère violent et intolérant du père après la mort de celui-ci. Cette histoire clinique montre les possibilités de modifications du caractère en rapport avec les situations traumatiques externes, mais surtout internes, lorsqu'elles sont liées aux changements apportés par les conflits œdipiens.

Ce thème est repris dans l'*Abrégé de psychanalyse*[1] où **la formation du caractère est reliée à l'angoisse de castration et aux conflits œdipiens,** au sens où le caractère féminin est renforcé chez le garçon du fait de la menace de castration et de l'identification à la passivité, prêtée à la mère. Le conflit avec le père peut aussi entraîner une révolte qui se manifeste par un comportement compulsionnel dans la vie sociale. Ces éléments schématiques montrent encore ici l'origine des modifications du moi résultant des identifications dans les diverses phases du développement de l'Œdipe.

QUESTIONS ET ENJEUX

La notion de caractère varie beaucoup entre deux pôles : – l'un où prédomine la formation réactionnelle à une revendication pulsionnelle partielle, le plus souvent anale, – l'autre où le trait de caractère

1. *Abrégé de psychanalyse* (1940a [1938]), Paris, PUF, 1967, p. 62-63 ; *OCF* XX, p. 96-97 ; *GW* XVII, p. 118-119.

dénote une ou des identifications dans le cadre œdipien. Pendant longtemps, cette notion n'appartient pas vraiment au langage de l'analyse, car elle relève du vocabulaire de la psychologie générale ; il s'agit alors d'un « caractère » du moi, qui n'est pas lui-même vraiment défini comme une instance. De ce point de vue, par la suite, le caractère reste considéré tantôt comme une déformation du moi, tantôt comme faisant partie de l'instance du surmoi – ou du surmoi-idéal du moi – voire la constituant même pour l'essentiel. Probablement le plus important tient-il à sa situation entre les dispositions innées et les événements accidentels, c'est-à-dire entre les exigences pulsionnelles et celles de la réalité, relayées par les exigences du surmoi.

Il convient de remarquer que la « névrose de caractère » n'est pas une notion mentionnée par Freud ; au contraire, il souligne que névrose et caractère sont pour ainsi dire « antinomiques » : dans la formation du caractère « ou bien le refoulement n'entre pas en action, ou bien il atteint sans encombre son but qui est de substituer au refoulé des formations réactionnelles ou des sublimations »[1]. Cependant, et notamment dans le cas de la névrose obsessionnelle, traits de caractère et symptômes sont très proches, souvent difficiles à distinguer, ce qui laisse une large place aux traits de caractère dans la constitution des névroses, et plus encore dans les résistances à l'analyse[2]. En fait, les manifestations du caractère apparaissent le plus souvent comme des comportements répétitifs, voire stéréotypés, qui témoignent d'une fixation traumatique.

Pierre CHAUVEL

Castration (complexe de) → Complexe d'Œdipe et complexe de castration

Catharsis → Abréaction et méthode cathartique

1. « La disposition à la névrose obsessionnelle. Une contribution au problème du choix de la névrose » (1913f), *Névrose, psychose et perversion,* Paris, PUF, 1974, p. 195.

2. *Abrégé de psychanalyse* (1940a [1938]), Paris, PUF, 1985, p. 53 ; *OCF* XX, p. 278 ; *GW* XVII, p. 110.

CENSURE

all. : *Zensur*. – angl. : *censorship*. – esp. : *censura*. – ital. : *censura*. – port. : *censura*

La censure est révélée par la résistance, liée au refoulement. D'abord découverte à l'occasion de l'interprétation du rêve, elle appartient au fonctionnement psychique, tant normal que pathologique : sa tâche consiste à mettre à l'épreuve les actes psychiques lorsqu'ils passent du système *Ics* au système *Pcs*. Elle témoigne d'une conscience morale qui – ayant pour fonction de surveiller, juger et censurer les actes et intentions du moi jusqu'à les refouler – mérite d'être reconnue comme étant une instance (le « censeur », du rêve par exemple) ; lorsque la psychanalyse a « découvert » le surmoi, cette nouvelle instance s'est vu attribuer l'activité de censure.

MISE EN SITUATION

Dans nos cinq langues, le mot vient directement du latin censura *qui désignait à Rome la charge du « censeur », magistrat qui fixait le « cens » (l'impôt) et contrôlait les mœurs des citoyens. Repris par l'Église chrétienne, il y devient un examen sévère et répressif, exercé au nom de Dieu. Au* XVIIe *siècle, il passe dans les langues modernes européennes pour viser le contrôle des opinions jugées influentes et potentiellement nocives, plus particulièrement leur expression écrite ; par la suite le terme va perdurer, tout comme la mise en œuvre de la pratique qu'il désigne, nombre de gouvernements en usant pour protéger l'ordre moral, puis les délits d'opinions, jusqu'à conduire les citoyens à pratiquer l'autocensure… Freud, pour sa part, nous dit emprunter le terme tant aux pratiques répressives alors en usage, qu'aux propositions des psychologues ; c'est dire que, là encore, il privilégie un terme d'usage courant et, s'il lui attribue bien une fonction particulière dans le fonctionnement psychique, il en maintient le champ sémantique.*

LE TEXTE FREUDIEN

En 1893, dans les *Études sur l'hystérie,* Freud reprend un certain nombre de termes qui sont alors admis par les psychologues, nous dit-il, pour référer ce qui se passe lorsque sont évoquées des **représentations évoquant la honte, le remords, la souffrance morale, tous sentiments qu'on préfère oublier.** Contre eux se forme une *défense* qui va exercer sur ces idées inconciliables une *censure* afin qu'elles soient « rejetées hors du conscient et du souvenir ». Mais sa pratique lui montre qu'il peut en subsister une trace, se manifestant par une force de répulsion lorsqu'il attire sur elle l'attention du patient, et que cette force, qui « s'était manifestée par un rejet lors de la genèse du symptôme, agit sous la forme d'une *résistance* » ; il suppose alors que « la pathogénéité de la représentation était justement due au rejet et au refoulement ». Dans ces quelques lignes, à propos de l'action de la censure et avec elle, nous voyons ainsi apparaître, à elle associée, trois autres termes qui vont aussi prendre une place majeure en psychanalyse (défense, résistance, refoulement)[1]. Quatre ans plus tard, dans une *lettre à Fliess,* pour illustrer tant les déformations verbales produites par les obsessionnels que les délires des psychoses, Freud compare cette censure à celle qui s'exerce alors sur la presse[2].

Cette même analogie avec la censure politique est reprise en **1900** dans *L'interprétation des rêves,* à propos des déformations qu'ils subissent. Elles résultent de deux grandes forces concourantes : l'une est la tendance du désir qui s'exprime par le rêve, l'autre celle qui le censure et déforme donc l'expression de ce désir ; **si la première est l'instance qui permet l'accès à la conscience, elle ne peut le faire qu'après avoir franchi la censure de la seconde instance** –, ce qui conduit à l'idée que le « devenir conscient » est « un acte psychique particulier, distinct et indépendant de l'apparition d'une pensée ou

1. *Études sur l'hystérie (communication préliminaire)* (1893a), Paris, PUF, 1956, p. 216-217.

2. *La naissance de la psychanalyse. Lettres à Wilhelm Fliess. Notes et plans (1887-1902)* (1950a [1887-1902]), Paris, PUF, 1956, p. 213 (lettre du 22 décembre 1897).

d'une représentation », et que la conscience serait « comme un organe des sens qui perçoit le contenu d'un autre domaine »[1]. L'un des procédés essentiels de la déformation est le déplacement qui dérive lui-même de la censure – et c'est sur leur rapport, précise Freud, « que repose le noyau de ma théorie du rêve »[2]. Mais si la déformation est le premier effet de la censure, l'inhibition affective en est le second[3]. Il convient d'ailleurs de noter que ce déplacement des intensités psychiques « peut aller jusqu'à une "transvaluation de toutes les valeurs" psychiques », et aussi que l'obligation faite à la pensée de recourir aux traces mnésiques (donc à la figurabilité) entraîne de nouveaux déplacements[4].

L'instance qui censure, qui critique, est plus proche de la conscience que l'instance critiquée ; elle se dresse comme un écran entre celle-ci et la conscience. Elle s'identifie au principe qui décide de nos actions volontaires, et met donc en œuvre le système qui règle l'extrémité motrice. « Pendant le jour ce chemin menant à la conscience à travers le préconscient est interdit aux pensées du rêve par la censure provenant de la résistance » ; pendant la nuit elles y ont accès, mais un abaissement de la censure ne saurait suffire à expliquer les rêves hallucinatoires : pour ce faire, il faut considérer que l'excitation suit alors une voie *rétrograde,* se transmettant vers l'extrémité sensorielle au lieu de l'extrémité motrice de l'appareil, pour arriver finalement au système des perceptions[5].

Si c'est bien le rêve qui en a révélé l'existence, la censure ne saurait pour autant s'y limiter ; les désirs inconscients tendent aussi à se manifester durant la veille, comme en témoignent le transfert et les psychoses – et là encore la censure entre l'inconscient et le préconscient doit accomplir son office : de fait, **la censure est « le gardien de notre santé mentale »**. Elle peut, pendant le sommeil, abaisser sa vigi-

1. *L'interprétation des rêves* (1900a), Paris, PUF, 1967, p. 131-132 ; *OCF* IV, p. 178-179 ; *GW* II-III, p. 148-149.

2. *Ibidem,* p. 266-267 ; p. 352-353 ; p. 313-314.

3. *Ibidem,* p. 399 ; p. 517-518 ; p. 471.

4. *Ibidem,* p. 432 ; p. 558 ; p. 511.

5. *Ibidem,* p. 459-460 ; p. 593-594 ; p. 545-546.

lance et laisser s'exprimer le refoulé, non seulement parce qu'elle ne sommeille pas profondément, mais surtout parce qu'en suspendant la motilité elle rend inoffensives les impulsions de l'inconscient. Il n'y a danger qu'en cas d'affaiblissement pathologique de la censure, ou de renforcement tout aussi pathologique des excitations inconscientes, alors que le préconscient est investi et que les portes de la motilité sont ouvertes ; « alors le veilleur est terrassé », les excitations inconscientes soumettent le préconscient, jusqu'à la régression hallucinatoire. « C'est cet état que nous appelons psychose. » [1]

Mais, même si le travail du rêve et de la censure manifestent une grande analogie avec la formation des symptômes hystériques, le rêve n'est nullement un phénomène pathologique ; les deux systèmes psychiques avec la censure qui les sépare, l'un inhibant l'autre, tout comme leurs rapports à la conscience, « tout cela appartient à la structure normale de notre appareil psychique et le rêve est une des voies qui permet de le connaître » [2].

Si le système inconscient ne peut jamais parvenir à la conscience, le préconscient le peut après inhibition de ses excitations, peut-être même après une nouvelle censure. Pour atteindre la conscience, les excitations doivent suivre un parcours déterminé, « à travers une série d'instances que nous révèlent les changements imposés par la censure » ; d'où une comparaison spatiale qui fait jouer au préconscient le rôle d'un écran entre l'inconscient et la conscience, se bornant à interdire l'accès de la conscience, à commander l'accès à la motilité volontaire, répartissant une énergie d'investissement mobile (dont l'attention) [3]. Un an plus tard, dans un petit travail, *Sur le rêve,* Freud confirme que **le rêve est la figuration d'un désir accompli, son obscurité tient aux changements imposés par la censure au matériel refoulé ; sa fonction devient claire : il est « le gardien du sommeil »** [4].

1. *Ibidem,* p. 482-483 ; p. 621-622 ; p. 573.
2. *Ibidem,* p. 516 ; p. 662-663 ; p. 612-613.
3. *Ibidem,* p. 522 ; p. 670 ; p. 619-620.
4. *Sur le rêve* (1901a), Paris, Gallimard, 1988, p. 125 ; *OCF* V, p. 62 ; *GW* II-III, p. 691.

La censure est régulièrement mentionnée dans les travaux suivants, tels le *Mot d'esprit* en 1905 [1], ou, en 1912, les « Conseils aux médecins » qui indiquent que le médecin doit « se servir de son propre inconscient comme d'un instrument » [2], ou encore « L'intérêt de la psychanalyse » en 1913 [3] ; aucun n'apporte d'éléments nouveaux.

En revanche, la nature et la fonction de la censure s'élargissent en 1914 avec « Pour introduire le narcissisme », annonçant la deuxième topique. La censure, toujours désignée comme une *instance,* n'est autre que la « conscience morale ». Cette censure, qui domine la formation du rêve, est un aspect particulier des tendances qui, dominant le moi, refoulent les pensées du rêve ; **nous pouvons alors « reconnaître le *censeur du rêve* dans l'idéal du moi et dans les manifestations dynamiques de la conscience morale »** [4].

La **théorie de la censure** est donnée en 1915, dans la *Métapsychologie,* toujours en termes d'inconscient et de conscient. **La tâche de la censure est de mettre à l'épreuve les actes psychiques lorsqu'ils passent du système *Ics* au système *Cs.*** Lorsqu'elle refuse le passage, ils sont dits refoulés et restent inconscients, mais s'ils réussissent l'épreuve, ils appartiennent désormais au deuxième système *Cs*. Ils ne sont pas conscients pour autant mais seulement *susceptibles de devenir conscient,* c'est-à-dire capables, sans résistance particulière et sous certaines conditions, d'être pris comme objets par la conscience – d'où le qualificatif de *« préconscient »* et la reconnaissance d'un « système *Pcs* » proche du système *Cs,* mais **c'est au passage de l'*Ics* au *Pcs* (ou *Cs*) que « la censure rigoureuse remplit son office »** [5].

1. *Le mot d'esprit et sa relation à l'inconscient* (1905c), Paris, Gallimard, 1988, p. 298-299 et 307-308 ; *OCF* VII, p. 191 et 197 ; *GW* VI, p. 188 et 194.

2. « Conseils aux médecins sur le traitement psychanalytique » (1912e), *De la technique psychanalytique,* Paris, PUF, 1953, p. 66 ; *OCF* XI, p. 149 ; *GW* VIII, p. 181.

3. « L'intérêt de la psychanalyse » (1913j), *Résultats, idées, problèmes, I,* Paris, PUF, 1984, p. 193-194 ; *OCF* XII, p. 105-106 ; *GW* VIII, p. 397-398.

4. « Pour introduire le narcissisme » (1914c), *La vie sexuelle,* Paris, PUF, 1969, p. 100-102 ; *OCF* XII, p. 238-240 ; *GW* X, p. 163-165.

5. « L'inconscient » (1915e), *Métapsychologie,* Paris, Gallimard, 1968, p. 76-77 ; *OCF* XIII (2e éd.), p. 214-215 ; *GW* X, p. 271-272.

Si, à l'encontre de ce que nous avons fait jusque-là, nous nous plaçons du point de vue de la conscience, nous constatons que si une grande partie du préconscient tire son origine de l'inconscient et demeure soumise à une censure, une autre partie, qui a passé cette épreuve, deviendrait consciente directement ; sans doute faut-il alors envisager de placer, entre *Pcs* et *Cs, une deuxième censure* des motions pulsionnelles inconscientes. Cette complication nous conduit à admettre que, « **à tout passage d'un système dans le système immédiatement supérieur, donc à tout progrès vers un niveau plus élevé d'organisation psychique, correspond une nouvelle censure** »[1]. Mais la différence la plus importante, lieu de « la censure rigoureuse », se situe bien entre préconscient et inconscient, les rejetons de l'inconscient étant renvoyés à la frontière du *Pcs*. Pourtant, ils peuvent tourner cette censure et parvenir à un haut degré d'organisation, accroître leur investissement préconscient jusqu'à ce que, ayant dépassé une certaine intensité et risquant de s'imposer à la conscience, ils soient reconnus comme rejetons de l'*Ics* et se voient refoulés de nouveau, mais cette fois à la frontière entre *Pcs* et *Cs* où s'exerce l'autre censure ; « ainsi **la première censure fonctionne contre l'*Ics* lui-même, la seconde contre les rejetons *pcs* de *l'Ics*** ». Cette seconde censure se dévoile *dans la cure psychanalytique* lorsque, afin d'abolir le refoulement provoqué par la censure précédente, nous demandons au patient de surmonter les objections opposées aux rejetons de l'*Ics* apparus dans les associations. « L'existence de la censure entre *Pcs* et *Cs* nous avertit que le devenir-conscient n'est pas un pur et simple acte de perception mais vraisemblablement aussi un *surinvestissement*, un nouveau progrès dans l'organisation psychique. »[2]

Tout ceci va être abondamment repris et développé l'année suivante dans les *Conférences d'introduction à la psychanalyse*, dont la IXe s'intitule précisément « La censure du rêve ». C'est toujours la censure politique de la presse qui sert de « parallèle » pour évoquer les coupures, les voiles, les déformations dans les discours du rêve. La censure du rêve se manifeste « à chaque endroit où un élément du

1. *Ibidem*, p. 104 ; p. 232 ; p. 290.
2. *Ibidem*, p. 106-107 ; p. 233-234 ; p. 291-292.

rêve est remémoré d'une manière particulièrement faible, indéterminée et douteuse » ; comme le fait le « *déplacement* », elle modifie et réagence. **Censure est « un terme commode pour désigner une relation dynamique » ; elle témoigne d'une *résistance,* de grandeur très variable,** qui s'oppose à l'interprétation et montre que la force de la censure ne s'épuise pas dans la déformation du rêve mais continue à œuvrer durablement pour maintenir la déformation. La censure du rêve considère que les tendances auxquelles elle s'oppose sont tout à fait répréhensibles, « choses auxquelles on n'ose pas du tout penser ou auxquelles on ne pense qu'avec répulsion », manifestations d'un égoïsme sans limites – qui tient sans doute au retrait de l'intérêt pour le monde extérieur exigé par la disposition à dormir. Bien sûr, les demandes libidinales sont les premières visées. La déformation du rêve est d'autant plus grande que le souhait à censurer est scabreux, mais alors les exigences de la censure se font encore plus rigoureuses[1]. L'effet de la censure ne saurait se limiter au rêve ; si le symptôme répète bien les modes de satisfaction infantiles, il ne le fait qu'après que la censure, procédant du conflit, les ait déformés[2]. Elle fonctionne comme « **une instance qui mesure le moi actuel et chacune de ses activités à l'aune d'un *moi idéal*** » que le moi s'est créé lors de son évolution ; il s'agit là d'une instance d'auto-observation, conscience morale que nous connaissons en tant que *censeur du moi* : elle exerce « la censure du rêve dont émanent les refoulements qui frappent des motions de souhaits inadmissibles »[3].

Il est assez remarquable que ce soit ces mêmes termes qui se trouvent repris en **1923** dans *Le moi et le ça,* ouvrage qui fonde la « nouvelle topique » (il est tout aussi remarquable que ni *Au-delà du principe de plaisir,* ni *Psychologie des foules et analyse du moi* ne la mentionnent). Sans s'y étendre plus, la conscience morale s'y trouve référée au *moi-idéal,* instance qui exerce désormais la censure morale,

1. *Conférences d'introduction à la psychanalyse* (1916-1917), Paris, Gallimard, 1999, p. 179-184 ; *OCF* XIV, p. 141-146 ; *GW* XI, p. 139-143.

2. *Ibidem,* p. 464 ; p. 379 ; p. 380.

3. *Ibidem,* p. 543 ; p. 443-444 ; p. 444.

la tension entre les exigences de celle-ci et les réalisations du moi étant ressentie comme *sentiment de culpabilité*[1].

Ce n'est que sept ans plus tard, en **1930**, que la notion est reprise dans *Malaise dans la civilisation,* Freud souhaitant alors préciser la signification de certains termes qui, tout en se rapportant à la même situation, en présentent des aspects différents. **Le surmoi est une instance découverte par la psychanalyse, la conscience morale est une fonction qui surveille et juge les actes et intentions du moi : elle a une activité de censure.** Le sentiment de culpabilité, produit par la dureté du surmoi, renvoie à la sévérité de la conscience morale ; il témoigne de la surveillance dont le moi est l'objet, il « mesure le degré de tension entre les tendances du moi et les exigences du surmoi ». L'angoisse face à cette instance critique engendre un besoin de punition, accompagné d'angoisse, qui est « une manifestation d'une pulsion du moi devenu masochiste sous l'influence du surmoi sadique », le moi utilisant une part de sa propre pulsion de destruction aux fins d'une fixation érotique au surmoi[2].

Dans les *Nouvelles conférences sur la psychanalyse,* en 1933, Freud y revient encore ; **il réenvisage « cette instance qu'est le censeur du rêve »**, et avec elle la notion de censure telle que, dès l'abord, elle s'est justement révélée dans le rêve ; il s'agit maintenant de **la situer par rapport à cette « instance spéciale de critique et d'interdiction que nous appelons le surmoi »**. La première instance (le censeur) correspond à une époque où le rêve était étudié comme un phénomène isolé, indépendant, inféré de la résistance perçue lors de l'interprétation ; mais la censure n'a jamais été considérée comme exclusive du rêve puisqu'elle se manifeste dès lors qu'il y a conflit entre deux instances : elle n'est « rien d'autre que la résistance de refoulement par laquelle ces deux instances sont séparées » ; cependant, **même pendant le sommeil qui l'amoindrit, persiste une résistance de refoulement qui vient justifier la censure du rêve.** C'est elle qui va déformer, affaiblir et travestir la motion inconsciente, cet « enfant de la nuit »

1. *Le moi et le ça* (1923b), *Essais de psychanalyse,* Paris, Payot 1981, p. 250-251 ; *OCF* XVI, p. 280 ; *GW* XIII, p. 265.

2. *Malaise dans la civilisation* (1930a [1929]), Paris, PUF, 1971, p. 95-96 ; *OCF* XVIII, p. 323 ; *GW* XIV, p. 496.

qui cherche malgré tout à se faufiler à travers les mailles de la censure exercée par ce qui demeure du refoulement maintenu[1]. Depuis qu'a été conçue et admise dans la vie psychique cette nouvelle instance, **c'est au *surmoi* que doivent être attribuées la fonction de censure, la formation et les déformations du rêve**[2].

QUESTIONS ET ENJEUX

La notion de censure apparaît relativement simple, et elle est sans doute l'une des plus claires que nous ait proposées Freud. Elle s'impose à lui dès 1893, à propos du traitement des hystériques et se définit d'emblée en fonction du conflit et de la résistance, du refoulement et des défenses; l'étude des rêves vient confirmer sa place centrale. Par la suite, les développements de la psychanalyse ne l'ont jamais remise en question; même si, à partir de 1920, le terme apparaît moins dans les textes, la notion se trouve élargie de fait avec la « découverte » du surmoi-idéal du moi.

Freud a fort bien résumé le cheminement de sa pensée. La censure a été conçue au début de l'œuvre, à propos du rêve alors traité pour lui-même: son interprétation rencontrait une résistance qui laissait penser qu'une censure s'exerçait sur ses pensées, la motion pulsionnelle les ayant suscitées entraînant un refoulement; cette fonction est alors attribuée à une instance, le « censeur du rêve », qui résulte de l'action de la conscience morale. Mais la censure ne saurait se limiter au rêve, elle appartient au fonctionnement psychique et apparaît dès lors que deux instances entrent en conflit. Avec la nouvelle topique, elle peut être plus clairement spécifiée grâce à l'introduction d'une nouvelle instance, le « surmoi » qui, sans la remettre en question, recueille la fonction de censure, l'étend et la diversifie. C'est ce qui explique la répartition des textes sur la censure: d'abord abondant en 1900 et juste après, ils vont réapparaître entre 1912 et 1917 avec le développement de la métapsychologie, mais aussi avec celui des

1. *Nouvelles conférences d'introduction à la psychanalyse* (1933a [1932]), Paris, Gallimard, 1984, p. 24-30 ; *OCF* XIX, p. 95-100 ; *GW* XV, p. 15-19.

2. *Ibidem*, p. 42 ; p. 109 ; p. 29.

écrits « techniques ». Si par la suite le terme tend à se raréfier, sans disparaître pour autant, la notion va s'étendre et prendre une dimension nouvelle lorsque sa fonction se voit attribuée au surmoi-idéal du moi.

Claude Le Guen

Choix de la névrose → Névroses et choix de la névrose

CIVILISATION et SOCIÉTÉ (culture)

all. : ***Kultur*** **(*Gesellschaft*)**. – angl. : *civilization* (*society*). – esp. : *civilización* (*sociedad*). – ital. : *civiltà* (*società*). – port. : *civilização* (*sociedade*)

L'humanité, espèce sociale, vit et se développe dans des sociétés organisées par la civilisation et la culture, ces références recouvrant tout ce par quoi la vie humaine s'est élevée au-dessus des conditions animales ; le processus de civilisation est cette modification du processus vital, subie sous l'influence de la nécessité, que constitue la réunion d'êtres humains isolés en une communauté qui les lie libidinalement. Explorant la psyché, la psychanalyse ne saurait pas plus ignorer les fondements affectifs des rapports de l'individu à la société que les bases sociales du fonctionnement psychique : la psychologie individuelle est, d'emblée et simultanément, une psychologie sociale.

MISE EN SITUATION

Freud a de tout temps considéré que son approche devait référer l'individu dans *et* avec *la société, étant « habitué à transporter partout avec [lui] le point de vue de la valeur sociale ou éthique »* [1].

1. *Le moi et le ça* (1923b), *Essais de psychanalyse*, Paris, Payot, 1981, p. 238 ; *OCF* xvi, p. 270 ; *GW* xiii, p. 254.

Aussi, il serait contraire à sa pensée de distinguer dans son œuvre une part individuelle et une autre sociétale : les deux sont consubstantielles. La distinction est à situer ailleurs puisque, « à strictement parler il n'y a, en effet, que deux sciences : la psychologie, pure et appliquée, et la science de la nature » [1] *– ce qui conduit à la biologie, ce support et cette condition nécessaire à une psychologie. Freud entend étudier les processus inconscients, qu'ils soient individuels ou sociaux, et les fonctionnements de « l'appareil » qui les produit et les meut – ce faisant, il s'agit toujours de psychanalyse. Lui-même n'a d'ailleurs jamais opéré de distinctions entre ses œuvres « psychologiques » et « culturelles » tant sa recherche conjugue l'une et l'autre (*Psychologie des foules et analyse du moi *en est sans doute la meilleure illustration) ; même s'il peut, dans un texte et à l'occasion, privilégier l'une ou l'autre de ces approches, il ne néglige jamais tout à fait l'autre. Il peut élire comme exemplaire l'étude des religions et des croyances religieuses parce que, plus que d'autres (et c'est bien là ce qui fait leur force), ces productions culturelles mobilisent les peurs et les angoisses, les désirs et les espérances individuelles.*

En conjuguant les termes, il considère les effets des rapports, des intrications entre individu et société : il reconnaît comme source majeure des névroses individuelles la répression des pulsions par la civilisation [2]*, il est tout autant convaincu que la psychanalyse peut aussi éclairer les sources des grandes institutions sociales car la même dynamique est à l'œuvre dans les productions psychiques des individus et celles des communautés* [3]*. Si dans la première partie de son œuvre, en bon praticien prenant appui sur son expérience clinique, il suit plutôt une approche individuelle, il ne perd jamais de vue sa contrepartie sociale ; sa recherche progressant, il s'intéresse de plus en plus aux formations collectives. Il met régulièrement en œuvre une dynamique où chacune des approches vient éclairer les autres ;*

1. *Nouvelles conférences d'introduction à la psychanalyse* (1933a [1932]), Paris, Gallimard, 1984, p. 240 ; *OCF* XIX, p. 265 ; *GW* XV, p. 194.

2. Par ex. dans « La morale sexuelle “civilisée” et la maladie nerveuse des temps modernes » (1908d), *La vie sexuelle*, Paris, PUF, 1969, p. 31-38 ; *OCF* VIII, p. 201-209 ; *GW* VII, p. 148-156.

3. « L'intérêt de la psychanalyse » (1913j), *Résultats, idées, problèmes*, *I*, Paris, PUF, 1984, p. 208-209 ; *OCF* XII, p. 120-121 ; *GW* VIII, p. 415.

aussi, ce serait dénaturer sa recherche que de vouloir isoler au sein de l'entreprise freudienne une approche culturelle ou une perspective sociétale.

Disant ceci, nous nous trouvons d'emblée confrontés à une difficulté de traduction : si les termes Gesellschaft *(société) ou* sozial *(social), loin d'être rares sous sa plume, ne posent aucun problème, il n'en va pas de même avec* Kultur *qui recouvre les deux notions voisines (mais bien distinctes) que connaît le français, à savoir la « culture » et la « civilisation » (ce qui peut d'autant faire question que chacune put porter à l'occasion une charge idéologique : rationalisme/vitalisme). Bien qu'il en aille différemment en allemand, Freud, tenant à éviter toute ambiguïté, précise qu'il « dédaigne de séparer culture et civilisation »*[1] *dans un ferme refus d'une opposition qui lui apparaît spécieuse ; pour lui, « le mot "*Kultur*" désigne la totalité des réalisations et organisations par lesquelles notre vie s'éloigne de celle de nos ancêtres animaux et qui servent à deux fins : la protection de l'homme contre la nature et la réglementation des relations des hommes entre eux »*[2]*. En France, anthropologues et lexicographes s'accordent pour considérer que le champ de la « culture » se limite à l'ensemble des aspects intellectuels d'une « civilisation » alors que celle-ci comprend l'ensemble des acquisitions des sociétés humaines. Les traducteurs ont ainsi longtemps été conduits, en fonction du texte freudien, à retenir « civilisation » comme équivalent de* Kultur. *À partir de 1989, dirigeant l'édition des* Œuvres complètes *de Sigmund Freud, Jean Laplanche a préféré recourir à « culture » de façon univoque, invoquant Lévi-Strauss et l'évolution de la langue*[3] *; pourtant, en 2012 encore, Françoise Héritier (que Lévi-Strauss, justement, considérait comme son « successeur », et qui lui a d'ailleurs succédé au Collège de France) rappelle que « le terme "civilisation" est un fourre-tout très vaste. [Les civilisations] sont de grands ensembles à longue portée historique où se reconnaissent au long cours des schèmes de pensée et des manières d'être, d'agir, de se représenter le monde identifiables selon de nombreux critères : grands groupes*

1. *L'avenir d'une illusion* (1927c), Paris, PUF, 1971, p. 8 ; *OCF* XVIII, p. 146 ; *GW* XIV, p. 326.

2. *Malaise dans la civilisation* (1930a [1929]), Paris, PUF, 1971, p. 38 ; *OCF* XVIII [*Malaise dans la culture*], p. 277 ; *GW* XIV, p. 448-449.

3. Jean Laplanche, dans *Traduire Freud*, Paris, PUF, 1989, p. 92-93.

linguistiques, vêtements, habitats, dans leurs grandes lignes, mais aussi religions et cultes, systèmes politiques, systèmes artistiques » (on connaît ainsi les grandes civilisations indienne, grecque, judéo-chrétienne, etc.) ; le terme de « culture », aussi difficile à définir, « renvoie également à un ensemble de traits associés selon des combinaisons variées et qui définissent des groupes sociaux de plus petite taille relativement autonomes, vivant dans une même aire, parlant une langue ou des dialectes mutuellement compréhensibles, adoptant de mêmes usages politiques et comportementaux, partageant un fonds symbolique commun » (on parle ainsi de cultures dogon, hellène, germanique, etc.)[1]*. Ceci entendu, si, pour notre part et comme nombre de nos prédécesseurs, nous optons fermement pour « civilisation » comme équivalent du germanisme* Kultur *dans l'œuvre freudienne, quitte à élire « culture » ici ou là en fonction du contexte, nous ne perdons jamais de vue la mise en garde de Freud qui « dédaigne de séparer culture et civilisation ». Ce qui importe est bien de savoir ce que vise Freud lorsque nous rencontrons, dans le texte allemand, le terme* Kultur *: « tout le savoir et tout le savoir-faire qu'ont acquis les hommes afin de maîtriser les forces de la nature [...], toutes les dispositions nécessaires pour régler les rapports des hommes entre eux [...], ces deux orientations n'étant pas indépendantes l'une de l'autre »*[2]*.*

1. Françoise Héritier, « entretien » accordé au journal *Le Monde* du 11 février 2012. Il est sans doute significatif qu'une spécialiste aussi éminente ait choisit de publier cette explicitation dans un quotidien, fût-il dit « de référence ». À noter que pareillement, deux ans plus tard, le grand médiéviste Jacques Le Goff (dans le *Cahier du Monde* n° 21466 du 23 janvier 2014, sur *Histoire et civilisation*) spécifie que si « la civilisation repose sur la recherche et l'expression d'une valeur supérieure, [...] la culture se résume à un ensemble de coutumes et de comportements ».

2. *L'avenir d'une illusion* (1927c), Paris, PUF, 1971, p. 8-9 ; *OCF* XVIII, p. 146 ; *GW* XIV, p. 326-327.

LE TEXTE FREUDIEN

À part quelques brèves mentions marginales[1], Freud ne réfère pas les « problèmes de civilisation » dans ses premiers écrits ; il les mentionne bien en 1905 en raison des barrages qu'ils viennent dresser face aux pulsions sexuelles, mais c'est alors pour les replacer sous le primat du biologique : s'il « est certain que l'éducation contribue largement [à dresser des digues], en réalité, cette évolution est organiquement déterminée, héréditairement fixée et peut à l'occasion s'effectuer sans le moindre concours de l'éducation » qui se borne à suivre les lignes tracées, voire à les renforcer[2]. La sublimation, en supprimant ou dérivant les « germes contenus dans la prédisposition sexuelle non différenciée de l'enfant », vient donner accès aux œuvres de la civilisation[3] (ce qui est redit deux ans plus tard[4]).

En 1908, dans « La morale sexuelle "civilisée" et la maladie nerveuse des temps modernes », il confirme que « l'influence nocive de la civilisation se réduit essentiellement à la répression de la vie sexuelle des peuples (ou des couches sociales) civilisés par la morale sexuelle "civilisée" qui les domine », et que « notre civilisation est construite sur la répression des pulsions ». Ainsi chaque individu cède une part de son autonomie et de ses tendances agressives propres afin de s'approprier les biens matériels et idéels de la culture commune. « En dehors des exigences de la vie, ce sont bien les sentiments familiaux, découlant de l'érotisme, qui ont poussé les individus isolément à ce renoncement » progressif, conforté par la religion qui fait de l'abandon de la satisfaction de la pulsion un sacrifice à la

1. Par ex. dans *La naissance de la psychanalyse*, Paris, PUF, 1956, p. 186 ; et *Lettres à Wilhelm Fliess (édition complète)*, Paris, PUF, 2006, p. 319 [Manuscrit N, du 31 mai 1897].

2. *Trois essais sur la théorie sexuelle* (1905d), Paris, Gallimard, 1987, p. 99-100 ; *OCF* VI, p. 112-113 ; *GW* V, p. 78.

3. « Fragment d'une analyse d'hystérie (Dora) » (1905e), *Cinq psychanalyses*, Paris, PUF, 1954, p. 35-36 ; *OCF* VI, p. 230 ; *GW* V, p. 210.

4. « Actions compulsionnelles et exercices religieux » (1907b), *Névrose, psychose et perversion*, Paris, PUF, 1973, p. 142 ; *OCF* VIII, p. 146 ; *GW* VII, p. 139.

divinité. Celui qui refuse cette répression devient un hors-la-loi, à moins qu'il ne parvienne, exceptionnellement, à s'imposer comme « grand homme », comme « héros » de par sa position sociale et ses aptitudes éminentes – en effet, seule une minorité parvient, de façon intermittente, à « sublimer », à dériver une part pulsionnelle des buts sexuels sur des buts culturels plus élevés –, la plupart des humains devenant simplement malheureux ou névrosés[1]. Mais « qu'est-ce donc que la civilisation ? », s'interroge Freud lors d'une séance à la Société psychanalytique de Vienne ; elle est « **un précipité du travail de refoulement exécuté par toutes les générations précédentes** ; l'individu est requis d'accomplir tous les refoulements qui ont déjà été accomplis avant lui »[2].

En 1913, rédigeant un texte de circonstance, il en profite pour montrer « combien sont nombreux les domaines du savoir pour lesquels la psychanalyse est intéressante »[3] ; elle est à même de « jeter un éclairage sur les origines de nos grandes institutions culturelles, de la religion, de la morale, du droit, de la philosophie », postulant la même source dynamique pour les productions psychiques des individus et celles des communautés[4]. Grâce à l'exploration de la psyché individuelle elle a pu saisir « les fondements affectifs du rapport de l'individu à la société », découvrir l'apport des sentiments sociaux issus de l'érotisme, reconnaître le caractère asocial des névroses, montrer que « l'intense sentiment de culpabilité qui prévaut dans tant de névroses [est] la modification sociale de l'angoisse névrotique. **Dans une large mesure, les conditions et les exigences sociales participent largement à la causation des névroses** ». L'éducation et l'exemple contraignent le jeune qui, en reproduisant spontanément des refoulements pulsionnels, ne fait que répéter un fragment de l'histoire de la civilisation :

1. « La morale sexuelle "civilisée" et la maladie nerveuse des temps modernes » (1908d), *La vie sexuelle*, Paris, PUF, 1969, p. 31-38 ; *OCF* VIII, p. 201-209 ; *GW* VII, p. 148-156.

2. *Les premiers psychanalystes : minutes de la Société psychanalytique de Vienne*, t. III (1910-1911), Paris, Gallimard, 1979, séance du 22 février 1911, p. 175.

3. « L'intérêt de la psychanalyse » (1913j), *Résultats, idées, problèmes*, *I*, Paris, PUF, 1984, p. 213 ; *OCF* XII, p. 125 ; *GW* VIII, p. 420.

4. *Ibidem*, p. 208-209 ; p. 120-121 ; p. 415.

« ce qui est aujourd'hui une entrave intérieure n'était autrefois qu'une entrave extérieure, peut-être imposée par la nécessité des temps » [1]. Les *Conférences d'introduction à la psychanalyse* ne pouvaient négliger ce thème, même si elles ne s'y attardent guère : la société doit dompter, restreindre la pulsion sexuelle lorsqu'elle surgit, sinon elle romprait toutes les digues et balaierait l'ouvrage culturel si péniblement édifié. Ses motifs sont, en dernier ressort, d'ordre économique (à entendre ici au sens de « l'économie de marché » puisqu'il lui faut détourner l'énergie des membres de la société de l'activité sexuelle pour l'orienter vers le travail productif) [2].

En 1921 paraît *Psychologie des foules et analyse du moi*, texte fondamental par lequel Freud complète la révision de la théorie des pulsions de 1920 [3], et prépare son « prolongement » de 1923 visant à établir une « différenciation du psychisme » et une « analyse du moi » [4], fondant ainsi ce que l'on désignera comme « nouvelle (ou deuxième) topique ». L'intitulé choisi pour cet ouvrage marque clairement le lien et la conjonction qu'il entend établir « entre psychologie individuelle et psychologie sociale ». En effet, « dans la vie psychique de l'individu pris isolément l'autre intervient très régulièrement en tant que modèle, soutien et adversaire, et de ce fait **la psychologie individuelle est aussi, d'emblée et simultanément, une psychologie sociale** » [5], ce qui s'illustre du constat que le rassemblement en masses des individus n'entraîne pas individuellement l'apparition de nouvelles propriétés psychiques. Simplement, se trouvant pris dans la masse, l'individu trouve « des conditions qui lui permettent de se débarrasser des refoulements de ses motions pulsionnelles inconscientes », ce dont ne font que témoigner ces propriétés apparemment

1. *Ibidem*, p. 211-212 ; p. 123-124 ; p. 418-419.

2. *Conférences d'introduction à la psychanalyse* (1916-1917), Paris, Gallimard, 1999, p. 395-396 ; *OCF* XIV, p. 321-322 ; *GW* XI, p. 322.

3. *Au-delà du principe de plaisir* (1920g), *Essais de psychanalyse*, Paris, Payot, 1981 ; *OCF* XV ; *GW* XIII.

4. *Le moi et le ça* (1923b), *Essais de psychanalyse*, Paris, Payot, 1981 ; *OCF* XVI ; *GW* XIII.

5. *Psychologie des foules et analyse du moi* (1921c), *Essais de psychanalyse*, Paris, Payot, 1981, p. 123 ; *OCF* XVI, p. 5 ; *GW* XIII, p. 73.

nouvelles et qui ne sont que « les manifestations de cet inconscient dans lequel assurément gît tout le mauvais de l'âme humaine, telle qu'elle s'y trouve prédisposée » [1].

Pour éclairer la psychologie des masses, Freud reprend le concept de *libido*, si fécond dans l'étude des psychonévroses. Toutes les formes d'amour sont l'expression des mêmes motions pulsionnelles qui poussent à l'union sexuelle et qui, même détournées, « conservent assez de leur nature originelle pour garder une identité bien reconnaissable » ; « les relations d'amour (les liens sentimentaux) constituent également l'essence de l'âme des masses » [2]. Dans les groupes artificiels (Église, armée), l'individu est lié libidinalement au « meneur » (voire au Christ) ; la pulsion se trouve détournée de son but sexuel originel par des processus d'*idéalisation* et d'*identification* (ce qui conduit Freud à approfondir ces notions en liaison avec l'Œdipe puis, passant par la suggestion, à retrouver l'*idéal du moi* [3]). En chemin, il est revenu sur le *narcissisme* : l'aversion à l'égard d'étrangers en raison de différences (souvent minimes) par rapport à sa propre conformation en est l'expression ; pareil comportement révèle « une aptitude à la haine, une agressivité dont l'origine est inconnue, et à laquelle on serait tenté d'attribuer un caractère élémentaire ». Pourtant cette intolérance peut se dissiper dans la formation de masse et, tant que celle-ci perdure, « les individus se conduisent comme s'ils étaient uniformes, supportent la singularité de l'autre, se mettent à égalité avec lui et n'éprouvent aucun sentiment de répulsion à son endroit. Une telle restriction du narcissisme ne peut être produite que par [...] la liaison libidinale à d'autres personnes. L'amour de soi ne trouve de limite que dans l'amour de l'étranger, l'amour pour des objets » [4]. En endiguant le narcissisme l'amour d'objet (qui suppose le passage de l'égoïsme à l'altruisme) devient facteur de civilisation, que ce soit l'amour homosexuel sublimé ou l'hétérosexuel, avec les contraintes qu'ils imposent [5] ;

1. *Ibidem*, p. 129 ; p. 10 ; p. 79.
2. *Ibidem*, p. 150-152 ; p. 29-30 ; p. 98-100.
3. *Ibidem*, chap. VII et XI.
4. *Ibidem*, p. 163-164 ; p. 40-41 ; p. 111-112.
5. *Ibidem*, p. 192 ; p. 63 ; p. 138.

cette action n'est pourtant pas simple car « l'amour pour la femme rompt les liens propres à la race, à la division des nations et à l'organisation en classes de la société, accomplissant de ce fait des réalisations culturellement importantes » [1]. Cette étude de grande ampleur, dans laquelle sont proposées des notions aussi importantes que l'Œdipe inversé [2] et la position féminine du garçon, reprend l'hypnose au travers du couple hypnotiseur-hypnotisé (cette « formation de masse à deux » [3]), et souligne combien il importe d'associer les approches individuelle et sociale en psychanalyse.

Freud y insistera encore trois ans plus tard (1924) dans « Petit abrégé de psychanalyse » : en s'opposant à la satisfaction de ses désirs, la réalité extérieure impose à l'individu de la combattre en s'y adaptant ou la maîtrisant ; ainsi lui sont imposés tant le travail et la vie en commun que le sacrifice de nombre de ses désirs. « **La civilisation est d'ailleurs édifiée avant tout sur le renoncement pulsionnel et chaque individu isolé doit, sur le chemin qui le mène de l'enfance à la maturité, répéter sur lui-même cette évolution qui mène l'humanité à la résignation raisonnable** » ; ce sont surtout les pulsions sexuelles qui tombent sous les coups de cette répression culturelle. Si elles peuvent être en partie sublimées, des désirs frustrés n'en demeurent pas moins dans l'inconscient, cherchant à se satisfaire à tout prix ; si toute une part de l'activité humaine est orientée vers la domination du monde, « une autre part, hautement prisée, de la création psychique sert à l'accomplissement de désirs, à la satisfaction substitutive de ces désirs refoulés », créations en rapport avec un inconscient insaisissable, comme le mythe, la poésie et l'art [4]. En témoignent quelques textes majeurs, tel celui où, à propos de l'exercice de la psychanalyse par des non-médecins, Freud réaffirme la **vocation de la psychanalyse à prendre en compte « toutes les sciences qui s'occupent de la genèse de**

1. *Ibidem*, p. 214 ; p. 81 ; p. 159.
2. *Ibidem*, p. 167 et 171 ; p. 43 et 46 ; p. 115 et 119.
3. *Ibidem*, p. 180 ; p. 53 ; p. 126.
4. « Petit abrégé de psychanalyse » (1924f), *Résultats, idées, problèmes, II*, Paris, PUF, 1985, p. 114-116 ; *OCF* XVI, p. 351-352 ; *GW* XIII, p. 424-425.

la civilisation humaine et de ses grandes institutions, tels l'art, la religion et l'ordre social », jusqu'à s'y rendre « indispensable » [1].

Les années suivantes, l'intérêt de Freud pour les grands problèmes de société se renforce encore, tout comme son souci de les lier aux découvertes et enjeux de la psychanalyse ; quelques textes majeurs en témoignent, se donnant pour but explicite d'influer tant les acteurs sociaux qu'un public élargi, tous témoignent de son engagement personnel dans la société et de sa volonté de promouvoir la psychanalyse.

En 1927 paraît ***L'avenir d'une illusion*** présenté au pasteur Pfister comme traitant de son « attitude toute de refus en matière de religion, sous toutes ses formes, mêmes dégradées », avec l'intention polémique de « protéger l'analyse contre les prêtres » de la même façon que *La question de l'analyse profane* est destinée à « la protéger contre les médecins ». Après s'être beaucoup et longtemps interrogé sur les origines des religions et leurs développements, Freud se demande maintenant quel pourra en être le destin, sans méconnaître tout ce qu'une telle démarche peut avoir d'incertain. En outre il « faut compter avec le fait que **chez tout homme existe des tendances destructives, donc antisociales et anticulturelles** » ; la question décisive devient alors de savoir jusqu'à quel point il sera possible de « diminuer le fardeau des sacrifices pulsionnels imposés aux hommes, de les réconcilier avec les sacrifices qui demeureront nécessaires et à les en dédommager » [2]. Même si la civilisation interdit depuis longtemps certains désirs pulsionnels (l'inceste, le meurtre et le cannibalisme, ce dernier demeurant le seul à être unanimement réprouvé aujourd'hui), ils n'ont rien perdu de leur force et renaissent avec chaque enfant. Certes l'âme humaine a évolué depuis les temps primitifs, la contrainte externe s'est peu à peu intériorisée, prise en charge par le *surmoi*, mais chacun de nos enfants n'en doit pas moins rejouer cette transformation pour devenir un être moral et social : « **ce renforcement du surmoi est un patrimoine psychologique de haute valeur pour la culture** [...,] mais le degré de cette intériorisation varie beaucoup d'un interdit pulsionnel à l'autre », et il

1. *La question de l'analyse profane* (1926), Paris, Gallimard, 1985 ; *OCF* XVIII ; *GW* XIV.

2. *L'avenir d'une illusion* (1927c), Paris, PUF, 1971, p. 9-10 ; *OCF* XVIII, p. 145-148 ; *GW* XIV, p. 325-328.

faut bien constater que « la majorité des hommes obéit aux interdits culturels sous la seule pression de la contrainte externe »[1]. Si les idées religieuses participent de la même nécessité de se défendre contre l'écrasante suprématie de la nature, elles se proposent aussi de corriger les imperfections de la civilisation, si douloureusement ressenties ; comme ces idées sont le patrimoine de toute une suite de générations, l'individu les rencontre dès sa naissance[2]. La motivation manifeste de la formation de la religion est le complexe paternel, sa motivation profonde est la détresse infantile prolongée par le besoin de protection de l'homme : « la motivation psychanalytique du besoin de religion se trouve être la contribution infantile à sa motivation manifeste ». Chez le petit enfant, lors du choix d'objet par étayage, la libido suit les voies des besoins narcissiques et s'attache aux objets qui les satisfont : ainsi la mère devient le premier objet et la première protection contre tous les dangers qui menacent dans le monde extérieur, elle est la première protection contre l'angoisse ; dans ce rôle, elle est bientôt relayée par le père, mais comme celui-ci apparaît également menaçant se développe une ambivalence qui va marquer toutes les représentations religieuses de traits caractéristiques que transmettra la civilisation[3]. Celle-ci porte donc des idées religieuses qui se posent comme des dogmes mais ne sont que des illusions, des vœux de réalisation des désirs les plus anciens, les plus forts, les plus pressants de l'humanité ; « **le secret de leur force est la force de ces désirs** »[4]. Pour évoluer vers la culture, l'enfant humain, incapable de réprimer les revendications pulsionnelles qui le débordent et que condamne la civilisation, doit alors passer par une phase plus ou moins névrotique ; il lui faut refouler ses pulsions et, heureusement, la plupart de ces névroses infantiles disparaissent en grandissant. « On pourrait de même admettre que l'humanité dans son ensemble passe, au cours de son évolution, par des états analogues aux névroses »[5]. L'une des conséquences en est

1. *Ibidem*, p. 16-17 ; p. 150-152 ; p. 331-332.
2. *Ibidem*, p. 29-30 ; p. 161 ; p. 342-343.
3. *Ibidem*, p. 32-33 ; p. 164 ; p. 345-346.
4. *Ibidem*, p. 43 ; p. 170-171 ; p. 352.
5. *Ibidem*, p. 60-61 ; p. 184 ; p. 366.

que **les répressions exercées par la société abêtissent les individus** : « pensez au contraste affligeant qui existe entre l'intelligence radieuse d'un enfant en bonne santé et la faiblesse de pensée de l'adulte moyen »[1].

Dans cette étude, qui entend mettre la psychanalyse à l'abri des prêtres[2], Freud s'intéresse surtout à la façon dont les religions utilisent les croyances et les peurs infantiles pour s'affirmer et orienter les grandes institutions en fonction de leurs intérêts. C'est ce qui fait qu'elles sont d'excellentes illustrations des rapports entre psychologie individuelle et psychologie sociale – ce qui ne peut que préparer à de plus larges développements.

Un peu moins de trois ans plus tard, Freud les apporte dans *Malaise dans la civilisation* (1930). Il prend prétexte d'une lettre de Romain Rolland suggérant que la source de la religiosité résiderait dans « un sentiment particulier qu'il appellerait volontiers la sensation de l'éternité, sentiment pour ainsi dire "océanique" »[3]. Ne trouvant en lui rien de tel mais admettant que d'autres puissent l'éprouver, Freud s'attache à expliquer ce sentiment en reprenant tant la problématique de la religiosité que celle des processus de civilisation et d'organisation sociales. À peine né, le moi individuel a très vite affaire à un objet « *au dehors* »[4] et se trouve dès lors confronté à un environnement qui est déjà social et historique. Ce monde extérieur apparaît menaçant au moi qui doit alors élaborer des défenses ; l'une déplace de la libido afin de « transposer les objectifs des pulsions de telle sorte que le monde extérieur ne puisse plus leur opposer de déni ou s'opposer à leur satisfaction : il s'agit de la sublimation des pulsions », déterminante pour l'insertion sociale et la vie culturelle. Grâce à elle le travail psychique et intellectuel peut, malgré tout, apporter une somme suffisante de plaisir ; relativement peu de gens accèdent à cette technique,

1. *Ibidem*, p. 67 ; p. 188 ; p. 370.

2. *Correspondance de Sigmund Freud avec le pasteur Pfister (1909-1939)*, Paris, Gallimard, 1969, le 25 novembre 1928, p. 183.

3. *Malaise dans la civilisation* (1930a [1929]), Paris, PUF, 1971, p. 5-6 ; *OCF* XVIII [*Malaise dans la culture*], p. 249-250 ; *GW* XIV, p. 422.

4. *Ibidem*, p. 8-9 ; p. 252-253 ; p. 424-425.

mais le travail professionnel ordinaire peut également assurer cette fonction lorsqu'il est effectué dans de bonnes conditions.

S'il est difficile d'apprécier ce qu'est le labeur pour l'économie libidinale, on n'en constate pas moins qu'il peut, comme nul autre, lier solidement l'individu à la réalité et à la communauté humaine. « La possibilité de déplacer une forte proportion de composantes libidinales, narcissiques, agressives et même érotiques, sur le travail professionnel et sur les relations humaines qui s'y attachent, confère au travail une valeur qui ne le cède en rien à sa nécessité pour permettre à chacun d'affirmer et justifier son existence dans la société. »[1]

Pour éloigner le malheur et conquérir le bonheur, les hommes usent de bien des méthodes sans vraiment y atteindre, mais l'une s'en rapproche plus que les autres : il s'agit, bien sûr, de l'amour, « attendant toute satisfaction d'aimer et d'être aimé » – il constitue pourtant la plus piètre des protections contre la souffrance. Si la poursuite du bonheur, imposée par le principe de plaisir, n'est pas réalisable, nous pouvons pourtant ne pas renoncer à tout effort pour nous en approcher ; on peut, pour ce faire, prendre bien des chemins, mais nous n'atteindrons jamais tout ce que nous désirons. « **Le bonheur, dans l'acception modérée où il est reconnu possible, est un problème d'économie libidinale individuelle** »[2].

La souffrance humaine est provoquée tant par la puissance écrasante de la nature que par le vieillissement biologique de notre corps, auxquels nous ne pouvons que nous résigner ; mais elle résulte aussi des rapports humains et la souffrance sociale qui en résulte nous heurte : comment des institutions que nous avons créées peuvent-elles ne pas dispenser à tous protections et bienfaits ? Là derrière doit se cacher quelque loi de l'invincible nature, liée à notre constitution psychique[3] ; mais quelle est donc l'essence de cette civilisation si peu disposée à dispenser du bonheur ? L'effort de l'homme pour s'éloigner de ses ancêtres animaux, se protéger de la nature et réglementer ses

1. *Ibidem*, p. 25 et n. 1 ; p. 267 et n. 1 ; p. 438 et n. 1.
2. *Ibidem*, p. 28-30 ; p. 269-270 ; p. 440-442.
3. *Ibidem*, p. 32-33 ; p. 273 ; p. 444-445.

relations aux autres[1], se déroule à l'échelle de l'humanité selon un processus qui modifie les tendances pulsionnelles, marquant la similitude entre processus culturel et développement libidinal individuel. Parmi les voies prises par les pulsions pour se satisfaire, la sublimation est essentielle au développement culturel et, surtout, la civilisation s'édifie sur le renoncement à la satisfaction des pulsions ; « ce “refus culturel” [*Kulturversagung*] régit les rapports sociaux », suscitant en retour une hostilité contre les développements de la civilisation[2].

Le plus puissant des obstacles demeure pourtant la *tendance à l'agression* qui s'oppose tant au processus culturel qu'au développement libidinal individuel, qui agit contre l'Éros qui unit individus, familles, tribus, peuples, nations dans cette totalité qu'est l'humanité. Un lien libidinal est nécessaire aux masses sociales mais la pulsion d'agression (qui débouchera sur la pulsion de mort) y fait obstacle ; ainsi, le développement culturel illustre « le combat entre Éros et mort, entre pulsion de vie et pulsion de destruction »[3].

Pour inhiber, voire éliminer l'agression, la civilisation use des mêmes méthodes que l'individu lors de son développement : « l'agression est introjectée, retournée sur le moi propre où elle est prise en charge par le surmoi qui s'oppose au reste du moi ». C'est la conscience morale dont la tension produit le *sentiment conscient de culpabilité* et le *besoin de punition*. Ainsi « la civilisation maîtrise la dangereuse jouissance agressive de l'individu en l'affaiblissant, en le désarmant et en le faisant surveiller par une instance placée en lui-même ». Or bien souvent ce n'est pas le mal qui est dangereux pour le moi mais tout au contraire quelque chose qui lui apparaît souhaitable car source de plaisir ; il faut une influence étrangère pour décréter la voie du bien et du mal que ne suivrait pas spontanément l'individu qui ne s'y soumet qu'en raison de sa détresse et de sa dépendance aux autres, de son « angoisse face à la perte d'amour » : perdre l'amour de celui dont il dépend revenant à perdre sa protection. « **Le mal est donc d'abord ce pour quoi on est menacé d'être privé d'amour** ; c'est

1. *Ibidem*, p. 37 ; p. 276 ; p. 448-449.
2. *Ibidem*, p. 46-47 ; p. 284-285 ; p. 456-457.
3. *Ibidem*, p. 79-80 ; p. 308 ; p. 482-483.

par angoisse face à cette perte qu'on doit éviter ce qui est mal » – et on redoute que l'autorité découvre la faute. On parle alors de « mauvaise conscience », ce qui est inapproprié car à ce stade, qui caractérise la petite enfance, la conscience de culpabilité n'est qu'angoisse devant la perte d'amour.

Chez beaucoup d'adultes le changement se limite à ce que la communauté prenne la place du père ou des parents ; c'est pourquoi, s'ils sont assurés que l'autorité n'en saura rien, ils se permettent de faire un mal susceptible de leur procurer un plaisir. Si l'autorité est intériorisée par l'instauration d'un surmoi, la conscience morale change de niveau ; elle n'existe véritablement que de ce moment et, dès lors, « la différence entre faire le mal et vouloir le mal s'efface, car rien ne peut être caché au surmoi ». Comme le stade infantile originel de la conscience morale persiste dans le surmoi, « le destin est un substitut de l'instance parentale et si le malheur nous frappe, cela signifie que l'on n'est plus aimé par cette puissance suprême » ; sous la menace d'une telle perte d'amour, on se soumet, ce qui devient particulièrement net lorsqu'on voit dans le destin l'expression de la volonté divine.

Le sentiment de culpabilité a pour origine l'angoisse devant l'autorité, à laquelle succède celle face au surmoi ; on est d'abord contraint à renoncer aux satisfactions pulsionnelles, puis on est poussé à se punir – d'où des rapports particuliers entre ces mouvements aussi compliqués que conséquents. Nous pouvons en repérer la succession : 1- l'enfant ressent d'abord le sentiment de l'amour de ses parents qui le protège contre la dangerosité du monde ; 2- il éprouve très vite une angoisse à l'idée de perdre cet amour et de rester démuni face à l'autorité extérieure (punition) ; 3- d'où un renoncement pulsionnel avec instauration d'une autorité interne ; 4- alors se développe une angoisse de conscience morale qui renforce le renoncement pulsionnel, l'agression de la conscience morale perpétuant l'agression de l'autorité parentale. L'extraordinaire sévérité que peut prendre la conscience morale s'explique par l'inversion entre angoisse de conscience et renoncement pulsionnel : au tout début celle-ci provoque celui-là, puis tout renoncement pulsionnel devient occasion de conscience morale, tout nouveau renoncement venant en accroître la sévérité et l'intolérance. C'est là un cercle vicieux qui fait que « le renoncement aux pulsions qui nous est imposé de l'extérieur [par la civilisation] crée la conscience morale, laquelle exige ensuite de nouveaux renoncements pulsionnels »[1].

Si le sentiment de culpabilité remonte jusqu'au meurtre du père originaire, l'antériorité de la conscience morale sur l'acte ne saurait avoir alors existé ; d'où provient donc *le remords* ? Il résulterait de la toute première ambivalence de sentiments envers le père que les fils haïssaient mais aimaient aussi ; la haine satisfaite, l'amour réapparut dans le remords attaché au crime, érigea le surmoi par identification au père, lui délégua le pouvoir de punir, créa les restrictions destinées à en empêcher le retour. Comme la tendance à l'agression contre le père se répétait dans les générations suivantes, le sentiment de culpabilité persista et se renforça lors de chaque agression réprimée puis transférée au surmoi. Peu importe qu'on ait mis à mort le père ou qu'on s'en soit abstenu, le sentiment de culpabilité exprime le conflit d'ambivalence et la lutte éternelle entre l'Éros et la pulsion de destruction. « Ce conflit s'alluma dès l'instant où les hommes durent vivre en commun », d'abord dans la famille avec le complexe d'Œdipe qui produit le premier sentiment de culpabilité puis, la communauté s'élargissant, ce conflit se prolongea et se renforça. **La civilisation ne peut parvenir à réunir les hommes qu'en renforçant toujours davantage le sentiment de culpabilité** ; si elle est la voie nécessaire pour évoluer de la famille à l'humanité, ce renforcement est la « conséquence du conflit d'ambivalence inné, conséquence de l'éternel désaccord entre amour et tendance à la mort »[2].

Freud entend « présenter le sentiment de culpabilité comme le problème le plus important du développement de la civilisation, et montrer que le prix à payer pour son progrès est une perte de bonheur due au renforcement de ce sentiment » ; pourtant, la relation très spéciale du sentiment de culpabilité avec notre conscience demeure incomprise. Dans les cas ordinaires de remords la culpabilité s'impose à notre conscience et les névroses s'avèrent pleines de contradictions, mais dans la névrose obsessionnelle le sentiment de culpabilité domine

1. *Ibidem*, p. 81-86 ; p. 311-316 ; p. 483-488.
2. *Ibidem*, p. 90-91 ; p. 319-320 ; p. 491-493.

le tableau clinique, dans la plupart des autres névroses il reste totalement inconscient sans que ses effets soient moindres pour autant, les malades refusant pourtant l'idée d'une culpabilité « inconsciente ». « Le sentiment de culpabilité n'est au fond rien d'autre qu'une variante topique de l'angoisse et, dans ses phases tardives, il coïncide tout à fait avec *l'angoisse devant le surmoi* ». L'angoisse se cache derrière tous les symptômes, tantôt accaparant toute la conscience, tantôt se dissimulant jusqu'à nous amener à parler d'angoisse inconsciente ; « c'est pourquoi on peut penser que le sentiment de culpabilité engendré par la civilisation n'est pas non plus reconnu comme tel et reste pour une grande part inconscient ou se manifeste comme un malaise » – les religions usent d'ailleurs largement du sentiment de culpabilité sous le nom de *péché*, prétendant pouvoir en délivrer les hommes[1].

Le combat entre l'Éros et la pulsion de mort caractérise le processus culturel qui se déroule à l'échelle de l'humanité, tout comme il le fait à celle du développement de l'individu, voir à celle de la vie organique en général. **Le processus de civilisation est cette modification du processus vital, subie sous l'influence de la nécessité, qu'est « la réunion d'êtres humains isolés en une communauté les liant libidinalement** » ; nous constatons en outre que les processus de civilisation de l'humanité et le processus d'éducation de l'individu sont très semblables, voire identiques, tout en s'appliquant à des objets différents. Il est pourtant une différence majeure : durant le développement de l'individu le programme du principe de plaisir (la recherche du bonheur) est maintenu comme but principal, tandis que l'incorporation à une communauté n'est qu'une condition, quasi inévitable, à la quête du bonheur ; **le développement individuel semble être un produit de l'interférence des deux tendances : l'aspiration au bonheur et l'aspiration à la réunion aux autres** (que, de façon superficielle, on peut désigner comme « égoïsme » et « altruisme »). Dans l'évolution culturelle l'instauration d'une unité à partir d'individus isolés est de loin le but principal, rendre ceux-ci heureux étant relégué à l'arrière-plan.

1. *Ibidem*, p. 93-95 ; p. 321-323 ; p. 494-485.

« Comme une planète tourne autour de son axe tout en évoluant autour de l'axe central, l'homme isolé participe au développement de l'humanité tout en suivant la voie de sa propre vie ». Si à nos yeux le jeu des forces cosmiques semble immuable, les forces organiques luttent à l'évidence les unes contre les autres ; les résultats de ce conflit varient et c'est ainsi qu'en chaque individu la tendance visant au bonheur individuel combat celle recherchant l'appartenance à l'humanité : développement individuel et développement de la civilisation doivent donc s'affronter ; **ce combat entre l'individu et la société répond à une discorde dans l'économie libidinale entre le moi et les objets,** il ne résulte pas de l'opposition irréductible entre Éros et mort mais autorise, *in fine*, un équilibre chez l'individu comme dans le devenir de la civilisation – même si, de nos jours, il rend pénible la vie individuelle.

« L'analogie entre processus de civilisation et développement individuel peut être élargie, la communauté développant elle aussi un surmoi qui suscite le développement de la civilisation ». Comme celui de l'individu **le *surmoi culturel*** est sévère, punissant d'une *angoisse de conscience morale* le non-respect de l'idéal ; en cas de tension chez l'individu, seules les agressions du surmoi se font bruyantes (reproches), les exigences elles-mêmes demeurant souvent inconscientes – « les amène-t-on à la conscience, elles s'avèrent alors coïncider avec les prescriptions d'un surmoi culturel donné ». Les deux processus, collectif et individuel, sont régulièrement accolés l'un à l'autre et **les manifestations du surmoi sont plus facilement reconnues dans la communauté que chez l'individu** ; le surmoi culturel produit ses idéaux, élève ses exigences, et celles qui visent les relations des hommes entre eux forment l'éthique qui, visant le point le plus sensible de toute civilisation, doit être conçue, dans les meilleurs des cas, comme une tentative thérapeutique, un effort pour atteindre ce qui n'a pu l'être encore : il s'agit d'écarter le penchant constitutionnel des hommes à s'agresser, obstacle majeur à la civilisation. Le traitement des névroses nous montre que le surmoi individuel est trop sévère, se soucie trop peu du bonheur du moi et méconnaît trop la force des pulsions du ça comme les difficultés extérieures, nous contraignant à lutter contre lui pour rabaisser ses revendications ; or nous pouvons faire les mêmes reproches aux exigences éthiques du surmoi culturel qui ne se soucie pas plus de la constitution psychique de l'homme, édictant un commandement sans savoir si l'homme peut l'observer, exigeant que le moi règne sur son ça, ce qui ne peut que susciter révolte, malheur ou névrose. La civilisation maintient pourtant ses exigences, et celui qui s'y conforme ne fait que se désavantager par rapport à ceux qui les dédaignent ! L'éthique n'offre que la satisfaction narcissique de s'estimer meilleur, la religion ne peut promettre le bonheur que dans un au-delà ; tant que la vertu ne sera pas récompensée ici-bas un réel changement dans l'attitude des hommes par rapport à la possession des biens sera beaucoup plus efficace que tout commandement éthique[1]. Mais **ce n'est pas parce que le développement de la civilisation ressemble à celui de l'individu et use des mêmes moyens que l'on peut transposer de la psychanalyse à la communauté sociale ses propositions thérapeutiques** ; ce serait absurde : « il ne s'agit là que d'analogies et il est aussi dangereux, pour les concepts que pour les humains, de les arracher à la sphère où ils sont nés et se sont développés. En outre ce qui, dans la névrose individuelle, nous sert de point de repère est le contraste entre le malade et son entourage "normal" ; pareille toile de fond manque dans le cas d'une névrose collective ».

En fait, nous en savons trop peu sur la civilisation humaine, si ce n'est que « les jugements de valeur des hommes sont inconditionnellement inspirés par leurs désirs de bonheur, et sont donc une tentative d'appuyer leurs illusions sur des arguments ». Dans quelle mesure le développement culturel réussira-t-il à maîtriser les perturbations apportées par la pulsion d'agression et d'autodestruction ? Les hommes sont parvenus si loin dans la domination des forces de la nature qu'il leur est facile de s'exterminer les uns les autres jusqu'au dernier ; ils le savent, s'en inquiètent, nous laissant dans l'attente que l'Éros éternel s'affirme dans le combat qu'il mène contre son adversaire tout aussi immortel. « Mais qui peut présumer du succès et de l'issue ? »[2]

Trois ans plus tard, la dernière des *Nouvelles conférences* (1933) tente de répondre à la question de savoir si la psychanalyse conduit à

1. *Ibidem*, p. 99-105 ; p. 326-331 ; p. 499-504.
2. *Ibidem*, p. 99-107 ; p. 326-333 ; p. 499-506.

une *Weltanschauung* ? Ce terme spécifiquement allemand est, au dire même de Freud, à peu près intraduisible en d'autres langues[1] ; une *Weltanschauung* doit être considérée comme « une construction intellectuelle qui résout de façon homogène tous les problèmes de notre existence à partir d'une hypothèse qui commande le tout et où, par conséquent, aucun problème ne reste ouvert »[2] (ce qui recouvre effectivement toutes les « grandes idéologies », à commencer par les religions). La réponse est claire : « la psychanalyse est incapable de créer une conception du monde qui lui soit particulière ; elle n'en a pas besoin : elle est une partie de la science et peut se rattacher à la conception scientifique. De toutes façons, elle ne mérite guère ce nom pompeux de *Weltanschauung* car elle ne conçoit pas tout, elle est trop inachevée et ne prétend pas constituer un ensemble cohérent et systématique »[3]. Freud est amené à souligner que la maîtrise de la nature par l'homme a nécessairement une influence sur l'économie, que la force du marxisme réside dans la démonstration perspicace de l'influence contraignante des rapports économiques sur les positions intellectuelles, éthiques et artistiques des hommes mais que, pour autant, on ne peut accepter l'idée qu'ils soient les seuls à déterminer leurs comportements dans la société : on ne saurait négliger les facteurs psychologiques car ils ont participé à l'instauration des conditions économiques et, de surcroît, « les hommes ne peuvent qu'apporter leurs motions pulsionnelles originaires, leur pulsion d'autoconservation, leur envie d'agression, leur besoin d'amour, leur aspiration à l'acquisition du plaisir et à l'évitement du déplaisir ». Sans compter les revendications du surmoi, nous ne devons pas oublier que dans la société soumise aux nécessités économiques se déroule aussi le processus de développement culturel qui, s'il est

1. On peut opter pour l'équivalent « conception du monde » proposé par le dictionnaire de Sachs-Villatte dont lui-même usait, pour « vision du monde » retenu par les *Œuvres complètes de Freud* aux PUF, pour « idéologie » préféré par nombre de lexicographes, ou simplement se refuser à le traduire comme le font les *Œuvres de Sigmund Freud* chez Gallimard.

2. *Nouvelles conférences d'introduction à la psychanalyse* (1933a [1932]), Paris, Gallimard, 1984, p. 211 ; *OCF* XIX, p. 242 ; *GW* XV, p. 170.

3. *Ibidem*, p. 243 ; p. 267 ; p. 197.

influencé par tous les autres facteurs, est à son origine indépendant d'eux, comparable à un processus organique déplaçant les buts pulsionnels. « Si quelqu'un était en mesure de montrer dans le détail comment ces différents facteurs, la disposition pulsionnelle des hommes en général, ses variations raciales et ses transformations culturelles se comportent, s'inhibent et se favorisent mutuellement dans les conditions de la hiérarchie sociale, de l'activité professionnelle et des possibilités de gain, si quelqu'un pouvait réaliser cela, il aurait apporté au marxisme le complément lui permettant d'être une véritable science de la société ». En fait, la sociologie ne peut être rien d'autre que de la psychologie appliquée car, « à strictement parler, **il n'y a, en effet, que deux sciences : la psychologie, pure et appliquée, et la science de la nature** »[1].

Quelques années plus tard, dans « L'analyse avec fin et l'analyse sans fin » (1937), à propos des états de conflit si fréquents entre orientations hétérosexuelle et homosexuelle, Freud évoque une « inclination au conflit », élément nouveau et particulier indépendant de la quantité de libido qui « ne peut guère être ramenée à autre chose qu'à l'intervention d'une part d'agression libre » ; il estime qu'il s'agit là d'une « manifestation de la pulsion de destruction ou d'agression » et pense à d'autres conflits, se demandant si cette conception ne conduit pas à « étendre, voire même à réviser globalement tout ce que nous savons du conflit psychique ». Il évoque alors son hypothèse que, « sur la voie du développement menant du primitif à l'homme civilisé se produise une intériorisation, un très considérable repli de l'agression vers le dedans, et que **les conflits internes seraient à coup sûr l'équivalent exact des combats extérieurs qui n'ont alors plus lieu** » – mais il sait combien la théorie qui instaure une pulsion de mort, de destruction ou d'agression « a trouvé en général peu d'écho et ne s'est pas véritablement imposée, même parmi les psychanalystes »[2].

Durant ces années (1934-1938), Freud élabore ce monument que forment les trois essais rassemblés sous le titre *L'homme Moïse et la*

1. *Ibidem*, p. 238-240 ; p. 264-265 ; p. 193-194.

2. « L'analyse avec fin et l'analyse sans fin » (1937c), *Résultats, idées, problèmes, II*, Paris, PUF, 1984, p. 260 ; *OCF* XX, p. 46 ; *GW* XVI, p. 90.

religion monothéiste, intitulé quasiment programmatique associant « un homme fort humble, plus qu'aucun homme qui fut sur terre », selon le *Pentateuque*[1], et une religion fondée par cet homme afin de proclamer qu'il n'y a qu'un seul Dieu. Ce livre, dont la rédaction débute alors que le nazisme prend le pouvoir en Autriche et se termine en exil à Londres, est l'aboutissement de ce qui apparaît comme une « enquête », récit d'une histoire (son premier titre était d'ailleurs « L'homme Moïse, un roman historique »[2]) : histoire de la fondation d'une religion par un homme.

Au départ, un constat qui, de l'aveu même de Freud, ressemble fort à un postulat : « Dans la vie de l'espèce humaine il s'est produit des processus analogues à ceux qui ont lieu dans la vie des individus. Donc il y a eu là aussi des processus à contenu sexuel-agressif, qui ont laissé des conséquences durables mais furent le plus souvent objets de défense, tombèrent dans l'oubli ; ils ont produit leurs effets plus tard, après une longue latence, et ont créé des phénomènes analogues aux symptômes dans leur structure et leur tendance » ; même s'ils ne sont pas les seuls, les phénomènes religieux sont l'un des meilleurs exemples de ces symptômes. Reprenant les propositions de *Totem et tabou*, il pose aux origines **le meurtre et la dévoration du père de la horde primitive** qui aurait fourni le fondement de la première forme d'organisation sociale, entraînant renoncement partiel aux pulsions, reconnaissance des obligations mutuelles, instauration d'institutions (à commencer par le tabou de l'inceste et l'obligation de l'exogamie). « Une bonne part du pouvoir absolu libéré par l'éviction du père passa aux femmes, ce fut la venue du temps du matriarcat » ; ce fut aussi l'érection de totems (substituts du père) ensuite remplacés par les dieux[3]. De grandes déesses mères apparurent, probablement avant les dieux mâles, jusqu'à ce qu'un grand bouleverse-

1. Référé par Jean-Baptiste Pontalis dans sa préface à *L'homme Moïse et la religion monothéiste*, Paris, Gallimard, 1986, p. 12.

2. Sigmund Freud et Arnold Zweig, *Correspondance (1927-1939)*, Paris, Gallimard, 1973, p. 129 (lettre du 30 septembre 1934) et p. 142 (lettre du 1er mars 1935).

3. *L'homme Moïse et la religion monothéiste* (1939a [1934-1938]), Paris, Gallimard, 1986, p. 169-174 ; *OCF* XX, p. 160-162 ; *GW* XVI, p. 186-189.

ment social vienne remplacer le matriarcat par un ordre patriarcal pouvant déboucher sur l'image d'un dieu-père seul et unique, à la domination illimitée. Si Freud admet que « cet aperçu historique est lacunaire et sur bien des points mal assuré » [1], il n'en remarque pas moins que « la concordance entre l'individu et la masse est presque parfaite sur ce point : dans les masses aussi l'impression du passé se conserve dans des traces mnésiques inconscientes ». Pour l'individu la trace mnésique du vécu du début de la vie est conservée de façon particulière : c'est connu « comme on connaît le refoulé », et ce qui est oublié peut se transformer à nouveau car « l'oublié n'est pas effacé, mais seulement *refoulé*, ses traces mnésiques existent dans toute leur fraîcheur mais isolées par des *contre-investissements* ». Redonnant alors la description des processus et des modalités du refoulement, Freud reprend celle de l'appareil psychique lui-même [2].

Mais les choses se compliquent car « ce qui agit dans la vie psychique de l'individu ne sont probablement pas des contenus vécus par l'individu lui-même, mais aussi des contenus innés, des éléments de provenance phylogénétique, un *héritage archaïque* », qui englobe « des contenus, des traces mnésiques relatives au vécu des générations antérieures », à l'histoire collective de ces générations et à leur vie sociale. « Si nous admettons la conservation de telles traces mnésiques dans l'héritage archaïque, **nous avons jeté un pont par-dessus le fossé qui sépare la psychologie individuelle de la psychologie des masses, nous pouvons traiter les peuples comme l'individu névrosé** ». Si Freud est bien conscient de la fragilité de sa thèse, il ne l'en pense pas moins nécessaire : « il s'agit d'une audace que nous ne pouvons éviter ». Il pense pouvoir ainsi, de surcroît, réduire le fossé que la présomption humaine a creusé entre l'homme et l'animal ; ce qu'on nomme « instincts des animaux » pour désigner leur capacité à se comporter dans une situation nouvelle comme si elle leur était depuis longtemps familière, ne peut s'expliquer que par l'apport d'expériences de l'espèce dans l'existence de l'individu ; « ils ont donc conservé en eux des souvenirs de ce qui avait été vécu par leurs ancêtres ». Il en irait de

1. *Ibidem*, p. 174 ; p. 163 ; p. 189.
2. *Ibidem*, p. 188-192 ; p. 174-177 ; p. 201-204.

même pour l'animal humain dont « l'héritage archaïque correspond aux instincts des animaux, même s'il diffère par son ampleur et son contenu ». D'ailleurs, une tradition qui ne serait fondée que sur la communication ne pourrait produire le caractère de contrainte propre aux phénomènes religieux et elle ne parviendrait jamais à s'affranchir des exigences de la pensée logique ; il faut qu'elle ait séjourné dans l'inconscient, ait été refoulée avant de pouvoir plier les masses à son empire, comme le fait la religion [1].

Ensuite, l'ordre social du matriarcat fut remplacé par l'ordre patriarcal, passage qui fut « un progrès de la civilisation, car **la maternité est attestée par le témoignage des sens tandis que la paternité est une conjecture, une déduction** » [2] (c'est là admettre que, jusqu'à ce moment, elle était incertaine). Le primitif a besoin d'un dieu créateur du monde qu'il place derrière les ancêtres dont se souvient la tradition ; l'homme de notre temps se conduit de la même manière infantile, ayant besoin de protection même lorsqu'il est adulte, croyant ne pouvoir se passer de l'appui de son dieu. Si le fait est incontestable il est plus difficile de comprendre pourquoi il ne devrait y avoir qu'un seul dieu, et si certains ont avancé que ce serait là « un progrès de la vie de l'esprit, il est impossible d'attacher un grand prix à ce point » [3].

En 1938 le dernier ouvrage, l'*Abrégé de psychanalyse*, revient brièvement sur l'accession de l'individu à la civilisation. Le premier moi, encore faible et inachevé, ne parvient pas plus à surmonter les exigences pulsionnelles du dedans que les excitations du dehors qui, agissant alors comme des *traumatismes*, conduisent le moi à chercher à se défendre par des tentatives de fuite (les *refoulements*). Ces premières épreuves traumatiques n'épargnent aucun humain ; « peut-être ces graves réactions du moi sont-elles indispensables à l'individu pour qu'il puisse atteindre un autre but, assigné à la même période de la vie : **en peu d'années, le petit être primitif doit se transformer en un enfant humain civilisé ; il doit parcourir, en un raccourci presque inquiétant, une partie formidablement longue du développement de**

1. *Ibidem*, p. 193-198 ; p. 176-181 ; p. 204-209.
2. *Ibidem*, p. 213 ; p. 192 ; p. 221.
3. *Ibidem*, p. 232-233 ; p. 207 ; p. 237.

la civilisation humaine ». Si des prédispositions héréditaires y aident, l'éducation y est nécessaire et l'influence parentale, ce précurseur du surmoi, restreint l'activité du moi en interdisant, en imposant la mise en œuvre des refoulements. Posséder un moi fort, non inhibé, peut sembler souhaitable mais « l'époque contemporaine nous enseigne que c'est essentiellement contraire à la civilisation ». On sait le rôle majeur des pulsions sexuelles dans la causation des névroses ; nous ne savons pas si ce rôle est exclusif, d'autant qu'« au cours du développement culturel aucune autre fonction n'a été réprimée de façon aussi énergique et aussi large que justement la fonction sexuelle ». Là-dessus nous ne disposons que de quelques indices comme le fait que la différenciation du moi d'avec le ça est aussi l'époque de la première floraison sexuelle, ou que des modifications biologiques de la vie sexuelle (instauration en deux temps de la fonction sexuelle, disparition du caractère périodique de l'excitabilité sexuelle) ont certainement eu une grande importance pour le développement menant de l'animal vers l'homme. Pour en savoir plus là-dessus, « la lacune ne se trouve pas dans la psychologie mais bien dans la biologie. [...] **Le point faible de l'organisation du moi gît dans son comportement à l'égard de la fonction sexuelle, comme si l'opposition biologique entre conservation de soi et conservation de l'espèce avait trouvé là une expression psychologique** ».

Le surmoi représente, pour l'individu, l'influence des soins et de l'éducation qu'il a reçus de ses parents, des traditions et des exigences du milieu social. On pourrait généraliser et schématiser en disant que « le monde extérieur où l'individu se meut après sa séparation d'avec ses parents représente la puissance du présent, que son ça avec ses tendances héréditaires représente le passé organique, et que son surmoi, nouveau venu, figure avant tout le passé de civilisation que l'enfant, au cours de ses courtes années d'enfance, est pour ainsi dire obligé de revivre ». Semblables généralisations ne sauraient être toujours exactes et « la civilisation a certainement laissé son sédiment dans le ça, là même où une grande partie des apports du surmoi trouve un écho : "Ce que tes aïeux t'ont laissé en héritage, gagne-le si tu le veux posséder" (Goethe). Ainsi le surmoi s'assure une place intermédiaire entre le ça et le monde extérieur, réunissant en lui les influences du présent et du passé. Dans l'instauration du surmoi on peut voir, semble-t-il, un exemple de la façon dont le présent se mue en passé... » [1]. Telle est la dernière phrase du dernier ouvrage de Freud, inachevé.

QUESTIONS ET ENJEUX

La psychologie individuelle est aussi, est autant une psychologie sociale

À s'en tenir aux lexicographes, on pourrait croire que la psychanalyse est une psychologie individuelle, qu'elle ne serait même que cela – et bien des psychanalystes semblent penser de même. Pourtant, nous avons vu combien Freud tient à poser que, l'autre intervenant de façon constante, régulière et fondatrice dans la vie de chacun, il convient de considérer que « la psychologie individuelle est aussi, d'emblée et simultanément, une psychologie sociale » [2]. La dimension que l'on dirait aujourd'hui « sociétale » est tellement prégnante pour lui qu'il peut tout naturellement commenter, dans *Le moi et le ça* : « habitués à transporter partout avec nous le point de vue de la valeur sociale ou éthique... » [3].

Si la psychanalyse a d'abord « pris pour objet la psyché individuelle », elle y rencontra très tôt « les fondements affectifs du rapport de l'individu à la société » : découvrir les sentiments sociaux propres aux troubles psychiques, reconnaître le caractère asocial des névroses qui poussent l'individu hors de la société, comprendre que l'intense sentiment de culpabilité prévalent dans tant de névroses est la modification sociale de l'angoisse névrotique... Elle dut aussi constater que les conditions et les exigences sociales participent largement à l'éclosion de névroses et que les forces qui provoquent inhibition et

1. *Abrégé de psychanalyse* (1940a [1938]), Paris, PUF, 1949, p. 83-84 ; *OCF* XX, p. 279-281 ; *GW* XVII, p. 111-113.

2. *Psychologie des foules et analyse du moi* (1921c), *Essais de psychanalyse*, Paris, Payot, 1981, p. 123 ; *OCF* XVI, p. 5 ; *GW* XIII, p. 73.

3. *Le moi et le ça* (1923b), *Essais de psychanalyse*, Paris, Payot, 1981, p. 239 ; *OCF* XVI, p. 270 ; *GW* XIII, p. 254.

refoulement des pulsions résultent aussi de la docilité du moi à l'égard des exigences sociales et des contraintes de la civilisation [1]. Enfin, il lui fallut admettre que le combat entre Éros et pulsion de mort, qui dévoile le mystère de la vie organique en général, s'applique autant au processus culturel de l'humanité qu'au développement de l'individu. L'association de ces trois grands processus (biologique, culturel et psychologique) se trouve « justifiée si l'on considère que **le procès culturel de l'humanité et le développement de l'individu sont des processus vitaux ; ils doivent donc participer du caractère le plus général de la vie** » [2].

Cette conviction apparaît tôt chez Freud qui, dès 1905, souligne que leur intrication peut nous induire en erreur et avoir ainsi le sentiment que les digues qu'édifie l'enfant de la civilisation pour canaliser la pulsion sexuelle (le dégoût, la pudeur, les aspirations idéales esthétiques et morales) sont l'œuvre de l'éducation mais, si elle y contribue largement, « en réalité cette évolution est organiquement déterminée, héréditairement fixée et peut à l'occasion s'effectuer sans le moindre concours de l'éducation [qui] se borne à suivre les lignes tracées organiquement et à leur imprimer une forme plus nette et plus profonde » [3].

La question peut alors se poser de savoir *comment, et dans quelle mesure, la psychanalyse sait tirer les conséquences théoriques et pratiques du constat de l'intrication des trois processus ?* Pour ce qui relève de la théorie, nous avons vu que non seulement Freud ne cessa d'approfondir sa réflexion sur les phénomènes de civilisation dans leurs relations avec la psychologie individuelle (et plus particulièrement dans la causation des névroses), mais qu'il lui accorda de plus en plus de place et y puisa des raisons de réviser et compléter la métapsychologie. Pour ce qui en est de la pratique, c'est moins clair dans la mesure où, de par son histoire et son développement, la psychanalyse est d'abord une pratique thérapeutique individuelle ; elle se trouve assez démunie pour prendre en compte les pratiques

1. « L'intérêt de la psychanalyse » (1913j), *Résultats, idées, problèmes, I*, Paris, PUF, 1984, p. 211-212 ; *OCF* XII, p. 123-124 ; *GW* VIII, p. 418-419.

2. *Malaise dans la civilisation* (1930a [1929]), Paris, PUF, 1971, p. 99-100 ; *OCF* XVIII [*Malaise dans la culture*], p. 327 ; *GW* XIV, p. 499.

3. *Trois essais sur la théorie sexuelle* (1905d), Paris, Gallimard, 1987, p. 99-100 ; *OCF* VI, p. 112-113 ; *GW* V, p. 78.

sociales auxquelles ses instruments d'investigation et d'intervention (à commencer par la libre association et le transfert) ne sont ni adaptés, ni adaptables. Pour ce qui est alors des buts à poursuivre, ils sont clairement reconnus : « le développement de l'humanité peut se formuler ainsi : d'une part il s'agit d'un élargissement de la conscience de l'humanité (analogue au processus par lequel des pulsions et des forces ayant agi jusque-là de façon inconsciente deviennent conscientes), d'un autre côté le progrès peut être décrit comme un refoulement qui progresse au cours des siècles. [... De fait,] ces deux processus se déterminent l'un l'autre : l'élargissement de la conscience est ce qui permet à l'humanité d'exister et de faire face au progrès constant du refoulement » [1]. Il appartient à la psychanalyse d'y contribuer, ce que Freud reformulera avec force et concision en 1933 dans l'adage qui exige : « Là où il y a du ça, il faut du moi. C'est là un travail de civilisation, un peu comme l'assèchement du Zuiderzee » [2] (il conviendrait sans doute ici de privilégier le terme *culture* pour bien marquer ce que cette entreprise civilisatrice doit au développement agricole auquel elle s'est longtemps identifiée, et à l'encontre des sociétés de cueilleurs-chasseurs) ; si bien que de la même façon que des terres arables viennent prendre la place de la mer, du moi doit remplacer du ça.

L'EFFET NÉVROTISANT DE LA CIVILISATION

Constatant que les processus de civilisation de l'humanité et de développement de l'individu sont identiques tout en s'appliquant à des objets différents [3], percevant les souffrances de l'individu face aux contraintes culturelles et les dommages qu'infligent les répressions exercées par la société qui abêtissent les individus [4], on peut en venir à s'interroger sur l'effet « névrotisant » des civilisations, voire sur les

1. *Minutes de la Société psychanalytique de Vienne*, t. II, Paris, Gallimard, 1978, 10 mars 1909, p. 173.

2. *Nouvelles conférences d'introduction à la psychanalyse* (1933a [1932]), Paris, Gallimard, 1984, p. 110 ; *OCF* XIX, p. 163 ; *GW* XV, p. 86.

3. *Malaise dans la civilisation* (1930a [1929]), Paris, PUF, 1971, p. 99-100 ; *OCF* XVIII [*Malaise dans la culture*], p. 327 ; *GW* XIV, p. 499.

4. *Ibidem*, p. 67 ; p. 188 ; p. 370.

thérapeutiques éventuelles à proposer. Quitte à nous répéter et à répéter Freud nous dirons que, sans être absurde (cela fut plusieurs fois tenté), une telle tentative de transposition de la psychanalyse au champ communautaire oublierait qu'il ne s'agit là que d'analogies, qu'il est dangereux d'arracher les concepts à leur sphère propre, que manquerait la référence à un entourage considéré comme « normal » seul à même de repérer la névrose individuelle et de la traiter ; enfin, nul ne disposant de l'autorité capable d'imposer à la collectivité la thérapeutique voulue, à supposer qu'elle existe, pareille démarche serait vaine[1]. Il est alors compréhensible que les analystes aient fini par se désintéresser d'une approche s'avérant illusoire ; pour autant, cela ne saurait justifier d'esquiver la poursuite d'une réflexion psychanalytique sur la civilisation dont Freud sut montrer la pertinence et l'intérêt pour la théorie analytique elle-même. La psychanalyse est une *praxis* au sein de laquelle la pratique (le traitement d'autrui) est primordiale, seule à même d'en justifier la théorie ; lorsque Freud la définit comme « un procédé d'investigation du psychisme, une méthode de traitement des névroses, et une série de conceptions psychologiques qui fondent une science nouvelle »[2], il décrit une progression épistémologique mettant en évidence le rôle princeps, irréductible et fondateur de l'investigation et du traitement.

Encore convient-il d'être au clair avec les situations respectives des deux champs ; Freud est là-dessus explicite : si le rôle de la société est essentiel dans le fonctionnement psychique individuel, il n'en demeure pas moins que « même la sociologie, qui traite du comportement des hommes en société, ne peut être rien d'autre que de la psychologie appliquée ; à strictement parler, il n'y a, en effet, que deux sciences : la psychologie, pure et appliquée, et la science de la nature »[3]. Les manifestations qui peuvent apparaître dans les situations de masse n'ont rien de nouveau : seules y sont nouvelles les conditions collectives qui permettent à l'individu de se débarrasser de refoulements et de laisser s'exprimer des « manifestations de cet inconscient dans lequel assurément gît tout le mauvais de l'âme

1. *Ibidem*, p. 105-106 ; p. 331-332 ; p. 505-506.

2. « “Psychanalyse” et “Théorie de la libido” » (1923a), *Résultats, idées, problèmes, II*, Paris, PUF, 1984, p. 51 ; *OCF* XVI, p. 183 ; *GW* XIII, p. 211.

3. *Nouvelles conférences d'introduction à la psychanalyse* (1933a [1932]), Paris, Gallimard, 1984, p. 240 ; *OCF* XIX, p. 265 ; *GW* XV, p. 194.

humaine »[1]. Pour autant, cela ne saurait correspondre à une quelconque hiérarchie entre ces champs mais seulement d'une graduation dans une approche qui se veut scientifique : à la base de nos connaissances se trouve la science de la nature (c'est-à-dire d'abord, pour nous, la biologie), puis celle du fonctionnement psychique concernant l'humain, que ce soit en tant qu'individu ou en tant qu'acteur de culture (donc : la psychanalyse). Pour autant, cela ne saurait diminuer en rien l'importance, pour la psychanalyse, de la dimension sociale – ce dont témoigne, par exemple, le concept très métapsychologique de surmoi qui rend compte de l'intériorisation des « exigences du milieu social »[2]. Par cette approche globale de l'homme et de son psychisme, la psychanalyse se pose de fait comme une anthropologie : ceci fait que, « en tant que théorie de l'inconscient psychique, la psychanalyse peut devenir indispensable à toutes les sciences qui s'occupent de la genèse de la civilisation humaine et de ses grandes institutions, tels l'art, la religion et l'ordre social »[3].

La position de Freud à l'égard de la civilisation

Elle est ambivalente : s'il se réjouit de ses succès et reconnaît l'ampleur de ses réalisations, il prend acte du lourd tribut qu'impose à l'individu cet accomplissement grandiose. D'où le malaise de l'humanité confrontée aux rapports contradictoires de l'individu avec la société, société d'individus déterminée comme telle par les individus eux-mêmes, la massification venant cependant modifier les comportements individuels, les appauvrir, voire les amputer[4]. Ces pressions et contraintes sont pourtant nécessaires à établir une civilisation, à lui permettre de perdurer et de progresser ; elles imposent à chacun des renoncements pulsionnels en raison des

1. *Psychologie des foules et analyse du moi* (1921c), *Essais de psychanalyse*, Paris, Payot, 1981, p. 128 ; *OCF* XVI, p. 10 ; *GW* XIII, p. 79.

2. *Abrégé de psychanalyse* (1940a [1938]), Paris, PUF, 1949, p. 84 ; *OCF* XX, p. 304 ; *GW* XVII, p. 138.

3. *La question de l'analyse profane* (1926e), Paris, Gallimard, 1985, p. 136 ; *OCF* XVIII, p. 75-76 ; *GW* XIV, p. 283.

4. *Psychologie des foules et analyse du moi* (1921c), *Essais de psychanalyse*, Paris, Payot, 1981, p. 147 ; *OCF* XVI, p. 26 ; *GW* XIII, p. 95.

tendances destructives, antisociales et anticulturelles présentes chez tout un chacun. Aussi « ce fait psychologique acquiert une importance décisive lorsqu'il s'agit de porter un jugement sur la civilisation »[1], car ce sont les pulsions agressives des individus qui amènent la société à recourir à la contrainte et à la répression des pulsions – ce qui ne va pas sans dommages, et d'abord sur les enfants des hommes[2].

Le bonheur n'est pas affaire de civilisation ; c'est strictement « un problème d'économie libidinale individuelle »[3], encore compliqué de ce que l'on se retrouve généralement déçu par les hommes qui, à bien y regarder, « ne sont pour la plupart que de la racaille »[4], une grande majorité d'entre eux n'ayant « reçu qu'une part modeste de conscience morale, ou à peine assez pour qu'il vaille la peine d'en parler »[5]. Si nos souffrances sont à imputer d'abord à la nature, à commencer par celles de notre corps avec ses imperfections et ses faiblesses, elle sont aussi l'effet des rapports sociaux et des institutions que nous pensions avoir fondées pour nous assurer protections et bienfaits[6] ; il importe de commencer par régler les relations entre les hommes et réduire leurs pulsions agressives avant qu'ils puissent être protégés des agressions de la nature[7]. La civilisation, qui impose le renoncement pulsionnel[8], « aurait le plus de chances de réussir si l'on n'avait pas à se soucier du bonheur de l'individu »[9]. On ne saurait alors s'étonner de ce que la société favorise

1. *L'avenir d'une illusion* (1927c), Paris, PUF, 1971, p. 9-10 ; *OCF* XVIII, p. 146-147 ; *GW* XIV, p. 327-328.

2. *Ibidem*, p. 67 ; p. 188 ; p. 370.

3. *Malaise dans la civilisation* (1930a [1929]), Paris, PUF, 1971, p. 28-30 ; *OCF* XVIII [*Malaise dans la culture*], p. 269-270 ; *GW* XIV, p. 440-442.

4. *Correspondance de Sigmund Freud avec le pasteur Pfister (1909-1939)*, Paris, Gallimard, 1969, lettre du 8 octobre 1918, p. 105.

5. *Nouvelles conférences d'introduction à la psychanalyse* (1933a [1932]), Paris, Gallimard, 1984, p. 86 ; *OCF* XIX, p. 145 ; *GW* XV, p. 67.

6. *Malaise dans la civilisation* (1930a [1929]), Paris, PUF, 1971, p. 32-33 ; *OCF* XVIII [*Malaise dans la culture*], p. 273 ; *GW* XIV, p. 444-445.

7. *Ibidem*, p. 37 ; p. 276 ; p. 448-449.

8. *Ibidem*, p. 46-47 ; p. 284-285 ; p. 456-457.

9. *Ibidem*, p. 101 ; p. 328 ; p. 500.

l'hypocrisie qui oblige celui-ci à se conformer à des prescriptions culturelles qui ne sont en rien l'expression de ses penchants pulsionnels, aboutissant ainsi à ce qu'il y ait « incomparablement plus d'hypocrites de la civilisation que d'hommes authentiquement civilisés, [comme si] cette hypocrisie était indispensable au maintien de la civilisation », et « on acquiert l'impression que la civilisation est quelque chose d'imposé à une majorité récalcitrante par une minorité ayant compris comment s'approprier les moyens de puissance et de coercition »[1]. De plus en plus, dirons-nous, elle donne à l'individu l'illusion qu'elle s'occupe de lui en lui proposant des substituts au bonheur, leurres qui la menacent d'autant moins qu'elle a appris à les contrôler.

Dans notre société moderne, Freud perçoit clairement l'importance déterminante de l'économie (non plus la « libidinale », mais celle du « contrôle des richesses ») qui doit, notamment, restreindre et contraindre la pulsion sexuelle puisqu'elle détourne l'énergie des membres de la société de l'activité de production[2]. Il constate que la force du marxisme réside dans la démonstration perspicace de l'influence contraignante des rapports économiques sur les hommes, mais déplore sa méconnaissance des facteurs psychologiques : si quelqu'un établissait les relations entre la disposition pulsionnelle, ses variations raciales et ses transformations culturelles selon la hiérarchie sociale, l'activité professionnelle et les possibilités de gain, « il aurait apporté au marxisme le complément pour en faire une véritable science de la société »[3].

Freud aboutit ainsi à un étrange mélange d'optimisme quant aux aspirations culturelles, et de pessimisme pour les satisfactions individuelles, la sublimation étant le meilleur compromis possible, tout au moins pour ceux qui sont capables d'y accéder[4] ; « elle permet aux activités psychiques supérieures, scientifiques, artistiques, idéologiques, de tenir un rôle très important dans la vie des êtres civilisés »[5].

1. *L'avenir d'une illusion* (1927c), Paris, PUF, 1971, p. 9-10 ; *OCF* XVIII, p. 146-147 ; *GW* XIV, p. 327-328.

2. *Conférences d'introduction à la psychanalyse* (1916-1917), Paris, Gallimard, 1999, p. 395-396 ; *OCF* XIV, p. 321-322 ; *GW* XI, p. 322.

3. *Ibidem*, p. 238-240 ; p. 193-194 ; p. 193-194.

4. *Malaise dans la civilisation* (1930a [1929]), Paris, PUF, 1971, p. 25 ; *OCF* XVIII [*Malaise dans la culture*], p. 267 ; *GW* XIV, p. 438.

5. *Ibidem*, p. 46 ; p. 284 ; p. 456.

L'OBSTACLE DE LA TENDANCE À L'AGRESSION

Tout comme le développement libidinal individuel, le processus culturel est au service de l'Éros, cherchant à réunir individus, familles, tribus, peuples, nations au sein de l'humanité ; mais la pulsion d'agression vient entraver ce lien libidinal et on retrouve au niveau culturel le combat entre pulsion de vie et pulsion de destruction. Pour réduire ce conflit, la civilisation recourt aux mêmes méthodes que celles dont use l'individu au cours de son développement : « l'agression est introjectée, retournée sur le moi propre où elle est prise en charge par le surmoi qui s'oppose au reste du moi » [1]. Ainsi se développe la *conscience morale* (qui est, de fait, une *conscience sociale*) si importante pour le développement culturel ; elle indique à l'individu ce qui est bien et ce qui est mal car, trop souvent, ce n'est pas ce que la société trouve mal qui paraît dangereux au moi, cela lui semblant au contraire souhaitable car source de plaisir. Une influence étrangère doit donc lui désigner les voies du bien et du mal, qu'il n'aurait aucune raison de suivre spontanément ; il ne s'y soumet d'ailleurs qu'en raison de sa détresse sociale, de sa dépendance aux autres et de sa peur de ne plus être aimé. « Le mal est donc d'abord ce pour quoi on est menacé d'être privé d'amour ; c'est par angoisse face à cette perte qu'on doit éviter ce qui est mal », redoutant d'être découvert et puni. Trop souvent les adultes se permettent de faire un mal susceptible de leur procurer un plaisir s'ils sont assurés de l'impunité ; la société doit chercher à corriger cela et elle le fait par le pouvoir de cette instance que nous qualifierons de psychosociale, puisqu'elle est une production sociale autant qu'individuelle : *le surmoi.*

Pour contrôler les individus la société recourt donc aux procédés qui ont fait leurs preuves chez le petit enfant, la communauté prenant alors la place des parents, autorité intériorisée par l'instauration d'un surmoi individuel ; l'individu acquiert une conscience morale et « la différence entre faire le mal et vouloir le mal s'efface, car rien ne peut être caché au surmoi » [2]. Pour autant, cet état moral n'est pas toujours atteint ; l'homme trouve que le « destin »

1. *Ibidem*, p. 79-80 ; p. 310 ; p. 482-483.
2. *Ibidem*, p. 81-82 ; p. 311-312 ; p. 483-485.

est contraire lorsqu'il rencontre un monde extérieur hostile : il reconnaît alors son état de péché ; le stade infantile originel de la conscience morale persistant dans le surmoi, « le destin est un substitut de l'instance parentale et si le malheur nous frappe, cela signifie que l'on n'est plus aimé par cette puissance suprême » et, sous la menace d'une telle perte d'amour, on se soumet – ceci devient particulièrement net lorsqu'on ne voit dans le destin que l'expression de la volonté divine. **Avec le surmoi nous avons un excellent exemple de l'intrication psychique des déterminations individuelles et sociales** ; une partition de ce qui ressort de l'individu et de ce qui résulte de la civilisation serait ici non seulement un artefact, mais un contresens.

Ceci dit, le surmoi a fort à faire ; la plupart des individus, lorsqu'ils le peuvent impunément, souhaitent échapper à la contrainte sociale. La civilisation, pour réprimer la sexualité qui entrave son emprise sur les individus, leur impose une régression (à l'analité pour l'essentiel). On constate effectivement, dans ce qui tend à devenir la civilisation planétaire contemporaine, l'importance grandissante et démesurée de la quête du pouvoir et de l'appât du gain, « manifestations de puissance »[1], expressions majeures de l'érotisme sadique-anal devenues la forme dominante de l'agression. Il semble bien que la société, le surmoi donc, ne s'arrange pas si mal de ces expressions pulsionnelles archaïques. Y aurait-il là une vacillation sociale de la conscience morale ?

Remords et père primitif

La conscience morale produit le *sentiment de culpabilité* qui remonterait au meurtre du père primitif – situation qui impliquerait une antériorité de la conscience morale sur le crime, ce qui semble peu crédible en ces temps très archaïques. Le remords, qui doit justifier le processus d'acculturation, résulterait de la toute première ambivalence de sentiments envers le père : les fils le haïssaient mais ils l'aimaient aussi et, une fois la haine satisfaite, l'amour réapparut et vint le remords attaché au crime aboutissant, par

1. « Pulsions et destins des pulsions » (1915c), *Métapsychologie*, Paris, Gallimard, 1968, p. 26 ; *OCF* XIII, p. 175 ; *GW* X, p. 220.

identification au père, à fonder un surmoi auquel fut délégué le pouvoir de punir et de créer les interdits pour empêcher le retour du meurtre[1].

Si, intellectuellement, la chose paraît bien construite, elle n'en suscite pas moins la perplexité dès lors qu'on s'interroge sur les raisons et l'origine d'un tel amour pour ce père. D'autant que, rappelons-le, cet originaire humain est extrêmement lointain, situé en des temps où, nous dit Freud, s'ébauchait à peine le langage ; ce n'est que beaucoup plus tard que, la conjecture de la paternité s'étant affirmée jusqu'à supplanter l'évidence de la maternité, l'idée de « père » peut enfin se faire jour[2], bien longtemps donc après le meurtre. Alors comment le fils aurait-il pu non seulement haïr mais aussi aimer un père qui n'était pas encore connu comme tel ? Il y a là comme une aporie qui ne met en cause ni la culpabilité, ni le remords, mais est prise dans la structure du drame ancestral, cette hypothèse que Freud qualifia lui-même de « vision »[3]. (Nous renvoyons là-dessus à notre discussion dans les *Questions et enjeux* de « Croyance, religion », plus particulièrement aux paragraphes intitulés : « De quel père peut-il alors s'agir ? » et « L'apparition d'un père originel en psychanalyse et les religions du père ».)

Lorsqu'en 1934 Freud reprend l'idée d'un meurtre du père placé à l'origine des rapports sociaux, convenant alors que « cet aperçu historique est lacunaire et sur bien des points mal assuré »[4], il envisage d'intituler l'ouvrage « L'homme Moïse, un roman historique »[5]. Durant les trois ans qui précèdent la rédaction de la première version de l'ouvrage, reprenant l'étude de l'organisation œdipienne (archétype de l'ordre civilisateur) Freud se trouve confronté, non sans étonnements

1. *Malaise dans la civilisation* (1930a [1929]), Paris, PUF, 1971, p. 90-91 ; *OCF* XVIII [*Malaise dans la culture*], p. 319-320 ; *GW* XIV, p. 491-493.

2. *L'homme Moïse et la religion monothéiste* (1939a), Paris, Gallimard, 1986, p. 213 ; *OCF* XX, p. 192 ; *GW* XVI, p. 221.

3. *Sigmund Freud présenté par lui-même* (1925d), Paris, Gallimard, 1984, p. 115 ; *OCF* XVII (« Autoprésentation »), p. 116 ; *GW* XVI, p. 93.

4. *L'homme Moïse et la religion monothéiste* (1939a), Paris, Gallimard, 1986, p. 174 ; *OCF* XX, p. 163 ; *GW* XVI, p. 189.

5. Sigmund Freud et Arnold Zweig, *Correspondance (1927-1939)*, Paris, Gallimard, 1973, p. 129 (lettre du 30 septembre 1934). Cf. aussi l'« Annexe » à *L'homme Moïse et la religion monothéiste*, dans *OCF* XX, p. 218.

et réticences, tant aux spécificités de l'Œdipe féminin qu'à l'évidence d'un pré-Œdipe. Les deux ont d'ailleurs partie liée mais, alors que l'Œdipe s'était révélé clair chez le garçon et plus obscur chez la fille, si le pré-Œdipe s'avère important mais « difficile à saisir pour la petite fille »[1], il demeure obscur et « à peu près inconnu » pour le garçon[2]. Non sans hésitations et difficultés, Freud doit alors réviser sa conception même de l'Œdipe – exploration difficile qui débouchera sur le constat désabusé que « l'existence de deux sexes représente une grande énigme »[3].

Ce sont les place et rôle respectifs de leurs représentants les plus emblématiques, la mère et le père, bases de tous les rapports sociaux, qui se trouvent ainsi remis en cause. Jusque-là, un certain ordre régnait : se reposant sur une phénoménologie de l'*être* et de l'*avoir*, Freud avait proposé une dialectique du sujet et de l'objet, de l'identité et de l'identification, de l'amour de soi et de l'amour de l'autre ; c'était simple et semblait bien fonctionner mais, dans le temps même où il l'établit, il doit en nuancer les assertions et en relativiser les oppositions : dire, par exemple, que la mère est ce que l'enfant veut avoir et le père ce qu'il veut être se révèle trop simpliste du fait que parallèlement à l'identification au père, « peut-être même antérieurement, le garçon a commencé à effectuer un véritable investissement objectal de la mère »[4] ; positions et relations s'intriquent. Deux ans plus tard, réexaminant ce qu'il désigne comme « la première et la plus importante identification de l'individu, l'identification au père de la préhistoire personnelle », il doit rectifier en note : « peut-être serait-il plus prudent de dire "identification aux parents" », d'autant que ce procès se

1. Cf. notamment : « Sur la sexualité féminine » (1931b), *La vie sexuelle*, Paris, PUF, 1969, p. 140 ; *OCF* XIX, p. 14-15 ; *GW* XIV, p. 523 ; et « La féminité », 33e des *Nouvelles conférences d'introduction à la psychanalyse* (1933a [1932]), Paris, Gallimard, 1984 ; *OCF* XIX ; *GW* XV.

2. « Quelques conséquences psychologiques de la différence anatomique entre les sexes » (1925j), *La vie sexuelle*, Paris, PUF, 1969, p. 126 et 131 ; *OCF* XVII, p. 194 et 199 ; *GW* XIV, p. 22 et 28.

3. *Abrégé de psychanalyse* (1940a [1938]), Paris, PUF, 1949, p. 58 ; *OCF* XX, p. 282 ; *GW* XVII, p. 114.

4. *Psychologie des foules et analyse du moi* (1921c), *Essais de psychanalyse*, Paris, Payot, 1981, p. 167-168 ; *OCF* XVI, p. 42-43 ; *GW* XII, p. 115-116.

complique encore du fait de « la bisexualité constitutionnelle de l'individu »[1]. La succession de ces divers mouvements s'avère d'autant plus difficile à cerner « qu'aux toutes premières origines investissements d'objet et identifications ne peuvent guère être distingués l'un de l'autre » et que, de la libido d'objet se transformant en libido narcissique, l'objet doit alors précéder l'identification (l'identité, peut-on penser, regroupant alors les deux). Mais, là encore, les choses s'avèrent plus complexes que ne semble le dire un énoncé réducteur puisque la mère fut tôt reconnue comme premier objet d'amour[2], puis désignée comme la première séductrice[3].

L'*Abrégé de psychanalyse* ne peut que confirmer que le sein nourricier de la mère est bien le premier objet érotique, étayant l'amour sur la satisfaction du besoin sans que, pour autant, l'enfant différencie le sein de son propre corps ; il faudra que ce sein en vienne à lui manquer pour que la séparation s'opère, le sein devenant dès lors un objet et l'enfant un sujet. « La mère devient pour les deux sexes l'objet du premier et du plus puissant des amours, prototype de toutes les relations amoureuses ultérieures » (et donc, ajouterons-nous, organisateur de toutes les relations sociales) ; le fondement phylogénétique prédomine et les conditions objectives du nourrissage, des soins et des protections importent peu[4]. La mère n'en est pas moins la première protection contre le monde extérieur et contre l'angoisse ; ce n'est qu'ensuite, lorsque les menaces extérieures se diversifient, que le père lui succède dans ce rôle protecteur, peut-être aussi et surtout lorsque les organisations sociales en viennent à l'exiger. Mais ce remplacement se fait dans l'ambivalence (on retrouve celle-ci, apparue aux temps de la horde primitive, mais cette fois sur un mode beaucoup plus « civilisé ») car le père lui-même constitue une menace, inspirant autant la crainte que la

1. *Le moi et le ça* (1923b), *Essais de psychanalyse*, Paris, Payot, 1981, p. 241-246 ; *OCF* XVI, p. 275-277 ; *GW* XIII, p. 259-262.

2. *Trois essais sur la théorie sexuelle* (1905d), Paris, Gallimard, 1987, p. 165-167 ; *OCF* VI, p. 161-162 ; *GW* V, p. 124-125.

3. « Sur la sexualité féminine » (1931b), *La vie sexuelle*, Paris, PUF, 1969, p. 145, 150 et 154 ; *OCF* XIX, p. 17, 23, 24 ; *GW* XIV, p. 525, 532, 533.

4. *Abrégé de psychanalyse* (1940a [1938]), Paris, PUF, 1949, p. 59 ; *OCF* XX, p. 283 ; *GW* XVII, p. 115.

nostalgie et l'admiration[1]. Il se voit ainsi attribuer une place écrasante, voire grandiose, Freud en venant à écrire (semblant méconnaître ce qu'il dit ailleurs de la relation à la mère) qu'on « ne saurait indiquer un besoin provenant de l'enfance aussi fort que celui de la protection par le père »[2].

On voit combien se sont complexifiées et enrichies les figures entre sujet et objet ; on est alors frappé de constater que les tentatives pour expliquer les origines de la civilisation et de la religion retrouvent les difficultés, voire les apories apparues dans l'étude du développement individuel confronté à « l'énigme de l'existence de deux sexes »[3] – ce qui ne fait d'ailleurs que retrouver l'argumentation freudienne. En reprenant le mythe originaire du meurtre du père primitif tel qu'il se l'était fabriqué en 1912, Freud retrouve ses anciennes représentations simplifiées du complexe œdipien, telles qu'il les figurait lorsqu'il ignorait tant l'Œdipe féminin que le pré-Œdipe. Sa croyance en l'antériorité et la primauté de l'identification au père de la préhistoire collective de l'humanité duplique celle au père de la préhistoire personnelle propre à chaque individu – celle-là même que mit à mal la révision de l'Œdipe dans les années 1931-1933. Ne serait-ce pas là une tentative de réhabilitation fonctionnant comme une dénégation ? Lorsque, retraçant la préhistoire de l'humanité, il évoque l'ordre patriarcal venant supplanter le règne du matriarcat, ne parle-t-il pas justement de « restauration » ? L'hypothèse d'un père originaire placé à l'aube de la préhistoire humaine ne chercherait-elle pas à éviter, ou à tout le moins à corriger les complexités d'une préhistoire individuelle plus maternelle, et avec elles les obscurités préœdipiennes ? Ce serait alors *une histoire* plutôt que de *l'histoire* – une « vision », une fable psychanalytique dont la « morale » viendrait réaffirmer le postulat d'un père originel ; ce serait le refuge de l'ambivalence de Freud.

L'ambivalence n'en demeure pas moins une constante des fonctionnements tant sociaux qu'individuels ; elle en est un témoin autant

1. *L'avenir d'une illusion* (1927c), Paris, PUF, 1971, p. 63 ; *OCF* XVIII, p. 185 ; *GW* XIV, p. 367.

2. *Malaise dans la civilisation* (1930a [1929]), Paris, PUF, 1971, p. 16 ; *OCF* XVIII [*Malaise dans la culture*], p. 258 ; *GW* XIV, p. 430.

3. *Abrégé de psychanalyse* (1940a [1938]), Paris, PUF, 1949, p. 58 ; *OCF* XX, p. 282 ; *GW* XVII, p. 114.

qu'un agent. Une bonne part des conflits propres aux développements de la civilisation a inévitablement laissé des traces dans le ça individuel pour, à travers lui, infiltrer le surmoi et orienter le moi. L'histoire individuelle est autant déterminée par les développements culturels que par les événements biologiques ; « un grand nombre d'événements vécus par l'enfant auront plus de retentissements s'ils répètent des événements phylogénétiques très anciens » – d'où, pour conclure, ce rappel de Goethe : « Ce que tes aïeux t'ont laissé en héritage, gagne-le si tu le veux posséder »[1].

Claude LE GUEN

CLIVAGE (du moi)

all. : ***Spaltung.*** – angl. : *splitting.* – esp. : *escisión.* – ital. : *scissione.* – port. : *divisão*

Jusqu'en 1938, le terme de « clivage » est surtout descriptif, exprimant la séparation entre des éléments psychiques (d'abord : conscient et inconscient), ou encore entre les processus de pensée selon qu'ils obéissent au principes de plaisir ou de réalité. Le clivage résulte d'un déni, défense apparaissant à l'occasion d'un traumatisme lié à un conflit. Au service de la défense, le clivage est produit par le moi et agit sur le moi ; dans le moi, il témoigne de la coexistence de deux attitudes contradictoires pouvant persister côte à côte sans s'influencer, l'une tenant compte de la réalité et l'autre des revendications pulsionnelles. À la fin de l'œuvre, son statut est transformé : le clivage devient plus conceptuel, plus métapsychologique et, dans le même temps, son destin se redessine. Longtemps considéré comme une opération transitoire et réversible, le clivage apparaît dorénavant comme pouvant représenter une atteinte grave et durable du moi : cette approche ouvre de nouveaux horizons à l'étude des psychoses.

1. *Ibidem*, p. 84 ; p. 305 ; p. 138.

MISE EN SITUATION

Si le terme de « clivage » s'est imposé dans la psychanalyse francophone pour traduire Spaltung, *il faut savoir que la psychiatrie lui a préféré celui de « dissociation », notion qui, selon Eugen Bleuler, caractérise la schizophrénie (du grec* σχιζω : *cliver, fendre) ; mais en allemand c'est bien, à chaque fois, de* Spaltung *qu'il s'agit. Dans les premiers travaux, l'expression utilisée est plutôt celle de « clivage de conscience » mais, très vite et durablement, c'est le terme de « clivage du moi » qui s'impose. Certaines traductions peuvent, ponctuellement, recourir à « dissociation », sans doute avec le souci d'éviter quelque confusion. Quoi qu'il en soit, il s'agit toujours d'indiquer une séparation.*

Il n'est guère aisé de situer le clivage dans l'œuvre freudienne : le terme apparaît très tôt, puis revient régulièrement dans le texte, mais un sort particulier lui est fait dans les toutes dernières années. Freud avait d'ailleurs le même embarras, et pouvait écrire dans l'un de ses derniers manuscrits, laissé inachevé et justement consacré au « Clivage du moi » : « Je me trouve dans cette situation intéressante de ne pas savoir si ce que je veux communiquer doit être considéré comme connu depuis longtemps et allant de soi, ou comme tout à fait nouveau et déconcertant. » [1]

Le recours au terme de « clivage » est introduit sur un mode descriptif ; corrélatif à l'idée de conflit, il vient signifier une séparation se produisant au sein du fonctionnement psychique et correspondant, pour l'essentiel, à celle que l'on peut constater entre ce qui est conscient et ce qui est inconscient. On le retrouve appliqué dans nombre de situations cliniques ou développementales, voire métapsychologiques. Il y a ainsi clivage entre les diverses pulsions partielles avant qu'elles soient réunifiées sous le primat du génital, clivage entre la pensée régie par le principe de réalité et celle demeurée sous la seule dépendance du principe de plaisir, clivage à l'intérieur même de la pensée délirante (telle est d'ailleurs l'idée qu'exprime le terme bleulérien de schizophrénie). Le refoulement lui-même travaille

1. « Le clivage du moi dans le processus de défense » (1940e [1938]), *Résultats, idées, problèmes, II,* Paris, PUF, 1984, p. 283 ; *OCF* XX, p. 221 ; *GW* XVII, p. 59.

en opérant un acte de clivage entre des éléments pulsionnels et l'unité du moi.

Ce qui se découvre à la fin de l'œuvre, et pourrait bien être « tout à fait nouveau et déconcertant », ne tient pas à l'idée que le moi lui-même peut être clivé, puisque Freud, à partir de 1915, l'évoque à plusieurs reprises ; cette thèse reviendra d'ailleurs en 1933 pour noter que « le moi se clive dans le cours d'un bon nombre de ses fonctions, passagèrement du moins ». Ce qui apparaît véritablement nouveau est le destin possible de ce clivage, qui se découvre comme risquant de devenir une « déchirure qui ne guérira jamais plus, mais grandira avec le temps ». C'est là une conception métapsychologique véritablement nouvelle, que Freud n'avait plus guère le temps d'approfondir ; elle est tout à la fois structurale et développementale, renvoyant tout aussi bien à de grandes pathologies qu'à des fonctionnements normaux.

LE TEXTE FREUDIEN

Du clivage de conscience aux clivages du moi

Dès les années **1893-1894,** Freud décrit une « scission », un « clivage » de la conscience dans l'hystérie. Mais cette défense est secondaire, acquise ; contrairement à ce que soutient Pierre Janet, elle correspond en fait à des états de conscience « hypnoïdes », avec limitation des capacités. En effet, s'il accepte d'emblée le terme de « clivage de conscience » avancé par Janet, Freud s'oppose très tôt et fermement à l'idée de le réduire à un rétrécissement du champ de conscience et entend, avec Joseph Breuer, en faire l'expression d'une coupure de la conscience secondaire, non intentionnelle. Pour se défendre face à un traumatisme, le moi « traite comme *"non arrivée"* la représentation inconciliable » en en affaiblissant l'excitation ; ce faisant, il se libère de la contradiction mais charge la conscience d'un symbole mnésique qui persiste à la façon d'un parasite : « la représentation refoulée n'a donc pas disparu, mais forme à partir de maintenant le noyau d'un second groupe psychique » qui va bientôt recevoir le nom d'*inconscient* (comme le fait de créer du « non-arrivé » recevra celui de *déni*)[1]. **Il appartient au clivage d'avoir permis de reconnaître l'existence de l'inconscient.**

La notion ne réapparaît qu'en **1908,** à propos des « explications » données aux enfants sur la naissance qui peuvent occasionner un conflit entre leurs croyances, appuyées sur leurs pulsions, et le dire des grandes personnes. Ce conflit peut devenir un « clivage psychique » entre l'opinion consciente de l'enfant, qui se conforme à l'attente des adultes mais arrête sa réflexion, et l'autre, réprimée, qui se conforte en fait de nouvelles preuves : « Le complexe nucléaire de la névrose se trouve constitué par cette voie. »[2]

En 1910, lors de ses conférences américaines, Freud revient sur son désaccord avec Janet, reprenant les arguments développés dès 1894. Surtout, il s'interroge : pourquoi les conflits psychiques, si fréquents, ne conduisent-ils pas toujours à un clivage ? Cela pourrait tenir au refoulement, mais ce n'est encore là qu'une hypothèse, le début d'une théorie[3]. L'année suivante, le principe de réalité introduit une forme d'activité de pensée qui se trouve être séparée par clivage de celle qui demeure soumise au seul principe de plaisir[4].

On le voit, dans ces textes, **Freud use du terme de « clivage » à chaque fois qu'il doit, suite à un conflit, évoquer une séparation, l'opération d'une scission dans le fonctionnement psychique.** C'est ainsi que lorsqu'il veut caractériser le délire du « Président Schreber », il indique que « la paranoïa divise, alors que l'hystérie condense » ; le persécuteur est clivé plusieurs fois, répétant le dédoublement d'une seule relation, division qui « serait la réaction para-

1. *Études sur l'hystérie (communication préliminaire)* (1893a), Paris, PUF, 1956, p. 51-53, n. 1 ; *OCF* II, p. 85-88, n. 1 ; *GW* I, p. 121-123, n. 1.

2. « Les théories sexuelles infantiles » (1908c), *La vie sexuelle,* Paris, PUF, 1969, p. 18 ; *OCF* VIII, p. 231 ; *GW* VII, p. 176.

3. *Sur la psychanalyse (cinq conférences)* (1910a), Paris, Gallimard, 1991, p. 52 et 60 ; *OCF* X, p. 18 et 23 ; *GW* VIII, p. 23.

4. « Formulations sur les deux principes du cours des événements psychiques » (1911b), *Résultats, idées, problèmes, I,* Paris, PUF, 1984, p. 138 ; *OCF* XI, p. 16 ; *GW* VIII, p. 234.

noïde à une identification antérieure entre deux personnes », voire à une même série[1].

C'est en ce sens qu'en **1915** le terme réapparaît dans la *Métapsychologie*[2], mais il commence à impliquer des conceptions nouvelles. Ainsi, dans « Deuil et mélancolie », le clivage vient signifier les deux parties du moi qui s'opposent chez le mélancolique, l'une critiquant l'autre, la prenant comme objet (ce qui prépare nommément le recours à une nouvelle instance, qui sera individualisée comme *idéal du moi,* puis *surmoi*). L'identification du moi avec l'objet abandonné aboutit à faire tomber sur lui l'ombre de cet objet ; il peut alors être jugé comme s'il était lui-même un objet, devenant, pourrait-on dire, une « ombre du moi » ; de cette façon la perte du moi remplace la perte de l'objet, **le conflit entre le moi et la personne aimée se transforme en « un clivage entre la critique du moi et le moi modifié par identification »**[3]. L'essai abandonné, *Vue d'ensemble des névroses de transfert,* indique que dans les névroses narcissiques, qui sont ce qu'il y a de plus proche des névroses obsessionnelles, « le refoulement a une autre topique, il s'élargit alors au concept de clivage »[4].

Ce sont pourtant les implications antérieures, qui connotaient habituellement le terme, que l'on rencontre dans les textes de 1917 à 1919 pour évoquer un clivage de la motion sexuelle[5], mais aussi le travail d'agrégation par le moi de ces motions clivées dans la cure

1. « Remarques psychanalytiques sur l'autobiographie d'un cas de paranoïa *(dementia paranoides)* (Le Président Schreber) » (1911c [1910]), *Cinq psychanalyses,* Paris, PUF, 1954, p. 297 ; *OCF* X, p. 272-273 ; *GW* VIII, p. 285-286.

2. « L'inconscient » (1915e), *Métapsychologie,* Paris, Gallimard, 1968, p. 73 ; *OCF* XIII (2e éd.), p. 212 ; *GW* X, p. 269.

3. « Deuil et mélancolie » (1917e [1915]), *Métapsychologie,* Paris, Gallimard, 1968, p. 155 et 158 ; *OCF* XIII (2e éd.), p. 268 et 270 ; *GW* X, p. 433 et 435.

4. *Vue d'ensemble sur les névroses de transfert. Un essai métapsychologique* (1985a [1915]), Paris, Gallimard, 1986, p. 20 ; *OCF* XIII (2e éd.), p. 285 ; *GW* (suppl.), p. 1.

5. « Extrait de l'histoire d'une névrose infantile (L'homme aux loups) » (1918b [1914]), *Cinq psychanalyses,* Paris, PUF, 1954, p. 372 ; *OCF* XIII (2e éd.), p. 63 ; *GW* XII, p. 95.

analytique[1], et la dissociation du moi par clivage dans le délire de surveillance[2].

Les grands *Essais* du début des années **1920,** pour l'essentiel, reprennent ces thèmes et leurs arguments. Dans *Au-delà du principe de plaisir* sont évoqués « les conflits et clivages qui se produisent dans l'appareil psychique » lorsque le moi doit poursuivre son développement vers des organisations plus différenciées, le refoulement lui-même opérant, pour ce faire, un clivage entre les pulsions partielles et le moi unifié[3]. Dans *Psychologie des foules et analyse du moi* Freud revient sur la description d'un moi coupé en deux dans la mélancolie, pour déboucher sur l'idée d'une **instance critique à l'intérieur du moi, inexorable et injuste, « qui peut se dissocier de l'autre moi et s'engager dans des conflits avec lui »** : tel est « l'idéal du moi »[4]. L'introduction de la nouvelle topique ne peut cependant qu'amener à préciser ces séparations et, dans *Le moi et le ça,* après le constat que les identifications du moi à des objets, si elles deviennent trop fortes, trop nombreuses et inconciliables, peuvent « aller jusqu'à un éclatement du moi », les résistances venant isoler les unes des autres les différentes identifications. Freud propose de substituer à l'opposition conscient-inconscient **« l'opposition entre le moi cohérent et le refoulé qui est séparé de lui par clivage ».** Le moi, tel qu'il est maintenant spécifié, devient plus fragile, et si ses identifications aux objets sont trop nombreuses ou trop fortes, il risque d'éclater ; ainsi **le moi peut se diviser, se cliver**[5].

En 1924, dans un de ces textes aussi brefs que denses que Freud affectionnent, « Névrose et psychose », après avoir proposé une nou-

1. « Les voies de la thérapie psychanalytique » (1919a) [1918]), *De la technique psychanalytique,* Paris, PUF, 1953, p. 134 ; *OCF* XV, p. 101 ; *GW* XII, p. 186.

2. *L'inquiétante étrangeté et autres essais* (1919h), Paris, Gallimard, 1985, p. 237 ; *OCF* XV, p. 168-169 ; *GW* XII, p. 247.

3. *Au-delà du principe de plaisir* (1920g), *Essais de psychanalyse,* Paris, Payot, 1981, p. 46-47 ; *OCF* XV, p. 28 ; *GW* XIII, p. 6-7.

4. *Psychologie des foules et analyse du moi* (1921c), *Essais de psychanalyse,* Paris, Payot, 1981, p. 173 ; *OCF* XVI, p. 47 ; *GW* XIII, p. 120-121.

5. *Le moi et le ça* (1923b), *Essais de psychanalyse,* Paris, Payot, 1981, p. 228 et 243 ; *OCF* XVI, p. 262 et 274 ; *GW* XIII, p. 244 et 249.

velle « formule génétique » des formes prises par les diverses affections mentales, il indique que, pour échapper à la maladie et à sa propre rupture, le moi peut « se déformer lui-même, [...] éventuellement même se crevasser ou se morceler »[1]. C'est bien la nouvelle fonction du clivage qui ainsi se dessine.

Le clivage comme concept spécifique

À partir de **1927** la notion va se préciser et **se spécifier en s'associant à celle de *déni*,** dont le clivage va découler. Cela se fait dans l'article sur « Le fétichisme », perversion qui trouve sa source dans la découverte que fait le garçon que les femmes n'ont pas de pénis, accompagnée du refus concomitant d'accepter qu'elles aient pu être castrées ; pareille éventualité représenterait une menace pour l'investissement narcissique porté à son propre pénis. Il **dénie donc avec force sa perception, ce qui aboutit à cliver la vie psychique** entre un courant qui ne reconnaît pas la castration, et un autre qui sait en tenir compte. C'est l'occasion pour Freud, revenant sur « la plus vieille pièce de notre terminologie psychanalytique, le "refoulement" », qui se rapportait de fait à un tel processus pathologique, d'indiquer qu'il revient à celui-ci de signifier le destin de l'affect, celui de la représentation devant plutôt être réservé au déni (précision qui semble aller à l'encontre de ses indications antérieures, notamment dans la *Métapsychologie,* et qu'il ne reprendra plus)[2]. Le procédé de clivage est fort répandu. Il se trouve illustré par le fétichisme, dans lequel il peut se faire très subtil, le fétiche lui-même étant construit pour pouvoir, tout à la fois et par lui-même, nier la castration et la représenter. Mais il se rencontre tout aussi bien dans les névroses (Freud donne un exemple de névrose obsessionnelle), et bien sûr dans les psychoses[3].

Avec les *Nouvelles conférences* (en 1933) le lieu de ce processus, comme l'instance qui le produit, sont clairement identifiés : « **Le moi**

1. « Névrose et psychose » (1924b), *Névrose, psychose et perversion,* Paris, PUF, 1973, p. 286 ; *OCF* XVII, p. 7 ; *GW* XIII, p. 391.

2. « Le fétichisme » (1927e), *La vie sexuelle,* Paris, PUF, 1969, p. 134 ; *OCF* XVIII, p. 126-127 ; *GW* XIV, p. 134.

3. *Ibidem,* p. 136-137 ; p. 129-130 ; p. 315-317.

peut se prendre lui-même comme objet », il peut se traiter comme un objet, s'examiner, se critiquer « et faire encore Dieu sait quoi avec lui-même ». C'est ainsi qu'une partie du moi s'oppose au reste : « **Le moi peut donc se cliver, il se clive dans le cours d'un bon nombre de ses fonctions** », mais, dans ce que Freud décrit alors, cette action est passagère et **ce qui a été clivé peut ensuite se réunir** ; le clivage ne serait pas définitif. La description de ce processus ne représente d'ailleurs pas une nouveauté, « tout au plus une accentuation inhabituelle de choses connues ». Surtout, ce procédé, lorsqu'il est utilisé de façon pathologique, peut agrandir et grossir certains traits qui nous auraient échappé : « **Là où apparaît une cassure ou une fissure, il peut y avoir, normalement, une articulation.** » À la suite, et prenant l'exemple d'un cristal qui se brise, Freud indique qu'il existe des « directions de clivage » qui viennent déterminer, à l'avance, la façon dont les fissures se produiront[1].

Cinq ans plus tard, à la fin décembre **1937**, Freud s'interroge sur l'éventuel **bouleversement métapsychologique** que peut représenter ce concept. Il le fait d'abord dans « Le clivage du moi dans le processus de défense », où il avoue une certaine perplexité face à ce concept, mais tend à penser qu'il s'agit là de quelque chose de « tout à fait nouveau et déconcertant ». Quoi qu'il en soit, tel qu'il entend maintenant le décrire, **le clivage est un comportement apparaissant à l'occasion d'un traumatisme**, par exemple lorsque le moi de l'enfant, accoutumé à satisfaire une puissante revendication pulsionnelle, s'effraie soudain en découvrant que la continuation de cette satisfaction pourrait susciter un danger réel insupportable : doit-il reconnaître le danger et renoncer à la satisfaction, ou la maintenir en déniant la réalité ? Face à ce conflit entre revendication pulsionnelle et réalité, l'enfant répond par « **deux réactions opposées, toutes deux valables et efficaces** » : d'une part il déboute la réalité et ne se laisse rien interdire, d'autre part il reconnaît le danger et assume, sous forme d'un symptôme morbide, son angoisse face à cette réalité. Le procédé est fort habile, chacune des parties en conflit a reçu son lot : « La pulsion peut

1. *Nouvelles conférences d'introduction à la psychanalyse* (1933a [1932]), Paris, Gallimard, 1984, p. 82-83 ; *OCF* XIX, p. 141-142 ; *GW* XV, p. 64.

conserver sa satisfaction ; quant à la réalité, le respect dû lui a été payé. » Mais ce « succès » est obtenu au prix d'une « **déchirure dans le moi, déchirure qui ne guérira jamais plus, mais grandira avec le temps** » ; les deux réactions, opposées, vont se maintenir comme noyau d'un clivage du moi[1]. On voit le chemin parcouru en cinq ans : en 1933, l'action du clivage pouvait demeurer provisoire, et le faisait d'ailleurs le plus souvent.

La même année 1938, dans l'*Abrégé de psychanalyse,* son dernier ouvrage (d'ailleurs inachevé), Freud revient longuement sur la question, cette fois essentiellement **à propos des psychoses.** Le moi tire ses principaux caractères de son origine, qui se fonde sur ses relations au monde extérieur ; les atteintes portées à celles-ci susciteront donc des états pathologiques. Si le moi pouvait se détacher totalement de la réalité, les choses seraient simples, mais ce n'est pratiquement jamais le cas et, même dans les délires hallucinatoires les plus graves, une « personne normale » se tient cachée dans un coin de l'esprit. Nous pouvons donc penser que s'est produit un clivage laissant coexister deux attitudes psychiques : **l'une, normale, tient compte de la réalité, l'autre, influencée par les pulsions, en détache le moi** ; tout dépendra ensuite de leurs puissances relatives. Quand l'attitude anormale prévaut, il y a psychose ; si c'est l'inverse, on assiste à une guérison apparente, mais les idées délirantes ne font alors que réintégrer l'inconscient : « **Dans toute psychose existe un *clivage du moi.*** » Mais ce clivage se retrouve dans des états plus proches des névroses, voire dans les névroses elles-mêmes. C'est ce qu'illustre le *fétichiste* qui dénie la perception du manque de pénis de la femme afin de pouvoir nier la possibilité de sa propre castration mais, comme la perception n'en a pas moins agi, il n'ose prétendre avoir vraiment vu un pénis ; il va alors élire une autre partie du corps, ou un objet, pour représenter cet indispensable pénis et l'y substituer symboliquement. Le fétiche est créé pour annihiler toute preuve d'une possibilité de castration, afin d'échapper à l'angoisse. Mais ce but est loin d'être toujours atteint, et certains fétichistes connaissent une véritable angoisse de

1. « Le clivage du moi dans le processus de défense » (1940e [1938]), *Résultats, idées, problèmes, II,* Paris, PUF, 1984, p. 284 ; *OCF* XX, p. 222 ; *GW* XVII, p. 60.

castration ; ils ont alors deux réactions contradictoires, déniant d'une part leur perception et, d'autre part, reconnaissant ce manque et en tirant les conséquences : « **Ces deux attitudes persistent tout au long de la vie sans s'influencer mutuellement.** N'est-ce pas là ce qu'on peut qualifier de clivage du moi ? » Ce faisant, le fétichiste est loin de constituer un cas exceptionnel ; il nous offre simplement une excellente occasion d'étudier le clivage du moi.

Le monde réel conduit le moi infantile à écarter, à refouler les exigences pulsionnelles réprouvées mais, pour lutter contre certaines prétentions éprouvantes de ce monde extérieur, il peut recourir aux dénis. C'est là une éventualité fréquente, certainement pas limitée aux seuls fétichistes. Ce sont des demi-mesures, des tentatives imparfaites de détacher le moi de la réalité, qui font que le rejet s'accompagne toujours d'une acceptation : **deux attitudes opposées et indépendantes l'une de l'autre, s'établissent pour aboutit à un clivage du moi, l'issue dépendant de leurs intensités réciproques.**

Freud réhabilite, en quelque sorte, ses anciens propos en redisant que, tel qu'il vient de le décrire, « le clivage du moi n'est ni aussi nouveau, ni aussi étrange qu'il pourrait d'abord paraître » ; il serait même plutôt un processus habituel : **adopter deux attitudes psychiques différentes, opposées et indépendantes, est en fait un caractère général des névroses.** L'une de ces attitudes ressort du moi et l'autre, la refoulée, émane du ça, la différence entre les deux étant essentiellement topique – et il n'est pas toujours facile d'identifier l'une ou l'autre. Toutefois, que le moi se défende en déniant une partie menaçante de l'extérieure ou en refoulant une exigence pulsionnelle de l'intérieur, « sa réussite, en dépit de tous ses efforts défensifs, n'est jamais totale, absolue » – ce qui débouche toujours sur deux attitudes contradictoires, et ne va pas sans conséquences[1]. Il semble bien que, sans le contredire, ce dernier travail vient corriger ce qu'il pouvait y avoir de catégorique dans « Le clivage du moi », cette technique défensive redevenant alors plus commune. Il n'est pas redit que la « déchirure » produite est condamnée à s'aggraver ; on peut penser que, pour Freud, elle n'est plus, inexorablement, définitive ?

1. *Abrégé de psychanalyse* (1940a [1938]), Paris, PUF, 1985, p. 77-81 ; *OCF* XX, p. 299-302 ; *GW* XVII, p. 132-135.

QUESTIONS ET ENJEUX

Au terme de ce parcours, la notion de clivage nous apparaît quelque peu troublante. Reprenons son trajet. Aux origines de la pensée psychanalytique, elle *fonde la topique* en justifiant explicitement la reconnaissance d'un groupe psychique séparé de la conscience (qui ne saurait être réduit à une forme dégradée, dégénérée de celle-ci), ensemble qui va être désigné comme l'« inconscient », lieu psychique distinct, système séparé et indépendant, possédant sa propre économie, inconscient « clivé » de la conscience [1]. De la même façon, vingt ans plus tard, c'est le moi qui se trouve séparé du ça et, plus explicitement encore, l'idéal-du-moi qui est « clivé » du moi [2]. Dans les toutes dernières années de l'œuvre, comme en épilogue, il appartient au clivage d'ouvrir de nouvelles voies à l'économie du fonctionnement psychique. Nous ne pouvons que partager le sentiment de Freud s'interrogeant alors pour savoir si le clivage du moi est quelque chose allant de soi, connu depuis longtemps, ou une idée tout à fait nouvelle et déconcertante. Ce qui accroît notre embarras est le constat que, si fin 1937 il penche plutôt pour la deuxième hypothèse, neuf mois plus tard, il opte pour la première : le clivage du moi n'est « ni aussi nouveau, ni aussi étrange qu'il pourrait d'abord paraître ».

La question de son *rapport au refoulement* se pose dès les premiers travaux (1894), lorsque est soulevée la problématique du destin d'une représentation éprouvée comme inconciliable qui, étant rejetée, se trouve séparée mais persiste comme « noyau » dans l'inconscient. En 1910, la question clé de savoir pourquoi les conflits psychiques ne conduisent pas toujours à un clivage amène, dès ce moment, la problématique du refoulement. Lorsqu'un moi infantile se retrouve aux prises avec un conflit entre revendication pulsionnelle et objection de la réalité, il peut se refuser à choisir, déboutant la réalité et, dans le même temps, reconnaissant l'effectivité du danger. C'est la même situation que retrouve le fétichiste adulte qui, selon un

1. *Sur la psychanalyse (cinq conférences)* (1910a), Paris, Gallimard, 1991, p. 47-48 ; *OCF* X, p. 16 ; *GW* VIII, p. 15.

2. *Psychologie des foules et analyse du moi* (1921c), *Essais de psychanalyse*, Paris, Payot, 1981, p. 173 ; *OCF* XVI, p. 47 ; *GW* XIII, p. 120-121.

processus d'ailleurs banal dans les névroses, laisse subsister deux attitudes simultanées et opposées dont l'une, refoulée, émane du ça, alors que l'autre vient du moi ; elles sont clivées. Il est pourtant difficile de dire à chaque fois quelle éventualité est en cause car un refoulement œuvre au sein même de ce processus de clivage : or le refoulement est un aménagement par le moi des conflits suscités par le ça, ce qui vient estomper la netteté des repères entre ces instances. Complication supplémentaire : un clivage est opéré entre le moi et des pulsions isolées qui sont alors maintenues à des stades inférieurs du développement et coupées de la satisfaction [1] ; on aboutit à un clivage entre le moi cohérent et le refoulé [2]. Une certaine perplexité peut aussi nous gagner en constatant que le refoulement est lui-même signifié régulièrement comme opérant un clivage.

Ce n'est qu'assez tard que Freud donnera quelques précisions sur les distinctions entre ces deux notions, sans se faire d'ailleurs très explicite. Il avait pu indiquer très brièvement en 1915 que, si dans les trois névroses le refoulement, situé à la frontière des systèmes inconscient et préconscient, consiste en un retrait et un refus de l'investissement préconscient, dans les psychoses il a une autre topique en s'élargissant au clivage [3]. Il faut attendre 1927 pour qu'il précise que, en toute rigueur, il convient de réserver le terme de « refoulement à l'affect » et celui de « déni à la représentation », paraissant alors contredire l'argument développé dans la *Métapsychologie* selon lequel ce sont les représentations qui sont refoulées, l'affect étant réprimé ; ceci pourrait être assez embarrassant si l'on n'avait à l'esprit qu'il était aussi indiqué que, dans le refoulement, « le destin de l'affect est de loin le plus important » [4]. Freud précise maintenant que cela se joue au niveau de la perception, perception qui, a-t-il été montré quatre ans plus tôt, « joue pour le moi le rôle qui, dans le ça, échoit à

1. *Au-delà du principe de plaisir* (1920g), *Essais de psychanalyse*, Paris, Payot, 1981, p. 46-47 ; *OCF* XV, p. 28 ; *GW* XIII, p. 6-7.

2. *Le moi et le ça* (1923b), *Essais de psychanalyse*, Paris, Payot, 1981, p. 228 ; *OCF* XVI, p. 262 ; *GW* XIII, p. 244.

3. *Vue d'ensemble sur les névroses de transfert. Un essai métapsychologique* (1985a [1915]), Paris, Gallimard, 1986, p. 20 ; *OCF* XIII (2e éd.), p. 285 ; *GW (Nachtragsband)*, p. 1.

4. « Le refoulement » (1915d), *Métapsychologie*, Paris, Gallimard, 1968, p. 56 ; *OCF* XIII (2e éd.), p. 198 ; *GW* X, p. 256.

la pulsion »[1]. C'est elle qui doit, maintenant, être énergiquement déniée pour être clivée de l'affect ; dans pareilles situations la prégnance de la réalité est telle qu'elle ne permet plus de s'en arranger en refoulant : elle doit être niée, il faut qu'il n'y ait rien[2]. L'*Abrégé de psychanalyse* va élargir l'argument en indiquant que le moi infantile doit souvent refouler les revendications pulsionnelles réprouvées et que, dans les mêmes temps, confronté à certaines prétentions du monde extérieur, ce moi doit recourir « au déni pour supprimer les perceptions qui lui révèlent ces exigences », ce qui aboutit de fait à le cliver. Il semble que l'on doive considérer que si le travail sur les représentations permet au refoulement d'aménager les demandes intérieures pulsionnelles, écartant ainsi l'angoisse, lorsque la revendication de la pulsion vient s'appuyer sur l'intensité d'une perception de la réalité, il ne reste plus qu'à recourir au déni, et donc aboutir à un clivage.

Si le processus de refoulement est assez bien connu dans sa complexité, on peut s'interroger sur le *modus operandi* du clivage, résultat de la brutalité sans nuances du déni. Apparemment, les choses devraient être d'autant plus simples qu'il semblerait que la vocation topique originelle (séparer l'inconscient du conscient) puisse fournir des repères aisés mais, comme nous l'avons vu avec le refoulement, c'est loin d'être évident. Freud a remarqué très tôt que ce qui se présente clivé dans le conscient ne fait qu'un dans l'inconscient le plus souvent[3] ; de ceci, finalement, rendra compte le constat que « là où la pathologie montre une cassure ou une fissure, il peut y avoir normalement une articulation », qu'ainsi des lignes de clivage déterminent les fêlures à venir[4]. Ce serait donc un travail de conscience de faire apparaître le clivage qui demeure ignoré par l'inconscient ; celui-ci ne contient que les directions potentielles des

1. *Le moi et le ça* (1923b), *Essais de psychanalyse,* Paris, Payot, 1981, p. 237 ; *OCF* XVI, p. 269 ; *GW* XIII, p. 253.

2. « Le fétichisme » (1927e), *La vie sexuelle,* Paris, PUF, 1970, p. 134 ; *OCF* XVIII, 127-127 ; *GW* XIV, 312-313.

3. « Un type particulier de choix d'objet chez l'homme » (1910h), *La vie sexuelle,* Paris, PUF, 1969, p. 52 ; *OCF* X, p. 196 ; *GW* VIII, p. 72.

4. *Nouvelles conférences d'introduction à la psychanalyse* (1933a [1932]), Paris, Gallimard, 1984, p. 83 ; *OCF* XIX, p. 142 ; *GW* XV, p. 64.

failles qui auront à orienter et contraindre le clivage éventuel (nous ne sommes pas loin de la notion de frayage). Sans doute pourrait-on dire que « normalement » il existe des articulations qui, non seulement pourront être bloquées par une pathologie, mais constituent une fragilité susceptible de provoquer une « fêlure ». Ainsi, plus qu'une séparation entre les parties, le clivage crée une cessation de leur adéquation. Ceci, effectivement, ne laisse guère de place au refoulement proprement dit, et lorsque celui-ci travaille en clivant, on doit penser que c'est à un niveau moindre, qui ne va pas jusqu'à la fêlure, comme cela se produit dans ce que l'on pourrait désigner comme le « clivage proprement dit ».

Ceci nous conduit à l'*ambivalence* (autre terme bleulerien) pour nous demander ce qui la distingue du clivage. Ces deux procédés impliquant la juxtaposition de deux attitudes opposées, on pourrait penser qu'ils tendent à se confondre. En fait, ils se situent dans deux registres bien différents. Le clivage, nous venons de le rappeler, opère sur deux perceptions distinctes d'une réalité extérieure dont il dénie l'une et, surtout, nie le rapport entre elles ; au prix de la déchirure du moi ainsi produite, le conflit est éliminé et l'affect avec lui ; il n'est donc pas en cause. Avec l'ambivalence, ce n'est plus la perception qui est visée, mais c'est au contraire l'affect qui demeure au premier plan ; il y a coexistence de deux sentiments, certes opposés (essentiellement l'amour et la haine), mais qui cohabitent dans le conflit, même si des compromis peuvent permettre d'aménager celui-ci ; nous sommes alors plus proches du refoulement.

Nous ne pouvons que nous interroger sur la *défense du moi* que peut assurer le *clivage du moi*. Celui-ci est régulièrement associé au déni qui le produit ; or le déni est indiscutablement une défense et on peut en conclure que le clivage se trouve intégré dans un processus défensif. Certes, et le moi est prêt à tout pour se défendre : il peut se prendre comme objet, se traiter comme d'autres objets, « faire encore Dieu sait quoi avec lui-même », y compris se cliver, ce qu'il fait régulièrement, passagèrement du moins le plus souvent[1]. Mais si la fonction défensive du clivage est claire, est-il pour autant, en lui-même, une défense ? En toute rigueur, on doit penser que non, puisqu'il n'est pas une technique de défense mais le produit du déni,

1. *Ibidem*, p. 83 ; p. 141 ; p. 64.

le résultat d'une technique défensive. Ainsi, d'une certaine façon, le clivage est plus proche d'un symptôme que d'une défense.

Comme on doit s'y attendre avec une notion mettant en jeu le moi, l'*identification* intervient dans le clivage. Elle le fait plus clairement, plus particulièrement lorsqu'une psychose est en jeu, comme avec le président Schreber chez qui le clivage correspond au dédoublement d'une relation, à une identification entre deux personnes. On retrouve l'une et l'autre dans la mélancolie où apparaît un clivage entre un « moi cohérent » et un moi modifié par une identification. C'est même là ce qui permettra d'individualiser une instance qui sera ensuite désignée comme idéal du moi, comme si celui-ci résultait d'une identification à la projection d'une séparation. Puis, en conceptualisant le moi lui-même comme instance, Freud découvre sa fragilité, faiblesse qui se dévoile plus encore à l'occasion de ses inévitables identifications aux objets qui, si elles deviennent trop fortes et trop nombreuses, peuvent le faire éclater jusqu'à aboutir à un « clivage du moi ». Cette « fragilité » potentielle du moi, ainsi révélée, nous montre que ce qui se trouve mis en cause par les identifications est ce qu'elles ont précisément pour fonction de contribuer à fonder, l'« identité », cet autre nom du moi. C'est affectivement le sentiment d'identité, d'intégrité que menacent les clivages du moi ; c'est là ce qui justifie son importance non seulement dans les affections qui accentuent la fragilité du moi, comme les psychoses, mais aussi son rôle déterminant tout au long du développement, et plus encore lorsque le moi demeure fragile. On retrouve ainsi la fonction que l'on pourrait dire « originelle » du clivage qui, au-delà de la séparation entre inconscient et conscience qu'il assure dans la topique, pourrait bien aussi désigner celle, homothétique, qui lui reviendrait pour décrire le développement lui-même, pour désigner ce moment, nécessaire et universel, où le moi en vient à se séparer du ça.

Nous voici confrontés à la question de la *normalité* ou de la *pathologie* du clivage. Freud a pu soutenir les deux éventualités, et même conjointement. Normal, normatif même puisqu'il assure la structuration du psychisme, le clivage se révèle *in fine* comme pouvant être la marque des pathologies les plus graves : « Dans toute psychose existe un clivage du moi. »[1] Le texte même qui insiste le plus

1. *Abrégé de psychanalyse* (1940a [1938]), Paris, PUF, 1985, p. 78 ; *OCF* XX, p. 300-301 ; *GW* XVII, p. 133.

sur la pathogenèse demeure ambigu, la difficulté s'annonçant déjà dans les mots choisis par Freud : « Le *succès* a été atteint au prix d'une déchirure dans le moi, déchirure qui ne *guérira* jamais plus, mais grandira avec le temps. » [1] Le succès consiste ici à concilier principe de plaisir et principe de réalité, alors que la guérison impossible implique la précession d'une souffrance. Ajoutons que le caractère définitif de la déchirure provoquée témoigne aussi de sa fonction structurante, telle celle de la castration, ce compagnon du clivage. Selon le terme qui se trouve privilégié (succès ou déchirure), on peut penser déboucher sur la normalité ou la psychose ; c'est d'ailleurs ce qu'indique Freud dans l'ouvrage suivant : si dans le clivage deux attitudes coexistent, l'issue psychique va dépendre de leurs puissances relatives. Si la psychose implique toujours un clivage, un clivage est loin de toujours renvoyer à une psychoses ; les clivages du moi se rencontrent aussi chez les fétichistes bien sûr, mais également et régulièrement dans les névroses car le moi infantile a dû commencer par lutter contre des exigences du monde extérieur éprouvées comme pénibles et, pour ce faire, recourir au déni, ce qui aboutit à un clivage. « De semblables dénis se produisent fréquemment » et le clivage reste un caractère général des névroses ; disons qu'il est à l'œuvre chez tout un chacun [2].

Ceci, à notre sens, ne fait que souligner la continuité de l'être psychique, sur laquelle insiste tant Freud ; elle relie l'état de normalité aux psychoses les plus profondes, comme le sont les états hallucinatoires confusionnels dans lesquels les malades, s'ils guérissent, « déclarent que dans un recoin de leur esprit une personne normale s'était tenue cachée, laissant se dérouler devant elle, comme un observateur désintéressé, toute la fantasmagorie morbide » [3]. De cette permanence psychique, paradoxalement, le clivage pourrait bien fournir une bonne représentation.

Claude Le Guen

1. « Le clivage du moi dans le processus de défense » (1940e [1938]), *Résultats, idées, problèmes, II*, Paris, PUF, 1984, p. 284 ; *OCF* XX, p. 222 ; *GW* XVII, p. 60.

2. *Abrégé de psychanalyse* (1940a [1938]), Paris, PUF, 1985, p. 80 ; *OCF* XX, p. 302 ; *GW* XVII, p. 134.

3. *Ibidem*, p. 77 ; p. 299-300 ; p. 132.

Coexcitation libidinale → Excitation (stimulation)

Complexe de castration → Complexe d'Œdipe et complexe de castration

COMPLEXE D'ŒDIPE et COMPLEXE DE CASTRATION

all. : ***Ödipuskomplex*** et ***Kastrationkomplex***. – angl. : *Œdipus complex* et *castration complex*. – esp. : *complejo de Edipo* et *complejo de castratión*. – ital. : *complesso di Edipo* et *complesso dicastrazione*. – port. : *complexo de Édipo* et *complexo de castração*

Le *complexe d'Œdipe* correspond à un ensemble organisé, conflictuel et largement inconscient, de productions psychiques associant affects et représentations, fantasmes et souvenirs, concourant à un même effet global de mouvements amoureux et hostiles sur les parents. Pour chaque enfant, les rapports entre ces affects (amour et haine) et leurs objets (mère et père) sont variables et fluctuants, pouvant même s'inverser (formes « positive » et « négative » de l'Œdipe) ; tous s'intriquent pour contribuer à l'Œdipe véritable (« complet »). Si, au départ, les relations objectales œdipiennes des filles et des garçons sont les mêmes, elles ne tardent pas à se différencier et se spécifier en fonction du rapport à l'angoisse de castration.

Le *complexe de castration* est provoqué par la menace de castration, véritable traumatisme qui appartient pleinement au complexe d'Œdipe lui-même, au sein duquel il représente une blessure narcissique intense et douloureuse ; il a pourtant une fonction organisatrice : il suscite le surmoi, permettant ainsi la sortie de l'Œdipe. Actif entre trois et cinq ans chez le garçon (stade phallique), le complexe d'Œdipe est précédé d'une phase préœdipienne déterminante, particulièrement chez la fille ; il s'achève par l'entrée en phase de latence. Ranimé par la puberté, il va orienter toute la vie adulte. D'abord conçu comme « complexe nucléaire des névroses », il s'est révélé agent structurant essentiel et déterminant du fonctionnement psychique, jusqu'à apparaître comme étant la découverte qui permettrait de ranger la psychanalyse parmi les précieuses acquisitions du genre humain. Résultat de facteurs « biologiques » (le long état de détresse

et de dépendance infantile de l'être humain), « historiques » (l'instauration diphasée de sa vie sexuelle), mais aussi « culturels » (selon les histoires et les cultures), il est universel et inéluctable (il est le « destin » propre aux humains).

MISE EN SITUATION

En tant qu'adjectif, « complexe » *est attesté en français dès le* XIVe *siècle. Issu du latin* complexus *(du verbe* complecti : *« embrasser, contenir »), il connote « un ensemble dont les éléments s'associent d'une manière qui n'est pas immédiatement évidente ». L'apparition du substantif en français est récente (1900) ; emprunté à l'allemand* Komplex, *il désigne en physiologie « une association pathologique concourant à un même effet global », et en psychologie générale « un ensemble perçu globalement sans analyse de ses parties ». Freud reprend le terme dès 1892 dans la Communication préliminaire aux Études sur l'hystérie, où il note que « le souvenir s'intègre dans le grand complexe des associations » ; il va en user en 1894 pour intituler le premier travail dans lequel il avance clairement l'idée d'une étiologie sexuelle des névroses : « Du bien-fondé à séparer de la neurasthénie un complexe de symptômes déterminé en tant que "névrose d'angoisse". »*[1] *C'est sous sa forme substantive que le mot s'impose en psychanalyse, où il est d'ailleurs le plus souvent connoté d'un autre terme censé le spécifier (même si l'idée demeure la même). Ainsi peut-on rencontrer, à l'occasion, un « complexe nucléaire », un « complexe paternel », « parental », voire « maternel »*[2] *; on peut s'efforcer de chercher quelques nuances entre eux mais, en fait, c'est*

1. « Les psychonévroses de défense » (1894a), *Névrose, psychose et perversions,* Paris, PUF, 1973, p. 1-14 ; *OCF* III, 3-18 ; *GW* I, p. 59-74.

2. Par exemple dans « Perspectives d'avenir de la thérapeutique analytique » (1910d), *De la technique psychanalytique,* Paris, PUF, 1970, p. 26-27 ; *OCF* X, p. 67 ; *GW* VIII, p. 107-108. Voir aussi *Totem et tabou* (1912-1913a), Paris, Gallimard, 1993, p. 96 et 312 ; *OCF* XI, p. 218 et 377 ; *GW* IX, p. 24 et 188. Et encore « Pour introduire la discussion sur l'onanisme » (1912f), *Résultats, idées, problèmes, I,* Paris, PUF, 1984, p. 180 ; *OCF* X, p. 162 ; *GW* VIII, p. 339.

toujours du complexe d'Œdipe qu'il s'agit ou, au mieux, de l'un de ses avatars. Il est d'ailleurs assez remarquable que l'association syntagmatique « complexe d'Œdipe », telle qu'elle s'imposera, n'apparaît textuellement qu'en 1910, mais dans un contexte laissant supposer qu'elle était déjà d'utilisation courante : « Aux alentours de la puberté, le garçon commence à désirer la mère elle-même [...], et à haïr de nouveau le père comme rival qui fait obstacle à ce souhait ; il tombe, comme nous disons, sous la domination du complexe d'Œdipe. »[1] *Assez curieusement, le terme de « complexe de castration », pourtant en dépendance étroite du complexe d'Œdipe dès son apparition dans le corpus, se rencontre tel quel cinq ans plus tôt dans les* Trois essais sur la théorie sexuelle[2], *ouvrage qui introduit véritablement la notion de « sexualité infantile ». En fait, en psychanalyse, tout complexe est à rattacher au complexe d'Œdipe, celui-ci subsumant tous les autres.*

Qu'il soit utilisé seul ou non, et quel que soit le terme qui le connote, le mot « complexe » désigne cet ensemble organisé, conflictuel, qui témoigne de mouvements amoureux et hostiles sur les parents. Sa complexité même fait qu'il « faut être extrêmement prudent avec les complexes » car si le concept est indispensable dans la théorie, le terme est « vraiment trop vague et trop inadéquat »[3]. *Freud le trouve alors « assez peu rigoureux »*[4]. *Il s'est pourtant imposé jusqu'à acquérir, au fil de l'œuvre, la richesse et la plénitude qui en ont fait l'un des fondements de la psychanalyse, au point qu'il put être posé que si elle « n'avait à son actif que la seule découverte du complexe d'Œdipe refoulé, cela suffirait à la faire ranger parmi les*

1. « Un type particulier de choix d'objet chez l'homme » (1910h), *La vie sexuelle,* Paris, PUF, 1969, p. 52 ; *OCF* X, p. 197 ; *GW* VIII, p. 73.

2. *Trois essais sur la théorie sexuelle* (1905d), Paris, Gallimard, 1987, p. 124 ; *OCF* VI, p. 131 ; *GW* V, p. 96 ; mais aussi dans « Analyse d'une phobie chez un petit garçon de cinq ans (Le petit Hans) » (1909b), *Cinq psychanalyses,* Paris, PUF, 1954, p. 95 ; *OCF* IX, p. 7 ; *GW* VII, p. 246.

3. Par exemple dans une lettre au pasteur Pfister (lettre du 10 janvier 1910, in *Correspondance de Sigmund Freud avec le pasteur Pfister* (1963 [1909-1939]), Paris, Gallimard, 1966, p. 65-66).

4. *Sur l'histoire du mouvement psychanalytique* (1914d), Paris, Gallimard, 1991, p. 54-55 ; *OCF* XII, p. 273 ; *GW* X, p. 68-69.

précieuses acquisitions du genre humain »[1]*. Mais vingt-huit ans séparent ces citations, et on peut penser que Freud avait pu, entretemps, écarter ces réserves.*

En effet, bien qu'assez insidieusement, sa position a notablement évolué au fil du temps ; surtout, elle s'est précisée et s'est enrichie. Si le complexe d'Œdipe est omniprésent dans l'œuvre freudienne, il l'est d'abord comme une hypothèse basée sur une rencontre ; le constat clinique va produire le vocable, qui deviendra un concept, de plus en plus « complexe ». La réflexion s'approfondissant, l'analyse de l'Œdipe s'étend, prend une place grandissante et glisse de la description clinique à une théorie de la structure et du fonctionnement psychique ; et cela plus particulièrement à partir de la pleine prise en compte de l'Œdipe féminin.

D'abord rencontré par Freud dans son auto-analyse, l'Œdipe mythique va être retrouvé comme tableau clinique (« Dora », « Le petit Hans », « L'homme aux rats », « L'homme aux loups »...). C'est l'époque où il ne peut imaginer une spécificité de l'Œdipe de la petite fille, le rabattant sur celui du garçon. Il va pourtant pouvoir parfaire sa description grâce à la deuxième topique, et surtout véritablement théoriser le concept en s'appuyant sur la notion nouvelle de surmoi. Alors seulement il pourra aborder l'Œdipe féminin, découvrant non sans stupeur toute l'importance du pré-Œdipe, ce qui le conduira d'ailleurs tant à repenser l'Œdipe masculin que la place et la fonction du concept dans le psychisme.

Habituellement, avançant dans son œuvre, explorant les concepts et les approfondissant, Freud clarifie et parfait la théorie, devint-elle de plus en plus complexe. Avec l'Œdipe, tout au contraire, ce qui pouvait paraître évident dans les débuts va se révéler trop simple, s'avérer obscure, insaisissable – et les écrits s'allongent. Ce n'est, en effet, qu'à partir de 1923-1925, et plus encore en 1930, qu'il sera en mesure de conceptualiser la complexité de l'Œdipe en prenant enfin en compte celui de la femme.

Si Freud put, au fil du temps, nommer différents complexes qu'il rattachait au complexe d'Œdipe, il en est un qui, sans déroger à ce principe, mérite un sort particulier : le complexe de castration qui structure le complexe d'Œdipe lui-même. Certes, au fil de notre

1. *Abrégé de psychanalyse* (1940a [1938]), Paris, PUF, 1985, p. 64 ; *OCF* XX, p. 287 ; *GW* XVII, p. 119-120.

recension du texte freudien apparaissent clairement ces « autres » complexes, à commencer par celui de castration ; il nous a cependant paru utile d'en faire une récapitulation dans une section propre qui, sans s'appesantir sur les citations, regroupera les commentaires et discussions.

LE TEXTE FREUDIEN

I – LE COMPLEXE D'ŒDIPE

La rencontre de l'Œdipe (1897-1919)

Dès **1897,** Freud rencontre la thématique œdipienne dans son auto-analyse et comprend qu'il doit s'agir là de bien plus que d'une expérience singulière : il ouvre le prologue de sa dramaturgie. « J'ai trouvé en moi, *comme partout ailleurs,* des sentiments d'amour envers ma mère et de jalousie envers mon père, sentiments qui sont, je pense, communs à tous les jeunes enfants. [...] S'il en est bien ainsi, on comprend l'effet saisissant d'*Œdipe Roi* » [1] (l'idée de l'universalité œdipienne est déjà là). Trois ans plus tard, en **1900, l'Œdipe entre dans le corpus** analytique avec *L'interprétation des rêves :* lorsqu'on peut les observer chez les névrosés, les désirs affectueux ou hostiles à l'égard des parents ne sont que des grossissements de ce qui se passe chez tous les enfants normaux. À la suite, Freud réfère explicitement la légende d'Œdipe-Roi et, pour que ce soit bien clair il précisera, par une note ajoutée en 1914, qu'il a « abordé ici le complexe d'Œdipe pour la première fois » [2]. Traitant des « rêves œdipiens », référant toujours la tragédie grecque, il précise en 1911 dans une note que

1. *La naissance de la psychanalyse. Lettres à Wilhelm Fliess (1887-1902)* (1950a [1887-1902]), Paris, PUF, 1956, p. 198 (lettre du 15 octobre 1897, souligné par nous).

2. *L'interprétation des rêves* (1900a), Paris, PUF, 1967, p. 227 et 229 ; *OCF* IV, p. 301 et 304 ; *GW* II-III, p. 267-268 et 270.

l'atteinte des yeux est toujours, comme l'aveuglement dans la légende d'Œdipe, un substitut de la castration[1].

En **1905**, dans les *Trois essais sur la théorie sexuelle,* la **réalité de la sexualité infantile** est reconnue, l'excitation sexuelle et la satisfaction érotique étant **induites par la mère** qui « fait don à l'enfant de sentiments issus de sa propre vie sexuelle », dont elle témoigne lorsqu'elle le caresse, l'embrasse, le berce, « le prend tout à fait clairement comme substitut d'un objet sexuel à part entière ». **La tétée est le premier rapport sexuel,** le plus important ; il va conditionner tous les choix d'objets ultérieurs en tentant de « rétablir le bonheur perdu ». La période de latence permettra de donner le temps de dresser les interdits qui vont ériger la **barrière contre l'inceste,** mais « le respect de cette barrière est avant tout une exigence culturelle de la société ». (Une note, ajoutée en 1920, précise qu'il s'agit bien là du complexe d'Œdipe, qui de fait n'était pas nommé dans l'ouvrage : en lui « culmine la sexualité infantile, laquelle influence de façon décisive la sexualité de l'adulte par ses effets ultérieurs ».)[2]

Pour le petit garçon le **pénis** constitue la zone érogène organisatrice, le premier objet sexuel autoérotique, si bien qu'il ne peut concevoir qu'on puisse en être dépourvu ; il est ainsi conduit à penser que « chez sa petite sœur, ça va pousser » (avis que d'ailleurs elle partage, développant un intérêt mêlé d'envie). Mais, lorsqu'il se masturbe, il s'expose à la **menace de se le faire couper** ; ainsi apparaît la peur, conduisant au **complexe de castration**[3]. Celui-ci va s'illustrer cliniquement grâce aux cas du « petit Hans » et de « L'homme aux rats »[4]. Freud en tire des conséquences techniques, soulignant com-

1. *Ibidem,* p. 341-342 ; p. 446 ; p. 403.

2. *Trois essais sur la théorie sexuelle* (1905d), Paris, Gallimard, 1987, p. 165-166, et 171-173 ; *OCF* VI, p. 161-162 et 165-167 ; *GW* V, p. 124-125 et 128-130.

3. « Les théories sexuelles infantiles » (1908c), *La vie sexuelle,* Paris, PUF, 1969, p. 19-21 ; *OCF* VIII, p. 232-235 ; *GW* VII, p. 177-180.

4. « Analyse d'une phobie chez un petit garçon de cinq ans (Le petit Hans) » (1909b), *Cinq psychanalyses,* Paris, PUF, 1954, p. 95 ; *OCF* IX, p. 7 ; *GW* VII, p. 246. Et « Remarques sur un cas de névrose obsessionnelle (L'homme aux rats) » (1909d), *Cinq psychanalyses,* Paris, PUF, 1954, p. 233, n. 2 ; *OCF* IX, p. 178, n. 1 ; *GW* VII, p. 427, n. 1.

bien, dans les cures d'hommes, les résistances les plus significatives semblent « procéder du complexe paternel », débouchant sur une peur du père, de l'incrédulité et du défi[1].

C'est en **1910** que, **pour la première fois, Freud mentionne explicitement le « complexe d'Œdipe ».** Il le fait dans le cadre d'une étude sur « Un type particulier de choix d'objet chez l'homme » selon lequel certains choisissent pour objet d'amour une femme déjà liée à un autre homme et de fidélité douteuse, la jalousie exacerbant leur passion (c'est « la condition du *tiers lésé* »). Ce choix d'objet particulier découle de la fixation tendre à la mère qui, généralement, ne laisse chez l'adulte que peu de traits révélant le choix d'objet maternel ; chez ces patients, au contraire, la libido s'est longtemps attardée, encore après la puberté, et nous devons penser que ces traits si particuliers ont leur origine « dans la constellation maternelle » : les objets d'amour sont d'abord des substituts de la mère, mais « **l'irremplaçable qui agit dans l'inconscient se manifeste dans chacun des objets qui forment une série infinie** », chacun des substituts réveillant l'insatisfaction. Pour l'enfant, la mère appartient au père et le tiers lésé n'est autre que celui-ci. La pensée consciente de l'adulte dote la mère d'une pureté intouchable, et un doute là-dessus est particulièrement offensant. Pour comprendre cette opposition entre la « mère » et la « putain », il faut revenir à l'époque de la prépuberté, lorsque le garçon découvre la nature des relations sexuelles entre adultes – donc entre ses parents –, ce qui suscite sa révolte et détruit leur autorité. Souvent, il se dit alors que la différence n'est pas si grande entre la mère et la putain (dont il découvre l'existence dans les même moments). Ces découvertes brutales réveillent les traces mnésique d'impressions et souhaits infantiles précoces, réactivant ainsi certaines motions psychiques : le garçon commence à désirer cette mère nouvelle et à haïr de nouveau le père comme rival ; « **il tombe, comme nous disons, sous la domination du complexe d'Œdipe** » ; il ne pardonne pas, et considère comme une infidélité qu'elle ait accordé la faveur de son lit à son père, et non pas à lui. Nous

1. « Perspectives d'avenir de la thérapeutique analytique » (1910d), *De la technique psychanalytique,* Paris, PUF, 1953, p. 26-27 ; *OCF* X, p. 66-67 ; *GW* VIII, p. 107-108.

comprenons, maintenant, que « la condition qui apparente la femme aimée à une putain se déduise directement du complexe maternel »[1].

Si cela semble alors clair pour le garçon, **chez les filles c'est plus difficile** à appréhender, ce qui va alimenter bien des discussions. Partant du constat « qu'elles sont pour ainsi dire déjà castrées en venant au monde », Freud est conduit à poser qu'en place de la peur de le perdre, elles développent une **envie du pénis,** suscitant la haine à l'égard de la mère, coupable de l'avoir ainsi faite. Sous l'emprise du complexe de castration, « le garçon devient timide et récalcitrant, la fillette se sent injustement traitée et se met en colère »[2].

Dans les mêmes temps est affirmée, dans *Totem et tabou* (1912-1913), la **vocation civilisatrice du complexe d'Œdipe** : en lui « se rencontrent les commencements de la religion, de la morale, de la société et de l'art ». Dans cet ouvrage, l'origine de l'ambivalence est reconnue dans le « complexe paternel, ou mieux parental »[3]. Surtout, est donnée une explication à l'*universalité* de l'Œdipe, fondée sur la « phylogenèse » : autrefois, les fils se sont révoltés contre le père despotique pour s'accaparer les femmes, et d'abord la mère ; la culpabilité de ce meurtre originaire s'est depuis transmise, devenant le complexe d'Œdipe.

En **1917-1918,** avec les *Conférences d'introduction à la psychanalyse,* Freud éprouve le besoin de faire le point, y compris sur ce complexe. Les connaissances acquises résultent des observations directes que fait l'enfant « à l'époque du choix de l'objet, avant la période de latence » (mais ce fut d'abord dans son auto-analyse que Freud le découvrit, ce qui peut expliquer qu'il commence par traiter du garçon). L'ambivalence elle-même résulte du constat que ce petit garçon, qui est plein d'amour et d'élans érotiques pour sa mère tout en manifestant clairement de l'hostilité à l'égard de son père, peut aussi témoigner d'une grande tendresse pour ce père. À quelques

1. « Un type particulier de choix d'objet chez l'homme » (1910h), *La vie sexuelle,* Paris, PUF, 1969, p. 48-53 ; *OCF* X, p. 192-198 ; *GW* VIII, p. 67-74.

2. *Minutes de la Société psychanalytique de Vienne,* Paris, Gallimard, 1983, t. IV (1912-1918), p. 134 (séance du 30 octobre 1912).

3. *Totem et tabou* (1912-1913a), Paris, Gallimard, 1993, p. 312 ; *OCF* XI, p. 377 ; *GW* IX, p. 188.

détails près, les choses sont alors considérées **tout à fait identiques pour la petite fille,** qui porte une tendre affection au père et veut écarter la mère. Les parents participant activement à la mise en place de cette constellation, on peut alors parler de « complexe familial ». Plus que l'observation directe, ce sont les **analyses d'adultes névrosés** qui apportent les contributions les plus intéressantes ; dans un approfondissement et un grossissement de l'ébauche infantile, elles nous montrent ce qui fait que « chaque névrosé a été lui-même une sorte d'Œdipe ».

Un nouveau facteur intervient : le patient introduit spontanément, dans son histoire, des éléments du présent qui peuvent venir renforcer sa haine pour le père, ses désirs pour la mère revêtant des formes qu'il ne pouvait jusque-là imaginer. Il ne s'agit pourtant pas d'imagination rétrospective, mais bien plutôt du noyau infantile tel que peut le révéler l'observation directe de l'enfant. C'est surtout **lors de la puberté,** lorsque s'affirme la pulsion sexuelle, que sont libidinalisés les anciens objets incestueux. Des mouvements affectifs intenses, œdipiens, s'accomplissent ; ils doivent permettre à l'individu de se détacher de ses parents et de s'intégrer dans la société. Le fils va devoir reporter ses désirs sur un objet étranger, se réconcilier avec le père ou s'émanciper de sa tyrannie selon les cas. Mais si ces tâches s'imposent à tous, leur accomplissement réussit rarement d'une façon idéale, et les névrosés y échouent (le sort de la fille apparaît alors identique, *mutatis mutandis*). « C'est en ce sens que le *complexe d'Œdipe* peut être considéré comme le noyau des névroses. » Freud conclut en redisant que le développement normal de l'enfant s'accomplit « à travers les perversions et les déformations d'objets caractéristiques du *complexe d'Œdipe* » ; en fait, les névrosés ne font que présenter, mais agrandi et grossi, ce que dévoile l'analyse des rêves des hommes « bien portants » [1].

En 1918, « L'homme aux loups » fournit une illustration clinique tant de l'entrée dans la névrose que du complexe d'Œdipe lui-même (avec la scène originaire qui l'accompagne) ; celui-ci est, à cette occasion, désigné comme appartenant aux « **schémas phylogénétiques**

1. *Conférences d'introduction à la psychanalyse* (1916-1917), Paris, Gallimard, 1999, p. 419-429 ; *OCF* XIV, p. 341-350 ; *GW* XI, p. 341-350.

qui […] ont pour rôle de "classer" les impressions qu'apporte ensuite la vie » ; schémas qui seraient des « précipités de l'histoire de la civilisation humaine » – le complexe d'Œdipe en est même le meilleur exemple[1]. L'année suivante (1918), l'exploration clinique se poursuit, notamment avec la perversion, qui doit être rattachée aux développements normaux en relation avec le complexe d'Œdipe dont elle est, bien souvent, tout ce qui en reste[2].

Des souffrances de l'Œdipe au surmoi (1920-1923)

L'introduction de la nouvelle **dualité pulsionnelle** et de **la nouvelle topique** va permettre une nouvelle approche du complexe d'Œdipe. En **1920**, s'appuyant sur la *compulsion de répétition, Au-delà du principe de plaisir* introduit, face à Éros, la **pulsion de mort** qui, en elle-même, se justifie par des situations contredisant la domination du principe de plaisir : névrose traumatique, jeu des enfants (le « jeu de la bobine »), et le **transfert qui vient répéter le conflit œdipien** ; sont ainsi ramenées d'anciennes expériences qui n'offrent aucune éventualité de plaisir et qui, lorsqu'elles se sont produites, ne pouvaient apporter aucune satisfaction, pas même aux motions qui se trouvent refoulées plus tard. En effet, **l'Œdipe « trouve sa fin dans les circonstances les plus pénibles, au milieu de sentiments profondément douloureux »**. Il s'accompagne d'une perte d'amour, d'une atteinte durable à l'estime de soi, préjudice qui va perdurer comme « **cicatrice narcissique** » ; c'est ce malheur que *répétera* le transfert. Si l'Œdipe a bien été, au départ, une expérience de jouissance et de bonheur, l'impossibilité d'assouvissement du désir qui le tend mène au malheur et à la souffrance : les pulsions à l'œuvre auraient dû mener à la satisfaction, mais étaient vouées à l'échec pour des raisons d'abord biologiques. Pourtant – la chose sans doute la plus surprenante et déterminante –, elles sont vouées à se répéter : « une compulsion y pousse ». Cette répétition

1. « Extrait de l'histoire d'une névrose infantile (L'homme aux loups) » (1918b), *Cinq psychanalyses*, PUF, 1954, p. 418 ; *OCF* XIII (2e éd.), p. 117 ; *GW* XII, p. 155.

2. « Un enfant est battu. Contribution à la genèse des perversions sexuelles » (1919e), *Névrose, psychose et perversion*, Paris, PUF, 1973, p. 232 ; *OCF* XV, p. 134 ; *GW* XII, p. 212.

de l'Œdipe dans le transfert conduit à une quatrième situation dominée par une « *compulsion de destin* », « préparée par le sujet lui-même et déterminée par les influences de la petite enfance », en dehors de tout conflit névrotique. **Ce « destin » néfaste est de fait celui de l'Œdipe, universel et inexorable**[1].

En 1921, *Psychologie des foules et analyse du moi* poursuit la démarche. Avec ses deux objets, **le complexe d'Œdipe est le champ exemplaire de l'ambivalence,** qui s'y révèle autant comme évitement que comme représentation du conflit. C'est elle qui permet la coexistence durable, chez le petit enfant, d'attitudes affectives contradictoires sans qu'elles en viennent à se perturber ; cela peut certes aboutir à un conflit, mais celui-ci se règle généralement par un changement d'objet, l'enfant déplaçant l'une de ses motions ambivalentes sur un objet substitutif[2]. Dans ce temps œdipien précoce, *l'ambivalence permet de contourner le conflit.* Le refoulement, intervenant à la sortie du complexe, va modifier profondément les relations aux parents ; elles sont dès lors dominées par des pulsions « inhibées quant au but » qui suscitent des sentiments « tendres », même si subsistent dans l'inconscient les tendances « sensuelles » précoces qui maintiennent la plénitude du courant originaire[3].

À partir de **1923,** avec *Le moi et le ça,* les **nouvelles instances** vont permettre de dépasser l'observation directe et la seule clinique du complexe d'Œdipe pour, véritablement, le « métapsychologiser » **en fonction du surmoi** – ce qui va permettre, à la suite, d'approfondir la signification du complexe de castration. C'est bien là ce qu'entreprend, entre autres, le troisième des grands essais de remise en ordre de la théorie psychanalytique. **Le complexe d'Œdipe est véritablement théorisé dans le même mouvement qui fait apparaître le surmoi.** Freud commence par poser la question des investissements des premiers objets qui seront abandonnés, ainsi que celle des effets des premières

1. *Au-delà du principe de plaisir* (1920g), *Essais de psychanalyse,* Paris, Payot, 1981, p. 57-63 ; *OCF* XV, p. 288-294 ; *GW* XIII, p. 16-22.

2. *Psychologie des foules et analyse du moi* (1921c), *Essais de psychanalyse,* Paris, Payot, 1981, p. 135, n. 8 ; *OCF* XVI, p. 17, n. 1 ; *GW* XIII, p. 84, n. 1.

3. *Ibidem,* p. 176 ; p. 49 ; p. 122-123.

identifications qui, elles, garderont un caractère général et durable. Derrière la naissance de l'idéal du moi se dissimule « la première et la plus importante identification de l'individu : l'identification au père de la préhistoire personnelle » – indication qui se voit corrigée par une note estimant qu'il « serait peut-être plus prudent de dire "identification aux parents" ». Cette identification, immédiate, précéderait les investissements d'objet ; elle serait donc antérieure à l'Œdipe. Par les choix d'objet père et mère, celui-ci n'en viendra pas moins renforcer l'identification primaire.

Freud constate alors l'extrême complexité de la situation œdipienne, ce qui le conduit à en reprendre la description. « **Deux facteurs sont responsables de cette complexité :** la disposition triangulaire de la relation œdipienne et la bisexualité constitutionnelle de l'individu. » La « forme simplifiée » du complexe concerne le garçon qui commence par développer un investissement objectal de la mère, débutant avec le sein maternel, il représente « le modèle exemplaire d'un choix d'objet selon le type par étayage ; quant au père, le garçon s'en empare par identification » (ici, remarquons-le, l'identification au père semble secondaire à l'investissement de l'objet-mère). Les choses iront ainsi le temps que se renforcent les désirs sexuels pour la mère, le père se révélant être un obstacle à ces désirs : le complexe d'Œdipe s'éveille. L'identification au père tourne au désir de l'éliminer et de le remplacer ; à l'évidence, à son égard, la relation devient ambivalente, alors qu'envers la mère la tendance objectale est uniquement tendre : nous avons là le **complexe d'Œdipe simple, positif.**

Lors de la destruction du complexe, l'investissement maternel devra être abandonné et sera remplacé par une identification à la mère, ou par un renforcement de l'identification au père. Cette dernière issue serait la plus « normale », sauvegardant une relation maternelle tendre, consolidant la masculinité dans le caractère du garçon. Freud persiste encore à rabattre sur celui-ci les positions de la fille ; elle aussi peut, tout comme le garçon le fait avec le père, renforcer son identification à la mère. Pourtant, quelque chose ne va pas car ces identifications ne permettent pas d'introduire dans le moi l'objet abandonné. Là, pour une fois, c'est la fille qui peut fournir le modèle d'une identification à l'objet perdu, auquel elle a dû renoncer comme objet d'amour (le père en l'occurrence), écartant l'identification à la mère.

L'identification au père ou à la mère, comme issue à la situation œdipienne, dépend dans les deux sexes de *la bisexualité* ; mais celle-ci est encore plus déterminante pour structurer **la forme complète du complexe d'Œdipe,** celle décrite jusqu'ici n'en étant qu'une forme simplifiée, voire schématisée, dont l'intérêt demeure relatif, même si elle s'avère commode et justifiée dans la pratique. Une investigation plus poussée révèle que le complexe « est double, positif et négatif, sous la dépendance de la bisexualité originaire de l'enfant » : en même temps qu'il est ambivalent envers le père et tendre avec la mère, le garçon manifeste une tendresse féminine envers le père et une hostilité jalouse à l'encontre de la mère – ce qui rend bien difficile d'y voir clair dans les relations d'objet et les identifications primaires, « et encore plus difficile de les décrire d'une façon compréhensible ». Si, en principe, on peut poser l'existence du complexe d'Œdipe complet, il faut savoir que **toutes les variations sont possibles** et que l'on a une « série complémentaire » allant du complexe d'Œdipe normal positif au complexe inversé négatif. **Lors de la disparition du complexe, les quatre tendances se regroupent pour aboutir à une identification au père et une identification à la mère :** celle au père permet de conserver l'objet maternel du complexe positif et, dans le même temps, de remplacer l'objet paternel du complexe inversé ; de la même façon, ceci vaudra pour l'identification à la mère. Nous aboutissons ainsi à une « sédimentation dans le moi » de ces deux identifications ; **cette modification du moi va constituer l'idéal du moi, ou surmoi.**

S'il dérive bien des premiers choix d'objet du ça, **le surmoi est aussi une formation réactionnelle** à leur encontre. Le moi ne reçoit pas que l'injonction « *Tu* dois être comme ton père », mais aussi l'interdiction « *Tu* n'en as pas le droit » ; ceci résulte de ce que l'idéal du moi a dû, difficilement, refouler le complexe d'Œdipe, et qu'il doit sa naissance à son renversement. Le refoulement du complexe d'Œdipe est difficile ; une fois les parents reconnus comme obstacle à la réalisation œdipienne, le moi doit se renforcer en érigeant l'obstacle *en lui-même,* empruntant au père la force nécessaire : ainsi « le surmoi conservera le caractère du père » ; plus le complexe a été fort, plus son refoulement a été rapide, « plus sévère sera plus tard la domination du surmoi sur le moi ». Le surmoi résulte de la conjonction de deux facteurs biologiques : *le long état de dépendance* *infantile* et *le complexe d'Œdipe* (Freud corrige ceci en 1927 par une note, indiquant que, dans ces deux facteurs, si le premier est biologique, le complexe d'Œdipe est historique et sera refoulé lors de la période de latence, instituant une vie sexuelle diphasée). Le surmoi, ou idéal du moi, est donc « **l'héritier du complexe d'Œdipe** » ; il exprime donc les motions pulsionnelles les plus puissantes, les plus importants destins de la libido du ça ; la séparation du surmoi d'avec le moi témoigne du développement de l'individu et de l'espèce, elle pérennise les facteurs culturels portés par les parents[1].

Plusieurs points vont, à la suite, être explicités dans « Le problème économique du masochisme » (1924). Le surmoi est né de l'introjection des premiers objets libidinaux du ça dans le moi ; **la relation en est désexualisée, déviée de ses buts sexuels directs** – c'est même ce qui permet de surmonter le complexe d'Œdipe. Mais le surmoi va conserver les caractères essentiels des parents introjectés, « leur puissance, leur sévérité, leur tendance à surveiller et à punir » ; c'est dire qu'il peut « se montrer dur, cruel, inexorable à l'égard du moi qu'il a sous sa garde ». Mais ce couple parental, prît-il la forme d'une instance morale, n'en appartient pas moins au monde extérieur ; il est même l'une des manifestations les plus tangibles de la réalité, avec ses influences du passé et de la tradition. Grâce à cette convergence, le surmoi, substitut du complexe d'Œdipe, devient tout autant le représentant du ça que du monde extérieur, et le complexe d'Œdipe se révèle être la **source de notre morale**[2].

Les interrogations de l'Œdipe féminin (1923-1924)

Dans les mêmes temps, par une série d'articles dont chacun marque une progression dans sa réflexion, Freud reprend les **interrogations posées par l'Œdipe féminin** pour en approfondir la complexité. Dans le premier, de 1923, sur « L'organisation génitale infantile », il repart de la phase qui lui paraît marquée par le primat du phallus ; elle le

1. *Le moi et le ça* (1923b), *Essais de psychanalyse*, Paris, Payot, 1981, p. 243-249 ; *OCF* XVI, p. 275-280 ; *GW* XIII, p. 260-265.

2. « Le problème économique du masochisme » (1924c), *Névrose, psychose et perversion*, Paris, PUF, 1973, p. 294-295 ; *OCF* XVII, p. 19-20 ; *GW* XIII, p. 47-48.

serait « pour les deux sexes », nous dit-il, même si, avouant son ignorance, il reconnaît ne pouvoir le décrire que chez le garçon, « la connaissance des processus correspondants chez la petite fille nous faisant défaut ». Le petit garçon pense que seul l'organe génital mâle joue alors un rôle ; **pour lui, « il n'existe donc pas un primat génital, mais un primat du phallus »**, et s'il perçoit bien la différence entre hommes et femmes, il ne la met pas encore en relation avec leurs organes génitaux ; il attribue à tous les êtres vivants un pénis semblable au sien. Lorsqu'il découvre que tel n'est pas le cas, il commence par nier le manque, puis finit par conclure que le pénis était bien là mais qu'il a été enlevé ; ce serait là, pense-t-il, le résultat d'une castration qui alors le menace. Le complexe de castration, qui vient ainsi de se constituer, apparaît bien à la phase de primat du phallus. Ceci va entraîner une dépréciation, voire une horreur de la femme (la prédisposition à l'homosexualité découlera de cette conviction que la femme n'a pas de pénis). Pourtant, l'enfant ne généralisera pas tout de suite, d'autant qu'il pense que la **castration est une punition** : seules des femmes coupables de désirs défendus (comme il l'est lui-même) ont été ainsi châtiées mais d'autres, comme sa mère, ne sauraient l'être ; « être femme ne coïncide donc pas encore avec manque de pénis » [1].

« De plus en plus le complexe d'Œdipe dévoile son importance comme phénomène central » de la sexualité infantile – ce qui, en **1924,** amène Freud à s'interroger sur sa dissolution (dans « La disparition du complexe d'Œdipe »). Le problème qui se pose alors n'est pas tant de savoir comment il disparaît (il succombe au refoulement) que de comprendre clairement pourquoi ; les analyses sembleraient montrer qu'il « **sombrerait du fait de son échec, résultat de son impossibilité interne** ». Mais ne disparaîtrait-il pas plutôt parce que le temps en est venu (comme tombent les dents de lait) ? Il est certes vécu par chacun mais n'en reste pas moins un phénomène déterminé, établi par l'hérédité, et qui, « conformément au programme, doit passer lorsque commence la phase de développement prédéterminée qui

1. « L'organisation génitale infantile » (1923e), *La vie sexuelle,* Paris, PUF, 1969, p. 114-116 ; *OCF* XVI, p. 306-308 ; *GW* XIII, p. 296-297.

lui succède ». L'ontogenèse vient simplement accompagner la phylogenèse.

Le complexe d'Œdipe se déploie pleinement avec la phase phallique, mais celle-ci ne peut pas se développer jusqu'à l'organisation génitale définitive, car elle sombre, alors relayée par la phase de latence. Ceci se déroule d'une manière typique, qui doit être rappelée : le petit garçon trahit son intérêt pour son pénis en le manipulant activement, entraînant généralement le désaccord des adultes qui le menacent alors, de façon plus ou moins claire et brutale, de le lui dérober. Il accorde d'abord peu d'intérêt à cette **menace de castration** ; pour qu'il commence à compter avec elle, à contrecœur, il lui faut une nouvelle expérience : **l'observation de l'organe génital féminin peut, seule, faire sombrer l'organisation phallique.**

La vie sexuelle de l'enfant mâle tient à « l'attitude œdipienne à l'égard des parents », la masturbation n'en étant qu'une manifestation liée à la décharge génitale de l'excitation sexuelle propre au complexe – d'où son importance ultérieure. Que sur le mode actif masculin il prenne la place du père dans la couche de la mère et le ressente alors comme un obstacle, ou qu'il remplace la mère (devenue superflue) pour se faire aimer du père, l'enfant ne peut avoir que des représentations imprécises des relations sexuelles ; il n'en est pas moins assuré que le pénis y joue un rôle important. Il croyait encore que sa mère en avait un ; l'acceptation de la possibilité de la castration le fait renoncer aux deux possibilités de satisfaction dans le cadre de l'Œdipe puisque, dans la masculine, le pénis est perdu par punition, et dans la féminine comme présupposition. Si, dans pareil cadre, la satisfaction amoureuse doit coûter le pénis, alors il n'est plus possible d'éviter « **le conflit entre l'intérêt narcissique pour cette partie du corps et l'investissement libidinal** des objets parentaux » ; normalement, le premier l'emporte, et le moi se détourne du complexe d'Œdipe.

Maintenant, **l'identification vient remplacer les investissements d'objet** ; l'autorité parentale, introjectée dans le moi, forme le noyau du surmoi, ce qui suscite en partie une désexualisation et une sublimation ; partiellement inhibées quant au but, les perversions sont changées en motion de tendresse. Le procès, s'il a sauvé l'organe génital, ne l'en a pas moins paralysé. Alors commence le **temps de latence qui interrompt le développement sexuel.** On peut considérer qu'il s'agit bien là d'un refoulement, même si le surmoi participera la plupart du temps aux refoulements ultérieurs ; mais ce qui vient d'être décrit est plus qu'un refoulement : si les choses se passent de manière « idéale », cela correspond à « **une destruction et une suppression du complexe** ». Là serait la ligne frontière, toujours incertaine, entre le normal et le pathologique : si le moi n'est pas vraiment parvenu à bien plus qu'un refoulement, alors le complexe subsiste dans le ça, et il provoquera plus tard des névroses. Il existe des connexions étroites entre organisation phallique, complexe d'Œdipe, menace de castration, formation du surmoi, période de latence ; ceci permet d'affirmer que « **le complexe d'Œdipe sombre du fait de la menace de castration** ».

Mais il s'agit là du processus chez le garçon, et la question demeure du développement correspondant **chez la petite fille.** « Ici notre matériel devient, d'une façon incompréhensible, beaucoup plus obscur et lacunaire. » S'il est certain que les filles connaissent complexe d'Œdipe, surmoi et latence, on doit aussi leur attribuer une organisation phallique et un complexe de castration ; mais, en raison de la différence morphologique, ceux-ci ne peuvent qu'être différents de ceux du garçon : « l'anatomie, c'est le destin ». **Le clitoris apparaît d'abord comme un pénis** mais, le comparant à celui d'un camarade, elle le trouve « un peu court », cause d'infériorité ; elle se rassure un temps en pensant qu'il grandira, et c'est ainsi que se forme le « **complexe de masculinité de la femme** » : elle se dit qu'elle en a eu un autrefois, tout aussi grand, mais qu'on le lui a enlevé ; elle suppose que les femmes adultes possèdent un grand phallus. Ainsi s'établit une différence essentielle : le garçon redoute que la castration s'accomplisse, alors que la fille l'accepte comme un fait déjà accompli.

Ce faisant, **elle éloigne l'édification du surmoi et la démolition de l'organisation génitale infantile** qui, chez elle bien plus que chez le garçon, résultent de l'éducation et de la peur de perdre l'amour parental. Le complexe d'Œdipe de la fille, plus univoque, se borne au désir de se substituer à la mère et de séduire le père ; mais elle va tenter de compenser le renoncement au pénis par le désir de recevoir un enfant du père, selon ce que Freud appelle une « équation symbolique » entre le pénis et l'enfant. Mais il faut bien admettre que, dans l'ensemble, notre compréhension « des processus de développement chez la fille est peu satisfaisante, pleine de lacunes et d'ombres »[1].

La préhistoire de l'Œdipe (1925-1930)

Devenu très conscient des inconvénients de l'attention quasi exclusive qu'il a portée jusqu'ici à la vie sexuelle de l'enfant mâle, méconnaissant celle de la fille, Freud va tenter d'éclaircir ces lacunes et ces ombres. Pour l'essentiel, il le fait entre 1925 et 1933, dans trois textes fondamentaux.

« Quelques conséquences psychologiques de la différence anatomique entre les sexes » opère en 1925 une première approche, justifiant alors le centrage de ses préoccupations sur le masculin par la clarté du complexe d'Œdipe du garçon, très reconnaissable et facile à comprendre. Pourtant, pour lui, tout va se compliquer en raison de sa constitution bisexuelle qui l'amène à vouloir aussi se substituer à la mère comme objet d'amour du père, attitude qui apparaît féminine. Surtout, une nouvelle approche s'impose avec la découverte d'une « **préhistoire du complexe d'Œdipe** qui ne nous sera pas, pendant encore longtemps, parfaitement claire ». Nous y trouvons une identification tendre au père sans rivalité auprès de la mère, une décharge de l'excitation sexuelle par une masturbation qui apparaît d'abord comme activité d'organe puis va être rattachée au complexe d'Œdipe ; la question se pose de savoir si cette excitation est suscitée par l'observation du coït parental, ou par le « fantasme originaire » correspondant ; « il y a ainsi, dans la préhistoire du complexe d'Œdipe chez le garçon, beaucoup d'inexpliqué », comme de savoir si son déroulement est identique pour tous, ou si des « préstades » différents conduisent à une même situation terminale ?

L'Œdipe de la petite fille recèle un problème de plus. Aux débuts, la mère était pour tous deux le premier objet ; si le garçon peut la conserver comme telle en établissant son complexe d'Œdipe, pourquoi la petite fille y renonce-t-elle, prenant alors le père comme objet ? La question posée devient celle de la **préhistoire de l'Œdipe**

1. « La disparition du complexe d'Œdipe » (1924d), *La vie sexuelle*, Paris, PUF, 1969, p. 117-122 ; *OCF* XVII, p. 27-33 ; *GW* XIII, p. 395-401.

chez la petite fille. Chez certaines femmes la ténacité du lien au père s'exprime avec force dans le désir d'en avoir un enfant; ce fantasme était sans doute celui de leur onanisme infantile, et ce serait là « une réalité élémentaire de la vie sexuelle ». Mais l'analyse de ces cas montre qu'ayant une longue préhistoire, **le complexe d'Œdipe « est une formation en quelque sorte secondaire** ».

L'enfant découvre une zone érogène à l'occasion du plaisir de la succion; plus tard le pénis ou le clitoris, sources de plaisir nouvellement acquises, sont sans doute un substitut du téton maternel récemment perdu (suscitant des fantasmes ultérieurs de fellation). Ayant découvert sa zone génitale, la petite fille va remarquer le pénis bien visible d'un frère ou d'un camarade; de suite, elle le reconnaît comme la réplique, en mieux, de son petit organe caché – « dès lors, elle est victime de l'envie du pénis ». Le petit garçon, percevant la région génitale de la fille, se montre irrésolu, peu intéressé, atténuant sa perception par un déni; plus tard, devenu sensible à la menace de castration et se remémorant cette observation, il est « **la proie d'une terrible tempête émotionnelle** » ; il se met alors à croire que la menace dont il se riait jusque-là pourrait bien devenir réalité. Il en éprouve soit de l'horreur, soit un mépris triomphant pour ces créatures mutilées, soit les deux; ces réactions peuvent se fixer pour déterminer son comportement à l'égard des femmes.

D'emblée, la petite fille a jugé: « **Elle a vu cela, sait qu'elle ne l'a pas et veut l'avoir.** » Là est la source de son **complexe de masculinité** qui, s'il n'est pas surmonté rapidement, pourra gêner son développement. Ou bien elle recourt au *déni,* défense ni rare ni dangereuse pour l'enfant, mais qui peut introduire une psychose chez les adultes: refusant d'accepter sa castration, elle s'entête dans sa conviction d'obtenir un pénis et se comporte donc comme si elle était un homme. Chez la fille, les **conséquences de l'envie du pénis** sont nombreuses et importantes; c'est d'abord un **sentiment d'infériorité,** témoignant de sa blessure narcissique puis, lorsqu'elle a compris la généralité de ce caractère sexuel, elle peut partager le mépris des hommes pour la femme. L'envie du pénis, même lorsque la revendication en a été abandonnée, peut persister (avec un déplacement) sous la forme de *jalousie;* celle-ci n'est certes pas l'apanage d'un sexe mais son rôle bien plus grand chez la femme « parce qu'elle tire un énorme renforcement du détournement de l'envie du pénis ». On constate souvent un **relâchement de la relation tendre à la mère,** qui tient sans doute à ce qu'elle est rendue responsable du manque de pénis. Il y a enfin un autre effet, surprenant, de l'envie du pénis : la femme supporte en général plus mal que l'homme la masturbation, ce qui pourrait s'expliquer si on considère que, appliquée au clitoris, elle est « une activité masculine, l'élimination de la sexualité clitoridienne étant une condition du développement de la féminité ». Cette révolte de la petite fille contre l'onanisme phallique serait lié à l'**humiliation narcissique liée à l'envie du pénis** ; ainsi, en reconnaissant une différence anatomique entre les sexes, la petite fille s'écarte de la masculinité, de l'onanisme masculin, ce qui lui ouvre de nouvelles voies pour développer sa féminité. Mais qu'en est-il du complexe d'Œdipe dans tout cela ? Renonçant au désir du pénis, le remplaçant par le désir d'un enfant, la petite fille prend le père comme objet, et devient jalouse de la mère : elle « tourne en femme ».

Si nous récapitulons, nous pouvons dire que nous avons découvert une **préhistoire du complexe d'Œdipe chez la fille,** et nous devons noter que « **ce qui lui correspond chez le garçon est à peu près inconnu** » ; chez elle, le complexe d'Œdipe lui-même est une formation secondaire, précédée et préparée par le complexe de castration. Nous avons ici une opposition fondamentale entre les sexes : « *Tandis que le complexe d'Œdipe du garçon sombre sous l'effet du complexe de castration, celui de la fille est rendu possible et est introduit par le complexe de castration.* » Cela tient à ce que le complexe de castration, en inhibant et limitant la masculinité, encourage la féminité ; **cette différence correspond à celle « entre castration accomplie et simple menace de castration ».**

La manière d'entrer dans le complexe d'Œdipe et d'en sortir est lourde de conséquences. Chez le garçon, comme cela a été vu avec « La disparition du complexe d'Œdipe », « le complexe n'est pas simplement refoulé, il vole littéralement en éclats sous le choc de la menace de castration ». L'enfant abandonne ses investissements, les désexualise, les sublime en partie ; incorporés, **ses objets forment, dans le moi, le noyau du surmoi.** Dans les « cas idéaux » rien ne subsiste du complexe d'Œdipe, même dans l'inconscient ; « **le surmoi est devenu l'héritier du *complexe*** ». Chez la fille, on ne sait trop ce qui provoque sa destruction. Le fait de sa castration l'ayant déjà contrainte à la situation œdipienne, **la fille abandonne lentement le complexe d'Œdipe,** le liquidant par refoulement, ou laissant ses effets longuement différer ; c'est ce qui fait que « son surmoi ne sera jamais si inexorable, si impersonnel, si indépendant de ses origines affectives » que chez l'homme. Il faut cependant convenir que bien peu d'hommes atteignent cet idéal, et que la bisexualité inhérente à tous les individus confère à chacun des traits masculins et des traits féminins – « si bien que le **contenu des constructions théoriques de la masculinité pure reste incertain** » [1].

Dans les mêmes temps, dans une autobiographie[2], Freud reprend l'ensemble de ces données sur l'Œdipe sans rien leur apporter de nouveau. En 1926, dans *Inhibition, symptôme et angoisse,* il revient sur le cas du « petit Hans » pour noter que sa jalousie et son hostilité envers son père, qu'il aime pourtant beaucoup lorsque sa mère n'entre pas en jeu en causant de la discorde, est typique de l'attitude œdipienne, qui conduit à un conflit d'ambivalence fondé sur « un amour bien fondé et une haine non moins justifiée, dirigés tous deux vers la même personne » ; c'est à solutionner ce conflit que sa phobie dut s'employer[3]. Cette fois, **l'ambivalence représente le conflit, voire le suscite, mais c'est là un temps second** par rapport au premier temps d'ambivalence sans conflit (cf. *Psychologie des foules et analyse du moi*) ; qui plus est, ce deuxième temps prépare la résolution du conflit, qui est en propre le conflit œdipien, en recourant à la phobie et grâce au changement d'objet[4].

Régulièrement, Freud reviendra sur l'importance fondatrice du complexe d'Œdipe pour l'individu, pour la société – et pour la psychanalyse. C'est ainsi que, la même année, il le situe comme « la

1. « Quelques conséquences psychologiques de la différence anatomique entre les sexes » (1925j), *La vie sexuelle,* Paris, PUF, 1969, p. 124-132 ; *OCF* XVII, p. 192-201 ; *GW* XIV, p. 20-30.

2. *Sigmund Freud présenté par lui-même* (1925d), Paris, Gallimard, 1984, p. 61-63 ; *OCF* XVII (« Autoprésentation »), p. 82-85 ; *GW* XIV, p. 61-63.

3. *Inhibition, symptôme et angoisse* (1926d [1925]), Paris, PUF, 1951, p. 20 ; *OCF* XVII, p. 219 ; *GW* XIV, p. 130.

4. *Ibidem,* p. 49-50 ; p. 242-243 ; p. 156-157.

situation conflictuelle la plus importante que l'enfant ait à résoudre », il le place à la source des réalisations humaines les plus précieuses, socialement les plus significatives, que ce soit pour l'individu ou, « vraisemblablement, dans l'histoire de l'espèce humaine en général »[1].

En 1927, « Le fétichisme » considère l'Œdipe masculin en portant plus encore l'accent sur la castration. Certains névrosés vont substituer le fétiche au phallus maternel auquel ils ne veulent pas renoncer ; il leur faut nier que la femme soit châtrée car sinon ce serait leur propre pénis qui se trouverait menacé, « ce contre quoi se hérisse ce morceau de narcissisme dont la Nature prévoyante a justement doté cet organe ». Mais, en même temps, l'enfant a aussi abandonné cette croyance, et ce conflit a produit un compromis qui a suivi la loi des processus primaires ; il se dit que la femme possède un pénis mais qu'il a été remplacé par un substitut héritier de son pouvoir ; face à l'horreur de la castration, son intérêt s'accroît encore. Ainsi, le fétiche est **« le signe d'un triomphe sur la menace de castration et une protection contre elle »** ; en le prêtant à la femme, le fétichiste peut supporter celle-ci comme objet sexuel[2].

UN ŒDIPE DE PLUS EN PLUS COMPLEXE (1931-1938)

Freud se décide, en **1931**, à se confronter pleinement au complexe d'Œdipe de la fille ; il le fait dans « Sur la sexualité féminine », article véritablement fondateur car non seulement **il décrit enfin l'Œdipe féminin mais aussi le pré-Œdipe de la petite fille** et, à cette lumière, va réexaminer l'Œdipe masculin, et donc tout l'Œdipe.

Après avoir rappelé l'intelligibilité du fonctionnement œdipien du garçon, il se redemande comment la petite fille, partant du même objet premier (la mère), peut trouver son chemin jusqu'à son père et se détacher de sa mère ? Les choses se compliquent encore de ce qu'elle doit renoncer au clitoris au profit du vagin, la question se posant de

1. « Psycho-Analysis » (1926f), *Résultats, idées, problèmes, II,* Paris, PUF, 1951, p. 158 ; *OCF* XVII, p. 294 ; *GW* XIV, p. 304.

2. « Le fétichisme » (1927e), *La vie sexuelle,* Paris, PUF, 1969, p. 134-135 ; *OCF* XVIII, p. 126-128 ; *GW* XIV, p. 312-314.

comprendre comment ces deux tâches peuvent être reliées. Freud se souvient alors avoir constaté que là où il avait trouvé un lien particulièrement intense au père, il avait retrouvé un lien exclusif à la mère antérieur, tout aussi intense et passionné. Or, il avait sous-estimé la durée de cet attachement à la mère. En fait, il s'avère pouvoir s'étendre jusqu'à la quatrième, voire la cinquième année : un certain nombre de femmes demeurent attachées à leur lien originel à la mère, ne parvenant jamais à vraiment le détourner sur l'homme. « **La phase de pré-Œdipe de la femme atteint par cela une importance** que nous ne lui avions jamais attribuée jusqu'ici. »

Il faut alors penser que **la femme doit d'abord surmonter une période dominée par le complexe d'Œdipe négatif,** phase durant laquelle « le père n'est pas grand chose d'autre pour la petite fille qu'un rival gênant » (même si son hostilité est moindre que celle des garçons). Freud avait certes déjà renoncé au parfait parallélisme entre développements sexuels masculin et féminin ; il doit maintenant avouer sa stupeur en découvrant le pré-Œdipe de la petite fille – tel que déterminé par le premier lien à la mère – qui lui apparaît dès lors « soumis à un refoulement particulièrement inexorable » mais qui, reconnaît-il, est peut-être mieux perçu par les femmes analystes.

Ainsi, **la bisexualité humaine se dévoile plus accusée chez la femme** que chez l'homme, car elle possède deux organes sexuels (le vagin féminin, et le clitoris viril). Sa vie sexuelle débute par une phase à caractère masculin, seule celle qui suit est spécifiquement féminine. Pour autant, cette phase ne saurait empêcher que la fonction virile du clitoris se poursuive dans la vie sexuelle adulte, fût-ce de façon très variable. Cette fois, Freud doit reconnaître que, naturellement, nous ignorons tout de « la base biologique de cette particularité de la femme, et que nous pouvons encore moins lui assigner un dessein téléologique ».

Il lui faut aussi convenir que tout ce qu'il avait dit du complexe d'Œdipe se rapportait au seul garçon, chez qui la vue de l'organe génital féminin provoque la conviction d'une possibilité de castration, ce qui entraîne la création du surmoi. Ce développement est lié à « **l'intérêt génital narcissique du garçon pour la conservation du pénis** ». Bien évidemment, les effets du complexe de castration sont différents chez la femme qui, même si elle en vient à reconnaître sa castration, la supériorité de l'homme et sa propre infériorité, « se révolte aussi contre cet état de chose désagréable ». Elle peut alors soit se détourner de la sexualité, soit ne pas démordre de sa masculinité menacée, soit enfin « choisir le père comme objet et trouver ainsi la forme féminine du complexe d'Œdipe ». Pour elle, celui-ci s'avère ainsi être le résultat d'un développement long et sinueux : **chez la femme, « il n'est pas détruit mais au contraire créé par l'influence de la castration »** – s'il échappe ainsi aux fortes influences hostiles et destructrices que connaît l'homme, il est loin d'être toujours surmonté par la femme, ce qui fait que les conséquences culturelles de sa rupture ont assez peu d'importance. « Cette différence dans la relation réciproque du complexe d'Œdipe et du complexe de castration donne au caractère féminin son empreinte comme être social. »

Il faut le redire : **la phase préœdipienne de lien exclusif à la mère est bien plus importante chez la femme** que chez l'homme ; elle seule permet de comprendre nombre de phénomènes de la vie sexuelle féminine. Révoltée de ne pas avoir reçu de pénis de sa mère, découvrant qu'elle-même en est démunie, la petite fille en vient à dévaloriser toutes les femmes ; son lien intense à sa mère devient ainsi fortement ambivalent, la conduisant à s'en éloigner. Mais que lui réclame-t-elle ? À l'époque préœdipienne, ses buts sexuels sont actifs et passifs, déterminés par la phase libidinale. Que les filles préfèrent jouer à la poupée est sans doute signe d'une féminité précoce, mais c'est alors son côté actif qui s'extériorise, témoignant de **l'exclusivité du lien à la mère avec négligence complète de l'objet-père.** « L'activité sexuelle si étonnante de la fille en relation avec la mère se manifeste chronologiquement en tendances orales, sadiques et enfin même phalliques », dont il est difficile de rendre compte car elles ne peuvent être interprétées qu'après coup – mais que Freud va néanmoins parvenir à situer dans leurs spécificités jusqu'à ce que, dans son évolution, la petite fille en vienne donc à **se détourner de sa mère**, acte qui **« est plus qu'un simple changement d'objet ».**

Mais cela ne se fait pas sans dommages : avec le refoulement de sa masculinité, la petite fille endommage, de façon permanente, toute une part de ses tendances sexuelles. Pour s'accomplir, **le passage à l'objet-père devra recourir aux tendances passives** qui ont pu échapper à cette « catastrophe » ; à ce prix, « la voie du développement de la féminité est maintenant libre », tout au moins si les restes du lien préœdipien à la mère ne viennent pas l'entraver. Pourtant, et quelles que soient ses singularités, **le développement sexuel féminin met en œuvre les mêmes forces libidinales que le masculin** ; « ici comme là, pendant un certain temps, on s'est engagé dans les mêmes chemins et on arrive aux mêmes résultats » [1].

L'exploration se poursuit en 1933, dans les *Nouvelles conférences d'introduction à la psychanalyse,* où Freud reprend nombre des thèses avancées dans l'article de 1931. Il repart de l'institution du surmoi, cet héritier du complexe d'Œdipe, « cas réussi d'identification avec l'instance parentale », pour revenir sur ces identifications, « précipités d'objets abandonnés », plus précisément déterminées par les imagos parentales les plus anciennes ; divers personnages de substitution (maîtres, modèles idéaux...) permettront de prendre de la distance avec les modèles parentaux originaires [2].

Revenant sur le refoulement des désirs œdipiens (phobies), Freud redit sa surprise à **constater que ce n'est pas l'investissement de la mère qui se métamorphose en angoisse**, mais que **c'est l'angoisse qui fait le refoulement** (ce qu'il avait déjà exploré en 1926 [3]). Il s'agit là d'une « angoisse réelle » face à un danger extérieur ; le garçon n'éprouve comme un danger interne l'amour qu'il ressent pour sa mère que parce qu'il lui rappelle une situation de danger extérieure qu'il croit réelle : *la menace de castration* [4]. On voit là comment **l'approfondissement du processus œdipien permet la révision de la théorie de l'angoisse et du refoulement.** Le principe de plaisir-déplaisir, qui règne dans le ça, peut modifier profondément la motion refoulée : parfois elle conserve son investissement libidinal et persiste inaltérée dans le ça bien que demeurant sous la pression constante du

1. « Sur la sexualité féminine » (1931b), *La vie sexuelle,* Paris, PUF, 1969, p. 139-154 ; *OCF* XIX, p. 9-28 ; *GW* XIV, p. 517-537.

2. *Nouvelles conférences d'introduction à la psychanalyse* (1933a [1932]), Paris, Gallimard, 1984, p. 88-90 ; *OCF* XIX, p. 146-147 ; *GW* XV, p. 69-70.

3. *Inhibition, symptôme et angoisse* (1926d [1925]), Paris, PUF, 1951, p. 9-10 ; *OCF* XVII, p. 211-212 ; *GW* XIV, p. 120-121.

4. *Nouvelles conférences d'introduction à la psychanalyse* (1933a [1932]), Paris, Gallimard, 1984, p. 117-118 ; *OCF* XIX, p. 169-170 ; *GW* XV, p. 92-93.

moi, d'autres fois elle est complètement détruite et sa libido est dérivée définitivement. Freud dit alors avoir pensé que c'était ainsi que cela se passait lorsqu'il y avait une « **liquidation normale du complexe d'Œdipe qui** [...] **n'est donc pas simplement refoulé mais détruit dans le ça** ».

Il redit encore combien le développement de la petite fille est plus difficile et plus compliqué que celui du garçon car il comporte deux tâches de plus, même si les phases précoces sont identiques ; à la phase phallique les différences s'effacent derrière les concordances. Avec l'orientation vers la féminité, la petite fille devra changer d'objet et de zone érogène, et passer de l'activité à la passivité. Nombre de femmes demeurent très dépendantes de l'objet paternel et c'est chez elles que se révèle le mieux l'extrême richesse du stade antérieur d'attachement maternel qui peut persister longtemps et laisser beaucoup de fixations, le père n'étant alors qu'un rival importun. Tout l'attachement qui lui sera voué plus tard n'est que le transfert affaibli de celui à la mère. « **Nous ne pouvons pas comprendre la femme si on ne prend pas en considération cette phase de l'attachement préœdipien à la mère.** » Or, ces relations libidinales sont très diverses. Si le fantasme de séduction par le père (qui abusa Freud au début de ses recherches) est l'expression typique du complexe d'Œdipe féminin, dans la préhistoire préœdipienne des petites filles la séductrice est régulièrement la mère. Mais là, le fantasme touche la réalité car c'est bien elle qui, dans la réalité, « lors des soins corporels donnés à l'enfant, a dû provoquer et peut-être même éveillé d'abord des sensations de plaisir sur les organes génitaux » [1].

La femme a aussi un ***complexe de castration,*** même s'il ne peut pas avoir le même contenu que chez le garçon. Nous avons déjà vu comment l'*angoisse de castration* devient « le moteur le plus puissant de son développement ultérieur ». La vue des organes génitaux de l'autre sexe est tout aussi déterminant pour le complexe de castration de la petite fille qu'il peut l'être pour le garçon. Elle remarque aussitôt la différence, se sent gravement lésée, et « **succombe à l'*****envie du pénis*** **qui laisse des traces indélébiles dans son développement et la**

1. *Ibidem*, p. 157-162 ; p. 200-204 ; p. 125-129.

formation de son caractère », car elle ne se résout pas facilement à ce manque et veut croire longtemps qu'elle aussi aura « quelque chose comme ça ». Ce désir inaccessible reste conservé dans l'inconscient où il garde un investissement d'énergie considérable. À partir de la découverte de la castration, trois développements sont possibles : soit vers l'inhibition sexuelle ou la névrose, soit la modification du caractère dans un complexe de masculinité, soit vers une féminité normale. Ce n'est que progressivement que la petite fille s'éloigne de sa mère ; elle aimait une mère phallique et découvre qu'elle est castrée, qu'elle peut donc la laisser tomber comme objet d'amour. (Freud reprend ici, à peu près à l'identique, ses développements de 1931.) **L'orientation vers le père se fait par des motions passives :** son désir pour lui est le désir du pénis dont la mère l'a frustrée, elle attend donc qu'il le lui donne – ce désir va devenir l'attente d'un enfant du père, moment instaurant véritablement la situation féminine. Il convient de noter que, durant la phase phallique, la petite fille a déjà éprouvé un désir d'enfant, mais il lui servait alors à s'identifier à sa mère.

La mère devient la rivale qui obtient du père ce que la petite fille en attend, mais **c'est le transfert du désir de l'enfant-pénis sur le père qui fait vraiment entrer la petite fille dans le complexe d'Œdipe,** ce qui a longtemps pu cacher la liaison préœdipienne à la mère, pourtant si importante, et aux fixations très durables. L'Œdipe de la petite fille résulte d'un long et difficile développement ; c'est « une sorte de liquidation provisoire, une position de repos qu'on n'abandonne pas de sitôt », et ce d'autant que la période de latence ne va pas tarder à débuter. Maintenant, entre les sexes, la différence est frappante, lourde de conséquences tant pour le complexe d'Œdipe que celui de castration. Si l'Œdipe du garçon se développe naturellement à partir de sa phase phallique, la menace de castration le force à y renoncer, à le refouler ; elle peut même le détruire radicalement, laissant la place à un surmoi sévère. Chez la fille, c'est presque le contraire : **le complexe de castration prépare le complexe d'Œdipe au lieu de le détruire** ; l'envie du pénis expulse la petite fille de la liaison à sa mère, la situation œdipienne s'offrant comme un port dans lequel elle demeure pour une période indéterminée, ne l'abolissant que tard et imparfaitement ; c'est ce qui explique une relative faiblesse dans la formation de son surmoi. La découverte de la castration féminine peut aussi entraîner le développement d'un fort complexe de masculinité ; « dans une révolte empreinte de défi, elle exagère encore la masculinité dont elle est marquée », s'en tient à son activité clitoridienne et se réfugie dans une identification à la mère phallique ou au père. Dans ce cas, il faut imaginer qu'un facteur constitutionnel évite la poussée de passivité qui introduit à la féminité, conduisant à des choix d'objet homosexuels. Il convient de préciser que cette « préhistoire de la femme » est, en 1933, une acquisition toute récente, qui doit d'ailleurs beaucoup aux investigations de quelques femmes analystes[1].

Les circonstances sociales rendent souvent méconnaissables les conditions du choix d'objet de la femme, d'autant que là où il peut s'exprimer librement, souvent il se conforme « à l'idéal narcissique de l'homme que la petite fille aurait souhaité devenir ». L'identification à la mère conduit à reconnaître une couche préœdipienne qui repose sur un tendre attachement qui la conduit à la prendre comme modèle, et une autre plus tardive, issue du complexe d'Œdipe, qui veut éliminer la mère et la remplacer auprès du père. Aucun des deux courants n'est véritablement surmonté, mais **c'est le tendre attachement préœdipien qui s'avère décisif pour l'avenir de la femme** ; en lui se préparent tant l'acquisition des qualités dans sa fonction sexuelle que celles nécessaires à ses inestimables réalisations sociales. C'est aussi en elle que, pour l'homme, elle revêt « l'attirance qui fait s'enflammer en état amoureux l'attachement œdipien de ce dernier à sa mère ».

En **1937,** dans « L'analyse avec fin et l'analyse sans fin », deux thèmes, liés à la castration et à la différence des sexes, sont désignés comme exemplaires de ce que ceux-ci ont de commun, au-delà des différences de contenu. Il s'agit de l'**envie du pénis chez la femme,** et de la « protestation virile », du **refus de la féminité chez l'homme.** L'un et l'autre, en accord avec le moi, ne sont « en fait rien d'autre qu'angoisse de castration » ; ils n'en touchent pas moins au « roc d'origine biologique », et fournissent, dans la cure, l'occasion de résistances particulièrement rebelles[2].

1. *Ibidem,* p. 167-175 ; 208-214 ; 133-140.

2. « L'analyse avec fin et l'analyse sans fin » (1937c), *Résultats, idées, problèmes, II,* Paris, PUF, 1984, p. 266-268 ; *OCF* XX, p. 54 ; *GW* XVI, p. 98-99.

Freud conclura son œuvre en **1938,** avec l'*Abrégé de psychanalyse* qui doit, nous dit-il, « rassembler les doctrines de la psychanalyse afin d'en donner un exposé [...] sous une forme aussi concise que possible ». Il y attribue une belle place à l'Œdipe, mais ne concède qu'une part réduite à celui de la fille : chez elle, estime-t-il, les effets du complexe de castration sont sans doute profonds mais « plus uniformes ». Pourtant, cinq ans auparavant, alors qu'il découvrait la richesse et l'étendue de la phase préœdipienne de relation à la mère (dont il ne parle plus ici), il trouvait son développement plus difficile et plus compliqué. On a alors l'impression que cet abrégé revient quelque peu en arrière même si, pour l'essentiel, il se borne à redire ce qui avait été déjà avancé. Pourtant, après avoir rappelé qu'il y a plus d'un siècle Diderot (qu'il cite en français) avait déjà remarqué que si le petit sauvage était abandonné à lui-même, « qu'il réunit au peu de raison de l'enfant au berceau la violence des passions de l'homme de trente ans, il tordrait le cou à son père et coucherait avec sa mère », Freud avance cet aphorisme : « **Si la psychanalyse n'avait à son actif que la seule découverte du complexe d'Œdipe refoulé, cela suffirait à la faire ranger parmi les précieuses acquisitions du genre humain.** » [1]

Nous avons déjà insisté sur la prééminence du complexe d'Œdipe sur tous les autres complexes qui n'en sont, au mieux, que des formes particulières ou partielles, voire de simples équivalents. À une exception près, cependant, mais de quel poids ! Il s'agit, bien évidemment, du complexe de castration qui est, tout à la fois, un moment crucial et organisateur de l'Œdipe, et l'agent de sa dissolution ; c'est pourquoi nous lui réservons une place particulière, même si, pour l'essentiel, il a été déjà traité dans le chapitre « texte freudien » de l'Œdipe proprement dit. À la suite, nous nommerons les autres complexes en les spécifiant très brièvement.

1. *Abrégé de psychanalyse* (1940a [1938]), Paris, PUF, 1985, p. 58-66 ; *OCF* XX, p. 282-288 ; *GW* XVII, p. 114-121.

II – LE COMPLEXE DE CASTRATION

Dès **1908** (dans « Les théories sexuelles infantiles »), le terme de **« complexe de castration » apparaît dans les textes, avant même celui de complexe d'Œdipe.** Il est provoqué par la « théorie » infantile qui veut que tous les humains aient un pénis, la découverte de son absence chez les filles entraînant la protestation assurée que « ça poussera ». Mais le petit garçon accorde une grande valeur à cet organe dont l'excitation manuelle lui procure tant de plaisir, suscitant les réprimandes des adultes qui, souvent, parlent alors de le lui couper, ce qui rencontre ses propres fantasmes. L'enfant s'alarme, s'angoisse ; il a ***peur de la castration*** qui maintenant le remplit d'effroi, suscitant à partir de ce moment le ***complexe de castration.*** La petite fille, qui se connaît dépourvue, partage la conviction de son frère, mais son intérêt est dominé par l'**envie du pénis**[1].

Pour l'essentiel, cette description du complexe de castration, centrée sur celle du garçon, sera reprise tout au long ; elle sera encore donnée à peu près telle quelle en 1933[2] (et encore en 1938[3]), apportant la précision que cette ***menace de castration*** **est généralement proférée par la mère,** le père étant chargé de son exécution. Sa constitution se fait en deux temps : le temps de la menace d'abord, suivi de celui du constat, leur rapprochement établissant **en après-coup** le complexe marqué par une angoisse intense, spécifiée comme ***angoisse de castration*** qui aboutit à ce que, chez le garçon, le complexe d'Œdipe connaisse alors « une fin terrible »[4] car, « pas simplement refoulé, il vole littéralement en éclats »[5] ; chez lui les effets du complexe de castration apparaissent « **cataclysmiques** ».

1. « Les théories sexuelles infantiles » (1908c), *La vie sexuelle,* Paris, PUF, 1969, p. 19-21 ; *OCF* VIII, p. 232-235 ; *GW* VII, p. 177-180.

2. *Nouvelles conférences d'introduction à la psychanalyse* (1933a [1932]), Paris, Gallimard, 1984, p. 167-168 ; *OCF* XIX, p. 208-209 ; *GW* XV, p. 133-134.

3. *Abrégé de psychanalyse* (1940a [1938]), Paris, PUF, 1985, p. 60-63 ; *OCF* XX, p. 283-286 ; *GW* XVII, p. 116-118.

4. *Ibidem,* p. 60 ; p. 283-284 ; p. 116.

5. « Quelques conséquences psychologiques de la différence anatomique entre les

La violence de l'angoisse de castration tient à ce que le danger semble correspondre à une **réalité**, puisque basé sur la perception du constat d'un fait réel : la castration apparaît « réelle » au garçon. Peu importe qu'elle ne soit pas vraiment pratiquée, « ce qui est décisif est que le danger menace de l'extérieur et que l'enfant y croit »[1] ; on conçoit son importance dans le déclenchement des névroses. Pour la fille, la réalité est plus cruelle, car plus vraie, plus réelle encore, fondée sur sa découverte qu'il lui manque un pénis. **Chez elle, les effets du complexe de castration sont « plus uniformes mais non moins profonds »**[2] ; l'envie du pénis domine alors, pouvant conduire soit à la détourner de la sexualité, soit à maintenir sa masculinité, soit à déboucher dans une attitude féminine « normale »[3].

La référence sociale, ethnologique même, à la castration, est avancée dès 1912 dans *Totem et tabou* avec le « meurtre du père de la horde primitive ». Cette thèse, posée comme modèle de la socialisation, est répétée régulièrement et sera encore maintenue en 1939 dans *L'homme Moïse et la religion monothéiste*. À l'encontre de son caractère terrifiant, catastrophique, **la castration dévoile aussi un autre pôle qui tient à son rôle culturel** : fonctionnant comme un processus de socialisation, voire de civilisation, fût-il éminemment contraignant, la thématique du conflit qui s'organise autour de la castration va produire son « héritier », le surmoi, parachevant ainsi sa vocation anthropologique.

III – LES AUTRES COMPLEXES

Nous allons, pour mémoire, distinguer les divers « complexes » mentionnés par Freud ici ou là. Il y a d'abord ceux que, faute de

---

sexes » (1925j), *La vie sexuelle*, Paris, PUF, 1969, p. 131 ; *OCF* XVII, p. 200 ; *GW* XIV, p. 29.

1. *Nouvelles conférences d'introduction à la psychanalyse* (1933a [1932]), Paris, Gallimard, 1984, p. 118 ; *OCF* XIX, p. 170 ; *GW* XV, p. 93.

2. *Abrégé de psychanalyse* (1940a [1938]), Paris, PUF, 1985, p. 64 ; *OCF* XX, p. 286-287 ; *GW* XVII, p. 119.

3. « Sur la sexualité féminine » (1931b), *La vie sexuelle*, Paris, PUF, 1969, p. 145 ; *OCF* XIX, p. 16 ; *GW* XIV, p. 525.

mieux, nous qualifierons de « para-Œdipes » (désignant ce qui est très voisin, juste à côté de l'Œdipe) et qui sont de fait, des synonymes. Les autres correspondent à deux catégories : d'une part ceux qui furent explicitement rejetés ; d'autre part ceux que Freud a pu nommer à l'occasion, mais n'a qu'assez peu, voire fort peu utilisés – nous les rassemblerons dans une catégorie commune que l'on pourrait qualifier, à sa suite, de « parentale » ou de « familiale ».

LES « PARA-ŒDIPES »

Le premier complexe à être désigné, en 1908, fut le **complexe nucléaire de la névrose,** dont la description désigne clairement ce qui sera nommé, deux ans plus tard : *complexe d'Œdipe*[1]. En 1909, Freud parle de « complexe nodal des névroses » et de « complexe nucléaire infantile »[2]. Un an plus tard, il use de la même locution mais en l'associant explicitement au « roi Œdipe »[3]. L'emploi du terme, qui sera ensuite abandonné[4], correspond à une période où, pour l'essentiel, le conflit œdipien est pathogène, censé être à l'origine des névroses.

LES COMPLEXES REJETÉS

Il y en eut deux, avancés par des « dissidents » :

— Le **complexe d'Électre** fut proposé par Carl Gustav Jung pour désigner, en symétrique, le complexe d'Œdipe féminin. D'emblée

1. « Les théories sexuelles infantiles » (1908c), *La vie sexuelle,* Paris, PUF, 1969, p. 18 ; *OCF* VIII, p. 231 ; *GW* VII, p. 176.

2. « Remarques sur un cas de névrose obsessionnelle (L'homme aux rats) » (1909d), *Cinq psychanalyses,* Paris, PUF, 1954, p. 234-235 (n. 2 de la p. 233) ; *OCF* IX, p. 179 (n. 1 de la p. 178) ; *GW* VII, p. 428 (n. 1 de la p. 427).

3. *Sur la psychanalyse (cinq conférences)* (1910a), Paris, Gallimard, 1991, p. 101-102 ; *OCF* X, 1993.

4. Encore mentionné dans « Remarques psychanalytiques sur l'autobiographie d'un cas de paranoïa *(dementia paranoides)* (Le Président Schreber) » (1911c [1910]), *Cinq psychanalyses,* Paris, PUF, 1954, p. 302, n. 1 ; *OCF* X, p. 278, n. 1 ; *GW* VIII, p. 292, n. 1.

vivement rejeté par Freud, qui estimait qu'il ne saurait qu'introduire la confusion, il fut rapidement abandonné[1].

— Le **complexe d'infériorité,** défendu par Alfred Adler, fut également combattu par Freud qui, s'il reconnaissait bien l'existence d'un « sentiment d'infériorité », considérait que ce « fantôme » ne pouvait qu'exprimer l'attitude du moi de l'enfant face à son surmoi-idéal du moi ; il participe donc pleinement du complexe d'Œdipe et ne saurait constituer, en lui-même, un « complexe »[2].

Les complexes parentaux

— Le **complexe familial,** nous dit Freud, est ce que devient le complexe d'Œdipe lorsque la famille s'élargit à d'autres enfants[3]. (La notion est peu utilisée.)

— Le **complexe maternel,** très rarement nommé, renvoie au conflit entre l'image de pureté morale intouchable de la mère, et le putanisme qu'implique son commerce avec le père[4].

— Le **complexe paternel,** assez souvent invoqué, vise plus spécifiquement l'ambivalence foncière à l'égard du père dans le complexe d'Œdipe[5], mais tout aussi bien les rapports religieux engagés avec son image : Dieu. Cette conjonction d'amour et de haine à l'égard du même objet, « à l'origine étrangère à la vie affective, a été acquise par l'humanité dans le complexe paternel » (*en note :* ou mieux « parental »)[6].

1. « Psychogenèse d'un cas d'homosexualité féminine » (1920a), *Névrose, psychose et perversion,* Paris, PUF, 1973, p. 253, n. 1 ; *OCF* XV, p. 244, n. 1 ; *GW* XII, p. 281, n. 1. Et « Sur la sexualité féminine » (1931b), *La vie sexuelle,* Paris, PUF, 1969, p. 142 ; *OCF* XIX, p. 13 ; *GW* XIV, p. 521.

2. *Nouvelles conférences d'introduction à la psychanalyse* (1933a [1932]), Paris, Gallimard, 1984, p. 91-92 ; *OCF* XIX, p. 148-149 ; *GW* XV, p. 71-72.

3. *Leçons d'introduction à la psychanalyse* (1916-1917 [1915-1916]), Paris, Payot, 1973, p. 424 ; *OCF* XIV, p. 345 ; *GW* XI, p. 346.

4. « Un type particulier de choix d'objet chez l'homme » (1910h), *La vie sexuelle,* Paris, PUF, 1969, p. 51 ; *OCF* X, p. 196 ; *GW* VIII, p. 72.

5. « Perspectives d'avenir de la thérapeutique analytique » (1910d), *De la technique psychanalytique,* Paris, PUF, 1970, p. 27 ; *OCF* X, p. 66-67 ; *GW* VIII, p. 108.

6. *Totem et tabou* (1912-1913a), Paris, Gallimard, 1993, p. 312 ; *OCF* XI, p. 377 ; *GW* IX, p. 188-189.

— Le **complexe parental** avait justement été déjà nommé comme étant celui dans lequel, entre autres, il nous est possible de « reconnaître la racine du besoin religieux »[1].

— Il en est enfin un, nommé (une fois) dans les derniers écrits, et que nous ne savons trop comment catégoriser : il s'agit du **complexe de virilité** qui correspond à « l'envie du pénis » chez la femme, thème qui est source de fortes résistances dans la cure, voire d'accès dépressifs[2].

Apparaît ainsi, au fil de l'œuvre, une constellation de complexes parentaux et sociétaux. En fait, nous ne saurions trop le répéter, **tous sont subsumés par le complexe d'Œdipe** dans lequel « les commencements de la religion, de la morale, de la société et de l'art se rencontrent »[3].

QUESTIONS ET ENJEUX

L'approche du complexe d'Œdipe par Freud est elle-même fort complexe, et le devient de plus en plus au fil de l'œuvre ; elle est pourtant un parfait exemple de sa méthodologie. En l'occurrence, il part de sa propre auto-analyse, puis de sa pratique clinique ; dans ces expériences, il a su retrouver les passions du roi Œdipe. Surtout, il a l'intuition qu'il vient de rencontrer une conjoncture universelle, une puissance fondatrice. En retrouvant la même thématique chez ses différents patientes et patients, il privilégie ses rapports aux névroses. Pourtant, dès ce moment, certains points demeurent incertains, à commencer par la question de l'Œdipe féminin. Au fil de l'œuvre, de nouvelles interrogations se font jour. Recoupant un certain nombre d'avancées (de la nouvelle théorie des pulsions à la nouvelle topique et au surmoi), elles vont susciter des découvertes fondamentales (le pré-Œdipe, et d'abord celui de la petite fille), vont conduire à une

1. *Ibidem*. Et *Un souvenir d'enfance de Léonard de Vinci* (1910c), Paris, Gallimard, 1987, p. 156 ; *OCF* X, p. 149 ; *GW* VIII, p. 195.

2. « L'analyse avec fin et l'analyse sans fin » (1937c), *Résultats, idées, problèmes, II,* Paris, PUF, 1984, p. 266-267.

3. *Ibidem,* n. 68.

révision complète du complexe d'Œdipe, et à l'approfondissement théorique du concept.

Au fil de cette démarche, celui-ci s'est affectivement obscurci. Ce qui était d'abord apparu simple et clair se fait de plus en plus difficile, lointain, presque insaisissable. Les écrits qui lui sont consacrés s'allongent et se spécifient (plus encore à partir de 1923[1]). Des réponses nouvelles sont apportées, qui amènent de nouvelles questions : « Notre matériel devient, d'une façon incompréhensible, beaucoup plus obscur et lacunaire. »[2] Dans notre recension du texte freudien, le développement croissant des écrits sur l'Œdipe, comme leur complexification, apparaît nettement, mais des difficultés, voire des obscurités persistent.

Le complexe de castration

Ce complexe est sans doute, en cette affaire, ce qui fait le moins problème, et d'abord à Freud. Survenant à l'acmé du complexe d'Œdipe, il est d'emblée donné comme lui appartenant ; il le demeurera, nécessaire et incontournable. Reconnu très tôt, conjointement avec l'Œdipe, il fut nommé d'abord, mais n'en représente pas moins un temps second dans le développement du complexe. Il en apparaît comme le versant sombre, la part douloureuse qui génère l'angoisse traumatique, il est « le plus fort traumatisme » qu'ait à subir l'enfant[3]. Mais il est aussi la composante qui structure et assure le fonctionnement psychique, venant ordonner et signifier le conflit, permettant la socialisation. Tôt pressenti, tôt décrit, guère remanié, il ne sera véritablement théorisé qu'à partir de l'avènement du surmoi-idéal du moi. Si cette instance est bien, comme le dit Freud, « héritière du complexe d'Œdipe »[4], elle l'est de sa part tragique : *c'est en fait du complexe de castration qu'hérite le surmoi.*

1. Citons seulement : « Sur la sexualité féminine » (1931b), *La vie sexuelle,* Paris, PUF, 1969.

2. « La disparition du complexe d'Œdipe » (1924d), *La vie sexuelle,* Paris, PUF, 1969, p. 121 ; *OCF* XVII, p. 31 ; *GW* XIII, p. 400.

3. *Abrégé de psychanalyse* (1940a [1938]), Paris, PUF, 1985, p. 61 ; *OCF* XX, p. 284 ; *GW* XVII, p. 117.

4. *Le moi et le ça* (1923b), *Essais de psychanalyse,* Paris, Payot, 1981, p. 249 ; *OCF* XVI, p. 279 ; *GW* XIII, p. 264.

Bien des auteurs emploient généralement les termes « complexes de castration » et « castration » comme de parfaits synonymes. Il semblerait pourtant qu'assez souvent le premier connoterait surtout les approches cliniques et métapsychologiques. Le second témoignerait plutôt d'une « réalité » inscrite, tendrait à s'appliquer aux perspectives structurales, voire anthropologiques. C'est ainsi qu'à propos des fantasmes originaires Freud, parlant de la menace de castration, rectifie : « ou plutôt la castration » afin, semble-t-il, de mettre en évidence le rôle organisateur des « schémas phylogénétiques »[1]. Quoi qu'il en soit, le complexe de castration prend une signification particulière dans la mesure où il est directement impliqué dans la formation des névroses et l'organisation des relations sociales ; c'est sur lui que, pour l'essentiel, travaille le processus analytique dans la cure. Ceci peut justifier que le concept ait une place et une fonction raisonnablement claires et déchiffrables dans la théorie analytique ; ce qui peut aussi s'expliquer si l'on tient compte de son apparition relativement tardive chez l'enfant. Mais qu'en est-il aux temps précoces ?

LE PRÉ-ŒDIPE

Il est censé précéder l'Œdipe et, pour Freud, le recours à ce terme n'indique rien d'autre que ce repérage diachronique dans le développement de l'individu. « Les deux sexes semblent traverser de la même façon les phases précoces du développement de la libido »[2], c'est-à-dire les phases orale puis anale, l'Œdipe se constituant à la phase phallique. Reste pourtant à comprendre l'origine de l'Œdipe, à savoir ce qui peut, en ces premiers moments, l'annoncer, voire le « préparer » jusqu'à l'organiser ?

La notion, le terme même de « pré-Œdipe », apparaît tardivement dans l'œuvre freudienne : il le fait à propos de la préhistoire du complexe d'Œdipe chez la fille, éclairant quelque peu celui-ci, mais « ce qui lui correspond chez le garçon est à peu près inconnu »[3]. À

1. *Conférences d'introduction à la psychanalyse* (1916-1917), Paris, Gallimard, 1999, p. 471-472 ; *OCF* XIV, p. 384-385 ; *GW* XI, p. 385-386.

2. *Nouvelles conférences d'introduction à la psychanalyse* (1933a [1932]), Paris, Gallimard, 1984, p. 158 ; *OCF* XIX, p. 201 ; *GW* XV, p. 125.

3. « Quelques conséquences psychologiques de la différence anatomique entre les

l'évidence, *cette phase a chez la femme une importance bien plus grande que chez l'homme*[1] et, fût-elle obscure, elle apparaît pour elle véritablement déterminante. Sans doute l'est-elle aussi pour l'homme mais, là-dessus, nous demeurons dans l'ignorance. Freud suggère qu'il pourrait y avoir, à cette opacité, des raisons biologiques, mais qu'il les ignore. En somme, il laisse à d'autres le soin d'explorer la préhistoire du complexe d'Œdipe. Certains, de son vivant même, le tenteront ; leurs propositions susciteront ses réserves, voire sa désapprobation (Melanie Klein[2]).

Les deux voies qu'il indique pour expliquer la survenue de l'Œdipe *impliquent la « phylogenèse »* (au sens freudien, c'est-à-dire renvoyant à l'évolution de l'espèce humaine), décalant ainsi le problème et, en somme, le contournant. La première est celle des *fantasmes originaires :* ceux de séduction (illustré par « Dora »), de castration (dans le « petit Hans » et « L'homme aux rats »), et la scène originaire (avec « L'homme aux loups »). Ce sont là des schémas phylogénétiques que l'enfant apporte en naissant, « précipités de l'histoire de la civilisation humaine » ; le complexe d'Œdipe les rassemblerait et s'en « nourrirait » (ils lui préexistent donc) et serait ainsi lui-même un fantasme originaire[3]. La deuxième indication vise le *meurtre du père* de la horde primitive (tel que postulé dans *Totem et tabou*), lui-même inscrit comme « trace phylogénétique ». Dans cette situation, on retrouve bien les traits œdipiens : la haine et la crainte du père, le désir de lui prendre la mère. Mais, si on peut ainsi penser entrevoir l'origine phylogénétique de l'Œdipe des fils, on demeure bien démuni pour celle des filles : elles semblent bien n'avoir d'autre rôle, dans cette préhistoire des sociétés, que celui de susciter le désir des mâles. Ce qui nous conduit à une autre problématique et à d'autres incertitudes.

---

sexes » (1925j), *La vie sexuelle,* Paris, PUF, 1969, p. 126 et 131 ; *OCF* XVII, p. 194 et 199 ; *GW* XIV, p. 22 et 28.

1. « Sur la sexualité féminine » (1931b), *La vie sexuelle,* Paris, PUF, 1969, p. 144 ; *OCF* XIX, p. 15 ; *GW* XIV, p. 523.

2. L'un de ses premiers textes là-dessus est, en 1929, « Les stades précoces du conflit œdipien », *in* M. Klein, *Essais de psychanalyse,* Paris, Payot, 1967.

3. « Extrait de l'histoire d'une névrose infantile (L'homme aux loups) » (1918b [1914]), *Cinq psychanalyses,* Paris, PUF, 1954, p. 418 ; *OCF* XIII (2e éd.), p. 117 ; *GW* XII, p. 155.

L'Œdipe féminin

Il fut peut-être la question qui suscita le plus de difficultés ; on a l'impression que Freud tenta d'abord de l'écarter, quitte à en refuser les spécificités. Il découvre le conflit œdipien dans son autoanalyse ; il va donc travailler l'Œdipe du garçon. Pourtant, c'est en partant de l'hystérie féminine qu'il va édifier la psychanalyse. Lorsque en 1905 il rédige « Dora », il retrouve ce qu'il avait déjà avancé dans *L'interprétation des rêves*[1] : il faut prendre en compte « les relations amoureuses inconscientes entre père et fille, mère et fils, comme la reviviscence de germes sensitifs infantiles » ; il rapproche explicitement cette « inclination précoce de la fille pour son père et du fils pour sa mère » du mythe d'Œdipe[2]. La même année, il redit l'effet déterminant des premières excitations sexuelles provoquées par les soins de la mère[3], qu'il finira par désigner comme la « première séductrice ». Il dispose donc, dès ce moment, de deux idée décisives : les rapports mère-fils et père-fille ont la même nature œdipienne comme le même fonctionnement, et la relation précoce à la mère en tant que premier objet d'amour est déterminante pour les deux sexes. Si, à cela, on ajoute la bisexualité fondamentale de tout être humain, les similitudes, voire les équivalences sont évidentes. Pourtant, on ne saurait nier qu'il existe une différence patente. *Toute la question va être de savoir en quoi c'est pareil entre les sexes, et par quoi c'est autre.*

Dans un premier temps, comme obnubilé par le modèle masculin, Freud s'en tient à l'idée que non seulement l'anatomie est déterminante et qu'elle « est le destin »[4], mais qu'elle est aussi univoque : le clitoris est un « pénis atrophié » et, à ce détail, à cette infériorité près, la fille fonctionnerait comme le garçon et ne saurait alors qu'envier son pénis. Mais plus tard, lorsque Jung propose un complexe d'Électre en écho à celui d'Œdipe et le dupliquant, Freud s'irrite et

1. *L'interprétation des rêves* (1900a), Paris, PUF, 1967, p. 223-229 et 341-142 ; *OCF* IV, p. 295-304, et 446 ; *GW* II-III, p. 261-270 et 403.

2. « Fragment d'une analyse d'hystérie (Dora) » (1905e [1900]), *Cinq psychanalyses*, Paris, PUF, 1954, p. 40 ; *OCF* VI, p. 236 ; *GW* V, p. 216-217.

3. *Trois essais sur la théorie sexuelle* (1905d), Paris, Gallimard, 1987, p. 165-166 ; *OCF* VI, p. 161 ; *GW* V, p. 124.

4. « La disparition du complexe d'Œdipe » (1924d), *La vie sexuelle*, Paris, PUF, 1969, p. 121 ; *OCF* XVII, p. 31 ; *GW* XIII, p. 400.

refuse énergiquement l'analogie entre les deux sexes que cela ne pourrait que postuler. Il tient à affirmer les différences, admettant que « tout ce que nous avons dit du complexe d'Œdipe se rapporte strictement à l'enfant de sexe masculin », mais que le féminin ne saurait s'y calquer : « Nous avons renoncé depuis longtemps à nous attendre à un parallélisme étroit entre le développement sexuel masculin et féminin. » [1] Alors, *quid* de l'Œdipe de la fille ?

En fait, la divergence des sexes ne va pas opérer dans l'Œdipe proprement dit. *Pour que s'y trouve violemment signifiée la différence il faut que, dans l'univers heureux et paisible qui le caractérisait jusque-là, fasse irruption le complexe de castration.* Pour le garçon, la castration est une menace, pour la fille elle est un constat : celui du fait accompli qui lui impose de reconnaître « la supériorité de l'homme et sa propre infériorité », ce qui ne peut que la révolter. C'est d'ailleurs là sans doute ce qui va conférer à sa phase préœdipienne de lien exclusif à la mère « une importance bien plus grande que celle qui lui revient chez l'homme », conférant sa singularité à la sexualité féminine[2]. Peut-être... Mais on est bien obligé de considérer que cet homme a eu un pré-Œdipe et, même si on admet qu'il a été moins important (?), c'est tout de même un gros problème que de ne pas savoir pourquoi, et de ne disposer pratiquement d'aucun élément pour deviner ce qu'il a pu être. En ces années 1930, *l'énigme est passée de l'Œdipe féminin au pré-Œdipe du garçon.*

Mais d'où vient cette si grande importance du pré-Œdipe de la petite fille ? Elle tient sans doute au fait que sa relation au premier objet (fût-ce en changeant d'objet) ne saurait être abandonnée simplement ; elle « persiste pendant une période d'une durée inattendue ». Il n'y a pas ici de menace de castration pour faire voler l'Œdipe en éclats, mais un triste constat ne pouvant mener qu'à un lent abandon[3] (comme une imprégnation dépressive ?). Même lorsque le changement d'objet se fait bien, le lien intense de la fille au père n'est que le reflet tardif du lien passionné à la mère qui

1. « Sur la sexualité féminine » (1931b), *La vie sexuelle,* Paris, PUF, 1969, p. 142 et 140 ; *OCF* XIX, p. 13 et 10 ; *GW* XIV, p. 521 et 519.

2. *Ibidem,* p. 143-144 ; p. 15 ; p. 523.

3. « Quelques conséquences psychologiques de la différence anatomique entre les sexes » (1925j), *La vie sexuelle,* Paris, PUF, 1969, p. 122 ; *OCF* XVII, p. 32-33 ; *GW* XIV, p. 401.

demeure latent, fût-ce dans la haine ; c'est sans doute cette persévérance qui fait que, chez elle, la limite entre la phase de pré-Œdipe et celle de l'Œdipe demeure floue, parfois presque indistincte (ce qui expliquerait qu'elle ait été longtemps méconnue). Ce n'est qu'en après-coup, y compris dans la cure, que peut se révéler toute la puissance du pré-Œdipe qui, pour Freud, est essentiellement celui de la fille. Mais, encore une fois, *quid* de celui du garçon ? Il faut aussi tenir compte, dans l'intense relation à la mère, d'un autre paramètre.

L'IDENTIFICATION

C'est un processus déterminant entre fils et père comme entre fille et mère, croisant les relations objectales du fils à la mère et de la fille au père, de l'Œdipe finissant. Ce chiasme, s'il contribue bien à établir l'Œdipe complet, s'avère surtout source de complications. Celles-ci commencent d'ailleurs avec l'identification elle-même car, autant Freud pose clairement celle du fils au père, autant il est peu disert sur celle de la fille à sa mère (il l'est même plus sur celle du fils à la mère, source d'homosexualité). Forme originelle de la liaison à l'autre, évoquant l'incorporation orale, l'identification « n'est pas la même chose qu'un choix d'objet » [1] ; il n'en demeure pas moins que, dès ce moment, « aux toutes premières origines, à la phase orale, investissement d'objet et identification ne peuvent guère être distinguées » [2]. Les filles, jouant à la poupée par exemple, extériorisent activement « l'exclusivité du lien à la mère avec négligence complète de l'objet-père » [3] ; même le désir d'en recevoir un enfant renvoie à l'identification avec la mère, si bien que « dans l'énoncé "un enfant du père" l'accent repose le plus souvent sur l'enfant et non sur le père » [4]. On peut certes se demander s'il ne s'agirait pas là d'une

1. *Nouvelles conférences d'introduction à la psychanalyse* (1933a [1932]), Paris, Gallimard, 1984, p. 88-89 ; *OCF* XIX, p. 146 ; *GW* XV, p. 69.

2. *Le moi et le ça* (1923b), *Essais de psychanalyse,* Paris, Payot, 1981, p. 241 ; *OCF* XVI, p. 272-273 ; *GW* XIII, p. 257.

3. « Sur la sexualité féminine » (1931b), *La vie sexuelle,* Paris, PUF, 1969, p. 149 ; *OCF* XIX, p. 22 ; *GW* XIV, p. 531.

4. *Nouvelles conférences d'introduction à la psychanalyse* (1933a [1932]), Paris, Gallimard, 1984, p. 172 ; *OCF* XIX, p. 212 ; *GW* XV, p. 137-138.

identification secondaire, mais comment la primaire aurait-elle pu se faire au père, cet objet totalement « négligé », en un temps où investissement objectal et identification se trouvent confondus ? Freud distingue chez la femme deux couches dans l'identification à la mère : la tendre, préœdipienne, qui prend la mère comme modèle, puis celle de l'Œdipe, où il faut prendre sa place auprès du père ; aucune des deux ne sera surmontée, mais *« c'est la phase du tendre attachement qui est décisive pour l'avenir de la femme »* [1].

On doit ainsi considérer qu'*il existe une identification fille-mère très précoce,* s'imposant d'emblée, d'autant plus déterminante qu'elle se superpose et s'intrique avec l'investissement de l'objet-mère, aboutissant à « l'identification narcissique, qui est la plus originelle » [2], conférant à son narcissisme une qualité particulière. Pourtant, Freud semble toujours assez réticent avec l'identification entre fille et mère, au point qu'il est assez difficile de trouver des textes où il l'évoque franchement. Peut-être cela tient-il à son embarras à devoir se démarquer de sa proposition, dix ans plus tôt, voulant que la première et plus importante identification de l'enfant soit « celle au père de la préhistoire personnelle » [3] qui serait directe, immédiate, antérieure à tout investissement d'objet – position qui ne laisse guère de place à une identification à la mère (il est vrai que, dès cette époque, il insère une note corrigeant fortement cette assertion en remarquant qu'il serait plus prudent de dire « identification aux parents » car, en cette période précoce, « père et mère ne se voient pas accorder une valeur différente », ce qui pose d'ailleurs question si l'on songe à la spécificité de la « première séductrice »). C'est sur cette identification primaire à « père et mère » que, pour chaque enfant, « fille et garçon », viendront s'étayer celles correspondant aux choix d'objet père et mère [4], avec leur dramaturgie œdipienne visant à éliminer et remplacer la ou le rival.

En faisant coïncider sa première identification avec son premier choix d'objet, la fille adopte une position somme toute confortable, tout au moins jusqu'à ce qu'il lui faille changer d'objet. *Le garçon*

1. *Ibidem,* p. 179-180 ; p. 217-218 ; p. 143-144.

2. « Deuil et mélancolie » (1917e [1915]), *Métapsychologie,* Paris, Gallimard, 1968, p. 160 ; *OCF* XIII (2e éd.), p. 271 ; *GW* X, p. 437.

3. *Le moi et le ça* (1923b), *Essais de psychanalyse,* Paris, Payot, 1981, p. 243-244 ; *OCF* XVI, p. 275 ; *GW* XIII, p. 259.

4. *Ibidem.*

connaît, en fait, une situation plus difficile, et d'abord parce que lui aussi devrait s'identifier tendrement à la mère (ce que d'ailleurs il fait sans doute) ; puis, s'il veut conserver son premier objet, il est censé s'identifier à un père-rival qu'il déteste (le versant « négatif » de l'Œdipe fait qu'il l'aime aussi, mais ce mouvement est second) ; cette tâche, qui ressemble à une gageure, il doit pourtant l'accomplir. On peut se demander si ce n'est pas pour justifier théoriquement ce processus et le rendre concrètement crédible, que Freud avait imaginé une première identification au père, avant tout investissement. On peut penser qu'il visait là très directement le garçon (même s'il ne le dit pas), évitant ainsi la problématique d'un changement identificatoire. En fait, il laisse la question en suspens, devant avouer que le pré-Œdipe du garçon « est à peu près inconnu » [1].

Freud se trouve confronté à une situation difficile : d'une part, il importe de maintenir l'unicité humaine, ce qui est fait en soulignant que chez la petite fille, « on trouve en action les mêmes forces libidinales que chez l'enfant du sexe masculin », l'un et l'autre se trouvant « engagés dans les mêmes chemins et arrivant aux mêmes résultats » [2] ; mais d'autre part, la prévalence de la phase préœdipienne chez la fille ne peut qu'introduire une divergence puisque les motions libidinales qui se produisent au tout début ont une intensité beaucoup plus grande que celles qui leur succéderont : « On peut proprement la qualifier d'incommensurable. » [3] Ceci explique que la phase œdipienne, qui la continue plus qu'elle ne lui succède, va apparaître à la fillette comme « une position de repos qu'on n'abandonne pas de sitôt ». Pour elle, le complexe de castration ne détruit pas le complexe d'Œdipe, mais le prépare ; elle va « entrer dans la situation œdipienne comme dans un port » – on comprend qu'elle tarde à en sortir, et encore imparfaitement [4]. Nous devons, en ce qui la concerne, réviser totalement notre description d'un univers heu-

1. « Quelques conséquences psychologiques de la différence anatomique entre les sexes » (1925j), *La vie sexuelle,* Paris, PUF, 1969, p. 126 et 131 ; *OCF* XVII, p. 194 et 199 ; *GW* XIV, p. 22 et 28.

2. « Sur la sexualité féminine » (1931b), *La vie sexuelle,* Paris, PUF, 1969, p. 151 et 149 ; *OCF* XIX, p. 22 ; *GW* XIV, p. 531.

3. *Ibidem,* p. 154 ; p. 28 ; p. 537.

4. *Nouvelles conférences d'introduction à la psychanalyse* (1933a [1932]), Paris, Gallimard, 1984, p. 173 ; *OCF* XIX, p. 212 ; *GW* XV, p. 138.

reux et paisible ravagé par l'irruption de la castration, cette vision « cataclysmique » devant être réservée au garçon. Ceci ne va pas sans *relativiser l'universalisme œdipien, tout au moins son unicité.* Nous voilà loin de la belle simplicité de l'Œdipe des premiers temps analytiques (qui demeure, il faut bien le dire, une représentation relativement usuelle, qui amène d'ailleurs nombre de contre-sens). Freud dut même s'éloigner de l'idée que « les mêmes forces libidinales » œuvrent dans les deux sexes, déterminant des parcours finalement semblables, pour devoir constater « de profondes différences dans l'évolution sexuelle entre l'homme et la femme » [1].

Il s'était d'abord attaché à étudier ce qui lui apparaissait alors comme le plus évident : l'Œdipe du garçon. Pour la fille, il dut par la suite en venir à penser que le plus déterminant était la phase préœdipienne. À considérer ce « balancement » entre les phases et les sexes, on a parfois le sentiment qu'il n'est pas loin de penser à des accords spécifiques (avec un Œdipe masculin et un pré-Œdipe féminin) ; mais il sait maintenant qu'une telle concordance serait par trop réductrice et méconnaîtrait les complications et incertitudes qu'implique, en chacun, la bisexualité originelle. Quoi qu'il en soit, il importe de souligner que *ce sont les interrogations, voire les impasses, suscitées par l'Œdipe féminin, qui l'amènent à repenser l'Œdipe.* Pareille entreprise ne se fait ni sans dommages, ni sans embûches.

Il finit par avouer sa perplexité, fût-elle assez nouvellement acquise : « Nous nous trouvons en face d'une grande énigme, d'un problème posé par un fait biologique, celui de l'existence de deux sexes. Là finissent nos connaissances et, ce fait, nous n'avons pas à le ramener à autre chose. La psychanalyse n'a contribué en rien à résoudre ce problème qui est sans doute tout entier d'ordre biologique » [2].

Bisexualité et différence des sexes

« La **disposition triangulaire** de la relation œdipienne et la **bisexualité** constitutionnelle » s'ajoutent à la **différence des sexes** pour

1. *Sigmund Freud présenté par lui-même* [additif de 1935] (1925d), Paris, Gallimard, 1984, p. 61 ; *OCF* XVII (« Autoprésentation »), p. 84 ; *GW* XIV, p. 62.

2. *Abrégé de psychanalyse* (1940a [1938]), Paris, PUF, 1985, p. 58 ; *OCF* XX, p. 282-283 ; *GW* XVIII, p. 114.

produire cette extrême complexité ; nous retrouvons notre interrogation sur le « semblable » et le « différent », ainsi conduits à *la question de l'unicité et de la pluralité du complexe d'Œdipe* lui-même. Freud pose, en 1923, que l'identification au père ou à la mère, qui dépend des forces relatives des dispositions masculine et féminine de la bisexualité, est déterminante pour l'issue de la situation œdipienne. Mais plus décisive encore est sans doute la double structure du complexe d'Œdipe qui, sous la dépendance de la bisexualité originaire, associe un pôle « négatif » au pôle « positif » : le garçon ne fait pas que détester son père et aimer sa mère, il se comporte aussi comme une fille, aimant son père et rejetant sa mère ; en reprenant l'identification, on peut dire qu'il veut *être* son père pour *avoir* sa mère, mais veut aussi *être* sa mère pour *avoir* son père. Et idem pour la fille. Chaque sujet, fille ou garçon, est dans une position qui peut être simultanément ou/et alternativement double ; et ce, face à des objets bifaces et, à l'occasion, interchangeables. Il semble pourtant que, dans ce jeu de représentations aux multiples facettes, la bisexualité fasse prédominer le « semblable ». En forçant le trait, on pourrait s'interroger : *que peut alors laisser la bisexualité à la différence des sexes ?*

Comme le remarque Freud, voir clair dans les choix d'objets et les premières identifications devient ainsi bien difficile, d'autant qu'il se pourrait que l'ambivalence elle-même, propre à l'Œdipe, dépende de la bisexualité[1] (mais la théorie en « demeure très obscure »)[2]. Elle le demeure encore lorsque Freud remarque, d'une façon qui peut sembler sibylline, même s'il entend la justifier par l'anatomie et le rôle du clitoris, que « cette bisexualité est bien plus accentuée chez la femme que chez l'homme »[3]. Ce faisant, il réintroduit le « différent » au sein même du « semblable », et redonne une assise à la différence sexuelle en posant que *la femme aurait plus de masculin que l'homme de féminin*... Une question s'offre alors : l'importance plus grande du

1. *Le moi et le ça* (1923b), *Essais de psychanalyse*, Paris, Payot, 1981, p. 246 ; *OCF* XVI, p. 277 ; *GW* XIII, p. 261.

2. *Malaise dans la civilisation* (1930a [1929]), Paris, PUF, 1971, p. 58, n. 1 ; *OCF* XVIII, p. 292, n. 2 ; *GW* XIV, p. 465, n. 2.

3. « Sur la sexualité féminine » (1931b), *La vie sexuelle*, Paris, PUF, 1969, p. 141 ; *OCF* XIX, p. 12 ; *GW* XIV, p. 520.

pré-Œdipe chez la femme se retrouverait-elle dans sa bisexualité ? Ou l'inverse ? *Non liquet,* comme il lui arrivait de dire.

COMPLEXIFICATION

Ainsi, au fil de l'œuvre et comme nous venons de le voir, mais tout aussi bien avec le surmoi, la **complexification** *de l'Œdipe va croissant.* L'une des causes est que l'importance du pré-Œdipe de la fille, en recouvrant l'Œdipe et le prolongeant fort tard, ne laisse pas son surmoi atteindre la force et l'indépendance à laquelle il peut parvenir chez l'homme[1] – comme s'il l'en « protégeait » ? Cette complexification est d'autant plus remarquable que, pour une bonne part, c'est la réflexion sur l'Œdipe qui a suscité un certain nombre de révisions permettant une clarification, que ce soit celle de la deuxième topique avec le surmoi, ou la rectification de la théorie de l'angoisse et du refoulement. Au contraire, avec l'Œdipe lui-même, et surtout le pré-Œdipe, tout se brouille. Si, comme nous l'avons vu, celui de la petite fille apparaît à Freud difficile à saisir, vague, frappé d'un « refoulement particulièrement inexorable », le pré-Œdipe du garçon lui est encore plus impénétrable, demeurant à peu près « inconnu ». Pourtant, curieusement, chez celui-ci le complexe d'Œdipe, tel qu'il succède au pré-Œdipe, semble plus clair, ou plutôt moins embrouillé… Comment articuler cela ?

Ces difficultés, ces obscurités qui « laissent au lecteur une impression enchevêtrée et pleine de contradictions », pourraient avoir deux causes. La première, brutale, tiendrait à *l'énigme biologique posée par l'existence de deux sexes,* point où cessent nos connaissances, « problème que la psychanalyse n'a contribué en rien à résoudre »[2]. La deuxième, plus diffuse, résulte des *« circonstances sociales » (particulièrement chez la femme) et des réactions individuelles qui peuvent varier de façon importantes,* aboutissant à des attitudes contradictoires chez le même individu ; Freud les signale, sans en

1. « Quelques conséquences psychologiques de la différence anatomique entre les sexes » (1925j), *La vie sexuelle,* Paris, PUF, 1969, p. 131 ; *OCF* XVII, p. 201 ; *GW* XIV, p. 29. Et *Nouvelles conférences d'introduction à la psychanalyse* (1933a [1932]), Paris, Gallimard, 1984, p. 173 ; *OCF* XIX, p. 212 ; *GW* XV, p. 138.

2. *Abrégé de psychanalyse* (1940a [1938]), Paris, PUF, 1985, p. 58 ; *OCF* XX, p. 282 ; *GW* XVII, p. 114.

dire plus et, là aussi, nous sommes aux limites de la psychanalyse, fût-ce sur l'autre versant[1].

Le problème des **limites,** effectivement essentiel en psychanalyse, est particulièrement exemplaire dans le cas de l'Œdipe, à commencer par l'interrogation sur sa **singularité.** Ainsi, une relation aussi concrète, aussi « réelle » que celle de la mère qui nourrit, soigne, séduit son enfant, qui ce faisant « acquiert une importance unique, incomparable, inaltérable et permanente et devient pour les deux sexes l'objet du premier et du plus puissant des amours, le prototype de toutes les relations amoureuses ultérieures », une pareille expérience au vécu tellement fort, serait en fait moins spécifique et unique, moins singulière que l'on pourrait penser. « C'est la vie », dit-on... Ici, la prédominance du fondement phylogénétique sur les facteurs personnels et accidentels que peu importe que l'enfant ait pris le sein ou non, peu importe « qu'il en ait connu les tendres soins ; le développement doit se faire, y compris celui du complexe d'Œdipe » [2]. Ainsi redit à la fin de l'œuvre, l'argument était déjà clairement posé : « L'enfant apporte en naissant des schémas phylogénétiques qui [viennent] "classer" les impressions qu'apporte ensuite la vie. [...] Le complexe d'Œdipe, qui embrasse les rapports de l'enfant à ses parents, est l'un d'eux ; il en est, de fait, l'exemple le mieux connu. » [3] Quelles que soient les variations et les intensités dans les joies et les angoisses singulières qu'il suscite en chacun, *le drame œdipien est en fait une tragédie, déterminée par le destin propre à l'espèce humaine, et que la castration représente au mieux*.

Limites et disparition

Sa disparition marque une autre « limite » du complexe d'Œdipe, même et peut-être surtout si les raisons en demeurent peu claires ; la phylogenèse et le destin y sont encore à l'œuvre. Cette dissolution tient

1. *Nouvelles conférences d'introduction à la psychanalyse* (1933a [1932]), Paris, Gallimard, 1984, p. 178 ; *OCF* XIX, p. 216 ; *GW* XV, p. 142.

2. *Abrégé de psychanalyse* (1940a [1938]), Paris, PUF, 1985, p. 59 ; *OCF* XX, p. 283 ; *GW* XVII, p. 115.

3. « Extrait de l'histoire d'une névrose infantile (L'homme aux loups) » (1918b [1914]), *Cinq psychanalyses*, Paris, PUF, 1954, p. 418 ; *OCF* XIII (2e éd.), p. 117 ; *GW* XII, p. 155.

d'abord à l'immaturité de l'enfant qui rend impossible la réalisation du désir œdipien, mais plus sûrement au fait que « le temps en est venu », lorsque l'hérédité détermine l'achèvement du complexe d'Œdipe, « conformément au programme, lorsque commence la phase de développement prédéterminée qui lui succède »[1]. D'un point de vue circonstanciel, c'est la menace de castration jointe au constat de l'absence de pénis chez la fille qui, pour le garçon, y met fin, le faisant « littéralement voler en éclats » ; c'est là « plus qu'un refoulement ; [... c'est] une destruction et une suppression du complexe »[2]. *Reste à comprendre comment l'Œdipe peut ensuite faire retour.* Car il le fait, et d'abord lors de la « crise » pubertaire au cours de laquelle, pour lutter contre la reviviscence des désirs et des haines œdipiennes, doivent être dressées les formations réactionnelles de la morale. Mais l'Œdipe demeure, à la fois latent et actif, tout au long de la vie adulte, et pas seulement dans les organisations névrotiques – c'est même sa réactivation, son retour, qui soutient toute cure analytique et la rend possible. Certes, on pourrait soutenir que ce qui « sombre » est le conflit œdipien (qui est et sera dès lors déplacé) et non pas la structure œdipienne, à supposer que l'un puisse aller sans l'autre ; on pourrait même ajouter que ce qui perdure est cet « héritier » qu'est le surmoi qui, en somme, représente l'Œdipe. Sans doute... Il semble bien, pourtant, que *tout montre, à commencer par la clinique, que cette « destruction », que cette « suppression », même chez le garçon « normal », soit moins absolue qu'annoncée.* Voilà qui laisserait penser que chez lui, et pas seulement chez la fille, un refoulement persiste malgré tout. Faut-il alors supposer que la détermination quasi biologique, ou tout au moins phylogénétique, de l'Œdipe, serait un peu moins « fatale » qu'annoncée, un peu plus « circonstancielle », et donc « culturelle » ?

La question anthropologique

C'est effectivement une **question anthropologique** que pose l'assertion freudienne de l'universalité du complexe d'Œdipe. Comme nous venons de le rappeler, selon Freud, celui-ci se situe à la rencontre

1. « La disparition du complexe d'Œdipe » (1924d), *La vie sexuelle*, Paris, PUF, 1969, p. 117-118 ; *OCF* XVII, p. 27 ; *GW* XIII, p. 395-396.
2. *Ibidem*, p. 120 ; p. 31 ; p. 399.

d'une détermination biologique (telle l'immaturité infantile) et de causalités sociales (à commencer par les interdits parentaux). Il résulte, dans sa structure même, de la conjonction de la différence des sexes (fait biologique), et de celle des générations (organisation culturelle) ; c'est là ce qui, au-delà des variations ethnographiques, peut justifier son universalité. Certes... Il n'en demeure pas moins que ces deux déterminismes, tels qu'ils encadrent l'Œdipe, se situent hors du champ de la psychanalyse, ce qui pourrait peut-être expliquer l'impression de « fatalité » qu'ils suscitent.

Reste à interroger cette « extra-territorialité ». Doit-elle être posée comme le *constat d'une limite, ou comme la reconnaissance d'une charnière ?* Les deux attitudes ont été soutenues mais, pour ce qui est de Freud, dans le même temps où il affirmait l'importance, pour le psychisme, de la biologie comme celle de la culture, il demeurait extrêmement prudent dans leur approche et dans leur utilisation par la psychanalyse. Certes, il n'hésitait guère à « appliquer » celle-ci à d'autres disciplines, mais se gardait de faire l'inverse, se situant toujours dans sa spécificité. On peut donc estimer que *c'est dans la psychanalyse, dans son champ et dans son cadre, que doit être située l'universalité de l'Œdipe.*

Nous avons parlé de « fatalité ». Pensant à celle-ci nous remarquons combien, traitant de l'Œdipe avec Freud, nous n'avons pas eu l'occasion d'évoquer la pulsion de mort : autant la nouvelle topique s'impose avec le surmoi, autant la nouvelle théorie pulsionnelle s'avère absente de la théorie œdipienne. Si nous reprenons l'œuvre freudienne, nous en venons à nous demander si, en son sein, « pulsion de mort » et « sexualité féminine » n'en viendraient pas à s'exclure l'une l'autre, ou à tout le moins à s'éviter... Comme un arrêt de la pensée [1] ? Ce qui ne va pas sans nous renvoyer à la troisième des femmes à qui échoie de fonder le destin de l'homme : après la mère génitrice, puis l'amante choisie à son image, il va trouver, retrouver la terre-mère, « la silencieuse déesse de la mort qui le prendra dans ses bras » [2]. Douloureuse promiscuité... L'au-delà, féminin intenable, inabordable ? « Énigme » de l'Œdipe ?

Claude Le Guen

1. Je reprends là une idée suggérée par Pierre Chauvel.

2. « Le motif du choix des coffrets » (1913f), *L'inquiétante étrangeté et autres essais* (1919h), Paris, Gallimard, 1985, p. 81 ; *OCF* XII, p. 65 ; GW VII, p. 37.

Compromis (formation de) → Formations

Compulsion → Névrose obsessionnelle (ou de contrainte)

CONDENSATION

all. : ***Verdichtung.*** – angl. : *condensation.* – esp. : *condensatión.* – ital. : *condensazione.* – port. : *condensação*

La condensation est, avec le déplacement, l'un des procédés essentiels du travail du rêve et plus précisément de la déformation dans le rêve. Elle relève des processus psychiques primaires et correspond à une surdétermination : chaque élément du rêve manifeste renvoie par des ramifications complexes vers les restes diurnes, l'infantile et de multiples éléments de la vie du rêveur. Cette condensation explique l'extrême abondance des associations qui sont nécessaires à l'explication d'un rêve.

MISE EN SITUATION

Procédé essentiel du travail du rêve, la condensation est conceptualisée par Freud dès 1900. Dans les différentes occurrences où Freud évoque le travail du rêve et les déformations du contenu latent dans le rêve, il ne manque jamais de rappeler le sens et l'importance de la condensation. Mais elle apparaît également à l'œuvre dans les formations de symptômes.

LE TEXTE FREUDIEN

Le travail de condensation dans le rêve

Décrit dans *L'interprétation des rêves* (1900), au chapitre consacré au travail du rêve, le travail de condensation *(Verdichtungarbeit)* l'est avant celui de *déplacement* et l'examen des procédés de figuration et des formes d'expression des liens logiques dans les rêves. La découverte du contenu latent des rêves distingue le travail de Freud de toutes les tentatives antérieures d'interprétation des rêves[1]. Il vient d'établir le caractère de rébus du rêve, afin de rendre compte du problème qui se pose désormais : étudier quelles relations unissent le contenu manifeste, si souvent trompeur, au contenu latent si souvent déguisé et rendu méconnaissable[2].

Les associations qui permettent l'interprétation du rêve sont beaucoup plus nombreuses et développées que son récit. Chaque élément du rêve manifeste renvoie par des ramifications complexes vers les restes diurnes, vers l'infantile et de multiples éléments de la vie du rêveur. « **Le quotient de condensation est donc – rigoureusement parlant – indéterminable.** »[3] Peut-on vraiment penser que tout cela était contenu dans le rêve, n'est-ce pas surajouté lors de l'interprétation ?

Cette solution simple ne peut être retenue. Même s'il arrive qu'une idée nouvelle surgisse pendant l'analyse, elle renvoie le plus souvent à des éléments déjà présents dans le rêve et elle s'avère nécessaire à sa compréhension. En fait, si chaque élément renvoie à de multiples combinaisons d'idées lors des associations, inversement, chaque moment de la chaîne associative tient aussi par de multiples liens aux éléments du contenu manifeste[4]. Le réseau des associations et des relations entre contenu manifeste et contenu latent est extrêmement dense, et les éléments anodins ou insignifiants semblent choisis précisément pour les multiples connexions qu'ils rendent possibles. Freud le démontre en reprenant l'interprétation de rêves, à commencer par celui de la « monographie botanique » : dans chacun d'eux se multiplient les implications d'une même idée latente, leur déploiement débordant de beaucoup le simple récit du rêve, qui s'avère ainsi particulièrement condensé.

1. *L'interprétation des rêves* (1900a), Paris, PUF, 1967, p. 241 ; *OCF* IV, p. 319 ; *GW* II-III, p. 283.

2. *Ibidem*, p. 242 ; p. 320 ; p. 284.

3. *Ibidem*, p. 243 ; p. 321 ; p. 285.

4. *Ibidem*, p. 247 ; p. 326 ; p. 290.

Même les mots et les noms sont traités dans le rêve comme des choses, et sont donc sujets aux mêmes compositions et condensations que les représentations chose[1]. Il s'ensuit des créations de termes surprenantes et parfois comiques dont Freud fournit quelques exemples[2].

Quant aux discours reconnus comme tels, et nettement distincts des pensées, il faut toujours considérer que ce sont des souvenirs de paroles réelles, restées sans modification ou légèrement altérées. Le discours du rêve est parfois fait d'une fusion de plusieurs discours remémorés, les mots étant communs à plusieurs de ces discours. Le sens peut en être polysémique, et plus ou moins transformé. Souvent le rêve ne fait qu'une allusion à l'événement qui avait donné lieu à ces paroles[3].

Au total, **la condensation est la « principale responsable de l'impression d'étrangeté »** que produit le rêve, et « toute corrélation psychique se transpose dans l'intensité du contenu de représentation »[4], comme des termes mis en italiques ou en caractères gras.

L'article « Sur le rêve » (1900) propose une synonymie entre condensation *(Verdichtung)* et compression *(Kompression)*, précisant que lorsqu'on a pénétré profondément dans l'analyse d'un rêve, « **on ne trouve pas un élément du contenu du rêve dont les fils associatifs ne partiraient dans deux directions ou davantage,** pas une situation qui ne soit faite de deux impressions et de deux expériences ou davantage »[5]. Le matériel venu des pensées du rêve qui se trouve comprimé doit être disponible pour cet usage ; il y faut la présence d'un ou plusieurs éléments communs dans tous les composants. Le travail du rêve superpose alors les différents composants. Ce processus de production explique aussi en partie « les déterminations flottantes, d'un flou singulier » de multiples éléments du contenu du

1. *Ibidem,* p. 257 ; p. 339 ; p. 301-302.
2. *Ibidem,* p. 260 ; p. 343 ; p. 305.
3. *Ibidem,* p. 263 ; p. 348 ; p. 310.
4. *Ibidem,* p. 506 ; p. 650-651 ; p. 600-601.
5. *Sur le rêve* (1901a), Paris, Gallimard, 1988, p. 74 ; *OCF* V, p. 35 ; *GW* II-III, p. 661-662.

rêve. Il s'ensuit une règle herméneutique : là où dans l'analyse quelque chose d'indéterminé peut se résoudre par un « ou bien - ou bien », pour l'interpréter à « ou » il faut substituer un « et » : chaque membre de cette apparente alternative sera pris pour point de départ indépendant d'une série d'idées incidentes[1]. Quand de tels éléments communs n'existent pas parmi les pensées du rêve, le travail du rêve s'efforce d'en créer pour permettre une figuration commune dans le rêve[2], par exemple en changeant quelque peu la forme linguistique de l'une des pensées. Une bonne partie du travail du rêve consiste en la création de telles pensées intermédiaires, souvent spirituelles, mais parfois comme forcées pour façonner le matériel au mieux des intérêts de la condensation.

Dans le premier rêve de Dora étudié dans « Fragment d'une analyse d'hystérie (Dora) » (1901), « l'élément "coffret à bijoux" est plus que tout autre un **résultat par condensation et déplacement et un compromis entre courants opposés** »[3]. Dans les *Cinq conférences sur la psychanalyse* (1909), l'insistance porte sur le caractère insoupçonné du travail psychique ainsi mis en œuvre de façon associative, sur le fait que « ce travail est identique au travail d'altération qui transforme les complexes refoulés en symptômes, lorsque le refoulement a échoué »[4] (ce que le chapitre VII *L'interprétation des rêves* relevait aussi) ainsi que sur les relations que manifestent ces processus « entre deux systèmes psychiques distincts comme le conscient et l'inconscient »[5].

Les *Conférences d'introduction à la psychanalyse* (1916-1917), à propos du travail du rêve, soulignent l'énorme importance de la condensation ; jamais elle ne se renverse dans son contraire, et le rêve latent est toujours plus riche que le contenu manifeste. « **La condensa-**

1. *Ibidem,* p. 76 ; p. 36 ; p. 663.

2. *Ibidem,* p. 77 ; p. 36 ; p. 663.

3. « Fragment d'une analyse d'hystérie (Dora) » (1905e [1900]), *Cinq psychanalyses,* Paris, PUF, 1954, p. 68 ; PUF « Quadrige », p. 110 ; *OCF* VI, p. 270 ; *GW* V, p. 254.

4. *Sur la psychanalyse (cinq conférences)* (1910a), Paris, Gallimard, 1991, p. 40 ; *OCF* X, p. 34 ; *GW* VIII, p. 35.

5. *Ibidem,* p. 40 ; p. 33 ; p. 35.

tion se produit du fait : 1 / que certains éléments latents sont tout simplement omis ; 2 / que, parmi les nombreux complexes du rêve latent, seule une bribe passe dans le rêve manifeste ; 3 / que des éléments latents qui ont quelque chose en commun sont rassemblés pour le rêve manifeste, fondus en une unité. » Le rêve fabrique des formations mixtes, avec un élément commun comme noyau, condensant divers éléments en une image souvent indistincte. Le travail de condensation ne relève sans doute pas de la censure, même si elle y trouve son compte ; il peut susciter des résultats extraordinaires et réunir dans un rêve manifeste deux cheminements de pensée latents complètement distincts, de sorte que l'on peut obtenir une interprétation apparemment suffisante d'un rêve, sans voir une possible surinterprétation[1]. Il n'est aucune relation simple entre rêve latent et rêve manifeste, et les idées incidentes sur chaque élément ne surviennent pas nécessairement dans un ordre repérable. Les mêmes procès de l'inconscient agissent dans la formation de symptôme et dans la formation du rêve, et notamment la mise en œuvre dans le symptôme de condensations et de déplacements[2].

Quatre articles reviennent sur le rêve entre 1922 et 1925. « Quelques suppléments à l'ensemble de l'interprétation des rêves » (1925) s'attache à approfondir certains aspects : les limites de l'interprétable, la responsabilité morale par rapport au contenu du rêve, et la question des rêves prophétiques ou prémonitoires. Les associations du rêveur sont indispensable à l'interprétation, mais la possibilité d'interpréter dépend aussi de ses résistances[3]. Les associations apportent les choses les plus variées : des souvenirs des jours précédents, du jour du rêve, et d'époques depuis longtemps révolues, des réflexions, des discussions avec des arguments pour ou contre, des aveux et des questions[4]. Pour plusieurs d'entre elles, le patient se contente de les laisser jaillir, devant

1. *Conférences d'introduction à la psychanalyse* (1916-1917), Paris, Gallimard, 1999, p. 220-223 ; *OCF* XIV, p. 176-178 ; *GW* XI, p. 174-176.

2. *Ibidem*, p. 457 et 466 ; p. 373 et 380 ; p. 374 et 381.

3. « Quelques suppléments à l'ensemble de l'interprétation des rêves » (1925i), *Résultats, idées, problèmes, II*, Paris, PUF, 1984, p. 142 ; *OCF* XVII, p. 178 ; *GW* I, p. 562-563.

4. *Ibidem*, p. 144 ; p. 180 ; p. 564.

d'autres il s'arrête un moment ; la plupart signalent une nette relation avec un élément du rêve, ce qui n'a rien d'étonnant puisqu'elles procèdent elles-mêmes de ces éléments. Or cette profusion d'idées subites a plus de choses en commun avec le contenu du rêve que les seuls points de départ ; ces idées jettent une lumière surprenante sur toutes les parties du rêve, comblent les lacunes qui les séparent, rendent compréhensibles leurs étranges assemblages. Quel est leur rapport au contenu du rêve ? **Le rêve apparaît comme un condensé abrégé des associations,** et ses éléments apparaissent comme les représentants d'une foule désignés par élection. Les associations montrent ainsi ce que remplace le rêve, et la voie où chercher sa valeur psychique, mais n'en manifestent plus les particularités déroutantes, son étrangeté, sa confusion. Les associations à propos du rêve ne sont pas encore les pensées latentes du rêve. Celles-ci sont contenues dans les associations comme dans une eau mère, sans y être quand même contenues dans leur totalité. Les associations nous apportent beaucoup plus que ce dont nous avons besoin pour formuler les pensées latentes, à savoir tous les développements, les transitions, les relations que l'intellect du patient a dû produire sur la voie qui le rapprochait des pensées du rêve ; l'association a souvent précisément fait halte devant les pensées du rêve proprement dites, elles s'en est uniquement approchée, les a uniquement touchées dans les allusions [1].

Les *Nouvelles conférences d'introduction à la psychanalyse* (1933) reformulent le travail de condensation qui, comme le recours aux symboles, relève aussi bien de la régression archaïque qui se produit dans l'appareil psychique que des exigences de la censure « comme si était à l'œuvre une force qui expose le matériel à une compression, une concentration ». **Par suite de la condensation, un élément du rêve manifeste peut correspondre à de nombreux éléments dans les pensées de rêve latentes,** mais, « à l'inverse, un élément des pensées de rêve peut aussi être représenté par plusieurs images dans le rêve » [2]. Une remarque de la conférence sur « La décomposition de la person-

1. *Ibidem*, p. 143 ; p. 179 ; p. 563.

2. *Nouvelles conférences d'introduction à la psychanalyse* (1933a [1932]), Paris, Gallimard, 1984, p. 31 ; *OCF* XIX, p. 101 ; *GW* XV, p. 20.

nalité psychique » interroge la nature des motions pulsionnelles (donc le mode d'existence des motions inconscientes), particulièrement mobiles et capables de décharge, comme le montrent les condensations et les déplacements, « si caractéristiques du ça et qui font si parfaitement abstraction de la qualité de l'investi – dans le moi nous l'appellerions une représentation »[1]. Freud amorce ici une réflexion, dans laquelle il avoue sa perplexité, qui remet en question sa compréhension des inscriptions inconscientes et des traces mnésiques : la deuxième topique, en introduisant le ça, évoque en effet des forces plus que des représentations ou des inscriptions psychiques.

En 1938, l'*Abrégé de psychanalyse* souligne que l'élaboration du rêve « consiste essentiellement en un remaniement inconscient de pensées préconscientes » où **la tendance à condenser, c'est-à-dire à relier des éléments qui, à l'état de veille, resteraient séparés,** est le trait le plus frappant – la seconde caractéristique essentielle de l'élaboration étant le déplacement[2].

La condensation en dehors du rêve

La *Psychopathologie de la vie quotidienne* (1901) rappelle à plusieurs reprises l'importance du travail de condensation dans le rêve. L'élément tiers est formé à partir d'une ressemblance entre deux éléments du matériel inconscient formant une représentation mixte ou de compromis qui peut comporter des caractéristiques contradictoires entre elles. Or « la formation de substitutions et de contaminations qui se produit quand il y a lapsus est une amorce de ce travail de condensation »[3]. Freud va en donner plusieurs exemples[4]. Y a-t-il pour cela, à l'état de veille, d'autres conditions que le relâchement de l'attention consciente[5] ? Dans les actes manqués et fortuits, de même,

1. *Ibidem,* p. 104 ; 158 ; p. 81.

2. *Abrégé de psychanalyse* (1940a [1938]), Paris, PUF, 1985, p. 31 ; *OCF* XX, p. 258 ; *GW* XVII, p. 90.

3. *Psychopathologie de la vie quotidienne* (1901b), Paris, Gallimard, 1997, p. 118 ; *OCF* V, p. 140-141 ; *GW* IV, p. 67.

4. *Ibidem,* p. 146, 216 ; p. 211 ; p. 86, 138.

5. *Ibidem,* p. 434 ; p. 369 ; p. 303.

les fautes et défaillances peuvent être rapprochées des absurdités ou inepties des rêves, et « l'apparence de fonction incorrecte se dissipe lorsqu'on met en évidence la singulière interférence de deux ou de plusieurs actes correctement exécutés » [1].

Le mot d'esprit et sa relation à l'inconscient (1905) analyse en détail la formation de mot « familionnaire », comprise comme une **condensation accompagnée de formation d'un substitut**[2] et propose nombre d'autres exemples[3]. C'est parfois de la condensation que naît un mot d'esprit, à partir de deux formulations qui n'ont rien de drôle ou de spirituel en elles-mêmes[4]. La concision exigée par le mot d'esprit explique son usage privilégié de la condensation[5] ; néanmoins, on ne peut en faire un caractère général du mot d'esprit[6]. Dans certains cas, celui-ci utilise le même matériel de façon multiple, c'est-à-dire qu'il recourt à la condensation, mais sans formation d'un substitut[7], ce qui est un cas particulier de la tendance à l'économie du mot d'esprit[8]. Car, dans le processus de pensée inconscient, les conditions permettant les condensations sont données, alors qu'elles sont absentes dans le préconscient, ce qui donne un caractère particulier, à la fois partiel et particulièrement puissant, à la concision du mot d'esprit[9]. **L'analogie entre le rêve et le mot d'esprit est décisive, et elle se fonde sur le processus de condensation**[10].

Dans les « Considérations générales sur l'attaque hystérique » (1909), l'accès hystérique paraît incompréhensible du fait qu'il présente simultanément plusieurs fantasmes dans le même matériel, donc

1. *Ibidem,* p. 441 ; p. 374-375 ; p. 308.
2. *Le mot d'esprit et sa relation à l'inconscient* (1905c), Paris, Gallimard, 1988, p. 62 ; *OCF* VII, p. 28-29 ; *GW* VI, p. 18.
3. *Ibidem,* p. 64, 65, 75 ; p. 30, 31, 36-37 ; p. 19, 20, 26-27.
4. *Ibidem,* p. 68, 71, 76 ; p. 32, 34, 37 ; p. 22, 24, 27.
5. *Ibidem,* p. 77 ; p. 38 ; p. 28.
6. *Ibidem,* p. 79-80 ; p. 39-40 ; p. 29-30.
7. *Ibidem,* p. 99 ; p. 54 ; p. 43.
8. *Ibidem,* p. 102 ; p. 55 ; p. 45.
9. *Ibidem,* p. 304-306 ; p. 195-197 ; p. 192-194.
10. *Ibidem,* p. 308 ; p. 198 ; p. 195.

du fait de la condensation. Les éléments communs à ces fantasmes, qu'ils soient deux ou plusieurs, parfois très différents entre eux, « constituent, comme dans le rêve, le noyau »[1] de la figuration. Certains hystériques usent beaucoup de la condensation, qui s'exprime dans une seule forme d'accès hystérique, tandis que d'autres exprimeront une pluralité de fantasmes pathogènes en multipliant aussi les formes d'attaques.

Inversement, les « Remarques psychanalytiques sur l'autobiographie d'un cas de paranoïa *(dementia paranoides)* (Le Président Schreber) » (1910) montrent que « la paranoïa décompose, de même que l'hystérie condense ; [...] ou plutôt la paranoïa amène de nouveau à dissolution les condensations et identifications effectuées dans la fantaisie inconsciente »[2]. Car la condensation ne perd pas pour autant ses droits, comme en témoignent plusieurs exemples[3].

« L'inconscient » (1915) montre comment une représentation peut s'approprier l'investissement de plusieurs autres par condensation[4], ou céder son investissement à d'autres par déplacement – à la différence du système *Pcs* qui exclut ou limite beaucoup ces deux procédés.

QUESTIONS ET ENJEUX

Par la distinction technique, à la fois descriptive et conceptuelle, entre contenu manifeste et contenu latent, Freud peut découvrir et démontrer l'existence et l'importance des processus inconscients dans le rêve. Il l'exprime de façon particulièrement simple par l'image du rébus : il faut trouver le code qui permet la traduction du contenu

1. « Considérations générales sur l'attaque hystérique » (1909a), *Névrose, psychose et perversion,* Paris, PUF, 1973, p. 161-162 ; *OCF* VIII, p. 246 ; *GW* VII, p. 236.

2. « Remarques psychanalytiques sur l'autobiographie d'un cas de paranoïa *(dementia paranoides)* (Le Président Schreber) » (1911c [1910]), *Cinq psychanalyses,* Paris, PUF, 1970, p. 297 ; PUF « Quadrige », p. 446 ; *OCF* X, p. 272 ; *GW* VIII, p. 285.

3. *Ibidem,* p. 280, 303, 321 ; p. 426, 453, 474 ; p. 252, 279, 300 ; p. 264, 293, 315.

4. « L'inconscient » (1915e), *Métapsychologie,* Paris, Gallimard, 1968, p. 96 ; *OCF* XIII, p. 226 ; *GW* X, p. 285.

manifeste pour reconnaître le contenu latent. Cette distinction épistémologique fondamentale commande l'exigence technique à prendre en compte dans l'interprétation des rêves, mais est aussi la manifestation, dans leur domaine, de ce qu'il a mis en évidence dans sa théorie des névroses : l'existence d'un contenu latent qu'il faut déchiffrer porte en effet la marque du refoulement ; et celui-ci est perceptible dans le rêve par les déguisements du contenu manifeste, analogue à la résistance dans le travail de la cure. C'est pourquoi la question de la censure dans le rêve se révèle essentielle.

Le contenu latent

C'est seulement dans les rêves des tout jeunes enfants que le contenu manifeste et le contenu latent coïncident : le désir y est directement repérable et expressément formulé, sans aucun travestissement et sans obscurité.

Le travail de condensation se manifeste d'abord par l'ampleur des associations suscitées par le rêve. Si l'image du rébus était simple, l'analyse du travail de condensation nous introduit au contraire à l'extrême complexité des rêves. Le texte procède pas à pas. Nous avons vu qu'il s'agissait d'établir comme des faits avérés et indiscutables ce que révèle le déchiffrement du contenu latent. Freud a donc le souci de répondre à toutes les objections qui peuvent se présenter. Il n'est pas difficile de constater que les associations d'idées suscitées chez le rêveur par chaque élément de son rêve, même le plus infime, sont d'une ampleur beaucoup plus considérable que les images laissées en souvenir par l'acte psychique du rêve. Mais comment interpréter un tel fait ?

Il convient d'abord de montrer que les associations d'idées ne s'éloignent pas du rêve, ne sont pas des idées ajoutées après coup, lors de la tentative d'interprétation. D'où la nécessité de faire apparaître le plus précisément possible les liens entre les apports de l'association libre et les éléments explicitement présents dans le rêve. L'image du rébus révèle ici sa fécondité : à chaque élément du rêve correspond un réseau d'associations mais il faut aussi qu'à chaque association répondent des éléments du rêve.

Le recours à des exemples est donc loin de se limiter à une fonction illustrative. S'il est plusieurs exemples, c'est parce que chacun confirme l'autre ; leur valeur est directement démonstrative. Nous ne pouvons contrôler, il est vrai, pourquoi tel rêveur évoque tel souvenir, fait tel lien avec son existence, mais nous pouvons constater qu'à chacune des situations évoquées, à chaque idée incidente, correspondent des éléments du rêve, qui trouvent ainsi l'explication de leur présence.

Or un même élément de rêve renvoie à de nombreuses associations. Cette condensation explique l'extrême abondance des associations qui sont nécessaires à l'explication d'un rêve. Mais alors deux problèmes se posent, que Freud formule explicitement : la formation du rêve a-t-elle vraiment mis en jeu autant de souvenirs et d'idées, alors qu'il s'effectue si rapidement au cours de la nuit (parfois même dans les deux secondes qui vont séparer la sonnerie d'un réveil du réveil effectif si par exemple la sonnerie du réveil fait elle même partie du matériel du rêve et s'y trouve réinterprétée) ? D'autre part, quelles relations exactes unissent le contenu latent au contenu manifeste ?

Sur le premier point, la réponse de Freud reste partielle au chapitre VI de *L'interprétation des rêves*. Il lui suffit de montrer qu'il est bien exact que toutes les associations servent au rêve, qu'elles ne sont donc pas surajoutées. S'il peut arriver qu'une idée nouvelle surgisse lors des associations, elle n'apporte rien de neuf, mais fait ressortir des liens encore inaperçus entre des idées déjà présentes aussi bien dans le contenu manifeste que dans le contenu latent. Freud complétera sa réponse au chapitre VII, et dans ses autres écrits sur le rêve, en montrant comment les associations inconscientes de la veille mettent déjà en œuvre les connexions qui se retrouveront dans les rêves de la nuit suivante, mais aussi les connexions inconscientes déjà élaborées inconsciemment par le traitement des souvenirs infantiles significatifs, et qui restent sans cesse disponibles, pour peu qu'un reste diurne les réactive et se trouve par là surinvesti.

La deuxième question est systématiquement traitée dès le chapitre VI de *L'interprétation des rêves*. Il montre d'abord que chaque élément du rêve condense en lui-même plusieurs références aux idées latentes. Ce qui est manifeste lorsqu'un même visage du rêve renvoie à deux personnes différentes (l'oncle Joseph et R., l'ami de Freud, dans le rêve de l'oncle à la barbe jaune ; cf. la présentation du chapitre IV) doit être généralisé à tous les éléments du rêve. On peut même rendre compte ainsi de l'importance prise par des éléments secondaires pour le contenu latent dans l'expression manifeste du rêve, comme la monographie botanique dans le rêve du même nom : c'est le nombre et la richesse des connexions qu'ils condensent qui leur a donné leur place et leur relief, même si en eux-mêmes ils n'ont pas une importance essentielle parce qu'ils ne sont pas directement l'expression du désir inconscient. Est ainsi mise en évidence la surdétermination de chaque élément du rêve, aspect essentiel du travail de condensation.

Mais surtout, il faut comprendre les liens entre contenu manifeste et contenu latent comme des liens qui existent dans les deux sens. Non seulement un même élément manifeste renvoie à plusieurs idées latentes, mais une même idée latente renvoie à un grand nombre d'éléments du contenu manifeste. De ce point de vue, l'image du rébus est insuffisante : chaque élément du contenu manifeste du rêve n'est pas seulement le résumé d'une idée latente (comme dans le rébus) ni même de plusieurs (du fait de la condensation entendue comme surdétermination). En fait, chaque idée latente se trouve représentée dans plusieurs éléments du contenu manifeste, chacun d'eux renvoyant donc à plusieurs idées latentes, tandis que chaque idée latente est exprimée plusieurs fois dans un même rêve. L'enchevêtrement des relations entre contenu manifeste et contenu latent est extrême et tisse un réseau serré de rapports hétérogènes. Le rêve est une construction complexe, et la condensation n'est pas à comprendre comme un simple procédé de compression du matériel psychique, mais comme un véritable travail interprétatif, extrêmement riche, que le travail d'interprétation s'efforce de déconstruire, sans jamais être sûr d'y être totalement parvenu.

On peut même être sûr que le rêve le mieux interprété garde un point obscur, un ombilic qui renvoie au cœur des déterminations inconscientes et qui nous échappe, tandis que l'oubli partiel d'éléments du rêve n'empêche pas nécessairement de poursuivre le travail interprétatif, qui peut d'ailleurs aider à retrouver une partie du rêve oublié (ces questions sont discutées au début du chapitre VII de *L'interprétation des rêves*). Même ce qui est déformé par la résistance du rêveur à l'interprétation de son rêve peut être repéré par l'analyste et mis à profit pour comprendre les relations entre le contenu manifeste et le contenu latent – d'autant que ces résistances, et souvent le rêve lui-même, ont fréquemment à voir avec la relation de transfert entre l'analyste et le patient, lorsque c'est dans le cadre du traitement d'une névrose que le rêve est interprété.

Le travail de condensation

Le processus de condensation n'est pas un simple procédé de surdétermination, même si celle-ci est importante. C'est tout un ensemble de relations de contiguïté et de ressemblances, de superpositions et de liens qui sont ainsi construits en un travail psychique considérable, qui déjoue nos capacités conscientes de figuration et de pensée : la déconstruction de la structure complexe du rêve ne peut se faire que pas à pas, détail par détail et le réseau entier des connexions ainsi mises au jour est difficile à voir dans son ensemble. La pensée mise en œuvre dans le rêve, qui est inconsciente, est infiniment plus complexe que la pensée linéaire de nos raisonnements habituels, et elle nous déroute, car elle obéit à des lois associatives spécifiques que Freud appelle processus primaires, et qui caractérisent toutes les formations de l'inconscient. Épistémologiquement, le rêve est une structure complexe, et c'est l'ensemble du contenu manifeste qui est en relation avec l'ensemble des pensées latentes inconscientes. Psychologiquement, le psychisme inconscient témoigne donc d'une capacité de pensée à la fois extrêmement puissante et tout à fait particulière. La notion de travail du rêve est donc essentielle.

Le travail du rêve est donc l'activité de pensée effectuée grâce aux processus spécifiques que sont le travail de condensation et le travail de déplacement. L'interprétation est déconstruction du travail du rêve, elle effectue, laborieusement, l'opération inverse. L'insistance de Freud sur le terme de « travail » est significative. Elle trouvera des justifications complémentaires : d'abord au chapitre VII par la détermination plus systématique des modes de pensée, c'est-à-dire de la différence entre processus primaire et processus secondaire ; mais aussi et surtout dans la théorie des pulsions qui sera précisée en 1915 dans la *Métapsychologie*. Si en effet les processus inconscients et leur logique primaire sont au cœur du psychisme, c'est que l'homme est d'abord un être pulsionnel. Les pulsions sont porteuses d'une exigence de travail psychique, comme nous l'avons vu dans l'étude thématique de l'interprétation des rêves. Les processus de condensation, de déplacement et de figurabilité (y compris par les symboles), ainsi que l'élaboration secondaire accomplie par l'action de la censure, déjà active dans tous les procédés de (dé)formation des rêves, sont les formes de ce travail psychique inconscient lorsqu'il s'agit des rêves. Le psychisme humain est un laboratoire permanent de traitement des désirs et de formation de pensées.

Dominique BOURDIN

CONFLIT

all. : ***Konflikt.*** – angl. : *conflict.* – esp. : *conflicto.* – ital. : *conflitto.* – port. : *conflito*

Donnée constante et fondatrice du fonctionnement psychique, le conflit, centré sur le moi, est fonction des pulsions (sexuelles au premier chef) et du heurt avec la réalité : il oppose le moi aux désirs refoulés, mais agit aussi à l'intérieur même du moi ; il peut résulter de l'opposition entre instances et pulsions. S'il est bien à la source des névroses et des psychoses, il participe d'abord du fonctionnement normal et de son développement. « Au-delà », il représente la lutte éternelle entre Éros et la pulsion de mort.

MISE EN SITUATION

Le terme de « conflit » vient tout naturellement sous la plume de Freud dès ses tout premiers travaux sur les psychonévroses et le fonctionnement psychique, entraînant à sa suite ceux de « défenses », « résistances », « investissements »... Si, en psychanalyse, il est à entendre comme « conflit intrapsychique », celui-ci n'en est pas moins sous-tendu par les rapports à l'extérieur, tant en raison de la référence centrale au moi que de l'opposition fondatrice entre principes de plaisir et de réalité. D'abord descriptif, il devient rapidement un concept nécessaire ; des premiers aux derniers écrits, il conserve sa place centrale et son rôle structurant.

LE TEXTE FREUDIEN

Les occasions du conflit

Dès **1894,** dans les *Lettres à Fliess,* l'essentiel est déjà avancé : « **Le conflit correspond à ce que je regarde comme une défense** », et celle-ci se dresse contre la sexualité. L'ayant constaté dans l'hystérie, Freud pense d'abord que le conflit est spécifique de cette « affection » [1]. Il ne tarde pas, cependant, à considérer qu'il est constant dans les psychonévroses et qu'il en est la clé ; qui plus est, **on retrouve le conflit dans la vie psychique des individus normaux,** ce qui ne fait d'ailleurs que témoigner de la continuité entre la vie mentale de l'enfant et celle des névrosés, comme de leurs relations étroites [2].

Il faut un conflit pour que se forme un symptôme, constate Freud en **1905,** conflit suscité par l'irruption d'un désir en opposition avec les désirs habituels ; pour mettre fin à cette lutte intérieure, il faut refouler la représentation du désir inconciliable. À partir de là une névrose pourra, ou non, s'organiser ; il n'en demeure pas moins que **le processus qui conduit du conflit au refoulement est la norme** [3]. Les travaux cliniques vont confirmer ceci et, en 1909, « L'homme aux rats » va en fournir un parfait exemple à propos d'un cas de névrose obsessionnelle où, « avant la 6e année, eurent lieu des événements traumatisants, des conflits et des refoulements sombrés dans l'amnésie », qui laissèrent cependant un reste : l'appréhension obsédante ; chez lui, le conflit oppose clairement l'amour et la haine, et il recourt à la maladie pour y échapper dans la réalité [4]. **L'universalité du conflit** tient à ce que *« la psychanalyse [...] est une conception dynamique*

1. *La naissance de la psychanalyse. Lettres à Wilhelm Fliess. Notes et plans (1887-1902)* (1950a [1887-1902]), Paris, PUF, 1956, p. 77 (lettre à Fliess du 21 mai 1894) ; et p. 121 (lettre du 8 décembre 1895).

2. « Sur les souvenirs-écrans » (1899a), *Névrose, psychose et perversion,* Paris, PUF, 1973, p. 118 ; *OCF* III, p. 261 ; *GW* I, p. 537.

3. *Sur la psychanalyse (cinq conférences)* (1910a), Paris, Gallimard, 1991, p. 57 et 60 ; *OCF* X, p. 21 et 23 ; *GW* VIII, p. 21 et 23.

4. « Remarques sur un cas de névrose obsessionnelle (L'homme aux rats) »

qui ramène la vie psychique à un jeu de forces », forces qui peuvent s'opposer entre elles, se favoriser et s'inhiber ; le conflit a lieu entre pulsions, dans un combat qu'expriment les oppositions entre représentations[1]. Il y a bien heurt de deux forces, la singularité étant que toutes deux appartiennent au psychisme d'une seule personne. Sont ainsi suscitées : « résistances », « défenses », et surtout « refoulements » – toutes formes d'expressions de conflits provoqués par un désir inconciliable. Derrière sont à l'œuvre des pulsions ; c'est ainsi que « les névroses procèdent pour l'essentiel du conflit du moi avec la pulsion sexuelle »[2].

Il importe, avant tout, de bien *identifier les termes du conflit*. Il convient ici, sans doute, de mentionner un texte dont l'importance tient justement à ce que, contrairement peut-être à ce qui aurait pu être attendu, il ne mentionne jamais le conflit. Dans « Formulations sur les deux principes du cours des événements psychiques » (1911), non seulement ces deux principes ne sont pas donnés comme antagonistes (donc conflictuels) mais, tout au contraire, comme ayant pour fonction d'« adapter » le principe de plaisir au principe de réalité – ce que Freud résume en disant que « la substitution du principe de réalité au principe de plaisir ne signifie pas une suppression du principe de plaisir mais seulement une façon d'assurer celui-ci »[3]. Ce qui se manifeste d'abord, Freud n'a de cesse de le répéter, est le **conflit entre le moi et la libido** – « moi » qui, rappelons-le, n'a pas encore le statut d'une instance. Grâce à la relation intime existant entre l'activité fantasmatique et le matériel infantile refoulé, la libido va régresser.

(1909d), *Cinq psychanalyses,* Paris, PUF, 1954, p. 205, 224, 228 et 254 ; *OCF* IX, p. 143, 166, 171 et 205 ; *GW* VII, p. 390, 414, 420 et 454.

1. « Le trouble psychogène de la vision dans la conception psychanalytique » (1910i), *Névrose, psychose et perversion,* Paris, PUF, 1973, p. 170 et 169 ; *OCF* X, p. 182 ; *GW* VIII, p. 97.

2. « Remarques psychanalytiques sur l'autobiographie d'un cas de paranoïa *(dementia paranoides)* (Le Président Schreber) » (1911c [1910]), *Cinq psychanalyses,* Paris, PUF, 1954, p. 321 ; *OCF* X, p. 301 ; *GW* VIII, p. 316.

3. « Formulations sur les deux principes du cours des événements psychiques » (1911b), *Résultats, idées, problèmes, I,* Paris, PUF, 1984, p. 137, 143 et 146 ; *OCF* XI, p. 15, 18 et 21 ; *GW* VIII, p. 232, 235-236 et 238.

Lorsque ces tendances acquièrent suffisamment d'intensité, elles entrent en conflit avec la partie de la personnalité restée au contact de la réalité, ce qui aboutit à la formation de symptômes et à la névrose, surgissant aussi bien à l'occasion d'une modification du monde extérieur que d'un changement interne ; ainsi peuvent être reconnus des modes d'entrée dans la névrose (des « types ») qui, toujours associés, ne sont jamais purs. Il s'ensuit deux propositions fondamentales : la première est que « les névroses surgissent du conflit entre le moi et la libido, la seconde est qu'il n'existe aucune différence entre les conditions de la santé et celles de la névrose »[1]. **Le conflit appartient à la « normalité »** du fonctionnement psychique, dont il est une constante.

Mais il existe d'autres occasions de conflits. On peut ainsi **opposer un désir à une interdiction** (prononcée par les personnes aimées), ce qui aboutit à refouler la pulsion tout en laissant subsister l'une et l'autre ; tout le reste découle, dès lors, du conflit persistant, y compris l'*ambivalence* qui en est l'une des expressions privilégiées[2]. En somme, « dire qu'un conflit entre le moi et les tendances sexuelles (la libido) conditionne le refoulement, voilà qui englobe tous les cas »[3] – encore faut-il situer d'où émane chacun de ces termes et préciser que la motion refoulée est toujours libidinale et appartient à la vie sexuelle, tandis que le refoulement provient du moi[4] ou, pour être plus précis, « de l'estime de soi qu'a le moi », le moi érigeant un idéal auquel il mesure son moi actuel, et « la formation d'idéal serait du

1. « Sur les types d'entrée dans la névrose » (1912c), *Névrose, psychose et perversion,* Paris, PUF, 1973, p. 176-181 ; *OCF* XI, p. 120-126 ; *GW* VIII, p. 324-330.

2. *Totem et tabou* (1912-1913a), Paris, Gallimard, 1993, p. 118-119 [232] et 167-169 [269-271]. Voir aussi, sur « ambivalence », « Deuil et mélancolie » (1917e [1915]), *Métapsychologie,* Paris, Gallimard, 1968, p. 160-173 ; *OCF* XIII, p. 271-279 ; *GW* X, p. 81-88.

3. « Extrait de l'histoire d'une névrose infantile (L'homme aux loups) » (1918b [1914]), *Cinq psychanalyses,* Paris, PUF, 1954, p. 410 ; *OCF* XIII (2e éd.), p. 108 ; *GW* XII, p. 145.

4. *Vue d'ensemble sur les névroses de transfert. Un essai métapsychologique* (1985a [1915]), Paris, Gallimard, 1986, p. 24 ; *OCF* XIII (2e éd), p. 288 ; *GW (Nachtragsband),* p. 4.

côté du moi la condition du refoulement »[1] – cette intervention du narcissisme préparant aux conflits entre divers moi.

La **frustration** est au cœur du conflit mais, si elle est constante dans la névrose, elle ne saurait suffire à la provoquer. Pour aboutir au conflit, il faut qu'à la frustration provenant de l'extérieur s'en ajoute une interne, toutes deux concernant des voies et des objets différents, l'essentiel tenant toujours à ce que le conflit pathogène surgit entre pulsions du moi et pulsions sexuelles. Même lorsqu'il paraît se situer entre deux aspirations sexuelles, toujours l'une est conforme au moi alors que l'autre provoque une défense du moi : « On ne sort donc pas du conflit entre moi et sexualité. »[2]

Le conflit provient du moi, mais il est d'abord fonction de la pulsion – et, plus précisément : de sa poussée, de son énergie. C'est ainsi que, si l'on revient sur le refoulement (produit conflictuel par excellence, comme les autres défenses), on constate que **le facteur quantitatif se montre décisif pour le conflit**[3].

Mais d'en définir les termes ne saurait suffire ; il faut qu'intervienne quelque chose de plus profond, de plus structural. C'est ainsi qu'à côté de la frustration et de la fixation de la libido, Freud découvre un troisième facteur plus profond : l'**inclination au conflit,** qui dépend tout autant de l'évolution du moi que de celle de la libido, l'une s'opposant à l'autre. Mais ces deux évolutions sont aussi des répétitions, car elles sont héritées de l'évolution même de l'humanité ; elles sont phylogénétiques. Nous sommes renvoyés à « la puissance qui a imposé à l'humanité une telle évolution », qui depuis n'a cessé d'influer dans le même sens, et qui n'est autre que l'imparable frustration qu'impose la réalité ; « son grand nom véritable est la *nécessité* de la vie : l'Αναγκη »[4]. C'est, dit d'une autre façon, ce qu'il annonçait un an plus tôt en remarquant que ce n'est

1. « Pour introduire le narcissisme » (1914c), *La vie sexuelle,* Paris, PUF, 1969, p. 98 ; *OCF* XII, p. 236 ; *GW* X, p. 161.

2. *Conférences d'introduction à la psychanalyse* (1916-1917), Paris, Gallimard, 1999, p. 438 et 445 ; *OCF* XIV, p. 357 et 362 ; *GW* XI, p. 357 et 363.

3. « Le refoulement » (1915d), *Métapsychologie,* Paris, Gallimard, 1968, p. 54 ; *OCF* XIII (2e éd.), p. 197 ; *GW* X, p. 254.

4. *Conférences d'introduction à la psychanalyse* (1916-1917), Paris, Gallimard, 1999, p. 447 et 449-450 ; *OCF* XIV, p. 364 et 369 ; *GW* XI, p. 365 et 368.

ni l'énigme posée à l'intelligence, ni la singularité de chaque mort, qui a conduit l'homme à s'interroger sur la mort, mais « le conflit de sentiments ressenti lors de la mort de personnes aimées et, en même temps, étrangères et haïes » – d'un tel conflit est d'abord née la psychologie [1].

Mais, nous l'avons vu, un conflit n'éclate que si certaines intensités d'investissement ont été atteintes, même si les raisons en étaient depuis longtemps présentes [2]. Outre les occasions conflictuelles que procure son évolution, **le moi peut être le lieu même d'un conflit.** Ainsi, dans les névroses de guerre, le conflit surgit entre deux idéaux du moi (tels ceux qui relèvent de la morale et ceux que suscite la vindicte guerrière) : en pareil cas, il y a un choix objectal en disharmonie avec le moi, ce qui renvoie au modèle des psychonévroses ordinaires : « Un *nouveau* moi s'est développé sur la base d'un investissement libidinal d'objet et le moi ancien tend à l'en déloger » ; ainsi une lutte se produit à l'intérieur même du moi, entre moi et libido – « ce qui, au fond, revient au même ». Il y a trauma lorsque la protection par l'angoisse n'a pas le temps de fonctionner et que la défense, débordée, ne peut plus éloigner les excitations excessives : dans tous les cas de refoulement primaire, la libido narcissique se transforme en angoisse et, « à la base de chaque cas de névrose de transfert, se découvre une "névrose traumatique" » [3]. Cette notion du **recours à un moi double (ou séparé) pour répondre au conflit** n'ira pas sans influer sur l'introduction de la notion de « surmoi » ; elle sera encore retrouvée, près de vingt ans plus tard, avec la conceptualisation aboutie du « clivage du moi ». En 1919, elle a d'abord un intérêt thérapeutique : face à elle, il convient de « travailler la main dans la main avec l'une des parties de cette personnalité pathologiquement divisée en deux, contre l'autre partenaire du conflit » [4].

1. « Considérations actuelles sur la guerre et sur la mort » (1915b), *Essais de psychanalyse,* Paris, Payot, 1981, p. 32 ; *OCF* XIII (2e éd.), p. 150 ; *GW* X, p. 347.

2. *Conférences d'introduction à la psychanalyse* (1916-1917), Paris, Gallimard, 1999, p. 476 ; *OCF* XIV, p. 387-388 ; *GW* XI, p. 389 et 365.

3. Lettres à Ferenczi du 27 octobre 1918, p. 289, et à Jones du 18 février 1919, p. 270, *in* Ernest Jones, *La vie et l'œuvre de Sigmund Freud,* Paris, PUF, 1961, t. 2.

4. « Psychogenèse d'un cas d'homosexualité féminine » (1920a), *Névrose, psychose et perversion,* Paris, PUF, 1973, p. 248 ; *OCF* XV, p. 238 ; *GW* XII, p. 275.

DÉPLACEMENT DES LIEUX ET DES MODALITÉS DU CONFLIT

À partir de **1920,** aussi bien l'introduction d'une dualité pulsionnelle nouvelle avec *Au-delà du principe de plaisir,* que celle d'une nouvelle topique dans *Le moi et le ça,* ne peuvent que rejaillir sur la notion même de conflit ; non pas tant sur ce qu'elle a de fondamental (la « nécessité » de l'Αναγκη) que sur les **termes et les lieux du conflit.** C'est ainsi qu'une fois reconnue une libido narcissique comme manifestation de la force des pulsions sexuelles, il convient de l'identifier aux « pulsions d'*auto-conservation* ». Ainsi la première opposition (pulsions du moi-pulsions sexuelles) n'apparaît plus adéquate puisqu'une partie des pulsions du moi est de nature libidinale : des pulsions sexuelles opèrent dans le moi. Il n'y a pourtant rien qui soit à rejeter dans l'ancienne formule : « la psychonévrose repose sur un conflit entre les pulsions du moi et les pulsions sexuelles » [1], mais **ce conflit s'est déplacé à l'intérieur même du moi.**

Lorsqu'il y a incompatibilité entre certaines motions pulsionnelles isolées et d'autres capables de s'intégrer dans le moi, le refoulement opère un clivage entre ces motions et ce moi. Si elles parviennent plus tard, par des chemins détournés, à se frayer l'accès à une satisfaction directe ou substitutive, le moi le ressentira comme déplaisir : l'ancien conflit a abouti au refoulement et, en conséquence, « le principe de plaisir a été à nouveau battu en brèche alors que précisément certaines pulsions s'efforçaient, conformément au principe, d'obtenir un nouveau plaisir » [2]. Lorsque achoppe le passage des pulsions sexuelles directes aux pulsions sexuelles inhibées quant au but apparaît la **névrose qui correspond à un conflit entre pulsions** : conflit entre celles qui sont admises dans le moi (qui ont donc réussi ce développement), et leurs parties refoulées qui tendent vers leur satisfaction directe [3].

Tout ceci impose, en **1923** dans *Le moi et le ça,* une **reformulation du conflit.** Certaines facilités, comme celles qui visent à ramener la

1. *Au-delà du principe de plaisir* (1920g), *Essais de psychanalyse,* Paris, Payot, 1981, p. 100 ; *OCF* XV, p. 325 ; *GW* XIII, p. 56.

2. *Ibidem,* p. 47 ; 280-281 ; p. 7.

3. *Psychologie des foules et analyse du moi* (1921c), *Essais de psychanalyse,* Paris, Payot, 1981, p. 215 ; *OCF* XVI, p. 83 ; *GW* XIII, p. 161.

névrose à un conflit entre conscient et inconscient (en fait, la première topique ne l'a guère explicité en ces termes), s'avèrent imprécises et caduques ; il convient de leur substituer une autre opposition, plus structurale : « l'opposition entre le moi cohérent et le refoulé qui est séparé de lui par clivage »[1]. **Il y a conflit à l'intérieur des « moi »** entre les différentes identifications qui divisent le moi, ces conflits ne pouvant alors être considérés comme pathologiques. Ils sont d'ailleurs aussi le reflet d'autres antagonismes : en s'édifiant, le moi a assuré son emprise sur le complexe d'Œdipe mais, dans le même temps, il s'est lui-même soumis au ça. Si, pour l'essentiel, le moi représente bien le monde extérieur et la réalité, en face de lui le surmoi se dresse comme le mandataire du monde intérieur, du ça : « **Les conflits entre le moi et l'idéal refléteront, en dernière analyse [...] l'opposition entre réel et psychique, monde extérieur et monde intérieur.** »[2]

Les formes prises par les conflits témoignent du développement du moi ; *la genèse du surmoi* montre que les conflits opposant le moi aux investissements d'objet du ça peuvent se continuer en conflits avec le surmoi, qui en est l'héritier. Ainsi le moi essaie de sauvegarder son entente avec le ça en plaquant des rationalisations préconscientes sur les ordres inconscients du ça, en tentant de donner l'illusion que le ça obéit à la réalité alors même qu'il demeure rigide et inflexible ; « il masque les conflits du ça avec la réalité, et si possible aussi ceux avec le surmoi »[3]. Le moi demeure bien le lieu et la raison des conflits que lui imposent les pulsions, mais il convient dorénavant de parler d'un **conflit entre la libido objectale et la libido du moi** ; les pulsions restant les mêmes, cela débouche sur un « conflit entre les investissements objectaux et le moi »[4]. Mais comme, de par sa position intermédiaire entre le monde extérieur et le ça, le moi a de multiples allégeances, il doit tenter de satisfaire

1. *Le moi et le ça* (1923b), *Essais de psychanalyse,* Paris, Payot, 1981, p. 228 ; *OCF* XVI, p. 262 ; *GW* XIII, p. 244.

2. *Ibidem,* p. 243 et 249 ; p. 274 et 279-280 ; p. 259 et 264-265.

3. *Ibidem,* p. 252 et 272 ; p. 282 et 299 ; p. 267 et 286.

4. « "Psychanalyse" et "Théorie de la libido" » (1923a), *Résultats, idées, problèmes, II,* Paris, PUF, 1985, p. 75 ; *OCF* XVI, p. 206-207 ; *GW* XIII, p. 231.

tous ses maîtres, le plus généralement en vain. C'est ainsi que *la névrose résulte d'un conflit entre le moi et le ça, la psychose d'un conflit entre le moi et le monde extérieur.* Ceci implique que « **névroses et psychoses naissent des conflits du moi avec les différentes instances qui le dominent** » [1].

Revenant enfin sur les « *raisons dernières* », convaincu que sa nouvelle théorie des pulsions, en opposant pulsions de vie et de mort, doit chercher appui près de la biologie, Freud en arrive à poser que « **la vie serait faite des manifestations du conflit** ou de l'interférence des deux sortes de pulsions ». Par la mort elle apporterait la victoire des pulsions de destruction, mais tout aussi bien la victoire d'Éros par la reproduction. Pourtant, le conflit peut ici sembler moins évident dans la mesure où les deux pulsions, régulièrement, s'intriquent et se mélangent[2], chacune tendant à restaurer un état antérieur ; foncièrement conservatrices, elles ont le même destin, puisque la mort est le but de toute vie[3]. Il n'en demeure pas moins qu'est réaffirmée la lutte éternelle entre Éros et la pulsion de mort ; leur conflit débuta dès l'instant où les hommes durent vivre en commun. Dans un premier temps (dans l'histoire individuelle comme dans l'histoire de la culture), ce conflit se manifeste dans le complexe d'Œdipe, instituant la conscience et engendrant la culpabilité ; ensuite, « ce même conflit persiste en revêtant des formes dépendantes du passé, il s'intensifie » [4]. Telle est la forme que prend alors l'Αναγκῆ.

Pourtant, comme cela apparaît en **1926** dans *Inhibition, symptôme et angoisse,* les choses ne sont pas si simples puisque le moi est identique au ça dont il n'est qu'une partie spécialement différenciée ; il est la partie organisée du ça. « Il serait tout à fait injustifié de se représen-

1. « Névrose et psychose » (1924b), *Névrose, psychose et perversion,* Paris, PUF, 1973, p. 283 et 286 ; *OCF* XVII, p. 3 et 7 ; *GW* XIII, p. 387 et 391.

2. « “Psychanalyse” et “Théorie de la libido” » (1923a), *Résultats, idées, problèmes, II,* Paris, PUF, 1985, p. 77 ; *OCF* XVI, p. 208 ; *GW* XIII, p. 233.

3. *Au-delà du principe de plaisir* (1920g), *Essais de psychanalyse,* Paris, Payot, 1981, p. 82 ; *OCF* XV, p. 310 ; *GW* XIII, p. 40.

4. *Malaise dans la civilisation* (1930a [1929]), Paris, PUF, 1971, p. 91 ; *OCF* XVIII, p. 320 ; *GW* XIV, p. 492.

ter le moi et le ça comme deux camps opposés »[1] (à la suite, à propos de la névrose obsessionnelle, Freud n'en va pas moins parler du « conflit suraigu entre le ça et le surmoi »[2]). **Les conflits sont le propre du moi,** et le moi est leur champ d'affrontement par excellence ; alors que, dans le ça, il n'y a aucun conflit[3]. Il faut que le moi se trouve confronté à la source de la pulsion pour que le conflit apparaisse ; toute issue à un conflit pulsionnel ne vaut qu'au sein d'une relation déterminée entre force de la pulsion et force du moi. Ceci aboutit au constat que, pour atteindre notre objectif thérapeutique, il faut toujours « passer par l'accroissement de la force d'appoint analytique que nous voulons apporter au moi »[4].

Ainsi se repose la **problématique du traitement du conflit dans la cure,** question technique certes, mais tout autant métapsychologique : est-il possible « d'accélérer le déroulement d'une cure analytique » ? Le conflit était d'abord apparu comme une gêne inévitable, voire un mal nécessaire[5] ; on savait depuis longtemps (et cela vient d'être rappelé) que la résistance est l'indice d'un conflit[6] ; puisque la cure analytique doit travailler avant tout sur les résistances, il est logique de tenter d'aller en deçà et de se préoccuper du conflit lui-même. Mais, après avoir envisagé différentes hypothèses (s'efforcer de protéger le patient du retour du même conflit, voire de le remplacer par un autre), la conclusion est claire : « Si séduisant qu'il soit pour l'ambition thérapeutique de se poser de tels problèmes, l'expérience ne peut offrir qu'un refus tout net » – et cela pour des raisons tant pratiques que

1. *Inhibition, symptôme et angoisse* (1926d [1925]), Paris, PUF, 1951, p. 13 ; *OCF* XVII, p. 215 ; *GW* XIV, p. 124.

2. *Ibidem,* p. 39 ; p. 236 ; p. 148.

3. *La question de l'analyse profane* (1926e), Paris, Gallimard, 1985, p. 112 ; *OCF* XVIII, p. 19 ; *GW* XIV, p. 223.

4. « L'analyse avec fin et l'analyse sans fin » (1937c), *Résultats, idées, problèmes, II,* Paris, PUF, 1984, p. 242 et 245 ; *OCF* XX, p. 28 et 30-31 ; *GW* XVI, p. 71 et 74.

5. « Remémoration, répétition et perlaboration » (1914g), *De la technique psychanalytique,* Paris, PUF, 1953, p. 111 ; *OCF* XII, p. 192 ; *GW* X, p. 132.

6. *Nouvelles conférences d'introduction à la psychanalyse* (1933a [1932]), Paris, Gallimard, 1984, chap. « Révision de la théorie du rêve », p. 24 ; *OCF* XIX, p. 95 ; *GW* XV, p. 15.

théoriques – l'analyse ne peut se faire que si « le moi a pu acquérir de la distance » [1].

Nous avons déjà eu l'occasion de mentionner le **clivage,** cette notion utilisée tout au long de l'œuvre mais spécifiée tardivement, en **1938.** Demeurant de fait une défense, le clivage apporte plus à la théorie du moi qu'à celle du conflit. Nous nous y sommes pourtant quelque peu attardé dans la mesure où il illustre très bien le travail du conflit dans les défenses : **le clivage tend à esquiver le conflit tout en le représentant,** voire en le « réalisant » dans le moi lui-même. Face au conflit entre la revendication de la pulsion et l'objection faite par la réalité, le moi utilise alors deux réactions opposées : débouter la réalité en ne se laissant rien interdire, et, dans le même temps, en reconnaître le danger sous forme d'un symptôme morbide. Chaque partie reçoit son lot : la pulsion sa satisfaction, la réalité le respect qui lui est dû. Mais cet apparent succès s'obtient au prix d'une déchirure dans le moi qui, inguérissable, grandira avec le temps. « **Les deux réactions au conflit, réactions opposées, se maintiennent comme noyau d'un clivage du moi.** » [2]

En **1937,** dans « L'analyse avec fin et l'analyse sans fin », est reprise une idée apparue vingt ans plus tôt ; elle est donc (comme celle de clivage) à la fois ancienne et tout à fait nouvelle : il y aurait une *« tendance au conflit »* qui viendrait s'ajouter à une situation psychique ; elle le ferait sans tenir compte de la quantité de libido. Apparaissant de façon indépendante, une telle tendance au conflit doit être ramenée à une part d'agression libre. Alors « la question surgit de réviser globalement, de ce nouveau point de vue, tout ce que nous savons du conflit psychique ». Ceci appelle une autre idée (dans les mêmes temps, elle va s'éployer dans *L'homme Moïse et la religion monothéiste*) : au cours de l'évolution qui a mené jusqu'à l'homme civilisé, il s'est produit « une intériorisation, un considérable repli de l'agression vers le dedans » ; les conflits

1. « L'analyse avec fin et l'analyse sans fin » (1937c), *Résultats, idées, problèmes, II,* Paris, PUF, 1984, p. 246-247 ; *OCF* XX, p. 32-33 ; *GW* XVI, p. 75-76.

2. « Le clivage du moi dans le processus de défense » (1940e [1938]), *Résultats, idées, problèmes, II,* Paris, PUF, 1985, p. 284 ; *OCF* XX, p. 222 ; *GW* XVI, p. 60.

internes sont ainsi l'exact équivalent de combats extérieurs qui ont cessé d'être[1].

Mais la « révision » est laissée aux successeurs, comme une tâche à accomplir ; il est bien clair que, pour Freud, il ne saurait s'agir là d'un renoncement.

QUESTIONS ET ENJEUX

Pour Freud, dès ses premiers travaux, *le conflit est d'abord un constat clinique,* celui-ci fût-il partiellement erroné ; c'est l'époque où il le pense spécifique de l'hystérie. Très vite, il va le mentaliser, le « psychiser » et en venir à l'idée que le psychisme est organisé par des forces en conflit, ce qui va le ramener à la notion d'énergie. Faire coexister les deux s'avère bientôt une gageure, ce dont témoignait déjà le rejet en 1895 du modèle mécaniciste de l'« Esquisse d'une psychologie scientifique » lorsqu'il vient buter sur le déplaisir et le refoulement. Le dilemme ne pourra être dépassé qu'en intégrant, dans un seul ensemble, le conflit et l'énergie, la contradiction et l'énergétique, le moi et la pulsion. Vaste tâche qui se poursuivra jusqu'à l'*Abrégé de psychanalyse,* la dernière œuvre, en 1938.

Très tôt donc, avec constance, alors même qu'il ne lui a pas encore attribué le statut d'instance, Freud désigne *le moi comme lieu et produit du conflit, avec la pulsion,* comme de celle-ci avec la réalité ; nous pourrions dire, tout aussi bien, que *le conflit est fonction de la relation du moi à la pulsion.* Relevant de la dynamique psychique, commandant l'économique, le conflit s'éploie ainsi dans la topique : il est un concept pleinement métapsychologique.

D'ailleurs, *la topique est elle-même produit conflictuel* : dans sa première forme, la distinction de la conscience par rapport à l'inconscient résulte du conflit entre besoin et frustration ; dans la seconde, la différenciation du moi d'avec le ça est le produit du conflit suscité par les exigences contraires des principes de plaisir et de réalité. En fait, ces « lieux » du conflit le représentent puisqu'ils sont eux-mêmes

1. « L'analyse avec fin et l'analyse sans fin » (1937c), *Résultats, idées, problèmes, II,* Paris, PUF, 1984, p. 259-260 ; *OCF* XX, p. 46 ; *GW* XVI, p. 90.

reconnus et déterminés comme des champs où s'exercent les forces pulsionnelles ; ce sont même les questions ainsi posées qui conduisirent à remplacer la première topique par la deuxième et à faire du moi le nœud conflictuel par excellence, le noyau défensif – participant donc largement de l'activité inconsciente. Si la « théorie du conflit » est assez clairement posée, elle n'en comporte pas moins certains points délicats qui appellent discussion.

Ainsi, l'idée d'un *« conflit topique »* entre instances apparaît, à strictement parler, plutôt approximative puisque, rappelons-le, le moi étant la partie organisée du ça, et justement organisée par le conflit, il « serait tout à fait injustifié de se représenter le moi et le ça comme deux camps opposés »[1]. *Mais s'il n'y a pas de conflits dans le ça*[2], les désirs qui en émanent n'en suscitent pas moins des *conflits dans le moi* dès lors qu'ils vont à l'encontre d'autres désirs, voire d'exigences de la réalité. Aussi, s'il y a bien conflit entre la motion pulsionnelle inconsciente et le moi, il n'y a pas, au sens strict, conflit entre le moi et le ça. En revanche, à la suite de tout un travail d'« organisation » conflictuelle, va apparaître la troisième instance, *le surmoi.* De par sa genèse même, celui-ci est un produit du conflit du ça avec la réalité, donc pour une part un produit du moi ; ce n'est qu'avec l'apparition du surmoi que l'on peut véritablement parler d'un conflit entre deux instances : moi et surmoi.

L'idée de *« conflits pulsionnels »* découle de la notion de « forces qui s'opposent ». Présente dès 1895, explicitée en 1905, elle sera réaffirmée en 1920 avec la nouvelle dualité des pulsions. S'il n'y a rien à rejeter dans l'ancienne formule qui explique les psychonévroses par un conflit entre pulsions du moi et pulsions sexuelles[3] (cet antagonisme est encore repris dans *Inhibition, symptôme et angoisse*), il convient néanmoins de tenir compte de la nouvelle opposition posée en 1920. Pour recentrer les termes ultimes du conflit il faut conserver une dualité (ce sera Éros et la pulsion de mort) ; situant deux termes opposés[4], elle se justifie d'abord par la nécessité de maintenir un conflit au moteur même du processus

1. *Inhibition, symptôme et angoisse* (1926d [1925]), Paris, PUF, 1951, p. 13 ; *OCF* XVII, p. 215 ; *GW* XIV, p. 124.

2. *Ibidem,* p. 39 ; p. 236 ; p. 148.

3. *Au-delà du principe de plaisir* (1920g), *Essais de psychanalyse,* Paris, Payot, 1981, p. 100 ; *OCF* XV, p. 325 ; *GW* XIII, p. 56.

4. Cf. par exemple *Le moi et le ça* (1923b), *Essais de psychanalyse,* Paris, Payot, 1981, p. 260 ; *OCF* XVI, p. 304 ; *GW* XIII, p. 33.

pulsionnel. Ceci revient, de fait, à *corriger et compléter l'énergétique par le conflictuel.*

Pour bien situer les choses il faut tenir compte de deux données : nous n'avons à faire qu'avec les « représentants » de la pulsion, et la notion de pulsion elle-même ne saurait comporter d'opposition. Une fois ceci posé, il peut alors être affirmé (assez tôt, notamment à propos de l'approfondissement des rapports entre « latent » et « manifeste ») que les oppositions entre représentations sont l'expression des combats entre les différentes pulsions[1]. Freud est ainsi conduit à poser que, plutôt que le qualitatif (les différentes pulsions par exemple), *c'est le facteur quantitatif qui décide du conflit* ; dès que l'investissement de la représentation choquante dépasse un certain seuil, le conflit s'actualise, ce qui entraîne le refoulement[2]. Pourtant, se fondant sur la pratique qui l'a conduit à élaborer l'opposition ça/moi, il va bouleverser progressivement cette attribution, jusqu'à en venir à *revaloriser le qualitatif dans le conflit.* Il va en effet, comme nous l'avons vu, finir par introduire cette « nouveauté » qu'est la notion d'une tendance au conflit qui vient non seulement s'ajouter à la situation conflictuelle, mais le fait de façon indépendante de la quantité de libido ; ceci présuppose l'intervention d'une part d'agression libre – et il est bien certain que cela devrait aboutir à « réviser tout ce que nous savons du conflit psychique »[3]. On peut dès lors considérer que *le conflit est l'essence même de la fonctionnalité psychique.*

En fait, là encore, Freud aurait pu ajouter « qu'il n'y avait rien qui soit aujourd'hui à rejeter de l'ancienne formule » : les deux énonciations sont moins contradictoires qu'il y paraît au premier abord. Comme en 1914, le facteur quantitatif demeure une condition nécessaire en 1937, mais qui s'avère n'être pas suffisante ; deux facteurs qualitatifs doivent s'y ajouter : – l'un portant sur ce que l'on pourrait qualifier de « part la plus qualitative de l'économique », à savoir « l'activité libre » de l'énergie, – l'autre concernant « la nature même

1. « Le trouble psychogène de la vision dans la conception psychanalytique » (1910i), *Névrose, psychose et perversion,* Paris, PUF, 1973, p. 170 ; *OCF* X, p. 182 ; *GW* VIII, p. 97.

2. « Le refoulement » (1915d), *Métapsychologie,* Paris, Gallimard, 1968, p. 54 ; *OCF* XIII (2e éd.), p. 197 ; *GW* X, p. 254.

3. « L'analyse avec fin et l'analyse sans fin » (1937c), *Résultats, idées, problèmes, II,* Paris, PUF, 1984, p. 259-260 ; *OCF* XX, p. 46 ; *GW* XVI, p. 90.

de la pulsion », qui est ici l'agression. À ne plus se borner à exprimer un débordement et un excès quantitatif, *le conflit prend sa véritable fonction de principe moteur* : il représente bien, en lui-même, une « tendance indépendante ».

Insistons : si c'est bien en fonction de la pulsion, *c'est d'abord par le moi, pour le moi et dans le moi, que le conflit peut être compris* ; il ne peut l'être, tout comme ses produits que sont l'angoisse et le refoulement, que par ses lieux et ses conditions d'apparition, ainsi que par l'énergie liée qui se trouve libérée à ces occasions. C'est là ce qui permet de situer les psychonévroses (comme les défenses qui les suscitent) en fonction du conflit, en les liant au moi. Il en va ainsi dès la névrose de transfert, tellement spécifique de la psychanalyse, qui est « le résultat d'un conflit entre le moi et l'investissement libidinal d'objet »[1]. Ainsi cette « partie du ça qui a été modifiée sous l'influence directe du monde extérieur » et qui s'efforce de mettre le principe de réalité à la place du principe de plaisir (qui a, jusqu'alors, régné sans limitation dans le ça)[2], le moi donc, résulte directement du conflit entre ces deux principes, comme du dépassement de ce conflit. Il s'agit bien là, pour Freud, de la psychanalyse en tant que pratique, tout autant que de sa théorie : « La psychanalyse est un outil qui doit donner au moi la possibilité de conquérir progressivement le ça. »[3] Ou, comme il le reformulera dix ans plus tard : « Là où était du ça doit advenir du moi. Il s'agit là d'un travail de civilisation. »[4]

Mais, pour Freud, *qu'est donc le conflit* ? De lui, on pourrait presque dire, comme de la pulsion ou de l'inconscient, que ne s'en connaissent guère que les effets : angoisses, symptômes, inhibitions et, avec ceux-ci, les refoulements et autres défenses, qui sont déjà des tentatives de dépassement ou de résolution des conflits. Ceux-ci impliquent directement la force pulsionnelle et les contre-forces qu'elle a suscitées lors de précédents conflits tout au long de sa propre histoire. Nous devons considérer que *le conflit est l'élément moteur*

1. *Au-delà du principe de plaisir* (1920g), *Essais de psychanalyse,* Paris, Payot, 1981, p. 100 ; *OCF* XV, p. 325 ; *GW* XIII, p. 56.

2. *Le moi et le ça* (1923b), *Essais de psychanalyse,* Paris, Payot, 1981, p. 237 ; *OCF* XVI, p. 269 ; *GW* XIII, p. 252.

3. *Ibidem,* p. 271 ; p. 299 ; p. 286.

4. *Nouvelles conférences d'introduction à la psychanalyse* (1933a [1932]), Paris, Gallimard, 1984, p. 110 ; *OCF* XIX, p. 163 ; *GW* XV, p. 86.

du psychisme, qu'il est la raison de ses défenses ; faire produire un travail à l'énergie, telle est sa fonction.

Si là est l'essentiel, c'est-à-dire l'« essence » même du conflit, il n'en demeure pas moins que les orientations métapsychologiques en sont remaniées au fur et à mesure de l'évolution théorico-pratique. Dans les débuts, le conflit assurait une fonction déductive : « Nous constatons un conflit, quelles seront ses conséquences ? » Sa fonction apparaît ensuite inductive : « Le refoulement peut se comprendre par le conflit dont il n'est finalement que le résultat », opérant par et dans l'après-coup. Étant d'abord une nécessité méthodologique pour rendre compte du fonctionnement mental, sa forme sera réaménagée selon les réélaborations, depuis l'opposition entre pulsions du moi et pulsions sexuelles jusqu'à celle entre l'Éros (pulsion de vie) et la pulsion de destruction (de mort).

Certes, le facteur quantitatif est décisif pour le conflit[1] mais, comme nous y avons insisté, l'introduction du ça et du moi conduit à l'idée d'une *tendance au conflit indépendante de la quantité de libido,* correspondant à une part d'agression libre et imposant une révision complète de tous nos acquis sur le conflit psychique[2]. Le facteur quantitatif n'est pas abandonné pour autant, mais il ne saurait suffire. Comme l'angoisse (qui n'est d'ailleurs que l'une de ses formes d'expression), le conflit opère toujours dans le moi, mais il ne faut jamais oublier que celui-ci n'est qu'une partie spécialement différenciée du ça[3]. Redisons donc que *le moi est le produit du ça et son lieu conflictuel* – devenu moi justement pour cela.

Mais *de quoi le conflit peut-il être indépendant* ? Du quantitatif, sans doute, mais encore ? Freud parle de « tendance indépendante » et pour lui, même si le quantitatif demeure premier dans la pratique, dans le principe il reste subordonné au qualitatif, l'accumulation quantitative permettant de provoquer le saut qualitatif ; en déplaçant l'essence du conflit sur le qualitatif, il le postule déterminé qualitativement, avant toute variation quantitative – ce qui n'est pas sans

1. « Le refoulement » (1915d), *Métapsychologie,* Paris, Gallimard, 1968, p. 54 ; *OCF* XIII (2e éd.), p. 197 ; *GW* X, p. 254.

2. « L'analyse avec fin et l'analyse sans fin » (1937c), *Résultats, idées, problèmes, II,* Paris, PUF, 1984, p. 259-260 ; *OCF* XX, p. 46 ; *GW* XVI, p. 90.

3. *Inhibition, symptôme et angoisse* (1926d [1925]), Paris, PUF, 1951, p. 13 ; *OCF* XVII, p. 215 ; *GW* XIV, p. 124.

conséquences sur ce qui peut varier : *ce sont les variations elles-mêmes qui vont devenir dépendantes du conflit*.

On retrouve ainsi la question concomitante de l'angoisse et du refoulement. D'ailleurs, le renversement de leur rapport se produit en 1926, dans le mouvement même qui resitue le conflit : « C'est l'angoisse qui produit le refoulement et non pas, comme je l'ai jadis pensé, le refoulement qui produit l'angoisse. »[1] *L'angoisse est le signe, le représentant du conflit ; le refoulement en est le produit*, voire le dépassement ; les caractères propres au conflit doivent se retrouver, fût-ce en partie, dans ses productions ou, plus exactement, dans ce que le moi produit pour se protéger de certaines de ses conséquences. Il s'agit là, bien sûr, des défenses : *toutes les défenses sont défenses contre un conflit*, chacune recourant à un procédé propre, qui la spécifie.

Lorsque, par le refoulement par exemple, le moi réussit à se défendre d'une motion pulsionnelle qui lui apparaît comme dangereuse, il inhibe et atteint bien cette partie du ça mais, en même temps, « il lui a conféré une certaine indépendance et renoncé à une part de sa propre souveraineté »[2]. Cette indépendance que le moi confère à « une partie du ça » représente de fait la *« tendance indépendante du conflit »* ; demeurée latente, elle n'en va pas moins maintenir active la tendance conflictuelle, permettant au conflit de ressurgir à l'occasion (traumatique, généralement).

Omniprésent dans la conceptualisation freudienne, le conflit apparaît prééminent dans nombre de notions, à commencer par l'*ambivalence* dans laquelle il affecte le but mais non l'objet, ce qui la fait s'éployer dans le *complexe d'Œdipe* dans lequel elle est *tout aussi bien agent du conflit que moyen de l'écarter*, car elle implique des temps différents : « héritage archaïque », l'ambivalence reproduit les conflits de l'histoire, mais elle n'est pas, en elle-même, conflictuelle. Cette apparente contradiction répond à deux niveaux de l'approche métapsychologique : *l'ambivalence est dépassement de l'opposition du quantitatif et du qualitatif*.

Après avoir, dans un premier temps et suivant une logique du quantitatif, attribué au conflit un sens quasi guerrier, Freud va abandonner la métaphore et privilégier le qualitatif : dorénavant, *le conflit désigne la combinatoire d'oppositions structurelles nécessaire*

1. *Ibidem*, p. 27 ; p. 226 ; p. 137.
2. *Ibidem*, p. 80-81 ; p. 267-268 ; p. 185.

à toute vie, voire à l'inanimé. Les effets de destruction propres au conflit se dépassent alors eux-mêmes pour assurer la perpétuation de la vie jusqu'à son extinction, « l'accord et l'antagonisme des deux pulsions fondamentales » assurant la diversité des phénomènes de la vie, y compris celle de sa mort[1]. Il convient enfin de veiller à ne pas confondre des « oppositions », qui sont souvent plus complémentaires que conflictuelles (comme sadisme et masochisme), avec des « conflits » qui font agir des forces contraires (d'autant que Freud tend parfois à les réunir) ; le meilleur exemple nous en est sans doute donné par les principes de plaisir et de réalité qui, loin de mettre les deux en conflit, s'efforcent d'adapter l'un à l'autre, le conflit n'apparaissant qu'à l'occasion des refoulements que peut susciter cette entreprise. Ajoutons qu'en langage freudien *le conflit n'est pas la guerre,* même s'il peut parfois le devenir, ou l'avoir été. Nous pouvons dire qu'il est bien plus que cela : échappant au circonstanciel, il est une manifestation de l'énergie psychique au contact de la réalité et de certaines de ses productions. *Comme tel, le conflit est essentiellement structurant.*

Claude Le Guen

CONSCIENCE, CONSCIENT, PERCEPTION (système perception-conscience)

all. : ***Bewußtsein, Bewußt, Wahrnehmung.*** – angl. : *consciousness, conscious, perception.* – ital. : *coscienza, cosciente, percezione.* – esp. : *conciencia, consciente, percepción.* – port. : *consciência, consciente, percepção*

Le *système perception-conscience* est ce qui permet l'ouverture de la psyché à la réalité extérieure. Il est en relation directe avec la motricité, qui permet la décharge des excitations ; il s'oppose à la mémoire, qui permet l'inscription des traces mnésiques dans les différents systèmes inconscients, où elles pourront être remaniées associativement.

1. *Abrégé de psychanalyse* (1940a [1938]), Paris, PUF, 1985, p. 8 ; *OCF* XX, p. 237 ; *GW* XVII, p. 70-71.

Le *devenir conscient* se caractérise par la levée du refoulement. Il n'est pas un simple acte de perception interne, mais implique un surinvestissement. Le contenu psychique devenu conscient peut alors faire l'objet, selon la première topique, d'une certaine maîtrise. Mais un contenu intellectuel peut parvenir à la conscience sans qu'il y ait eu véritablement levée du refoulement, en particulier dans la dénégation.

La *conscience*, seul caractère des processus psychiques qui nous soit donné de façon immédiate, est une qualité psychique (ou une aptitude à saisir des qualités psychiques), analogue à un appareil perceptif interne (donc sans mémoire), qui peut spécifier certains contenus psychiques, et qui implique des processus secondaires. Ainsi le récit du rêve est-il, à la différence du rêve lui-même, une activité consciente. Les contenus psychiques conscients, en seconde topique, relèvent du moi, voire du surmoi. Mais une grande part de ces instances reste inconsciente. Néanmoins, la conscience, parce qu'elle est notre seul accès à ce qui est psychique, et parce qu'elle joue un certain rôle régulateur, ne peut être tenue pour négligeable.

MISE EN SITUATION

Freud conceptualise dès le début de son œuvre le « système perception-conscience » qui est un outil conceptuel pour penser la différenciation entre conscient et inconscient. La conscience relève du pôle perceptif, lié à la motricité, tandis que les inscriptions psychiques qui forment la mémoire contribuent (en première topique) à constituer l'inconscient, lui-même formé de plusieurs systèmes d'inscriptions de traces mnésiques. La perception permet l'accès à la réalité externe, non son introjection. Et même, elle ne peut investir l'externe qu'à partir d'excitations internes. Freud développe en 1895 une conception neurologique de la perception et de la conscience qui sert d'appui à sa réflexion ultérieure. Plus largement, c'est à une conception kantienne de la perception que nous avons affaire tout au long de l'œuvre : la perception, qui entre en contact sensible avec l'extérieur, donne accès aux phénomènes, à partir des excitations du corps (la sensibilité kantienne). Mais la pensée freudienne est plus complexe, du fait de l'importance première qu'y prend la réalité psychique. L'approche freudienne de la conscience est résolument fonctionnelle. Freud pense en effet la conscience, tout au long de son œuvre, comme un organe de perception du psychique : une fonction envers la réalité interne analogue à celle de la perception pour la réalité externe, malgré l'absence d'équivalence structurelle biologique.

Dans cet article de dictionnaire, il s'agit de la conscience dite parfois « psychologique », au sens de la possibilité de se représenter quelque chose, de le saisir par la pensée, c'est-à-dire de constituer une prise de conscience et une réflexivité. La conscience morale, malgré l'homonymie, relève de tout autres processus et s'avère être fondamentalement une instance : le surmoi.

Il arrive à Freud de mettre en garde son lecteur sur la différence entre l'accès phénoménal à la conscience et les caractères nécessaires à un véritable « devenir conscient » Il fait de la conscience une qualité psychique (et non une instance). Ajoutons que s'il prend ses distances avec les conceptions philosophiques classiques de la conscience, il leur reste néanmoins fréquemment redevable, et emploie parfois les termes de conscience et de conscient à la manière du sens commun. Nous traiterons conjointement et chronologiquement ces différents aspects, car ils se construisent en appui les uns sur les autres, et s'éclairent mutuellement.

LE TEXTE FREUDIEN

TYPOLOGIE ET INSCRIPTIONS PSYCHIQUES

Dans l'« Esquisse d'une psychologie scientifique » (1895), Freud formalise les fonctionnements psychiques en distinguant des classes de neurones. Perception, mémoire et conscience sont ainsi différenciées selon leurs fonctions spécifiques. Les « cellules perceptives », perméables, qui restent disponibles pour de nouvelles informations, constituent le système Φ tourné vers le monde extérieur d'où proviennent toutes les grandes quantités d'énergie, et s'opposent aux « cellules mnésiques », système ψ qui ont des « barrières de contact » opérantes et conservent l'influence de l'excitation[1]. Mais le processus qui s'effectue en ψ, celui de la reproduction donc du souvenir, demeure dépourvu de qualité. Un troisième système de neurones, ω, mis en mouvement par des quantités encore plus faibles, permet la mise en œuvre du caractère de qualité – donc la sensation consciente – qui ne se produit que là où la quantité est le plus possible mise hors circuit. Ce troisième système est « un système dont les états d'excitation fournissent les diverses qualités, c'est-à-dire les sensations conscientes »[2].

L'état conscient comprend, outre les qualités sensorielles qu'il est seul à même de percevoir, une autre série de sensations, celles de plaisir (lié aux sensations de décharge) et celles de déplaisir (du fait de l'élévation du niveau de la quantité ou d'une augmentation de tension). Ces neurones ω sont définis comme des neurones de perception de la qualité : **la conscience est fondamentalement un organe de perception de l'interne** (elle le restera dans toute l'œuvre). Lors d'investissements de souhait, c'est l'inhibition par le moi qui donne habituellement un critère pour différencier perception et souvenir ; c'est le système ψ qui apprend à utiliser les signes de réalité. Les processus psychiques primaires correspondent à l'investissement de souhait qui va jusqu'à l'hallucination, les processus secondaires sont rendus possibles par un bon investissement du moi permettant leur modération[3]. Le jugement est lui aussi un processus ψ provoqué par la dissemblance entre investissement de souhait et investissement de perception qui lui ressemble[4]. Le « complexe de perception » de l'être humain proche comprend deux constituants, un agencement de chose qui s'impose et un travail de remémoration ; l'ensemble permet de reconnaître, et implique un jugement[5]. De plus, la règle biologique

1. « Esquisse d'une psychologie scientifique » (1950c [1895]), *La naissance de la psychanalyse. Lettres à Wilhelm Fliess. Notes et plans (1887-1902)* (1950a [1887-1902]), Paris, PUF, 1956, p. 319 ; in *Lettres à Wilhelm Fliess*, Paris, PUF, 2006, p. 607 (éd. complète) ; *GW* XIX, p. 392.

2. *Ibidem*, p. 328 ; p. 617 ; p. 401.

3. *Ibidem*, p. 344 ; p. 635 ; p. 422.

4. *Ibidem*, p. 346 ; p. 636 ; p. 423.

5. *Ibidem*, p. 349 ; p. 640 ; p. 427.

de l'attention fait que lorsqu'un signe de réalité survient, l'investissement de perception simultanément présent doit être surinvesti[1]. Dans l'action comme dans la perception, se produit une comparaison entre les informations qui arrivent et celles qui sont préinvesties, ainsi qu'une excitation des innervations correctrices, jusqu'à ce que l'identité soit atteinte. Mais dans l'action, la variété est moindre, la rapidité plus grande, et la décharge cette fois totale[2].

La lettre à Wilhelm Fliess du 6 décembre 1896 part de la réflexion sur le « processus de stratification » selon lequel les matériaux présents sous forme de traces mnémoniques se trouvent de temps en temps remaniés. La mémoire est donc comprise comme une succession d'enregistrements qui donnent lieu à des inscriptions distinctes. *Percep. S.* (le « système perceptif ») constitue le premier enregistrement des perceptions, incapable de devenir conscient en eux-mêmes, car « le conscient et la mémoire s'excluent ». L'inconscient est un second enregistrement selon les autres associations (telle la causalité), également inaccessible au conscient. Le préconscient, troisième transcription, est lié aux représentations verbales et correspond « à notre moi officiel. Les investissements découlant de ce *Précs* deviennent conscients d'après certaines lois » ; il s'agit d'une « conscience cogitative secondaire », qui apparaît plus tardivement, et qui est probablement liée à la réactivation hallucinatoire de représentations verbales. Les neurones de l'état conscient sont ainsi des neurones de perception (interne) qui sont en eux-mêmes étrangers à la mémoire[3] – alors même que cette conscience cogitative est un effet de mémoire.

Les enregistrements successifs représentent la production psychique d'époques successives de la vie, et la traduction des matériaux psychiques s'effectue à la limite de deux époques. Le refoulement serait analogue à un défaut de traduction, maintenant l'écoulement de l'excitation selon des lois psychologiques de l'époque antérieure, et faisant des névroses un anachronisme : la production de déplaisir en

1. *Ibidem*, p. 382 ; p. 676 ; p. 462.

2. *Ibidem*, p. 395 ; p. 692 ; p. 476.

3. *Ibidem*, in *La naissance de la psychanalyse*, lettre 52, p. 155 ; *Lettres à Wilhelm Fliess* (éd. complète), lettre 112, p. 265.

entrave le processus ; la défense pathologique est dirigée contre les traces mnémoniques non encore traduites et appartenant à une phase antérieure. Ainsi, un incident sexuel survenu au cours d'une certaine phase agit pendant la phase suivante comme s'il était actuel, donc irrépressible. Il est donc **deux types d'état conscient** : le conscient immédiat, sans mémoire, qui est impliqué par la perception (qui est ici décrit comme perception, et restera dans les textes ultérieurs le système perception-conscience) ; et le conscient secondaire, perception interne de type hallucinatoire qui s'approprie subjectivement le fruit d'une partie de la mémoire inconsciente.

Perception et conscience dans l'appareil psychique

En 1900, dans *L'interprétation des rêves,* Freud soutient la **nécessité d'hypothèses fondamentales en psychopathologie sur la nature de la conscience.** Nous ne saurions éviter d'en rendre compte assez longuement.

Le « devenir-conscient » est un acte psychique particulier, distinct de l'« être-représenté », et « la conscience nous apparaît comme un organe sensoriel qui perçoit un contenu donné autre part » [1]. D'autre part, comme les sources somatiques du rêve ne peuvent être éliminées, pas plus que les stimuli corporels internes et les excitations sensorielles, Freud doit clarifier les rapports entre perception et hallucination, comme entre perception et conscience. Pour traiter plus systématiquement ces questions, il recourt à nouveau à son schéma de l'appareil psychique, légèrement modifié : l'extrémité opposée à la perception est cette fois la motricité et non plus la « conscience cogitative » ; les parties composantes ont une orientation que parcourt l'excitation. La trace laissée (trace mnésique) est naturellement inconsciente, tandis que le système qui reçoit les stimuli perceptifs est sans mémoire, condition nécessaire à sa fonction de réceptivité des impressions nouvelles. Les souvenirs, en revanche, sont par nature inconscients, même s'ils peuvent devenir conscients ; ils déploient néanmoins tous leurs effets à l'état conscient. Les souvenirs qui rede-

1. *L'interprétation des rêves* (1900a), Paris, PUF, 1967, p. 132 ; *OCF* IV, p. 180 ; *GW* II-III, p. 150.

viennent conscients ne témoignent de presque aucune qualité sensible en comparaison des perceptions[1]. L'opposition entre mémoire et conscience garde ici le statut d'une hypothèse qui reste à valider ; mais elle rend compte à la fois de la disponibilité du système perceptif à la diversité des qualités des impressions nouvelles, et des remaniements inconscients des traces mnésiques.

La formation du rêve suppose **deux instances psychiques** distinctes, dont l'une est en mesure de critiquer l'autre. « L'instance qui critique est en relation plus étroite avec la conscience que l'instance critiquée », puisque la censure dresse un écran pour empêcher que des contenus psychiques inconscients ne parviennent à la conscience via le rêve, ou du moins pour qu'ils ne le fassent que sous une forme déguisée. L'instance auto-observatrice est identifiable avec le principe directeur de notre vie éveillée, qui décide de nos actions volontaires et conscientes. Le dernier des systèmes d'inscription psychique, chargé de la critique, prend place à l'extrémité motrice et se trouve en relation avec la conscience : c'est le préconscient d'où les excitations peuvent parvenir sans délai à la conscience ; ce système détermine la motilité volontaire. Dans celui placé plus en arrière, *l'inconscient,* se situe l'impulsion à former un rêve ; il ne peut accéder à la conscience qu'en passant par le préconscient.

Dans le rêve, comme dans les hallucinations, on a affaire à des régressions, pensées transformées en images, et seules subsistent de ces transformations les pensées qui sont en relation intime avec des souvenirs réprimés ou demeurés inconscients. La régression est un effet de la résistance qui « s'oppose à l'avancée de la pensée jusqu'à la conscience par la voie normale, ainsi que de l'attraction exercée en même temps sur elle par des souvenirs présents qui ont une grande force sensorielle ». Il n'y a pas deux systèmes situés près de l'extrémité motrice de l'appareil psychique, mais deux processus ou deux espèces d'écoulement de l'excitation (plutôt que deux régions de l'appareil psychique) ; lorsqu'une pensée inconsciente essaie de se faire traduire en préconscient, pour pénétrer de force ensuite dans la conscience, il n'y a pas formation d'une seconde idée, transcription à côté de

1. *Ibidem,* p. 458 ; p. 593 ; p. 545.

laquelle subsisterait le texte original. Il est plus exact de dire qu'une certaine énergie a été investie ou a été retirée à une organisation[1]. Ce n'est pas la formation psychique qui change mais son innervation, et la représentation dynamique est moins trompeuse que la représentation topique. Les formations psychiques ne sauraient être localisées dans des éléments organiques du système nerveux, mais plutôt « entre eux » : tout ce qui peut devenir objet de perception interne est virtuel[2].

Outre la question de la régression, le rêve comme accomplissement de désir suppose la notion d'**identité de perception.** Une certaine perception reste désormais associée à la trace mémorielle de l'excitation liée à un besoin. Si ce besoin resurgit, grâce à la connexion désormais établie se produit une motion psychique qui veut investir à nouveau l'image mnésique de cette perception, et provoquer de nouveau la perception elle-même pour rétablir la situation de la première satisfaction. C'est là ce que nous appelons un **désir** (ou un souhait), et la réapparition de la perception est l'accomplissement de souhait. Si la voie est ainsi parcourue, le désir débouche sur une hallucination. « Cette première activité psychique a donc pour but une identité de perception, à savoir la répétition de cette perception qui est connectée à la satisfaction du besoin. » L'expérience de la vie force à modifier cette activité de pensée primitive, puisque l'identité de perception par la voie courte de la régression interne à l'appareil psychique ne procure pas de satisfaction et que le besoin persiste. Pour que la satisfaction réelle intervienne, il faut que la régression n'aille pas au-delà de l'image mnésique et que, partant de celle-ci, elle cherche d'autres voies pour parvenir à l'identité souhaitée, à partir du monde extérieur. Cette inhibition, et la déviation de l'excitation qui s'ensuit, devient la tâche d'un autre système qui domine la motricité volontaire ; l'activité de pensée qui va de l'image mnésique à l'établissement d'une identité de perception provenant cette fois du monde extérieur n'est qu'un détour, rendu nécessaire par l'expérience, vers l'accom-

1. *Ibidem,* p. 518 ; p. 665 ; p. 615.
2. *Ibidem,* p. 480 ; p. 618 ; p. 570.

plissement de souhait, et le penser n'est ainsi rien d'autre que le substitut du souhait hallucinatoire[1].

Quand le processus du rêve est devenu contenu de perception, il a contourné l'obstacle qui lui est opposé dans le préconscient par la censure et par l'état de sommeil et peut être « remarqué par la conscience » en tant qu'elle est « organe sensoriel pour l'appréhension des qualités psychiques ». À l'état de veille, la conscience est excitable soit à partir du système de perception, soit à partir des excitations de plaisir et de déplaisir. Ces déliaisons de plaisir et de déplaisir régulent le cours des processus d'investissement, qui sont ultérieurement connectés avec le système mnésique des signes du langage. Grâce aux qualités de ce système, « la conscience qui auparavant n'était organe sensoriel que pour les perceptions devient aussi maintenant l'organe sensoriel pour une partie de nos processus de pensée ». Désormais, il existe deux « surfaces sensorielles » tournées l'une vers les perceptions, l'autre vers les processus de pensées préconscients[2]. Pendant le sommeil, la surface tournée vers le préconscient est relativement inexcitable ; mais une fois le rêve devenu perception, il met en activité une partie de la force au repos du *Pcs* (suscitant l'élaboration secondaire) et est ainsi en mesure d'exciter la conscience.

La régulation de l'appareil psychique par le principe de déplaisir a une incidence importante sur le devenir des perceptions. Le premier système est dirigé vers le libre déversement des quantités d'excitation et donne lieu aux processus primaires ; un second système élabore, à partir de l'expérience d'effroi venant de l'extérieur, une inhibition de ce déversement avec transformation en investissement quiescent. Ainsi, une excitation de douleur suscite des manifestations motrices désordonnées jusqu'à soustraire l'appareil à la perception et, en même temps, à la douleur ; et cette manifestation (fuite ou autre) se répète dès la réapparition de la perception, jusqu'à ce qu'elle disparaisse à nouveau. L'inclination à abandonner cette pénible image mnésique dès qu'elle est éveillée entraîne l'acte de se détourner du souvenir, répétition de la fuite d'autrefois devant la perception, et modèle du

1. *Ibidem*, p. 481-482 ; p. 620-621 ; p. 571-572.
2. *Ibidem*, p. 488 ; p. 629 ; p. 579-580.

refoulement psychique dont il est le premier exemple. Les représentations sont investies si le système ψ peut inhiber le développement de déplaisir que certaines peuvent susciter. Ce qui se soustrait à l'inhibition est inaccessible au système secondaire, mais pas forcément de façon complète : un début de déplaisir sert de signal. Au total, « le processus primaire tend à l'éconduction de l'excitation afin d'établir, grâce à la quantité d'excitation ainsi rassemblée, une identité de perception ; le processus secondaire a abandonné cette visée et, à sa place, en a adopté une autre, celle d'obtenir une identité de pensée »[1] qui s'intéresse aux voies de liaison entre les excitations, sans se laisser égarer par leurs intensités.

Tant que le psychologue et le philosophe considèrent comme équivalents les termes « psychique » et « conscient », le dialogue est impossible. Car une seule analyse d'un symptôme, comme une seule analyse de rêve suffisent à convaincre que les processus de pensée les plus compliqués et les plus parfaits peuvent se dérouler inconsciemment. Le rêve remplace des pensées de notre vie diurne et implique des agencements logiques. Les opérations de pensée complexes, de niveau secondaire et touchant aux tâches supérieures de l'esprit, ont pu se poursuivre pendant la vie diurne et se trouver toutes prêtes au moment de l'endormissement : « Les opérations de pensée les plus compliquées sont possibles sans la participation de la conscience »[2], comme le montrent aussi les psychanalyses des hystériques ou des névrosés obsessionnels. En même temps, il est clair que le médecin ne connaît ces processus inconscients que lorsqu'ils exercent sur la conscience une influence que le malade exprime ou que le médecin observe. Mais le caractère psychique de l'effet conscient peut être bien différent de celui du processus inconscient : on ne peut considérer que l'un remplace l'autre. L'effet conscient n'est qu'un résultat éloigné du processus inconscient, lequel n'a pu devenir conscient comme tel – et qui a pu longtemps exister et agir sans se trahir à la conscience.

1. *Ibidem*, p. 511-512 ; p. 656-657 ; p. 606-607.
2. *Ibidem*, p. 504 ; p. 648 ; p. 598.

Pour bien comprendre la vie psychique, il est donc indispensable de ne pas surestimer la conscience. Freud propose ici l'image de deux cercles concentriques, l'inconscient, qui forme le psychique lui-même, étant de beaucoup le plus grand. **Il ne peut y avoir de fait conscient sans stade antérieur inconscient,** tandis que l'inconscient peut se passer de stade conscient et avoir cependant une valeur psychique. Quand le rêve symbolise le corps, achève les travaux de la veille, découvre des idées de valeur, nous reconnaissons l'œuvre de forces obscures, venues de l'inconscient. Même dans les créations intellectuelles et artistiques, nous sommes portés à trop surestimer le caractère conscient. L'inconscient est le psychique proprement réel, aussi inconnu de nous que le réel du monde extérieur (la « chose en soi » selon Kant) ; il n'est donc pas ce qui n'est pas conscient et qui est aisément repérable, mais ce qui ne peut en aucun cas parvenir à la conscience[1].

La distinction entre conscience « supérieure » et conscience « inférieure » perd également son sens. Quel rôle garde donc la conscience que l'on a cru jadis toute-puissante ? Elle est seulement, nous l'avons vu, un « organe des sens qui permet de percevoir les qualités psychiques »[2]. La perception de la conscience est l'activité propre d'un système déterminé. Nous nous représentons ce système avec des caractères analogues à ceux du système perceptif : il peut être excité par des qualités, et il ne peut conserver la trace des modifications. Il est sans mémoire. L'appareil psychique est tourné vers le monde extérieur par les organes des sens de son système perceptif ; mais il est **lui-même monde extérieur pour l'organe des sens de la conscience.** Celle-ci trouve dans ce rapport sa « justification téléologique », et donc sa fonction. Le principe des *instances successives* régit la construction même de l'appareil : les excitations affluent des deux côtés vers l'organe des sens de la conscience. D'une part, elles proviennent du système perceptif, dont l'excitation déterminée par les qualités subit vraisemblablement un remaniement nouveau avant de devenir sensation consciente ; d'autre part, elles viennent de l'intérieur

1. *Ibidem,* p. 520 ; p. 667 ; p. 617.
2. *Ibidem,* p. 522 ; p. 671 ; p. 621.

même de l'appareil psychique, les processus quantitatifs sont ressentis qualitativement comme plaisir et déplaisir, après avoir subi certaines modifications.

L'analogie entre le système de la conscience et le système perceptif nous aide à comprendre la fonction de la conscience qui a embarrassé certains philosophes qui reconnaissaient l'existence de pensées inconscientes et ne voyaient plus dans la conscience qu'un reflet inutile. Or la perception a pour conséquence de diriger un investissement d'attention vers les voies où se propage l'excitation sensorielle qui arrive : l'excitation qualitative du système perceptif sert à régulariser le débit de la quantité mobile dans l'appareil psychique. Nous pouvons attribuer la même fonction de liaison à l'organe sensoriel supérieur du système de la conscience[1]. En percevant de nouvelles qualités, il dirige et répartit utilement les quantités mobiles d'investissement ; par la perception du plaisir et du déplaisir, il influence le cours des événements à l'intérieur de l'appareil psychique, ordinairement inconscient et qui travaille par déplacement de quantités. Le principe du déplaisir semble d'abord régler automatiquement ces déplacements, « mais il se peut fort bien que la conscience fasse subir à ces qualités un second réglage plus fin », et même qu'il puisse s'opposer au premier et perfectionner l'appareil en lui permettant de « soumettre à l'investissement et à l'élaboration même ce qui dégage du déplaisir ».

Les souvenirs ne connaissent pas l'accroissement d'investissement fourni par l'excitation de l'organe des sens psychiques. Une pensée peut être refoulée parce qu'elle doit être écartée, mais aussi parce qu'elle s'est trouvée soustraite pour d'autres motifs à la perception de la conscience. Le surinvestissement produit par l'influence régulatrice de l'organe des sens crée donc une nouvelle série qualitative, et par là un nouveau réglage, qui constitue peut-être un des privilèges de l'homme sur l'animal. Tandis que les processus de pensée sont dépourvus de qualité (plaisir et déplaisir y sont entravés car ils pourraient troubler la pensée), l'homme les associe à des souvenirs de mots dont les restes de qualité suffisent à appeler l'attention de la

1. *Ibidem*, p. 523 ; p. 672 ; p. 622.

conscience et à obtenir par là un nouvel investissement mobile[1]. Ainsi, dans les processus de pensée hystériques, le passage du préconscient à l'investissement conscient semble dépendre d'une censure analogue à la censure entre l'inconscient et le préconscient, qui s'exerce sur les formations de pensées d'une certaine intensité (car une certaine valeur quantitative est nécessaire). Plus généralement, les psychonévroses montrent de multiples cas d'arrêt sur le seuil de la conscience ou de pénétration de force dans celle-ci, par exemple des images apparemment vides de sens, qui manifestent la dépendance étroite entre la conscience et la censure. D'ailleurs, les actions conscientes d'un homme suffisent ordinairement à juger de son caractère, tandis que beaucoup d'impulsions ou d'opinions parvenues à la conscience sont détruites par les forces réelles de la vie psychique – ce qui explique peut-être qu'elles n'aient pas rencontré d'obstacles psychiques pour devenir conscientes, puisqu'elles ne devaient pas aboutir.

L'interprétation des rêves, en remaniant le schéma de l'appareil psychique, reconnaît donc une place spécifique à **la conscience en tant qu'organe sensoriel dépourvu de mémoire,** mais apte à saisir une part de la réalité interne et d'y apporter une régulation, moyennant certaines transformations ainsi qu'un niveau suffisamment faible de la censure.

Actes conscients et fonctions de la conscience

Sans que l'étude de la conscience soit directement son objet, *Totem et tabou* s'y réfère relativement fréquemment et propose ainsi des remarques qui éclairent ce que représente pour Freud l'activité de la conscience. Tout d'abord, qu'il s'agisse de l'évitement de l'inceste avec la belle-mère ou de l'action compulsionnelle, Freud souligne l'écart symptomatique entre ce qui est prétendument avancé comme raison consciente et ce qui est insonsciemment déterminant. D'autre part, ce que nous projetons en parlant d'âme ou d'esprit, tout comme le fait le primitif, est la connaissance d'un état où ce qui est donné aux sens ou à la conscience est présent, état à côté duquel existe ce qui

1. *Ibidem*, p. 524 ; p. 673 ; p. 622.

reste latent, et relève des processus inconscients – et qui peut faire que resurgisse ce qui était latent ; la coexistence du percevoir et du remémorer ne doit jamais être négligée.

Dans le tabou comme dans la compulsion de la névrose obsessionnelle, l'interdiction de toucher est hautement consciente, tandis que le désir persistant de toucher est inconscient, soustrayant ainsi l'ambivalence à la conscience et lui conférant toute sa force[1]. Le processus de projection qui transforme les défunts en ennemis malveillants témoigne du courant hostile qui avait pu rester inconscient à l'égard des parents proches, de leur vivant. Mais le conflit devient aigu lors du deuil, d'où le renforcement de la tendresse consciente envers le défunt, et la formation du cérémonial avec projection de l'hostilité sur les démons[2]. La projection de perceptions internes à l'extérieur permettait aux hommes primitifs une image du monde extérieur qu'il nous faut retraduire en psychologie, et qui constitue la vision du monde « animiste », racine de la peur des démons et des revenants comme du culte des ancêtres. La conscience morale taboue est la forme la plus ancienne du phénomène de la conscience morale. La justification des interdits ou des croyances par leur élaboration en système est une élaboration secondaire analogue au produit du travail du rêve ou aux motivations conscientes d'une phobie.

Or la représentation primitive de l'âme ne respecte pas nécessairement nos frontières actuelles entre l'activité psychique consciente et l'activité inconsciente. L'âme animiste unit en elle des déterminations provenant des deux côtés : son évanescence et sa mobilité, sa capacité à quitter le corps, ou à prendre possession d'un autre corps, rappellent indéniablement l'essence de la conscience. Mais la façon dont elle se tient cachée derrière la manifestation personnelle, tout comme son immutabilité ou son indestructibilité, correspondent bien davantage aux processus inconscients[3].

1. *Totem et tabou* (1912-1913a), Paris, Gallimard, 1993, p. 119 ; *OCF* XI, p. 232 ; *GW* IX, p. 40.

2. *Ibidem,* p. 166 ; p. 268 ; p. 78.

3. *Ibidem,* p. 217 ; p. 305 ; p. 115.

Une « Note sur l'inconscient », écrite en anglais en 1912, interroge les limites à donner à la notion de conscience et refuse de considérer comme conscient ce qui est latent, par exemple l'ordre donné pendant le sommeil hystérique et qui est exécuté à l'état de veille alors que le souvenir en a disparu. L'ordre du médecin est alors latent mais efficient. Une représentation inconsciente peut être efficiente, comme le montre sans cesse l'hystérie. Il faut néanmoins distinguer entre préconscient et inconscient (dynamique) où les pensées sont maintenues à l'écart de la conscience malgré leur intensité et leur efficience[1]. On ne peut parler de conscience à part, rendue étrangère à la première, car une « *conscience inconsciente* » est une expression contradictoire qui rend mal compte de cette division de la conscience. Et les lois de l'activité inconsciente diffèrent largement de celles de l'activité consciente.

Mais ce sont les textes de la *Métapsychologie*, et en particulier ceux qui portent sur le refoulement et sur l'inconscient, qui correspondent aux élaborations les plus systématiques de cette époque sur le statut et les fonctions de la conscience.

« Le refoulement » (1915) définit le concept de refoulement par un seul trait décisif : l'essence du refoulement consiste à mettre à l'écart et tenir à distance du conscient[2]. Avant que l'organisation psychique n'ait atteint le stade d'une telle différenciation, du fait du refoulement originaire, d'autres destins pulsionnels, comme la transformation en son contraire et le retournement sur la personne propre s'acquittent de la tâche de défense contre les motions pulsionnelles. Après un refoulement, le représentant de la pulsion persiste dans l'inconscient, continue à s'organiser, forme des rejetons et établit des liaisons : seule est troublée sa relation à un système psychique, celui du conscient.

Lorsque les rejetons d'un contenu refoulé sont suffisamment éloignés du représentant refoulé, parce qu'ils sont déformés, ou parce que plusieurs intermédiaires s'intercalent, ils peuvent accéder librement au

1. « Note sur l'inconscient en psychanalyse » (1912g), *Métapsychologie*, Paris, Gallimard, 1970, p. 179 ; *OCF* XI, p. 176 ; *GW* VIII, p. 262.

2. « L'inconscient » (1915e), *Métapsychologie*, Paris, Gallimard, 1968, p. 47 ; *OCF* XI, p. 190 ; *GW* VIII, p. 249.

conscient[1]. La pratique psychanalytique consiste d'ailleurs à amener au jour ces rejetons, à partir des idées incidentes qui surgissent dans les associations libres. Le degré d'éloignement nécessaire par rapport au contenu refoulé pour que la résistance du conscient soit supprimée est difficile à déterminer : il s'agit de ne pas dépasser une certaine quantité d'investissement de l'inconscient, intensité au-delà de laquelle s'ouvrirait la voie vers la satisfaction. Chaque rejeton du refoulé peut connaître un destin particulier, et les idéaux découlent des mêmes objets que les hommes ont en horreur, une partie du représentant pulsionnel étant refoulé tandis que l'autre connaît une idéalisation[2].

Le refoulé, d'autre part, exerce une pression continue en direction du conscient, qui doit être équilibrée par une contre-pression incessante (contre-investissement)[3], notamment par rapport aux motions pulsionnelles les plus investies et donc les plus actives. Un certain nombre de rejetons des motions pulsionnelles ne sont pas refoulés tant qu'ils représentent une petite quantité d'énergie, mais l'accroissement de l'investissement active le conflit et suscite le refoulement.

« L'inconscient » (1915) pose que l'inconscient a une extension plus large que celle de l'ensemble du refoulé : le refoulé est une partie de l'inconscient. Mais ce n'est que comme conscient, une fois qu'il a subi une transposition ou traduction en conscient, que nous pouvons connaître l'inconscient. Cela exige que l'analyse surmonte les résistances qui ont écarté une représentation du conscient et l'ont refoulée[4].

Les lacunes de la conscience, son impossibilité à rendre compte des lapsus, des actes manqués, des rêves et des symptômes, comme les idées qui nous viennent sans que nous en connaissions l'origine, rendent en effet nécessaire l'hypothèse d'un psychisme inconscient. D'autant que la conscience ne connaît à chaque moment qu'un contenu minime, et la plus grande partie de notre connaissance consciente est nécessairement, pendant les plus grandes périodes, en

1. *Ibidem,* p. 50 ; p. 192 ; p. 252.
2. *Ibidem,* p. 52 ; p. 193 ; p. 253.
3. *Ibidem,* p. 53 ; p. 194 ; p. 253.
4. *Ibidem,* p. 65 ; p. 205 ; p. 264.

état de latence, donc d'inconscience psychique[1]. Mais il est difficile de se dégager de l'assimilation, explicite ou implicite, entre le conscient et le psychique. Même s'il ne s'agit que d'une convention terminologique, est-elle utilisable ? En fait, elle brise les continuités psychiques, nous précipite dans les difficultés insolubles du parallélisme psycho-physique, surestime sans fondement évident le rôle de la conscience et stérilise la recherche psychologique. Considérer comme des états physiques les états latents de la vie psychique n'est qu'une vaine querelle de mots dans la mesure où la connaissance biologique n'y donne pour l'instant aucun accès.

Moins assuré sur la question de la conscience des animaux, notre jugement critique refuse la conscience aux plantes et abandonne au mysticisme l'idée d'une conscience de l'inanimé. Mais, même là où l'identification nous fait reconnaître la conscience chez le plus proche, l'humain, c'est sur une inférence que repose l'hypothèse de la conscience, qui n'a de certitude immédiate qu'en ce qui concerne notre propre conscience[2]. Or, pour poser l'existence de l'inconscient, la psychanalyse n'exige rien d'autre que d'étendre à la personne propre ce procédé d'inférence, et de considérer comme psychiques des actes qui ne parviennent pas à la conscience, mais qui sont chez autrui fort aisément interprétés comme intégrés dans le psychisme. Et l'idée d'une seconde conscience, d'une conscience étrangère et pour ainsi dire d'une « conscience inconsciente » (cf. la « Note » de 1912), est tout de même plus difficile à admettre qu'un psychisme inconscient, d'autant que ces processus latents individuels que nous inférons jouissent d'un haut degré d'indépendance réciproque. Comment admettre une série, voire une infinité d'états de conscience, tous inconnus et qui ne se reconnaissent pas entre eux ? Il est plus logique d'y voir des actes psychiques privés de conscience – ce que n'infirment pas les faits de « double conscience » liés à des clivages de la conscience[3].

Les actes temporairement latents ne se distinguent en rien des actes conscients, tandis que les processus refoulés, s'ils devenaient

1. *Ibidem*, p. 67 ; p. 206 ; p. 265.
2. *Ibidem*, p. 70 ; p. 208 ; p. 267.
3. *Ibidem*, p. 73 ; p. 210 ; p. 269.

conscients, se détacheraient du reste des processus conscients[1]. Il vaudrait donc mieux classer les actes psychiques en fonction de leur rapport aux pulsions et aux buts, selon leur connexion aux systèmes psychiques, indépendamment de savoir s'ils sont ou non conscients, mais c'est irréalisable (NB : La seconde topique le permettra). On ne peut éluder le fait d'être conscient, point de départ de toutes nos recherches. La désignation de la conscience par *Cs* lorsqu'il s'agit du système psychique peut cependant éviter des malentendus. La première opposition, dynamique et topique, porte sur la distinction entre ce qui est conscient ou susceptible de devenir conscient – système *Cs* (ou *Pcs*) – et ce qui est radicalement inconscient – système *Ics*. Lorsqu'une représentation est transposée du système *Ics* dans le système *Cs* (ou *Pcs*), y a-t-il une fixation nouvelle, une deuxième inscription, à côté de laquelle persisterait l'inscription consciente, originaire ? Ou s'agit-il d'un changement d'état d'un même matériel dans la même localisation ? Question difficile à trancher, car elle implique la question d'une localisation cérébrale impossible à établir : « Pour le moment, notre topique psychique n'a rien à voir avec l'anatomie. »[2] L'hypothèse d'un changement d'état simplement fonctionnel de la représentation est moins aisée à manier que celle d'une séparation topique des système *Ics* et *Cs*. Une représentation pourrait donc être présente simultanément en deux endroits de l'appareil psychique, et quand elle n'est pas inhibée par la censure, passer d'un lieu à l'autre, éventuellement sans quitter son premier emplacement c'est-à-dire sa première inscription.

L'opposition entre conscient et inconscient ne s'applique pas à la pulsion. Une pulsion ne peut jamais devenir consciente. Seule le peut la représentation qui la représente. mais dans l'inconscient aussi, la pulsion ne peut être représentée que par la représentation, ou apparaître sous forme d'état d'affect. Les sensations, sentiments et affects inconscients sont-ils possibles ? Car il est de l'essence d'un sentiment d'être perçu, donc d'être connu de la conscience... Pourtant, la clinique nous oblige à parler d'amour, de haine, de rage, voire de

1. *Ibidem,* p. 75 ; p. 211 ; p. 270-271.
2. *Ibidem,* p. 79 ; p. 214 ; p. 273.

conscience de culpabilité inconsciente ou d'angoisse inconsciente. En fait, il peut arriver qu'une motion d'affect soit perçue mais méconnue, car rattachée à une autre représentation que celle à laquelle elle était liée (et qui est désormais refoulée), ou encore que l'affect soit inhibé. Il n'y a donc pas au sens strict d'affects inconscients. Mais il y a dans le système *Ics* des formations d'affects qui deviennent éventuellement conscientes : les représentations sont des investissements fondés sur les traces mnésiques, tandis que les affects et sentiments correspondent à des processus de décharge dont les manifestations finales sont perçues comme sensations. La domination du *Cs* sur l'affect est moins fermement établie que sur la motilité volontaire. Les systèmes *Ics* et *Cs* luttent constamment pour s'assurer le primat dans le domaine de l'affectivité. Le rôle du système *Cs (Pcs)* est en tout cas essentiel pour l'accès à la libération de l'affect et à l'action. Lorsque le développement de l'affect part directement du système *Ics,* il a toujours un caractère d'angoisse. Mais fréquemment, la motion pulsionnelle attend de trouver une représentation substitutive dans le système *Cs,* substitut qui détermine le caractère qualitatif de l'affect. En règle générale, un affect ne se produit pas tant que n'a pas réussi la percée qui lui donne une nouvelle façon d'être représenté dans le système *Cs*.

La suite de l'article sur « L'inconscient » étudie la topique et la dynamique du refoulement, introduit le point de vue économique, puis présente les propriétés du système *Ics* et les rapports entre les deux systèmes. Parmi les apports nouveaux sur le système *Cs* en tant que tel, il faut signaler l'indication d'une censure entre le *Pcs* et le *Cs,* ainsi que l'étude du contre-investissement et des formations de substitut. Mais ce sont surtout les fonctions du système *Cs-Pcs* qui sont exposées. Qu'ils soient conscients ou seulement susceptibles de le devenir, les processus du système préconscient montrent une inhibition de la tendance à la décharge des processus investis[1]. Déplacement et condensation sont très limités, et les représentations conservent une partie de leur investissement si elles sont déplacées.

1. *Ibidem,* p. 98 ; p. 227 ; p. 287.

Dépendent du système *Cs-Pcs*: l'instauration d'une capacité de communication entre les contenus des représentations de sorte qu'ils puissent s'influencer réciproquement; l'ordonnance temporelle de ses contenus; l'action de la censure ou de plusieurs censures; l'épreuve de réalité et le principe de réalité. La mémoire consciente, elle aussi, paraît dépendre totalement du *Pcs,* elle doit être nettement distinguée des traces mnésiques dans lesquelles se fixent les expériences vécues de l'*Ics,* et correspond vraisemblablement à une inscription particulière.

Du point de vue de la conscience, la totalité des processus psychiques se présente comme l'empire du préconscient[1] – dont une grande partie tire son origine de l'inconscient et en présente les rejetons, ce qui la soumet à une censure avant qu'elle puisse devenir consciente. Car le fait d'être conscient, **seul processus qui nous soit donné de façon immédiate,** n'est pas apte à fournir un critère de distinction, puisqu'il peut être latent et qu'une grande part de ce qui partage les propriétés du système *Pcs* ne devient pas conscient. Le devenir-conscient est en outre restreint par telle ou telle orientation de l'attention. La conscience n'a donc de rapport simple ni avec les systèmes ni avec le refoulement. Outre le refoulé, une partie des motions qui régissent notre moi lui demeure étranger. « Dans la mesure où nous voulons accéder à une conception métapsychologique de la vie psychique, nous devons apprendre à nous émanciper de l'importance accordée au symptôme: "fait d'être conscient". »[2] D'autant que la censure entre *Pcs* et *Cs* nous avertit que **le devenir-conscient est vraisemblablement aussi un surinvestissement,** un nouveau progrès dans l'organisation psychique, et non pas un pur et simple acte de perception.

La fin de la réflexion menée dans « L'inconscient » introduit, à partir de considérations sur la schizophrénie, une nouvelle distinction entre représentation de mot et représentation de choses (investissement de traces mnésiques qui dérivent des images mnésiques directes de choses). Ceci éclaire en quoi une représentation consciente se dis-

1. *Ibidem,* p. 103 ; p. 230 ; p. 290.
2. *Ibidem,* p. 104 ; p. 231 ; p. 291.

tingue d'une représentation inconsciente : elles ne sont finalement pas des inscriptions psychiques différentes du même contenu dans des lieux psychiques différents, ni des états d'investissement fonctionnels différents au même lieu. Mais **la représentation consciente comprend la représentation de chose et la représentation de mot** qui lui appartient, tandis que la représentation inconsciente est la représentation de chose seule[1]. Le système *Ics* contient les investissements de choses des objets, les premiers et véritables investissements d'objets ; le système *Pcs* apparaît quand cette représentation de chose est surinvestie du fait qu'elle est reliée aux représentations de mot qui lui correspondent. Ces surinvestissements introduisent une organisation psychique plus élevée et rendent possible le remplacement du processus primaire par le processus secondaire qui règne dans le *Pcs*. Dans les névroses de transfert, le refoulement refuse à la représentation écartée la traduction en mots, lesquels doivent rester liés à l'objet, et l'acte psychique non surinvesti demeure dans l'*Ics*.

Pourquoi les représentations d'objet ne peuvent-elles devenir conscientes qu'en étant reliées aux restes des perceptions de mot, et non par le moyen de leurs propres restes perceptifs ? Vraisemblablement, la pensée fonctionne dans des systèmes si éloignés des restes perceptifs originaires qu'ils n'ont plus rien conservé des qualités de ceux-ci, et ont besoin pour devenir conscients d'un renforcement par de nouvelles qualités[2]. De plus, le lien avec les mots permet de doter de qualité des investissements qui correspondent seulement à des relations entre les représentations d'objet, et donc qui n'étaient porteurs par eux-mêmes d'aucune qualité. De telles relations, qui ne sont saisissables que par des mots, constituent une partie capitale de nos processus de pensée. Le lien avec les mots ne coïncide pas avec le fait de devenir conscient, mais il en procure la possibilité. Il caractérise donc le système *Pcs*.

Notre activité psychique, au total, peut suivre deux parcours aux directions opposées, soit venant des pulsions par le système *Ics* pour aboutir au travail de pensée conscient, soit sur une incitation de

1. *Ibidem*, p. 117 ; p. 240 ; p. 300.
2. *Ibidem*, p. 118 ; p. 241 ; p. 301.

l'extérieur en passant par le système *Pcs* et *Cs* pour arriver aux investissements *ics* du moi et des objets. Malgré le refoulement, cette deuxième voie doit rester praticable, et ouverte jusqu'à un certain point au névrosé pour récupérer ses objets.

Notons que, dans « L'inconscient », la question de la perception n'est pas prise en compte, et qu'il est question d'un système *Cs*, lequel peut aussi être désigné comme préconscient – même s'il existe entre *Cs* et *Pcs* une opposition topique secondaire. Cela n'invalide pas les liens ni les analogies entre perception et conscience (donc la référence à un « système perception-conscience ») mais témoigne simplement du caractère purement topique et dynamique de la discussion : seul l'intrapsychique est ici considéré.

Le devenir-conscient

Reprenant l'analyse de la formation des symptômes, les *Conférences d'introduction à la psychanalyse* (1916-1917) les réfèrent aux processus psychiques inconscients ; ils sont la preuve irréfutable de la nécessité d'admettre de tels processus. Le travail de la cure vise à rendre conscientes les représentations et impulsions inconscientes qui président à l'apparition de tel symptôme. Il faut en effet que le sens du symptôme soit inconscient pour que le symptôme se produise. « Les processus conscients n'engendrent pas de symptômes névrotiques ; et, d'autre part, dès que les processus inconscients deviennent conscients, les symptômes disparaissent. »[1] *Au-delà du principe de plaisir* définit aussi le but du travail du psychanalyste comme « rendre conscient l'inconscient », malgré les résistances du préconscient et du conscient[2].

Une remarque de « L'homme aux loups » nous invite cependant à ne pas confondre présence phénoménale d'un contenu psychique à la conscience, et *prise de conscience*, ou devenir-conscient véritable. La question du devenir-conscient prend en tout cas, après 1918,

1. *Conférences d'introduction à la psychanalyse* (1916-1917), Paris, Gallimard, 1946, p. 357 ; *OCF* XIV, p. 289 ; *GW* XI, p. 289.

2. *Au-delà du principe de plaisir* (1920g), *Essais de psychanalyse*, Paris, Payot, 1981, p. 57 ; *OCF* XV, p. 288 ; *GW* XIII, p. 16.

une importance renouvelée, ou plutôt réévaluée et moins formelle qu'en 1915 où la discussion s'était centrée sur la relation entre systèmes psychiques.

Les deux premiers chapitres de *Le moi et le ça* (1923) sont consacrés à une reprise de l'opposition entre conscience et inconscient, et plus particulièrement au devenir conscient. La psychanalyse situe **la conscience comme une qualité du psychique** qui peut s'ajouter à d'autres qualités, ou rester absente[1] ; être conscient est d'abord un terme purement descriptif, qui s'autorise de la perception la plus immédiate et la plus certaine. Or, un élément psychique, par exemple une représentation, n'est pas conscient de manière durable ; il devient latent mais peut redevenir à nouveau conscient. Le latent capable de devenir conscient reste un élément psychique. Le concept d'inconscient suppose la prise en compte de la dynamique psychique : il est des représentations et des processus très puissants, qui ont les mêmes effets que des représentations et d'autres processus, et qui pourtant ne deviennent jamais eux-mêmes conscients[2]. Certains de leurs effets peuvent devenir conscients sous forme de représentations, mais la force du refoulement les maintient inconscients, et s'éprouve dans la cure comme résistance. Le refoulé est le prototype de l'inconscient Le préconscient est beaucoup plus près du conscient que l'inconscient. À la perspective dynamique, il faut adjoindre le point de vue structural : l'inconscient n'est pas seulement le refoulé, et une importante partie du moi est également inconsciente. Il s'ensuit que le caractère d'être inconscient perd de son importance. Il devient une qualité aux multiples significations[3]. Néanmoins **la propriété « consciente ou non » reste notre unique fanal** pour l'exploration de la psychologie des profondeurs.

Comment quelque chose devient-il conscient ? Ou, plus exactement, comment quelque chose devient-il préconscient ?, condition pour accéder au conscient. La réponse est : par connexion avec les

1. *Le moi et le ça* (1923b), *Essais de psychanalyse,* Paris, Payot, 1981, p. 223 ; *OCF* XVI, p. 258 ; *GW* XIII, p. 239.

2. *Ibidem,* p. 224 ; p. 259 ; p. 240.

3. *Ibidem,* p. 229 ; p. 263 ; p. 245.

représentations de mot correspondantes[1]. Celles-ci sont des restes mnésiques, qui ont été des perceptions et peuvent redevenir conscientes. **Ne peut devenir conscient que ce qui fut autrefois perception** ***cs*** ; et ce qui, provenant de l'intérieur, sentiments exceptés, veut devenir conscient, doit tenter de se transposer en perceptions externes – ce que les restes mnésiques et notamment les restes verbaux provenant de perceptions auditives rendent possibles. La pensée en images n'est qu'un mode très imparfait du devenir conscient, plus proche de l'inconscient et plus ancien que la pensée en mots. Quelque chose de refoulé devient donc (pré)conscient en mettant en place par le travail analytique ces termes intermédiaires *pcs*.

La relation de la perception externe au moi est manifeste ; mais celle qui existe entre la perception interne et le moi nécessite une recherche[2]. Le doute resurgit : a-t-on raison de rapporter toute la conscience au seul système superficiel *Pc-Cs* ? La perception interne fournit des sensations de processus provenant des couches les plus diverses, mais aussi les plus profondes de l'appareil psychique, par exemple celui des sensations de la série plaisir-déplaisir ; elles sont plus originaires et plus élémentaires que celles qui viennent de l'extérieur, et peuvent se produire dans des états où la conscience est obscurcie – leur importance économique est essentielle. Elles peuvent provenir de différents endroits simultanément, avoir des qualités différentes, voire opposées. Or, les sensations de déplaisir poussent à la décharge, produisant de ce fait une élévation de l'investissement d'énergie. Ce qui devient conscient est un « autre chose » dans l'écoulement des processus psychiques, d'un double point de vue quantitatif et qualitatif qui ne peut se manifester sur place, mais se déploie comme motion refoulée, force poussante qui agit sur le moi ; la résistance contre la compulsion, la suspension de la décharge, devient alors consciente sous forme de déplaisir. La *douleur* tient le milieu entre perception externe et perception interne ; elle se comporte comme une perception interne alors même qu'elle provient du monde extérieur. Mais elle aussi peut rester inconsciente. Ainsi, sensations et

1. *Ibidem*, p. 231 ; p. 264 ; p. 247.
2. *Ibidem*, p. 233 ; p. 266 ; p. 249.

sentiments ne deviennent conscients qu'en atteignant le système préconscient. Les sensations se transmettent directement, et la distinction entre conscient et préconscient n'a ici aucun sens : les sensations sont ou conscientes, ou inconscientes. Même lorsqu'elles sont liées à des représentations de mot, ce n'est pas à celles-ci qu'elles doivent de devenir conscientes, elles le deviennent directement. Par l'intermédiaire des représentations de mot, les processus de pensées internes sont transformés en perceptions. « Il s'agit, dirait-on, de démontrer cette proposition : toute connaissance provient de la perception externe. » Par un surinvestissement de la pensée, les pensées sont effectivement perçues comme venant de l'extérieur, et sont donc tenues pour vraies. Le moi s'édifie en partant du système Perception-conscience comme de son noyau, et englobe d'abord le préconscient qui s'étaie sur les restes mnésiques. Mais le moi est aussi inconscient. Il n'est pas nettement séparé du ça, et fusionne avec lui dans sa partie inférieure[1].

Dans le remaniement topique de 1923, l'opposition entre inconscient et conscient apparaît moins significative qu'auparavant ; l'étude du devenir conscient s'étaie sur l'analogie entre conscience et perception, fait place au rôle économique de l'affect dans le devenir-conscient, en particulier celui de l'affect de déplaisir, insiste sur la médiation du préconscient dans le devenir-conscient, et propose une théorie empirique de la connaissance.

Discutant en 1926 de terminologie pour refuser vigoureusement l'équivalence entre « moi » et « conscience », *La question de l'analyse profane* rappelle que les processus qui ont lieu dans le moi *peuvent* accéder à la conscience, mais qu'ils ne le font pas nécessairement ; l'accès à la conscience d'un processus psychique est une chose compliquée. La conscience est, dans la couche externe périphérique du ça qui constitue le moi, une instance particulière directement tournée vers le monde extérieur, un système, un organe dont seule l'excitation permet au phénomène que nous appelons conscience de se réaliser. Cet organe reçoit les excitations de l'extérieur, par les organes des sens, mais aussi de l'intérieur, où il peut « prendre connaissance

1. *Ibidem,* p. 234-236 ; p. 267-268 ; p. 259-251.

d'abord des sensations dans le ça, et ensuite également des processus dans le moi »[1].

PERCEPTION ET JUGEMENT

Même si la conscience y est beaucoup moins explicitement discutée que la perception, nous ne pouvons éviter de rapprocher ces remarques de la discussion dans « La négation » (1925) de la fonction intellectuelle de jugement et du symbole de négation. Dans la dénégation, un contenu de représentation ou de pensée refoulé peut se frayer une voie jusqu'à la conscience, à condition de se faire *nier*. La négation est une manière de prendre connaissance du refoulé, de fait déjà une suppression *(Aufhebung)* du refoulement, mais certes pas une acceptation du refoulé. et l'essentiel du refoulement persiste. Ainsi, le contenu inconscient peut venir au langage sans être psychiquement conscient ni reconnu, tandis que la fonction intellectuelle se sépare ici du processus affectif. Cette relative dissociation est ce qui permet l'acceptation intellectuelle de ce qui serait affectivement rejeté, donc expulsé ou refoulé ; la fonction intellectuelle de jugement pourra le prendre en compte pour le reconnaître ou le nier, gardant ainsi en elle ce qui pourtant suscite du déplaisir. Si ces processus du moi sont loin d'être toujours conscients, il n'empêche qu'ils nous révèlent **une capacité essentielle de la conscience : celle de prendre acte du déplaisir, et par suite de mener à bien l'épreuve de réalité,** inscrivant ainsi dans le psychisme le principe de réalité et rendant l'humanité capable de connaissance malgré les affects de déplaisir[2].

La « Note sur le "bloc-notes magique" » (1925) est antérieure au texte sur « La négation » comme à *La question de l'analyse profane,* mais elle fait figure de corps étranger par rapport aux développements contemporains qui ont une certaine unité, notamment à partir de la métaphore proposée depuis *Au-delà du principe de plaisir,* celle de la boule protoplasmique et de ses différenciations.

1. *La question de l'analyse profane* (1926e), Paris, Gallimard, 1985, p. 51 ; *OCF* XVIII, p. 21 ; *GW* XIV, p. 225.

2. « La négation » (1925h), *Résultats, idées, problèmes, II,* Paris, PUF, 1984, p. 136-138 ; *OCF* XVII, p. 167-170 ; *GW* XIV, p. 12-14.

Cette fois, c'est la métaphore des inscriptions psychiques qui revient au premier plan pour articuler l'effacement de l'inscription psychique nécessaire à la disponibilité de la perception-conscience, donc son absence de mémoire, et l'inscription des traces mnésiques dans les couches profondes du psychisme où elles seront susceptibles d'associations inattendues, et par suite de resurgissement. Le bloc-notes magique semble présenter un agencement qui serait ainsi une ingénieuse image du fonctionnement de notre psychisme, répartissant les impressions reçues en deux systèmes distincts, mais reliés l'un à l'autre, dont le plus profond seulement porte des traces durables[1]. Le modèle mécanique remplace ici ce qu'on a pu appeler la « métabiologie » de la boule protoplasmique, montrant combien Freud demeure préoccupé tant par l'opposition entre mémoire et conscience que par le mode d'inscription des traces mnésiques dans le psychisme.

Mais la discussion apporte plus lorsque, à la fin, Freud propose une hypothèse sur le fonctionnement de l'appareil perceptif : des innervations d'investissement sont envoyées de l'intérieur par coups rapides et périodiques dans le système perception-conscience, qui est complètement perméable, puis en sont retirées. Investi de cette façon, le système reçoit des perceptions accompagnées de conscience, et conduit l'excitation dans les systèmes mnésiques inconscients ; l'investissement retiré, la conscience s'évanouit. L'inconscient semble ainsi étendre des antennes vers l'extérieur, par à-coups et par l'intermédiaire du système perception-conscience, antennes qu'il retire rapidement après en avoir « dégusté » les excitations. La discontinuité du flux d'innervation rend compte des interruptions, qui, à la différence du fonctionnement du bloc magique, ne viennent pas de l'extérieur (lequel reste toujours perceptible, et en position de contact avec le psychisme) mais de l'intérieur, du fait de l'inexcitabilité périodique du système perceptif. Ce mode de travail discontinu du système Perception-conscience serait

1. « Note sur le “bloc-notes magique” » (1925a [1924]), *Résultats, idées, problèmes, II,* Paris, PUF, 1985, p. 120 ; *OCF* XVII, p. 140 ; *GW* XIV, p. 5.

au fondement de la représentation du temps, ce phénomène premier de conscience[1].

Révisions métapsychologiques

Dans la XXXIe des *Nouvelles conférences d'introduction à la psychanalyse* consacrée à « La décomposition de la personnalité psychique », donc à l'analyse de ses différentes instances, Freud reprend une fois de plus la distinction entre le conscient et le moi, qui ne coïncident pas plus que le refoulé n'est tout l'inconscient. En effet, de grandes parties du moi et du surmoi peuvent rester inconscientes, sont normalement inconscientes. À cette occasion, il devient nécessaire de « réviser totalement notre position sur le problème conscient-inconscient »[2].

Il ne s'agit pas de diminuer la valeur du critère de l'état conscient, sous prétexte qu'il est limité et peu sûr. Car c'est tout ce que nous avons (de même que notre vie n'est pas grand chose, mais c'est la nôtre). « Sans le flambeau de la qualité du conscient, nous serions perdus dans l'obscurité de la psychologie des profondeurs. »[3] Ce qui importe est de revoir l'orientation d'ensemble. Le terme de « conscient » ne pose pas de problème d'intelligibilité, mais il faut distinguer entre ce qui est latent mais peut facilement redevenir conscient, et que l'on dénommera *préconscient*, et ce qui est *inconscient* à proprement parler, qui reste inconnu alors même qu'il est actuellement activé ; sa transposition dans l'état conscient ne s'effectue qu'au prix d'efforts considérables, et peut-être jamais. Le préconscient n'est inconscient qu'en un sens purement descriptif, tandis que l'inconscient véritable est mis en évidence par les rapports dynamiques. À l'intérieur des fonctions du moi, comme de celles du surmoi, **l'état conscient est une qualité psychique éventuelle.**

Dans l'*Abrégé de psychanalyse* (1938), en admettant l'existence d'un appareil psychique bien adapté à son rôle, développé par les

1. *Ibidem,* p. 123 ; p. 143 ; p. 8.

2. *Nouvelles conférences d'introduction à la psychanalyse* (1933a [1932]), Paris, Gallimard, 1984, p. 97 ; *OCF* XIX, p. 153 ; *GW* XV, p. 76.

3. *Ibidem,* p. 98 ; p. 153 ; p. 76.

nécessités de l'existence et « qui ne produit les phénomènes de la conscience qu'en un point particulier et dans certaines conditions », Freud pense avoir établi la psychologie sur des bases analogues à celles de toute autre science. Dans ce domaine comme en tout autre, il s'agit de découvrir derrière les propriétés ou qualités directement perçues des objets, « quelque chose d'autre qui dépende moins de la réceptivité de nos organes sensoriels et qui se rapproche davantage de ce qu'on suppose être l'état de choses réel ». Certes, la réalité demeure à jamais inconnaissable, car il nous faut traduire toutes nos déductions dans le langage de nos perceptions, mais nous cherchons à augmenter le plus possible, par des moyens artificiels, la puissance et le rendement de nos organes sensoriels. Ce que le travail scientifique tire des perceptions sensorielles primaires, c'est « la découverte de connexions et d'interdépendances présentes dans le monde extérieur et qui peuvent, d'une façon quelconque, se reproduire ou se refléter dans le monde intérieur de notre pensée ». Cette connaissance permet de comprendre certains phénomènes du monde extérieur, de les prévoir et parfois de les modifier. Ainsi, en psychanalyse, nous avons pu découvrir certains moyens techniques permettant de combler les lacunes de notre conscience, et nous inférons ainsi des processus en eux-mêmes inconnaissables, tels qu'un souvenir inconscient[1].

Parmi les instances de notre appareil psychique, le moi, relativement connaissable, s'est développé à partir de la couche corticale du ça et prend son point de départ dans la perception consciente. Il soumet à son influence des domaines toujours plus vastes et des couches toujours plus profondes du ça. Persistant à dépendre du monde extérieur, il porte la marque de son origine, et de même que le ça n'a souci que du plaisir, lui veille à la sécurité, se servant des sensations d'angoisse comme d'un signal, et instituant l'épreuve de réalité pour éviter les confusions entre traces mnémoniques et perceptions. « Il lui faut défendre son existence à la fois contre un monde extérieur qui

1. *Abrégé de psychanalyse* (1940a [1938]), Paris, PUF, 1985, p. 72-73 ; *OCF* XX, p. 294-295 ; *GW* XVII, p. 126-127.

menace de le détruire et contre un monde intérieur bien trop exigeant. »[1]

QUESTIONS ET ENJEUX

La psychanalyse relativise la conscience, puisqu'elle montre ses lacunes et refuse de l'assimiler à « psychique ». Elle n'en est pas moins notre seul accès aux phénomènes psychiques, et si l'objectif de la psychanalyse est de permettre au moi de s'approprier davantage de territoires relevant initialement du ça, la conscience est directement sollicitée.

Deux thèses caractérisent la conception freudienne de la conscience : le conscient et la mémoire s'excluent mutuellement ; la conscience est l'organe des sens pour la réalité psychique. La *première thèse* semble s'opposer directement aux conceptions philosophiques de l'époque (Bergson). En fait, Freud décompose le fonctionnement psychique, distingue les différentes fonctions de l'appareil psychique, et c'est dans cette perspective que les délimitations fonctionnelles entre systèmes distincts prennent sens. La différence qui lui importe tient à ce que la conscience, qui est du côté de l'écoulement et de l'immédiat, a à voir avec la perception et la motricité, tandis que la mémoire rend compte des inscriptions psychiques inconscientes. La *seconde thèse* est essentielle : la conscience n'est pas un organe actif de la pensée, mais elle perçoit certaines réalités psychiques, notamment les mouvements de plaisir et de déplaisir, et peut, dans certaines conditions, percevoir les excitations, les images (de rêve par exemple) et les pensées internes ; elle est ainsi à la fois une autre forme de perception, et le complément naturel de la perception.

Au total, Freud témoigne tout au long de son œuvre, d'une remarquable fidélité à ses vues initiales sur la conscience (dès *L'interprétation des rêves*), la considérant comme un organe de perception interne. Les élaborations de la *Métapsychologie* en dégagent les enjeux essentiels. À partir de 1923, les adaptations à la *seconde topique* accentuent le caractère subordonné de l'opposition conscient/inconscient par rapport

1. *Ibidem*, p. 77 ; p. 297-298 ; p. 130.

à la différenciation entre instances psychiques. Néanmoins, d'une part la conscience garde sa fonction subjective de seul accès aux processus psychiques, d'autre part, c'est alors seulement que la question du devenir-conscient est pleinement appréhendée. L'*Abrégé de psychanalyse* témoigne de la permanence de l'investissement de Freud pour la question de la perception et de la conscience comme conditions et limites de la connaissance. Sa perspective souligne notre connaissance de plus en plus fine et rigoureuse des phénomènes, mais aussi l'impossibilité d'accéder à la chose en soi et de dégager notre connaissance de la réalité des procédures sensorielles de notre contact avec le monde – elle est rigoureusement kantienne en ce qui concerne la compréhension de la perception, mais se distingue de Kant par une perspective pragmatique beaucoup plus empiriste : définir la conscience comme un organe de perception du psychique, c'est la considérer comme une surface réceptrice, non comme une activité de pensée, ce dont Freud est parfaitement conscient. Ce faisant, il dépossède la conscience de sa fonction rationaliste traditionnelle, transférant très consciemment la dynamique du psychisme sur les inscriptions des traces mnésiques, sur les processus primaires et leurs capacités d'association et sur le mouvement vers l'accomplissement de souhait (plus tard sur les motions pulsionnelles).

Une ambiguïté demeure autour de la question du **système perception-conscience** : tantôt il est pris comme première forme immédiate de « conscience » (aussitôt abolie puisqu'elle n'a pas de mémoire) lors du contact avec la réalité externe, et se distingue ainsi d'une conscience secondaire, tantôt il est une désignation globale, essentiellement perceptive, mais qui par analogie s'applique également à la conscience des processus internes, qui ne peut percevoir les états internes que par la médiation du préconscient, en particulier par les traces verbales. Les rapports entre la conscience et l'affect ne sont abordés qu'en 1915 dans « L'inconscient », puis réévalués en 1923 dans *Le moi et le ça*. Dans les débats psychanalytiques postfreudiens, ni la conception de la conscience comme organe de la perception interne, ni les rapports entre la conscience et l'affect ne semblent avoir été pleinement pris en compte.

Si Freud relativise la conscience et surtout la dépouille de son caractère actif, il ne sous-estime jamais l'**importance de la perception.** Le contact avec le monde extérieur, qui en première topique est l'une des raisons du refoulement et de la formation des symptômes, reste essentiel en seconde topique, aussi bien en tant qu'il est l'une des dépendances du moi que dans la nécessité de l'épreuve de réalité. Il est essentiel à la constitution de la réalité psychique comme à ses destins. En même temps, Freud dialectise la perception : si un premier contact perceptif accompagne la constitution de premières traces mnésiques, la perception n'est jamais réceptivité passive ; elle suppose un investissement de l'extérieur, surgi sur fond d'une quête de ce qui a déjà été éprouvé et s'est trouvé perdu. La perception suppose la mise en œuvre d'un jugement d'existence, et convoque tout l'investissement psychique relatif à l'hallucination de la satisfaction et à l'objet perdu. C'est dans un mouvement partiellement régressif vers l'hallucination de l'objet perdu, régression interrompue pour faire le détour d'une quête à l'extérieur de l'identité de perception que l'objet extérieur susceptible d'apporter la satisfaction est finalement perçu. Et c'est en interrompant le mouvement psychique d'évitement du déplaisir, celui qui fait cracher l'objet haï, que peut être perçu puis pensé l'objet qui suscite du déplaisir. La perception est ainsi une dynamique complexe, qui met en œuvre les mouvements pulsionnels, leurs retournements, et la capacité de jugement dont la forme la plus élémentaire est la reconnaissance des identités de perception. Elle est la première forme d'épreuve de réalité et elle permet de transformer le principe de plaisir en une capacité de prise en compte de la réalité, en un principe de réalité.

À l'intérieur des fonctions du moi, comme de celles du surmoi, l'état conscient est une **qualité psychique éventuelle.** Il permet en outre l'interrogation sur le fonctionnement psychique, à la manière d'un flambeau dans l'obscurité : il est donc ce qui rend possible la réflexivité, et surtout la connaissance. Mais ces capacités fonctionnelles de la conscience supposent la complexité des processus de perception qui la déterminent elle-même en tant qu'elle est, elle aussi, un organe de perception, tourné non vers l'extérieur mais vers les qualités psychiques.

Dominique Bourdin

CONSTRUCTION-RECONSTRUCTION

all. : ***Konstruktion-Rekonstruktion.*** – angl. : *construction-reconstruction.* – esp. : *construcion-reconstrucion.* – ital. : *costruzione-ricostruzione.* – port. : *construção-reconstrução*

La construction évoque la mesure de travail dans la cure, requis de l'analyste comme du patient, tant pour retrouver son passé que pour refaire son histoire ; entreprise qui peut requérir une certaine forme d'éducation préliminaire. Plus que celui d'un architecte, le travail de l'analyste rappelle celui de l'archéologue restituant un monument, voire une cité à partir de ces débris et fragments dispersés ; ce qu'il retrouve est fait d'associations d'idées, de souvenirs oubliés, de quêtes de traumatismes et d'autres traces plus ou moins patentes. Le matériau est largement fantasmatique, voire fantastique, mais la construction recherchée n'est ni un puzzle, ni un échafaudage théorique ; Freud la compare à l'image de la Rome « reconstruite » de l'archéologue où les sept villes historiques successives se superposent[1] dans une vision unique. Pour le psychanalyste, rien de la vie psychique ne peut disparaître ; les restes peuvent toujours être ramenés au jour, un jour, reconstruits.

MISE EN SITUATION

*La **construction** (comme le clivage) fait partie de ces notions dont Freud use tôt, les mots lui venant tout naturellement sous la plume sans guère éprouver le besoin de les justifier, idées qu'il délaisse ensuite sans s'en expliquer, pour les retrouver bien plus tard au terme d'une réflexion, associée ou évocatrice, dotées alors d'une aura qui peut surprendre. Le mot de « construction » apparaît dès 1895 ; la notion elle-même attendra les toutes dernières années de la vie de Freud pour être exposée et développée, dans ce qu'il désigne comme une « justification » d'une quinzaine de pages au titre explicite de « Constructions dans l'analyse » ; il entend y « présenter en détail comment pendant le traitement analytique nous évaluons le "oui" et le "non" du patient, [...] l'intention du*

1. *Malaise dans la civilisation* (1930a [1929]), Paris, PUF « Quadrige », 1995, p. 10-11 ; *OCF* XVIII *[Le Malaise dans la culture]*, p. 254-255 ; *GW* XIV, p. 426-427.

travail analytique étant d'amener le patient à lever les refoulements des débuts de son développement »[1]. *Exercice plutôt rare chez Freud, ce travail a une visée concrète, pédagogique, encore plus pratique que technique.*

En ces temps, il se bat contre le cancer mais, durant ses deux dernières années, il rédige ce que l'on doit considérer comme ses testaments psychanalytiques : l'Abrégé de psychanalyse *pour ce qui en est de la théorie, « Le clivage du moi dans le processus de défense » qui explore les processus, « L'analyse avec fin et l'analyse sans fin » pour évaluer l'efficacité thérapeutique de la cure, et enfin « Constructions dans l'analyse » pour indiquer la conduite et la technique de la psychanalyse. Jusque-là, il a plutôt négligé cette dernière approche, se bornant à quelques indications éparses ; cette fois, il entend être précis et complet autant qu'il est possible, direct sans s'encombrer de prudences superfétatoires. C'est là, en somme, une mise au point ; elle mérite que l'on s'y attarde quelque peu, d'autant qu'elle semble avoir été parfois traitée avec désinvolture par quelques commentateurs.*

LE TEXTE FREUDIEN

Dès les *Études sur l'hystérie* Freud évoque les « résistances », le « refoulement » face à la « réminiscence pathogène » rencontrée, « l'étroitesse de la conscience dont le défilé se trouve obstrué », amenant le psychothérapeute à « reconstituer l'organisation présumée pathogène [... travail qui peut être] comparé à quelque jeu de patience »[2] (à entendre au sens de « jeu de construction »). C'est plutôt dans ses travaux cliniques que, pour évoquer son travail d'analyste, il recourt au terme de « construction, ou plutôt de reconstruction ». C'est ainsi que dans la cure de l'homme aux

1. « Constructions dans l'analyse » (1937d), *Résultats, idées, problèmes, II*, Paris, PUF, 1984, p. 269-270 ; *OCF* XX, p. 61 ; *GW* XVI, p. 44.

2. *Études sur l'hystérie* (1895d), Paris, PUF, 1985, p. 236 ; *OCF* II, p. 318 ; *GW* I, p. 296.

loups il précise que « ces scènes infantiles ne sont pas reproduites au cours de la cure sous forme de souvenirs mais s'avèrent le résultat d'une reconstruction » ; en effet, le patient rapporte un grand nombre de souvenirs de sa petite enfance, « ces souvenirs auparavant inconscients n'ont même pas toujours besoin d'être vrais », **ces scènes très précoces « pouvant prétendre à une extraordinaire signification dans l'histoire du cas, ne sont généralement pas reproduites sous forme de souvenirs mais doivent pas à pas et avec peine être devinées – reconstruites** ». Alors chez le patient, lui-même pris dans le travail d'analyse, « s'établit peu à peu une conviction de la réalité de ces scènes originaires »[1]. Ainsi l'analyse de l'accomplissement du fantasme « pervers » d'« Un enfant est battu » conclut que sa deuxième phase d'élaboration, « en un certain sens, n'a jamais eu d'existence réelle ; elle n'est en aucun cas remémorée, elle n'a jamais porté son contenu jusqu'au devenir conscient ; elle est une construction de l'analyse, mais n'en est pas moins une nécessité »[2]. Cette construction est à entendre en son sens premier, sa pratique semble en être familière ; elle est comme le constat d'une évidence qui n'avait, jusque-là, guère appelé les commentaires.

L'analyse de l'homme aux rats montre le travail de construction interprétative, plus particulièrement de sa phase préparatoire qui est comme une « introduction à la compréhension de la cure »[3] ; ainsi, après que lui aient été expliquées les différences entre conscient et inconscient, il avance lui-même l'hypothèse d'une « désagrégation de sa personnalité », ce que Freud approuve en développant l'idée « que l'inconscient, clivé du conscient, c'est l'infantile en nous » ; puis il

1. « Extrait de l'histoire d'une névrose infantile (L'homme aux loups) » (1918b [1914]), *Cinq psychanalyses*, Paris, PUF, 1954, p. 361 ; *OCF* XIII (2e éd.), p. 48-49 ; *GW* XII, p. 79-80.

2. « Un enfant est battu. Contribution à la genèse des perversions sexuelles » (1919e), *Névrose, psychose et perversion*, Paris, PUF, 1973, p. 225 ; *OCF* XV, p. 126 ; *GW* XII, p. 204.

3. « Remarques sur un cas de névrose obsessionnelle (L'homme aux rats) » (1909d), *Cinq psychanalyses*, Paris, PUF, 1970, p. 211 ; *OCF* IX, p. 143 ; *GW* VII, p. 390.

« juge utile » d'expliquer d'autres idées théoriques concernant les pensées de mort du patient à l'égard de son père : **de telles constructions lui paraissent alors nécessaires**, précisément chez ce patient qui est un remarquable constructeur. Nous retrouvons le même travail préparatoire, de recherche de « l'enchaînement des faits », essentiel à l'approfondissement du travail dans la cure, chez l'homme aux loups : « une longue éducation fut nécessaire » pour l'amener à prendre une part personnelle au traitement. Freud explicite le développement d'une construction à partir de souvenirs–écrans qui sont l'expression du complexe de castration. « **Communiquer une telle construction ne comporte absolument aucun danger** » ; à condition que l'analyste ne s'obstine pas dans quelque erreur, une construction fausse n'a tout simplement pas d'effet et ne nuit pas ; peut-être même peut-elle permettre d'approcher la vérité historique : « la carpe de la vérité a été attrapée grâce à l'appât du mensonge » (Polonius).

Freud prône donc **l'éducation, la préparation préliminaire avant d'engager une analyse**, comme une sorte d'apprentissage de la méthode analytique, et plus particulièrement de sa part constructive (l'exemple en est l'enquête menée sur la chronologie des souvenirs rattachés au rêve central de l'arbre aux loups) ; de cette analyse, d'une grande complexité, nous retiendrons qu'elle associe étroitement reconstruction et interprétation. La découverte de « scènes » (et non des souvenirs), avant tout la *scène originaire*, provient d'une véritable construction complexe et constamment remaniée, où les rêves jouent un rôle considérable, permettant ainsi « que **se forme peu à peu, chez lez patients eux-mêmes, une ferme conviction touchant à la réalité de ces scènes originaires**, conviction qui ne le cède en rien à celle fondée sur le souvenir » [1].

Ce n'est donc qu'à la fin de son œuvre que Freud entreprend de fixer la pratique de la cure dans « Constructions dans l'analyse ». Il le fait d'ailleurs à une curieuse occasion, provoquée par « un propos

1. « Extrait de l'histoire d'une névrose infantile (L'homme aux loups) » (1918b [1914]), *Cinq psychanalyses*, Paris, PUF, 1954, p. 361 ; *OCF* XIII (2e éd.), p. 49 ; *GW* XII, p. 80.

aussi blessant qu'injuste au sujet de notre technique analytique », attaque d'autant plus insupportable qu'elle émane d'un « savant d'un grand mérite [qu'il a] toujours eu en grande estime parce qu'il a rendu justice à la psychanalyse » ; le reproche tient à ce que lorsque les analystes interprètent, ils agissent avec leurs patients selon le principe du « face je gagne, pile tu perds », et ont donc toujours raison. Ulcéré, Freud entreprend de « présenter en détail comment pendant le traitement analytique nous évaluons le "oui" et le "non" du patient » en réponse à nos interprétations, ajoutant « qu'en lisant cette justification aucun praticien n'apprendra rien qu'il ne sache déjà »[1]. Peut-être... Et pourtant il lui parut nécessaire de rédiger une « justification », exercice d'autant plus surprenant que c'est, à vrai dire, la première fois (la seule ?) où Freud s'attarde à une étude aussi attentive de la pratique et de la technique de la cure, de ses manières, de ses intentions et propositions, de ses préceptes et devoirs.

La concrétude de l'opération s'explicite par le choix des mots pour en rendre compte : les « matériaux » mis à la disposition de l'analyste, la « matière première » qu'il doit travailler, le « matériel » qu'il traite pétri de « motions affectives »... Mais *ce* travail sur *cette* matière-là a ceci de bien particulier que c'est celui d'une personne sur une autre qui lui est tout à fait étrangère ; cela s'illustre de la comparaison avec « deux pièces entièrement distinctes qui se jouent sur deux scènes séparées et concernent deux personnages dont chacun est chargé d'un rôle différent ». Quelle gageure ! Seul le transfert peut être ici un recours pour l'analyste. « **Il faut que, d'après les indices échappés à l'oubli, il devine ou, plus exactement, il construise ce qui a été oublié.** La façon et le moment de communiquer ces constructions à l'analysé, c'est ce qui constitue la liaison entre les deux parties du travail analytique, celle de l'analyste et celle de l'analysé ». Plus que celui de l'architecte, « son **travail de construction ou, si l'on préfère, de reconstruction** présente une ressemblance profonde avec celui de l'archéologue », mais lui dispose

1. « Constructions dans l'analyse » (1937d), *Résultats, idées, problèmes, II*, Paris, PUF, 1984, p. 269 ; *OCF* XX, p. 61 ; *GW* XVI, p. 43.

de plus de ressources en matériaux car il travaille sur du vivant, capable de répondre.

L'attitude de Freud apparaît alors assez volontariste : puisqu'il « est douteux qu'une formation psychique quelconque puisse vraiment subir une destruction totale, c'est une simple question de technique analytique que de déterminer si on réussira à faire apparaître entièrement ce qui a été caché »[1]. Encore convient-il de s'assurer de la véracité de ce qui se découvre ; les garants ne sauraient en être ni l'approbation du patient, ni son refus ou sa dénégation. Le « oui », par exemple, ne peut être pris en compte que s'il est suivi par des confirmations indirectes, telles que l'apparition de nouveaux souvenirs ou associations ; le « non » peut signifier que la construction est incomplète ; les confirmations indirectes par des associations ou un acte manqué s'insinuent dans la contradiction. L'analyste fait grand cas de l'attitude de l'analysé ; une remarque de celui-ci peut conforter au mieux la pertinence de l'intervention, tel un « "je n'aurais jamais pensé à cela" que l'on peut sans hésiter traduire par oui, vous avez dans ce cas touché juste »[2] ; mais les réactions sont le plus souvent équivoques et nous ne revendiquons aucune autorité pour notre construction. D'ailleurs, le chemin qui en part et devrait conduire au souvenir n'y aboutit pas toujours ; « en revanche **une analyse correctement menée convainc fermement le patient de la vérité de la construction, ce qui a le même effet thérapeutique** »[3]. L'obtention de la conviction n'est du reste pas le but premier de la construction ; elle n'est qu'une supposition, en attente de confirmation ou de rejet.

Il arrive, chose d'abord surprenante, qu'une construction pertinente fasse « émerger des souvenirs très vivaces que les patients qualifient d'"excessivement nets" », portant sur des détails voisins ; on a pu penser qu'ils résultaient de l'effet combiné de la poussée du

1. *Ibidem*, p. 270-272 ; p. 63-64 ; p. 46-47.
2. *Ibidem*, p. 275 ; p. 66-67 ; p. 50-51.
3. *Ibidem*, p. 277-278 ; p. 70-71 ; p. 53-54.

refoulé et de la résistance. Ces souvenirs auraient pu être qualifiés comme « hallucinations sans croyance » mais, chose intéressante : il y a « présence occasionnelle de véritables hallucinations dans d'autres cas », ce qui conduit Freud à se demander si certaines hallucinations ne pourraient pas être « le retour d'un événement oublié des toutes premières années » ? Il poursuit : **les délires pourraient-ils alors être considérés comme « équivalents aux constructions faites dans l'analyse » ?** On pourrait ainsi remplacer un morceau de réalité déniée dans le présent par un autre morceau dénié précocement dans l'enfance.

Peut-être en va-t-il de même pour l'humanité qui a, « elle aussi, développé des délires inaccessibles à la critique logique et contredisant la réalité ; s'ils peuvent malgré tout exercer un empire extraordinaire sur les hommes, la recherche conduit à la même conclusion : leur pouvoir provient de leur contenu de *vérité historique* qu'ils ont été puiser dans le refoulement de temps originaires oubliés »[1].

QUESTIONS ET ENJEUX

Freud insiste sur quelques recommandations concrètes, que l'on pourrait presque dire « de bon sens » ; ainsi faut-il veiller à ne pas confondre ce que nous savons avec ce que le patient sait, son savoir ne lui permettant pas nécessairement de saisir les implications d'une intervention. Nous devons donc attendre avant de communiquer ce que nous pensons avoir deviné ; attendre que le patient soit lui-même si prêt de les saisir qu'il ne lui reste plus qu'un pas à faire pour cette décisive synthèse[2]. La construction est un aboutissement ; elle nécessite un apprentissage préalable, voire une post-éducation, proposés avant toutes constructions. C'est là une prescription constante ; ainsi en 1916, à propos de l'avancée

1. *Ibidem*, p. 280-281 ; p. 73 ; p. 55.

2. *Abrégé de psychanalyse* (1940a [1938]), Paris, PUF, 1967, p. 46 ; *OCF* XX, p. 271 ; *GW* XVII, p. 104.

allant du principe de plaisir au principe de réalité : « Dans cette œuvre d'éducation le médecin assume le rôle de cet autre efficient ; souvenons-nous qu'il est habituel en psychanalyse de mettre ce qui est à l'origine et à la racine en lieu et place de ce qui est dérivé et atténué, et disons que le médecin se sert dans son œuvre d'éducation de telle ou telle composante de l'amour. Il ne fait vraisemblablement que répéter, lors d'une telle post-éducation, le processus qui a somme toute rendu possible la première éducation. »[1] Et la neutralité, dans tout cela, qu'en advient-il ? À l'exemple de Freud, on peut tenter une comparaison et, suivant sa référence à l'éducation, dire qu'il en va là comme pour la laïcité : il ne s'agit nullement d'être sans opinion, bien au contraire, mais d'avoir un plein respect de l'autre : de demeurer neutre. « L'éducation à la psychanalyse » serait, en somme, une mise en confiance, une façon de s'assurer que l'on peut s'entendre, que le langage peut être commun. Si cela ne s'énonce plus guère, on peut penser que ça se pratique encore spontanément.

On pourrait presque opposer les constructions aux associations si, en fait, elles ne se complétaient pas ; on retrouve ainsi les « deux scènes » dont parle Freud. En fait, il y a bien complicité, écho, voire dialogue implicite ; c'est bien ce qu'il évoque en référant les « associations qui répondent au contenu de la construction »[2]. Plus questionnant est la différence entre construction et *interprétation*, ce dernier terme étant privilégié par les analystes, et de beaucoup ; l'interprétation, donc, vise « un élément isolé du matériel », alors qu'on peut « parler de construction quand on présenta à l'analysé une période oubliée de sa préhistoire »[3] ; c'est ce travail préliminaire qui serait fondamental. Le moins qu'on puisse dire est qu'il tend parfois à s'estomper dans les pratiques contemporaines – mais ce serait là une autre discussion…

Cet énoncé construit par l'analyste est présenté comme ayant une grande force de conviction, ce qui ne va pas sans nous faire

1. « Quelques types de caractère dégagés par le travail psychanalytique » (1916d), *L'inquiétante étrangeté et autres essais*, Paris, Gallimard, 1985, p. 140 ; *OCF* XV, p. 16 ; *GW* X, p. 365.

2. « Constructions dans l'analyse » (1937d), *Résultats, idées, problèmes, II*, Paris, PUF, 1984, p. 276 ; *OCF* XX, p. 68-69 ; *GW* XVI, p. 52-55.

3. *Ibidem*, p. 273 ; p. 65 ; p. 49.

penser à de la suggestion ? Freud s'en défend vigoureusement : « Je puis affirmer que jamais un tel abus de la "suggestion" ne s'est produit dans ma pratique analytique »[1]. Bien, mais chez les autres ? Quoi qu'il en soit, on peut remarquer l'évolution, comme une progression théorico-pratique de Freud, suivant le parcours *suggestion-interprétation-construction* qui, peut-on penser, pourrait avoir quelques implications. En conclusion de son œuvre, il semble bien avoir élu la construction comme la plus psychanalytique – ou avoir plutôt élu, il y insiste : la *reconstruction*. Mais *quid* de ce « re » ? Sans doute s'agit-il d'abord de la différence fondatrice entre architecture et archéologie : de la fonction déterminante de l'histoire. La construction peut être affaire d'imaginaire, la reconstruction est tributaire du passé ; en somme, elle est prédéterminée. Mais c'est là aussi un problème de pratique, voire de technique : que doit se proposer l'analyste ? À quoi s'autorise-t-il pour y parvenir ? Y a-t-il un critère de vérité ? Où cela se passe-t-il ?

En quel lieu ? Ou plutôt : en quelle instance ? C'est bien évidemment là une question au *moi*, une question de *moi*. Nous sommes ici renvoyés à une assertion de Freud assignant sa tâche au psychanalyste dans la cure : « *Wo es war, soll ich werden* ». « Là où il y a du ça, il faut du moi ». Nous nous abstiendrons ici d'évoquer les querelles traductologiques qui eurent là-dessus leur heure de gloire pour nous en tenir au sens qui, quelle que soit la forme, demeure clair et patent. Il s'agit bien là d'une question de construction, et comme le matériau de base (le *ça*) est tout sauf indifférent, *c*'est prédéterminé ; il ne peut donc s'agir que de la *reconstruction du moi*. « Plus la construction concorde avec les détails du fait oublié, plus il est facile au patient de nous donner son assentiment. En l'occurrence, notre savoir est devenu le sien. »[2]

Pierre CHAUVEL et Claude LE GUEN

1. *Ibidem*, p. 274 ; p. 66 ; p. 50.

2. *Abrégé de psychanalyse* (1940a [1938]), Paris, PUF, 1967, p. 47 ; *OCF* XX, p. 271 ; *GW* XVII, p. 104.

Contrainte → Névrose obsessionnelle → Névroses et choix de la névrose

Contre-investissement → Investissement

Contre-transfert → Transfert et contre-transfert

COUPLES D'OPPOSÉS (polarités)

all. : ***Gegensatzpaar.*** – angl. : *pair of opposites.* – esp. : *par antitetico.* – ital. : *coppia d'opposti.* – port. : *par antitetico*

Les couples d'opposés sont des formations pulsionnelles représentant un destin de la pulsion et en organisant l'évolution, ce dont rendent compte tant la clinique que le fonctionnement psychique. Ils s'originent dans les plus anciennes pulsions partielles, qui forment régulièrement de tels couples (tel : manger-être mangé). Freud se réfère surtout aux couples d'opposés du sadisme-masochisme et de l'exhibitionnisme-voyeurisme, mais ne s'y limite pas ; tous mettent en jeu l'opposition moi - non-moi, et sont construits selon le couple actif-passif, sur lequel s'étaiera le masculin-féminin. Le refoulement lui-même procède de l'accouplement entre une motion consciente et une motion antagoniste, refoulée et inconsciente. En se génitalisant, et sous l'emprise de l'opposition plaisir-déplaisir, les pulsions partielles aboutissent à l'opposition majeure de l'amour et de la haine ; celle-ci implique le moi-total, mais ne saurait se réduire à un seul couple : elle pose, de fait, trois oppositions. Au couple amour-haine peut répondre celui entre Éros et la pulsion de destruction, mais la correspondance avec la pulsion de mort s'avère plus problématique.

MISE EN SITUATION

La traduction par « couple d'opposés » du Gegensatzpaar *allemand put être critiquée car, si l'opposition ne fait guère problème, certains purent penser que* Paar *serait mieux traduit par « paire » (à l'instar de ce que font Anglais et Espagnols). On peut leur objecter que si l'allemand dispose bien du mot* Koppel, *il tend à le réserver aux « couples d'animaux », le couple d'humains formant plutôt une* Paar *(nous avons là comme de faux amis). Surtout, la langue française, et les lexicographes, veulent que « couple » impose l'idée de « liaison parfaite et arbitraire de deux éléments de la même espèce » et « ne se dit pas de deux choses semblables qui vont nécessairement ensemble comme les chaussures, les gants : ceux-ci forment une paire ». Or, si sadisme/masochisme, amour/haine et les autres, « vont ensemble » (presque nécessairement, pourrait-on dire), ils ne sauraient être « semblables » : c'est même leur « opposition » qui les unit – alors que la seule envisageable dans les paires porte au mieux sur une latéralité et jamais sur un conflit : lequel y aurait-il entre un gant droit et un gant gauche ? En revanche, il va de soi que tout couple humain porte en lui les raisons d'opposition et de conflit. On peut aussi remarquer que l'utilisation du « couple » par les physiciens fournit une définition correspondant assez bien à l'acception freudienne du* Gegensatzpaar, *en le désignant comme un « ensemble de deux forces parallèles égales entre elles, de sens contraire, agissant en deux points invariablement liés entre eux » ; selon cette acception, l'expression « couple d'opposés » serait pléonastique, mais est-ce vraiment fâcheux ? Quoi qu'il en soit, elle apparaît pertinente et a d'ailleurs été consacrée par l'usage, sa redondance même en accentuant l'expressivité.*

Les couples d'opposés sont l'expression directe des « convictions dualistes » de Freud, toujours réaffirmées, fondant le fonctionnement psychique (et la psychanalyse) sur les conflits entre forces opposées, dans ce que nous nommerions plutôt une dialectique. Dès l'apparition du terme en 1905, la notion est liée aux mouvements pulsionnels, et elle le demeurera (cela s'illustre sans doute au mieux avec la Métapsychologie *où une large moitié de l'essai « Pulsions et destins des pulsions » lui est consacrée). Il s'agit d'un concept dynamique, impliquant des forces (jusque dans les opposés actif-passif) dont l'opposition n'est pas fortuite, prédéterminée par leur nature commune, construisant une situation d'équilibre fût-il précaire (c'est là le « moment » du couple, au sens des physiciens) ; il fournit les différents tableaux du fonctionnement pathologique ou normal. Ce modèle se retrouve dans le refoulement où sont associées l'attraction et la répulsion.*

La notion de couple d'opposés engage des rapports étroits avec ceux d'ambivalence et de renversement, et il pourrait sembler justifié de rassembler ces différents termes dans une seule entrée de ce dictionnaire ; nous avons cependant préféré les disjoindre car, si Freud les associe souvent, il sut réserver à chacun sa spécificité. En revanche, nous avons pensé devoir y intégrer la polarité qui, plus qu'une notion distincte, apparaît sous la plume de Freud comme un synonyme du couple d'opposés (particulièrement dans « Pulsions et destins des pulsions », mais aussi dans Au-delà du principe de plaisir*). Ce terme est emprunté aux sciences physiques, où il désigne « l'état d'un système dont deux points présentent des caractéristiques différentes, opposées ou distinctes » – ce qui, effectivement, pourrait servir de définition au couple d'opposés.*

LE TEXTE FREUDIEN

La notion, voire le terme, sont présents dans la réflexion de Freud dès le temps de rédaction de *L'interprétation des rêves,* comme en témoigne une lettre à Fliess du 2 mars 1899 où il désigne comme points principaux de son travail « la réalisation du désir et le couplage des contraires » ; il est vrai qu'il ajoute aussitôt que l'incertitude est vaste et que les problèmes abondent[1]. Nous retiendrons néanmoins qu'en privilégiant ainsi le « couplage des contraires », au même titre que la « réalisation du désir » (sa « découverte » princeps du moment), il montre clairement la place qu'il entend lui accorder dans son œuvre (remarquons que *L'interprétation des rêves* ne mentionnera pas les couples d'opposés, même si la notion s'avère proche de celle de « renversement dans le contraire », base du travail du rêve et de son interprétation). C'est ce qu'il confirme en introduisant le terme en 1905 dans les *Trois essais sur la théorie sexuelle* ; il le fait à propos des perversions et, plus précisément, du *sado-masochisme*

1. *La naissance de la psychanalyse. Lettres à Wilhelm Fliess. Notes et plans (1887-1902)* (1950a [1887-1902]), Paris, PUF, 1956, p. 248.

qui témoigne de la conjonction de la forme active et de la forme passive, même si l'une peut être plus développée que l'autre : nous avons là un *couple d'opposés,* comme il en va fréquemment chez les pervers mais, au-delà, cette notion « **peut prétendre à une signification théorique importante** ». Ce couple sadisme-masochisme ne saurait se limiter à une adjonction d'agression au plaisir, la simultanéité des oppositions devant plutôt être mise en rapport avec celle du masculin et du féminin réunis dans la *bisexualité* – qui renvoie d'ailleurs elle-même au *couple actif-passif.* À l'origine de la formation des symptômes on trouve des *pulsions partielles,* apparues sous forme de couples d'opposés et présidant à l'avènement de nouveaux buts sexuels. Ajoutons que toute perversion « active » s'accompagne de son pendant « passif » : celui qui est exhibitionniste dans son inconscient est aussi voyeur ; celui qui refoule des motions sadiques trouve dans d'autres, masochistes, de quoi alimenter ses symptômes[1].

Les récits cliniques offrent l'occasion d'annoncer les avancée théoriques. C'est ainsi que la même année 1905 (dans « Dora ») le processus, approfondi, peut être rattaché au *refoulement,* celui-ci tendant à renforcer à l'excès une pensée qui s'oppose à celle qui est indésirable (pensée réactionnelle) ; les deux pensées opposées sont ainsi « **accouplées de telle sorte que l'une soit très intensément consciente, tandis que son antagoniste demeure refoulée et inconsciente** »[2]. C'est un autre « cas » (« Le petit Hans ») qui permet de confirmer en 1909, avec la coexistence de la haine et de l'amour, que « la vie de sentiments des humains est bel et bien composée de tels couples d'opposés » ; s'il en était autrement, refoulement et névrose n'auraient peut-être pas lieu[3]. La même année, une autre « psychanalyse » (« L'homme aux rats ») pointe le conflit de deux tendances contradictoires dans les

1. *Trois essais sur la théorie sexuelle* (1905d), Paris, Gallimard, 1987, p. 72 et 81-82 ; *OCF* VI, p. 93 et 100-101 ; *GW* V, p. 59 et 66.

2. « Fragment d'une analyse d'hystérie (Dora) » (1905e [1900]), *Cinq psychanalyses,* Paris, PUF, 1954, p. 39 ; *OCF* VI, p. 234-235 ; *GW* V, p. 215.

3. « Analyse d'une phobie chez un petit garçon de cinq ans (Le petit Hans) » (1909b), *Cinq psychanalyses,* Paris, PUF, 1954, p. 99-100 ; *OCF* IX, p. 173 ; *GW* VII, p. 346-347.

actes compulsionnels ; point particulier, elles sont alors exprimées en deux temps, le second annulant le premier. En fait, il s'agit toujours de l'opposition entre l'amour et la haine mais, au lieu de recourir au compromis exprimant les contraires, comme dans l'hystérie, ils situent en deux temps les deux tendances contradictoires, tout en tentant de créer entre eux un lien faussement logique[1]. La coexistence de sentiments contraires est bien au centre de l'analyse des obsédés ; si, chez eux, l'amour ne réussit pas à « maintenir son contraire dans le refoulement », c'est parce qu'il semble bien qu'une séparation très précoce des contraires, à l'âge « préhistorique » de l'enfance, accompagnée du refoulement de la haine, ait abouti à cette « constellation » si étrange (qui pourra ensuite être qualifiée d'« ambivalence »). Il ne faut pourtant pas limiter ceci à la névrose obsessionnelle, et l'association de la haine et de l'amour dans l'inconscient joue aussi un grand rôle dans l'hystérie et la paranoïa ; mais nous en savons encore trop peu sur l'amour, et surtout sur le rapport de son facteur négatif à la composante libidinale sadique[2].

Puis, dans « Considérations actuelles sur la guerre et sur la mort », suivant les motions partielles dans leurs développements, inhibitions et détournements, leurs fusions et changements d'objet comme dans leurs renversements, Freud constate l'apparition de formations réactionnelles laissant croire à un changement du contenu (de l'égoïsme à l'altruisme, de la cruauté à la pitié) ; ceci est dû à ce que « **certaines motions pulsionnelles se présentent presque dès le début par couples d'opposés** », aboutissant à cette *ambivalence affective,* encore plus exemplaire avec la réunion de l'amour et de la haine sur la même personne. Pareille éventualité ne peut qu'horrifier le profane. Pourtant, « la nature, en travaillant avec ce couple d'opposés réussit à maintenir l'amour toujours en éveil et dans sa fraîcheur pour l'assurer contre la haine aux aguets derrière lui »[3].

1. « Remarques sur un cas de névrose obsessionnelle (L'homme aux rats) » (1909d), *Cinq psychanalyses,* Paris, PUF, 1954, p. 224 ; *OCF* IX, p. 166 ; *GW* VII, p. 414.

2. *Ibidem,* p. 254-255 ; p. 205-206 ; p. 455-456.

3. « Considérations actuelles sur la guerre et sur la mort » (1915b), *Essais de*

On peut bien dire que nous devons les plus beaux épanouissements de notre vie amoureuse à la *réaction* contre l'impulsion hostile que nous ressentons. Et c'est encore la psychanalyse d'une névrose (« L'homme aux loups ») qui, trois ans plus tard, donne l'occasion de confirmer l'apparition conjointe, dans le développement, des aspirations passives et actives-sadiques, et tout aussi bien de témoigner de l'*ambivalence* de ce patient, apparue « pour la première fois dans le développement égal des couples de pulsions partielles opposées »[1].

Mais entre-temps, la *Métapsychologie* a permis d'**asseoir la théorie, et de l'aboutir en tant que « destin des pulsions ».** Une fois encore, ce sont le *sadisme-masochisme* et le *voyeurisme-exhibitionnisme* qui vont introduire l'approfondissement de la notion de couples d'opposés, associée à celle de renversement. Ils illustrent notamment le *retournement de l'activité à la passivité* dans lequel le renversement ne concerne que les *buts* (par exemple, dans le cas du sadisme et du masochisme, « tourmenter » devient « être tourmenté »), ce qui éclaire le *retournement sur la personne propre,* puisque le masochisme est un sadisme retourné, le masochiste jouissant de la fureur dirigée contre lui : il y a changement d'objet, le but demeurant inchangé. En fait, ces deux processus se confondent. Précisons alors que pour le couple d'opposés sadisme-masochisme, on peut considérer que la violence du sadisme est d'abord un acte de puissance sur un autre pris comme objet ; puis cet objet est abandonné et remplacé par la personne propre, le but pulsionnel actif devenant un but passif ; est alors cherché un objet qui, le but ayant été transformé, doit assumer le rôle du sujet : le masochiste jouit, lui aussi, de la fureur dirigée vers lui. **Non seulement ces renversements successifs lient les deux mouvements, mais leur opposition même permet de les réunir.** Le processus est valable pour toutes les pulsions partielles en couples, et voyeurs et

---

psychanalyse, Paris, Payot, 1981, p. 16-17 et 39 ; *OCF* XIII (2e éd.), p. 136 et 156 ; *GW* X, p. 332 et 353-354.

1. « Extrait de l'histoire d'une névrose infantile (L'homme aux loups) » (1918b [1914]), *Cinq psychanalyses*, Paris, PUF, 1954, p. 340 ; *OCF* XIII (2e éd.), p. 24 ; *GW* XII, p. 51.

exhibitionnistes passent par les mêmes stades lorsqu'ils le développent[1].

Le couple formé par *l'amour et la haine* pose plus de difficultés. Si la relation intime qu'en liaison avec la vie sexuelle engagent ces deux sentiments opposés est assez évidente, tout comme d'ailleurs le constat qu'ils visent très souvent le même objet (fournissant ainsi le meilleur exemple d'ambivalence), il n'en demeure pas moins qu'ils s'accordent difficilement avec notre représentation des pulsions. On ne peut que se refuser à considérer l'amour comme une simple pulsion partielle, on aimerait le voir comme expression de la tendance sexuelle totale ; mais on ne sait alors comment concevoir son contraire. C'est qu'**il n'y a pas une mais trois oppositions à « aimer »** : *aimer-haïr, aimer-être aimé,* et aussi *aimer et haïr opposés à l'indifférence.* Pour bien les comprendre, il faut poser les **trois polarités qui caractérisent la vie psychique, déterminant trois oppositions fonctionnant par couples** : – *l'opposition moi–non-moi,* qui est celle du sujet à l'objet, du moi au monde extérieur, tient au constat que l'action musculaire, pouvant abolir les excitations externes mais ne pouvant rien contre les pulsionnelles, fonde l'activité intellectuelle sans qu'aucun effort puisse la modifier ; – *l'opposition plaisir-déplaisir,* liée aux sensations, détermine le choix de nos actions ; – *l'opposition actif-passif* se fond plus tard dans *l'opposition masculin-féminin,* sans que cette soudure soit vraiment impérative et exclusive. « **Ces trois polarités se nouent de façon très significative les unes aux autres.** »

Pour le comprendre, il faut se référer au développement et, plus particulièrement à la *phase de narcissisme* où la satisfaction est autoérotique, le monde extérieur indifférent. L'amour étant posé comme la relation du moi à ses sources de plaisir, ceci éclaire la première opposition moi–non-moi : le moi autoérotique n'a pas besoin du monde extérieur mais, d'une part il en reçoit des objets en relation avec les pulsions d'auto-conservation, d'autre part il ressent des excitations pulsionnelles internes déplaisantes ; il tend

1. « Pulsions et destins des pulsions » (1915c), *Métapsychologie,* Paris, Gallimard, 1968, p. 25-29 ; *OCF* XIII (2e éd.), p. 174-177 ; *GW* X, p. 219-222.

à expulser celles-ci hors de lui, et à introjecter, à prendre en lui les objets sources de plaisir – c'est là ce qui fonde la deuxième opposition plaisir-déplaisir. Les deux polarités se recouvrent : moi-sujet avec plaisir, monde-extérieur avec déplaisir (qui succède à l'indifférence de l'autoérotisme). Mais **l'entrée de l'objet dans le narcissisme primaire suscite un nouvel opposé à aimer : haïr** ; comme cet objet vient de l'extérieur, la relation à celui-ci s'origine dans la haine : « l'extérieur, l'objet, le haï seraient, tout au début, identiques » ; lorsque l'objet se révélera pouvoir être source de plaisir, il est aimé et incorporé au moi, de sorte que, pour le moi-plaisir purifié, l'objet coïncide à nouveau avec l'étranger et le haï. « Tout comme le couple d'opposés amour-indifférence reflète la polarité moi-monde extérieur, la seconde opposition amour-haine reproduit la polarité plaisir-déplaisir, liée à la première. »

Amour et haine désignent les relations du moi-total aux objets, non pas celles des pulsions à leurs objets. Qui plus est, les objets servant à l'auto-conservation ne sauraient être véritablement aimés (on « aime bien »). L'acte d'*aimer* vise « la pure relation de plaisir du moi à l'objet et se fixe finalement sur les objets sexuels au sens strict ». La relation d'amour ne peut commencer qu'avec la synthèse des pulsions partielles sous le primat de la génitalité. Le mot *haïr* n'implique pas une relation aussi intime à la sexualité ; seule la relation au déplaisir est déterminante : le moi hait et veut détruire tous les objets sources de déplaisir, qu'ils frustrent les besoins de conservation ou la satisfaction sexuelle. Les modèles véritables de la haine ne viennent pas de la sexualité, mais « de la lutte du moi pour sa conservation et son affirmation ». **Amour et haine, bien que se présentant comme constituant une totale opposition, ont des origines différentes et chacun d'eux a suivi son propre développement « avant de se constituer en opposés sous l'influence de la relation plaisir-déplaisir ».**

Si nous rassemblons ce que nous savons de la genèse de l'amour et de la haine, nous pouvons dire qu'à l'origine l'amour est narcissique, puis s'étend aux objets incorporés au moi élargi, exprimant la tendance motrice du moi vers ces objets sources de plaisir (il y a *attraction*). Il se lie intimement aux pulsions sexuelles ultérieures et, leur synthèse accomplie, coïncide avec la tendance sexuelle totale. Les stades préliminaires sont des buts sexuels provisoires : leur premier but connu est *incorporer* ou *dévorer* l'objet ; ensuite, au stade sadique-anale, apparaît l'emprise, qui accepte, elle, de détruire l'objet. Dans ces deux phases *ambivalentes* l'amour se distingue peu de la haine de l'objet ; **ce n'est qu'avec l'organisation génitale que l'amour devient l'opposé de la haine.** Puisqu'elle provient du refus originaire qu'a opposé le moi narcissique au monde extérieur (il y a *répulsion*), **la haine est plus ancienne que l'amour** dans le développement de la relation à l'objet ; réaction de déplaisir face aux objets, elle demeure proche des pulsions d'auto-conservation, si bien que celles-ci peuvent facilement s'opposer aux pulsions sexuelles, répétant l'opposition de la haine et de l'amour. Ainsi, l'amour ne peut qu'être ambivalent, accompagné de motions de haine sur le même objet. Et, lorsque l'amour vient à cesser, il est souvent remplacé par de la haine, donnant alors l'impression de la transformation de l'un dans l'autre, alors qu'il y a en fait régression de l'amour au stade sadique, érotisant la haine et continuant la relation d'amour. Enfin, la transformation d'aimer en être aimé, troisième opposition, correspond à la polarité activité-passivité (voyeurisme et sadisme).

En résumé, disons que les destins des pulsions tiennent à ce que « **les motions pulsionnelles sont soumises à l'influence des trois grandes polarités qui dominent la vie psychique** ». Ce sont : celle de l'activité-passivité que l'on pourrait caractériser comme polarité *biologique,* celle du moi-monde extérieur qui apparaît comme polarité *réelle,* et enfin celle du plaisir-déplaisir qui serait la polarité *économique*[1].

L'essai suivant, sur « Le refoulement », se borne à spécifier que celui-ci, pour réaliser un retrait de libido, utilise la *formation réactionnelle par renforcement d'un opposé,* la formation de substitut coïncidant avec le refoulement mais se séparant, chronologiquement aussi bien que conceptuellement, de la formation de symptôme ; ceci est rendu possible par le rapport d'ambivalence qui marque l'impulsion sadique qui, face à la pulsion tendre, doit être refoulée[2].

1. *Ibidem,* p. 34-44 ; p. 180-187 ; p. 225-232.

2. « Le refoulement » (1915d), *Métapsychologie,* Paris, Gallimard, 1968, p. 62 ; *OCF* XIII (2e éd.), p. 202 ; *GW* X, p. 260.

La conceptualisation des *couples d'opposés* est dès lors aboutie; par la suite, ils seront régulièrement évoqués, leur champ de référence s'étendant d'ailleurs en même temps que celui de la psychanalyse[1]. C'est toujours le même constat, fondé sur ce que Freud appelle sa *conviction dualiste*: la vie psychique, faite de contradictions et de couples d'opposés, est « un lieu de combat » ; constater une tendance amène à rechercher son opposée, le point important étant de reconnaître l'ordonnancement et les articulations entre deux de ces opposés[2].

Réaffirmant cette inspiration dualiste, la nouvelle théorie pulsionnelle va étendre cette polarité à « la grande opposition des pulsions de vie et pulsions de mort » ; celle-ci n'est pas sans évoquer le couple de l'amour et de la haine, bien qu'il soit difficile de parvenir à « mettre en relation ces deux polarités, à ramener l'une à l'autre »[3]. La question se pose alors, non seulement de savoir si l'*ambivalence* pourrait être conçue comme le résultat d'une désunion pulsionnelle, mais surtout de découvrir des relations entre les nouvelles instances (moi, surmoi et ça) et les deux nouvelles pulsions, ainsi que de définir le principe de plaisir, tant par rapport aux unes et aux autres, qu'aux différenciations psychiques ? Les réponses sont incertaines, mais les choses seraient peut-être plus claires si, selon le vœu de Freud, on pouvait, « à la place de l'opposition des deux espèces de pulsions, mettre la polarité de l'amour et de la haine »[4] – ce qu'il n'a pu faire.

Lorsqu'il reprend, en 1926, la clinique de « L'homme aux loups » et du « petit Hans » dans *Inhibition, symptôme et angoisse,* il s'appuie

1. Citons notamment : *Psychologie des foules et analyse du moi* (1921c), *Essais de psychanalyse,* Paris, Payot, 1981, p. 135 ; *OCF* XVI, p. 16 ; *GW* XIII, p. 84-85. – « L'organisation génitale infantile » (1923e), *La vie sexuelle,* Paris, PUF, 1969, p. 116 ; *OCF* XVI, p. 309 ; *GW* XIII, p. 297. – *Sigmund Freud présenté par lui-même* (1925d), Paris, Gallimard, 1984, p. 59 ; *OCF* XVII, p. 82 ; *GW* XIV, p. 61.

2. *Conférences d'introduction à la psychanalyse* (1916-1917), Paris, Gallimard, 1999, p. 99 ; *OCF* XIV, p. 311 ; *GW* XI, p. 311.

3. *Au-delà du principe de plaisir* (1920g), *Essais de psychanalyse,* Paris, Payot, 1981, p. 101-102 ; *OCF* XV, p. 327 ; *GW* XIII, p. 57.

4. *Le moi et le ça* (1923b), *Essais de psychanalyse,* Paris, Payot, 1981, p. 255-256 ; *OCF* XVI, p. 285 ; *GW* XIII, p. 270-271.

encore sur les couples d'opposés pour expliquer tant le refoulement de l'agression sadique que celui de la motion opposée de tendresse passive à l'égard du père[1].

Il appartient à l'*Abrégé de psychanalyse,* en 1938, de résumer la conviction freudienne en accouplant les pulsions et en les situant comme opposées ; au premier rang d'entre elles, bien sûr, nous avons l'Éros et la pulsion de destruction mais, dans le cadre de l'Éros, nous trouvons celles de conservation de soi et de conservation de l'espèce, comme l'autre opposition entre amour du moi et amour d'objet. Cette opposition commence dès les fonctions biologiques où les deux pulsions fondamentales s'opposent ou se combinent : manger détruit l'objet pour l'incorporer, et l'acte sexuel est une agression visant à l'union ; c'est là ce qui donne à la vie toute sa diversité. « Par analogie avec le couple de nos pulsions fondamentales, nous sommes entraînés, au-delà du domaine de la vie, jusqu'au couple d'opposés qui règne dans le monde anorganique : attraction et répulsion. »[2]

QUESTIONS ET ENJEUX

Contrairement à ce qui put s'écrire parfois, les « couples d'opposés » ne sauraient être réduits à une description phénoménologique : ils ont, comme l'écrit Freud assez tôt, *« une signification théorique importante »*[3], ne serait-ce que parce qu'ils sont la figuration exemplaire du « dualisme » dont il fait l'une de ses inspirations épistémologiques majeures. Il est vrai que l'on peut être abusé par l'insistance de la présence clinique des couples d'opposés dans la première moitié de l'œuvre, où ils décrivent explicitement ce qui se rencontre chez les

1. *Inhibition, symptôme et angoisse* (1926d [1925]), Paris, PUF, 1951, note p. 24-25 ; *OCF* XVII, p. 224 ; *GW* XIV, p. 135.

2. *Abrégé de psychanalyse* (1940a [1938]), Paris, PUF, 1985, p. 7-9 ; *OCF* XX, p. 237-238 ; *GW* XVII, p. 70-73.

3. *Trois essais sur la théorie sexuelle* (1905d), Paris, Gallimard, 1987, p. 72 ; *OCF* VI, p. 93 ; *GW* V, p. 59.

patients, à commencer par les cas de voyeurisme-exhibitionnisme et surtout de sadisme-masochisme. Mais, dès 1905 (avec les *Trois essais sur la théorie sexuelle* et « Dora »), ces descriptions visent clairement à ébaucher non seulement la *théorie* de ces « perversions », mais surtout celle du processus lui-même ; celle-ci, étendue au fonctionnement psychique, sera énoncée en 1915 dans la *Métapsychologie* (pour l'essentiel, elle sera toujours maintenue).

La *proximité du concept* avec d'autres peut entretenir une certaine confusion dans sa spécification, notamment avec ceux de renversement et d'ambivalence (nous l'évoquions dès notre introduction), notions qui se recoupent et s'étaient les unes les autres. Nous pourrions aussi référer le refoulement dans le processus duquel la réunion de tendances en opposition joue un rôle déterminant – mais ce serait ici sortir par trop de notre lexème.

Le *renversement* semble parfois être directement à l'œuvre dans certains couples d'opposés. Pour une bonne part, et même s'il y joue un rôle indiscutable, c'est surtout une apparence trompeuse. Ainsi, lorsque est rompue la relation d'amour à un objet, de la haine peut la remplacer ; pourtant, il ne s'agit là que d'une régression de l'amour au stade sadique, donc d'une érotisation de la haine : il y a permanence de la relation d'amour, comme de l'implication de la haine, les deux étant présents dès les débuts [1]. Le renversement suppose une succession temporelle (généralement régressive), voire une alternance, alors que la bipolarité repose sur une simultanéité. Dans l'identification des processus, comme dans leur signification, la distinction est importante ; il n'en demeure pas moins qu'ils peuvent s'intriquer, et le font souvent, tout en conservant leur spécificité.

L'*ambivalence* est, en revanche, plus difficile à individualiser, Freud indiquant explicitement que des couples d'opposés, à commencer par celui formé par l'amour et la haine, aboutissent à ce phénomène très remarquable qu'est « l'ambivalence affective » [2], faisant des deux termes des synonymes. En effet, seuls les buts diffèrent (et donc s'opposent), l'objet demeurant le même (ne devenant ambivalent que du fait des projections) – c'est d'ailleurs là ce qui les distingue

1. « Pulsions et destins des pulsions » (1915c), *Métapsychologie*, Paris, Gallimard, 1968, p. 43-44 ; *OCF* XIII (12e éd.), p. 187 ; *GW* X, p. 232.

2. « Considérations actuelles sur la guerre et sur la mort » (1915b), *Essais de psychanalyse*, Paris, Payot, 1981, p. 17 ; *OCF* XII, p. 136 ; *GW* X, p. 332.

du renversement qui concerne à la fois le but et l'objet. Indiquons pourtant que, si l'on s'attache à repérer le contexte dans lequel Freud use de l'un ou de l'autre terme, il semble bien qu'il parle plutôt d'ambivalence lorsque des sentiments sont directement en cause, et de couples d'opposés lorsqu'il entend impliquer d'abord la pulsion.

La *polarité* est, elle, un véritable synonyme. Freud introduit le mot dans la *Métapsychologie,* où il en use ainsi abondamment ; il le reprendra régulièrement par la suite (et c'est pourquoi nous le mentionnons dans l'intitulé de cet article). Plus encore que le positif et le négatif en électricité (qu'il évoque à l'occasion), il semble avoir à l'esprit le repérage biologique selon lequel la polarité indique les variations ordonnées de caractères des êtres vivants, suivant un certain axe.

Certaines difficultés dans la théorisation apparaissent assez tôt. Elles sont de trois ordres : les unes portent sur la notion de couple, d'autres sur celle d'opposés, les dernières sur leur articulation.

Si le *couple,* dans sa simplicité bipolaire illustrant les pulsions partielles, paraît aller de soi, tout se complique lors de l'évolution qui mène à la génitalisation des pulsions. C'est ce qu'illustre « amour-haine » qui s'origine dans la dualité entre pulsions de conservation du moi (de l'individu), et pulsions de conservations de l'espèce (sexuelles donc). Si le couple amour-haine peut apparaître, à juste titre, comme le modèle même des couples d'opposés, sa bipolarité est mise à mal par le constat que l'amour n'a pas un opposé, mais bien trois : doit-on alors poser trois couples qui auraient un pôle commun, ou bien un seul couple dans lequel l'amour (la libido, pour l'essentiel) subsumerait les diverses oppositions ? Ce ne serait pas sans conséquences pour la dernière théorie des pulsions, mais Freud n'en dit rien. En fait, le couple premier subit l'effet de l'évolution de l'individu, telle qu'elle part de l'opposition pulsions du moi-pulsions sexuelles. L'amour et la haine n'ayant pas de réalité originaire commune, chacun de ces sentiments suit son développement propre, jusqu'à ce qu'ils « se constituent en opposés sous l'influence de la relation plaisir-déplaisir » : c'est elle qui est déterminante, se trouvant à la base tant de la formation du couple que de celle de l'opposition, amour-haine n'en étant qu'une figuration tardive : « Ce n'est qu'avec l'établissement de l'organisation génitale que l'amour est devenu l'opposé de la haine. »

L'*opposition* pose un autre ordre de difficultés. Pour pouvoir s'accoupler, deux termes doivent être complémentaires (comme mâle et femelle, précisément), ce qui ne peut que relativiser leur antinomie. Non seulement, ainsi que l'indique Freud, des opposés ne signifient pas toujours une contradiction, mais pas plus un *conflit* (ou tout au moins pas nécessairement) : comme en physique, des forces contraires peuvent aboutir à un équilibre, et non à un déchirement ; tel est même généralement l'aboutissement souhaitable. Pour qu'un conflit surgisse, il faut un antagonisme entre les buts (ce qu'ignore l'autoérotisme unipolaire du narcissisme) ; au stade oral l'amour veut dévorer l'objet, au stade anal son emprise s'impose, ces actes impliquant de le détruire sans que le sujet prenne en compte pareille réalité. Pour que puisse apparaître une opposition il faut d'abord que ces pulsions partielles soient unifiées sous le primat du génital, la destruction de l'objet se révélant alors comme mauvaise puisque privant du plaisir qu'il doit procurer.

Le *statut* de couples d'opposés n'est pas toujours facile à saisir. Il devrait être simple, ne serait-ce qu'en raison du principe dualiste que ces couples représentent. Et, effectivement, dans les tous débuts, c'est très simple, qu'ils renvoient à la dualité des pulsions fondamentales, aux trois grandes polarités de la vie psychique (moi - non-moi, actif-passif, plaisir-déplaisir), ou aux premières expressions des pulsion partielles. Mais tout va changer en se complexifiant au gré du développement de l'individu, car l'autre grand principe animant ces couples veut que, même si leurs bases sont quasiment données d'emblée et plongent dans le biologique des premiers besoins (telle la faim), ils soient essentiellement évolutifs, au point que, pour une bonne part, l'accouplement des opposés est comme « acquis » : c'est ainsi que dans le couple fondamental amour-haine, les deux sentiments ont une origine différente et ont suivi chacun sa voie, si bien que leur opposition n'apparaît que tardivement, lorsque existe enfin un « moi total ». C'est bien ce dont témoignent l'impossibilité d'unifier leur polarité et la nécessité de donner trois opposés à l'amour ; même si cela rend compte des bases du fonctionnement psychique, c'est la notion même de couple d'opposés qui se trouve ainsi vaciller.

La *pulsion de mort*, enfin, ou du moins son accouplement avec Éros, pose également problème. Freud a dû passer de l'opposition entre deux pulsions ayant des buts divergents (sexuels et d'autoconservation) à une seule pulsion (la pulsion sexuelle) qui les regroupe, l'obtention du plaisir et l'évitement du déplaisir demeurant le but véritable. Si, pour respecter « l'exigence dualiste », une pulsion de mort est alors introduite dans *Au-delà du principe de plaisir,* si Freud redit bien dans *Psychologie des foules* être parti de la grande opposition entre pulsions de vie et pulsions de mort, il doit faire le constat insatisfait de son impossibilité à la mettre en relation avec amour et haine (si la haine met bien en œuvre la pulsion de destruction, elle le fait au service de l'auto-conservation, et donc d'Éros dans la nouvelle répartition pulsionnelle). L'opposition entre les deux grandes pulsions fait problème puisqu'elles sont censées concourir à la restauration de l'état antérieur à la vie : la mort [1]. Leur but étant le même, l'opposition disparaît. Aussi, lorsque l'*Abrégé de psychanalyse* reprend l'idée et la résume, Freud préfère alors opposer à Éros la pulsion de destruction, effectivement plus proche de la haine demeurée au service du moi et de l'auto-conservation, que les pulsions de mort qu'il a dû, précédemment, reconnaître comme étant, « pour l'essentiel, muettes » [2]. Il semblerait alors que, contrairement à ce qui aurait pu paraître d'abord évident, la pulsion de mort s'avère bien difficile à faire entrer, avec Éros, dans un véritable couple d'opposés. Il ne reste plus à Freud qu'à délaisser le champ propre de la psychanalyse pour aller « au-delà du domaine de la vie, jusqu'au couple d'opposés qui règne dans le monde anorganique : attraction et répulsion » [3].

Claude LE GUEN

COURANT TENDRE, COURANT SENSUEL, TENDRESSE

all. : ***zärtlich Strömung, sinnliche Strömung, Zärtlichkeit.*** – angl. : *tender current, sensual current, tenderness.* – esp. : *corriente tierna, corriente sensual, ternura.* – ital. : *corrente tenera, corrente sensuale, tenerezza.* – port. : *corrente terna, corrente sensual, ternura*

Le courant tendre est l'une des composantes de la libido que Freud distingue du courant sensuel, à partir d'une discrimination induite

1. *Le moi et le ça* (1923b), *Essais de psychanalyse*, Paris, Payot, 1981, p. 254 ; *OCF* XVI, p. 283-284 ; *GW* XIII, p. 269.

2. *Ibidem*, p. 260 ; p. 289 ; p. 275.

3. *Abrégé de psychanalyse* (1940a [1938]), Paris, PUF, 1985, p. 8-9 ; *OCF* XX, p. 237-238 ; *GW* XVII, p. 71.

par la clinique. Le *courant tendre* se fonde sur la pulsion d'auto-conservation et correspond au choix d'objet infantile primaire qui se dirige vers ceux qui donnent leurs soins à l'enfant. Dans le *courant sensuel* le plaisir se détourne de la voie de l'objet que lui indiquent les sources pulsionnelles, et devient autoérotique. Amorcée à la puberté, la réunion du courant tendre et du courant sensuel à l'âge adulte assurerait un développement libidinal « que l'on peut appeler normal ».

MISE EN SITUATION

D'une approche phénoménologique relativement claire, les notions de courant tendre et de courant sensuel se trouvent recouvrir un certain nombre d'obscurités dans l'évolution de la pensée freudienne, de par leur liaison aux concepts de pulsions du moi et de pulsion sexuelle, d'étayage, de narcissisme, puis de pulsion inhibée quant au but, de désexualisation. Ceci est particulièrement sensible à la faveur de l'emploi par Freud du terme de « tendresse » dans des contextes différents qui ne sont pas toujours liés aux transformations conceptuelles entre la première et deuxième théorie des pulsions.

LE TEXTE FREUDIEN

C'est dans « Sur le plus général des rabaissements de la vie amoureuse »[1] (1912) que Freud discrimine dans la libido deux courants distincts et ce, à l'occasion de sa réflexion clinique sur l'impuissance masculine, réflexion qu'il élargit progressivement à l'examen des inhibitions érotiques dans les deux sexes. En effet, il voit à l'œuvre

1. « Sur le plus général des rabaissements de la vie amoureuse (Contribution à la psychologie de la vie amoureuse, II) » (1912d), *La vie sexuelle,* Paris, PUF, 1969 ; *OCF* XI ; *GW* VIII.

dans le symptôme de l'impuissance, d'une manière assez fréquente, la conséquence d'une union qui ne s'est pas effectuée entre courant sensuel et courant tendre. Ceci se traduit cliniquement par l'impossibilité masculine d'avoir des relations sexuelles satisfaisantes avec une femme affectivement investie, et la nécessité, pour certains hommes, de maintenir leur sensualité à distance de leur objet d'amour : « Là où ils aiment, ils ne désirent pas, et là où ils désirent, ils ne peuvent aimer. »[1]

Ce type de vie amoureuse « clivée » correspond à une modalité fréquente de fixations incestueuses, le courant tendre restant attaché à la mère, avec refoulement puissant du courant sensuel qui concernait également l'objet incestueux. Pour la femme, la non-confluence des courants tendres et sensuels, entraînant alors la frigidité, serait également liée à la fixation incestueuse (mais avec des caractéristiques différentes). À la nécessité d'avoir un objet sexuel rabaissé chez l'homme correspondrait, chez la femme, la possibilité de n'avoir des relations sexuelles satisfaisantes que sous le seul sceau de l'interdit[2]. Dans les deux cas, la fixation infantile est prépondérante, et celle-ci est renforcée à l'âge pubère et adulte par la « frustration réelle », imposée par la réalité[3]. Le diphasisme du développement libidinal, caractère essentiel de tout développement psychosexuel en dehors même de la pathologie, augmente éventuellement les risques de non-conjonction, à l'âge adulte, des courants tendres et sensuels. Même si le courant sensuel n'est pas totalement caché par le courant tendre, il ne trouve alors pour se satisfaire que des objets dévalués, à la mesure de la distance inconsciente nécessaire pour les éloigner de toute association avec l'objet incestueux.

Quand Freud tente d'assurer plus métapsychologiquement cette distinction clinique, il revient aux caractères propres de la psychosexualité infantile pour décrire la complexité du destin de ces deux courants de la libido, dont les avatars peuvent se retrouver dans des tableaux pathologiques différents. Dans le texte précédemment cité,

1. *Ibidem*, p. 59 ; p. 133 ; p. 82.
2. *Ibidem*, p. 62 ; p. 137 ; p. 87.
3. *Ibidem*, p. 58 ; p. 131 ; p. 81.

tout entier dans le cadre de la première théorie des pulsions, il affirme que **le courant tendre, qui correspond au choix d'objet infantile primaire, est le plus ancien et qu'il s'est formé sur les intérêts de la pulsion d'auto-conservation,** se dirigeant vers les personnes qui donnent des soins à l'enfant[1].

Le courant tendre « nous fait voir que les pulsions sexuelles trouvent leurs premiers objets en étayage sur les évaluations des pulsions du moi exactement comme les premières satisfactions sexuelles sont éprouvées en étayage sur les fonctions corporelles nécessaires à la conservation de la vie »[2]. Il entraîne dès le début « des apports des pulsions sexuelles », apport de l'érotisme aux investissements des pulsions du moi, érotisme qui est détourné de ses buts sexuels.

Ce développement tient aussi à ce que la « tendresse » (les guillemets sont de Freud) dont témoignent les parents « manque rarement de trahir son caractère érotique »[3]. Dans les textes de cette époque, comme par exemple dans *Un souvenir d'enfance de Léonard de Vinci* (1910)[4], Freud insiste à plusieurs reprises sur les risques d'un *excès* de tendresse parental qui fait le lit des fixations infantiles et de la névrose ultérieure. Ce mouvement libidinal parental est à associer à celui, complémentaire, qui est décrit dans « Pour introduire le narcissisme » (1914) et qui consiste en la projection du narcissisme des parents sur leur enfant[5]. Une question se pose là : est-ce que l'introduction du narcissisme ne reprend pas à son compte ce qui était dévolu au courant tendre, entraînant par là même la disparition du couple d'opposés explicite entre courant tendre et courant sensuel au profit de l'opposition entre lien narcissique et lien objectal ?

Toujours est-il que dans « Sur le plus général des rabaissements de la vie amoureuse » Freud affirme que c'est à la puberté qu'aux

1. *Ibidem,* p. 57 ; p. 130 ; p. 79-80.
2. *Ibidem,* p. 57 ; p. 131 ; p. 80.
3. *Ibidem,* p. 57 ; p. 131 ; p. 80.
4. *Un souvenir d'enfance de Léonard de Vinci* (1910c), Paris, Gallimard, 1987 ; *OCF* X ; *GW* VIII.
5. « Pour introduire le narcissisme » (1914c), *La vie sexuelle,* Paris, PUF, 1969, p. 96 ; *OCF* XII, p. 234-235 ; *GW* X, p. 157-158.

fixations tendres de l'enfant viendrait s'ajouter « le puissant courant "sensuel" qui ne méconnaît plus ses buts »[1], ce qui n'est pas sans poser problème. Car si le courant « sensuel » s'ajoute à la puberté, qu'en est-il de la *sexualité* infantile ? Il y a description théorique d'un mouvement complexe qui peut sembler ambigu par rapport à la notion de libido – qui est toujours chez Freud la manifestation de la pulsion sexuelle dans la vie psychique – donc du rôle fondamental et premier de la pulsion sexuelle, du rôle cardinal de la sexualité infantile. Ceci semble partiellement en contradiction avec des affirmations répétées tout au long de l'œuvre freudienne qui font de la tendresse, pulsion inhibée quant au but, un dérivé second, un « adoucissement » de la pulsion sexuelle. Il serait difficile de réduire la contradiction en distinguant radicalement courant tendre et tendresse dans la mesure où, dans ces mêmes années, Freud, comme dans les *Trois essais sur la théorie sexuelle,* emploie aussi bien « courant tendre » que « courants de tendresse » pour désigner les premiers investissements infantiles.

Cette complexité apparaît clairement dans les *Trois essais sur la théorie sexuelle,* en particulier dans les remaniements de 1915, dans lesquels Freud fait des distinctions et des oppositions cependant plus nettes entre les buts sexuels infantiles, le type de plaisir recherché qui est lié aux pulsions partielles et les possibilités de réalisation directe de la pulsion sexuelle à la puberté. « On répugnera peut-être à identifier les sentiments tendres et l'estime de l'enfant pour les personnes qui le soignent, avec l'amour sexuel, mais je pense qu'une analyse psychologique plus minutieuse pourra établir cette identité par-delà tout doute possible. »[2] Le choix d'objet d'amour infantile est donc bien affirmé comme un choix sexuel, qui converge vers une seule personne dont toute satisfaction est attendue, mais la barrière de l'inceste, entraînant le refoulement, instaure la période de latence

1. « Sur le plus général des rabaissements de la vie amoureuse (Contribution à la psychologie de la vie amoureuse, II) » (1912d), *La vie sexuelle,* Paris, PUF, 1969, p. 57 ; *OCF* XI, p. 131 ; *GW* VIII, p. 80.

2. *Trois essais sur la théorie sexuelle* (1905d), Paris, Gallimard, 1987, p. 165 ; *OCF* VI, p. 161 ; *GW* V, p. 124.

dans laquelle les buts sexuels premiers n'apparaissent plus de façon manifeste et se présentent sous la forme de la tendresse[1].

Cette différenciation entre « plan manifeste » et « plan latent » permet de situer la tendresse comme l'expression apparente de mouvements érotiques refoulés. Ainsi, dans « La dynamique du transfert » (1912), Freud souligne-t-il, à propos de l'expression et du transfert des sentiments tendres et hostiles dans la cure, qu'il convient de ne pas se contenter de leur opposition et de la distinction du transfert « positif » et du « négatif », mais bien de voir ce qui, dans le transfert dit positif, agit comme résistance et n'est autre que son fondement érotique refoulé[2].

Néanmoins, les expressions – et quelque embarras dans la conceptualisation première de Freud sur courant tendre et courant sensuel liée à l'opposition pulsion sexuelle – pulsion du moi – vont parfois dans le sens des refoulements et des aveuglements sur la sexualité infantile qu'il dénonce pourtant inlassablement. Ainsi écrit-il fort clairement dans « À propos de la psychanalyse dite "sauvage" » (1910) : « Nous portons également au compte de la "vie sexuelle" toute mise en action de sentiments tendres, qui procèdent de la source des motions sexuelles primitives, même si ces motions connaissent une inhibition quant à leur but originellement sexuel ou ont échangé ce but contre un autre qui n'est plus sexuel. Aussi préférons-nous parler de psychosexualité et tenons-nous ainsi pour important de ne pas omettre de voir et de ne pas sous estimer le facteur psychique de la vie sexuelle. »[3]

Psychologie des foules et analyse du moi (1921)[4], tout en reprenant les thèses des *Trois essais sur la théorie sexuelle* et de « Sur le plus général des rabaissements de la vie amoureuse », va permettre à

1. *Ibidem,* cf. chap. VI, ajouté en 1915 : « Phases du développement de l'organisation sexuelle », p. 127-132 ; *OCF* VI, p. 133-137 ; *GW* V, p. 98-101.

2. « La dynamique du transfert » (1912b), *De la technique psychanalytique,* Paris, PUF, 1981, p. 57 ; *OCF* XI, p. 113-114 ; *GW* VIII, p. 371.

3. « À propos de la psychanalyse dite "sauvage" » (1910k), *De la technique analytique,* Paris, PUF, 1981, p. 37 ; *OCF* X, p. 209 ; *GW* VIII, p. 120.

4. *Psychologie des foules et analyse du moi* (1921c), *Essais de psychanalyse,* Paris, Payot, 1981 (cf. le chap. 8, « État amoureux et hypnose ») ; *OCF* XVI ; *GW* XIII.

Freud de revenir sur les notions de courant tendre et de courant sensuel et de **faire prévaloir la notion de tendresse comme pulsion inhibée quant au but,** cette déviation de la pulsion à l'écart de son but sexuel, quand des « obstacles internes ou externes s'opposent à l'accession aux buts sexuels »[1]. Mais il précise alors toujours le caractère et l'origine bien sexuels de ces sentiments « tendres » (Freud prend garde généralement de mettre entre guillemets le qualificatif attribué à ces sentiments), il parle de « la plénitude du courant originaire »[2], et affirme la nature pleinement sexuelle des investissements de l'enfant, même si, au niveau manifeste, « ce qu'il en reste se présente à nous sous la forme d'un lien affectif purement tendre qui s'adresse aux mêmes personnes mais ne doit plus être qualifié de "sexuel" »[3]. Il semble que la distinction nette, en un premier temps, chez l'enfant, de courant sensuel et courant tendre ne soit, pour Freud, plus féconde : « Une observation directe, tout comme l'éclairage analytique porté en après-coup sur les résidus infantiles, ne laisse aucun doute sur la fusion totale des sentiments tendres et jaloux et des desseins sexuels, et nous démontre à quel point l'enfant transforme fondamentalement la personne aimée en objet de toutes ses tendances sexuelles non encore exactement centrées. »[4] On peut voir dans ce texte une tentative de sortir, sous l'égide d'Éros, des ambiguïtés précédemment évoquées, tentative qui prend forme à l'époque dans la mise en question de la distinction des courants tendres et érotiques originels qui était sous-tendue par l'opposition première pulsions du moi / pulsions sexuelles.

Cependant, tout n'est pas réglé pour autant : Freud fait des notations rapides qui l'amènent à situer la tendresse plus du côté de l'identification ; ainsi le courant tendre retrouve-t-il son affinité avec le narcissisme. Évoquant l'identification du petit garçon à son père, il écrit que « l'identification est également ambivalente dès le début, elle peut tout aussi bien s'orienter vers l'expression de la tendresse

1. *Ibidem,* p. 212 ; p. 79 ; p. 156.
2. *Ibidem,* p. 176 ; p. 49 ; p. 123.
3. *Ibidem,* p. 210 ; p. 77 ; p. 155.
4. *Ibidem,* p. 209 ; p. 76 ; p. 154.

que vers le désir d'éviction »[1], identification alors opposée au choix d'objet sexuel, qui pourrait reprendre alors l'opposition courant tendre / courant sensuel, dans des nuances qui vont se complexifier encore dans *Le moi et le ça* quand il élabore la description des diverses formes du complexe d'Œdipe.

QUESTIONS ET ENJEUX

Le paradoxe des notions de courant tendre et courant érotique – dont la fécondité clinique ne fait pas de doute, et dont le statut métapsychologique est plus qu'incertain – se retrouve dans les développements auxquels ces notions ont donné lieu ou dans lesquels elles se retrouvent implicitement comme, par exemple, chez Sandor Ferenczi, dans son célèbre texte sur la « Confusion de langue entre les adultes et l'enfant (le langage de la tendresse et de la passion) » (1932). Ainsi Ferenczi, au cours de sa réflexion sur les traumatismes précoces et leur reviviscence dans la cure, est-il revenu sur la séduction réelle et pathogène d'un enfant par un adulte qui, sous le « masque de la tendresse », va satisfaire ses propres tendances incestueuses. Déjà, dans « Principe de relaxation et néocatharsis » (1929)[2], il insistait sur la différence entre le désir de l'enfant quant à la satisfaction sexuelle, de l'ordre du « jeu et de la tendresse », et la « passion » adulte dans toute la potentialité violente de sa manifestation. Dans « Confusion de langue entre les adultes et l'enfant »[3], il va rattacher cette différence à la distinction entre un stade d'identification, qu'il qualifie de stade d'amour objectal passif ou « stade de la tendresse », et une phase ultérieure permettant d'éprouver un amour objectal adulte qu'il relie à l'élément passionnel de la sexualité mature. On peut retrouver chez les auteurs qui se réfèrent à ce texte fondamental de Ferenczi un glissement qui tend à

1. *Ibidem*, p. 168 ; p. 43 ; p. 116.

2. S. Ferenczi, « Principe de relaxation et néocatharsis » (1929), *Psychanalyse, IV, Œuvres complètes 1927-1933*, Paris, Payot, 1982.

3. S. Ferenczi, « Confusion de langue entre les adultes et l'enfant. (Le langage de la tendresse et de la passion) » (1932), *Psychanalyse, IV, Œuvres complètes 1927-1933*, Paris, Payot, 1982.

désexualiser, et même dépulsionnaliser, la vie sexuelle infantile. Cependant, dans le texte même de Ferenczi, un post-scriptum permet de voir qu'il était sensible à cette réduction possible : en effet, il ajoute que ses réflexions n'ont fait qu'aborder descriptivement ce qu'il y a de tendre dans l'érotisme infantile, et ce qu'il y a de passionné dans l'érotisme adulte, en laissant en suspens le problème de l'essence de leur différence. Il souligne de nouveau la dimension de jeux sexuels préliminaires dans l'érotisme infantile avec satisfaction de l'ordre de la satiété et non de l'orgasme, distinction déjà soulignée dans les *Trois essais sur la théorie sexuelle.*

Il semble que plusieurs sources de confusion, deux niveaux de problématique, se rejoignent dans la difficulté de définition des termes qui gravitent autour de la notion de tendresse. Il y a certes leur origine au sein de la première théorie des pulsions et de la première topique, et on peut souligner que si la notion de courant tendre ne disparaît pas de l'œuvre freudienne après l'introduction du narcissisme et le bouleversement de la deuxième théorie des pulsions et de la deuxième topique, elle n'apparaît plus comme telle et semble s'intégrer dans ce qui se rapporte à la notion de désexualisation et au concept de pulsion inhibée quant au but, et à leurs difficultés.

Mais on peut penser que les ambiguïtés freudiennes tiennent souvent à l'emploi de termes parfois pris dans leur acception courante comme la référence à la sexualité dans un sens restreint, avec but sexuel direct, satisfaction orgasmique impossible à l'enfant, et le dégagement progressif du sens élargi de la sexualité, la psychosexualité proprement psychanalytique, dans laquelle les investissements de l'enfant sont conçus comme pleinement érotiques. Ces ambiguïtés se traduisent par certaines formulations, dans *Totem et tabou* ou « L'homme aux loups » par exemple, où Freud parle de tendresse, de motions tendres dans leur opposition à l'hostilité, alors qu'il est bien désigné la totalité d'un investissement indéniablement érotique. Niveau d'une expression manifeste dont il faut retrouver la puissance et l'origine latentes, toujours sexuelles, fût-elle modifiée par tous les processus de défense possibles. Les développements proposés dans *Psychologie des foules et analyse du moi* permettent de clarifier ce contexte en insistant sur la différence de registre entre le manifeste et le refoulé, mais surtout d'enrichir la notion de tendresse en faisant prévaloir son statut de pulsion inhibée quant au but. Par rapport aux réflexions sur l'état amoureux (proposées par exemple dans « Pour introduire le narcissisme »), ceci permet de nuancer et complexifier les propos sur l'amour, ce mixte instable de motions tendres et érotiques : ainsi Freud insiste-t-il sur la complexité du sentiment amoureux qui conjoint tendresse et désir, quand la continuité de la tendresse permet que la satisfaction sexuelle n'éteigne pas le désir[1].

Hélène PARAT

CROYANCE, RELIGION

all. : ***Glaube, Religion.*** – angl. : *belief, religion.* – esp. : *creencia, religión.* – ital. : *credenza, religione.* – port. : *crença, religião*

En psychanalyse, les mots « croyance » et « religion » sont d'abord à entendre en leur sens usuel. La *croyance*, acte psychique individuel, est une adhésion intime et forte qui s'abstient de rendre raison, une conviction personnelle qui se dispense de se justifier ; plus psychanalytiquement, la croyance est l'expression consciente d'un mouvement inconscient mettant en jeu tant la sexualité que le narcissisme (toute-puissance des pensées) ; collectivement elle est largement utilisée comme moyen d'emprise par les grandes institutions, et plus particulièrement les religions (Églises) qui se fondent en elles (au point que leurs adeptes sont désignés comme « croyants »).

La *religion* désigne un ensemble de croyances et de pratiques rituelles communes à un groupe social et le reliant à une instance supérieure posée comme divine (et donc sacrée) censée la justifier. Plus au fond et pour la psychanalyse, la religion est à considérer comme une illusion des sociétés d'individus, l'expression de l'une de leurs croyances prévalentes en la réalisation de leurs désirs les plus anciens, les plus forts et les plus pressants en rapport avec leurs sentiments d'impuissance et leurs angoisses (surtout face à la mort),

1. *Psychologie des foules et analyse du moi* (1921c), *Essais de psychanalyse*, Paris, Payot, 1981, p. 180 ; *OCF* XVI, p. 53 ; *GW* XIII, p. 127.

négligeant alors de les confirmer par la réalité. Le secret de la force de ces croyances est la force de ces désirs.

MISE EN SITUATION

La réflexion sur la croyance religieuse, les fondements psychologiques de la religion et les mobiles psychiques de la croyance, occupe une place importante, privilégiée et grandissante dans l'œuvre de Freud. Alors qu'il en est encore à inventer la psychanalyse, il s'interroge sur l'apparition des religions comme « mythes endopsychiques », illusions projetées dans l'avenir et dans l'au-delà, obscures perceptions du travail psychique : « C'est une psychomythologie »[1]. *Conceptualisée, la psychanalyse confirme cette intuition : des anciennes conceptions mythologiques du monde aux religions modernes, nous n'avons affaire à rien d'autre qu'à de la « psychologie projetée vers le monde extérieur ».*

Dès 1907 Freud ouvre une véritable réflexion sur la croyance, partant du constat clinique d'une « analogie surprenante entre des actes obsessionnels et des exercices religieux », initiant la découverte et l'exploration d'une série de concordances qu'il isole et va progressivement approfondir ; d'abord celles entre religion et névrose puis entre détresse infantile et religion, comme entre la pensée animique des premières civilisations et la pensée névrotique, enfin celle entre psychologie individuelle et psychologie collective. Les croyances et pratiques religieuses (instituées et collectives) s'avèrent ainsi être un matériau d'une grande richesse qu'il explorera jusqu'en ses derniers travaux ; Ernest Jones s'interroge même : « comment se fait-il que vers la fin de sa vie Freud ait pris un tel intérêt aux sujets [religieux] qu'il en vint à leur consacrer tous ses efforts intellectuels pendant ses cinq dernières années ? »[2]. *Lorsqu'on fait la recension de son œuvre, on est frappé de l'abondance*

1. *Lettres à Wilhelm Fliess*, Paris, PUF, 2006, p. 289 et 364 (ou p. 167 et 210 dans *La naissance de la psychanalyse*, Paris, PUF, 1956), lettres des 24 janvier et 12 décembre 1897.

2. Ernest Jones, *La vie et l'œuvre de Sigmund Freud*, t. 3, Paris, PUF, 1969, p. 415.

des textes consacrés à la croyance et à la religion, d'autant que, même lorsqu'il s'agit d'articles « de commande », ce ne sont jamais des écrits de circonstance; aussi, lorsqu'en 1925 il fait le bilan de son œuvre, il pose qu'il « tient personnellement en la plus haute estime ses contributions à la psychologie de la religion qui commencèrent en 1907 » [1].

Pourtant la notion de **religion** *est loin d'avoir la simplicité de l'évidence à laquelle prétendent les Églises; ainsi, alors que d'un point de vue notionnel on parvient assez aisément à penser le « religieux », il est à peu près impossible d'en fournir une définition univoque et universellement admise, au point que les lexicologues en viennent à constater qu'il est « peu de notions qui résistent à ce point aux efforts de définition », les idées de « religion », de « religieux » et de « religiosité » renvoyant à des notions largement incertaines. Le terme même fait problème : si, à quelques nuances près, il est le même dans les langues de référence de ce dictionnaire, il n'existe de fait que dans les langues occidentales modernes et « cette notion est étrangère aux deux tiers de l'humanité, elle ne peut prétendre à une quelconque universalité qu'à condition de se laisser dépouiller de tout contenu spécifiquement occidental »* [2] *(les autres cultures ne connaissent, de fait, que les croyances et leurs prêtres et prêtresses, quels que soient les noms dont elles les désignent). Comme nous le ferons à sa suite, Freud use du terme tel qu'il s'offre à lui dans les pratiques socioculturelles européennes du* XXe *siècle, ses interrogations ignorant délibérément la théologie et les dogmes pour se reporter sur leurs implications et soubassements psychologiques individuels et sociaux.*

*Si les Grecs introduisirent l'approche critique des phénomènes religieux, c'est aux Romains qu'on doit le mot; l'étymologie n'en est pas pour autant évidente, et elle faisait problème dès l'Antiquité. Il semble que l'on puisse considérer, avec Benveniste et à la suite de Cicéron, qu'elle indiquerait le fait de cueillir, de rassembler, de relier (*religio *dérivant de* legere*), voir rassembler avec soin (l'inverse étant* negligere*) – on perçoit là tout autant le souci des*

1. *Sigmund Freud présenté par lui-même* (1925d), Paris, Gallimard, 1984, p. 112 ; *OCF* XVII (« Autoprésentation »), p. 114 ; *GW* XVI, p. 92.

2. Jean-Marie Husser, dans Alain Rey (dir.), *Dictionnaire culturel en langue française*, Paris, Le Robert, 2005.

Églises de promouvoir des assemblées, que leurs rituels et scrupulosités implicites qui conduiront Freud à évoquer la symptomatologie obsessionnelle.

Le terme de **croyance** pose, pour sa part, des difficultés de traduction qui, ici comme ailleurs, viennent souligner quelques embarras conceptuels. Dans cinq des six langues de référence de ce dictionnaire existe un terme spécifique pour indiquer la confiance absolue et la fidélité (cf. le latin fides), la volonté de croire sans preuves ni raisons : il s'agit de la **foi**. Or l'allemand ignore cette distinction, ne connaissant que la croyance (Glaube) ; les lexicographes proposent alors des termes équivalents (tels Vertrauen : confiance, Treue : fidélité, voire Glaubigkeit : conviction), tous termes qui, s'ils sont bien impliqués dans la définition de la foi, en diffèrent indubitablement ; pas plus que Glaube ils n'évoquent l'élan du sujet ou ce par quoi il pourrait être touché par l'intervention divine. C'est là une difficulté pour les traducteurs qui s'en tirent en général en recourant le plus souvent à « croyance », et de temps en temps à « foi » lorsque le contexte le leur suggère ; ainsi, par exemple, dans les OCF aux PUF tout comme dans l'édition Gallimard de Un souvenir d'enfance de Léonard de Vinci, on lit que des jeunes « perdent la foi religieuse » (den religiösen Glauben verlieren)[1], ce qui, en fonction du contexte, n'apparaît pas comme un faux-sens mais demeure une interprétation et non une traduction « fidèle » de ce qui est d'abord la perte de la « croyance religieuse ».

Il convient enfin de situer la croyance selon la pensée scientifique, telle qu'elle s'est affermie depuis les débuts du XVIIe siècle avec Descartes et Galilée, Bacon et Spinoza : alors que la croyance repose sur l'autorité et la foi, comme le montra Pascal, la connaissance s'appuie sur la raison et l'expérience – leurs voies et leurs droits sont parfaitement distincts. C'est dans cette ligne de pensée que, résolument, se situe Freud.

Pour situer l'approche freudienne il peut être opportun d'évoquer, fût-ce brièvement, le contexte éducatif et culturel qui put influer le jeune Sigmund. Selon ses biographes, et son propre témoignage, il fut élevé dans une famille qui professait un certain scepticisme et où régnaient libéralisme et libre-pensée ; si la conjoncture fit de la Bible

1. *Un souvenir d'enfance de Léonard de Vinci* (1910c), Paris, Gallimard, 1987, p. 156 ; *OCF* X, p. 149 ; *GW* VIII, p. 195.

son premier livre de lecture, il « grandit sans acquérir la croyance en Dieu ou en l'immortalité de l'âme et, semble-t-il, sans éprouver le besoin de croire » [1] *; ses expériences religieuses semblent s'être limitées aux soins d'une vieille nourrice catholique qui, lui conta sa mère, lorsqu'elle le promenait le « menait dans toutes les églises et, quand [il] rentrait à la maison, [il se] mettait à prêcher et à raconter tout ce que faisait le Bon Dieu » ; il avait alors moins de trois ans* [2]. *Sa première mention autographe évoquant la religion qui nous soit parvenue remonte à son adolescence ; le ton plaisant, l'approche à la fois ironique et pragmatique, voire triviale, nous laissent deviner l'attitude et les dispositions de l'étudiant de 18 ans concluant que « c'est bien à tort qu'on reproche à la religion d'être d'essence métaphysique et de ne pas posséder d'essence sensuelle. La religion, tout au contraire, s'adresse exclusivement aux sens, et même un négateur de Dieu qui a le bonheur d'appartenir à une famille moyennement pieuse ne peut ignorer la fête quand il porte à sa bouche un mets de Nouvel An. On peut dire que la religion, modérément pratiquée, favorise la digestion, mais qu'elle lui nuit quand il y a excès ». Par la suite, s'il modéra l'ironie de ses propos, il ne se départit jamais de cette attitude et, par exemple, s'abstint toujours de traiter de la notion de transcendance, s'en tenant à l'examen des croyances censées, selon certains, la sous-tendre.*

Si toutes pratiques et inspirations religieuses lui ont toujours été parfaitement étrangères, Freud n'en a pas moins, durant plus de trente ans, dans des écrits divers et de longueurs variables, traité d'abondance des religions et des sentiments religieux. Il s'en saisit tantôt comme fait social selon ses manifestations collectives et institutionnelles, tantôt comme représentation psychique selon ses significations individuelles qui dévoilent plus clairement les équivalents névrotiques. Il refuse de s'intéresser à la théologie mais s'attache aux attitudes des croyants, à leurs pratiques et leurs comportements, aux effets de leurs croyances sur les institutions sociales, les églises en étant l'expression et l'instrument privilégié. Au fil de son œuvre, son attitude évolue ; d'abord clinique, distante sinon indifférente,

1. Ernest Jones, *La vie et l'œuvre de Sigmund Freud*, t. 1, Paris, PUF, 1958, p. 4 et 21.

2. *La naissance de la psychanalyse*, Paris, PUF, 1956, p. 196 ; *Lettres à Wilhelm Fliess*, Paris, PUF, 2006 (édition complète), p. 342.

elle se fait plus vive lorsqu'en 1910 il réalise que la détresse infantile est l'ultime fondement des religions – le lien entre l'individuel et le collectif se dévoile et se révèle exemplaire dans le fait religieux.

À la suite de Tylor et de Wundt, il distingue trois phases dans la conception que l'homme s'est faite de son rapport au monde : d'abord animiste avec la toute-puissance de la pensée qu'il s'attribue, religieuse lorsqu'il cède celle-ci aux dieux tout en se réservant de les influencer, enfin scientifique lorsqu'il accepte de ne laisser aucune place à sa toute-puissance et doit, reconnaissant sa petitesse, se résigner à la mort et aux contraintes de la nature. « Mais dans la confiance en la puissance de l'esprit humain, qui tient compte des lois de la réalité, survit une part de la croyance primitive à la toute-puissance »[1] *(distinction qui nous a conduits à insérer, dans la nouvelle édition de ce dictionnaire, une entrée « Animisme »). De la vingtaine de textes de cette recherche, trois tiennent une place remarquable :* Totem et tabou *en 1912-1913,* L'avenir d'une illusion *en 1927, enfin en 1939* L'homme Moïse et la religion monothéiste *qui reprend pour l'essentiel les thèses des deux précédents en les complétant (notamment sur le trauma et la construction historique).*

LE TEXTE FREUDIEN

Si ses investigations cliniques des névrosés amènent Freud à s'interroger sur les croyances et les pratiques religieuses, ses écrits pré-analytiques n'y font que des allusions[2] où : – d'une part, il écrit à Fliess que « la croyance (et le doute) sont des phénomènes qui appartiennent totalement au système du moi conscient et n'ont pas de contrepartie dans l'inconscient, [que] dans la névrose, la croyance est déplacée, refusée au refoulé si celui-ci réussit à imposer sa reproduction et, comme par punition, reportée sur ce qui exerce la

1. *Totem et tabou* (1912-1913a), Paris, Gallimard, 1993, p. 208 ; *OCF* XI, p. 298 ; *GW* IX, p. 108-109.

2. « Nouvelles remarques sur les psychonévroses de défense » (1896b), *Névrose, psychose et perversion*, Paris, PUF, 1973, p. 69 ; *OCF* III, p. 132 ; *GW* I, p. 389.

défense », – et d'autre part suppose que les perversions pourraient être « les traces d'un culte sexuel primitif qui fut peut-être même, dans l'Orient sémitique, une religion » ; imagine que des « mythes endopsychiques » (illusions projetées au-dehors, dans l'avenir et l'immortalité, dans l'au-delà avec ses récompenses) ne seraient que l'obscure perception du travail de l'appareil psychique : « C'est une psycho-mythologie »[1].

Cela se précise en 1901 : « Une large part de la conception mythologique du monde, qui s'étend [...] jusqu'aux religions les plus modernes, n'est rien d'autre que *de la psychologie projetée vers le monde extérieur* » ; l'obscure connaissance de facteurs psychiques inconscients se reflète (comme dans la paranoïa) dans « la construction d'une *réalité suprasensible* que nous transformons en *psychologie de l'inconscient* » – on pourrait alors éclairer les mythes du Paradis et du péché originel, de Dieu, du Bien et du Mal, de l'immortalité, et « transformer la *métaphysique* en *métapsychologie* »[2].

À partir de **1907** Freud est amené à s'intéresser à la « psychologie de la religion par la constatation d'une analogie surprenante entre des actes obsessionnels et des exercices religieux » puis, partant de là, aux rapports des processus inconscients individuels normaux et pathologiques avec les croyances et pratiques religieuses[3] ; il cherche alors à comprendre les processus psychiques mis en œuvre par la religion. Il constate un parallélisme entre les rites des obsessionnels et ceux des religieux (remords anxieux en cas d'omission, isolement complet par rapport à toute autre occupation, scrupulosité dans l'exécution du détail), leur différence tenant, pour l'essentiel, à ce que « les petites adjonctions du cérémonial religieux sont conçues comme symboliques et chargées de sens, tandis que celles du cérémonial névrotique apparaissent comme ineptes et dénuées de sens », si bien que « la

1. *Lettres à Wilhelm Fliess*, Paris, PUF, 2006 [Manuscrit N, du 31 mai 1897], p. 317-318 ; lettres des 24 janvier et 12 décembre 1897, p. 289 et 364 ; *La naissance de la psychanalyse*, Paris, PUF, 1956, p. 184 ; p. 167 et 210.

2. *La psychopathologie de la vie quotidienne* (1901b), Paris, Gallimard, 1997, p. 411-412 ; *OCF* V, p. 354-355 ; *GW* IV, p. 287-288.

3. *Sigmund Freud présenté par lui-même* (1925d), Paris, Gallimard, 1984, p. 113 ; *OCF* XVII (« Autoprésentation »), p. 114 ; *GW* XVI, p. 92.

névrose obsessionnelle fournit la caricature mi-comique mi-tragique d'une religion privée ». L'investigation psychanalytique en vient pourtant à découvrir que les actions compulsionnelles sont également chargées de sens : elles font s'exprimer des pensées investies concernant des vécus, que ce soit comme figurations directes ou comme figurations symboliques ; les correspondances s'éclairent : nature inconsciente des motifs, sentiments de culpabilité résultant de la tentation et suscitant une angoisse d'attente (un cérémonial ayant alors valeur de protection), scrupulosité qui conduit au strict respect du cérémonial afin que la protection fonctionne en assurant un compromis entre les puissances psychiques en lutte, rôle du déplacement sur « un petit quelque chose substitutif » qui prend une valeur symbolique. Ces concordances et ces analogies permettent de « se risquer à concevoir la névrose obsessionnelle comme le pendant pathologique de la formation religieuse, à caractériser la névrose comme une religiosité individuelle et la religion comme une névrose obsessionnelle universelle ». L'essentiel tient à ce que les deux pratiques se fondent sur « le renoncement à la mise en activité de pulsions données constitutionnellement, la différence la plus tranchée tenant à la nature de ces pulsions qui, dans la névrose sont d'origine exclusivement sexuelles, et dans la religion de provenance égoïste »[1].

Dans les mêmes temps, lors de discussions à la Société psychanalytique de Vienne, il élargit son approche : « On peut très bien étudier la paranoïa dans les cas non morbides. Le réformateur passe pour un paranoïaque aussi longtemps qu'il est isolé [...]. Le fait d'avoir des adeptes évite à un individu d'être déclaré malade. Ainsi la fondation du christianisme, par exemple, est une paranoïa à douze (la vision de la résurrection, etc.). Si le christianisme n'avait pas trouvé autant d'adeptes, il aurait certainement été considéré comme le fantasme morbide de quelques hommes. » Pour ce qui est du « diable, il est un fantasme collectif construit selon le modèle d'un délire paranoïaque et contenant un fantasme de justification. Le peuple, qui ne supporte pas la contradiction existante entre les exigences de la doctrine chré-

1. « Actions compulsionnelles et exercices religieux » (1907b), *Névrose, psychose et perversion*, Paris, PUF, 1973, p. 132-142 ; *OCF* VIII, p. 137-146 ; *GW* VII, p. 129-139.

tienne et ses propres sentiments, excuse par là le penchant au péché de l'homme »[1]. Deux petits articles confirment que les représentations mythiques et religieuses (à commencer par le diable) sont la personnification de la vie pulsionnelle inconsciente refoulée[2], et que le renoncement à la satisfaction pulsionnelle (provoqué par les sentiments familiaux découlant de l'érotisme) fut offert en sacrifice à la divinité, le bien commun ainsi acquis étant alors déclaré « sacré »[3].

C'est à cette époque que, par l'intermédiaire de Jung et de Binswanger, Freud fait la connaissance du pasteur Oskar Pfister avec qui il sympathise et entame une correspondance que seul son exil à Londres viendra interrompre en 1938. S'il est beaucoup question de psychanalyse dans ces lettres, la religion y est peu abordée et leur lecture donne le sentiment que tous deux évitent d'aborder le sujet, si ce n'est par des allusions plaisantes ; lorsqu'ils ne peuvent éviter de le faire (comme ce sera le cas en 1927 avec la parution de *L'avenir d'une illusion*), ils n'esquivent rien de leurs convictions mais demeurent d'une prudence qui n'a d'égale que leur courtoisie. Pfister s'occupe de jeunes gens « prêts à la sublimation et notamment à sa forme la plus commode, la sublimation religieuse », aussi Freud l'invite, dès sa première lettre en 1909, à ne pas oublier que ses succès sont obtenus en premier lieu par le moyen du transfert érotique sur sa personne ; « vous avez le bonheur de pouvoir conduire ce transfert jusqu'à Dieu et de rétablir ainsi ces temps bénis – du moins sur ce point – où la croyance religieuse étouffait les névroses ; pour nous, cette chance de liquidation n'existe pas » et de rappeler que la plupart des analystes sont, de façon tout à fait radicale, irréligieux, qu'ils ne voient aucun péché dans la satisfaction sexuelle, bien au contraire. « En soi, la psychanalyse n'est pas plus religieuse qu'irréligieuse. C'est un instrument sans parti dont peuvent user religieux et laïques, pourvu que ce soit

1. *Les premiers psychanalystes : minutes de la Société psychanalytique de Vienne*, t. I (1906-1908), Paris, Gallimard, 1976, p. 311 (séances du 29 janvier 1908), et t. II (1908-1910), Paris, Gallimard, 1978, p. 127-128 (séance du 27 janvier 1909).

2. « Caractère et érotisme anal » (1908b), *Névrose, psychose et perversion*, Paris, PUF, 1973, p. 147 ; *OCF* VIII, p. 193 ; *GW* VII, p. 207.

3. « La morale sexuelle “civilisée” et la maladie nerveuse des temps modernes » (1908d), *La vie sexuelle*, Paris, PUF, 1969, p. 33 ; *OCF* VIII, p. 203 ; *GW* VII, p. 150.

uniquement au service de la délivrance d'êtres souffrants. » Un peu moins de dix ans plus tard il reviendra sur la sublimation religieuse : « Mais ce qui est beau dans la religion n'appartient certainement pas à la psychanalyse. Il est normal qu'en matière de thérapeutique nos chemins se séparent ici et cela peut demeurer ainsi. Tout à fait en passant, pourquoi la psychanalyse n'a-t-elle pas été créée par l'un de tous ces hommes pieux, pourquoi a-t-on attendu que ce fût par un juif tout à fait athée ? » [1]

Dans les années 1910 Freud fait une nouvelle découverte qu'il s'empresse d'exposer dans sa correspondance (mais qu'il n'exploitera véritablement que 17 ans plus tard dans *L'avenir d'une illusion*) : « Je vous confie volontiers – écrit-il à Ferenczi – une idée qui m'est venue juste au tournant de l'année : l'ultime fondement des religions, c'est la détresse infantile de l'homme. » [2] Il le confirme le lendemain à Jung : « De mes propres éclairs d'esprit je ne peux vous confier qu'une chose : la raison dernière du besoin de religion m'a frappé comme étant l'état de détresse infantile [*Hilflosigkeit*] qui est tellement plus grand chez l'homme que chez les animaux. À partir de ce moment il ne peut plus se représenter le monde sans parents, et s'octroie un Dieu juste et une nature bonne, les deux pires falsifications anthropomorphiques de l'image de l'univers dont il pouvait se rendre coupable. [Mais c'est là seulement] une déduction de la pulsion de conservation, non de la pulsion sexuelle, qui y ajoute plus tard son sel » [3]. Deux mois se passent et c'est cette fois à Putnam qu'il confie : « Le “Dieu juste” et la “bienveillante nature” ne sont que les plus nobles sublimations de notre complexe parental » [4].

Le personnage de Léonard de Vinci s'offre alors pour mieux recouper le développement et le fonctionnement psychiques avec les déter-

1. *Correspondance de Sigmund Freud avec le pasteur Pfister* (1909-1939), Paris, Gallimard, 1969, p. 46-47 et 104-105 (lettres du 9 février 1909 et du 9 octobre 1918).

2. *Correspondance Sigmund Freud – Sándor Ferenczi* (1908-1914), Paris, Calmann-Lévy, 1992, p. 129 (lettre du 1er janvier 1910).

3. *Correspondance Sigmund Freud – C.G. Jung*, t. II (1910-1914), Paris, Gallimard, 1975, p. 12 (lettre du 2 janvier 1910).

4. *L'introduction de la psychanalyse aux États-Unis. Autour de James Jackson Putnam*, Paris, Gallimard, 1978, p. 122 (lettre du 10 mars 1910).

minations sociales et culturelles. L'énergique refoulement qui clôt l'investigation sexuelle de l'Œdipe provoque souvent une inhibition; « l'avidité de savoir reste dès lors inhibée et la libre activité de l'intelligence limitée, peut-être à vie, d'autant plus que, peu de temps après, de par l'éducation entre en jeu la puissante inhibition de la pensée due à la religion »[1]. Pourtant les parties génitales étaient, à l'origine, magnifiées; « elles jouissaient d'une vénération divine et transféraient la divinité » produisant, par sublimation, des figures de dieux. Finalement, la civilisation se développant, « tant de divin et de sacré fut extrait de la sexualité que le reliquat de celle-ci, privé de force, succomba au mépris », mais les traces psychiques sont indestructibles et, jusqu'à aujourd'hui, on en retrouve les formes primitives dans le langage, les mœurs et les superstitions, survivances d'adoration des parties génitales[2].

Le petit Léonard, ayant échappé à l'intimidation par le père et aux chaînes de l'autorité, ne pouvait rester croyant. Nous connaissons le rapport intime entre le complexe paternel et la croyance en Dieu, « le Dieu personnel n'est psychologiquement rien d'autre qu'un père porté aux nues » et le complexe parental forme la racine du besoin religieux; un Dieu juste et puissant et une bonne Nature sont de grandioses sublimations du père et de la mère, ou plutôt des actualisations des représentations infantiles de l'un et de l'autre. « **La religiosité se ramène biologiquement à la persistante incapacité de s'aider et au persistant besoin d'aide du petit enfant** »; devenu adulte, face aux puissances de la vie, il repart en quête des puissances protectrices infantiles. La religion accorde une protection aux croyants contre l'atteinte névrotique en les déchargeant du complexe parental et de sa conscience de culpabilité; l'incroyant, pour sa part, doit venir seul à bout de cette tâche[3]. S'appuyant sur les deux principes (de plaisir et de réalité) qui fondent le fonctionnement psychique, Freud fait alors un autre constat: cette promesse

1. *Un souvenir d'enfance de Léonard de Vinci* (1910c), Paris, Gallimard, 1987, p. 83-84; *OCF* X, p. 104; *GW* VIII, p. 146-147.

2. *Ibidem*, p. 113-114; p. 122-123; p. 166-167 [ajouté en 1919].

3. *Ibidem*, p. 156-157; p. 149; p. 195.

d'un plaisir assuré dans une existence future montre l'échec des religions à surmonter le principe de plaisir, ce à quoi la science réussit mieux[1].

Dans ces mêmes temps (débuts de 1911), et alors qu'il se documente pour *Totem et tabou*, Freud publie un texte très bref, sans commentaire, plus proche d'une note de lecture que d'un article, qui relate comment à Éphèse le culte d'Artémis (Diane), déesse ayant prévalence en ce lieu, est venu recouvrir celui d'une ancienne divinité maternelle (Oupis) ; lorsque l'apôtre Paul tenta d'imposer le christianisme il fut combattu et écarté au cri de « grande est la Diane des Éphésiens » ; par la suite « la nouvelle divinité maternelle des chrétiens, Marie », eut à son tour son culte à Éphèse ; encore plus tard l'Islam conquit la région qui se trouva envahie par le désert, sans que pour autant « la grande déesse d'Éphèse ait renoncé à ses droits »[2]. Freud se borne à rapporter et ne commente pas, mais la « morale » du récit est claire : toujours la grande Déesse-mère revient et perdure.

En 1912-1913 ***Totem et tabou*** se consacre, comme l'indique son sous-titre, à « quelques concordances entre la vie psychique des sauvages et celle des névrosés » ; il s'agit là « d'appliquer des points de vue et des résultats de la psychanalyse à des problèmes non éclaircis de la psychologie des peuples » ; les quatre essais constituant l'ouvrage « entendent servir de médiateur entre ethnologues, linguistes, folkloristes, etc. d'une part, et les psychanalystes de l'autre ». Si le *tabou*, qui se perpétue parmi nous, n'est que la formulation négative de « l'impératif catégorique » de Kant, le *totémisme* est « une institution à la fois religieuse et sociale devenue étrangère à notre sensibilité d'aujourd'hui »[3], tout au moins sous cette forme ; il est en fait la préforme de la pensée religieuse. C'est donc surtout lui qui nous intéresse ici, comme

1. « Formulations sur les deux principes du cours des événements psychiques » (1911b), *Résultats, idées, problèmes, I*, Paris, PUF, 1984, p. 140 ; *OCF* XI, p. 18 ; *GW* VIII, p. 235-236.

2. « Grande est la Diane des Éphésiens » (1911f), *Résultats, idées, problèmes, I*, Paris, PUF, 1984, p. 171-173 ; *OCF* XI, p. 51-53 ; *GW* VIII, p. 360-361.

3. *Totem et tabou* (1912-1913a), Paris, Gallimard, 1993, p. 63-65 ; *OCF* XI, p. 193-194 ; *GW* IX, p. 3-4.

c'était d'ailleurs le thème qui intéressait Freud [1] avec, plus particulièrement, « Le retour infantile du totémisme », intitulé du quatrième essai qu'Ernest Jones désigne comme l'un des « chapitres de son œuvre à laquelle il attachait la plus grande importance » [2].

Tabous, angoisses et démons sont, comme les dieux, des « créations des forces psychiques de l'homme », explicables par la psychologie [3] : ils sont nés et sont constitués de « quelque chose ». Le rapport à la croyance en « la toute-puissance des pensées » fonde les systèmes de conception du monde que se fait l'homme, passant au cours de son évolution d'une phase *animiste* où il attribue cette toute-puissance à lui-même, à une phase *religieuse* où il la cède aux dieux, pour accéder enfin à une conception *scientifique* « dans laquelle il n'y a plus de place pour la toute-puissance de l'homme qui a reconnu sa petitesse et s'est soumis avec résignation à la mort ainsi qu'à toutes les autres nécessités naturelles » ; l'élaboration de systèmes animiques pour justifier les croyances est une élaboration secondaire analogue au travail du rêve ou aux motivations conscientes des phobies, à la pensée obsessionnelle et au délire paranoïaque [4]. Dans la névrose les parties pulsionnelles sexuelles prédominent par rapport aux parts pulsionnelles sociales, celles-ci étant elles-mêmes nées de composantes égoïstes et érotiques réunies en unités ; l'exemple de la comparaison du tabou et de la névrose obsessionnelle laisse déjà deviner le rapport entre les différentes névroses et les formations culturelles, d'où l'importance de l'étude de la psychologie des névroses pour comprendre le développement de la civilisation. D'une part elles présentent des concordances frappantes et profondes avec les grandes productions sociales de l'art, de la religion et de la philosophie et, de l'autre, elles en apparaissent comme des distorsions. On pourrait dire

1. *Sigmund Freud présenté par lui-même* (1925d), Paris, Gallimard, 1984, p. 113 ; *OCF* XVII (« Autoprésentation »), p. 114 ; *GW* XVI, p. 92.

2. Ernest Jones, *La vie et l'œuvre de Sigmund Freud*, t. 3, Paris, PUF, 1969, p. 43 (les deux autres étant le 7e chapitre de *L'interprétation des rêves*, « Sur la psychologie des processus du rêve », et le 3e essai de *Métapsychologie* sur « L'inconscient »).

3. *Totem et tabou* (1912-1913a), Paris, Gallimard, 1993, p. 111 ; *OCF* XI, p. 227 ; *GW* IX, p. 34.

4. *Ibidem*, p. 208 et 217 ; p. 298 et 305 ; p. 108-109 et 115.

qu'« une hystérie est une image distordue d'une création artistique, une névrose de compulsion celle d'une religion, un délire paranoïaque celle d'un système philosophique ». Il en est ainsi parce que « **les névroses sont des formations asociales qui cherchent à accomplir avec des moyens privés ce qui dans la société a été engendré par un travail collectif** ». Dans les névroses, les pulsions sexuelles sont décisives, tandis que les formations culturelles correspondantes reposent sur des pulsions sociales issues de l'union des parties égoïstes et érotiques. « Le besoin sexuel n'est pas capable d'unir les hommes de la même manière que les exigences de l'autoconservation ; la satisfaction sexuelle est d'abord l'affaire personnelle de l'individu » [1].

Lorsque Freud recherche les origines de la civilisation, de ses règles, de ses lois et de ses institutions, il choisit d'introduire son hypothèse comme un conte : « Un jour, les frères qui avaient été chassés se groupèrent, tuèrent et mangèrent le père, mettant ainsi fin à la horde paternelle » [2]. Il reprend l'idée d'un repas totémique au cours duquel le clan tue l'animal totem (substitut du père) et le dévore – sans rien ignorer, dit-il, des nombreuses critiques et objections portées à l'encontre de cette thèse, à commencer par le fait qu'aucune observation n'en a jamais été rapportée. Associant ce rite à « l'hypothèse darwinienne concernant l'état originaire de la société humaine », se souvenant que la psychanalyse a montré que l'animal totem est le substitut du père, il forge sa propre hypothèse visant les toutes premières origines de l'humanité : en dévorant ensemble le père qu'ils avaient tué les frères réussirent ce qu'ils n'auraient su et pu faire isolément ; en le mangeant ils s'identifiaient à lui, s'appropriant une part de sa force. Bien plus tard, « le repas totémique, peut-être la première fête de l'humanité, serait la répétition et la commémoration de ce geste criminel mémorable qui a été au commencement de tant de choses, organisations sociales, restrictions morales et religion » [3].

1. *Ibidem*, p. 182-183 ; p. 281-282 ; p. 91.
2. *Ibidem*, p. 289-290 ; p. 360-361 ; p. 171.
3. *Ibidem*, p. 286-290 ; p. 359-361 ; p. 169-172.

Le tabou protège la vie de l'animal totem car celui-ci s'offre comme le plus commode substitut naturel du père permettant aux fils de tenter une réconciliation ; « le système totémique était en un sens un contrat conclu avec le père, dans lequel ce dernier accordait tout ce que l'imagination infantile pouvait attendre du père », en échange de l'engagement de ne pas répéter le meurtre originel ; le totémisme permet d'enjoliver l'histoire et d'oublier l'événement dont il est issu. « La religion totémique procédait du sentiment de culpabilité des fils », et **toutes les religions ultérieures apparaissent comme des essais de solution « au même grand événement qui a marqué le commencement de la civilisation et qui depuis lors ne cesse de tourmenter l'humanité »** [1]. Si Freud admet « ne pas être en mesure d'indiquer où trouvent place dans cette évolution les grandes divinités maternelles qui ont peut-être précédé partout les dieux pères » [2], il se borne à les écarter ; à l'évidence la question l'embarrassait, comme en témoigne cette lettre à Ernest Jones : « Je sais également l'obstacle ou la complication qu'introduit la question du matriarcat et n'y ai pas encore trouvé de solution. Mais j'espère que la question sera élucidée. Elle ne sera pas traitée dans l'article sur le tabou » [3], et guère plus par la suite.

Le sentiment de culpabilité du fils comme sa rébellion perdurent dans l'évolution des problématiques religieuses ; dans le mythe chrétien le péché originel vise Dieu le père et si, en mourant, le Christ peut délivrer l'homme du poids du péché, il n'en pose pas moins ce péché comme un meurtre ne pouvant être expié que par le sacrifice d'une autre vie : si ce sacrifice amène la réconciliation avec Dieu le père, le crime à expier ne saurait être que le meurtre du père… Fait notable : avec l'introduction de l'agriculture la libido incestueuse trouve à se satisfaire symboliquement avec le travail de la Terre-mère ; naissent alors les divinités juvéniles d'Attis, d'Adonis, de Tammuz qui jouissent des faveurs de divinités maternelles incestueuses, mais la culpabilité demeure et le châtiment survient par émasculation. Enfin, « dans la

1. *Ibidem*, p. 293-294 ; p. 368-369 ; p. 180.

2. *Ibidem*, p. 300 ; p. 363-364 ; p. 174.

3. Sigmund Freud et Ernest Jones, *Correspondance complète (1908-1939)*, Paris, PUF, 1998, p. 200 (lettre du 1er août 1912).

doctrine chrétienne, l'humanité reconnaît de la façon la moins voilée l'acte coupable de l'époque originaire », mais la fatalité de l'ambivalence exige qu'avec son expiation le fils atteigne le but de ses désirs hostiles : il devient lui-même un dieu aux côtés du père, la religion du fils remplaçant celle du père – d'où le rite de la communion où des frères dupliquent le repas totémique[1]. Et Freud de conclure cette « enquête » en posant que « **dans le complexe d'Œdipe les commencements de la religion, de la morale, de la société et de l'art se rencontrent,** ce qui concorde pleinement avec ce que constate la psychanalyse, à savoir que ce complexe forme le noyau de toutes les névroses ; [...] ces problèmes relatifs à la vie psychique des peuples devraient pouvoir également recevoir une solution à partir d'un seul point concret comme l'est le rapport au père »[2]. Cela sonne comme une proclamation que Freud va reprendre dans plusieurs publications qui vont suivre.

Ainsi est établi un rapport étroit entre les productions psychiques individuelles et celles des communautés, ce qui postule une source identique : la fonction principale des processus psychiques est de décharger les tensions dues aux besoins. Les satisfactions arrachées au monde extérieur accomplissent une part de cette tâche, mais elles ne sauraient satisfaire certaines tendances affectives qui réclament alors une autre espèce de satisfaction. L'histoire des civilisations montre « les voies qu'empruntent les hommes pour réaliser leurs désirs insatisfaits, en fonction des conditions changeantes, modifiées par le progrès technique, du consentement et de la frustration de la réalité ». Cela a commencé avec les croyances infantiles de toute-puissance pour parvenir à la phase scientifique, en passant par la phase religieuse ; ainsi « s'emboîtent mythes, religions et moralité comme autant d'essais de se procurer un dédommagement pour le manque de satisfaction du désir » – ce que les névroses tentent de faire individuellement[3].

1. *Totem et tabou* (1912-1913a), Paris, Gallimard, 1993, p. 305-308 ; *OCF* XI, p. 373-375 ; *GW* IX, p. 184-186.

2. *Ibidem*, p. 312 ; p. 377 ; p. 188.

3. « L'intérêt de la psychanalyse » (1913j), *Résultats, idées, problèmes, I*, Paris, PUF, 1984, p. 208-209 ; *OCF* XII, p. 120-121 ; *GW* VIII, p. 415-416.

Contrairement à ce qu'avancent les philosophes, l'image de la mort, en amenant l'homme des origines à réfléchir, n'est pas devenue le point de départ de toute spéculation ; face au cadavre de l'ennemi il triomphe « sans se casser la tête sur les énigmes de la vie et de la mort ». Ce n'est ni l'énigme intellectuelle, ni les événements de mort qui le font s'interroger : c'est « le conflit de sentiment ressenti lors de la mort de personnes aimées, et pourtant en même temps étrangères et haïes ». Sa propre douleur lui interdisait de tenir la mort à l'écart mais, ne pouvant se représenter sa propre mort, il devait s'engager dans des compromis : il accepte que la mort puisse être la sienne, mais conteste qu'elle anéantisse la vie. « Près du cadavre de la personne aimée il imagina les esprits et sa conscience de culpabilité, née de la satisfaction qui s'était mêlée au deuil, fit que ces esprits devinrent de mauvais démons sources d'angoisse ». Les altérations des cadavres l'amenèrent à la division entre un corps et une âme, le souvenir persistant de ceux qui étaient morts fonda la croyance en d'autres formes d'existence et donna l'idée d'une survie après la mort apparente ; plus tard les religions présentèrent cette existence postérieure comme la plus précieuse. « Auprès du cadavre de la personne aimée prirent naissance non seulement la doctrine de l'âme, la croyance en l'immortalité, et l'une des puissantes racines de la conscience de culpabilité chez l'homme, mais aussi les premiers commandements moraux. » Si maintenant nous nous demandons comment, aujourd'hui, notre inconscient se comporte à l'égard du problème de la mort, « la réponse s'impose : presque exactement comme le faisait l'homme des origines. De ce point de vue, comme de tant d'autres, l'homme des premiers âges survit inchangé dans notre inconscient. Ainsi notre inconscient ne croit pas à la mort personnelle, il se conduit comme s'il était immortel »[1].

Il est significatif que dans l'ouvrage présenté comme propédeutique (*Conférences d'introduction à la psychanalyse* qui sont aussi et surtout un bilan et une somme), Freud tienne à notifier une fois de plus sa conviction d'une concordance entre psychologie individuelle et

1. « Considérations actuelles sur la guerre et sur la mort » (1915b), *Essais de psychanalyse*, Paris, Payot, 1981, p. 30-36 ; *OCF* XIII, p. 148-151 ; *GW* X, p. 345-350.

psychologie sociale : « J'ai été amené à conjecturer que **l'humanité dans son ensemble a peut-être acquis sa conscience de culpabilité, la source ultime de la religion et de la moralité, au commencement de son histoire, par le complexe d'Œdipe** »[1]. Il entend aussi souligner l'étroite analogie entre les tentatives asociales des malades pour résoudre leurs conflits et apaiser leurs besoins, et « celles qui s'appellent poésie, religion et philosophie », mieux acceptées par la majorité[2].

En 1921, par son titre même, *Psychologie des foules et analyse du moi* réaffirme et explicite le constat que « la psychologie individuelle est aussi, d'emblée et simultanément, une psychologie sociale »[3] ; toutes les relations individuelles que privilégie l'investigation psychanalytique (parents et fratrie, objet amoureux, etc.) sont des phénomènes sociaux qui sont à opposer aux processus narcissiques dans lesquels la satisfaction pulsionnelle se soustrait aux autres, voire y renonce. Pour explorer les rapports entre psychologie individuelle et psychologie collective (distinction factice car il n'y a en fait qu'une seule psychologie), Freud s'attache à des formations collectives qu'il qualifie comme « foules hautement organisées, durables et artificielles [dont] les exemples les plus intéressants sont l'Église, la communauté des croyants, et l'Armée, la foule militaire »[4]. La nécessaire cohésion de l'Église est assurée par la religion qui, pour y parvenir, « même si elle s'appelle religion d'amour, doit être dure et sans amour envers ceux qui ne lui appartiennent pas »[5], faire en sorte que dans cette grande masse artificielle « il n'y ait pas de place pour la femme comme objet sexuel ». Même là où il y a mélange d'hommes et de femmes, la différence des sexes ne doit jouer aucun rôle car « les tendances sexuelles directes tendent à désagréger toute formation de

1. *Conférences d'introduction à la psychanalyse* (1916-1917), Paris, Gallimard, 1999, p. 422 ; *OCF* XIV, p. 343 ; *GW* XI, p. 344.

2. Préface à Theodor Reik, *Problèmes de psychologie religieuse* (1919g), *OCF* XV, p. 213 ; *GW* XII, p. 327.

3. *Psychologie des foules et analyse du moi* (1921c), *Essais de psychanalyse*, Paris, Payot, 1981, p. 123 ; *OCF* XVI, p. 5 ; *GW* XII, p. 73.

4. *Ibidem*, p. 153 ; p. 31 ; p. 101.

5. *Ibidem*, p. 160 ; p. 37 ; p. 107.

masse ». À l'inverse, là où la formation en masse est puissante, les névroses reculent et peuvent même disparaître pour un temps – si bien que, « même celui qui ne regrette pas la disparition des illusions religieuses dans le monde culturel d'aujourd'hui, accordera qu'elles offraient à ceux qu'elles liaient, aussi longtemps qu'elles-mêmes étaient encore en vigueur, la protection la plus forte contre le danger de la névrose »[1].

Dès lors le complexe d'Œdipe prend, en psychanalyse, « des proportions gigantesques, [jusqu'à laisser penser que] **l'ordre étatique, la moralité, le droit et la religion étaient, aux tout premiers temps de l'humanité, nés conjointement en tant que formation réactionnelle au complexe d'Œdipe**[2]. Le surmoi–idéal du moi, cet héritier du complexe d'Œdipe qui remplace la nostalgie pour le père, « contient le germe à partir duquel toutes les religions se sont formées. Lorsque le moi se compare à son idéal, le jugement qu'il porte sur sa propre insuffisance engendre le sentiment d'humilité religieuse auquel le croyant en appelle dans sa ferveur nostalgique »[3].

Ainsi, les connaissances psychologiques acquises par l'étude des rêves ont conduit à faire le pas supplémentaire permettant de proclamer que la psychanalyse est psychologie des profondeurs, et de l'appliquer à presque toutes les sciences de l'esprit ; « ce pas consistait, partant de l'activité psychique de l'homme isolé, à accéder aux opérations psychiques de communautés humaines et de peuples, donc à passer de la psychologie de l'individu à la psychologie des masses ». Il en va ainsi avec ces névroses obsessionnelles qui se comportent exactement comme « une caricature de religion privée si bien que l'on pourrait assimiler les religions officielles à une névrose obsessionnelle tempérée par ce qu'elle a de général ». Si la psychanalyse a reconnu très tôt que les forces qui s'affrontent dans la névrose obsessionnelle expriment leurs conflits par le cérémonial des actes compulsifs, elle

1. *Ibidem*, p. 214-215 ; p. 80-81 ; p. 158-159.

2. « "Psychanalyse" et "Théorie de la libido" » (1923a), *Résultats, idées, problèmes, II*, Paris, PUF, 1984, p. 72 ; *OCF* XVI, p. 203 ; *GW* XIII, p. 229.

3. *Le moi et le ça* (1923b), *Essais de psychanalyse*, Paris, Payot, 1981, p. 250 ; *OCF* XVI, p. 280 ; *GW* XIII, p. 265.

dut « ramener le sentiment religieux à la relation au père en tant que sa racine la plus profonde » afin de fournir la preuve d'une situation dynamique analogue[1].

Pour que cela soit bien entendu, Freud souligne dans son autobiographie de 1925 : « Je tiens personnellement en la plus haute estime mes contributions à la psychologie de la religion qui commencèrent en 1907 par la constatation d'une analogie surprenante entre des actes obsessionnels et des exercices religieux ». À l'instigation de Jung, il s'intéressa aux « analogies entre les productions intellectuelles des névrosés et celles des primitifs » – et ce fut *Totem et tabou*, dont il résume alors l'argument, précisant que ce qui « l'attirait avant tout était le *totémisme*, ce premier système d'organisation des tribus primitives dans lesquelles les débuts d'un ordre social s'allient à une religion rudimentaire »[2]. Avec cet ouvrage, il en est arrivé à « constituer une hypothèse, ou pour mieux dire une vision » : celle du meurtre du père de la horde primitive par les fils unis qui durent apprendre à se lier, par le totémisme, en un clan qui excluait le renouvellement d'un tel meurtre et, renonçant à la possession des femmes du père, furent renvoyés à des femmes étrangères (exogamie). Le repas totémique commémorait l'acte monstrueux à l'origine de la conscience coupable de l'humanité (le péché originel), l'organisation sociale, la religion et la limitation morale. « Qu'il faille attribuer à une telle possibilité une réalité historique ou non, toujours est-il que **la constitution de la religion se trouvait du même coup placée sur le terrain du complexe paternel et construite sur l'ambivalence qui préside à celui-ci** ». Lors de l'abandon de l'animal totémique, « c'est le père primitif en personne, redouté et haï, vénéré et envié, qui devint le modèle de Dieu ». Défi filial et nostalgie du père entrèrent en lutte, suscitant des compromis renouvelés destinés tant à expier le meurtre du père qu'à en recueillir le bénéfice. « Cette conception de la religion jette une lumière particulièrement crue sur les fondements psychologiques du christianisme, dans lequel en effet la cérémonie du repas

1. « Petit abrégé de psychanalyse » (1924f), *Résultats, idées, problèmes*, *II*, Paris, PUF, 1984, p. 113-114 ; *OCF* XVI, p. 350-351 ; *GW* XIII, p. 422-423.

2. *Sigmund Freud présenté par lui-même* (1925d), Paris, Gallimard, 1984, p. 112-114 ; *OCF* XVII, p. 114-115 ; *GW* XIV, p. 92.

totémique se perpétue sous la forme encore peu défigurée de la communion »[1].

Freud constate alors qu'il a mené la révision de la théorie des pulsions avec *Au-delà du principe de plaisir* (1920), celle des instances du fonctionnement psychique avec *Le moi et le ça* (1923) ; entre les deux, en 1921, a donc pris place l'exploration des rapports entre la face individuelle de la psychologie et sa face sociale (*Psychologie des foules et analyse du moi*). À la suite, le complexe d'Œdipe put être vraiment approfondi, passant de la description clinique à une théorie de la structure et du fonctionnement psychique en s'appuyant sur la notion nouvelle de surmoi[2] ; tout aussi bien, une nouvelle théorie de l'angoisse et une réélaboration de la théorie du fonctionnement psychique (de la métapsychologie elle-même, en fait)[3] furent menées à bien. Enfin le statut social de l'acte psychanalytique et de sa pratique est spécifié à partir de la situation circonstancielle de l'exercice de la psychanalyse par des non-médecins, s'appuyant sur ce qui, au-delà, constitue l'essence même de la psychanalyse et, de fait, l'établit[4] : « Le névrosé se met au travail [dans la cure analytique] parce qu'il a confiance en l'analyste, et il a confiance en lui parce qu'il acquiert, à l'égard de sa personne, une attitude sentimentale particulière. L'enfant, lui aussi, ne croit que les gens dont il dépend. [...] Nous utilisons cette influence "suggestive" particulièrement grande non pour réprimer les symptômes mais comme force pulsionnelle pour permettre au moi du malade de surmonter les résistances »[5].

Fort de ces acquis, Freud se décide en 1927 à entreprendre de rédiger ce qu'il voulait écrire depuis longtemps : une « brochure » où il explicite son « **attitude toute de refus en matière de religion, sous**

1. *Ibidem*, p. 116 ; p. 116-117 ; p. 93-94.

2. Notamment dans « L'organisation génitale infantile » (1923), « La disparition du complexe d'Œdipe » (1924), « Quelques conséquences psychologiques de la différence anatomique entre les sexes » (1925).

3. *Inhibition, symptôme et angoisse* (1926d), Paris, PUF, 1951 ; *OCF* XVII ; *GW* XIV.

4. *La question de l'analyse profane* (1926e), Paris, Gallimard, 1985 ; *OCF* XVIII ; *GW* XIV.

5. *Ibidem*, p. 97 ; p. 50 ; p. 256.

toutes ses formes, même dégradées » [1]. C'est ***L'avenir d'une illusion*** dont il attend qu'elle protège l'analyse contre les prêtres comme *La question de l'analyse profane* visait à la protéger des médecins[2].

Il convient d'abord de comprendre comment l'individu se défend contre « les forces supérieures de la nature, du destin, qui le menacent ainsi que tous les hommes ». La civilisation (Freud « dédaigne de séparer la civilisation de la culture » [3]) doit collectivement le décharger de cette tâche. Pour ce faire, le premier pas consiste à « humaniser » la nature en plaçant, au cœur des éléments, les mêmes passions qui font rage dans notre âme ; nous nous sentons alors comme chez nous dans le surnaturel et, élaborant psychiquement notre peur, « nous sommes peut-être encore désarmés mais nous ne sommes plus paralysés sans espoir ». Cette situation n'est que la continuation de l'état de détresse du petit enfant face à ses parents, qu'il craint mais qui le protègent (surtout son père) ; de même, l'homme de la préhistoire donne aux forces naturelles écrasantes les caractères du père : il en fait des dieux. Au fil du temps, ces forces perdent leurs traits humains mais « la détresse humaine demeure et avec elle la nostalgie des pères et des dieux », avec leur triple rôle : exorciser les forces de la nature, nous réconcilier avec la cruauté du destin et de la mort, nous dédommager des frustrations qu'impose la civilisation. Entre ces trois fonctions l'accent se déplace progressivement : les dieux semblent peu s'impliquer dans les phénomènes de la nature, ils s'avèrent défaillants face aux vicissitudes du destin, leurs voies sont pour le moins insondables – alors toutes les expectatives se concentrent sur leur troisième tâche et la moralité devient leur réel domaine : les dieux doivent parer aux défauts et dommages de la mise en pratique de la vie en société et veiller au maintien de ses prescriptions – « **une origine divine est attribuée aux prescriptions de la civilisation** ».

1. *Correspondance de Sigmund Freud avec le pasteur Pfister* (1909-1939), Paris, Gallimard, 1969, p. 162 (lettre du 16 octobre 1927).

2. *Ibidem*, p. 183 (lettre du 15 novembre 1928).

3. *L'avenir d'une illusion* (1927c), Paris, PUF, 1971, p. 8 ; *OCF* XVIII, p. 146 ; *GW* XIV, p. 326.

Le trésor d'idées ainsi constitué vise à rendre supportable la détresse humaine, trésor « édifié avec le matériel fourni par les souvenirs de la détresse où se trouvait l'homme lors de sa propre enfance, comme aux temps de l'enfance du genre humain ». La vie en ce monde est alors censée servir un destin supérieur dans lequel « un questionnement de l'être de l'homme est à coup sûr impliqué » ; tout résulte des desseins d'une Intelligence supérieure qui arrange tout au mieux pour nous, même si nous ne le comprenons pas : sur chacun veille une Providence bienveillante qui n'est sévère qu'en apparence ; la mort elle-même n'est pas l'anéantissement mais le début d'une nouvelle forme d'existence dans laquelle les cruautés de la vie seront effacées. Telles sont les qualités des êtres divins qui nous ont créés ainsi que l'univers, voire de l'être divin unique en lequel certaines cultures ont condensé les dieux primitifs ; « le peuple qui réalisa le premier une telle concentration des qualités divines ne fut pas peu fier d'un tel progrès. Il avait mis au jour le nucleus paternel, dissimulé mais présent dans toutes les figures divines ». Telles se sont formées les religions au cours d'une très longue évolution ; pour rédiger ce travail, Freud a « choisi une seule de ces phases évolutives, celle qui correspond à peu près à la phase finale que présente la civilisation chrétienne actuelle des races blanches occidentales ». Ces idées religieuses sont estimées comme le fonds le plus précieux de la civilisation, placées plus haut que les techniques qui arrachent ses trésors à la terre, pourvoient à la subsistance des hommes ou vainquent leurs maladies. « Reste à se demander ce que sont ces idées à la lumière de la psychologie, d'où elles tiennent la haute estime où on les tient ? Nous nous hasarderons même à le demander : quelle est leur réelle valeur ? »[1]

La voie qui va du complexe paternel à la détresse des hommes et à leur besoin de secours est constituée par les rapports reliant la détresse infantile à la détresse adulte qui la prolonge ; ainsi se forment les religions. « La libido suit la voie des besoins narcissiques et s'attache aux objets qui assurent leur satisfaction » : la mère qui nourrit devient le premier objet d'amour, la première protection contre le monde

1. *Ibidem*, p. 23-28 ; p. 156-161 ; p. 337-342.

extérieur et contre l'angoisse ; si le père la remplacera bientôt dans ce rôle protecteur, ce n'est pas sans ambivalence : il est lui-même une menace et inspire autant de crainte que de nostalgie et d'admiration ; cette ambivalence marque profondément toutes les religions. Grandissant, l'enfant constate qu'il ne peut se passer de protection contre des puissances souveraines et inconnues, « il prête alors à celles-ci les traits de la figure paternelle et il se crée des dieux » dont il a peur, qu'il cherche à se concilier pour obtenir leur protection – la nostalgie de l'enfant pour son père coïncide avec le besoin de protection de l'adulte, engendrant la religion et ses traits caractéristiques. Les idées religieuses sont des assertions touchant des rapports à la réalité externe (ou interne), des dogmes qui répondent à ce que nous n'avons pu découvrir par nous-mêmes et qui, dans la vie, nous semble le plus important et le plus intéressant ; ils exigent de notre part un acte de foi[1]. En effet : « de tout notre patrimoine culturel, c'est justement ce qui pourrait avoir pour nous le plus d'importance, ce qui a pour tâche de nous expliquer les énigmes de l'univers et de nous réconcilier avec les souffrances de la vie, c'est justement cela qui est fondé sur les preuves les moins solides » – ce qui pose un curieux problème psychologique, d'autant que si cette impossibilité a été reconnue de tous temps, les idées religieuses n'en ont pas moins exercé la plus puissante influence sur l'humanité. En quoi consiste donc leur force interne ? À quoi doivent-elles cette efficacité indépendante de la raison[2] ?

Ces idées, ces dogmes sont des *illusions*, réalisations des désirs les plus anciens, les plus forts et les plus pressants de l'humanité ; « le secret de leur force est la force de ces désirs ». Mais « une illusion n'est pas la même chose qu'une erreur, une illusion n'est pas non plus nécessairement une erreur » ; nombre d'exemples en témoignent. L'illusion dérive des désirs humains, se rapprochant par là de l'idée délirante, mais s'en distinguant aussi : l'idée délirante est en contradiction avec la réalité, alors que l'illusion n'est pas nécessairement irréalisable ou en contradiction avec la réalité. « Nous appelons illusion une croyance dans laquelle la réalisation d'un désir est préva-

1. *Ibidem*, p. 32-35 ; p. 161-165 ; p. 345-347.
2. *Ibidem*, p. 37-41 ; p. 166-170 ; p. 348-352.

lente, faisant là abstraction de ses rapports à la réalité, tout comme l'illusion elle-même renonce à se voir confirmée par la réalité ». Toutes les doctrines religieuses sont des illusions, indémontrables mais irréfutables ; les énigmes de l'univers ne se dévoilent que lentement à nos investigations, mais « le travail scientifique est pour nous la seule voie qui puisse mener à la connaissance de la réalité extérieure ». Cette étude ne vise pas à prendre parti sur la valeur de vérité des doctrines religieuses ; elle entend seulement les reconnaître, d'après leur nature psychologique, comme des illusions. Cette découverte ne peut pourtant qu'influer puissamment sur notre attitude. Nous savons à peu près quand et par qui les doctrines religieuses furent créées ; si de plus nous apprenons pourquoi, notre point de vue sur le problème religieux connaît un déplacement notable. « Il serait certes très beau qu'il y eut un Dieu créateur du monde et une Providence pleine de bonté, un ordre moral de l'univers et une vie future, mais il est cependant très curieux que tout cela soit exactement ce que nous pourrions nous souhaiter à nous-mêmes. Et il serait encore plus curieux que nos ancêtres, dans leur misère, leur ignorance et leur manque de liberté aient justement réussi à résoudre toutes ces difficiles énigmes de l'univers »[1].

Les hommes le savaient : ils avaient bien tué le père ; coupables, ils décidèrent de le respecter dorénavant – « ainsi la doctrine religieuse nous dit la vérité historique, bien que sous une forme transformée et déguisée ». **Le patrimoine des idées religieuses comprend des réalisations de désirs et d'importantes réminiscences historiques** ; « quel immense, quel incomparable pouvoir cette collaboration du passé avec l'avenir ne doit-elle pas conférer à la religion ! ». L'enfant humain ne peut évoluer vers la civilisation sans passer par une phase de névrose car il est incapable de réprimer par la raison le grand nombre d'impulsions passionnelles qui l'agitent ; de même, « l'humanité passe, au cours de son évolution, par des états analogues aux névroses, et ce pour les mêmes raisons ». Faible et ignorante, elle ne pouvait renoncer à la satisfaction des pulsions qu'en vertu de forces purement affectives ; « le résidu de ces démarches similaires aux

1. *Ibidem*, p. 43-47 ; p. 170-174 ; p. 353-356.

refoulements, survenues aux temps préhistoriques, subsistent longtemps en tant que partie intégrante de la civilisation. La religion serait la névrose obsessionnelle universelle de l'humanité ; comme celle de l'enfant elle serait issue du complexe d'Œdipe, de la relation au père ». On peut prévoir que l'abandon de la religion se fera avec « la fatale inexorabilité d'un processus de croissance » ; nous nous trouvons aujourd'hui dans cette phase.

Mais si, effectivement, la religion comporte des limitations compulsionnelles (telles que seule en présente la névrose obsessionnelle chez l'individu), elle contient aussi un système d'illusions, avec déni de la réalité, liées au désir tel qu'on ne le trouve que dans la psychose hallucinatoire. Si ces comparaisons nous aident à comprendre le phénomène social, « la pathologie individuelle ne nous fournit pas de pendant entièrement valable ». L'une des conséquences de l'analogie entre religion et névrose obsessionnelle, qui se retrouve jusque dans les détails, est que « le vrai croyant se trouve protégé du danger de certaines affections névrotiques ; l'acceptation de la névrose universelle le dispense de la tâche de se créer une névrose personnelle » [1].

Freud conclut cet essai par un commentaire épistémologique. Notre appareil psychique s'est donc développé en explorant le monde extérieur et en s'efforçant d'y adapter sa structure (il appartient d'ailleurs lui-même à cet univers) ; la science a pour tâche de nous faire voir comment le monde doit nécessairement nous apparaître en raison du caractère spécifique de notre organisation et ses résultats ultimes, justement en raison de la façon dont ils ont été acquis, sont aussi conditionnés par ce qui a pu agir sur cette organisation – le problème de la nature de l'univers considérée indépendamment de notre appareil de perception psychique est une abstraction vide, sans aucun intérêt pratique. « Non, notre science n'est pas une illusion. Mais ce serait une illusion de croire que nous puissions trouver ailleurs ce qu'elle ne peut nous donner » [2].

Dorénavant, Freud va reprendre régulièrement le thème de la religion ou, plus précisément, du besoin religieux des hommes. Il avait

1. *Ibidem*, p. 60-62 ; p. 183-185 ; p. 366-367.
2. *Ibidem*, p. 80 ; p. 197 ; p. 380.

adressé à Romain Rolland *L'avenir d'une illusion*; celui-ci lui ayant répondu qu'il serait entièrement d'accord avec lui s'il ne regrettait qu'il eusse négligé ce qui lui apparaissait comme la source réelle de la religiosité : un sentiment particulier qui lui était familier et que beaucoup lui avaient dit connaître : la « sensation de l'"éternité", de quelque chose sans limites, sans fin, pour ainsi dire "océanique" », donnée purement subjective et non article de foi. « Telle serait la source de l'énergie religieuse, captée, canalisée dans certaines voies, et même totalement absorbée par les diverses Églises et systèmes de religion ». Freud se dit fort embarrassé, non seulement parce qu'il ne découvre en lui-même aucun sentiment de cet ordre, mais surtout parce qu'il trouve malaisé de traiter scientifiquement des sentiments. Il s'agirait là d'un « sentiment d'union indissoluble avec le grand Tout », d'appartenance à l'universel, mais ce serait plutôt là, lui semble-t-il, une vue intellectuelle à tonalité sentimentale, telle qu'elle ne saurait manquer dans des pensées de semblable portée[1].

Le sentiment du moi de l'adulte est apparu au cours d'une évolution qui se laisse aisément reconstituer : le nourrisson ne différencie pas la source des sensations qui affluent (moi ou monde extérieur) et il n'apprend à le faire que peu à peu, en vertu d'incitations diverses ; un certain nombre de sources d'excitations, qu'il ne reconnaîtra que plus tard comme internes, peuvent lui procurer des sensations alors que d'autres sont plus fugitives, avec parmi elles la plus désirée de toutes : le sein maternel que ses cris pourront ramener. « Le moi se trouve ainsi placé pour la première fois face à un "objet", une chose située "au-dehors" que peut seule faire apparaître une action particulière ». En outre, nombre de sensations de douleur et de déplaisir, que le « principe de plaisir » exige de supprimer, contribuent à détacher le moi de ce qu'il va percevoir comme un « dehors » dans lequel il lui faut expulser ce qui peut causer du déplaisir, formant ainsi « un moi-plaisir pur auquel s'oppose un dehors étranger et menaçant ».

Les frontières devront être rectifiées par l'expérience ; maintes choses auxquelles on tient, car elles sont sources de plaisir, ne sont

1. *Malaise dans la civilisation* (1930a), Paris, PUF, 1971, p. 5-7 ; *OCF* XVIII [*Malaise dans la culture*], p. 249-251 ; *GW* XIV, p. 421-423.

pourtant pas « moi » mais « objet » ; maints tourments qu'on voudrait rejeter ne s'en révèlent pas moins inséparables du moi, donc « intérieurs » : il faut apprendre à orienter perceptions et actions pour différencier l'intérieur-qui-appartient-au-moi, de l'extérieur-qui-provient-du-monde-extérieur – ainsi s'ébauche un principe de réalité. Le but est de se défendre contre le déplaisir ; pour se protéger de certaines excitations de déplaisir intérieures, le moi use des mêmes méthodes dont il use contre celles venues de l'extérieur (là sera le point de départ d'importants troubles morbides). Ainsi le moi se détache du monde extérieur ; « à l'origine le moi contient tout, ultérieurement il exclut de lui un monde extérieur. **Notre sentiment actuel du moi n'est donc qu'un résidu ratatiné d'un sentiment beaucoup plus vaste qui embrassait tout** ». Ce sentiment du moi primaire s'est conservé chez beaucoup d'hommes, se juxtaposant au sentiment du moi de la maturité aux frontières plus étroites et plus tranchées ; les représentations qui conviennent à ce moi primaire seraient précisément une absence de limites et d'union avec le Tout du sentiment « océanique » [1].

Celui-ci, tel qu'éprouvé par certains, remonterait donc à une phase précoce du sentiment du moi ; la question se pose alors de savoir en quoi il pourrait être considéré comme la source des besoins religieux ? Un sentiment ne peut être source d'énergie que s'il est lui-même l'expression d'un puissant besoin. Le rattachement des besoins religieux à l'état de détresse infantile et à la nostalgie du père qui l'accompagne ne saurait être écarté, d'autant qu'il n'est pas qu'une survivance de la vie enfantine mais est conservé durablement par l'angoisse face au destin. « Je ne saurai indiquer un besoin provenant de l'enfance aussi fort que celui de la protection par le père ». Le rôle du sentiment océanique, qui pourrait aspirer à la réinstauration du narcissisme illimité, n'apparaît plus primordial. S'il a pu se trouver en relation avec la religion, ce n'est qu'après coup : ne faire qu'un avec le Tout peut être, en effet, une première tentative de consolation religieuse, permettant de dénier la menace extérieure. « J'avoue une fois encore mon malaise à travailler sur de tels impondérables » [2].

1. *Ibidem*, p. 8-10 ; p. 252-253 ; p. 424-425.
2. *Ibidem*, p. 15-16 ; p. 257-258 ; p. 430.

« Dans mon écrit *L'avenir d'une illusion* il s'agissait bien moins des sources les plus profondes du sentiment religieux que de ce que l'homme du commun entend par sa religion, ce système de doctrines et de promesses » qu'il croit capable de l'éclairer sur les énigmes du monde et, surtout, de le rassurer en lui annonçant qu'une Providence bienveillante veille sur lui. Il ne peut se représenter celle-ci que comme un père grandiose, seul à connaître les besoins de l'enfant des hommes, attendri par ses demandes, apaisé par son repentir. « Tout cela est si manifestement infantile, si étranger à la réalité effective que, si l'on est porté à aimer les hommes, il est douloureux de penser que la majorité des mortels ne s'élèvera jamais au-dessus de cette conception de la vie ». La question du « but de la vie humaine » – idée qui n'existe qu'en fonction d'un système religieux – n'a encore jamais reçu de réponse satisfaisante, et peut-être n'en comporte-t-elle aucune[1]...

Le principe de plaisir nous impose de chercher à être heureux, ce qui ne peut être atteint ; pourtant il nous est impossible de renoncer à cette quête. On peut alors s'engager sur des voies très diverses selon qu'on privilégie le gain de plaisir ou l'évitement du déplaisir, mais aucune d'entre elles ne nous permet d'atteindre tout ce que nous désirons. « Le bonheur, qui ne peut être que relatif, est un problème d'économie libidinale individuelle » ; il n'y a pas de conseil qui vaille pour tous, et chacun doit voir lui-même comment il peut être heureux. L'homme érotique privilégiera les relations affectives, le narcissique cherchera les jouissances essentielles dans sa vie intérieure, l'homme d'action ne lâchera pas le monde extérieur. Beaucoup failliront dans cette quête du bonheur ; la dernière technique vitale disponible, accordant au moins des satisfactions substitutives, est la fuite dans la névrose ; s'il faut en venir à constater la vanité de la recherche du bonheur, restera la consolation des plaisirs de la toxicomanie, ou alors cette tentative de révolte désespérée qu'est la psychose.

La religion empêche ce jeu d'adaptation et de sélection en imposant à tous ses propres voies pour parvenir au bonheur et à la protection contre la souffrance ; pour ce faire, « **elle rabaisse la valeur de la**

1. *Ibidem*, p. 17-20 ; p. 259-262 ; p. 431-433.

vie et déforme de façon délirante l'image du monde réel, démarches qui ont pour postulat l'intimidation de l'intelligence ». En imposant à ses adeptes un infantilisme psychique, en leur faisant partager un délire collectif, « la religion réussit à épargner à quantité d'êtres humains une névrose individuelle, mais c'est à peu près tout ». S'il y a quantité de chemins qui mènent au bonheur, tel du moins qu'il nous est accessible, tous sont incertains – y compris celui de la religion – et quand le croyant finit par « invoquer les "décrets insondables de Dieu", il avoue implicitement que, dans sa souffrance, il ne lui reste comme ultime possibilité de réconfort et source de joie, que la soumission sans conditions. Et s'il y est prêt, il aurait vraisemblablement pu s'épargner ce détour »[1]. Le destin est un substitut de l'instance parentale ; le malheur est le signe que cette puissance suprême ne nous aime plus et, face à une telle menace, on se soumet au surmoi, cette représentation des parents qu'on pouvait négliger dans les temps de bonheur. Cela devient flagrant lorsqu'on voit dans le destin l'expression de la volonté divine[2]. Les religions jouent abondamment du sentiment de culpabilité à qui elles donnent le nom de péché, prétendant même en délivrer l'humanité. « De la façon dont le christianisme obtient cette rédemption, par le sacrifice de la vie d'un seul assumant ainsi la faute de tous, nous avons pu déduire à quelle occasion première a été acquis ce sentiment de péché originel avec lequel débuta la civilisation »[3].

Deux ans plus tard, Freud rédige sept *Nouvelles conférences d'introduction à la psychanalyse*, suite et complément de celles données en 1916-1917 ; la dernière d'entre elles, intitulée « Sur une vision du monde » (*Weltanschauung*, qui peut également se traduire par « idéologie »), lui apparaît comme un « condensé de l'*Illusion* et du *Malaise* »[4]. Si elle n'apporte rien de véritablement nouveau, en résumant elle se fait peut-être plus incisive. Après avoir posé que la psy-

1. *Ibidem*, p. 30-31 ; p. 270-272 ; p. 442-444.

2. *Ibidem*, p. 83-84 ; p. 314 ; p. 486.

3. *Ibidem*, p. 95 ; p. 323 ; p. 495.

4. *Correspondance Sigmund Freud – Max Eitingon (1906-1939)*, Paris, Hachette, 2009, p. 757, lettre du 21 juillet 1932.

chanalyse est « absolument inapte à former une vision du monde et doit adopter celle de la science », Freud conclut que des trois puissances qui « peuvent contester à la science son territoire, seule la religion est un ennemi sérieux », l'art étant plutôt inoffensif et bienveillant, la philosophie se comportant en partie comme une science mais s'en éloignant en s'accrochant à l'illusion de pouvoir livrer une image du monde cohérente et sans lacune qui a en fait peu d'influence sur la grande masse des gens. « En revanche, la religion est une puissance énorme qui dispose des émotions les plus fortes des êtres humains » ; autrefois, elle dominait la vie intellectuelle, occupait la place de la science alors que celle-ci était balbutiante et ainsi « elle a créé une vision du monde d'une logique et d'une cohérence incomparables qui, bien qu'ébranlée, subsiste encore aujourd'hui » [1].

La religion prétend dire le vrai sur les origines, apaiser l'angoisse des hommes face aux vicissitudes de la vie en les assurant d'une compensation dans l'au-delà, diriger leurs opinions et leurs actions par les préceptes qu'elle édicte et qui doivent être respectés pour mériter cet au-delà (on sera sinon châtié). La conjonction de ces trois contenus religieux n'est pas vraiment transparente ; on ne comprend cette combinaison d'enseignement, de consolation et d'exigences qu'en l'analysant : une cosmogonie se retrouve à la base de tous les systèmes religieux, posant que le monde a été créé par un être semblable à l'homme, toujours unique même là où il y a de nombreux dieux, généralement un homme (Freud n'ignore ni les animaux créateurs qui dénotent l'influence du totémisme, ni l'existence de divinités féminines génitrices le plus souvent reléguées, mais il entend faire vite et pense pouvoir ici négliger les uns et les autres) ; ce dieu créateur est désigné comme « père », et « la psychanalyse en conclut qu'il s'agit directement du père, dans la grandeur où il était apparu un jour au petit enfant. **L'homme religieux se représente la création du monde comme sa propre origine** ».

Dès lors, les assurances consolantes et les sévères exigences morales associées à la cosmogonie s'expliquent facilement : « la même personne à qui l'enfant doit son existence, le père (ou plus exactement

1. *Ibidem*, p. 214-215 ; p. 244-245 ; p. 173.

l'instance parentale composée du père et de la mère), en veillant sur lui, a aussi protégé l'enfant faible et désemparé, exposé à tous les dangers qui le guettent dans le monde extérieur » ; même si l'adulte se sait plus fort, sa connaissance des dangers de la vie a aussi augmenté et il reste aussi désemparé que dans son enfance : « face au monde il est toujours un enfant [... ;] c'est pourquoi il remonte à l'image gardée en mémoire du père de l'époque enfantine, qu'il a tellement surestimé ; il l'élève au rang de divinité et l'insère dans le présent et dans la réalité ». Ainsi se soutient sa croyance en Dieu. L'exigence éthique, troisième point du programme religieux, se confond pareillement avec cette situation enfantine : le même père (l'instance parentale) lui a aussi enseigné ses devoirs et ses interdits, imposé certaines restrictions à ses désirs, indiqué comment il doit se comporter pour devenir un membre toléré du cercle familial puis de groupes plus larges. Tous ces rapports sont transportés inchangés dans la religion [1]. Face à elle, la pensée scientifique recherche la concordance avec la réalité qui existe en dehors de nous et demeure décisive pour la réalisation ou l'échec de nos désirs ; « cette coïncidence avec le monde extérieur réel, nous l'appelons vérité ». Elle s'oppose ainsi à l'interdit de penser, édicté par la religion en vue de son autoconservation, lourd de dangers pour l'individu comme pour la communauté humaine : « l'expérience analytique nous a enseigné qu'un tel interdit [...] devient une cause d'inhibitions graves dans le comportement d'un individu face à la vie » [2].

La psychanalyse est inapte à créer une conception du monde qui lui soit propre ; elle n'en a nul besoin : partie de la science, elle peut se rattacher aux principes que pose celle-ci. La science ne prétend pas constituer un ensemble cohérent et systématique, la pensée scientifique est très jeune et il y a encore trop de grands problèmes qu'elle ne maîtrise pas – elle n'a pas à se préoccuper d'édifier une conception du monde qui lui soit propre, elle doit seulement veiller à se soumettre à la vérité, à refuser les illusions [3].

1. *Ibidem*, p. 215-219 ; p. 245-248 ; p. 173-177.
2. *Ibidem*, p. 228 ; p. 255-256 ; p. 184-185.
3. *Ibidem*, p. 243 ; p. 267-268 ; p. 197.

Deux ans plus tard (1935), Freud revient brièvement sur la question religieuse dans un « Post-scriptum » ajouté à son « Autoprésentation » de 1925, « ouvrage que parcourent deux thèmes : celui de [sa] propre destinée et celui de l'histoire de la psychanalyse » ; par « une mutation qui s'opéra en lui », l'homme mûr qu'il était devenu avait voulu revenir aux « problèmes culturels » qui avaient captivé le jeune homme – notamment l'exploration des origines de la religion et de la morale, ce qu'il avait déjà approché en 1912 avec *Totem et tabou* mais qu'il a repris et prolongé dans *L'avenir d'une illusion* (1927) et *Malaise dans la civilisation* (1930). Dans le fait religieux se recoupent exemplairement les données individuelles et sociales de la psychologie : « Je reconnus de plus en plus clairement que les événements de l'histoire de l'humanité, les interactions entre la nature humaine, le développement de la culture et ces retombées d'expériences vécues originaires, dont la religion se pose comme le représentant privilégié, ne sont que le reflet des conflits dynamiques entre moi, ça et surmoi, que la psychanalyse étudie chez l'individu les mêmes processus, repris sur une scène plus vaste. Dans *L'avenir d'une illusion* j'avais donné de la religion une appréciation essentiellement négative ; je trouvais plus tard une formule qui lui rend plus justice : son pouvoir reposerait certes sur sa teneur de vérité, cependant cette vérité ne serait pas d'ordre matériel mais historique. »[1]

Il y revient dès l'année suivante et, durant l'été 1934, entreprend de trouver une réponse à la question de savoir « comment le Juif est devenu ce qu'il est et s'est attiré cette haine éternelle. Je trouvais bientôt la formule. Moïse a créé le juif, et mon travail reçut le titre : *L'homme Moïse, un roman historique* ». Cette étude, à ce moment quasiment achevée, n'est en fait que la première partie, « intéressante de façon romanesque », de l'ouvrage en projet ; la deuxième étude, bien ébauchée, « laborieuse et fastidieuse », est historique, alors que la troisième, « dense et ambitieuse, a fait échouer l'entreprise car elle apportait une théorie de la religion » qui n'était pas publiable dans l'atmosphère de rigorisme catholique où était alors

1. « Post-scriptum » (1935) à *Sigmund Freud présenté par lui-même* (1925d), Paris, Gallimard, 1984, p. 121-124 ; *OCF* XVII (« Autoprésentation »), p. 119-121 ; *GW* XIV pour *Selbstdarstellung* et XVI pour *Nachschrift*, p. 31-33.

plongée l'Autriche[1]. En octobre il précise à Max Eitingon que cette troisième partie porte sur « la véracité de la religion » et vient en complément à *L'avenir d'une illusion*[2]. Trois mois plus tard il annonce à Lou Andreas-Salomé qu'il a terminé son troisième essai sur *Moïse et le monothéisme* dont il l'avait entretenue ; il le lui résume en concluant sur ce commentaire : « **Les religions doivent leur puissance contraignante au *retour du refoulé*, ce sont des réminiscences de processus archaïques disparus, hautement effectifs, de l'histoire de l'humanité.** [...] Je condense cela maintenant en une formule : ce qui rend la religion forte, ce n'est pas sa vérité *réelle*, mais bien l'*historique*. [...] Cette formule, qui m'a totalement fasciné, ne peut plus, de nos jours, être énoncée en Autriche. »[3] Il met alors de côté l'ouvrage qui le passionne tant. Il l'achèvera en juillet 1938, à Londres ; le livre, regroupant les trois essais, sera imprimé et publié à Amsterdam quelques mois plus tard sous le titre *L'homme Moïse et la religion monothéiste*.

Dans une « Remarque préliminaire » au 3e essai (juin 1938), il se dit convaincu de la justesse de sa conclusion, déjà avancée dans *Totem et tabou*, selon laquelle « les phénomènes religieux ne peuvent être compris que selon le modèle des symptômes névrotiques de l'individu en tant que retour de processus importants, depuis longtemps oubliés, ayant eu lieu au cours de l'histoire originelle de la famille humaine » ; c'est ce « contenu de vérité historique » qui les rend si opérants sur les humains. Cette thèse peut être illustrée par l'exemple du monothéisme juif et de l'homme Moïse, mais il convient alors d'écarter l'idée qu'il y aurait eu, au cours des siècles, un développement spontané vers une spiritualité supérieure : « les mêmes circonstances n'ont pas conduit au monothéisme le peuple grec, pourtant pourvu des dons les plus éminents, mais à la dissolution de la religion polythéiste et au commencement de la pensée philosophique ». En

1. *Correspondance Sigmund Freud – Arnold Zweig (1927-1939)*, Paris, Gallimard, 1973, p. 129, lettre du 30 septembre 1934.

2. *Correspondance Sigmund Freud – Max Eitingon (1906-1939)*, Paris, Hachette, 2009, p. 810, lettre du 27 octobre 1934.

3. Lou Andreas-Salomé, *Correspondance avec Sigmund Freud* (1966a), Paris, Gallimard, 1970, p. 253, lettre du 6 janvier 1935.

Égypte Dieu fut le reflet du pharaon régnant sur un empire mondial ; rien de tel pour les juifs : « Où cette nation, minuscule et impuissante, prit-elle l'audace téméraire de se donner pour l'enfant chéri et favori du Seigneur tout-puissant ? »[1]

N'ayant jamais douté que « les phénomènes religieux ne peuvent être compris que selon le modèle des symptômes névrotiques de l'individu », Freud reprend alors *Totem et tabou* sur les petites hordes primitives dominées par un mâle puissant possédant toutes les femmes, écrasant les fils et en chassant les aînés ; il est impossible d'en préciser l'époque, assurément fort lointaine, au point que le langage y était encore peu développé. L'histoire dut se répéter des milliers de fois jusqu'à ce qu'à force de révoltes les plus jeunes des fils, protégés par l'amour des mères, tuent le père vieillissant, le dévorent et le remplacent. Ils durent ensuite trouver les moyens de vivre ensemble en instituant des préceptes et des tabous, à commencer par celui de l'inceste et l'obligation de l'exogamie.

Une bonne part du pouvoir passa alors aux femmes ; ce fut le temps du matriarcat et de l'instauration d'un substitut du père : le totem désigné comme ancêtre et protecteur du clan. « Nous avons le droit de reconnaître dans le totémisme la première manifestation de la religion dans l'histoire humaine. » Puis des dieux prirent la place des totems[2]. Plus tard encore, à un moment indéterminé, apparaissent de grandes déesses mères, sans doute avant les dieux mâles qui mirent longtemps à les supplanter, ce qu'ils firent vraisemblablement dans les mêmes temps où un ordre patriarcal vint remplacer le matriarcat. « Les dieux mâles apparaissent d'abord en tant que fils à côté des Grandes Mères, plus tard seulement ils prennent nettement les traits de figures paternelles » ; ce furent les dieux mâles des polythéismes. *(Nous nous permettons ici une incise : à suivre cette fresque préhistorique selon Freud, civilisation et religions seraient, de fait, concomitantes au règne des mères dont entendirent s'émanciper fils et pères, prenant alors le pouvoir et instaurant le culte du père – ce*

1. *L'homme Moïse et la religion monothéiste* (1939a), Paris, Gallimard, 1986, p. 147-149 ; *OCF* XX, p. 143-144 ; *GW* XVI, p. 168-169.

2. *Ibidem*, p. 170-174 ; p. 160-162 ; p. 186-189.

qui nous éloigne beaucoup du meurtre du père originaire comme prélude au pacte social.) Dans une étape ultérieure, certains peuples opéreront un « retour au dieu père seul et unique, à la domination illimitée »[1]. Des facteurs extérieurs, mal connus, firent que le matriarcat fut remplacé par le patriarcat (cf. l'*Orestie* d'Eschyle) ; pour Freud, « ce passage de la mère au père caractérise une victoire de la vie de l'esprit sur la vie sensorielle, donc un progrès de la civilisation car la maternité est attestée par le témoignage des sens tandis que la paternité est une conjecture édifiée sur une déduction et sur un postulat »[2].

Si nous comprenons aisément que le primitif ait besoin d'un dieu, créateur du monde et de la tribu, prenant place derrière les pères défunts, nous admettons moins bien, même si nous le constatons, que l'homme de notre temps se conduise pareillement, demeure infantile et ait besoin de protection au point que, même lorsqu'il est adulte, il pense ne pouvoir se priver de dieu – « c'est là un fait incontestable, mais il est moins facile de comprendre pourquoi il ne doit y avoir qu'un seul dieu », peut-être cela signifie-t-il un progrès de la vie de l'esprit, mais on ne saurait attacher un grand prix à cette opinion. N'oublions jamais que « notre intellect se fourvoie très facilement [...] et qu'il n'est rien que nous ne croyons plus facilement que ce qui va au-devant de nos illusions fondées sur des désirs, sans égard pour la vérité »[3]. Disons que, **pour l'homme, la croyance est gage de vérité, et la vérité gage de réalité**, la réalité psychique triomphant de la réalité extérieure ; ce faisant, l'homme peut penser assurer sa domination sur le monde mais, pour lui, là s'ouvre aussi la voie à la folie...

C'est toujours et d'abord de psychanalyse que Freud traite en tout ceci, l'intérêt majeur des croyances religieuses étant de figurer un point de recoupement privilégié des psychologies individuelle et collective ; aussi, quel que soit l'éventuel intérêt des éclairages apportés par cet ouvrage à l'histoire du monothéisme et à la pensée religieuse, sa véritable nouveauté tient au « petit morceau de renforcement psy-

1. *Ibidem*, p. 174 ; p. 163 ; p. 189.
2. *Ibidem*, p. 213 ; p. 192 ; p. 221.
3. *Ibidem*, p. 232-233 ; p. 207 ; p. 237.

chanalytique qu'il contient, qui ne fera à coup sûr impression que sur une minorité »[1].

QUESTIONS ET ENJEUX

Même si la religion apparaît au centre des travaux freudiens sur la croyance, elle n'est en fait qu'un thème secondaire illustrant les processus de croyance, comme il en va d'ailleurs pour l'*animisme*, ensemble de croyances qui put être qualifié de religion sans dieu, enchantement du monde qui ouvrirait la voie aux religions sans s'y inscrire de fait. Il correspond à l'expression de croyances : celles aux esprits comme celles qui voient dans la nature vivante la seule réalité psychique et matérielle, croyances qui font vivre et concorder de multiples correspondances et symboles – Baudelaire sut nous montrer que « la Nature est un temple où de vivants piliers » bruissent de correspondances symboliques (cf. « Animisme » dans ce dictionnaire).

L'ÉTUDE DU FAIT RELIGIEUX EST UNE TÂCHE PLEINEMENT PSYCHANALYTIQUE, ET NON UNE SIMPLE APPLICATION DE LA PSYCHANALYSE

Dans un premier temps, Freud s'intéresse à la religion parce que ses expressions et manifestations, toutes collectives fussent-elles, se révèlent très semblables à celles des névroses dans la psychologie individuelle. Il va progressivement étendre considérablement son champ d'investigation jusqu'à préciser la signification des croyances religieuses comme « illusions », croyances dans lesquelles « la réalisation d'un désir est prévalente » ; ainsi « les doctrines religieuses sont toutes des illusions : on ne peut les prouver » et on ne saurait juger de leur valeur réelle[2]. La croyance dans des illusions s'apparente aux idées délirantes ; aussi, l'étude des religions est bien plus qu'une « psychanalyse appliquée aux

1. Lettre à Yisrael Doryon du 7 octobre 1938, *OCF* XX, p. 338.

2. *L'avenir d'une illusion* (1927c), Paris, PUF, 1971, p. 43-47 ; *OCF* XVIII, p. 170-174 ; *GW* XIV, p. 353-356.

sciences de l'esprit » (selon le sous-titre de la revue *Imago* créée en 1912) comme il peut en aller pour l'éducation, la criminologie, l'art ou la littérature, voire les faits de civilisation ; avec les religions il s'agit d'autant moins d'une telle application que « toute analyse de phénomènes psychologiques ne mérite pas le nom de psychanalyse » et qu'il ne saurait suffire d'en décomposer les manifestations. Pour être justifié à invoquer la psychanalyse, il convient de pouvoir « ramener une formation psychique à d'autres qui ont précédé et à partir desquelles elle s'est développée », et c'est ainsi qu'en faisant « dériver la vie psychique de l'adulte de celle de l'enfant » on éclaire la préhistoire des peuples par l'enfance de l'individu[1]. De même, en établissant la parenté entre les rituels obsessionnels et ceux qu'imposent les actes religieux on peut « caractériser la névrose comme une religiosité individuelle, [et dévoiler] la religion comme une névrose obsessionnelle universelle »[2]. De fait, « la psychologie individuelle est aussi, d'emblée et simultanément, une psychologie sociale »[3]. Approfondissant sa recherche, Freud « s'aperçoit de plus en plus clairement que les événements de l'histoire de l'humanité, les effets réciproques entre nature humaine, évolution culturelle et retombées de ces expériences originaires, dont la religion se pose comme le représentant privilégié, ne sont que le reflet des conflits dynamiques entre moi, ça et surmoi, que la psychanalyse étudie chez l'individu les mêmes processus repris sur une scène plus vaste »[4]. Ainsi l'étude du fait religieux est une tâche pleinement psychanalytique, et non une simple application de la psychanalyse.

Là-dessus, Freud a de grandes ambitions pour cette dernière : n'a-t-il pas très tôt, introduisant le terme « métapsychologie », avancé qu'une « large part de la conception mythologique du monde, qui s'étend très loin jusques et y compris les religions les plus modernes, n'est rien d'autre que *de la psychologie projetée vers le*

1. « L'intérêt de la psychanalyse » (1913j), *Résultats, idées, problèmes, I*, Paris, PUF, 1984, p. 205 et 207 ; *OCF* XII, p. 117 et 119 ; *GW* VIII, p. 411-412 et 414.

2. « Actions compulsionnelles et exercices religieux » (1907b), *Névrose, psychose et perversion*, Paris, PUF, 1973, p. 141 ; *OCF* VIII, p. 146 ; *GW* VII, p. 139.

3. *Psychologie des foules et analyse du moi* (1921c), *Essais de psychanalyse*, Paris, Payot, 1981, p. 123 ; *OCF* XVI, p. 5 ; *GW* XII, p. 73.

4. « Post-scriptum » (1935) à *Sigmund Freud présenté par lui-même* (1925d), Paris, Gallimard, 1984, p. 123 ; *OCF* XVII (« Autoprésentation »), p. 120 ; *GW* XVI, *Nachschrift*, p. 32.

monde extérieur. L'obscure connaissance (la perception pour ainsi dire endopsychique) de l'existence de facteurs et de faits psychiques propres à l'inconscient se reflète [...] dans la construction d'une *réalité suprasensible* que la science a pour tâche de retransformer en *psychologie de l'inconscient*. On pourrait se risquer à résoudre d'une telle manière les mythes du paradis et du péché originel, de Dieu, du Bien et du Mal, de l'immortalité, etc., et à transformer la *métaphysique* en *métapsychologie* »[1]. Ce faisant, il ne se propose rien de moins que de traiter comme objet de science la métaphysique elle-même (et non pas seulement les croyances). La réalisation de la part du projet portant plus précisément sur la théorie psychanalytique (l'appréciation des processus psychiques selon leur dynamique, leur topique et leur économie) s'avérera plus difficile qu'envisagée d'abord, « le temps d'une telle fixation théorique n'étant pas encore venu »[2]; en revanche, par le biais de l'examen des pratiques et croyances religieuses, l'analyse implicite de la « métaphysique » s'est approfondie, comme en témoignent non seulement l'abondance des écrits consacrés aux croyances et religions, mais aussi l'explication des processus inconscients qui sous-tendent les valeurs qu'elles impliquent, transformant effectivement la métaphysique en métapsychologie selon le projet originel. La psychanalyse ne saurait négliger nulle production du psychisme des hommes, pas plus celles qui se veulent transcendantales que les autres.

De fait, lorsque Freud traite de la religion, il fait de la psychanalyse; plus qu'aux sources mystiques du sentiment religieux il s'intéresse donc à « ce que l'homme du commun entend lorsqu'il évoque sa religion, ce système de doctrines et de promesses qui d'un côté éclaircit pour lui les énigmes de ce monde avec une plénitude digne d'envie, de l'autre lui assure qu'une Providence attentionnée veillera sur sa vie et le dédommagera dans une existence future d'éventuelles frustrations » ; il s'agit bien là, comme aux premiers temps de l'humanité, des objets mêmes visés par la psychanalyse : les désirs enfouis des hommes. La religion de cet homme ordinaire, avec

1. *La psychopathologie de la vie quotidienne* (1901b), Paris, Gallimard, 1997 p. 411-412 ; *OCF* V, p. 355 ; *GW* IV, p. 287-288.

2. *Sigmund Freud présenté par lui-même* (1925d), Paris, Gallimard, 1984, p. 99 ; *OCF* XVII (« Autoprésentation »), p. 106 ; *GW* XVI, p. 86.

ses craintes et ses espérances infantiles, apparaît comme « la seule qui devrait porter ce nom »[1].

Le thème attire Freud fort tôt, sans l'avoir jamais abandonné il y revient avec insistance tout au long de sa dernière décennie[2]. Pour autant, son projet n'est pas de montrer les inconséquences des doctrines religieuses depuis longtemps reconnues[3], et pas plus de se prononcer sur leur valeur de vérité. Il ne prétend rien dire qui n'ait déjà été dit mais tient à y ajouter des bases psychologiques montrant que la religion est comparable à une névrose infantile ; il est « assez optimiste pour croire que l'humanité surmontera cette phase névrotique, tout comme tant d'enfants en grandissant guérissent d'une névrose similaire »[4]. Pour autant, et comme il pourra l'écrire au pasteur Pfister, « la psychanalyse n'est pas plus religieuse qu'irréligieuse, c'est un instrument sans parti dont peuvent user religieux et laïques, pourvu que ce soit uniquement au service de la délivrance d'êtres souffrants »[5] ; s'il est vrai que la religion peut permettre d'éviter une névrose, elle le fait en imposant un infantilisme psychique et le partage d'un délire collectif[6]. Aussi, l'indulgence de Freud à son égard est toute relative : en publiant *L'avenir d'une illusion* et en y affichant son « attitude toute de refus en matière de religion, sous toutes ses formes, même dégradées »[7], il attend que cette « brochure [...] protège l'analyse contre les prêtres »[8].

1. *Malaise dans la civilisation* (1930a), Paris, PUF, 1971, p. 17-18 ; *OCF* XVIII [*Malaise dans la culture*], p. 259-260 ; *GW* XIV, p. 431-432.

2. « Post-scriptum » (1935) à *Sigmund Freud présenté par lui-même* (1925d), Paris, Gallimard, 1984, p. 123 ; *OCF* XVII (« Autoprésentation »), p. 120 ; *GW* XIV pour *Selbstdarstellung* et XVI pour *Nachschrift*, p. 32.

3. *L'avenir d'une illusion* (1927c), Paris, PUF, 1971, p. 38 ; *OCF* XVIII, p. 167 ; *GW* XIV, p. 349.

4. *Ibidem*, p. 47, 51, 76 ; p. 174, 176, 194 ; p. 356, 358, 376-377.

5. *Correspondance de Sigmund Freud avec le pasteur Pfister* (1909-1939), Paris, Gallimard, 1969, p. 47, lettre du 9 février 1909.

6. *Malaise dans la civilisation* (1930a), Paris, PUF, 1971 p. 31 ; *OCF* XVIII [*Malaise dans la culture*], p. 272 ; *GW* XIV, p. 444.

7. *Correspondance de Sigmund Freud avec le pasteur Pfister* (1909-1939), Paris, Gallimard, 1969, p. 162, lettre du 16 octobre 1927.

8. *Ibidem*, p. 183, lettre du 15 novembre 1928.

Les grands mythes endopsychiques

Si quelques grands thèmes s'imposent dans ses commentaires sur la religion, tous sont associés à l'idée, apparue très tôt, que les religions relèvent de « mythes endopsychiques » qui seraient « des illusions projetées au-dehors, dans l'avenir et l'immortalité, dans l'au-delà », promettant des récompenses qui ne seraient que des effets du travail de l'appareil psychique – et Freud de s'interroger : « C'est cinglé [*meschugge*] ? C'est une psycho-mythologie »[1]. Il l'expliquera vingt ans plus tard par le constat que « la psychologie individuelle est aussi, d'emblée et simultanément, une psychologie sociale »[2]. Trois idées majeures concentrent alors l'argumentation ; chacune d'entre elles est clairement identifiée, les trois se recoupent et, à l'occasion, s'intriquent.

La première idée part du ***constat clinique*** d'une ressemblance frappante entre les actes compulsionnels des névrosés et les pratiques de piété des croyants ; cette analogie s'avère d'ailleurs être plus qu'une ressemblance superficielle, au point que l'on pourrait parler d'homologie. Entre les deux, la différence tient à la nature des pulsions : exclusivement sexuelle dans la névrose, elle est égoïste (narcissique) dans la religion[3].

Le deuxième thème porte sur ***la nature des croyances et des aspirations*** portées par les religions, sur les significations inconscientes des sentiments, peurs et désirs qu'elles mettent en œuvre. Là encore apparaissent continuités et équivalences entre psychologies

1. *Lettres à Wilhelm Fliess*, Paris, PUF, 2006, p. 364 (ou p. 210 dans *La naissance de la psychanalyse*, Paris, PUF, 1956), lettre du 12 décembre 1897. La notion de « mythes endopsychiques » peut s'éclairer de ce propos tenu dix ans plus tard : « L'investigation des formations relevant de la psychologie des peuples n'est nullement close mais il est des plus vraisemblable que, s'agissant par exemple des mythes, ils correspondent aux vestiges déformés de fantaisies de désirs propres à des nations entières, aux *rêves séculaires* de la jeune humanité ». « Le créateur littéraire et la fantaisie » (1908e), *L'inquiétante étrangeté et autres essais*, Paris, Gallimard, 1985, p. 45 ; *OCF* VIII, p. 170 ; *GW* VII, p. 222.

2. *Psychologie des foules et analyse du moi* (1921c), *Essais de psychanalyse*, Paris, Payot, 1981, p. 123 ; *OCF* XVI, p. 5 ; *GW* XII, p. 73.

3. « Actions compulsionnelles et exercices religieux » (1907b), *Névrose, psychose et perversion*, Paris, PUF, 1973, p. 132 et 142 ; *OCF* VIII, p. 137 et 146 ; *GW* VII, p. 129 et 139.

collective et individuelle, les sentiments et passions propres à la religion étant une reprise fidèle des troubles et émois, des craintes et aspirations propres à la petite enfance marquée par le complexe d'Œdipe[1]. Pour autant, la religion peut s'avérer bénéfique lorsque, en prenant collectivement à son compte les angoisses de l'individu, en assumant une fonction d'instance supérieure, elle peut lui procurer une défense contre la névrose. La compréhension de la formation du moi est la clé de celle du développement de la civilisation ; on retrouve les mêmes croyances en la toute-puissance des pensées et la même force des désirs inconscients dans les modes de pensée individuels et collectifs : « principe de plaisir et religion pourraient bien se rejoindre en ces régions lointaines où l'on néglige de distinguer le moi des objets, et ceux-ci les uns des autres »[2]. Là encore, l'argumentation colle à la praxis analytique.

On ne saurait en dire autant de la troisième thèse sur ***l'ethnologie et la préhistoire*** qui entend fonder le processus de civilisation sur ***la fonction, la place et le destin du père***. À l'encontre des deux précédentes elle ne va pas et n'a pas été sans faire problèmes, suscitant suffisamment d'interrogations pour que nous devions nous y étendre.

Elle pose donc une hypothèse, qualifiée par Freud de « vision », posant un originaire extrêmement lointain, en des temps où le langage était à peine ébauché et où les hommes vivaient en hordes dominées par un père écrasant, un jour les fils se révoltèrent et s'unirent pour le tuer, fondant de ce fait les rudiments d'une vie sociale. Cela se répéta jusqu'à ce que, beaucoup plus tard, le totem, avec ses rites et ses tabous, fournisse une représentation sublimée de ce père archaïque, ébauche d'une pensée religieuse encore assez loin d'une véritable religion ; pourtant toutes celles à venir seront marquées par ce meurtre originel, au point que leur Dieu est une figuration du père tout-puissant de la horde primitive, réminiscence qui ne peut que s'accompagner de celle de sa mise à mort – et il en alla ainsi jusqu'aux rites chrétiens.

Freud condense une hypothèse de Darwin (les premiers hommes vivaient en hordes) avec une autre d'Atkinson (l'origine de l'exoga-

1. *Ibidem*, p. 138 ; p. 143 ; p. 136.

2. *Malaise dans la civilisation* (1930a), Paris, PUF, 1971, p. 8-10 et 53 ; *OCF* XVIII [*Malaise dans la culture*], p. 252-253 et 288-289 ; *GW* XIV, p. 424-425 et 461.

mie)[1], auxquelles il ajoute sa « vision »[2] d'un père tyran mis à mort par les fils. Si ces conjectures étaient déjà contestées de son vivant, elles ont depuis été reconnues erronées par les anthropologues, comme d'ailleurs le totémisme lui-même. Aussi hasardeux donc qu'apparaisse ce récit, certains raccourcis et omissions de Freud semblent plus fâcheux encore, à commencer par l'idée que des êtres qui accédaient tout juste au langage aient pu connaître leur père comme tel. À la suite, Freud peint un « aperçu » de l'évolution de l'humanité dans une vaste fresque, un récit épique et pittoresque mais qui lui apparaît « lacunaire et sur bien des points mal assuré »[3]. L'impression se fait jour qu'il lui fallait forger une diachronie à sa convenance, au risque de bâtir un historique plus proche d'*une* histoire que de *l'*histoire – une fable psychanalytique, en somme, dont *in fine* la « morale » réaffirmerait le postulat du meurtre d'un père originel.

De quel père peut-il alors s'agir ?

Dans cette histoire, les références insistantes au complexe d'Œdipe tendent à nous évoquer le père œdipien que nous rencontrons dans nos cures ; mais s'agit-il du même ? Le texte freudien pourrait conforter cette identité en nous incitant à négliger les millénaires écoulés entre les temps du parricide ancestral et celui de nos patients évoquant leurs culpabilités filiales ; si la perpétuation dans l'inconscient de cette mise à mort des origines fonde et perpétue bien les civilisations, on peut comprendre une telle pérennité. Pourtant, tout au long de cette immense période, tant le statut de père que ce à quoi peut renvoyer cette désignation ont beaucoup varié, la référence au géniteur n'y étant pas prépondérante. Et, puisqu'il faut remonter aux temps les plus anciens, si « la maternité est attestée par le témoignage des sens, [alors que] la paternité est une conjecture édifiée sur une

1. *Totem et tabou* (1912-1913a), Paris, Gallimard, 1993, p. 264-266 ; *OCF* XI, p. 341-342 ; *GW* IX, p. 152-153.

2. *Sigmund Freud présenté par lui-même* (1925d), Paris, Gallimard, 1984, p. 115 ; *OCF* XVII (« Autoprésentation »), p. 116 ; *GW* XVI, p. 93.

3. *L'homme Moïse et la religion monothéiste* (1939a), Paris, Gallimard, 1986, p. 174 ; *OCF* XX, p. 163 ; *GW* XVI, p. 189.

déduction et sur un postulat, » et si on peut admettre que « ce passage de la mère au père caractérise une victoire de la vie de l'esprit sur la vie sensorielle, donc un progrès de la civilisation »[1], il n'en demeure pas moins que les premiers fils censés tuer les premiers pères ne pouvaient qu'ignorer ce qu'était un père, et encore plus le leur. Sans remonter si loin, dans la Rome antique (que Freud connaissait si bien et à laquelle il aimait se référer) le statut de père, de *pater*, est sans rapport avec quelque filiation puisqu'il relève de la *patria potestas* (la puissance paternelle) ; si le *pater familias* (chef de famille) est bien à la tête de ceux qui vivent dans sa maison (épouse, fils biologiques et adoptés ainsi que leurs épouses, filles non mariées, esclaves et affranchis), il n'est le géniteur que de bien peu d'entre eux, voire d'aucun. Dans le droit romain la filiation est un acte volontaire qui ne doit rien à la naissance et tout au choix *in potestate*. Un Romain ne devient pas père par la naissance d'un enfant mais par la mort de son père : le terme de *pater* définit un statut d'autorité et non une filiation : Jupiter est le père des hommes et des Dieux. Le christianisme en a fidèlement recueilli l'héritage avec Dieu le père et le Saint-Père, les prêtres se faisant appeler pères bien qu'interdits de procréation[2]. Ce statut du père à Rome, du *pater*, ressemble beaucoup au père dont traite Freud lorsqu'il évoque civilisations et religions, préhistoire et phylogenèse, beaucoup plus qu'il n'évoque le père du triangle œdipien tel que nous le rencontrons sur nos divans.

Alors ? Alors le père auquel nous avons affaire en psychanalyse est comme une condensation des deux ; constat qui, une fois encore, vient souligner combien les approches individuelles et collectives du psychisme peuvent, doivent être consubstantielles « car même la sociologie, qui traite du comportement des hommes en société, ne peut être rien d'autre que de la psychologie appliquée »[3]. Sans doute pourrait-on s'aider ici de la notion d'*imago*, ces modèles, ces schémas inconscients insérés dans des séries psychiques préexistantes, ces « précipités d'investissements d'objets abandonnés »[4] qui, s'éloignant

1. *Ibidem*, p. 213 ; p. 192 ; p. 221.

2. Cf., par ex. : Florence Dupont, *L'Antiquité, territoire des écarts*, Paris, Albin Michel, 2013, p. 100-101 et 128.

3. *Nouvelles conférences d'introduction à la psychanalyse* (1933a [1932]), Paris, Gallimard, 1984, p. 240 ; *OCF* XIX, p. 265 ; *GW* XV, p. 194.

4. *Ibidem*, p. 90 ; p. 147 ; p. 70.

de plus en plus des individus parentaux originaires, deviennent de plus en plus impersonnels, jusqu'à se fondre dans les « schémas », les modèles qu'exige la civilisation – c'est d'ailleurs là ce qui justifie tant le transfert[1] que le surmoi, cet héritier du complexe d'Œdipe « déterminé par les imagos parentales les plus anciennes »[2].

L'apparition d'un père originel en psychanalyse et les religions du père

Reste à comprendre comment la prépondérance de la référence au père est apparue et put s'inscrire dans l'œuvre freudienne ? À l'été 1934, alors qu'il commence le *Moïse*, cela fait un peu plus de trois ans que Freud se confronte, non sans quelque étonnement et réticence, à la spécificité de l'Œdipe féminin et à l'existence d'un pré-Œdipe. Si, inversant les repères habituels, celui-ci est aussi important que « difficile à saisir » pour la petite fille[3], il demeure obscur et « à peu près inconnu » en ce qui concerne le garçon[4] ; avec hésitation, comme à regret, Freud révise sa conception de l'Œdipe, pour déboucher en 1940 sur le constat que « l'existence de deux sexes est une grande énigme que la psychanalyse n'a contribué en rien à résoudre »[5]. (Cet argument est plus développé à l'article « Civilisation et société » de ce dictionnaire, au paragraphe « Remords et père primitif ».)

1. « La dynamique du transfert » (1912b), *De la technique psychanalytique*, Paris, PUF, 1953, p. 50-52 ; *OCF* XI, p. 107-109 ; *GW* VIII, p. 364-366.

2. *Nouvelles conférences d'introduction à la psychanalyse* (1933a [1932]), Paris, Gallimard, 1984, p. 89-90 ; *OCF* XIX, p. 147-148 ; *GW* XV, p. 70.

3. « Sur la sexualité féminine » (1931b), *La vie sexuelle*, Paris, PUF, 1969, p. 140 ; *OCF* XIX, p. 14-15 ; *GW* XIV, p. 523 ; et « La féminité », 33e des *Nouvelles conférences d'introduction à la psychanalyse* (1933a [1932]), Paris, Gallimard, 1984 ; *OCF* XIX ; *GW* XV.

4. « Quelques conséquences psychologiques de la différence anatomique entre les sexes » (1925j), *La vie sexuelle*, Paris, PUF, 1969, p. 126 et 131 ; *OCF* XVII, p. 194 et 199 ; *GW* XIV, p. 22 et 28.

5. *Abrégé de psychanalyse* (1940a), Paris, PUF, 1949, p. 58 ; *OCF* XX, p. 282 ; *GW* XVII, p. 114.

Ainsi, explorant les origines de la religion et de la civilisation, Freud retrouve les difficultés rencontrées dans l'étude du développement individuel confronté à « l'énigme de l'existence de deux sexes » [1]. Il reprend alors le mythe originaire qu'il s'était fabriqué en 1912 avec le meurtre du père primitif par les fils, le posant comme base et clé de toute religion [2] ; ce faisant, il peut retrouver ses anciennes représentations simplifiées de la complexité œdipienne. Sa croyance en l'antériorité et la primauté de l'identification au père de la préhistoire collective de l'humanité duplique celle au père de la préhistoire personnelle propre à chaque individu – celle-là même que vient mettre à mal la révision de l'Œdipe dans les années 1931-1933. Regrets ? Réhabilitation ? L'hypothèse d'un père-dieu originaire placé à l'aube de la préhistoire humaine ne chercherait-elle pas à corriger, voire à effacer les complexités d'une préhistoire individuelle très maternelle – et avec elles les obscurités pré-œdipiennes ?

Ajoutons que même si « la psychanalyse, qui découvrit la surdétermination constante des actes et des formations psychiques, ne risque pas de faire dériver une chose aussi compliquée que la religion d'une origine unique » [3], il n'en demeure pas moins que l'argumentation de Freud vise le seul monothéisme judéo-chrétien, négligeant ainsi une bonne part des croyances de l'humanité, ce qu'il admet d'ailleurs volontiers : « J'ai limité ma discussion, à strictement parler, à une seule structuration de la religion, celle des peuples occidentaux. Je me suis, pour ainsi dire, créé un fantôme dans le but d'une démonstration accélérée aussi impressionnante que possible » [4]. Serait-ce que le monothéisme exprimerait une « spiritualité supérieure » apparue lors de l'évolution culturelle ? Freud examine cette idée, d'autant qu'elle en rejoint une autre qui ne peut que lui plaire en posant une progression dans l'évolution des croyances, dupliquant celle du développement du psychisme comme celui des acquis culturels. Il ne la retient pourtant pas, au constat que le peuple grec, pourvu des

1. *Ibidem.*

2. *Sigmund Freud présenté par lui-même* (1925d), Paris, Gallimard, 1984, p. 115-116 ; *OCF* XVII, p. 115-116 ; *GW* XIV, p. 93-94.

3. *Totem et tabou* (1912-1913a), Paris, Gallimard, 1993, p. 227 ; *OCF* XI, p. 311 ; *GW* IX, p. 122.

4. *Nouvelles conférences d'introduction à la psychanalyse* (1933a [1932]), Paris, Gallimard, 1984, p. 225 ; *OCF* XIX, p. 253 ; *GW* XV, p. 182.

dons les plus éminents, choisit la pensée philosophique[1], atteignant ainsi « l'harmonie dans la formation à l'activité spirituelle et corporelle qui resta refusée aux Juifs »[2]. Si ces derniers intéressent Freud (et mise à part son appartenance revendiquée) c'est que leur recours au monothéisme lui apparaît comme un retour au père tout-puissant de la horde originaire – image qui tend à conforter son idée d'une primauté du père dans l'Œdipe, qui pourrait alors être considérée comme héritage phylogénétique.

Le père et la mère de Freud

Au-delà de la figuration d'un père unique et mythique, sa recherche porte sur ce qui conduit les hommes vers une déité ; d'où son étude des croyances et des religions dans *L'avenir d'une illusion*, puis dans le *Moïse et le monothéisme*. Quant à nous, nous nous demandons quelles raisons purent l'amener à conférer au père un statut aussi prééminent lors des développements individuel et collectif : pour le petit d'homme dès sa plus tendre enfance, pour l'humanité lors de ses premiers balbutiements – escamotant ainsi le règne de la Mère que, dans des textes plus cliniques, il place pourtant au cœur de ce développement. Aussi prévenu soit-on contre le recours à des éléments biographiques pour rendre compte des constructions théoriques, on ne peut ici que s'interroger, sans s'y attarder, sur une *éventuelle problématique personnelle ?*

Dans notre *mise en situation* nous avons effleuré la place fort discrète de la religion dans l'enfance de Freud. Toute sa vie lui-même se définit comme « profondément incroyant », un « juif tout à fait athée [...] aussi éloigné de la religion juive que de toutes les autres religions, [mais ayant] toujours eu un fort sentiment d'appartenance à [son] peuple »[3]. Il élève ses propres enfants en dehors de toute pratique confessionnelle, ignorant les fêtes juives religieuses

1. *L'homme Moïse et la religion monothéiste* (1939a), Paris, Gallimard, 1986, p. 147 ; *OCF* XX, p. 143 ; *GW* XVI, p. 168.

2. *Ibidem*, p. 215 ; p. 194 ; p. 223.

3. *Correspondance 1973-1939*, Paris, Gallimard, 1966, p. 358 (lettre à Sándor Ferenczi du 4 février 1920) ; *Correspondance de Sigmund Freud avec le pasteur Pfister* (1909-1939), Paris, Gallimard, 1969, p. 104-105, lettre du 9 octobre 1918 ; lettre à

traditionnelles : selon son fils Martin « nos fêtes étaient Noël avec des cadeaux sous l'arbre orné de bougies, et Pâques avec des œufs peints de toutes les couleurs. Je n'ai jamais été dans une synagogue ni, à ma connaissance, aucun de mes frères et sœurs »[1]. Reste à s'interroger sur ses raisons d'imposer un père omnipotent à l'origine de humanité, et d'écarter ou, à tout le moins, de relativiser l'importance de la mère.

Lorsqu'on recherche dans les écrits de Freud des évocations de sa relation à sa mère, on est frappé tant par leur pauvreté que par leur caractère convenu et elle ne transparaît que dans les analyses de rêves et la correspondance ; dans les autres textes, on reste surpris de la mise à l'écart de tout conflit, voire de toute ambivalence : « même celui qui a eu la chance d'éviter la fixation incestueuse de sa libido n'échappe pas totalement à son influence et l'homme, avant tout, est en quête de l'image mnésique de sa mère »[2], la relation mère-fils est le seul rapport sentimental intime qui échappe à l'hostilité[3], et « lorsqu'on a été sans conteste l'enfant préféré de sa mère on en garde pour la vie une assurance qui entraîne bien souvent le succès »[4]. Dans la théorie psychanalytique, elle n'a nullement la place première qui aurait pu sembler devoir être la sienne, alors même que Freud « ne saurait indiquer un besoin provenant de l'enfance aussi fort que celui de la protection par le père »[5].

Tous ceux qui l'ont connue s'accordaient à décrire Amalia, sa mère, comme une jeune femme jolie, charmante et souriante, peu patiente et

---

l'éditeur de la *Jüdische Presszentrale Zürich* (1925b), *OCF* XVII, p. 147 ; *GW* XIV, p. 556.

1. Martin Freud, « Who Was Freud ? », dans J. Fraenkel (éd.), *The Jews of Austria*, p. 203 (cité par Peter Gay, dans *Freud, une vie*, Paris, Hachette, 1991, p. 691).

2. *Trois essais sur la théorie sexuelle* (1905d), Paris, Gallimard, 1987, p. 173 ; *OCF* VI, p. 167 ; *GW* V, p. 129.

3. *Psychologie des foules et analyse du moi* (1921c), *Essais de psychanalyse*, Paris, Payot, 1981, p. 162 n. 2 ; *OCF* XVI, p. 39 n. 2 ; *GW* XIII, p. 110 n. 2.

4. *L'inquiétante étrangeté et autres essais*, Paris, Gallimard, 1987, p. 206-207 ; *OCF* XV, p. 75 ; *GW* XII, p. 26 (reprenant une note ajoutée en 1911 à *L'interprétation des rêves* (1900a), Paris, PUF, 1967, p. 342 n. 1 ; *OCF* IV, p. 446-447 n. 1 ; *GW* II-III, p. 403-404 n. 1).

5. *Malaise dans la civilisation* (1930a [1929]), Paris, PUF, 1971, p. 16 ; *OCF* XVIII [*Malaise dans la culture*], p. 258 ; *GW* XIV, p. 430.

fort intelligente, ayant de l'humour et capable de rire d'elle-même, capricieuse et énergique, pertinente mais tyrannique[1], adorant son premier-né (Sigmund) qu'elle nommait son « fils en or »[2]. Pourtant, ou d'autant, Freud n'aborde ses souvenirs de petit garçon qu'avec une circonspection extrême : à un peu moins de 4 ans, nous dit-il, sa « libido s'est éveillée et tournée vers *matrem* » au cours d'un voyage où, « ayant dormi dans sa chambre, il put la voir *nudam* »[3], recourant ainsi au latin pour évoquer sa mère nue et mieux tenir à distance sa « première séductrice ». On retrouve cet évitement tant dans sa difficulté à atteindre Rome, « la Mère des cités » et figuration de sa propre mère[4], que dans ses attitudes phobiques à l'idée qu'il faille lui annoncer sa mort[5]. Les grands effrois de son enfance sont liés à sa disparition ou associés au commerce sexuel des parents et à la conflictualité œdipienne[6]. En dépit, ou à cause de ce qui fut sans doute un amour réciproque et passionné, l'homme adulte redoutait la proximité maternelle : il ne la recevait que lors de visites convenues et, pour finir, il n'assista pas à ses funérailles, y déléguant sa fille Anna.

En contrepoint son père, remarié à cette jeune femme pétulante de vingt ans sa cadette, demeurait discret, ouvert, bienveillant et affectueux, accommodant et imprévoyant, en adoration devant son Sigmund dont il disait qu'il « avait plus d'intelligence dans son petit doigt que lui dans toute sa tête ». Si celui-ci semble avoir toujours été

1. Martin Freud, « Who Was Freud ? », dans J. Fraenkel (éd.), *The Jews of Austria*, p. 202 ; et Judith Bernays Heller (nièce de S. Freud), « Freud's Mother and Father : A Memoir », *Commentary* XXI, 1956, p. 420.

2. Ernest Jones, *La vie et l'œuvre de Sigmund Freud*, t. 1, Paris, PUF, 1958, p. 3.

3. Lettre à Fliess du 3 octobre 1897, dans *La naissance de la psychanalyse*, Paris, PUF, 1956, p. 194 ; *Lettres à Wilhelm Fliess*, Paris, PUF, 2006 (édition complète), p. 339.

4. Ernest Jones, *La vie et l'œuvre de Sigmund Freud*, t. 2, Paris, PUF, 1961, p. 19-20.

5. Lettre à K. Abraham du 29 mai 1918, *Correspondance Sigmund Freud – Karl Abraham (1907-1926)*, Paris, Gallimard, 1969, p. 280 ; lettre à S. Ferenczi du 16 octobre 1930, dans *Correspondance (1873-1939)*, Paris, Gallimard, 1966, p. 436 ; lettre à E. Jones du 15 octobre 1930, *Correspondance Sigmund Freud – Ernest Jones*, Paris, PUF, 1998, p. 777.

6. Lettre à Fliess du 15 octobre 1897, dans *La naissance de la psychanalyse*, Paris, PUF, 1956, p. 197-198 ; *Lettres à Wilhelm Fliess*, Paris, PUF, 2006 (édition complète), p. 343-344. *L'interprétation des rêves* (1900a), Paris, PUF, 1967, p. 495-496 ; *OCF* IV, p. 638-639 ; *GW* II-III, p. 589-590.

avec lui sage et respectueux, c'est avec son approbation qu'il tyrannisait toute la famille, interdisant par exemple à ses sœurs de jouer du piano car cela le dérangeait, ou s'achetant des livres jusqu'à grever le budget familial[1]. On en vient à penser que son entourage parental était une parfaite antithèse de sa construction du père primitif de la horde ; et comme ce roman préhistorique prend de grandes libertés avec les faits culturels établis, ignorant les déesses-mères puis les écartant lorsqu'il ne peut éviter de les nommer, nous nous interrogeons : cette « vision » ne serait-elle pas une projection de ses propres évitements et phobies ? Ne magnifiait-il pas d'autant la violence du père de la horde que le sien était timide, aimant et attentionné ? Ne devait-il pas d'autant écarter les mères de l'histoire de la civilisation qu'il s'efforçait de tenir la sienne à l'écart ?

Croyance et cure psychanalytique

Si la psychanalyse « n'est pas plus religieuse qu'irréligieuse », dans sa pratique elle n'en a pas moins affaire avec la croyance et la foi : « Le névrosé se met au travail parce qu'il accorde croyance [*Glauben schenkt*] en l'analyste et il le croit parce qu'il acquiert, à l'égard de sa personne, une attitude sentimentale particulière », reproduction de celle du petit enfant à l'égard de ses parents ; c'est d'ailleurs « la même force qui soutient sans relâche nos propres efforts médicaux, [...] l'attente croyante qu'a le malade de la guérison » constatait Freud dès 1890[2]. Bien évidemment, il s'agit là du *transfert* déclenché par la situation analytique, et donc par l'analyste. C'est une lourde responsabilité que d'assumer cette tâche (elle contribue d'ailleurs à justifier l'analyse personnelle du psychanalyste et son contrôle par ses pairs) mais on ne saurait s'en dispenser car le transfert reste « le ressort le plus puissant » de la cure[3]. Il n'empêche : il correspond à un acte de foi et la cure n'est possible que parce que le patient croit en l'analyste.

1. Ernest Jones, *La vie et l'œuvre de Sigmund Freud*, t. 1, Paris, PUF, 1958, p. 4, 11, 13 et 20-21.

2. « Traitement psychique » (1905b [1890]), *Résultats, idées, problèmes, I*, Paris, PUF, 1984, p. 11 ; *OCF* I, p. 164 ; *GW* V, p. 300-301.

3. *Conférences d'introduction à la psychanalyse* (1916-1917), Paris, Gallimard, 1999, p. 568 ; *OCF* XIV, p. 463-464 ; *GW* XI, p. 465.

Toute la différence entre cette croyance et celle instrumentée par les religions tient à sa finalité : sachant que la part de vérité du transfert est celle de la répétition de la situation de dépendance et du besoin de protection du petit enfant, l'analyste la renvoie à ses racines profondes pour permettre au patient de la dépasser et, la retournant contre elle- même, de liquider la croyance avec le transfert.

Même si cette technique analytique opère à l'encontre de tant de pratiques de prêtres et gourous cherchant à renforcer la foi pour perpétuer la dépendance, il n'en demeure pas moins que l'acte de croyance est le même (ce qu'ont d'ailleurs bien compris certaines sectes qui promettent une guérison de l'âme, une transformation et une élévation psychiques à leurs fidèles). Freud remarque que « le psychanalyste sait bien qu'il manipule les matières les plus explosives »[1] ; la croyance en fait partie. Ce n'est pourtant pas elle qui importe, mais ce qu'elle exprime et ce qu'elle recherche. Comme l'a montré Freud, la croyance, **toute croyance est infantile**, toujours – à commencer par celle placée en l'analyste. Pour celui-ci, la croyance est un inconvénient inévitable à la mise en œuvre de la psychanalyse. On comprend ainsi combien il importait à Freud d'approfondir la question de la croyance, au-delà de l'intérêt majeur qu'elle présente dans la compréhension des phénomènes de civilisation.

La psychanalyse n'entend pas se prononcer sur la religion et ses dogmes, même si elle se trouve à même de leur donner un éclairage particulier : « Prendre parti pour ou contre la valeur en vérité des doctrines religieuses n'entre pas dans le cadre de cette étude. Il nous suffit de les avoir reconnues, d'après leur nature psychologique, pour des illusions. Mais nous n'avons pas à cacher que cette découverte influe puissamment sur notre attitude »[2].

D'où cette conclusion : « Prenez donc ma tentative pour ce qu'elle est : un psychologue, qui ne s'illusionne pas sur les difficultés qu'il y a à s'accommoder de ce bas monde, s'efforce de porter un jugement sur l'évolution de l'humanité, d'après les quelques clartés qu'il a acquises en étudiant les démarches psychiques accomplies par l'individu au

1. « Observations sur l'amour de transfert » (1915a [1914]), *De la technique psychanalytique*, Paris, PUF, 1953, p. 127-130 ; *OCF* XII, p. 208-211 ; *GW* X, p. 317-320.

2. *L'avenir d'une illusion* (1927c), Paris, PUF, 1971, p. 47 ; *OCF* XVIII, p. 174 ; *GW* XIV, p. 356.

cours de son évolution de l'enfance à l'âge adulte. À lui s'impose alors l'idée que la religion est comparable à une névrose infantile, et il est assez optimiste pour croire que l'humanité surmontera cette phase névrotique, tout comme tant d'enfants en grandissant guérissent d'une névrose similaire. »[1]

Claude LE GUEN

CULPABILITÉ (sentiment inconscient de) (besoin de punition)

all. : ***Schuldgefühl unbewußt.*** – angl. : *inconscious sense of guilt / inconscious guilt feeling.* – esp. : *sentimento inconsciente de culpa.* – ital. : *senso inconsciento di colpa.* – port. : *sentimento inconcente de culpa*

Notion introduite par Freud dans la métapsychologie pour décrire l'effet, dans le moi, de la pression exercée par le surmoi. Vicissitude de l'élaboration du complexe d'Œdipe, elle fonctionne comme hypothèse explicative de certains comportements, et/ou actions, que la psychanalyse interprète comme autopunitifs, y compris dans la cure analytique.

MISE EN SITUATION

Si la première mention explicite du sentiment inconscient de culpabilité dans un texte publié du vivant de Freud ne date que de 1907[2]*, l'idée a déjà fait un long chemin souterrain. Dès 1894, il remarque, à propos de la représentation obsédante, que la conscience de culpabilité provient d'un motif différent de celui dont elle se réclame : parlant d'une psychose par simple accroissement, il*

1. *Ibidem*, p. 76 ; p. 194 ; p. 376-377.

2. « Actions compulsionnelles et exercices religieux » (1907b), *Névrose, psychose et perversion*, Paris, PUF, 1973, p. 138 ; *OCF* VIII, p. 142 ; *GW* VII, p. 135-136.

note que la source d'où la conscience de culpabilité de sa patiente provenait a pu être découverte grâce à un ferme interrogatoire[1]. *Presque dans les mêmes temps, en 1895, il se préoccupe du lien entre la représentation et l'affect : le sentiment de culpabilité serait l'affect essentiel d'une obsession associée à une représentation variable*[2].

Cette première approche du problème de la culpabilité fait certainement partie de l'élaboration générale de la relation entre affect et représentation, notamment dans le cadre de la névrose obsessionnelle. Le problème est donc abordé en tant qu'un « retour du refoulé », qui apparaît comme affect-reproche. Ce reproche (auto-reproche) est lié à des représentations variables qui remplacent la représentation refoulée. Le reproche refoulé revient comme conscience de culpabilité sans contenu[3]. *Dans une lettre à Wilhelm Fliess du 15 octobre 1897, Freud interprète l'indécision du Prince Hamlet comme une conséquence de « sa conscience inconsciente de culpabilité »*[4], *et noue ainsi, au sein de la structure œdipienne, la culpabilité, source de l'action, au châtiment. Il ne s'agit plus du cadre restreint de la névrose obsessionnelle : la culpabilité inconsciente, issue du complexe d'Œdipe et à ce titre au cœur même de la névrose en général, prend déjà la place qui lui reviendra dans l'édifice théorique par la suite.*

Bien que Freud ait, fort tôt, lié le sentiment de culpabilité au complexe d'Œdipe, le caractère problématique de cette relation ne lui échappe pas. En dernière instance, il va le postuler comme un avatar de la pulsion de mort.

1. « Les psychonévroses de défense » (1894a), *Névrose, psychose et perversion,* Paris, PUF, 1973, p. 9-10 ; *OCF* III, p. 13 ; *GW* I, p. 69.

2. « Obsessions et phobies. Leur mécanisme psychique et leur étiologie » (publié en français) (1895c), *Névrose, psychose et perversion,* Paris, PUF, 1973, p. 39-45 ; *OCF* III, p. 19-28 ; *GW* I, p. 345-352.

3. « Manuscrit K » (1896), *La naissance de la psychanalyse,* Paris, PUF, 1956, p. 133.

4. *Lettres à Wilhelm Fliess (1887-1904)* (éd. complète), Paris, PUF, 2006, p. 345.

LE TEXTE FREUDIEN

C'est à l'occasion d'un retour sur la névrose obsessionnelle, en 1907, que le terme fait sa première apparition dans un texte publié. Freud parle de « *conscience inconsciente de culpabilité* », et non pas de sentiment, en mettant ainsi l'accent sur le fait que le sujet agit sans savoir ce qui le motive : « On peut dire que celui qui souffre de contrainte et d'interdictions se comporte comme s'il était sous la domination d'une conscience de culpabilité dont il ne sait rien par ailleurs, une conscience de culpabilité inconsciente donc, comme on est forcé d'exprimer cela en passant outre à la répugnance qu'ont ici ces mots à aller ensemble. »[1] Dans le même sens, une note de *Totem et tabou* indique que la culpabilité d'Œdipe n'est pas supprimée, bien que l'acte ait été accompli à l'insu et en dehors de la volonté de son auteur, et même contre son savoir et sa volonté[2].

En 1906, Freud parlait d'une « conscience de culpabilité aux aguets », c'est-à-dire comme en attente d'une représentation[3]. L'année suivante, il décrit en détail son fonctionnement : cette conscience de culpabilité a sa source dans certains processus psychiques précoces, mais est constamment ravivée lors de la tentation. D'autre part, cette conscience de culpabilité fait surgir une angoisse d'attente toujours aux aguets, une angoisse consistant dans l'attente d'un malheur. Elle est liée à la perception interne de la tentation par le concept de la sanction[4].

Il avait fallu attendre *Totem et tabou* pour que « ces processus psychiques précoces », source ultime du sentiment inconscient de culpabi-

1. « Actions compulsionnelles et exercices religieux » (1907b), *Névrose, psychose et perversion,* Paris, PUF, 1973, p. 138 ; *OCF* VIII, p. 142 ; *GW* VII, p. 135-136.

2. *Totem et tabou* (1912-1913a), Paris, Gallimard, 1993, p. 175, n. 1 ; *OCF* XI, p. 276, n. 1 ; *GW* IX, p. 85, n. 1.

3. « L'établissement des faits par voie diagnostique et la psychanalyse » (1906c), *L'inquiétante étrangeté et autres essais,* Paris, Gallimard, 1985, p. 26 ; *OCF* VIII, p. 24 ; *GW* VII, p. 13.

4. « Actions compulsionnelles et exercices religieux » (1907b), *Névrose, psychose et perversion,* Paris, PUF, 1973, p. 139 ; *OCF* VIII, p. 25 ; *GW* VII, p. 135-136.

lité, soient nommés « désir de tuer », reprenant le fil du complexe d'Œdipe esquissé à propos de Hamlet[1].

En 1915, dans l'essai sur « L'inconscient » de sa *Métapsychologie,* Freud discute la question posée par l'expression « sentiment inconscient » qui, bien que revenant facilement sous sa plume, pose problème. Il introduit une distinction importante : la qualification topique s'applique à la représentation. La motion d'affect ou de sentiment, même en étant perçue, peut être méconnue : son propre représentant ayant été refoulé, elle a été contrainte de se rattacher à une autre représentation et elle est maintenant tenue par la conscience pour la manifestation de cette dernière[2]. La connexion originaire rétablie par le travail d'interprétation est justement cette motion d'affect refoulée qui est appelée « inconsciente ». Il ne s'agit donc, à nouveau, que de la destinée du facteur quantitatif à la suite du refoulement de la représentation. Freud ne fait pas nommément référence au sentiment inconscient de culpabilité, mais il l'a donné comme exemple princeps de sentiment inconscient, à côté de l'« angoisse inconsciente », et toute la discussion autour des affects et sentiments, en tant que processus de décharge dont les manifestations terminales s'offrent à la perception, est instructive. Elle éclaire le rôle de la représentation substitutive en ce qui concerne la qualité de l'affect perçu. Jusqu'ici, Freud utilise de manière indistincte sentiment de culpabilité et conscience de culpabilité inconsciente.

L'idée que **le sentiment de culpabilité peut être un moteur de l'action,** traverse tant le compte rendu clinique de la névrose du « petit Hans », que le récit du cas de « L'homme aux loups ». Mais c'est seulement en 1916, dans « Criminels par sentiment de culpabilité », que Freud fait état d'un résultat surprenant amené par le travail psychanalytique : la conscience de culpabilité préexiste à la faute, au point qu'on peut dire que c'est la faute qui provient du sentiment de culpabilité, et non le contraire. La question de son origine se pose

1. *Totem et tabou* (1912-1913a), Paris, Gallimard, 1993, p. 178 ; *OCF* XI, p. 278 ; *GW* IX, p. 87.

2. « L'inconscient » (1915e), *Métapsychologie,* Paris, Gallimard, 1968, p. 82-83 ; *OCF* XIII (2e éd.), p. 218-219 ; *GW* X, p. 276-277.

donc avec d'autant plus de force que c'est ce sentiment de culpabilité antérieur à l'acte qui (comme processus de décharge ?) produit le délit. Il est possible qu'en trouvant la provenance de cet « obscur sentiment de culpabilité »[1], antérieur à l'acte et inconscient, nous remontions à la source du sentiment de culpabilité en général. Freud en conclut rapidement à son origine œdipienne. Il est à remarquer que ce petit essai prend place dans la description d'une série de traits de caractère fonctionnant, à ce titre, comme résistances à la cure analytique.

Bien que dans « Deuil et mélancolie », le terme n'apparaisse pas, on peut penser que l'idée n'en est jamais absente. D'une part du fait du voisinage du sentiment inconscient de culpabilité avec les auto-reproches mélancoliques, qui vont jusqu'à l'attente délirante du châtiment; plus encore sans doute parce que, par la suite, le dégagement de la notion de surmoi, en tant qu'intériorisation du dialogue avec l'objet, permettra d'interpréter le sentiment inconscient de culpabilité comme la perception inconsciente, par le moi, de la critique du surmoi. On peut se demander si Freud ne décrit pas, dans ce texte, le mouvement inverse de celui du sentiment inconscient de culpabilité : là où la culpabilité inconsciente cherche une voie de décharge vers l'extérieur de l'appareil psychique, le deuil, aussi bien que la mélancolie, ramènent l'objet, par identification, à l'intérieur de l'appareil. Plus radicalement, là où autant le deuil que la mélancolie déclenchent un travail psychique, dit « travail de deuil » ou travail de la mélancolie[2], la culpabilité inconsciente fige la configuration des éléments en jeu dans ce que Freud appelle le « complexe ». Celui-ci ne permet aucun travail psychique : le seul changement possible est la décharge extérieure (le corps et la maladie grave fonctionnant ici comme un extérieur par rapport à l'élaboration psychique).

1. « Quelques types de caractère dégagés par le travail psychanalytique » (1916d), *L'inquiétante étrangeté et autres essais,* Paris, Gallimard, 1985, p. 169-171 ; *OCF* XV, p. 38-40 ; *GW* X, p. 390-391.

2. « Deuil et mélancolie » (1917e [1915]), *Métapsychologie,* Paris, Gallimard, 1976, p. 147-173 (en particulier p. 149, 151 et 169); *OCF* XIII, p. 263-280 (en particulier p. 264, 266 et 277) ; *GW* X, p. 428-446 (en particulier p. 429, 431 et 443).

En chaque occasion où Freud rend compte de la métapsychologie de la « charge », il constate le paradoxe qu'il y a à parler d'un sentiment ou d'une sensation inconscients. Cette difficulté semble l'avoir poussé à introduire des hypothèses nouvelles. Dans le résumé d'un texte présenté au congrès de Berlin, en 1922, et qui annonce la publication imminente de *Le moi et le ça,* il parle de deux faits qui prouvent qu'il existe aussi dans le moi un inconscient qui, du point de vue dynamique, se comporte comme l'inconscient refoulé : la résistance dans l'analyse qui procède du moi et le sentiment inconscient de culpabilité[1]. Au fil du texte, il reprend l'idée en y ajoutant que **le sentiment inconscient de culpabilité joue un rôle économique décisif** dans un grand nombre de névroses, et oppose à la guérison les plus solides obstacles. Le problème de la charge était déjà présent avant cette date, mais Freud traitait davantage le sentiment inconscient de culpabilité comme un problème topique ; dorénavant, l'accent est mis sur l'économique. Les situations de dépendance du moi sont abordées, le sentiment inconscient de culpabilité apparaît comme la cause de la réaction thérapeutique négative ; il est muet pour le malade qui ne se sent pas coupable mais seulement malade. Il s'agit d'un sentiment de culpabilité qui trouve la satisfaction dans l'état de maladie et ne veut pas renoncer à la punition par la souffrance ; ce sentiment se manifeste seulement sous la forme d'une résistance à la guérison difficilement réductible. La notion de sentiment inconscient de culpabilité est bien ici une interprétation, voire une construction qui tente d'expliquer les difficultés, les échecs du travail analytique.

Mention est faite d'un sentiment inconscient de culpabilité emprunté, seul cas de figure où la tâche thérapeutique est brillamment résolue par l'interprétation de l'identification pathogène. Freud laisse rapidement de côté le rôle de la culpabilité dans la névrose obsessionnelle et la mélancolie, pour se centrer sur l'hystérie, névrose où il reste inconscient. Le moi hystérique se défend contre la perception pénible qui le menace, en provenance de la critique de son surmoi, de la même manière qu'il a coutume de se défendre contre un investissement

1. « Quelque chose de l'inconscient » (1922f), *OCF* XVI, p. 211 ; *GW (Nachtragsband),* p. 730.

d'objet insupportable : par un acte de refoulement. Si le sentiment de culpabilité reste inconscient, cela dépend donc du moi. Plus loin dans le même chapitre, le sentiment inconscient de culpabilité est présenté comme équivalent, voire comme prototype de la conscience morale. Cela n'est pas sans conséquences sur la domination que ce sentiment exerce sur le moi, et sur son lien structurel au complexe d'Œdipe : à partir de cette date, **le sentiment inconscient de culpabilité est essentiellement rapporté au surmoi.** Une grande partie en est normalement inconsciente, puisque la formation de la conscience morale est intimement liée au complexe d'Œdipe qui appartient à l'inconscient[1].

Dans « Le problème économique du masochisme », Freud donne un nouveau nom à ce qu'il appelait sentiment inconscient de culpabilité : « **besoin de punition** ». Si l'être humain connaît bien les affres de la conscience de culpabilité, il lui est difficile d'admettre l'existence en lui d'un sentiment analogue dont il n'aurait rien ressenti. Toujours critique vis-à-vis de la dénomination « sentiment inconscient de culpabilité », Freud constate que « besoin de punition » recouvre tout aussi pertinemment l'état de choses observé, et propose d'adopter ce terme – ce qui lui permet de remplacer un affect par un contenu de représentation. Une distinction est faite, cependant, entre ce besoin de punition du moi et le sentiment inconscient de culpabilité « ressenti » par le moi comme effet de la domination du surmoi. Le sentiment de culpabilité reste le modèle du sentiment inconscient. Et **c'est bien d'après ce modèle de la culpabilité consciente que le sentiment inconscient se manifeste,** sous la forme du maintien de la souffrance, à la fois dans la cure analytique (*i.e.* bénéfice secondaire et réaction thérapeutique négative) et dans la vie (masochisme moral). Traduit comme besoin de punition de la part d'une puissance parentale, le sentiment inconscient de culpabilité se rattache plus facilement aux pulsions sexuelles[2]. Certains problèmes essentiels du sentiment

1. *Le moi et le ça* (1923b), *Essais de psychanalyse,* Paris, Payot, 1981, p. 219-275 (en particulier p. 239, 264 [et n. 2], 266, 267) ; *OCF* XVI, p. 255-301 (en particulier p. 271, 292, 293 [et n. 1], 294 et 295).

2. « Le problème économique du masochisme » (1924c), *Névrose, psychose et perversion,* Paris, PUF, 1973, p. 294-296 ; *OCF* XVII, p. 18 et 21 ; *GW* XIII, p. 379 et 382.

inconscient de culpabilité, notamment la distinction entre sadisme du surmoi et tendances masochistes du moi, sont ainsi réélaborés grâce à l'introduction de la notion de masochisme moral.

Peu après, dans *La question de l'analyse profane,* le sentiment inconscient de culpabilité est présenté comme **résistance du surmoi**[1]. En 1928, à propos de Dostoïevski, Freud en reformule la dynamique, reprenant ce qu'il avait déjà énoncé à propos de Hamlet, dans la lettre à Wilhelm Fliess, et explicité plus tard dans *Totem et tabou* : le désir de tuer le père, demeuré dans l'inconscient et destin normal du complexe d'Œdipe, qui constitue la base du sentiment de culpabilité et du besoin d'expiation. Il y reprend aussi le contenu des notes ajoutées en 1915 et 1920 aux *Trois essais sur la théorie sexuelle,* et notamment le rôle de la masturbation, comme faux-vrai motif de la mauvaise conscience. Mais la prégnance quantitative du concept n'est pas pour autant laissée pour compte. Tout s'organise autour de l'analyse du « mal sacré » de Dostoïevski, en tant que mécanisme de décharge pulsionnelle anormale, tendant à liquider par des moyens somatiques les masses d'excitation dont il ne vient pas à bout psychiquement[2]. Le sentiment inconscient de culpabilité se situe, une fois encore, à l'opposé des différentes modalités du travail psychique.

Avec *Malaise dans la civilisation,* la place du sentiment inconscient de culpabilité dans l'ensemble de l'édifice théorique paraît bien fixée. Après l'avoir présenté comme le **problème capital du développement de la civilisation,** et donc responsable de la perte de bonheur qu'elle entraîne, Freud conclut que si cette évidence a du mal à se faire entendre, cela vient probablement de la relation très spéciale, et décidément toujours incomprise, du sentiment de culpabilité avec notre conscient. À l'exception de la névrose obsessionnelle où les remords habituels sont bien souvent énoncés comme conscience de culpabilité, le sentiment de culpabilité reste inconscient dans la plupart des névroses. Mais ses effets ne sont pas moindres.

1. *La question de l'analyse profane* (1926e), Paris, Gallimard, 1986, p. 94-95 ; *OCF* XVIII, p. 48-49 ; *GW* XIV, p. 254.

2. « Dostoïevski et le parricide » (1928 b [1927]), *Résultats, idées, problèmes, II,* Paris, PUF, 1984, p. 165 et 167 ; *OCF* XVIII, p. 211 et 213-214 ; *GW* XIV, p. 403 et 406.

Peut-être, dans un souci de clarté, faudrait-il dire ici que le sentiment de culpabilité n'est qu'une variante topique de l'angoisse, qui coïncide absolument, dans ses phases ultérieures, avec l'angoisse face au surmoi. Il est donc aisé de concevoir comment le sentiment de culpabilité engendré par la civilisation peut, exactement comme l'angoisse, être méconnu et rester en grande partie inconscient, ne se manifestant que comme un malaise, un mécontentement auquel on cherche à attribuer d'autres motifs. Peut-être que **toute névrose recèle une dose de sentiment de culpabilité inconscient,** sentiment qui doit être tenu pour responsable à son tour de la ténacité des symptômes utilisés comme punitions. La relation du sentiment inconscient de culpabilité avec les composantes agressives de la pulsion refoulée est, encore une fois, mise en valeur : l'agression par la conscience perpétue l'agression par l'autorité qui a déjà déterminé le renoncement pulsionnel, sans faire disparaître le désir. Et c'est bien la persistance des désirs défendus qui mue le sentiment conscient de culpabilité, apaisé par le renoncement, en sentiment inconscient, plus proche ici du besoin de punition en tant que prédisposition à se sentir fautif préexistant à l'accomplissement de l'acte[1].

Si l'aspect sadique de la pulsion de mort ne semble pas poser de difficulté métapsychologique majeure, le problème se pose en ce qui concerne sa dimension autodestructrice. Dans « L'analyse avec fin et l'analyse sans fin », Freud reprend le problème des sources de la résistance à la cure analytique, et indique le dernier point que l'on peut encore discerner : celui de l**a relation entre sentiment de culpabilité et pulsion de mort.** Il pense qu'une partie de cette force a été identifiée : celle psychiquement liée par le surmoi, qui devient de cette façon paradoxalement connaissable. Mais il ajoute que d'autres contingents de cette même force doivent être à l'œuvre, on ne sait pas trop où, sous une forme liée ou libre. Selon lui, nos efforts thérapeutiques se brisent contre elle[2]. Remarquons avec quelle parcimo-

1. *Malaise dans la civilisation* (1930a [1929]), Paris, PUF, 1971, p. 85, 94-95 ; *OCF* XVIII, p. 315, 321-323 ; *GW* XIV, p. 487, 493-496.

2. « L'analyse avec fin et l'analyse sans fin » (1937c), *Résultats, idées, problèmes, II,* Paris, PUF, 1985, p. 258 ; *OCF* XX, p. 44 ; *GW* XVI, p. 88.

nie Freud établit la relation entre sentiment inconscient de culpabilité et pulsion de mort.

Peu après, dans l'*Abrégé de psychanalyse*, il répertorie les différents types de résistances que le travail analytique convoque. Il rappelle le « besoin d'être malade » ou « besoin de souffrir », et prend soin de distinguer les deux sources hétérogènes qui seraient à leur origine : – d'un côté, il y a le sentiment de culpabilité, issu des relations du moi avec le surmoi ; – de l'autre une altération profonde de l'économie pulsionnelle, la pulsion de vie subissant un bouleversement et devenant une nécessité d'autodestruction. La première, le sentiment de culpabilité, serait relativement accessible au travail analytique. La deuxième, en revanche, appartient au vaste territoire que l'avenir aura à explorer, et que Freud relie dès lors à la pulsion de mort[1].

QUESTIONS ET ENJEUX

Innovation théorique autant que paradoxe sémantique, la problématique du sentiment inconscient de culpabilité est présente dès le départ dans l'œuvre freudienne. En 1894, dans « Les psychonévroses de défense », les comportements qui résistent au travail interprétatif (idées obsédantes) sont expliqués comme relevant du sentiment inconscient de culpabilité. À plusieurs reprises, ce sentiment apparaît comme l'un de deux motifs – l'autre étant la résistance inconsciente – qui amènent Freud à changer sa théorie pulsionnelle. Très finement, il ajoute qu'il est dans l'ordre des choses que ce qui a constitué pour une théorie sa pierre d'achoppement doive fournir la pierre angulaire de celle qui la remplace[2]. Plus qu'une nécessité tardive déterminée par des impasses cliniques, il s'agit d'un rééquilibrage qui range

1. *Abrégé de psychanalyse* (1940a [1938]), Paris, PUF, 1985, p. 48-51 ; *OCF* XX, p. 272-273 ; *GW* XVII, p. 105.

2. *Nouvelles conférences d'introduction à la psychanalyse* (1933a [1932]), Paris, Gallimard, 1984, p. 141 et 145-146 ; *OCF* XIX, p. 187 et 191 ; *GW* XV, p. 150 et 153.

chaque fois davantage le sentiment inconscient de culpabilité parmi les problèmes centraux de la psychanalyse.

La notion est construite dans le souci de nommer *ce qui résiste* au travail analytique. C'est de là que découle la difficulté à la désigner comme métapsychologique à part entière. Serait-il plus juste de l'entendre comme une interprétation, au sens le plus strict, c'est-à-dire dans le cadre de la cure ? La même difficulté se présente lorsqu'il s'agit de la considérer plutôt comme affect, ou plutôt comme représentation. Mais cette ambiguïté qui la caractérise, pourrait bien être la source de sa force heuristique…

Le sentiment inconscient de culpabilité, en tant que nom de la tension entre le moi et le surmoi, devient un *fait de structure*. Puissant facteur de construction du *fatum* qui pèse sur un destin, il représente, dans le bruit de la vie, la marque de la pulsion de mort. Pour le saisir au mieux, il convient de le penser comme existant par définition : il est la conséquence logique de certains postulats théoriques de la psychanalyse, et la moins mauvaise appellation pour relier des faits d'ordre clinique avec un certain nombre de concepts. En dépit d'une certaine précocité des formulations qui y font allusion, il est impensable sans la deuxième topique ; c'est seulement après l'avoir mise en place que, de *Malaise dans la civilisation* au problème de « L'analyse avec fin et l'analyse sans fin », du « Problème économique du masochisme » à *L'homme Moïse et la religion monothéiste*, la position clef du sentiment inconscient de culpabilité prend une forme explicite dans l'œuvre de Freud, et permet de comprendre aussi bien les malheurs de la civilisation que ceux de l'individu.

Même si, dans ses derniers ouvrages, Freud parle plutôt du « sentiment de culpabilité » seul, on a l'impression qu'il ne s'agit que du sentiment de culpabilité *inconscient*. On peut se demander dans quelle mesure il instaure un véritable hiatus entre sentiment de culpabilité et sentiment inconscient de culpabilité, tout particulièrement lorsqu'il développe la genèse de la conscience morale et de la culpabilité (chapitres VII et VIII de *Malaise dans la civilisation*). La problématique est la même dans les deux modalités de la culpabilité, mais il convient de souligner que Freud semble réserver la dénomination de « sentiment inconscient de culpabilité » à certaines conduites. Ce n'est donc pas seulement le caractère topique, radicalement inconscient, qu'il souligne ainsi, c'est surtout l'existence de manifestations dans le comportement, autant au niveau de la cure que dans la vie. Chaque avancée dans la théorisation de la culpabilité, amenant un éclairage différent, projette une ombre nouvelle.

C'est en tant que problème, voire en tant qu'énigme, que la culpabilité traverse l'œuvre freudienne d'un bout à l'autre. Cette omniprésence montre bien qu'elle a la même place dans la psychanalyse que dans toutes les tentatives dites « scientifiques » d'étude de l'esprit ou de la société : elle renvoie la culpabilité à son statut ambigu, voire équivoque, dans l'expérience de l'être humain.

L'insistance de Freud à maintenir ce caractère problématique relève peut-être d'une tentative pour désamorcer le rôle de la culpabilité dans la religion. En ce sens, on peut se demander dans quelle mesure une partie importante du mouvement psychanalytique post-freudien, se détournant de la dimension énigmatique du sentiment de culpabilité, ne se situe pas dans une autre filiation que celle de Freud.

Nenuka AMIGORENA ROSENBERG et Léopoldo BLEGER

D

DÉCHARGE, TENSION et STASE

all. : ***Abfuhr, Spannung*** et ***Stauung***. – angl. : *discharge, tension* et *damming*. – esp. : *descarg, tensión* et *estancamiento*. – ital. : *scarica, tensione* et *stasi*. – port. : *descarga, tensão* et *reprezamento*

La *décharge* est le rejet du surcroît d'énergie (libidinale pour l'essentiel) que peuvent susciter dans l'appareil psychique les excitations, tant internes qu'externes. Sa fonction, qui est celle du principe de plaisir, est de soulager la *tension* ainsi provoquée et de régler l'écoulement des processus psychiques, empêchant la *stase* libidinale, occasion de psychonévroses. Les manifestations de décharge sont mobiles, variables, interdépendantes et s'auto-entretiennent. Les modalités de l'aménagement de la décharge de la tension spécifient les névroses.

MISE EN SITUATION

Comme la tension et l'excitation qui la fondent, la décharge est une notion d'abord quantitative ; elle est un concept économique avant tout. Il ne serait pas inexact de dire que, pour l'essentiel et sous réserve d'une nuance qu'apportera Freud in fine, *ces trois termes renvoient, de fait, à un seul et même concept qui, selon le moment où il est saisi, met en jeu un point de vue différent : chacune de ces acceptions ne se peut justifier qu'à impliquer les deux autres. Pour des raisons de commodités d'exposition, nous ne traiterons pourtant, dans cet article, que les notions de décharge et de tension, l'excitation (qui se trouve à la source des deux autres) ayant son entrée propre.*

La traduction du substantif Abfuhr *(avec le verbe* abführen*) par « décharge » a pu, à l'occasion, faire problème. En allemand, les acceptions sont ici plus réduites qu'en français : elles désignent l'enlèvement, le fait d'emmener, de conduire (en prison par exemple), de verser de l'argent, d'éconduire quelqu'un, d'éloigner quelque chose, mais aussi de vider l'intestin des matières fécales (à noter cependant que cette acception correspond plus habituellement à l'allemand* entleeren, *avec le substantif* Entleerung ; Entladung, *rarement utilisé par Freud, correspondant plutôt au « déchargement » de marchandise). Le mot français de « décharge » (datant du* XIIe *siècle, construit avec le préfixe de séparation « dé » et le substantif « charge ») ne pose aucun problème sémantique et retrouve la plupart de ces significations (sauf celle de « vider l'intestin des matières fécales »), mais y ajoute ceux de tir simultané de plusieurs armes à feu, de perte de son potentiel électrique par un corps, de mouvement spasmodique produit par une innervation (y compris la décharge orgastique), de soulagement d'un poids (physique ou figuré), de libération d'une obligation (dette), de dispense d'une responsabilité, de disculpation d'un accusé, de débarras de choses inutiles (décharge publique), de vidage d'un réservoir, d'un égout.*

*Les traducteurs ont longtemps retenu « décharger » et « décharge » comme équivalents d'*abführen *et d'*Abfuhr, *y compris Jean Laplanche (par ex. dans* Métapsychologie, *Paris, Gallimard, 1968, et* Essais de psychanalyse, *Paris, Payot, 1981), jusqu'à ce que celui-ci, en publiant les* Œuvres complètes de Freud, *choisisse de leur substituer éconduire avec le néologisme éconduction, invoquant les « résonances implicites de [décharge : génitales et agressives] qui risquent d'infléchir le sens d'un terme important ». Certes, mais pour Freud l'*Abfuhr *est toujours libidinal, ancré dans le biologique, et ne fait pas dans la délicatesse ; en somme, ce sont bien ces « résonances implicites » qui importent. Ajoutons que ce qui déclenche l'*Abfuhr *correspond toujours à une dépense d'énergie, résultat d'une excitation, d'une tension se traduisant par une* *action motrice et l'idée de décharge électrique n'est pas loin (on peut penser ici aux premières conceptions « neuroniques » de Freud et noter que, dans son œuvre, les références neuroélectriques sont explicites depuis l'« Esquisse » en 1895 jusqu'au* Président Wilson *de 1938). Parler d'éconduire, et plus encore d'éconduction, frise le contresens et risque de susciter plus de dérives, peut-être plus fâcheuses : on éconduit quelqu'un mais on ne saurait guère éconduire une tension ou une excitation. Nous pensons donc devoir conserver et utiliser le seul terme de* ***décharge.***

Pour sa part, la traduction de Spannung *par « tension » ne pose guère de problèmes, les acceptions étant sensiblement les mêmes en allemand et en français. Peut-être aussi le fait que, en dépit de son omniprésence dans la pensée freudienne, et pour des raisons que nous ne discuterons pas ici, la notion se soit trouvée quelque peu négligée par les exégètes – au point de n'être répertoriée dans aucun dictionnaire ou vocabulaire spécialisé – nous a-t-il épargné les querelles autour du « juste mot » français à trouver pour rendre l'allemand…*

LE TEXTE FREUDIEN

Dès ses **premiers travaux** sur l'hystérie, en 1893, Freud propose d'organiser le fonctionnement psychique selon le principe « excitation-tension-décharge »[1]. Il en reprend l'idée deux ans plus tard dans l'« Esquisse d'une psychologie scientifique », selon une description qui demeure, avant tout, neurophysiologique et « mécanique » (comme il la qualifiera lui-même)[2].

En **1900**, il appartient à *L'interprétation des rêves* de réélaborer ces notions dans une perspective psychanalytique en montrant **comment les désirs inconscients mènent à la décharge, dès lors qu'en s'amassant suffisamment d'excitations créent une tension.** Même s'ils sont

1. *Études sur l'hystérie (communication préliminaire)* (1893a), Paris, PUF, 1956, p. 5 ; *OCF* II, p. 28-29 ; *GW* I, p. 87.

2. « Esquisse d'une psychologie scientifique » (1950c [1895]), *La naissance de la psychanalyse*, Paris, PUF, 1956, p. 331.

indestructibles, ces désirs, « représentant une voie toujours ouverte à l'excitation », peuvent s'apaiser, l'énergie accumulée se diffusant alors par associations et plaçant toute la chaîne de pensée dans un état d'excitation qui persiste un moment, puis s'éteint, l'excitation de décharge se transformant alors en investissement tranquille et inactif (quiescent)[1].

Les pensées du rêve visent surtout à mobiliser l'énergie d'investissement afin de pouvoir la décharger, établissant ainsi une *identité de perception* (c'est le « processus primaire »). Leur contenu et la signification de leurs investissements, qui eux visent l'*identité de pensée,* sont ici accessoires (ils appartiennent aux processus secondaires), mais, dès lors que l'investissement préconscient abandonne les pensées refoulées, celles-ci « succombent au processus primaire et ne peuvent dès lors se résoudre qu'en décharges motrices », ou dans une reviviscence hallucinatoire de l'identité de perception souhaitée[2].

MÉTAPSYCHOLOGIE DU PROCESSUS « EXCITATION-TENSION-DÉCHARGE »

Durant les quinze années qui suivent Freud va préciser la métapsychologie des enchaînements entre ces trois dynamiques. **Les excitations suscitées par les désirs inconscients sont d'ordre libidinal :** des élévations soudaines de la libido, comme celles liées aux grands moments psychophysiologiques de la vie sexuelle (puberté, ménopause...), entraînent sa stase (rétention à la décharge) qui devient pathogène par suite de la frustration relative imposée de l'extérieur – alors qu'une revendication libidinale moindre aurait pu continuer à être satisfaite. **Ainsi se rouvrent les voies de la régression et se réactivent les conflits ;** là encore, le facteur quantitatif libidinal est déterminant. Certes, cette quantité de libido indispensable au déclenchement de la névrose ne saurait être mesurée, mais nous pouvons admettre que, plus que d'une quantité absolue, il s'agit du « rapport entre le quantum actif de libido et cette quantité de libido que le moi indivi-

1. *L'interprétation des rêves* (1900a), Paris, PUF, 1967, p. 470, n. 1, 491, 505 ; *OCF* IV, p. 607, n. 1, 633, 649 ; *GW* II-III, p. 559, 584, 599.

2. *Ibidem,* p. 507, 512, 514 ; p. 652, 657, 660 ; p. 602, 607, 610.

duel peut maîtriser, c'est-à-dire maintenir sous tension, sublimer ou utiliser directement »[1].

Il y aurait donc ***une stase de la libido du moi*** **à mettre en rapport avec l'entrée dans la névrose,** et aussi avec les phénomènes d'hypocondrie et de paraphrénie. Cette stase est ressentie comme déplaisante parce que le déplaisir traduit un surcroît de tension. Ici comme ailleurs, il s'agit donc bien d'une quantité du matériel qui se trouve transposé dans la qualité du déplaisir ; il se pourrait même que, plus que la grandeur absolue du processus, soit déterminante une certaine fonction de celle-ci. Si la vie psychique contraint à sortir du narcissisme pour placer la libido sur les objets, c'est sans doute parce que l'investissement du moi en libido a dépassé la mesure : « Un solide égoïsme préserve de la maladie, mais pour finir on doit se mettre à aimer pour ne pas tomber malade, et on doit tomber malade lorsqu'on ne peut aimer par suite de frustration. »[2]

En **1915**, la *Métapsychologie* s'appuie sur la notion **de maîtrise des excitations comme tâche imposée au système nerveux.** Elle s'attache à montrer comment les pulsions libidinales viennent compliquer le schéma simple du réflexe physiologique : leurs exigences beaucoup plus élevées, leurs activités complexes et interconnectées, viennent modifier suffisamment le monde extérieur pour apaiser la source des excitations internes en l'amenant à renoncer à son intention idéale de tenir celles-ci à l'écart. De surcroît, **elles entretiennent un afflux inévitable et continu de nouvelles excitations**[3] : une excitation externe peut devenir interne, par exemple en agressant un organe, suscitant ainsi une nouvelle source d'excitation et d'augmentation de tension – elle ressemble alors beaucoup à une pulsion, et nous la ressentons comme douleur[4]. L'*affectivité,* quant à elle, se manifeste surtout en décharge

1. « Sur les types d'entrée dans la névrose » (1912c), *Névrose, psychose et perversion,* Paris, PUF, 1973, p. 180 ; *OCF* XI, p. 125 ; *GW* VIII, p. 328.

2. « Pour introduire le narcissisme » (1914c), *La vie sexuelle,* Paris, PUF, 1969, p. 91 ; *OCF* XII, p. 228-229 ; *GW* X, p. 151.

3. « Pulsions et destins des pulsions » (1915c), *Métapsychologie,* Paris, Gallimard, 1968, p. 16 ; *OCF* XIII (2e éd.), p. 168 ; *GW* X, p. 213.

4. « Le refoulement » (1915d), *Métapsychologie,* Paris, Gallimard, 1968, p. 46 ; *OCF* XIII (2e éd.), p. 191 ; *GW* X, p. 248.

motrice visant à transformer le corps propre de façon interne, indépendamment du monde extérieur, contrairement à la motilité qui tend à le modifier[1].

Les modalités de l'aménagement de la décharge de la tension vont spécifier les névroses : dans l'hystérie de conversion l'investissement pulsionnel de la représentation refoulée est drainé par la décharge jusqu'à l'innervation, alors que dans l'hystérie d'angoisse et la névrose obsessionnelle la prépondérance du contre-investissement et le manque d'une décharge font achopper le refoulement ; aussi, dans ces névroses, il apparaît beaucoup moins réussi que dans l'hystérie de conversion. Au-delà, les processus préconscients témoignent d'une « inhibition de la tendance à la décharge des représentations investies », permettant de poser **l'existence d'un double état de l'énergie : l'un toniquement lié, l'autre librement mobile et tendant à la décharge**[2]. Comme en contrepoint, l'événement heureux (la joie et le triomphe) rend superflue la grande dépense psychique longtemps engagée, cette énergie devenant disponible pour des décharges de toutes sortes (ce qui peut, à l'occasion, évoquer la manie)[3].

En **1920-1923,** ni *Au-delà du principe de plaisir,* ni *Le moi et le ça,* ne remettent en question ces acquis de l'approche économique quantitative du psychisme ; *ils vont pourtant les resignifier, les resituer et les compléter* selon la nouvelle topique et la nouvelle théorie des pulsions.

La fonction du principe de plaisir est toujours de régler l'écoulement des processus psychiques, conformément au point de vue économique : provoqué par une tension déplaisante, le flux doit être abaissé afin d'éviter un déplaisir. Les éléments du système conscient transmettraient seulement de l'énergie libre capable de décharges (ainsi la douleur peut-elle en entraîner de violentes), la « liaison » de l'énergie consistant à faire passer celle-ci de l'état libre (visant la

1. « L'inconscient » (1915e), *Métapsychologie,* Paris, Gallimard, 1968, p. 85, n. 1 ; *OCF* XIII (2e éd.), p. 220, n. 1 ; *GW* X, p. 278, n. 1.

2. *Ibidem,* p. 94-96 et 99 ; p. 226-227 et 229 ; p. 284-285 et 287.

3. « Deuil et mélancolie » (1917e [1915]), *Métapsychologie,* Paris, Gallimard, 1968, p. 166 ; *OCF* XIII (2e éd.), p. 275 ; *GW* X, p. 441.

décharge) à l'état tranquille (avec décharges *a minima*). Ajoutons que « **les motions provenant des pulsions sont conformes au type du processus nerveux librement mobile et poussant vers la décharge** » [1].

Se fait jour alors « l'hypothèse d'une **énergie déplaçable, en soi indifférente,** qui peut venir s'ajouter à une motion qualitativement différenciée, érotique ou destructive, et augmenter son investissement total », hypothèse dont nous ne saurions nous passer. En activité dans le moi et dans le ça, il semble qu'elle « provient de la réserve de libido narcissique, et est donc de l'Éros désexualisé ». Cette énergie déplaçable, libidinale, « **travaille au service du plaisir, pour éviter les stases et éviter des décharges** » – étant entendu que la voie de décharge, si elle existe, est indifférente (trait qui caractérise les processus du ça). Ce processus se rencontre dans les investissements érotiques qui demeurent particulièrement indifférents à l'objet comme, au cours de l'analyse, le montrent « les transferts qui doivent nécessairement s'accomplir indifféremment sur une personne ou sur une autre ». Ajoutons que si cette énergie est de la libido désexualisée, elle est aussi *sublimée,* puisqu'elle s'en tient « encore et toujours à l'intention principale de l'Éros, unir et lier, en servant à instaurer cet ensemble unitaire » qui spécifie le moi [2]. Les pulsions sexuelles, ces « revendications de l'Éros », interrompent la diminution de l'écoulement des processus en produisant de nouvelles tensions ; « le ça s'en défend, guidé par le principe de plaisir, c'est-à-dire par la perception du déplaisir », **en cherchant à satisfaire la libido non désexualisée.** Il y parvient au cours de la décharge qui marque l'acte sexuel, cet accomplissement auquel concourent les revendications partielles et qui permet de se débarrasser des substances sexuelles, « porteuses des tensions érotiques » [3].

Il serait pourtant trop simple de tout ramener aux variations de tension et au facteur quantitatif. Ainsi, certaines détentes peuvent être déplaisantes. Surtout, certaines tensions s'accompagnent de

1. *Au-delà du principe de plaisir* (1920g), *Essais de psychanalyse,* Paris, Payot, 1981, p. 43, 68, 73, 77 ; *OCF* XV, p. 277, 298, 302, 305 ; *GW* XIII, p. 3, 26, 30, 35.

2. *Le moi et le ça* (1923b), *Essais de psychanalyse,* Paris, Payot, 1981, p. 257-259 ; *OCF* XVI, p. 287-288 ; *GW* XIII, p. 273.

3. *Ibidem,* p. 261 ; p. 290 ; p. 276.

plaisir – avec au premier chef d'entre elles l'excitation sexuelle. **Plaisir et déplaisir ne sauraient donc être rapportés aux seules variations de la tension d'excitation,** même s'ils ont à voir avec elle. En fait, à côté du facteur quantitatif, **il convient de tenir compte d'un caractère qualitatif.** Hélas, nous ne pouvons indiquer lequel… Rythme, temporalité des modifications, montées et chutes de l'excitation ? Nous ne le savons pas.

Pour situer la dynamique des forces en jeu, disons que « le principe de *Nirvâna* exprime la tendance de la pulsion de mort, le principe de *plaisir* représente la revendication de la libido, et la modification de celui-ci qu'est le principe de *réalité* représente l'action du monde extérieur ». Aucun d'entre eux n'est aboli par un autre, ils cohabitent, fût-ce de façon conflictuelle, car il faut tout à la fois diminuer quantitativement la charge d'excitation, modifier qualitativement ce phénomène et, enfin, ajourner la décharge d'excitation afin d'obtenir une tolérance temporaire de la tension de déplaisir[1].

Pour autant, l'importance du quantitatif n'est pas remise en question et, lorsqu'il faut redéfinir l'affect d'angoisse, celui-ci est désigné comme réunissant des sensations de plaisir-déplaisir, « avec les innervations de décharge qui leur correspondent » : le prototype en est **la naissance, cet état extrême d'excitation et de tension, ressenti comme déplaisir, et qu'une décharge ne saurait maîtriser**[2].

Enfin, en **1938,** dans son dernier écrit de « psychanalyse appliquée », Freud est conduit à reprendre l'ensemble des principes de la psychanalyse. C'est ainsi qu'il revient sur la tension et la décharge pour rappeler que les défenses s'avèrent bien précaires lorsqu'il faut résoudre des conflits quelque peu violents : à la longue, **il est impossible de négliger les désirs pulsionnels qui font tension jusqu'à devoir se décharger, en dépit des défenses.** Le refoulement lui-même est sans doute la moins efficace d'entre elles car il s'effondre lorsque la poussée de la libido devient trop forte et que celle-ci s'enflamme brusque-

1. « Le problème économique du masochisme » (1924c), *Névrose, psychose et perversion,* Paris, PUF, 1973, p. 288-289 ; *OCF* XVII, p. 12 ; *GW* XIII, p. 372.

2. *Nouvelles conférences d'introduction à la psychanalyse* (1933a [1932]), Paris, Gallimard, 1984, p. 111-112 et 127 ; *OCF* XIX, p. 164-165 et 176 ; *GW* XV, p. 87-88 et 100.

ment. Qui plus est, il accroît cette libido refoulée « car elle est isolée non seulement de toute décharge, mais encore de l'influence modératrice de la raison qui, elle, tient compte de la réalité » [1].

C'est dans ce même ouvrage (dans cette partie qu'on peut penser être de la main propre de Freud) qu'il énonce l'un des « axiomes » de la psychanalyse : dès la naissance, la force de la libido s'exerce : énergie de l'Éros, elle s'accumule « quelque part », elle « charge » certaines parties de l'appareil psychique, « comme un courant électrique charge un accumulateur et, **comme une charge électrique, elle est sujette à des variations quantitatives** » ; si elle ne peut se décharger, sa tension augmente en fonction de la charge et elle doit chercher une issue [2].

QUESTIONS ET ENJEUX

Ces deux notions ne posent pas de difficultés sémantiques en psychanalyse dans la mesure où Freud demeure constant dans sa façon de les concevoir et de les utiliser. Importées directement de la neurophysiologie, elles ont toujours gardé la relative simplicité du schéma de « l'arc réflexe », même si les pulsions libidinales, « en venant tout compliquer », ont imposé de les repenser et de les resituer dans un cadre métapsychologique. Elles s'y sont d'ailleurs parfaitement intégrées, jusqu'à se révéler tout à fait aptes à justifier les points de vue économique et dynamique, constituant ainsi l'un des fondements de l'énergétique dans la théorie analytique.

C'est ce dont rend précisément compte la métaphore électrique qu'encore une fois Freud reprend dans l'une de ses toutes dernières œuvres, jusqu'à l'expliciter presque crûment, avec une conviction suffisamment assurée pour la présenter comme un « axiome de la psychanalyse » [3], en assimilant les tensions et décharges dans l'appareil psychique à ce qui se passe dans un accumulateur électrique. Pour lui, ce n'est pas

1. S. Freud et W. Bullitt, *Le président T. W. Wilson (1930-1938)* (1966b), Paris, Payot, 1990, p. 85.

2. *Ibidem,* p. 75.

3. *Ibidem.*

là simple métaphore mais description réaliste du fonctionnement psychique, la « réalité » trouvant sa source dans l'activité neuronique qui se perpétue jusqu'à lui fournir un modèle ; on a même le sentiment qu'il y trouve comme une base de son assurance quant à la pertinence de la théorie énergétique. Cette conviction est régulièrement réaffirmée tout au long de l'œuvre : nous ne prendrons ici que l'exemple de la façon dont les caractères « actif-passif » peuvent devenir ceux du « masculin-féminin » lors du développement de l'individu ; ce passage des uns aux autres est censé « attirer l'attention sur l'importante médiation qu'édifie la psychanalyse entre la biologie et la psychologie » [1]. C'est, tout aussi bien et même surtout, ce qu'exprime la célèbre définition de « la pulsion comme concept limite entre le biologique et le psychique ».

Cette détermination freudienne fut et demeure régulièrement attaquée, notamment par ceux, d'horizons divers, qui écartent ou récusent la notion même de pulsion. L'accusation portée est celle de « biologisme » et/ou de « mécanicisme ». Cette critique était recevable en 1895 à l'encontre de l'« Esquisse d'une psychologie scientifique » et, se l'appliquant, Freud condamna ce travail. Pour autant, il n'a jamais abandonné son exigence de relier le psychisme à son substrat biologique (et, notamment, à l'excitation électrique des neurones). Cet « axiome » est en effet aux fondements mêmes du freudisme qui, avec constance et fermeté, conçoit l'humain comme un tout, de son organisation biologique jusqu'à ses productions sociales, le psychique se situant précisément au « passage » de l'une aux autres. On peut le récuser, mais il faut savoir que cela implique de renier la psychanalyse.

Claude Le Guen

DÉFENSE (mécanismes de défense du moi)

all. : ***Abwehr.*** – angl. : *defence.* – esp. : *defensa.* – ital. : *deflusso.* – port. : *descarga*

Se défendre est l'une des grandes tendances de l'organisme, fonction vitale visant à garantir la protection de l'individu, à commencer par

1. « L'intérêt de la psychanalyse » (1913j), *Résultats, idées, problèmes, I,* Paris, PUF, 1984, p. 205 ; *OCF* XII, p. 116 ; *GW* VIII, p. 411.

l'être biologique (ainsi en va-t-il, par exemple, des « défenses immunitaires »). Au sein de cette « tendance », certaines défenses assurent la protection à l'encontre des dangers du monde extérieur, d'autres veillent à la conservation interne (alimentation, respiration, etc.). Chez les humains, la défense est d'emblée mise en œuvre par les « pulsions d'auto-conservation », dites aussi « pulsions du moi » dès l'instant où un moi commence à exister. La première fonction du moi est de se protéger, se défendre par tous les procédés possibles, s'éviter danger, angoisse, déplaisir. De par leurs exigences « incompatibles » avec la réalité mais surtout avec celles de la conscience morale, puis du surmoi, les pulsions sexuelles elles-mêmes en viennent à être perçues comme une menace, par et pour le moi (entendu aussi bien comme « moi-personne » que comme « moi-instance ») ; celui-ci, à l'occasion des conflits, met en place des « mécanismes de défense », techniques et procédés fort nombreux et variés parmi lesquels chaque individu fait son choix, n'en utilise que quelques-uns, et toujours les mêmes. Les défenses peuvent ou non mener à la névrose, certaines étant plus spécifiques de telles d'entre elles – ainsi du refoulement dans l'hystérie, première défense décrite et toujours reprise, si bien que son mécanisme est le plus abouti et le mieux connu. Les défenses sont des formations du moi, dressées face à la pulsion dont elles représentent un « destin ». C'est pourquoi, sans méconnaître l'universalité de la fonction défensive, la psychanalyse s'intéresse avant tout aux « mécanismes de défense du moi ».

MISE EN SITUATION

La défense, en psychanalyse, est conforme à ce qu'indique son sens lexical : elle doit « assurer aide et protection ». Défendre l'organisme fait naturellement partie des fonctions fondamentales de l'être vivant, au même titre que les fonctions motrices, respiratoires, alimentaires, reproductives. Cette idée s'impose à Freud lorsque, très tôt, il se pose la question de savoir comment peut être protégé, défendu l'individu psychique et, très rapidement, il attribue cette tâche aux « pulsions d'auto-conservation », « pulsions du moi » qui sont à considérer comme initiatrices de toutes les défenses psychiques, étant entendu que la protection de l'individu commence par celle de l'individu biologique.

On peut reconnaître trois périodes dans l'élaboration du « concept de défense », très bien résumées par Freud en 1926, moment où il reprend ce concept dont il s'était « servi de façon exclusive au début de ses travaux », qu'il a ensuite abandonné au profit du refoulement. Il lui faut, dorénavant, tenter de comprendre toutes « ces techniques dont se sert le moi dans ses conflits »[1]*. La première période correspond donc aux travaux pré-analytiques, se poursuit jusqu'en 1900-1901 avec la mise en place de la théorie de l'appareil psychique ; la défense, régulièrement associée au refoulement, est alors présentée comme un concept impliquant une instance (préforme de ce que sera le moi à partir de 1923). Assez rapidement, le terme est délaissé, puis formellement abandonné à partir de 1905, n'impliquant plus un concept ; il n'apparaît plus guère que de façon descriptive, « phénoménologique », et c'est au refoulement qu'il appartient, pour l'essentiel, de rendre compte du fonctionnement psychique. La troisième période, de beaucoup la plus importante pour les défenses, débute explicitement en 1926, faisant suite à la reconnaissance du « moi » comme instance : le statut conceptuel de « défense » y est affirmé et développé, l'étude des « mécanismes de défense du moi » s'y trouve privilégiée, le refoulement n'étant plus que l'un d'eux, même s'il demeure le plus important.*

La conception freudienne des défenses leur confère une place de premier plan dans le fonctionnement psychique (normal et pathologique), celui-ci étant l'aboutissement du travail de la pulsion. Au fil de ses écrits, à côté du refoulement, Freud en désigna plusieurs. À son instigation, sa fille Anna en reprit la description en 1936[2]*, en établit un répertoire et en ajouta quelques-uns (à plusieurs reprises, Freud s'y réfère*[3]*). Il y a « une profusion extraordinaires de méthodes, de*

1. *Inhibition, symptôme et angoisse* (1926d [1925]), Paris, PUF, 1951, p. 92 ; *OCF* XVII, p. 277 ; *GW* XIV, p. 197.

2. Anna Freud, *Le moi et les mécanismes de défense,* Vienne, Internat. Psychoanal. Verlag, 1936 ; Londres, Hogarth, 1937 ; Paris, PUF, 1949.

3. « Un trouble de mémoire sur l'Acropole (lettre à Romain Rolland) » (1936a), *Résultats, idées, problèmes, II,* Paris, PUF, 1984, p. 228 ; *OCF* XIX, p. 336 ; *GW* XVI, p. 255. Et « L'analyse avec fin et l'analyse sans fin » (1937c), *Résultats, idées, problèmes, II,* Paris, PUF, 1984, p. 250 et 252 ; *OCF* XX, p. 236 ; *GW* XVII, p. 82 et 84.

“mécanismes” de défense »[1]. *Ce foisonnement ne saurait surprendre : il est impliqué par la définition donnée par Freud lorsqu'il reprend « le vieux concept de défense qui vise toutes les techniques dont se sert le moi dans ses conflits », si bien que le terme de « défense » recouvre tous les processus qui tendent à « la protection du moi contre les exigences pulsionnelles »*[2]. *Il n'en demeure pas moins que chaque individu « choisit » seulement quelques défenses qui se fixent dans le moi et persistent toute la vie.*

Pareille « profusion » peut induire un vœu de mise en ordre, ce que tenta puis abandonna Anna, ce qu'un temps espéra Freud lui-même en imaginant faire correspondre défenses et névroses – sans grand succès, à vrai dire. Nous nous abstiendrons de tenter une taxonomie des défenses, tâche quelque peu chimérique et, surtout, superfétatoire.

Cette définition entend traiter le concept de défense en général, et non pas en détailler les différents mécanismes ; le lecteur retrouvera, sous son propre intitulé, chacune des défenses que Freud prit la peine d'objectiver. Nous nous bornerons ici à les nommer.

À côté et à la suite du refoulement, *cette défense « pas comme les autres », nous trouvons : la* régression, *l'*isolation, *l'*annulation rétroactive, *le* contre-investissement, *le* renversement dans le contraire, *le* retournement sur la personne propre, *la* projection, *l'*introjection, *la* formation réactionnelle – *auxquelles on peut adjoindre le* pare-excitation *et la* sublimation *qui ont, à l'évidence, une fonction défensive, même si l'on doit considérer qu'ils ne s'y limitent pas. Dans les dernières années, est reconnue une fonction défensive primordiale au* déni *et au* clivage. *(Anna avait ajouté l'identification à l'agresseur et des négations par le fantasme, par* les actes et les paroles.*) D'autres encore purent, à l'occasion, être qualifiées par Freud comme ayant une fonction défensive, tels la* répression *et le* sentiment d'étrangeté, *sans compter* « la défense qu'on peut qualifier de normale », *faite* d'acceptation, réflexion, jugement, action appropriée. *Cela fait beaucoup de défenses, autant donc qu'il y a de situations dans lesquelles l'être psychique est amené à se défendre, ou croit l'être, ce qui recouvre une bonne part du fonctionnement psychique.*

1. « Un trouble de mémoire sur l'Acropole (lettre à Romain Rolland) » (1936a), *Résultats, idées, problèmes, II*, Paris, PUF, 1984, mêmes références que plus haut.

2. *Inhibition, symptôme et angoisse* (1926d [1925]), Paris, PUF, 1951, p. 92-93 ; *OCF* XVII, p. 277-279 ; *GW* XIV, p. 196.

LE TEXTE FREUDIEN

Le terme apparaît fort tôt, dès **1894,** dans un article justement intitulé « Les psychonévroses de défense ». Confrontées à des expériences et sensations sexuelles jugées « inconciliables », certaines personnes (notamment des femmes) déploient de grands efforts pour « chasser la chose » ; il s'agit d'un « oubli intentionnel » qui devient pathologique lorsqu'il échoue : « Le moi qui se défend se propose de traiter comme "non arrivée" la représentation inconciliable », mais celle-ci ne pouvant être effacée, il faut affaiblir l'affect qui lui est attaché, et l'utiliser autrement. Suivant les cas, cela peut déboucher sur des conversions hystériques (des « hystéries de défense ») ou des représentations obsédantes[1]. En cette période pré-analytique, se défendre est d'abord une affaire de « volonté ». Si ce texte introduit des termes qui entreront dans le corpus analytique (affect, représentation, refoulement, clivage...), « inconscient » n'y est encore qu'un adjectif qualificatif.

La tendance à la défense comme élément structural du psychisme

Il ne faudra pourtant pas plus de deux ans pour que soient changées les perspectives conceptuelles : **le but de la défense est d'écarter de la conscience une représentation devenue inconciliable** car pouvant entrer en relation avec le souvenir inconscient de scènes sexuelles infantiles[2]. Le constat de départ est que l'organisme, « l'être physiologique », doit se protéger et se défendre activement ; l'idée de Freud est alors de découvrir pour « l'être psychique » un processus équivalant, une opération de défense spécifique, indépendante mais homologue aux défenses physiologiques. En 1895, ce « modèle » biologique inspire très directement l'« Esquisse d'une psychologie scientifique » ; mais c'est alors précisément la confrontation aux mécanismes du

1. « Les psychonévroses de défense » (1894a), *Névrose, psychose et perversion,* Paris, PUF, 1973, p. 4-6 ; *OCF* III, p. 5-6 ; *GW* I, p. 62.

2. « Sur l'étiologie de l'hystérie » (1896c), *Névrose, psychose et perversion,* Paris, PUF, 1974, p. 102 ; *OCF* III, p. 170 ; *GW* I, p. 447.

refoulement et des défenses psychiques qui impose de renoncer à trouver une explication neurophysiologique[1].

Dans *L'interprétation des rêves*, en 1900, le refoulement commence à prendre le pas sur la défense (il est quatre fois plus mentionné), même si celle-ci est loin d'être abandonnée. C'est ainsi qu'une « pensée contre laquelle il faut exercer une défense ne devient pas consciente parce qu'elle est soumise au refoulement », mais peut aussi n'être refoulée que parce qu'elle a échappé à la conscience, pour d'autres raisons[2]. L'année suivante, son importance structurale est néanmoins clairement affirmée : **il existe « une tendance élémentaire à la défense »** face aux représentations déplaisantes ; elle est comparable au réflexe de fuite. Si on peut poser comme « principe architectonique » de l'appareil psychique la superposition d'instances, cette tendance à la défense pourrait bien appartenir à une instance psychique inférieure inhibée par des instances supérieures[3] – c'est là, déjà, poser clairement le *concept de défense*, mais il faudra attendre vingt-cinq ans pour qu'il fasse retour.

Phénoménologie défensive

Après 1901, sans être rejetées pour autant, les défenses perdent leur statut conceptuel. Ainsi, en 1906, réaffirmant l'importance de la sexualité infantile, Freud est conduit à établir une distinction entre les défenses qui seraient *accidentelles*, facteur purement psychologique, et le « refoulement sexuel », *constitutionnel*, organique[4]. Dans les mêmes temps, il explicite ceci lors d'une séance à la Société psychanalytique de Vienne, distinguant entre le refoulement conscient, qu'il nomme alors « défense », et le refoulement inconscient, qu'il qualifie

1. *La naissance de la psychanalyse. Lettres à Wilhelm Fliess. Notes et plans (1887-1902)* (1950a [1887-1902]), Paris, PUF, 1956, p. 112 et 119.

2. *L'interprétation des rêves* (1900a), Paris, PUF, 1967, p. 524 ; *OCF* IV, p. 672 ; *GW* II-III, p. 622.

3. *Psychopathologie de la vie quotidienne* (1901b), Paris, Payot, 1983, p. 250-251 ; *OCF* V, p. 256 ; *GW* IV, p. 163.

4. « Mes vues sur le rôle de la sexualité dans l'étiologie des névroses » (1906a), *Résultats, idées, problèmes, I*, Paris, PUF, 1984, p. 120 ; *OCF* VI, p. 316 ; *GW* V, p. 157.

d'« organique »[1]. Par la suite, pareille distinction entre défense et refoulement ne sera pas reprise, la référence « défensive » se bornant à qualifier une action : ainsi, des « actions de défense » et des « combats défensifs » sont régulièrement mentionnés, comme par exemple dans le travail sur le cas de « L'homme aux rats »[2].

Dans la *Métapsychologie,* en 1915, Freud réaffirme les principes théoriques, ce qui le conduit, comme naturellement mais presque subrepticement, à revenir à une approche que l'on pourrait dire « conceptuelle » des défenses (notons d'ailleurs que celle-ci n'a jamais été récusée, mais seulement négligée). Puisque l'attaque de la pulsion ne se fait pas de l'extérieur mais de l'intérieur du corps, « il n'y a pas de fuite qui puisse servir contre elle » ; ce seront donc des procédés défensifs d'un autre ordre qui devront opérer. Le concept de « tendance », de nature biologique, peut être précisé : **la tendance indique la fonction du système nerveux consistant à écarter les excitations menaçantes**[3], fonction éminemment défensive. Les destins mêmes des pulsions sont impliqués par les processus qui se dressent alors contre elles : on peut les considérer « comme **des modes de la *défense* contre les pulsions** »[4].

Lorsque, au cours des deux années suivantes, les *Conférences d'introduction* refont le point, c'est notamment pour situer le conflit pathogène, à la source des psychonévroses, comme correspondant à la lutte entre moi et sexualité, c'est-à-dire entre deux aspirations sexuelles dont « **l'une est conforme au moi, tandis que l'autre provoque la défense du moi** »[5]. Face au danger, la réaction est « un mélange d'affect d'angoisse et d'action de défense ». La menace suscite

1. *Les premiers psychanalystes (minutes de la Société psychanalytique de Vienne)* (1976a), Paris, Gallimard, 1976, t. I (1906-1908), p. 46 (séance du 24 octobre 1906).

2. « Remarques sur un cas de névrose obsessionnelle (L'homme aux rats) » (1909d), *Cinq psychanalyses,* Paris, PUF, 1954, p. 205 et 245 ; *OCF* IX, p. 143 et 194 ; *GW* VII, p. 389 et 442.

3. « Pulsions et destins des pulsions » (1915c), *Métapsychologie,* Paris, Gallimard, 1968, p. 14 et 16 ; *OCF* XIII (2e éd.), p. 167 et 168 ; *GW* X, p. 212 et 213.

4. *Ibidem,* p. 25 ; p. 174 ; p. 219.

5. *Conférences d'introduction à la psychanalyse* (1916-1917), Paris, Gallimard, 1999, p. 445 ; *OCF* XIV, p. 363 ; *GW* XI, p. 363.

d'une part une action motrice de fuite puis, à un stade supérieur, une défense active, accompagnée d'un état d'angoisse, qui s'avère inadéquat[1]. Mais Freud est de plus en plus préoccupé par les limites qu'il rencontre lorsqu'il recourt au principe de plaisir pour rendre compte du fonctionnement psychique. Il doit donc, en 1920, aller « au-delà » – ce qui le conduit à s'intéresser plus encore à la lutte contre l'excitation et à la fonction de protection de cette partie différenciée de l'organisme vivant qu'il désigne comme « pare-excitation », le qualifiant de « moyen de défense », le désignant même comme « la dernière ligne de défense »[2]. Il va lui falloir expliciter au mieux ce qui doit être si fermement « défendu ». C'est ainsi que, trois ans plus tard, il en vient à conceptualiser le *moi comme instance,* ce qui va le conduire – encore trois ans plus tard – au concept de défense.

Élaboration d'une théorie des défenses

Dans *Inhibition, symptôme et angoisse,* en 1926 – les trois notions qui valent son titre à l'ouvrage s'avérant participer de la lutte défensive –, Freud entreprend véritablement la théorisation des processus de défense, conçus comme éléments particuliers, « innombrables », de cette fonction vitale, tant biologique que psychique, qu'est la défense de l'individu représenté par son moi. Il repart de la comparaison[3] déjà faite (elle s'est imposée très tôt) avec « la fuite devant le souvenir de la douleur, modèle et premier exemple du refoulement psychique »[4], fuite appropriée face à une excitation (un danger) externe mais totalement inefficace contre l'excitation interne de la pulsion « car le moi ne peut s'échapper à lui-même »[5] ; ce que le refoulement

1. *Ibidem,* p. 499-500 ; p. 409-410 ; p. 409.

2. *Au-delà du principe de plaisir* (1920g), *Essais de psychanalyse,* Paris, Payot, 1981, p. 71-74 ; *OCF* XV, p. 300-303 ; *GW* XIII, p. 29-32.

3. *Inhibition, symptôme et angoisse* (1926d [1925]), Paris, PUF, 1951, p. 8-9 ; *OCF* XVII, p. 210-211 ; *GW* XIV, p. 119-120.

4. *L'interprétation des rêves* (1900a), Paris, PUF, 1967, p 511 ; *OCF* IV, p. 656 ; *GW* II-III, p. 606.

5. « Le refoulement » (1915d), *Métapsychologie,* Paris, Gallimard, 1968, p. 45 ; *OCF* XIII, p. 191 ; *GW* X, p. 250.

représentait exemplairement doit être élargi à d'autres moyens de défense, à commencer par la régression, plus énergique encore que le refoulement[1]. Celui-ci a pu prendre une place prépondérante dans l'élaboration de la psychanalyse parce qu'il est *la défense* à l'œuvre dans l'hystérie, névrose dont l'étude a permis de fonder la psychanalyse. Maintenant, Freud peut s'attacher aux défenses dans les autres psychonévroses et, plus particulièrement, dans la névrose obsessionnelle. Du refoulement, il est ainsi conduit à « **revenir au vieux concept de défense** »[2].

Pourtant, la situation de départ de la névrose obsessionnelle n'est sans doute guère différente de celle de l'hystérie, puisqu'elle retrouve la **défense contre les revendications libidinales du complexe d'Œdipe** ; d'ailleurs, dans la névrose obsessionnelle se trouve, au plus profond, une couche de symptômes hystériques très précoces. Mais un facteur constitutionnel va changer l'évolution : l'organisation génitale de la libido résiste mal, et les premiers efforts défensifs la font régresser au stade sadique-anal, ce qui s'avère décisif pour la suite. L'obsédé montre clairement que « **le moteur de la défense est le complexe de castration** », son objet étant constitué par les diverses tendances du complexe d'Œdipe. Ses formations réactionnelles, exagération de la formation caractérielle normale, forment un nouveau mécanisme de défense, à côté de la régression et du refoulement (alors qu'elles sont quasiment absentes dans l'hystérie, qui se borne à refouler)[3]. Il s'y élabore aussi un procédé d'*isolation* qui s'exprime directement dans le symptôme, et un autre « magique » d'*annulation rétroactive,* visant à l'évidence à la défense, mais n'ayant plus aucune ressemblance avec le refoulement.

D'avoir pu situer l'angoisse comme signal de menace pulsionnelle contre le moi (c'est elle qui produit le refoulement et non l'inverse[4]) permet maintenant de reconnaître nombre de processus

1. *Inhibition, symptôme et angoisse* (1926d [1925]), Paris, PUF, 1951, p. 24 ; *OCF* XVII, p. 223 ; *GW* XIV, p. 134.

2. *Ibidem,* p. 92 ; p. 277 ; p. 196.

3. *Ibidem,* p. 33-36 ; p. 229-233 ; p. 142-145.

4. *Ibidem,* p. 28 ; p. 226 ; p. 137.

comme défensifs. Désormais, la notion de « défense » prime dans le fonctionnement psychique, le refoulement devenant « produit » et non plus « producteur » d'angoisse : il convient donc de **considérer comme « défenses »** ***toutes*** **« les techniques dont se sert le moi dans ses conflits »**, et donc tous « les processus qui tendent à la protection du moi contre les exigences pulsionnelles ». Freud espère encore parvenir à trouver une « correspondance intime entre telles formes de défense et telles affections » (sur le modèle du refoulement et de l'hystérie). Surtout, il voudrait comprendre quelles autres méthodes de défense utilise l'appareil psychique avant que moi et ça soient nettement différenciés, avant donc la formation d'un surmoi[1].

La théorie des défenses s'affirme et se déploie

Au cours des années suivantes – et jusqu'à son dernier ouvrage –, Freud va poursuivre cette recherche, identifier nombre de défenses et en approfondir les mécanismes. « L'humour » lui-même, tant « par la mise à l'écart des exigences de la réalité » que la suprématie qu'il accorde au principe de plaisir, constitue une défense prenant place dans la longue série des méthodes déployées pour échapper à la souffrance, « série qui commence avec la névrose, culmine dans la folie, et dans laquelle il faut inclure l'ivresse, l'absorption en soi-même, l'extase »[2]. Il ne faut pas perdre de vue que, **lorsqu'elles se constituent, les défenses sont d'abord « normales »** ; si le moi peut faire en sorte de limiter le développement d'angoisse à un simple signal, et consacrer plus d'énergie aux défenses, liant le refoulé, le processus pourra se rapprocher d'une élaboration normale[3]. Notre moi dispose d'un nombre extraordinaire de méthodes, de mécanismes pour se défendre, mais certains sont plus proches que d'autres de cette « normalité ». Il existe une « défense qu'on peut qualifier de normale et qui se traduit

1. *Ibidem,* p. 92-94 ; p. 277-279 ; p. 196-197.

2. « L'humour » (1927d), *L'inquiétante étrangeté et autres essais,* Paris, Gallimard, 1985, p. 324 ; *OCF* XVIII, p. 137 ; *GW* XIV, p. 385.

3. *Nouvelles conférences d'introduction à la psychanalyse* (1933a [1932]), Paris, Gallimard, 1984, p. 123 ; *OCF* XIX, p. 173 ; *GW* XV, p. 96.

par l'acceptation, la réflexion, le jugement et l'action appropriée à ses fins » ; entre elle et les défenses contre ce qui est pénible ou insupportable (le refoulement), on rencontre une longue série d'attitudes du moi plus ou moins pathologiques – ainsi en va-t-il, par exemple, des *sentiments d'étrangeté*[1].

Freud se réfère alors explicitement, presque avec insistance, au livre que vient d'achever sa fille Anna sur *Le moi et les mécanismes de défense,* portant des appréciations louangeuses qu'il répétera quelques mois plus tard[2]. C'est pourquoi nous pensons utile de mentionner quelques propositions qu'à l'évidence il approuve, même s'il ne les a pas lui-même explicitées.

Dans cette étude, Anna Freud reprend les thèses freudiennes sur les mécanismes de défense par rapport aux conflits entre ça et moi, puis à ceux entre moi et surmoi, pour aboutir enfin à ceux entre moi et monde extérieur (Freud avait de même considéré le moi comme « une pauvre créature devant servir trois maîtres et subissant, par conséquent, la menace de trois dangers »[3]). Elle fournit alors un principe essentiel de leur fonctionnement, directement inspiré de ceux qui régissent le champ pulsionnel : « **Les facteurs de la défense et ceux contre lesquels cette défense sont dirigés restent toujours constants, les facteurs variables étant les motifs qui poussent le moi à adopter des mesures défensives.** » Toutes les défenses sont des *compromis* que doit passer le moi avec la pulsion, aussi n'appartiennent- elles pas entièrement au moi ; « les particularités des pulsions sont utilisées dans la mesure où les processus pulsionnels eux-mêmes se trouvent modifiés »[4].

1. « Un trouble de mémoire sur l'Acropole (lettre à Romain Rolland) » (1936a), *Résultats, idées, problèmes, II,* Paris, PUF, 1984, p. 227-228 ; *OCF* XIX, p. 335-336 ; *GW* XVI, p. 255.

2. *Ibidem,* et « L'analyse avec fin et l'analyse sans fin » (1937c), *Résultats, idées, problèmes, II,* Paris, PUF, 1984, p. 250 et 252 ; *OCF* XX, p. 48 et 50 ; *GW* XVII, p. 82 et 84.

3. *Le moi et le ça* (1923b), *Essais de psychanalyse,* Paris, Payot, 1981, p. 271 ; *OCF* XVI, p. 299 ; *GW* XIII, p. 286.

4. Anna Freud, *Le moi et les mécanismes de défense* (1936-1949), Paris, PUF, 1967, p. 61 et 159.

Dans l'un de ses derniers travaux, « L'analyse avec fin et l'analyse sans fin » en 1937, Freud reprend ces notions, consacrant une large place aux défenses. Le moi, dès qu'il est formé et tout en restant au service du principe de plaisir, doit protéger le ça contre les dangers du monde extérieur ; ce faisant, il apprend à se défendre contre le ça et à traiter les revendications pulsionnelles comme des dangers extérieurs, puisque leur satisfaction conduirait à des conflits avec l'extérieur. Il lui faut alors apprendre à **déplacer le théâtre du combat de l'extérieur vers l'intérieur, afin de maîtriser le danger intérieur avant qu'il ne devienne extérieur.** Pour mener ce combat, sur deux fronts, le moi utilise nombre de procédés différents désignés comme *« mécanismes de défense »*. Si le refoulement est bien l'un d'eux, il est loin d'être le seul, mais il est néanmoins quelque chose de tout à fait particulier, plus nettement séparé des autres que ceux-ci ne le sont entre eux. Toute la difficulté tient à ce qu'on ne peut se fuir soi-même ; les mécanismes de défense doivent donc falsifier la perception intérieure, ne nous permettant qu'une connaissance déficiente et déformée de notre ça – le moi est comme paralysé et aveuglé face au ça.

La tâche des mécanismes de défense est d'écarter les dangers qui menacent le moi. Pour une bonne part, ils y parviennent ; le plus souvent, ils le font d'ailleurs si bien que, durant son développement, le moi ne parvient pas à les abandonner entièrement, ce qui aboutit à ce qu'ils puissent eux-mêmes devenir des dangers, la dépense pour les entretenir, comme les limitations du moi qu'ils entraînent régulièrement, étant parfois trop lourdes. « **Chaque personne n'utilise naturellement pas tous les mécanismes de défense possibles, mais se contente d'opérer un certain choix parmi eux.** » Mais ceux-ci vont demeurer fixés dans le moi, devenant des modes de réaction du caractère se répétant toute la vie, dès qu'une situation semblable à celle d'origine réapparaît. Le moi adulte, renforcé, persiste à se défendre contre des dangers infantiles qui n'existent plus : ainsi se prépare l'irruption de la névrose.

Les mécanismes de défense modifient le moi de façon spécifique, ce qui va entraîner des modes de réaction particuliers durant le travail analytique qui, finalement, les répète – il « nous les met en quelque sorte sous les yeux, et à vrai dire nous ne les connaissons que par là ».

Ils font retour en tant que *résistances* à la guérison. Ils déterminent toute la part de notre tâche qui s'attache à l'analyse du moi, l'autre (première pratiquée) s'efforçant de mettre au jour ce qui est enfoui dans le ça ; il nous faut d'un côté « rendre conscient quelque chose du ça, de l'autre corriger quelque chose dans le moi ». Il s'agit alors de travailler sur les résistances, donc sur les mécanismes de défense qu'elle représentent ; le renouvellement des conflits défensifs peut alors susciter des transferts négatifs, l'analyste devenant un étranger, voire un ennemi. La perpétuation intempestive des mécanismes de défense peut créer une résistance contre la mise au jour des résistances, contre l'analyse en général, et partant s'opposer à la guérison. **L'action des défenses dans le moi ne peut donc qu'aboutir à des modifications du moi,** qui sont acquises pendant les combats défensifs des premières années – ce qui entraîne de grandes variétés de moi, originaires et innés – au moment où chacun fait son choix parmi les mécanismes de défense possibles, pour n'en utiliser toujours que quelques-uns, constamment les mêmes. C'est ce qui nous permet de considérer que « chaque moi particulier est doté dès le départ de dispositions et de tendances individuelles », dont à vrai dire nous ne savons pas grand-chose[1]...

L'année suivante, dans « Le clivage du moi dans le processus de défense », est introduit un nouveau concept : un nouveau procédé défensif – avec cette particularité que le terme de « défense » ne figure que dans le titre, et nulle part dans le texte. Pourtant, tout y est : l'influence d'un traumatisme, le conflit entre la revendication de la pulsion et l'objection faite par la réalité, le recours à un procédé « rusé » pour se sortir de la difficulté – l'enfant menacé de castration (pris ici comme exemple), « à l'aide de mécanismes déterminés, déboute la réalité et ne se laisse rien interdire », alors que, dans le même temps, il reconnaît la menace qu'elle contient et, sous forme d'un symptôme morbide, assume l'angoisse. **Le déni a fonctionné, mais le prix du succès est une déchirure : un *clivage* du moi**[2].

1. « L'analyse avec fin et l'analyse sans fin » (1937c), *Résultats, idées, problèmes, II*, Paris, PUF, 1984, p. 250-256 ; *OCF* XX, p. 38-42 ; *GW* XVI, p. 82-86.

2. « Le clivage du moi dans le processus de défense » (1940e [1938]), *Résultats, idées, problèmes, II*, Paris, PUF, 1984, p. 283-284 ; *OCF* XX, p. 221-222 ; *GW* XVII, p. 59-60.

Le dernier texte, l'*Abrégé de psychanalyse,* réaffirme que « **le moi est dominé par le souci de la sécurité** ; sa mission est la conservation de soi que le ça semble négliger » ; menacé par les mondes extérieur et intérieur, « il utilise contre ses deux adversaires les mêmes méthodes de défense », mais il faut bien constater qu'elles sont particulièrement inefficaces contre l'ennemi du dedans. **Le moi infantile, faible et inachevé, peut être durablement endommagé par ses efforts pour se défendre, notamment lorsqu'il doit affronter le conflit imposé par la situation œdipienne.** Freud, après être revenu sur le clivage, conclut : « Que le moi, pour se défendre d'un danger, dénie une partie du monde extérieur ou qu'il veuille repousser une exigence pulsionnelle de l'intérieur, sa réussite, en dépit de tous ses efforts défensifs, n'est jamais totale, absolue. » [1]

QUESTIONS ET ENJEUX

Apparemment, quoi de plus simple que la notion de défense ? Pourtant, tout se complique dès lors que, passant des pulsions d'auto-conservation du moi aux pulsions sexuelles, il faut aussi passer aux défenses psychiques, et même en faire une priorité de la réflexion psychanalytique. C'est toute la complexité du psychisme qui se présente, et cette notion simple se révèle soulever bien des questions.

Déjà, lorsque nous avons dû choisir un titre pour cet article, nous avons rencontré une première interrogation : « *la* défense » ou « *les* défenses » ? Le singulier renvoie à *la fonction* « en général » (comme il arrivait à Freud de la qualifier), le pluriel aux *mécanismes* qu'élabore le moi (nombreux et variés, particuliers). Ce devrait être clair – d'ailleurs ça l'est pour une bonne part, et on peut considérer que les mécanismes de défense du moi ne sont qu'une forme particulière de la fonction générale de défense. Pour autant, il n'est pas forcément évident de saisir le passage d'un état à l'autre. D'emblée, nous

1. *Abrégé de psychanalyse* (1940a [1938]), Paris, PUF, 1985, p. 74 et 80 ; *OCF* XX, p. 297-298 et 302 ; *GW* XVII, p. 130 et 135.

avons tenu à rappeler que la fonction défensive assure la protection et l'auto-conservation du vivant, fonction universelle à l'œuvre depuis les formes les plus primitives (tels les procaryotes) jusqu'aux hommes – et, pour ce qui nous intéresse ici, à ce que ceux-ci ont de plus « élevé » : leur être psychique, leur moi individuel. Entre *la* défense et *les* défenses se découvre un abyme. Et pourtant, que ce soit l'une ou les autres, il s'agit bien de la même chose. Les questions qui se posent sont celles, récurrentes dans l'œuvre freudienne, de la frontière entre biologique et psychique, frontière floue par excellence, lieu de passage autant que de séparation, voire jonction autant que rupture – l'une des difficulté étant que la psychanalyse se situe rigoureusement sur le versant psychique, et se trouve toujours embarrassée de se retrouver tirée vers le biologique, ce que ne manque pas de faire le questionnement sur les racines des défenses du moi.

C'est la révision de la théorie de l'angoisse – celle-ci se découvrant cause du refoulement et non pas produite par lui[1] comme Freud l'avait cru jusque-là – qui, nous dit-il, l'a conduit à réintroduire le vieux concept de défense, d'autant que l'avancement dans la compréhension de la névrose obsessionnelle lui a démontré l'existence d'autres mécanismes de protection du moi (régression, isolation, annulation rétroactive). L'angoisse, en produisant cette défense du moi qu'est le refoulement, ne fait que remplir sa fonction de « mise en garde » : nous ne devons « pas oublier qu'un symbole d'affect est une nécessité biologique pour la situation de danger »[2], que, selon ses besoins, il appartient au moi de provoquer l'angoisse afin de mettre en œuvre les processus défensifs[3]. Nous comprenons ainsi pourquoi Freud ne pouvait qu'attribuer un ancrage biologique à la fonction défensive du moi.

La question qui suit, sur les toutes *premières défenses*, retrouve cette problématique. Il s'agit de « savoir si toutes les modifications du moi s'acquièrent pendant les combats défensifs des premières années ». La réponse ne peut être qu'affirmative, et c'est ce qui amène à constater que des variétés de moi, originaires et innées,

1. *Inhibition, symptôme et angoisse* (1926d [1925]), Paris, PUF, 1951, p. 27-28 ; *OCF* XVII, p. 226 ; *GW* XIV, p. 137.

2. *Ibidem*, p. 9-10 ; p. 212 ; p. 121.

3. *Ibidem*, p. 90-91 ; p. 276 ; p. 195.

conduisent chaque moi à choisir ses mécanismes de défense, à n'en utiliser que quelques-uns, toujours les mêmes ; ce qui fait reconnaître l'existence, « dès le départ, de dispositions et de tendances individuelles » (même si nous ne saurions dire en quoi cela consiste)[1]. Mais qu'en est-il *avant* ? Il est impensable que la fonction défensive ne soit pas assurée avant la différenciation du moi et du ça, d'autant qu'en ces temps proches de l'originel les premières manifestations d'angoisse sont particulièrement intenses, à commencer par celles, prototypiques, de la naissance. Freud s'est posé la question, bien sûr.

Dans la *Métapsychologie,* il constate que les névroses de transfert nous forcent à penser que « le refoulement n'est pas un mécanisme de défense présent à l'origine » car, pour qu'il puisse se mettre en place, il faut qu'une séparation claire se soit produite entre les activités consciente et inconsciente (huit ans plus tard il dira : « avant l'apparition du moi et sa séparation d'avec le ça »[2]). Il faut donc supposer que, avant ce stade, ce sont d'autres procédés, d'autres « destins de la pulsion » (transformation dans le contraire, retournement sur la personne propre), qui « s'acquittent de la tâche de défense contre les motions pulsionnelles »[3]. En 1926, il apparaît que dans chaque névrose obsessionnelle (qui éclate à un âge plus tardif que l'hystérie) on trouve, « au niveau le plus profond, une couche de symptômes hystériques formés très tôt ». C'est sur ce fond que vont se développer les symptômes obsessionnels, l'organisation génitale de la libido s'étant révélée par la suite constitutionnellement peu résistante : le premier résultat des efforts défensifs du moi est une régression de la phase phallique au stade sadique-anal. Le moteur de la défense est alors clairement le complexe de castration, mais *quid* de celui des défenses antérieures, correspondant à des symptômes hystériques très précoces (sans doute de la phase orale)[4] ?

1. « L'analyse avec fin et l'analyse sans fin » (1937c), *Résultats, idées, problèmes, II,* Paris, PUF, 1984, p. 255-256 ; *OCF* XX, p. 38-42 ; *GW* XVI, p. 82-86.

2. *Le moi et le ça* (1923b), *Essais de psychanalyse,* Paris, Payot, 1981, p. 237-238 ; *OCF* XVI, p. 270 ; *GW* XIII, p. 253.

3. « Le refoulement » (1915d), *Métapsychologie,* Paris, Gallimard, 1968, p. 47-48 ; *OCF* XIII, 1994 (2e éd.), p. 192 ; *GW* X, p. 250.

4. *Inhibition, symptôme et angoisse* (1926d [1925]), Paris, PUF, 1951, p. 34-35 ; *OCF* XVII, p. 230-231 ; *GW* XIV, p. 142-143.

Freud ne nous le dit pas, évoquant seulement l'angoisse de la naissance avec laquelle nous nous retrouvons encore au plus près du biologique – et donc aux frontières de la psychanalyse et de ce dont elle peut rendre compte en son seul nom. Pour finir, il redit qu'il est bien possible qu'avant différenciation du moi et du ça, avant que ne soit formé un surmoi, « l'appareil psychique utilise d'autres méthodes de défense qu'une fois ces stades d'organisation atteints ». Mais il n'en dit pas plus là-dessus, et ne décrit, ni même ne cite ces défenses [1].

Dans ces temps archaïques, les déterminations par la biologie et par l'entourage sont sans doute prépondérantes : c'est alors l'être biologique qui se défend, ce sont les soins parentaux qui le protègent ; le recoupement de ces deux mouvements aboutit à la mise en route du fonctionnement psychique. On peut penser que les mécanismes de défense du moi vont s'étayer sur ces deux protections antérieures, dans le même mouvement que les pulsions sexuelles s'étayent sur les pulsions d'auto-conservation. Ainsi se constituerait l'« être psychique » : « Le monde extérieur où l'individu se meut [celui de la réalité] après sa séparation d'avec ses parents, représente la puissance du présent ; son ça, avec ses tendances héréditaires, représente le passé organique ; son surmoi, nouveau venu, figure avant tout le passé de civilisation. » [2]

C'est avec constance que Freud établit une comparaison entre *les défenses et la fuite* ; il le fait d'abord à propos du refoulement : lorsqu'une motion pulsionnelle se heurte à des résistances, l'un des destins qu'elle peut choisir est de chercher à la rendre inefficace, se plaçant alors « en situation de *refoulement* ». Face à une excitation externe, la fuite aurait été le meilleur moyen mais, « dans le cas de la pulsion, la fuite ne peut servir à rien car le moi ne peut s'échapper à lui-même » [3]. Dix ans plus tard, l'image est reprise pour signifier les défenses, le modèle demeurant d'ailleurs celui du refoulement : face à un danger extérieur, l'organisme tente de fuir, commençant par désinvestir l'objet dangereux ; puis il s'aperçoit que

1. *Ibidem*, p. 91 et 94 ; p. 276 et 279 ; p. 194 et 197.

2. *Abrégé de psychanalyse* (1940a [1938]), Paris, PUF, 1985, p. 84 ; *OCF* XX, p. 305 ; *GW* XVII, p. 138.

3. « Le refoulement » (1915d), *Métapsychologie*, Paris, Gallimard, 1968, p. 45 ; *OCF* XIII, p. 191 ; *GW* X, p. 250.

des actions musculaires de fuite constituent un moyen plus efficace pour se soustraire au danger. « C'est bien à une telle tentative de fuite qu'est assimilable le refoulement » ; le moi retire l'investissement préconscient du représentant à refouler, et l'utilise à libérer le déplaisir, provoquant l'angoisse. Un peu plus loin encore : la défense est semblable à la fuite dont use le moi pour se soustraire à une menace extérieure ; le processus défensif « représente précisément une tentative de fuite devant un danger pulsionnel » [1].

L'explication semble évidente. Pourtant, quelque chose manque. Si, face au danger, la fuite est une solution évidente, il en est pourtant une autre aussi patente : *l'attaque*. Face à un loup, on peut soit le fuir, soit l'affronter – il semblerait même que, chez les tout petits (avant qu'il y ait un moi pour estimer le rapport de forces et juger de la situation), la réaction d'agression se manifeste avant celle de fuite. Les défenses ne sont rien d'autre que « les techniques dont se sert le moi dans ses conflits » [2], et, en pareil cas, se battre est à l'évidence une de ces techniques. Or, Freud ne la mentionne jamais, en dépit du rôle important qu'il attribue par ailleurs à la pulsion d'agression, même s'il admet avoir mis du temps à reconnaître celle-ci – que d'ailleurs il ne connote pas comme pouvant être aussi défensive [3]. Nous ne pouvons que nous demander pourquoi ? Une première réponse serait de considérer que certaines défenses expriment cette agression, voire cette destruction, et notamment celles qui ressortent de la négation, depuis l'annulation jusqu'au déni – mais elles ne sont jamais référées comme telles. Une autre doit considérer la prégnance de l'infantile, telle qu'elle implique les rapports « angoisse-défenses-névrose », et la difficulté de devoir décider si un danger est réel ou non, « l'évaluation de la faiblesse de nos forces eu égard à la grandeur du danger, la reconnaissance de notre détresse », qui ne permettrait guère que la fuite, tout au moins à partir du moment où un moi peut apprécier la situation. Nous voyons une troisième raison qui reprend l'argument-massue constatant l'impossibilité de se fuir soi-même afin de l'élargir : si le moi ne peut s'échapper à lui-même, peut-il

1. *Inhibition, symptôme et angoisse* (1926d [1925]), Paris, PUF, 1951, p. 9 et 70 ; *OCF* XVII, p. 211 et 260 ; *GW* XIV, p. 120 et 176.

2. *Ibidem*, p. 92 ; p. 277 ; p. 196.

3. *Nouvelles conférences d'introduction à la psychanalyse* (1933a [1932]), Paris, Gallimard, 1984, p. 139-140 ; *OCF* XIX, p. 186 ; *GW* XV, p. 110.

s'attaquer lui-même ? La réponse pourrait bien être affirmative si on pense au masochisme moral, et plus encore au masochisme primaire qui réalise précisément une telle attaque – en fait, l'agression est « introjectée », retournée contre le moi, attaque qui sera reprise par le surmoi[1]. En pareil cas, il ne saurait plus être question de défense, et nous devons confronter pulsion d'agression et pulsion de mort. Serait-ce ce changement de registre qui conduisit Freud à ignorer la fonction défensive de l'agressivité, à écarter l'adage qui veut que « la meilleure défense soit l'attaque » ?

Qu'est-ce qui mérite d'être considéré comme « défensif » ? Pareille question ne va pas sans évoquer celle de la *classification des défenses*. Anna Freud la tenta en distinguant des défenses contre la pulsion, des défenses contre les affects, et d'autres prises dans le caractère ; elle envisagea aussi de les classer selon leur moment d'apparition au cours du développement, pour conclure que mieux valait renoncer à pareille entreprise. On a bien l'impression que c'est quelque chose de cet ordre qui anime Freud lorsque, reprenant une vieille idée, il redit en 1926 son espoir qu'en approfondissement ses recherches il parvienne à révéler « une correspondance intime entre telles formes de défense et telles affections, par exemple entre le refoulement et l'hystérie »[2]. Mais il semble bien que cette voie se soit avérée par trop incertaine, en raison sans doute de la fréquente intrication des symptômes hystériques et obsessionnelles[3], mais, surtout, à cause de la multitude des processus de défense, chacun n'étant finalement qu'une technique particulière du moi : le moi se spécifie par sa fonction défensive, au point qu'il ne serait pas erroné de dire qu'il n'est *que* cela, mais que, surtout, *il est tout cela,* ce qui fait que la défense est *tout* le fonctionnement psychique. Comme « n'importe quel comportement du moi doit nécessairement exercer une action modificatrice sur le

1. *Malaise dans la civilisation* (1930a [1929]), Paris, PUF, 1971, p. 80 ; *OCF* XVIII, p. 310 ; *GW* XIV, p. 482.

2. *Inhibition, symptôme et angoisse* (1926d [1925]), Paris, PUF, 1951, p. 94 ; *OCF* XVII, p. 279 ; *GW* XIV, p. 197.

3. « Extrait de l'histoire d'une névrose infantile (L'homme aux loups) » (1918b [1914]), *Cinq psychanalyses*, Paris, PUF, 1954, p. 381 ; *OCF* XIII (2e éd.), p. 73 ; *GW* XII, p. 107. Et *Inhibition, symptôme et angoisse* (1926d [1925]), Paris, PUF, 1951, p. 34 ; *OCF* XVII, p. 230 ; *GW* XIV, p. 143.

processus pulsionnel »[1], c'est alors le moi, et avec lui le processus psychique, qui devraient être « classifiés » ! Vaine entreprise, effectivement.

Nous venons d'évoquer les rapports entre défenses et névroses, mais nous n'avons pas eu l'occasion de mentionner les *défenses psychotiques*. À vrai dire, Freud en parle fort peu ; il les évoque seulement tout au début, puis tout à la fin de son œuvre. Il le fait d'abord en 1894 et 1896, dans les deux articles sur « Les psychonévroses de défense », pour indiquer d'abord que « le moi se défend contre la représentation insupportable par la fuite dans la psychose »[2], puis que « la paranoïa serait une psychose de défense [...] dont les symptômes seraient déterminés par le contenu du refoulé »[3]. Il lui fallut attendre plus de quarante ans pour référer à nouveau la psychose, à propos du déni et du clivage ; il avait d'ailleurs longtemps maintenu ces défenses dans le registre névrotique dans lequel « ce qui a été clivé peut ensuite se réunir »[4]. Mais, en 1937, il doit admettre que le clivage peut correspondre à une véritable déchirure dans le moi, « déchirure qui ne guérira jamais plus, mais grandira avec le temps »[5]. Si la reconnaissance du fonctionnement psychotique du clivage (et du déni) est donc une découverte des plus tardives, elle est très vite confirmée avec force : « Dans toute psychose existe un *clivage du moi*. »[6] À la réflexion, celui-ci serait moins « étrange » qu'il n'y paraît, et adopter « deux attitudes psychiques différentes, opposées, indépendantes l'une de l'autre, est justement un caractère général des névroses » ; l'une est le fait du moi, l'autre émane du ça, la prédominance de l'une ou de l'autre conditionnant le choix de la névrose ou

1. *Inhibition, symptôme et angoisse* (1926d [1925]), Paris, PUF, 1951, p. 72 ; *OCF* XVII, p. 261 ; *GW* XIV, p. 178.

2. « Les psychonévroses de défense » (1894a), *Névrose, psychose et perversion*, Paris, PUF, 1973, p. 13.

3. « Nouvelles remarques sur les psychonévroses de défense » (1896b), *Névrose, psychose et perversion*, Paris, PUF, 1973, p. 72 ; *OCF* III, p. 136 ; *GW* I, p. 392.

4. *Nouvelles conférences d'introduction à la psychanalyse* (1933a [1932]), Paris, Gallimard, 1984, p. 82-83 ; *OCF* XIX, p. 141-142 ; *GW* XV, p. 64.

5. « Le clivage du moi dans le processus de défense » (1940e [1938]), *Résultats, idées, problèmes, II*, Paris, PUF, 1984, p. 286 ; *OCF* XX, p. 223-224 ; *GW* XVII, p. 62.

6. *Abrégé de psychanalyse* (1940a [1938]), Paris, PUF, 1985, p. 78 ; *OCF* XX, p. 300-301 ; *GW* XVII, p. 133.

de la psychose, mais « il n'est pas toujours facile de décider à laquelle des deux éventualités on a affaire »[1]. On a le sentiment que Freud regrette alors de ne pas avoir pu explorer plus avant les défenses psychotiques.

Nous avons régulièrement référé les défenses au moi. Celui-ci ne prend toute sa dimension qu'en accédant, en 1923, au statut d'instance, justifiant ainsi le retour aux défenses. Ceci ne va pas sans poser la question de leur statut – comme d'ailleurs de celui du conflit, dont elles découlent – par rapport aux nouvelles instances : si celles-ci ne sont ni les agents, ni les personnifications du conflit et des défenses (« le moi et le ça ne sont pas deux camps opposés »)[2], le surmoi apparaît comme produit du conflit, tout comme les défenses – d'où la question : *le surmoi est-il une défense ?* « Héritier du complexe d'Œdipe », il l'est d'abord de ses conflits et sa fonction est bien de protéger le moi de leurs conséquences, fût-ce sévèrement ; pour ce faire, il doit promulguer des interdits, des « défenses » pourrait-on dire en jouant sur le mot : responsable de la conscience morale et de la formation d'idéaux, il se veut censeur du moi pour le protéger, le défendre. À bien y regarder, il semblerait que Freud n'est pas loin de répondre positivement à la question en indiquant que, « avant la formation d'un surmoi, l'appareil psychique [utilise] d'autres méthodes de défense qu'une fois ces stades d'organisation atteints »[3]. Si le surmoi peut ainsi conditionner et déterminer les méthodes de défense, il ne semble pas abusif de considérer qu'il fonctionne de même, qu'il serait même la première des défenses.

Après ces interrogations, il n'est sans doute pas inutile de réaffirmer une « certitude » qui court tout au long du texte freudien. « De même que le ça ne vise qu'au gain de plaisir, le moi est dominé par le souci de la sécurité » ; il doit se défendre contre un monde extérieur qui menace de le détruire et contre un monde intérieur trop exigeant[4] – tâche éminemment difficile, mais primordiale. Il est alors possible de conclure que, techniques particulières du moi, *les défenses spéci-*

1. *Ibidem*, p. 80 ; p. 302 ; p. 135.

2. *Inhibition, symptôme et angoisse* (1926d [1925]), Paris, PUF, 1951, p. 13 ; *OCF* XVII, p. 215 ; *GW* XIV, p. 124.

3. *Ibidem*, p. 93-94 ; p. 279 ; p. 197.

4. *Abrégé de psychanalyse* (1940a [1938]), Paris, PUF, 1985, p. 74 et 75 ; *OCF* XX, p. 297-298 ; *GW* XVII, p. 129-130.

fient le moi, dont le corollaire serait que le moi est le représentant de la fonction défensive : d'une certaine façon, il n'est *que* cela, mais surtout *il est tout cela* ; en ce sens la défense, ce « destin » de la pulsion, est le moi – les défenses portent *tout* le fonctionnement psychique.

Claude Le Guen

Déliaison → Liaison-déliaison

Démélange des pulsions → Mélange et démélange (union et désunion) des pulsions

Démixtion des pulsions → Mélange et démélange (union et désunion) des pulsions

Dénégation → Négation, dénégation, déni

DÉNI (de réalité)

all. : ***Verleugnung***. – angl. : *disavowal*. – esp. : *renegación*. – ital. : *diniego*. – port. : *recusa*

Procédé de défense très ancien et profond qui entre en œuvre à l'occasion d'un traumatisme ; lié à un conflit, le déni est reconnu en psychanalyse comme le refus catégorique d'une réalité qui apparaît intolérable, dont l'existence même doit être rejetée. Le concept s'approfondissant, il s'avère que la réalité inacceptable est, pour l'essentiel, l'absence de pénis chez la femme, témoignant de la « réalité » d'une castration. Le déni fonctionne bien comme défense. Si on peut le rencontrer dans les névroses, voire dans la vie psychique normale, lorsqu'il débouche sur un clivage du moi il prend un caractère véritablement pathogène, comme c'est le cas avec le fétichisme et, plus encore, dans les psychoses.

MISE EN SITUATION

En français comme en allemand il existe une proximité sémantique entre le déni et la négation (voire la dénégation), entre Verleugnung *et* Verneinung. *L'usage a donc prévalu de traduire le premier par « déni », ce qui n'est certes pas faux ; « reniement » ou « désaveu » (retenu en anglais, et qui a d'ailleurs été choisi par certains traducteurs) auraient été aussi recevables. Sans doute a-t-on voulu souligner plus encore son implication négative, tendant alors à le rapprocher plus encore de la « négation », cette autre défense, au risque de susciter certains faux-sens.*

Le terme apparaît dans le texte freudien en 1911. D'emblée, il désigne le refus d'une réalité mais, pendant longtemps, il demeure essentiellement descriptif, même si en 1915 une incise remarque qu'il faudra en venir à préciser ce que peut être l'investissement ainsi retiré au système Cs. *Ce n'est qu'en 1924 que la nature de cet investissement est reconnue : il s'agit de la castration. Dorénavant, le déni est connu comme étant une défense. Il peut produire un clivage, et le fait d'ailleurs assez souvent chez l'adulte, au risque de mener à la psychose. Les deux notions de déni et de clivage sont étroitement associées par Freud.*

LE TEXTE FREUDIEN

Même si, dans les premières publications de Freud, on peut trouver certains passages faisant penser à quelque chose comme le déni[1], ce n'est qu'assez tard que l'idée apparaît, à propos du refoulement, pour montrer comment le névrosé se détourne d'une réalité intolérable ; dans les cas extrêmes (comme la psychose hallucinatoire), c'est l'événement qui a provoqué la folie qui doit être dénié mais, « en vérité, chaque névrosé agit de même avec un petit fragment de la réalité »[2].

1. Ainsi dans « Traitement psychique » (1905b [1890]), *Résultats, idées, problèmes, I,* Paris, PUF, 1984, p. 17 ; *OCF* I, p. 169 ; *GW* V, p. 307.

2. « Formulations sur les deux principes du cours des événements psychiques » (1911b), *Résultats, idées, problèmes, I,* Paris, PUF, 1984, p. 135 ; *OCF* XI, p. 13 ; *GW* VIII, p. 230.

L'année suivante, le même procédé est invoqué dans le cadre de la préhistoire pour expliquer le sacrifice de l'animal totem, ordonné par le dieu : « C'est là le déni extrême du grand méfait avec lequel la société et le sentiment de culpabilité ont commencé. »[1] Le même « homme des origines » avait une attitude pleine de contradictions à l'égard de la mort : d'une part il la reconnaissait comme cessation de la vie et, d'autre part, il la déniait. Nous faisons parfois de même et **notre inconscient réunit ces deux attitudes opposées, qui se heurtent et entrent en conflit,** lorsque nous sommes pareillement confrontés, « comme aux premiers âges, à la mort ou au danger de mort d'un de nos êtres chers » : d'un côté ils sont pour nous une partie constituante de notre moi mais de l'autre ils sont aussi des étrangers, voire des ennemis – d'un tel conflit d'ambivalence « ne résulte plus, comme autrefois, une doctrine de l'âme, mais la névrose »[2].

Le mécanisme du déni est précisé en 1915. Ce qui est décrit revêt déjà les caractères d'une fonction *défensive.* Freud prend l'exemple de l'état hallucinatoire confusionnel de la « psychose de désir », l'« *amentia,* **réaction à une perte que la réalité affirme mais que le moi doit dénier** » tant elle lui est insupportable ; pour mettre ainsi hors jeu l'épreuve de réalité, le moi retire au système *Cs* un investissement d'une nature particulière – qu'il faudrait d'ailleurs préciser. L'épreuve de réalité ainsi mise à l'écart, les fantasmes de désir (conscients, non refoulés) sont reconnus comme une réalité meilleure : nous avons « le spectacle intéressant d'une désunion du moi d'avec un de ses organes » qui, assurant la perception de la réalité, lui est peut-être le plus fidèle, lié de la façon la plus intime[3].

Dans le courant de l'année 1917, le sujet préoccupe toujours Freud qui en vient à constater que, dans les névroses, le moi s'éprouve mal

1. *Totem et tabou* (1912-1913a), Paris, Gallimard, 1993, p. 302 ; *OCF* XI, p. 370 ; *GW* IX, p. 181.

2. « Considérations actuelles sur la guerre et sur la mort » (1915b), *Essais de psychanalyse,* Paris, Payot, 1981, p. 30 et 38 ; *OCF* XII, p. 148 et 156 ; *GW* X, p. 345 et 353.

3. « Complément métapsychologique à la théorie du rêve » (1917d [1915]), *Métapsychologie,* Paris, Gallimard, 1968, p. 143-144 ; *OCF* XIII (2e éd.), p. 258-259 ; *GW* X, p. 424-425.

à l'aise car il se sent limité dans sa propre maison : des pensées surgissent qu'il ressent comme étrangères mais ne peut chasser car elles sont plus fortes que lui, résistant à sa volonté comme à sa logique, imperméables aux réalités ; surviennent des impulsions qui semblent ne pas lui appartenir, « si bien que le moi les dénie mais ne peut s'empêcher de les redouter » et de chercher à s'en prémunir : « Le moi ne peut comprendre pourquoi il se sent si étrangement paralysé. » [1]

Dans les mêmes temps, le cas de « L'homme aux loups » conduit à préciser comment le patient, confronté à la castration, s'en défend ; si ce qui est décrit est bien ce qui est généralement appelé « déni », il convient de remarquer que Freud dit ici qu'il la « rejeta » *(verwerfen)*. « Le sens immédiat de cette expression est qu'il n'en voulut rien savoir », et c'est là autre chose qu'un refoulement ; l'enfant ne juge pas la castration, mais pour lui « les choses se passent comme si elle n'existait pas ». Pourtant, il avait aussi « reconnu la castration comme un fait réel », et « deux courants contraires existaient en lui côte à côte » ; celui qui avait rejeté la castration était « le plus ancien et le plus profond », renvoyant à un temps où « il ne pouvait encore être question d'un jugement relatif à sa réalité » [2]. Non seulement c'est bien le déni qui est là clairement décrit, mais tous ses caractères sont déjà explicités.

À partir de 1923, tout cela est confirmé. **La castration est bien l'objet d'élection du déni :** lorsque les garçons découvrent que les filles n'ont pas de pénis, « ils dénient ce manque et croient voir malgré tout un membre ; ils jettent un voile sur la contradiction entre observation et préjugé » [3]. La castration, « bien que déniée plus tard », apparaît tôt comme fantasme masochiste [4]. Pour que les choses soient claires

1. « Une difficulté de la psychanalyse » (1917a), *L'inquiétante étrangeté et autres essais,* Paris, Gallimard, 1985, p. 183-184 ; *OCF* XV, p. 48 ; *GW* XII, p. 9.

2. « Extrait de l'histoire d'une névrose infantile (L'homme aux loups) » (1918b [1914]), *Cinq psychanalyses,* Paris, PUF, 1954, p. 394 ; *OCF* XIII (2e éd.), p. 82-83 ; *GW* XII, p. 117.

3. « L'organisation génitale infantile » (1923e), *La vie sexuelle,* Paris, PUF, 1969, p. 115 ; *OCF* XVI, p. 307 ; *GW* XIII, p. 296.

4. « Le problème économique du masochisme » (1924c), *Névrose, psychose et perversion,* Paris, PUF, 1973, p. 292 ; *OCF* XVII, p. 17 ; *GW* XIII, p. 377.

entre psychose et névrose, Freud précise que « **la névrose ne dénie pas la réalité, elle veut seulement ne rien savoir d'elle ; la psychose la dénie et cherche à la remplacer** » (pour elle, « ça n'existe pas ») ; est normal, est « sain » un comportement qui, « comme la névrose, ne dénie pas la réalité, mais s'efforce ensuite, comme la psychose, de la modifier » [1].

Freud peut maintenant **spécifier le déni comme défense** ; pour ce faire, il repart du refoulement. Le garçon se refuse à connaître ce que lui montrent ses perceptions : la femme n'a pas de pénis ; « ce ne peut être vrai », car si la femme est castrée, lui aussi risque de se voir privé de son pénis, éventualité contre laquelle « se rebelle la part de narcissisme dont la nature prévoyante a doté précisément cet organe » ; c'est là aussi pointer les rapports du déni au narcissisme. On peut parler de « refoulement » mais, si on entend être plus rigoureux, on réservera le terme de « déni » *(Verleugnung)* à cette opération lorsqu'elle vise l'affect plus que la représentation : « La perception est restée, et une action très énergique a maintenu son déni. » [2]

Dans les années 1937-1938, la compréhension du déni progresse. Freud compare les délires aux « constructions que nous bâtissons dans le traitement psychanalytique » ; ce sont des tentatives d'explication qui, lorsqu'elles s'exercent dans la psychose, ne peuvent que tenter de « **remplacer le morceau de réalité qu'on dénie dans le présent par un autre morceau qu'on avait également dénié dans la période d'une enfance reculée** ». Il nous faut étudier de tels cas particuliers pour découvrir les rapports entre ce sur quoi porte actuellement le déni, et sur quoi a jadis porté le refoulement [3]. C'est ce que va permettre, en partie, l'étude et la conceptualisation du *clivage,* en insistant sur l'influence traumatique. Freud prend l'exemple d'un garçon accoutumé à satisfaire une puissante revendication pulsionnelle (l'onanisme) mais qui découvre que la poursuite de cette pratique lui

1. « La perte de la réalité dans la névrose et dans la psychose » (1924e), *Névrose, psychose et perversion,* Paris, PUF, 1973, p. 301 ; *OCF* XVII, p. 39 ; *GW* XIII, p. 365.

2. « Le fétichisme » (1927e), *La vie sexuelle,* Paris, PUF, 1969, p. 134 ; *OCF* XVIII, p. 126-127 ; *GW* XIV, p. 313-314.

3. « Constructions dans l'analyse » (1937d), *Résultats, idées, problèmes, II,* Paris, PUF, 1984, p. 280 ; *OCF* XX, p. 20-21 ; *GW* XVI, p. 55-56.

ferait courir un danger réel difficilement supportable (la castration) : il doit ou reconnaître le danger réel et renoncer à sa satisfaction, ou dénier la réalité et croire qu'il n'a rien à craindre. À ce conflit entre la revendication pulsionnelle et l'objection de la réalité, l'enfant fait l'un et l'autre : **d'une part, à l'aide de mécanismes déterminés, il refuse la réalité et l'interdit ; dans le même temps, il reconnaît la réalité du danger et l'angoisse qu'elle suscite,** formant un symptôme. Grâce à cette habile solution, « la pulsion peut conserver sa satisfaction ; quant à la réalité, le respect dû lui a été payé » ; mais le succès est obtenu au prix d'une déchirure, clivage du moi qui grandira, inguérissable[1].

Dans son dernier texte, Freud y revient longuement, partant du « clivage psychique » dans les psychoses, avec la coexistence de deux attitudes : l'une, normale, tient compte de la réalité alors que l'autre la dénie. Il y a psychose si l'attitude anormale prévaut, « guérison apparente » si le rapport s'inverse – mais les idées délirantes ne font que réintégrer l'inconscient. Un processus semblable, mais moins tranché, est à l'œuvre chez le *fétichiste* ; il se refuse à croire au manque de pénis de la femme (insupportable car il le renvoie à sa propre castration), et « c'est pourquoi il oppose un déni à sa propre perception » mais, bien que déniée, celle-ci n'en agit pas moins ; il choisit alors quelque chose d'autre (partie du corps, objet) auquel il attribue le rôle de ce pénis dont il ne peut se passer. Plutôt que d'un clivage, il s'agit là seulement d'un compromis mais, l'angoisse de castration demeure, et avec elle les deux réactions contradictoires : d'une part ils dénient la perception du manque de pénis chez la femme, d'autre part ils reconnaissent cette absence et en tirent toutes les conséquences ; cette double attitude va persister toute la vie, sans que l'une influence l'autre. À la différence du psychotique, le fétichiste ne détache jamais complètement son moi de la réalité extérieure.

Le fétichisme nous offre surtout une excellente occasion d'étudier un phénomène beaucoup plus large, qui prend naissance lorsque le moi infantile doit lutter contre des exigences pénibles du monde exté-

1. « Le clivage du moi dans le processus de défense » (1940e [1938]), *Résultats, idées, problèmes, II*, Paris, PUF, 1984, p. 284 ; *OCF* XX, p. 221-222 ; *GW* XVII, p. 59-60.

rieur en recourant au déni pour supprimer les perceptions qui en témoignent ; « **de semblables dénis se produisent fréquemment** ». Ce sont des demi-mesures, car le rejet s'accompagne toujours d'une acceptation, l'instauration de ces deux attitudes opposées et indépendantes aboutissant à un clivage du moi. Celui-ci est, en fait, un caractère général des névroses ; en pareil cas, « l'une des attitudes est le fait du moi tandis que l'attitude opposée, celle qui est refoulée, émane du ça ». Que le processus soit topique ou structural, il présente un caractère important : face à un danger, que le moi se défende en déniant une part du monde extérieur, ou qu'il tente de repousser une pulsion venue de l'intérieur, « sa réussite n'est jamais totale, absolue » [1].

QUESTIONS ET ENJEUX

Il convient de situer le déni par rapport à d'autres notions – certes voisines mais parfaitement distinctes – à commencer par *déni* et *négation*. « Non, ça n'existe pas ! », affirme le déni, avec la simplicité des certitudes premières, voire celle des convictions délirantes ; il pose l'évidence de la non-existence, à commencer par celle du conflit. Nous sommes là bien loin de ce qui se passe lors de la négation, processus auquel une approche superficielle pourrait l'apparenter ; ce que l'on désigne par « négation », voire par « dénégation », correspond à un vœu : « Je voudrais que ce ne soit pas ! » C'est pourquoi Freud peut l'approcher de la conscience : elle est « levée du refoulement sans acceptation du refoulé » [2] ; la discussion reste ouverte et les aménagements sont possibles. Le déni, pour opérer, fait tout le contraire. Avec lui, il n'y a pas lieu à débat et encore moins à aménagements, il n'y a même pas de conflit : ça n'est pas ; prendre conscience d'un extérieur qui existe est exclu, est dénié – au risque, à l'intérieur, de briser le moi, de le cliver.

1. *Abrégé de psychanalyse* (1940a [1938]), Paris, PUF, 1985, p. 77-81 ; *OCF* XX, p. 299-302 ; *GW* XVII, p. 132-138.

2. « La négation » (1925h), *Résultats, idées, problèmes, II*, Paris, PUF, 1984, p. 136 ; *OCF* XVII, p. 167-168 ; *GW* XIV, p. 12.

Il faudra beaucoup d'expériences avec la réalité, souvent douloureuses, pour passer du déni à la négation. Lorsqu'un moi infantile, immature, se trouve pris dans un conflit entre revendication pulsionnelle et objection de la réalité, il tente d'abord de revenir aux premiers rejets, à ceux qui n'avaient pas encore vraiment d'objet ; souvent, il tend alors à refuser le choix lui-même, niant la réalité tout en reconnaissant le danger. C'est là, en fait, un procédé banal dans les névroses, dans lesquelles il y a toujours une ébauche de déni que saura, le plus souvent, aménager le refoulement ; mais son destin peut s'avérer funeste si le déni de la réalité, cette émanation du ça, finit par dominer, conduisant à la psychose.

Nous venons là de poser une nouvelle question : celle des rapports entre *déni et refoulement* – soit ceux entre une défense archaïque et une défense fort élaborée. En 1915, dans la *Métapsychologie,* Freud avait développé l'argument selon lequel il appartient aux représentations d'être refoulées, l'affect étant réprimé. En 1927, il semble se contredire en indiquant qu'il convient de réserver le terme de « refoulement » à l'affect et celui de déni à la représentation[1]. Pour s'y retrouver, il faut repartir du constat impératif de 1915 selon lequel, dans le refoulement, « le destin de l'affect est de loin le plus important »[2] ; l'élément nouveau est cet autre constat qui découvre que « la perception joue pour le moi le rôle qui, dans le ça, échoit à la pulsion »[3], perception qui doit être énergiquement déniée pour pouvoir être séparée (clivée) de l'affect. La prégnance de la réalité est telle qu'il ne suffit plus de refouler pour s'en arranger : elle doit être déniée, il faut qu'il n'y ait rien[4]. L'*Abrégé de psychanalyse* élargit l'argument en indiquant que le moi infantile doit souvent refouler les revendications pulsionnelles réprouvées et que, dans les mêmes temps, confronté à certaines prétentions du monde extérieur, ce moi doit recourir « au déni pour supprimer les perceptions qui lui révèlent

1. « Le fétichisme » (1927e), *La vie sexuelle,* Paris, PUF, 1969, p. 134 ; *OCF* XVIII, 126-127 ; *GW* XIV, p. 312-313.

2. « Le refoulement » (1915d), *Métapsychologie,* Paris, Gallimard, 1968, p. 56 ; *OCF* XIII (2e éd.), p. 198 ; *GW* X, p. 256.

3. *Le moi et le ça* (1923b), *Essais de psychanalyse,* Paris, Payot, 1981, p. 237 ; *OCF* XVI, p. 269 ; *GW* XIII, p. 253.

4. « Le fétichisme » (1927e), *La vie sexuelle,* Paris, PUF, 1969, p. 134 ; *OCF* XVIII, 126-127 ; *GW* XIV, p. 312-313.

ces exigences » (d'où le risque de clivage). On peut considérer qu'alors que le travail sur les représentations permet au refoulement d'aménager les demandes pulsionnelles et d'écarter ainsi l'angoisse, lorsque la revendication de la pulsion peut s'appuyer sur l'intensité d'une perception de la réalité le déni devient le seul recours.

Mais sans doute convient-il aussi de dire un mot pour préciser les rapports entre *déni et clivage,* notions que Freud ne peut qu'associer régulièrement puisque le clivage est produit par le déni. Le déni étant indiscutablement une défense, le clivage se trouve intégré dans un processus défensif ; le moi est prêt à tout pour se défendre, se prendre comme objet, se traiter comme d'autres objets, « faire encore Dieu sait quoi avec lui-même », y compris se cliver, ce qu'il fait régulièrement, passagèrement du moins le plus souvent[1]. Pour autant, le clivage ne saurait être une défense : produit par le déni, il n'est pas, en lui-même, une technique de défense mais le résultat d'une technique défensive, comme peut l'être un symptôme.

Ces précisions apportées, nous demeurons face à une assertion freudienne qui peut faire question. Le déni dont traite la psychanalyse est le *déni de la réalité de la castration* – pour Freud, le déni est toujours déni de la réalité, la réalité en cause est toujours celle de la castration. On ne peut alors que s'interroger sur la nature de cette « réalité », et tout aussi bien, d'ailleurs, sur celle de cette « castration ». Nous renvoyons à ces deux entrées dans le dictionnaire, mais nous devons noter l'aporie tôt relevée par Freud : alors même qu'il avoue ne plus croire à sa *neurotica* (c'est-à-dire à la réalité de séductions infantiles exercées par des adultes comme cause de l'hystérie), découvrant l'impossibilité de distinguer la vérité du fantasme, il acquiert la conviction qu'il « n'existe dans l'inconscient aucun indice de réalité, de telle sorte qu'il est impossible de distinguer la vérité et la fiction investie d'affect »[2]. La découverte de la psychanalyse étant l'inconscient, d'ailleurs devenu son objet d'étude, comment y traiter de son rapport à la réalité alors que l'inconscient l'ignore ? Le problème doit être déplacé ; il existe bien, de fait, une « vérité » de

1. *Nouvelles conférences d'introduction à la psychanalyse* (1933a [1932]), Paris, Gallimard, 1984, p. 82 ; *OCF* XIX, p. 141 ; *GW* XV, p. 64.

2. *La naissance de la psychanalyse. Lettres à Wilhelm Fliess. Notes et plans (1887-1902)* (1950a [1887-1902]), Paris, PUF, 1956, p. 190-191 (lettre 69 du 21 septembre 1897). – *Lettres à Wilhelm Fliess* (éd. complète), Paris, PUF, 2006, p. 334-335.

l'affect, dont témoigne la violence de l'angoisse qui accompagne le surgissement de la « réalité » d'un danger, d'une menace de castration. Le danger alors perçu ne peut qu'être considéré comme « réel » puisque basé sur la perception d'un fait réel : il n'y a pas de pénis là où on s'attend à en trouver un... Pourquoi ? La castration apparaît donc « réelle » au garçon ; peu importe qu'elle ne soit jamais pratiquée, « ce qui est décisif est que le danger menace de l'extérieur et que l'enfant y croit »[1]. Pour la fille, la réalité est peut-être plus cruelle encore, car plus vraie, plus réelle puisque fondée sur la concrétude de la découverte qu'il lui manque un pénis, à elle et non pas à un autre ; aussi ses effets n'en sont pas moins profonds[2]. La croyance est gage de vérité, et la vérité gage de réalité ; la réalité psychique triomphe de la réalité extérieure. C'est là ce qui assure à l'homme sa domination sur le monde, c'est aussi là que s'ouvre la voie à la folie.

Claude LE GUEN

DÉPLACEMENT

all. : ***Verschiebung***. – angl. : *displacement*. – esp. : *desplazamiento*. – ital. : *spostamento*. – port. : *deslocamento*

Le déplacement est, avec la condensation, l'un des procédés essentiels de la déformation dans le rêve. Il relève des processus psychiques primaires et consiste avant tout en un transfert d'énergie investie, d'intensité variable, entre les désirs essentiels, exprimés sous forme cachée par le rêve, et tel ou tel élément du contenu manifeste du rêve. Le déplacement se trouve aussi à l'œuvre dans la formation des symptômes psychonévrotiques et, plus largement, dans toute formation de l'inconscient.

1. *Nouvelles conférences d'introduction à la psychanalyse* (1933a [1932]), Paris, Gallimard, 1984, p. 118 ; *OCF* XIX, p. 170 ; *GW* XV, p. 93.

2. *Abrégé de psychanalyse* (1940a [1938]), Paris, PUF, 1985, p. 64 ; *OCF* XX, p. 287 ; *GW* XVII, p. 120.

MISE EN SITUATION

La notion de déplacement apparaît très tôt sous la plume de Freud[1] *; elle va être longuement développée tout au long de son œuvre, d'autant qu'elle appartient pleinement à la conception énergétique de l'appareil psychique, appareil dit « neuronique » en 1895 dans l'« Esquisse d'une psychologie scientifique ». L'étude qui y est faite de la circulation de l'énergie psychique, des courants associatifs et de leurs fixations annonce tant les élaborations ultérieures sur le déplacement de l'intensité psychique dans le processus de formation du rêve*[2] *que les notions d'« énergie libre » et d'« énergie liée » dans le fonctionnement psychique – et donc celles de « processus primaires » et de « processus secondaires ». La notion de déplacement suppose une énergie d'investissement capable de se détacher des représentations initialement investies de façon inconsciente et de glisser le long des chaînes associatives pour renforcer une autre représentation anodine en elle-même (dans le rêve) ou encore une sensation physique (dans la conversion hystérique).*

Notre étude se limite délibérément à l'analyse du processus psychique du déplacement, mis en évidence par Freud à partir des deux concepts de contenu latent et de travail du rêve, sans envisager dans quelle mesure l'on est autorisé à parler aussi de déplacement dès que se manifestent des effets de substitution ou de transfert de contenu. Le déplacement dans le rêve occupant une place majeure dans le texte freudien, c'est bien sûr par lui que nous allons commencer notre étude. Il n'en demeure pas moins que le déplacement est loin de se limiter au rêve et nous devrons traiter ensuite des autres emplois de cette notion de déplacement, comme de ses autres champs d'activité.

1. *La naissance de la psychanalyse*, Paris, PUF, 1956 ; « Esquisse d'une psychologie scientifique » (1895a), p. 362-363. – *Lettres à Wilhelm Fliess* (éd. complète), Paris, PUF, 2006, « Projet d'une psychologie », p. 654-655.

2. *Ibidem*, p. 352-358 ; p. 643-650.

LE TEXTE FREUDIEN

LE DÉPLACEMENT DANS LE RÊVE

Le travail de déplacement est décrit par Freud au chapitre VI de *L'interprétation des rêves* (1900), après celui de la condensation, et avant l'examen des procédés de figuration et des formes d'expression des liens logiques dans les rêves. Freud développe dans ce chapitre les procédés du travail du rêve[1]. Le déplacement et la condensation sont les deux grandes opérations auxquelles nous devons la forme de nos rêves. Ce déplacement est l'un des procédés essentiels de la déformation, qui fait que le contenu manifeste du rêve ne ressemble plus au noyau des pensées du rêve. Il a lieu sous l'influence de la censure. Les éléments qui parviennent dans le rêve manifeste doivent en effet avoir échappé à la censure. Freud souligne que déplacement et condensation relèvent des processus psychiques primaires qui sont repérables également dans la formation des symptômes et qui caractérisent la pensée inconsciente et sa logique spécifique. La distinction entre processus primaires et processus secondaires, fortement posée dans *L'interprétation des rêves,* est retravaillée par Freud en 1911, dans son article « Formulations sur les deux principes du fonctionnement psychique » à partir de la distinction entre principe de plaisir-déplaisir et principe de réalité[2].

Selon *L'interprétation des rêves,* des éléments qui paraissent essentiels au contenu manifeste du rêve s'avèrent secondaires dans les pensées du rêve. Le rêve est autrement centré et organisé que ne le sont les pensées du rêve. Ainsi, dans le rêve de « la monographie botanique », la notion de botanique n'intervient que très secondairement et indirectement dans les pensées du rêve, de même que la barbe jaunâtre dans le « rêve de l'oncle », alors qu'elles sont frappantes

1. *L'interprétation des rêves* (1900a), Paris, PUF, 1967, p. 263-267 ; *OCF* IV, p. 349-353 ; *GW* II-III, p. 310-314.

2. « Formulations sur les deux principes du cours des événements psychiques » (1911b), *Résultats, idées, problèmes, I,* Paris, PUF, 1984, p. 135-143 ; *OCF* XI, p. 13-21 ; *GW* VIII, p. 230-238.

dans les images de ces deux rêves. De tels rêves donnent l'impression d'un déplacement, lequel est absent dans la compréhension du rêve de « l'injection faite à Irma ». Quand nous retrouvons les pensées du rêve, nous comprenons de manière immédiate quels sont les éléments essentiels, tandis que, lors de la formation du rêve, des éléments d'un intérêt intense peuvent être traités comme s'ils n'avaient qu'une faible valeur, tandis que d'autres, peu importants dans les pensées du rêve, prennent leur place.

La surdétermination des éléments du rêve est en effet rendue possible et manifeste par la mise en place de ces éléments, qui, secondaires en eux-mêmes, assurent la liaison entre contenu manifeste et contenu latent et la pluralité des voies associatives. Il y a donc transfert et déplacement des intensités psychiques des différents éléments. Dans le premier rêve de la cure de Dora (1901) l'élément « boîte à bijoux de maman » résulte plus que tout autre de déplacements et de condensations et représente un compromis de tendances contraires.

Sur le rêve (1901), les *Cinq conférences sur la psychanalyse* (1909) et les *Conférences d'introduction à la psychanalyse* (1917) reprennent la description du déplacement dans le rêve. *Sur le rêve*[1] présente l'analyse du déplacement dans le rêve dans des termes analogues à *L'interprétation des rêves,* avec plus d'insistance encore : ce qui est posé fortement et clairement dans le rêve manifeste comme son contenu essentiel peut ne jouer qu'un rôle subalterne dans les pensées du rêve ; à l'inverse, le matériel qui peut prétendre à une importance majeure dans les pensées du rêve peut n'être figuré dans le rêve que « par une allusion lointaine dans une région insignifiante », ce qui correspond à une « transvaluation des valeurs psychiques ». Freud souligne que le processus de déplacement – qui s'effectue à des degrés très variables d'un rêve à un autre – est celui qui contribue le plus à cacher le sens du rêve et à rendre méconnaissable la corrélation entre le contenu manifeste du rêve et les pensées latentes de ce même rêve. L'intensité psychique, l'importance ou le potentiel d'affect de certaines pensées se transpose notamment en vivacité sensorielle. Mais celle-ci peut mettre

1. *Sur le rêve* (1901a), Paris, Gallimard, 1988, p. 83-90 ; *OCF* V ; p. 40-44 ; *GW* II-III, p. 667-671.

en évidence un élément très secondaire, alors que ce sera dans un élément indistinct que nous reconnaîtrons le rejeton le plus direct de la pensée latente essentielle du rêve. Plus un rêve est obscur ou confus, plus on peut attribuer au déplacement un rôle essentiel dans sa formation.

Dans les *Cinq conférences sur la psychanalyse*[1], l'accent porte sur le caractère insoupçonné du travail psychique ainsi mis en œuvre de façon associative, sur le fait que « ce travail est identique au travail d'altération qui transforme les complexes refoulés en symptômes, lorsque le refoulement a échoué » (ce que le chapitre VII de *L'interprétation des rêves* relevait aussi) ainsi que sur les relations que manifestent ces processus « entre deux systèmes psychiques distincts comme le conscient et l'inconscient ».

L'examen du rêve dans les *Conférences d'introduction à la psychanalyse (1916-1917)* se situe sous l'angle de la démarche d'interprétation et met en évidence la résistance et la censure[2]. La censure est donnée comme le seul maître d'œuvre du déplacement. Celui-ci est décrit en distinguant deux éléments : l'allusion, ou substitution de quelque chose de « plus éloigné » à ce qui était constitutif du contenu latent ; le transfert de l'intensité ou « accent psychique » d'un élément important sur un autre peu important « de sorte que le rêve reçoit un autre centre et paraît étrange ».

Dans la pensée éveillée, ces deux éléments se rencontrent parfois : mais l'allusion doit rester intelligible ; le trait d'esprit joue de toutes les formes possibles de déplacement – association extérieure par consonance, polysémie des termes, etc. – mais a pour contrainte le maintien de la transparence de l'allusion. Dans le rêve, au contraire, le déplacement ne connaît plus ces limitations : les rapports entre l'élément substitué et ce qu'elle remplace peuvent être extérieurs et extrêmement ténus ou éloignés ; elle est par suite inintelligible tant que l'on ne dispose pas des chaînes associatives du rêveur, et elle apparaît à l'interprétation comme « un trait d'esprit raté » ou « une explication

1. *De la psychanalyse (cinq conférences)* (1910a), Paris, Gallimard, 1981, p. 78 ; *OCF* X, p. 33-34 ; *GW* VIII, p. 35.

2. *Leçons d'introduction à la psychanalyse* (1916-1917), Paris, Gallimard, 1999, p. 234-235 ; *OCF* XIV, p. 187-188 ; *GW* XI, p. 185-186.

forcée, tirée par les cheveux ». La censure n'atteint en effet son but que lorsqu'elle réussit à rendre introuvable le chemin qui conduit de l'allusion à son substrat. Quant au déplacement de l'intensité psychique, il est la voie essentielle de l'expression des pensées du rêve et sert parfois dans la pensée éveillée à produire des effets comiques : ainsi un tribunal épargne un maréchal-ferrant coupable, parce qu'il n'y en a pas d'autre sur place, mais punit à sa place un tailleur, car ils sont trois dans le village.

Quatre articles de Freud reviennent sur le rêve entre 1922 et 1925. Celui de 1923, en commentant le récit « Rêver comme veiller » de Josef Popper Lynkeus, rappelle et souligne les réflexions sur la déformation du rêve et la censure, à partir des problèmes posé par le « caractère étrange, embrouillé, insensé de tant de rêves » [1].

La première des *Nouvelles conférences d'introduction à la psychanalyse* est une « Révision de la théorie du rêve » [2], où Freud dénonce les vulgarisations inexactes de sa conception de « l'inoffensive psychose du rêve ». Il y reprend les données fondamentales constantes de sa théorie du rêve et des conditions de son interprétation. Le déplacement y est défini comme un transfert d'intensité (ou d'« accent » dans la traduction de R.-M. Zeitlin) que la pensée courante ne connaît que dans les erreurs de raisonnement ou dans les procédés du trait d'esprit. La description insiste sur la séparation entre la représentation et l'affect qui est requise et utilisée dans le processus de déplacement. Les thèses essentielles concernant le déplacement comme source de la force sensorielle de certains éléments, passée à des contenus indifférents et moyen principal concernant le déplacement comme source de la force sensorielle de certains éléments, intensité passée à des contenus indifférents et moyen principal de la déformation dans le rêve sont rappelées une fois de plus.

L'*Abrégé de psychanalyse* (1938) rappelle les lois qui régissent le cours des processus inconscients et qui permettent de rendre compte de ce qui paraît étrange dans les rêves. Les pensées préconscientes

1. « Josef Poper-Linkeus et la théorie du rêve » (1923f), *Résultats, idées, problèmes, II*, Paris, PUF, 1984, p. 94-95 ; *OCF* XVI, p. 317-318 ; *GW* XIII, p. 357-358.

2. *Nouvelles suites de leçons d'introduction à la psychanalyse* (1933a), Paris, Gallimard, 1984, p. 31-32 ; *OCF* XIX, p. 101 ; *GW* XV, p. 21.

sont traitées comme si elles étaient des éléments du ça – même si le moi garde une certaine influence, sensible dans l'élaboration secondaire. Dans le rêve, le déplacement des intensités psychiques, c'est-à-dire des investissements, est facile. En revanche, les mécanismes de déplacement rendent difficile l'interprétation. La condensation et le déplacement permettent de poser qu'au sein du ça inconscient l'énergie est librement mobile[1].

Autres déplacements

Comment Freud se réfère-t-il au déplacement en dehors des textes qui portent directement sur la théorie du rêve ? Dans *Le mot d'esprit et sa relation à l'inconscient* (1905), il étudie naturellement l'allusion, mais la décrit plutôt comme une figuration indirecte qu'en termes explicites de déplacement[2]. Un passage est cependant consacré au déplacement en tant que tel dans le chapitre sur la technique du mot d'esprit. Le déplacement est ici détournement de la démarche de pensée, déplacement de l'accent psychique (son orientation et/ou son intensité) vers un autre thème que celui qui a été amorcé. Ce processus est habituellement relativement indépendant de la forme verbale de l'énoncé. Néanmoins, double sens d'un terme et déplacement sont volontiers combinés, le mot d'esprit reposant sur l'interprétation selon le second sens et reposant sur l'interprétation selon le second sens de ce qui était affirmé au premier sens : on assiste à une sorte de détournement de la pensée. Ainsi dans le registre des histoires juives, du petit dialogue qui s'instaurerait auprès d'un établissement de bains : « As-tu pris un bain ? – Pourquoi ? Il en manque un ? » Le malentendu comique repose sur le double sens du terme prendre, mais permet aussi de dévier de la question du bain, l'accent du propos passant ainsi de « bain » à « prendre ». Car le déplacement proprement dit ne repose pas sur un double sens préexistant, qui donne simplement lieu à un glissement de l'interprétation ; il appar-

1. *Abrégé de psychanalyse* (1940a), Paris, PUF, 1949, p. 31-32 ; *OCF* XX, p. 258 ; *GW* XVII, p. 90.

2. *Le trait d'esprit et sa relation à l'inconscient* (1905c), Paris, Gallimard, 1988, p. 119-121 ; *OCF* VII, p. 65-68 ; *GW* VI, p. 55-58.

tient pleinement au travail psychique de la formation du mot d'esprit et pas seulement à sa compréhension. Ainsi le maquignon qui fait l'éloge d'un cheval en indiquant à son client potentiel qu'il lui permettra de rejoindre Presbourg à six heures et demie du matin en partant seulement à quatre heures s'entend répondre : « Et qu'est-ce que j'irais faire à Presbourg à six heures et demie du matin ? » Le déplacement délibéré sert ici à se dégager de la pression subie sans pour autant contester l'énoncé, c'est-à-dire en refusant d'engager le débat sur les qualités du cheval.

L'article « Formulations sur les deux principes du fonctionnement psychique » (1911), en élaborant la distinction entre principe de plaisir-déplaisir et principe de réalité, étudie comment la pensée suppose une activité d'épreuve où sont déplacées de plus petites quantités d'investissement avec une moindre décharge[1]. La condition nécessaire en est « une transformation des investissements librement déplaçables en investissements liés ». Les possibilités du déplacement sont donc requises mais d'une manière spécifique, par les exigences de la pensée, donc par l'instauration des processus secondaires. La relation entre le déplacement et les propriétés de l'énergie psychique est d'ailleurs abordée à nouveau par Freud dans l'*Abrégé de psychanalyse* de 1938, à l'occasion de son réexamen du rêve[2].

Écrit en 1913, « L'intérêt de la psychanalyse » montre clairement l'effet de l'immixtion d'un déplacement[3] dans un phénomène habituellement aussi aisé à interpréter que l'acte manqué. Par exemple, au lieu du simple oubli du nom de la personne à qui nous avons quelque chose à reprocher, nous oublions alors également le nom d'une autre personne à laquelle nous n'avons rien à reprocher ; mais ce nom éveille par association le souvenir d'une autre personne pourvue du même nom ou d'un nom de résonance analogue qui est bien l'objet de notre

1. « Formulations sur les deux principes du cours des événements psychiques » (1911b), *Résultats, idées, problèmes, I,* Paris, PUF, 1984, p. 138-139 ; *OCF* XI, p. 16-17 ; *GW* VIII, p. 244-234.

2. *Abrégé de psychanalyse* (1940a), Paris, PUF, 1949, p. 31-32 ; *OCF* XX, p. 258 ; *GW* XVII, p. 90.

3. « L'intérêt de la psychanalyse » (1913j), *Résultats, idées, problèmes, I,* Paris, PUF, 1984, p. 190-191 ; *OCF* XII, p. 102-103 ; *GW* VIII, p. 394.

ressentiment. L'intention d'oublier s'est ainsi déplacée le long d'une chaîne associative.

Étudiant en 1937 le chemin qui part de la construction de l'analyste et devrait mener a un souvenir chez l'analysé[1], Freud indique que celui-ci n'est pas toujours retrouvé. Cependant, le fait d'être convaincu de la construction, grâce à la poursuite de l'analyse, a les mêmes effets thérapeutiques que la remémoration. Or il arrive qu'une construction manifestement pertinente fasse émerger des souvenirs particulièrement nets, très vivaces, au travers de rêves ou lors de rêveries diurnes ; mais ces figurations ne se rapportent pas à l'événement significatif que présentait la construction, mais à des détails voisins, par exemple le visage des personnes qui y figurent ou des objets matériels présents dans cette situation et ignorés de l'analyste. Ces souvenirs n'entraînent rien d'autre et semblent les résultats d'un compromis. La poussée du refoulé, activée par la construction proposée par l'analyste, amène à la conscience des traces mnésiques significatives, qui seraient des hallucinations si le patient croyait à leur actualité. Mais une résistance réussit non à arrêter ce mouvement mais à le déplacer sur des objets voisins d'importance secondaire.

QUESTIONS ET ENJEUX

Le travail de déplacement n'indique pas seulement que dans la déformation du rêve (par rapport aux idées latentes) qui est aussi sa construction comme rêve, certains éléments inconscients sont déplacés sur des éléments du rêve manifeste qui ne les signifie pas immédiatement de façon claire.

C'est avant tout un transfert d'intensité entre les désirs essentiels exprimés sous forme cachée par le rêve et tel ou tel élément du contenu manifeste du rêve. Les désirs profonds, inconscients peuvent être atténués dans leur figuration du fait même de la déformation dans le rêve, qui est l'œuvre de la censure. La censure est cette force

1. « Constructions dans l'analyse » (1937d), *Résultats, idées, problèmes, II,* Paris, PUF, 1984, p. 278-279 ; *OCF* XX, p. 70 ; *GW* XVI, p. 53-54.

liée au refoulement qui fait obstacle à l'expression directe des pensées inconscientes du rêve, et qui filtre le contenu susceptible, par l'intermédiaire du souvenir du rêve, de parvenir à la conscience sans trop la troubler – encore que tel ou tel de nos rêves puisse nous laisser un sentiment de malaise, ou une impression de trop grande réalité, signe que la censure n'a pas tout à fait réussi à masquer, au moins au niveau des affects, le contenu inconscient du rêve. En fait, les affects inconscients sont généralement conservés dans le rêve, ce qui explique qu'une scène horrible au niveau du contenu manifeste puisse nous laisser remarquablement froid, tandis qu'un autre rêve, apparemment anodin dans sa figuration, nous trouble profondément. Les affects réellement éprouvés dans la réalité psychique inconsciente sont ainsi transférés, déplacés, sur d'autres représentations.

On peut ainsi comprendre également qu'un élément secondaire du rêve, qui intervient peu dans le sens final dégagé par l'interprétation, soit particulièrement renforcé dans le contenu manifeste, tel le terme botanique dans le rêve dit de la monographie botanique. Le détail choisi comme lieu du déplacement est généralement un carrefour commode pour la polysémie et la surdétermination du contenu manifeste. Il est aussi l'arbre mis en vue pour cacher la forêt des émois inconscients et des souvenirs infantiles. Il a donc une double fonction, contradictoire en apparence, par rapport aux pensées du rêve : dévoiler et masquer. Il indique la voie des associations possibles, mais il dissimule le sens inconscient et les véritables thèmes du rêve et, à la manière du souvenir-écran de nos tout premiers souvenirs d'enfance, il présente sous une forme particulièrement nette et anodine (et dans le rêve, parfois absurde) ce qui est une réalité psychique complexe et fondamentalement surdéterminée, résultat d'un travail psychique extrêmement riche.

L'étude du « rêve de l'oncle à la barbe jaune » manifeste très clairement à la fois les condensations de personnages, les phénomènes de déplacement d'intensité sur des détails secondaires – la couleur de la barbe –, et la raison de tels déplacements : masquer l'intention de justification et surtout l'agressivité du rêve. Ce sont aussi bien l'agressivité actuelle injustifiée contre ses collègues (mais subjectivement utile pour justifier le bien-fondé de la nomination de Freud comme professeur) que l'agressivité familiale ancienne mêlée de honte contre l'oncle Joseph à cause de sa malhonnêteté qui échappent à la conscience du rêveur tant que l'interprétation du rêve n'a pas eu lieu.

Il est à remarquer que Freud parle de transfert à propos de ces accents mis sur des détails secondaires par déplacement de l'intensité des désirs inconscients, actuels et infantiles. En 1900, le terme de « transfert » n'est pas encore un concept technique fixé de la psychanalyse et il garde son insistance (parfois sous-estimée depuis dans les commentaires) sur le déplacement qui s'y trouve opéré. Ici les affects sont déplacés d'une représentation à une autre ; parfois une représentation est remplacée par une autre qui peut s'en rapprocher, soit par proximité (métonymie) soit par ressemblance interne (métaphore) soit – et ce n'est pas rare dans les rêves – par contraste (le très grand évoquant par exemple le tout petit). Chez les psychanalystes postérieurs à Freud, métonymie et métaphore ont été souvent pris comme fil conducteur de la réflexion sur les processus inconscients, montrant ainsi que ces figures de style ne sont pas de simples ornements du langage, mais des témoins du travail psychique inconscient et de l'importance dans l'existence humaine des modes de pensée conduits selon les processus primaires, comme dans le rêve.

C'est le même terme de « transfert » qui, évoqué à propos de la cure, résume aussi les vicissitudes, souvent éprouvantes, des sentiments et des relations entre un psychanalyste et son analysant au cours de la cure, qui peuvent aller de la confiance sereine à l'hostilité la plus sombre ou au sentiment amoureux le plus passionnel. Ils peuvent fréquemment se mettre au service de la résistance, au lieu de permettre une collaboration efficace à l'effort d'interprétation. Ils transfèrent en effet sur la personne de l'analyste les expériences et sentiments éprouvés autrefois pour d'autres personnes, notamment pour les parents pendant la petite enfance et ils répètent les expériences infantiles. Le rêve et son interprétation sont donc ainsi une analogie pertinente de ce que sont dans la cure le transfert et son analyse.

On peut en tout cas remarquer la constance remarquable de la compréhension freudienne du déplacement dans le rêve, et l'importance fondamentale de ce déplacement dans la formation du rêve – c'est-à-dire dans la déformation du contenu latent. Il reste néanmoins une tension implicite entre l'attribution du déplacement aux processus primaires, donc au fonctionnement de l'inconscient comme tel (notamment dans *L'interprétation des rêves*), et son attribution insistante au fil de l'œuvre à la seule censure, ce qui revient à en faire un processus du passage de l'inconscient vers le préconscient, et non plus un procédé de la pensée inconsciente comme telle. L'*Abrégé de psychanalyse* souligne au contraire combien le déplacement, avec la condensation, nous renseignent sur le libre fonctionnement de l'énergie dans le ça. Cette réinterprétation en seconde topique permet peut-être le dépassement dialectique de l'aporie : c'est parce que l'énergie psychique des investissements circule librement dans l'inconscient qu'elle est disponible pour des déplacements que la censure met au service de la défense.

Dominique Bourdin

Déplaisir (principe de) → Principe de plaisir-déplaisir, principe de réalité

Dépression → Mélancolie, deuil, manie

DÉSEXUALISATION

all. : ***Desexualisierung.*** – angl. : *desexualization.* – esp. : *desexualización.* – ital. : *desessualizzazione.* – port. : *dessexualização*

On parle de *désexualisation* lorsque les processus psychiques en cours ne mettent pas directement en cause les motions sexuelles, évitant les agissements proprement sexuels. En rapport avec le préconscient, la désexualisation vise, avant tout, les buts de la pulsion et les moyens pour y atteindre ; elle se révèle être le procédé principal à l'œuvre dans la sublimation.

MISE EN SITUATION

S'il est indiscutable que le terme de « désexualisation » est bien utilisé par Freud, il ne saurait être considéré comme un concept, à peine une notion, demeurant essentiellement descriptive. C'est pourquoi nous serons ici assez bref, renvoyant pour l'essentiel des concepts impliqués aux articles « Sexualité » et « Sublimation ».

Même si la notion peut être identifiée dès 1905, puis brièvement en 1912, le terme n'entrera véritablement dans le corpus qu'à partir de 1920, et ne sera plus utilisé après 1926. Construit, en français et en allemand, comme antonyme de sexualisation, il ne pose pas de problème sémantique particulier, et guère plus métapsychologiquement, dans la mesure où il est, pour l'essentiel, phénoménologique. En fait, les seules difficultés qu'il peut soulever renvoient à celles que pose la sexualité et, d'un point de vue évolutif, la « sexualisation » de l'individu – mais là, les interrogations ne manquent pas.

Aux premiers temps de la vie psychique, dans le prolongement immédiat de l'état de narcissisme primaire (intra-utérin), alors que le moi ne s'est pas encore individualisé et que les objets n'existent pas encore, la seule sexualité repérable étant celle de l'autoérotisme[1]*, dans la mesure où on ne saurait alors parler de libido d'objet on pourrait envisager une « a-sexualité », terme qui ne convient guère à Freud qui, s'il l'utilise une fois pour référer les pulsions du moi et les pulsion sexuelles (comme on ne saurait éliminer la fonction sexuelle de la vie psychique, on peut en venir à « parler de libido sexuelle et de libido asexuelle* [asexueller] *»), s'emploie de fait à le disqualifier*[2] *(« asexuel » sera à nouveau mentionné, avec la même mise à l'écart, en 1923*[3]*).*

C'est en fait avec la théorie de la sublimation (d'ailleurs elle-même assez peu aboutie) que la notion prend véritablement place dans le corpus freudien, fût-ce a minima.

1. « Pour introduire le narcissisme » (1914c), *La vie sexuelle,* Paris, PUF, 1969, p. 84-85 ; *OCF* XII, p. 220-221 ; *GW* X, p. 141-142.

2. *Conférences d'introduction à la psychanalyse* (1916-1917), Paris, Gallimard, 1999, p. 524 ; *OCF* XIV, p. 428 ; *GW* XI, p. 428.

3. « "Psychanalyse" et "Théorie de la libido" » (1923a), *Résultats, idées, problèmes, II,* Paris, PUF, 1984, p. 74 ; *OCF* XVI, p. 205, *GW* XIII, p. 230.

LE TEXTE FREUDIEN

Si les sources de la pulsion sont pérennes, si la poussée ne saurait cesser, **son énergie peut être détournée, loin des buts sexuels, vers de nouveaux buts** – ceci « mérite le nom de sublimation »[1], et, même si le mot n'est pas encore utilisé en 1905, ce qui se trouve ainsi décrit dans les *Trois essais sur la théorie sexuelle* est bien déjà une « désexualisation ». L'idée se retrouve en 1912 pour qualifier l'un des moyens de défense contre la frustration imposée par la culture (l'autre étant de convertir la tension en action dirigée vers l'extérieur) : « renoncer à la satisfaction libidinale, sublimer la libido endiguée et l'utiliser pour des buts qui ne sont plus érotiques »[2], sans que pour autant soit expliqué comment ces buts perdent leur visée érotique.

On pourrait penser qu'une désexualisation suppose qu'il y ait eu, auparavant, une sexualisation ; pourtant, ce mot reste ignoré de Freud, et les raisons de l'ignorer seront encore plus fortes après, avec la nouvelle théorie des pulsions : la pulsion sexuelle, l'Éros, la pulsion de vie ne peut qu'être là d'emblée. C'est là indiscutable au niveau primaire, mais les choses se compliquent en se secondarisant, en s'objectalisant ; aussi la question de la « sexualisation » de la vie psychique – c'est-à-dire, en fait, celle de l'objet et du moi – ne peut qu'être posée. Rappelons alors que, lorsque l'objet commence à se constituer, il est d'abord investi par le « courant tendre » qui correspond au choix d'objet infantile primaire, le courant sensuel n'apparaissant que secondairement sous la forme d'une sexualisation objectale mais, même alors, les fixations tendres détournent l'érotisme de ses buts sexuels[3]. Il existe des motions pulsionnelles dont la source est familière mais dont le but, se trouvant inhibé, peut changer, voire

1. *Trois essais sur la théorie sexuelle* (1905d), Paris, Gallimard, 1987, p. 100 ; *OCF* VI, p. 113 ; *GW* V, p. 79.

2. « Sur les types d'entrée dans la névrose » (1912c), *Névrose, psychose et perversion,* Paris, PUF, 1973, p. 176 ; *OCF* XI, p. 120 ; *GW* VIII, p. 323.

3. « Sur le plus général des rabaissements de la vie amoureuse (Contribution à la psychologie de la vie amoureuse, II » (1912d), *La vie sexuelle,* Paris, PUF, 1969, p. 57 ; *OCF* XI, p. 131 ; *GW* VIII, p. 80.

s'échanger ; l'investissement de l'objet peut être dorénavant permanent et durable. (Telle sera reconnue, vingt ans plus tard, « la relation de tendresse qui provient indubitablement des sources de la nécessité sexuelle et renonce régulièrement à la satisfaction de celle-ci » [1].)

Au-delà du principe de plaisir fixe les définitions, tout au moins celles des concepts mis en œuvre par la désexualisation. Les pulsions sexuelles ne sont rien d'autre que « cette part de l'Éros qui est tournée vers l'objet » ; une partie des « pulsions du moi » est, « elle aussi, de nature libidinale » [2]. Mais c'est surtout dans *Le moi et le ça* qu'est ébauchée véritablement une théorie. Même si « le problème de la qualité des motions pulsionnelles et de leur conservation au cours des divers destins des pulsions est encore très obscur », Freud ne peut offrir qu'une hypothèse ayant trait à l'énergie pulsionnelle : elle pourrait bien être, telle qu'elle est « active sans doute dans le moi et dans le ça, déplaçable et indifférente, issue de la provision de libido narcissique, qu'elle soit donc de l'Éros désexualisé ». Et si elle est désexualisée, « elle peut aussi être dite sublimée » ; elle maintient la visée de liaison de l'Éros qui instaure le moi. L'individualisation du moi, puis son renforcement, se réalisent en prélevant une part de la libido primitive (qui était jusqu'alors tout entière contenue dans le moi-ça indifférencié) pour l'envoyer vers des objets, réalisant des investissements sexuels (fût-ce d'abord au sens des pulsions partielles) ; nous assistons alors, par cette « objectalisation », à ce que l'on peut considérer comme une « sexualisation » secondaire. Puis (dans ce qui n'est donc, en fait, qu'un troisième temps), le moi qui s'est affermi s'efforce de récupérer une part de cette libido objectale. Ce faisant, s'en parant à son profit, il cherche à se faire aimer du ça mais, « en désexualisant ou sublimant la libido du ça, il travaille à l'encontre des visées de l'Éros ». Ainsi retirée aux objets pour s'imposer au ça comme objet d'amour, cette libido fait du « narcissisme du moi un narcissisme secondaire, retiré aux objets » [3].

1. *Nouvelles conférences d'introduction à la psychanalyse* (1933a [1932]), Paris, Gallimard, 1984, p. 131 ; *OCF* XIX, p. 180 ; *GW* XV, p. 103.

2. *Au-delà du principe de plaisir* (1920g), *Essais de psychanalyse*, Paris, Payot, 1981, p. 110, n. 16 ; *OCF* XV, p. 335, n. 1 ; *GW* XIII, p. 66, n. 1.

3. *Le moi et le ça* (1923b), *Essais de psychanalyse*, Paris, Payot, 1981, p. 259-260 ; *OCF* XVI, p. 287-289 ; *GW* XIII, p. 273-275.

En 1926, revenant dans *Inhibition, symptôme et angoisse* sur les défenses que doit dresser le moi, Freud rappelle que ce moi est une organisation fondée sur la libre circulation et la possibilité d'une influence réciproque entre ses parties, que « son énergie désexualisée révèle encore sa provenance dans son aspiration à la liaison et l'unification », cette désexualisation apparaissant ainsi au service du contrôle, de l'« incorporation » du symptôme[1] – on doit en conclure que la désexualisation a la valeur d'une défense du moi. La notion ne sera plus reprise dans la suite de l'œuvre.

QUESTIONS ET ENJEUX

Si l'introduction du narcissisme comme concept général fait du moi le « grand réservoir de la libido d'où celle-ci est envoyée sur les objets et qui est toujours prêt à accueillir celle refluant de ces objets », il n'en demeure pas moins que les pulsions d'auto-conservation s'avèrent être également de nature libidinale, puisque ce sont des pulsions sexuelles qui ont pris le moi propre pour objet au lieu d'objets extérieurs. Plutôt que d'un conflit entre les pulsions sexuelles et les pulsions du moi, il est donc plus juste de parler d'un conflit entre les investissements objectaux et le moi. Mais, puisque la sexualité se retrouve ainsi jusque dans les pulsions du moi, peut-être vaudrait-il mieux aussi renoncer à parler de désexualisation ? Freud ne saurait s'y résoudre et il maintient le terme. Cela mérite de s'y arrêter un instant.

Tentons d'éliminer l'une des sources de confusion possible qui tient à ce que, lorsqu'il est question de *libido du moi* et de *libido d'objet,* la préposition *de,* dans le texte freudien, indique l'appartenance et non pas l'origine ; il n'y a au départ qu'une seule libido (qui provient de ce grand réservoir qu'est le moi-ça), libido qui peut investir soit les objets, soit le moi lui-même ; la sexualité ne se définissant donc pas en raison de la libido mais en fonction de ce qu'elle vise : elle est présente dans l'objet et absente du moi, justifiant ainsi la notion d'une désexualisation qui s'avère nécessaire pour passer de l'un à l'autre.

1. *Inhibition, symptôme et angoisse* (1926d [1925]), Paris, PUF, 1951, p. 14 ; *OCF* XVII, p. 216 ; *GW* XIV, p. 125.

Freud a perçu qu'il pouvait y avoir là un problème, et ce singulier n'est pas sans le tracasser. Il s'en émeut dès l'introduction de la distinction entre les deux destinations libidinales : « Si nous attribuons au moi un investissement primaire de libido, pourquoi est-il encore nécessaire de distinguer une libido sexuelle d'une énergie non sexuelle des pulsions du moi ? »[1] Il avoue son embarras et, s'il finit par écarter alors l'idée « d'une énergie psychique indifférente qui ne deviendrait libido que par l'acte de l'investissement d'objet », il le fait surtout « en raison de considérations biologiques »[2]. On peut se demander si son embarras n'est pas en partie provoqué par son ancienne querelle avec Carl Gustav Jung : si d'une part le terme de « libido » ne désigne pas simplement de l'énergie psychique mais la force pulsionnelle des pulsions sexuelles, si d'autre part la libido retirée aux objets pour réinvestir le moi doit être qualifiée de désexualisée, on ne voit pas en quoi cela serait tellement différent de la proposition de Jung de reconnaître une seule et unique libido originaire susceptible d'être sexualisée et désexualisée ? Certes, il y a alors le risque de voir ravaler le terme de « libido » au rang de synonyme superflu d'énergie psychique mais, le temps passant, il faut admettre que l'objection en faveur « d'une seule et unique énergie qui, libre dans ses déplacements, s'attache tantôt à l'objet, tantôt au moi, [...] sonne bien » ; s'il n'y cède pas c'est, cette fois, pour des « raisons heuristiques »[3]. Un peu plus tard encore, à propos de la sublimation, il acceptera l'idée d'une « énergie déplaçable qui, en soi indifférente, peut venir s'ajouter à une motion qualitativement différenciée, érotique ou destructive, et augmente son investissement total » – ajoutant même « ne pouvoir absolument pas se passer d'une telle hypothèse ». Freud va compléter cette hypothèse en formulant la conjecture que cette énergie « proviendrait de la réserve de libido narcissique, et est donc de l'Éros désexualisé »[4]. Le problème, ici, se concentre dans ce *donc* qui suppose dépassée l'aporie d'une libido qui, tout en demeurant singulière, pourrait être aussi

1. « Pour introduire le narcissisme » (1914c), *La vie sexuelle*, Paris, PUF, 1969, p. 84 ; *OCF* XII, p. 220 ; *GW* X, p. 141.

2. *Ibidem*, p. 85 ; p. 221 ; p. 142.

3. *Conférences d'introduction à la psychanalyse* (1916-1917), Paris, Gallimard, 1999, p. 532-533 ; *OCF* XIV, p. 435 ; *GW* XI, p. 435-436.

4. *Le moi et le ça* (1923b), *Essais de psychanalyse*, Paris, Payot, 1981, p. 258 ; *OCF* XVI, p. 287 ; *GW* XIII, p. 272-273.

bien sexuelle que non sexuelle. Freud l'a justifié par une série d'égalités : « Transposition de la libido d'objet en libido narcissique = abandon des buts sexuels = sublimation. »[1]

Le changement de but est la justification tant de la désexualisation que de son étape la plus « parfaite », la *sublimation,* qui permet de passer d'un but sexuel à un but non sexuel. « Le but sexuel étant l'acte auquel pousse la pulsion », sa normalité tient à « l'union des parties génitales qui, dans et par l'accouplement, aboutit à la résolution de la tension sexuelle et à l'extinction temporaire de la pulsion. »[2] Quinze ans plus tard, la définition est presque similaire, à ceci près qu'elle se rapprochera du biologique : « Les pulsions sexuelles tendent par tous les moyens vers ce but : la fusion de deux cellules germinales différenciées d'une façon déterminée. »[3] Pourtant, entre ces deux textes, la métapsychologie fut bouleversée par la théorie du narcissisme d'abord, par la nouvelle dualité pulsionnelle et la deuxième topique ensuite, mais ces remaniements n'ont pas entraîné de réévaluation des caractères qui définissent la pulsion (source, poussée, but et objet), traités comme des acquis sur lesquels il n'y a guère lieu de revenir. Ils ont même été repérés et signifiés avec précision et le but, qui nous intéresse ici, reste défini comme étant « toujours la satisfaction, qui ne peut être obtenue qu'en supprimant l'état d'excitation à la source de la pulsion »[4] – et cette satisfaction est nécessairement sexuelle.

La sublimation est définie dès 1908 par sa « capacité d'échanger un but à l'origine sexuel contre un autre qui n'est plus sexuel mais qui est psychiquement parent avec le premier »[5], ce qui se trouve maintenu jusqu'à l'*Abrégé de psychanalyse* en 1938. Mais, si le but non sexuel est bien apparenté au sexuel, la satisfaction n'est pas équivalente pour autant, et Freud ne manque pas de remarquer qu'elle est moins intense et plus incertaine, plus insatisfaisante en somme que celle procurée

1. *Ibidem,* p. 242 ; p. 274 ; p. 258.

2. *Trois essais sur la théorie sexuelle* (1905d), Paris, Gallimard, 1987, p. 38 et 57 ; *OCF* VI, p. 67 et 83 ; *GW* V, p. 34 et 49.

3. *Au-delà du principe de plaisir* (1920g), *Essais de psychanalyse,* Paris, Payot, 1981, p. 89 ; *OCF* XV, p. 316 ; *GW* XIII, p. 46.

4. « Pulsions et destins des pulsions » (1915c), *Métapsychologie,* Paris, Gallimard, 1968, p. 18 ; *OCF* XIII (2e éd.), p. 169 ; *GW* X, p. 215.

5. « La morale sexuelle “civilisée” et la maladie nerveuse des temps modernes » (1908d), *La vie sexuelle,* Paris, PUF, 1969, p. 33 ; *OCF* VIII, p. 305 ; *GW* VII, p. 150.

par l'acte sexuel proprement dit[1]. À cela paraît bien correspondre la notion que ces satisfactions impliquent des modifications, voire des changements du but (voire de l'objet) dans lesquels notre évaluation sociale entre largement en ligne de compte. Il devient alors légitime de considérer que cette « satisfaction » là est essentiellement sociale, au point qu'elle a pu conduire à parler de « pulsions sociales » – mais celles-ci « ne sont pas reconnues comme élémentaires et indérivables »[2] et leur satisfaction ne saurait apporter la même plénitude que les « véritables » pulsions. Donc, même si elle prend ici une apparence « sociale », la pulsion véritablement en jeu ne peut être que celle qui sous-tend et autorise cette socialité – donc, de fait, la pulsion sexuelle.

Que peut donc alors signifier ce « changement d'un but sexuel contre un autre qui n'est plus sexuel », puisque la référence à la satisfaction qui spécifie tout but ne peut être, en dernière analyse, que sexuelle – ce qui est d'ailleurs conforme aux présupposés de base de la psychanalyse. Nous devons bien considérer qu'il ne saurait s'agir du même but : le but qui permet de qualifier la sublimation n'est pas le même que celui dont traite la métapsychologie mais est tout bonnement celui que désigne le langage courant lorsqu'il parle des buts de la sexualité – c'est d'ailleurs lui que réfère Freud lorsqu'il indique l'accouplement comme étant le but de la pulsion sexuelle[3]. Il est certes important de ne jamais perdre de vue que ces deux *buts* doivent pouvoir se recouvrir, le « but métapsychologique » n'ayant de sens qu'à pouvoir rendre compte du « but trivial » ; il n'en faut pas moins savoir duquel on parle. C'est là, en somme, ce que vise Freud lorsqu'il nous indique que « ce qui nous a surtout permis de connaître l'Éros et, partant, ce qui lui sert d'indice, la libido, c'est l'étude de la fonction sexuelle qui, pour le public sinon dans nos théories scientifiques, se confond avec l'Éros »[4]. En fait, cette idée de « but sexuel »

1. *Malaise dans la civilisation* (1930a [1929]), Paris, PUF, 1971, p. 24-25 ; *OCF* XVIII, p. 266 ; *GW* XIV, p. 437.

2. « Psycho-Analysis » (1926f), *Résultats, idées, problèmes, II,* Paris, PUF, 1984, p. 155 ; *OCF* XVII, p. 291 ; *GW* XIV, p. 302.

3. *Trois essais sur la théorie sexuelle* (1905d), Paris, Gallimard, 1987, p. 57 ; *OCF* VI, p. 83 ; *GW* V, p. 49.

4. *Abrégé de psychanalyse* (1940a [1938]), Paris, PUF, 1985, p. 11 ; *OCF* XX, p. 240 ; *GW* XVII, p. 73.

implique plus un moyen pour atteindre au but (la satisfaction) qu'elle ne désigne le but lui-même ; ce sont en fait les instruments que Freud met en cause lorsqu'il remarque que diverses voies peuvent mener au but final qui, pour sa part, reste invariable (il parle alors de « buts intermédiaires »). Sans doute peut-on considérer que la désexualisation vise à un changement de moyens pour atteindre le but (ce que Freud désigne comme une *poussée détournée*), plus qu'à un changement de but proprement dit.

Claude Le Guen

Désintrication (et intrication) des pulsions → Mélange et démélange (union et désunion) des pulsions

Désinvestissement → Investissement

DÉSIR et BESOIN (souhait, vœu)

all. : ***Wunsch (Begierde)*** et ***Bedürfnis.*** – angl. : *desire* et *need*. – esp. : *deseo* et *necesidad*. – ital. : *desiderio* et *bisogno*. – port. : *desejo* et *necessidade*

La complémentarité de ces quatre notions freudiennes est d'autant plus étroite qu'elles se génèrent l'une l'autre, apparaissant de fait comme formant une « série » déterminant le fonctionnement psychique. C'est pourquoi nous les avons regroupées sous une seule entrée, qu'il aurait sans doute été plus pertinent d'intituler « Du besoin au désir ». Elles n'en sont pas moins parfaitement distinctes et nous nous sommes efforcé de bien spécifier chacune d'elles, ne serait-ce que pour permettre au lecteur d'identifier celle qui l'intéresse plus particulièrement.

Les termes de besoin et de désir sont à prendre en leur sens usuel. Le *besoin* est *vital*, car il correspond à une nécessité, exprimant une sensation de manque ; ceci témoigne de ce qu'il implique une source biologique. Le *désir* est un sentiment puissant, voire violent, témoin direct de la force pulsionnelle. Le travail de l'appareil psychique va permettre de passer de l'un à l'autre. Pour ce faire, il faut que l'excitation provoquée par le besoin interne soit apaisée au cours d'une *expérience de satisfaction* (apportée du dehors) dont la perception est mémorisée, associée à l'excitation du besoin, ce qui permettra d'investir l'objet ; lorsque le besoin se représentera, l'image mnésique sera de nouveau investie, ravivant la perception de la première satisfaction, suscitant une attraction vers l'objet : « c'est ce mouvement que nous appelons désir ». Lors du rêve, le travail de l'inconscient refoulé s'efforce de faire retour pour satisfaire le *désir inconscient* et l'exprime sous forme d'*accomplissement de souhait* ; dans les névroses, le symptôme fait de même.

Le schéma freudien est clair et ordonné en *série* : un besoin doit obtenir satisfaction, celle-ci est mémorisée, cherche à se reproduire et fait naître un désir. Cette série s'appuie sur l'opposition des pulsions d'auto-conservation et des pulsions sexuelles ; la nouvelle dualité pulsionnelle va conduire à l'idée d'un *besoin de punition* pour justifier les *désirs masochistes*, référant la pulsion de destruction.

MISE EN SITUATION

À la différence du français où « désir » et « souhait » ont des acceptions différentes et repérables – dont on saisit toute la portée en constatant que si un souhait n'est qu'une forme de désir, un désir n'est pas un souhait –, Wunsch *et* Begierde *sont en allemand des synonymes et, pour chacun d'eux, les dictionnaires donnent « désir » et « souhait » à égalité, l'un ou l'autre étant mentionné en premier selon les ouvrages. Pour dégager le sens et l'indiquer en français, tout va dépendre du contexte. C'est justement là que gît la difficulté car, dès* L'interprétation des rêves, *Freud utilise* Wunsch *aussi bien pour désigner le souhait, plutôt anodin tel qu'il se découvre assez rapidement dans le rêve, toléré par la censure et proche du préconscient, et le désir qui le sous-tend, violent, inconscient, toujours sexuel et d'origine infantile, qui doit donc être censuré et déformé. Il est certain que le recours à deux termes bien distincts simplifierait les choses, mais seul le contexte nous permet de savoir auquel nous avons alors affaire : plutôt un désir, ou plutôt un souhait ? Les traducteurs des* Œuvres complètes de Freud *ont choisi de faire comme si, en allemand,* Wunsch *et* Begierde *étaient de sens véritablement différents, introduisant une systématique qui n'est pas dans le texte freudien, lequel tire justement toute sa richesse d'user d'un mot unique pour désigner ce qui relève du manifeste et ce qui renvoie au latent, mais représente toujours le même mouvement pulsionnel. Considérant que, dans l'œuvre freudienne, doit prévaloir ce qui exprime l'inconscient, nous préférons retenir ici le terme de « désir » (quitte, en fonction du contexte, à le connoter d'un « besoin »). Nous discuterons plus avant, dans « Questions et enjeux », les implications théoriques que peuvent recouvrir ces discussions.*

Certes, traduire Wunsch *par désir ne saurait constituer un faux-sens, et encore moins un contresens. Nous pouvons d'ailleurs remarquer que dans les traductions que Jean Laplanche fait en 1981 pour Payot de* Le moi et le ça *et (avec J.-B. Pontalis) d'*Au-delà du principe de plaisir, *il choisit « désir » comme équivalent de* Wunsch ; *ce n'est qu'à la fin des années 1980 qu'il se ralliera à « souhait ». Redisons-le, nous sommes là, comme si souvent, confronté aux inévitables, aux nécessaires nuances entre langues différentes ; c'est bien pourquoi le sens doit s'éclairer du contexte qui, ici, ne peut être que métapsychologique. Parler de souhait pour désigner ce qu'exprime le rêve revient à se satisfaire de l'aspect le plus superficiel, le plus anodin, le plus dicible du rêve : à ce que laisse filtrer la censure du préconscient. C'est occulter la violence désirante de ce qui émane de l'inconscient, de cette sexualité issue de l'enfance, de ces refoulés, toujours actifs et pour ainsi dire immortels que Freud sut reconnaître et qu'il s'attache précisément à révéler. C'est, en somme, prendre le manifeste pour le latent. Toute sa recherche depuis* L'interprétation des rêves *vise à montrer que derrière tout souhait exprimé par le rêve se cache un désir du rêveur, tant infantile que sexuel ; c'est bien ce qu'escamote le recours au « souhait ».*

Ajoutons que le choix de « souhait » pour traduire Wunsch *peut susciter des complications pour traduire* Begierde, *comme l'illustrent différents traducteurs ; si les* Œuvres complètes de Freud, *comme on le sait, s'en tiennent à « désir », Michel Tort, dans Inhibition, symptôme et angoisse aux Presses universitaires de France, donne tantôt « convoitise » (p. 50), tantôt « licence » (p. 74) ; Fernand Cambon, dans*

Sigmund Freud présenté par lui-même chez Gallimard, opte pour « concupiscence » (p. 56). Ceci nous conduit à quelques rappels lexicologiques : – selon les dictionnaires de la langue française, un besoin est « une exigence venant de la nature ou de la vie sociale », et un désir est une « prise de conscience d'une tendance profonde qui porte à vouloir obtenir un objet connu ou imaginé » ; – le « vœu » s'adresse à une puissance divine, et nous retrouvons cette empreinte ecclésiale, voire théologique (loin d'être rare chez Jacques Lacan), dans la « concupiscence ».

LE TEXTE FREUDIEN

Dès l'« Esquisse d'une psychologie scientifique », en 1895, Freud entreprend d'élaborer une théorie du désir en partant du modèle de « l'organisme humain, à ses stades précoces », reposant sur la double expérience de « satisfaction » et de « déplaisir » : les excitations (dans l'exemple choisi : la faim), suscitant des changements internes avec décharges (cris) ne peuvent être supprimées que par une intervention extérieure qui exerce une « action spécifique » par des moyens déterminés (allaitement) et réalise, par réflexe, la suppression des stimuli endogènes. L'être impuissant, en établissant un frayage entre l'image mnémonique de l'objet désiré et celle du mouvement réflexe, se donne la référence d'une « expérience de satisfaction » dont le souvenir pourra être réactivé en fournissant quelque chose d'analogue à une perception : une hallucination[1]. Ces expériences vécues laissent des traces qui ne sont rien d'autre que les *affects de déplaisir* et les *états de désir* ; ceux-ci ont en commun d'impliquer une augmentation de tension avec libération soudaine pour les premiers, et accumulation pour les seconds[2]. L'une des grandes difficultés qui se pose au « moi » des débuts de la vie est de décider s'il s'agit d'une hallucination de désir ou de la perception d'une réalité ; tout dépend alors de la capacité du

1. « Esquisse d'une psychologie scientifique » (1950c [1895]), *La naissance de la psychanalyse,* Paris, PUF, 1956, p. 336-338.

2. *Ibidem,* p. 339-340.

moi à inhiber la charge, en désir, des investissements de l'objet et du moi. « Une charge en désir allant jusqu'à l'hallucination », produisant un déplaisir total et, mobilisant toute la défense, constitue le « processus psychique primaire » ; le « processus secondaire » modérant au contraire le processus primaire, permettant un bon investissement du moi[1]. « **Une aspiration ardente crée dans le moi une certaine tension et, par suite, un investissement de la représentation de l'objet aimé (représentation de désir)** » qui ne doit pas être pris pour une perception (hallucination) ; il faut donc différer la décharge jusqu'à vérification de la qualité de l'investissement[2].

L'interprétation des rêves, en 1900, reprend le modèle avancé dans l'« Esquisse d'une psychologie scientifique » en l'épurant, le complétant, et surtout en l'étayant sur le fonctionnement du rêve, sur sa clinique en quelque sorte. Le travail du rêve, situé à la jonction de la conscience (le réveil) et du préconscient, fournit un matériau privilégié pour l'étude du fonctionnement de ces deux systèmes et, au-delà, de celui de l'inconscient. L'argument central, toujours réexploré, est que « **le rêve expose les faits tels que j'aurais souhaité qu'ils se fussent passés ; *son contenu est l'accomplissement d'un désir, son motif un désir*** »[3]. Non seulement tout le chapitre à suivre s'intitule « Le rêve est un accomplissement de désir », mais la thèse, qui est d'ailleurs explicitement posée à maintes reprises comme une « loi », en est partout reprise. Le *souhait de dormir* lui-même, expression du moi conscient, participe à la formation du rêve[4]. **Ces souhaits émanent du moi,** et c'est pourquoi les rêves sont absolument égoïstes[5]. C'est dire qu'ils ne veulent pas représenter des sentiments pénibles, et que ce qu'il peut y avoir de pénible dans les pensées du rêve « ne peut pénétrer dans le contenu du rêve que sous le masque d'un accomplissement de souhait »[6].

1. *Ibidem,* p. 344.
2. *Ibidem,* p. 372.
3. *L'interprétation des rêves* (1900a), Paris, PUF, 1967, p. 110 ; *OCF* IV, p. 154 ; *GW* II-III, p. 123.
4. *Ibidem,* p. 206 ; p. 273 ; p. 240.
5. *Ibidem,* p. 233 ; p. 308 ; p. 274.
6. *Ibidem,* p. 401 ; p. 520 ; p. 474.

Mais il ne suffit pas, chez l'adulte, d'avoir fait dans la journée un souhait demeuré insatisfait pour créer un rêve. Ces impulsions venues de la conscience contribuent certes à le provoquer mais, pour que le rêve se produise, il faut que le désir préconscient se soit procuré ailleurs un renforcement : il le trouve dans l'inconscient. Les désirs inconscients sont toujours actifs, en quête d'une excitation venue du conscient pour s'y transférer. En apparence, seul le souhait conscient se réalise, mais derrière lui on peut souvent découvrir les désirs inconscients, « refoulés mais toujours actifs, pour ainsi dire immortels », et qui sont toujours, nécessairement, d'origine infantile. **Les souhaits formés dans la vie consciente de la veille sont d'importance secondaire** pour la formation du rêve[1]. Pour bien comprendre la nécessité de cet élément additionnel, reste d'une impression de la veille venu s'ajouter au désir inconscient, il faut recourir à la psychologie des névroses dans lesquelles, pareillement, **la représentation inconsciente ne peut pénétrer dans le préconscient et y agir qu'en s'alliant à une représentation anodine préexistante** sur laquelle elle transfère son intensité et qui la dissimule : « C'est là un phénomène du *transfert,* qui explique tant de faits frappants de la vie psychique des névrosés »[2] (à noter que transfert doit être entendu ici au sens de *déplacement* avec déformation d'un désir infantile inconscient, et non pas au sens qu'il prendra dans la cure, même si c'est bien le même procédé qui est à l'œuvre, mais dans un contexte différent).

Freud va ensuite reprendre l'explication proposée dans l'« Esquisse d'une psychologie scientifique ». Repartant des tout débuts de la vie, il suppose un appareil qui tend d'abord à éviter les stimuli selon le modèle d'un appareil réflexe, mais que la vie vient troubler et complexifier avec, en premier, les grands besoins (telle la faim). Ils trouvent d'abord une issue dans la motilité (cris, agitation) mais ne peuvent être apaisés que par une intervention extérieure (la tétée) qui procure une expérience de la satisfaction. Chose essentielle : se produit une certaine perception (du sein) dont l'image mnésique restera associée à la trace de l'excitation du besoin, permettant que dès que

1. *Ibidem,* p. 470-471 ; p. 607-608 ; p. 558-559.
2. *Ibidem,* p. 478-479 ; p. 616-617 ; p. 668.

celui-ci se représente il y ait réinvestissement de l'image mnésique de cette perception pour reconstituer l'état de première satisfaction. « C'est ce mouvement que nous appelons désir. » Le désir est accompli par la réapparition de la perception, dont l'investissement total depuis l'excitation provoquée par le besoin est « le chemin le plus court vers l'accomplissement du désir » – et on peut penser que dans un appareil psychique primitif ce chemin est effectivement parcouru, le désir se faisant alors hallucinatoire. Mais la vie est dure : l'identité de perception ne saurait suffire car, en l'absence d'intervention extérieure, la satisfaction ne se produit pas et le besoin demeure ; l'hallucination ne saurait offrir la satisfaction (sauf peut-être dans les grandes psychoses), aussi cette activité psychique primaire doit s'adapter, se secondariser. Il faut arrêter la régression dans sa marche, chercher d'autres voies (ce que Freud reconnaîtra plus tard comme étant « épreuve par la réalité »), utiliser la motilité volontaire selon les invitations qu'offre la mémoire – mais toute cette activité de pensée compliquée n'est qu'un détour dans l'accomplissement du désir : « La pensée n'est qu'un substitut du désir **hallucinatoire, et seul le désir peut pousser au travail notre appareil psychique.** »[1]

Mais le rêve est loin d'être le seul à accomplir des désirs ; **tous les symptômes sont pareillement des *accomplissements de désir inconscient.*** Ceux des hystériques ont cette particularité de devoir, en plus d'un désir inconscient, réaliser un désir du préconscient ; pour qu'apparaisse un symptôme hystérique, il faut que ces deux désirs opposés, issus de deux systèmes différents, « viennent concourir dans une même expression ». Dans le rêve, le contrôle du préconscient sur l'expression de l'accomplissement d'un désir inconscient se borne à exiger certaines déformations ; on n'y trouve pas de pensées opposées à ces désirs car le système dominant peut se retirer *dans le désir de dormir,* qui facilite beaucoup la formation du rêve[2].

Le rêve est un compromis au service de deux systèmes et « accomplit les deux désirs dans la mesure où ils s'accordent », cette restriction indiquant que **le rêve peut échouer lorsque**

1. *Ibidem,* p. 480-482 ; p. 619-621 ; p. 570-572.
2. *Ibidem,* p. 483-485 ; p. 622-625 ; p. 574-576.

l'accomplissement du désir inconscient heurte le préconscient et trouble son repos; le compromis ne fonctionne plus, le désir de dormir n'est plus satisfait et le réveil se produit (ainsi peut naître un cauchemar). L'angoisse est possible lorsque le désir, qui appartient au système inconscient, est rejeté et réprimé par le système du préconscient[1].

Dans les années 1910-1912, il n'est plus véritablement question du désir, voire du souhait; tout se passe comme si, avec *L'interprétation des rêves,* Freud avait pour un temps épuisé ce qu'il avait à en dire. En revanche, est régulièrement mentionné **le *besoin,* toujours en rapport avec la réalité,** tant biologique que sociale : – les êtres humains tombent malades lorsqu'ils sont empêchés de satisfaire leurs besoins érotiques dans la réalité, ce qui entraîne une double régression puisque « la manifestation de ce besoin utilise les moyens d'expression psychiques originaires et primitifs »[2] ; – lorsque la réalité ne lui apporte pas la pleine satisfaction de son besoin d'amour, inévitablement tout individu se tourne vers tout nouveau personnage entrant dans sa vie (c'est la base du transfert), si bien que tous les sentiments (sympathie, amitié, confiance, etc.) qui s'expriment à cette occasion « sont génétiquement apparentés à la sexualité » et si, en effaçant le but sexuel ils peuvent paraître innocents et dénués de sensualité, ils n'en mettent pas moins en œuvre de vrais désirs sexuels[3] ; – l'individu demeure en bonne santé tant que son besoin d'amour impérieux est satisfait par un objet réel du monde extérieur, et devient névrosé dès que cet objet lui est retiré sans qu'un substitut vienne s'offrir à sa place[4].

À la suite, en 1915, Freud rappelle la nature élémentaire des motions pulsionnelles qui tendent à la satisfaction de certains besoins originels, telles qu'elles forment « l'essence la plus profonde de

1. *Ibidem,* p. 492-493 ; p. 634-635 ; p. 585-586.

2. *Sur la psychanalyse (cinq conférences)* (1910a), Paris, Gallimard, 1991, p. 105-106 ; *OCF* X, p. 48-49 ; *GW* VIII, p. 52-53.

3. « La dynamique du transfert » (1912b), *De la technique psychanalytique,* Paris, PUF, 1953, p. 51 et 57 ; *OCF* XI, p. 108 et 113 ; *GW* VIII, p. 365 et 371.

4. « Sur les types d'entrée dans la névrose » (1912c), *Névrose, psychose et perversion,* Paris, PUF, 1973, p. 175 ; *OCF* XI, p. 119 ; *GW* VIII, p. 322-323.

l'homme ». Ce sont les exigences de la société qui attribuent à leurs manifestations les qualités « bonnes » ou « mauvaises » [1].

En effet, c'est toujours **la pulsion, cette force constante émanant de l'intérieur, qui se trouve au moteur** de tout cela ; elle se manifeste comme un *besoin* que seule peut supprimer sa *satisfaction,* celle-ci ne pouvant être acquise que par une modification, conforme au but, de la source interne d'excitation [2]. Ainsi, la biologie est d'abord en cause pour déterminer les rapports du moi et de la sexualité ; tantôt prévaut l'individu pour qui la satisfaction sexuelle est un besoin, tantôt le phylum qui fait de l'individu un appendice passager du plasma germinatif [3]. Au tout début de la vie psychique, le moi, investi par les pulsions, peut les satisfaire en partie sur lui-même : c'est là l'autoérotisme tel qu'il fonde le narcissisme. Si une partie des pulsions sexuelles est apte à satisfaire ainsi le principe de plaisir, d'autres exigent d'emblée un objet, et comme en outre les besoins des pulsions du moi ne peuvent jamais être ainsi satisfaits, tout ceci fait que chaque individu doit passer par « une période de *détresse* et de *soins* pendant laquelle ses besoins pressants sont satisfaits par l'intervention de l'extérieur », qui le préserve [4]. **On n'*aime* pas les objets qui servent à l'autoconservation, on en a *besoin*** [5]. Ce qui se trouve placé sous la domination d'un besoin non satisfait (comme peut l'être la faim) nous mène loin des processus propres au fonctionnement psychique proprement dit, tel celui du refoulement [6].

En 1916-1917, les *Conférences d'introduction à la psychanalyse* récapitulent et reprennent les développements de *L'interprétation des rêves,* repartant du constat qu'un « souhait est l'instigateur du rêve, l'accomplissement de ce souhait le contenu du rêve » ; ce n'est pas

1. « Considérations actuelles sur la guerre et sur la mort » (1915b), *Essais de psychanalyse,* Paris, Payot, 1981, p. 16 ; *OCF* XIII (2e éd.), p. 136 ; *GW* X, p. 331-332.

2. « Pulsions et destins des pulsions » (1915c), *Métapsychologie,* Paris, Gallimard, 1968, p. 14 ; *OCF* XIII, p. 167 ; *GW* X, p. 212.

3. *Ibidem,* p. 23 ; p. 172 ; p. 218.

4. *Ibidem,* p. 37, n. 1 ; p. 182, n. 1 ; p. 227, n. 1.

5. *Ibidem,* p. 40 ; p. 184 ; p. 230.

6. « Le refoulement » (1915d), *Métapsychologie,* Paris, Gallimard, 1968, p. 46 ; *OCF* XIII (2e éd.), p. 192 ; *GW* X, p. 249.

seulement une pensée que le rêve exprime, c'est l'accomplissement halluciné du désir qui suscite cette pensée. Mais le rêve est d'abord un compromis entre le retour du désir infantile et le souhait de continuer à dormir[1].

La XIVe de ces conférences s'intitule d'ailleurs « L'accomplissement d'un souhait » ; elle va poursuivre le réexamen du rêve. L'accent est mis sur la nécessaire déformation du rêve pour empêcher que les désirs soient manifestes, car ils sont « interdits, récusés par la censure, dont l'existence est justement la cause de la déformation du rêve » – ce qui impose d'interpréter le rêve pour pouvoir le comprendre –, censure qui, face à un désir qu'elle condamne et qu'elle n'a pu suffisamment voiler, fait surgir l'angoisse[2]. Les pensées latentes du jour – le plus souvent oubliées et devenues inconsciente telles qu'elles reviennent régulièrement dans le rêve – ne sont pas le moteur proprement dit de sa formation ; il doit toujours s'y ajouter un désir inconscient qui va venir transformer le rêve en vue d'accomplir le souhait qui le représente. Il n'est en fait que cela, le reste diurne n'en étant que le prétexte : **le rêve représente comme accompli un souhait latent de la journée, moyennant l'aide d'un désir inconscient.** Les deux ne sont cependant pas inconscients de la même façon. Le désir du rêve « fait partie d'un autre inconscient », de provenance infantile et doté de mécanismes particuliers – il serait d'ailleurs souhaitable de distinguer « ces deux modes de l'inconscient », remarque Freud, mais il préfère attendre d'être plus au clair avec les névroses[3].

Il va poursuivre longuement l'étude de celles-ci dans les conférences suivantes, ce qui l'amènera à reprendre la comparaison entre rêves et symptômes, dans lesquels se retrouve l'accomplissement de désir et la sexualité infantile. Mais, cette fois, il peut préciser que le symptôme obsessionnel est en outre (ce que le rêve n'est pas toujours) l'accomplissement d'un souhait érotique[4]. Le symptôme doit aussi compter

1. *Conférences d'introduction à la psychanalyse* (1916-1917), Paris, Gallimard, 1999, p. 165-166 ; *OCF* XIV, p. 130-131 ; *GW* XI, p. 128-129.

2. *Ibidem,* p. 275 et 277-278 ; p. 220 et 222-223 ; p. 219 et 221-222.

3. *Ibidem,* p. 287 et 291 ; p. 230-231 et 233-234 ; p. 230 et 233.

4. *Ibidem,* p. 380 ; p. 309 ; p. 309.

avec le moi préconscient et la censure qui le contraint à choisir une expression du désir qui puisse en même temps être la sienne ; plus encore que dans le cas du rêve, **lui aussi est un compromis, « rejeton plusieurs fois déformé de l'accomplissement d'un désir inconscient libidinal »**, il est habilement ambigu et choisi de façon à pouvoir contenir deux significations en totale contradiction. Là aussi il se sépare du rêve qui, ne visant qu'à préserver le sommeil et n'ayant pas à opposer un « non » tranché au souhait inconscient, peut se permettre d'être tolérant car « l'état de sommeil barre à lui seul l'issue dans la réalité »[1]. Les rêves des névrosés nous permettent de « deviner le sens de leurs symptômes et de mettre au jour la manière dont leur libido est placée », nous révélant quels désirs ont succombé au refoulement[2].

Que ce soit avec la nouvelle bipartition pulsionnelle ou la nouvelle topique, les *Essais* (1920-1923) ne s'attardent guère sur la notion, notant seulement que le ça ressent les tendances érotiques comme des besoins, les revendications de l'Éros s'exprimant comme besoins pulsionnels[3]. En 1926, *Inhibition, symptôme et angoisse* rappelle comment l'agoraphobe fait resurgir de son enfance le danger de la castration lorsqu'il a la tentation de céder à ses désirs érotiques[4] ; redit comment la répétition des satisfactions crée l'objet-mère intensément investi, désiré et qui, lorsqu'il est absent, devient un besoin qu'on pourrait nommer « nostalgique » – ainsi peut-on comprendre la réaction de douleur[5].

À la suite, les textes « culturels et sociaux », traitant du problème religieux, relient la motivation profonde à la motivation manifeste, le complexe d'Œdipe à la détresse humaine, la détresse infantile à la détresse adulte qui la prolonge, à leur besoin commun de secours. Là

1. *Ibidem,* p. 457-458 ; p. 372-373 ; p. 374.

2. *Ibidem,* p. 578-579 ; p. 473 ; p. 474.

3. *Le moi et le ça* (1923b), *Essais de psychanalyse,* Paris, Payot, 1981, p. 241 et 259 ; *OCF* XVI, p. 273 et 290 ; *GW* XIII, p. 257 et 275.

4. *Inhibition, symptôme et angoisse* (1926d [1925]), Paris, PUF, 1951, p. 50 ; *OCF* XVII, p. 242 ; *GW* XIV, p. 156.

5. *Ibidem,* p. 100 ; p. 284-285 ; p. 203.

encore, la clé nous est fournie par la vie psychique du petit enfant, par la façon dont sa libido suit la voie des besoins narcissiques et s'attache aux objets qui assurent leur satisfaction : la mère qui nourrit devient le premier objet d'amour et la première protection contre le monde extérieur et contre l'angoisse, le père plus fort la relayant bientôt (c'est là le type de choix d'objet par étayage)[1]. C'est là-dessus que s'appuient les idées religieuses qui se présentent comme des dogmes mais ne sont que des illusions, réalisations de désirs très anciens de l'humanité, forts et pressants ; « **le secret de leur force est la force de ces désirs** ». La détresse infantile avait suscité le besoin d'être protégé en étant aimé, besoin que le père a satisfait, mais cette détresse dure toute la vie[2]. Ainsi le besoin religieux se rattache à l'état infantile de dépendance absolue, besoin infantile entretenu durablement par l'angoisse devant la prépondérante puissance du sort. Les produits stupéfiants, ces « briseurs de souci » permettent d'échapper au fardeau de la réalité. La satisfaction du désir pulsionnel est bonheur, le refus du monde extérieur d'assouvir nos besoins est cause de graves souffrances. Certaines techniques visent à se rendre maître des sources interne des besoins : « cela advient dès lors qu'on met à mort les pulsions » comme le pratique le yoga. Si la civilisation occidentale commence par interdire les manifestations de la sexualité infantile, c'est pour pouvoir ensuite endiguer les brûlants désirs sexuels de l'adulte[3].

En 1930, avec le diplomate américain William C. Bullitt, Freud commence la rédaction d'un livre sur *Le président T. W. Wilson*. « Travail commun », précise-t-il dans son *Introduction*[4], achevé en 1932 mais qui, pour diverses raisons, ne sera publié qu'en 1966. Si, selon Ernest Jones, « il n'est pas difficile de distinguer la contribution analytique de l'un des auteurs de celle, politique, de l'autre »[5], certains

1. *L'avenir d'une illusion* (1927c), Paris, PUF, 1971, p. 32-33 ; *OCF* XVIII, p. 164 ; *GW* XIV, p. 345-346.

2. *Ibidem*, p. 43 ; p. 170 ; p. 352.

3. *Malaise dans la civilisation* (1930a [1929]), Paris, PUF, 1971, p. 15-16, 23-24, 56 ; *OCF* XVIII, p. 258, 265, 291 ; *GW* XIV, p. 430, 437, 464.

4. S. Freud et W. Bullittt, *Le président T. W. Wilson (1930-1938)* (1966b), Paris, Payot, 1990, p. 18.

5. E. Jones, *La vie et l'œuvre de Sigmund Freud*, Paris, PUF, 1969, t. 3, p. 172.

exégètes s'y refusent. Pour notre part, nous pensons qu'il n'est nullement abusif de reconnaître la main de Freud là où elle s'est imposée, à commencer par le début de la deuxième partie qui est qualifié de « bref exposé de certains principes fondamentaux de la psychanalyse » – on imagine d'ailleurs mal qu'il n'ait pas tenu à la rédiger personnellement. C'est de ces quelques pages que nous avons tiré nos citations[1]. Pour définir ces « principes fondamentaux », sont spécifiés les procédés qu'utilise le moi pour résoudre les **conflits entre les désirs divergents de la libido comme ceux qu'elle engage tant avec les exigences du surmoi qu'avec le monde réel.** Il s'agit : – du refoulement qui cherche à obtenir satisfaction comme si le désir n'existait pas, l'oubliant et le reléguant dans l'inconscient (mais il est impossible à la longue de négliger de tels désirs) ; – de l'identification qui cherche à satisfaire ce désir en transformant le moi lui-même en l'objet désiré (mécanisme très utile et très employé) ; – de la sublimation qui donne au désir libidinal une satisfaction partielle en substituant à l'objet visé, inaccessible, un objet apparenté que ne désapprouve ni le surmoi ni le monde extérieur, objet peut-être moins satisfaisant mais plus accessible (sublimés, les désirs insatisfaits de la libido produisent les plus grands monuments de la civilisation)[2].

Les *Nouvelles conférences*, en 1933, se bornent à confirmer ce qui put être avancé très tôt. Comparé à « un chaudron plein d'excitations en ébullition », l'une des extrémités du ça est ouverte vers le somatique, qui recueille les besoins pulsionnels pour les exprimer psychiquement ; à partir de là il se remplit d'énergie mais n'a pas d'organisation propre, ayant pour seule aspiration de « **satisfaire les besoins pulsionnels en observant le principe de plaisir** »[3]. L'absence de la mère angoisse l'enfant car il n'est plus assuré de la satisfaction de ses besoins ; c'est là, au fond, la situation de l'angoisse originelle de la naissance qui se répète, l'angoisse de castration elle-même

1. S. Freud et W. Bullitt, *Le président T. W. Wilson (1930-1938)* (1966b), Paris, Payot, 1990, p. 73-92.

2. *Ibidem*, p. 83-89.

3. *Nouvelles conférences d'introduction à la psychanalyse* (1933a [1932]), Paris, Gallimard, 1984, p. 102 ; *OCF* XIX, p. 157 ; *GW* XV, p. 80.

s'incluant dans cette série[1]. Freud refait ensuite un vaste panorama historique de la recherche psychanalytique en repartant, une fois encore, des deux grandes pulsions qui correspondent aux deux grands besoins que sont la faim et l'amour, ce qui conduit aux « pulsions du moi » et aux « pulsions sexuelles »[2]. Il redit le long chemin qui l'a conduit à la conception « finale » (elle aussi reposant essentiellement sur des considérations biologiques) d'une opposition entre les pulsions sexuelles, au sens le plus large, l'*Éros,* et les *pulsions d'agression* qui visent la destruction[3]. Comme pour la révision de la relation entre moi et inconscient, ces réflexions sur la théorie des pulsions partent du travail analytique et du constat que le patient qui résiste ne le sait généralement pas, qu'il en ignore même les motifs ; ceux-ci se trouvent dans « **un fort *besoin de punition* que nous n'avons pu mettre qu'au nombre des désirs masochistes** » – c'est là, souligne Freud, une importante trouvaille tant pratique que théorique, « car ce besoin de punition est le pire ennemi de notre effort thérapeutique »[4]. Les hommes ne sauraient faire autrement que de mettre en jeu leurs motions pulsionnelles originaires, leur pulsion d'auto-conservation, leur désir d'agression et leur besoin d'amour ; il leur faut impérativement obtenir du plaisir et éviter du déplaisir[5].

QUESTIONS ET ENJEUX

Les hésitations, que nous avons relevées dès notre *mise en situation,* sur le choix entre « désir » et « souhait » pour rendre le *Wunsch* allemand, pourraient bien, sous couvert « traductologique », renvoyer à une autre querelle, plus idéologique. Dans la mesure où historiquement et théoriquement la série « besoin-satisfaction-désir »

1. *Ibidem,* p. 119-121 ; p. 170-172 ; p. 94-95.
2. *Ibidem,* p. 129-130 ; p. 178 ; p. 102.
3. *Ibidem,* p. 139 ; p. 186 ; p. 110.
4. *Ibidem,* p. 146 ; p. 191 ; p. 115 .
5. *Ibidem,* p. 239 ; p. 264 ; p. 193-194.

est au fondement de la psychanalyse, c'est implicitement celle-ci qui se trouve ainsi mise en question. C'est pourquoi la véritable interrogation nous paraît devoir porter sur ce dont parle Freud et, pour ce faire, là comme ailleurs et peut-être même plus encore, doit chercher à l'entendre pleinement.

Il n'est certes pas fortuit que ce débat, très franco-français, ait été suscité par Jacques Lacan. C'est d'ailleurs à lui que les responsables des *Œuvres complètes de Freud* se réfèrent explicitement pour se justifier de traduire systématiquement *Wunsch* par « souhait », récusant « désir » dont il font l'équivalent de *Begierde* (terme relativement peu utilisé par Freud) ; ainsi Jean Laplanche s'en justifie en opposant à ceux qui lui ont « reproché de » rayer le désir « de l'œuvre freudienne [...] l'originalité des développements apportés par la doctrine lacanienne [qui, ainsi...] n'en serait que mieux perçue »[1]. En fait, lorsqu'il renvoie à « la *Traumdeutung* pour savoir ce que veut dire ce que Freud y appelle désir », Lacan est moins tranché (ou tout au moins place ailleurs le tranchant) et entend d'abord montrer que ce qui s'exprime dans les rêves, le *Wunsch*, ne saurait évoquer « la concupiscence » du désir mais bien plutôt des « vœux [qui] peuvent être pieux, nostalgiques, contrariants, farceurs », formes propres à montrer que, pour ce dire, « ce désir s'articule en un discours bien rusé ». À la suite, et d'abord à propos du rêve, il parlera toujours de « désir », non pas de « vœux », entendant montrer comment Freud « porte le désir à une puissance géométriquement croissante », comment il parle d'un « désir de désir, autrement dit un désir signifié par un désir ». De fait, Lacan pointe ici la différence, sur laquelle repose l'analyse freudienne, entre le vœu manifeste tel qu'il s'exprime dans le rêve, ne produisant qu'un « bruit de pétard mouillé » et le désir inconscient, puissant, censuré, qui le sous-tend ; c'est ainsi qu'à la suite il pourra évoquer l'opposition du signifiant au signifié[2] (à noter que lorsqu'il évoque *Begierde*, il le réfère au texte hégélien[3]). Pour autant, Jean Laplanche n'a pas tort lorsqu'il en appelle à « la doctrine lacanienne » pour se justifier du reproche de « rayer le désir », car tel était bien de fait le projet de

1. *Traduire Freud*, Paris, PUF, 1989, p. 95 ; voir aussi p. 143-144.

2. J. Lacan, « La direction de la cure », *Écrits*, Paris, Seuil, 1966, p. 620-621.

3. J. Lacan, « Subversion du sujet dialectique du désir », *Écrits*, Paris, Seuil, 1966, p. 802.

Lacan lorsqu'il entreprit de déconnecter le désir du besoin pour l'ancrer dans un « sujet défini de son articulation au signifiant »[1]. C'est justement là qu'il se sépare de Freud qui – soulignons-le encore – insiste avec constance sur l'ancrage biologique du désir dans un besoin qui doit obtenir satisfaction.

Pour situer ce qui peut différencier un désir d'un souhait, le mieux est de revenir à Freud lorsque, toujours à propos du rêve, il pose la question de savoir si les restes diurnes sont véritablement inconscients au sens où est inconscient ce qui doit venir s'y ajouter pour leur permettre de produire un rêve. Ici se situe, nous dit-il, le point décisif de l'affaire : « Ils ne sont pas inconscients dans le même sens. » Le désir du rêve relève d'un autre inconscient que celui du souhait diurne, inconscient de provenance infantile aux mécanismes particuliers. « Il serait fort pertinent de distinguer ces deux modes de l'inconscient par des désignations distinctes. »[2] Pour ce faire, Freud préfère attendre de s'être familiarisé au champ phénoménal des névroses ; ici et pour notre part, nous pensons que c'est ce que peut tendre à indiquer, au lecteur français, la distinction du souhait et du désir – et ce qui la justifie.

L'argument principal de *L'interprétation des rêves,* toujours maintenu et confirmé, est d'emblée que « le rêve expose les faits tels que j'aurais souhaité qu'ils se fussent passés »[3] (le souhait de dormir lui-même en participant[4]). Certes. Mais ce souhait (d'abord conscient et renvoyant à un reste diurne) ne serait rien s'il ne rencontrait, pour s'en renforcer, un de ces désirs inconscients toujours actifs qui s'originent dans la sexualité infantile[5] – c'est pourquoi ce désir doit être censuré, le rêve déformé. Repartant des tout débuts de la vie, Freud suppose un appareil tendant d'abord à éviter les stimuli, selon le modèle d'un appareil réflexe que la vie vient troubler et complexifier, avec en premier les grands besoins « vitaux » (tels que la faim) ; s'ils peuvent, pour un temps, trouver une issue dans la motilité (cris, agita-

1. *Ibidem,* p. 803-805 (par exemple).

2. *Conférences d'introduction à la psychanalyse* (1916-1917), Paris, Gallimard, 1999, p. 291 ; *OCF* XIV, p. 233-234 ; *GW* XI, p. 233.

3. *L'interprétation des rêves* (1900a), Paris, PUF, 1967, p. 110 ; *OCF* IV, p. 154 ; *GW* II-III, p. 123.

4. *Ibidem,* p. 206 ; p. 273 ; p. 240

5. *Ibidem,* p. 470-471 ; p. 607-608 ; p. 558-559.

tion), ils ne sauraient être apaisés que par une intervention extérieure (la tétée) capable de procurer une *expérience de la satisfaction*. Chose essentielle, apparaît « une certaine perception dont l'image mnésique restera associée à la trace de l'excitation du besoin » (de la tétée et du sein, en l'occurrence), permettant que, dès le retour de celui-ci, l'image soit réinvestie afin de tenter de reconstituer l'état de première satisfaction. « C'est ce mouvement que nous appelons désir ; la réapparition de la perception est l'accomplissement du désir et l'investissement total de la perception depuis l'excitation du besoin est le chemin le plus court vers l'accomplissement du désir. »[1]

On le voit, ainsi mis en place, ces désirs nés du besoin sont les prémices de l'objet – et la reconnaissance du désir pour l'objet est ce qui va fonder le sujet. Que cela suscite une activité hallucinatoire désirante pour tenter de reproduire la satisfaction du besoin prend toute son importance de ce que celle-ci tient à l'attente d'une intervention extérieure, d'un tiers. Pour le tout petit enfant, la découverte de l'absence de la personne aimée et ardemment désirée, dont l'image mnésique a reçu un investissement intense, aboutit à transformer ce désir en une angoisse qui ne s'apaisera qu'avec le retour de la mère[2].

Pour chacun, le sein a été le premier objet de désir ; il est ainsi « le premier objet érotique, l'amour apparaît en s'étayant à la satisfaction du besoin de nourriture », et c'est parce que ce sein peut lui manquer que l'enfant en vient à le désirer, à le différencier « et le considère dès lors comme un objet ». C'est là le « prototype de toutes les relations amoureuses ultérieures », et donc de tous les désirs[3].

Nous sommes là, de fait, renvoyés à la théorie des affects – et donc de l'angoisse. On ne saurait, certes, réduire le désir à un affect, mais tout désir implique nécessairement un affect et, comme on le sait, un affect ne saurait être inconscient. Il est assez remarquable que, tout au long de son œuvre, Freud n'explicite pas ce rapprochement, si ce n'est dans le premier ouvrage, dans l'« Esquisse d'une psychologie scientifique » où il indique qu'affects et désirs ont en commun d'impliquer une augmentation de tension mais que, « dans le cas des affects, il y a

1. *Ibidem*, p. 480-482 ; p. 619-621 ; p. 570-572.

2. *Inhibition, symptôme et angoisse* (1926d [1925]), Paris, PUF, 1951, p. 62 ; *OCF* XVII, p. 253.

3. *Abrégé de psychanalyse* (1940a [1938]), Paris, PUF, 1985, p. 59 ; *OCF* XX, p. 283 ; *GW* XVII, p. 115.

libération soudaine, dans le cas des désirs accumulation » [1]. Il ne réapparaît que dans le texte ultime, l'*Abrégé de psychanalyse,* comme nous venons de le voir. Il n'en est pas moins omniprésent tout au long.

Claude LE GUEN

Désirance → Nostalgie

Désir ardent → Nostalgie

Désir inconscient → Désir et besoin

Désir nostalgique → Nostalgie

Destins des pulsions → Pulsion

Destruction (pulsions de) → Agression et destruction (pulsions)

Désunion des pulsions → Mélange et démélange (union et désunion) des pulsions

DÉTRESSES

all. : ***Hilflosigkeit.*** – angl. : *helplessness.* – esp. : *desamparo.* – ital. : *l'essere senza aiuto.* – port. : *desamparo* ou *desavoramento*

La détresse biologique est un état d'impuissance corrélatif d'un fait biologique, la prématurité du petit d'homme qui fait de lui un être dépendant de l'objet ; elle établit les premières situations de danger et suscite le besoin d'être aimé qui n'abandonnera plus l'être humain.

Cet état de détresse se retrouve sur la scène de la dépendance du moi au surmoi-idéal du moi qui a pour préalables le long état de

1. « Esquisse d'une psychologie scientifique » (1950c [1895]), *La naissance de la psychanalyse,* Paris, PUF, 1956, p. 339.

détresse et de dépendance de l'être humain à l'égard des parents, intimement lié au complexe d'Œdipe.

La détresse originaire, provoquée par le bouleversement physiologique de la naissance, est le prototype de la situation traumatique; cette expérience vécue, apportant en un bref laps de temps un considérable accroissement de stimulations, n'a pas d'autre sens qu'économique.

La détresse psychique, primaire, apparaît avec l'investissement de l'objet secourable pare-excitant; il s'agit d'un investissement intense en nostalgie à l'œuvre dans les situations d'insatisfaction.

La reconnaissance de *la réalité de sa situation de détresse* par l'être humain, confronté aux grandes puissances de la vie, lui inflige une grave blessure narcissique; elle est la motivation manifeste du besoin religieux dont la raison profonde reste le complexe paternel, enraciné dans le désir pour le père protecteur.

MISE EN SITUATION

Le terme allemand Hilflosigkeit *désigne l'état d'une personne privée de secours. La traduction adoptée dans les* Œuvres complètes *de Freud, le terme « désaide », se veut une traduction littérale mais est un néologisme proche du contresens: qu'il s'agisse de l'incapacité à s'aider soi-même, ou d'un défaut d'aide extérieure, la « désaide » naît de la détresse; elle est son corollaire mais ne saurait y être réduite. Nous préférons donc demeurer fidèles au terme utilisé jusqu'alors de « détresse ». Sa racine latine* districtio *signifie étreinte; terme qui, à la limite du somatique et du psychique, correspond bien au statut métapsychologique de* Hilflosigkeit.

Le mot allemand, comme sa traduction française, appartient à la langue commune employée par Freud tout au long de son œuvre, ce qui ne saurait suffire à lui conférer le statut de concept. Freud en fait une donnée objective, tant à l'échelle individuelle, où elle est un fait biologique lié à la prématurité du petit de l'homme, qu'à l'échelle collective où elle est corrélative de l'état d'impuissance de l'être humain face aux forces de la nature et à son destin mortel. Freud pouvait-il laisser hors du champ psychanalytique l'état de détresse, inhérent à la condition humaine jusqu'à la spécifier ?

La situation de dépendance de l'infans, par la répétition des situations de satisfaction et de manque, crée l'investissement d'objet et le lien d'amour. La détresse infantile et le besoin de protection qu'elle engendre sont à l'origine des complexes organisateurs de la vie psychique : le complexe paternel, le complexe d'Œdipe et le complexe de castration, étroitement liés l'un à l'autre. Fait biologique « d'une extrême importance », la détresse est « le préalable » à la constitution du surmoi, roc biologique sur lequel se construit tout l'édifice psychanalytique. Cependant, la détresse ne peut être pensée comme un concept purement physiologique car, situé à la jonction du psychique et du biologique, il fait bien partie du corpus de la psychanalyse qui « espère dévoiler le terrain commun à partir duquel devient compréhensible la rencontre d'une perturbation corporelle avec une perturbation psychique »[1].

On peut décrire deux versants de la détresse : biologique et psychique. La détresse « biologique », ainsi que ses états voisins que sont la détresse « originaire » et la détresse « motrice », sont à différencier de la détresse « psychique » qui témoigne de l'investissement objectal. Tous ont en commun un noyau traumatique défini par une perturbation importante de l'économie mais, dans le cas de la détresse psychique, c'est l'investissement intense de l'objet en nostalgie qui crée les modifications économiques, identiques à celles crées par « l'investissement en douleur concentré sur l'endroit du corps lésé ». L'apparition de la douleur psychique « correspond à la transformation de l'investissement narcissique en investissement d'objet »[2] *; l'investissement de la représentation de chose qui accompagne la détresse psychique ouvre l'accès à la fonction de représentance.*

La détresse biologique appartient au moi-ça indifférencié, alors que la détresse psychique témoigne d'un moi en cours de formation. La première, situation traumatique, s'accompagne d'une angoisse automatique. La seconde, situation de danger, produit le signal d'angoisse. Dans la situation exemplaire de l'angoisse du nourrisson

1. *Conférences d'introduction à la psychanalyse* (1916-1917), Paris, Gallimard, 1999, p. 27 ; *OCF* XIV, p. 15 ; *GW* XI, p. 14.

2. *Inhibition, symptôme et angoisse* (1926d), Paris, PUF, 1951, p. 101 ; *OCF* XVII, p. 286 ; *GW* XIV, p. 207.

devant l'étranger, qui répète la condition de l'angoisse lors de la naissance qui est la séparation d'avec la mère, c'est sa déception et son désir douloureux qui produisent l'angoisse. L'objet maternel psychique a remplacé la situation fondamentale biologique, dans une continuité. La détresse psychique liée au manque de l'objet inscrit la détresse humaine, biologique, dans le champ libidinal.

Concept-limite entre le biologique et le psychique, la détresse l'est aussi entre le psychique et le social. C'est à partir de la détresse adulte, qui prolonge la détresse infantile, que s'édifient les religions : « la religiosité se ramène biologiquement à la persistante incapacité de s'aider et au besoin d'aide du petit enfant » [1]*. La détresse liée à la situation d'impuissance de l'être humain face aux forces de la nature fait naître le processus de civilisation ; il appartient à la culture de décharger l'homme de la tâche de se défendre contre les forces de la nature en lui permettant d'élaborer une angoisse qui lui apparaît vide de sens ; face aux défauts de la civilisation et aux dommages qu'elle lui inflige, l'homme en appelle aux dieux. « Ainsi se trouve créé un trésor de représentations nées de la nécessité de rendre supportable la détresse humaine, édifiées à partir du matériel que sont les souvenirs de la détresse de sa propre enfance et de celle du genre humain »* [2]*. La détresse humaine est le facteur qui assure la continuité entre psychologies individuelle et collective. C'est la nécessité de trouver des recours à la détresse biologique qui fait que la psychologie individuelle est d'emblée et simultanément une psychologie sociale.*

Tout autant sinon plus que la pulsion, la détresse est un concept-limite, aux frontières des champs de la biologie, de la sociologie et de la psychologie. Démonstratif de l'interpénétration de ces différents champs, essentielle dans la pensée freudienne, la détresse a bien sa place parmi les concepts de la métapsychologie freudienne.

1. *Un souvenir d'enfance de Léonard de Vinci* (1910c), Paris, Gallimard, 1987, p. 235 ; *OCF* X, p. 149 ; *GW* VIII, p. 195.

2. *L'avenir d'une illusion* (1927c), Paris, PUF, 1971, p. 23-26 ; *OCF* XVIII, p. 156-159 ; *GW* XIV, p. 337-340.

LE TEXTE FREUDIEN

La détresse biologique, et l'objet secourable maternel

La description princeps de l'état de détresse est donnée dans l'« Esquisse d'une psychologie scientifique ». L'organisme humain, aux stades précoces, est incapable d'effectuer « l'action spécifique », seule capable de faire cesser « la tension liée à la montée constante d'excitations » provoquée par la non-satisfaction du besoin. Les cris de l'enfant attirent l'attention de la personne secourable (« qui est ordinairement l'objet désiré ») sur ses besoins et sa détresse[1]. « La voie de décharge acquiert ainsi une fonction secondaire d'une extrême importance : celle de la compréhension mutuelle. L'impuissance originelle de l'être humain devient la source première de tous les motifs moraux »[2] ; se trouvent là réunies les propriétés du concept de détresse : son origine biologique, son aspect quantitatif, ses implications – considérables puisqu'elles aboutissent aux premières rencontres avec l'objet et sont l'origine « de tous les motifs moraux ».

Dans les premiers écrits psychanalytiques trois affects sont rattachés à un tel état où l'aspect quantitatif est prévalent : – *la douleur*, qui est « le plus impérieux de tous les processus », consistant en une irruption de grandes quantités d'excitations[3] ; – *l'angoisse* (à la base des manifestations de la névrose qui porte son nom), qui correspond à une accumulation d'excitations endogènes d'origine sexuelle, que la psyché se voit incapable de régler[4] ; – *l'effroi* qui, décrit comme une expérience externe, est « la contrepartie de l'expérience primaire de satisfaction »[5].

1. « Esquisse d'une psychologie scientifique » (1950c [1895]), *La naissance de la psychanalyse*, Paris, PUF, 1986, p. 336.

2. *Ibidem*, p. 376.

3. *Ibidem*, p. 326.

4. « Qu'il est justifié de séparer de la neurasthénie un certain complexe symptomatique sous le nom de "névrose d'angoisse" » (1895b), *Névrose, psychose et perversion*, Paris, PUF, 1973, p. 31-35 ; *OCF* III, p. 49-54 ; *GW* I, p. 333-339.

5. *L'interprétation des rêves* (1900a), Paris, PUF, 1967, p. 510-511 ; *OCF* IV, p. 656 ; *GW* II-III, p. 606.

L'élément principal de cette description princeps est la nécessité de l'intervention de l'objet pour sortir l'enfant de l'état de détresse ; l'objet secourable qui aide l'enfant dans sa détresse biologique est la mère, que l'enfant apprend ainsi à aimer : « L'enfant au sein de la mère est le prototype de toute relation amoureuse »[1].

Détresse infantile et religion : introduction de la figure paternelle

Dans une lettre du 1er janvier 1910, Freud confie à Ferenczi : « l'ultime fondement des religions, c'est la détresse infantile de l'homme »[2]. Ce lien est confirmé dans *Un souvenir d'enfance de Léonard de Vinci* : « La religiosité se ramène biologiquement à la persistante incapacité de s'aider (*Hilflosigkeit*) et au besoin d'aide du petit enfant humain. » Lorsque l'adulte reconnaît son délaissement et sa faiblesse face aux grandes puissances de la vie, il retrouve le caractère sans espoir de la situation infantile, et cherche à le récuser par un recours régressif aux puissances infantiles protectrices. « C'est donc dans le complexe parental que nous reconnaissons la racine du besoin religieux »[3] ; en fait, il s'agit plutôt du complexe paternel que du complexe parental, le Dieu personnel n'étant rien d'autre qu'un père porté aux nues. Le complexe paternel a en effet un contenu fortement ambivalent, dont l'origine phylogénétique est décrite dans *Totem et tabou*[4]. L'ambivalence affective, probablement acquise pour l'humanité à la faveur du complexe paternel, se trouve à l'origine d'un grand nombre de formations sociales et la conscience morale naît probablement sur ce terrain.

1. *Trois essais sur la théorie sexuelle* (1905d), Paris, Gallimard, 1962, p. 132-133 ; *OCF* VI, p. 161 ; *GW* V, p. 124.

2. *Correspondance Sigmund Freud – Sándor Ferenczi* (1908-1914), Paris, Calmann-Lévy, 1992, p. 129, lettre du 1er janvier 1910.

3. *Un souvenir d'enfance de Léonard de Vinci* (1910c), Paris, Gallimard, 1987, p. 235 ; *OCF* X, p. 149 ; *GW* VIII, p. 195.

4. *Totem et tabou* (1912-1913a), Paris, Gallimard, 1993, p. 201-209 ; *OCF* XI, p. 362-366 ; *GW* IX, p. 177-186.

Distinction entre réalité matérielle d'une situation de détresse et réalité psychique. Prémisses d'une approche métapsychologique de la détresse

La description du *cas du président Schreber en 1911* est l'occasion d'avancer une hypothèse surprenante sur la métapsychologie de la détresse. Dans ses mémoires, le président Schreber suppose un Dieu en état de grande détresse (*Notlage*) qu'il est de son devoir de soutenir, jusqu'au sacrifice de lui-même. Freud fait l'hypothèse que le fantasme de fin du monde, de « catastrophe universelle », de Schreber est la projection d'une catastrophe interne, celle du détachement général de la libido, victoire du refoulement de la libido homosexuelle qui avait Flechsig pour objet. « La projection de ce qui a été aboli au-dedans revient du dehors ». Et Freud évoque ici l'existence de « perceptions endopsychiques de processus » [1]. La détresse apparaît ici comme la projection sur la scène extérieure (l'image de Dieu et la représentation de fin du monde) de processus psychiques correspondant à « de très importants mouvements pulsionnels ». Freud ne développe pas alors cette hypothèse (cela nécessitera de considérer le « point de vue économique », ce qui ne se fera qu'en 1915). Dès lors est affirmée la séparation entre la réalité matérielle d'une situation de détresse et sa réalité psychique.

Dans « Formulations sur les deux principes du cours des événements psychiques » (1911) est décrit un infans très éloigné de la reconnaissance de la réalité de sa situation de détresse. Le nourrisson, dans la mesure où il éprouve la satisfaction hallucinée et où il décharge la montée d'excitation par des cris et de l'agitation, est bien près de réaliser un système psychique entièrement soumis au principe de plaisir (« à condition d'y ajouter les soins maternels » [2], est-il pourtant ajouté en bas de page).

1. « Remarques psychanalytiques sur l'autobiographie d'un cas de paranoïa *(dementia paranoides)* (Le Président Schreber) » (1911c [1910]), *Cinq psychanalyses*, Paris, PUF, 1954, p. 271 et p. 314-321 ; *OCF* X, p. 240 et p. 292-301 ; *GW* VIII, p. 251 et p. 307-316.

2. « Formulations sur les deux principes du cours des événements psychiques » (1911b), *Résultats, idées, problèmes*, *I*, Paris, PUF, 1984, p. 137 ; *OCF* XI, p. 15 ; *GW* VIII, p. 233.

En 1915, dans « Pulsions et destins des pulsions », Freud donne un nom à cet état originaire, proche de « l'isolement bienheureux de la vie utérine » : il s'agit du « narcissisme intégral, dans lequel libido et intérêt du moi, encore unis et indissociables, habitent dans le moi qui se suffit à lui-même ». Pouvant désormais venir à manquer, le rôle de l'objet se voit ainsi affirmé ; le développement de l'état de narcissisme intégral, sous la domination du principe de plaisir, ne peut se faire que parce que « chaque être individuel passe par une période de détresse et de soin pendant laquelle ses besoins pressants sont satisfaits par l'intervention de l'extérieur » [1]. C'est parce que le nourrisson a besoin de l'objet, qu'il ne peut se maintenir dans son état d'« isolement bienheureux » ; lorsque l'objet ne répond pas à ses besoins, il se trouve dans un état de détresse, dont le contenu psychique reste énigmatique.

De même, « dans la phase animiste de la pensée, il n'existe pas encore d'occasion de se rendre compte que la situation réelle n'est pas du tout celle qu'on imagine » [2]. La prise en compte de la réalité de la situation d'impuissance se fera ultérieurement, avec l'apparition du phénomène psychique du doute, comme expression d'une tendance au refoulement. L'absence de correspondance entre réalité d'une situation de détresse et réalité psychique se retrouve avec la mort ; notre inconscient se comporte comme s'il était immortel et « l'angoisse de la mort, dont nous subissons la domination plus souvent que nous ne le savons nous-mêmes, est par contre quelque chose de secondaire, issu le plus souvent d'une conscience de culpabilité » [3].

La détresse originaire de l'acte de naissance, prototype de l'état traumatique

Pour pouvoir penser métapsychologiquement la détresse, il faut en venir aux apports théoriques sur le traumatisme et l'angoisse

1. « Pulsions et destins des pulsions » (1915c), *Métapsychologie*, Paris, Gallimard, 1968, p. 37 ; *OCF* XIII, p. 180 ; *GW* X, p. 227.

2. *Totem et tabou* (1912-1913a), Paris, Gallimard, 1993, p. 122 ; *OCF* XI, p. 294 ; *GW* IX, p. 104.

3. « Considérations actuelles sur la guerre et sur la mort » (1915b), *Essais de psychanalyse*, Paris, Payot, 1981, p. 30-37 ; *OCF* XIII, p. 148-153 ; *GW* X, p. 345-350.

proposés dans les *Conférences d'introduction à la psychanalyse* de 1916-1917. Lorsqu'il évoque la détresse, Freud parle d'un état qu'il ne qualifie pas, ce qui la différencie de l'angoisse, clairement définie comme « état affectif ». Mais, il semble légitime de penser que « le noyau » de l'affect d'angoisse, qui est « la répétition d'une expérience vécue déterminée, chargée de signification » [1], correspond à l'état de détresse. L'expérience déterminée, dont il s'agit là, est celle de l'impression laissée par l'acte de naissance, décrit comme un groupement de sensations de déplaisir, de motions de décharge, et de sensations corporelles.

C'est là, certes, une description un peu vague mais elle a le mérite d'être un support de représentations pour la détresse originaire. Pour faire entrer ce concept dans le corpus métapsychologique, il faut faire intervenir le point de vue traumatique, selon sa nouvelle acception économique. L'état de détresse du nouveau-né devient « le prototype de la situation traumatique », telle qu'elle sera décrite dans le tableau de la névrose traumatique, à partir de la clinique des névroses de guerre. Désormais, l'expression « état de détresse » est synonyme d'état traumatique : « Nous appelons ainsi une expérience vécue qui apporte à la vie psychique, en un bref laps de temps, un accroissement de stimulations si fort que la liquidation ou l'élaboration de celui-ci, suivant les normes habituelles, échouent, d'où résultent nécessairement des perturbations considérables dans la gestion de l'énergie » [2]. Cette définition est complétée dans *Au-delà du principe de plaisir* (1920), où Freud donne une description précise des déplacements d'excitations caractérisant l'état traumatique.

La cause de la névrose traumatique est l'effroi, état qui survient quand on tombe dans une situation dangereuse sans y être préparé par l'angoisse ; « il y a dans l'angoisse quelque chose qui protège contre l'effroi » [3]. La névrose traumatique est une conséquence d'une effrac-

1. *Conférences d'introduction à la psychanalyse* (1916-1917), Paris, Gallimard, 1999, p. 498-502 ; *OCF* XIV, p. 407-412 ; *GW* XI, p. 407-412.

2. *Ibidem*, p. 351 ; p. 285 ; p. 285.

3. *Au-delà du principe de plaisir* (1920g), *Essais de psychanalyse*, Paris, Payot, 1981, p. 50 ; *OCF* XV, p. 282 ; *GW* XIII, p. 10.

tion étendue du pare-excitations, dispositif qui permet que les excitations externes soient réduites ; sont appelées traumatiques les excitations externes assez fortes pour franchir ce dispositif. La conséquence sur l'économie psychique en est un contre-investissement considérable établi au point d'effraction, entraînant une diminution étendue du reste de l'activité psychique ; l'appauvrissement de tous les autres systèmes explique le caractère paralysant de la douleur psychique, décrite ici sur le modèle de la douleur physique. La première tâche de l'appareil psychique est la liaison des excitations qui ont pénétré par effraction ; ce temps de liaison psychique des impressions traumatiques précède l'instauration du principe de plaisir, mis hors d'action. L'absence de pare-excitations du côté intérieur fait que les transferts d'excitation interne acquièrent une grande importance économique, et l'échec de la liaison de l'excitation pulsionnelle occasionne des perturbations économiques considérables comparables à la névrose traumatique. Par la projection les excitations internes susceptibles de produire un trop grand déplaisir sont traitées comme si elles agissaient de l'extérieur, ce qui permet d'utiliser contre elles le pare-excitations[1]. Tous ces processus d'excitations, qui se produisent dans les autres systèmes que la conscience, y laissent des traces durables, des restes mnésiques dont la force et la ténacité « sont plus grandes si le processus qui les a laissés derrière lui n'est jamais venu à la conscience »[2].

La détresse sort du domaine purement biologique ; elle a maintenant une existence psychique, dans un au-delà du principe de plaisir.

La détresse en deuxième topique ; le surmoi héritier de la détresse infantile

Freud définit le surmoi comme « le résultat de deux facteurs biologiques de la plus haute importance : le long état de détresse et de dépendance infantiles de l'être humain et le fait de son complexe d'Œdipe »[3] ; ces deux facteurs sont liés l'un à l'autre dans la mesure

1. *Ibidem*, p. 71-77 ; p. 300-305 ; p. 29-34.
2. *Ibidem*, p. 66 ; p. 295-296 ; p. 24-25.
3. *Le moi et le ça* (1923b), *Essais de psychanalyse*, Paris, Payot, 1981, p. 248 ; *OCF* XVI, p. 279 ; *GW* XII, p. 264.

où le surmoi, « formation substitutive qui remplace la nostalgie pour le père »[1], s'origine dans le complexe paternel : il est la première identification, celle au père de la préhistoire personnelle, identification immédiate produite lorsque le moi était encore faible, plus précoce que tout investissement d'objet (ici, une note indique cependant qu'il serait « plus prudent de parler d'identification aux parents »[2]). Le surmoi emprunte au père, reconnu comme principal obstacle à la réalisation des désirs œdipiens, la force nécessaire à leur refoulement, devenant une formation réactionnelle énergique contre les premiers choix d'objet. Son origine dans le complexe paternel lui confère la capacité de maîtriser le moi. « Mémorial de la faiblesse et de la dépendance, qui étaient jadis celles du moi, il perpétue sa domination, même sur le moi maturé »[3].

INTÉRIORISATION DE LA SITUATION DE DÉTRESSE : LES RELATIONS DE DÉPENDANCE DU MOI

Le moi est, lui, décrit comme « une pauvre créature devant servir trois maîtres », le monde extérieur, le ça et le surmoi. La situation d'impuissance originaire, responsable de la dépendance du petit d'homme à l'objet extérieur, se répète à l'intérieur du moi sur la scène de sa dépendance aux autres instances. À ces trois relations de dépendance correspondent trois sortes de danger : danger extérieur, danger de la libido du ça, danger de la sévérité du surmoi. Le contenu des deux premiers ne saurait être précisé : « nous savons que c'est le débordement ou l'anéantissement, mais on ne peut le concevoir analytiquement »[4]. Des trois relations de dépendance du moi, celle qui le lie au surmoi est donc la plus intéressante car la seule à pouvoir être conçue analytiquement ; c'est elle que Freud va développer.

Le moi est exposé à la sévérité, voire au sadisme du surmoi qui peut devenir un maître cruel, indépendamment de l'éducation reçue. En

1. *Ibidem*, p. 249 ; p. 279 ; p. 264.
2. *Ibidem*, p. 243 ; p. 275 ; p. 259.
3. *Ibidem*, p. 262-263 ; p. 291-292 ; p. 277-278.
4. *Ibidem*, p. 271-273 ; p. 299-301 ; p. 287-289.

effet, tirant son origine de l'Œdipe, c'est-à-dire des premiers investissements d'objet, « il plonge profondément dans le ça et est pour cette raison plus éloigné de la conscience que le moi »[1]. Il peut être moral, mais avec toute l'agressivité dont le ça est capable ; il y a comme un retournement contre le moi de l'agressivité qui était tout d'abord dirigée contre les objets œdipiens. Par ailleurs, le surmoi est issu d'un processus identificatoire qui comporte une désexualisation, donc une désunion pulsionnelle et c'est la part d'agression devenue libre qui donne à l'idéal son caractère de cruauté, de devoir impératif. Dans la mélancolie, le surmoi « fait rage contre le moi avec une violence sans ménagement, comme s'il s'était emparé de tout le sadisme disponible dans l'individu » et « ce qui règne dans le surmoi est pour ainsi dire une culture pure de la pulsion de mort »[2]. Freud évoque « la peine douloureuse » du mélancolique, mais le terme « détresse » n'apparaît pas.

Tout autre est la situation dans laquelle le moi se sent abandonné par le surmoi protecteur, ce qui est le cas lorsqu'il se trouve devant un danger réel d'une grandeur telle qu'il pense ne pouvoir la surmonter par ses propres forces : alors, « il se voit abandonné de toutes les forces protectrices et se laisse mourir. C'est la même situation que celle qui a fondé le premier grand état d'angoisse de la naissance, comme de l'angoisse-nostalgie infantile de la séparation d'avec la mère protectrice ». Le « grand état d'angoisse », la détresse dont il s'agit ici, n'est pas une angoisse de mort devant un danger réel, mais une angoisse d'abandon : « L'angoisse de mort est un analogon de l'angoisse de castration » et la situation à laquelle le moi réagit est l'abandon par le surmoi protecteur qui le laisse sans défense devant tous les dangers. Freud peut alors dire que : « Vivre est pour le moi synonyme d'être aimé, être aimé par le surmoi »[3].

1. *Ibidem*, p. 263 ; p. 291 ; p. 278.
2. *Ibidem*, p. 268 ; p. 296 ; p. 283.
3. *Ibidem*, p. 274 ; p. 301 ; p. 289.

DISTINCTION SITUATION TRAUMATIQUE-SITUATION DE DANGER ; LE CONCEPT DE DÉTRESSE PSYCHIQUE

La détresse ne va plus pouvoir être réduite à la situation traumatique dont la naissance est le prototype ; elle devient inséparable de la notion de danger, qui est pleinement élaborée avec la théorisation de l'angoisse en 1925. Après avoir rappelé que la première situation de danger est l'acte de la naissance, cette « première expérience individuelle d'angoisse », Freud remarque que le danger de la naissance n'a aucun contenu psychique. Objectivement, la naissance est une séparation d'avec la mère mais pour le fœtus, absolument narcissique, l'objet mère est totalement inconnu, et la naissance ne peut en aucun cas être vécue subjectivement par lui comme une séparation d'avec elle. Il « ne peut rien enregistrer d'autre qu'une perturbation considérable de son économie psychique ». Le véritable noyau du danger est donc économique : « c'est la perturbation consécutive à l'augmentation de quantités d'excitations qui exigent d'être liquidées » ; mais, « avec l'expérience qu'un objet externe perceptible est susceptible de mettre fin à la situation dangereuse qui évoque celle de la naissance, le contenu du danger se déplace de la situation économique à ce qui en est la condition déterminante, la perte de l'objet ». Désormais, le nourrisson donnera le signal d'angoisse à la perte de la perception de l'objet, avant que le danger économique ne s'instaure. Cette transformation implique le passage d'une angoisse automatique produite comme manifestation nouvelle, à sa reproduction intentionnelle comme signal de danger. « Comme phénomène automatique, aussi bien que comme signal d'alarme, l'angoisse apparaît comme le produit de l'état de détresse psychique du nourrisson, corrélative, cela va de soi, de son état de détresse biologique » [1].

La situation du nourrisson qui perd de vue sa mère, dont il ressent l'absence sans bien la comprendre, est une situation traumatique si, à ce moment, il éprouve un besoin que la mère devrait satisfaire. Elle devient une situation de danger, si ce besoin n'est pas actuel. La perte

1. *Inhibition, symptôme et angoisse* (1926d), Paris, PUF, 1951, p. 58-63 ; *OCF* XVII, p. 249-254 ; *GW* XIV, p. 164-170.

d'amour de la part de l'objet devient ultérieurement un danger, quand l'expérience enseigne que l'objet, bien que présent, peut devenir mauvais pour l'enfant. « La situation créée par l'absence de la mère s'écarte sur un point décisif de la situation traumatique de la naissance : lors de la naissance, il n'y avait pas d'objet dont on pût ressentir l'absence »[1]. Le fait que l'angoisse du nourrisson ait pour condition la séparation d'avec la mère est un fait biologique, qui ne nécessite pas d'interprétation psychologique ; la mère, après la naissance, continue à satisfaire les besoins de l'enfant comme elle le faisait pendant la grossesse pour le fœtus, à partir de dispositifs somatiques. L'objet mère est créé par la répétition des situations de satisfaction et de répulsion. Dans le cas du besoin, cet objet subit un investissement intense en nostalgie qui, en raison de son caractère inépuisable, ne cesse d'augmenter, créant les mêmes conditions économiques qu'un investissement en douleur sur le représentant psychique de l'endroit du corps lésé. « Que le moi pâtisse d'une douleur qui ne veut pas cesser ou d'une accumulation de besoins qui ne peuvent trouver aucune satisfaction, dans les deux cas, la situation économique est la même du point de vue économique et la détresse motrice s'exprime en détresse psychique »[2].

Détresse biologique, détresse motrice, détresse psychique, trois états de la détresse ; le troisième, la détresse psychique, est ici rattaché à la douleur, créée par l'investissement intense en nostalgie de l'objet qui vient à manquer. « Le passage de la douleur corporelle à la douleur psychique correspond à la transformation de l'investissement narcissique en investissement d'objet »[3].

La situation de danger est la situation de détresse mais reconnue, remémorée, attendue. Le noyau du danger s'est déplacé, il est maintenant défini comme la reconnaissance de la détresse face à la grandeur du danger, « détresse matérielle dans le cas du danger réel, détresse psychique dans le cas du danger pulsionnel ». C'est dans cette situation d'expectation que le moi donne un signal, qui est une répétition atténuée du traumatisme. La relation de l'angoisse à l'attente renvoie

1. *Ibidem*, p. 99-100 ; p. 284-285 ; p. 202-203.
2. *Ibidem*, p. 97-101 ; p. 282-286 ; p. 201-205.
3. *Ibidem*, p. 101 ; p. 286 ; p. 206.

à la situation de danger, « son indétermination et son absence d'objet à la situation traumatique de détresse qui se trouve anticipée dans la situation de danger ». Freud inscrit la détresse dans une série : angoisse-danger-détresse (trauma).

« Le point décisif est le premier déplacement de la réaction d'angoisse, qui passe de son origine dans la situation de détresse à l'attente de celle-ci »[1]. À partir du danger de la détresse psychique par perte de l'objet, qui correspond à l'époque de l'immaturité du moi, d'autres déplacements vont s'effectuer, du danger à ce qui en est sa condition déterminante, la perte de l'objet sous les différentes formes qu'elle prend. Ainsi, au danger de la perte d'objet de la dépendance des premières années d'enfance succède le danger de la castration lors de la phase phallique, l'angoisse de perte de l'amour du surmoi (angoisse morale) lors de la période de latence, l'angoisse de mort (angoisse pour la vie) est la forme ultime prise par cette angoisse devant le surmoi alors projetée dans les puissances du destin. Toutes ces situations de danger peuvent persister côte à côte, même à des époques postérieures, et plusieurs d'entre elles peuvent agir simultanément[2]. La condition d'adulte n'est pas une protection contre le retour de la première angoisse. La compulsion de répétition du ça fait que la motion pulsionnelle refoulée suit les mêmes voies que celles autrefois refoulées et tout se passe comme si la situation de danger persistait encore. Ce qui importe, ce sont les relations quantitatives des forces psychiques qui se mesurent les unes aux autres et « il y a pour chacun une limite au-delà de laquelle son appareil psychique échoue à maîtriser les quantités d'excitations qui exigent d'être liquidées »[3].

DÉTRESSE DE L'ÊTRE HUMAIN ET PROCESSUS DE CIVILISATION

En 1927, dans *L'avenir d'une illusion*, Freud décrit les premiers pas du processus de civilisation comme déterminés par la détresse de l'être humain. La nature nous inflige des dommages, que l'homme appelle destin, et nous met sous les yeux notre faiblesse et notre

1. *Ibidem*, p. 95-96 ; p. 280-281 ; p. 199-200.
2. *Ibidem*, p. 66-67 ; p. 257 ; p. 172.
3. *Ibidem*, p. 74 ; p. 263 ; p. 180.

détresse. Le sentiment de soi de l'être humain, gravement menacé, réclame réconfort. Comment échapper à l'état d'attente angoissée et à la grave atteinte du narcissisme inhérente à cet état ? Comment se défendre contre les surpuissances de la nature ? C'est la tâche de la civilisation de l'en décharger. Elle crée « un trésor de représentations, nées du besoin de rendre supportable la détresse humaine, édifiées à partir du matériel que sont les souvenirs de la détresse de sa propre enfance et de celle du genre humain »[1].

La détresse du petit d'homme, due à sa grande prématurité, est à l'origine du développement de l'humanité en sociétés organisées par la civilisation et la culture, la religion n'étant qu'une illusion que des sociétés d'individus créent pour réaliser leurs désirs les plus anciens, en rapport avec leur sentiment d'impuissance.

Pour poursuivre son argumentation, Freud s'invente alors « un adversaire », identifié comme étant son « cher homme de Dieu », le pasteur Pfister. La question qu'il lui fait poser est cruciale pour lui puisqu'elle concerne la transformation qui se serait opérée dans sa pensée depuis l'écriture de *Totem et tabou* où il affirmait que la racine du besoin religieux était le désir pour le père. « Depuis, semble-t-il, vous avez découvert ce facteur que sont l'impuissance et la détresse humaine, auquel est bien attribué en général le rôle principal dans la formation de la religion, et voici que vous transformez en termes de détresse tout ce qui était antérieurement complexe paternel »[2]. En fait il n'y a pas contradiction dans la mesure où existent des voies de liaison entre la motivation plus profonde, « le complexe paternel », et la motivation manifeste, le besoin de protection de l'homme en rapport avec sa détresse. Freud fait alors apparaître la figure de la mère, l'associant au choix d'objet selon le type par étayage : la libido s'attache aux objets qui assurent la satisfaction des besoins narcissiques, et « c'est ainsi que la mère, qui satisfait la faim, devient le premier objet d'amour et certainement aussi la première protection contre tous les dangers indéterminés qui menacent l'enfant dans le

1. *L'avenir d'une illusion* (1927c), Paris, PUF, 1971, p. 16-19 ; *OCF* XVIII, p. 156-160 ; *GW* XIV, p. 336-342.

2. *Ibidem*, p. 23 ; p. 163 ; p. 344.

monde extérieur, elle devient, osons-nous dire, le premier pare-angoisse »[1]. Le père n'est ici que second ; il devient le relais de la mère pour assurer cette fonction protectrice qu'il conservera. Mais la relation au père, autant désiré et admiré que redouté, est fortement ambivalente : « Le père était lui-même un danger, qui remonte peut-être au rapport antérieur à la mère »[2].

Voué à rester toujours un enfant, l'homme ne peut se passer de soutien ; il se crée des dieux, dont il a peur et qu'il cherche à se gagner, transférant sur eux les traits de la figure paternelle dont il espère la protection. « La défense contre la détresse de l'enfant confère à la religion ses traits caractéristiques », mais « le motif du désir pour le père est identique au besoin de protection contre les conséquences de l'impuissance humaine »[3].

L'avenir d'une illusion était adressé à Romain Rolland, qui lui répond en exprimant son regret qu'il eut négligé ce qui lui apparaît comme la source réelle de la religiosité : un sentiment particulier, « la sensation de “l'éternité”, de quelque chose sans limites, sans fin, pour ainsi dire *océanique* ». Freud, embarrassé par cette proposition, accepte toutefois l'existence de ce sentiment qu'il relie à l'aspiration à restaurer l'état de narcissisme illimité du nourrisson. Il admet que « principe de plaisir et religion pourraient bien se rejoindre en ces régions lointaines où l'on néglige de distinguer le moi des objets et ceux-ci les uns des autres ». Mais il maintient sa position : le besoin religieux est à rattacher à l'état de détresse infantile et à la nostalgie du père qui l'accompagne. « Je ne saurai indiquer un besoin provenant de l'enfance aussi fort que celui de la protection par le père ». Le rôle du sentiment océanique est écarté du premier plan ; « c'est jusqu'au sentiment de détresse infantile que l'on peut suivre, d'un trait sûr, l'origine de la position religieuse ». Freud admet cependant que ce sentiment put se trouver, après-coup, mis en relation avec la religion : « Être un avec le tout » serait « comme une tentative de conso-

1. *Ibidem*, p. 24 ; p. 164 ; p. 346.
2. *Ibidem*.
3. *Ibidem*.

lation religieuse, comme une autre voie pour dénier le danger dont le moi reconnaît la menace venant du monde extérieur »[1].

Retour sur le trauma ; détresse et facteur traumatique

Dans les *Nouvelles conférences d'introduction à la psychanalyse* de 1933, Freud pose à nouveau la question essentielle : « Quelle est en fait la chose dangereuse, redoutée, dans une telle situation de danger ? » interroge-t-il, à propos du danger extérieur. L'essentiel n'est pas le dommage jugé d'un point de vue objectif, mais bien ce que la situation provoque dans la vie psychique. L'essentiel dans la naissance, prototype de l'état d'angoisse, est qu'« elle provoque, dans le vécu psychique, un état d'excitation et de tension ressenti comme déplaisir et dont on ne peut se rendre maître par une décharge ». Un tel état est appelé facteur traumatique. Nous arrivons à une proposition simple : « ce qui est redouté, l'objet de l'angoisse, est, à chaque fois, l'apparition d'un facteur traumatique qui ne peut être liquidé selon les normes du principe de plaisir ». Freud établit une nouvelle série : angoisse névrotique-angoisse réelle-situation de danger[2].

Le terme de détresse, éliminé de ce nouveau développement sur le danger, est remplacé par celui de « facteur traumatique » ; c'est uniquement la grandeur de la somme d'excitations qui fait d'une impression un facteur traumatique. Il devient alors possible de dire que de tels facteurs traumatiques se constituent dans la vie psychique sans relation avec des situations de danger connues. L'angoisse surgit alors avec une motivation nouvelle, et n'est pas éveillée comme signal d'une ancienne situation de danger ; il y a « une double origine de l'angoisse, tantôt comme conséquence directe du facteur traumatique, tantôt comme signal indiquant qu'il y a menace de réapparition d'un tel facteur »[3]. À l'état de détresse, désigné maintenant comme facteur

1. *Malaise dans la civilisation* (1930a), Paris, PUF, 1971, p. 15-16 ; *OCF* XVIII, p. 257-258 ; *GW* XIV, p. 430.

2. *Nouvelles conférences d'introduction à la psychanalyse* (1933a), Paris, Gallimard, 1984, p. 127 ; *OCF* XIX, p. 176 ; *GW* XV, p. 100.

3. *Ibidem*, p. 128 ; p. 177, p. 101.

traumatique, répond l'angoisse automatique, alors que l'anticipation de la détresse déclenchera le signal d'angoisse.

La détresse : un échec des mécanismes de défense du moi

L'*Abrégé* de 1938 décrit un moi faible, obligé de déployer des mécanismes de défense parfois considérables pour assurer sa propre sécurité, c'est-à-dire pour ne pas tomber dans un état de détresse. Ce sont des disharmonies quantitatives qui sont responsables des états de souffrance, de détresse et d'impuissance psychique ; quand les forces pulsionnelles sont trop excessives, quand les excitations « extérieures » sont trop puissantes, le moi peut être incapable de remplir « sa mission, qui est la conservation de soi ». Les forces internes ne peuvent l'anéantir, mais elles risquent de détruire son organisation dynamique particulière, ramenant le moi à n'être plus qu'une fraction du ça. Par ailleurs, le moi peut avoir appris par expérience que la satisfaction d'une exigence pulsionnelle pouvait devenir un danger. Ainsi, le moi lutte sur deux fronts : contre un monde extérieur qui risque de le détruire, et contre un monde intérieur bien trop exigeant. Si la protection des parents écarte bien de l'enfant les périls extérieurs, il paye cette sécurité par l'angoisse de perdre leur amour, « perte d'amour qui le livrerait sans défense à tous les dangers du dehors »[1]. C'est l'occasion pour Freud de répéter que le moi doit son origine à ses relations avec le monde extérieur ; les états pathologiques du moi se fondent sur le relâchement, voire la cessation de ces rapports. Alors le moi se rapproche à nouveau du ça – et c'est ce qui se passe dans la psychose : le moi du psychotique se détache de la réalité, la dénie. Le moi infantile se sert pareillement du déni pour supprimer les perceptions qui lui révèlent les exigences du monde extérieur, dénis qui sont toujours des demi-mesures. « Le rejet est toujours doublé d'une acceptation », et ainsi s'instaurent deux attitudes opposées aboutissant à un clivage du moi[2]. Là encore, il en résulte un rapport de force entre elles ; c'est alors une question d'intensité. Mais, « que le moi, pour se

1. *Abrégé de psychanalyse* (1940a), Paris, PUF, 1949, p. 76 ; *OCF* XX, p. 297 ; *GW* XVIII, p. 131.

2. *Ibidem*, p. 74-80 ; p. 296-302 ; p. 129-135.

défendre d'un danger, dénie une partie du monde extérieur ou qu'il veuille repousser une exigence pulsionnelle de l'intérieur, en dépit de tous ses efforts défensifs sa réussite n'est jamais totale, absolue »[1]… et la détresse, signant son échec, n'est jamais très loin !

QUESTIONS ET ENJEUX

La détresse du petit d'homme, liée à sa prématurité, fait de lui un être impuissant. C'est là une donnée biologique, sur laquelle la psychanalyse n'a, en principe, rien à dire. Mais ce fait biologique ayant pour corollaire la nécessité du recours à un objet « secourable », le constat de la détresse humaine est « d'une extrême importance » puisqu'il fonde, de fait, tout l'édifice métapsychologique. Deux questions se posent alors : Quel est cet objet secourable ? Quelles sont les hypothèses métapsychologiques engagées par ce concept ?

L'objet secourable

À la détresse absolue, originaire, de l'acte de naissance succède l'état de détresse primaire du petit enfant, liée à son incapacité à mettre fin par ses propres moyens à la tension interne créée par le besoin. Son cri de détresse convoque « l'objet secourable » qui, lorsqu'il vient à manquer, devient objet désiré – et la satisfaction hallucinatoire du désir est une première solution à la détresse face au manque ; mais c'est là une solution précaire et décevante puisque la satisfaction attendue ne se produit pas, et l'état de détresse ne fait qu'augmenter avec l'insatisfaction hallucinatoire. Mais une ouverture à la vie fantasmatique a ainsi été créée, premier témoignage de l'importance de l'état de détresse pour la vie psychique.

La détresse biologique est à l'origine du désir ardent de retrouver l'objet de satisfaction, la mère qui est ainsi le premier objet d'amour. Il y a un lien étroit entre la détresse primaire et le désir nostalgique qui produit l'angoisse-nostalgie, ressentie devant le visage d'un

1. *Ibidem*, p. 80 ; p. 302 ; p. 135.

étranger. Ce lien passe par la douleur, trait d'union entre la vie organique et la vie psychique. L'apparition de la douleur psychique « correspond à la transformation de l'investissement narcissique en investissement d'objet ». L'investissement d'objet, c'est-à-dire « l'investissement de chose de l'objet, premier et véritable investissement d'objet »[1], ouvre à la capacité de représentation ; il marque la naissance du moi et de la vie psychique. Dans l'*Abrégé de psychanalyse*, Freud confirme la fonction du manque dans la constitution de l'objet-sein, premier objet érotique, par étayage de l'amour sur la satisfaction du besoin, puis de l'objet-mère qui « devient pour les deux sexes l'objet du premier et du plus puissant des amours, prototype de toutes les relations amoureuses ultérieures »[2].

Mais, dès 1910, dans *Un souvenir d'enfance de Léonard de Vinci*, le rôle protecteur et secourable est dévolu au père ; dans *Totem et tabou*, c'est à lui que s'adresse ce désir ardent douloureux qui définit la nostalgie, alors mise ici en relation avec son meurtre. Quand Freud établit le lien étroit entre détresse et religion, il évoque la nécessité pour l'adulte de « récuser le caractère sans espoir de son impuissance par un recours régressif à la protection des puissances infantiles protectrices »[3]. La racine du besoin religieux, qui se ramène biologiquement à la persistante incapacité de s'aider du petit enfant, est le complexe paternel et non le complexe parental. Ce recours au père demeure une constante dans l'œuvre freudienne. « L'impression d'effroi liée à la détresse de l'enfant a éveillé le besoin de protection – protection par l'amour – auquel le père a répondu par son aide »[4] et on « ne saurait indiquer un besoin provenant de l'enfance aussi fort que celui de la protection par le père »[5].

1. « L'inconscient » (1915c), *Métapsychologie*, Paris, Gallimard, 1968, p. 118 ; *OCF* XIII, p. 240 ; *GW* X, p. 300.

2. *Abrégé de psychanalyse* (1940a), Paris, PUF, 1949, p. 59 ; *OCF* XX, p. 283 ; *GW* XVIII, p. 115.

3. *Un souvenir d'enfance de Léonard de Vinci* (1910c), Paris, Gallimard, 1987, p. 157 ; *OCF* X, p. 149 ; *GW* VIII, p. 195.

4. *L'avenir d'une illusion* (1927c), Paris, PUF, 1971, p. 30 ; *OCF* XVIII, p. 170 ; *GW* XIV, p. 352.

5. *Malaise dans la civilisation* (1930a [1929]), Paris, PUF, 1971, p. 6 ; *OCF* XVIII, p. 250 ; *GW* XIV, p. 422.

Et la mère ? Certes, elle est le premier objet d'amour, mais elle est aussi la première séductrice, et Freud semble ne lui conférer un rôle protecteur premier que par le biais de « dispositifs » somatiques. C'est un fait biologique, « la mère qui d'abord avait satisfait tous les besoins du fœtus par les dispositifs de la grossesse, continue, après la naissance encore, à remplir les mêmes fonctions »[1]. Et Freud, lorsqu'il évoque un rôle protecteur maternel autre que biologique : « La mère, qui satisfait la faim, devient le premier objet d'amour et certainement aussi la première protection contre tous les dangers indéterminés qui menacent l'enfant dans le monde extérieur, elle devient aussi, osons-nous dire, le premier pare-angoisse »[2]. Cette timide assertion est d'ailleurs immédiatement relativisée : « dans cette fonction, la mère est bientôt relayée par le père, plus fort »[3]. Le relais de la mère par le père ne va toutefois pas de soi, puisqu'il amène Freud, comme souvent dans les questions complexes, à imaginer un interlocuteur, qui n'est autre que lui-même. « Et voici que vous transformez en détresse tout ce qui était antérieurement complexe paternel », fait-il dire à son détracteur à propos de l'origine de la religion. Deux directions possibles, celle du « continent noir » de la détresse, du maternel, donc du préœdipe, et/ou celle de « la victoire de la vie de l'esprit sur la vie sensorielle », du complexe paternel, donc des complexes d'Œdipe et de castration. À l'évidence Freud a opté pour le second de ces deux ensembles théoriques à la fois complémentaires et divergents (à plusieurs reprises cependant il corrige son orientation « côté père » par le rappel de la place à attribuer aux « deux parents », ce qui est peut-être une façon de rappeler, par le biais du complexe parental, la position centrale du complexe d'Œdipe). Quoi qu'il en soit, le rôle de la mère dans sa fonction protectrice contre la détresse infantile s'efface devant la primauté de l'ordre patriarcal.

Mais ce rôle protecteur donné en priorité au père, celui de la préhistoire individuelle comme d'ailleurs celui de la préhistoire collective de l'humanité, est frappé du sceau de l'ambivalence. Le père protecteur (dont Dieu est l'image transcendée), aimé, admiré, à qui l'enfant se

1. *Inhibition, symptôme et angoisse* (1926d), Paris, PUF, 1951, p. 62 ; *OCF* XVII, p. 254 ; *GW* XIV, p. 169.

2. *L'avenir d'une illusion* (1927c), Paris, PUF, 1971, p. 24 ; *OCF* XVIII, p. 164 ; *GW* XIV, p. 346.

3. *Ibidem.*

soumet, est aussi le modèle envié qui suscite la peur et envers qui est éprouvée une haine meurtrière. Dans *L'avenir d'une illusion*, après avoir rappelé que le père était affecté d'une ambivalence particulière, Freud évoque un père qui « était lui-même un danger, qui remonte peut-être au rapport antérieur à la mère » [1]. En deuxième topique, ce père apparaît sous la forme du surmoi, présentant les mêmes contradictions ; en effet, d'une part il « représente la même fonction de protection et de salut que, jadis, le père » [2] et, d'autre part, il est porteur des motions agressives dangereuses, qu'il tire à lui pour les transformer en sadisme envers « le pauvre moi ». Ainsi « l'objet secourable » sans cesse se dérobe : la mère est trop excitante pour être protectrice, le père trop haï pour que l'enfant puisse être assuré de son amour, et le surmoi qui les représente trop porteur d'une pulsion de mort toujours menaçante.

Hypothèses métapsychologiques du concept de détresse

La notion de détresse biologique

Dans *Le moi et le ça*, Freud décrit un moi menacé de trois sortes de danger, le danger extérieur, le danger de la libido du ça, et le danger de la sévérité du surmoi. Seul ce dernier danger peut être conçu analytiquement, puisque son noyau est la castration et que le moi peut s'en protéger en tirant le signal d'alarme de l'angoisse de castration. Par contre, ce que le moi redoute des deux premiers ne saurait être précisé : « nous savons que c'est le débordement ou l'anéantissement, mais on ne peut le concevoir analytiquement » [3]. Débordement, anéantissement, deux figures de la détresse qui pour Freud, en 1923, seraient hors du champ analytique. De fait, la détresse est-elle un concept psychanalytique ? C'est là une question qui se trouve posée en filigrane tout au long de l'œuvre.

Certes la psychanalyse n'a rien à dire sur la situation réelle de détresse de l'être humain, que ce soit à sa naissance du fait de sa prématurité, ou à l'âge adulte, du fait de son impuissance face aux

1. *Ibidem.*

2. *Le moi et le ça* (1923b), *Essais de psychanalyse*, Paris, Payot, 1981, p. 274 ; *OCF* XVI, p. 301 ; *GW* XII, p. 289.

3. *Ibidem*, p. 273 ; p. 301 ; p. 289.

« grandes puissances de la vie ». Mais Freud ne cesse de rappeler qu'à la réalité d'une situation de détresse objectivable ne répond pas la réalité psychique de la détresse ; l'angoisse de l'enfant devant un danger réel n'est pas instinctive ; l'angoisse infantile, qui a peu à voir avec l'angoisse réaliste, se rapproche de l'angoisse névrotique des adultes. De même, « l'angoisse de la mort, dont nous subissons la domination plus souvent que nous ne le savons nous-mêmes, est par contre quelque chose de secondaire, issu le plus souvent d'une conscience de culpabilité »[1] ; se jouant entre moi et surmoi, elle ne correspond pas à la réalité d'un danger de mort. Le danger réel, extérieur, doit passer par une intériorisation pour pouvoir prendre sens pour le moi : « Il faut qu'il ait été reconnu dans sa relation à une situation vécue de détresse »[2] ; il faut que la non-perception de l'objet ait été reconnue dans sa relation avec une situation biologique de détresse pour que l'absence de l'objet devienne un danger pour le moi. L'objet maternel investi, devenu objet psychique, remplace alors, dans une continuité, la situation fondamentale biologique, et l'état de détresse psychique du nourrisson fait suite à son état de détresse biologique. L'état de détresse biologique, celui d'avant la naissance de l'objet, donc d'avant la naissance d'un moi capable de l'investir, n'est-il qu'un roc, servant d'étayage à la construction du psychisme, ou bien la détresse dite biologique a-t-elle un contenu psychique ? Dans ce cas, quel est-il ?

Le danger réel de l'acte de naissance n'a aucun contenu psychique et n'est donc pas un danger psychique pour le fœtus qui ne peut « rien enregistrer d'autre qu'une perturbation considérable dans l'économie de sa libido narcissique »[3]. Ce « rien… d'autre » n'est-il pas, précisément, la détresse dite biologique ? La détresse biologique, alors confondue avec le trauma, se trouverait donc bien inscrite sur le versant psychique, selon un point de vue spécifiquement économique. Mais Freud établit une nouvelle distinction entre « facteur traumatique » économique, et « facteur biologique » qui est justement l'état de détresse et de dépendance prolongée du petit de l'homme ; celui-ci crée « les conditions dans lesquelles les forces psychiques se mesurent

1. « Considérations actuelles sur la guerre et sur la mort » (1915b), *Essais de psychanalyse*, Paris, Payot, 1981, p. 36 ; *OCF* XIII, p. 151 ; *GW* X, p. 351.

2. *Inhibition, symptôme et angoisse* (1926d), Paris, PUF, 1951, p. 97 ; *OCF* XVII, p. 282 ; *GW* XIV, p. 201.

3. *Ibidem*, p. 59 ; p. 250 ; p. 165.

les unes aux autres »[1]. En remplaçant le terme « détresse » par celui de « facteur », Freud opère un nouveau déplacement, cette fois du psychique vers le biologique, montrant qu'il ne peut se passer du « roc » du biologique sur lequel il a édifié toute sa construction du fonctionnement psychique.

La détresse dite « biologique » disparaît-elle pour autant du corpus psychanalytique ? Ne peut-il y avoir une approche métapsychologique de ce concept aux confins du psychisme ? Dans la description du *cas du président Schreber*, Freud évoque une perception endopsychique de processus correspondant à de très importants mouvements pulsionnels, à savoir le détachement général de la libido objectale. C'est une catastrophe interne, projetée à l'extérieur sous la forme d'un fantasme de « catastrophe universelle ». La « catastrophe » interne correspond ici à des déplacements considérables de la pulsion de vie de son pôle libidinal objectal à son pôle narcissique. Freud revient sur cette question dans son œuvre testamentaire de 1938, l'*Abrégé de psychanalyse*, en décrivant les « auto-perceptions qui régissent despotiquement le cours des phénomènes à l'intérieur du ça ». Celui-ci, qui aurait son propre univers de perception, « ressent avec une extraordinaire acuité certaines modifications à l'intérieur de lui-même »[2]. N'est-ce pas là une approche du « débordement » ou de « l'anéantissement » du moi lorsque, détruit dans « son organisation dynamique particulière » par les forces internes, il risque d'être « ramené à n'être plus qu'une fraction du ça » ? Le moi est alors soumis à « des transferts d'excitation » capables d'occasionner des perturbations économiques comparables aux névroses traumatiques. Freud revient finalement à la notion de détresse, considérant que ce sont ces « disharmonies quantitatives » qui entrent dans « l'étiologie de tous les états de souffrance, de détresse et d'impuissance psychique »[3].

Détresse et destructivité. Le problème du masochisme

De telles perturbations sont le fait de « l'échec de la liaison de l'excitation pulsionnelle » qui arrive alors sous forme de processus primaire. Selon la dernière théorie pulsionnelle, la fonction de liaison est

1. *Ibidem*, p. 82 ; p. 268 ; p. 185.

2. *Abrégé de psychanalyse* (1940a), Paris, PUF, 1949, p. 73 ; *OCF* XX, p. 302 ; *GW* XVIII, p. 476.

3. *Ibidem*, p. 53 ; p. 287 ; p. 463.

dévolue à la pulsion de vie et la nouvelle dualité pulsionnelle oppose la pulsion de vie, force de liaison, à la pulsion de mort, briseuse des rapports. Les deux pulsions se mélangent en proportions variables et des désunions des pulsions sur une large échelle provoquent « la libération de quantités excessives de pulsion de destruction tournée vers le dedans »[1]. La question de la pulsion de mort, introduite par le sentiment de culpabilité inconscient et le besoin de punition tels qu'ils s'expriment dans la réaction thérapeutique négative, bouleverse la conception de la relation de dépendance du moi au surmoi. Celle-ci est désormais envisagée sous l'angle du sadisme et du masochisme, « deux excellents exemples du mélange des deux sortes de pulsion, de l'Éros avec l'agressivité »[2].

Se pose alors la question des rapports complexes de la détresse et de la destructivité en lien avec le masochisme qui représente une menace vitale parce qu'il provient de la pulsion de mort et correspond à la part de celle-ci qui a échappé à la déflexion vers l'extérieur comme pulsion de destruction. « Si la douleur et le déplaisir peuvent être en eux-mêmes des buts, et non plus des avertissements, le principe de plaisir est paralysé, le gardien de notre vie psychique est comme sous l'effet d'un narcotique »[3]. La mise hors jeu du principe de plaisir, gardien de vie, commune au masochisme comme au traumatique, nous permet-elle de penser la détresse, en termes d'auto-destructivité ? Mais, « même l'autodestruction de la personne ne peut se produire sans satisfaction libidinale »[4]. Y aurait-il une jouissance de la détresse, comme il y a une jouissance de la douleur, sentiment qui s'y rapporte le plus ? C'est difficile à imaginer, mais le problème économique du masochisme bouleverse toute la métapsychologie et le concept de détresse ne peut échapper à cette profonde remise en cause.

Sentiment « inconscient » de détresse et détresse consciente

Tous ces processus se déroulent à l'intérieur du ça et témoignent d'un psychisme en péril. La détresse apparaît au point de rupture de

1. *Ibidem*, p. 49 ; p. 273 ; p. 457.

2. *Nouvelles conférences d'introduction à la psychanalyse* (1933a), Paris, Gallimard, 1984, p. 141 ; *OCF* XIX, p. 187 ; *GW* XV, p. 111.

3. « Le problème économique du masochisme » (1924c), *Névrose, psychose et perversion*, Paris, PUF, 1973, p. 287 ; *OCF* XVII, p. 11 ; *GW* XIII, p. 371.

4. *Ibidem*, p. 294 ; p. 18-19 ; p. 379.

l'équilibre des forces qui assure la continuité de la vie psychique. Peut-on parler d'un sentiment de détresse inconscient, sur le modèle du sentiment de culpabilité inconscient ? N'est-ce pas ce que Freud suggère quand il évoque, à propos du cas Schreber, une détresse projetée sur l'image de Dieu et la représentation de fin du monde ? L'hypothèse de l'existence d'un sentiment de détresse inconscient amène à interroger celle d'un sentiment conscient de détresse – question qui semble paradoxale, tant le terme si banal de détresse « parle » à chacun.

La détresse peut légitimement nous apparaître comme un déplaisir majeur. Or, lorsque Freud compare les différents affects de déplaisir, il cite l'angoisse, la peur, l'effroi, la douleur, le deuil… mais jamais la détresse. La naissance est dite expérience prototypique de l'angoisse, non de la détresse. Cela signifierait-il que Freud ne donne pas à la détresse le statut d'affect ? Effectivement, il précise que la référence à l'économique, voire au quantitatif, qui définit la détresse lorsqu'elle est rapportée au trauma, s'accorde mal au terme de sentiment, bien trop qualitatif. Cependant, la notion de « sentiment de détresse » apparaît une fois sous sa plume, en 1930 : « C'est jusqu'au sentiment (*Gefuhl*) de détresse infantile que l'on peut suivre d'un trait sûr l'origine de la position religieuse » [1]. Ce sentiment, pour exister, passe par la reconnaissance de la réalité de la situation de détresse infantile, de son caractère sans espoir. Or le petit enfant, dans son état de narcissisme absolu, n'a aucune connaissance de sa situation d'impuissance et de détresse ; la prise en compte de cette dure réalité est le résultat du travail des pulsions du moi, éduquées par « l'institutrice nécessité », au cours duquel le principe de plaisir est remplacé par le principe de réalité. « Du principe de plaisir à la pulsion de conservation, le chemin est encore long, il s'en faut de beaucoup que leurs desseins coïncident dès le début » [2]. Le passage au principe de réalité suppose un moi capable d'ajourner la décharge de la satisfaction et donc de supporter le déplaisir de la douleur.

L'expérience d'insatisfaction est une dure expérience vitale au cours de laquelle s'établissent les liaisons des premiers processus

1. *Malaise dans la civilisation* (1930a), Paris, PUF, 1971, p. 16 ; *OCF* XVIII, p. 258 ; *GW* XIV, p. 430.

2. *Nouvelles conférences d'introduction à la psychanalyse* (1933a), Paris, Gallimard, 1984, p. 127 ; *OCF* XIX, p. 176 ; *GW* XV, p. 100.

de pensée, qui transforment les grandes quantités en petites quantités, et ainsi en qualités : « Penser, c'est agir à titre d'essai avec de petites quantités d'énergie »[1]. Le sentiment de détresse, né de la reconnaissance d'une situation vécue de détresse, correspond à la transformation d'une situation traumatique en situation de danger. Le « noyau du danger » est reconnu comme étant « manifestement l'évaluation de la faiblesse de nos forces eu égard à la grandeur du danger. C'est la reconnaissance de notre détresse face à elle, détresse matérielle dans le cas du danger réel, détresse psychique dans le cas du danger pulsionnel »[2]. Le terme « sentiment de détresse » paraît éloigné de la notion d'affect, avec la décharge qu'elle implique ; le sentiment de détresse correspond ici à une prise en compte d'une dure réalité qui suppose un travail de secondarisation et de liaison par les pulsions libidinales d'autoconservation.

La reconnaissance de la dimension tragique de l'existence est une grave blessure narcissique, pour l'individu, comme pour l'humanité, et « le sentiment de soi, gravement menacé, réclame réconfort ». En apportant ses illusions par la promesse d'une vie éternelle, la religion s'empare de cette fonction ; elle est ainsi la « phase névrotique de l'humanité », en opposition à « la phase scientifique », phase de sa maturité ; avec celle-ci, « il n'y a plus place pour la toute-puissance de l'homme qui a reconnu sa petitesse et s'est résigné à sa mort, comme il s'est soumis à toutes les dures réalités naturelles »[3]. La détresse est inhérente à la condition de tout être vivant, mais sa reconnaissance est le privilège de l'homme. Alors, quand « la mort ne se laisse plus dénier »… « la vie, certes, est redevenue intéressante, elle a retrouvé tout son contenu »[4].

Françoise CRIBIER

1. *Ibidem*, p. 122 ; p. 173 ; p. 96.

2. *Inhibition, symptôme et angoisse* (1926d), Paris, PUF, 1951, p. 95 ; *OCF* XVII, p. 280 ; *GW* XIV, p. 199.

3. *Totem et tabou* (1912-1913a), Paris, Gallimard, 1993, p. 127 ; *OCF* XI, p. 298 ; *GW* IX, p. 108.

4. « Considérations actuelles sur la guerre et sur la mort » (1915b), *Essais de psychanalyse*, Paris, Payot, 1981, p. 256 ; *OCF* XIII, p. 145 ; *GW* X, p. 344.

Deuil → Mélancolie, deuil, manie

Devenir-conscient → Conscience, conscient, perception

DUALISME

all. : ***Dualismus.*** – angl. : *dualism.* – esp. : *dualismo.* – ital. : *dualismo.* – port. : *dualismo*

Le dualisme est la coexistence de deux principes premiers, opposés et irréductibles. Freud le situe comme « pulsionnel » (d'abord entre pulsions du moi et pulsions sexuelles, pour aboutir finalement à l'Éros et la pulsion de mort) ; il l'étend, de fait, à la compréhension et à la description de la structure et du fonctionnement psychique dans son ensemble, pour sous-tendre nombre de processus et organisations psychiques mettant en œuvre des oppositions et des conflits. Pareille conception prend ainsi valeur heuristique.

MISE EN SITUATION

Lorsque Freud use du terme, bien plus que selon son acception philosophique, il le fait en référence aux sciences naturelles ; d'aucune façon, il ne saurait s'agir du dualisme métaphysique qui oppose l'esprit au corps, l'âme immortelle à la chair périssable (cette acception est d'ailleurs utilisée dans Totem et tabou [1] *pour qualifier les croyances animistes) : de ce dernier point de vue, le freudisme est* ***strictement moniste.*** *Il y a là une certaine ambiguïté sémantique avec laquelle il convient d'être au clair afin d'éviter de graves malentendus ; nous en discuterons dans la partie « Questions et enjeux ».*

Explicitement, Freud use du terme de « dualisme » de façon parcimonieuse. En revanche, l'idée est extrêmement présente dans de nombreux concepts et notions dans leur usage proprement psychana-

1. *Totem et tabou* (1912-1913a), Paris, Gallimard, 1993, p. 190 et 216 ; *OCF* XI, p. 284 et 304 ; *GW* IX, p. 95 et 115.

lytique. Citons ici les principaux, en renvoyant à leurs entrées propres : il s'agit des conflits psychiques et des diverses polarités, d'actif-passif et masculin-féminin, de plaisir-déplaisir et amour-haine, de l'attraction-répulsion dans le refoulement, des couples d'opposés sadisme-masochisme et voyeurisme-exhibitionnisme, sans compter les termes qui se spécifient par la juxtaposition de deux tendances, telles ambivalence et bisexualité.

Dans cet article, nous nous en tiendrons aux seules mentions explicites du terme.

LE TEXTE FREUDIEN

Le dualisme apparaît pour la première fois en 1912 ; il le fait selon son acception philosophique lors d'une intervention de Freud à une séance de la Société psychanalytique de Vienne où, sans s'en expliquer davantage, il remarque que s'il devait choisir entre les conceptions du monde des philosophes, il pourrait seulement se qualifier de dualiste[1].

Mais c'est à partir de **1920**, avec l'introduction d'une pulsion de mort pour s'opposer à celle de vie (Éros) – ce qu'il désigne comme son « **nouveau dualisme pulsionnel** » – que Freud se fait ainsi particulièrement explicite, et plus spécialement dans *Au-delà du principe de plaisir*. Il remarque d'abord qu'avec l'opposition pulsions de mort-pulsions de vie, « sans y prêter attention », il est entré dans la philosophie d'Arthur Schopenhauer[2]. Il rappelle ensuite que sa « conception était dès le début dualiste, et elle l'est encore aujourd'hui de façon plus tranchée » ; certes, l'analyse n'a pu prouver que la seule existence de pulsions libidinales, mais cela ne saurait suffire à exclure qu'il en

1. *Les premiers psychanalystes (minutes de la Société psychanalytique de Vienne)* (1983a), Paris, Gallimard, 1983, t. IV (1912-1918), p. 162-163 (séance du 11 décembre 1912).

2. *Au-delà du principe de plaisir* (1920g), *Essais de psychanalyse*, Paris, Payot, 1981, p. 96-97 ; *OCF* XV, p. 322-323 ; *GW* XIII, p. 53.

existe d'autres. Si seulement, s'exclame-t-il, nous parvenions à mettre en relation la grande opposition pulsions de vie-pulsions de mort avec cette autre que nous montre l'amour d'objet sous la forme de la polarité de l'amour (tendresse) et de la haine (agressivité), et si nous pouvions ramener ces deux polarités l'une à l'autre[1] !

Trois ans plus tard, remarquant que, si nous devions nous interroger sur la question cosmologique de l'origine de la vie d'après son but et son intention, « elle recevrait une réponse dualiste », il en vient à constater que, avec constance, **« les motions pulsionnelles dont nous pouvons suivre la trace, se révèlent être des rejetons de l'Éros ».** Voilà qui pourrait bien nous rendre « difficile de maintenir notre dualisme fondamental », en dépit de ce qu'il a pu avancer dans *Au-delà du principe de plaisir* et de la découverte que des éléments sadiques contribuent à l'Éros – « mais nous sommes forcés de maintenir cette conception », et nous devons conclure à la mutité des pulsions de mort, tout le bruit de la vie provenant d'Éros, pour l'essentiel[2]. Ce « dualisme fondamental », pulsionnel avant tout, est réaffirmé en 1925, dans « Résistances à la psychanalyse »[3].

En 1937, dans l'un de ses tout derniers textes, Freud constate, avec une certaine nostalgie, que sa « théorie dualiste » instaurant une pulsion de mort, de destruction ou d'agression à côté de l'Éros de la libido, « a trouvé en général peu d'écho et ne s'est pas vraiment imposée, même parmi les psychanalystes ». Cette théorie, en ramenant la pulsion de destruction à la pulsion de mort, entendait « poser les bases en quelque sorte biologiques du principe de "lutte" »[4] – mais Freud ne s'étend pas sur les résistances des analystes à accepter pareille idée.

Si l'année suivante l'*Abrégé de psychanalyse* évoque bien « les deux pulsions fondamentales qui sont antagonistes ou combinées » – qui nous entraînent, par la spéculation, « au-delà du domaine de la vie,

1. *Ibidem,* p. 101 ; p. 326-327 ; p. 57.

2. *Le moi et le ça* (1923b), *Essais de psychanalyse,* Paris, Payot, 1981, p. 260 ; *OCF* XVI, p. 289 ; *GW* XIII, p. 275.

3. « Résistances à la psychanalyse » (1925e) [publié en français en 1924], *Résultats, idées, problèmes, II,* Paris, PUF, 1984, p. 130 ; *OCF* XVII, p. 131 ; *GW* XIV, p. 105.

4. « L'analyse avec fin et l'analyse sans fin » (1937c), *Résultats, idées, problèmes, II,* Paris, PUF, 1984, p. 260 et 262 ; *OCF* XX, p. 46 et 48 ; *GW* XVI, p. 90 et 92.

jusqu'à la paire d'opposés qui règne dans le monde anorganique : attraction et répulsion » [1] –, jamais n'y sont alors nommés ni la « théorie dualiste », ni le « dualisme ».

QUESTIONS ET ENJEUX

Si Freud se réclame explicitement du dualisme pour indiquer son choix éventuel entre les conceptions du monde des philosophes, il ne nous dit pas auxquelles il pense ; il se garde d'ailleurs tout autant de nous dire s'il a effectivement fait ce choix. Lorsqu'il invoque Schopenhauer, c'est pour situer la pulsion de mort et la pulsion de vie, non pas le dualisme lui-même. Nous nous retrouvons alors fort embarrassé pour nommer une telle philosophie, à supposer qu'elle ait sa place dans la vulgate freudienne (personnellement, j'évoquerais bien la dialectique hégélienne, si je ne savais quelle défiance elle inspirait à Freud qui la trouvait « obscure » [2]). En fait, les auteurs qu'il cite là-dessus sont tous des « savants », spécialistes des « sciences de la nature » : August Weismann le biologiste de ses jeunes années, et Ewald Hering son contemporain médecin qu'il connaissait personnellement. Mais il aurait pu, mieux encore et comme il le fait ailleurs, référer ses « maîtres » Emil Du Bois-Reymond, Ernst W. von Brücke et surtout Hermann L. F. von Helmholtz, son « idole », physiologiste et physicien qui définit sa « dynamique énergétique » par la « dualité des forces ».

Ce qu'il y a de plus remarquable est que ceux-ci sont des tenants proclamés du monisme physicaliste, dont se réclame Freud pour situer la psychanalyse parmi les sciences de la nature *(Naturwissenschaft)*. On ne peut donc que s'interroger sur les raisons qui le poussent à élire le terme de « dualisme », fût-ce occasionnellement, pour désigner le principe d'une opposition de forces conjointes, d'une unité des contraires. Sans doute son choix lexical est-il guidé par la seule référence duale, avec l'option épistémologique qu'elle suggère : en somme,

1. *Abrégé de psychanalyse* (1940a [1938]), Paris, PUF, 1985, p. 8-9 ; *OCF* XX, p. 237-238 ; *GW* XVII, p. 70-71.

2. *Nouvelles conférences d'introduction à la psychanalyse* (1933a [1932]), Paris, Gallimard, 1984, p. 236 ; *OCF* XIX, p. 262 ; *GW* XV, p. 191.

en nommant un dualisme, il entendrait simplement spécifier la nécessité métapsychologique d'opposer deux pulsions. Ce faisant, il nous laisse aussi face à cette équivoque de n'employer le mot que rarement et transitoirement, tout en qualifiant la notion de « fondamentale ».

Son dernier commentaire, selon lequel la théorie dualiste trouve bien peu d'écho lorsqu'elle prétend instaurer une pulsion de mort, semble quelque peu désabusé ou, à tout le moins, empreint d'un certain désenchantement ; il situe pourtant bien toute l'ambiguïté des appréciations qui peuvent être portées sur le « dualisme freudien ». Une première lecture laisse penser que c'est la théorie dualiste elle-même qui se trouverait récusée ; en fait, c'est bien la pulsion de mort, opposée à l'Éros, qui ne parvient pas à s'imposer, même aux psychanalystes. La chose est sans doute d'autant plus douloureuse à Freud que lui-même a dû constater – comme en témoignent les citations précédentes, et plus particulièrement celle de 1923 – combien, avec l'opposition entre pulsion de vie et pulsion de mort, il lui était « difficile de maintenir son dualisme fondamental », dualisme qu'il se sent pourtant « forcé de maintenir ». Disons alors que le dualisme lui apparaît comme un impératif épistémologique. Toute la question est de savoir quoi, du dualisme ou de la pulsion de mort, se trouve ici en cause ?

À l'évidence, c'est bien cette dernière qui fait véritablement problème. Les anciennes oppositions pulsionnelles, qui précédèrent son introduction et purent être considérées comme répondant à l'exigence dualiste, ne sont nullement contestées ; elles se sont simplement avérées insuffisantes. Il parut vraisemblable, à un certain moment, que dans le moi œuvrent d'autres pulsions que les seules pulsions libidinales d'auto-conservation, mais il s'avérait fort difficile de les mettre en évidence. La pulsion de mort apparut alors comme une éventualité qui ne pouvait être négligé. Était-elle la seule ? La notion de libido narcissique a permis d'instituer l'Éros, qui maintient la cohésion de la substance vivante, les pulsions sexuelles devenant la part d'Éros tournée vers l'objet ; cet Éros ne pouvait qu'être situé aux débuts de la vie, mais il fallait alors lui trouver un antagoniste actif dès ce moment, et c'est là que la « spéculation » fait apparaître une « pulsion de mort ».

Mais, et sans négliger les difficultés qu'apporte celle-ci, les questions soulevées par les « pulsions du moi », « pulsions narcissiques » donc, ne sont pas résolues pour autant. C'est qu'en reconnaissant qu'une partie de celles-ci est aussi de nature libidinale mais a pris le moi comme objet, il faut dès lors les ranger parmi les pulsions sexuelles : il y a bien une opposition entre pulsions du moi et pulsions d'objet, mais toutes sont de nature libidinale. Les pulsions de destruction elles-mêmes (qui, tout comme les réactions de fuite, assurent la protection du moi et ont donc d'abord été assimilées aux pulsions d'auto-conservation [1]) se situent bien dans le moi, et s'avèrent donc elles aussi libidinales ! En quel lieu, en quelle forme peut-on alors trouver la pulsion de mort ? L'opposition ultime ne pourrait-elle être celle entre l'amour (tendresse) et la haine (agressivité), tellement évidente (tellement tentante ?) – Freud rêvait de la mettre en relation avec celle entre pulsion de vie et pulsion de mort mais, hélas ! cela ne tient pas. Cette dernière opposition, pourtant irréductible, se découvre aussi insaisissable que la pulsion de mort elle-même [2]. Une question se présente : l'aporie ne tiendrait-elle pas au cadre de l'opposition duale ? Le moi, pense Freud, ne saurait lui suffire ; le dualisme selon la pulsion de mort, tel qu'il le conçoit, ne saurait être fondamental qu'à dépasser le moi, universel jusqu'à être « cosmologique »...

Il semble qu'il ait tenté, in fine, un contournement de cette difficulté en posant que, « dans les fonctions biologiques, les deux pulsions fondamentales sont antagonistes ou bien combinées » (prenant pour exemple l'action de manger qui détruit l'objet pour l'incorporer, et l'acte sexuel où l'union la plus intime est le résultat d'une agression). Ce faisant, les deux pulsions fondamentales sont autant en accord qu'en opposition, ce qui leur confère une tout autre signification : la pulsion de mort ne vient plus mettre fin au dualisme, mais le laisse persévérer pour aller, au-delà du champ du vivant, « jusqu'à la paire d'opposés qui règne dans le monde anorganique : attraction et répulsion » [3].

Claude Le Guen

Dynamique (point de vue) → Métapsychologie

1. Par exemple, *Conférences d'introduction à la psychanalyse* (1916-1917), Paris, Gallimard, 1999, p. 498-499 ; *OCF* XIV, p. 408-409 ; *GW* XI, p. 408-409.

2. *Au-delà du principe de plaisir* (1920g), *Essais de psychanalyse,* Paris, Payot, 1981, p. 110-111, n. 16 ; p. 355, n. 1 ; p. 66, n. 1.

3. *Abrégé de psychanalyse* (1940a [1938]), Paris, PUF, 1985, p. 8-9 ; *OCF* XX, p. 238 ; *GW* XVII, p. 71.

E

Éconduction → Décharge, tension et stase

Économique (point de vue) → Métapsychologie

Élaboration psychique → Travail et élaboration psychique

Emprise → Pulsion d'emprise

ÉNERGIE PSYCHIQUE

all. : ***psychische Energie.*** – angl. : *psychical energy.* – esp. : *energia psiquica.* – ital. : *energia psichica.* – port. : *enargia psiquica*

L'énergie psychique est la forme que prend l'énergie lors du fonctionnement psychique (cette lapalissade souligne la difficulté à en établir la définition). Comme en physique, elle est une force agissante, capable de décharge et potentiellement mesurable ; elle est indispensable à la vie et il incombe à l'appareil psychique d'en empêcher la stase. On ne saurait dire ce qu'elle est mais on constate ses effets ; comme l'inconscient, plutôt qu'un postulat, elle est un constat. Substrat du vivant, et donc du psychisme, elle fonde la compréhension psychanalytique de l'humain.

MISE EN SITUATION

Freud use de l'énergie comme d'une notion incontournable, qui est d'ailleurs au fondement de la plupart des sciences ; elle lui apparaît aussi mystérieuse (c'est « un grand X que nous reportons dans chaque nouvelle formule ») que nécessaire pour rendre compte du fonctionnement psychique. Il s'était imprégné très tôt de la notion lors de ses travaux en laboratoire de neurophysiologie ; il s'agit de la même énergie que celle de la physique, avec les mêmes propriétés connues et portant les mêmes ignorances. Pour se convaincre de cette étroite parenté, citons ces définitions données par des physiciens : « Les applications pratiques de la notion d'énergie posent trois sortes de problèmes : celui de la source d'énergie, celui du transport et enfin celui de l'utilisation » (ce qui nous renvoie directement aux caractères de la pulsion), ou encore : « La caractéristique la plus remarquable de l'énergie est que, si sa forme peut changer, elle se conserve toujours en tant que quantité. Cette caractéristique est la meilleure définition q'on puisse lui donner »[1] *(ce qui pourrait définir le point de vue économique dans la métapsychologie).*

Rappelons que les cosmologistes considèrent actuellement que notre univers est fait à 75 % d'une « énergie sombre, ou noire », et/ou d'une « énergie du vide », dont nous ne savons rien et ne pouvons encore rien savoir, étant bien entendu que le vide ne saurait être le néant. À l'autre bout apparent du connaissable et de l'inconnu, la physique quantique (plus encore avec la « théorie des cordes ») considère que la matière est faite de « vibrations » d'énergie, sans rien pouvoir dire de ce qu'est celle-ci. Quant à celle qui « anime » notre corps, si maintenant nous connaissons à peu près les mécanismes qui permettent aux mitochondries de la produire, nous n'en savons pas plus sur ce qu'elle peut être. Alors, comment reprocher aux psychanalystes d'être bien en peine de dire clairement ce qu'est l'énergie qu'ils utilisent pour appuyer leurs concepts ? Certains, embarrassés par la référence énergétique, ont souhaité s'en affranchir. C'est ainsi que l'on a pu voir le cognitivisme prétendre la remplacer par un modèle informa-

1. Julien Bok, « Énergie », *Encyclopædia Universalis* ; Étienne Klein, « Énergie », *in* M. Serres et N. Farouki (dir.), *Dictionnaire des sciences*, Paris, Flammarion.

tique mais, non seulement celui-ci s'avéra impropre, mais il ne faisait que déplacer le problème et ne s'affranchissait pas, en fait, de l'énergie...

Le mot, en lui-même, ne fait guère problème. Selon les lexicographes l'énergie, ce vieux mot issu du grec, désigne une « force agissante, dont dispose un être, ou dont se trouve animée une chose quelconque ». D'abord d'ordre moral et affectif (c'est ainsi que, devançant Freud, Baudelaire pouvait écrire que « ce n'est pas la qualité des objets qui fait la jouissance, mais l'énergie de l'appétit »), le terme est largement répandu dans la langue courante. S'il se voit conférer au XIXe siècle un destin privilégié par les sciences physiques, qui en font un de leurs grands concepts (avec, notamment, la « conservation de l'énergie » et les « lois de la thermodynamique »), l'idée est pourtant bien antérieure, comme en témoigne la notion de vis viva, de « force vive » chez Leibniz (en 1690). Quoi qu'il en soit, la notion d'énergie (qui ne doit surtout plus être confondue avec celle de « force », comme ce fut longtemps le cas) est bien sous-tendue, fût-ce implicitement, par son acception en physique, ce qui put conduire certains analystes à la tenir en suspicion avec, pensons-nous, une certaine mauvaise foi. Son attribution à ce qui est vivant, à commencer par l'homme, n'en correspond pas moins à une tradition encore plus ancienne dont, à la suite des anciens, témoigne Spinoza avec le conatus qu'il introduit dans l'Éthique[1] (dès 1661, et qu'il présentera à Leibniz en 1676) ; il désigne ainsi le fait que « chaque être, chaque chose, autant qu'il est en elle, s'efforce de persévérer dans son être ». C'est de cette filiation, nous semble-t-il, que peuvent se réclamer l'ensemble des sciences du vivant et de l'homme – et sans doute, plus particulièrement, la psychanalyse.

Le terme d'« énergie » y revêt un sens parfaitement conforme à son étymologie et à l'usage lexical : il désigne une force agissante, capable de décharge et potentiellement mesurable – tout comme il en va en physique et en biologie, ainsi que nous l'avons signalé, et comme l'indique Freud à plusieurs reprises. Non seulement l'énergie se trouve à la base des théories de l'excitation et des investissements, de celles des pulsions et de la libido, mais elle habite toute la pensée freudienne. Pour être au clair sur les relations, voire les filiations entre ces termes, indiquons d'emblée, très schématiquement, que l'énergie est à

1. Spinoza, *Éthique*, *« propositions 6-7-8 »*.

l'origine, que l'excitation en est l'expression biologique, la pulsion la représentation psychique, la libido en étant la forme propre à la sexualité. La psychanalyse a pu, à juste titre, être définie comme théorie énergétique. *Dans cet article, nous nous en tiendrons au concept en général, tel qu'il apparaît chez Freud, renvoyant pour ces divers corrélats à leurs entrées propres (certaines redondances étant inévitables).*

LE TEXTE FREUDIEN

Contrairement à ce que l'on pourrait attendre de son inspiration physicaliste, l'« Esquisse d'une psychologie scientifique » de 1895 ne mentionne pas l'énergie et privilégie plutôt l'excitation comme mode d'approche ; on doit pourtant penser que c'est elle qui est en cause avec la notion omniprésente de *quantités* (Q). Il revient à *L'interprétation des rêves,* en 1900, d'introduire la notion d'une **« énergie d'investissement » correspondant à une certaine quantité d'excitation** ; c'est le destin de ces investissements, de la répartition de leur énergie et de ses changements d'état (mobile ou lié), qui retient déjà l'attention[1].

Dans *Le mot d'esprit,* en 1905, Freud va préciser son approche en soulignant que **la notion d'énergie psychique est quantitative** (avec sa décharge) : le fait de « la traiter comme une quantité, est devenu pour moi une habitude de pensée ». Il se saisit de l'occasion pour rappeler l'idée avancée en 1900 selon laquelle l'énergie psychique se déplace le long de voies associatives, laissant des traces indestructibles[2]. Dès ce moment, dans les textes, la notion de *libido* tend souvent à se substituer à celle d'énergie, sans pour autant l'écarter ou la remettre en cause, tout en la spécifiant : d'abord dans les *Trois essais sur la théorie sexuelle* (1900-1905), puis dans « Le Président Schreber » (1911)

1. *L'interprétation des rêves* (1900a), Paris, PUF, 1967, p. 505-507 ; *OCF* IV (PUF, 2003), p. 649-652 ; *GW* II-III, p. 599-602.

2. *Le mot d'esprit et sa relation à l'inconscient* (1905c), Paris, Gallimard, 1988, p. 269 ; *GW* VI, p. 165.

et « Sur les types d'entrée dans la névrose » (1912), enfin et surtout dans « Pour introduire le narcissisme » en 1914.

La différence entre énergie et libido ne sera véritablement précisée que dans une note ajoutée en **1915** aux *Trois essais sur la théorie sexuelle* : **si l'énergie est à la base des processus psychiques en général, la libido doit être définie par son origine particulière,** étant – « une force quantitative variable permettant de mesurer les processus et des transpositions dans le domaine de l'excitation sexuelle » –, explication qui, remarquons-le, lui attribue aussi le caractère qualitatif de la sexualité. C'est là d'ailleurs ce qui conduira Freud à envisager une « énergie psychique indifférente qui ne deviendrait libido que par l'acte de l'investissement d'objet », même s'il semble alors l'écarter et maintient la distinction entre pulsions sexuelles et pulsions du moi (d'auto-conservation) qui, outre qu'elle correspond à « la distinction populaire entre la faim et l'amour », s'appuie sur des considérations biologiques[1]. La libido conduit directement aux pulsions (ce sont alors les deux groupes des « pulsions d'auto-conservation » et des « pulsions sexuelles »), mais la *Métapsychologie,* la même année 1915, tient à rappeler que celles-ci « sont toutes semblables qualitativement et doivent leur effet uniquement aux quantités d'excitation qu'elles portent », c'est-à-dire à l'énergie qui les anime[2]. Il reprend la notion (avancée dès 1905) selon laquelle celle-ci, dans la vie psychique, **existe en deux états différents : « un état d'énergie toniquement lié et un état d'énergie librement mobile, tendant à la décharge** » ; mais cette fois il insiste pour dire que « cette distinction représente jusqu'à ce jour notre vue la plus profonde sur la nature de l'énergie nerveuse et je ne vois pas comment on peut l'éviter »[3].

Dans les mêmes temps, ou presque, Freud s'était posé la question de sa fonction dans la cure, celle-ci étant marquée par « l'insuffisance quantitative des énergies indispensables à opposer aux résistances » ;

1. « Pour introduire le narcissisme » (1914c), *La vie sexuelle,* Paris, PUF, 1969, p. 85 ; *OCF* XII, p. 223 ; *GW* X, p. 144.

2. « Pulsions et destins des pulsions » (1915c), *Métapsychologie,* Paris, Gallimard, 1968, p. 20 ; *OCF* XIII, 1994, p. 171 ; *GW* X, p. 216.

3. « L'inconscient » (1915e), *Métapsychologie,* Paris, Gallimard, 1968, p. 99 ; *OCF* XIII, 1994, p. 229 ; *GW* X, p. 287.

pour les renforcer, il convient donc d'utiliser « les énergies toujours prêtes à être "transférées" » en indiquant au patient « la voie dans laquelle il doit engager ses énergies »[1].

La nouvelle théorie des pulsions, comme la nouvelle topique, vont permettre de parfaire la théorie énergétique. En 1920, dans *Au-delà du principe de plaisir,* Freud revient sur la notion d'une **énergie librement mobile poussant vers la décharge, propre aux systèmes inconscients et qui fonctionne en « processus primaire », s'opposant à une énergie liée appartenant aux systèmes préconscients pour fonder le « processus secondaire » et la pensée**[2]. Dans *Le moi et le ça,* il va reprendre la notion, avancée dès 1914, de « l'hypothèse d'une **énergie déplaçable qui, en soi indifférente, peut venir s'ajouter à une motion qualitativement différenciée, érotique ou destructive,** et augmenter son investissement total », hypothèse dont, dit-il, il ne saurait se passer. En activité dans le moi et dans le ça, il semble qu'elle « provient de la réserve de libido narcissique, et est donc de l'Éros désexualisé ». Cette énergie déplaçable, libidinale, « **travaille au service du plaisir, pour éviter les stases et éviter des décharges** », **étant entendu que la voie de décharge, si elle existe, est indifférente (trait qui caractérise les** processus du ça). Ce processus se rencontre « dans les investissements érotiques où l'on constate une indifférence particulière en ce qui concerne l'objet », et c'est particulièrement vrai dans les transferts lors d'une analyse, puisqu'ils s'accomplissent indifféremment sur une personne ou une autre. Ajoutons que si cette énergie est de la libido désexualisée, elle est aussi *sublimée,* puisqu'elle s'en tient « encore et toujours à l'intention principale de l'Éros, unir et lier, en servant à instaurer cet ensemble unitaire » qui spécifie le moi[3].

Freud est conduit à rappeler que le point de vue économique pose que s'il est vrai que « les délégations psychiques des pulsions sont

1. « Le début du traitement » (1913c), *De la technique psychanalytique,* Paris, PUF, 1953, p. 103 ; *OCF* XII, p. 184 ; *GW* VIII, p. 477.

2. *Au-delà du principe de plaisir* (1920g), *Essais de psychanalyse,* Paris, Payot, 1981, p. 77-78 ; *OCF* XV, p. 305-306 ; *GW* XIII, p. 35-36.

3. *Le moi et le ça* (1923b), *Essais de psychanalyse,* Paris, Payot, 1981, p. 257-259 ; *OCF* XVI, p. 287-288 ; *GW* XIII, p. 273.

investies de quantités déterminées d'énergie », il incombe à l'appareil psychique d'en **empêcher la stase afin de « maintenir au plus bas niveau possible la somme totale des excitations** » : telle est la tâche du principe de plaisir-déplaisir, le déplaisir correspondant à un accroissement, le plaisir à une diminution énergétique[1]. En 1930, dans *Malaise dans la civilisation,* il explique comment, étant convaincu que « les pulsions ne peuvent pas être toutes de la même espèce », et voulant éviter la confusion entre libido et énergie pulsionnelle, il en vint à poser une « autre » pulsion, opposée à celle qui fait vivre et travaille à unifier l'être, et qui tend donc à le détruire : une pulsion de mort contre l'Éros, mais dont il est fort difficile de définir l'activité, et presque aporétique de dire l'énergie qui la sous-tend[2]. Il le confirmera en 1933, dans les *Nouvelles conférences sur la psychanalyse*[3].

En 1938, dans l'*Abrégé de psychanalyse,* dressant le bilan de ses acquis, Freud en vient à constater qu'il ne sait rien de la nature véritable de l'inconscient et du préconscient ; tout ce qu'il peut dire est « qu'une certaine énergie entre en jeu dans la vie psychique, mais toutes les indications qui nous permettraient de comparer cette énergie à d'autres font défaut ». Nous supposons que de l'énergie libre se transforme en énergie liée au cours de surinvestissements, dans une sorte de synthèse des processus, mais « notre savoir s'arrête là »[4] ; il le confirmera dans *L'homme Moïse et la religion monothéiste*[5].

1. « Psycho-Analysis » (1926f), *Résultats, idées, problèmes, II,* Paris, PUF, 1984, p. 155-156 ; *OCF* XVII, p. 292 ; *GW* XIV, p. 302.

2. *Malaise dans la civilisation* (1930a [1929]), Paris, PUF, 1971, p. 73 ; *OCF* XVIII, p. 304 ; *GW* XVIII, p. 477.

3. *Nouvelles conférences d'introduction à la psychanalyse* (1933a [1932]), Paris, Gallimard, 1984, p. 145 ; *OCF* XIX, p. 191 ; *GW* XV, p. 115.

4. *Abrégé de psychanalyse* (1940a [1938]), Paris, PUF, 1985, p. 27 ; *OCF* XX, p. 252 ; *GW* XVII, p. 84.

5. *L'homme Moïse et la religion monothéiste* (1939a), Paris, Gallimard, 1986, p. 192 ; *OCF* XX, p. 176-177 ; *GW* XVI, p. 204.

QUESTIONS ET ENJEUX

Tout au long de son œuvre, Freud ne remettra en question ni la notion d'énergie, ni sa place dans la théorie analytique, ni ses modalités d'action dans le fonctionnement psychique. Simplement, comme nous venons de le voir, il confessera son ignorance en ce qui concerne ses implications dans la compréhension de ce qui fonde l'inconscient. Il n'en demeure pas moins qu'un certain nombre de questions peuvent se poser.

S'il est tout à fait clair que l'énergie implique naturellement la notion de *quantité,* que d'ailleurs elle fonde (déterminant le point de vue économique et introduisant le terme de « quantum », de « montant » qui s'applique plus particulièrement à la libido et à l'affect), il n'en demeure pas moins que demeure l'interrogation sur sa **qualité** qui, elle, demeure plus obscure. Freud y revient avec constance : y aurait-il diverses sortes, différentes formes d'énergie psychique ? Puisqu'elle est la raison, le moteur des pulsions, la question lui apparaît cruciale, d'autant qu'il est renvoyé à son insatisfaction (souvent redite) de ne pas disposer d'une « véritable théorie des pulsions », ce défaut tenant précisément à l'ignorance de ce qu'est l'énergie. Nous rejoignons ainsi les interrogations posées par la « forme » prise par l'énergie, dans la mesure où elle pourrait bien engager sa « nature ». Au départ, dès lors qu'on peut distinguer un état lié d'un état mobile, les choses sont relativement simples puisque ces états désignent simplement un mode d'action ; c'est pourtant là « notre vue la plus profonde sur la nature de l'énergie nerveuse » [1]. Ce disant, Freud glisse subrepticement de « l'état » à « la nature », on pourrait presque dire à « l'essence » de l'énergie, comme vont en témoigner non seulement la distinction entre les processus primaires (l'énergie est libre) et les secondaires (elle est liée) [2], mais surtout son extension pour spécifier la dernière théorie des pulsions qui veut que le but de l'Éros soit la liaison, celui de

1. « L'inconscient » (1915e), *Métapsychologie,* Paris, Gallimard, 1968, p. 99 ; *OCF* XIII (2e éd.), p. 229 ; *GW* X, p. 287.

2. *Au-delà du principe de plaisir* (1920g), *Essais de psychanalyse,* Paris, Payot, 1981, p. 77 ; *OCF* XV, p. 306 ; *GW* XIII, p. 36.

l'autre pulsion la déliaison, comme il le répétera jusqu'à l'œuvre dernière[1]. L'énergie se voit ainsi conférer une finalité que l'on n'attendait pas nécessairement d'une « force » aussi primaire, aussi physique en somme.

Il faut alors se demander si l'énergie peut vraiment justifier, psychanalytiquement, de postuler **plusieurs pulsions** ? En 1914, Freud admet qu'au départ, « dans l'état du narcissisme, elles se trouvent réunies, indiscernables ». Ce n'est qu'avec la constitution d'un objet qu'il « devient possible de distinguer une énergie sexuelle, la libido » : il « pourrait s'agir d'une *énergie psychique indifférente* qui ne deviendrait libido que par l'acte de l'investissement d'objet ». S'il tient à maintenir la distinction entre deux pulsions (qui sont alors les « pulsions du moi » et les « pulsions sexuelles ») c'est, dit-il, en raison de considérations qui, plus que sur la psychologie, « s'appuient essentiellement sur la biologie » (et ce sont encore de telles considérations qui, six ans plus tard, auront à justifier la dualité Éros-pulsion de mort qu'il serait, sinon, « bien difficile de maintenir »). Il n'en doit pas moins admettre qu'il « peut bien se faire que l'énergie sexuelle, la libido – au fin fond des choses – ne soit qu'un produit de différenciation de l'énergie qui est à l'œuvre par ailleurs dans la psyché »[2].

Ce questionnement sur l'existence d'**une seule énergie** ne le quitte pas, même s'il semble ne s'y livrer qu'à regret, ses réticences étant dues tant à ses présupposés biologiques qu'à ce qu'il nomme ses « convictions dualistes », et sans doute aussi à quelques séquelles de ses conflits avec Carl Gustav Jung. L'idée va réapparaître avec force en 1923, avec la nouvelle dualité pulsionnelle. Il lui faut alors constater que « nous ne pouvons absolument pas nous passer de l'hypothèse d'une telle énergie déplaçable » – quitte à réintroduire la dualité par les pulsions, « érotique ou destructive », auxquelles cette énergie peut venir s'ajouter, pour en renforcer la poussée. Freud avance alors une autre hypothèse, complémentaire : « Cette énergie déplaçable, indifférente, probablement en activité dans le moi et dans le ça, provient de la réserve de libido narcissique, et est donc de l'Éros

1. *Abrégé de psychanalyse* (1940a [1938]), Paris, PUF, 1985, p. 8 ; *OCF* XX, p. 238 ; *GW* XVII, p. 71.

2. « Pour introduire le narcissisme » (1914c), *La vie sexuelle*, Paris, PUF, 1969, p. 84-86 ; *OCF* XII, p. 221-223 ; *GW* X, p. 142-144.

désexualisé. »[1] En disant cela, il renverse l'idée implicite d'une énergie « généraliste », dont la libido serait l'une des formes, pour considérer qu'il appartient à la désexualisation de la libido de fournir l'énergie déplaçable telle que nous la connaissons. Voilà qui nous conduit à nous interroger sur les antériorités temporelles et structurelles réciproques de la libido et de l'énergie elle-même, fût-ce dans sa forme narcissique ? Ou bien ne serait-ce là qu'un deuxième temps ? Freud ne pose pas la question.

Il existe comme une **hiérarchie** entre les forces en œuvre. À la base se trouve l'énergie, déplaçable et indifférente, agissant comme une force constante, unique – rappelons que, tout pareillement, la physique ne connaît qu'une seule énergie qui peut prendre des formes différentes selon ce qui l'engendre (la source), selon le résultat qu'elle obtient (le but), ou selon les moyens dont elle use (l'objet). Cette énergie peut se décharger sous la forme d'excitation, de stimulation qui correspond à un « impact unique », et sous celle de pulsion qui est une « force constante ». Qui plus est – c'est essentiel – elle vient s'ajouter à cette pulsion, qu'elle soit « érotique ou destructive », pour augmenter son investissement ; on pourrait presque penser que c'est là sa raison d'être (au moins théorique), car une force qui n'aurait rien sur quoi agir serait si vaine qu'elle ne saurait exister. Il n'en demeure pas moins que l'énergie semble bien être antérieure aux pulsions ; elle découle de l'organisation biologique (qu'elle fonde) et se manifeste par l'excitation, dont la source peut être extérieure (la fuite est possible), ou située à l'intérieur du corps (seuls le refoulement ou d'autres défenses sont alors en mesure de tenter de s'y opposer). Cette intériorité de la source est ce qui distingue la pulsion et la spécifie : « La source de la pulsion est un état d'excitation dans le corporel, le but l'abolition de cette excitation ; sur le trajet de la source au but, la pulsion devient psychiquement active. Nous la représentons comme une certaine quantité d'énergie qui pousse vers une direction déterminée. »[2] Ceci rappelé, on doit noter que la théorie énergétique, par elle-même, loin de justifier la dernière dualité pulsionnelle, tend plutôt à l'écarter : si la mort est bien au terme de

1. *Le moi et le ça* (1923b), *Essais de psychanalyse*, Paris, Payot, 1981, p. 258 ; *OCF* XVI, p. 287 ; *GW* XIII, p. 273.

2. *Nouvelles conférences d'introduction à la psychanalyse* (1933a [1932]), Paris, Gallimard, 1984, p. 130 ; *OCF* XIX, p. 179 ; *GW* XV, p. 103.

« toute vie », on est en droit de penser que loin d'être la direction vers laquelle pousse l'énergie, elle serait seulement le ralentissement, puis la cessation de cette énergie unique qui « anime » l'être, ce qui est en somme antinomique de l'action d'une pulsion destructrice particulièrement violente.

De la notion d'énergie va découler « une division topographique de l'appareil psychique en moi et en ça, division à laquelle correspondent les qualités de conscient et d'inconscient. [...] Ces qualités ne sont qu'un indice et non l'essentiel de la différence », qui demeure fort difficile à appréhender. En fait, « c'est ici que nous approchons de l'énigme véritable, non encore résolue, que présentent les phénomènes psychiques. D'après les données d'autres sciences naturelles, nous admettons qu'une certaine énergie entre en jeu dans la vie psychique, mais toutes les indications qui nous permettraient de comparer cette énergie à d'autres font défaut ». On peut simplement supposer que l'énergie psychique se présente sous deux formes, dont l'une est mobile et l'autre liée. Nous sommes ainsi conduits à parler d'investissements et de surinvestissements, nous pouvons même supposer qu'une synthèse des processus qui transforment l'énergie libre en énergie liée est déterminée par l'un de ces « surinvestissements ». « Notre savoir s'arrête là. »[1]

Claude LE GUEN

ENVIE DU PÉNIS

all. : ***Penisneid.*** – angl. : *penis envy.* – esp. : *envidia del pene.* – ital. : *invidia del pene.* – port. : *inveia do pénis*

L'envie du pénis est le corrélat de la découverte de la différence des sexes chez la femme. La castration, déjà accomplie, ne peut pas fonctionner comme menace : il ne reste à la petite fille que l'envie pour organiser son complexe de castration.

1. *Abrégé de psychanalyse* (1940a [1938]), Paris, PUF, 1985, p. 8 ; *OCF* XX, p. 238 ; *GW* XVII, p. 71.

MISE EN SITUATION

Élément postulé comme constitutif de la sexualité féminine, « l'envie du pénis » est travaillée par le complexe d'Œdipe, et prend par la suite des formes dérivées, plus ou moins éloignées de la revendication outrée que la petite fille affiche quand elle réalise le manque, dans son corps, de ce que le garçon lui donne à voir : le pénis. Si l'accès à une sexualité adulte s'achève par l'assomption de la position féminine, l'envie d'avoir un pénis devient envie d'en jouir dans le coït et/ou le désir d'enfant. Concept tributaire du présupposé de la primauté phallique, que l'époque impose à la pensée de la différence des sexes, l'« envie du pénis » reste telle quelle tout au long de l'œuvre de Freud, malgré les multiples critiques que ses disciples (notamment les Anglais) lui opposent.

LE TEXTE FREUDIEN

En 1908, dans « Les théories sexuelles infantiles », Freud affirme que la première de ces théories « consiste à attribuer à tous les humains, y compris les êtres féminins, un pénis », et que, partageant l'intérêt du petit garçon, la fille voit aussitôt son intérêt commandé par l'envie (l'existence de ces théories sexuelles avait déjà été mentionnée l'année précédente dans les « Explications sexuelles données aux enfants », sans en expliciter le contenu). La petite fille se sent moins bien lotie que le garçon, donc lésée, et quand elle dit qu'elle aimerait être un garçon, nous savons à quel manque ce désir doit remédier [1].

Dans la troisième édition des *Trois essais sur la théorie sexuelle,* dans une section ajoutée en 1915 et justement appelée « Complexe de castration et envie du pénis », Freud reprend les éléments du texte de 1908, quelques mois seulement avant la publication du cas du

1. « Les théories sexuelles infantiles » (1908c), *La vie sexuelle,* Paris, PUF, 1969, p. 19 et 21 ; *OCF* VIII, p. 232-235 ; *GW* VII, p. 177-180.

« petit Hans ». Ici, l'envie du pénis ne serait que la conséquence nécessaire de la découverte de l'erreur d'avoir attribué un pénis à tout être humain. Coïncidence non négligeable : cet article compte la première mention explicite du « complexe de castration », qui avait à peine été précédée par une mention de « menace de castration » dans *L'interprétation des rêves*[1].

En 1914, dans « Pour introduire le narcissisme » (1914), Freud met le **complexe de castration en rapport avec le narcissisme originaire** : l'angoisse concernant le pénis chez le garçon et l'envie du pénis chez la fille constituent la partie la plus importante des perturbations auxquelles l'enfant est soumis, et mobilisent l'essentiel des défenses qu'il est forcé d'engager[2]. La nature narcissique de l'envie du pénis – dont la parenté descriptive avec la « protestation virile » d'Alfred Adler serait indéniable – trouve son origine dans le complexe de castration.

Entre 1916 et 1920, le sujet est souvent repris (*Conférences d'introduction à la psychanalyse* ; « Sur les transpositions des pulsions, particulièrement dans l'érotisme anal » ; et « Psychogenèse d'un cas d'homosexualité féminine »), sans que soient introduits de remaniements importants – sauf en 1917, dans « Le tabou de la virginité » : vers la fin de cet article, à propos de la déception de la femme face à la concrétisation de sa vie sexuelle, Freud parle d'un **décalage entre l'attente et la réalisation, qui produit une réaction paradoxale.** Le premier coït activerait chez la femme des motions qui s'opposent à la fonction et au rôle féminins : l'envie du pénis, et toute la rivalité agressive à l'égard de l'homme qui en découle. Il cite Alfred Adler : si l'on entend comme viril le fait de vouloir être un homme, on peut qualifier ce comportement de « protestation virile ». On doit considérer que la triade envie-hostilité-revendication caractérise, chez la fille, une phase antérieure au premier choix d'objet : « Ce n'est que plus tard que la libido de la petite fille se tourne vers son père et ce qu'elle souhaite alors, au lieu du pénis, c'est un enfant. » La possibilité d'un ordre inversé – l'envie du pénis prenant effet seulement après le choix

1. *Trois essais sur la théorie sexuelle* (1905d), Paris, Gallimard, 1987, p. 124-125 ; *OCF* VI, p. 131-132 ; *GW* V, p. 96.

2. « Pour introduire le narcissisme » (1914c), *La vie sexuelle,* Paris, PUF, 1969, p. 97 ; *OCF* XII, p. 235 ; *GW* X, p. 159.

d'objet – n'est pas écartée, mais la phase virile de la femme, celle où elle envie le garçon pour son pénis, est plus ancienne, plus proche du narcissisme originaire que l'amour objectal[1]. L'équivalence, dans les productions de l'inconscient, entre l'enfant et le pénis, venait d'être établie dans « Sur les transpositions des pulsions, particulièrement dans l'érotisme anal » où sont examinés *in extenso* les différents cas de figure de la relation entre les deux termes. Cette relation s'appuie, ici plus qu'ailleurs, sur le double registre envie-désir, tout en atténuant ce qui, dans l'article suivant, sera souligné : **le versant agressif, voire destructeur de l'envie du pénis** lorsque les autres conditions de la névrose sont en place.

En 1923, « La disparition du complexe d'Œdipe » apporte un éclairage intéressant sur le réseau conceptuel de l'envie du pénis. Freud réaffirme que l'organe féminin n'est pas découvert avant la phase phallique, où le complexe d'Œdipe s'élabore, et rappelle la place de l'observation de l'organe génital féminin dans l'actualisation de l'angoisse face à la menace de castration. L'enfant mâle sacrifie l'investissement libidinal des objets parentaux pour sauver ses intérêts narcissiques (pénis) ; il est poussé de ce fait dans le chemin de l'identification et la construction du surmoi, ce qui permet de dire que « le complexe d'Œdipe périt donc de son échec, du résultat de son impossibilité interne ». On ne peut pas dire la même chose pour la petite fille, puisque la **différence morphologique ne peut pas ne pas se manifester dans des diversités du développement psychique.** Freud soutient ici une série d'hypothèses sur la psychologie et la sexualité féminines : en transposant le mot de Napoléon, il énonce que « l'anatomie, c'est le destin »[2]. Acceptant la castration comme un fait accompli, la fille se prive d'un motif puissant pour la construction du surmoi. Par la suite, la démolition de l'organisation génitale infantile et la mise en place de la position féminine par glissement le long de l'équation symbolique pénis = enfant marquent pour elle la nécessité de s'accommoder, sa vie durant, du non-accomplissement (du désir d'un pénis

1. « Le tabou de la virginité » (1918a [1917]), *La vie sexuelle*, Paris, PUF, 1969, p. 76-77 ; *OCF* XV, p. 92-93 ; *GW* XII, p. 175-176.

2. « La disparition du complexe d'Œdipe » (1924d), *La vie sexuelle,* Paris, PUF, 1969, p. 118 et 121 ; *OCF* XVII, p. 27 et 31 ; *GW* XIII, p. 395 et 400.

comme celui qu'elle a vu, du désir d'un pénis-cadeau-enfant du père). Aux yeux de Freud, **ce non-accomplissement jalonne son trajet d'une série d'échecs** : échec dans l'investissement narcissique de son corps, échec de la rivalité avec le garçon pour l'amour de la mère, et encore échec de l'espoir de compenser les deux premiers échecs en ayant un enfant du père...

Même si Freud doute de l'exactitude de ses théories en rapport avec le développement de la fille, il semble ne pas douter de ce que tout ce développement se fasse sous le signe d'un « *minus* » par rapport au garçon, infériorité qui, loin d'être socialement déterminée comme le pense Adler, s'appuierait sur la différence anatomique des sexes ; c'est là « le roc du biologique », comme Freud tient à l'appeler.

En 1925, dans « Quelques conséquences psychologiques de la différence anatomique entre les sexes », Freud survole ce qu'il avait déjà mis en place sur le développement sexuel de la fille, et se donne les moyens de décrire la réaction précise et tranchée de la petite fille face à la découverte du sexe féminin, hautement traumatique pour les deux sexes. La où les garçons commencent ou par ne pas voir, ou par dénier, **la fille « le voit, sait qu'elle ne l'a pas et veut l'avoir »**. Si l'envie du pénis n'est pas vite surmontée, la femme peut s'attendre à des difficultés importantes. Le sentiment d'infériorité, qui s'installe comme une cicatrice, persistera au niveau du caractère en tant que jalousie, et la relation à la mère sera colorée d'un ressentiment indépassable. La fille ne pourrait même pas jouir de la consolation masturbatoire qui restera toujours marquée par la mortification narcissique qu'elle retrouve en comparant son clitoris au pénis de l'homme[1].

Freud prend soin dans ce texte, à plusieurs reprises, de mettre en garde le lecteur face à cette accumulation de points de vue inquiétants sur le développement de la femme : « Les réactions d'individus humains des deux sexes sont composées des traits masculins et des traits féminins. » Il ajoute que « tous les individus humains, par suite de leur prédisposition bisexuelle et de l'hérédité croisée, réunissent en

1. « Quelques conséquences psychologiques de la différence anatomique entre les sexes » (1925j), *La vie sexuelle,* Paris, PUF, 1969, p. 127 ; *OCF* XVII, p. 196 ; *GW* XIV, p. 24.

eux des traits masculins et des traits féminins, de sorte que la masculinité et la féminité pures restent des constructions théoriques au contenu mal assuré ». Néanmoins, il revient à la fin de l'article aux effets de l'envie du pénis dans la vie mentale normale de la femme, au sens d'une **sorte de « défaut » au niveau du surmoi,** dont il spécifie les conséquences fâcheuses[1].

Les réactions du monde analytique ne se font pas attendre, surtout en Angleterre : Hélène Deutsch, Karen Horney, Ernest Jones entre autres, amorcent une suite de textes qui vont prendre une position moins phallocentrique que celle de Freud à l'égard de la sexualité féminine, intégrant dans la problématique de la différence des sexes la connaissance inconsciente de l'existence du vagin, ce qui ne va pas sans porter atteinte au monisme phallique qui commande la logique freudienne.

En 1932, dans les *Nouvelles conférences d'introduction à la psychanalyse,* Freud leur répond en insistant sur l'importance de l'envie du pénis comme motion libidinale primaire. Il y fait l'exposition peut-être la plus complète de ses vues sur la féminité. Il balaie les critiques des Anglais, qu'il présente comme une réticence de plus parmi celles que soulève la psychologie des profondeurs, et fait appel, pour trancher la question, à la théorie des « séries complémentaires », mais sans démordre de sa position : **c'est l'élément infantile qui commande, et tout particulièrement quand il est question d'envie du pénis** (semblant ne pas tenir compte de ce que c'est justement d'une antériorité que les Anglais se réclament). En soulignant le tournant que signifie, pour la fille, la découverte de sa castration, Freud envisage trois directions possibles à son développement ultérieur : la première déboucherait sur l'inhibition sexuelle ou la névrose, la seconde sur une modification du caractère dans le sens du complexe de masculinité, enfin la dernière mènerait à la féminité normale. C'est ici, et à propos de l'amour adressé à la mère dans la période qui précède la découverte de sa castration, que la mère aimée est appelée « phallique » ; c'est en la découvrant sans pénis, la vivant donc comme castrée, que la fille peut abandonner sa mère comme objet d'amour. Cela signifie que,

1. *Ibidem,* p. 130-131 ; p. 200-201 ; p. 28-30.

par la découverte de l'absence de pénis, la femme est dévalorisée pour la petite fille comme pour le garçon, et peut-être aussi plus tard pour l'homme. Le renoncement à la masturbation clitoridienne qui s'ensuit amène aussi des modifications au niveau du caractère, et aplanit le terrain pour la féminité. **Le désir avec lequel la petite fille se tourne vers son père est sans doute, initialement, le désir du pénis, dont la mère l'a frustrée** et qu'elle attend maintenant de son père. Il faudra encore un long chemin, difficile, pour que le désir d'enfant vienne à la place du désir du père, donc à la place du désir du pénis, consolidant ainsi la position féminine, à tel point qu'on peut « se demander si ce n'est pas là un désir féminin par excellence » [1] – il est ici évident que Freud parle alors du *désir* du pénis, et non pas de l'envie du pénis. Néanmoins, l'envie du pénis reste pour lui un puissant moteur : il détermine la rupture avec la mère, l'abandon de la masturbation, autant que la relation différente avec le complexe d'Œdipe, et donc avec le surmoi, impliqué par la castration féminine, « déjà là ».

En 1937, dans le tout dernier chapitre de « L'analyse avec fin et l'analyse sans fin », Freud reprend l'envie du pénis comme l'un des rocs biologiques sur lesquels bute l'analyse. Encore une fois, il rappelle la proximité de cette notion, en tant que comportement à l'égard du complexe de castration, avec la « protestation virile » d'Adler, tout en déplorant que, dès le départ, elle n'ait pas été appelée plutôt « refus de la féminité ». La fille ne peut que refouler son aspiration phallique si elle veut s'ouvrir à son destin de femme, même si, encore une fois, le résultat final est question de quantité : il s'agit de voir dans quelle mesure le caractère est obligé de prendre en charge ce complexe de virilité insuffisamment refoulé, et de déterminer à quel point ses effets perturbateurs dérangent l'assomption du rôle féminin. Séquelle de ce conflit non résolu, l'analyse des femmes ne peut que traverser des « accès de dépression grave née de la certitude intérieure que la cure analytique ne servira de rien, et qu'aucune aide ne peut être apportée à la malade. On ne lui donnera pas tort si l'on sait que l'espoir d'acquérir malgré tout l'organe masculin [...] fut le

1. *Nouvelles conférences d'introduction à la psychanalyse* (1933a [1932]), Paris, Gallimard, 1984, p. 167-172 ; *OCF* XIX, p. 208-212 ; *GW* XV, p. 133-137.

motif le plus fort qui l'ait poussé à la cure [...]. **Pour le psychique, le biologique joue véritablement le rôle du roc d'origine sous-jacent** »[1].

Dans l'*Abrégé de psychanalyse,* Freud admet, pour le garçon et la fille, l'identité du point de départ concernant le premier objet : le sein. Par la suite, la fille se détournerait de sa mère et « ne lui pardonnant pas, sous l'effet de l'envie du pénis, de l'avoir mise au monde si mal pourvue [...], elle adopte un autre objet d'amour : son père ». Poussée à entrer dans le complexe d'Œdipe par sa déception, elle y reste, en compromettant à jamais son estime d'elle-même (niveau narcissique) ainsi que la construction de son surmoi (héritier du complexe). Ici, comme peut-être nulle part ailleurs, la confusion entre organe sexuel et pouvoir phallique paraît lester la logique freudienne. Sa manière de situer la sexualité infantile dans le développement général rendra le manque de pénis chez la femme responsable à la fois de son sentiment d'infériorité vis-à-vis du garçon, et de son détournement fréquent de la vie sexuelle. **Toute l'évolution de la petite fille s'effectue sous le signe de cette envie du pénis.** Le détachement vis-à-vis de la mère est bien envisagé comme un processus de deuil, qui aboutit à une identification sans pacification : la haine persiste, renforcée par la jalousie œdipienne. Cette attitude œdipienne se maintient peu ou prou en rapport avec l'époux, sans provoquer d'inconvénients majeurs, jusqu'à ce que la femme « transforme son amour de l'organe en amour de l'homme porteur de ce dernier, cela de la même façon qu'elle passa jadis du sein de sa mère à toute la personne de celle-ci »[2]. Dans les pages précédentes, Freud avait classé l'ensemble constitué autour de l'envie du pénis parmi les structures psychiques les plus rebelles à la réussite du travail analytique, « disharmonie » responsable d'insatisfaction et de souffrance. La femme a moins de pénis-phallus que l'homme, donc... Dans le meilleur des cas, le manque de pénis de la femme devrait être pensé comme « point faible » de son organisation, véritable expression psychologique de la différence des sexes.

1. « L'analyse avec fin et l'analyse sans fin » (1937c), *Résultats, idées, problèmes, II,* Paris, PUF, 1984, p. 266-268 ; *OCF* XX, p. 43-45 ; *GW* XVI, p. 97-99.

2. *Abrégé de psychanalyse* (1940a [1938]), Paris, PUF, 1985, p. 59-66 ; *OCF* XX, p. 283-289 ; *GW* XVII, p. 115-121.

Le concept d'envie du pénis est redevable de la manière dont la différence des sexes est envisagée ; la différence, elle, ne peut que susciter angoisse et envie. Pour Freud, elle produit l'angoisse de castration chez l'homme, et l'envie du pénis chez la femme.

QUESTIONS ET ENJEUX

L'envie du pénis peut être pensée comme étant le nom de la relation qui lie, chez la petite fille, la représentation du garçon ayant un pénis avec la représentation de son propre « manque du ». Serait-il possible de dire le nom de l'affect qui correspond à l'apprentissage de cette différence ?

Pendant trente ans, le concept demeure chez Freud exactement le même, de la première formulation des « Explications sexuelles données aux enfants » en 1907 jusqu'à l'*Abrégé de psychanalyse* en 1938 – à ceci près, cependant : en 1923, il se demande si la mère n'est pas *aussi* le premier objet d'amour de la fille. Son destin œdipien, dès lors, pourrait s'engager sur un chemin plus proche de celui du garçon, ce qui ne serait pas sans conséquences sur la formation du surmoi. Mais cela n'a pas, pour Freud, provoqué de reformulation en ce qui concerne l'envie du pénis, ni infléchi sa réaction aux critiques. Encore une fois, les présupposés culturellement déterminés de tout discours – et bien certainement du discours psychanalytique – se font lourdement sentir. Les formulations de Freud en ce qui concerne l'envie du pénis comportent une superposition parfois gênante entre le pénis anatomique et le pouvoir phallique. Phallus et pénis paraissent interchangeables…

La *primauté du visible*, telle qu'elle commande l'« envie du pénis » freudienne, est contestée, du vivant même de Freud, autant par les analystes femmes que par certains analystes hommes (surtout Ernest Jones). L'accent est mis sur la connaissance précoce de la différence des sexes ; elle commence à jouer un rôle, en tant que savoir inconscient, bien avant que la capacité limitée de perception que le bébé possède puisse lui permettre de s'intéresser à autre chose qu'à ses gratifications immédiates. Le pénis est un *objet partiel* ; il correspond donc non pas à une image visuelle de l'objet extérieur, mais à une émotion liée à la fonction que cet objet remplit dans l'expérience de satisfaction. L'*envie* (dont les Anglais se réclament à la suite de Mélanie Klein et à laquelle ils vont donner une place privilégiée, primaire parmi les primaires), c'est l'envie du sein nourricier, source de toute vie dans l'expérience de satisfaction.

La différence peut donc être pensée autrement. Celle qui donne naissance à l'envie pourrait être d'un autre ordre, et l'envie serait commune aux deux sexes. Ici, la contestation anglaise de l'envie du pénis comme primaire, se radicalise : l'objet envié est le sein, c'est lui qui, au-dehors, rend possible la satisfaction ; à partir de là, l'agencement de la sexualité féminine diffère complètement.

La notion d'envie du pénis n'a de sens qu'en rapport avec l'image d'une « mère phallique » ; elle s'origine dans la croyance des enfants en l'existence d'une mère ayant elle-même un pénis, et non dans l'existence d'un pénis réel dans le corps du père. En d'autres termes, c'est seulement dans le rapport avec le phallus imaginaire de la mère que, dans les deux sexes, l'envie du pénis prend sa place. Tout le reste, la manière dont cela se décline pour chaque sexe, voire pour chaque individu, est à penser au niveau des séries complémentaires, comme Freud l'a si souvent répété.

Nenuka AMIGORENA-ROSENBERG

Épreuve de réalité → Réalité

ÉROS, PULSIONS DE VIE

Éros : repris du terme mythologique grec, le terme est maintenu dans les différentes langues.
pulsions de vie
all. : ***Lebenstriebe.*** – angl. : *life drives.* – ital. : *pulsioni di vita.* – esp. : *instintos de vida.* – port. : *instintos de vida*

Éros, dénomination préférentielle des pulsions de vie, est une conceptualisation spécifiquement freudienne, contemporaine de l'émergence, en 1920, de la deuxième théorie des pulsions et du rassemblement sous l'égide des pulsions de vie de l'ancienne opposition entre pulsions d'auto-conservation et pulsions sexuelles que la théorisation du narcissisme avait de toute façon rendue caduque. Éros est

une force de liaison, qui vise à créer des liens entre des unités de plus en plus vastes. C'est le dégagement de la pulsion de mort comme force de déliaison tendant à revenir à l'inanimé qui permet la mise en évidence de la force de vie d'Éros : établir des liaisons libidinales, et résister aux forces de destruction (dont la compulsion de répétition) en les intriquant pour former des unités complexes et résistantes. Conjointement sont affirmés le caractère conservateur des pulsions, l'importance des intrications pulsionnelles, la possibilité des désintrications.

MISE EN SITUATION

À la différence de l'amour, dont Freud décrit les formes cliniques et les manifestations, Éros est un véritable concept, dont la dénomination, cependant, est délibérément empruntée à la mythologie religieuse grecque, telle que la reprend la philosophie platonicienne (ainsi que la fable d'Apulée, « Éros et Psyché »), plutôt qu'à la rationalité scientifique – ce qui constitue un premier paradoxe. Il relève de la deuxième théorie des pulsions et n'apparaît jamais avant 1920 dans l'œuvre freudienne, à l'exception d'une phrase dans Un souvenir d'enfance de Léonard de Vinci *– qui d'ailleurs comporte un contenu conceptuel déjà très proche des élaborations ultérieures, mais dont Freud ne dégage pas encore la portée. Parler d'Éros contribue à faire de la notion de « pulsions de vie » une force dynamique dont l'énergie est celle des motions pulsionnelles (et non une catégorie classificatoire), force dotée d'une fonction très précise, celle d'établir des liaisons par l'investissement libidinal.*

Si la sémiologie de l'amour le montre partout à l'œuvre – sauf justement dans l'au-delà du principe de plaisir régi par les forces de répétition qui tendent à revenir à la mort –, c'est justement parce qu'Éros est la force de liaison fondamentale qui anime toute vie. Si l'opposé de l'amour n'est plus tant la haine que la mort, c'est qu'Éros peut précisément lier même la pulsion de mort, par l'intrication pulsionnelle. Par le principe de plaisir, Freud avait montré que la vie psychique est commandée par des représentations fantasmatiques sous-tendues par des associations inconscientes : le scandale était l'inconscient et la place qu'y tient la vie sexuelle. Avec Éros, il apparaît que, même hors représentation et hors pensée, le mouvement libidinal, sous toutes ses formes, est essentiel à la vie : il la caractérise.

LE TEXTE FREUDIEN

LES SOURCES AVANT 1920

Le début d'***Un souvenir d'enfance de Léonard de Vinci*** **(1910)** comporte la seule mention à valeur conceptuelle du terme d'Éros, qui figure avant 1920 dans l'œuvre freudienne, Freud y souligne que les écrits laissés par Léonard de Vinci, malgré leur hétérogène diversité, esquivent tout ce qui est sexuel « aussi résolument que si seul l'Éros, qui conserve tout ce qui est vivant, n'était pas un matériau digne de la poussée de savoir du chercheur »[1]. Il est très frappant de voir l'incise définir Éros sur le ton de l'évidence et sans autre explication, exactement comme le fera la deuxième théorie des pulsions. Or on peut retrouver aisément d'où Freud tire une telle conviction : fondamentalement, plusieurs textes l'attestent, de son intérêt fasciné par l'Éros platonicien ; mais aussi d'une source très précise que révèle une note de « Le motif du choix des coffrets » (1913), consacrée à la figure de Psyché. Freud y fournit une référence portant « sur la signification de Psyché en tant que divinité du printemps et en tant que fiancée de la mort »[2] ; il s'agit d'un livre d'Adolf Zinzow, *Psyché et Éros,* paru en 1881 chez Halle : son thème est la mise en contraste entre la fiancée de la mort et la force qui conserve toute vie. L'essai élabore de façon théorique la thématique du célèbre apologue des *Métamorphoses* d'Apulée, dont il convient de rappeler la conclusion : « C'est ainsi que Psyché passa selon les rites sous la puissance d'Éros. Et quand fut arrivé le terme, il leur naquit une fille, que nous appelons Volupté. »[3]

1. *OCF* X, p. 92 ; Gallimard, 1987, p. 66-68 ; *GW* VIII, p. 136.
2. *OCFP* XII, p. 63 ; *GW* X, p. 35.
3. Apulée, *Éros et Psyché,* Paris, Rivages « Poche », 2006, p. 161.

L'idée de Zinzow a dû frapper Freud, qui l'utilise et l'élabore dans sa spéculation théorique de 1920.

Ajoutons que, dans la première partie de l'œuvre freudienne, des ajouts postérieurs à 1920 se réfèrent à Éros : la préface à la quatrième édition des *Trois essais sur la théorie sexuelle* en 1920 souligne polémiquement « combien la sexualité élargie de la psychanalyse se rapproche de l'*Éros* du divin Platon » ; au chapitre IV de *L'interprétation des rêves,* une note de 1925 reconnaît que tous les rêves n'expriment pas des désirs exclusivement sexuels, mais que l'affirmation d'Otto Rank en ce sens est soutenable si l'on emploie « sexuel » au sens « maintenant usuel en psychanalyse, celui d'Éros ». Ce qui revient à dire que tous les rêves sont créés par des forces pulsionnelles libidinales et non destructives. L'introduction d'Éros amène donc une réinterprétation de propos plus anciens.

Les pulsions de vie, *Lebenstriebe,* ont également dans l'œuvre de Freud une préhistoire conceptuelle. Le terme est mentionné deux fois avant 1920. Dès **1900**, dans ***L'interprétation des rêves,*** à propos du rêve d'Hermann qui, à vingt-deux mois, se réveille tout joyeux d'avoir mangé toutes les cerises, Freud évoque « l'autre grande pulsion de vie » que le désir sexuel, riche source de déception, de renonciation et par là d'incitation au rêve[1]. On voit que le rassemblement entre pulsions sexuelles et pulsions d'auto-conservation sous le terme de « pulsions de vie » est potentiellement déjà prêt, même si la conceptualisation intermédiaire de 1915 les laisse dissociées.

En **1910,** la conclusion de la « **Contribution à la discussion sur le suicide** », qui laisse celle-ci ouverte, en formule la problématique : « Nous voulions avant tout savoir comment il devient possible de surmonter la pulsion de vie si extraordinairement forte. » Les deux hypothèses sont celle de la libido déçue et celle d'un « renoncement du moi à son affirmation à partir de motifs moïques propres »[2]. Freud regrette l'absence d'une bonne approche pour élaborer cette question, et pose qu'on ne peut ici partir que de la comparaison

1. *L'interprétation des rêves* (1900a), Paris, PUF, 1967, p. 120-121 ; *OCF* IV, p. 165-166 ; *GW* II-III, p. 136.

2. « Contribution à la discussion sur le suicide » (1910g), *Résultats, idées, problèmes, I,* Paris, PUF, 1984, p. 132 ; *OCF* X, p. 78 ; *GW* VIII, p. 64.

entre mélancolie et affect de deuil, qui ne sont pas encore psychanalytiquement élucidés. On voit combien ces quelques lignes préparent la suite de l'œuvre. Autrement dit, la première théorie des pulsions ne conceptualise ni les pulsions de vie ni Éros, mais comporte déjà les matériaux et même les définitions qui, en 1920, permettront cette élaboration ; celle-ci, même surprenante dans sa force de bouleversement de la pensée freudienne, n'est pas née de rien.

La conceptualisation des pulsions de vie en 1920

Au-delà du principe de plaisir **(1920)** pose et déploie la conceptualisation d'Éros. Au chapitre v, après avoir redéfini la pulsion comme une « poussée inhérente à l'organique doué de vie en vue de la réinstauration d'un état antérieur »[1], Freud rappelle les fonctions du groupe des pulsions sexuelles qu'il qualifie de « pulsions de vie proprement dites »[2] qui s'opposent aux autres pulsions conduisant à la mort. Même s'il ne s'agit que d'un allongement du chemin qui conduit à la mort, ces pulsions, elles aussi conservatrices puisqu'elles ramènent la substance vivante à des états antérieurs, ont pu entrer en action « dès le tout premier début ».

Dans ce même chapitre v, c'est à Éros que Freud se réfère, lorsqu'il discute la quête de pleine satisfaction à laquelle la pulsion refoulée « ne renonce jamais », et réfute la notion d'une « pulsion de perfectionnement ». Cette discussion vise à étayer la thèse décisive qu'il vient de poser : le caractère fondamentalement conservateur de toutes les pulsions (c'est-à-dire leur lien intrinsèque à la répétition). Freud y pose l'hypothèse que « les efforts déployés par Éros pour regrouper l'organique en des unités toujours plus grandes fournissent un substitut à cette "pulsion de perfectionnement" dont on ne saurait reconnaître l'existence »[3]. La pleine satisfaction serait la « répétition d'une expérience vécue de satisfaction primaire »[4] ; les formations

1. *Au-delà du principe de plaisir* (1920g), *Essais de psychanalyse,* Paris, Payot, 1981, p. 85 ; *OCF* xv, p. 308 ; *GW* xiii, p. 38.

2. *Ibidem,* p. 85 ; p. 312 ; p. 43.

3. *Ibidem.*

4. *Ibidem,* p. 87 ; p. 314 ; p. 44.

substitutives et réactionnelles et toutes les sublimations ne suffisent pas à supprimer la différence entre le plaisir de satisfaction trouvé et celui qui est impérativement recherché, ce qui suscite le « facteur pulsant qui n'autorise à persévérer dans aucune des situations instaurées »[1] mais qui « indompté, presse toujours en avant »[2]. Dans cette fuite en avant, rendue nécessaire par le fait que le chemin régressif vers la pleine satisfaction est en général obstrué par les résistances qui maintiennent les refoulements, il ne reste rien d'autre à faire que de progresser indéfiniment dans l'autre direction de développement « qui est encore libre, d'ailleurs sans la perspective de pouvoir achever le procès et atteindre le but ». Les processus mis en jeu sont les mêmes que dans la formation d'une phobie névrotique, tentative de fuite devant une satisfaction pulsionnelle, qui fournit donc le modèle pulsionnel de cette prétendue pulsion de perfectionnement. Si les conditions dynamiques en sont fréquentes, « les rapports économiques ne semblent favoriser le phénomène qu'en de rares cas »[3]. Reformulant ensuite ce processus psychique comme relevant des efforts déployés par Éros, confronté aux effets du refoulement, Freud manifeste qu'il vient de dégager très précisément le statut métapsychologique d'Éros, dans ses trois points de vue topique, dynamique et économique.

Il pourra alors généraliser au chapitre VI, en liaison cette fois avec sa tentative d'articuler un point de vue biologique avec celui de la libido : « C'est ainsi que la libido de nos pulsions sexuelles coïnciderait avec l'Éros des poètes et des philosophes. »

Freud propose alors une vue d'ensemble sur le développement de la théorie psychanalytique de la libido, et sur le long chemin qu'il a fallu pour reconnaître « le caractère libidinal des pulsions d'autoconservation » dans lequel, avec l'assomption d'Éros, il risque un pas supplémentaire : « Reconnaître la pulsion sexuelle comme étant l'Éros qui conserve tout, et faire dériver la libido narcissique du moi

1. *Ibidem*, p. 87 ; p. 314 ; p. 45.

2. Gœthe, Méphisto dans *Faust I*, cité par Freud, *ibidem*.

3. *Au-delà du principe de plaisir* (1920g), *Essais de psychanalyse*, Paris, Payot, 1981, p. 87 ; *OCF* XV, p. 314 ; *GW* XIII, p. 45.

des apports de libido au moyen desquels les cellules du soma adhèrent les unes aux autres. » Si les unités doivent être de plus en plus grandes, la poussée d'Éros est nécessairement ancrée dans le somatique et son déploiement ultérieur s'y enracine, tandis que, paradoxalement, son mouvement conservateur s'en émancipe et se déploie bien au-delà. Définissant ici le but d'Éros – conserver tout ce qui est vivant –, le propos freudien retrouve, sous une forme radicalement renouvelée, certaines des caractéristiques de toute pulsion telles que Freud les avait développées en 1915 : la source somatique et la poussée, le caractère de concept limite et l'exigence de travail psychique. Mais si le mouvement d'Éros unifie tout le vivant, articulant auto-conservation et sexualité, il trouve les pulsions de mort ; ainsi le dualisme pulsionnel (sans lequel il n'est pas de conflit, et donc pas de psyché possible) est maintenu, voire plus tranché qu'auparavant. Mais cette conception présuppose l'existence de pulsions de vie dès qu'il existe du vivant : « Si donc on ne veut pas abandonner l'hypothèse de pulsions de mort, il faut leur associer, dès le tout début, des pulsions de vie. »[1]

Dans cette métapsychologie d'Éros, un problème demeure : « Comment faire dériver de l'Éros, qui conserve la vie, la pulsion sadique qui a pour but l'endommagement de l'objet ? »[2] Freud prend une position claire : ce sadisme est une pulsion de mort « repoussée du moi par l'influence de la pulsion narcissique » qui réapparaît dans le rapport à l'objet. Elle est donc une résultante du combat entre les mouvements pulsionnels opposés. Le destin pulsionnel de ce sadisme est alors d'entrer « au service de la pulsion sexuelle » : emprise amoureuse coïncidente avec l'anéantissement de l'objet au stade d'organisation oral de la libido, différenciation ultérieure, maîtrise de l'objet sexuel pour la réalisation de l'acte sexuel au stade génital. C'est ainsi que le sadisme expulsé hors du moi montre la voie aux composantes libidinales de la pulsion sexuelle : prisonnier de guerre colonisé et annexé par Éros, ce sadisme originaire peut aussi ne connaître ni modération ni fusion, et instaurer « l'ambivalence amour-haine

1. *Ibidem,* p. 100-102 ; p. 324-327 ; p. 55-58.
2. *Ibidem,* p. 106 ; p. 330 ; p. 61-62.

de la vie amoureuse, que nous connaissons bien ». Freud vient ici de décrire l'intrication pulsionnelle fondamentale sous-jacente au déploiement libidinal objectal[1].

La théorie psychanalytique d'Éros est désormais posée, avec une très grande clarté et une étonnante concentration de moyens, ce qui pourrait faire méconnaître le caractère achevé de l'élaboration conceptuelle et la force de sa cohérence. Freud n'a plus qu'à rappeler dans une note de bas de page quelques repères terminologiques qui sont en même temps une relecture du chemin parcouru pour voir « la pulsion sexuelle se transformer en Éros qui cherche à pousser l'une vers l'autre et à maintenir en cohésion les parties de la substance vivante » (à partir de la thèse de la libido narcissique impliquant son ancrage biologique). C'est une transformation théorique dans la compréhension de « ce qu'on appelle communément les pulsions sexuelles » ; elles sont réinterprétées comme « la part de cet Éros tournée vers l'objet ». Le modèle est posé comme assuré. Ce qui reste spéculatif, c'est de poser qu'Éros est à l'œuvre dès le début de la vie et entre comme pulsion de vie en opposition avec la pulsion de mort « qui est apparue du fait que l'inorganique a pris vie »[2] et donc que s'y est manifestée une tendance au retour du même, du fait de l'écart avec un temps antérieur inerte. Mais alors, fait frappant, les pulsions de vie éveillent notre perception interne, car elles surviennent en perturbatrices, apportant sans discontinuer des tensions dont la liquidation est ressentie comme plaisir, alors que les pulsions de mort agissent sans que nous nous en apercevions[3].

1921-1930 : LA CÉLÉBRATION D'ÉROS

Psychologie des foules et analyse du moi se réjouit, en **1921**, de pouvoir montrer la coïncidence entre amour, libido et Éros – une façon plus distinguée d'en parler : il n'y a pas à avoir honte de la

1. *Ibidem*, p. 102 ; p. 327 ; p. 58.
2. *Ibidem*, p. 110 ; p. 335 ; p. 67.
3. *Ibidem*, p. 114 ; p. 337 ; p. 69.

sexualité et la psychanalyse peut, sans avoir fait de concessions, garder la tête haute devant ceux qui l'accusent de pansexualisme[1].

« **Théorie de la libido** » en **1923** rappelle les définitions maintenant acquises des pulsions de mort et des pulsions de vie. Les pulsions de vie, libidinales « regroupées au mieux en tant qu'Éros »[2] sont les mieux connues de nous analytiquement ; leur visée « serait de donner forme, à partir de la substance vivante, à des unités de plus en plus grandes, et ainsi de conserver la permanence de la vie et de la conduire à de plus hauts développements ». Freud définit ensuite les possibilités d'alliage et d'intrications entre les deux types de pulsions opposées, ainsi que les possibles démixtions.

Dans la même ligne, les « **Résistances à la psychanalyse** », de **1924**, reformulent la réponse freudienne désormais plus assurée grâce à l'émergence de la deuxième théorie des pulsions, en insistant davantage cette fois sur la « dérivation partielle de l'art, de la religion, de l'ordre social à partir de l'action conjointe de forces de pulsions sexuelles »[3], ce qui ne réduit pas tout à la sexualité, car il n'a jamais été contesté par la psychanalyse que l'homme ait d'autres intérêts que des intérêts uniquement sexuels – ce qui est déjà le cas chez l'animal qui n'est soumis à la sexualité que par accès. « La mise en évidence d'une provenance à partir de sources pulsionnelles élémentaires animales ne peut rien changer à la valeur d'une conquête culturelle. »[4]

Une autre reformulation de la théorisation désormais acquise figure également dans l'« **Autoprésentation** » de **1925**[5], et « **Psychanalyse** » en **1923**, écrit pour l'encyclopédie *Britannica,* présente une fois de plus les deux pulsions fondamentales qui « se cachent derrière

1. *Psychologie des foules et analyse du moi* (1921c), *Essais de psychanalyse,* Paris, Payot, 1981, p. 152 ; *OCF* XVI, p. 30 ; *GW* XIII, p. 99-100.

2. « Théorie de la libido » *in* « "Psychanalyse" et "Théorie de la libido" » (1923a), *Résultats, idées, problèmes, II,* Paris, PUF, 1984, p. 77 ; *OCF* XVI, p. 208 ; *GW* XIII, p. 233.

3. « Résistances à la psychanalyse », *Résultats, idées, problèmes, II,* Paris, PUF, 1984, p. 131 ; *OCF* XVII, p. 130 ; *GW* XIV, p. 105.

4. *Ibidem,* p. 130 ; p. 131 ; p. 106.

5. *Sigmund Freud présenté par lui même* (1925d), Paris, Gallimard, 1984, p. 96 ; *OCF* XVII, p. 105 ; *GW* XIV, p. 84.

les pulsions du moi et d'objet manifestes, « la pulsion vers une unification tendant à aller toujours plus loin, l'Éros, et la pulsion de destruction conduisant à la dissolution du vivant ». Freud y articule précisément l'un par rapport à l'autre les deux concepts d'Éros et de libido : « La manifestation de la force de l'Éros est nommée en psychanalyse libido. »[1] À l'occasion de reformulations qui témoignent de la solidité constante de ses définitions conceptuelles, Freud est vraiment, dans les années qui suivent immédiatement la mise en évidence de la pulsion de mort, dans la célébration d'Éros !

Un peu plus tard, en **1930,** dans le discours qu'Anna Freud prononce dans la maison de Goethe à Francfort, au nom de son père malade, pour la remise à Freud du **prix Goethe,** Freud reconnaît chez Goethe un chantre d'Éros : « Quant à Éros, Goethe l'a toujours tenu en haute estime, il n'a jamais essayé de diminuer son pouvoir, n'a pas suivi ses manifestations primitives ou même frivoles avec moins de respect que celles qui étaient hautement sublimées, et a, me semble-t-il, représenté l'unité de son essence sous toutes ses formes non moins nettement que, jadis, Platon. »[2] Dans *Les Affinités électives,* Goethe applique à la vie amoureuse une représentation empruntée à la chimie, intuition dont témoigne aussi le terme même de psychanalyse…

1923 : Le ça et le moi aux prises avec Éros

D'autres textes de la même période poursuivent l'élaboration en la précisant. En **1923,** ***Le moi et le ça*** consacre son chapitre IV aux deux espèces de pulsions. L'enjeu est ici le rapport du moi aux pulsions. La distinction des instances psychiques doit servir à mieux décrire les relations dynamiques dans la vie psychique. Les perceptions sont approximativement pour le moi ce que sont les pulsions pour le ça[3],

1. « Psycho-Analysis » (1926f), *Résultats, idées, problèmes, II,* Paris, PUF, 1985, p. 155 ; *OCF* XVII, p. 291 ; *GW* XIV, p. 302.

2. « Prix Goethe 1930 : allocution prononcée à la maison de Goethe à Francfort » (1930e), *Résultats, idées, problèmes, II,* Paris, PUF, 1985, p. 183 ; *OCFP* XVIII, p. 352 ; *GW* XIV, p. 549.

3. *Le moi et le ça* (1923b), *Essais de psychanalyse,* Paris, Payot, 1981, p. 253 ; *OCF* XVI, p. 283 ; *GW* XIII, p. 268.

mais en même temps, le moi est comme le ça soumis aux pulsions. Freud rappelle alors les élaborations d'*Au-delà du principe de plaisir,* en ajoutant à l'idée d'unification celle de complexification : « Éros poursuit le but de compliquer la vie en rassemblant de façon toujours plus extensive la substance vivante éclatée en particules, et par là naturellement de la conserver », et en insistant sur le caractère conservateur des pulsions et leur visée d'un état qui soit une réinstauration de ce qui a été perturbé par l'apparition de la vie. La vie est un combat et un compromis entre les deux tendances, vers la continuation de la vie ou vers la mort, issues toutes deux de l'apparition de la vie. Freud est ici dans une pensée de l'être, la « cosmologie » (ou plus précisément la cosmogonie) répondant à la question de la provenance de la vie, mais la psychanalyse pouvant prendre position « de façon dualiste » sur la question de la fin et de la visée de la vie. En fait, le dualisme pulsionnel est ici explicitement une dialectique de l'être, à partir des deux procès spécifiques à chaque pulsion : édification et dissociation. « Dans chaque morceau de substance vivante seraient actives les deux sortes de pulsions », en une mixtion aux proportions inégales, « si bien qu'une substance pourrait prendre en charge la représentance majeure de l'Éros ». Liaisons, mélanges et combinaisons entre les pulsions des deux espèces restent irreprésentables, mais doivent être posées comme hypothèse, permettant une neutralisation de la pulsion de mort dans une unité vivante et une dérivation vers l'extérieur des pulsions destructrices. Les démixtions plus ou moins complètes sont à envisager aussi. Cette théorisation de l'être ouvre la pensée « sur un vaste domaine de faits qui n'a pas encore été considéré sous ce jour ». Freud renouvelle ainsi la réflexion psychanalytique sur un certain nombre de faits cliniques. Relevons dans les exemples qu'il en donne, une mention qui concerne plus explicitement Éros : « Nous reconnaissons ainsi que la pulsion de destruction est régulièrement mise au service de l'Éros aux fins d'éconduction. »[1] Éros serait donc une possibilité de décharge, et pas seulement de neutralisation, de la pulsion de mort.

1. *Ibidem*, p. 254 ; p. 283 ; p. 269.

Plus largement, Freud suggère d'**explorer les relations** riches de perspectives **entre les deux espèces de pulsions et les instances psychiques** et engage une **réévaluation du principe de plaisir.** Si nous mettons en place du dualisme des deux types de pulsions (niveau de l'être) la polarité de l'amour et de la haine (niveau clinique), il est un fait qui permet d'étudier le statut d'un principe de plaisir, clair lorsque l'on considère la subdivision du moi, mais moins assuré du point de vue de la théorisation pulsionnelle. Car si nous ne sommes pas embarrassés pour trouver une représentance de l'Éros, la pulsion de mort est plus difficile à saisir et il est précieux de disposer de la haine, représentant « dans la pulsion de destruction à laquelle la haine montre le chemin ». Freud reprend donc l'étude dialectique des relations entre la haine et l'amour, en introduisant l'idée d'une énergie de déplacement désexualisée. Celle-ci se manifeste lors de la mutation paranoïaque : une position ambivalente est active depuis le début ; la transformation advient par un « déplacement d'investissement réactionnel », de l'énergie étant retirée à la motion érotique et de l'énergie apportée à la motion hostile. Dans l'homosexualité, la position hostile, n'ayant pas de perspective de satisfaction, est relayée par la position d'amour qui offre plus de possibilités et permet donc la décharge (éconduction). La **désexualisation** se manifeste ainsi comme une opération importante dans le rapport à Éros, un facteur de transformation par déplacement d'énergie, susceptible de modifier profondément les formes d'intrication entre Éros et pulsion de mort. « Nous avons procédé comme s'il y avait dans le psychisme – dans le moi ou dans le ça, ce n'est pas tranché – une énergie déplaçable qui, en soi indifférente, peut s'adjoindre à une motion qualitativement différente, érotique ou destructrice, et élever son niveau d'investissement global. »

Cette désexualisation relève-t-elle du moi ou du ça ? Tout en reconnaissant que les destins des motions pulsionnelles restent obscurs, Freud présente comme plausible que cette énergie, déplaçable et indifférente, active dans le moi et dans le ça, « soit issue de la provision de libido narcissique » et qu'elle soit donc de l'« Éros désexualisé ». S'il n'est pas évident de comprendre comme « désexualisée » la libido narcissique (désobjectalisée, par son retour sur le moi propre serait plus immédiatement compréhensible), la remarque suivante de Freud sur la mobilité plus grande des pulsions érotiques que des pulsions de destruction est de grande importance. Les pulsions érotiques sont « d'une manière générale plus plastiques, plus déviables et déplaçables ». Éros est conservateur comme toute pulsion, il se caractérise par sa capacité d'établir des liaisons, mais celles-ci restent déplaçables et mobiles. La libido déplaçable travaille au service du principe de plaisir, pour favoriser les éconductions ; son indifférence à la voie d'éconduction et à l'objet relèverait plutôt des investissements du ça. Libido désexualisée, cette énergie de déplacement peut également être considérée comme sublimée, puisqu'elle maintient la visée principale d'Éros : réunir et lier, en servant à l'instauration de cet ensemble unitaire par lequel – ou par l'aspiration auquel – se caractérise le moi. Il faut inclure dans ces déplacements les processus de pensée : « Alors le travail de pensée est justement lui aussi pris en charge par sublimation d'une force de pulsion érotique. » La sublimation procède ainsi régulièrement par l'intermédiaire du moi. Il est une autre situation où le moi liquide les premiers investissements d'objet et d'autres ultérieurs en accueillant leur libido dans le moi et en la liant à la transformation du moi instaurée par identification. « À cette transposition en libido du moi est naturellement lié un abandon des buts sexuels, une désexualisation. »

Cette analyse du processus de désexualisation éclaire une opération importante du moi dans son rapport à Éros. S'emparant de la libido des investissements d'objet, pour se poser en objet d'amour unique, en désexualisant ou sublimant la libido du ça, le moi « travaille à l'encontre des visées de l'Éros, il se met au service des motions pulsionnelles adverses ». Même s'il lui faut en même temps s'accommoder des investissements d'objet du ça. Freud souligne ici que la formation du moi est progressive, tandis que la libido du ça est active dès le début, et que le narcissisme du moi est ainsi un narcissisme secondaire, retiré aux objets.

Ces reprises à la lumière d'Éros de la théorie des destins pulsionnels manifestent clairement que les motions pulsionnelles dont nous pouvons suivre les traces sont des rejetons d'Éros. Tout semble relever d'Éros, au risque de mettre en difficulté le dualisme pulsionnel, à l'exception des considérations de l'*Au-delà du principe de plaisir* et des contributions sadiques à Éros, issues de la pulsion de destruction ; Freud en conclut que « les pulsions de mort sont pour l'essentiel muettes et que le bruit de la vie provient surtout de l'Éros ».

Mais le combat contre l'Éros n'est pas moins actif. « Le principe de plaisir sert au ça de boussole dans le combat contre la libido, qui introduit des perturbations dans le cours de la vie. » Le principe de constance de Fechner est premier, et ferait de la vie un glissement dans la mort, mais « les revendications de l'Éros, des pulsions sexuelles », en tant que besoins pulsionnels, introduisent de nouvelles tensions. Le ça se défend contre elles par diverses voies, guidé par le principe de plaisir, c'est-à-dire par la perception du déplaisir : satisfaction la plus rapide possible des tendances sexuelles directes, expulsion plus large des substances sexuelles et des tensions érotiques. On comprend alors l'analogie entre ce qui suit la satisfaction sexuelle et la mort, comme le sort des animaux pour qui la mort coïncide avec l'acte de procréation : « après la mise hors circuit de l'Éros par la satisfaction » [1], la pulsion de mort a désormais le champ libre. Quant au moi, il facilite le travail de maîtrise du ça en sublimant pour lui-même et à ses fins des parts de libido.

La perspective topique de ce texte qui élabore une nouvelle compréhension freudienne des instances psychiques (dite deuxième topique) amène Freud à envisager en fin d'article les relations de dépendance du moi. Celui-ci « ne se tient pas impartial » entre les pulsions de vie et les pulsions de mort. « Par son travail d'identification et de sublimation, il porte assistance aux pulsions de mort dans le ça pour la maîtrise de la libido », comme nous venons de le voir. Ce faisant, il encourt le danger de l'action des pulsions de mort sur lui-même : dans cette opération, il s'est empli lui-même de libido devenant « de ce fait lui-même représentant de l'Éros » [2] qui veut dès lors vivre et être aimé. Mais son travail de sublimation entraîne une désintrication pulsionnelle et une libération des pulsions d'agression, qui l'expose, par son combat contre la libido, au danger de l'agression du surmoi (périssant par ce qu'il a lui-même suscité) et de la mort. De son côté, le ça ne peut témoigner au moi ni amour ni haine, puisqu'il ne dispose pas d'une volonté unitaire et ne peut déterminer ce qu'il veut ; Éros et pulsion de mort combattent en lui, les pulsions de vie réagissant de façon défensive face aux autres.

1. *Ibidem*, p. 256-261 ; p. 285-290 ; p. 271-276.
2. *Ibidem*, p. 272 ; p. 299 ; p. 287.

« Nous pourrions présenter les choses comme si le ça se trouvait sous la domination des pulsions de mort, muettes mais puissantes, qui veulent amener au repos le trouble-paix Éros, selon les signes adressés par le principe de plaisir. » [1] Mais, précise Freud, et ce sont les derniers mots du texte, n'est-ce pas sous-estimer le rôle d'Éros ?

ÉROS ET LES LOGIQUES DE L'ÊTRE

« Le problème économique du masochisme » montre en **1924** pourquoi le « sadisme originaire », c'est-à-dire la pulsion de mort agissant dans l'organisme (et non défléchie vers l'extérieur) est identique au masochisme. Le masochisme érogène « serait un témoin et un vestige de cette phase de formation dans laquelle se produisit cet alliage, si important pour la vie, de la pulsion de mort et de l'Éros » [2]. Mais ce même article commence par une discussion de l'énigme du masochisme au regard de la notion de principe de plaisir, qu'il maintient, mais en le distinguant du principe de nirvana, qui lui, exprime la tendance de la pulsion de mort. Ce qui produit la transformation du principe de Nirvana en principe de plaisir « ne peut être que la pulsion de vie, la libido, qui, de cette façon s'est acquis par contrainte sa part dans la régulation des processus de vie à côté de la pulsion de mort » [3]. Ainsi, dans le même article, la pulsion de vie est considérée comme synonyme de libido (son énergie propre), puis est évoquée sous le terme d'« Éros ». La question demeure celle du domptage partiel de la pulsion de mort par la libido, et plus largement le fait de la mixtion, de l'intrication, de l'amalgame entre les deux types de pulsion, seule réalité clinique à laquelle nous ayons affaire : « Nous ne devrions nullement compter avec des pulsions de mort et de vie pures, mais avec des mélanges de celles-ci, comportant des valeurs diverses » [4], et susceptibles aussi de démixtion. Mais une certaine part des pulsions de mort se soustrait à ce domptage par la liaison à des ajouts libidinaux.

1. *Ibidem,* p. 274-275 ; p. 301 ; p. 289.
2. « Le problème économique du masochisme » (1924c), *Névrose, psychose et perversion,* Paris, PUF, 1973, p. 292 ; *OCF* XVII, p. 16 ; *GW* XIII, p. 377.
3. *Ibidem,* p. 288 ; p. 12 ; p. 373.
4. *Ibidem,* p. 291 ; p. 16 ; p. 376.

« **La négation** » dégage en **1925** la fonction d'Éros au niveau d'une logique de l'être : « L'affirmation – comme substitut de l'unification – appartient à l'Éros, la négation, successeur de l'expulsion – à la pulsion de destruction. » [1]

Inhibition, symptôme et angoisse en **1926**, réinterroge le tabou du toucher, à propos des évitements dans la névrose de contrainte. Pourquoi l'évitement du toucher, du contact, de la contamination, joue-t-il un aussi grand rôle dans cette névrose ? C'est que le toucher, le contact corporel, est le but premier de l'investissement d'objet, aussi bien agressif que tendre. « L'Éros veut le toucher, car il aspire à l'union, à la suppression des frontières entre moi et objet aimé. Mais la destruction aussi qui [...] présuppose nécessairement le toucher corporel, porter la main sur autrui. » [2] Dans la mesure où la névrose obsessionnelle s'oppose dès le début au toucher érotique, puis, après la régression, au toucher masqué sous forme d'agression, on comprend qu'elle prohibe avant tout le contact, et qu'il se prête mieux que tout à devenir le point central d'un système d'interdiction.

Évoquant plus largement les modifications introduites par la deuxième théorie pulsionnelle, Freud souligne à propos du sadisme, représentant de la pulsion de mort, comment le nouveau dualisme semble faire éclater la construction antérieure des stades de la libido. Néanmoins, du fait que nous n'avons pas affaire à des motions pulsionnelles pures, mais à des alliages et à des intrications entre les deux pulsions, le bouleversement est moindre, et nous pouvons ainsi, à bon droit, continuer à considérer l'investissement sadique d'objet comme un investissement libidinal. Le texte de 1926 travaille ainsi à la réévaluation en deuxième topique des analyses théorico-cliniques antérieures.

C'est dans la même ligne qu'en **1933**, dans les ***Nouvelles conférences,*** le texte « **Angoisse et vie pulsionnelle** » expose une fois de plus – dans des termes très proches de ceux qu'il utilise en 1932 dans

1. « La négation » (1925h), *Résultats, idées, problèmes, II,* Paris, PUF, 1985 ; *OCF* XVII, p. 170 ; p. 138-139 ; *GW* XIV, p. 15.

2. *Inhibition, symptôme et angoisse* (1926d [1925]), Paris, PUF, 1951, p. 44 ; *OCF* XVII, p. 239 ; *GW* XIV, p. 152.

« Pourquoi la guerre ? »[1], qui y ajoute la référence au *Banquet* de Platon – le dualisme pulsionnel postulé en 1920 : deux espèces essentiellement distinctes de pulsions, « les pulsions sexuelles, comprises dans le sens le plus large l'Éros, si vous préférez cette dénomination et les pulsions d'agression, dont le but est la destruction ». Cela semble un essai de transfiguration théorique de l'opposition banale entre l'aimer et le haïr, « qui coïncide peut-être avec cette autre polarité, attraction et répulsion, que la physique suppose pour ce qui est du monde inorganique »[2] – et pourtant la thèse en est ressentie par beaucoup comme une innovation, et une innovation à rejeter. Peut-être parce que l'illusion d'une « bonté » de la nature humaine reste tenace. Si le sadisme et le masochisme restent pour la libido des phénomènes énigmatiques, ils n'en sont pas moins deux excellents exemples de la mixtion des deux espèces de pulsions, de l'Éros avec l'agression « et nous faisons maintenant l'hypothèse que ce rapport est prototypique »[3] : toutes les motions pulsionnelles que nous pouvons étudier consistent en de telles mixtions ou alliages des deux espèces de pulsions, en proportions diverses[4].

Dans ces intrications, les pulsions érotiques introduiraient la multiplicité de leurs buts sexuels, tandis que les pulsions de destruction ne pourraient admettre que des atténuations et gradations de leur « tendance monotonale »[5]. Ces remarques, souligne Freud, ouvrent la voie à des investigations cliniques très significatives. Car les intrications peuvent aussi se dissocier, et l'on peut attendre de graves conséquences de ces démixtions pulsionnelles. Non que Freud, en posant la notion de pulsion de mort, fasse de la philosophie schopenhauerienne.

1. « Pourquoi la guerre ? » (1933b), *Résultats, idées, problèmes, II,* Paris, PUF, 1985, p. 209 ; *OCF* XIX, p. 75 ; *GW* XVI, p. 20.

2. « Pourquoi la guerre ? » (1933b), Paris, Gallimard « Folio », 1984, p. 139 ; *OCF* XIX, p. 186 ; *GW* XV, p. 110.

3. *Ibidem,* p. 141 ; p. 188 ; p. 111.

4. Voir aussi la même remarque dans « Pourquoi la guerre ? », à propos des actions humaines (*Résultats, idées, problèmes, II,* Paris, PUF, 1985, p. 210 ; *OCF* XIX, p. 76 ; *GW* XVI, p. 21).

5. « Pourquoi la guerre ? » (1933b), Paris, Gallimard « Folio », 1984, p. 141 ; *OCF* XIX, p. 188 ; *GW* XV, p. 112.

Car il n'omet pas de voir « à côté de la mort, la vie ». À chacune des deux pulsions fondamentales revient son but propre. « Comment les deux se mélangent dans le procès de vie, comment la pulsion de mort est mise au service des visées de l'Éros, surtout dans le retournement vers l'extérieur en tant qu'agression, ce sont là des tâches qui sont réservées à la recherche de l'avenir. » [1]

Éros, la vie sociale, l'éthique

La force d'Éros pourrait faire espérer que les hommes puissent délibérément renforcer les unifications et trouver la voie de la satisfaction et de leurs aspirations au bonheur. Or il n'en est rien. Mais y a-t-il un devoir d'aimer ? La force des idées religieuses, étudiée en 1927 dans *L'avenir d'une illusion,* laisse en suspens la question des similitudes et des différences entre l'Éros psychanalytique et le commandement religieux de l'amour de Dieu et du prochain, qui, prescrivant l'impossible et l'imprescriptible, a pour effet d'accroître le sentiment de culpabilité. Quoi qu'il en soit des autres motivations freudiennes, c'est une nécessité conceptuelle intrinsèque qui amène Freud à se confronter au malaise dans la culture.

En **1929,** ***Malaise dans la culture*** propose au chapitre IV un nouveau couple antagoniste, Éros et Anankè, pour décrire la relation ambivalente et contradictoire de l'homme à la culture : « La vie en commun des hommes fut donc doublement fondée, par la contrainte au travail que créa la nécessité extérieure, et par puissance de l'amour [...] Éros et Anankè sont ainsi devenus les parents de la culture humaine. » [2] Le premier succès culturel fut que désormais un plus grand nombre d'hommes purent aussi rester en communauté.

À l'inverse, la réussite d'Éros, du fait de l'aversion à quitter une position ancienne pour une nouvelle, peut devenir contradictoire avec la vie sociale. « Nous faisons dériver l'opposition entre culture et sexualité du fait que l'amour sexuel est un rapport entre deux personnes, dans lequel un tiers ne peut qu'être superflu ou perturbant. »

1. *Ibidem,* p. 145 ; p. 191 ; p. 115.

2. *Malaise dans la culture* (1930a [1929]), Paris, PUF, 1971, p. 43 ; *OCF* XVIII, p. 287 ; *GW* XIV, p. 460.

À l'apogée d'un rapport amoureux, il ne subsiste plus aucun intérêt pour le monde environnant et le couple d'amoureux se suffit à lui-même. « Dans aucun autre cas l'Éros ne trahit aussi nettement le noyau de son être, l'intention de faire une chose à partir de plusieurs, mais quand il a atteint cela, selon l'expression proverbiale, dans l'état amoureux unissant deux êtres humains, il ne veut pas aller au-delà. » [1]

Mais les paradoxes d'Éros ne s'arrêtent pas là. En effet, une note du chapitre VI souligne que « l'opposition [...] entre l'inlassable tendance expansive de l'Éros et la nature en général conservatrice des pulsions est frappante et peut devenir le point de départ de nouvelles interrogations » [2], sur lesquelles Freud reviendra d'ailleurs en 1938 dans l'*Abrégé de psychanalyse*. Dans ce même chapitre, Freud retrace la démarche qu'il fit en écrivant *Au-delà du principe de plaisir*, soulignant notamment comment les manifestations d'Éros sont frappantes et bruyantes, tandis que l'on peut faire l'hypothèse que la pulsion de mort travaille silencieusement, à l'intérieur de l'être vivant, à la dissolution de celui-ci [3]. La pulsion de mort n'est donc que devinée derrière l'Éros, comme un reliquat, et elle se dérobe « là où elle n'est pas trahie par son alliage avec Éros. C'est dans le sadisme, où elle infléchit dans son sens le but érotique, que nous arrivons à comprendre le plus clairement son essence et sa relation à l'Éros ». Une note se réfère au Méphistophélès de Goethe pour l'identification du principe du mal avec la pulsion de destruction ; l'adversaire du diable n'y est pas le sacré ou le bon, mais « la force de procréation de la nature, sa force de multiplication de la vie, ainsi donc l'Éros » [4].

La culture est donc un procès particulier au service de l'Éros, se déroulant à l'échelle de l'humanité, qui trouve son obstacle le plus fort dans le penchant à l'agression, prédisposition pulsionnelle originelle. Ce processus culturel « veut regrouper des individus humains isolés, plus tard des familles, puis des tribus, des peuples, des nations, en une grande unité, l'humanité. Pourquoi faut-il que cela arrive,

1. *Ibidem,* p. 50 ; p. 294 ; p. 467.
2. *Ibidem,* p. 60 ; p. 304 ; p. 477.
3. *Ibidem,* p. 61 ; p. 305 ; p. 478.
4. *Ibidem,* p. 63 ; p. 307 ; p. 480.

nous ne le savons pas. Disons que c'est précisément l'œuvre de l'Éros ». Les foules humaines doivent être liées libidinalement, car la seule nécessité, les avantages d'une communauté de travail, n'assureront pas leur cohésion. À « ce programme de la culture » s'oppose la pulsion d'agression naturelle des hommes, l'hostilité d'un seul contre tous et de tous contre un seul. Le **sens du développement de la culture** est ainsi éclairci : il « ne peut que nous montrer le combat entre Éros et mort, pulsion de vie et pulsion de destruction, tel qu'il se déroule au niveau de l'espèce humaine ». Le développement de la culture est donc un combat vital de l'espèce humaine[1].

Le chapitre VII met en relation la thèse de la mort du père de la horde originaire et la théorie des pulsions : « Qu'on ait mis à mort le père ou qu'on se soit abstenu de l'acte, cela n'est vraiment pas décisif, dans les deux cas on ne peut que se trouver coupable, car le sentiment de culpabilité est l'expression du conflit d'ambivalence, du combat éternel entre l'Éros et la pulsion de destruction ou de mort. » Ce conflit est attisé par la tâche assignée aux hommes de vivre en commun et doit nécessairement se manifester dans le complexe d'Œdipe et instaurer la conscience morale, créer le premier sentiment de culpabilité. « Comme la culture obéit à une impulsion érotique intérieure qui lui ordonne de réunir les hommes en une masse intimement liée, elle ne peut atteindre ce but que par la voie d'un renforcement toujours croissant du sentiment de culpabilité. Ce qui fut commencé avec le père s'achève avec la masse. »[2] Freud évoque alors le chant du harpiste accusant les puissances célestes, dans le *Wilhelm Meister* de Goethe, de livrer le malheureux au sentiment de culpabilité.

Au chapitre VIII, introduit par une adresse au lecteur qui pourrait se plaindre d'avoir « trop souvent entendu la formule du combat entre Éros et pulsion de mort »[3], est dressé un récapitulatif des fonctions de ce combat : il caractérise le procès culturel qui se déroule à l'échelle de l'humanité, il est appliqué au développement de l'individu

1. *Ibidem,* p. 64-65 ; p. 308-309 ; p. 481.
2. *Ibidem,* p. 76 ; p. 320 ; p. 492.
3. *Ibidem,* p. 82 ; p. 326 ; p. 499.

et il prétend avoir dévoilé le mystère de la vie organique en général. Freud voudrait examiner les relations entre ces trois processus. Procès culturel de l'humanité et développement de l'individu sont tous deux des processus de vie, et participent nécessairement du caractère le plus général de la vie. Mais ce trait général est précisé par des conditions particulières : le procès culturel est la modification du procès de vie sous l'influence d'une tâche assignée par Éros et suscitée par l'Anankè, la nécessité réelle ; abstraction d'un ordre plus élevé que le développement de l'individu, il est plus difficile à saisir concrètement. De plus, « dans le procès de développement de l'individu, le programme du principe de plaisir, trouver la satisfaction du bonheur, est maintenu comme but principal » [1], tandis que l'insertion dans une communauté ou l'adaptation à celle-ci n'est qu'une condition à peine évitable, faute de mieux. Dans le procès culturel au contraire, le but principal est la réunion des individus en une unité et le but de rendre heureux, sans disparaître, n'est qu'à l'arrière-plan. **Les deux tendances, celle au bonheur individuel et celle au rattachement à l'humanité,** ont elles aussi à combattre l'une contre l'autre en chaque individu. Mais « ce combat entre l'individu et la société n'est pas un rejeton de l'opposition, vraisemblablement inconciliable, des pulsions originaires, Éros et mort, il signifie une discorde dans l'économie de la libido, comparable à la dispute pour le partage de la libido entre le moi et les objets, et il autorise un équilibre final chez l'individu, tout comme aussi, nous l'espérons, dans l'avenir de la culture » [2].

C'est sur cette espérance que s'achève *Malaise dans la culture* : la domination des forces de la nature a progressé au point que les hommes peuvent désormais s'exterminer, et ils le savent, ce qui nourrit leur inquiétude et leur fond d'angoisse. « Et maintenant il faut s'attendre à ce que l'autre des deux "puissances célestes" [3], l'Éros éternel, fasse une effort pour s'affirmer dans le combat contre son adversaire tout aussi immortel. Mais qui peut présumer du succès et de l'issue ? » [4]

1. *Ibidem,* p. 83 ; p. 327 ; p. 500.
2. *Ibidem,* p. 84 ; p. 328 ; p. 501.
3. Dans le langage de Goethe, cité plus haut.
4. *Ibidem,* p. 89 ; *OCF* XVIII, p. 333 ; *GW* XIV, p. 506.

En **1932**, dans « **Pourquoi la guerre ?** », Freud rappelle sa conception de l'antagonisme pulsionnel et des intrications entre les deux pulsions. Il en tire cette fois, à la lumière de *Malaise dans la culture*, la conséquence sociale et éthique : il ne mène à rien de vouloir abolir les penchants agressifs des hommes. Les descriptions des contrées heureuses où des peuples vivent dans la douceur méritent plus ample examen, et l'ambition bolchevique d'une égalité qui ferait disparaître l'agression est tenue par Freud pour une illusion. En ce qui concerne le penchant à l'agression, on peut simplement « tenter de le dévier suffisamment pour qu'il n'ait pas à trouver son expression dans la guerre »[1].

Ainsi donc, la « doctrine mythologique des pulsions » permet de définir les « voies indirectes de lutte contre la guerre ». Si la propension à la guerre découle de la pulsion de destruction, on peut invoquer contre elle son antagoniste, Éros, qui établit des liens affectifs entre les hommes. Ils peuvent être de deux genres, de type amoureux (même dénués de buts sexuels) ; sur ce point la psychanalyse rejoint le précepte religieux, qui enjoint d'aimer le prochain comme soi-même, exigence difficile à réaliser. L'autre genre de lien affectif passe par l'identification : ce qui établit entre les hommes des points communs significatifs fait surgir des sentiments communautaires, des identifications. Freud trace ici plus clairement qu'ailleurs la façon de passer du niveau de la théorie pulsionnelle à celui de ses manifestations, de reconnaître Éros à l'œuvre dans les formes de l'amour et des identifications, c'est-à-dire aussi bien dans la culture que dans la clinique.

La bigarrure des manifestations de la vie

« **L'analyse avec fin et l'analyse sans fin** », en **1937**, expose une nouvelle fois la deuxième théorie freudienne des pulsions, en rappelant les faits cliniques qui sous-tendent l'idée d'une pulsion d'agression ou de destruction et en soulignant l'importance des intrications pulsionnelles, dont il dégage les enjeux anthropologiques et cliniques : « Seule l'action conjuguée et antinomique des deux pulsions

1. « Pourquoi la guerre ? » (1933b), *Résultats, idées, problèmes, II*, Paris, PUF, 1985, p. 212 ; *OCF* XIX, p. 78 ; *GW* XVI, p. 23.

originaires, Éros et pulsion de mort, explique la bigarrure des manifestations de la vie, aucune de ces deux pulsions n'intervenant jamais seule. » Freud y récuse aussi l'interprétation par un « pessimisme » : « Une opposition entre une théorie optimiste de la vie et une théorie pessimiste n'entre pas en ligne de compte », mais il faut reconnaître « l'hégémonie des forces contre lesquelles nous voyons nos efforts se briser ». La tâche la plus gratifiante de la recherche psychanalytique serait de tirer au clair les voies de rencontre et d'association de ces pulsions qui mettent en place les fonctions particulières de la vie, de rechercher les conditions de relâchement ou de dissolution de ces liaisons, de considérer quels troubles correspondent à ces modifications et quels sont leurs effets sur la « gamme des perceptions du principe de plaisir » [1].

La théorie dualiste qui pose une pulsion de destruction à côté de l'Éros, il est vrai, a trouvé peu d'écho et ne s'est pas imposée même parmi les psychanalystes. Mais Freud découvre avec joie (allant jusqu'à s'interroger sur sa cryptomnésie) les formulations d'Empédocle posant deux principes régissant l'univers aussi bien que l'âme, *philia,* l'amour, et *neïkos,* la lutte, « forces de la nature agissant pulsionnellement et en aucune manière des intelligences conscientes de leurs fins ». Le processus universel est d'après lui une alternance des périodes où l'une ou l'autre de ces deux forces fondamentales remporte la victoire. « Les deux principes fondamentaux d'Empédocle – *philia* et *neïkos* –, sont par le nom comme par la fonction l'équivalent de nos deux pulsions originaires, Éros et destruction, s'efforçant l'une de rassembler ce qui existe en unités toujours plus grandes, l'autre de dissoudre ces unions et de détruire les formations qui en sont nées. » Dans le resurgissement freudien de la théorie d'Empédocle, il faut noter trois modifications : la réduction de la thèse au biopsychique, la dissociation radicale entre la vie et l'inanimé, l'abandon de la référence aux quatre éléments au profit de la soudure et du désalliage de composants pulsionnels. Mais l'ancrage biologique de la théorie freudienne – qui ramène à une pulsion de mort la pulsion de destruction permettant la

1. « L'analyse avec fin et l'analyse sans fin » (1937c), *Résultats, idées, problèmes, II,* Paris, PUF, 1985, p. 258-259 ; *GW* XVI, p. 89.

compréhension de la « lutte » – ne signifie pas nécessairement qu'une telle pulsion n'ait pas existé avant l'apparition de la vie, et nous ne pouvons prévoir « sous quel habillage le noyau de vérité contenu dans la doctrine d'Empédocle se présentera à des vues ultérieures » [1].

En **1938**, le deuxième chapitre de l'***Abrégé de psychanalyse*** s'intitule « Théorie des pulsions », et commence par des considérations sur la puissance du ça. Tendant à satisfaire les besoins de l'individu, il néglige la conservation de la vie. « Nous donnons aux forces qui agissent à l'arrière-plan des besoins impérieux du ça et qui représentent dans le psychisme les exigences d'ordre somatique, le nom de *pulsions* », par nature conservatrices, tendant à réinstaurer les états antérieurs. Après beaucoup de tergiversations et d'hésitations, précise Freud, il en est venu à n'admettre que deux pulsions fondamentales (*Grundtriebe* ; dans la traduction d'Anne Berman, de 1949, *Trieb* est traduit par « instinct) »), Éros et la pulsion de destruction. « Le but de l'Éros est d'établir des unités toujours plus grandes afin de conserver : en un mot, un but de liaison. » Mais, comme il l'avait fait dans une note de *Malaise dans la culture,* Freud ne maintient pas pour Éros l'idée de restauration d'un état antérieur « ce qui équivaudrait à postuler que la substance vivante, ayant d'abord constitué une unité, s'est plus tard morcelée et tend à se réunir à nouveau » [2]. Antagoniques ou combinées, car manger détruit l'objet pour se l'assimiler, tandis que l'acte sexuel est une agression qui tend à réaliser l'union la plus étroite, ces deux pulsions fondamentales « confèrent justement aux phénomènes de la vie toute la diversité qui lui est propre. Attraction et répulsion dont aussi ce qui domine dans le monde inorganique », et Freud rappelle en note sa référence à Empédocle. À la fin de sa vie, Freud tend donc à étendre jusqu'à des équivalents dans le monde inorganique l'idée de l'antagonisme pulsionnel. Il insiste sur les effets cliniques des proportions mises en œuvre dans une intrication, donc sur la dimension économique des processus d'intrication. À l'état initial, tel que nous pouvons nous le représenter, « toute l'énergie

1. *Ibidem,* p. 260-262 ; p. 90-93.

2. *Abrégé de psychanalyse* (1940a [1938]), Paris, PUF, 1985, p. 7-8 ; *OCF* XX, p. 237-238 ; *GW* XVII, p. 70-71.

disponible de l'Éros, que nous appellerons désormais *libido,* se trouve dans le moi-ça encore indifférencié et sert à neutraliser les tendances destructrices qui y sont également présentes ». Les vicissitudes ultérieures de la libido sont plus faciles à observer. Ce qui nous a surtout permis de connaître l'Éros, et partant, son représentant, la libido, c'est l'étude de la fonction sexuelle.

À cette reformulation économique et dynamique de la théorie des pulsions, Éros et la Destruction étant désignés comme des « forces primitives », Freud pose le problème de leurs rapports, non encore élucidés, avec « l'inexorable principe de plaisir » [1].

QUESTIONS ET ENJEUX

ANTÉRIORITÉ DE LA PULSION DE MORT

Freud semble se contredire en **1920**, dans *Au-delà du principe de plaisir,* puisqu'il affirme nettement l'antériorité de la pulsion de mort sur les pulsions de vie, mais soutient également que ces dernières sont là dès le tout début. En fait, si l'on y regarde de plus près, la pensée est moins contradictoire qu'il n'y paraît. L'antériorité de la pulsion de mort est logique autant que chronologique : « le sans-vie était là antérieurement au vivant » [2], et plus encore « le but de toute vie est la mort », puisque l'être vivant provient de la non-vie et y retourne inéluctablement. Mais sur ce fond d'une vie conçue comme perturbation provisoire de la non-vie, de l'inerte, dès qu'apparaît la vie, elle tend elle aussi à se répéter, à se reproduire : il n'existe de pulsion de mort que lorsque le vivant apparaît, en tant que tendance pour revenir à la non-vie ; mais dès que la vie se manifeste, elle est elle aussi support des mouvements conservateurs des pulsions de vie. De ce fait, les manifestations des pulsions de mort ne vont jamais sans celles des pulsions de vie qui sont à l'œuvre « dès le tout début ». Cette simultanéité sur fond d'antécédence de la pulsion de mort est essen-

1. *Ibidem*, p. 74-76 ; p. 295-296 ; p. 128-129.

2. *Au-delà du principe de plaisir* (1920g), *Essais de psychanalyse,* Paris, Payot, 1981, p. 82 ; *OCF* XV, p. 310 ; *GW* XIII, p. 40.

tielle puisqu'il n'existe que des situations de coexistence et surtout d'intrication, de mixtion entre les mouvements pulsionnels opposés. De plus, la pulsion de mort comme telle n'est pas perceptible. Nous n'avons affaire qu'aux deux à la fois, sous des formes et dans des proportions qui font la richesse et la diversité de la clinique. C'est en cela aussi qu'Éros, comme le précise ***Le moi et le ça***, est la pulsion la plus frappante et la plus accessible à notre connaissance.

L'association entre la notion de pulsions de vie et la figure d'Éros

C'est en associant les pulsions de vie à l'idée d'Éros, dont **le contenu conceptuel essentiel est d'être une force,** force de liaison, capacité de maintenir et de créer des liens, que Freud transforme une typologie – rassemblant pulsions d'auto-conservation ou du moi et pulsions sexuelles dans une même catégorie – en un concept. Or ce concept a pour particularité d'être formulé par une dénomination mythologique, c'est-à-dire qu'il est dans une certaine mesure personnalisé, et que son caractère dynamique est connoté par l'emprunt du terme à une ancienne divinité. Éros est une force plus forte que nous, qui s'empare de nous, et en même temps, c'est une force qui identifie et singularise, car Éros est un procès de constitution mais aussi de reconnaissance de l'investissement de l'objet (y compris quand il s'agit de soi-même) et du lien qui est ainsi créé (ce qui n'empêche que celui-ci puisse être très archaïque, comme dans la suggestion, c'est-à-dire dans la relation de nature hypnotique). L'abstraction du concept est ainsi corrigée par le terme qui le désigne, lequel relève davantage de la figure, support d'affect et forme dynamique, tandis que le pluriel du terme de « pulsions de vie » maintient dans la pensée la diversité clinique concrète de ses manifestations. La création de pensée freudienne dans l'association de ces deux termes, si elle ne recule pas devant les paradoxes, est particulièrement féconde et réussit à proposer un outil pour penser la pulsion qui s'avère plus puissant que la démarche analytique de 1915.

Mais y a-t-il un caractère conservateur d'Éros ? Autrement dit, Éros répond-il à la définition donnée en 1920 à la pulsion, celle d'être conservatrice et de toujours tendre à la restauration d'un état antérieur ? On peut soutenir que oui, Éros est conservateur des liens, et que la permanence de sa fonction, qui crée répétitivement de nouveaux liens, est une fonction non pas restauratrice mais cependant conservatrice et fondée sur la répétition. Mais alors la mélancolie reste-t-elle une pure culture de pulsion de mort, elle qui ne peut dénouer le lien à l'objet devenu inséparable du moi ? On voit qu'à tous les niveaux, les intrications entre pulsion de mort et pulsions de vie sont la règle et rendent de ce fait toujours paradoxales les classifications et les évaluations.

Le déploiement d'Éros

Éros est **ancré dans le somatique** et son déploiement ultérieur s'y enracine, tandis que, paradoxalement, son mouvement vers des liaisons de plus en plus grandes s'en émancipe et **se déploie bien au-delà, en particulier dans la culture.**

La tentative d'articuler un point de vue biologique avec celui de la libido, notamment dans *Au-delà du principe de plaisir,* ne relève pas seulement de la recherche d'arguments et de fondements pour sa nouvelle théorie. Il s'agit de maintenir autrement la notion de concept limite pour le nouveau dualisme pulsionnel, donc d'assurer leur ancrage somatique, sans les laisser dériver vers des entités trop mythologiques et philosophiques. Pour Freud, le terme de « vie » ne peut être un vitalisme purement philosophique, mais renvoie nécessairement au corps vivant et aux processus biologiques de la vie. Et ceci d'autant plus qu'en même temps, d'une part l'inlassable tendance expansive de l'Éros trouve son plein déploiement dans le développement de la culture et qu'au total « la libido de nos pulsions sexuelles coïnciderait avec l'Éros des poètes et des philosophes » [1].

La nostalgie de la relation primaire

La discussion sur la pulsion de perfectionnement qui intervient au chapitre V d'*Au-delà du principe de plaisir* n'est pas une simple mise au point sur un problème partiel. Elle touche au caractère fondamentalement conservateur des pulsions, qui tendent à revenir à un état antérieur, et à une intrication fondamentale entre pulsion de mort et

1. *Ibidem,* p. 100 ; p. 324 ; p. 55.

Éros. L'hypothèse d'une pulsion de perfectionnement serait un point de vue optimiste, mais non dualiste et ne fait place ni au combat entre mort et vie ni aux logiques pulsionnelles. Or ce mouvement vers une réalisation et une perfection de plus en plus grande est analysé par Freud comme le retournement sous forme de fuite en avant d'une **nostalgie irréductible d'une relation primaire** dont le deuil est impossible.

Freud ne maintient pas pour Éros l'idée de restauration d'un état antérieur, « ce qui équivaudrait à postuler que la substance vivante, ayant d'abord constitué une unité, s'est plus tard morcelée et tend à se réunir à nouveau » [1]. Mais l'exemple de la réfutation de la soi-disant pulsion de perfectionnement ouvre cependant la possibilité de comprendre qu'Éros participe aussi de l'aspiration à revenir à un état antérieur de liaison. D'ailleurs, Freud souligne dans *Malaise dans la culture* que le couple d'amoureux se suffit à lui-même ; Éros y réalise le noyau de son être, l'union jusqu'à l'unité, sans vouloir aller au-delà ; et le désir de retour à l'état amoureux, quand on ne l'éprouve plus, est une aspiration communément partagée. Ces notations permettent de laisser Éros sous la définition désormais constamment réaffirmée : **les pulsions sont conservatrices et tendent toujours à revenir à un état antérieur.** Car il serait tout de même problématique que sur deux pulsions fondamentales, l'une au moins ne corresponde pas à la définition générale de la pulsion !

La force d'intrication d'Éros

Les mélanges et alliages pulsionnels, intrications et désintrications sont posés comme les opérateurs qui servent à passer du point de vue abstrait des pulsions fondamentales au déploiement bigarré des manifestations de la vie et des formes cliniques – dont les plus significatives sont regardées de plus près : soi-disant « pulsion de perfectionnement », sadisme, névrose obsessionnelle, relation entre haine et amour notamment. **Si la pulsion de mort précède les pulsions de vie, Éros est l'agent de leur mixtion** et retrouve de ce fait une forme de prévalence, puisqu'il peut « dompter » pour une part cette pulsion qui

1. *Abrégé de psychanalyse* (1940a [1938]), Paris, PUF, 1985, p. 8 ; *OCF* XX, p. 238 ; *GW* XVII, p. 71.

lui est opposée, et la mettre ainsi au service des pulsions de vie, en particulier par l'instauration d'un principe de plaisir ; celui-ci ne va pas sans ambiguïté mais caractérise cet état, provisoire certes, qu'est le déroulement de la vie. La mise en échec de ce principe est au contraire l'indice d'une relative désintrication de la pulsion de mort, susceptible de faire prévaloir la destructivité. Sadisme primaire et masochisme érogène sont au contraire la première forme de liaison par laquelle Éros capture l'énergie de la pulsion de mort et la met au service du lien.

Dans les formes plus secondaires de manifestation d'Éros, les rejetons pulsionnels perceptibles relèvent toujours d'Éros, mais il faut tenir compte des processus de désexualisation ainsi que de l'action du moi qui peut retirer son investissement aux objets pour les reporter sur la personne propre, au risque de se mettre au service de la pulsion de mort. On voit combien les **paradoxes** restent la règle et ce qu'il peut y avoir de simpliste à définir la pulsion de mort comme destructivité (car il arrive que les investissement érotiques soient destructeurs pour le moi), tandis que le principe de plaisir lui-même, lorsqu'il commande un repli narcissique protecteur, risque de se faire l'agent de sa propre éviction, au profit d'un retour au principe de Nirvâna, agent de la pulsion de mort.

La force épistémologique du concept et du modèle d'Éros

Lorsqu'il évoque Éros, Freud manifeste explicitement le sentiment d'avoir fait une **grande découverte, aussi fondamentale que celle de l'interprétation des rêves**, et l'importance des textes qui, juste après 1920, reformulent le dualisme pulsionnel en célébrant Éros ne saurait nous échapper. Il nous faut **réévaluer la deuxième théorie des pulsions** trop souvent assimilée seulement à la mise en évidence d'une pulsion de mort ou de destruction.

Le degré de rigueur et d'achèvement de l'épistémologie freudienne dans l'élaboration du concept d'Éros est remarquable. **Sa définition et la compréhension de sa fonction sont rigoureusement stables** au fil des différents textes qui s'y réfèrent. Outre l'insistance essentielle sur les intrications pulsionnelles qui permettent la vie et suscitent la diversité des tableaux cliniques, dont l'agent est nécessairement Éros, l'articulation entre les pulsions et les instances psychiques est systématiquement étudiée. Le problème posé par la mobilité de la libido aboutit à la mise en évidence d'une énergie déplaçable et à l'hypothèse d'une désexualisation nécessaire. Les **paradoxes des rapports entre Éros et le moi** (c'est lorsqu'il combat Éros que le moi peut devenir l'un de ses représentants, ou au contraire avoir partie liée, au nom de sa défense même, avec la pulsion de mort) et celui du statut et des effets du principe de plaisir qui peut paradoxalement s'opposer à Éros sont envisagés pas à pas. Cet antagonisme paradoxal entre Éros et le principe de plaisir bouleverse les repères de la première topique. Pour sa part, le surmoi suscité par le moi l'attaque en ce qu'il est devenu représentant d'Éros. A-t-il donc partie liée avec la pulsion de mort ? Le ça s'avère le siège du combat dans lequel Éros se défend contre la pulsion de mort ; celle-ci, muette, se manifeste cependant par ses effets lorsqu'elle est intriquée, en particulier dans sa déflection vers l'extérieur sous forme de pulsion de destruction, ce qui aboutit à faire de l'agression à la fois l'expression de la pulsion de mort et une mise au service d'Éros de la pulsion de mort.

Enfin, la mise en évidence qu'**Éros et la pulsion de mort trouvent dans la culture leur champ le plus étendu** aboutit à délimiter tant Éros que la pulsion de mort entre les deux pôles antagonistes mais tous deux indispensables du somatique et de la culture, qui sont les autres du psychisme tout en étant eux-mêmes traversés et animés par le dualisme pulsionnel – la culture de façon évidente et complexe, le somatique comme le lieu nécessaire à l'ancrage de la pulsion. Autrement dit, la **fonction de synthèse, d'articulation d'ensemble et celle de programme pour des recherches ultérieures qui caractérisent une théorie scientifique** sont très nettement mises en œuvre. À plusieurs reprises, Freud indique combien son nouveau dualisme pulsionnel ouvre la voie aux tâches cliniques de l'avenir dont il montre les questionnements et les perspectives possibles.

Il faut noter de plus que la théorie du dualisme pulsionnel pulsion de mort / Éros **effectue l'œuvre d'Éros dans la théorie**, d'une part en créant l'unité toujours plus grande qui transforme le premier dualisme pulsionnel en pulsions de vie, d'autre part en permettant, par la notion d'intrication, de comprendre comment Éros peut lier aussi l'autre que lui-même, être un facteur de liaison pour la pulsion de mort, par exemple lorsqu'elle se libidinalise et s'érotise dans le sadisme.

Ce qui reste spéculatif, c'est de poser qu'Éros est à l'œuvre dès le début de la vie et entre comme pulsion de vie en opposition avec la pulsion de mort « qui est apparue du fait que l'inorganique a pris vie » et donc que s'y est manifestée une tendance au retour du même, du fait de l'écart avec un temps antérieur inerte. Autrement dit, la spéculation porte (comme dans toute pensée scientifique), sur la **théorie de l'être sous-jacente** aux modèles théoriques opératoires.

La pensée freudienne de l'être

Au chapitre VIII de *Malaise dans la culture,* introduit par une adresse au lecteur qui pourrait se plaindre d'avoir « trop souvent entendu la formule du combat entre Éros et pulsion de mort » [1], est dressé un récapitulatif des fonctions de ce combat : il caractérise le procès culturel qui se déroule à l'échelle de l'humanité, il est appliqué au développement de l'individu et il prétend avoir dévoilé le mystère de la vie organique en général. Freud examine ensuite les relations entre ces trois processus.

Montrant le lien entre les intrications des deux pulsions fondamentales dans la diversité de leurs proportions possibles et les manifestations bigarrées de la vie ou les formes cliniques diversifiées auxquelles elles donnent lieu, Freud articule la psychanalyse avec une **anthropologie fondamentale.** Lorsqu'il souligne que « l'apparition de la vie serait donc la cause de la continuation de la vie et en même temps aussi de la tendance à la mort, la vie elle-même un combat et un compromis entre ces deux tendances » [2], Freud montre le lien inévitable entre le dualisme pulsion de mort / Éros et une pensée de l'être, une ontologie qui a d'emblée une portée philosophique. Il précise d'ailleurs dans le même passage l'articulation entre les deux niveaux de pensée : « La question de la provenance de la vie resterait une question cosmologique, à celle de la fin et visée de la vie il serait répondu de façon dualiste. » [3]

1. *Malaise dans la culture* (1930a [1929]), Paris, PUF, 1971, p. 99 ; *OCF* XVIII, p. 326 ; *GW* XIV, p. 492.

2. *Le moi et le ça* (1923b), *Essais de psychanalyse,* Paris, Payot, 1981, p. 254 ; *OCF* XVI, p. 284 ; *GW* XIII, p. 269.

3. *Ibidem.*

L'effet d'Éros dans la théorie est ainsi d'articuler aussi la clinique et la théorie psychanalytique avec leurs fondements anthropologiques et même avec une théorie philosophique de l'être. Non seulement Freud ne se dérobe pas à cette conclusion mais il s'en réjouit. Il n'a jamais refusé de reconnaître que sa conception d'Éros s'enracine dans la philosophie platonicienne du *Banquet,* c'est-à-dire dans une anthropologie philosophique et une philosophie politique à fondement ontologique. Avec la référence à Empédocle, chez qui il trouve plus qu'un appui (allant jusqu'à faire de la théorie psychanalytique un resurgissement de la pensée d'Empédocle qui lui donne un nouveau déploiement, encore partiel d'ailleurs), il va plus loin, assumant totalement qu'au niveau épistémologique et ontologique où elle est parvenue, la psychanalyse soit aussi un accès à une pensée de l'être dont la force, par rapport à la philosophie, est de pouvoir se déployer en une clinique et une méthode thérapeutique opératoires.

Freud récuse en 1937 dans « L'analyse avec fin et l'analyse sans fin », l'interprétation de sa pensée comme un « pessimisme » : « Une opposition entre une théorie optimiste de la vie et une théorie pessimiste n'entre pas en ligne de compte. » Cette importance fondamentale et ontologique donnée au combat entre Éros et pulsion de mort conduit en effet loin des présupposés idéologiques et anthropomorphiques qui commandent les prises de position optimiste et pessimiste. Néanmoins, Freud pense qu'il est possible au développement de l'individu d'atteindre à un certain **équilibre entre les investissements de l'individu au service de son propre développement** (**selon le principe de plaisir**) **et son investissement dans la culture** (**selon une libido objectale** qui accepte cependant une part nécessaire de renoncement pulsionnel et de sublimation au service de la création de communautés humaines). Il espère même qu'il soit possible de **renforcer les affirmations d'Éros dans la culture,** assurant son avenir, alors que les capacités de destruction des hommes par eux-mêmes ont considérablement augmenté jusqu'à devenir radicales.

Dominique BOURDIN

Erreur → Acte manqué

Espace → Temps et espace

ÉTAYAGE

all. : ***Anlehnung.*** – angl. : *anaclisis.* – esp. : *apoyo.* – ital. : *anaclisi.* – port. : *apoio*

Processus assurant le développement par appui sur ce qui préexiste, l'étayage est d'abord pulsionnel (pulsions sexuelles sur pulsions d'autoconservation), objectal ensuite (l'objet d'amour sur le sein de la mère).

MISE EN SITUATION

En allemand, les mots anlehnen *(appuyer) et* Anlehnung *(appui) appartiennent à la langue commune ; l'anglais a forgé les termes « savants » (empruntés du grec) d'*anaclisis *et d'*anaclitic, *qu'ont repris d'autres langues. En français, la psychanalyse a adopté sans problème la traduction par « étayer » et « étayage » depuis 1967 (et même 1949), mots qui rendent parfaitement compte de l'idée freudienne de « prendre appui, pour s'épanouir, sur quelque chose qui est déjà là » – en l'occurrence la pulsion ou l'objet.*

Le terme revient régulièrement dans l'œuvre freudienne. Explicité en 1905, il est repris plusieurs fois entre 1912 et 1917 dans les textes « majeurs », puis encore en 1938 dans l'œuvre ultime. Il n'est jamais corrigé (complété une fois) et conserve, tout au long, un sens univoque. La notion semble parfaitement claire à Freud, ne posant apparemment pas de problèmes en elle-même, ce qui explique sans doute qu'il n'ait pas jugé utile de la spécifier plus particulièrement.

LE TEXTE FREUDIEN

La notion apparaît en **1905**, dans les *Trois essais sur la théorie sexuelle* où elle est assez largement développée (complétée par une note en 1915), pour signifier que c'est au tout début de la vie que les lèvres de l'enfant, stimulées par l'afflux du lait chaud, procurent la première sensation de plaisir, associant ainsi la satisfaction d'un besoin à la source (alimentaire), c'est-à-dire à celle d'une zone érogène. Ce modèle permet à Freud de poser que « **l'activité sexuelle s'étaye tout d'abord sur une des fonctions servant à la conservation de la vie** » et qu'elle ne s'en affranchira que plus tard ; c'est ainsi que l'image de l'enfant rassasié sur le sein peut être le prototype de toutes les satisfactions sexuelles ultérieures. Il convient d'ajouter que cette activité est *autoérotique* car il n'y a pas encore d'objet sexuel ; par la suite, la zone anale permettra d'autres étayages[1]. Si des voies mènent de fonctions biologiques à la sexualité, elles doivent pouvoir être parcourues en sens inverse ; ceci peut expliquer certains troubles (de l'alimentation par exemple), tout comme les influences réciproques entre l'état d'excitation sexuelle et la disponibilité de l'attention. C'est tout aussi bien par ces mêmes voies, probablement praticables dans les deux sens, que des pulsions sexuelles peuvent être attirées vers des buts non sexuels ; c'est ainsi que procède la sublimation. **Tout rapport amoureux renvoie à cette figure de l'enfant au sein,** ce qui conduit à considérer que « la découverte de l'objet est à vrai dire une redécouverte »[2].

Lorsqu'en **1912,** dans « Sur le plus général des rabaissements de la vie amoureuse », Freud reprend la notion, il développe aussi l'idée selon laquelle un comportement amoureux normal nécessite la réunion d'un courant *tendre* (le plus ancien) et d'un courant *sensuel ;* le tendre, formé selon les intérêts de la pulsion d'auto-conservation, se dirige sur les personnes qui donnent les soins, mais n'en a pas moins des composantes *érotiques* (que la psychanalyse a découvertes chez les névrosés). Ainsi se fait le *choix d'objet infantile primaire* qui nous montre comment les pulsions sexuelles trouvent leurs premiers objets « en s'étayant sur les pulsions du moi », tout comme les sensations des premières satisfactions sexuelles s'étaient « sur les fonctions corporelles nécessaires à la conservation de la vie »[3].

1. *Trois essais sur la théorie sexuelle* (1905d), Paris, Gallimard, 1987, p. 105-110 ; *OCF* VI, p. 116-119 ; *GW* V, p. 82-85.

2. *Ibidem,* p. 139-140 et 174-175 ; p. 141-142 et 167-168 ; p. 106-107 et 130-131.

3. « Sur le plus général des rabaissements de la vie amoureuse. (Contribution à la psychologie de la vie amoureuse, II » (1912d), *La vie sexuelle,* Paris, PUF, 1969, p. 57 ; *OCF* XI, 1998, p. 130-131 ; *GW* VIII, p. 80.

« Pour introduire le narcissisme », en **1914,** est l'occasion de faire part de la surprise d'une découverte : **à côté du choix d'objet par étayage** existe un autre processus fondateur selon lequel l'individu se cherche lui-même comme objet d'amour : c'est là le **type de choix d'objet *narcissique***[1]. À la suite, la *Métapsychologie,* en 1915, redécrit le processus en précisant qu'une partie des pulsions sexuelles resteront toujours associées aux pulsions du moi, les dotant de « composantes *libidinales* » qui, dans le fonctionnement normal, passent inaperçues, seulement dévoilées par la maladie ; celles-ci, fait notable, peuvent se remplacer l'une l'autre, échangeant facilement leurs objets : elles sont donc « capables de réalisations éloignées des actions imposées par les buts originaires » et, notamment, de *sublimation*[2]. En **1916-1917,** les *Conférences d'introduction à la psychanalyse* insistent encore sur l'extraordinaire importance du sein de la mère comme « premier objet pour toute trouvaille d'objet », point de départ de toute sexualité, modèle toujours recherché et jamais retrouvé, « auquel le fantasme fait assez souvent retour dans les périodes de dénuement »[3]. Dorénavant, l'essentiel est dit sur l'étayage.

La dernière œuvre, testamentaire, l'*Abrégé de psychanalyse* en **1938,** reprenant le tout, insiste sur ce qu'a de fondateur pour l'individu humain ce moment qui, avec le premier objet, voit apparaître **l'amour s'étayant sur la satisfaction d'un besoin biologique** (la nourriture), et permet à l'enfant de **différencier son propre corps en s'apercevant que le sein lui manque** ; il le place alors à l'extérieur, au *« dehors »,* il le considère maintenant comme un *« objet »,* « chargé d'une part de l'investissement narcissique primitif et qui se complète par la suite en devenant la personne maternelle ». La mère ne se limite pas à nourrir, elle éveille les premières sensations physiques agréables ou désagréables de l'enfant, devenant « sa première séductrice ». Son importance est unique, incomparable, inaltérable et permanente. Ici,

1. « Pour introduire le narcissisme » (1914c), *La vie sexuelle,* Paris, PUF, 1969, p. 93 ; *OCF* XII, p. 231 ; *GW* X, p. 153-154.

2. « Pulsions et destins des pulsions » (1915c), *Métapsychologie,* Paris, Gallimard, 1968, p. 24 ; *OCF* XIII, p. 173 ; *GW* X, p. 219.

3. *Conférences d'introduction à la psychanalyse* (1916-1917), Paris, Gallimard, 1999, p. 398 ; *OCF* XIV, p. 324 ; *GW* XI, p. 325.

« le fondement phylogénétique prédomine à tel point sur les facteurs personnels, accidentels, qu'il importe peu que l'enfant ait réellement tété sa mère ou qu'il ait été nourri au biberon sans connaître jamais les tendres soins maternels. Le développement est semblable dans les deux cas » [1].

QUESTIONS ET ENJEUX

On le voit, pour Freud, la notion d'*étayage* détermine le passage du biologique au psychique par la voie du sexuel ; elle est fondée phylogénétiquement. Dans l'histoire de l'individu, elle est comme un « roc » immuable, et c'est sans doute pourquoi il ne la discute pas. La description en est donnée assez longuement dès sa première mention en 1905, elle sera reprise régulièrement et demeurera conforme, jusqu'au texte final de 1938 qui lui reconnaît toute sa dimension créatrice. Durant cette trentaine d'années, un seul ajout, mais d'importance, puisqu'il s'agit de l'étayage narcissique sur un moi pris comme objet d'amour, complétant les modalités du choix d'objet, mais ne remettant pas en cause l'étayage lui-même. Pour autant, la notion est moins simple que ne pourrait le laisser supposer sa nature pérenne ; cela tient, pour l'essentiel, à ses fonctions.

L'étayage est *historique* puisqu'il marque le début de l'histoire de l'individu. Sa première fonction est en effet de déterminer ce qui va se développer, le soutenant et l'orientant, lui permettant de se situer en distinguant un « dedans » et un « dehors », de différencier son propre corps en découvrant que le sein peut manquer, de passer du besoin au désir, d'assurer la distinction sujet-objet, de déterminer la vie sexuelle et érotique. L'étayage fonde le développement individuel (en conformité avec l'espèce) et, en ce sens, organise ce qui est à venir. Il n'en est pas moins déterminant pour les régressions puisque le parcours des voies suivies est réversible (ce qui autorise aussi la sublimation). On doit noter que, dans le corpus freudien, l'étayage se trouve ainsi

1. *Abrégé de psychanalyse* (1940a [1938]), Paris, PUF, 1985, p. 59 ; *OCF* XX, p. 283 ; *GW* XVII, p. 115.

renvoyé, selon un axe temporel inverse, à cette autre notion organisatrice qui se fonde sur l'utilisation de ce qui est déjà arrivé : l'après-coup.

Il est *biologique,* et l'est dès sa définition puisqu'il part de la fonction alimentaire. Mais il l'est aussi parce que, ce faisant, il vient ancrer dans la biologie le plaisir, donc l'érotisme et, ce faisant, la sexualité. Celle-ci pourra certes poursuivre des développements indépendants, mais qui n'en seront pas moins contraints par l'origine et la nature de la première satisfaction.

Il est *narcissique* car, lorsqu'il s'établit, il le fait sans objet et, pour accéder à celui-ci, il faudra passer par une phase d'autoérotisme qui conduira à la découverte du corps puis, le moi pouvant enfin se constituer par la distinction sujet-objet, rendra possible un autre choix d'objet que celui déterminé par l'étayage : le choix narcissique.

Il est *social* dans la mesure où, pour s'établir, il exige un tiers qui assure les soins, satisfait les besoins, donnant de ce fait les premières satisfactions ; telle est la fonction initiatrice de « la première séductrice », ce « prototype » de toutes les relations sexuelles à venir.

Le déterminisme freudien par l'étayage, le biologique fondant l'être psychique, a pu parfois poser problème, cette « psychisation du biologique » (des besoins) pouvant paraître manquer de « relais », au risque de s'avérer alors « dépsychisante », voire déshumanisante. La notion est pourtant beaucoup moins mécaniciste qu'on pourrait le craindre, comme en témoignent les commentaires de l'*Abrégé de psychanalyse* qui exposent ce qui pourrait être qualifié comme « histoire naturelle du psychisme » se construisant dans une interdépendance active du biologique, du psychique et du social, jusqu'à enraciner le tout dans la phylogenèse, c'est-à-dire dans l'histoire de l'humanité.

Claude Le Guen

EXCITATION (stimulation)

all. : ***Erregung.*** – angl. : *excitation.* – esp. : *excitatión.* – ital. : *eccitazione.* – port. : *excitação*

Notion fondamentale dans l'élaboration freudienne, omniprésente tout au long de l'œuvre, l'excitation ne fut jamais véritablement définie par Freud qui considérait ne rien savoir sur sa nature, et n'être même pas en mesure de faire une hypothèse ; c'est un grand *X* à reporter dans chaque nouvelle formule. Il lui paraissait cependant possible d'en dégager les caractères principaux : force d'impact momentanée, définissant le vivant, elle impose à l'appareil psychique de la réduire en la liant. Est ainsi mis en place un *pare-excitation* dont la fonction de protection est sans doute plus importante encore que celle de l'excitation. Celle-ci n'en est pas moins posée comme un « postulat », aussi incontournable qu'indispensable : l'excitation se trouve à la base de la conception énergétique, et donc de la métapsychologie.

MISE EN SITUATION

Conformément à ce qu'implique son étymologie latine, lexicalement l'excitation désigne « une action qui met en mouvement, voire qui accroît un mouvement existant ». Les termes « excitation » (Erregung) *et « stimulation »* (Reizung) *sont de fait synonymes en français comme en allemand ; même si le premier réfère plutôt une origine interne et le second une externe, cela n'a rien de systématique chez Freud qui, au contraire, tend à jouer de l'ambiguïté, notamment lorsqu'il traite de la pulsion. Caractéristique du « vivant », la notion d'excitation (comme de stimulation) est plus spécialement utilisée en physiologie, y indiquant une activation de l'organisme et, plus particulièrement, du système nerveux. Si la notion est omniprésente dans l'œuvre freudienne, elle est plus particulièrement exploitée dans les textes « fondamentaux » tels* L'interprétation des rêves, Trois essais sur la théorie sexuelle, Métapsychologie *ou* Au-delà du principe de plaisir, *voire les* Nouvelles conférences d'introduction à la psychanalyse *ou « Le problème économique du masochisme ». La référence à sa base biologique est toujours implicite, souvent explicite, même si elle sait se nuancer et se complexifier en se spécifiant en tant qu'agent du fonctionnement psychique.*

S'il ignore la nature de l'excitation, Freud ne lui en reconnaît pas moins certains traits spécifiques qui contribuent à la cerner : – elle détermine le concept de quantité et le fonde, – elle impose une orientation au mouvement en allant d'un pôle sensible à un pôle moteur, – elle est au plus près de la source qui la suscite, – elle tend à s'accumuler en créant une tension qui doit se décharger, – d'abord fonction de l'extérieur, elle agit comme un impact unique. C'est sans doute ce dernier point qui la différencie le mieux de la pulsion puisque celle-ci opère comme une force constante dirigée vers son but, même si elle dépend de sa source (où elle tend d'ailleurs à se confondre avec l'excitation). On doit ainsi considérer que l'excitation précède et suscite la pulsion.

Nous ne saurions faire ici l'inventaire des très nombreuses mentions qu'en fait Freud : elles ne peuvent qu'abonder dans son œuvre puisqu'il place l'excitation au fondement du fonctionnement psychique ; vouloir les recenser serait d'autant moins justifié que les commentaires et explications qui en rendent compte n'ont pas changé au fil du développement de la psychanalyse : cette « théorie » s'est seulement complétée progressivement. Nous nous bornerons donc à fournir les repères essentiels de ces apports.

LE TEXTE FREUDIEN

Dès les toutes premières pages de l'« Esquisse d'une psychologie scientifique » (1895) sont exposées les fonctions propres à l'excitation ; pour l'essentiel, elles seront toujours maintenues. « Les excitations neuroniques sont des quantités mouvantes », les neurones tendant à se débarrasser des quantités en surcharge, conformément au « principe d'inertie ». Le mouvement réflexe, suscité par la sensibilité à l'excitation, est un moyen de décharge qui, suivant la voie musculaire (donc orienté du sensible vers le moteur), vise à maintenir un **état de non-excitation plus déterminant que l'excitation** puisqu'il constitue le but véritable du processus. À partir de cette fonction « primaire » s'en développe une « secondaire » : certaines méthodes de décharge sont préférées et maintenues (la fuite par exemple) car elles impliquent une cessation rapide des excitations ; mais, à mesure que s'accroît la complexité interne de l'organisme, des stimuli endogènes tendent à leur tour à se décharger, provoquant les grands besoins : faim, respiration, sexualité. L'organisme ne peut les fuir comme il le fait pour les stimuli extérieurs ; devant répondre aux urgences de la vie, il doit apprendre à supporter une quantité d'excitation suffisante à satisfaire un acte spécifique : la tendance originelle à l'inertie doit donc s'adapter et s'organiser sous la forme modifiée d'un effort pour maintenir la quantité à un niveau aussi bas que possible[1]. Si, comme on le sait, Freud condamna et rejeta très rapidement l'ensemble de la conception neuro-mécaniciste de l'« Esquisse d'une psychologie scientifique », ces « principes » n'en furent pas moins repris, maintenus et exploités tout au long de l'œuvre.

C'est ainsi qu'en 1900 *L'interprétation des rêves* va confirmer « la fiction d'un appareil psychique primitif, dont le travail est caractérisé par la tendance à éviter une accumulation d'excitation », ainsi que la tension qui en résulterait. Cet « appareil » est construit sur le plan d'un appareil réflexe, la motilité étant sa voie de décharge : ainsi, **l'accumulation d'excitation est désignée comme *déplaisir* et sa diminution comme *plaisir*, le courant allant de l'un à l'autre étant appelé *désir*.** Seul celui-ci peut mettre l'appareil en mouvement, le cours de l'excitation y étant automatiquement réglé par la perception du plaisir et du déplaisir : « Désirer a dû être d'abord un investissement hallucinatoire du souvenir de la satisfaction. » Mais l'incapacité de l'hallucination à faire cesser durablement le besoin conduit à poser une seconde activité, un second système qui devra alors faire prendre à l'excitation, née du besoin, un chemin détourné qui, par la motilité, vient agir sur l'extérieur et fait apparaître la perception réelle de l'objet de satisfaction. Ainsi, « **ces deux systèmes sont le germe de ce que nous nommerons, dans l'appareil achevé, l'inconscient et le préconscient** ». Après ce rappel, Freud s'interroge sur l'économie du second système. Il suppose que celui-ci parvient à réserver la plus grande partie de ses investissements d'énergie mais, reconnaissant qu'il ignore ce que peut être le mécanisme de ce processus, il maintient que l'activité du « premier système ψ » tend à faire écouler librement

1. « Esquisse d'une psychologie scientifique » (1950c [1895]), *La naissance de la psychanalyse*, Paris, PUF, 1956, p. 315-317.

l'excitation automatiquement réglée par la perception du plaisir et du déplaisir, le second système inhibant cet écoulement pour (au moyen de ses investissements) en faire un investissement tranquille. L'excitation s'écoule donc très différemment selon que domine le premier ou le second système ; celui-ci, son travail achevé, « relâche inhibitions et digues et laisse les excitations s'écouler vers la motilité » [1].

Les *Trois essais sur la théorie sexuelle,* en 1905, s'attachent plus précisément à l'excitation sexuelle, même si son essence nous demeure inconnue. Ses sources internes vont permettre de spécifier les pulsions partielles en fonction des sources indirectes de l'excitation sexuelle[2] – ce qui débouche sur la théorie des stades libidinaux. L'excitation sexuelle pose cependant un gros problème puisque l'état de tension est alors ressenti comme plaisir (ce sera repris un quart de siècle plus tard à propos du masochisme, en référant les *Trois essais sur la théorie sexuelle* et amenant à parler d'un « état de coexcitation ») ; son rapport avec la stimulation des zones érogènes ne peut se justifier que par des « substances particulières dérivant du métabolisme sexuel » [3], sera-t-il ajouté en 1920 (en 1905, les physiologistes créent le néologisme « hormone », du grec *hormaô :* « j'excite »).

Les textes de la *Métapsychologie* (1915) apportent une distinction fondamentale en spécifiant l'excitation par rapport à la pulsion : « On a dit l'essentiel au sujet de l'excitation lorsqu'on a admis qu'**elle agit comme un *impact unique*** » ; une seule action appropriée suffit donc à la supprimer, le type en étant la fuite motrice. Tout au contraire, **la pulsion agit toujours comme une force *constante*** qui attaque de l'intérieur du corps, ce qui fait qu'on ne saurait la fuir. « Il existe un meilleur terme que celui d'excitation pulsionnelle : celui de “besoin” » qui, lui, ne peut être supprimé que par la satisfaction. Voilà qui impose une modification adéquate de la source d'excitation : selon qu'une action permet ou non la satisfaction (faire cesser la poussée de

1. *L'interprétation des rêves* (1900a), Paris, PUF, 1967, p. 508-510 ; *OCF* IV, p. 653-655 ; *GW* II-III, p. 603-605.

2. *Trois essais sur la théorie sexuelle* (1905d), Paris, Gallimard, 1987, p. 138-139 ; *OCF* VI, p. 142 ; *GW* V, p. 106.

3. *Ibidem,* p. 156 ; p. 154 ; p. 117.

l'excitation), il devient possible de séparer une source intérieure d'une extérieure (un dedans d'un dehors). L'introduction des pulsions vient alors compliquer le schéma simple du réflexe (tel qu'il régnait encore sur l'« Esquisse d'une psychologie scientifique ») et il faut recourir à des présuppositions compliquées dont la plus importante est « de nature biologique, opérant avec le concept de tendance » : **le système nerveux est un appareil dont la fonction est *de maîtriser les excitations.*** S'il est simple d'échapper aux externes par l'action musculaire, il ne saurait en aller de même pour les internes ; celles émanant des pulsions ont des exigences beaucoup plus élevées et elles suscitent « des activités compliquées, engrenées les unes dans les autres » ; cherchant à modifier le monde extérieur pour satisfaire la source interne, elles entretiennent un afflux d'excitation inévitable et continu. Ce faisant, les pulsions se révèlent être « les véritables moteurs des progrès qui ont porté le système nerveux, avec toutes ses possibilités illimitées, au degré actuel de son développement[1].

Le pare-excitation : une protection

Devant repenser les pulsions en 1920, *Au-delà du principe de plaisir* ne pouvait qu'insister sur l'excitation : l'ouvrage débute et se termine avec elle, tout le chapitre IV lui étant consacré. L'un des premiers problèmes est alors de **la situer par rapport à la conscience** : si les processus d'excitation fournissent le fondement de la mémoire, et n'ont rien à faire du « devenir conscient », avec celui-ci ces processus se dissipent dans le système *Cs* ; l'explication à une telle exception à la règle générale pourrait bien être « la situation exposée du système *Cs,* en contact immédiat avec le monde extérieur »[2].

Freud propose alors la métaphore, qui lui est chère, représentant l'organisme vivant « sous la forme la plus simplifiée qui soit, comme une vésicule indifférenciée de substance excitable » que le contact des excitations du monde extérieur a doté d'une couche superficielle,

1. « Pulsions et destins des pulsions » (1915c), *Métapsychologie,* Paris, Gallimard, 1968, p. 14-17 ; *OCF* XIII (2e éd.), p. 166-168 ; *GW* X, p. 212-214.

2. *Au-delà du principe de plaisir* (1920g), *Essais de psychanalyse,* Paris, Payot, 1981, p. 66-68 ; *OCF* XV, p. 296-297 ; *GW* XIII, p. 25-26.

corticale, de protection. Ce modèle lui permet d'asseoir les notions de « résistance » et de « frayage », de conforter celles d'énergies « libre » et « liée » et, s'appuyant sur l'appareil ainsi mis en place, de concevoir la **fonction de protection du *pare-excitation*.** Sans doute **celle-ci est-elle plus importante encore que l'excitation,** les deux notions étant opposées non seulement dans leur action, mais dans leur substance : si l'excitation définit bien le vivant, le pare-excitation en abandonne la structure propre[1]. Il confère comme une « anorganicité à cette écorce », limitant son efficience liée à l'action sur le monde extérieur et au système *Cs*. Or, celui-ci reçoit aussi des excitations de l'intérieur. Si, face à l'extérieur, les sommes d'excitations peuvent être réduites par le pare-excitation, celui-ci ne saurait opérer vers l'intérieur, aussi les excitations qui en proviennent se transmettront directement sans être amoindries, mais cela n'ira pas sans engendrer du plaisir et du déplaisir.

Certes, **les excitations internes sont plus adaptées au fonctionnement psychique que les externes,** tant en quantité qu'en qualité ; mais ce qui importe est d'une part que les excitations externes de plaisir-déplaisir « servent d'index aux processus intérieurs », et d'autre part qu'un comportement « puisse être dirigé contre les excitations internes susceptibles de produire une trop grande augmentation de déplaisir ». C'est ainsi que l'appareil psychique va tendre à « les traiter comme si elles n'agissaient pas de l'intérieur mais bien de l'extérieur pour pouvoir utiliser contre elles le moyen de défense du pare-excitations » (ainsi s'explique la *projection*). Il devient alors possible de considérer que les *traumatismes* sont produits par des excitations externes ayant fait effraction dans le pare-excitation[2]. **La tâche de l'appareil psychique peut être définie en fonction de l'excitation pulsionnelle.** Pour éviter le traumatisme, il importe de lier cette excitation lorsqu'elle arrive en processus primaire : telle est la condition pour que « le principe de plaisir (et le principe de réalité, qui en est la forme modifiée) puisse sans entrave établir sa domination »[3].

1. *Ibidem*, p. 69 ; p. 298 ; p. 27.
2. *Ibidem*, p. 71 ; p. 300-301 ; p. 29.
3. *Ibidem*, p. 78 ; p. 306 ; p. 36.

Poursuivant dans cette voie, Freud aboutit à reconnaître dans la tendance à la constance et « à la suppression de la tension d'excitation interne, la tendance dominante de la vie psychique », voire de la vie (principe de nirvana) – ce dont témoigne le principe de plaisir ; « nous trouvons là l'un de nos plus puissants motifs de croire en l'existence de pulsions de mort » [1].

De la coexcitation libidinale au facteur traumatique

En 1924, « Le problème économique du masochisme » soulève le problème posé par l'existence de détentes déplaisantes et, surtout, de certaines tensions s'accompagnant de plaisir, à commencer par l'excitation sexuelle, reprenant alors la notion de « coexcitation » ; **plaisir et déplaisir ne sauraient donc être rapportés aux seules variations de la tension d'excitation,** même s'ils ont à voir avec elle. En fait, à côté du facteur quantitatif, il conviendrait de tenir compte d'un caractère qualitatif ; hélas, nous ne pouvons indiquer lequel : rythme, temporalité des modifications, montées et chutes de l'excitation ? Nous ne le savons pas.

En tout cas, on peut au moins situer la dynamique en jeu en posant que « le principe de *nirvàna* exprime la tendance de la pulsion de mort, le principe de *plaisir* représente la revendication de la libido, et la modification de celui-ci, le principe de *réalité,* représente l'influence du monde extérieur ». Loin de s'abolir l'un l'autre, ils s'accommodent entre eux ; des conflits sont pourtant inévitables entre la poursuite du but (avec l'abaissement quantitatif de l'excitation et son caractère qualitatif), et l'ajournement de la décharge (avec une tolérance temporaire de la tension suscitée par le déplaisir) [2].

Les *Trois essais sur la théorie sexuelle* énonçaient déjà que « rien d'important n'adviendrait peut-être dans l'organisme sans avoir à fournir sa composante à l'excitation de la pulsion sexuelle ». Un nouvel apport se fait jour : il y a là une véritable « coexcitation libidinale » (notamment avec la douleur et le déplaisir) destinée, à tout le

1. *Ibidem,* p. 104 ; p. 329 ; p. 60.

2. « Le problème économique du masochisme » (1924c), *Névrose, psychose et perversion,* Paris, PUF, 1973, p. 288-289 ; *OCF* XVII, p. 12-13 ; *GW* XIII, p. 372.

moins, à fournir « le fondement physiologique sur lequel est ensuite édifié dans le psychisme le masochisme érogène »[1].

Si, sur l'excitation, *Inhibition, symptôme et angoisse* se borne, en 1926, à reprendre des notions déjà développées, en 1933 les *Nouvelles conférences d'introduction à la psychanalyse* apportent des confirmations et des précisions. Partant de l'idée que la naissance provoque un état d'excitation et de tension ressenti comme déplaisir, Freud en vient à poser que « **l'objet de l'angoisse est à chaque fois l'apparition d'un facteur traumatique qui ne peut être liquidé selon la norme du principe de plaisir** ». Mais il y a plus, et « peut-être est-ce là la solution que nous cherchons. À savoir qu'il s'agit ici partout de la question des quantités relatives » ; seule la grandeur des excitations fait d'une impression un facteur traumatique paralysant l'action du principe de plaisir et donnant toute sa portée à la situation de danger[2]. La théorie de la libido peut alors être redéfinie selon l'excitation : repartant une fois encore du constat qu'une pulsion se distingue d'une stimulation en ce qu'elle provient de sources d'excitations situées à l'intérieur du corps et qu'elle agit comme une force, Freud précise que, pour la pulsion, « **la source est un état d'excitation dans le corporel, le but l'abolition de cette excitation ; sur le trajet de la source au but, la pulsion devient psychiquement active** »[3].

En 1938 enfin, l'*Abrégé de psychanalyse* conclut sur le moi « guidé par la prise en considération des tensions provoquées par les excitations du dedans ou du dehors » afin d'acquérir la maîtrise des exigences pulsionnelles[4].

1. *Ibidem*, p. 290-291 ; p. 15 ; p. 375.

2. *Nouvelles conférences d'introduction à la psychanalyse* (1933a [1932]), Paris, Gallimard, 1984, p. 127 ; *OCF* XIX, p. 176 ; *GW* XV, p. 100.

3. *Ibidem*, p. 130 ; p. 179 ; p. 103.

4. *Abrégé de psychanalyse* (1940a [1938]), Paris, PUF, 1985, p. 4-5 ; *OCF* XX, p. 234 ; *GW* XVII, p. 68.

QUESTIONS ET ENJEUX

C'est bien autour de l'excitation, et en partant d'elle, que s'établissent tant la théorie de la libido que celle de l'énergétique, que se fondent et se définissent les pulsions, que s'organisent principes de plaisir et de réalité, que se structurent le moi et ses défenses en fonction de la reconnaissance d'une origine externe ou interne des excitations. Ceci dit, plus que les distinctions clairement affirmées, l'important semble bien être dans la fonction de corrélation, voire d'articulation entre ces notions qu'assure l'excitation. Peuvent en témoigner : l'importance accordée à « la question des quantités relatives »[1] comme son omniprésence dans les « processus secondaires aussi bien que primaires »[2], et tout aussi bien la tendance qui vise à traiter les excitations internes « comme si elles n'agissaient pas de l'intérieur mais bien de l'extérieur »[3], afin de mieux les maîtriser. On peut considérer que le principe le plus ferme et la référence la plus assurée se justifient dans la constance de l'implication biologique nécessairement postulée par l'excitation ; le problème qui demeure est celui de son destin ultérieur et de ses modalités dans le fonctionnement de l'appareil psychique lui-même.

Freud, dès 1900, commence par associer directement la satisfaction à l'excitation (plus précisément à sa diminution)[4] ; il s'autorise à « employer pendant un certain temps les termes d'« excitation sexuelle » et de « satisfaction » de façon indistincte, à charge pour nous de chercher à éclaircir ce point plus tard ». L'accent mis ici sur le sexuel aboutit à privilégier ce qu'il y a « aussi », voire d'« abord » de psychique dans l'excitation (c'est d'ailleurs ce que visera le phénomène de la « coexcitation » entre activité musculaire et excitation

1. *Nouvelles conférences d'introduction à la psychanalyse* (1933a [1932]), Paris, Gallimard, 1984, p. 127 ; *OCF* XIX, p. 176 ; *GW* XV, p. 100.

2. *Au-delà du principe de plaisir* (1920g), *Essais de psychanalyse,* Paris, Payot, 1981, p. 114 ; *OCF* XV, p. 337 ; *GW* XIII, p. 68.

3. *Ibidem*, p. 71 ; p. 300 ; p. 29.

4. *L'interprétation des rêves* (1900a), Paris, PUF, 1967, p. 509 ; *OCF* IV, p. 654 ; *GW* II-III, p. 604.

sexuelle)[1] – ce qui ne va pas sans poser quelques problèmes sur les rapports entre excitation et pulsion. Aussi, par la suite, il va effectivement « éclaircir ce point » et corriger cette confusion en s'attachant à remonter vers la source, se retournant ainsi vers le fondement biologique : les « destins » des pulsions (qui apparaissent ici selon leurs effets) sont seulement fonction des quantités d'excitation qu'elles portent et qui les déterminent, la différence entre leurs « effets psychiques se laissant ramener à la différence des sources pulsionnelles »[2]. L'affirmation de cet enracinement dans le biologique va encore se parfaire en 1920-1923, avec la deuxième topique, lorsque se pose la question des transformations entre amour et haine : « Une distinction aussi fondamentale que celle des pulsions érotiques et des pulsions de mort présuppose l'existence de processus physiologiques aux directions opposées » – ce qui va conduire à l'hypothèse d'une « énergie déplaçable en soi indifférente »[3]. Tout ce qui s'approche d'un surcroît d'excitation, du traumatisme et donc de l'angoisse, tend vers le biologique : « Si nous posons la question de l'origine de l'angoisse, comme des affects en général, nous quittons le terrain proprement psychologique pour le domaine voisin de la physiologie » – ce qui le conduit à rappeler qu'il ne faut surtout pas « oublier qu'un symbole d'affect est une nécessité biologique ». Ceci dit, il convient de ramener ce mouvement dans le fonctionnement psychique, qui nous importe d'abord : « Il est plausible que la force excessive de l'excitation et l'effraction du pare-excitation soient les conditions immédiates des refoulements originaires »[4], donc de la mise en place de l'intériorisation de la première défense contre l'excitation ; ces premiers refoulements (substituts psychiques de la fuite) vont « psychiser » l'excitation, aboutissant à ce que « l'angoisse ne soit pas seulement un affect qui signale le danger, mais soit aussi produite, à titre de manifestation nouvelle, à partir des conditions économiques

1. *Trois essais sur la théorie sexuelle* (1905d), Paris, Gallimard, 1987, p. 133-136 ; *OCF* VI, p. 137-139 ; *GW* V, p. 102-104.

2. « Pulsions et destins des pulsions » (1915c), *Métapsychologie*, Paris, Gallimard, 1968, p. 20 ; *OCF* XIII (2e éd.), p. 171 ; *GW* X, p. 216.

3. *Le moi et le ça* (1923b), *Essais de psychanalyse*, Paris, Payot, 1981, p. 256 et 258 ; *OCF* XVI, p. 286 et 287 ; *GW* XIII, p. 271 et 272-273.

4. *Inhibition, symptôme et angoisse* (1926d [1925]), Paris, PUF, 1951, p. 9 et 10 ; *OCF* XVII, p. 211 et 212 ; *GW* XIV, p. 120 et 121.

de la situation »[1] – ce qui revient, de fait, à passer du biologique au psychique. On le voit exemplairement avec l'angoisse, l'intrication des déterminants biologiques et psychiques est constante, leur interaction étant plus décisive encore que peut l'être la précession biologique.

En dépit de ses commentaires divers et des précisions qu'il apporte, Freud n'a pourtant jamais clairement situé *l'excitation au sein de la métapsychologie*. La question demeure donc – et sans doute convient-il de tenter d'ébaucher une réponse en fonction des propositions freudiennes elles-mêmes. Disons qu'il ne paraît pas aventuré de considérer que, tout comme la pulsion, l'excitation est un « concept limite » situé à la frontière et à l'articulation entre le psychique et le biologique ; mais si, comme on le sait, la pulsion est à situer sur le versant psychique de cette crête épistémologique, l'excitation correspondrait, pour sa part, à son versant biologique : elle est *l'autre* « concept limite ». Une telle position ne peut effectivement que la rendre plus énigmatique encore que ne l'est la pulsion, et surtout plus difficile à explorer. Il est d'ailleurs remarquable de constater la discrétion de sa présence (tout au moins comme sujet central) dans les écrits post-freudiens – comme si, pour beaucoup, en dépit de son omniprésence chez Freud et de son rôle fondamental dans le corpus freudien, elle n'appartenait pas tout à fait à la psychanalyse.

Pourtant, comment oublier que si tout humain n'est tel qu'en tant qu'être psychique, il est avant tout un être vivant ; il est donc d'abord un être biologique. Nous ne pouvons ignorer celui-ci même si nous ne savons pas toujours qu'en faire, même si nous nous sentons incapables d'en rendre compte : c'est bien là « le grand *X* que – selon Freud – nous reportons dans chaque nouvelle formule ».

Claude Le Guen

Exhibitionnisme-voyeurisme → Couples d'opposés (polarités)

Expérience de satisfaction → Désir et besoin

1. *Ibidem*, p. 53 ; p. 246 ; p. 160.

F

Facteurs quantitatifs et qualitatifs → Quantitatif-qualitatif (quantité-qualité)

FANTASMES ORIGINAIRES

all. : *Urphantasien.* – angl. : *primal fantasies.* – esp. : *fantasias originarias.* – ital. : *fantasmi originarie.* – port. : *fantasias primitivas*

Représentations typiques, clairement identifiables, mettant en scène un enfant passif et des adultes (parents) actifs sous la forme de scénarios structurés, constants et universels, les fantasmes originaires ont une fonction structurante ; ils ressortent du patrimoine phylogénétique et constituent le noyau de l'inconscient. En font nommément partie : la scène originaire avant tout, mais aussi la séduction par un adulte et la castration. L'expression de « fantasmes originaires » n'apparaît dans le texte freudien que de 1914 à 1918 exclusivement ; si, par la suite, elle n'a plus été utilisée formellement, les fonctions qui lui étaient attribuées se sont perpétuées jusqu'à la fin de l'œuvre.

MISE EN SITUATION

Ces mots ne font guère problème même si, en français, Phantasien *est parfois traduit par fantaisie, et si « primaire », voire « primitif », fut d'abord préféré à « originaire », l'expression « fantasmes originaires » s'est peu à peu imposée. En revanche, subsiste une certaine confusion en ce qui concerne la « scène originaire », qui est de beaucoup la plus référée de ces fantasmes et, avec le cas de « L'homme aux loups », tend à en apparaître comme le prototype – et c'est pourquoi nous l'avons associée à la définition de « fantasmes originaires ». Cette « scène » est, de fait, un scénario. Lorsque Freud parle de scène originaire, il vise d'abord la représentation du rapport sexuel des parents, toute la question étant alors de savoir si nous sommes là face au souvenir d'un événement réel ou d'un fantasme, voire au souvenir d'un fantasme mais, en tout état de cause, il s'agit d'une production individuelle. Lorsqu'il parle d'un fantasme originaire, et d'abord de celui évoquant pareille scène, Freud entend désigner l'émergence d'un scénario échappant au vécu individuel et qui, provenant d'une mémoire héréditaire, exerce un effet de contrainte, de mise en conformité avec un schéma, et fonctionne comme modèle organisateur. Que le mot « originaire » figure dans les deux expressions (mais ce n'est sans doute pas un hasard) a pu être source de confusion, d'autant que si une bonne part de la discussion menée vise à départir les deux processus, elle aboutit au constat qu'ils s'intriquent souvent et qu'il est, en fin de compte, assez peu important de savoir quel processus est à l'œuvre. Ajoutons que les deux autres fantasmes nommés – la séduction par un adulte et la castration – ne se voient pas accoler le qualificatif « originaire », même lorsqu'ils sont explicitement désignés comme étant un fantasme de cet ordre. Enfin, comme pour accroître notre perplexité, le complexe d'Œdipe lui-même est explicitement désigné dans « L'homme aux loups » comme l'un de ces « schémas phylogénétiques », mais il n'apparaît jamais nommément dans les énumérations des fantasmes originaires.*

LE TEXTE FREUDIEN

Prémices à la notion

En **1897,** dans sa correspondance avec Wilhelm Fliess, Freud lui annonce que les fantasmes hystériques sont des productions inconscientes se rapportant à des choses entendues très tôt (dès l'âge de six ou sept mois) mais comprises longtemps après. Trois semaines après, il remarque que si le matériel alors en cause a des bases réelles, il ne renvoie pas à de véritables souvenirs et qu'il faut passer par des fantasmes interposés ; avec ces formations psychiques refoulées, « **il s'agit de pulsions découlant de scènes originaires** » **utilisées après coup** ; ce sont celles-ci que le thérapeute doit s'efforcer de retrouver grâce aux fantasmes produits, qui sont eux-mêmes des défenses contre leur retour et combinent des accidents vécus avec des récits de l'histoire des parents ou des aïeux. Durant les quatre mois qui suivent, il réexamine les récits de scènes de séduction jusqu'à se convaincre que, pour la plupart, ces soi-disant souvenirs renvoient en fait à des fantasmes[1] – ce qui va le conduire à quelques révisions notables. Nous avons ainsi les éléments constitutifs des *scènes originaires,* et le terme apparaît bien dès cette époque, avec d'ailleurs celui d'après-coup ; restera à raccorder la notion à celle de « patrimoine phylogénétique » pour tenter de la situer et intégrer dans le corpus proprement psychanalytique.

L'idée se fait jour en **1900,** dans *L'interprétation des rêves,* à propos d'une autre production imaginaire. Estimant que **rêve et névrose conservent la préhistoire de l'esprit,** Freud espère parvenir « par l'analyse des rêves, à connaître l'héritage archaïque de l'homme, à découvrir ce qui est psychiquement inné »[2]. Si en 1912-1913, dans *Totem et tabou,* est bien évoquée la nécessité d'une continuité dans la vie

1. *La naissance de la psychanalyse. Lettres à Wilhelm Fliess. Notes et plans (1887-1902)* (1950a [1887-1902]), Paris, PUF, 1956, p. 170, 173-174 et 190-191 (lettres du 6 avril, 2 mai et 21 septembre 1897).

2. *L'interprétation des rêves* (1900a), Paris, PUF, 1967, p. 467 ; *OCF* IV, p. 602 ; *GW* II-III, p. 554.

affective des hommes, au-delà des inévitables interruptions dans l'espace et le temps, si l'hérédité des dispositions psychiques expliquant la transmission des acquis d'une génération à l'autre est bien posée[1], c'est indiqué comme en passant, Freud ne s'y attardant pas.

La théorie des fantasmes originaires

Il faut attendre **1915** pour que réapparaissent terme et notion : « L'observation du commerce amoureux entre les parents est une pièce rarement manquante dans le trésor des fantasmes inconscients qu'on peut découvrir par l'analyse chez tous les névrosés, et vraisemblablement chez tous les enfants des hommes. **Ces formations fantasmatiques, celle de l'observation du commerce sexuel des parents, celle de la séduction, de la castration, et d'autres, je les appelle *fantasmes originaires.*** »[2]

En fait, dès 1914, Freud utilise le terme lors de la rédaction du cas de « **L'homme aux loups** », texte où la notion est sans doute la mieux étudiée (mais qui ne fut publié qu'en 1918) ; partant, pour l'essentiel, de la « scène originaire », c'est-à-dire de la représentation d'un rapport sexuel entre les parents, tel qu'il est mis en scène, transfiguré, dans le rêve mémorable que ce patient fit à quatre ans et qui est censé réactiver le souvenir oublié d'une scène vécue à un an et demi. Il convient ici, redisons-le, d'avoir bien en mémoire la distinction entre la *« scène originaire », représentation résultant d'une observation,* et le *« fantasme originaire », représentation surgie de la mémoire phylogénétique,* car c'est non seulement sur leurs rapports que Freud axe sa discussion, mais c'est surtout la thèse qu'il entend opposer à Carl Gustav Jung. En naissant, l'enfant apporte des **schémas phylogénétiques** qui, « semblables à des "catégories" philosophiques, ont pour rôle de "classer" les impressions qu'apporte ensuite la vie » ; ce serait comme des « précipités de l'histoire de la civilisation ». Le premier

1. *Totem et tabou* (1912-1913a), Paris, Gallimard, 1993, p. 314-315 ; *OCF* XI, p. 378-379 ; *GW* IX, p. 190.

2. « Communication d'un cas de paranoïa en contradiction avec la théorie psychanalytique » (1915f), *Névrose, psychose et perversion,* Paris, PUF, 1973, p. 215 ; *OCF* XIII (2e éd.), p. 318 ; *GW* X, p. 242.

d'entre eux, le mieux connu, n'est autre que le complexe d'Œdipe. La force organisatrice de ces modèles est telle que, lorsque les événements vécus en diffèrent, ils sont remaniés, retravaillés dans l'imagination jusqu'à s'adapter au schéma héréditaire : « **Le schéma triomphe de l'expérience individuelle.** » C'est ce que, dans l'angoisse, vit l'homme aux loups à l'âge de quatre ans, le mettant en scène dans un rêve traumatique, réactivant les réactions bien plus simples qu'il eut à un an et demi lorsqu'il vécut cette scène. Aussi incroyable que cela lui apparaisse d'abord, Freud en vient alors à l'idée qu'est à l'œuvre « une sorte de savoir difficile à définir, quelque chose comme une prescience qui agit dans ces cas chez l'enfant », « savoir » qu'il ne peut comparer qu'au savoir instinctif des animaux. Chez l'homme, « **ce patrimoine instinctif constituerait le noyau de l'inconscient** » ; il sera plus tard recouvert par la raison, mais continuera d'attirer à lui des processus psychiques plus proches de la conscience – le refoulement travaillerait à un tel retour « instinctif », et « le rôle important des traumatismes de la petite enfance serait de fournir à l'inconscient un matériel qui le préserverait de l'usure lors de l'évolution subséquente ». C'est ainsi que lorsque l'homme aux loups, à vingt-cinq ans, sur le divan de Freud, revit son rêve de l'âge de quatre ans (en un deuxième après-coup qui réédite la scène de ses un an et demi), il dispose enfin des mots qu'il ne savait trouver alors, et peut enfin la comprendre. Tous les effets générés par la scène originaire se sont, bien sûr, déjà manifestés dans l'enfance sous forme de symptômes, qui contraignirent et déterminèrent ceux qui survinrent ensuite ; en ce sens, « **il est indifférent de lui conférer la valeur de scène ou de fantasme originaire** » [1].

Une question domine l'ouvrage : *est-ce bien des souvenirs* que l'analyse retrouve, *ou de simples réélaborations rétrospectives,* comme le prétend Jung ? Ce qui est retrouvé renvoie-t-il à des événements vécus ou à un héritage phylogénétique ? C'est « la question la plus épineuse de toute la doctrina analytique » [2] ; tellement délicate que lorsque, avant publication, Freud reprend cet ouvrage en 1917-

1. « Extrait de l'histoire d'une névrose infantile (L'homme aux loups) » (1918b [1914]), *Cinq psychanalyses,* Paris, PUF, 1954, p. 418-419 ; *OCF* XIII (2e éd.), p. 117-118 ; *GW* XI, p. 155-156.

2. *Ibidem,* p. 404, n. 1 ; p. 101, n. 1 ; p. 137, n. 1.

1918, il tient à y revenir longuement. Il veut savoir si, dans ce cas, la scène originaire était un fantasme ou une expérience réelle. Là encore, il conclut qu'il n'est guère important d'en décider : ces scènes d'observation du coït parental appartiennent indubitablement à l'héritage phylogénétique, comme d'ailleurs celles de castration (pour qui c'est clairement affirmé) et celles de séduction dans l'enfance (pour qui ça l'est moins) – mais elles peuvent tout aussi bien résulter d'expériences personnelles. Nous constatons seulement que l'enfant recourt à l'expérience phylogénétique là où sa propre expérience ne suffit pas. « **Il comble les lacunes de la vérité individuelle avec de la vérité préhistorique,** introduit l'expérience des ancêtres à la place de l'expérience propre. » À cette occasion, Freud tient cependant à rappeler qu'en bonne méthode on ne saurait « recourir à l'explication par la phylogenèse avant d'avoir épuisé les possibilités de l'ontogenèse » [1].

Dans les mêmes temps, il reprend la question dans les *Conférences d'introduction à la psychanalyse* (1916-1917). Ces divers événements sont nécessairement requis pour assurer le développement de l'enfant : si la réalité les fournit, c'est très bien, mais s'ils en sont absents, ils sont fabriqués à partir d'éléments pris ici ou là, complétés par le fantasme qui agit alors comme une contrainte. « Le résultat est le même », et il n'a pas été possible de trouver une différence dans les conséquences, que ce soit le fantasme ou la réalité qui ait eu « la plus grande part à ces événements de l'enfance ». Là aussi, ce sont des « séries », des « rapports de complémentarité » qui sont à l'œuvre ; encore faut-il pouvoir expliquer pourquoi il s'agit toujours des « **mêmes fantasmes, avec le même contenu** ». La réponse est que **les fantasmes originaires sont un patrimoine phylogénétique.** « La psychologie des névroses a conservé pour nous des antiquités de l'évolution humaine plus que toutes les autres sources. » [2]

Il convient ici de remarquer que tout ce qui, dans ces ouvrages, est écrit sur les fantasmes originaires l'est, pour l'essentiel, à propos de **la scène originaire** (en l'occurrence, celle de l'homme aux loups). Bien

1. *Ibidem*, p. 399-400 ; p. 95-96 ; p. 131.

2. *Conférences d'introduction à la psychanalyse* (1916-1917), Paris, Gallimard, 1999, p. 471-472 ; *OCF* XIV, p. 384-385 ; *GW* XI, p. 385-386.

peu est dit sur les deux autres fantasmes désignés, si ce n'est indirectement : « La scène originaire reflète la progression des pensées durant la formation du rêve : désir de satisfaction sexuelle par le père, compréhension du fait que la castration en est une condition nécessaire. »[1] Il semble bien que, même non explicitées, sont ici en cause la séduction et la castration ; on peut alors penser qu'ils auraient pu aussi mériter le qualificatif « originaires », mais il ne leur a pas été attribué…

Mise à l'écart de la notion

À partir de 1918 le terme va pratiquement disparaître de l'œuvre freudienne, même lorsque le thème traité pourrait sembler y correspondre. Il en va ainsi dès **1919,** dans « Un enfant est battu », avec l'étude d'un fantasme qui aurait pu faire évoquer l'originaire (voire une séduction originaire) puisque, la plupart du temps, « il ne trouve pas sa place dans la trame de la névrose » et permet à Freud de redire que « le noyau de l'inconscient psychique est l'héritage archaïque de l'être humain »[2]. À vrai dire, l'expression « fantasme originaire » est utilisée à deux reprises dans un même paragraphe mais, semble-t-il, selon une acception qui tend plutôt à désigner un premier temps événementiel. Quoi qu'il en soit, **la théorie proprement dite des fantasmes originaires n'est pas reprise,** et c'est sans doute à ce moment que Freud se décide à en reconsidérer la pertinence.

Tout au contraire, **l'héritage phylogénétique est rigoureusement maintenu,** voire étendu, comme en témoigne *Le moi et le ça* dès **1923,** reprenant la thèse avancée en 1915 (dans l'essai rejeté : *Vue d'ensemble sur les névroses de transfert*) selon laquelle l'instauration diphasée de la vie sexuelle résulterait des contraintes imposées à l'époque glaciaire. « Ce que la biologie et le destin de l'espèce humaine

1. « Extrait de l'histoire d'une névrose infantile (L'homme aux loups) » (1918b [1914]), *Cinq psychanalyses,* Paris, PUF, 1954, p. 354 ; *OCF* XIII (2e éd.), p. 40 ; *GW* XI, p. 69.

2. « Un enfant est battu. Contribution à la genèse des perversions sexuelles » (1919e), *Névrose, psychose et perversion,* Paris, PUF, 1973, p. 223, 241 et 243 ; *OCF* XV, p. 123, 144 et 146 ; *GW* XII, p. 202, 223 et 225-226.

ont créé et laissé dans le ça, est repris par le moi au moyen de la formation de l'idéal et revécu en lui sur le plan individuel » ; l'idéal du moi est ainsi étroitement lié à l'acquis phylogénétique de l'individu, à son héritage archaïque. Comme le supposait déjà *Totem et tabou,* religion, morale et sentiment social furent ainsi acquis phylogénétiquement, en liaison avec le complexe d'Œdipe. Mais, soulignons-le, nous sommes là dans la **phylogenèse proprement dite,** avec les questions qu'elle soulève en propre. On se serait attendu à ce que les « fantasmes originaires » viennent illustrer la thèse selon laquelle les expériences vécues du moi, lorsqu'elles se répètent suffisamment, « se transposent, pour ainsi dire, en expériences vécues du ça, dont les empreintes sont maintenues par hérédité ». Mais tel n'est plus le sentiment de Freud, qui les ignore, comme s'il en avait clos le chapitre ; **les fantasmes originaires n'illustrent plus la phylogenèse**[1].

Ils seront pourtant mentionnés, une seule fois, en **1925.** Mais c'est alors pour les mettre à distance : « L'analyse nous permet de reconnaître de manière vague qu'être aux écoutes du coït parental dans une enfance très précoce peut installer la première excitation sexuelle et devenir par ses effets après coup le point de départ de tout le développement sexuel » (on mesure combien cette « manière vague » peut être éloignée des certitudes qui accompagnent l'analyse du rêve de l'homme aux loups, « élucidé sans aucun reste »[2]). Et Freud d'insister maintenant pour **écarter « l'hypothèse que de telles observations du coït se produisent régulièrement,** et nous nous heurtons ici au problème des "fantasmes originaires" ». À ceux-ci s'attache maintenant beaucoup d'inexpliqué dans la préhistoire du complexe d'Œdipe qui, dès lors, se laisse entrevoir, jusqu'à conduire un peu plus tard à l'exploration de la fonction structurante des rapports entre moi et surmoi et, pour les deux sexes, à la révision des relations préœdipiennes avec, plus particulièrement, celles de la fille à la mère[3].

1. *Le moi et le ça* (1923b), *Essais de psychanalyse,* Paris, Payot, 1981, p. 248-251 ; *OCF* XVI, p. 279-282 ; *GW* XIII, p. 264-267.

2. *Ibidem,* p. 354 ; p. 40 ; p. 69.

3. « Quelques conséquences psychologiques de la différence anatomique entre les sexes » (1925j), *La vie sexuelle,* Paris, PUF, 1969, p. 125-126 ; *OCF* XVII, p. 194 ; *GW* XIV, p. 22.

Plus de dix ans plus tard, en **1938-1939, la contrainte phylogénétique dans la structuration du fonctionnement psychique** – ce qui, redisons-le, n'est rien d'autre que la *fonction même qui avait été attribuée aux fantasmes originaires* – est réaffirmée avec force dans les deux derniers ouvrages.

Dans l'*Abrégé de psychanalyse,* Freud repart du rêve pour redire (dans des termes proches de ceux de 1914-1917) que certains des contenus qu'il fait surgir ne sauraient relever des expériences vécues de l'adulte ou de l'enfant ; on doit alors considérer qu'un tel matériel « **fait partie de l'héritage *archaïque,* résultat de l'expérience des aïeux, que l'enfant apporte en naissant, avant toute expérience personnelle** » (il convient de remarquer, quelle que soit leur proximité, que c'est le rêve qui se trouve ici référé, et non le fantasme). Si la mère acquiert une importance incomparable, inaltérable et permanente pour les deux sexes, si elle est le modèle de toutes les relations amoureuses à venir, cela ne dépend pas seulement de la réalité des soins qu'elle apporte à l'enfant, mais tient surtout au « **fondement phylogénétique qui prédomine à tel point sur les facteurs personnels, accidentels,** qu'il importe peu que l'enfant ait réellement tété sa mère ou qu'il ait été nourri au biberon sans connaître jamais les tendres soins maternels. Le développement est semblable dans les deux cas ». Puis nous voyons réapparaître le troisième fantasme originaire (mais qui n'est plus désigné comme tel) : la castration, qui serait due, en partie, à « une trace mnésique phylogénétique, souvenir de l'époque préhistorique » [1].

L'homme Moïse et la religion monothéiste va dans le même sens, peut-être même avec plus encore de conviction : ce n'est probablement pas ce que l'individu a vécu lui-même qui agit dans la vie psychique, « mais aussi des contenus innés, des éléments de provenance phylogénétique, un *héritage archaïque* ». Ainsi, l'étude des **traumatismes précoces** révèle qu'ils ne s'en tiennent pas strictement au vécu, mais s'en écartent au point qu'ils ne peuvent se justifier qu'en référence à un événement phylogénétique. Le **complexe d'Œdipe et le complexe de**

1. *Abrégé de psychanalyse* (1940a [1938]), Paris, PUF, 1985, p. 30-31, p. 59, p. 61 n. 1 ; *OCF* XX, p. 257, p. 283, p. 284 n. 1 ; *GW* XVII, p. 89, p. 115, p. 117 n. 1.

castration sont les meilleurs exemples de réactions qui ne sauraient se justifier individuellement, mais seulement en faisant appel à la phylogenèse et au vécu des générations antérieures. Dire cela risque de heurter certains acquis de la biologie mais il ne s'agit pas, en fait, d'une même approche. Surtout, il importe de confirmer la vocation culturelle et biologique de la psychanalyse, puisque admettre la conservation de telles traces archaïques vient **jeter un pont par-dessus les fossés entre générations et entre psychologie individuelle et psychologie des masses et, de surcroît, vient réduire celui entre l'homme et l'animal** – et Freud reprend la référence, avancée avec l'homme aux loups, à la vie instinctive des animaux. Dans les dernières pages de l'ouvrage, il tient à redire que souvent, lors de relations importantes, les enfants ne réagissent pas selon leur propre vécu, « mais instinctivement, à la manière des animaux, ce qui ne s'explique que par une acquisition phylogénétique ». Le retour du refoulé lui-même est une entreprise longue, difficile, qui se fait « sous l'influence de tous les changements qui remplissent l'histoire de la civilisation »[1].

À lire ces deux ouvrages ultimes de Freud, on tend à penser qu'il traite là des fonctions qu'il avait attribuées aux fantasmes originaires vingt ans plus tôt. Il n'en est que plus remarquables que, depuis 1918 (juste après la publication de l'étude du cas de « L'homme aux loups » qui lui est largement consacrée), **Freud écarte dorénavant le terme de « fantasmes originaires »**.

QUESTIONS ET ENJEUX

La façon dont Freud traite la question des fantasmes originaires pose nombre de problèmes, peut-être plus encore par ses non-dits que dans ses explicitations.

1. *L'homme Moïse et la religion monothéiste* (1939a), Paris, Gallimard, 1986, p. 193, p. 195-197, p. 238 ; *OCF* XX, p. 177-178, p. 179-180, p. 211 ; *GW* XVI, p. 204-205, p. 206-208, p. 241.

Le premier a trait à leur choix : **pourquoi ceux-là ?** Lorsqu'il les nomme, il retient trois « formations fantasmatiques : celle de l'observation du commerce sexuel des parents, celle de la séduction, de la castration », ajoutant un « et d'autres » assez énigmatique dans la mesure où il s'abstient de les désigner (une fois, comme en passant, il parle du « retour dans le ventre de la mère »). S'il est particulièrement explicite sur ce qu'il nomme le plus souvent « scène originaire » (l'observation des rapports sexuels des parents), qui vise à justifier la mise en cause d'un héritage archaïque à côté des souvenirs d'événements vécus, il est moins disert sur les raisons qui le font ranger la séduction dans la même catégorie. De surcroît, lorsqu'il étudie en particulier castration et séduction, il les réfère peu en tant que fantasmes originaires. Nous avons aussi, parfois, l'impression que certaines autres représentations auraient fort bien pu y prendre place alors qu'elles n'y sont pas incluses. Ainsi, depuis *Totem et tabou*, Freud parle du « meurtre du père originaire » et de sa transmission et perpétuation au fil des siècles, au travers du repas totémique et des rituels religieux[1] : pourquoi n'est-il jamais donné comme fantasme originaire ?

Mais, surtout, il y a le *complexe d'Œdipe*. Il est explicitement désigné comme l'un de ces schémas phylogénétiques que l'enfant apporte en naissant et qui vont devoir « classer » les impressions qu'apporte ensuite la vie, précipités de l'histoire de la civilisation humaine ; il est l'un d'eux « et en est, de fait, l'exemple le mieux connu »[2]. Et pourtant, lui non plus n'apparaît à aucun moment dans quelque liste de fantasmes originaires. Il convient d'ailleurs de remarquer que Freud ne s'attache jamais à nous fournir des critères nous permettant d'attribuer à un fantasme, qui pourrait pourtant apparaître « organisateur », le qualificatif « originaire ».

En collant aux textes freudiens sur le sujet, nous avons tenté d'identifier ce que peuvent être de tels **caractères universels** selon Freud. Nous nous autorisons à les proposer ici.

Les fantasmes originaires portent sur des événements relativement simples, isolables parce que typiques ; le sujet y est régulièrement

1. *Totem et tabou* (1912-1913a), Paris, Gallimard, 1993, chap. IV.

2. « Extrait de l'histoire d'une névrose infantile (L'homme aux loups) » (1918b [1914]), *Cinq psychanalyses*, Paris, PUF, 1954, p. 418 ; *OCF* XIII (2e éd.), p. 117 ; *GW* XI, p. 155.

présent en tant qu'acteur passif, des adultes (parents) assurant le rôle actif ; ils ont valeur universelle et sont le lot et le destin de tout humain, quelles que soient les singularités de son histoire et de ses expériences individuelles ; ils se fondent selon les deux temps de l'après-coup et se justifient par lui ; ils ont une fonction structurante en conformité au modèle universel qui les détermine et les intègre dans l'ensemble historico-social ; ils assurent la permanence de ce modèle, au-delà des variations de l'histoire individuelle, mais doivent s'ancrer dans une concrétude agissante apte à justifier la croyance du sujet en leur réalité ; porteurs d'une charge affective considérable, traumatisante, leurs représentations sont vouées aux travestissements, déformations et refoulements ; ils incarnent, par excellence, l'héritage phylogénétique qui contribue à déterminer le destin individuel.

Ces critères (non explicités par Freud) nous semblent pouvoir expliquer, sinon justifier, la mise à l'écart du meurtre du père originaire (qui, tout structurant qu'il soit, ne fait pratiquement jamais retour comme représentation fantasmée), et surtout le traitement particulier attribué à l'Œdipe, qui s'avère trop « complexe », constitué de nombre de représentations fantasmatiques interdépendantes et souvent contradictoires.

Encore faut-il pouvoir **situer** *chacun des fantasmes originaires* nommément désignés. S'ils sont tous, comme tout fantasme, à inclure dans la « sphère visuelle », la **scène originaire** en participe plus encore que tous les autres, caractérisée par sa référence à des « images » du monde dont elle rend compte, celles-ci dussent-elles « s'imaginer » en fonction de bruits entendus. Nous avons affaire, avec elle, à une « réalité » qui vient « faire impression » (pour reprendre le mot de Freud) dans le fantasme lui-même ; c'est là ce qui peut largement justifier, pensons-nous, sa position prototypique.

Le rapport à la réalité de la **séduction** est autre ; on connaît son rôle dans l'élaboration de la psychanalyse en tant que séduction précoce, infantile. Si elle finit par être reconnue comme fantasme, dans la plupart des cas rapportés, elle n'en renvoie pas moins aussi à des événements vécus, certains traumatiques et pathogènes (ceux-là mêmes que Freud avait d'abord cru reconnaître), d'autres nécessaires et réguliers : tels sont les tendres soins que la mère, « première séductrice », prodigue au nourrisson. C'est pourquoi le fantasme de séduction se complaît d'abord dans un merveilleux rapport à deux, dans un abandon tout de plaisir passif, et il faudra la reprise en après-coup de ces souvenirs pour qu'apparaisse la révélation du désir pour l'objet (la « séduction »), et que surgissent, relativement tardivement, culpabilité et victimisation, dans un après-coup traumatique. Dans tout cela, la transmission phylogénétique est loin d'être évidente ; elle ne peut guère apparaître qu'au travers du complexe d'Œdipe et de sa pléiade de fantasmes.

Tout au contraire, dans le cas de la **castration,** troisième fantasme originaire, le sentiment de réalité qui l'imprègne devrait beaucoup à l'originaire des temps préhistoriques, époque où elle aurait alors été effectivement pratiquée par le père sur les fils ; c'est là ce qui ressurgirait de nos jours, que la menace soit proférée ou non (à remarquer qu'elle est alors plutôt énoncée par les femmes). À cette réalité phylogénétique il convient d'en adjoindre une autre, biologique : celle de l'absence de pénis chez les filles, que celles-ci constatent aussi bien que les garçons. Il convient ici de remarquer que lorsque Freud l'évoque en tant que fantasme originaire[1], il mentionne d'abord la menace de castration puis se corrige aussitôt pour indiquer « ou plutôt la castration », situant ainsi clairement celle-ci en tant que telle, en dehors de la menace et de l'angoisse, et donc du fondement névrotique. On peut penser que, dans le complexe d'Œdipe, la menace de castration témoignerait du vécu individuel, et la castration de l'héritage phylogénétique ; ce serait elle qui appartiendrait pleinement aux fantasmes originaires.

Un autre problème est posé par la **répartition dans le corpus.** Durant la période pré-analytique nous rencontrons une fois le terme de « scène originaire » (en 1897), ainsi qu'une première description d'éléments qui serviront plus tard à constituer et définir la notion ; pourtant, pendant près de vingt ans, il n'en sera plus question. Ce n'est qu'à la fin de 1914 que, rédigeant l'histoire de « L'homme aux loups », Freud introduit la notion de « fantasmes originaires » pour expliquer, plus particulièrement, la survenue et la fonction d'une « scène originaire ». Le mot et la notion seront pourtant livrés au lectorat analytique en 1915, alors même que les « Extraits de l'histoire d'une névrose infantile (L'homme aux loups) » ne seront publiés

1. Ainsi dans les *Conférences d'introduction à la psychanalyse* (1916-1917), Paris, Gallimard, 1999, p. 471-472 ; *OCF* XIV, p. 384-385 ; *GW* XI, p. 385-386. Cf. également dans « L'organisation génitale infantile » (1923e), *La vie sexuelle,* Paris, PUF, 1969, p. 115, n. 1 ; *OCF* XVI, p. 308, n. 1 ; *GW* XIII, p. 296, n. 1.

qu'en 1918. Dans le même temps (1916-1917), dans des termes sensiblement identiques, les *Conférences d'introduction à la psychanalyse* en reprennent la description et la théorie. Puis l'expression disparaît des écrits freudiens, définitivement – à la notable exception d'une brève mention en 1925 qui vise à relativiser, presque disqualifier l'idée même de fantasmes originaires.

À s'en tenir au texte freudien lui-même, *les fantasmes originaires n'y sont présents que de 1914 à 1918*. Pourtant, ce qu'engage la notion se prolonge, et même se conforte avec la réaffirmation d'un héritage archaïque et l'extension du rôle de la phylogenèse dans le développement psychique individuel. Il s'agit de répondre à la question qui hante Freud : *comment expliquer que ce soient toujours les mêmes fantasmes, avec le même contenu, qui apparaissent, ici et ailleurs, en tous temps ?* Nous retrouvons ainsi l'une de ses préoccupations dominantes : celle du rapport de l'homme, cet être biologique, à la culture et à l'histoire. Lorsqu'ils apparaissent dans le corpus, les fantasmes originaires ont pour fonction d'expliquer cette continuité par l'ancrage dans la préhistoire et par un enracinement quasi biologique assurant la permanence du schéma. Mais alors se posent deux questions : *pourquoi Freud abandonne-t-il les fantasmes originaires* après 1918, et *par quoi les remplace-t-il ?* On pourrait d'ailleurs en ajouter une troisième : *comment opère-t-il la jonction des événements individuels avec le déterminisme phylogénétique ?*

Mais sans doute faut-il d'abord *lever une hypothèque* concernant une certaine radicalité, voire une outrance attribuée à Freud sur le sujet ; en témoigneraient ses affirmations de 1939 sur la transmission des caractères acquis dont il admet que « la science biologique ne veut rien savoir », mais dont il entend bien, malgré tout, « ne pas se passer » [1]. Nous en discutons largement dans l'article sur la « Phylogenèse », et nous nous bornerons ici à rappeler la prudence freudienne. Non seulement il tient à ce que la phylogenèse ne puisse être invoquée avant que ne soient épuisées les possibilités de l'ontogenèse, mais il répète que si l'influence des schémas phylogénétiques ne peut être ignorée, elle ne saurait être exclusive : il existe un « rapport de complémentarité » entre les événements vécus et le patrimoine phylo-

1. *L'homme Moïse et la religion monothéiste* (1939a), Paris, Gallimard, 1986, p. 196 ; *OCF* XX, p. 179-180 ; *GW* XI, p. 207.

génétique, les fantasmes originaires ne faisant que « boucher les trous de la vérité individuelle avec de la vérité préhistorique ».

Puisque nous devons nous interroger sur le destin des fantasmes originaires et la brièveté de leur présence dans l'œuvre, nous ne saurions négliger l'explication circonstancielle qui renvoie au *conflit avec Jung* dans lequel l'*Histoire d'une névrose infantile* est utilisée comme une arme[1] dont le but avoué est de disqualifier la thèse jungienne imputant à des élaborations rétrospectives les souvenirs évoquant une sexualité et une névrose infantiles et, ce faisant, visant à disqualifier ceux-ci. On peut penser que si un tel contexte polémique conduisit Freud, se voulant irréfutable, à une étude attentive de ce cas, le temps passant et l'amenant à la conviction d'avoir imposé sa position (sinon à Jung, tout au moins à la majorité de ses élèves), l'argumentation perdit de sa virulence, le recours aux fantasmes originaires de son opportunité. Quelle que soit la pertinence d'une telle explication de leur quasi-abandon, elle ne saurait suffire. Freud avait *des raisons plus profondes, plus théoriques,* de les délaisser : ne remettant nullement en question le déterminisme phylogénétique, ni ne condamnant la théorie des fantasmes originaires, il semble bien, même s'il ne s'en explique pas, avoir buté sur ses insuffisances, comme s'il lui apparaissait qu'une représentation fantasmatique, fût-elle contrainte et contraignante, ne saurait suffire à rendre compte de la complexité de la structuration du fonctionnement psychique.

Un modèle plus dynamique que celui des fantasmes originaires s'avère donc nécessaire à partir de 1920. Dès 1918, Freud pouvait en imaginer deux : l'un était déjà à disposition mais il n'avait pas encore approfondi sa fonction structurante, l'autre était en préparation.

Nous avons signalé que, lorsqu'il réfère le **complexe d'Œdipe** en tant que schéma phylogénétique et le désigne comme le mieux connu de ceux-ci, il sait y retrouver, fût-ce indirectement et au travers de la scène originaire, les deux autres fantasmes de séduction et de castration ; c'est là dire que *l'Œdipe, à lui seul, contient tous les fantasmes originaires*. C'est là aussi, sans doute, impliquer que sa fonction organisatrice, que son efficacité de « schéma », de modèle structurant, s'avèrent être beaucoup plus importantes que cela ne pouvait

1. Cf. Ernest Jones, *La vie et l'œuvre de Sigmund Freud*, Paris, PUF, 1961, t. 2, p. 292.

apparaître dans la singularité de chacun d'eux. Il est frappant de constater que vient alors le moment d'enfin reconnaître à l'Œdipe toute sa dimension, ce que font les textes qui, de 1923 à 1933, l'approfondissent, révèlent sa puissance organisatrice et, surtout, découvrent son extrême complexité au travers du pré-Œdipe et de l'Œdipe féminin[1]. Les fantasmes originaires apparaissent, dorénavant, superflus.

Dans les mêmes temps, un autre concept est reconnu déterminant dans la structuration psychique et, justement, Freud le désigne comme « héritier du complexe d'Œdipe » : il s'agit, bien sûr, du **surmoi.** Lorsque celui-ci en vient, chez le jeune enfant, à se distinguer du moi, c'est en reproduisant « l'héritage du développement vers la culture imposé par la période glaciaire » ; produit phylogénétique, héritage archaïque, il est déterminant dans l'établissement de la religion, de la morale et du sentiment social qui, aux origines, ne faisaient qu'un. Sa puissance organisatrice est considérable car elle résulte de ce qu'il « descend des premiers investissements d'objet du ça, donc du complexe d'Œdipe » ; c'est par là qu'il s'ancre « dans les acquisitions phylogénétiques du ça et en fait la réincarnation de formations moïques antérieures, qui ont laissé derrière elles leurs précipités dans le ça »[2]. Là encore, la fonction qui était attribuée aux fantasmes originaires se trouve développée, explicitée et, disons-le, dépassée (au sens hégélien de l'*Aufhebung*). De surcroît, ainsi s'établissent, par l'Œdipe et le surmoi, ce que Freud désigne comme des « rapports de complémentarité » entre événements individuels et déterminisme phylogénétique, contribuant puissamment à l'unicité et l'universalité anthropologique, qu'il considère comme fondamentales.

Alors, quel peut être le **statut des fantasme originaires** dans le corpus analytique ? Qu'ils n'y effectuent, finalement, qu'un assez bref passage, ne saurait en soi autoriser à les négliger ; encore moins à les

1. Il s'agit de « L'organisation génitale infantile » (1923e), « La disparition du complexe d'Œdipe » (1924d) ; « Quelques conséquences psychologiques de la différence anatomique entre les sexes » (1925j) ; « Sur la sexualité féminine » (1931b) ; « La féminité » (1933a), *Nouvelles conférences d'introduction à la psychanalyse* (1933a [1932]), Paris, Gallimard, 1984.

2. *Le moi et le ça* (1923b), *Essais de psychanalyse*, Paris, Payot, 1981, p. 248-251 et 263 ; *OCF* XVI, p. 279-282 et 291 ; *GW* XIII, p. 263-267 et 278.

exclure. Simplement, il semble bien qu'ils se soient révélés insuffisants à remplir pleinement la fonction qui leur avait été d'abord attribuée ; comme si un fantasme, en lui-même, et fût-il transmis phylogénétiquement, ne saurait suffire à structurer le fonctionnement psychique ; comme si ce serait trop lui demander de, selon ses schémas propres et « semblables à des » catégories « philosophiques, » classer « les impressions qu'apporte ensuite la vie » – selon un processus que nous pourrions qualifier de « modélisant ». Et, effectivement, le modèle des rapports moi-surmoi, adossé à celui du complexe d'Œdipe, s'avère infiniment plus dynamique et plus fécond.

La forme, les attributs plutôt, devaient être revus ; mais pour ce qui est du fond, pour ce qui concerne l'essentiel de leurs fonctions, ils sont maintenus de fait, et même confirmés. L'idée qui anime et guide Freud, là comme ailleurs – mais ici de façon peut-être plus évidente – est qu'une force extrêmement puissante oriente et contraint le développement anthropologique, qu'elle ne peut qu'émaner des profondeurs biologiques pour se transmettre selon les acquis de l'histoire, de la préhistoire même, et les exigences de la vie en société, jusqu'à déterminer l'évolution de l'individu. C'est là ce qui demeure des fantasmes originaires, au-delà d'eux-mêmes.

Claude Le Guen

FÉTICHISME

all. : ***Fetichismus***. – angl. : *fetishism*. – esp. : *fetichismo*. – ital. : *feticismo*. – port. : *feticismo*

Le fétiche représente un substitut du pénis maternel, qui permet d'ignorer l'absence de pénis chez la femme et ainsi d'échapper à l'horreur de la castration. Cela ne se produit que par la réalisation d'un déni de la perception, de l'effroi qu'elle entraîne, et d'un clivage du moi, dont une part reconnaît la castration tandis qu'une autre l'ignore. Le fétiche témoigne de la castration tout en la niant, il constitue un « monument » psychique de l'horreur qu'elle inspire.

MISE EN SITUATION

Le terme « fétiche » dérive du portugais, « feitiço *» qui signifie sortilège ou artificiel. Il vient du latin «* facticius *». Il désigne l'objet que les peuples primitifs divinisent ou l'objet auquel les personnes religieuses attribuent un pouvoir magique. À partir de là, le fétiche a désigné l'objet de la perversion sexuelle caractérisée par le choix érotique exclusif d'un objet inanimé ou d'une partie du corps.*

Le fétichisme intéresse Freud d'abord en tant que perversion qu'il aborde de façon assez classique dans les Trois essais sur la théorie sexuelle, *soulignant sa valeur de substitut de l'objet sexuel, dont le choix relève d'une impression remontant à la prime enfance. Il remarque encore à ce propos l'importance de l'investissement olfactif, le plus souvent de type coprophile. Ultérieurement, il montre que le fétiche se substitue au pénis de la femme. Enfin et surtout, le fétiche en tant que substitut de ce pénis prend valeur de modèle pour l'élaboration des notions de déni et de clivage, ce qui sera repris et développé dans « Le clivage du moi dans le processus de défense ».*

LE TEXTE FREUDIEN

En 1905, dans les *Trois essais sur la théorie sexuelle* (dans le chapitre consacré aux aberrations sexuelles), Freud considère la valeur de substitut du fétiche, qui constitue une déviation relative à l'objet sexuel. Ce substitut peut être une partie du corps, le pied ou la chevelure notamment, ou un objet inanimé, vêtement, lingerie, chaussure… Freud ajoute : « Ce n'est pas sans raison que l'on compare ce substitut au fétiche dans lequel le sauvage voit son dieu incarné. » [1] Le sauvage vaut généralement pour l'enfant et l'on peut voir ici l'ébauche d'une

1. *Trois essais sur la théorie sexuelle* (1905d), Paris, Gallimard, 1987, p. 62 ; *OCF* VI, p. 86 ; *GW* V, p. 52.

équivalence entre le pénis maternel et le dieu, appuyée sur le fétiche, ce qui sera développé ultérieurement.

Un certain degré de fétichisme existe dans le cas de l'amour normal, notamment lorsqu'il n'est pas satisfait, mais le pathologique commence lorsque le fétiche « s'installe à la place du but normal ». Freud ajoute en note, à propos de son accord avec l'idée de Alfred Binet selon laquelle le fétiche doit son origine à l'influence d'expériences sexuelles précoces, que les expériences en cause sont très précoces, c'est-à-dire très antérieures à la cinquième année. Le premier souvenir relatif à l'apparition du fétiche se trouve dans « une phase engloutie et oubliée du développement sexuel », qui est représentée par le fétiche comme par « un souvenir-écran », dont le reste constitue le fétiche[1].

Les ajouts ultérieurs (1910 et 1915) soulignent l'importance des pulsions partielles et de leur fixation. Ainsi le choix du pied concerne essentiellement le pied sale et malodorant, qui procure un plaisir olfactif témoignant d'une fixation anale. Quant à la pulsion scopique, elle trouve sa satisfaction et son refoulement dans l'arrêt au pied ou au soulier au cours de la recherche visuelle de l'organe sexuel féminin, vu par en dessous. Pour ce qui concerne les filles, l'intérêt pour la vision du sexe masculin est identique, de même que la conviction de l'existence d'un pénis maternel à l'origine. Chez elles, cependant, la découverte du sexe maternel n'entraîne rien d'autre que l'acceptation de la réalité et l'envie du pénis qui culmine dans le désir d'être elle-même un garçon, sans qu'elle *tombe dans une attitude de refus*[2].

Dans *Le délire et les rêves dans la « Gradiva » de Jensen*, à propos de la discussion du « délire », Freud reprend la question du fétiche, en raison de l'intérêt porté par Hanold aux pieds des femmes et à leur position, à leur démarche en général. Il développe essentiellement l'origine infantile de l'intérêt fétichiste, suivant A. Binet. Hanold est censé avoir éprouvé un vif intérêt pour le pied de son amie dans son enfance. La trouvaille d'un bas-relief, représentant une position particulière du pied, active l'impression infantile, qui produit des effets

1. *Ibidem* (ajout de 1920), p. 64, n. 1 ; p. 88, n. 1 ; p. 54, n. 1.
2. *Ibidem*, p. 125 ; p. 132 ; p. 96.

mais reste inconsciente. C'est en effet le problème de l'inconscient, du refoulé et du retour du refoulé, qui intéresse ici Freud, plus que celui du fétiche en lui-même, qu'il considère essentiellement comme le témoin du « combat entre la puissance de l'érotisme et les forces qui le refoulent ». Ce qui fait penser à un compromis, sinon à un monument, mais Freud souligne que « ce qui s'extériorise de ce combat est un délire », ce qui rapproche délire et fétichisme[1]. Il est vrai que, dans la fiction *Gradiva,* le fétiche n'est pas le substitut direct du pénis maternel, du moins ce n'est pas ainsi qu'il est présenté, mais le témoin d'un amour d'enfance tardif refoulé et non dénié.

Le problème est repris à propos d'*Un souvenir d'enfance de Léonard de Vinci,* dans une vue d'ensemble du fantasme de pénis maternel, qui concerne le fétichisme de manière apparemment accessoire. L'occasion en est donnée par un fantasme rapporté par le peintre : alors qu'il était au berceau, un vautour (en fait un milan dans le texte italien) lui aurait introduit sa queue dans la bouche. Freud admet que Léonard connaissait la théorie antique selon laquelle il n'y aurait que des vautours femelles, mais dotés d'un pénis, et que lui-même avait été « un de ces enfants de vautour », né sans père. S'appuyant essentiellement sur l'exemple de la déesse phallique Mout, qui avait également la particularité d'être dotée d'une tête de vautour, il cite d'autres déesses androgynes de l'Antiquité pour en venir au « fantasme-théorie » généralisé, du moins chez le garçon, du monisme phallique. Parmi les conséquences de la découverte ultérieure de l'absence de pénis chez la femme, la vénération fétichiste du pied ou de la chaussure tient une place essentielle ; il rappelle que les coupeurs de natte jouent le rôle de personnes qui accomplissent sur la femme l'acte de la castration, ce qui est aussi leur reconnaître la possession d'un pénis[2].

L'article « Le fétichisme » constitue, pour l'essentiel, **une introduction et un développement des notions de déni et de clivage** en rapport avec l'angoisse, ou plutôt la terreur de la castration suscitée chez le garçon par la vue du sexe de la femme, thèmes déjà abordés dans des

1. *Le délire et les rêves dans la « Gradiva » de Jensen* (1907a), Paris, Gallimard, 1986, p. 182 ; *OCF* VIII, p. 76 ; *GW* VII, p. 68.

2. *Un souvenir d'enfance de Léonard de Vinci* (1910c), Paris, Gallimard, 1987, p. 112 (chap. 3) ; *OCF* X, p. 122 ; *GW* VIII, p. 166.

travaux précédents. Le choix du fétiche décrit ici en premier est d'une grande originalité, car il s'agit d'un fétiche essentiellement immatériel, reposant sur un jeu de mots entre l'anglais et l'allemand, chez un patient élevé dans une nursery anglaise avant de venir en Allemagne, où il aurait oublié sa langue maternelle. Le fétiche exprimé en allemand devait être compris en anglais : le *Glanz* (brillant) *auf der Nase* devait être entendu comme le *glance* (regard) *on the nose*. Le nez porteur de cette qualité devenait alors la condition du choix d'un objet d'amour. Freud souligne que le patient pouvait à son gré accorder ou refuser cette qualité que les autres ne pouvaient percevoir. Notons que, dès avant la description du fétiche, Freud remarque que ce dernier n'est jamais en soi la cause d'une demande d'analyse, que ce n'est pas en général un symptôme douloureux, et que les patients se félicitent plutôt des facilités qu'il apporte à leur vie amoureuse ; il s'agit dans l'analyse d'une « découverte marginale ». Le fétiche est le substitut du pénis, précisément du pénis de la mère auquel l'enfant est très attaché pour un temps et qui est abandonné, « qui disparaît », ensuite. Le fétiche constitue une garantie contre cette disparition angoissante. Le fétichiste refuse de prendre connaissance de la réalité de sa propre perception, qui entraînerait une panique en raison de l'atteinte insupportable que susciterait la possibilité de la perte du pénis, ce « morceau de narcissisme dont la nature prévoyante a justement doté cet organe ». Freud s'interroge alors sur le processus en cause. Il évoque l'idée d'un *scotome* (terme repris de Laforgue) qui éviterait de reconnaître la perception du manque de pénis chez la femme. Mais ce terme, qui évoque une suppression de la perception comme si la tache aveugle de la rétine était atteinte, ne convient pas car l'enfant à la fois sauve sa croyance au pénis de la femme, et en même temps l'abandonne. Un compromis s'organise donc entre *le poids de la perception non souhaitée et la force du contre-désir*. Sous la domination des processus primaires, le fétiche remplace le pénis de la femme. On peut remarquer que l'affect est ici plus radicalement supprimé que dans le processus du refoulement, affect qui serait particulièrement violent puisqu'il s'agirait de l'horreur de la castration. Il n'en persiste qu'un « monument » ou un « stigma indélébile », porteur de l'intérêt qui aurait été porté au pénis de la femme (de la mère). Le fétiche donc *« demeure le signe d'un triomphe sur la menace de castra-*

tion et une protection contre cette menace, il épargne aussi au fétichiste de devenir homosexuel en prêtant à la femme ce caractère par lequel elle devient supportable en tant qu'objet sexuel».

Le fétiche comporte d'autres avantages : il n'est pas reconnu par d'autres, et nous avons vu qu'il n'est pas avancé par le patient comme un élément justifiant une demande d'analyse. La satisfaction sexuelle qu'il permet est aisée à obtenir (nous retrouverons cela en 1938 avec « Le clivage du moi dans le processus de défense », où il est décrit comme « conduite rusée »). Mais le fétiche n'est pas toujours un objet ou un organe qui puisse représenter un symbole du pénis, bien que ce soit souvent le cas. Freud avait déjà remarqué dans les *Trois essais sur la théorie sexuelle* que l'instauration du fétiche témoigne de l'arrêt du souvenir à la dernière impression reçue lors de la recherche de l'organe génital de la femme, épié d'en bas. Ici, le choix du fétiche est le résultat d'un **processus** « qui rappelle la halte du souvenir dans l'amnésie traumatique ». L'intérêt reste comme laissé en chemin, **la dernière impression de l'inquiétant, du traumatisant sera retenue comme fétiche.**

À partir de la prise en compte de l'**importance du traumatisme à l'origine du processus fétichiste,** Freud est amené à envisager dans cette perspective la question du traitement de la réalité, en l'occurrence la réalité de la castration. Il rappelle la théorie de la psychose, selon laquelle le moi, emporté par le ça, se détache d'un morceau de la réalité. Avant de revenir au problème du fétichisme il rapporte les cas de deux jeunes gens qui l'un et l'autre avaient **méconnu la mort de leur père** survenue dans leur enfance : ils l'avaient « scotomisée » et ni l'un ni l'autre n'avait évolué vers la psychose. Tout comme chez le fétichiste un morceau significatif de la réalité était dénié : dans un cas la mort du père aimé, dans l'autre « la désagréable réalité de la castration de la femme » étaient déniées. La scotomisation de la mort du père ou de la castration de la mère ou de la femme **relève non seulement d'un déni mais d'un clivage.** Comme cela avait été avancé dans l'analyse de « L'homme aux loups », un courant de la vie psychique ne reconnaît pas la mort, ou la castration de la femme, un autre courant en tient compte. Les deux positions, séparées par clivage, l'une « fondée sur le désir » l'autre « fondée sur la réalité », coexistent, alors que ***dans la psychose le courant fondé sur la réalité a vraiment disparu.*** Cependant, le clivage est loin d'être un mécanisme simple et déterminé. L'expression de « coexistence » des deux courants laisse entendre que l'un et l'autre peuvent non seulement coexister mais aussi s'associer de façon très « subtile ». Freud donne plusieurs exemples où le déni et l'affirmation de la castration coïncident dans la construction même du fétiche : ainsi une pièce vestimentaire qui cachait les organes génitaux en constituant une gaine pubienne permettant de masquer la différence sexuelle. Cela permettait aussi bien de signifier que la femme est châtrée ou qu'elle ne l'est pas, ou encore que c'était l'homme qui était châtré. De la même manière, les coupeurs de nattes concilient deux affirmations incompatibles : la femme a conservé son pénis et le père a châtré la femme. Un autre aspect encore est donné par l'usage chinois de mutiler le pied de la femme puis de vénérer comme un fétiche ce pied mutilé ; on pourrait penser que le Chinois veut remercier la femme de s'être soumise à la castration, en conclut Freud[1].

Le rôle du traumatisme dans la détermination du fétichisme est repris dans « Le clivage du moi dans le processus de défense » où le rôle du traumatisme est à nouveau souligné. Les conditions générales du recours au clivage sont celles que nous avons vues précédemment : il existe, chez un enfant, un conflit entre une puissante revendication pulsionnelle et l'objection faite par la réalité ; il ne veut ni renoncer au plaisir, ni reconnaître le danger réel – il devrait alors dénier la réalité. « Cependant, l'enfant ne fait ni l'un ni l'autre, ou plutôt il fait simultanément l'un et l'autre, ce qui revient au même. » Il ne se laisse donc rien interdire et en même temps reconnaît le danger de la réalité et assume l'angoisse éprouvée face à cette réalité sous forme d'un symptôme morbide. **Les deux parties en litige reçoivent donc leur lot, au prix d'une déchirure dans le moi.**

Le fétiche est l'un des symptômes morbides possibles : l'exemple donné est celui d'un petit garçon qui a observé les organes génitaux d'une petite fille séductrice et, ultérieurement, finit par prendre au sérieux la menace de castration proférée en raison de ses

1. « Le fétichisme » (1927e), *La vie sexuelle*, Paris, PUF, 1969, p. 133-138 ; *OCF* XVIII, p. 125-131 ; *GW* XIV, p. 311, n. 317.

masturbations. Au lieu de renoncer partiellement ou totalement à la satisfaction pulsionnelle, l'enfant peut se créer un **fétiche,** substitut au pénis de la femme. « Ainsi a-t-il dénié la réalité, mais sauvé son propre pénis. » Il peut alors poursuivre « tranquillement » sa masturbation. Mais le processus aboutit à le détourner de la réalité, ce qui évoque la psychose. Freud remarque cependant que l'enfant n'a pas contredit sa perception, c'est-à-dire halluciné un pénis, là où il n'y avait rien à voir. **Il a seulement procédé à un déplacement de valeur,** transféré la signification de pénis à une autre partie du corps, aidé par le mécanisme de la régression – qui n'est pas ici davantage précisé. Mais nous pouvons nous référer aux diverses conditions du choix du fétiche. La ruse du clivage dans la création du fétiche permet de poursuivre la masturbation sans craindre la castration. Elle n'est pourtant pas sans contrepartie, puisque simultanément apparaît une angoisse intense du châtiment par le père. En l'occurrence, il s'agit de la peur d'être, régressivement, dévoré par lui, sinon châtré[1].

Dans la récapitulation faite dans l'*Abrégé de psychanalyse,* le fétichisme trouve sa place. **Le sujet se crée un fétiche pour détruire *toute preuve de la possibilité de castration et pour échapper ainsi à l'angoisse de castration.*** Le rejet est toujours doublé d'une acceptation : ces deux attitudes opposées et indépendantes l'une de l'autre témoignent d'un clivage du moi. À ce propos, l'importance du clivage est fortement soulignée : « Nous disons donc que dans toute psychose existe *un clivage dans le moi...* » Mais son domaine s'étend bien au-delà des psychoses, jusque dans des états proches des névroses et aussi dans ces dernières. Il s'agit là en fait d'un ***postulat* dont Freud s'est tout d'abord convaincu à propos du fétichisme.** Ce qu'il décrit se présente comme un choix apparemment conscient du sujet qui ne veut pas admettre, en dépit de sa propre perception, que la femme soit dépourvue de pénis. Nous disons choix apparemment conscient, bien que Freud ne le précise pas, car le sujet *refuse* d'admettre ce qu'il a vu, *choisit* de nier sa perception mais *n'ose pas prétendre* qu'il a vraiment vu un pénis. Il choisit quelque chose d'autre, objet ou partie du corps,

1. « Le clivage du moi dans le processus de défense » (1940e [1938]), *Résultats, idées, problèmes, II,* Paris, PUF, 1984, p. 283-286 ; *OCF* XX, p. 221-222 ; *GW* XVII, p. 59-62.

auquel il attribue le rôle d'un pénis. « Mais il serait toutefois inexact de considérer comme un clivage du moi le processus qui accompagne le choix d'un fétiche. » Il s'agit en effet d'un **compromis que le fétiche établit à l'aide d'un déplacement,** *analogue à ceux que le rêve nous a rendus familiers,* mais cela ne suffit pas à supprimer la peur de la castration pour nombre de fétichistes. De ce fait, ils manifestent deux opinions contradictoires : ils nient la perception qui leur montre l'absence de pénis chez la femme et, d'autre part, reconnaissent ce manque et ces deux attitudes persistent tout au long de la vie. Ces *demi-mesures* se produisent fréquemment, et pas seulement chez les fétichistes ; dans leur cas, le clivage réalise une tentative imparfaite de se détacher de la réalité, le rejet est doublé d'une acceptation[1].

QUESTIONS ET ENJEUX

Le fétichisme apparaît d'abord comme un procédé qui protège le narcissisme et maintient l'idéalisation du corps de la mère et de celui de l'enfant. L'un et l'autre échappent grâce au fétiche à l'atteinte narcissique insupportable que représenterait la castration. L'idéalisation de la mère ne se maintient pour le fétichiste que par l'investissement de l'objet de substitution, l'*ersatz* qui sauve la divinité maternelle et la sienne. Le pénis est ici infantile, c'est-à-dire qu'il est narcissique. Cependant, il permet l'investissement de la mère et le fantasme masturbatoire dont elle est l'objet. Ce que Freud souligne en disant que le fétiche permet à son détenteur de ne pas devenir homosexuel, mais on pourrait considérer qu'il l'est tout de même puisque la présence d'un équivalent du pénis est nécessaire à l'investissement érotique de la femme. Là aussi, il est et n'est pas homosexuel, le clivage est déjà en jeu.

La conception du clivage nécessite de *prendre en compte le problème économique* qu'il pose et la réponse qu'apporte l'investissement du fétiche. Nous pouvons constater que, particulièrement dans les

1. *Abrégé de psychanalyse* (1940a [1938]), Paris, PUF, 1949, p. 78-81 ; OCF XX, p. 300-302 ; *GW* XVII, p. 133-135.

années 1927 à 1938, Freud s'attache aux conséquences économiques qu'entraînent l'adoption d'une nouvelle topique et le bouleversement des instances de la personnalité psychique ; il reprend cependant les lois de l'ancienne économie, ce qui l'amène à modifier en partie sa conception des défenses. Il renouvelle en 1927 l'étude de l'humour précédemment faite en 1905, tout comme il le fait à propos du fétichisme. Pour ce faire, il s'appuie notamment dans le cas de l'humour sur les déplacements d'énergie, ou encore de valeur, d'accent psychique qui sont portés sur le mot d'esprit ou le trait humoristique, qui permet par exemple au condamné de dominer et de supporter l'exécution imminente.

Le fétiche est aussi le résultat d'un déplacement d'investissement, qui lui accorde la considérable valeur qui revenait auparavant au pénis. Le déplacement de valeur du pénis au fétiche permet de méconnaître en partie la terreur attachée au fantasme de castration. Fantasme ou réalité, puisque la castration de la mère est réelle et considérée comme telle par l'enfant. Cependant, comme dans le cas de l'humour et bien que cela n'apparaisse pas nécessairement au premier abord, le déplacement de valeur entre pénis et fétiche ne concerne pas une faible quantité d'investissement, mais une quantité considérable, qui se manifestait à l'origine dans l'intensité de la terreur éprouvée, ce qui a justifié la nécessité du clivage du moi. Rappelons que Freud n'évoque pas le clivage à propos de l'humour qui permet pourtant au moi de méconnaître la réalité de l'inéluctable. C'est donc d'un traumatisme grave que le recours au fétichisme protège, partiellement, le moi. C'est aussi la violence du traumatisme qui occasionne la déchirure du moi, en même temps que le recours au déni, processus de négativation, dont on voit ici qu'il dépasse la dénégation pour atteindre l'abolition d'une représentation intolérable dans un secteur du moi, qui équivaut à un détachement partiel de la réalité, qui est la caractéristique des psychoses.

Pourtant, la question du fétiche reste assez secondaire d'un certain point de vue puisqu'il n'occasionne pas de souffrance, au contraire, et qu'il n'est pas non plus l'occasion d'une demande d'analyse. Il prend par contre une valeur théorique centrale, notamment pour ce qui concerne l'avenir du traumatisme dans la vie psychique. Il permet d'ouvrir un choix essentiel à partir de ce qui, dans les premiers textes, était appelé représentations inconciliables *(unverträglich)*. D'abord considérées comme soumises au destin du refoulement dans la première topique, progressivement Freud en arrive à concevoir qu'elles peuvent ne jamais être l'objet d'une représentation soumise au refoulement secondaire. Elles font partie de ces expériences (évoquées dans *Au-delà du principe de plaisir*) qui sont indéfiniment soumises à la répétition, alors même qu'elles n'ont jamais permis de plaisir, ce qui définit les expériences traumatiques. La découverte du fantasme de castration et de l'angoisse qu'il suscite (angoisse réelle, ou de réel, rappelons-le) en est le modèle théorique même, celui qui a permis de donner un sens nouveau au clivage. En effet, dans les premiers textes analytiques, l'inconscient était conçu comme séparé du conscient par clivage, le refoulement permettant le passage de part et d'autre de cette séparation.

À partir de l'étude sur le fétichisme, le clivage est ce qui sépare deux parties du moi, l'une et l'autre conscientes, mais à des titres divers : la castration est reconnue mais isolée, elle n'exerce plus de terreur, l'angoisse est abolie par le jeu secret, mais non inconscient, qui la nie, ou la défie. Dans les deux parties coexistant dans le moi la valeur de la conscience est plus ou moins radicalement niée. Il se peut qu'elle persiste en donnant un avertissement dont l'exemple se trouvera dans la sensibilité particulière des petits orteils du patient qui nie la castration[1]. Ce procédé est à l'œuvre aussi bien dans les clivages infantiles considérés comme normaux, que dans les clivages de la vie ordinaire, proches en fait d'un procédé d'isolation. Il se peut aussi qu'elle entraîne une aggravation constante du clivage *qui ne guérira plus et s'aggravera sans cesse*. Cette remarque laisse penser qu'ils peuvent aboutir à retrouver les morcellements autoérotiques du psychisme originaire, tels qu'ils sont évoqués à propos du narcissisme. Ainsi, le clivage se situe théoriquement sur la ligne de partage de la pensée perverse et de l'évolution psychotique. Le fétiche, de son côté, est le modèle de l'obstacle qui s'institue devant le risque de conduite perverse compulsive, qu'il réalise en fait *a minima*, et la désorganisation psychotique, qu'il limite au déni de la réalité de la « castration » de la mère. Il reste à noter la discussion entreprise à propos de la scotomisation et qui concerne la différence entre refoulement *(Verdrängung)* et déni *(Verleugnung)*. Contrairement à ce qui

1. « Le clivage du moi dans le processus de défense » (1940e [1938]), *Résultats, idées, problèmes, II*, Paris, PUF, 1984, p. 286 ; *OCF* XX, p. 221-222 ; *GW* XVII, p. 62.

semblait jusque-là bien établi, il est affirmé que si l'on sépare le destin de la représentation et de l'affect, le refoulement serait à proprement parler celui de l'affect, tandis que la représentation serait soumise au déni. On peut le comprendre peut-être en se souvenant que le refoulement de la représentation a pour visée finale l'affect, tandis que le déni ne concernerait que la représentation, qui est à la fois déniée, abandonnée, et en même temps conservée, grâce au processus du clivage. Certes la représentation du pénis n'est pas effacée, comme ce serait le cas si elle était scotomisée, elle est déniée, et maintenue sous la forme du substitut. Ce qui importe est que l'ensemble du déni et du clivage (où le moi est entraîné par le ça à se détacher d'un morceau de réalité) réalise un compromis, en conformité avec les lois du processus primaire.

Pierre CHAUVEL

Figurabilité → Figuration

FIGURATION

all. : ***Darstellung***. – angl. : *figuration*. – esp. : *figuración*. – ital. : *figurazione*. – port. : *figuração*

La figuration (ou présentation) est l'opération de transformation qui intervient dans le travail du rêve pour faire du contenu latent une production hallucinatoire : le désir inconscient s'y présente sous une forme visuelle, donc figurative, en un mouvement spécifique de régression formelle mettant en œuvre des processus primaires. Ce qui importe c'est le travail psychique spécifique mis en œuvre dans l'opération de figuration, à savoir la prise en compte de la figurabilité dans le travail du rêve, que Freud distingue soigneusement des autres processus de formation du rêve. La figuration-présentation n'intervient pas que dans le rêve, mais c'est là qu'elle prend sa forme de réalisation plastique à potentialité hallucinatoire.

MISE EN SITUATION

Le terme allemand Darstellung *entre en résonance avec un autre terme essentiel en psychanalyse,* Vorstellung, *représentation. Les auteurs des* Œuvres complètes de Freud, *publiées sous la direction de Jean Laplanche, font entendre cette proximité en retenant la traduction par « présentation », par ailleurs rigoureusement fidèle à la lettre du texte allemand. La traduction usuelle par « figuration » insiste au contraire sur le travail psychique de mise en image, référant ainsi le terme de* Darstellung *à une forme essentielle de ses manifestations : son intervention dans le travail du rêve pour transformer le contenu latent en une réalisation onirique, c'est-à-dire en une hallucination visuelle. S'il est donc bon d'accueillir la traduction par « présentation » pour sa rigueur linguistique et contextuelle, il semble difficile de renoncer au terme de « figuration », notion profondément associée dans la tradition de la psychanalyse française aux procédés du travail du rêve et de la régression formelle.*

En allemand, Darstellung *donne également lieu à deux termes composés,* Darstellungweise, *qui désigne le mode de présentation (ou de figuration) et surtout* Darstellbarkeit, *figurabilité (ou présentabilité), qui renvoie davantage au travail psychique que cette opération met en œuvre. On voit comment, selon le contexte, l'usage de la notion amène à privilégier l'une ou l'autre traduction, figurabilité étant plus explicite que présentabilité du point de vue des modes d'expression des rejetons de l'inconscient, tandis que l'idée de mode de présentation rend mieux compte que celle de mode de figuration de ce qui est en jeu comme travail psychique dans les formes d'élaboration par la* Darstellung *qui sont à rapprocher et à distinguer de la* Vorstellung, *la représentation. Il est d'ailleurs à noter que les dix-neuf emplois de* Darstellbarkeit *relèvent de la première topique et sont concentrés dans les années 1900-1915. Ce moment de conceptualisation, directement lié à la réflexion sur le rêve, est confirmé par un fait notable : dans douze de ces dix-neuf occurrences, on a affaire à l'expression* Die Rücksicht auf Darstellbarkeit, *c'est-à-dire à la « prise en considération de la figurabilité » qui est décrite par Freud comme une contrainte, une nécessité incontournable qui s'impose au travail du rêve. Mais la réflexion se brouille à nouveau si l'on considère que la traduction anglaise n'hésite pas à rendre* Darstellbarkeit *par* representability, *ce qui annule la distinction avec la* Vorstellung *et évite ainsi les difficultés que nous avons soulevées, mais au prix d'une forte approximation.*

Par ailleurs, le verbe darstellen *peut être utilisé pour désigner l'opération mise en œuvre par la* Darstellung *et signifie alors « présenter » en un sens précis, mais donne également lieu à des usages moins conceptualisés, où il peut être rendu par « constituer ». Cette extension de sens aide peut-être à mieux entendre la dimension de mise en forme créatrice et d'agencement contenu dans la constellation sémantique* Darstellung-darstellen, *ce qui pourrait être évoqué par le terme français de « configuration ».*

Pour plus de clarté, mais sans oublier cette complexe richesse sémantique, nous nous en tiendrons dans les pages qui suivent au terme usuel de figuration.

LE TEXTE FREUDIEN

FIGURATION ET FIGURABILITÉ DANS *L'INTERPRÉTATION DES RÊVES*

L'interprétation des rêves (Traumdeutung), publiée en **1900**, est la source principale de la réflexion freudienne sur la figuration. Très présent, il l'est surtout dans certains passages traitant du *travail du rêve* et de la *psychologie du rêve* (la régression dans le rêve).

Les procédés de figuration

La figuration est clairement dissociée des deux opérations de condensation et de déplacement, « facteurs essentiels » dans la transformation des pensées latentes en contenu manifeste et relevant du travail du rêve destiné à déjouer la censure. La figuration relève, elle, des conditions qui permettent la production d'un rêve et donc la formation d'un contenu manifeste.

C'est par des remarques sur les limites des possibilités du rêve que Freud introduit paradoxalement sa réflexion sur les procédés de figuration et leur puissance d'expression : le rêve ne peut exprimer toute la gamme des relations logiques et ce « défaut d'expression »[1] tient à la nature du matériel psychique dont dispose le rêve, qui se trouve ici dans la même situation de limitation intrinsèque que celle de la peinture et de la sculpture. Même si le rêve (ou du moins certains rêves) a fini, comme la peinture, par trouver des modes spécifiques figurables d'expression des relations logiques.

Freud énumère, en prenant appui sur quelques exemples d'analyse de rêves, les manières dont le rêve s'ingénie à rendre compte de relations logiques dans les conditions qui sont celles de la simultanéité de l'image ou de la succession des rêves (apte à figurer les relations causales), de la transformation d'une image en une autre, de la coexistence des possibles en place de l'alternative logique. Un exemple est tiré de son auto-analyse, celui du rêve effectué la nuit qui précéda l'enterrement de son père : la pancarte qui indique « On est prié de fermer un œil / les yeux », pour signifier l'appel à user d'indulgence en même temps que pour représenter la mort et l'enterrement. Le rêve réunit les contraires et les présente en un seul objet, il est aussi susceptible de renversement d'une pensée latente en son contraire. Seule la ressemblance est favorisée par le mécanisme de la formation du rêve : accord et contact peuvent être figurés par des moyens innombrables puisque les rapprochements associatifs par ressemblance « sont les premiers points d'appui de la formation du rêve »[2]. C'est ici que la tendance à la condensation et les procédés de figuration se rejoignent.

L'identification et la possibilité de former des images composites sont ensuite étudiées en détail. En particulier, la figuration dans le rêve d'un fait commun à deux personnes indique ordinairement qu'un autre élément commun aux deux est à chercher ; celui-ci demeure caché car la censure en a rendu la figuration impossible ; un déplacement est alors intervenu, permettant de figurer un autre point commun que celui qui est en relation avec les pensées latentes du rêve. La personne composite apparaît dans le rêve avec des éléments communs aux deux personnes évoquées, éléments indifférents en eux-

1. *L'interprétation des rêves* (1900a), Paris, PUF, 1967, p. 269 ; *OCF* IV, p. 356 ; *GW* II-III, p. 317.

2. *Ibidem*, p. 275 ; p. 364 ; p. 325.

mêmes, mais dont il faut conclure qu'il existe d'autres éléments communs qui eux ne sont nullement indifférents.

Puis Freud s'interroge sur la manière dont l'impossibilité d'exprimer le « non » dans le rêve se trouve ou non compensée par le jeu des renversements ou transformation dans le contraire, procédé du travail du rêve qui est souvent au service de l'accomplissement de désir. Ces réflexions sont essentielles à la mise en œuvre de l'interprétation car, « dans bien des cas, on n'obtient le sens du rêve qu'après avoir procédé à de multiples inversions du contenu de rêve en fonction de diverses relations »[1].

L'analyse du jeu des renversements a préparé la compréhension des rapports entre les procédés de figuration et le travail de déplacement dans le rêve. C'est ainsi qu'il faut aborder les paradoxes de l'intensité sensible ou de la vivacité des images du rêve qui ne correspond pas nécessairement à la valeur psychique des éléments du rêve. Car les éléments psychiques les plus intenses peuvent au contraire être écartés du contenu manifeste du fait de la censure. Finalement, il n'y a aucun rapport entre l'intensité des éléments dans le matériel latent du rêve et dans le rêve manifeste, mais un « complet *renversement de toutes les valeurs psychiques*. C'est justement dans un élément du rêve fugitivement esquissé, recouvert par des images plus fortes, qu'on peut souvent découvrir purement et simplement un rejeton direct de ce qui, dans les pensées du rêve, dominait sans mesure »[2]. Il ne faut pas confondre, précise Freud, cette diversité de netteté entre éléments d'un même rêve avec les mobiles qui font qu'un rêve est clair ou confus.

Mais cet examen de la manière dont le rêve présente les relations entre les pensées de rêve conduit à une question plus fondamentale : quelles transformations doit subir le matériel du rêve c'est-à-dire les pensées latentes, pour que se forme un rêve. Condensations et déplacements en sont les modalités fondamentales ; mais un autre type de déplacement s'avère essentiel : « Une expression incolore et abstraite de la pensée de rêve étant échangée contre une expression concrète et

1. *Ibidem*, p. 282 ; p. 372-373 ; p. 333.
2. *Ibidem* p. 283 ; p. 374 ; p. 335 (c'est Freud qui souligne).

imagée de celle-ci. »[1] Cette remarque ouvre à la prise en compte de la figurabilité.

Figuration et figurabilité

Freud distingue clairement entre figuration *(Darstellung)* et figurabilité *(Darstellbarkeit)*. « Jusqu'à présent, nous avons seulement recherché comment le rêve représentait les relations entre les pensées qui sont à sa base [les figurait], mais à cette occasion nous avons souvent rencontré un autre thème : les transformations que doit subir le matériel pour la formation du rêve » – cette fois, nous avons affaire à la figurabilité. Dans les deux cas, le mouvement va de la pensée latente à sa figuration, mais l'accent porte désormais non plus sur le résultat mais sur le travail psychique mis en œuvre.

Il s'agit d'une transformation spécifique : « l'échange de formulation verbale » entre les pensées, lequel concourt beaucoup à l'apparence d'absurdité fantastique du rêve. Une expression abstraite prend la forme d'une expression concrète, imagée, c'est-à-dire d'une représentation visuelle : « Ce qui est imagé peut être figuré dans le rêve, on peut l'introduire dans une scène, alors qu'une expression abstraite est aussi difficile à représenter qu'un article de politique générale par une illustration » (Freud est alors en quête du concept de représentation psychique, qui, en 1900, se cherche encore). Ce procédé de substitution a deux fonctions simultanées : donner forme (figuration) au rêve, et faciliter les opérations de condensation et de déplacement liées à la censure[2]. Les points de contact et les identités ou similitudes favorisant l'association et la condensation apparaissent alors aisément, peuvent même être créés – il y a analogie avec le travail poétique. Bien qu'elle ne soit pas faite pour être comprise, la figuration dans le rêve, qui recourt également à toute la gamme des jeux de mots et des doubles sens, n'est pas plus difficile à comprendre que les hiéroglyphes pour ceux qui les utilisaient ; la clef

1. *Ibidem*, p. 292 ; p. 384 ; p. 345.
2. *Ibidem*, p. 291-292 ; p. 384 ; p. 344-345.

de leur compréhension, loin d'être ésotérique, gît dans les usages de la langue courante.

La prise en considération de la figurabilité

Le matériel psychique propre au rêve prend en considération la figurabilité, par des images visuelles le plus souvent, mais pas exclusivement. Le travail du rêve ne recule pas devant l'effort nécessaire pour faire passer les pensées du rêve dans une autre forme – que Freud qualifie de « verbale », même lorsqu'elle se manifeste par une figuration en images. Peu importe si la forme retenue est peu habituelle, pourvu qu'elle facilite la représentation et mette fin à la pression psychologique exercée par la pensée latente. Cette façon de transférer le contenu de la pensée dans une autre forme peut aussi servir le travail de condensation et créer des liens, inexistants autrement, avec d'autres idées (cf. Herbert Silberer)[1].

Jeux de mots, citations, chansons et proverbes sont des déguisements qui servent souvent à représenter les pensées du rêve ; par des substitutions, le travail du rêve produit une figuration qui parvient à la conscience en échappant à la censure. La réflexion sur la figurabilité conduira finalement Freud à examiner la **figuration par les symboles**.

Le rêve utilise des symboles, précise Freud dans des ajouts de 1909, 1911 et 1914 ; ils sont généralement « tout préparés dans l'inconscient »[2] ; ce sont ceux qui satisfont le mieux aux exigences de la formation du rêve grâce à leur figurabilité et leur liberté à l'égard de la censure. Certains rêveurs – déments précoces ou non – ont une étonnante compréhension de la symbolique des rêves. L'emploi surabondant de la symbolique pour figurer le matériel sexuel dans le rêve fait de ces symboles un analogue des signes sténographiques pourvus une fois pour toutes d'une signification précise. Mais la symbolique n'est pas propre au rêve et se retrouve dans toute l'imagerie inconsciente, des représentations collectives populaires : folklore, mythes, légendes, dictons, jeux de mots courants.

1. *Ibidem*, p. 296-297 ; p. 390 ; p. 350.
2. *Ibidem*, p. 300 ; p. 394 ; p. 354.

La distinction entre figuration et élaboration secondaire

Condensation, obligation d'échapper à la censure et prise en considération de la figurabilité sont donc les facteurs créateurs du rêve, mais une autre condition agit, influencée par notre pensée de veille ; le rêve cherche à la satisfaire : elle met de l'ordre, introduit des relations, apporte une cohésion intelligible conforme à notre attente.

Se résumant, Freud distingue deux opérations dans la formation du rêve. D'une part, la production des pensées du rêve qui doivent être « normales », « correctes », formées à l'aide de tout ce que peuvent offrir nos facultés mentales, appartenant aux pensées qui ne sont pas devenues conscientes ; d'autre part, le rêve transforme les pensées inconscientes en contenu du rêve, travail qui est propre à la vie du rêve et diffère considérablement de la vie éveillée. Il s'agit là d'une différence de nature entre les deux pensées. Le travail du rêve ne pense, ne calcule ni ne juge ; **il se contente de transformer** son produit pour le soustraire à la censure. En déplaçant des intensités psychiques il rend les pensées *visuelles* ou *auditives,* cette exigence de figurabilité entraînant de nouveaux déplacements. Il doit aussi renforcer l'intensité des pensées éparses par une condensation qui les concentre, tandis qu'il ne figure les relations logiques que par des particularités de forme. Freud distingue soigneusement la prise en compte de la figurabilité aussi bien des autres procédés de formation du rêve (condensation et déplacement) que de l'élaboration secondaire : **la figurabilité est une exigence de la formation du rêve qui tient à la nature même de la production onirique** et ne se réduit pas à contourner la censure mais est en fait une formation de l'inconscient tout à fait spécifique. Par ailleurs, elle contribue à éloigner le contenu du rêve des formes de la pensée de veille, au contraire de l'élaboration secondaire qui l'en rapproche[1].

L'étude de la psychologie des processus du rêve, compris comme un « acte psychique complet »[2] dont la force pulsionnelle est toujours un désir à accomplir, le confirme ; la méconnaissance de ce désir tient à ce qu'il est soumis à la censure psychique qui entraîne les processus de

1. *Ibidem,* p. 431-432 ; p. 557-559 ; p. 510-512.
2. *Ibidem,* p. 453 ; p. 586 ; p. 538.

déformation lors du travail du rêve. « En dehors de l'obligation d'échapper à cette censure ont encore contribué à la formation du rêve l'obligation de condenser le matériel psychique, une considération de sa figurabilité par des images sensorielles et – bien qu'irrégulièrement – la préoccupation de donner à l'ensemble un aspect rationnel et intelligible (c'est-à-dire une élaboration secondaire). »[1] C'est donc essentiellement le déplacement, parmi les processus de formation du rêve, qui est directement l'effet de la censure psychique, tandis que la figuration et même la condensation tiennent aux conditions nécessaires pour qu'il y ait rêve, au type de formation psychique qui s'y trouve élaboré.

Appareil psychique et figurabilité

Car les manifestations du rêve impliquent deux caractères décisifs : l'un est « la figuration de la scène comme actuelle avec omission du "peut-être" », le souhait étant présenté comme accompli, il est « au présent » ; l'autre est transformation de la pensée « en images sensibles ». Ces deux traits donnent au rêve son caractère hallucinatoire, même si certains rêves ne connaissent pas la transformation des représentations en images sensorielles. La scène du rêve est donc autre que celle de la vie éveillée, le rêve est un lieu psychique, point de l'appareil psychique où se forme l'image, préconsciente. À partir de là, Freud propose sa célèbre schématisation de l'appareil psychique dans laquelle les pôles perceptif et moteur sont aux deux extrémités, tandis que les inscriptions psychiques inconscientes (traces mnésiques) s'effectuent entre les deux, dans plusieurs systèmes dits « S » où se fixe, de façons différentes, la même excitation perceptive. Si le processus psychique va du pôle sensoriel au pôle moteur de façon progrédiente, le système perceptif superficiel est sans mémoire, si le mouvement est régrédient allant vers le pôle perceptif il y a production hallucinatoire depuis les fixations inconscientes. Autrement dit, l'impulsion à former un rêve qui recourt à la figuration hallucinatoire procède de l'inconscient dans un mouvement régressif vers le pôle sensoriel, lié à l'inhibition du pôle moteur sous l'effet du sommeil ; la

1. *Ibidem.*

fonction du rêve comme gardien du sommeil trouve ici son ancrage. Mais l'essentiel est que « la force pulsionnelle du rêve est fournie par l'inconscient et, à cause de ce dernier élément, nous admettrons que c'est le système inconscient qui est le point de départ de la formation du rêve. De là, l'excitation tendra, comme tous les autres faits de pensée, à se prolonger dans le préconscient et à parvenir par ce relais à la conscience »[1].

Figurabilité et régression

L'abaissement de la censure entre les deux systèmes inconscient et préconscient suffit à rendre compte des formations verbales dans le rêve, mais non des rêves dans lesquels la figuration est essentielle. Dans le rêve, l'excitation suit une voie rétrograde, puisque, au lieu de se transmettre vers l'extrémité motrice de l'appareil psychique, elle se transmet vers son extrémité sensorielle et arrive finalement au système des perceptions (d'où le caractère hallucinatoire) ; le rêve a un caractère régrédient. Le souvenir intentionnel et la réflexion sont eux aussi à l'état de veille une marche en arrière de notre appareil psychique, mais ce mouvement régrédient ne va alors jamais jusqu'à faire revivre de façon hallucinatoire les images de perception (sauf dans certaines régressions pathologiques). Hallucinations pathologiques et visions sont des régressions en ce qu'elles sont des pensées transformées en images. Dans le rêve, comme le montre la condensation, les intensités inhérentes aux représentations « sont entièrement transférées de l'une à l'autre. C'est probablement cette modification du processus psychique habituel qui permet d'investir le système de la perception jusqu'à la pleine vivacité sensorielle, en suivant une marche inverse, à partir des pensées ». Freud précise qu'il ne fait que donner un nom à un phénomène qui reste inexplicable : « Nous appelons régression le fait que dans le rêve la représentation retourne à l'image sensorielle d'où elle est partie un jour. » Ce terme se rattache au schéma d'un appareil psychique doué d'une direction. Dans la régression, les processus de relations sont dépouillés de leur expression ; seules les images de perceptions subsistent. Le

1. *Ibidem*, p. 460 ; p. 595 ; p. 547.

mouvement régressif qui donne lieu à la formation hallucinatoire est rendu possible, du fait de l'état de sommeil, par les changements dans les investissements d'énergie à l'intérieur des différents systèmes psychiques, qui deviennent alors plus ou moins praticables pour la marche de l'excitation[1].

Figuration onirique et infantile

Si l'on se souvient du rôle qui revient aux événements de l'enfance ou aux fantasmes fondés sur ces événements dans les pensées du rêve, on arrive à l'hypothèse suivante : la transformation des pensées en images visuelles peut être une suite de l'attraction que le souvenir visuel, qui cherche à reprendre vie, exerce sur la pensée séparée de la conscience qui est avide de s'exprimer. Le rêve serait alors un « substitut d'une scène infantile modifié par le transfert dans un domaine récent. La scène infantile ne peut réaliser sa propre réapparition ; elle doit se contenter de revenir en tant que rêve »[2].

L'état d'excitation qui permet la production du rêve est un produit du souvenir, la reviviscence d'une excitation visuelle réelle : la régression formelle qu'est la figuration hallucinatoire est la conséquence de la régression temporelle à l'infantile. Certes, la régression est dans tous les cas un effet de la résistance qui empêche la pensée d'accéder à la conscience par la voie normale, en même temps qu'elle est un effet de l'attraction concomitante qu'exercent des souvenirs qui ont gardé une grande vivacité sensorielle. Dans le rêve, s'y ajoute la facilitation due à l'interruption du courant progrédient qui, dans la journée, traverse les organes des sens. D'autres facteurs renforcent la régression dans les situations de régression pathologique. Mais dans ces formes pathologiques comme dans le rêve, le transfert d'énergie aboutit à un investissement hallucinatoire total des systèmes perceptifs. Ce qui a été nommé « prise en compte de la figurabilité » pourrait être le résultat d'une attraction sélective exercée au contact des pensées du rêve par des évocations visuelles vives. En prenant la voie de la régression, d'ailleurs, le rêve obéit à « l'attraction qu'exercent sur lui des souve-

1. *Ibidem,* p. 461-462 ; p. 595-596 ; p. 547-548.
2. *Ibidem,* p. 464 ; p. 600 ; p. 552.

nirs qui n'existent en partie que sous forme d'investissements visuels, et non comme traduction en termes de systèmes ultérieurs. C'est sur cette route qu'il acquiert la possibilité de figuration »[1]. Le rêve est en somme une **régression au plus ancien passé du rêveur**, une reviviscence de son enfance, des motions pulsionnelles qui ont dominé celle-ci, des modes d'expression dont elle a disposé. Freud y entrevoit également l'enfance phylogénétique et cite Nietzsche : « Dans le rêve, se perpétue une époque primitive de l'humanité que nous ne pourrions plus guère atteindre par une voie directe. »[2] L'analyse des rêves nous conduit à l'héritage archaïque de l'homme.

Les autres publications sur le rêve selon la première topique

Sur le rêve (1901) remarque que la déformation du contenu latent fait qu'on ne reconnaît pas les pensées du rêve à partir du récit qui en est fait. La transformation par la figuration est « moins brutale » que le déplacement, d'autant que la figuration « se comprend aisément ». Les pensées du rêve dévoilées par l'interprétation sont figurées sous une forme métaphorique et imagée, en un langage de type poétique, du fait d'une **contrainte** qui pèse sur l'expression des pensées du rêve : le contenu du rêve consiste en « situations visualisables ». Les pensées du rêve doivent donc recevoir une « accommodation » *(Zurichtung)* qui les rende accessibles à ce mode de figuration *(Darstellungweise)*. Il s'agit d'un travail de même type que celui qui consisterait à exprimer un éditorial politique ou une plaidoirie par une série de dessins. « Nous comprendrons alors sans peine les modifications auxquelles le travail du rêve est contraint pour **tenir compte de la figurabilité dans le travail du rêve.** »[3] Ainsi, à la différence du déplacement et de la condensation, la figuration ne relève pas des effets de la censure. Le travail du rêve y est contraint par une nécessité formelle interne, une logique interne du fonctionnement inconscient : la façon dont un rêve se présente. La régression formelle est bien une nécessité de la

1. *Ibidem,* p. 488 ; p. 628-629 ; p. 579.

2. *Ibidem,* p. 467 ; p. 602 ; p. 554.

3. *Sur le rêve* (1901a), Paris, Gallimard, 1988, p. 91-92 ; *OCF* V, p. 44-45 ; *GW* II-III, p. 672-673.

logique associative et un effet de la structuration même de l'appareil psychique.

Tout un chapitre de *Le mot d'esprit et sa relation à l'inconscient* (1905) porte sur sa relation au rêve. C'est l'occasion de revenir sur cette « élaboration tout à fait singulière » du travail du rêve qui transforme l'optatif en présent par la **réalisation** hallucinatoire, régression du travail du rêve qui n'est autre qu'une figuration – figuration qui n'est donc pas seulement un moyen, mais aussi une finalité : c'est le mode de présence du contenu latent. La régression donne au rêve un caractère visuel, immédiatement perceptible ; mais, pour atteindre une telle figurabilité sensible, les pensées du rêve ont dû subir de profondes transformations. Ainsi la plupart des relations logiques sont-elles nécessairement perdues pour le rêve manifeste, qui ne prend en charge pour le figurer que le matériel brut des représentations.

En 1911, paraît « Supplément à l'interprétation du rêve » dont la majeure partie sera intégrée au chapitre VI de la troisième édition de *L'interprétation des rêves*. Cet article met bien en évidence la **proximité fréquente entre symbole et figuration** : toute figuration n'est pas un symbole, mais le symbolisme se manifeste par une figuration spécifique. Notamment, il est fréquent que des bâtiments, lieux, paysages, soient utilisés pour une figuration symbolique du corps. La prise en considération de la figurabilité influence la formation du rêve : « Dans le changement de forme d'une pensée qui va jusqu'à devenir une image visuelle apparaît une aptitude particulière des rêveurs que l'analyste n'approche que rarement par sa capacité de deviner, de sorte qu'il est bien content lorsque le rêveur et auteur lui indique, par une connaissance intuitive, la signification de telles figurations. » [1]

En 1913, une série d'« Expériences et exemples tirés de la pratique analytique » proposent de « beaux exemples » qui confirment à l'analyste ce qu'il connaît déjà. Le terme de *Darstellung* est utilisé pour introduire la concision des exposés, sans acception technique, ce qui est intéressant pour l'interprétation de l'usage technique de la même notion dans le travail du rêve : il s'agit toujours de la façon de présen-

1. « Supplément à l'interprétation du rêve » (1911a), *OCF* XIII (2e éd.), p. 9-10 ; *GW (Nachtragsband)*, p. 610.

ter ou de montrer les chose et, dans ces anecdotes où il ne s'agit pas forcément de rêve, la traduction par « présentation » s'impose. Mais dans ce même texte bref figure aussi la question de la prise en compte de la figurabilité (*Rücksicht auf Darstellbarkeit*, traduit par « représentabilité »), qui pose cette fois la question technique du travail du rêve. Deux exemples montrent que le travail de figuration s'avère capable d'exprimer des relations logiques et hiérarchiques par la mise en images : mise en valeur, supériorité, opposition[1].

En 1916, dans le « Complément métapsychologique à la théorie du rêve », Freud s'interroge sur les destins de la motion de désir qui préside à la formation du rêve ; elle représente dans son essence une revendication pulsionnelle et, dans le préconscient, elle s'est constituée en désir du rêve. Par rapport aux deux autres destins concevables, l'idée délirante ou la décharge motrice directe (observable dans le somnambulisme), la formation du rêve est une « option très remarquable et tout à fait imprévue », celle d'une régression topique : la motion pulsionnelle emprunte une voie rétrograde à travers le système inconscient *(Ics)*, vers la perception qui s'impose à la conscience ; c'est en même temps un retour au stade ancien de l'accomplissement hallucinatoire du désir. La régression du sommeil implique à la fois la régression du moi jusqu'à la satisfaction hallucinatoire de désir et la régression de la libido jusqu'au narcissisme primitif. Le rêve est ainsi une défense qui survient contre ce qui pourrait perturber le sommeil. Si le rêve est ainsi « une **projection,** l'extériorisation d'un processus interne », la figurabilité du rêve est à concevoir comme une forme prise par la défense projective, ce qui en complique le modèle : non pas seulement nécessité interne d'expression des pensées latentes, mais aussi transformation défensive d'un élément perturbateur – constitué de restes diurnes dont l'investissement est renforcé par les motions pulsionnelles inconscientes toujours actives pendant le sommeil – qui, dans le même mouvement, se trouve projeté et figuré. Lors de la régression, des restes diurnes préconscients pour former le rêve, des pensées sont transposées en images, donc des représentations de

1. « Expériences et exemples tirés de la pratique analytique » (1913), *Résultats, idées, problèmes, I,* Paris, PUF, 1984, p. 223-225 ; *GW* X, p. 40-42.

mot sont ramenées aux représentations de chose qui leur correspondent, « **comme si, dans l'ensemble, une prise en considération de la figurabilité dominait le processus** » [1].

Au regard de ces reprises, qui soulignent souvent l'importance de la figurabilité dans le travail du rêve, on est étonné de ne pas voir la figuration ni la figurabilité tenir grande place dans les développements consacrés au rêve dans les *Conférences d'introduction à la psychanalyse* (1916-1917). Peut-être faut-il voir là l'une des raisons de la sous-estimation de la figuration dans la compréhension psychanalytique commune du travail du rêve. Si le ressort de la production d'une image plastique y est décrit comme « technique qui préside à la solution de notre régime des images », si le terme de « figuration » est assez fréquent, nulle part il n'est explicitement question de figurabilité. Pourtant, la transformation d'idées en images visuelles est présentée comme la partie la plus constante de l'élaboration d'un rêve, donc une caractéristique de ce qui fait que c'est un rêve [2].

La figuration dans les autres écrits de la première topique

Dans ses diverses références à la figuration et à la figurabilité, Freud ne fait donc que reprendre, rappeler ou développer, la théorisation de son ouvrage princeps de 1900, même si certaines précisions importantes sont élaborées au passage. Ces notions relèvent de la première topique, par la suite sont considérées comme acquises, parfois évoquées ou nommées, mais sans développements nouveaux. Mais dans la reprise du terme de « figuration » pour des réalisations non oniriques, certains traits importants sont mis en évidence.

Dans *Le délire et les rêves dans la « Gradiva » de Jensen* (1907) Freud caractérise le type d'« oubli » survenu à Norbert Hanold : il ne se souvient pas avoir vu pareille position du pied chez son amie d'enfance, et, pourtant, l'effet produit sur lui par le bas-relief qu'il va

1. « Complément métapsychologique à la théorie du rêve » (1917d [1915]), *Métapsychologie*, Paris, Gallimard, 1968, p. 125-126 et 131-132 ; *OCF* XIII (2e éd.), p. 247-248 et 251-252 ; *GW* X, p. 412-413 et 416-417.

2. *Conférences d'introduction à la psychanalyse* (1916-1917), Paris, Gallimard, 1999, p. 156 ; *OCF* XIV, p. 121-122 ; *GW* XI, p. 119-120.

surnommer la *Gradiva* provient de cette impression de l'enfance. Freud annonce qu'il va « reproduire la représentation *(Darstellung)* correcte » que le romancier met en scène « en des termes techniques propres à la psychologie »[1]. La *Darstellung* n'est pas ici une image mais la figuration d'une intrigue à laquelle correspond la configuration de processus psychiques dont Freud peut donner la clé à ses lecteurs. C'est ainsi que son interrogation porte sur la justesse de la représentation littéraire de la genèse d'un délire, qui s'avère ici aux yeux de Freud plus exacte et rigoureuse que nos connaissances scientifiques. Dans le même paragraphe, voire dans la même ligne, le terme de *Darstellung* peut être traduit par « récit » ou par « narration » pour désigner l'ensemble de l'œuvre dans sa façon particulière de mettre en scène l'intrigue, et en particulier le rôle de l'insertion d'un rêve dans un récit de fiction. Ainsi, sa figuration hallucinatoire, caractérisée par la mise en images, n'est qu'un cas particulier de ce qui peut être la présentation ou la figuration d'une réalité psychique. Le choix préférentiel, à trois reprises, du terme de *Darstellung* pour désigner la construction et l'exposition par Jensen de sa fantaisie pompéienne souligne combien le récit est, pour Freud, un document clinique de grande valeur, qu'il décrypte tout entier à la manière d'un rêve. Le récit de Jensen, comme en d'autres lieux le récit des trois coffrets, Hamlet, ou plus encore la légende d'Œdipe, sont des figurations culturelles des réalités psychiques – tout comme les figurations visuelles des rêves, avec les associations auxquelles elles donnent lieu, nous donnent accès à la réalité psychique d'un rêveur. Le terme usuel et très général de *Darstellung* est utilisé par Freud pour les formes d'expression qui nous donnent accès, moyennant le travail de l'interprétation, à des rejetons des inscriptions inconscientes ; il souligne la mise en forme, l'articulation entre les éléments ainsi présentés.

L'étude sur *Un souvenir d'enfance de Léonard de Vinci* (1910) permet d'évoquer les divinités hermaphrodites qui « expriment l'idée que seule la réunion du masculin et du féminin peut assurer une

1. *Le délire et les rêves dans la « Gradiva » de Jensen* (1907a), Paris, Gallimard, 1986, p. 189 ; *OCF* VIII, p. 81 ; *GW* VII, p. 73.

digne figuration de la perfection divine »[1]. Bien plus qu'une représentation, **la figuration est une forme d'évocation,** une capacité à symboliser par une forme ou une caractéristique significative ce qui n'est pas représentable ; ou bien encore, elle correspond à une représentation condensée ou paradoxale. Par exemple, Mona Lisa est « la figuration la plus parfaite des oppositions qui régissent la vie amoureuse de la femme, réserve et séduction, tendresse pleine d'abandon et sensualité d'une exigence sans égards »[2]. À cet égard, la figuration est une forme archaïque d'abstraction. Dans cette ligne, le terme peut également être utilisé pour désigner l'ensemble d'une manière de présenter, de traiter un sujet : « Dans les chapitres précédents, j'ai exposé ce qui peut autoriser une telle présentation *(Darstellung)* du processus de développement de Léonard »[3], écrit Freud pour conclure l'ouvrage.

Réfléchissant, dans « Le *Moïse* de Michel-Ange » (1914), à ce qui nous touche et même nous empoigne dans l'œuvre d'art et aux conditions de son interprétation, Freud s'intéresse cette fois à une figuration non plus hallucinatoire mais esthétique ; il s'agit d'indiquer la façon dont Moïse est représenté *(darstellen)*. Seule l'intention de l'artiste peut nous saisir aussi puissamment, elle ne peut être retrouvée que par une interprétation à partir de l'œuvre : pour l'œuvre d'art comme pour le rêve, il convient de distinguer un contenu latent, accessible par l'interprétation, de la figuration manifeste. Cette intention n'est, pas plus que l'émotion esthétique, un simple message d'ordre intellectuel, mais « l'état affectif, la constellation psychique qui ont fourni chez l'artiste la force motrice de la création »[4]. (Dans un paragraphe rappelant la genèse de l'œuvre, Freud utilise *Darstellen* et *Darstellung* pour indiquer la représentation de Moïse en position assise, et *Vorstellung* quand il s'agit de discuter l'intention de représenter des

1. *Un souvenir d'enfance de Léonard de Vinci* (1910c), Paris, Gallimard, 1987, p. 109-110 ; *OCF* x, p. 120 ; *GW* VIII, p. 164.

2. *Ibidem,* p. 133 ; p. 135 ; p. 179.

3. *Ibidem,* p. 174 ; p. 161 ; p 207.

4. « Le *Moïse* de Michel-Ange » (1914b), *L'inquiétante étrangeté et autres essais,* Paris, Gallimard, 1985, p. 88 ; *OCF* XII, p. 132 ; *GW* X, p. 173.

événements historiques particuliers[1].) Conformément aux élaborations de *L'interprétation du rêve,* la figuration est du côté du visuel, de la saisie sensorielle : ce qui atteint et touche une sensibilité physique éveillant par là même une sensibilité affective, tandis que la représentation *(Vorstellung)* est du côté du sens. Mais lorsque Freud, quelques pages auparavant, voulait souligner que l'artiste « a choisi de représenter le moment de l'hésitation, du calme avant la tempête »[2], il emploie également le terme de *Darstellung* : *zur Darstellung gewählt* ; littéralement : l'artiste « a choisi pour sa figuration » – ce qui brouille à nouveau une distinction trop tranchée entre forme et signification, même si les autres emplois du terme *Darstellung* dans cet article correspondent au critère de la figuration visuelle (traduit tantôt par figure, tantôt par représentation).

Au total, lorsque la figuration n'est plus appliquée au seul rêve, elle perd son caractère hallucinatoire. Mais elle garde cette propriété d'être la mise en forme, la figure d'une production issue de l'inconscient à la fois mise en forme et déformée par le passage à l'expression, c'est-à-dire à l'état de production consciente organisée.

La figuration après 1920

Après 1915, le terme « figurabilité » *(Darstellbarkeit)* ne se trouve plus dans les écrits de Freud. Il s'agit donc bien d'une élaboration propre à la première topique, liée au modèle du rêve, dont l'élaboration s'achève avec la *Métapsychologie.* Dans les écrits postérieurs, le terme « figuration » *(Darstellung)* se retrouve ici ou là dans diverses œuvres, mais, au total, son usage est assez peu fréquent. Non seulement « figurabilité » n'est plus utilisé par Freud, mais même dans les écrits traitant du rêve (par exemple lorsqu'il traite de la figuration hallucinatoire), c'est autant pour désigner la présentation ou l'exposition des thèmes abordés que dans son sens spécifique qui s'est imposé dans l'étude de la formation et du travail du rêve.

Après 1920, les mentions de la figuration apparaissent isolées, que ce soit dans *Psychologie des foules et analyse du moi* ou *Le moi et le*

1. *Ibidem,* p. 99 ; p. 141 ; p. 182.
2. *Ibidem,* p. 94 ; p. 136 ; p. 178.

ça, L'avenir d'une illusion ou *Malaise dans la civilisation* ; peut-être un peu plus fréquemment dans les *Nouvelles conférences d'introduction à la psychanalyse,* l'*Abrégé de psychanalyse* et *L'homme Moïse et la religion monothéiste,* mais souvent alors au sens de « présentation des idées » ; Freud reste attaché à l'importance des élaborations de sa compréhension de l'appareil psychique et du rêve des années 1900, sans pour autant reprendre véritablement les formulations antérieures. L'« Autoprésentation » de 1924, qui retrace l'œuvre, mentionne plusieurs fois la figuration lors du rappel des thèses sur la formation et l'interprétation des rêves ; mais là encore le terme de « figuration » sert davantage à désigner la présentation du développement de la psychanalyse qu'à désigner la mise en images qui œuvre dans les rêves.

Dans *Au-delà du principe de plaisir* (1920), *Darstellung* est utilisé au sens de formulation, à propos de la théorie du masochisme ; il s'agit bien alors de la forme, du contenu de pensée d'une thèse. Un emploi intéressant pour notre propos figure dans *Inhibition, symptôme et angoisse* (1926) : à propos du moi comme lieu de l'angoisse, Freud y oppose la description phénoménologique à la figuration métapsychologique (les traducteurs choisissent ici « représentation » pour *Darstellung*), confirmant donc que le statut de la figuration n'est pas celui de la simple description, ni bien sûr celui du concept. C'est un *entre-deux* qui correspond bien à une forme d'articulation de la pensée, à un certain niveau de symbolisation et d'abstraction pouvant prendre des formes visuelles, narratives, schématiques ou métaphoriques : c'est de mise en forme qu'il s'agit, ce que le terme français de configuration désigne peut-être assez bien. Ces emplois épistémologiques du terme éclairent ce qui est également en jeu dans la formation des rêves : leur mise en forme.

En 1938, *L'homme Moïse et la religion monothéiste* recourt assez fréquemment à la notion de *Darstellung,* en un sens qui redevient précis, car il ne s'agit plus simplement d'exposition ou de forme narrative, mais plutôt de la forme prise par des traditions culturelles, des croyances ou des cultes – ainsi de la façon dont la Bible figure un Moïse au caractère irascible, ou de celle dont la tradition sacerdotale crée une continuité entre son présent et l'Antiquité mosaïque.

QUESTIONS ET ENJEUX

Statut de la figuration

La figuration-présentation fait partie des procédés mis en œuvre dans la formation du rêve, par le travail du rêve, mais non de l'intentionnalité du travail du rêve. Son statut est donc spécifique : il ne s'agit que d'un moyen mais celui-ci est incontournable. Condensation et déplacement n'étaient pas seulement affaire de forme ; ils tiennent au fonctionnement même de l'inconscient et caractérisent une pensée en processus primaire. La figuration, en revanche, est avant tout un procédé formel : nous ne sommes pas au même niveau d'analyse. Ceci ne diminue en rien son importance puisque c'est précisément pour cela qu'elle caractérise le rêve comme tel. D'autres rejetons de l'inconscient sont des témoins des processus primaires caractéristiques du mode de pensée de l'inconscient, mais il n'y a pas de rêve sans figuration ; elle en est une condition nécessaire – parmi les formations de l'inconscient, elle spécifie le rêve.

Celui-ci doit faire face à une perte des relations logiques, ou tout au moins les figurer autrement. Mais perte par rapport à quoi, sinon par rapport à la logique d'une pensée secondarisée, laquelle n'a sans doute jamais appartenu aux formations de l'inconscient. Le chapitre VI de *L'interprétation du rêve* considère les pensées latentes du rêve comme refoulés, c'est-à-dire ayant connu une expression secondarisée avant de devenir du matériel inconscient ; le chapitre VIII pose explicitement la question du mode d'inscription des traces mnésiques dans le psychisme inconscient, y répondant par l'idée d'inscriptions multiples dans l'appareil psychique (ce sera repris, réélaboré plus tard, notamment en 1915 dans « L'inconscient »).

C'est dans la théorie du rêve, en tant que figuration hallucinatoire et capacité de figurabilité, que la pensée freudienne donne au terme de *Darstellung* une acception technique précise, éclairée par les connotations liées aux autres emplois du terme. La figuration intervient dans le passage entre contenu inconscient et élaboration préconsciente du rêve. Elle est l'effet de l'attraction de l'infantile et ne doit pas être réduite à une stratégie pour déjouer la censure, même si elle contribue pourtant à ce résultat. Elle est, comme nous l'avons vu, le point de passage et d'articulation entre contenu latent et contenu manifeste, un rejeton spécifique de l'inconscient caractérisé par son mouvement de régression hallucinatoire. C'est un reflux régrédient de l'excitation qui est précisément source de la production de forme qui place la figuration à la jonction des systèmes inconscient (support des traces mnésiques) et préconscient (formation d'un contenu manifeste susceptible de devenir conscient et de donner lieu au récit du rêve).

FIGURATION ET RÉGRESSION

Dans *L'interprétation des rêves,* la régression formelle du rêve tient à la figuration sensorielle des contenus inconscients, et non à une régression des processus d'une pensée secondarisée vers un pôle sensoriel comme pouvaient le faire penser certaines formulations du chapitre V concernant les pensées latentes du rêve et les conditions de leur figurabilité. Mais, au chapitre VII, la régression formelle est clairement explicitée comme un mouvement psychique régrédient, passage des traces mnésiques inconscientes à un retour vers le pôle sensoriel sous forme hallucinatoire. Freud en vient à remettre en question sa conception de pensées du rêve qui seraient en quelque sorte construites comme la pensée de veille avec des relations logiques secondarisées, puis dépouillées de leurs liens logiques pour des nécessités expressives de figurabilité : il évoque en effet, à propos de l'attraction de l'infantile, l'idée de « souvenirs qui n'existent en partie que sous forme d'investissements visuels, et non comme traduction en termes de systèmes ultérieurs » [1]. La question des formes sous lesquelles existent les contenus inconscients est posée sans être clarifiée, car nous avons toujours affaire aux rejetons de l'inconscient et non aux inscriptions inconscientes elles-mêmes. La schématisation de l'appareil psychique permet de traiter cette difficulté sans la résoudre, et la terminologie des traces mnésiques garde de ce point de vue un flou nécessaire.

La distinction entre les processus primaires, qui caractérisent le travail du rêve, et les processus secondaires ne suffit pas à rendre compte de la façon dont il faut entendre le travail psychique qui permet de passer du contenu inconscient latent, des « pensées du rêve » à sa figuration. La principale certitude tient à la dimension énergétique

1. *L'interprétation des rêves* (1900a), Paris, PUF, 1967, p. 488 ; *OCF* IV, p. 628-629 ; *GW* II-III, p. 579.

du processus et son rapport décisif à l'attraction de l'infantile. Dans les textes métapsychologiques de 1915, le fonctionnement du système inconscient est explicité à partir des notions de processus primaire, de représentant psychique de la pulsion et de représentation de chose, désormais conceptualisés. Le problème sera repris en deuxième topique à partir de l'élaboration du ça et du moi, la prévalence de l'énergétique se trouvant réaffirmée.

Le rêve est une sorte de tour de force : si la mémoire et la perception sont deux systèmes psychiques qui s'excluent mutuellement, par la capacité de figu-figurabilité à l'œuvre dans le rêve la mémoire reprend une possibilité d'expression de type hallucinatoire. La figuration n'est donc, au contraire de l'élaboration secondaire, ni un simple effet de la censure, ni une formation appartenant au seul contenu manifeste, mais le point de passage et d'articulation entre contenu latent et contenu manifeste, un rejeton spécifique de l'inconscient caractérisé par son mouvement de régression hallucinatoire. Les impulsions de désir – qui ne sont que les restes de la vie consciente de la veille, les restes diurnes – n'ont au contraire qu'une importance secondaire dans la formation du rêve[1].

Production hallucinatoire, symbolisation et processus projectif

La figurabilité est une capacité de l'appareil psychique à la régression formelle ; elle donne au rêve sa configuration hallucinatoire qui en fait une formation de l'inconscient tout à fait spécifique. Rêves typiques et symbolisations posent la question de l'universalité des processus mis en œuvre dans le rêve, alors que les productions oniriques sont en même temps des élaborations singulières de chaque rêveur. En 1911, Freud reprend la réflexion sur le symbolisme dans les rêves, soulignant l'aptitude particulière de certains rêveurs à produire des figurations singulières que l'analyste ne peut deviner, tandis que le rêveur, par une connaissance intuitive, lui indique la signification de ses figurations. Nous trouvons ici une réponse claire à l'objection faite naguère à Freud sur l'universalité figée qu'il prêterait au symbolisme. En fait, il reconnaît la fréquence de rêves typiques et l'universalité d'un grand

1. *Ibidem*, p. 471 ; p. 608 ; p. 559.

nombre de symboles notamment sexuels, la réalité collective qu'est la culture fournissant des représentations et des associations où puisent les rêveurs. Ceci ne saurait empêcher que beaucoup de symbolisations inédites et d'associations surprenantes s'effectuent, en une création psychique dont le rêveur est bien l'auteur, et non le simple utilisateur de symboles préexistants. Les figurations des rêves sont à la fois une appropriation subjective de représentations universelles ou culturelles et la création d'agencements et de formations singulières inédites.

Processus projectif

En 1915, Freud précise que, dans le travail du rêve, tout se passe dans la transformation des pensées latentes en pensées manifestes, « comme si, dans l'ensemble, une prise en considération de la figurabilité dominait le processus »[1] – ce qui nous invite à ne pas sous-estimer la figurabilité dans la formation des rêves, comme c'est trop souvent le cas. Reste à préciser en quoi son rôle, dans le processus onirique, serait prévalent.

Le rêve est une défense contre ce qui pourrait perturber le sommeil. S'il est ainsi « une projection, l'extériorisation d'un processus interne »[2], la figurabilité du rêve est à concevoir comme une forme prise par la défense projective, ce qui en complique le modèle : non pas seulement nécessité interne d'expression des pensées latentes, mais aussi transformation défensive d'un élément perturbateur qui, dans le même mouvement, se trouve projeté et figuré. La *Darstellung* relève du mouvement pulsionnel articulé avec une défense projective ; la transformation qu'elle implique ne tient pas à une intervention de la censure, à la différence de ce qui se produit pour une part dans la condensation et, surtout, dans le déplacement. C'est le mouvement pulsionnel lui-même qui, pour devenir extérieur, doit prendre une forme visuelle, rapprochant la projection dans la formation du rêve des processus de perception, dans un mouvement régressif caractéristique de l'hallucinatoire.

Dominique Bourdin

1. « Complément métapsychologique à la théorie du rêve » (1917d [1915]), *Métapsychologie,* Paris, Gallimard, 1968, p. 132 ; *OCF* XIII (2e éd.), p. 252 ; *GW* X, p. 417.
2. *Ibidem,* p. 126 ; p. 248 ; p. 413.

FIXATION

all. : ***Fixierung.*** – angl. : *fixation.* – esp. : *fijación.* – ital. : *fissazione.* – port. : *fixação*

À chaque moment du développement de la sexualité infantile, à chacune de ses articulations, à chaque surcharge pulsionnelle, à chaque traumatisme, une dissociation de la pulsion peut se produire, formant alors un point de fixation. Immobilisant une certaine quantité d'énergie libidinale, la fixation représente dès lors un point faible dans la structure de la fonction sexuelle ; elle sera ainsi à la base d'une prédisposition à une psychonévrose, dont elle constitue le facteur accidentel extérieur. Correspondant à un arrêt de développement à un stade infantile (avec son organisation et ses objets propres), elle s'oppose à la mobilité de la libido en la *fixant* (parfois pour toujours) et constitue la première phase de tout refoulement, à commencer par l'originaire. Issu du système inconscient, et dès lors refoulé, le courant libidinal va chercher à faire retour, faisant régresser la libido jusqu'au point de fixation ; c'est dire que fixation et régression sont en étroite dépendance l'une de l'autre. Dans le refoulement, la fixation résulte de la compulsion de répétition du ça qui ne peut être supprimée que par la fonction librement mobile du moi.

MISE EN SITUATION

Avec la fixation (comme pour la régression), terminologie et traduction vont sans problèmes. Freud use très régulièrement du terme, sans avoir à remettre en cause la notion. Il situe la fixation, au cœur du fonctionnement psychique, comme un processus dont l'action, partant de ce centre, travaille selon quatre directions, chacune impliquant plusieurs notions :

— développement de la libido - stades - névroses : *se définissant comme un arrêt dans le développement de la libido la fixation ne peut que concerner très directement les stades ; ceux-ci entraînant des formes de psychonévroses spécifiques, la fixation entretient des correspondances équivalentes avec celles-ci ;*

— objet - déjà-refoulé - liaison de la pulsion : *la fixation élit un objet particulier et significatif, qui entre en relation avec ses représentations déjà refoulées, jusqu'à l'originaire ; ce faisant, elle vient assurer la liaison du représentant-représentation à la pulsion ;*

— régression - répétition : *en bloquant le développement de la libido, la fixation provoque une régression (temporelle, mais aussi formelle) et chaque fixation va représenter un point d'appel et de passage obligé pour tous les mouvements régressifs (régression topique) ; ce faisant, elle va contraindre un processus de répétition qui, au-delà de ses éventuels effets pathologiques, va assurer une permanence dans la continuité de l'histoire ;*

— inné et acquis : *par sa « fixité » même, la fixation assure la liaison entre ce qui est constitutionnel dans le fonctionnement psychique et les événements vécus par chaque individu, fondant les « séries complémentaires » et ancrant l'histoire et le socius dans la biologie.*

LE TEXTE FREUDIEN

En **1896,** le terme apparaît pour la première fois à propos des cérémonials auxquels « se fixe » un obsessionnel ; il n'a là guère de spécificité, mais vient naturellement sous la plume car il décrit très bien ce que Freud entend mettre en évidence[1]. Il est repris l'année suivante, comme incidemment, dans la correspondance avec Wilhelm Fliess[2].

Ce n'est qu'en **1905,** avec les *Trois essais sur la théorie sexuelle,* que la fixation va prendre véritablement sa signification psychanalytique : « Chaque pas sur ce long chemin du développement peut devenir point de fixation, chaque articulation de cet assemblage complexe

1. « Nouvelles remarques sur les psychonévroses de défense » (1896b), *Névrose, psychose et perversion,* Paris, PUF, 1973, p. 71 ; *OCF* III, p. 135 ; *GW* I, p. 391.

2. *La naissance de la psychanalyse. Lettres à Wilhelm Fliess. Notes et plans (1887-1902)* (1950a [1887-1902]), Paris, PUF, 1956, p. 175.

peut devenir l'occasion de la dissociation de la pulsion sexuelle. »[1] C'est un facteur d'origine jusqu'alors inconnue qui serait ainsi à l'œuvre : l'adhésivité, **la capacité de fixation partielle des impressions sexuelles précoces, liée à la prévalence des traces mnésiques sur les impressions récentes,** résultant de pulsions puissantes qui créent dorénavant un point faible dans la sexualité. À chaque stade, une telle « fixation » est possible, fournissant les bases d'une prédisposition aux psychonévroses et perversions[2].

Si l'idée d'une *fixation au traumatisme* était implicite dès les premiers travaux sur l'hystérie[3], elle n'est explicitée qu'en 1910 : « **La fixation aux traumatismes pathogènes est un des caractères les plus importants de la névrose** », très significatif au point de vue de la pratique[4] ; une expression pulsionnelle très puissante, en des temps très précoces, produit une *fixation partielle* qui sera dès lors un point faible, lieu d'achoppement du refoulement[5].

En **1911** l'étude du cas du « Président Schreber » vient préciser que **la fixation constitue la première phase de tout refoulement.** Lorsqu'une pulsion ou une composante pulsionnelle n'a pu suivre son évolution normale, elle demeure, « en vertu de cet arrêt de développement, immobilisée à un stade infantile » ; elle appartient dès lors à l'inconscient comme courant refoulé, prédisposant à la maladie ultérieure. Cette fixation est passive, comme un « resté en arrière », alors que le « refoulement proprement dit », dans un deuxième temps, exerçant une pression après coup, est essentiellement actif ; c'est ce qui a été fixé qui va succomber au refoulement. La troisième phase résulte de l'échec du refoulement avec son retour du refoulé, « irruption qui

1. *Trois essais sur la théorie sexuelle* (1905d), Paris, Gallimard, 1987, p. 185 ; *OCF* VI, p. 173 ; *GW* V, p. 137.

2. *Ibidem,* p. 195-196 ; p. 180 ; p. 144.

3. « Nouvelles remarques sur les psychonévroses de défense » (1896b), *Névrose, psychose et perversion,* Paris, PUF, 1973, p. 62 ; *OCF* III, p. 125 ; *GW* I, p. 381-382. « L'hérédité et l'étiologie des névroses » (1896a), *Névrose, psychose et perversion,* Paris, PUF, 1973, p. 93 ; *OCF* III, p. 160 ; *GW* I, p. 137.

4. *Sur la psychanalyse (cinq conférences)* (1910a), Paris, Gallimard, 1991, p. 43 ; *OCF* X, p. 13 ; *GW* VIII, p. 12.

5. *Ibidem,* p. 100 ; p. 45 ; p. 49.

prend naissance au point où eut lieu la fixation et implique une régression de la libido jusqu'à ce point précis »[1].

La *Métapsychologie* reprend brièvement la notion sans rien y changer[2] ; ce n'est que dans la *Vue d'ensemble sur les névroses de transfert* que Freud remarque que l'origine de la fixation est incertaine, mais résulte sans doute de la conjonction d'impressions précoces avec le facteur constitutionnel[3].

En **1916-1917,** ceci est notamment repris dans l'*Introduction à la psychanalyse*[4], mais cet ouvrage en dit bien plus, faisant sur la notion un point complet, quasi définitif. **Si chaque névrose contient une fixation, toute fixation ne saurait conduire à la névrose,** comme le montre le deuil[5]. Ce sont surtout des tendances sexuelles isolées, partielles, qui peuvent rester « accrochées », fixées à des stades antérieurs alors que l'évolution libidinale se poursuit, risquant de faire régresser certaines parties évoluées jusqu'à ce stade : cette interdépendance entre fixation et régression constitue le plus puissant facteur étiologique des névroses[6]. Le moi peut accepter la fixation en en faisant une perversion ; il peut aussi la refuser, la refouler[7]. Pour retrouver le chemin qui mène à la fixation, il suffit à la libido de retrouver les fantasmes liés à ses objets et orientations abandonnés[8]. Mais un autre destin est possible : l'étude de la *dementia praecox* y a révélé l'absence d'inves-

1. « Remarques psychanalytiques sur l'autobiographie d'un cas de paranoïa *(dementia paranoides)* (Le Président Schreber) » (1911c [1910]), *Cinq psychanalyses,* Paris, PUF, 1954, p. 311 et 312 ; *OCF* X, p. 289 et 290 ; *GW* VIII, p. 304.

2. « Pulsions et destins des pulsions » (1915c), *Métapsychologie,* Paris, Gallimard, 1968, p. 19 ; *OCF* XIII (1994), p. 170 ; *GW* X, p. 215. « Le refoulement » (1915d), *Métapsychologie,* Paris, Gallimard, 1968, p. 8 ; *OCF* XIII, p. 193 ; *GW* X, p. 250.

3. *Vue d'ensemble sur les névroses de transfert. Un essai métapsychologique* (1985a [1915]), Paris, Gallimard, 1986, p. 27-28 ; *OCF* XIII, p. 290 ; *GW* XIX *(Nachtragsband),* p. 6.

4. *Conférences d'introduction à la psychanalyse* (1916-1917), Paris, Gallimard, 1999, p. 440-442 ; *OCF* XIV, p. 358-362 ; *GW* XI, p. 359-361.

5. *Ibidem,* p. 352 ; p. 286 ; p. 285.

6. *Ibidem,* p. 433 ; p. 353 ; p. 353.

7. *Ibidem,* p. 446-447 et 456 ; p. 364 et 372 ; p. 365 et 373.

8. *Ibidem,* p. 474-475 ; p. 386-387 ; p. 388.

tissement des objets, conduisant à l'idée de *narcissisme,* cet état dans lequel, en se détachant des objets et en les remplaçant par le moi, **la libido va « se fixer sur le corps et la personne propre en lieu et place d'un objet ».** Ce narcissisme, au-delà de son rôle dans les psychonévroses (qui seront dorénavant qualifiées de « narcissiques »), est universel et originaire : c'est à partir de lui que d'objet pourra se constituer[1] ; ajoutons que c'est une fixation au type narcissique du choix d'objet qui dispose à l'homosexualité manifeste[2].

La fonction de la fixation dans les perversions est évoquée en 1919 dans « Un enfant est battu ». Une composante sexuelle peut devancer les autres ; se rendant précocement indépendante et se fixant, elle se soustrait au développement tout en témoignant d'une constitution anormale. Elle est souvent représentée par un fantasme surgi de la prime enfance, maintenu en vue d'une satisfaction autoérotique, et qui doit alors être conçu comme un trait primaire de perversion. L'absence de toute force traumatique des impressions fixatrices, généralement banales et incapables d'émouvoir d'autres personnes, laisse inexpliqués leur choix et leur force ; on peut toutefois faire l'hypothèse qu'une constitution innée peut justifier un tel point d'arrêt[3].

En **1926,** dans *Inhibition, symptôme et angoisse,* le rôle du moi est approfondi : il utilise les bénéfices secondaires de la névrose pour incorporer un symptôme et, ce faisant, il en renforce la fixation, ce qui aboutit à créer des liens de conciliation entre le moi et le symptôme et à renforcer les résistances[4]. « **Dans le refoulement le facteur de fixation est la compulsion de répétition du ça inconscient** » que seule la fonction librement mobile du moi peut, normalement, supprimer[5]. Il convient ici de noter que cette indication sur les rapports entre

1. *Ibidem,* p. 527 ; p. 431 ; p. 431.

2. *Ibidem,* p. 541 ; p. 441-442 ; p. 442.

3. « Un enfant est battu. Contribution à la genèse des perversions sexuelles » (1919e), *Névrose, psychose et perversion,* Paris, PUF, 1973, p. 221-222 ; *OCF* XV, p. 122 ; *GW* XII, p. 200.

4. *Inhibition, symptôme et angoisse* (1926d [1925]), Paris, PUF, 1951, p. 16 ; *OCF* XVII, p. 217 ; *GW* XIV, p. 127.

5. *Ibidem,* p. 81 ; p. 268 ; p. 185.

répétition et fixation n'avait pas été donnée jusqu'à ce texte (qui ne parle jamais de la pulsion de mort), et qu'elle ne sera pas reprise.

Dans le courant des années 1930, la large révision de l'organisation psychique de la féminité résulte, pour une bonne part, du constat de l'extrême importance des **fixations très précoces et très durables de la petite fille à sa mère**; c'est là, pour Freud, l'occasion de prendre en compte toute la portée de la liaison préœdipienne à la mère[1].

À la même époque, dans *Le président T. W. Wilson,* est brièvement évoqué le cas où une « expérience accablante » vient arrêter brusquement le développement psychique, immobilisant la libido jusqu'à la désagrégation ou la mort : « c'est ce que nous appelons fixation »[2] – c'est là impliquer le traumatisme. Dans *L'homme Moïse et la religion monothéiste,* achevé et publié en 1939, Freud revient sur la *fixation au traumatisme,* notion implicite dans toute l'œuvre mais qu'il n'avait plus mentionnée depuis près de trente ans (sauf en 1920, dans un passage d'*Au-delà du principe de plaisir,* à propos de la névrose traumatique[3]). Elle s'apparente à la contrainte de répétition et représente les effets « positifs » du traumatisme qu'elle remet en œuvre en remémorant l'expérience oubliée et en répétant, avec une autre personne, une relation affective antérieure. Tendances constantes, ces « efforts » appartiennent au « moi dit normal » ; ils donnent « des traits de caractère immuables, bien que leur fondement effectif, leur origine historique soient oubliés, ou plutôt à cause de cela ». Les réactions négatives au traumatisme, pour leur part, tendent à ce qu'aucun élément oublié ne puisse être remémoré ni répété ; elles forment les *réactions de défense* (évitements, inhibitions ou phobies), qui contribuent aussi à la formation du caractère : au fond, elles aussi sont des fixations au traumatisme, mais de tendance contraire. Les symptômes névrotiques sont des **formations de compromis réunissant ces deux**

1. *Nouvelles conférences d'introduction à la psychanalyse* (1933a [1932]), Paris, Gallimard, 1984, p. 160 et 172-173 ; *OCF* XIX, p. 202-203 et 212 ; *GW* XV, p. 127 et 138.

2. S. Freud et W. Bullitt, *Le président T. W. Wilson (1930-1938)* (1966b), Paris, Payot, 1990, p. 92.

3. *Au-delà du principe de plaisir* (1920g), *Essais de psychanalyse,* Paris, Payot, 1981, p. 50-51 ; *OCF* XV, p. 283 ; *GW* XIII, p. 10.

sortes de tendances issues des fixations aux traumatismes, de leur passé ancien, l'opposition de leurs réactions créant des conflits généralement insolubles[1].

QUESTIONS ET ENJEUX

Nous ne saurions mieux faire que revenir à la phrase qui introduit la fixation dans la théorie analytique : « Chaque pas sur ce long chemin du développement peut devenir point de fixation ; chaque articulation de cet assemblage complexe peut devenir l'occasion de la dissociation de la pulsion sexuelle. » L'« occasion » qu'évoque Freud renvoie de fait à la *régression,* les deux notions étant en étroite dépendance, quasiment consubstantielles, au point qu'il serait légitime d'en traiter comme d'un tout formant le processus de *fixation-régression,* chacun des codéterminants correspondant à un moment particulier. Pourtant, tout en insistant sur leur indissociabilité, Freud a de bonnes raisons de les distinguer, puisque chacune a ses particularités et son champ spécifique. C'est ainsi que, finalement, leurs statuts apparaissent différents : si la notion de régression est surtout *descriptive,* celle de fixation est plutôt *explicative,* fournissant non seulement le point d'arrêt dans la régression, mais lui indiquant aussi la voie.

D'emblée est ainsi marquée la fonction de « développement » de la fixation, ainsi que sa dynamique d'« articulation », la situant à l'opposé de toute conception « statique » telle que pourrait d'abord le suggérer le mot, et comme pourrait le laisser paraître une lecture hâtive de certains passages (par exemple sur l'opposition entre la mobilité de la libido et la façon dont « la fixation s'attache, parfois pour toute la vie, à certains objets particuliers »[2]). Si Freud paraît là opposer le mobile et le fixe, l'opposition porte en fait sur les deux caractères, les deux moments de la seule poussée énergétique de

1. *L'homme Moïse et la religion monothéiste* (1939a), Paris, Gallimard, 1986, p. 163-165 ; *OCF* XX, p. 154-156 ; *GW* XVI, p. 180-182.

2. *Abrégé de psychanalyse* (1940a [1938]), Paris, PUF, 1985, p. 10 ; *OCF* XX, p. 240 ; *GW* XVII, p. 73.

la libido. Dans le couple fixation/régression, non seulement la régression n'est que l'un des aspects de la mobilité libidinale, un des « sens » qu'elle peut suivre, mais surtout la fixation ne saurait se borner à être une butée immobile puisqu'elle vient *lier* ce qui se meut et, pour se faire, l'attire et le conduit jusqu'à elle ; tout est actif, rien n'est inerte. Ce mouvement n'est pas sans évoquer ce qui se passe entre refoulé et refoulant : il ne peut y avoir de régression que parce qu'existe une fixation pour la signifier et l'attirer, tout comme il ne peut y avoir de refoulement que parce que l'attire un déjà-refoulé. Il existe pourtant une différence de fond entres ces deux processus : avec le refoulement nous nous situons entre systèmes psychiques, alors qu'avec la fixation-régression nous sommes dans les mouvements libidinaux (avec leurs objets et leurs positions). Nous n'en retrouvons pas moins, dans l'un et l'autre cas, l'exigence absolue de conjonction de deux forces apparemment contraires mais, de fait, concourantes.

Pour connoter la fixation face à la mobilité libidinale, Freud parle « destin » et « origine » pour signifier la façon dont « le représentant de la pulsion demeure inaltérable », et ce « pour toute la vie » ; c'est dire qu'avec elle, au-delà du choix de la psychonévrose, se pose la question de l'investissement des objets, de ce qui s'y répète ou se change : en eux se condensent la mobilité et la fixité, le destin et l'origine, justement. De même que chaque refoulement après coup renvoie au refoulé originaire qui l'étaye, de même que toute régression se justifie d'une fixation qui la détermine, dans leur diversité labile tous les objets s'étaient sur le « premier objet », et se fondent sur lui. Nous touchons là aux fondements archaïques du psychisme.

Si les régressions répondent à une insatisfaction provoquée par la réalité, les fixations correspondent toujours à une satisfaction libidinale, aussi précoce soit-elle. Au travers de ce jeu entre fixation et régression nous retrouvons les rapports du principe de plaisir au principe de réalité, dont ils sont en fait l'une des modalités. La régression, mobile, privilégie les objets en raison de leur labilité, mais tous sont déterminés par la fixation au premier objet ; ainsi se construit l'histoire individuelle. La fixation témoigne de ce que « tout stade de développement antérieur se maintient à côté du stade ultérieur né de lui, succession qui implique une coexistence, bien que toute la série des transformations découle des mêmes matériaux ». Cette persistance rencontre « l'extraordinaire plasticité des développements psychiques » avec sa capacité à régresser : c'est pourquoi « les états primitifs peuvent toujours être réinstaurés, le psychisme primitif étant, au sens le plus plein, impérissable » [1].

Claude LE GUEN

Fonctionnement psychique → Appareil psychique

FORMATIONS
(de compromis, de substitut, de symptômes, réactionnelles)

all. : *Kompromissbildung, Ersatzbildung, Symptombildung, Reaktionsbildung.* – angl. : *compromise-formation, substitute-formation, symptom-formation, reaction-formation.* – esp. : *farmación de compromiso, farmación substituta, farmación de sintoma, farmación reactiva.* – ital. : *formazione di compromesso, formazione sostitutiva, formazione sintimatica, formazione reattiva.* – port. : *formação de compromisso, formação substitutiva, formação de sintoma, formação reativa*

Une *formation* est le produit, le résultat d'un processus élaboratif inconscient suscité par le moi, en rapport avec un fonctionnement défensif et visant les représentations refoulées. On distingue divers procédés ainsi mis en œuvre. La formation de *symptôme,* que celui-ci soit normal (rêve, acte manqué) ou névrotique, en est le représentant le plus probant ; témoignant d'un retour du refoulé, elle englobe d'autres formations : – la formation de *substitut* apporte une satisfaction de remplacement à un désir refoulé, le terme étant, en fin de compte, synonyme de celui de formation de symptôme ; – la formation de *compromis* permet au refoulé d'être admis dans la conscience après que ses représentations aient été déformées, satisfaisant ainsi tant le désir inconscient que l'exigence de défense ; – la formation *réactionnelle* travaille comme une « contre-forces », correspondant à

1. « Considérations actuelles sur la guerre et sur la mort » (1915b), *Essais de psychanalyse,* Paris, Payot, 1981, p. 22 ; *OCF* XIII (2ᵉ éd.), p. 141 ; *GW* X, p. 337.

une position opposée au désir refoulé par contre-investissement d'un élément conscient, elle suscite souvent des traits de caractère. Toutes concourent, de façon essentiellement dynamique, à préciser ce qui se manifeste comme *symptôme*.

MISE EN SITUATION

Il convient de bien noter que « formation » (Bildung) *est à entendre de façon essentiellement dynamique, exprimant un mouvement de constitution et de transformation de quelque chose en fonction de certaines exigences, comme cela est de mise dans les actions éducatives ; c'est là son sens prévalant en français aussi bien qu'en allemand. Une transformation est d'abord le résultat d'un processus mais témoigne, tout aussi bien, du processus lui-même ; ceci implique une intention, qui ne peut être ici qu'inconsciente-préconsciente – et c'est en ce sens que les différentes formations reconnues par Freud, fonctions du retour du refoulé, ont avant tout vocation défensive.*

LE TEXTE FREUDIEN

De fait, ces différentes formations, telles qu'elles apparaissent dans les écrits, sont largement traitées dans le cadre des entrées « Symptôme », « Angoisse », « Refoulement » et « Défense », entre autres et surtout ; nous nous autorisons à y renvoyer le lecteur, nous abstenant donc de les répéter ici.

QUESTIONS ET ENJEUX

Dans la mesure où les différentes formations, telles que les a reconnues Freud, sont surtout des repères descriptifs de la défense contre le retour du refoulé, par elles-mêmes elles ne posent guère de problèmes conceptuels. Nous rappellerons pourtant la distinction fondamentale : refoulements et défenses sont des processus, alors que symptômes, compromis, réactions et substituts sont les résultats de ces processus – ce qui s'avère déterminant pour la conduite de la cure. Tous sont des rejetons, des indices d'un retour du refoulé qui doivent leur apparition à divers mécanismes ayant pour point commun un retrait de la libido. La mise en œuvre du refoulement n'est pourtant que la condition préalable aux diverses formations, celles-ci étant le substitut de quelque chose qui n'a pas eu lieu, empêché par le refoulement dont c'est précisément la fonction.

Nous nous bornerons enfin à signaler que les expressions de « *formations de l'inconscient* » et de « *formations psychiques* », que l'on rencontre chez certains auteurs et qui tendent à escamoter la vocation dynamique du concept, sont totalement étrangères au corpus freudien.

Claude Le Guen

FRAYAGE

all. : ***Bahnung***. – angl. : *facilitation*. – esp. : *facilitación*. – ital. : *facilitazione*. – port. : *facilitação*

Capacité à refaire un trajet particulier au travers des systèmes inconscients et préconscients que peut acquérir une excitation, le frayage constitue la trace durable de cette excitation.

MISE EN SITUATION

La traduction ne pose ici aucun problème : le verbe allemand bahnen *indique régulièrement l'acte de « frayer », d'« ouvrir », de « tracer », et* sich bahnen *le fait de « se frayer un chemin ». Très tôt, avec le terme, Freud emprunte directement l'idée à la neurophysiologie, telle qu'il l'avait longuement expérimentée dans les années 1880 :*

l'excitation, tout au long de son parcours pour passer d'un neurone à l'autre, doit vaincre, ou tout au moins affaiblir la résistance de la « barrière de contact » (synapse), le temps de passage diminuant lorsque le trajet se trouve souvent utilisé comme si, la voie ayant été « frayée », le parcours s'en trouvait facilité. C'est d'abord cette idée de facilitation (puis, à la suite, celle de persévération), qu'il va introduire en psychanalyse.

LE TEXTE FREUDIEN

La notion est utilisée en 1895 dans l'« Esquisse d'une psychologie scientifique », mais elle l'est encore, pour l'essentiel, dans son acception neurologique, même si elle est censée rendre compte de fonctions psychologiques essentielles alors considérées comme appartenant à l'« appareil neuronique ». Ainsi, permettant une épargne de la quantité d'excitation, le frayage fournit des hypothèses pour rendre compte des fonctionnements dans les processus de mémoire, de douleur, de satisfaction et de désir, et même dans ceux du moi – qui est à cette époque considéré comme « un groupe de neurones » [1].

Il appartient à *L'interprétation des rêves,* en 1900, de retirer le frayage de la « mécanique des neurones » pour en faire une notion proprement psychanalytique, l'intégrant à la théorie de l'inconscient et du fonctionnement psychique. Dans le modèle de l'appareil psychique, avec ses systèmes ordonnés selon une direction (du sensitif au moteur), il convient d'introduire le travail de la mémoire au pôle sensible, ce qui nécessite un système permettant de transformer les stimuli perceptifs momentanés en traces durables, assurant ainsi des **associations entre les perceptions qui résultent du frayage** [2]. C'est également lui qui permet à un souhait conscient (dans le rêve par exemple) de

1. « Esquisse d'une psychologie scientifique » (1950c [1895]), *La naissance de la psychanalyse,* Paris, PUF, 1956, p. 320-341.

2. *L'interprétation des rêves* (1900a), Paris, PUF, 1967, p. 456-458 ; *OCF* IV, p. 590-592 ; *GW* II-III, p. 542-544.

« réveiller » un désir inconscient auquel il peut être associé, et dont il se « fortifie ». Tous les actes inconscients « constituent des voies frayées une fois pour toutes, jamais hors d'usage, et qui entraînent l'excitation inconsciente chaque fois qu'elle les réinvestit » : ainsi peut se justifier le fait que rien ne se perde dans le système inconscient[1].

La notion va être négligée par Freud jusqu'en 1920 ; elle est alors reprise dans *Au-delà du principe de plaisir*. Pour l'essentiel, elle demeure identique à la description donnée dans *L'interprétation des rêves* (que Freud d'ailleurs réfère explicitement), mais, maintenant, l'accent porte plus encore sur le **rôle du frayage dans les rapports du système inconscient au système conscient.** Dans celui-ci, l'excitation ne laisse pas de traces, « elle se dissipe dans le fait de devenir conscient » – et c'est ainsi que, comme cela était déjà posé en 1900, « la conscience apparaît à la place de la trace mnésique ». Cette singularité tiendrait à sa situation, exposée à la surface de la « vésicule indifférenciée de substance excitable » que serait l'organisme vivant, qui la met au contact du monde extérieur dont les impacts incessants viennent durcir ce qui devient alors une « écorce ». Si les éléments du système conscient refusent toute modification durable par l'excitation, c'est « parce qu'ils sont déjà modifiés à cet égard de la façon la plus radicale », ce qui les rend capables de faire apparaître la conscience ; l'excitation doit surmonter une résistance dont l'affaiblissement représente « une trace durable de l'excitation » : tel est le frayage. **Ainsi peut s'expliquer tant la mémoire que les associations dans l'inconscient ;** c'est là ce qu'ignore le conscient. Cette façon de voir n'est d'ailleurs pas sans rapport avec les différences entre énergie librement mobile et énergie liée[2].

Ensuite, il ne sera plus explicitement question du frayage dans les textes freudiens. Pourtant, l'idée réapparaît lorsqu'il faut justifier l'automatisme de répétition. C'est bien quelque chose qui ressemble beaucoup au frayage qui opère pour rendre compte de la persévération des symptômes alors que, la situation de danger ayant disparu,

1. *Ibidem,* p. 470, n. 1 ; p. 607, n. 1 ; p. 558-559, n. 1.

2. *Au-delà du principe de plaisir* (1920g), *Essais de psychanalyse,* Paris, Payot, 1981, p. 66-68 ; *OCF* XV, p. 296-298 ; *GW* XIII, p. 24-26.

le moi n'a plus de raisons de se défendre. Pourtant, persiste alors comme une compulsion à répéter le symptôme, comme s'il n'était plus possible à l'excitation de quitter la voie tracée : on pense certes là au frayage, mais Freud ne le nomme pas, se bornant à noter que la nouvelle motion pulsionnelle « suit les mêmes voies que celle qui a été autrefois refoulée, comme si la situation de danger qui a été dépassée persistait encore »[1].

QUESTIONS ET ENJEUX

Le frayage prend ainsi un statut assez particulier dans l'œuvre freudienne : clairement et assez longuement exposé en 1900, il sera repris à peu près dans les mêmes termes en 1920 ; il n'est pas mentionné entre ces deux textes marquants, et il n'en est plus explicitement question ensuite. Toujours identique, jamais révisé ou remis en question, il conserve une espèce de « fixité » qu'il doit sans doute à son origine neurophysiologique.

Processus inconscient situé à l'articulation du système inconscient avec le système perception-conscience où il lui incombe de rendre compte du « devenir conscient », à la base des associations, le frayage est le « fondement de la mémoire ». Lorsque Freud le reprend, c'est dans l'ouvrage qui introduit la nouvelle théorie des pulsions et qui annonce la nouvelle topique ; il sera par la suite associé directement à la compulsion de répétition dont on connaît l'importance dans la conception de la pulsion de mort. On peut aussi penser qu'il doit pouvoir « éclairer » la nouvelle répartition des processus inconscients et des voies entre le moi et le ça.

À considérer l'importance de ses fonctions, on est surpris de ne pas trouver le frayage mentionné plus souvent. Il semble pourtant qu'il aurait pu aider à approfondir nombre de notions où sa présence semble implicite. Nous citerons, à titre d'exemple : la fixation et la persévération, l'organisation des défenses et du refoulement, le fonctionnement du clivage, la théorie de l'angoisse (à commencer par

1. *Inhibition, symptôme et angoisse* (1926d [1925]), Paris, PUF, 1951, p. 81 ; *OCF* XVII, p. 268 ; *GW* XIV, p. 185.

l'angoisse automatique), le transfert et la réaction thérapeutique négative... Disons que le frayage est à l'œuvre lorsqu'il s'agit de rendre compte de la continuité dans l'histoire individuelle.

Si nous avons ici évité de nommer la répétition, pourtant citée par Freud, c'est parce qu'il nous semble exister une importante différence entre les deux : la compulsion de répétition (tout au moins celle qui soutient l'introduction de la pulsion de mort, mais peut-être pas celle, défensive, mentionnée en 1926) est automatique, innée, proche du biologique, alors que le frayage peut être, en principe, modifié, aménagé, acquis même – et c'est ce dont témoigne sa fonction dans la cure, avec l'interprétation des associations et le transfert. Sans doute peut-on trouver, avec lui, des aperçus intéressants pour cerner les différents aspects de la répétition.

Pourquoi Freud n'a-t-il pas trouvé utile de mentionner plus souvent le frayage ? Voire d'en user plus largement dans ses élaborations du fonctionnement psychique ? La seule réponse que nous entrevoyons, sous toute réserve, est qu'il lui paraissait peut-être entaché par ses origines quelque peu mécanicistes (je ne dis pas biologiques, car cela ne gênait Freud en rien, bien au contraire).

Claude LE GUEN

FRUSTRATION

all. : ***Versagung.*** – angl. : *frustration.* – esp. : *frustración.* – ital. : *frustrazione.* – port. : *frustração*

La *frustration* est le fait, pour une pulsion, de n'être pas satisfaite (l'*interdiction* étant le moyen qui l'impose, la *privation* l'état ainsi produit) ; le terme en vient ainsi à indiquer l'éprouvé du sujet qui la subit et on doit, en ce sens, ranger la frustration parmi les affects. Elle est d'abord *interne,* mais n'entre en action que lorsqu'une frustration *externe* réelle l'a préparée – d'où son rôle déterminant pour permettre la constitution du *principe de réalité* à partir du *principe de plaisir.*

MISE EN SITUATION

Du latin frustration *(qui indique l'action de « rendre vain » et de tromper, avec la déception que cela engendre) – dérivé du verbe « frustrer » (du latin* frustrare*), antérieur, qui porte l'intention de « faire dol » –, frustration est d'emblée connoté comme « sentiment de ». Attesté dès le* XV*e siècle, son sens se maintiendra pour l'essentiel.*

La frustration fut d'abord un éprouvé, *et le demeure ; c'est-à-dire qu'elle est l'expression d'une sensation directe de déplaisir ; on doit la considérer comme un affect, donc comme une notion purement psychanalytique – pour autant, « nous ne tenons pas notre savoir concernant les affects pour très assuré »*[1]*. L'idée ne pouvait qu'être tôt présente dans les préoccupations de Freud, mais le terme lui-même n'apparaît qu'en 1906 – encore le fait-il dans sa forme latine de* Frustration *(verbe :* frustrieren*) pour qualifier « l'excitation frustrée* [frustrane Erregung] *» dans le* coïtus interruptus[2]*. Par la suite, il usera toujours du terme germanique* Versagung, *qui n'a pas été sans poser quelques problèmes de traduction puisque, s'il implique clairement l'idée d'un refus, il demeure indéterminé quant à son agent : est-ce soi-même ou le monde extérieur ? Freud joue d'ailleurs de cette ambiguïté pour situer l'opposition complémentaire des deux modes de frustration : « externe » et « interne »*[3]*; c'est même là que trouvent à se fonder les rapports entre principe de plaisir et principe de réalité.*

En français, frustration se définit comme « l'action de frustrer, [c'est-à-dire de] priver quelqu'un d'un bien, d'un avantage escompté, promis ou attendu ». Dans leur Vocabulaire de la psychanalyse, *après avoir discuté des difficultés qu'il y a à rendre en français le mot allemand, Jean Laplanche et J.-B. Pontalis estiment que « le terme de "frustration" paraît signifier que le sujet est frustré passivement tan-*

1. *Conférences d'introduction à la psychanalyse* (1916-1917), Paris, Gallimard, 1999, p. 502 ; *OCF* XIV, p. 411 ; *GW* XI, p. 411.

2. « Mes vues sur le rôle de la sexualité dans l'étiologie des névroses » (1906a), *Résultats, idées, problèmes, I,* Paris, PUF, 1984, p. 114 ; *OCF* VI, p. 310 ; *GW* V, p. 150.

3. « Quelques types de caractère dégagés par le travail psychanalytique » (1916d), *L'inquiétante étrangeté et autres essais,* Paris, Gallimard, 1985, p. 148 ; *OCF* XV, p. 22 ; *GW* X, p. 372.

dis que Versagung *ne désigne nullement qui refuse » – présupposition d'une passivité que porterait le terme français qui ne semble pas vraiment évidente. Quoi qu'il en soit, ils finissent par noter que, « devant la généralité de l'usage et de la difficulté de trouver un équivalent qui serait valable dans tous les cas sans qu'il soit nécessaire de se reporter au contexte, nous conservons le vocable de* frustration *pour rendre* Versagung*». Le choix nous semblait sage, mais la traduction française des* Œuvres complètes de Sigmund Freud, *sous la direction scientifique de Jean Laplanche, le remet en cause au nom des exigences propres au travail traductif, et entend lui substituer le quasi-néologisme* « refusement » *(terme qui, cette fois, tend un peu trop à privilégier la position active du sujet) ; il n'est pourtant nullement suivi par J.-B. Pontalis qui, dirigeant de son côté la publication des* Œuvres de Sigmund Freud *chez Gallimard, maintient l'usage de « frustration », sans méconnaître les inévitables ambiguïtés de l'entreprise de traduction.*

Pour notre part, nous faisons le même choix, entendant surtout privilégier les spécificités du concept. Pour ce faire, nous entendons bien sûr nous inspirer de Freud lui-même, dans l'esprit comme dans la lettre. Il est mentionné en garde, en page de « dépôt légal »de L'avenir d'une illusion *traduit par Marie Bonaparte, que « Sigmund Freud avait revu lui-même cette traduction française » ; or c'est dans cet ouvrage qu'il donne des précisions sémantique d'importance : « Afin d'unifier notre vocabulaire, nous désignerons le fait qu'une pulsion ne soit pas satisfaite par le terme de frustration, le moyen par lequel cette frustration est imposée par celui d'interdiction, et l'état que produit l'interdiction par celui de privation » ; pour ce qui est de lettre, à l'évidence « frustration » lui convient. Pour l'esprit : dix ans plus tôt, ayant à énoncer le principe fondamental selon lequel « le traitement psychanalytique doit autant que possible s'effectuer dans un état de privation* [Entbehrung], *d'abstinence* [Abstinenz] *», à propos de ce dernier il indique à la suite : « Nous n'entendons pas donner à ce mot le sens qu'on lui attribue vulgairement, [mais celui de quelque chose] qui se rapporte bien davantage à la dynamique de la maladie et de la guérison »*[1]*. Là est l'esprit : ce qui prime est le sens du mot en psychanalyse ; c'est là-dessus qu'il importe, avant tout, de bien s'entendre. Il*

1. « Les voies de la thérapie psychanalytique » (1919a [1918]), *De la technique psychanalytique,* Paris, PUF, 1953, p. 135-136 ; *OCF* XV, p. 102-103 ; *GW* XII, p. 187.

nous semble plus essentiel de savoir et de comprendre ce que peuvent signifier la notion ou le concept, que de vouloir quérir une vaine adéquation entre le vocable français et l'allemand. Nous nous en tenons donc à frustration.

LE TEXTE FREUDIEN

Assez curieusement, la frustration n'apparaît pas dans les premiers écrits freudiens, articles ou lettres ; là où on pourrait s'attendre à la rencontrer, c'est le refoulement qui est invoqué[1]. Il faut attendre 1906 pour qu'apparaisse la notion comme cause des névroses d'angoisse ; Freud parle alors d'une « excitation frustrée » (*frustrane,* de *frustrieren* (frustrer) dans le texte allemand)[2]. Deux ans plus tard, il constate qu'une « certaine dose de satisfaction sexuelle directe paraît indispensable », de façon variable selon les individus, et qu'il y a frustration lorsqu'elle ne peut être satisfaite, aboutissant à des états de maladie[3].

Ce n'est qu'en 1911, avec l'introduction d'un **principe de réalité** pour compléter et corriger le **principe de plaisir,** que la notion se précise. Les processus psychiques inconscients, les plus anciens, font que se perpétue une phase de développement primaire pendant laquelle les seuls processus psychiques fonctionnant tendaient à l'obtention du plaisir ; c'est le *principe de plaisir.* Assez vite, cet état de repos psychique s'est vu troublé par les exigences impérieuses des besoins intérieurs ; ce qui était désiré était simplement halluciné (comme il arrive encore chaque nuit dans nos rêves), mais, avec le défaut persistant de la satisfaction attendue, la déception a entraîné l'abandon de cette tentative hallucinatoire et, à sa place, il fallut se

1. Par exemple dans le « Manuscrit K » du 1er janvier 1896, *La naissance de la psychanalyse,* Paris, PUF, 1956, p. 132.

2. « Mes vues sur le rôle de la sexualité dans l'étiologie des névroses » (1906a), *Résultats, idées, problèmes, I,* Paris, PUF, 1984, p. 114 ; *OCF* VI, p. 310 ; *GW* V, p. 150.

3. « La morale sexuelle "civilisée" et la maladie nerveuse des temps modernes » (1908d), *La vie sexuelle,* Paris, PUF, 1969, p. 34 ; *OCF* VIII, p. 204 ; *GW* VII, p. 151.

résoudre à représenter l'état réel du monde, à chercher à le modifier réellement. « Par là, un nouveau principe de l'activité psychique était introduit : ce qui était représenté n'était plus ce qui était agréable, mais ce qui était réel, même si cela devait être désagréable. Avec cette instauration du *principe de réalité* un pas était franchi qui s'avéra riche en conséquences. »[1]

Il est assez remarquable que, dans ce passage, cette description du fonctionnement psychique – alors confronté à sa non-satisfaction persistante, souffrant du défaut de la satisfaction attendue et de la déception encourue – se fait sans recourir au terme de « frustration » *(Versagung)*. Pourtant, tout l'exposé semble l'impliquer, et il viendra d'ailleurs deux pages plus loin. On peut penser que le mot importe peu à Freud ; le seul qui l'intéresse ici est celui de « principe de réalité » qui est le véritable concept à introduire, se justifiant du travail psychique imposé par ce que nous ne pouvons désigner que comme frustration. On n'en situe pas moins clairement la fonction de celle-ci, plus particulièrement avec les pulsions sexuelles, et tout d'abord les autoérotiques ; celles-ci ne sauraient parvenir seules à « **la situation de frustration qui a imposé l'instauration du principe de réalité** », il a fallu que l'objet se constitue et le processus « frustrant » lié à la reconnaissance de la réalité ne peut s'accomplir que progressivement, par bribes et de façon discontinue[2]. Pendant les années qui suivent immédiatement, Freud va s'attacher à tirer les conséquence de la prise en considération de ce qu'il vient d'avancer.

Le facteur extérieur s'avère ainsi décisif, et la circonstance la plus évidente pour déclencher l'entrée dans la névrose « réside dans ce qu'on peut décrire sous le terme général de *frustration* » ; **tant que le besoin d'amour est « satisfait par un objet réel du monde extérieur », tout va bien, mais si cet objet est retiré arrive la névrose avec la frustration.** Son effet pathogène tient à ce qu'elle « endigue la libido, mettant ainsi l'individu à l'épreuve de savoir combien de temps il supportera cette élévation de la tension psychique, et quelles voies il

1. « Formulations sur les deux principes du cours des événements psychiques » (1911b), *Résultats, idées, problèmes, I,* Paris, PUF, 1984, p. 136-137 ; *OCF* XI, p. 14-15 ; *GW* VIII, p. 231-232.

2. *Ibidem,* p. 139 ; p. 17 ; p. 234.

emprunter pour se débarrasser de celle-ci » : soit il agit sur le monde extérieur et le force à lui accorder satisfaction, soit il renonce à la satisfaction libidinale pour la sublimer. « L'action de la frustration consiste avant tout à mettre en jeu les facteurs dispositionnels jusqu'alors inactifs. »[1]

La vie implique des élévations assez soudaines de la libido, comme à la puberté et à la ménopause, qui bouleversent l'équilibre et entraînent la névrose ; « la stase de la libido est ici le facteur primaire, elle devient pathogène par suite de la frustration *relative* de la part du monde extérieur, qui aurait pu continuer à accorder satisfaction à une revendication libidinale plus petite » ; l'insatisfaction libidinale peut susciter la régression et raviver les mêmes conflits que provoque une « frustration externe absolue » – ce qui n'est pas sans nous rappeler l'importance du facteur quantitatif[2].

Pour autant, les facteurs internes de frustration ne sauraient être négligés, comme l'illustrent les troubles si fréquents de la vie amoureuse (rabaissement de l'objet sexuel, impuissance) dont les causes avérées sont « la fixation incestueuse intensive de l'enfance et la frustration réelle de l'adolescence » – c'est-à-dire l'internalisation du conflit œdipien et la pression des contraintes sociales[3]. C'est ainsi que « le tort causé par la frustration initiale de la jouissance sexuelle » se révèle ensuite lorsque la liberté sexuelle, en principe acquise dans le mariage, n'est plus pleinement satisfaisante ; à vrai dire, accordée dès le début elle ne conduit pas à un meilleur résultat. « La valeur psychique du besoin amoureux baisse dès que la satisfaction lui est rendue facile ; il faut un obstacle pour faire monter la libido » – aussi, là où les résistances naturelles à la satisfaction sont insuffisantes, les hommes en introduisent des conventionnelles pour pouvoir jouir de l'amour. « Que l'importance psychique d'une pulsion croisse avec sa frustration, c'est là incontestablement une règle générale. » Pour

1. « Sur les types d'entrée dans la névrose » (1912c), *Névrose, psychose et perversion,* Paris, PUF, 1973, p. 175-176 ; *OCF* XI, p. 119-120 ; *GW* VIII, p. 322-323.

2. *Ibidem,* p. 180 ; p. 124-125 ; p. 328.

3. « Sur le plus général des rabaissements de la vie amoureuse (Contributions à la psychologie amoureuse, II), (1912d), *La vie sexuelle,* Paris, PUF, 1969, p. 61 ; *OCF* XI, p. 136 ; *GW* VIII, p. 186.

autant, cela n'est valable que pour la pulsion sexuelle (l'accoutumance du buveur resserre son lien à l'alcool) avec laquelle le besoin amoureux baisse lorsqu'il est facile : « il faut un obstacle pour faire monter la libido » – et cette relation de l'amant à son objet sexuel n'est pas sans nous étonner. Pour l'expliquer, « on devrait envisager la possibilité que quelque chose dans la nature même de la pulsion sexuelle ne soit pas favorable à la réalisation de la pleine satisfaction », ce qui tiendrait à la longue et difficile histoire du développement : le premier objet perdu doit être représenté par une série infinie d'objets substitutifs, conduisant à une « faim d'excitation » dans la vie amoureuse, et il y a aussi des pulsions partielles puissantes peu éducables ; ainsi, « la persistance des motions non utilisées se manifeste dans l'activité sexuelle comme insatisfaction » [1] – et la situation de frustration apparaît comme inhérente à la condition humaine.

Ce qui, en 1914, conduit à la formule selon laquelle « un solide égoïsme préserve de la maladie, mais à la fin on doit se mettre à aimer pour ne pas tomber malade, et l'on doit tomber malade lorsqu'on ne peut aimer, par suite de frustration » [2]. Mais c'est aussi affaire de haine, car le moi exècre et veut détruire tout objet qui devient source de déplaisir, que ce soit par frustration de satisfaction sexuelle ou frustration de la satisfaction des besoins de conservation [3].

« **Les êtres humains deviennent névrosés par suite de la frustration** », frustration de la satisfaction des désirs libidinaux – cependant, « un assez long détour est nécessaire pour comprendre cette thèse ». Au départ d'une névrose, il faut un conflit entre un moi qui exprime les revendications des pulsions d'auto-conservation et englobe les idéaux de son être propre, et la libido lorsqu'elle se lance sur des voies et vers des buts depuis longtemps dépassés et proscrits par ce moi ; elle ne fait cela que si lui est retirée la possibilité d'une satisfaction qui serait en accord avec le moi. « Ainsi la privation, la frustration d'une

1. *Ibidem,* p. 63-65 ; p. 138-141 ; p. 188-190.

2. « Pour introduire le narcissisme » (1914c), *La vie sexuelle,* Paris, PUF, 1969, p. 91 ; *OCF* XII, p. 229 ; *GW* X, p. 151.

3. « Pulsions et destins des pulsions » (1915c), *Métapsychologie,* Paris, Gallimard, 1968, p. 41 ; *OCF* XIII (2e éd.), p. 185 ; *GW* X, p. 230.

satisfaction réelle, devient la première condition de la constitution de la névrose, bien que n'étant pas la seule, à beaucoup près. » Freud illustre ceci de deux cas de mélancolie dans lesquels la vie avait pourtant apporté satisfaction aux aspirations : « La maladie apparaît avec l'accomplissement du désir et en anéantit la jouissance. » Il semble d'abord que ces exemples contredisent la thèse selon laquelle la maladie résulte de la frustration ; il n'en est rien si on distingue entre une frustration externe et une frustration interne. Elle est externe lorsque disparaît, dans la réalité, l'objet par lequel la libido peut trouver sa satisfaction ; elle est en soi sans effet et reste non pathogène aussi longtemps qu'elle demeure isolée. Mais la frustration est interne lorsqu'elle émane du moi pour contester à la libido les objets dont elle veut à présent s'emparer ; elle vient s'associer à l'externe, et c'est alors que naît un conflit, avec la possibilité d'une névrose – c'est-à-dire d'une satisfaction substitutive, détournée, qui passe par le refoulé. « Ainsi, la frustration interne entre en ligne de compte dans tous les cas », mais elle n'entre en action que si une frustration externe réelle lui a préparé la place. Dans les cas où les hommes tombent malades du fait du succès, la frustration interne a agi isolément ; elle ne s'est manifestée qu'après que la frustration externe a laissé la place à l'accomplissement du désir[1]. En fait, conscience morale et culpabilité, qui provoquent la maladie du fait du succès – « comme on le devient ordinairement du fait de la frustration » – dépendent intimement du complexe d'Œdipe[2].

Tout ceci ne peut qu'influer sur la conduite de l'analyse. Freud est ainsi amené à énoncer un principe fondamental de sa technique : « **le traitement psychanalytique doit autant que possible s'effectuer dans un état de frustration, d'abstinence** », précisant que ce dernier mot ne doit pas être entendu au sens populaire, mais qu'il se rapporte à la dynamique même de la cure. Une frustration a causé la maladie, les symptômes sont des satisfactions substitutives ; toute amélioration ralentit le rétablissement et diminue la force pulsionnelle qui pousse

1. « Quelques types de caractère dégagés par le travail psychanalytique » (1916d), *L'inquiétante étrangeté et autres essais,* Paris, Gallimard, 1985, p. 146-148 ; *OCF* XV, p. 20-22 ; *GW* X, p. 370-372.

2. *Ibidem,* p. 168 ; p. 38 ; p. 389.

vers la guérison. Il faut en déduire, aussi cruel que cela puisse sembler, que « nous devons veiller à ce que les souffrances du malade ne s'atténuent pas prématurément de façon marquée », envisager de « recréer la souffrance sous les espèces d'une autre frustration pénible, faute de quoi nous courrions le risque de n'obtenir jamais qu'une faible et passagère amélioration » [1].

Encore une fois, il faut en revenir au constat qu'à l'origine des psychonévroses ou des psychoses se trouve toujours la frustration, ce non-accomplissement d'un désir infantile indompté, enraciné profondément dans la phylogenèse ; mais, **en dernière analyse, cette frustration vient toujours du dehors** (mis à part le cas où elle émane du surmoi comme représentant les exigences de la réalité) [2].

Et le « dehors » renvoie toujours aux autres (à commencer par les parents avec l'Œdipe), c'est-à-dire à la société ; Freud l'explore plus avant en étudiant les effets de la civilisation. C'est d'ailleurs à ce propos, et comme en préalable, qu'il est amené en 1927 à fixer les définitions : « Afin d'unifier notre vocabulaire, **nous désignerons le fait qu'une pulsion ne soit pas satisfaite par le terme de "frustration"**, le moyen par lequel cette frustration est imposée par celui d'interdiction, et l'état que produit l'interdiction par celui de privation. » [3]

Mais c'est en 1930, dans *Malaise dans la civilisation,* qu'il est amené à vraiment explorer les effets et les moyens des frustrations. La civilisation repose sur le renoncement pulsionnel, elle postule la non-satisfaction ; il s'agit du « refus culturel » *(Kulturversagung)* qui régit les rapports sociaux. entre humains ; et nous savons déjà qu'en lui réside la cause de l'hostilité contre laquelle toutes les civilisations ont à lutter [4]. Plus loin dans l'ouvrage, il tient à prendre ses distances avec

1. « Les voies de la thérapie psychanalytique » (1919a [1918]), *De la technique psychanalytique,* Paris, PUF, 1953, p. 135-136 ; *OCF* XV, p. 102-103 ; *GW* XII, p. 187.

2. « Névrose et psychose » (1924b), *Névrose, psychose et perversion,* Paris, PUF, 1973, p. 285 ; *OCF* XVII, p. 5-6 ; *GW* XIII, p. 390.

3. *L'avenir d'une illusion* (1927c), Paris, PUF, 1971, p. 15 ; *OCF* XVIII, p. 150 ; *GW* XIV, p. 331.

4. *Malaise dans la civilisation* (1930a [1929]), Paris, PUF, 1971, p. 47 ; *OCF* XVIII, p. 285 ; *GW* XIV, p. 457.

la récente théorie qui voudrait que toute privation, toute entrave à une satisfaction pulsionnelle, pourrait entraîner une aggravation du sentiment de culpabilité (et de préciser qu'il vise notamment les ouvrages de Ernest Jones, Suzanne Isaacs, Melanie Klein) ; c'est là réduire considérablement les difficultés théoriques en n'appliquant ce principe qu'aux pulsions agressives. Pour expliquer dynamiquement et économiquement qu'un renforcement du sentiment de culpabilité puisse se produire en lieu et place d'une exigence érotique insatisfaite, il faudrait que l'empêchement de la satisfaction érotique entraîne une agressivité contre la personne qui le provoque, puis que cette agressivité soit à son tour réprimée. « Mais dans ce cas, une fois réprimée et transférée au surmoi, c'est l'agressivité seule qui se mue en sentiment de culpabilité. » Les symptômes sont des substituts de satisfactions de désirs sexuels non exaucés ; nous avons découvert que toute névrose pouvait recéler une dose de sentiment de culpabilité inconscient qui vient à son tour renforcer les symptômes en les utilisant comme punitions. D'où la formule : si une pulsion succombe au refoulement, ses éléments libidinaux se transforment en symptômes, ses éléments agressifs en sentiments de culpabilité. « Même si cette distinction n'est juste que d'une façon approximative, elle mérite notre intérêt. »[1] On doit ici remarquer que, dans ce développement, et notamment dans la partie consacrée au développement de la petite fille, Freud évite de recourir au terme de « frustration ».

Par la suite, il ne fera que confirmer ses positions et propositions, tout en rappelant les incertitudes persistantes : « On sait que les conditions étiologiques des névroses ne sont pas encore connues de façon certaine. » On sait pourtant qu'elles sont provoquées par les frustrations et les conflits entre les trois grandes instances psychiques. « La psychologie des névroses s'efforce de retrouver ce qui rend pathogènes ces processus appartenant au cours normal de la vie psychique. »[2] La même année, il s'interroge sur les effets de « la première intervention de l'interdit », celle qui fait apparaître le conflit

1. *Ibidem*, p. 98-99 ; p. 325-326 ; p. 498-499.

2. « Des types libidinaux » (1931a), *La vie sexuelle*, Paris, PUF, 1969, p. 159 ; *OCF* XIX, p. 6 ; *GW* XIV, p. 513.

qui, dès lors, accompagne le développement de la fonction sexuelle (notamment les effets de la castration chez la petite fille). En dépit du lien intense premier à la mère, la fille trouve le plus fort motif d'éloignement dans le reproche qu'elle ne lui a pas donné un vrai organe génital. Mais il est un autre reproche qui remonte plus loin : elle n'a pas donné suffisamment de lait à l'enfant et ne l'a pas nourri assez longtemps. Peu importent les réalités, « si grande est l'avidité de la libido infantile ! ». Freud énumère alors toutes les motivations découvertes par l'analyse, mais « tous ces motifs paraissent insuffisants pour justifier l'hostilité finale » ; d'où la conclusion que, peut-être, l'attachement à la mère doit sombrer, justement parce qu'il est le premier, et tellement intense[1]. Face à cela, la civilisation dresse ses barrières ; il faut donc que « l'éducation inhibe, interdise, réprime et elle y a d'ailleurs largement veillé en tout temps ». Mais nous avons aussi appris que cette répression des pulsions entraîne le danger d'entrée dans la névrose. « L'éducation doit donc chercher son chemin entre le Scylla du laisser-faire et le Charybde de la frustration. »[2]

En 1938, l'*Abrégé de psychanalyse* conclut sur l'implacable destin de l'individu humain : « Si longtemps que l'enfant ait tété le sein de sa mère, il restera toujours convaincu, après le sevrage, d'avoir tété trop peu et pendant un temps trop court. »[3]

QUESTIONS ET ENJEUX

La frustration est une preuve et une épreuve : preuve de la réalité en tant que source d'insatisfaction, épreuve douloureuse d'avoir à

1. « Sur la sexualité féminine » (1931b), *La vie sexuelle,* Paris, PUF, 1969, p. 146-147 ; *OCF* XIX, p. 18-19 ; *GW* XIV, p. 527-528.

2. *Nouvelles conférences d'introduction à la psychanalyse* (1933a [1932]), Paris, Gallimard, 1984, p. 199-200 ; *OCF* XIX, p. 233-234 ; *GW* XV, p. 160.

3. *Abrégé de psychanalyse* (1940a [1938]), Paris, PUF, 1985, p. 59 ; *OCF* XX, p. 283 ; *GW* XVII, p. 115.

s'en accommoder ; tout aussi bien, elle est refus par l'individu du refus qui lui est opposé. Il en va ainsi car elle se trouve *située aux confluences,* à commencer par celle de l'individu avec les exigences tant du monde extérieur que de l'intérieur ; cette situation se trouve représentée au mieux par les premières insatisfactions du petit enfant dont la faim demeure inassouvie et qui hait, exècre tout ce qui présente et représente cette privation. Elle témoigne, en elle-même, de ce dedans/dehors se signifiant par la nécessaire conjonction d'une frustration interne et d'une frustration externe pour apparaître et pouvoir être reconnue[1]. Elle concerne donc d'abord les manquements, les frustrations aux besoins de conservation du moi avant que les désirs sexuels, s'y étayant, se voient à leur tour frustrés – au point que l'on peut « affirmer que les prototypes véritables de la relation de haine ne sont pas issus de la vie sexuelle, mais de la lutte du moi pour sa conservation et son affirmation »[2]. En cela, il s'agit donc aussi de la confluence des pulsions de conservation avec les pulsions sexuelles. Mais on doit, tout aussi bien, parler de la confluence de l'intérieur et de l'extérieur, à ceci près que « la frustration vient toujours, en dernière analyse, du dehors », même si elle renvoie à des désirs infantiles indomptés et enracinés dans la phylogenèse[3]. On peut dire la même chose en évoquant la confluence du biologique tel qu'il se manifeste de par les sources de la pulsion, et de la société telle qu'elle entend limiter et contrôler la satisfaction des buts pulsionnels.

En somme, c'est de façon étroite que la frustration *dépend de la pulsion,* qu'elle exprime le rapport engagé avec elle ; elle est le premier sentiment éprouvé face à sa poussée lorsque est ressentie la non-satisfaction de son but, et ce en dépit des exigences émanant de sa source. Elle *présuppose un moi,* à ceci près qu'elle contribue à la formation de ce moi au travers de la genèse du principe de réalité émergeant de l'insatisfaction du principe de plaisir-déplaisir. Affaire

1. « Quelques types de caractère dégagés par le travail psychanalytique » (1916d), *L'inquiétante étrangeté et autres essais,* Paris, Gallimard, 1985, p. 148 ; *OCF* XV, p. 22 ; *GW* X, p. 372.

2. « Pulsions et destins des pulsions » (1915c), *Métapsychologie,* Paris, Gallimard, 1968, p. 41 ; *OCF* XIII (2e éd.), p. 185 ; *GW* X, p. 230.

3. « Névrose et psychose » (1924b), *Névrose, psychose et perversion,* Paris, PUF, 1973, p. 285 ; *OCF* XVII, p. 5-6 ; *GW* XIII, p. 390.

du moi, la frustration est bien affaire de *rapport de ce moi à la réalité* ; Freud l'énonce avant même de concevoir un moi-instance[1], mais lui donne tout son sens avec la deuxième topique : la frustration émane du moi, témoignant des poussées du ça et des pressions du surmoi.

Avec tout cela, *le statut de la frustration* est loin d'être évident. Elle commence par être un constat ; prise dans la phénoménologie des affects éprouvés, elle en est d'abord une description, simple, voir brutale – comme le résume, assez tard, l'article sur « La négation » (qui se fonde justement sur l'appréciation du dehors et du dedans, du réel et du non-réel) *:* ça se résume, « exprimé dans le langage des motions pulsionnelles les plus anciennes, orales [… par] cela je veux l'introduire en moi, et cela l'exclure de moi »[2], manifestant le refus d'être frustré. Cette simplicité demeure tant qu'il s'agit des pulsions du moi, orales d'abord, mais, alors que le vin offre toujours au buveur la même satisfaction pour peu qu'il puisse s'en procurer, tout se complique avec la pulsion sexuelle dont l'importance croît avec sa frustration. « Pourquoi la relation de l'amant à son objet sexuel est-elle si différente ? » Freud pense alors, aussi étrange que cela puisse lui paraître, que « quelque chose dans la nature même de la pulsion sexuelle ne soit pas favorable à la réalisation de la pleine satisfaction », ce qui peut s'expliquer par la bisexualité de tout être, par le difficile développement depuis l'objet originaire et la série infinie d'objets substitutifs conduisant la vie amoureuse à une « faim d'excitation » toujours inassouvie[3]. Cette fois (nous sommes en 1912), c'est la condition humaine qui est en cause. Dans cette insatisfaction essentielle on peut deviner ce qui va conduire à aller en 1920 au-delà du principe de plaisir, en changeant tout de même quelque paradigme. Pour autant, peut-on considérer la frustration comme un *véritable concept* ? Il ne nous semble pas, la conceptualisation portant

1. « Quelques types de caractère dégagés par le travail psychanalytique » (1916d), *L'inquiétante étrangeté et autres essais*, Paris, Gallimard, 1985, p. 146 ; *OCF* XV, p. 21 ; *GW* X, p. 370.

2. « La négation » (1925h), *Résultats, idées, problèmes, II*, Paris, PUF, 1984, p. 137 ; *OCF* XVII, p. 168-169 ; *GW* XIV, p. 13.

3. « Sur le plus général des rabaissements de la vie amoureuse (Contribution à la psychologie amoureuse, II) » (1912d), *La vie sexuelle*, Paris, PUF, 1969, p. 63-65 ; *OCF* XI, p. 139-141 ; *GW* VIII, p. 89-90.

plutôt sur des notions connexes, comme le principe de réalité, ou la pulsion elle-même.

En fait, notion immédiate, ancrée dans et par l'épreuve de réalité, la frustration a aussi, et peut-être d'abord, un *intérêt pratique*. En effet, la technique analytique impose « l'obligation de refuser à la patiente avide d'amour la satisfaction qu'elle réclame, et le traitement doit se pratiquer dans l'abstinence » ; il faut poser comme principe que doivent subsister besoins et désirs, car ce sont là les forces motrices favorisant le travail de la cure ; elles ne doivent pas être diminuées par des succédanés de satisfactions[1]. C'est parce que la frustration est bien la première cause des psychonévroses qu'elle s'avère essentielle à la conduite de la cure, en déterminant un « principe fondamental [...] : le traitement psychanalytique doit autant que possible s'effectuer dans un état de frustration » (c'est là ce qui pourra être désigné comme *principe, ou règle d'abstinence*. La frustration devient ainsi un instrument. Elle doit, d'une part, permettre le maintien sous tension de la « force pulsionnelle qui aiguillonne vers la guérison » ; le sentiment de frustration nous est indispensable car sa diminution compromettrait l'accession au but que nous poursuivons[2] ; d'autre part, elle est le sentiment le plus fort qui anime le transfert et se fait ainsi le meilleur faire-valoir à son interprétation. C'est ainsi qu'a pu être posée une règle (ou un principe) d'abstinence qui veille à éviter que le patient puisse trouver des satisfactions substitutives à ses symptômes. Nous retrouvons alors, par la clinique, un autre moteur du fonctionnement psychique : dans la causation des psychonévroses nous découvrons un rapport entre devenir malade du fait du succès, et le devenir du fait de la frustration ; il s'agit là derrière du *sentiment de culpabilité*, en dépendance étroite du complexe d'Œdipe[3]. C'est affaire de civilisation, elle qui impose le renoncement aux satisfactions pulsionnelles instinctives, engendre un « renoncement du fait de la culture », et, de par cette frustration, suscite une hostilité contre la civilisation

1. « Observations sur l'amour de transfert » (1915a [1914]), *De la technique psychanalytique,* Paris, PUF, 1953, p. 122-123 ; *OCF* XII, p. 205 ; *GW* X, p. 313.

2. « Les voies de la thérapie psychanalytique » (1919a [1918]), *De la technique psychanalytique,* Paris, PUF, 1953, p. 135-136 ; *OCF* XV, p. 102-103 ; *GW* XII, p. 187.

3. « Quelques types de caractère dégagés par le travail psychanalytique » (1916d), *L'inquiétante étrangeté et autres essais,* Paris, Gallimard, 1985, p. 168 ; *OCF* XV, p. 38 ; *GW* X, p. 389.

elle-même, agressivité qui ne peut qu'être coupable. Et le travail analytique nous a révélé que toute névrose peut receler une dose de sentiment de culpabilité inconscient qui renforce les symptômes en les utilisant comme punitions et, peut-on penser, les lie de fait au renoncement culturel. D'où la formule : « Quand une pulsion succombe au refoulement ses éléments libidinaux se transforment en symptômes, ses éléments agressifs en sentiments de culpabilité. » [1]

Claude LE GUEN

1. *Malaise dans la civilisation* (1930a [1929]), Paris, PUF, 1971, p. 47 et 99 ; *OCF* XVIII, p. 285 et 326 ; *GW* XIV, p. 457 et 499.

G

GÉNITALE et PHALLIQUE (phases)

Le mot « génital » est identique dans les cinq langues.
all. : ***phallische.*** – angl. : *phallic.* – esp. : *fálica.* – ital. : *fallica.* – port. : *fálica*

« Nous avons réservé le nom de phase *génitale* à l'organisation sexuelle définitive qui s'établit après la puberté, où l'organe génital féminin trouve la reconnaissance que l'organe masculin avait acquise depuis longtemps. »[1] Aboutissement de l'évolution sexuelle, elle est infiltrée par les phases qui l'ont précédée et préparée. La phase *phallique* correspond au moment où les pulsions partielles prégénitales sont unifiées sous le primat des organes génitaux, préparant la puberté et l'organisation génitale qui la caractérise, ne s'en différenciant que du fait qu'à ce moment l'enfant ne connaît que le seul organe génital mâle, le phallus – et son absence. Cette phase est ainsi dominée par le complexe de castration et correspond à l'acmé du complexe d'Œdipe.

1. *Nouvelles conférences d'introduction à la psychanalyse* (1933a [1932]), Paris, Gallimard, 1984, p. 133 ; *OCF* XIX, p. 181 ; *GW* XV, p. 105.

MISE EN SITUATION

La phase génitale succède aux phases prégénitales, la phase phallique assurant l'articulation entre les deux. Nous pouvons d'ailleurs remarquer qu'il en va du « génital » et de son antonyme « prégénital » comme de l'inconscient par rapport à la conscience, à ceci près qu'ici le préfixe, plutôt que d'être privatif, marque l'antériorité. Dans l'un et l'autre cas, le mot qui importe n'est pas tant celui qui se trouve modifié (presque trop parfait pour correspondre à une réalité) que celui qui modifie. De même que la conscience est un état transitoire et fugace, souhaitable mais incertain, le génital doit spécifier un état adulte idéal toujours incertain, aboutissement partiel toujours menacé par les régressions aux organisations qui l'ont précédé.

Lorsque la phase phallique est reconnue en 1923, Freud tend d'abord à la situer comme troisième phase prégénitale, même si, dès ce moment, il l'associe étroitement à la génitale. Progressivement, il va les rapprocher de plus en plus, jusqu'à parler de « phase phallique-génitale ». C'est ce qui nous a conduit, dans ce dictionnaire, à les regrouper sous une entrée commune.

LE TEXTE FREUDIEN

Dans sa correspondance avec Wilhelm Fliess, Freud évoque des zones qui, « chez l'homme normal adulte ont cessé d'être le siège de décharges sexuelles, [et qui] sont les régions anales et bucco-pharyngiennes ». Si « la zone génitale mâle » subsiste chez le garçon, elle s'efface, au moins partiellement, chez la fille au moment de la puberté (d'où des réactions de dégoût à l'égard de la sexualité)[1]. On

1. *La naissance de la psychanalyse. Lettres à Wilhelm Fliess. Notes et plans (1887-1902)* (1950a [1887-1902]), Paris, PUF, 1956, p. 205-206 (lettre du 14 novembre 1897) (*Lettres à Wilhelm Fliess* (éd. complète), Paris, PUF, 2006, p. 354-356).

voit donc, dès cette époque, s'esquisser quelques thèmes de réflexions, mais qui sont encore très loin d'une théorie de la sexualité infantile.

En 1905, avec les *Trois essais sur la théorie sexuelle,* après avoir dû admettre que la sexualité des femmes lui apparaît « voilée d'une obscurité encore impénétrable », que ce soit en raison des effets de civilisation ou d'une insincérité conventionnelle[1], Freud en vient à la vie sexuelle infantile. Il la définit comme **autoérotique (l'objet est le corps propre), animée de différentes pulsion partielles** sans liens entre elles, poursuivant chacune pour elle-même le gain de plaisir. Avec la puberté **elles vont se regrouper en une organisation solide sous le primat d'une zone érogène unique** qui permet d'atteindre le plaisir dans un objet sexuel étranger, entrant ainsi au service de la fonction de reproduction, aboutissant alors à « la vie sexuelle dite normale de l'adulte » – celle-là qui sera spécifiée comme « génitale ». Freud estime alors que dès l'enfance le choix d'objet peut se diriger vers une seule personne, bien que « la synthèse des pulsions partielles et leur subordination au primat des parties génitales » ne soit pas encore réalisée à cette époque (un bref article de 1923 qui aurait dû être intégré à cet ouvrage, puis une note de 1924 introduisant la phase phallique, viendront rectifier cette façon de voir)[2].

La puberté inaugure donc « **la vie sexuelle normale définitive** », **où la pulsion sexuelle trouve un objet sexuel qui permet d'atteindre le nouveau but sexuel** ; celui-ci est très différent dans les deux sexes, celui de l'homme nous étant le plus accessible. La normalité sexuelle dépend de la convergence du courant tendre et du courant sensuel, tous deux dirigés vers l'objet et le but sexuel, qui est dorénavant de décharger des produits sexuels en atteignant dans cet acte l'apogée du plaisir. « **La pulsion sexuelle se met à présent au service de la fonction de reproduction ; elle devient pour ainsi dire altruiste.** »[3] À cette même époque, chez la femme, l'érogénéité du clitoris est transférée à l'orifice vaginal ; elle change sa zone directrice alors que l'homme

1. *Trois essais sur la théorie sexuelle* (1905d), Paris, Gallimard, 1987, p. 59 ; *OCF* VI, p. 84 ; *GW* V, p. 50.

2. *Ibidem,* p. 128-130 ; p. 133-136 ; p. 98-100.

3. *Ibidem,* p. 143-144 ; p. 145-146 ; p. 108-109.

conserve la sienne depuis l'enfance. Avec le primat des zones génitales, le membre viril, devenu érectile, indique impérieusement à l'homme le nouveau but sexuel : pénétrer une cavité corporelle qui excite la zone génitale ; il peut maintenant, du côté psychique, découvrir l'objet, ce à quoi l'a préparé tout un travail depuis la première enfance[1].

En 1912, l'existence des « deux courants » est confirmée et précisée : le courant tendre, qui est le plus ancien, remonte aux toutes premières années, formé par la pulsion d'auto-conservation et dirigé sur ceux qui donnent les soins à l'enfant ; il s'y adjoint très tôt des apports des pulsions sexuelles qui s'étaient sur les pulsions du moi ; ce qui « correspond au *choix d'objet infantile primaire* ». **Ces fixations tendres persévèrent durant l'enfance, entraînant avec elles un érotisme qui se trouve ainsi détourné de ses buts sexuels.** À la puberté s'y ajoute « le puissant courant » sensuel « qui ne méconnaît plus ses buts » ; il suit les voies antérieures, investit de fortes charges libidinales les objets primaires infantiles, mais se heurte à l'obstacle nouveau de la barrière de l'inceste ; il lui faut donc changer d'objets, en trouver d'autres, étrangers, pour mener une vie sexuelle réelle[2].

Dans ce même ouvrage, est apportée une forte correction à ce qui pourrait apparaître comme un idéal génital que réaliserait « la vie sexuelle normale » : « Aussi étrange que cela paraisse, je crois que l'on devrait envisager la possibilité que quelque chose dans la nature même de la pulsion sexuelle ne soit pas favorable à la réalisation de la pleine satisfaction. » Cela résulterait d'une part de l'instauration du choix d'objet en deux temps séparés par la barrière contre l'inceste, l'objet final n'étant plus originaire mais un substitut, « une série infinie d'objets substitutifs, dont aucun ne suffit pleinement ». Voilà qui nous explique l'inconstance dans le choix d'objet, la « faim d'excitation » qui caractérisent si fréquemment la vie amoureuse des adultes. D'autre part, la persistance de composantes (essentiellement coprophiliques) qui devront être réprimées ou utilisées autrement car incompatibles avec les exigences morales et esthétiques. L'excrémen-

1. *Ibidem,* p. 164 ; p. 160 ; p. 123.

2. « Sur le plus général des rabaissements de la vie amoureuse (Contribution à la psychologie de la vie amoureuse, II) » (1912d), *La vie sexuelle,* Paris, PUF, 1969, p. 56-57 ; *OCF* XI, p. 130-131 ; *GW* VIII, p. 79-80.

tiel demeure trop inséparable du sexuel, en raison de la situation des organes génitaux[1].

L'année suivante, face à l'accomplissement génital, est introduit le terme d'organisation « prégénitale ». Avec lui, la psychanalyse reconnaît l'existence de pulsions partielles sexuelles et de zones érogènes : « **Cette extension ainsi acquise du concept de "fonction sexuelle" par opposition à celui, plus restreint, de "fonction génitale", est une question de vie ou de mort pour la psychanalyse.** »[2] En 1915, la *Métapsychologie* se borne à reprendre ce qui fut déjà avancé, d'abord sur le prégénital et les pulsions partielles dont le but se limite à l'obtention du *plaisir d'organe* ; elles doivent se regrouper pour servir la *fonction de reproduction,* étayer les pulsions sexuelles qui se font alors connaître comme telles. Dans la découverte de l'objet, celles-ci suivent les voies indiquées par les pulsions du moi, une partie leur restant associée tout au long de la vie. « **Ce qui les distingue est leur possibilité, dans une large mesure, de se remplacer l'une l'autre de façon vicariante, et d'échanger facilement leurs objets.** » « Aimer » n'a de sens que « dans la relation du moi à son objet sexuel », son emploi ne peut être pertinent qu'à partir de « la synthèse de toutes les pulsions partielles de la sexualité sous le primat de des organes génitaux et au service de la fonction de reproduction »[3].

1923 marque un tournant. Jusque-là, l'exposé était surtout *descriptif,* partant de la fonction biologique et de la détermination par les sources pulsionnelles. Maintenant – et sans renier ces acquis en rien –, l'évolution de la sexualité tend à être soumise à celle du complexe d'Œdipe. Curieusement, ce qui peut apparaître comme une « révolution épistémologique » est énoncé dans un fort petit article destiné à s'intégrer dans les *Trois essais sur la théorie sexuelle* mais qui sera finalement publié à part ; il se présente comme une rectification de la thèse selon laquelle, dès l'enfance, un choix d'objet s'effectue sur le

1. *Ibidem,* p. 64-65 ; p. 139-140 ; p. 89-90.

2. « La disposition à la névrose obsessionnelle. Une contribution au problème du choix de la névrose » (1913f), *Névrose, psychose et perversion,* Paris, PUF, 1973, p. 194-195 ; *OCF* XII, p. 91 ; *GW* VIII, p. 448-449.

3. « Pulsions et destins des pulsions » (1915c), *Métapsychologie,* Paris, Gallimard, 1968, p. 24 et 41 ; *OCF* XIII (2e éd.), p. 171 et 184 ; *GW* X, p. 216 et 230.

modèle de celui caractéristique de la phase pubertaire et qui, dirigé vers une personne unique, cherche à atteindre son but en elle – ce qui est donc tout proche de la forme définitive que prendra la vie sexuelle adulte, en différant seulement par l'absence ou l'insuffisance de synthèse des pulsions partielles et de leur subordination au génital. C'est précisément cela que Freud doit maintenant rectifier : « **La vie sexuelle de l'enfant se rapproche de celle de l'adulte dans une bien plus grande mesure et cela ne concerne pas seulement la survenue d'un choix d'objet.** » Même s'il n'y a pas de véritable synthèse, « l'intérêt pour les organes génitaux et l'activité génitale acquièrent cependant une importance dominante qui ne le cède que peu à celle de la maturité ». Cette « *organisation génitale infantile* » ne se différencie de l'organisation génitale de l'adulte que de ce que, « **pour les deux sexes *un* seul *organe génital,* l'organe mâle, joue un rôle.** Il n'existe donc pas un primat génital, mais **un primat du *phallus*** ». Ainsi apparaît ce qui, l'année suivante, va recevoir le nom de *stade d'organisation phallique,* introduit comme tel par un addendum aux *Trois essais sur la théorie sexuelle,* qui est cette fois véritablement intégré. Tout en regrettant que cette description ne soit valable que chez l'enfant mâle, Freud conclut : « **On ne peut apprécier à sa juste valeur la signification du complexe de castration qu'à la condition de faire entrer en ligne de compte sa survenue à la phase du primat du phallus.** »[1] Ceci est spécifié en 1924 : il convient dorénavant d'ajouter aux deux organisations prégénitales (orale et anale), une troisième phase, qui sera dite « *phallique* » car elle ne connaît qu'un seul organe génital : le masculin ; il n'en demeure pas moins qu'à ceci près, elle « **mérite déjà le nom de génitale** » car les tendances sexuelles convergent sur un objet sexuel[2].

Dans les années suivantes, le complexe d'Œdipe est particulièrement étudié dans une suite de textes. Ceux-ci commencent par s'appuyer sur les « acquis récents » qu'implique une *phase phallique,* marquée par la reconnaissance du seul organe génital masculin, organisation génitale qui sombre lors de la menace de castration – avec la

1. « L'organisation génitale infantile » (1923e), *La vie sexuelle,* Paris, PUF, 1969, p. 113-115 ; *OCF* XVI, p. 306-308 ; *GW* XIII, p. 295-296.

2. *Trois essais sur la théorie sexuelle* (1905d), Paris, Gallimard, 1987 (note ajoutée en 1924), p. 135 ; *OCF* VI, p. 136 ; *GW* V, p. 100.

petite fille le matériel devenant, « de façon incompréhensible, beaucoup plus obscur et lacunaire »[1]. **La connaissance de l'Œdipe de la petite fille s'ébauche progressivement, avec une meilleure compréhension de ce que peut être, pour elle, la phase phallique avec la découverte de l'absence de pénis qui la conduit tant au *déni de la castration* qu'à *l'envie du pénis ;*** pour accéder à la génitalité, il faudra que glisse sa libido jusqu'au *désir d'enfant*. Ainsi, « tandis que le complexe d'Œdipe du garçon sombre sous l'effet du complexe de castration, celui de la fille est rendu possible et est introduit par le complexe de castration ». Il y a bien une différence dans le développement sexuel de l'homme et de la femme – et donc dans leur accès à la phase génitale adulte – qui résulte de la différence anatomique des organes génitaux, et de ce que cela implique psychiquement[2].

La réflexion sur l'Œdipe de la fille se poursuit (ce qui permet aussi de réinterroger celui du garçon, pourtant censé être plus « simple » et plus « évident » ? C'est, bien évidemment, le contenu des phases phallique et génitale qui, ce faisant, se trouve implicitement repris : la durée du lien exclusif à la mère, intense et passionné, avait été jusqu'alors fortement sous-estimé, et il faut constater que la **phase de pré-Œdipe de la femme prend une importance considérable.** C'est alors tout le développement sexuel féminin qui doit être revu : – sa bisexualité (appuyée sur le vagin, proprement féminin, et le clitoris, analogue au pénis) est bien plus forte que celle de l'homme (qui n'a qu'un seul organe sexuel) ; – sa vie sexuelle se déroule en deux phases, dont seule la seconde est spécifiquement féminine ; – à la différence de l'homme, elle doit changer d'objet ; – sa phase préœdipienne, de lien exclusif à la mère, a une importance bien plus grande que chez l'homme, mais est fortement ambivalente[3]. Ce n'en sont pas moins **les mêmes forces libidinales qui œuvrent dans les deux sexes et,**

1. « La disparition du complexe d'Œdipe » (1924d), *La vie sexuelle*, Paris, PUF, 1969, p. 118-121 ; *OCF* XVII, p. 28-32 ; *GW* XIII, p. 396-400.

2. « Quelques conséquences psychologiques de la différence anatomique entre les sexes » (1925j), *La vie sexuelle*, Paris, PUF, 1969, p. 126-130 ; *OCF* XVII, p. 195-200 ; *GW* XIV, p. 23-28.

3. « Sur la sexualité féminine » (1931b), *La vie sexuelle*, Paris, PUF, 1969, p. 139-148 ; *OCF* XIX, p. 9-20 ; *GW* XIV, p. 517-528.

pendant un temps, les deux se sont engagés dans les mêmes chemins pour parvenir aux mêmes résultats[1].

Les *Nouvelles conférences d'introduction à la psychanalyse*, en 1933, reprennent tout ceci. Elles commencent par situer, en tant que troisième phase prégénitale, la *phase phallique* dans laquelle, pour les deux sexes, le membre viril (et le clitoris qui lui correspond chez la petite fille) acquiert une importance prévalente – réservant le qualificatif de *phase génitale* à « l'organisation sexuelle définitive qui s'établit après la puberté, où l'organe génital féminin trouve la reconnaissance que l'organe masculin avait acquise depuis longtemps »[2]. Le désir de la petite fille pour son père renvoie au désir du pénis dont la mère l'a privée et qu'elle attend maintenant de lui, « mais la situation féminine ne se trouve instaurée que lorsque le désir du pénis est remplacé par celui de l'enfant ». Certes, elle a déjà désiré un enfant pendant la phase phallique, et tel est le sens de son jeu avec les poupées, mais ce n'était là qu'identification à la mère en vue de remplacer la passivité par l'activité. « **Ce n'est qu'avec l'apparition du désir que l'enfant-poupée devient un enfant du père** », **la petite fille entrant ainsi dans le complexe d'Œdipe** – la féminité peut alors se mettre en place[3].

Dans « L'analyse avec fin et l'analyse sans fin », en 1937, la phase phallique est clairement associée à la phase génitale, Freud parlant nommément de la « **phase phallique-génitale** » qui succède à la phase sadique-anale. Comme il précise alors que nous savons maintenant que ces substitutions se font progressivement, si bien qu'une part de l'organisation antérieure subsiste à côté de la plus récente, nous pouvons penser que c'est là ce qui l'a conduit à **renoncer aux oppositions tranchées et à replacer le phallique avec le génital** : « **même dans le développement normal, la transformation ne se fait jamais complètement** », et dans la configuration définitive on trouve des restes des premières fixations libidinales[4].

1. *Ibidem*, p. 151 ; p. 24 ; p. 533.

2. *Nouvelles conférences d'introduction à la psychanalyse* (1933a [1932]), Paris, Gallimard, 1984, p. 133-134 ; *OCF* XIX, p. 181 ; *GW* XV, p. 105.

3. *Ibidem*, p. 171-172 ; p. 211-212 ; p. 137-138.

4. « L'analyse avec fin et l'analyse sans fin » (1937c), *Résultats, idées, problèmes, II*, Paris, PUF, 1984, p. 243-244 ; *OCF* XX, p. 29-30 ; *GW* XVI, p. 72-73.

L'année suivante, l'*Abrégé de psychanalyse* peut conclure que « c'est avec et pendant la phase phallique que la sexualité infantile atteint son point culminant et se rapproche de son déclin ». Les destins du garçon et de la fille vont dès lors diverger. Le petit garçon entre dans l'Œdipe, manipule son pénis en fantasmant à propos de sa mère puis, sous le double effet de la menace de castration et du constat du manque de pénis de la femme, il « subit le plus grand traumatisme de sa vie qui inaugure la période de latence avec toutes ses conséquences ». La petite fille finit par reconnaître, dépitée, l'infériorité de son clitoris, « ce qui a sur la formation de son caractère des retentissements durables ». Avec la phase phallique débute une organisation qui « subordonne les autres tendances au primat des organes génitaux », la recherche du plaisir peut alors commencer à s'intégrer à la fonction sexuelle. Cette organisation phallique se parachève à la puberté dans la phase génitale de la façon suivante : alors que nombre d'anciens investissements libidinaux persistent, d'autres s'intègrent à la fonction sexuelle pour aboutir aux actes qui procureront le plaisir préliminaire, d'autres encore sont éliminés par répression totale (refoulement), ou utilisés dans le moi selon d'autres modes (traits de caractère ou sublimations). Quoi qu'il en soit, un « état normal » n'est jamais totalement abouti : il n'est réalisé que *partiellement,* l'issue dépendant des rapports quantitatifs. « Ainsi l'organisation génitale s'établit bien mais se voit privée de toutes les fractions de la libido qui n'y ont pas participé et sont demeurées fixées aux objets et aux buts prégénitaux. » D'où la tendance de la libido à *régresser* aux investissements prégénitaux[1].

QUESTIONS ET ENJEUX

Nous le voyons, l'organisation génitale est certes l'aboutissement « normal » de l'évolution de la sexualité mais, alors qu'en 1905 elle

1. *Abrégé de psychanalyse* (1940a [1938]), Paris, PUF, 1985, p. 15-17 ; *OCF* XX, p. 244-245 ; *GW* XVII, p. 77-78.

ne se dévoilait à Freud que pour les seuls garçons – celle des filles demeurant dans une « obscurité impénétrable » –, elle ne lui en apparaissait pas moins comme « solide » sous le primat d'une zone érogène unique et du seul organe mâle. En 1938, la sexualité féminine s'étant éclaircie – au moins en partie –, la génitalité (notons que cette forme substantive n'est pas utilisée par Freud) est devenue un aboutissement incomplet : le primat sur les pulsions partielles n'étant que relatif, l'unicité d'un seul organe sexuel unique se trouve défaite. Le plus remarquable est peut-être que cette révision se soit faite à l'occasion de la découverte d'une phase intermédiaire entre la prégénitale et la génitale : la phase phallique, déterminée par le constat que, dans les deux sexes, n'est reconnu que le seul organe génital masculin ; ce « triomphe » du phallus qui – s'il marque bien l'« acmé » de l'Œdipe, ne peut le faire que par l'investissement *narcissique* qu'il figure – s'achève dans le traumatisme de la découverte de son absence éventuelle, débouchant sur le complexe de castration, puis sur la reconnaissance en propre de l'organe féminin.

Ce qui s'est découvert, en 1923, est l'extraordinaire complexité de l'Œdipe et de la différence des sexes. Les érotismes des zones biologiquement évidentes, qui sont à la source des pulsions partielles, conservent certes leur importance tout au long de l'évolution de la sexualité, mais ils se trouvent resignifiés, non pas tant du fait de leur synthèse sous le primat du génital, que par le cadre dans lequel ils doivent le faire : le complexe d'Œdipe, dès lors reconnu comme le véritable organisateur de la vie sexuelle et à qui il revient, in fine, d'en fonder la théorie. C'est lui qui permet la distinction des deux sexes, tout en maintenant leur communauté ; il en va ainsi parce que ce sont les mêmes forces libidinales qui œuvrent dans les deux. Lorsque la référence à l'organique reprend ses droits, c'est sous la forme d'un rappel à la réalité de la différence des sexes, telle qu'elle s'inscrit dans les corps, qui amène cet adage : « L'anatomie, c'est le destin. »[1]

Il est assez remarquable que cette paraphrase d'un aphorisme napoléonien, ici rapportée à la différence anatomique des sexes, ait déjà servi à Freud, une douzaine d'années plus tôt, pour situer l'extrême

1. « La disparition du complexe d'Œdipe » (1924d), *La vie sexuelle,* Paris, PUF, 1969, p. 121 ; *OCF* XVII, p. 31 ; *GW* XIII, p. 400.

proximité qui existe entre l'excrémentiel et le sexuel[1] ; c'est-à-dire entre les pulsions partielles et ce qui est devenu la pulsion génitale : la présence de celles-là dans celle-ci est biologiquement, anatomiquement déterminée, indiquant les inévitables régressions.

Claude LE GUEN

Génitalité → Génitale et phallique (phases)

1. « Sur le plus général des rabaissements de la vie amoureuse (Contribution à la psychologie de la vie amoureuse, II) » (1912d), *La vie sexuelle,* Paris, PUF, 1969, p. 64-65 ; *OCF* XI, p. 139-140 ; *GW* VIII, p. 89-90.

H

Haine → Amour et haine

Hérédité → Ontogenèse-phylogenèse (hérédité)

Homosexualité → Bisexualité → Identification → Perversion

HUMOUR

all. : ***Humor.*** – angl. : *humour.* – esp. : *humor.* – ital. : *umorismo.* – port. : *humor*

L'humour, comme les autres catégories du mot d'esprit *(Witz)*, du comique et de la plaisanterie, est un moyen d'éviter une dépense d'affect qui pourrait se traduire par un déplaisir. Il se distingue des autres catégories par sa finalité spécifique d'évitement de « l'excitation des sentiments » *(Gefühlserregung)*, éventuellement douloureux. Ce point de vue économique, exposé en 1905, est complété en 1927 par la mise en relief du jeu des instances de la personnalité psychique dans la disposition humoristique – ce qui permet particulièrement l'approfondissement du concept de surmoi, notamment sous son aspect protecteur. L'humour est l'effet d'un surinvestissement du surmoi qui console le moi ou l'engage à se considérer comme étant au-

dessus de ses malheurs, en refusant tout épanchement sentimental : de ce fait, il tend à les nier, ce qui le rapproche de la dénégation, sinon du déni.

MISE EN SITUATION

« L'humour est la moins exigeante de toutes les variétés du comique. »[1] *Pourtant, deux études, brèves mais denses lui sont consacrées : la première en 1905, complétée par une autre en 1927. Elles ont l'intérêt de marquer l'évolution de la pensée de Freud avec notamment l'apport de la deuxième topique, qui constitue à la fois une rupture dans la conception des instances, et une continuité, pour ce qui concerne le principe de plaisir et l'économie du fonctionnement psychique.*

LE TEXTE FREUDIEN

Le point de vue économique, adopté dans *Le mot d'esprit et sa relation à l'inconscient,* montre comment l'humour permet d'atteindre au plaisir dans des circonstances pénibles qui devraient empêcher tout effet comique. Freud, en 1905, se propose de résoudre cette énigme. Il oppose d'abord la condition du malheureux qui réussit à trouver un plaisir d'humour à celle d'une personne non concernée et, de ce fait, toute disposée à jouir d'un plaisir comique. L'humoriste trouve ainsi le **moyen de s'épargner une dépense d'affect pénible,** ce qui entraîne une sensation de plaisir dans une situation qui a priori ne peut la susciter.

Le processus qui se déroule dans le cas de l'humour noir (*Galgenhumor,* littéralement : humour de gibet), s'il en est l'exemple

1. *Le mot d'esprit et sa relation à l'inconscient* (1905c), Paris, Gallimard, 1988, p. 400 ; *OCF* VII, p. 261 ; *GW* VI, p. 261.

le plus rudimentaire, n'en fournit pas moins quelques enseignements. Freud rapporte l'histoire d'un condamné que l'on conduit à la potence un lundi et déclare : « Voilà une semaine qui commence bien » (exemple qu'il reprendra vingt ans plus tard). Comme dans les autres exemples de condamnés à mort, qu'il semble considérer comme des humoristes-types, Freud observe alternativement la situation du point de vue d'une personne non concernée, dont la pitié est inhibée par le comique, et de celui du condamné, indifférent à son sort en apparence – ce qui nécessite en fait une grande dépense de travail psychique. Freud souligne surtout ici le caractère *grandiose* de l'humour qui permet, dans une situation désespérée, de « rester attaché à sa nature habituelle ».

La pitié épargnée est la source la plus fréquente du plaisir humoristique, chez le tiers non concerné. Colère, épouvante ou dégoût peuvent cependant être tout aussi bien en cause. Certes, l'humour peut fusionner avec le mot d'esprit, la *blague,* ou un des nombreux aspects du comique, mais sa caractéristique est d'éliminer « l'éventualité du développement d'un affect qui pourrait entraver l'effet de plaisir ». Un des aspects les plus fréquents est l'« humour émoussé », l'humour qui sourit à travers les larmes, qui ne fait qu'atténuer le développement de l'affect, sans l'empêcher.

Il existe une technique de l'humour que l'on peut comparer au *déplacement* ; elle « déçoit » l'affect en faisant porter l'investissement sur quelque autre chose, prise dans le voisinage. Ce qui n'avance pas vraiment la compréhension du processus, semble-t-il... Mais nous pouvons reconnaître là une technique du *surinvestissement* qui rend particulièrement clair *(Überdeutlich)* un objet proche de celui qui est véritablement investi – c'est là, notamment, un effet du travail du rêve. Le déplacement, ici comme dans le cas de la comparaison comique, est lié à la condition *de rester préconscient ou automatique*[1].

L'humour, en effet, peut être considéré comme « **la manifestation la plus élevée des réactions de défense,** au sens d'un processus régulant automatiquement les opérations psychiques ». Il dédaigne de

1. *Ibidem,* p. 406 ; p. 265 ; p. 265-266.

soustraire à l'attention consciente, comme le fait le refoulement, le contenu de la représentation lié à l'affect pénible, triomphant ainsi de « l'automatisme de défense ». Nous pouvons penser qu'il agit d'une manière assez semblable à celle de la *dénégation*, qui laisse reconnaître la représentation refoulée, en la niant et en continuant à réprimer l'affect. Cependant, **l'humour soustrait au déplaisir son énergie en la transformant en plaisir par la voie de la décharge.** L'humoriste rit de ses malheurs d'aujourd'hui, comme l'adulte pourrait sourire des chagrins d'enfant. « Je suis trop grand pour que ces événements me touchent de façon pénible », se dit-il, en élevant son moi, en comparant son moi actuel et son moi infantile. Cette élaboration sera reprise avec les éléments de la seconde topique qui, en quelque sorte, se laisse alors déjà deviner.

L'humour peut également être rapproché de la *sublimation*, puisqu'il doit être considéré comme la plus élevée des manifestations de défense. Cependant, il ne vise aucun but culturel ou social « grandiose » ; même s'il cherche à faire rire le tiers non concerné, son but n'est pas de proposer une issue désexualisée à la pulsion, mais d'économiser une dépense d'affect douloureuse, et précisément **l'économie d'une dépense de sentiment**[1]. Notons encore que Freud, en 1905, souligne non seulement la topique de l'humour, qui se localise dans le préconscient, mais surtout son économie : le plaisir de l'humour est conditionné par l'épargne de la dépense qui serait nécessitée par l'excitation des sentiments pénibles.

L'humour et le surmoi

En 1927, Freud reprend la question précédemment étudiée dans le contexte de la première topique, plus particulièrement du point de vue économique ; il n'y change rien, ou à peu près. Il reprend l'exemple du délinquant conduit à la potence un lundi matin, et remarque à nouveau que le processus humoristique peut se dérouler aussi bien chez la seule personne de l'humoriste, que chez deux personnes, l'une ne prenant aucune part au processus ; si celui-ci est le même chez l'un et l'autre, seul celui en œuvre chez l'humo-

1. *Ibidem*, p. 411 ; p. 268 ; p. 269.

riste nous intéresse, l'autre n'en représentant que « la copie ou l'écho »[1].

Les caractéristiques essentielles de l'humour sont d'être **libérateur,** comme le mot d'esprit, grandiose et élevé (et non sublime). La grandeur tient au triomphe du narcissisme, et à l'affirmation de l'invulnérabilité du moi. L'humoriste ne se résigne pas, il défie, en affirmant le **triomphe du moi et du principe de plaisir.** Il refuse de se laisser entamer ou imposer la souffrance. (Notons que l'humoriste prend place parmi les grands narcissiques, avec l'enfant, le criminel, le félin, la femme séduisante, qui excitent l'envie par la position libidinale inattaquable qu'ils manifestent.)[2]

Refus des exigences de la réalité et affirmation du principe de plaisir rapprochent l'humour des processus régressifs, ou « réactionnels »[3], qui soustraient l'homme à la contrainte de la douleur : il prend place dans la série qui s'ouvre par la névrose et la folie et continue par l'ivresse, le repliement sur soi, l'extase – mais lui ne quitte pas le terrain de la santé psychique. L'humoriste y parvient grâce à un jeu d'identifications complexe, **en adoptant à l'égard des autres l'attitude de l'adulte à l'égard de l'enfant** : il s'identifie au père et rabaisse les autres à n'être que des enfants. Vis-à-vis de lui-même son attitude est fondamentalement la même : il se traite comme un enfant tout en jouant le rôle supérieur de l'adulte envers cet enfant. Il met donc en jeu un processus d'identification double, simultanément au père et à l'enfant ; ce que l'on retrouve dans le fonctionnement du surmoi par rapport au moi.

Dès lors, Freud nous laisse comprendre la véritable raison de son retour à la théorie de l'humour : il s'agit pour lui d'un exercice d'analyse appliquée, à propos du surmoi, et dans le même mouvement d'un **développement de sa conception de l'instance surmoïque.** Le moi n'est pas simple mais contient, à la façon d'un noyau, le surmoi

1. « L'humour » (1927d), *L'inquiétante étrangeté et autres essais,* Paris, Gallimard, 1985 ; *OCF* XVIII ; *GW* XIV.

2. « Pour introduire le narcissisme » (1914c), *La vie sexuelle,* Paris, PUF, 2e éd., 1970, p. 94 ; *OCF* XII, p. 232 ; *GW* X, p. 155.

3. *Reaktionären,* p. 324.

avec lequel, selon les circonstances, il peut s'unir ou se confondre, voire confluer *(zusammenfliessen),* ou au contraire se différencier. Ce surmoi est génétiquement l'héritier de l'instance parentale et, tenant le moi sous une sévère tutelle, il révèle la dynamique de l'attitude humoristique. Il ne s'agit pas seulement pour l'humoriste de retirer au moi l'accent psychique et le reporter sur le surmoi mais de déplacer de l'un à l'autre de grandes quantités d'énergie. Le moi et ses intérêts paraissent minuscules au surmoi ainsi « enflé », et **cette nouvelle répartition de l'énergie permet de réprimer les possibilités de réaction du moi.**

On voit dans cette élaboration comment le point de vue énergétique, économique, de la première topique, loin d'être aboli, trouve sa justification dans les instances psychiques nouvellement établies. Soulignons à nouveau les possibilités de variance reconnues aux instances : le moi peut être unitaire, confondu avec le surmoi, ou s'en différencier selon des modalités variables dans les situations conflictuelles, où il s'agit d'adapter les conditions économiques en conformité avec le principe de plaisir.

QUESTIONS ET ENJEUX

Quoi qu'il en soit, l'enjeu essentiel du second texte, dans sa reprise tardive de la réflexion sur l'humour, s'est dévoilé : comment peut-on concevoir « le déplacement de l'accent psychique du moi au surmoi ? » D'une manière plus générale, comment doit-on se représenter le déplacement de grandes quantités d'investissement d'une instance à l'autre ?

À cet effet, nous rappellerons l'étude sur la *panique*[1] selon laquelle on voit que, face à un danger, la perte du représentant du surmoi-idéal du moi, en la personne du chef, entraîne la libération brutale des importants investissements libidinaux dont il est l'objet, ce qui se traduit immédiatement par une angoisse-panique. Bien que Freud

1. *Psychologie des foules et analyse du moi* (1921c), *Essais de psychanalyse,* Paris, Payot, 1981, p. 158-159 ; *OCF* XVI, p. 35-37 ; *GW* XIII, p. 105(107.

n'opère pas lui-même ce rapprochement, nous voyons que, dans une situation de danger équivalente, l'investissement du surmoi chez l'humoriste, suffisamment bienveillant, lui permet de contrôler l'angoisse.

Freud montre d'ailleurs une série d'oppositions des modes de déplacement d'investissements entre le surmoi et le moi dans le cas de l'humour d'une part, de la paranoïa d'autre part, de l'alternance de manie et de mélancolie et de l'investissement érotique – ce qui laisse penser que la reprise en 1927 de la réflexion sur l'humour se trouve déterminée par la nécessité de reprendre l'ensemble de la question de l'économique dans la deuxième topique. Dans le cas de la paranoïa, nous voyons comment des « idées » de persécution latentes se transforment en délire sous l'action d'un investissement occasionnel important. La guérison de tels accès tient au retrait de l'investissement des idées de persécution, et non à la résolution ou la correction de ces idées. L'alternance de mélancolie et de manie est également liée à un déplacement d'investissement du surmoi : il opprime le moi dans le premier cas, dans le second il opère une libération du moi qui est à nouveau investi.

Sur un autre plan, les déplacements d'investissement sous-jacents aux manifestations d'humour sont comparés à ceux de l'amour : lors d'un investissement érotique ordinaire, « le moi pour ainsi dire se vide vers l'objet ». L'humour, au contraire, renforce le narcissisme, le protège ; il assure non seulement son triomphe mais aussi celui du principe de plaisir.

Nous avons encore beaucoup à apprendre de l'essence du surmoi, remarque Freud. On peut cependant reconnaître dans la disposition humoristique, dans l'imago surmoïque bienveillante qu'elle suppose et qui se trouve prêtée à « une personne non concernée », quelque chose de la position de l'analyste dans le transfert. Certes, il n'est pas au service de l'illusion, mais de la réalité psychique ; il n'est pas non plus consolateur, mais Freud indique à plusieurs reprises que l'analyste doit garder un certain surplomb au regard de la situation transférentielle, dont on peut considérer qu'il peut se manifester par l'usage de l'humour. Il reste que lorsque l'analyste choisit d'intervenir sur un mode humoristique, il exerce une certaine séduction en se situant « en surplomb » par rapport à l'analysé. Il risque d'être alors situé comme représentant du surmoi, si indulgent soit-il, et d'être éventuellement alors au service de l'illusion.

Pierre CHAUVEL

Hypnose → Suggestion (hypnose)

Hypocondrie → Névroses et choix de la névrose

HYSTÉRIE

all. : ***Hysterie.*** – angl. : *hysteria.* – esp. : *histeria.* – ital. : *isteria.* – port. : *histeria*

D'un point de vue nosographique, Freud dégage la notion d'hystérie de la nosographie psychiatrique de son temps, et l'insère dans la classe des psychonévroses de défense, aux côtés de l'obsession et de certaines psychoses, en les différenciant des névroses actuelles. L'hystérie de défense devient le prototype de l'hystérie et en regroupe diverses formes qu'il avait commencé par différencier comme l'hystérie hypnoïde, l'hystérie traumatique et l'hystérie de rétention, qui vont être abandonnées. Ces distinctions, encore prises dans l'esprit nosographique du temps, cèdent devant la recherche de la spécificité du fonctionnement psychique. L'accent principal se porte alors sur l'activité de défense qui, par refoulement, s'exerce contre des représentations susceptibles de déclencher des affects déplaisants en relation avec la sexualité infantile. Tout en soulignant leur parenté structurelle, Freud va progressivement distinguer, en fonction du sort de l'affect, l'hystérie de conversion de l'hystérie d'angoisse : dans la première, la libido est convertie en symptôme corporel à valeur de symbole mnésique ; dans la seconde, l'affect d'angoisse, détaché de la représentation, est déplacé sur d'autres représentations constituant des phobies. Avec le développement de la théorie de la cure psychanalytique, l'hystérie rentrera dans le cadre des névroses de transfert, opposées aux névroses narcissiques.

MISE EN SITUATION

L'hystérie, du grec ustera *l'utérus, la matrice, est elle-même matrice d'un questionnement. Si l'énigme de l'hystérie parcourt toute l'histoire de la médecine, c'est à partir de l'hystérie que le champ de la psychanalyse s'est développé, à partir de la clinique des hystériques que Freud a dégagé les lois du fonctionnement psychique. Ce questionnement permanent, de Freud à ses contemporains, de Freud à ses successeurs, laisse encore des parts d'ombre productives, interroge la possibilité et la valeur d'une nosographie psychanalytique, et invite à s'attarder sur les jalons de la découverte freudienne dans la mesure où l'une des difficultés conceptuelles de l'approche de l'hystérie à travers l'étude historique des textes freudiens vient précisément de l'intrication des découvertes spécifiques sur l'inconscient et le fonctionnement psychique avec les particularités de la pathologie mentale des « hystériques ».*

Certes, l'hystérie n'interrogeait pas uniquement le champ médical : des sorcières avaient été brûlées, des possédées exorcisées, des mystiques s'extasiaient…, et Freud, dans ses lettres à Wilhelm Fliess, lui dit son intérêt intense pour ces histoires de sorcières, pour le Malleus Maleficorum *par exemple, ce recueil du* XVe *siècle dans lequel étaient dénoncées leurs copulations diaboliques, et qu'il veut étudier avec ardeur*[1]*. Ce souci des manifestations hystériques dans le champ culturel, sensibles en particulier dans ses textes de psychanalyse appliquée, du cas de Léonard à Dostoïevski en passant pas l'étude d'une névrose démoniaque au* XVIIe *siècle, ne le quittera jamais.*

Dans les pratiques de soins, divers courants se cherchaient et s'affrontaient. Au XVIIIe *siècle, Franz anton Mesmer et son magnétisme animal avait été condamné par une commission royale, et l'hypnose dut attendre la deuxième moitié du* XIXe *siècle pour avoir le droit d'être étudiée par les aliénistes qui s'attachaient alors à*

1. *La naissance de la psychanalyse. Lettres à Wilhelm Fliess. Notes et plans (1887-1902)* (1950a [1887-1902]), Paris, PUF, 1956, p. 167 (lettre du 24 janvier 1897). – *Lettres à Wilhelm Fliess, 1887-1904* (éd. complète), Paris, PUF, 2006, p. 288 (*Briefe an Wilhelm Fliess*, Francfort, S. Fischer, 1985, p. 239).

l'étude des « Névroses extraordinaires ». À la fin du XIXe *siècle, l'hystérie était déjà prise dans les rets du discours médical, neurologique ou psychiatrique. Avec le souci de classification des affections mentales, elle était l'enjeu de vives polémiques entre les tenants d'une origine organique neurologique et ceux qui y voyaient une origine psychologique. Ce conflit opposait l'école de la Salpêtrière, dominée par Jean-Martin Charcot, et celle de Nancy, qui, avec Hippolyte Bernheim, et à travers l'étude et une pratique étendue de la suggestion hypnotique, affirmait que l'hystérie est un mode de réaction psycho-affectif d'origine émotive. Si Freud avait été impressionné par Charcot lors de son séjour à la Salpêtrière (1885-1886), il s'en démarqua progressivement et récusa l'origine dégénérative de l'hystérie; il éprouva le besoin de revenir en France en 1889, à Nancy cette fois, pour parfaire sa technique de l'hypnose auprès de Bernheim.*

À travers son approche de l'hystérie, il posa les bases de ses découvertes fondamentales concernant l'inconscient, le conflit psychique et les possibilités de la cure analytique. Dans son hommage posthume à Charcot (1893), Freud tout à la fois dénonce sa conception d'une étiologie héréditaire de l'hystérie, mais lui accorde le mérite d'avoir reconnu l'importance du traumatisme dans le déclenchement de la paralysie hystérique, résultat de « représentations qui dominaient le cerveau » [1] *reproductibles sous hypnose.*

Pierre Janet, dans la continuité de son travail avec Charcot, avait, en 1892, publié sa thèse sur L'État mental des hystériques, *dans laquelle il décrivait la personnalité hystérique et son « rétrécissement du champ de la conscience ». Mais surtout, à partir de la contestation des positions de Charcot sur les paralysies hystériques et leurs origines lésionnelles, il mettait en avant un rapport particulier au corps chez l'hystérique, dans lequel la localisation des symptômes ne correspond pas au sens anatomique mais allait au-delà du sens physiologique pour exprimer « le sens populaire »* [2], *préfiguration d'une symbolisation à travers le discours. Freud, en 1893, dans « Quelques considérations pour une étude comparative des paralysies motrices organiques et hystériques » s'associe pleinement à cette conception de l'expres-*

1. J.-M. Charcot (1893f), in *Résultats, idées, problèmes, I,* Paris, PUF, 1984, p. 72 ; *GW* I, p. 34.

2. P. Janet, *L'état mental des hystériques,* Paris, Alcan, 1893.

sion symbolique du corps selon le sens populaire[1]*, mais il va rapidement se démarquer des autres conceptions de Janet qui ne permettent pas de comprendre les aspects dynamiques d'une pathologie, et sont très loin du concept de conflit psychique, pierre angulaire de la psychanalyse naissante.*

Dans l'approche freudienne de l'hystérie, quatre temps se dégagent : le premier, correspondant au travail de Freud avec Joseph Breuer culmine dans les Études sur l'hystérie *(1895) et se termine avec le texte sur l'« Étiologie de l'hystérie » (1896) dans lesquels il affirme l'importance du traumatisme psychique, du souvenir inconscient. Il insiste sur le rôle de la séduction précoce et souligne l'origine sexuelle traumatique de l'hystérie de conversion.*

Dans un second temps, à travers l'analyse de Dora (1905), il en vient à privilégier l'importance de la réalité psychique et de la production fantasmatique. L'accent est porté sur les conflits liés à la bisexualité, au complexe d'Œdipe. Cette formalisation théorique aboutit en 1908 dans « Les fantasmes hystériques et leurs relations à la bisexualité ».

Après 1910, aucun texte n'est spécifiquement consacré à l'hystérie, mais, dans l'étude de la phobie du « petit Hans » (1909), il avait conceptualisé l'hystérie d'angoisse et en avait souligné la similitude avec l'hystérie de conversion. En 1912, il généralise les conditions d'entrée dans la névrose et poursuit sa recherche sur les processus généraux du fonctionnement psychique dont les bases ont été fournies plus particulièrement par l'hystérie, ce qui est théorisé métapsychologiquement dans « Pulsions et destins des pulsions » (1915) et développé dans les Conférences d'introduction à la psychanalyse *(1916).*

Avec les remaniements de la deuxième topique et de la deuxième théorie des pulsions, l'intérêt de Freud ne se porte plus particulièrement sur les différences nosographiques entre névroses, mais dans Inhibition, symptôme et angoisse *(1926), il réévalue les différentes névroses, dont l'hystérie, par rapport au type d'angoisse et de défenses face à la problématique de la castration dans une approche plus globale. Dans ses derniers textes sur la sexualité féminine (1931 et 1933), à travers ses interrogations sur les phases préœdipiennes*

1. « Quelques considérations pour une étude comparative des paralysies motrices organiques et hystériques » (1893c), *Résultats, idées, problèmes, I*, Paris, PUF, 1984, p. 37 ; *GW* I, p. 52.

dans le développement libidinal de la femme, son questionnement se porte, en passant, sur les affinités de la féminité et de l'hystérie, et il invite à s'interroger sur le lien primitif à la mère, celle qu'il nommera encore, dans son ultime texte : la « première séductrice » [1].

LE TEXTE FREUDIEN

DU RENONCEMENT À L'HYPNOSE AU RENONCEMENT À LA SÉDUCTION (1892-1897)

« Pour une théorie de l'attaque hystérique » (1892) dépasse la simple explication de l'attaque hystérique et fonde à la fois une théorie de l'hystérie et de l'inconscient. Conjointement avec Breuer et à travers le traitement par suggestion hypnotique des hystériques, Freud y affirme que le contenu essentiel d'une attaque hystérique est le retour d'un souvenir, que ce souvenir est le retour de l'expérience qui a causé l'explosion hystérique, c'est-à-dire un traumatisme psychique, et que ce souvenir est inconscient. Il fait donc l'hypothèse d'une « dissociation, clivage du contenu de la conscience » [2] comme indispensable à la compréhension des phénomènes hystériques. « Devient traumatisme psychique toute impression dont la liquidation par travail mental ou réaction motrice offre des difficultés au système nerveux. » [3] On trouve dans une note non publiée en 1892 (« Notice III ») [4] la première affirmation que ces traumas sont spécifiquement sexuels.

Cependant, dans le travail princeps de Freud et Breuer sur « Le mécanisme psychique de phénomène hystérique : communication pré-

1. *Abrégé de psychanalyse* (1940a [1938]), Paris, PUF, 1983, p. 59 ; *OCF* XX, p. 383 ; *GW* XVII, p. 115.

2. « Pour une théorie de l'attaque hystérique » (1940d [1892]), *Résultats, idées, problèmes, I,* Paris, PUF, 1984, p. 26 ; *OCF* I, p. 363 ; *GW* XVII, p. 9.

3. *Ibidem,* p. 28 ; p. 366 ; p. 13.

4. « Notice III » (1941b [1892]), *Résultats, idées, problèmes, I,* Paris, PUF, 1984, p. 29-30 ; *GW* XVII, p. 17-18.

liminaire » (1893), il n'y est pas fait allusion, et ce n'est qu'avec la reconnaissance de la divergence théorique d'avec Breuer que dans la pathogenèse de l'hystérie, **la sexualité, source de traumatismes psychiques, est reconnue avoir un rôle prédominant et se trouve être le « facteur motivant du rejet et du refoulement de certaines représentations hors du conscient »** [1].

Les éléments nouveaux à retenir de cette communication préliminaire sont l'hypothèse d'événements survenus dans l'enfance à l'origine de tous les phénomènes pathologiques de l'hystérie que Freud énumère ainsi : névralgies, anesthésies, contractures, paralysies, accès hystérique, convulsions épileptoïdes, vomissements, anorexies, hallucinations visuelles... Il précise sa conception du traumatisme psychique en soulignant qu'il comporte un affect pénible, affect que l'abréaction cathartique permet de liquider en retrouvant le souvenir et en donnant « à son émotion une expression verbale » [2]. Ainsi, **« c'est de réminiscences surtout que souffre l'hystérique »** [3].

Pour le déclenchement de l'hystérie, l'existence d'un état psychique singulier, l'état hypnoïde, est nécessaire et, si cette affirmation de 1893 sera remise en question en 1905 dans le cas Dora [4], elle annonce cependant l'importance de la vie fantasmatique, puisque, à son origine, seraient les rêveries diurnes. Cet état hypnoïde, pour être ensuite quelque peu délaissé par Freud, comportait certes les prémisses des développements sur le refoulement mais aussi des remarques sur la « dissociation du conscient », « les états de conscience anormaux » [5] chez l'hystérique (Freud disait là son accord avec les travaux de Pierre Janet). En dépit de l'importance des troubles de la conscience dans les états hypnoïdes, Freud tient à affirmer que l'hystérie n'est pas une

1. J. Breuer et S. Freud, préface (de 1895) à la première édition des *Études sur l'hystérie* (1895d), p. IX ; *OCF* II, p. 17 ; *GW* I, p. 77.

2. J. Breuer et S. Freud, « Les mécanismes psychiques des phénomènes hystériques : communication préliminaire » (1893a [1892]), *Études sur l'hystérie* (1895d), Paris, PUF, 1985, p. 4 ; *OCF* II, p. 26-27 ; *GW* I, p. 85.

3. *Ibidem*, p. 5 ; p. 28 ; p. 86.

4. Cf. « Fragment d'une analyse d'hystérie (Dora) » (1905e [1900]), *Cinq psychanalyses*, Paris, PUF, 1975, note p. 17 ; *OCF* VI, note p. 207 ; *GW* V, note p. 185.

5. *Études sur l'hystérie* (1895d), Paris, PUF, 1985, p. 8 ; *OCF* II, p. 32 ; *GW* I, p. 91.

psychose, même si, « dans les états hypnoïdes, il ne s'agit plus que d'un aliéné, comme nous le sommes tous dans nos rêves. Toutefois, tandis que nos psychoses oniriques n'exercent, à l'état de veille, aucune action, les productions de l'état hypnoïde pénètrent dans la vie du sujet éveillé sous la forme de phénomènes hystériques » [1].

Symptôme et accès hystérique sont des « infiltrations » de ces états hypnoïdes dans l'« innervation corporelle » [2] (ce qui sera dénommé ultérieurement conversion) qui obéissent aux lois de l'association entre souvenirs. À l'époque, Freud considère que l'accès survient soit par excitation d'une zone hystérogène, soit par suite d'un incident nouveau rappelant l'incident pathogène [3].

Les éléments théoriques qui se dégagent des *Études sur l'hystérie* (cas de Mme Emmy von N, Miss Lucy R., Katharina, Mme Élisabeth V. R.) mettent l'accent sur le phénomène de conversion comme défense propre à l'hystérie. Freud souligne l'importance de l'incompatibilité entre le moi et une représentation inconciliable, l'émoi amoureux, sexuel, apparaissant progressivement comme celui qui offre le plus de résistance à la réminiscence. Sa conception est celle d'une séparation entre l'affect et la représentation et d'un désinvestissement des représentations désagréables pour maîtriser les excitations, émois qui sont alors transformés en symptômes organiques : « **La défense hystérique [...] consiste alors en une conversion de l'émoi en innervation somatique.** Le gain qui en résulte est l'expulsion hors du moi conscient de la représentation inconciliable. » [4] Freud ici ébauche à la fois l'élaboration de sa théorie du traumatisme en deux temps comme celle de la complaisance somatique : un premier temps traumatique (affect ancien) avait provoqué un symptôme hystérique de courte durée, le deuxième temps (affect nouveau) provoque la résurgence du symptôme qui était demeuré latent et fait resurgir la première manifestation somatique en raison des associations ou de la capacité symbolisante du symptôme.

1. *Ibidem,* p. 9 ; p. 34 ; p. 92.
2. *Ibidem,* p. 11 ; p. 36 ; p. 95.
3. *Ibidem,* p. 12 ; p. 37 ; p. 96.
4. *Ibidem,* p. 96 ; p. 141 ; p. 181.

Dans « Psychothérapie de l'hystérie » (texte de clôture de l'ouvrage), Freud élargit sa conception de l'étiologie sexuelle à toutes les névroses et en spécifie les caractères et les mécanismes de défense. Il différencie hystérie et névrose obsessionnelle de la neurasthénie et de la névrose d'angoisse (futures névroses actuelles), dans la mesure où dans ces dernières des mécanismes psychiques n'interviendraient pas. Cependant, il souligne que les névroses sont mixtes[1] et que l'hystérie n'existe que rarement à l'état pur. Il regroupe les différentes formes d'hystérie (l'hystérie hypnoïde caractérisée par des états de conscience dissociés, l'hystérie de rétention dans laquelle les affects ne sont pas abréagis) dans le cadre de l'hystérie de défense, modèle de toute forme d'hystérie, déterminée par l'importance de la résistance à la prise de conscience de la représentation pathogène[2]. Il décrit une topographie de la mémoire et de l'inconscient, qui détermine les axes du travail analytique pour accéder au noyau traumatique au centre d'un « édifice à plusieurs dimensions comportant pour le moins *trois sortes de stratification* »[3] : un ordre linéaire chronologique inversé, un ordre concentrique thématique, et un ordre complexe logique, tous trois modalités de l'associativité et de l'enchaînement des souvenirs. Si jusqu'ici Freud considérait le souvenir pathogène comme un corps étranger, difficile à extraire du moi en raison de la résistance, dans ce texte il le compare davantage à un « infiltrat » répandu dans le moi ce qui complique encore le travail analytique. Il note pour la première fois, à propos du cas Emmy, le rôle de « cette *mésalliance* », ce « faux rapport », le transfert au médecin, qui se réalise par une « *fausse association* »[4].

Dans « Les psychonévroses de défense » (1894), il avait inséré l'hystérie dans cette classe nosographique créée à partir de la notion de défense, défense contre des représentations inconciliables de nature sexuelle par « clivage de la conscience ». Mais cette notion de défense

1. Cf. « Psychothérapie de l'hystérie », *Études sur l'hystérie* (1895d), Paris, PUF, 1985, p. 208 ; *OCF* II, p. 219 ; *GW* I, p. 256.

2. *Ibidem*, p. 216-217 ; p. 293-294 ; p. 268-269.

3. *Ibidem*, p. 233 ; p. 314-315 ; p. 291-292.

4. *Ibidem*, p. 245 ; p. 330 ; p. 309.

met alors en cause celle de clivage de conscience tel que le proposait Pierre Janet, comme trait primaire de l'affection hystérique, reposant sur « une faiblesse innée de la capacité de synthèse psychique » [1] que récuse Freud. Si ce « clivage de la conscience », tel que le conçoit alors Freud, désigne avant tout la division intrapsychique, il est, en tant que précurseur imprécis du concept de refoulement, un mode de défense commun aux psychonévroses (névroses hystériques, obsessionnelles et phobiques, et certaines formes de psychoses comme la psychose hallucinatoire chronique). Par contre, la conversion est caractéristique de l'hystérie : « Dans l'hystérie, la représentation inconciliable est rendue inoffensive par le fait que sa *somme d'excitation est reportée dans le corporel,* processus pour lequel je proposerai le nom de *conversion.* » [2] Il insiste sur la différence entre hystérie et névrose obsessionnelle, à partir du destin de l'affect dissocié de la représentation, affect qui, dans l'hystérie, est donc transformé en innervation corporelle, dans les obsessions et phobies est « transposé » sur d'autres représentations qui deviennent obsédantes. Le traitement de l'hystérie consiste à « provoquer ce retour de l'excitation du corporel dans le psychique afin d'obliger à ce que la contradiction soit réglée par le travail de pensée et l'excitation déchargée par la parole » [3]. Dans ces modalités défensives communes aux obsessions et aux phobies, la représentation affaiblie est encore dans la conscience, mais Freud décrit pour la première fois la « psychose de défense » dans laquelle le moi rejette tant la représentation insupportable que l'affect. Il n'est pas rare, affirme-t-il alors, qu'une « psychose de défense puisse venir épisodiquement interrompre le cours d'une névrose hystérique ou mixte » [4].

Dans « Nouvelles remarques sur les psychonévroses de défense » (1896) sont déterminées plus précisément les différences d'étiologie entre hystérie et névrose obsessionnelle. **L'hystérie est caractérisée par une « passivité sexuelle » avant la puberté,** le rôle de la séduction

1. « Les psychonévroses de défense » (1894a), *Névrose, psychose et perversion,* Paris, PUF, 1985, p. 2 ; *OCF* III, p. 4 ; *GW* I, p. 60.
2. *Ibidem,* p. 4 ; p. 7 ; p. 63.
3. *Ibidem,* p. 5 ; p. 8 ; p. 64.
4. *Ibidem,* p. 14 ; p. 17 ; p. 74.

réelle dans la première enfance (« par irritation effective des organes génitaux » [1]) est toujours affirmé ; cependant, ce ne sont pas les événements en eux-mêmes qui ont une action traumatique mais « **leur reviviscence sous forme de *souvenir*** après que l'individu a atteint la maturité sexuelle » [2]. Freud développe alors, en note mais en la soulignant, sa théorie *biphasique* de la formation du symptôme hystérique, liant la notion d'après-coup au refoulement qui ne s'applique qu'à des représentations à contenu sexuel : « *Les traumatismes infantiles agissent après coup comme des expériences neuves mais alors de façon inconsciente.* » [3] Cette notion d'*après-coup* avait été mise en avant dans l'« Esquisse d'une psychologie scientifique » (1895) à propos du cas d'Emma, jeune fille hystérique, dont Freud dit que le cas « nous présente un tableau typique de refoulement hystérique. Nous ne manquons jamais de découvrir qu'un souvenir refoulé ne s'est transformé *qu'après coup* en traumatisme. La raison de cet état de chose se trouve dans l'époque tardive de la puberté par comparaison avec le reste de l'évolution des individus » [4].

En 1896, au premier janvier, Freud offre à Wilhelm Fliess un « conte de Noël », le manuscrit K [5], synthèse sur les névroses de défense dans laquelle est condensée sa conception actuelle de l'hystérie. Les lettres à Fliess, témoignage de l'auto-analyse de Freud, permettent de suivre la richesse et la complexité de son élaboration des processus inconscients à travers son étude de l'hystérie.

« L'hérédité et l'étiologie des névroses » (1896) (en français et dans lequel il s'adresse « aux disciples de Charcot ») et « Sur l'étiologie de l'hystérie » (1896) sont les derniers textes qui défendent la théorie

1. « Nouvelles remarques sur les psychonévroses de défense » (1896b), *Névrose, psychose et perversion*, Paris, PUF, 1985, p. 62 ; *OCF* III, p. 124 ; *GW* I, p. 380.

2. *Ibidem*, p. 63 ; p. 125 ; p. 381.

3. *Ibidem*, p. 65 (note) ; p. 128 ; p. 384.

4. « Esquisse d'une psychologie scientifique » (1950c [1895]), *La naissance de la psychanalyse*, Paris, PUF, 1956, p. 366 ; *GW (Nachtragsband)*, p. 447.

5. In *La naissance de la psychanalyse. Lettres à Wilhelm Fliess. Notes et plans (1887-1902)* (1950a [1887-1902]), Paris, PUF, 1956, p. 129-137 ; *Lettres à Wilhelm Fliess*, Paris, PUF, 2006, p. 209-219 ; *Briefe an Wilhelm Fliess*, Francfort, S. Fischer, p. 169-178.

de la séduction sexuelle infantile réelle avant la réévaluation par Freud de sa « neurotica »[1] (lettre à Fliess, du 21 septembre 1897). Dans « Sur l'étiologie de l'hystérie », s'il réaffirme l'importance des deux temps du traumatisme avec le rôle de l'après-coup, il précise l'importance du premier temps traumatique du fait qu'un « certain état infantile des fonctions psychiques comme du système sexuel est nécessaire pour qu'une expérience sexuelle, ayant lieu au cours de cette période, développe plus tard, comme souvenir, une action pathogène »[2]. Cette notion d'immaturité du psychisme se précisera dans la conception de Freud quand il abordera les notions de points de fixation.

La vie fantasmatique dans sa relation à la bisexualite psychique (1897-1909)

Les *Lettres à Wilhelm Fliess* montrent la reconnaissance progressive de l'importance des fantasmes, des « constructions protectrices », ces « fabulations protectrices »[3] qui l'amènent à mettre en question la réalité de la séduction dans l'étiologie de l'hystérie ; « il n'existe dans l'inconscient aucun indice de réalité de telle sorte qu'il est impossible de distinguer l'une de l'autre la vérité et la fiction investie d'affect »[4]. Dans « La sexualité dans l'étiologie des névroses »[5] (1898), il continue de s'interroger sur le lien entre ces productions fantasmatiques et les éléments de réalité. Le cheminement qui le porte, dans l'étude de

1. Lettre à W. Fliess du 21 septembre 1897, *ibidem*, p. 190-193 ; *Lettres à Wilhelm Fliess,* Paris, PUF, 2006, p. 333-335, *Briefe an Wilhelm Fliess,* Francfort, S. Fischer, p. 283-285.

2. « Sur l'étiologie de l'hystérie » (1896c), *Névrose, psychose et perversion,* Paris, PUF, 1974, p. 104 ; *OCF* III, p. 172 ; *GW* I, p. 449.

3. Lettre à Wilhelm Fliess du 2 mai 1897, in *La naissance de la psychanalyse. Lettres à Wilhelm Fliess. Notes et plans (1887-1902)* (1950a [1887-1902]), Paris, PUF, 1956, p. 174 ; *Lettres à Wilhelm Fliess,* Paris, PUF, 2006, p. 303 ; *Briefe an Wilhelm Fliess,* Francfort, S. Fischer, p. 253.

4. Lettre à W. Fliess du 21 septembre 1897, *ibidem,* p. 191 ; *Lettres à Wilhelm Fliess,* Paris, PUF, 2006, p. 334, *Briefe an Wilhelm Fliess,* Francfort, S. Fischer, p. 284.

5. « La sexualité dans l'étiologie des névroses » (1898a), *Résultats, idées, problèmes, I,* Paris, PUF, 1984 ; *OCF* III ; *GW* I.

l'hystérie, des symptômes aux fantasmes et aux rêves, montre le glissement qu'il opère de l'étude de la spécificité du fonctionnement hystérique au fonctionnement psychique normal.

Dans *L'interprétation des rêves* (1900), symptômes, fantasmes et rêves ont en commun d'être des réalisations de désirs inconscients. Cependant, Freud garde le souci de déterminer les traits du fonctionnement hystérique et il y aborde, par exemple, l'étude des particularités des identifications hystériques (cf. le rêve dit *de la belle bouchère*) qui ne sont pas de simples imitations mais des « appropriations », « expression d'une communauté sexuelle » [1] qui persiste dans l'inconscient.

Ces notions vont être développées dans « Fragment d'une analyse d'hystérie (Dora) », primitivement appelé « Rêve et hystérie » [2]. L'analyse du cas de Dora va permettre à Freud de mettre au premier plan la réalité psychique dans ce mouvement de dégagement de la prévalence de la théorie de la séduction réelle, et dans la reconnaissance de l'organisation fantasmatique hystérique. L'abandon de la technique hypnotique est validée par la possibilité, dans la cure, d'accéder au refoulé, aux mécanismes inconscients de la psyché par l'étude des rêves. Car **les phénomènes psychiques hystériques, symptômes et fantasmes, obéissent aux mêmes lois de condensation et de déplacement que celles qui organisent le travail de rêve.** Le symptôme de conversion apparaît comme la condensation d'une multitude de fantasmes incarnés. La notion de « complaisance somatique » est articulée à la question des zones érogènes (qui se découvrent alors), des fixations à ces zones, et de la multiplicité complexe des identifications hystériques. « La complaisance somatique [...] procure au processus psychique inconscient une issue dans le corporel. Là où ce facteur ne joue pas, cet état n'est plus un symptôme hystérique. » [3]

Dans le cas Dora, « la suçoteuse », se révèle pour la première fois l'importance de la fixation à la zone buccale, « *zone érogène*

1. *L'interprétation des rêves* (1900a), Paris, PUF, 1973, p. 137 ; *OCF* IV, p. 185, *GW* II-III, p. 155-156.

2. « Fragment d'une analyse d'hystérie (Dora) » (1905e [1900]), *Cinq psychanalyses,* Paris, PUF, 1975, p. 4, *OCF* VI, p. 190 ; *GW* V, p. 167.

3. *Ibidem,* p. 29 ; p. 222 ; p. 201.

primaire »[1] qui, lors d'une excitation sexuelle génitale ultérieure, sera régressivement réactivée avec interversion de l'affect : « Je tiens sans hésiter pour hystérique toute personne chez laquelle une occasion d'excitation sexuelle provoque surtout ou exclusivement du dégoût, que cette personne présente ou non des symptômes somatiques. »[2] Il note, dans la ligne de pensée alors développée dans les *Trois essais sur la théorie sexuelle* à propos de la sexualité infantile perverse polymorphe, que « les énergies instinctuelles destinées à produire les symptômes hystériques sont fournies non seulement par la sexualité normale refoulée, mais encore par les émois pervers inconscients »[3]. Ce facteur est généralisé à toutes les psychonévroses, selon sa célèbre formule : « Les psychonévroses sont, pour ainsi dire, le *négatif* des perversions. »[4]

Si le complexe d'Œdipe n'est pas explicitement nommé dans ce texte, il en fournit néanmoins un des axes essentiels dans le repérage du jeu conflictuel des investissements d'objets et des identifications de Dora par rapport à ses objets parentaux et à leurs substituts. Dans son amour pour son père, « Dora se substituait à sa mère », mais « le sentiment de jalousie féminine était accouplé, dans l'inconscient, à une jalousie analogue qu'aurait éprouvée un homme. Ces sentiments virils, ou, pour mieux dire, gynécophiles, doivent être considérés comme typiques dans la vie amoureuse inconsciente des jeunes filles hystériques »[5]. Certes, le conflit œdipien n'est pas typique de l'hystérie, mais Freud en détermine certains traits particuliers, grâce à l'ampleur du rôle de la bisexualité dans la fantasmatique de l'hystérique. Sa description clinique de la bisexualité et des identifications multiples de Dora est très complète, mais ce n'est qu'en 1923[6] qu'il reconnaît l'importance de l'homosexualité dans sa problématique et le rôle des transferts homosexuels à interpréter. Il mesure alors le

1. *Ibidem,* p. 37 ; p. 232 ; p. 212.
2. *Ibidem,* p. 18 ; p. 209 ; p. 187.
3. *Ibidem,* p. 36 ; p. 230-231 ; p. 211.
4. *Ibidem,* p. 36 ; p. 230 ; p. 210.
5. *Ibidem,* p. 45-46, p. 242 ; p. 223-224.
6. *Ibidem,* p. 90 (note) ; p. 299 (note) ; p. 284 (note).

poids du contre-transfert qui fut le sien et auquel il attribue l'échec de cette cure. Le repérage et la théorisation du transfert, de ses possibilités comme de ses impasses, est l'un des apports majeurs de l'analyse du cas de Dora.

« Mes vues sur le rôle de la sexualité dans l'étiologie des névroses » (1906) permet à Freud de faire une critique de sa conception préalable de la séduction et synthétise ses réflexions sur le rôle du conflit entre la libido et le refoulement sexuel auquel il accorde un rôle de première importance, montrant à cette occasion le parcours théorique qui l'a amené de la notion de clivage à celle de défense puis à celle de refoulement[1]. Il insiste alors sur le caractère pervers polymorphe et « l'infantilisme de la sexualité »[2], c'est-à-dire un état infantile de la sexualité se prolongeant chez l'adulte, et s'exprimant dans des symptômes, « représentations converties de fantasmes, qui ont pour contenu une situation sexuelle »[3].

La synthèse de la conceptualisation freudienne de l'organisation fantasmatique de l'hystérie se trouve dans « Les fantasmes hystériques et leur relation à la bisexualité » (1908), en une série de neuf propositions, logiquement articulées, sur le symptôme hystérique qui est : 1 / le symbole mnésique de certaines impressions et expériences vécues efficaces (traumatiques) ; 2 / le substitut, produit par conversion, du retour associatif de ces expériences traumatiques ; 3 / l'expression d'un accomplissement de désir, comme d'autres formations psychiques ; 4 / la réalisation d'un fantasme inconscient servant à l'accomplissement de désir ; 5 / une satisfaction sexuelle représentant une partie de la vie sexuelle de la personne (correspondant à l'une des composantes de sa pulsion sexuelle) ; 6 / le retour d'un mode de satisfaction sexuelle qui a été réel dans la vie infantile et a, depuis lors, été refoulé ; 7 / compromis entre deux motions d'affects ou motions pulsionnelles opposées dont l'une s'efforce de donner expression à une

1. « Mes vues sur le rôle de la sexualité dans l'étiologie des névroses » (1906a), *Résultats, idées, problèmes, I*, Paris, PUF, 1984, p. 118-119 ; *OCF* VI, p. 315 ; *GW* V, p. 155-156.

2. *Ibidem,* p. 120 ; p. 316 ; p. 157.

3. *Ibidem* ; p. 120 ; p. 317 ; p. 158.

pulsion partielle ou composante de la constitution sexuelle tandis que l'autre s'efforce de réprimer la première ; 8 / un facteur sexuel important même si le symptôme peut aussi exprimer des motions non sexuelles ; 9 / il a une signification bisexuelle, expression d'une part d'un fantasme sexuel inconscient masculin, d'autre part d'un fantasme sexuel inconscient féminin. Au cours du traitement psychanalytique, la bisexualité psychique peut être au service de la résistance, soit dans l'utilisation défensive d'une seule signification sexuelle, soit, à travers les associations, dans la fuite d'une signification à l'autre[1].

L'importance de la théorie de la bisexualité s'exprime également dans l'un des derniers textes freudiens nommément consacré à l'hystérie : « Considérations générales sur l'attaque hystérique » (1909). Cette « attaque hystérique » est destinée à servir de substitut à une satisfaction autoérotique que le sujet se donnait autrefois mais à laquelle il a renoncé depuis. Le cycle typique est : « activité sexuelle infantile – refoulement – échec du refoulement et retour du refoulé »[2]. À travers l'analyse des significations fantasmatiques que la crise hystérique met en scène et masque d'un même tenant, Freud repère la présence du fantasme fondamental du coït, avec identification aussi bien masculine que féminine, permettant de retrouver chez la femme hystérique « un fragment d'activité sexuelle qui avait existé dans les années d'enfance et révélait un caractère tout ce qu'il y a de masculin [...] Dans toute une série de cas, la névrose hystérique ne correspond qu'à une empreinte excessive de cette poussée typique de refoulement qui élimine la sexualité masculine pour faire naître la femme »[3].

Dans « Le trouble psychogène de la vision dans la conception psychanalytique », Freud, à travers l'analyse du symptôme de cécité hystérique, critique de façon assez virulente les théories de Charcot,

1. « Les fantasmes hystériques et leur relation à la bisexualité » (1908a), *Névrose, psychose et perversion,* Paris, PUF, 1973, p. 153-154 ; *GW* VII, p. 196-197.

2. « Considérations générales sur l'attaque hystérique » (1909a), *Névrose, psychose et perversion,* Paris, PUF, 1973, p. 164 ; *GW* VII, p. 238.

3. *Ibidem,* p. 165 ; p. 240.

Janet et Binet, en récusant leurs explications des troubles de l'hystérique par les concepts de suggestion et d'autosuggestion ; il montre comment, Janet en particulier, s'il a vu l'importance de l'inconscient et de la dissociation dans la formation des symptômes hystériques, n'a pas perçu le jeu des forces psychiques entre elles, leurs conflits. Il y oppose sa conception dynamique. La réaffirmation du rôle central du conflit psychique est là essentielle. À ce moment de sa pensée, Freud considère que le conflit central se trouve entre les pulsions du moi et les pulsions sexuelles partielles qui ont subi des échecs dans leur remaniement. La cécité hystérique lui permet d'insister sur l'intensification du rôle érogène d'un organe qui peut se « conduire carrément comme un organe génital » [1] et sur lequel le moi a perdu sa domination. Cet organe « se met entièrement à la disposition de la pulsion sexuelle refoulée. Cela donne l'impression que le refoulement de la part du moi va trop loin et qu'il jette l'enfant avec l'eau du bain » [2]...

L'HYSTÉRIE AU SERVICE DE LA MÉTAPSYCHOLOGIE, L'HYSTÉRIE D'ANGOISSE (1909-1916)

Si « Le trouble psychogène de la vision dans la conception psychanalytique » évoquait encore un symptôme typiquement hystérique de conversion, l'analyse du cas du « petit Hans » élargit le champ de l'hystérie à celui des phobies, sous la désignation d'« hystérie d'angoisse ». Ce terme est justifié « par la parfaite similitude du mécanisme psychique et de ces phobies et de l'hystérie, similitude complète à l'exception d'un seul point [...] Dans l'hystérie d'angoisse, la libido, détachée du matériel pathogène par le refoulement, n'est en effet pas *convertie,* [...] mais libérée sous forme d'angoisse » [3]. Là encore, on peut trouver des névroses mixtes. Ces hystéries d'angoisse sont les

1. « Le trouble psychogène de la vision dans la conception psychanalytique » (1910i), *Névrose, psychose et perversion,* Paris, PUF, 1973, p. 173 ; *GW* VIII, p. 101.

2. *Ibidem,* p. 171 ; p. 99.

3. « Analyse d'une phobie chez un petit garçon de cinq ans (Le petit Hans) » (1909b), *Cinq psychanalyses,* Paris, PUF, 1975, p. 175 ; *OCF* IX, p. 102 ; *GW* VII, p. 349.

plus fréquentes et les plus précoces des névroses[1]. À la place de la conversion, un travail psychique singulier, « barrières psychiques, précautions, inhibitions, interdictions », s'efforce de « fixer psychiquement » l'angoisse. « Ce sont ces structures défensives qui apparaissent sous forme de phobies. »[2]

Dans la *Métapsychologie* (1915) Freud reprend les distinctions et les relations entre les différentes névroses. Il s'attache aux modalités de réussite, ou échecs, du refoulement. En effet, si dans l'hystérie de conversion, le refoulement peut réussir à faire disparaître complètement l'affect, comme le montre « la belle indifférence des hystériques »[3] selon Charcot, dans l'hystérie d'angoisse, le refoulement est « fondamentalement manqué », « l'épargne de déplaisir n'a pas réussi »[4], il y a élimination de la représentation, substitution par une phobie, mais celle-ci nécessite une tentative de fuite permanente. « Le travail de la névrose ne cesse pas. »[5]

Freud caractérise l'*hystérie de conversion* par la prévalence du travail de condensation, et l'*hystérie d'angoisse* par celle du travail de déplacement. Dans celle-ci, la représentation substitutive, par déplacement, joue dans le préconscient le rôle de contre-investissement, dans la mesure où elle garantit contre l'émergence de la représentation refoulée dans le conscient. Si le refoulement est réussi par rapport à la représentation, l'affect d'angoisse est impossible à inhiber. Le moi utilise la projection pour que le danger ne provienne plus d'une motion pulsionnelle mais d'une perception. À partir d'une angoisse-signal, le moi fuit l'investissement d'une perception et est pris dans des conduites d'évitement par contre-investissement de l'environnement[6].

1. *Ibidem,* p. 176 ; p. 102 ; p. 349-350.
2. *Ibidem,* p. 176 ; p. 103 ; p. 350.
3. « Le refoulement » (1915d), *Métapsychologie,* Paris, Gallimard, 1968, p. 60 ; *OCF* XIII, p. 198 ; *GW* X, p. 258.
4. *Ibidem,* p. 59 ; p. 198 ; p. 258.
5. *Ibidem.*
6. « L'inconscient » (1915e), *Métapsychologie,* Paris, Gallimard, 1968, p. 90-94 ; *OCF* XIII, p. 221-224 ; *GW* X, p. 281-284.

Au-delà de leurs différences, les *névroses de transfert* ont des modes d'entrée similaires et des mécanismes communs : le refoulement y maintient un investissement d'objet, car, même si « la névrose implique la renonciation à l'objet réel [...], la libido qui est retirée à l'objet réel, revient sur un objet fantasmé et, à partir de là, sur un objet refoulé »[1], en raison de fixations antérieures de la libido. Ce mouvement est bien différent de celui des psychonévroses narcissiques dans lesquelles les investissements d'objets sont abandonnés et où la libido se replie sur le moi. Comparant certaines formations de substitut entre schizophrénie et hystérie dans leur relation au corps[2], Freud les différencie en soulignant que, dans la conversion hystérique, plus conforme à la réalité corporelle, l'expression symbolique est plus proche du réel par similitude, car dans l'hystérie, les représentations de chose sont maintenues, mais elles sont perdues dans la schizophrénie avec un surinvestissement des représentations de mot.

« Deuil et mélancolie » est l'occasion de préciser les différences entre identifications narcissique (ici mélancolique) et hystérique : « Dans la première, l'investissement d'objet est abandonné tandis que, dans la seconde, il persiste et il existe une action, qui habituellement se limite à certaines actions et innervations isolées. »[3] Si ces identifications sont toutes deux « l'expression d'une communauté qui peut être celle de l'amour »[4], l'identification narcissique est la plus originaire et il y a régression jusqu'à « la phase orale de la libido qui appartient encore au narcissisme » – mais il faut alors constater que l'identification hystérique a été moins bien étudiée[5].

Dans les *Conférences d'introduction à la psychanalyse* (1916), l'hystérie sert encore de fil conducteur et de « névrose exemplaire » pour les démonstrations relatives aux principaux processus psychiques et aux principaux acquis, dont en particulier le refoulement

1. *Ibidem,* p. 110 ; p. 234 ; p. 294-295.

2. *Ibidem,* p. 115-116 ; p. 238 ; p. 298-299.

3. « Deuil et mélancolie » (1917e [1915]), *Métapsychologie,* Paris, Gallimard, 1968, p. 160 ; *OCF* XIII, p. 269 ; *GW* X, p. 437.

4. *Ibidem.*

5. *Ibidem* ; p. 160 ; p. 269 ; p. 436.

de tendances sexuelles perverses polymorphes. « D'innombrables sensations et innervations que nous rencontrons comme symptômes de l'hystérie et qui affectent des organes qui n'ont apparemment rien à voir avec la sexualité nous dévoilent ainsi leur nature d'accomplissement de motions sexuelles perverses dans le cadre desquels ce sont d'autres organes qui ont accaparé la signification des parties génitales. »[1] Mais c'est là aussi le texte dans lequel est fait explicitement le lien entre l'étiologie de l'hystérie et la situation œdipienne, ou plus exactement, le « retour aux premiers objets incestueux de la libido »[2].

Dans le chapitre « Points de vue sur l'évolution et la régression – Étiologie », après avoir montré que certaines parties de chaque tendance sexuelle peuvent être « restées accrochées à certains stades antérieurs de l'évolution »[3] et que fixation et régression sont intimement liées, Freud évoque deux sortes de régression de la libido : celle donc qui consiste en un retour aux objets œdipiens, mais aussi le « retour de l'organisation sexuelle dans son ensemble à des stades antérieurs »[4], celle-ci est caractéristique de la névrose obsessionnelle, seule la première jouant dans l'hystérie. En effet, il convient de différencier les mécanismes de défense : « Dans le cas de l'hystérie, il y a, c'est vrai, une régression de la libido aux objets sexuels primaires incestueux, et cela d'une manière tout à fait régulière, mais autant dire pas de régression à un stade antérieur de l'organisation sexuelle. En contrepartie, c'est au refoulement que revient, dans le mécanisme hystérique, le rôle principal. »[5] Cette action majeure du refoulement est ce qui explique que, bien que « l'unification des pulsions partielles sous le primat des organes génitaux » soit accomplie, il en résulte un tableau « qui présente quelques similitudes avec l'état qui précède le primat génital. Mais ce n'en est pas moins quelque chose de tout

1. *Conférences d'introduction à la psychanalyse* (1916-1917), Paris, Gallimard, 1999, p. 392 ; *OCF* XIV, p. 318 ; *GW* XI, p. 319.

2. *Ibidem,* p. 434 ; p. 353-354 ; p. 353.

3. *Ibidem,* p. 433 ; p. 352 ; p. 352.

4. *Ibidem,* p. 434 ; p. 355 ; p. 354.

5. *Ibidem,* p. 436 ; p. 355 ; p. 355.

autre »[1]. Freud nuance ainsi fonction des fixations et régressions dans l'hystérie, régressions que l'on pourrait dire plurielles, qui ne sont pas un retour organisé à une véritable « organisation ». En effet, ces fixations sont d'importance, comme l'est leur lien avec le refoulement pour le déclenchement d'une névrose ; « contre cet ancrage de la libido, fait l'expérience d'un *refoulement* là où la libido a fait l'expérience d'une fixation »[2]. Ces tendances sexuelles sont « extraordinairement *plastiques* », elles « sont entre elles dans le même rapport qu'un réseau de canaux communicants remplis de liquide, cela malgré leur soumission au primat génital, ce qui n'est pas si commode à unifier dans une représentation »[3]. On note là un certain embarras de Freud qui, avant de reprendre ces notions de régressions et de fixations, tente d'établir les phases du développement du moi ; se référant aux recherches de Sandor Ferenczi, il évoque le jeu, la discordance entre le développement du moi et celui de la libido.

Le chapitre consacré aux « modes de formation des symptômes » est entièrement sous le signe de l'hystérie. En effet, Freud tient à répéter, en début et en fin de chapitre : « Tout ce que je dis ici et tout ce qui va suivre ne se rapporte qu'à la formation de symptômes dans la névrose hystérique. »[4] Il est intéressant de noter que cela l'entraîne cependant à évoquer tant les mécanismes du rêve, les séries complémentaires, l'après-coup, la névrose infantile, le rôle majeure de la réalité fantasmatique, l'importance de l'économique... que les fantasmes de castration, de séduction et de scène originaire... L'hystérie reste bien un creuset de découvertes et de questionnements. Sur les régressions, ce chapitre est d'une grande richesse et on constate que la position de Freud quant à la régression de la libido dans l'hystérie est beaucoup plus complexe que ne le laisserait penser son affirmation du chapitre précédent. Ce sont bien des fixations qui attirent la libido sur la voie de la régression, lui permettant de se frayer une voie

1. *Ibidem,* p. 436 ; p. 355-356 ; p. 356.

2. *Ibidem,* p. 447 ; p. 364 ; p. 365.

3. *Ibidem,* p. 439 ; p. 357 ; p. 358.

4. *Ibidem,* p. 458 et 476. Cf. aussi chap. 24, p. 481 ; *OCF* XIV, p. 374 et 388, p. 393 ; *GW* XI, p. 375 et 390, p. 394.

à travers les refoulements et ainsi d'échapper aux conditions créées par le conflit. Il y a régression quand la libido « réinvestit par voie régressive les positions qu'elle a évacuées tout en y restant implantée avec certains effectifs »[1]. Dans ce cheminement régressif, il faut remarquer alors un « maillon intermédiaire », c'est-à-dire la persistance dans les « représentations imaginaires » des objets et directions pulsionnelles abandonnées, la libido n'ayant qu'à se retirer dans ces fantasmes[2]. Mais cette régression, de par cette persistance de représentations imaginaires qui ont joui d'une certaine tolérance jusqu'à leur réinvestissement, ne mérite plus guère d'être qualifiée de « formelle » (ou « topique ») ; il y a remontée subséquente aux origines de ces représentations, c'est-à-dire aux fixations libidinales – tout comme avait pu être auparavant évoqué un « retour à une sorte d'autoérotisme élargi, tel que celui qui présentait à la pulsion sexuelle les premières satisfactions »[3]. Ce chapitre foisonnant, dans lequel peuvent se deviner les échanges avec Ferenczi, oblige à nuancer certaines conceptions trop schématiques des mécanismes de défense hystériques, et peut éclairer, si l'on tient compte de l'insistance de Freud sur les fixations libidinales, les développements plus tardifs à propos des sources de l'hystérie dans les dysfonctionnements de la relation primaire à la mère.

L'HYSTÉRIE EN QUESTION À TRAVERS LA PULSION DE MORT ET LA FÉMINITÉ ?

Les derniers textes freudiens, sans plus jamais se concentrer sur l'hystérie proprement dite, n'en apportent pas moins quelques précisions importantes sur certains processus comme l'identification, resituant dans le cadre du conflit œdipien certains traits spécifiques de l'hystérie. Freud y ébauche explicitement des questionnements sur le lien entre cette névrose et la phase préœdipienne (ce que ses successeurs tenteront d'approfondir).

1. *Ibidem*, p. 474 ; p. 386 ; p. 388.
2. *Ibidem*, p. 474 ; p. 387 ; p. 388.
3. *Ibidem*, p. 465 ; p. 379 ; p. 381.

Dans *Psychologie des foules et analyse du moi* (1921), la reprise du cas de Dora permet de décrire l'identification hystérique comme identification partielle à quelque trait spécifique de l'objet, l'opposant aux identifications primaires globales[1]. Cependant, les identifications hystériques peuvent se faire par culpabilité à l'objet haï, à l'objet rival du conflit œdipien, ou à l'objet aimé, l'identification prenant la place du choix d'objet par régression.

En 1923, « Une névrose diabolique au XVIIe siècle » illustre la plasticité et la labilité des identifications hystériques : l'hystérie est repérable dans les manifestations de possession démoniaque et d'extase à travers le langage culturel de chaque époque que l'art nous a transmis, et, alors que « les névroses de ces temps reculés entrent en scène sous un vêtement démonologique », les actuelles se masquent sous celui des maladies organiques[2].

Dans *Inhibition, symptôme et angoisse* (1926), le modèle de l'hystérie, hystérie de conversion comme hystérie d'angoisse, permet d'évaluer le fonctionnement de la deuxième topique et de décrire les conflits entre moi, ça et surmoi. Les symptômes hystériques, compromis entre le besoin de satisfaction et le besoin de punition, sont des « réalisations d'une exigence du surmoi », ils se jouent dans le moi mais « sont à considérer comme des positions du refoulé, des points où il s'infiltre dans l'organisation du moi »[3]. Déjà, *Le moi et le ça* (1923) avait indiqué le rôle du sentiment de culpabilité inconscient du moi hystérique qui « se défend contre la perception pénible qui le menace, en provenance de la critique de son surmoi, de la même manière qu'il a d'ordinaire coutume de se défendre contre un investissement d'objet insupportable : par un acte de refoulement »[4]. L'hystérique est bien moins protégé que le névrosé obsessionnel du risque suicidaire (mais

1. *Psychologie des foules et analyse du moi* (1921c), *Essais de psychanalyse*, Paris, Payot, 1981, p. 169-170 ; *OCF* XVI, p. 44-45 ; *GW* XIII, p. 116-118.

2. « Une névrose diabolique au XVIIe siècle » (1923d), *L'inquiétante étrangeté et autres essais*, Paris, Gallimard, 1985, p. 269 ; *OCF* XVI, p. 217 ; *GW* XIII, p. 317.

3. *Inhibition, symptôme et angoisse* (1926d [1925]), Paris, PUF, 1986, p. 15 ; *OCF* XVII, p. 216 ; *GW* XIV, p. 126.

4. *Le moi et le ça* (1923b), *Essais de psychanalyse*, Paris, Payot, 1981, p. 266-267 ; *OCF* XVI, p. 294 ; *GW* XIII, p. 281.

Freud ne donne pas les spécificités de la désunion pulsionnelle chez l'hystérique)[1].

Le cas du « petit Hans » est repris à son tour, à propos du conflit d'ambivalence dans l'hystérie d'angoisse, et des défenses contre les revendications libidinales et hostiles du complexe d'Œdipe[2]. Les symptômes hystériques, tant d'angoisse que de conversion, sont fréquents chez l'enfant, mais ces « névroses infantiles », « épisodes réguliers du développement »[3], ne donneront pas toujours lieu à des névroses hystériques futures. Par contre, chez tout adulte névrosé a existé cette névrose infantile.

« D'où provient la particulière opacité de la formation de symptôme dans l'hystérie de conversion ? », s'interroge Freud[4]. Il privilégie alors l'étude de l'hystérie d'angoisse, mettant en parallèle l'étude de la phobie du « petit Hans » et celle de « L'homme aux loups », les opposant aux symptômes obsessionnels. Cependant, il y aurait au fond de toute névrose obsessionnelle une couche de symptômes hystériques formés très tôt[5]. Dans l'hystérie d'angoisse, la régression est-elle seulement formelle, remplacement d'une représentation, ou est-elle une régression pulsionnelle effective ? On peut aussi faire l'hypothèse d'une régression qui remplacerait un refoulement insuffisant[6].

Dans les différents procédés de défense contre les motions pulsionnelles, on trouve certaines particularités aux contre-investissements : les formations réactionnelles dans la névrose obsessionnelle sont beaucoup plus importantes que dans l'hystérie. Dans celle-ci, si « la haine contre une personne aimée est refrénée par un surcroît de tendresse et d'appréhension anxieuse à son égard », cette modification ne se généralise pas et reste élective ; « dans l'hystérie, la formation

1. *Ibidem,* p. 268-269 ; p. 296 ; p. 283.

2. *Inhibition, symptôme et angoisse* (1926d [1925]), Paris, PUF, 1986, p. 19-22 ; *OCF* XVII, p. 219-222 ; *GW* XIV, p. 130-133.

3. *Ibidem,* p. 73 ; p. 263 ; p. 179.

4. *Ibidem,* p. 32 ; p. 229 ; p. 141.

5. *Ibidem,* p. 34 ; p. 230 ; p. 143.

6. *Ibidem,* p. 24 ; p. 223 ; p. 134.

réactionnelle se cramponne avec ténacité à un objet déterminé sans atteindre le niveau d'une disposition générale du moi »[1]. Le contre-investissement hystérique a la particularités d'être dirigé de préférence vers l'extérieur, vers une perception dangereuse ; la défense principale de l'hystérie reste le refoulement, alors que celui-ci n'est que l'une des défenses de la névrose obsessionnelle. Il y aurait une **affinité intime entre l'hystérie et le refoulement**[2].

L'hystérie d'angoisse permet de réévaluer les premières conceptions sur l'angoisse et de la déterminer par rapport à celle de castration dont les autres angoisses sont des précurseurs. Encore faut-il différencier l'hystérie de conversion dans laquelle il revient à l'angoisse de perte d'amour de tenir la place que la menace de castration assure dans les phobies, l'angoisse devant le surmoi dans la névrose obsessionnelle. Il y a affinité entre l'hystérie et la féminité, dans la mesure où c'est chez la « femme que la situation de danger, restée la plus active, semble être celle de la perte de l'objet »[3].

Dans la XXXIIIe conférence consacrée à « La féminité », qui affirme l'importance de la phase préœdipienne pour comprendre la sexualité féminine, Freud revient sur la problématique de la séduction pour rappeler que, s'il avait privilégié le rôle de la séduction du père, puis du fantasme de séduction par le père dans l'étiologie de l'hystérie, il retrouvait maintenant le fantasme de séduction mais, cette fois, par la mère – « dans ce cas, toutefois, le fantasme touche le sol de la réalité » en raison des soins corporels donnés à l'enfant[4]. On peut noter que si les premières élaborations sur l'hystérie étaient indissociablement liées à la découverte des processus inconscients, elles sont maintenant tissées dans les réflexions sur la féminité.

Sans lui donner toute l'importance que ses successeurs lui accorderont, l'article « Sur la sexualité féminine » (1931) mentionne l'hypothèse d'une relation particulièrement étroite entre cette « phase du lien

1. *Ibidem*, p. 86 (Addenda) ; p. 272 ; p. 190.

2. *Ibidem*, p. 93 ; p. 279 ; p. 197.

3. *Ibidem*, p. 68 ; p. 258 ; p. 174.

4. « La féminité » (1933a), *Nouvelles conférences d'introduction à la psychanalyse* (1933a [1932]), Paris, Gallimard, 1984, p. 162 ; *OCF* XIX, p. 204 ; *GW* XV, p. 129.

à la mère et l'étiologie de l'hystérie »[1]. Cette phase permet toutes les fixations et tous les refoulements (d'où l'origine des névroses) – d'où la nécessité « de revenir sur l'universalité de la thèse selon laquelle le complexe d'Œdipe est le noyau des névroses »[2]...

Cette interrogation surprenante de Freud lui permet d'ouvrir des perspectives sur la phase préœdipienne, et il laisse le soin de l'étudier en particulier à ses élèves femmes, telles Jeanne Lampl de Groot, Hélène Deutsch et Ruth Mack Brunswick, qui lui avaient au préalable fourni les données sur lesquelles il étaye son questionnement.

QUESTIONS ET ENJEUX

Au premier abord, on peut constater la relative rareté de travaux nommément consacrés à l'hystérie parmi les contemporains et proches successeurs de Freud, comme si l'ampleur des premiers travaux du maître ne permettait pas de mettre en valeur des développements ou apports, qui se trouvent cependant insérés dans de riches travaux cliniques. Mais dans cette raréfaction de la nomination de l'hystérie comme catégorie nosographique, d'autres enjeux se dessinent peut-être, liés tant au respect d'une clinique analytique dont nulle catégorisation peut totalement rendre compte qu'au souci, dans un mouvement similaire à celui de Freud, de dégager avant tout des mécanismes et des processus. Il y a là toute la question d'une distinction entre une approche symptomatique et une recherche structurale, de l'oscillation entre symptômes hystériques et hystérie comme structure.

Les travaux des contemporains de Freud, tout en restant très fidèles à celui-ci dans l'affirmation de la prédominance de la fixation œdipienne chez l'hystérique, portent souvent l'accent sur les dysfonctionnements préœdipiens de l'hystérie. D'autres écrits, tels déjà ceux de Karl Abraham puis surtout de Mélanie Klein et ses élèves, s'en démarqueront plus nettement dans leur focalisation sur les phases précoces

1. « Sur la sexualité féminine » (1931b), *La vie sexuelle*, Paris, PUF, 1969, p. 141 ; *OCF* XIX, p. 11 ; *GW* XIV, p. 519.

2. *Ibidem*, p. 140 ; p. 10 ; p. 518.

du développement psychosexuel qui se relient à leurs travaux sur les psychoses. La question des limites nosographiques de l'hystérie, comme celle des limites d'une nosographie psychanalytique, se trouvent par là à nouveau latéralement posées.

Parmi les contemporains de Freud, Sandor Ferenczi est l'un des seuls à avoir consacré plusieurs écrits spécifiques à l'hystérie, regroupés sous le titre de *Hystérie et pathonévroses*[1]. Il a fait des propositions originales sur certains processus hystériques de conversion et développé des interrogations laissées en suspens dans l'œuvre freudienne, en particulier sur la question des régressions à l'œuvre dans cette pathologie. Cette question de la gravité de la régression dans certaines hystéries se déploiera dans ses textes plus tardifs. Ainsi dans son texte célèbre, « Confusion de langue entre les adultes et l'enfant. Le langage de la tendresse et de la passion », c'est bien à propos de patients hystériques qu'il en vient à critiquer sa propre technique active incitant à la régression et l'abréaction, tendant à favoriser la répétition des événements traumatiques en cure. « La séance d'analyse dégénérait chaque fois en une crise d'angoisse hystérique »[2], écrit-il. Ce texte marque également la distance prise avec les positions freudiennes dans un retour à la *neurotica* : en effet, il en vient à redonner un poids majeur aux traumatismes sexuels réellement subis dans l'enfance. Sans que l'hystérie soit précisément interrogée, elle reste en toile de fond et se pose à nouveau la question, dans ses formes graves, de la mise en jeu d'autres mécanismes de défense que le refoulement, tel le clivage.

Si Karl Abraham a consacré explicitement peu d'écrits à l'hystérie, on peut cependant constater que ses échanges avec Freud sur le sujet sont importants et apparaissent, par exemple, dans les *Conférences d'introduction à la psychanalyse*[3].

D'autre part, tout comme Ferenczi, il continue de travailler sur les limites nosographiques de cette affection, en reprenant ressemblances

1. S. Ferenczi, *Hysterie und Pathoneurosen* (1919), Leipzig-Vienne-Zurich, Internationaler Psychoanalytischer Verlag, 1919, 78 pages. En français, ces textes sont répartis entre les volumes II et III des *Œuvres complètes,* Paris, Payot, 1982.

2. S. Ferenczi, « Confusion de langue entre les adultes et l'enfant. Le langage de la tendresse et de la passion » (1932), *Œuvres complètes*, Paris, Payot, 1982, t. IV, p. 126.

3. S. Freud, *Conférences d'introduction à la psychanalyse* (1916-1917), Paris, Gallimard, 1999, p. 527, par exemple ; *OCF* XIV, p. 430 ; *GW* XI, p. 430. Cf. également la correspondance.

et différences entre celle-ci et la démence précoce, ou en s'attachant aux troubles de la conscience chez les hystériques. Il va également tenter de modéliser les particularités de la relation à l'objet chez l'hystérique. Ainsi, dans « Esquisse d'une histoire du développement de la libido fondée sur la psychanalyse des troubles mentaux », à propos du développement de l'amour objectal, reprend-il la question des fixations dans l'hystérie, en spécifiant les modalités d'une incorporation *partielle* de l'objet sur le mode oral ambivalent étudié dans des névroses graves, là encore hystériques probables [1]. Mais, fidèle à Freud, il souligne néanmoins bien la fixation phallique dans l'hystérie : si il y a bien accession à un amour objectal, celui-ci est ambivalent et s'organise autour d'une exclusion des organes génitaux. « Il semble bien que l'acceptation érotique de l'objet sous réserve d'exclusion des organes génitaux soit l'expression typique de l'interdit de l'inceste dans l'hystérie. » [2] Dans ce dernier texte, il précise les frontières entre les troubles maniaco-dépressifs et les états névrotiques hystériques, tout en restant dans une certaine ambiguïté quant à l'importance des fixations sadiques-orales qu'il signale cliniquement mais ne théorise pas au sujet de l'hystérie.

Le fondement de ces questionnements se trouve bien dans l'œuvre freudienne elle-même : quand Freud, dans ces deux derniers textes sur la féminité, élaborait l'importance de la phase préœdipienne chez la fille, il avait insisté sur la « relation particulièrement étroite » de ce lien précoce avec l'étiologie de l'hystérie, « ce qui n'a rien de surprenant si l'on considère que l'une et l'autre, la phase comme la névrose, appartiennent aux caractères particuliers de la féminité » [3]. Ainsi, c'est à partir d'un cas de paranoïa féminine dont elle discute le diagnostic différentiel d'avec l'hystérie [4], que Ruth Mack Brunswick théorise la phase préœdipienne dans une collaboration étroite avec Freud [5]. Les autres analystes femmes, telles Jeanne Lampl de Groot ou Hélène

1. K. Abraham, « Esquisse d'une histoire du développement de la libido fondée sur la psychanalyse des troubles mentaux » (1924), *Œuvres complètes*, Paris, Payot, 1965, t. II, seconde partie : « Débuts et développements de l'amour objectal », p. 214.

2. *Ibidem*, p. 221.

3. S. Freud, « Sur la sexualité féminine » (1931b), *La vie sexuelle*, Paris, PUF, 1969, p. 141 ; *OCF* XIX, p. 11 ; *GW* XIV, p. 519.

4. R. Mack Brunswick (1928), « L'analyse d'un délire de jalousie », *Féminité/Mascarade*, Paris, Seuil, 1994.

5. Son travail, « La phase préœdipienne du développement de la libido » (1930), ne

Deutsch, auxquelles Freud se référait dans son article sur la sexualité féminine, vont développer leurs théorisations sur la féminité à partir de cas d'hystériques et ainsi réévaluer les fondements prégénitaux de l'hystérie. Leurs difficultés vont être de concilier leur fidélité à la théorie freudienne de l'hystérie de problématique œdipienne à fixation génitale et leur découverte de l'ampleur des conflits préœdipiens mis au jour dans les cures. Si Jeanne Lampl de Groot ne fait pas de déductions théoriques spécifiques sur l'hystérie dans son texte « Histoire du développement du complexe d'Œdipe chez la femme » [1], c'est toutefois bien deux cas d'hystérie féminine qui vont l'amener à mettre en évidence le désir phallique « d'être un homme pour pouvoir posséder la mère », à différencier d'un repli homosexuel par déception vis-à-vis du père. Il faut noter, dans les textes de cette époque, une certaine indétermination à propos de la phase phallique tantôt qualifiée de préœdipienne, tantôt appartenant de plein droit à l'organisation génitale œdipienne, indétermination qui dérive des ambiguïtés de Freud, entre « L'organisation génitale infantile » (1923) et ses textes sur la féminité.

Hélène Deutsch, dans une série de conférences en 1930[2], va reprendre les théories en cours sur l'hystérie et montrer la pertinence de la pratique et la théorie analytique à partir de cas d'analyses d'une grande richesse clinique dont elle dégage progressivement des vues plus personnelles. Tous ces textes montrent avec acuité comment l'auteur maintient à la fois la référence constante à la fixation œdipienne tout en travaillant de façon serrée sur les aspects préœdipiens de la pathologie hystérique. Par exemple, dans son long travail consacré à l'homosexualité féminine, elle développe les avatars de la relation préœdipienne à la mère, tout en affirmant que, dans les cas d'homosexualité analysés, elle n'en a « trouvé aucun où la lumière ou l'ombre jetées par le père sur cette relation primitive ne joue un rôle important et essentiel » [3]. Cependant, elle évoque tout de même le fait

---

sera publié qu'en 1940 dans *The Psychoanalytical Quarterly*, New York, 1940, vol. IX, p. 293-319, et dans la *Revue française de psychanalyse*, 1967, n° 2.

1. J. Lampl de Groot, « Histoire du développement du complexe d'Œdipe chez la femme » (1927), *Féminité/Mascarade*, Paris, Seuil, 1994.

2. H. Deutsch, *La psychanalyse des névroses et autres essais* (1930), Paris, PUF, 1970.

3. H. Deutsch, « L'homosexualité chez les femmes » (1932), *La psychanalyse des névroses et autres essais* (1930), Paris, PUF, 1970, p. 164.

que certaines hystéries puissent être expliquées par la fixation primitive exclusive à la mère.

Cette harmonie théorique et clinique quant à l'équilibre entre versant œdipien et préœdipien se retrouve chez Otto Fenichel dans son étude de 1930 sur « La préhistoire prégénitale du complexe d'Œdipe », texte dans lequel il fait l'état des lieux des accords et divergences entre analystes de l'époque quant à la question de savoir « comment des relations d'objets de l'époque prégénitale se reflètent de façon typique dans le complexe d'Œdipe » [1]. Là encore, deux cas d'hystérie féminine, longuement analysés pour l'époque (deux à trois ans), vont servir à sa démonstration. Dans ces cas, le complexe d'Œdipe est « influencé par le lien prégénital à la mère ; et son échec est influencé par l'échec préalable de cette relation d'objet » [2].

Dans ce bref parcours des travaux des contemporains et proches successeurs de Freud – que lui-même discutait et dont il utilisait les travaux –, l'hystérie apparaît ainsi toujours comme un champ de délimitation, dans lequel sont interrogées les limites entre névrose et psychose, aussi bien qu'entre pathologie et modèle d'un fonctionnement psychique. Des axes de recherches s'y dessinent qui trouveront leur prolongement après-guerre dans des approches où s'opposeront, par exemple, tenants d'une psychanalyse centrée sur le moi et ses défenses et tenants d'une conception structurale.

Ainsi, entre les approfondissements d'une nosographie authentiquement psychanalytique, l'accent porté sur des processus ou l'interrogation sur la valeur et le sens de symptômes « hystériques », les questionnements oscillent-ils entre l'hystérique, qualificatif progressivement dépouillé de ces accents péjoratifs, et l'hystérie dans sa version substantivée, dans la continuation de ce mouvement même qui fut celui de Freud lors de sa construction de l'hystérie, à travers l'invention de la psychanalyse.

Guy CABROL et Hélène PARAT

1. O. Fenichel, « La préhistoire prégénitale du complexe d'Œdipe » (1930), *Féminité/Mascarade*, Paris, Seuil, 1984, p. 237.

2. *Ibidem*, p. 263.

I

IDÉAL DU MOI, MOI IDÉAL

all. : ***Ichideal, Idealich.*** – angl. : *ego-ideal, ideal ego.* – esp. : *ideal del yo, yo ideal.* – ital. : *ideale dell'io, io ideale.* – port. : *ideal do ego, ego ideal*

Le terme « idéal du moi » *(Ichideal)* apparaît en 1914 à propos du narcissisme, Freud usant alors parfois, mais plus rarement, du synonyme « moi idéal » *(Idealich)*, sans faire entre eux de distinction notionnelle – idéal du moi étant largement plus utilisé dans le texte que moi idéal. Ainsi introduit dans la théorie de l'appareil psychique, il annonce le développement de la deuxième topique : issu du narcissisme originaire, l'idéal du moi représente les exigences nécessaires pour que le moi garde ou retrouve l'amour des instances parentales dont le bébé était investi ; de ce fait, il comporte initialement des fonctions qui seront ensuite, à partir de 1923, attribuées au « surmoi » *(Über-Ich)*. Pour les désigner, Freud a longtemps utilisé un vocable composite : le « surmoi (idéal du moi) ». En fait, la distinction des deux concepts n'est jamais tranchée mais, progressivement, la notion d'idéal du moi est recouverte par celle de surmoi, ne retrouvant sa spécificité que lorsque est privilégiée la relation avec l'investissement narcissique – soit, plus généralement, avec la question de l'« être ».

MISE EN SITUATION

Le terme d'« idéal du moi » apparaît pour la première fois dans « Pour introduire le narcissisme » en 1914, même si les notions plus générales d'idéal et d'idéalisation purent être déjà mentionnées. En effet, le concept est directement lié à celui de narcissisme – qu'il s'agisse de l'idéal du moi ou du moi idéal, cette deuxième notion étant plus floue, peu développée par Freud lui-même, bien qu'il en ait esquissé une approche originale, toujours en lien étroit avec le concept complexe de narcissisme. De ce fait, on a parfois pu considérer que le moi idéal serait plus primitivement lié aux idéaux – essentiellement inconscients – des parents (à la fin des années 1950, certains analystes purent tendre à forcer le texte freudien en distinguant nettement trois instances, spécifiant non seulement l'idéal du moi par rapport au surmoi, mais aussi l'idéal du moi par rapport au moi idéal censé être un idéal narcissique archaïque).

À partir de 1923, Freud tend à rapprocher, voire à confondre l'idéal du moi avec le surmoi qui vient d'être conceptualisé ; l'idéal du moi n'en conserve pas moins la spécificité que lui confère le narcissisme – c'est pourquoi nous lui avons réservé une entrée propre, que justifiait déjà le décalage dans l'élaboration historique avec celle du surmoi.

*Nous aurions pu réunir sous une seule définition les concepts d'**idéal du moi** et de **surmoi** en demeurant tout à fait fidèles à la pensée freudienne. Après bien des hésitations, il nous a cependant semblé préférable de réserver à chacun d'eux son entrée, non seulement parce que, ce faisant, nous suivons l'élaboration du corpus freudien et le comprenons mieux, mais nous préservons les spécificités de chaque concept. Le lecteur n'en sera sans doute pas moins amené à évoluer, tout naturellement, de l'un à l'autre.*

LE TEXTE FREUDIEN

Dès 1905, Freud constate qu'aux perversions les plus abominables participe un travail psychique qui a « la valeur d'une idéalisation de la pulsion »[1], mais si celle-ci tend bien vers un idéal, il s'agit là de travail pulsionnel, et de rien qui puisse ressembler à une instance; il faudra attendre près de dix ans pour que cela s'élabore.

En 1914, Freud introduit l'idéal du moi[2] avec le narcissisme, dans précisément « Pour introduire le narcissisme ». Il aborde la question du « narcissisme primaire normal » par l'étude de la démence précoce (ou schizophrénie) et de ses traits fondamentaux – avant tout le délire des grandeurs, associé à l'introversion de la libido qui amène le malade à se détourner du monde extérieur. Ceci entraîne un **investissement exclusif du moi** qui se traduit par la croyance délirante en sa « grandeur », ce que l'on peut considérer comme une retrouvaille si l'on pense à la situation originelle du bébé (« His Majesty the Baby »); il s'agit en effet de se tourner – au delà de l'abandon de la relation à la réalité extérieure au profit de la réalité psychique que l'on observe chez le névrosé dans les limites de sa « maladie » – vers le retrait réel que le « paraphrène », ainsi que le nomme Freud, effectue à l'égard tant de la réalité extérieure que de la réalité psychique; ce sont alors les aspects projetés, délirants qu'il tient désormais pour réalité. Le délire des grandeurs traduit le nouveau destin de la libido dans ces circonstances; retirée aux objets elle se reporte sur le moi, renforçant un narcissisme secondaire établi sur la base du narcissisme primaire. Nous pouvons voir par ce biais une introduction à la question de l'idéal, qui n'est pourtant pas encore nommé par Freud à cet endroit de son exposé: la grandeur du moi témoigne ici de la réalisation délirante de son accession à l'idéal[3].

1. *Trois essais sur la théorie sexuelle* (1905d), Paris, Gallimard, 1987, p. 74; *OCF* VI, p. 95; *GW* V, p. 61.

2. « Pour introduire le narcissisme » (1914c), *La vie sexuelle*, Paris, PUF, 1982, p. 97-105; *OCF* XII, p. 236-244; *GW* X, p. 160-169.

3. *Ibidem*, p. 82; p. 218-219; p. 139.

Dans le même temps, Freud étudie la psychologie des primitifs et des enfants, caractérisée par « la surestimation de la puissance de leurs désirs et de leurs actes psychiques », toute-puissance de la pensée, « croyance à la force magique des mots, qui se manifeste par le recours à la magie et constitue donc une application de présuppositions mégalomaniaques ». Cet ensemble peut évoquer une première approche du moi idéal, dans ses relations avec le narcissisme primaire, comme en témoignent la mégalomanie et la surestimation des capacités du moi. La surestimation sexuelle de l'objet d'amour[1] est de même sorte ; elle « trouve son origine dans le narcissisme originaire de l'enfant, et répond donc à un transfert de ce narcissisme sur l'objet » – ceci dans le cas d'un choix d'objet par étayage. La surestimation du bébé par ses parents soutient le développement de son narcissisme : **ils retrouvent en lui les perfections de leur propre narcissisme originaire.** Ainsi, avec l'apport de l'amour de type narcissique des parents, et par l'investissement des autoérotismes par l'enfant lui-même, se constitue le narcissisme de l'enfant et, avec lui, le moi idéal : « **Il apparaît que le narcissisme est déplacé sur ce nouveau moi idéal** *(dieses neue ideale Ich)* »[2] que l'adulte tentera par tous les moyens de retrouver. Un nouveau déplacement, en l'occurrence une projection, survient alors : « Ce qu'il projette devant lui comme son idéal est le substitut du narcissisme perdu de son enfance ; en ce temps-là, il était lui-même son propre idéal. » Dès lors, ce que nous appelons idéal du moi est établi ; nous pouvons retenir son caractère secondaire par rapport à l'idéal originaire qui serait alors le moi idéal – notons, ce qui n'est pas sans importance, que ce moi idéal n'apparaîtra plus dans la suite de l'œuvre sous cette forme. En effet, par la suite, l'usage des termes freudiens *Idealich* et *Ichideal* ne soutient plus une variation de sens évidente ; les deux termes ayant à répondre à ce que l'on traduit généralement par « idéal du moi ».

Le but de l'idéal du moi reste le retour à la complétude, à l'accomplissement originaire et fictif que représente le moi idéal. L'idéal du moi de l'enfant apparaît en partie comme un moyen – nécessairement

1. *Ibidem,* p. 94 ; p. 231-232 ; p. 154-155.
2. *Ibidem,* p. 98 ; p. 236-237 ; p. 161.

décevant de part et d'autre – de permettre aux parents de retrouver leur propre moi idéal perdu ; il est le support d'une projection du moi idéal des parents et, rappelons-le, correspond aussi à l'investissement narcissique des autoérotismes de l'enfant : « Quelque chose, une nouvelle action psychique, doit donc venir s'ajouter à l'autoérotisme pour donner forme au narcissisme. »

Deux ans plus tard, dans les *Conférences d'introduction à la psychanalyse,* Freud reprend ceci assez rapidement, de façon plus simplifiée, évoquant le malade atteint de délire d'observation qui « ressent que dans son moi une instance exerce son office, mesurant son moi actuel et chacune de ses activités à un moi idéal qu'il s'est créé au cours de son développement ». Cet idéal serait comme une tentative de retrouver le contentement de soi lié au narcissisme primaire, mais doit être associé à l'instance d'auto-observation responsable de la conscience morale et de la censure[1].

En 1921, dans *Psychologie des foules et analyse du moi,* **est introduite la question spécifique de l'idéal du moi** « sous la forme du meneur *(Führer)* de foule », qui se révèle être un avatar du père de la préhistoire personnelle ; cette origine de l'idéal du moi s'avérera, deux ans plus tard, être aussi celle du surmoi (ce qui conduira Freud à adopter, dans un premier temps, la notion hybride, ou tout au moins le mot composé de « surmoi (idéal du moi) », avant de séparer plus nettement les deux lignées conceptuelles dérivant d'une même origine paternelle). S'appuyant sur l'importance que Le Bon reconnaît au meneur d'une foule, Freud développe les questions de sa nature pulsionnelle et de l'origine de son « prestige », référant ce qu'il avait établi en 1912-1913 dans *Totem et tabou.* Les exemples de l'Église et de l'Armée lui permettent de mettre en évidence l'idéalisation des meneurs aussi bien que des idées « menantes » *(führende)* et leur rôle dans la constitution, dans la permanence – ou au contraire la dissolution – de l'idéal du moi lorsque l'idéalisation s'effondre. À partir de ce modèle apparemment sociologique, Freud reprend la question de l'idéal de la foule, organisée ou non, et du rôle de la suggestion.

1. *Conférences d'introduction à la psychanalyse* (1916-1917), Paris, Gallimard, 1999, p. 543 ; *OCF* XIV, p. 443-444 ; *GW* XI, p. 444.

Chaque membre d'une foule établit une relation directe avec le meneur, parallèle à celle des autres membres auxquels le relie le partage d'un « idéal du moi » commun, qui est pour chacun un substitut paternel, mirage ou illusion, censé aimer tous les membres de la foule d'un amour égal[1].

Les caractères du père idéal et illusoire reçoivent toute leur extension avec l'étude de l'identification. Le mythe de la horde et du père originaires est là présenté de la façon la plus complète, **en relation avec le concept d'idéal du moi.** Mythe scientifique – ou *just so story*[2], comme le reprend Freud avec humour d'un critique anglais – cette apparente distance ne doit pas cacher qu'il s'agit bien là d'un mythe fondateur de l'analyse, au même titre par exemple que la métapsychologie, éventuellement désignée comme étant « notre mythologie ». La horde originaire apparaît comme le modèle de toute foule, le père originaire comme le modèle de tout meneur ; ses caractères sont repris dans une synthèse dense et impressionnante : non seulement ce père est, comme le meneur de foules, un « individu isolé et surpuissant au sein d'une bande de compagnons égaux », mais il est libre. « Ses actes intellectuels étaient forts et indépendants, sa volonté n'avait pas besoin d'être renforcée par celle des autres, son moi avait peu de liens libidinaux, il n'aimait personne en dehors de lui et n'aimait les autres que dans la mesure où ils servaient ses besoins. Son moi ne cédait rien de trop aux objets. »[3] Tel le surhomme, « il a le droit d'être de la nature des maîtres, absolument narcissique ». Freud montre au passage que le surhomme n'est pas à venir, comme dans la vision de Nietzsche, mais qu'il est un personnage, voire le personnage du passé, « au seuil de l'histoire de l'humanité ». Notons encore que ce modèle est curieusement comparé à la reine des abeilles : à sa mort, un successeur lui est trouvé par un processus qui transforme un membre quelconque de la horde, quoique typiquement le plus jeune, en nouveau chef ; un tel processus évoque la transformation d'une larve ordinaire

1. *Psychologie des foules et analyse du moi* (1921c), *Essais de psychanalyse,* Paris, Payot, 1981, p. 153-166 ; *OCF* XVI, p. 31-37 ; *GW* XIII, p. 101-114.

2. *Ibidem,* p. 189 ; p. 61 ; p. 136.

3. *Ibidem,* p. 191 ; p. 62 ; p. 138.

en reine. Cependant, si le chef, ancien ou nouveau, interdit une activité hétérosexuelle aux autres membres de la horde, il garde la possibilité de satisfaction sexuelle « sans ajournement, ni accumulation », et la fixation de sa libido à la femme donne apparemment un modèle idéal de sexualité à l'ensemble de la horde. Les mâles sont réduits à l'identification mutuelle mais peuvent « franchir le pas » qui conduit à l'amour objectal homosexuel qui leur permet d'acquérir « la liberté de tuer le père » [1], en gardant toutefois la fixation de la libido à la femme. Freud passe ensuite directement du père de la horde à l'hypnotiseur, de la psychologie de la foule à la psychologie individuelle.

Mais, avant de décrire le père de la horde originaire, Freud avait montré la place du père dans la préhistoire du complexe d'Œdipe du petit garçon : « Disons-le tranquillement, il prend son père comme idéal » [2] de même que, en corollaire nécessaire, dans le même temps ou antérieurement, il effectue un investissement objectal de la mère selon le type par étayage. Voilà qui conduit à poser les **questions de l'identification et de l'idéal du moi, ainsi que les relations du moi et de l'objet avec l'idéal du moi.** L'identification primaire, ambivalente, concerne le père : l'enfant veut être comme le père, équivalent au meneur de la horde préhistorique ; on peut voir là **l'origine de l'idéal du moi,** par incorporation du père sur un mode fantasmatique de type cannibalique – ceci concerne l'« être » et non l'« avoir » et, de ce fait, ce que l'on pourrait considérer comme le « sujet ». Mais Freud se réfère également au **modèle mélancolique** qui met encore davantage en évidence le rôle du narcissisme, dans une démarche complexe qui, à côté de la genèse de l'idéal du moi, laisse entrevoir, presque confondue, celle du surmoi. De même que « l'ombre de l'objet tombe sur le moi », selon la formule basale de la mélancolie, l'objet, ou son ombre, est introjecté ; le résultat en est le partage du moi, dont une des parties se déchaîne contre l'autre. Cette part nous semble correspondre à ce qui sera décrit, dans *Le moi et le ça,* comme étant « le surmoi cruel » – mais, pour le moment, il s'agit bien de l'idéal du moi, instance dont les caractéristiques peuvent être clairement distinguées :

1. *Ibidem,* p 192 (et n. 3) ; p. 63 (et n. 1) ; p. 138-139 (et n. 1).
2. *Ibidem,* p. 167 ; p. 42 ; p. 118.

— D'une part, elle a pour fonctions « l'auto-observation, la conscience morale, la censure onirique, et l'exercice de l'influence essentielle lors du refoulement »[1]. Toutes fonctions qui relèveront plus tard du surmoi.

— D'autre part **elle est « l'héritière du narcissisme originaire, au sein duquel le moi se suffisait à lui-même ». C'est là ce qui constitue réellement l'idéal du moi.** Mais cet idéal fait siennes les exigences que l'« environnement » impose au moi, et que ce dernier ne saurait toujours satisfaire. Dans cette situation, il peut trouver une « satisfaction dans un idéal du moi différencié du moi ». Ainsi la spécificité de l'idéal est soulignée : **c'est une instance narcissique, représentant le narcissisme originaire** qui impose au moi d'en rétablir les perfections. En ce sens, il a les mêmes buts que ceux qu'aura le surmoi (qui est encore à conceptualiser) : se conformer aux impératifs de l'environnement parental. Mais dans son cas il s'agit surtout de rétablir l'illusion des perfections originaires pour s'identifier au père, à son être (le surmoi, qui impose au moi les impératifs « catégoriques », représentera l'instance héritière du complexe d'Œdipe). Mais il faut souligner que les limites entre les diverses instances sont non seulement indécises, mais variables. C'est un point qui est souvent souligné lorsqu'il est question des limites entre les instances, mais qui l'est particulièrement à propos de l'opposition et de la complémentarité du surmoi et de l'idéal du moi.

Après cet aperçu sur les liens unissant le mythe du père préhistorique et l'idéal du moi, revenons aux **relations de l'idéal et de l'hypnotiseur** – personnage qui cache et révèle, en contrepoint, celui du **psychanalyste.** Il n'y a manifestement pas loin de l'état amoureux à l'hypnose, dit Freud ; dans le premier cas, « **l'objet s'est mis à la place de l'idéal du moi** » et, de ce fait, l'objet a été surinvesti par le moi aux dépens de celui-ci, puis le moi s'introjecte l'objet, perdu dès lors en tant qu'objet mais rétabli dans le moi par identification. Une question essentielle se pose alors : « Ne peut-il y avoir identification, l'objet étant conservé ? » Il s'en déduit une nouvelle hypothèse : l'objet s'est-il mis à la place du moi ou de l'idéal du moi ? Et qu'en

1. *Ibidem,* p. 173 ; p. 48 ; p. 121.

est-il dans la relation à l'hypnotiseur ? L'hypnose est non seulement semblable à l'état amoureux, mais la nature des rapports y atteint une telle netteté qu'elle peut plutôt expliquer l'état amoureux que l'inverse. L'hypnotiseur est l'objet unique, tant que le moi vit dans un rêve sur l'injonction de l'hypnotiseur, et c'est l'idéal que ce dernier représente, qui exerce, ici du moins, l'épreuve de réalité. Cet amour, cette dépendance amoureuse, sont renforcés par l'absence de satisfactions amoureuses directes. Les caractères de cette « foule à deux » se retrouvent dans l'amour de transfert : dans les deux cas **le sujet a mis l'objet à la place de l'idéal du moi**[1] (ce qui ne signifie nullement – comme il sera précisé deux ans plus tard – que dans le cadre du transfert l'objet se mette lui-même dans cette position[2]).

Freud insiste[3] sur **les procédés qui permettent la substitution de l'objet à l'idéal du moi.** Il vient alors de décrire le père de la horde originaire, notamment ce pouvoir mystérieux désigné par le terme de « Mana » ; le magnétisme animal de l'hypnotiseur est du même ordre, et Freud décrit les procédés qui lui permettent d'atteindre cette « position du rapport hypnotique, du transfert ». Nous retrouvons l'actualité du père de la horde grâce à ces techniques qui éveillent « chez le sujet une part de son héritage archaïque, lequel fut confronté aussi aux parents et connut dans la relation au père une reviviscence individuelle ». Finalement, le père originaire reviviscent est sans doute l'idéal de la foule, l'idéal du moi de l'hypnotisé et, d'une façon plus générale, l'idéal du moi.

Cependant, il faut encore relever que, par l'intermédiaire de Sandor Ferenczi, Freud souligne la coexistence de **deux sortes d'hypnose,** l'une « cajoleuse, qui apaise » rapportée au modèle maternel, et une qui menace, rapportée au père. Mais l'idéal du moi reste référé au père, même si l'allusion que nous avons notée plus haut, à la reine des abeilles comme équivalent au père originaire, reste surprenante.

1. *Ibidem,* p. 179 et 181 ; p. 52 et 54 ; p. 126 et 128.

2. *Le moi et le ça* (1923b), *Essais de psychanalyse,* Paris, Payot, 1981, p. 265, n. 1 ; *OCF* XVI, p. 293, n. 1 ; *GW* XIII, p. 280, n. 1.

3. *Psychologie des foules et analyse du moi* (1921c), *Essais de psychanalyse,* Paris, Payot, 1981, p. 194 ; *OCF* XVI, p. 66 ; *GW* XIII, p. 142.

De même, la théorie de l'homosexualité masculine proposée dans le chapitre « L'identification » avance l'idée que le moi de l'homosexuel se transforme en mère ; dans le même temps son moi – sans doute la part qui n'en est pas transformée – est projeté sur ses aimés, mais aucune allusion n'est faite là à l'idéal du moi, et rien ne permet de penser, sinon la référence à la reine de la ruche, que cette mère idéalisée, ou du moins toute-puissante, équivaille réellement à un idéal du moi[1]. (Il faudra attendre *Le moi et le ça* pour que la naissance de l'idéal du moi, rapportée à l'identification primaire au père de la préhistoire personnelle, soit également attribuée (mais seulement en note) à l'identification à la mère, mais à la **mère phallique,** c'est-à-dire idéale : « Car avant la connaissance certaine de la différence des sexes, du manque de pénis, père et mère ne se voient pas accorder une valeur différente. »[2])

Freud remarque ce que Le Bon qualifie de « miracle » et qui consiste en ce que ce qui a été reconnu comme acquis individuel chez les membres d'une foule disparaît et qu'ils se fondent en quelque sorte dans ce qu'il nomme « l'âme des foules », et ceci au moins à titre temporaire. Nous avons compris, écrit-il en identifiant le lecteur à la foule freudienne, que l'individu abandonne son idéal du moi et l'échange contre l'idéal de la foule incarné dans le meneur. Ceci implique que la séparation du moi et de l'idéal du moi ne soit guère avancée, que les deux coïncident encore facilement comme c'est fréquemment le cas. Le moi a alors souvent conservé l'autosatisfaction narcissique antérieure et, de ce fait, la constitution de l'idéal est fragile et la séparation du moi et de l'idéal est incertaine. Lorsqu'elle est plus assurée, que ce stade est acquis, « **le moi adopte désormais une relation d'objet avec l'idéal du moi issu de lui-même** » ; ainsi, toutes les interactions entre objet extérieur et moi total que nous connaissons par la théorie des névroses se répètent sur ce nouveau théâtre à l'intérieur du moi[3].

1. *Ibidem,* p. 171 ; p. 48 ; p. 121.

2. *Le moi et le ça* (1923b), *Essais de psychanalyse,* Paris, Payot, 1981, p. 243, n. 6 ; *OCF* XVI, p. 275, n. 1 ; *GW* XIII, p. 259.

3. *Psychologie des foules et analyse du moi* (1921c), *Essais de psychanalyse,* Paris, Payot, 1981, p. 199 ; *OCF* XVI, p. 68 ; *GW* XIII, p. 145.

Ainsi pouvons-nous comprendre les conditions du triomphe maniaque du moi lorsqu'il se libère de l'exigence de perfection narcissique auquel le contraint l'idéal ; cela répond apparemment à la situation où l'idéal n'est plus une instance proche du surmoi mais joue le rôle d'un objet d'amour pour le moi. C'est d'ailleurs ce qui s'applique à la relation au meneur, à l'hypnotiseur, à la situation de transfert surtout. Dans ces occurrences, **le théâtre se déplace du moi vers la scène extérieure,** comme à l'origine, et le moi retrouve son objet désormais à la fois intérieur et extérieur, idéal issu du moi comme nous l'avons vu, et objet externe idéalisé. La scène peut dès lors s'animer. Mais cela ne peut survenir qu'à la condition que le stade de l'idéal soit suffisamment établi, c'est-à-dire, soulignons-le encore, que **le moi atteigne une relation d'objet avec l'idéal issu de lui-même.** Ce que l'on peut sans doute considérer comme la première institution d'un objet interne, objet du moi, dans le moment même où s'établit l'identification au père, qui est, comme on le sait, l'expression première d'un lien affectif. On comprend ici que Freud insiste à plusieurs reprises sur la possibilité et l'importance d'une identification, alors même que l'objet est conservé – objet que vise, ici, l'amour pour le père. Quant à l'investissement objectal de la mère, il s'établit de façon simultanée – ou peut-être même antérieure – ce qui n'est pas sans poser à nouveau la question de l'idéalisation de la mère [1].

C'est en 1923 que ***Le moi et le ça*** **fonde pleinement la théorie de l'idéal du moi au sein de la deuxième topique,** dont il constitue un élément essentiel – ou, plus précisément, à celle du **surmoi (idéal du moi)** tel qu'il est nommé pour intituler le troisième chapitre. La coalescence des deux termes montre la difficulté conceptuelle, que nous avons déjà vue, mais qui trouve ici une acuité particulière. Rappelons que l'un et l'autre trouvent leur origine dans l'identification au père, qu'il soit père de la horde originaire ou qu'il soit le père de la préhistoire personnelle. Cependant, on peut admettre que la référence au narcissisme reste la caractéristique de l'idéal mais, le plus souvent, lorsqu'ils sont utilisés séparément les deux termes sont synonymes.

1. *Ibidem*, p. 167 ; p. 42 ; p. 115.

Dans ce texte, ils correspondent en fait, la plupart du temps, à la notion qui deviendra celle de « surmoi » nommé seul.

Pour mieux cerner les problèmes, Freud remarque que l'on « peut donc admettre comme résultat le plus général de la phase sexuelle dominée par le complexe d'Œdipe, un précipité dans le moi » qui correspond à la production de deux identifications (l'une au père et l'autre à la mère) pouvant s'accorder l'une à l'autre ; « cette modification du moi garde sa position particulière, elle s'oppose au reste du moi comme idéal du moi ou surmoi ». Cependant, le surmoi (et l'idéal du moi) a aussi la signification d'une formation réactionnelle énergique contre les premiers choix d'objet du ça ; d'où deux préceptes : « Tu dois être ainsi (comme le père) » d'une part, opposé d'autre part à l'interdiction : « Tu n'as pas le droit d'être ainsi (comme le père), c'est-à-dire tu n'as pas le droit de faire tout ce qu'il fait ; certaines choses lui sont réservées. » [1]

La situation ainsi décrite est, on le voit, extrêmement condensée. Les deux positions rappelées, où Freud voit d'ailleurs l'expression du « double visage de l'idéal du moi », permettent de définir **la spécificité relative de l'idéal, par rapport au refoulement du complexe d'Œdipe.** Ce refoulement est la fonction globale, mais aussi l'origine même et la raison d'être tant du surmoi que de l'idéal. L'un et l'autre en effet ont « la signification d'une formation réactionnelle énergique » contre les premiers choix d'objet du ça, c'est-à-dire la mère à l'origine, puis le père, après l'identification originaire. L'idéal est plus spécifiquement, nous l'avons vu, narcissique, dérivant de la première identification au père mythique de la préhistoire, père idéal donc, bien que Freud n'emploie pas ce terme. Père idéal, c'est-à-dire père idéalisé, et nous retrouvons là certains aspects du moi idéal : l'enfant-roi l'est aux yeux de ses parents et, dans le mouvement où il est intronisé, il est tenu de s'identifier à l'idéal du père que celui-ci lui offre comme modèle. Sans doute doit-il également s'identifier à l'idéal de la mère, c'est-à-dire essentiellement au père idéalisé de celle-ci. C'est un sens contenu dans la remarque de Freud à propos de l'identification au

1. *Le moi et le ça* (1923b), *Essais de psychanalyse*, Paris, Payot, 1981, p. 246-247 ; *OCF* XVI, p. 277-278 ; *GW* XIII, p. 262-263.

père de la préhistoire (disons donc de la propre préhistoire du père), selon laquelle elle se serait faite aussi au père idéal de la mère.

L'idéal du moi se retrouve comme « être supérieur », autre figure du meneur mais caractérisée par son abstraction qui le rend proche « des forces anonymes du destin ». Il représente aussi le surmoi, mais semble correspondre davantage à l'idéal qui « satisfait à toutes les exigences posées à l'essence supérieure de l'homme ». En fait, l'un et l'autre désignent effectivement ce qui est supérieur, au-dessus du moi dans tous les cas, que ce soit dans le surmoi ou dans l'idéal. On peut seulement retenir qu'ici le lien au narcissisme caractérise particulièrement l'idéal du moi qu'il serait, de toutes façons, vain de vouloir « localiser ». Si l'un et l'autre dérivent au sens le plus large du « complexe paternel », partant de l'héritage archaïque jusqu'au complexe d'Œdipe, plus précisément **l'idéal peut être désigné comme ce qui dérive de l'identification narcissique vers l'Être supérieur,** ouvrant la voie à la religion et au sentiment social[1]. Mais identification et « substitution d'un choix d'objet tendre à l'attitude agressive-hostile », qui caractérisent l'idéal du moi-surmoi, ne suffisent pas à éteindre le conflit de rivalité œdipien qui se poursuit dans « cette région supérieure ». Nous les retrouvons dans le chapitre intitulé justement « Relations de dépendance du moi », plus largement consacré à la dépendance du moi par rapport au surmoi cruel, à la conscience morale, que nous retrouvons, au-delà de l'association des deux instances, dans les exigences imposées au moi dans la mélancolie comme au cours de la névrose obsessionnelle grave, des caractères plus proprement liés à l'idéal du moi[2].

Dans la cure se fait jour **l'éventualité d'un dévoiement du transfert, sans doute le plus typique, qui met en cause l'idéal du moi.** À propos de la culpabilité inconsciente qui trouve son expression dans la **réaction thérapeutique négative,** Freud remarque la difficulté particulière d'aborder et de résoudre les problèmes qu'elle pose, en dehors du cas où elle relève d'un emprunt à une autre personne qui fut l'objet d'un investissement érotique dans le passé. On peut en déduire qu'elle a été ou a représenté un objet incestueux du ça, et a été désidéalisée, dans une

1. *Ibidem*, p. 248-250 ; p. 279-280 ; p. 264-265.
2. *Ibidem*, p. 265-266 ; p. 293-294 ; p. 280-281.

situation qui évoque les conditions de l'éclosion d'un accès mélancolique. Lorsque l'origine de cet emprunt a été démasquée, la tâche thérapeutique est alors souvent brillamment résolue. L'issue favorable du traitement dépend de la personne de l'analyste qui doit notamment permettre « au malade de le mettre à la place de son idéal du moi » ; pour autant, rien ne permet à l'analyste d'occuper de son propre chef ladite place, car les règles de l'analyse s'opposent à ce que l'analyste joue le rôle d'un prophète, d'un sauveur des âmes, d'un messie. Les limites, en même temps que l'intérêt de la prise en compte de l'idéal, apparaissent dans la démarcation qui sépare l'hypnose et l'analyse ; dans la première il s'agit de la suggestion, de la sujétion même, par un personnage qui se donne pour l'idéal ; dans la seconde, **l'idéalisation doit se résoudre dans l'analyse du transfert.** Analyse et hypnose reposent en effet l'une et l'autre sur le fait que le thérapeute est mis à la place de l'idéal du moi, dans lequel réapparaît le père mythique de la préhistoire, ce qui survient de manière spontanée dans l'analyse et, à l'opposé, par une démarche délibérée du thérapeute dans le cas de l'hypnose.

Dans ces circonstances, la référence à la qualité de la personne de l'analyste, à ses possibilités d'être idéalisé par le patient ou d'accepter de représenter son idéal du moi, surprend : ne s'agirait-il pas là, malgré tout, de sa capacité à se faire prophète pour emporter un succès thérapeutique précisément dans le contexte de la réaction thérapeutique négative et du sentiment inconscient de culpabilité ? Freud refuse sans compromis cette éventualité et rappelle que la tâche de l'analyste « n'est pas de rendre impossibles les réactions morbides, mais d'offrir au moi du malade la liberté de se décider pour ceci ou pour cela ». La qualité de la personne de l'analyste paraît être alors tant de supporter le transfert idéalisant que surtout sa désidéalisation, dans une situation où la cure peut être mise en échec ou le paraître ; dans l'éventualité où l'analyste proposerait son moi à la place de l'idéal du moi du patient, cela ne ferait que renforcer chez celui-ci la tension entre moi et idéal du moi, aggravant les sentiments de culpabilité et d'infériorité[1].

En 1933, dans les *Nouvelles conférences d'introduction à la psychanalyse,* décomposant la personnalité psychique (suivant le titre donné

1. *Ibidem*, n. 1.

à la 31e conférence), les notions de surmoi et d'idéal du moi sont d'abord délimitées : le surmoi, instance interdictrice issue de l'identification au père, ou plus généralement de l'instance parentale, est le « successeur de droit » et aussi « l'héritier naturel légitime de cette dernière ». **L'idéal du moi est porté par le surmoi,** défini de façon restrictive comme ce à quoi le moi se mesure, à quoi il aspire. Il est surtout le **précipité de l'ancienne représentation parentale,** l'expression de l'admiration pour la perfection que l'enfant attribuait alors aux parents[1]. On peut considérer que le développement sur le sentiment d'infériorité qui suit cette délimitation de l'idéal du moi, dont nous rappelons la relation avec le moi idéal originaire, est la conséquence de la tension ou du conflit entre cette dernière instance et le moi, mais Freud ne le précise pas. Au contraire, il le rattache à la relation du moi à son surmoi. Plus même, il reprend l'étude de la psychologie des masses en définissant la masse comme « une réunion d'individus qui ont introduit la même personne dans leur surmoi », confirmant et renforçant ainsi la prééminence du surmoi dans la deuxième topique, l'idéal du moi ne paraissant plus être qu'une annexe secondaire[2]. En fait, cela correspond à une réduction certaine de la dimension du narcissisme, du moins dans la conception des instances, à ce moment.

QUESTIONS ET ENJEUX

La grande interrogation porte sur les limites de l'idéal du moi. Avec le moi idéal – qui peut être considéré comme sa forme initiale – l'idéal du moi occupe dans la théorie, à l'instar du narcissisme, une position essentielle et cependant quelque peu marginale. L'un et l'autre sont des éléments de la préparation et de la mise en place de la seconde topique et sont liés surtout à l'élaboration du moi dans sa relation au surmoi. Comme celui-ci, l'idéal du moi dérive du mythe ou du fantasme collectif du père de la préhistoire personnelle ou tribale, nous n'allons pas

1. *Nouvelles conférences d'introduction à la psychanalyse* (1933a [1932]), Paris, Gallimard, 1984, p. 91 ; *OCF* XIX, p. 148 ; *GW* XV, p. 71.

2. *Ibidem,* p. 94-95 ; p. 151 ; p. 74.

revenir sur ce point. Cependant, il importe de remarquer que Freud introduit la notion d'idéal avant celle de surmoi, ce qui se trouve être d'ailleurs en conformité avec le développement : l'identification au père est d'abord narcissique avant d'être objectale, au père œdipien. En ce sens, le moi idéal, tout comme l'idéal du moi, semblent antérieurs au surmoi, du moins au surmoi secondaire, œdipien et post-œdipien.

La première approche de l'idéal comporte l'ensemble des caractéristiques qui appartiendront aux deux instances. Mais l'intérêt de Freud va bientôt se porter essentiellement sur les formations plus tardives et plus immédiatement conflictuelles qui l'amènent à différencier le surmoi, de façon encore une fois relative : il accole les deux mots, les définit par rapport au père dans ce rapport à l'être et à l'avoir qui est le pivot de leur distinction et de leur fonctionnement. Après l'étude des foules, qui n'est pas plus sociologique que *Totem et tabou* n'est anthropo-ethnologique, l'intérêt pour le père idéalisé s'estompe et ne représente plus qu'une annexe au père œdipien proprement surmoïque, si bien que l'on peut dire que les deux instances n'ont jamais été réellement séparées : la prééminence de l'idéal du moi en 1914 laisse ensuite place à l'affirmation du rôle essentiel du surmoi, qui prend alors à son compte l'investissement narcissique. La confusion est particulièrement notable pour ce qui concerne les relations des instances avec les notions de sublimation et de culture, ou de civilisation.

Dès « Pour introduire le narcissisme », les relations de l'idéal et de la sublimation sont évoquées, et apparemment résolues, par la séparation nette des deux concepts : « La formation de l'idéal du moi est souvent confondue avec la sublimation des pulsions, au détriment d'une claire compréhension. Tel qui a échangé son narcissisme contre la vénération d'un idéal du moi élevé n'a pas forcément réussi pour autant à sublimer ses pulsions libidinales. L'idéal requiert, il est vrai, cette sublimation, mais il ne peut l'obtenir de force. [...] L'idéal peut bien l'inciter à s'amorcer mais son accomplissement reste complètement indépendant d'une telle incitation. » [1] L'idéal en effet augmente les exigences du moi et renforce le refoulement, tandis qu'à l'opposé la sublimation offre une issue qui permet d'éviter le refoulement – mais cela ne va pas sans perte pour la satisfaction de la pulsion (Freud l'avait déjà noté à propos de Léonard de Vinci). La question

1. « Pour introduire le narcissisme » (1914c), *La vie sexuelle*, Paris, PUF, 1982, p. 99 ; *OCF* XII, p. 237-238 ; *GW* X, p. 161-162.

sera reprise sous l'angle de la conception du surmoi et de la désintrication pulsionnelle dans *Le moi et le ça*.

Dans *Malaise dans la civilisation* (en 1930), la notion de surmoi culturel est introduite sans être véritablement définie. Deux aspects nous retiennent surtout : d'une part le passage à la station debout, imposé par l'aspiration à la propreté, entraîne une transvaluation des excréments dans le sens d'une répulsion remplaçant l'intérêt et l'attrait initial ; l'érotisme anal succombe alors au refoulement organique qui survient en lien avec les exigences culturelles. Le mouvement vers le haut, qui éloigne des odeurs excrémentielles mais aussi génitales, évoque surtout une aspiration idéale ; le surmoi prime sur la notion d'idéal, et le contient[1]. D'une autre manière, les idéaux du surmoi culturel apparaissent sans doute dans les exigences éthiques et l'amour pour le prochain, si impraticable qu'il soit le plus souvent en regard des intérêts du narcissisme[2], mais plus encore dans l'intérêt pour la beauté, la propreté et l'ordre. Tout cela paraît en rapport avec l'idéal, porté par le surmoi ; l'homme « s'était forgé de longtemps une représentation idéale de l'omnipotence et de l'omniscience qu'il incarnait dans ses dieux » ; par le développement de la civilisation il s'approche de cet idéal, il est presque devenu un dieu, mais seulement un dieu prothétique, ce qui est bien loin de réaliser l'idéal, et surtout de retrouver le moi idéal[3].

Dans quelle mesure est-il possible d'assimiler surmoi culturel et idéal du moi ? Le surmoi culturel produit ses propres idéaux et engage la constitution d'une éthique, qui n'a finalement que peu de rapports avec les exigences de l'idéal du moi, et moins encore avec le moi idéal[4]. Cependant, la discussion laisse ouverte la relation du surmoi et de l'idéal, de même que le rôle de la culture dans la constitution et le développement de ces instances.

Pierre CHAUVEL

1. *Malaise dans la civilisation* (1930a [1929]), Paris, PUF, 1971, p. 49, n. 1 ; *OCF* XVIII, p. 286, n. 1 ; *GW* XIV, p. 458, n. 1.
2. *Ibidem*, p. 42-44 ; p. 281-282 ; p. 453-454.
3. *Ibidem*, p. 39-40 ; p. 278-279 ; p. 450-451.
4. *Ibidem*, p. 103-104 ; p. 329-330 ; p. 502-503.

IDÉAL, IDÉALISATION

all. : ***Ideal, Idealisierung.*** – angl. : *ideal, idealization.* – esp. : *ideal, idealización.* – ital. : *ideale, idealizzazione.* – port. : *ideal, idealização*

L'idéal **n'est pas seulement un objectif élevé, voire irréalisable, projeté par le moi comme visée ultime et contribuant à former une image idéale de soi-même. La formation d'idéal est un processus narcissique rendu possible par l'existence d'une instance auto-observante que Freud assimilera dans un second temps au surmoi, dont elle est la composante narcissique. Les idéaux sont des formations psychiques collectives qui sous-tendent les identifications au semblable dans les foules, notamment les foules organisées. L'*****idéalisation*** **est un processus psychique qui consiste à magnifier l'objet, à le surestimer et à le survaloriser, quitte à en altérer les traits constitutifs. Cette altération fantasmatique s'effectue fréquemment dans le sens d'une désexualisation, d'une décorporéisation et même d'une déréalisation de l'objet.**

MISE EN SITUATION

Enracinée dans l'hallucinatoire, l'idéalisation est une potentialité représentative impliquée dans tout investissement d'objet, mais qui se manifeste cliniquement surtout dans deux types d'occurrences : d'une part dans la passion amoureuse, d'autre part lorsqu'un renforcement défensif de l'ordre d'un contre-investissement vient la surdéterminer. Cette dernière situation peut tenir à des configurations psychopathologiques particulières, notamment dans des pathologies limites, mais se rencontre également hors de la pathologie, lors des pertes d'objet ou des menaces de pertes d'objet. Elle est une caractéristique du travail de deuil, et elle intervient lors de la constitution des identifications de type narcissique.

Si le terme d'« idéalisation » désigne d'abord une idéalisation de l'objet, il faut cependant noter la possibilité quasi universelle d'une idéalisation de soi, mégalomanie ou idées de grandeur, qui peuvent connaître des développements pathologiques mais qui ont d'abord l'universalité du roman familial et des rêves diurnes qui dérivent du narcissisme primaire. Il est également possible de comprendre les perversions comme relevant d'une idéalisation de la pulsion. Ajoutons que l'idéalisation, processus psychique interne, investit secondairement des réalités externes, notamment sociales, contribuant à les constituer en idéaux du moi.

Les idéaux du moi sont des contenus représentatifs et fantasmatiques, posés comme désirables mais trop élevés pour être (aisément) accessibles. Ils ne doivent pas être confondus avec les notions de moi idéal et d'idéal du moi qui sont une auto-représentation de soi-même et non un objectif, qui, pour être de nature narcissique, n'en est pas moins extérieur au sujet et à ce titre garde quelque chose d'objectal. La coloration fantasmatique est donc celle du choix d'objet narcissique, favorisé par les formations d'idéal ; les idéaux ainsi élus peuvent relever d'idéaux sociaux partagés ou contribuer à en former. Comme l'idéalisation, ils posent le problème du déni de la haine, parfois du déni du corps, et de leur devenir.

LE TEXTE FREUDIEN

LE PROCESSUS D'IDÉALISATION

Le terme d'« idéalisation » ne figure que cinq fois dans l'œuvre freudienne jusqu'en 1914, mais beaucoup d'éléments non thématisés comme tels relèvent cependant de cette notion.

Dans les *Trois essais sur la théorie sexuelle* (1905), il concerne la surestimation de l'organe sexuel et de la pulsion partielle dans la perversion. C'est précisément dans les perversions les plus abominables qu'il faut admettre « la plus large participation psychique à la transformation de la pulsion sexuelle » [1]. À ce travail psychique, on ne peut contester « la valeur d'une idéalisation de la pulsion » [2].

1. *Trois essais sur la théorie sexuelle* (1905d), Paris, Gallimard, 1987, p. 74 ; *OCF* VI, p. 95 ; *GW* V, p. 61.

2. *Ibidem.*

Au début du récit de la cure de Dora, dans « Fragment d'une analyse d'hystérie (Dora) » (1901), Freud rappelle que les organes génitaux de l'homme peuvent rappeler les fonctions excrémentielles. « De cette façon, le dégoût devient une expression affective de la vie sexuelle. C'est le *inter urinas et fæces nascimur* du Père de l'Église qui est inhérent à la vie sexuelle et qui ne s'en laisse pas séparer, malgré tous les efforts d'idéalisation. » [1]

À deux reprises, dans une séance de la Société psychanalytique freudienne de février 1909 (qui ne figure pas dans les *Minutes* ; le feuillet, égaré, n'a été retrouvé qu'en 1988), Freud parle d'idéalisation à propos du fétichisme ; le premier emploi concerne le mouvement de vénération dans la perversion fétichiste du culte de la Madone, « idéalisation de la mère » [2] instituée parallèlement au refoulement de la sensualité et au rabaissement culturel effectif de la femme. Dans sa *Correspondance avec Karl Abraham,* Freud précise que dans le fétichisme une partie du complexe pulsionnel est refoulé tandis que l'autre est idéalisée [3] ; en 1909, il comprend le fétichisme comme ce mouvement qui magnifie le déshabillage et vénère les vêtements ; le fétichique adorerait ce qui l'empêchait de voir par refoulement du plaisir de regarder. L'idéalisation est un critère décisif puisque, dans la perversion impliquant l'urine, l'absence d'idéalisation sert de critère pour exclure le qualificatif de fétichiste. L'idéalisation porte la marque d'un surinvestissement, trace du refoulement partiel.

Un souvenir d'enfance de Léonard de Vinci (1910) évoque la fixation particulière des biographes à leur personnage : ils ne se donnent pas comme objectif de rendre compréhensibles les réalisations du grand homme, mais « s'adonnent à un travail d'idéalisation qui s'efforce d'inscrire le grand homme dans la série de leurs modèles infantiles » [4],

1. « Fragment d'une analyse d'hystérie (Dora) (1905e [1900]), *Cinq psychanalyses,* Paris, PUF, 1954, p. 20 ; *OCF* VI, p. 211 ; *GW* V, p. 190.

2. « De la genèse du fétichisme », *Revue internationale d'histoire de la psychanalyse,* 1989, 2, p. 423-439.

3. Lettre du 18 février 1909, in *Correspondance Sigmund Freud-Karl Abraham* (1965a [1907-1926]), Paris, Gallimard, 1969, p. 78.

4. *Un souvenir d'enfance de Léonard de Vinci,* Paris, Gallimard, 1987, p. 167 (éd. bilingue) ; *OCF* X, p. 157 ; *GW* VIII, p. 202.

faisant par exemple revivre en lui la figure enfantine du père. C'est ce qui les amène à effacer une part de son individualité, à aplanir les traces de son combat vital contre les résistances internes et externes, à gommer les traits de faiblesse ou d'imperfection pour tracer une « figure idéale, froide et étrangère »[1] à la place de l'être humain auquel nous pourrions nous sentir apparentés.

Deux des cinq emplois du nom correspondent à l'indication d'un **travail psychique,** qui concerne l'élaboration liée au dégoût – donc la différenciation, entre analité et génitalité –, et l'élaboration culturelle qui, par projection, fait des héros parfaits, « sans peur et sans reproche ». Les autres occurrences caractérisent la perversion, et donc les idéalisations de l'organe génital et de la sexualité infantile, mais en montrent aussi la parenté avec une idéalisation religieuse relevant de la vie culturelle et de la psychologie collective. C'est ce qui est le plus bas ou le plus problématique qui se prête au travail d'idéalisation.

Au-delà du terme d'« idéalisation » lui-même, un certain nombre de notions de cette première période de l'œuvre freudienne concourent à une réflexion non thématisée sur l'idéal et l'idéalisation : ainsi, « Traitement psychique » (1890) évoque l'attente croyante, idéalisation de la fonction médicale qui apparaît comme un précurseur du transfert. Dans « Un cas de guérison hypnotique » (1893), la honte est liée à la désidéalisation de soi. La notice sur « Charcot » (1893) présente la figure du Maître et le dépassement de ce moment d'idéalisation. Le « Manuscrit H » (1895) et nombre de discussions de la Société psychanalytique de Vienne soulignent la présence et la puissance de la mégalomanie ; les *Études sur l'hystérie* (1895) font état de fantasmes idéalisants, à propos d'Anna O. et de ses rêveries hystériques, d'Élisabeth von R. où apparaît la force d'un idéal exigeant, et de la patiente théosophe en qui se conjoignent l'idéal et l'hallucinatoire. L'une des patientes évoquées dans « Obsessions et phobies » (1895) en donne une variante centrée sur la pureté. Les *lettres à Fliess* témoignent de l'idéalisation des attachements passionnels mais aussi des capacités de désidéalisation de Freud. La période de l'auto-analyse complète cette configuration en élaborant une première conception du roman

1. *Ibidem.*

familial[1] – où Freud fait le lien entre la grandeur prêtée au père et les idéaux inaccessibles, mais aussi avec le sorcières et le diable – et surtout le concept de fantasme (« Manuscrit M » du 25 mai 1897 et lettre du 15 octobre 1897). Le « Manuscrit N » revient sur l'importance de la croyance, mise en rapport avec la notion de « sacré »[2], caractérisée par la capacité de sacrifice.

La toute-puissance de la pensée de « L'homme aux rats », la divinisation de l'aspiration ambivalente à la féminisation chez « Schreber », la surestimation des actes psychiques dans *Totem et tabou*, les discussions sur la mégalomanie normale, sur l'aspiration mystique et sur l'image idéale de la femme à la Société psychanalytique de Paris ainsi que la critique de la protestation virile d'Alfred Adler complètent le tableau. De l'idéalisation relèvent en effet les questions de la rêverie diurne, donc du fantasme, et plus particulièrement des dimensions mégalomaniaques de nombre de rêveries. L'article « Sur les souvenirs-écrans » (1899) en montre l'enracinement infantile et les remaniements. Les liens entre le roman familial, retravaillé dans l'article de 1909 et qui désidéalise les parents réels au profit de parents reconstruits selon le désir mégalomaniaque et les rêves diurnes marqués par l'idéalisation de soi, articulent des formes caractéristiques de l'idéalisation infantile et de l'idéalisation adolescente. Lorsque l'idéalisation domine, qu'elle soit ou non l'effet de l'ambivalence, le fantasme peut prendre la forme de l'aspiration inaccessible – comme le fut longtemps Rome pour Freud. Parfois, la survalorisation suscite un déplacement, et notamment une élévation vers le haut ou un élargissement qui peut prendre une allure cosmique. Si la désidéalisation est intervenue, la trace en sera la nostalgie.

Parallèlement, l'esthétique freudienne conjoint une réflexion sur la désidéalisation caractéristique du *Mot d'esprit et sa relation à l'inconscient* (1905) et dans *Le délire et les rêves dans la « Gradiva »*

1. *La naissance de la psychanalyse. Lettres à Wilhelm Fliess. Notes et plans (1887-1902)* (1950a [1887-1902]), Paris, PUF, 1956 (lettre 57, p. 168) ; *Lettres à Wilhelm Fliess* (éd. complète), Paris, PUF, 2006 (lettre du 24 janvier 1897, p. 290).

2. « Manuscrit N » du 31 mai 1897, in *Lettres à Wilhelm Fliess* (éd. complète), Paris, PUF, 2006, p. 319 ; et dans *La naissance de la psychanalyse. Lettres à Wilhelm Fliess. Notes et plans (1887-1902)* (1950a [1887-1902]), Paris, PUF, 1956, p. 183.

de Jensen (1906) la mise en scène d'un délire qui fige et déréalise l'objet, appréhendé de façon fétichique. L'immortalisation dans le marbre et le mouvement vers une divinisation du souvenir refoulé de la femme aimée, représentée par la particularité de sa démarche, idéalisation manifeste qui décorporéise, donnent lieu à une quête de réalité qui permet, grâce à une relation de type transférentielle, de reconnaître la femme de l'attachement premier, et donc de réincarner l'image idéale. À la scène (cf. « Personnages psychopathiques à la scène », 1906), l'identification au héros permet le jeu des processus idéalisants, tandis que la passion et la mission découvertes dans l'interprétation du *Moïse* de Michel-Ange soutiennent l'identification freudienne à Moïse, qui relève du type, idéalisant par essence, de l'identification héroïque. Dans *Un souvenir d'enfance de Léonard de Vinci* (1910), l'inachèvement, la recherche de perfection, l'homosexualité latente et l'inhibition de la sexualité articulent les premières élaborations sur la sublimation à des processus idéalisants et à l'idéalisation de l'enfance que comporte l'interprétation freudienne.

Pour cette période, il faut aussi noter l'apport des disciples de Freud. Place est faite à la toute-puissance du fœtus et à l'investissement hallucinatoire dans l'ontogenèse des symboles décrite par Sandor Ferenczi dans *Le développement du sens de réalité et ses stades* (1913) : Ferenczi élargit à un fonctionnement universel cette primitivité de la mégalomanie, et ses effets inévitables de projection et de toute-puissance des pensées. L'hallucinatoire précède la saisie d'une perception objective, et la pensée « primitive », qu'on la considère ou non comme « symbolique » fait des diverses formes d'animisme et de superstition un passage obligé – qui peut n'être jamais dépassé et qui, en tout cas, n'est jamais définitivement aboli – de la constitution du rapport à la réalité externe.

Indiquons la référence de Karl Abraham à l'idéalisation dans son article sur le fétichisme (1912), ainsi que les études de ce dernier d'une part sur le peintre Segantini, en 1911 (figure marquée par l'attachement à la mère et centrée sur la question de l'idéal, avec deux caractéristiques distinctes, celle de la pureté, et celle de l'exigence) et d'autre part sur Amenhotep IV et le monothéisme égyptien (1913) : l'idéalisation marque bien doublement cette étude car le déplacement et la transformation de la relation au père interroge sur ce substitut du père qu'est la divinité : l'aspiration religieuse semble correspondre à l'une des formes décisives de l'idéalisation qui parvient à maintenir sa permanence ; et l'épuration religieuse d'Amenhotep est un mouvement d'abstraction, de décorporéisation et de moralisation du religieux.

Enfin, le conflit avec Carl Gustav Jung s'ouvre clairement avec la publication par ce dernier des *Métamorphoses et symboles de la libido,* tandis que Freud prépare *Totem et tabou*. La divergence porte notamment sur la reconnaissance de la sexualité infantile, et sur l'interprétation sexuelle des figures mythologiques. Elle se manifeste également dans la clinique, par exemple lorsque Jung considère qu'un transfert paternel résistant manifeste l'orientation religieuse irréductible comme seule issue de la relation transférentielle. Notons également comment Sabina Spielrein, la patiente de Jung qui l'a séduite, et qui est devenue enjeu de la relation Freud-Jung pendant un temps, investira cet amour passionnel dans la figure idéalisée de Siegfried, l'enfant imaginaire de sa relation avec Jung. C'est bien autour de l'analyse de l'idéalisation, référée à la sexualité (option freudienne), ou de sa prise en considération au premier degré, dans une théorisation qui la redouble (voie jungienne, avec l'irrationalisme qui s'y développera), que s'est effectuée la séparation d'avec Jung.

Chez Freud, d'une part les recherches sur la mythologie, ainsi que les débats des années 1910-1913 avec Jung, d'autre part les deux premières « Contributions à la psychologie de la vie amoureuse », vont orienter la réflexion sur l'idéalisation.

L'IDÉALISATION DANS LA VIE AMOUREUSE

« Un type particulier de choix d'objet chez l'homme » (1910) évoque les conditions requises par l'objet d'amour chez certains hommes : que la femme aimée ne soit pas libre et qu'elle ne soit pas irréprochable, et il montre comment ces conditions dérivent de l'attachement à la mère – ce qui est clair pour la première condition ; pour la seconde, cela suppose de se référer à la découverte de la vie sexuelle et au fait, inacceptable dans un premier temps, que ses propres parents fassent aussi cela.

Lorsque « l'amour de la putain » est condition de l'investissement amoureux, ce qui suppose un rôle fonctionnel de la jalousie dans l'attachement lui-même, deux traits se font jour. D'une part, la femme est traitée comme un objet d'amour « de la plus haute valeur »[1], alors même qu'elle s'écarte au maximum de l'intégrité sexuelle qui habituellement détermine le respect et l'honneur dévolus à la femme. Cet attachement est compulsif et peut se répéter aussi passionnément sur des femmes différentes, formant parfois « une longue série ». D'autre part, la tendance à sauver la bien aimée est manifeste. « L'homme est convaincu que la femme aimée a besoin de lui, que sans lui, elle perdrait tout contrôle moral et tomberait rapidement à un niveau déplorable. »[2]

Ce que nous pourrions appeler « le complexe de Manon Lescaut » (car tel est bien le comportement de Des Grieux dans le roman de l'abbé Prévost) comporte deux idéalisations conjointes, et apparemment contradictoires. La femme est traitée comme un objet de haute valeur (morale) nonobstant son comportement réel (ou imaginé) que l'on déplore : elle est donc traitée comme si elle était idéalisée. Une seconde idéalisation porte sur le sujet lui-même, et le rôle de sauveur moral irremplaçable, indispensable, qu'il se figure être pour l'aimée (même et surtout si elle ne veut pas être sauvée). D'où un mélange d'adoration et d'exigence qui risque bien d'être insupportable pour la femme, et de produire l'effet inverse de celui qui est consciemment recherché. Il est à noter que Freud ne dit mot de l'homosexualité latente sous-jacente à une telle compulsion – seule la mention des paradoxes de l'apparition de la jalousie ou de son absence y renvoie. Ce qui est idéalisé n'est pas la femme comme elle est vue, dans son comportement actuel ou celui qu'on lui prête, éventuellement noirci encore pour les besoins de la cause. La femme qu'elle pourrait être, celle qu'elle pourrait devenir sous l'action de son sauveur n'en est que plus magnifiée. Celui qu'un tel attachement risque de mener à des humiliations intolérables se voit en même temps magnifié en magnifiant l'aimée, en faisant d'elle la femme adorable et fidèle, et ce grâce à lui seul !

La femme est idéalisée et traitée en reine en tant qu'**œuvre potentielle de l'homme qui l'aime** et qui **veut en quelque sorte l'engendrer**

1. « Un type particulier de choix d'objet chez l'homme » (1910h), *La vie sexuelle*, Paris, PUF, 1969, p. 49 ; *OCF* X, p. 193 ; *GW* VIII, p. 69.

2. *Ibidem*, p. 50 ; p. 194 ; p. 70.

moralement. Nous ne sommes pas si loin de ces tuteurs qui élèvent leur future femme depuis le début pour la façonner à leur manière. La femme doit rester ou devenir objet narcissique absolu, recréée par celui qui l'aime, qui fait de son amour une sorte de vocation, avec tout ce que cela implique comme sentiment d'élection et de mission.

À l'autre pôle, le texte de 1912, « Sur le plus général des rabaissements de la vie amoureuse », également présenté dans les « Contributions à la psychologie de la vie amoureuse », part d'une analyse des causes de l'impuissance sexuelle d'origine psychique. Il évoque les limitations dans le choix d'objet suscité par le maintien de la séparation entre « courant tendre » et « courant sensuel » de la libido [1].

Les seuls objets que recherche le courant sensuel resté actif sont les objets ne rappelant pas les personnes incestueuses qui sont interdites ; lorsque émane d'une personne une impression qui pourrait conduire à une haute évaluation psychique, elle ne débouche pas dans une excitation de la sensualité mais dans une tendresse sans effets érotiques. La vie amoureuse de tels hommes reste clivée selon deux directions que l'art personnifie en amour céleste et amour terrestre (ou animal). « Là où ils aiment, ils ne désirent pas, et là où ils désirent, ils ne peuvent aimer. » [2] Dans cette configuration de la libido, il y a opposition entre haute élévation psychique ou morale et désir sexuel. La sexualité est conçue comme terrestre ou animale, indigne de la personne aimée.

Idéalisation et sublimation

Désormais, tous les éléments sont en place pour les formulations extrêmement ramassées de « Pour introduire le narcissisme » (1914), où l'idéalisation est cette fois explicitement l'objet de l'élaboration freudienne.

Après avoir croisé les différentes figures du narcissisme, et repris notamment l'évocation de la surestimation sexuelle dans l'amour par étayage, puis mis en évidence *His majesty the baby,* en souli-

1. « Sur le plus général des rabaissements de la vie amoureuse (Contribution à la psychologie de la vie amoureuse, II) » (1912d), *La vie sexuelle,* Paris, PUF, 1973, p. 57 ; *OCF* XI, p. 130 ; *GW* VIII, p. 79.

2. *Ibidem,* p. 59 ; p. 133 ; p. 82.

gnant combien l'enfant est objet narcissique, Freud dégage les problématiques d'un *Ichideal* ou *Idealich* (sans distinction explicite entre les deux formulations) et montre comment la mégalomanie se maintient grâce à un déplacement qui est rendu possible par la formation d'idéal, ce qui aboutit à une création de réalité psychique. La réflexion s'engage alors sur deux points : **la différence entre idéalisation et sublimation,** ainsi que la **distinction entre idéalisation et formation d'idéal.** La notion d'estime de soi se dégagera ensuite.

Conscient d'avoir élaboré le destin de la libido narcissique dans le cas du développement dit « normal », Freud passe à l'examen des « relations de cette formation d'idéal avec la sublimation » [1]. C'est toujours la voie générale de ce devenir de la libido narcissique qui l'intéresse. « La sublimation est un processus qui concerne la libido d'objet et consiste en ce que la pulsion se dirige sur un autre but, éloigné de la satisfaction sexuelle ; l'accent est mis ici sur la déviation qui éloigne du sexuel. L'idéalisation est un processus qui concerne l'objet et par lequel celui-ci est agrandi et exalté psychiquement sans que sa nature soit changée. L'idéalisation est possible aussi bien dans le domaine de la libido du moi que dans celui de la libido d'objet. » [2] Sublimation et idéalisation sont ainsi clairement opposés selon trois caractères. La première distinction souligne que le **terme de « sublimation »**, plus restreint, **ne s'applique qu'à la libido d'objet.** Je ne peux sublimer mon investissement de moi-même... Ce qui signifie aussi qu'il sera toujours fondamentalement et exclusivement autoérotique et sexuel. La deuxième distinction montre que la sublimation est fondamentalement caractérisée par le changement de but de la pulsion. Elle est une déviation d'un but sexuel vers un autre but – ce qui soulève la difficile problématique de la désexualisation. Au contraire, la pulsion qui idéalise l'objet reste de nature fondamentalement érotique, même s'il peut arriver que cette érotisation soit masquée et que la sexualisation du rapport à l'objet soit déniée. Enfin, l'idéalisation porte sur l'objet de la pulsion ; tandis que la sublimation change la nature, ou plutôt le but de la pulsion,

1. « Pour introduire le narcissisme » (1914c), *La vie sexuelle,* Paris, PUF, 1969, p. 98 ; *OCF* XII, p. 237 ; *GW* X, p. 161.

2. *Ibidem.*

l'idéalisation change le contenu de l'objet. Ceci peut aller jusqu'à un changement d'objet : si l'objet initial est lieu de perte ou de déception, l'idéalisation peut recréer un objet plutôt que de renoncer à la mégalomanie.

Dans d'autres cas, l'idéalisation est de l'ordre d'une surestimation : l'objet est agrandi (modification du jugement par surestimation portant sur son être et son importance) ou exalté (modification du jugement portant sur ce que l'objet représente pour celui qui lui est attaché. « La surestimation sexuelle de l'objet est une idéalisation de celui-ci » [1] ; à la limite, c'est ici la pulsion qui fait l'objet de l'idéalisation, comme cela se vérifie dans la perversion, surtout dans le fétichisme). Le processus peut comporter un déplacement, comme celui qui va du père à Dieu (ou du père vers les éducateurs, comme l'indique l'article « Sur la psychologie du lycéen », rédigé la même année), mais il n'est pas de l'ordre d'une déviation interne de l'économie de la pulsion. Il relève au contraire de l'ordre régulier et universel lié à la force de la pulsion, dont les destins correspondent à la recherche de satisfaction malgré toutes les entraves qui peuvent se présenter.

C'est ainsi que la contingence de l'objet ou sa surestimation viennent répondre au défaut quasi constitutionnel de satisfaction directe de la pulsion (cf. « Deuxième contribution à la psychologie de la vie amoureuse »). L'objet étant toujours déjà perdu, il ne peut s'agir que de le retrouver, et l'idéalisation vient frayer les voies possibles de satisfaction, d'ordre sexuel, avec des substituts de l'objet primaire. Ce qui est vrai de la surestimation amoureuse l'est aussi de la transposition du narcissisme primaire sur l'idéal du moi. Les deux processus sont d'ailleurs de même nature, bien que l'un concerne la libido objectale et l'autre la libido du moi. Non seulement parce que l'amour objectal draine une partie du narcissisme originaire vers les objets qu'il investit (mais se trouve en contrepartie souvent investi de libido narcissique, comme dans l'investissement de l'enfant par ses parents, ou dans le choix d'objet narcissique). Mais aussi, nous précise Freud, parce que **l'idéalisation, contrairement à la sublimation,**

1. *Ibidem,* p. 99 ; p. 237 ; p. 161.

concerne aussi bien l'objet de la libido du moi que l'objet de la libido objectale.

Enfin, si l'idéal du moi requiert la sublimation, il ne peut l'obtenir de force. La sublimation est un processus particulier que l'idéal, résultat du processus de la formation d'idéal, peut « inciter à s'amorcer » [1], mais dont l'accomplissement reste indépendant de cette incitation. L'idéalisation de l'objet ne donne aucune garantie de la capacité à sublimer la pulsion qui vise cet objet, bien au contraire.

Formation d'idéal et idéalisation

Reste à rendre compte d'un glissement de terme effectué par Freud. Il nous a annoncé une réflexion sur la distinction entre sublimation et formation d'idéal. Celle-ci est comprise par lui dans le cadre de la théorie de la libido, dans la mesure où un homme « a érigé en lui un idéal auquel il mesure son moi actuel » [2]. Il en mène la démonstration en n'utilisant plus le terme de « formation d'idéal », mais celui d'« idéalisation », qui connote plus clairement tout l'héritage de la mégalomanie infantile, notamment les processus de surestimation et d'exaltation de l'objet. Le contexte semble montrer que, dans ce paragraphe, les deux termes sont synonymes.

En même temps, nous pouvons nous rappeler que l'expression de formation d'idéal est apparue dans l'exploration du devenir de la libido narcissique, dans les cas où celle-ci semble avoir renoncé à la mégalomanie (idéalisation directe du moi « réel »). C'est donc dans la mesure où l'Idéal du moi est l'héritier direct de l'investissement narcissique originaire que l'on peut ainsi assimiler la formation d'idéal à l'idéalisation. « La formation d'idéal serait du côté du moi la condition du refoulement. » [3]

Reste que le terme d'« idéalisation » est plus large, comme le montre d'ailleurs Freud, puisqu'il peut d'une part désigner des formes de libido narcissique qui n'ont pas renoncé à la mégalomanie

1. *Ibidem*, p. 99 ; p. 237 ; p. 162.
2. *Ibidem*, p. 98 ; p. 236 ; p. 161.
3. *Ibidem*.

infantile ou qui régressent vers celle-ci, et donc qui n'ont pas élaboré le processus complexe d'une formation d'idéal qui aboutit à l'instauration d'un idéal du moi ; d'autre part s'appliquer non seulement à la libido du moi mais aussi à la libido d'objet, ce qui n'était pas le cas de la formation d'idéal. Ainsi, la synonymie initiale, rigoureusement exacte en ce qui concerne le début du paragraphe, devient trompeuse si l'on prend en compte l'ensemble des caractères de l'idéalisation. Tandis que le domaine de la sublimation est plus restreint que celui de l'idéalisation, puisque le premier ne porte que sur la libido d'objet, le domaine de la formation d'idéal est lui aussi plus limité que le domaine entier de l'idéalisation dont il fait pourtant partie, puisqu'il ne relève que de la libido narcissique.

Mais si son domaine est limité, son importance est extrême puisque l'existence de formations d'idéal amène Freud à concevoir l'existence d'une instance observante et critique : « Il ne serait pas étonnant que nous finissions par trouver une instance psychique particulière qui remplisse la tâche de veiller à ce que soit assurée la satisfaction narcissique provenant de l'idéal du moi, et qui dans cette intention, observe sans cesse le moi actuel et le mesure à l'idéal. » [1] Il est à noter que dans cette citation l'expression « idéal du moi » signifie encore « idéal que se donne le moi » tout en montrant la possibilité d'y voir une instance de l'appareil psychique, ce que Freud ne conceptualisera qu'en 1923 par l'équivalence idéal du moi (héritier du narcissisme primaire) – surmoi (héritier de l'Œdipe).

Paradoxes de l'idéal

Totem et tabou (1913), un an avant les élaborations sur le narcissisme, avait proposé la première véritable thématisation de la notion d'idéal, à propos du père originaire et du souhait des fils de devenir semblable au père, puis, après le meurtre, de s'incorporer des parties de lui dans le repas totémique. Le fait que le souhait reste inaccompli contribue à en faire une visée idéale. « Un idéal put apparaître, qui avait pour contenu la puissance plénière et illimitée du père originaire autrefois combattu, ainsi que l'empressement à se soumettre à

1. *Ibidem*, p. 101 ; p. 238 ; p. 162.

lui. »[1] De là proviendrait le penchant à redonner vie à l'ancien idéal paternel (à nouveau évoqué dans *Psychologie des foules et analyse du moi*[2]) en créant des dieux. « L'exaltation du père, jadis victime du meurtre, en ce dieu de qui la tribu faisait désormais dériver sa provenance, était [...] une tentative d'expiation bien plus sérieuse que ne l'était en son temps le contrat avec le totem. »[3]

L'article sur « Le refoulement » (1915) met en évidence un paradoxe constitutif de l'idéal comme du processus d'idéalisation. Le refoulement travaille de manière hautement individuelle, et l'on ne peut définir de manière générale jusqu'où doit aller la déformation pour que la résistance du conscient soit supprimée et qu'un contenu psychique puisse être admis par la pensée consciente. Chacun des rejetons du refoulé peut avoir un destin particulier. De façon générale, il faut noter que « les objets préférés des hommes, leurs idéaux, proviennent des mêmes perceptions et expériences vécues que les objets les plus exécrés par eux, et ne se différencient les uns des autres, à l'origine, que par de minimes modifications »[4]. Il peut même advenir, comme dans la genèse du fétiche, que le représentant de la pulsion originelle ait été décomposé en deux morceaux, dont l'un est refoulé tandis que le reste, du fait même de cette intime connexion, a pour destin une idéalisation[5].

Devenir de la notion d'idéalisation

La notion d'idéalisation ainsi déterminée semblerait avoir pris le caractère d'un véritable concept. En fait, Freud, peu satisfait de son article de 1914, va freiner ceux de ses disciples (Viktor Tausk, Lou

1. *Totem et tabou* (1912-1913a), Paris, Gallimard, 1993, p. 299 ; *OCF* XI, p. 368 ; *GW* IX, p. 179.

2. *Psychologie des foules et analyse du moi* (1921c), *Essais de psychanalyse*, Paris, Payot, 1981, p. 192 et 206 ; *OCF* XVI, p. 63 et 74 ; *GW* XIII, p. 138 et 151.

3. *Totem et tabou* (1912-1913a), Paris, Gallimard, 1993, p. 300 ; *OCF* XI, p. 368 ; *GW* IX, p. 179.

4. « Le refoulement » (1915d), *Métapsychologie*, Paris, Gallimard, 1968, p. 51 ; *OCF* XIII, p. 193 ; *GW* X p. 253.

5. *Ibidem*, p. 52 ; p. 193 ; p. 253.

Andreas-Salomé, Sandor Ferenczi) qui, enthousiasmés, veulent poursuivre dans la voie de l'exploration du narcissisme comme concept central de l'élaboration de la subjectivation. Il tient, comme il le précise dans sa correspondance avec Lou Salomé, à ce que la pensée du narcissisme soit une pensée des restes, du fragment, et non la source de vastes synthèses. Tandis que s'amorcent les élaborations sur la répétition puis sur la pulsion de mort, c'est du côté, d'une part de la perte d'objet et du deuil, d'autre part de la psychologie collective (évoquée à la fin du texte de 1914), que nous allons retrouver formation d'idéal et idéalisation. Néanmoins, dans les textes cliniques (cf. « Les exceptions, Ceux qui échouent devant le succès », dans « Quelques types de caractère dégagés par le travail psychanalytique » [1916] ; le « cas d'homosexualité féminine » de 1920), compris par Freud à partir de la culpabilité, dans « L'inquiétante étrangeté » (1919) qui souligne le rapport à la castration, ou encore dans « Une névrose diabolique au XVIIe siècle » (1923) – avec le diable comme père idéalisé –, les composantes idéalisantes sont très sensibles. Par ailleurs, notre relation à la mort, selon « Considérations actuelles sur la guerre et sur la mort » (1915), témoigne des mouvements de déni qui animent le psychisme, et qui produisent chez l'homme des origines la dérivation du religieux, avec la constitution des esprits, l'élaboration de la notion d'âme et de la croyance à l'immortalité ainsi que les premiers commandements éthiques[1] : nous voyons ici étudiés les effets culturels des processus d'idéalisation. Les figures du double, déjà abordées en divers points de l'œuvre freudienne, trouvent ici leur ancrage.

« Deuil et mélancolie » (1915) met en évidence l'idéalisation dans le travail de mélancolie, et son rôle dans la constitution de l'identification narcissique. L'idéalisation de l'objet perdu est une des composantes du travail de deuil. La perte d'objet ou la menace de perte d'objet renforce l'idéalisation de l'investissement, ce qui favorise ou amorce le mouvement identificatoire[2]. *Psychologie des foules et analyse du moi* (1921), puis *Le moi et le ça* (1923) reprennent la question

1. « Considérations actuelles sur la guerre et sur la mort » (1915b), *Essais de psychanalyse*, Paris, Payot, 1981, p. 34 ; *OCF* XIII, p. 149 ; *GW* X, p. 348.

2. « Deuil et mélancolie » (1917e [1915]), *Métapsychologie*, Paris, Gallimard, 1968, p. 156-157 ; *OCF* XIII, p. 268 ; *GW* X, p. 436.

des identifications, à partir de la préhistoire du complexe d'Œdipe : « Le petit garçon fait montre d'un intérêt particulier pour son père, il voudrait devenir et être comme lui, venir à sa place en tous points. Disons-le tranquillement : il fait du père son idéal. »[1] *Le moi et le ça* comporte en outre l'idée d'une désexualisation, qui est peut-être d'une certaine manière aussi une forme d'idéalisation. On peut également rapprocher des processus d'idéalisation la discussion critique d'une apparente pulsion de perfectionnement, évoquée dans *Au-delà du principe de plaisir* (1920) et ramenée par Freud à la nostalgie de l'objet primaire perdu. D'une part cette illusion témoigne par elle-même d'une idéalisation à l'œuvre, que Freud ne peut que désavouer, d'autre part le mouvement qui transforme l'aspiration à la régression, obstrué par les résistances, en progression dans la direction de développement qui reste libre, en quête de pleine satisfaction mais « sans la perspective de pouvoir achever le procès et atteindre le but »[2] correspond précisément au mouvement d'idéalisation qui sous-tend l'effort et l'activité dans certaines organisations narcissiques. Selon Freud, les conditions dynamiques en sont très généralement présentes, mais les rapports économiques ne favorisent que rarement le phénomène.

Dans *Psychologie des foules et analyse du moi* (1921), l'étude psychanalytique de la moralité de la foule et de la régression qu'elle implique ou suscite aboutit à la mise en évidence de trois modalités du fonctionnement social en processus primaire (Eugène Enriquez, 1983) : les effets de suggestion et la force magique des mots[3], qui peut servir de support à l'analyse des effets de persuasion, la disparition chez l'individu de la notion d'impossible, liée à la fois au sentiment de force décuplée[4] induit par le recours au processus primaire et la solidarité collective allant jusqu'à la perte du sentiment des

1. *Psychologie des foules et analyse du moi* (1921c), *Essais de psychanalyse*, Paris, Payot,1981, p. 167 ; *OCF* XVI, p. 42 ; *GW* XIII, p. 115.

2. *Au-delà du principe de plaisir* (1920g), *Essais de psychanalyse*, Paris, Payot, 1981, p. 87 ; *OCF* XV, p. 315 ; *GW* XIII, p. 45.

3. *Psychologie des foules et analyse du moi* (1921c), *Essais de psychanalyse*, Paris, Payot,1981, p. 136 ; *OCF* XVI, p. 17 ; *GW* XIII, p. 85.

4. *Ibidem*, p. 143 ; p. 23 ; p. 92.

limites individuelles[1], et enfin l'installation dans la certitude et la conviction inentamée, et non dans la quête du savoir. Ce sont là trois modalités de l'idéalisation, la première étant une variante sociale de la toute-puissance des pensées, les deux autres une idéalisation narcissique de sa propre force.

Mais c'est naturellement l'**idéalisation du leader**[2], chef narcissique, fantasmé comme autonome, libre et immortel, qui devient le moteur de la constitution libidinale de la foule permettant la substitution du leader à l'idéal du moi de chaque participant, fondement de l'identification au semblable qui va constituer la solidarité voire le sentiment de fusion interne au groupe – quitte à rejeter la haine et la différence ainsi déniées sur un extérieur persécuté et persécuteur. Tel est le miracle de la constitution d'une foule, facilité par le fait que, chez de nombreux individus, la séparation entre le moi et l'idéal du moi n'est guère avancée. La construction et la différenciation interne de la réalité psychique des individus, si elle est trop faible ou trop fragile, favorise leur constitution en foule, et leur sensibilité à la « *surpuissance* » du chef, dont l'aura ainsi magnifiée devient alors attractive même pour des individus à la structuration psychique mieux élaborée. Reviviscences de la horde originaire, la foule ou le groupe des sociétés développées permettent la constitution d'un lien social construit à partir de l'idéalisation et susceptible de régressions aliénantes (et de désorganisations non moins inquiétantes comme le montrait déjà « Considérations actuelles sur la guerre et sur la mort ») mais qui, en fondant le rapport à l'autre sur l'identification aux semblable, lient la libido homosexuelle, fondement essentiel du lien social.

Par ailleurs, l'hypnose est une foule à deux[3], et aide à percevoir le mécanisme de fascination hypnotique qui est à l'œuvre dans la constitution de la foule et dans l'idéalisation socialement aliénante qu'elle favorise si les individus sont trop peu différenciés et le poids du leader décisif. La folie à deux et l'autosuggestion mutuelle en sont les référents psychopathologiques, également repérables dans l'état amou-

1. *Ibidem*, p. 142 ; p. 23 ; p. 91.
2. *Ibidem*, p. 154-155 ; p. 32-33 ; p. 102.
3. *Ibidem*, p. 196 ; p. 67 ; p. 142.

reux. « Dans maintes formes de choix amoureux, il saute même aux yeux que l'objet sert à remplacer un idéal du moi propre, non atteint. On l'aime à cause des perfections auxquelles on a aspiré pour le moi propre et qu'on voudrait maintenant se procurer par ce détour pour la satisfaction de son narcissisme. » Si la surestimation sexuelle et l'état amoureux augmentent encore, « les tendances poussant à la satisfaction sexuelle directe peuvent alors être totalement repoussées », dans un amour exalté où le moi devient de plus en plus dénué de revendications, l'objet de plus en plus grandiose, de plus en plus précieux, au point d'entrer en possession de tout l'amour de soi du moi, si bien que le sacrifice de soi en devient la conséquence naturelle. « L'objet a pour ainsi dire consommé le moi » et « s'est mis à la place de l'idéal du moi »[1].

Si le lien social lui aussi obéit à de puissants facteurs affectifs, il ne peut ainsi se constituer et se maintenir que selon une modalité idéalisante potentiellement aliénante et régressive, où le mode identificatoire du mythe héroïque permet d'être en imagination le père de la horde originaire. Caractéristique de l'adolescence et de ses rêves diurnes, il relève des fantasmes identificatoires intégrateurs du lien social, mais sa potentialité idéalisante spécifique en fait en même temps un facteur d'élaboration de la subjectivité singulière. Quant au statut de l'idéal, il est à comprendre comme un double mouvement : l'idéal n'est opératoire que dans la mesure où le mouvement de l'idéal du moi vers un objet externe pris comme idéal (leader, cause ou autre) est suivi d'une introjection de cet idéal donnant lieu à un mouvement identificatoire (massif ou partiel). « Le sentiment social repose ainsi sur le retournement d'un sentiment d'abord hostile en une liaison à tonalité positive de la nature d'une identification »[2], sous l'influence d'une commune liaison de tendresse à une personne idéalisée, située hors de la masse, qui garantit une égalité entre tous ceux qui s'identifiant à elle, s'identifient entre eux. Cette identification commune délimite également les idéaux partagés, fondés eux aussi sur la liaison érotique avec le père originaire, « représentation

1. *Ibidem*, p. 177-178 ; p. 50-51 ; p. 124-125
2. *Ibidem*, p. 187 ; p. 60 ; p. 134.

d'une personnalité surpuissante et dangereuse, vis-à-vis de laquelle on n'a pu prendre qu'une position passive-masochiste », devenu l'« idéal de la masse, qui à la place de l'idéal domine le moi »[1].

LES IDÉAUX

Analysant dans *Le moi et le ça* (1923) les fonctions de l'idéal du moi, Freud souligne la double connexion de l'idéal du moi avec l'acquis phylogénétique, l'héritage archaïque de l'individu et avec les exigences considérées comme « supérieures ». Par la formation d'idéal, le plus profond devient le plus élevé ; en particulier, comme formation de substitut du désir envers le père, il contient le germe à partir duquel se forment toutes les religions. Initialement, religion, morale et sensibilité sociale sont un. « Les conflits entre le moi et l'idéal refléteront en dernier ressort [...] l'opposition entre réel et psychique, monde extérieur et monde intérieur »[2].

Dans *L'avenir d'une illusion* (1927), il s'agit de prendre la mesure de l'hostilité à la culture (en grande partie légitime pour des millions de gens) et de l'alternative à une réponse religieuse à cette difficulté. Freud souligne les limites de l'intériorisation du renoncement pulsionnel exigé par la culture, ce qui l'amène à reconsidérer le statut des idéaux, qui apparaissent comme le patrimoine d'une culture. On peut les définir comme « les jugements pour évaluer quelles sont les réalisations les plus éminentes, les plus dignes de nos aspirations ». Ainsi semblent se déterminer les réalisations de la sphère culturelle, « mais le déroulement effectif pourrait être que les idéaux se forment d'après les premières réalisations que rend possibles, pour une culture, l'action conjointe de dons intérieurs et de circonstances extérieures, et que ces premières réalisations soient alors maintenues par l'idéal afin d'être perpétuées ». La satisfaction offerte par l'idéal aux participants à la culture est de nature narcissique, reposant sur la fierté d'une réalisation déjà réussie. Pour qu'elle soit complète, elle a besoin de se comparer à d'autres cultures lancées dans d'autres réali-

1. *Ibidem*, p. 196 ; p. 66-67 ; p. 142.

2. *Le moi et le ça* (1923b), *Essais de psychanalyse*, Paris, Payot, 1981, p. 249 ; *OCF* XVI, p. 280 ; *GW* XIII, p. 265.

sations et développant d'autres idéaux. Chaque culture s'arroge donc le droit de tenir l'autre en piètre estime. « De cette façon, les idéaux culturels deviennent entre les diverses sphères culturelles une occasion de se désunir et de devenir ennemis. » Facteur de division entre cultures et nations, la satisfaction narcissique provenant de l'idéal culturel est en même temps l'une des puissances qui, dans la culture, « contrecarrent avec succès l'hostilité à la culture » : y ont part non seulement les classes privilégiées, qui en bénéficient directement, mais aussi les opprimés, par leur mépris pour ceux de l'extérieur... Par contre, l'identification avec la classe qui domine et exploite est un lien affectif qui, en dépit de l'hostilité envers eux, fait voir dans les maîtres ses propres idéaux. Sans de telles relations, « il resterait incompréhensible que tant de cultures, en dépit de l'hostilité justifiée de grandes masses humaines, se soient maintenues aussi longtemps ». L'art et les représentations religieuses sont des aspects du patrimoine d'une culture qui procurent d'autres formes de satisfaction. Même s'il reste souvent inaccessible aux masses épuisées et non éduquées, l'art offre des satisfactions substitutives aux renoncements culturels les plus anciens et les plus profonds, et il opère une réconciliation sans pareille avec la culture. Les créations culturelles exaltent les sentiments d'identification et de communication, tout en participant hautement à la satisfaction narcissique dans le partage des idéaux d'une culture particulière[1].

L'analyse de l'illusion religieuse, rejeton du désir qui met hors jeu le principe de réalité et la question de la vérité, rappelle sa dérivation à partir de la détresse initiale de l'enfant et de sa permanence chez l'adulte, dans la figure d'un père protecteur (providence) en même temps qu'interdicteur, et montre la proximité de l'illusion religieuse et de la psychose hallucinatoire – ce qui est aussi indiquer la force et la prégnance des idées religieuses, qui perdent leur poids affectif lorsqu'elles se rationalisent et s'épurent. L'alternative à une éducation religieuse pose ainsi la question de la nécessité et de la possibilité d'une illusion rationnelle – car l'illusion, logique du désir et croyance

1. *L'avenir d'une illusion* (1927c), Paris, PUF, 1971, p. 19-20 ; *OCF* XVIII, p. 153-154 ; *GW* XIV, p. 334-335.

à la réalisation de l'idéal, reste nécessaire à la force des investissements sociaux –, permettant une éducation en vue de la réalité qui ne se paie plus, comme l'éducation religieuse, du prix si lourd de l'interdit de penser.

L'aspiration au bonheur dans *Malaise dans la civilisation* (1929) témoigne de cette persistance de l'illusion, malgré tous les démentis, et de la reconstitution d'idéalisations qui permettent l'évitement de la réalité ou qui viennent tempérer les impasses de la culpabilité. L'expérience du sentiment océanique, que Romain Rolland avait objectée à Freud, et qui rappelle la religiosité originaire selon Lou Andreas-Salomé (qui voyait en elle la source d'une confiance irréductible en la vie), est en fait disqualifiée par son caractère relatif à la pure subjectivité individuelle[1]. L'homme d'aujourd'hui n'est pas non plus à l'aise dans sa ressemblance avec les dieux auxquels il attribuait tout ce qui semblait inaccessible ou interdit, à partir de la « représentation idéale de l'omnipotence et de l'omniscience »[2] qu'il s'était forgé et qu'il incarnait dans ses dieux.

Le démoniaque de la répétition mortifère porte encore la marque d'une idéalisation inversée, car l'expression suppose une représentation qui s'enracine dans le mythique. Les textes cliniques de Freud montrent les impasses du processus analytique en soulignant fort peu les dimensions idéalisantes du transfert (beaucoup plus présentes dans la littérature psychanalytique contemporaine) tandis que les textes plus métapsychologiques font place à la nostalgie et à la constitution de représentations, dans les investissements et dans le surgissement de l'angoisse, qui impliquent l'existence d'idéalisations. L'idéalisation de la sexualité masculine sert de référence pour la sexualité féminine préœdipienne au point qu'avant de se détourner de la mère la petite fille est parfois décrite comme un petit homme (parce qu'elle est active, et que l'absence de différence entre le garçon et la fille ne peut être qu'un signe de masculinité !). Les idéalisations sont sous-jacentes à la réflexion de *L'homme Moïse et la religion monothéiste* (1938) sur

1. *Malaise dans la civilisation* (1930a [1929]), Paris, PUF, 1971, p. 6 ; *OCF* XVIII, p. 250 ; *GW* XIV, p. 422.

2. *Ibidem*, p. 93 ; p. 278 ; p. 450.

la constitution et la transmission d'une tradition[1] : c'est la mention répétée des tendances déformantes qui accompagnent la transmission consciente mais qui n'épargnent pas non plus le resurgissement des contenus que Freud considère comme refoulés. Or c'est le resurgissement qui fait la force d'une tradition qui implique le traumatisme sous la forme du meurtre, du repas cannibalique et de leur déni.

QUESTIONS ET ENJEUX

L'idéalisation est d'abord une défense primaire, potentialité indissociable de tout investissement, avant de devenir une défense secondaire, liée au narcissisme. La prise en compte de sa dimension primaire est indispensable à la compréhension de ses formes secondaires, qui relèvent d'un investissement objectal sur le mode du narcissisme (choix d'objet narcissique). Le statut des idéaux en découle.

Lorsque le moi se donne un idéal (ou se prend pour l'idéal), il actualise une potentialité antérieure, de la même façon que l'interdit précède son introjection sous forme d'un surmoi capable de culpabilité. L'instance psychique est une élaboration seconde.

Le polymorphisme et l'universalité de l'idéalisation

L'universalité de l'idéalisation n'est pas seulement une modalité défensive secondaire nettement caractérisée et cliniquement repérable phénoménologiquement, mais une composante qualitative de l'investissement susceptible d'être défensivement renforcée au point de devenir massivement manifeste. Cette perspective, qui n'est pas explicite chez Freud en dehors de « Pour introduire le narcissisme », permet de situer plus aisément les pathologies de l'idéalité dans une compréhension métapsychologique d'ensemble et d'éviter de séparer l'idéalisation des processus pulsionnels, ce qui est une tendance récurrente depuis Jung. Une certaine phénoménologie clinique risque également

1. *L'homme Moïse et la religion monothéiste* (1939a), Paris, Gallimard, 1986, p. 175-176 ; *OCF* XX, p. 163-165 ; *GW* XVI, p. 190-191.

de se satisfaire de descriptions de l'idéalisation comme symptômes en termes relationnels et non véritablement psychanalytiques.

LE DÉNI DU SEXUEL

Le mouvement idéalisant est une tendance défensive au déni du sexuel, du corps, de la haine et de la mort. Pour mettre en évidence le déni du sexuel dans l'idéalisation, on peut se référer au « Plus général des rabaissements de la vie amoureuse » ; Freud y souligne que « le principal moyen de protection qu'utilise l'homme dont la vie amoureuse est ainsi clivée, c'est le rabaissement psychique de l'objet sexuel », qui permet à la sensualité de se manifester, mais il s'attache moins à l'autre terme du clivage, la « surestimation ». Celle-ci reste réservée à l'objet incestueux et à ses représentants, qui ne sauraient être « contaminés » par l'animalité de la sensualité ou de la relation sexuelle (souvent fantasmée ou réalisée avec des composantes perverses dont l'« accomplissement ne semble possible qu'avec un objet sexuel rabaissé, déprécié »). Or, c'est à une surestimation de l'objet d'amour, désiré comme objet sexuel, que l'on pourrait s'attendre. L'anomalie porte bien sur un rabaissement indu. Cependant, on peut dire que cette disjonction entre les courants tendres et sexuels repose aussi sur un excès d'idéalisation de l'objet incestueux : loin cette fois de pouvoir élever la putain au rang de la mère, et de fantasmer sur la sexualité maternelle, il s'agit de dissocier les deux au maximum, comme si le danger incestueux était si grand qu'il faille instaurer à l'intérieur même de l'objet incestueux une ignorance et une non-contamination par la sexualité.

La surestimation n'est pas surestimation de l'objet tel qu'il est, mais d'un objet transformé par le fantasme, d'un objet désexualisé de façon à désexualiser l'investissement et la fixation qu'il a suscités. La surestimation de l'objet d'amour est ici accompagnée d'une amputation de la sexualité de cet objet, dont le répondant sera l'impuissance à son endroit. L'idéalisation de cet objet passe par une négation de son corps pulsionnel – ce qui n'exclut nullement, au contraire, une surestimation esthétique de ce corps sexué. La surestimation du non-sexuel, ou de ce qui est apparemment désexualisé par élévation « au-dessus » de la sexualité, élévation esthétique ici, spirituelle ou religieuse en d'autres cas, est caractéristique des surestimations que nous pouvons désigner de façon spécifique comme des idéalisations : l'idéalisation y apparaît clairement comme une négation du sexuel, et plus précisément comme un déni du sexuel qui permet de maintenir, en le sacralisant, l'excès d'investissement tendre. La surestimation ne porte comme telle que sur l'évaluation de l'objet : surestimation (ou rabaissement), il s'agit d'un acte de jugement portant sur une représentation ou sur une connaissance de l'objet. Dans l'idéalisation, la surestimation s'accompagne d'une modification de la représentation de l'objet, d'une déformation dans la saisie de son essence.

On pourrait également montrer l'importance de la haine déniée sous-jacente à toute idéalisation. C'est pourquoi il n'est pas possible de séparer l'étude de l'idéalisation de la prise en compte non seulement du deuil et des identifications, mais de l'ambivamence et de la destructivité. L'idéalisation tend à masquer et à empêcher la perte, à tout prix, mais sous une modalité affirmative et représentative.

La mise en relation de l'intra-psychique et du culturel

La question de l'illusion et des idéaux du moi manifeste avec force que l'idéalisation, processus intra-psychique, assure une part essentielle de l'articulation entre l'intra-psychique et le culturel. Si la médiation est incontestablement la formation de l'idéal du moi à partir des parents, de leurs idéaux et de leur surmoi, il ne faut pas oublier le maintien de l'héritage narcissique (parents, maîtres, etc., idéalisés) dans l'élaboration post-œdipienne du surmoi, comme dans les formes prises par le lien social et ses remaniements au cours de l'existence. C'est aussi pourquoi les processus de désidéalisarion, la capacité de renoncement à la toute-puissance et à l'absolutisation des idéaux, leurs possibilités de remaniement sont tout aussi essentiels que l'idéalisation elle-même. C'est sans doute autour de difficultés liées à des carences d'idéalisation (on idéalise aujourd'hui des images plutôt que des gens et des figures héroïques ; or les images sont de bien faibles supports de subjectivation, qui ne laissent pas les fantasmes se déployer), mais aussi à des difficultés dans leur abandon et leurs remaniements que l'on doit certaines impasses de fin d'adolescence et l'interminabilité de celle-ci.

Le rôle essentiel de l'idéalisation dans la construction de la réalité psychique

La potentialité idéalisante de tout investissement est à souligner. L'idée même de représentation implique le réaménagement qualitatif de l'objet. Les contre-investissements donnent à l'idéalisation sa coloration défensive dans un mouvement qui reste fondamentalement affirmatif et qui, comme l'inconscient, ignore la négation, alors même qu'il rend possible le déni. L'idéalisation est ainsi, par la marque qu'elle imprime aux représentants psychiques de la pulsion, créatrice de réalité psychique, notamment de l'idéal du moi, comme héritier du narcissisme. La création du symbole de négation va permettre l'épreuve de réalité, qui vient précisément obliger à désidéaliser certaines représentations et à se déprendre de l'illusion. Obéissant à la logique du principe de plaisir, l'idéalisation et la désidéalisation sont facteurs de mobilité et d'élaboration psychique du fait de la nécessité de prendre en compte le principe de réalité.

Une pensée de l'affirmatif ? Le statut des idéaux

L'idéalisation relève de la pensée de l'affirmatif, en ce qu'elle évite et voile plutôt que d'affronter et qu'elle ignore la négation. Elle a part avec le déni dans la mesure même où elle ne veut pas savoir le déplaisant et où elle se développe par évitement et non dans la conflictualisation. C'est en cela qu'elle signe nombre de pathologies limites. Mais la théorie ne doit pas redoubler l'évitement de ce qu'elle décrit. L'idéalisation ne doit pas être dissociée de la pensée du conflit, du principe de réalité, de la négation, ni de la destructivité, c'est-à-dire en définitive du pulsionnel. Ainsi pourrons-nous éviter les dérives que Freud a dénoncées ou pressenties chez ceux de ses disciples que la réflexion sur le narcissisme avait fascinés.

Ce n'est qu'après la mise en évidence d'une instance psychique héritière de la constitution d'idéal mais constituée seulement grâce à l'intériorisation de la culpabilité œdipienne et des identifications liées à l'Œdipe, que la question du statut des idéaux peut être élaborée. *Psychologie des foules et analyse du moi* les rapporte surtout à l'idéalisation du leader, mis en place d'idéal du moi.

C'est surtout l'ambiguïté des idéaux qui mérite d'être soulignée. Freud n'y renonce pas pour autant, comme en témoignent ses aspirations à une éducation rationnelle susceptible d'être affectivement investie (à la fin de *L'avenir d'une illusion*), ou ses vœux dans *La question de l'analyse profane* (1926) pour une formation suffisamment ouverte des psychanalystes (« Eh oui, un idéal, mais un idéal qui peut être réalisé et doit être réalisé » [1]). Mais il refuse résolument de contribuer à une *Weltanschauung*, une vision idéologique du monde, même si « la possession d'une telle vision du monde est un des souhaits idéaux des hommes » [2].

Facteurs de cohésion et de réconciliation dans la culture, les idéaux sont également ce qui entretient la haine de l'autre et le narcissisme des petites différences qui pousse à l'extrême la rivalité avec le presque semblable. Reflétant les valeurs consciemment partagées, mais surtout l'héritage archaïque et développant des identifications narcissiques puissantes, ils témoignent des facteurs affectifs, de type hypnotique et marqués par la suggestion, qui constituent le lien social. Plus élaborés, la religion – particulièrement porteuse d'un héritage enraciné dans la « vérité historique » du complexe paternel – et l'art – source de gratification narcissique susceptible de servir de substitut au renoncement pulsionnel – sont des réalisations de l'idéal dans lesquelles les logiques du désir trouvent une réalisation subjective par l'illusion. Si l'idéal risque toujours de laisser clivés le sexuel et la haine, l'intégration de l'ambivalence, la vie fantasmatique et la sublimation en sont les destins les plus heureux.

Dominique Bourdin

IDENTIFICATION

all. : ***Identifizierung.*** – angl. : *identification.* – esp. : *identificación.* – ital. : *identificazione.* – port. : *identificação*

1. *La question de l'analyse profane* (1926e), Paris, Gallimard, 1986, p. 143 ; *OCF* XVIII, p. 80 ; *GW* XIV, p. 289.

2. « XXVe leçon. D'une vision du monde », *Nouvelles conférences d'introduction à la psychanalyse* (1933a [1932]), Paris, Gallimard, 1984, p. 211 ; *OCF* XIX, p. 242 ; *GW* XV, p. 170.

Freud propose une définition qui, si elle n'épuise pas la complexité du concept, en souligne les traits essentiels : l'identification est « l'assimilation d'un moi à un moi étranger, par la suite de laquelle ce premier moi se conduit, à certains égards, comme l'autre, l'imitant, en quelque sorte l'accueillant en soi. On a comparé, non sans pertinence, l'identification avec l'incorporation orale, cannibaliste, de la personne étrangère. L'identification est une forme très importante de la liaison à l'autre personne, vraisemblablement la plus originelle, et elle n'est pas la même chose qu'un choix d'objet »[1].

MISE EN SITUATION

Il peut s'agir de l'identification d'une instance, moi, surmoi ou idéal du moi, à l'objet. Deux modes d'identification s'opposent, selon que le contexte où elle s'effectue est objectal (hystérique) ou narcissique. Dans ce dernier cas, elle peut encore être primaire ou secondaire ; elle concerne alors, en général, un objet narcissique. On peut considérer l'identification comme un processus, un fantasme le plus souvent défensif, voire un symptôme, ce qui pourrait justifier de parler des identifications plutôt que de l'identification. Ce concept central garde cependant une unité, notamment en raison de ses précurseurs – incorporation ou introjection – et de la référence à l'« identification première au père originaire ».

Nous décrirons les diverses modalités de l'identification selon leurs caractéristiques théoriques et cliniques plutôt qu'en suivant strictement le développement historique du concept, qui est loin d'être linéaire, nous limitant, bien évidemment, aux divers types d'identification décrits par Freud.

1. *Nouvelles conférences d'introduction à la psychanalyse* (1933a [1932]), Paris, Gallimard, 1984, p. 88-89 ; *OCF* XIX, p. 146 ; *GW* XV, p. 69-70.

LE TEXTE FREUDIEN

L'IDENTIFICATION HYSTÉRIQUE

Une brève allusion à l'identification dans les *Lettres à Wilhelm Fliess,* relève son importance pour la détermination du symptôme, en même temps que son lien avec le deuil de personnes proches : « Dans le deuil, les sentiments de remords se manifestent, alors on se reproche leur mort (c'est ce qu'on décrit sous le nom de mélancolies), ou bien l'on se punit soi-même sur le mode hystérique, en étant malade comme eux. L'identification n'est alors qu'un mode de pensée. »[1] Freud montre déjà que l'idée de deuil et de mélancolie est associée au concept d'identification. Mais c'est à propos de l'hystérie que les mécanismes identificatoires sont pris en compte dans un contexte névrotique, selon une relation objectale assez bien caractérisée. « L'hystérie (comme sa variété la névrose obsessionnelle) est allo-érotique et se manifeste principalement par une identification à la personne aimée » – ce qui indique précisément le lien essentiel entre identification et hystérie.

Dans la première période, des origines à « Pour introduire le narcissisme », l'identification est étudiée dans le cadre des psychonévroses, de la névrose hystérique essentiellement et, accessoirement, de la névrose obsessionnelle, celle-ci étant alors considérée par Freud sinon comme une variété de l'hystérie, en tout cas comme une formation dont le noyau est hystérique – il faut entendre par là que le modèle de la névrose, du fonctionnement névrotique, reste l'hystérie avec sa défense-type que constitue le refoulement, même si d'autres défenses caractérisent également la névrose obsessionnelle. En fait, Freud n'a jamais abandonné l'opinion, avancée dans les *Études sur l'hystérie,* qu'il n'existe que des névroses mixtes. Ainsi, la notion d'identification hystérique s'applique aux névroses de transfert dans leur ensemble.

Dans *L'interprétation des rêves,* l'identification est considérée comme un procédé du rêve qui permet d'exprimer la ressemblance,

1. *La naissance de la psychanalyse,* Paris, PUF, 1956, p. 183.

l'accord ou la communauté avec une personne du rêve qui apparaît comme « personne de couverture », qui réprime et cache l'importance des autres comparses. Il se forme une « personne composite » qui réunit l'ensemble : « Au lieu de dire A ne m'aime pas, B non plus, je forme de A et de B une personnalité composite, ou bien je me représente A dans une des attitudes qui ordinairement caractérisent B. » [1] On peut ainsi se représenter le fait commun aux deux personnes : « Elles ne m'aiment pas. » Il s'agit là d'une condensation dans le travail du rêve, mais nous retrouverons ce modèle dans les divers types d'identification, avec notamment l'emprunt d'un seul trait de la personne à qui l'on s'identifie, ou que l'on identifie à soi ; de même que la communauté dans la relation d'amour (ou de haine) que traduit typiquement l'identification.

Celle-ci sert dans le rêve des buts divers qui convergent dans la figuration des désirs du rêveur et de la personne représentée : un seul trait, le désir commun, unit les deux personnes et permet de représenter le désir interdit qu'elles partagent. Cette particularité fait de l'identification un procédé tout à fait habituel dans le rêve, une modalité d'expression qui **transforme tout personnage du rêve en support d'un trait caractéristique du rêveur** (en ce sens, le rêve est parfaitement égoïste, seul le rêveur y paraît sous des formes diverses). Ce procédé se retrouve dans une formation d'identification banale, qui unit des membres d'une collectivité qui n'ont en commun qu'un seul et même désir ; dans ce registre, Freud reprend à plusieurs reprises le thème du symptôme commun à plusieurs pensionnaires qui s'identifient à l'une d'entre elles dont la relation amoureuse leur est connue. Plus complexe, mais de signification identique, le rêve dit de « la belle bouchère » montre le jeu spirituel qui consiste à se priver soi-même d'un plaisir dont on souhaite priver une rivale (la bouchère se prive d'un mets qui pourrait faire grossir, et rendre séduisante aux yeux de son mari, une amie rivale ; dans la privation, elle s'identifie à son amie[2].

1. *L'interprétation des rêves* (1900a), Paris, PUF, 1967, p. 277 ; *OCF* IV, p. 365 ; *GW* II-III, p. 326.

2. *Ibidem*, p. 135 ; p. 182-184 ; p. 153-155.

Ainsi, loin d'être le fruit d'une simple imitation ou contagion mentale, **l'identification consiste en une appropriation** ; elle exprime un « tout comme si » et « a trait à une communauté qui persiste dans l'inconscient ». Le caractère inconscient du processus est ainsi affirmé ; les procédés de l'identification dans le rêve ou les névroses sont semblables. En fait, cette similitude peut être étendue à la réalité psychique en général.

L'analyse de *Dora* offre de nombreuses illustrations du jeu des identifications dans la cure, tant à l'occasion du comportement ou des symptômes que des rêves de la patiente. Ainsi, à l'occasion d'un nouveau symptôme de douleurs aiguës d'estomac, Freud interpelle Dora : « Qui copiez-vous là ? » Il tombe juste, en ce sens qu'il apprend que Dora s'identifie à une cousine en raison de la communauté de leur opposition à leur père, et de leur jalousie[1] (il est à remarquer qu'elle s'identifie ainsi à une cousine qu'elle accuse d'être une simulatrice). Dans le même temps, elle s'identifie à son propre père qu'elle accuse d'utiliser ses maladies pour ses intérêts, reconnaît chez Mme K… la même utilisation de la maladie pour se soustraire à ses devoirs conjugaux. Cette situation compliquée a notamment l'intérêt de rapprocher et de différencier la simulation consciente de l'identification hystérique inconsciente, bien qu'ici les limites soient floues. L'identification à la mère apparaît encore à l'occasion de maladies. Dora s'identifie à elle par « de petits symptômes et de petites particularités » qui mettent Freud sur la piste de la maladie vénérienne contractée par la mère en raison de la vie dévergondée du père ; sans entrer dans les développements, cette identification soutient le développement de cette cure brève qui peut être résumée par cette réflexion de Dora : « Je suis la fille de papa. J'ai un catarrhe comme lui. Il m'a rendue malade comme il a rendu malade maman. C'est de lui que je tiens les mauvaises passions qui sont punies par la maladie. » Il apparaît que, condensant les conflits œdipiens, **l'identification équivaut à un *symptôme,*** où les désirs incestueux trouvent à la fois satisfaction et châtiment[2].

1. « Fragment d'une analyse d'hystérie (Dora) (1905e [1900]), *Cinq psychanalyses,* Paris, PUF, 1954, p. 25 ; *OCF* VI, p. 218 ; *GW* V, p. 197.

2. *Ibidem,* p. 55 ; p. 72 ; p. 238.

On remarque l'instabilité, la labilité et la multiplicité des identifications chez Dora ; c'est là un caractère général de l'identification hystérique, si important dans la constitution du symptôme hystérique – ce que Freud illustre par l'identification alternative d'une patiente « qui arrache son vêtement d'une main (en tant qu'homme) tandis que de l'autre (en tant que femme) elle le tient serré contre son corps »[1].

Dans *Psychologie des foules et analyse du moi,* les rapports de l'identification et de l'hystérie sont repris dans une vue d'ensemble permettant d'avancer des notions nouvelles, de mettre en évidence le sort et la signification d'identifications symptomatiques. Ainsi, par l'exemple de la fille qui, en contractant la même toux déchirante que sa mère, peut signifier sa volonté hostile de la remplacer en s'identifiant à elle, en même temps qu'elle témoigne de l'amour objectal pour le père. L'identification exprime le désir interdit, la culpabilité, et réalise la punition du vœu œdipien dans un même souffle : « Tu as voulu être la mère, maintenant tu l'es, au moins dans la douleur. » Cet exemple montre clairement la **place de l'identification dans l'Œdipe,** ce qui n'était pas aussi manifeste, ou en tout cas ainsi codifié dans l'analyse de Dora, pas plus d'ailleurs que le passage du choix d'objet à l'identification et sa réciproque. « L'identification a pris la place du choix d'objet, le choix d'objet a régressé jusqu'à l'identification. » Cette formulation précise nécessite déjà en fait la prise en compte du narcissisme. Pour le moment, soulignons que l'identification, lorsqu'elle concerne une fois la personne aimée et une autre fois celle qui n'est pas aimée (comme chez Dora) est « partielle, extrêmement limitée, et n'emprunte qu'un seul trait à la personne-objet », ce qui avait certes été déjà dit mais sans atteindre cette netteté.

Lorsque l'identification fait abstraction du rapport objectal avec la personne « copiée » (le choix de ce terme est significatif, car nous le retrouvons dans la contagion psychique au sein d'un pensionnat où chaque jeune fille contracte la manifestation hystérique de l'une d'entre elles, dont toutes envient. le rapport amoureux secret). « L'identification devient ainsi l'indice d'un lieu de coïncidence de

1. « Les fantasmes hystériques et leur relation à la bisexualité » (1908a), *Névrose, psychose et perversion,* Paris, PUF, 1973, p. 155 ; *OCF* VIII, p. 185 ; *GW* VII, p. 198.

deux moi, lieu qui doit être maintenu refoulé. » **L'identification est inconsciente, refoulée au sens du refoulement secondaire**[1].

IDENTIFICATIONS NARCISSIQUE ET MÉLANCOLIQUE

Avant d'aborder cette question, il nous faut prendre en compte les rapports de l'identification et de l'oralité : **incorporation et introjection représentent en effet les précurseurs oraux de l'identification.**

À partir des *Trois essais sur la théorie sexuelle*[2], le terme d'« incorporation » est utilisé pour désigner ce « prototype de ce qui deviendra l'identification ». L'origine de celle-ci est de ce fait orale, cannibalique ; l'objet est incorporé à un stade où il n'existe pas encore de différenciation nette entre les courants pulsionnels sexuels et d'autoconservation du moi. Notons que le terme d'*introjection* proposé par Sandor Ferenczi est généralement utilisé par Freud comme un *synonyme d'incorporation,* les deux termes désignant indifféremment, lui semble-t-il, fantasme ou processus, tout comme le terme même d'identification. Le fait important est son origine orale, avec l'ambivalence qu'elle comporte, car, si à la phase orale l'objet convoité est mangé et donc détruit (ce qui relève de la haine), il n'en reste pas moins que l'on ne mange que ce que l'on aime : le cannibale ne dévore que ceux qu'il apprécie et envie d'une manière ou d'une autre.

Le processus d'**identification mélancolique** est décrit dans « Deuil et mélancolie » : les plaintes du mélancolique sont dirigées contre lui-même, mais il le fait avec une jouissance certaine et tout indique qu'elles sont adressées à un autre. Cet autre est l'objet d'un choix, d'une liaison de la libido qui se révèle fragile : à la suite d'une déception, la liaison est supprimée et la libido, au lieu de se porter vers un nouvel objet, est « retirée dans le moi ». Elle est utilisée pour établir une **identification du moi avec l'objet abandonné** : « L'ombre de l'objet tomba ainsi sur le moi qui peut alors être jugé par une instance

1. *Psychologie des foules et analyse du moi* (1921c), *Essais de psychanalyse,* Paris, Payot, 1981, p. 169-170 ; *OCF* XVI, p. 44-45 ; *GW* XIII, p. 117-118.

2. *Trois essais sur la théorie sexuelle* (1905d), Paris, Gallimard, 1987, p. 128 ; *OCF* VI, p. 134 ; *GW* V, p. 98.

particulière, comme un objet, comme l'objet abandonné. »[1] D'une part, la perte de l'objet se transforme en une perte du moi et, d'autre part, le conflit entre le moi et la personne aimée et décevante, par rapport à l'idéal du moi qu'elle représentait, crée une scission entre la critique du moi et le moi modifié par identification. Ceci « implique une forte fixation à l'objet d'amour et de façon contradictoire une faible résistance de l'investissement d'objet ». Ce point capital, tiré d'une remarque d'Otto Rank, est la base de la conception du choix narcissique d'objet, et, plus généralement, de l'identification narcissique et du narcissisme secondaire formé à partir de la libido retirée aux objets. Dans ce processus, la régression est particulièrement importance car l'identification est le stade préliminaire du choix d'objet : la première manière, ambivalente, dont le moi choisit un objet. Il convient de noter la différence entre identification hystérique (où l'investissement d'objet est maintenu) et identification narcissique (où il est abandonné) – c'est là aussi rappeler la différence essentielle des qualités du choix d'objet et de la liaison dans un contexte hystérique-névrotique par rapport à ce qu'elles sont dans les affections de type mélancolique et, plus largement, narcissique, au sens des névroses narcissiques.

Dans *Psychologie des foules et analyse du moi,* après avoir approfondi l'identification hystérique comme symptôme, l'**identification narcissique** est abordée dans ses rapports avec l'idéal du moi et l'idéalisation, une certaine incertitude persistant encore sur ce que recouvre l'idéal du moi par rapport au surmoi. L'intérêt se porte à nouveau sur le conflit mélancolique et les identifications qu'il comporte, particulièrement sur le partage du moi coupé en deux, l'une des parties se déchaînant contre l'autre : celle qui, transformée par introjection-identification, inclut l'objet perdu ; la première, qui « exerce une activité si cruelle », héritière de la conscience *(Gewissen)* avec son activité critique, est nommée à ce moment encore *idéal du moi*[2]. En fait, cela recouvre également ce qui sera individualisé comme surmoi.

1. « Deuil et mélancolie » (1917e [1915]), *Métapsychologie,* Paris, Gallimard, 1968, p. 158-160 ; *OCF* XIII (2e éd.), p. 269-271 ; *GW* X, p. 435-437.

2. *Psychologie des foules et analyse du moi* (1921c), *Essais de psychanalyse,* Paris, Payot, 1981, p. 172-173 ; *OCF* XVI, p. 47-48 ; *GW* XIII, p. 120-121.

En 1923, *Le moi et le ça* revient sur les **identifications narcissiques.** La modification du moi qui survient sur le mode mélancolique est liée à l'« érection » *(Aufrichtung)* de l'objet dans le moi par un processus d'introjection, en tout cas selon une modalité qui est de nature orale, processus qui facilite sans doute l'abandon de l'objet. Peut-être même introjection et identification sont-elles des conditions nécessaires pour que le ça abandonne ses objets. Cela constitue un élément important de la théorie du déclin du complexe d'Œdipe et de l'établissement du surmoi secondaire. D'une manière plus générale, on peut considérer que le processus par lequel l'identification narcissique régule l'investissement libidinal entre objet et moi narcissique permet le développement du narcissisme secondaire : la théorie de l'identification narcissique constituée sur le modèle mélancolique prend dès lors une valeur générale et, par exemple, origine le caractère du moi qui résulte de la sédimentation des investissements d'objet abandonnés (il « contient l'histoire de ces choix d'objet ») – la modification du caractère pourrait survivre à la relation d'objet, voire la conserver.

Le moi peut, de cette manière, adopter les traits de l'objet et s'imposer ainsi comme objet d'amour au ça ; il cherche à remplacer ce que ce dernier a perdu en disant en quelque sorte : « Regarde, tu peux m'aimer moi aussi, je suis si semblable à l'objet. ». La modification et la transformation du moi prennent ainsi une valeur structurelle. Ceci ne va pas sans poser la question de **l'économie des identifications narcissiques** : « La transposition de libido d'objet en libido narcissique qui se produit ici entraîne manifestement un abandon des buts sexuels, une désexualisation, donc une espèce de sublimation. » C'est là l'essentiel de ce qui amène à reconsidérer l'identification conçue sur le modèle mélancolique : « Toute sublimation [pour ce qui nous concerne ici : toute identification] ne se produit-elle pas par l'intermédiaire du moi, lequel transforme d'abord la libido d'objet sexuelle en libido narcissique pour lui poser ensuite peut-être un nouveau but ? Cette transformation ne peut-elle avoir aussi pour conséquence d'autres destins de pulsions », telles que leur désunion [1] ? Par son

1. *Le moi et le ça* (1923b), *Essais de psychanalyse,* Paris, Payot, 1981, p. 242 ; *OCF* XVI, p. 274 ; *GW* XIII, p. 258.

travail d'identification et de sublimation, le moi « porte assistance aux pulsions de mort dans le ça pour la maîtrise de la libido mais, ce faisant, encourt le danger de devenir objet des pulsions de mort et d'expirer lui-même »[1]. Certes, le moi a dû se remplir de libido dans cette action et il veut vivre. On comprend pourtant ce qui détermine le choix premier de la mélancolie comme modèle préférentiel de l'identification narcissique : cette conception rapproche sublimation et identification, qui l'une et l'autre entraînent une frustration de la satisfaction pulsionnelle sexuelle directe au profit d'un ersatz différé.

Identification et homosexualité

Dans *Psychologie des foules et analyse du moi,* Freud montre qu'il arrive que « le choix d'objet redevienne identification, que le moi s'approprie les qualités de l'objet », ce qui d'ailleurs caractérise l'incorporation. L'origine de l'homosexualité masculine en serait un exemple : « Le jeune homme est fixé à sa mère, au sens du complexe d'Œdipe, d'une manière inhabituellement longue et intense. Mais vient enfin, la puberté une fois achevée, le temps d'échanger la mère contre un autre objet sexuel. Advient alors un retournement soudain ; le jeune homme n'abandonne pas sa mère mais s'identifie avec elle, il se mue en elle et se met maintenant en quête d'objets qui puissent remplacer pour lui son moi, qu'il puisse aimer et entourer de soins, comme il en avait eu l'expérience de la part de la mère. »[2] Ce **retournement de choix d'objet en identification,** si massive qu'elle aboutit à une transformation du sujet qui devient l'objet, peut paraître radicale et extrême, mais est essentielle et moins rare qu'on ne pense, comme le montre l'exemple du petit garçon si malheureux d'avoir perdu son chat qui déclare qu'il est maintenant lui-même le chat, marche à quatre pattes, etc.

Pour une fois, nous n'apprenons rien du père, que ce soit avant la puberté ou après ; l'homosexuel transformé en mère « recherche maintenant des objets qui puissent remplacer pour lui son propre moi ».

1. *Ibidem,* p. 272 ; p. 299 ; p. 287.

2. *Psychologie des foules et analyse du moi* (1921c), *Essais de psychanalyse,* Paris, Payot, 1981, p. 169 ; *OCF* XVI, p. 46 ; *GW* XIII, p. 119.

Non seulement l'objet mère est perdu, transformé en moi, mais le moi lui-même disparaît dans la transformation survenue. L'homosexuel est désormais en quête d'objets qui puissent remplacer son moi partiellement perdu (on peut penser qu'il en est en deuil) et qu'il puisse aimer et choyer : des doublets de son moi enfant sans doute. Reste à se demander si le père a d'autre caractéristique que son absence, et aussi quels sont les événements psychiques post-pubertaires qui entraînent ces bouleversements : deuil sans doute ainsi que l'indique l'association avec l'enfant transformé en chat, mélancolie aussi car Freud l'évoque dans le chapitre suivant. Nous pouvons avancer l'hypothèse que la mélancolie, qui ne pourrait être provoquée que par une déception causée par la mère, est évitée par l'expulsion du moi, qui doit être retrouvé par identification dans les objets homosexuels. On ne sait pas clairement toutefois comment survient cette identification narcissique des objets au moi, ou ce choix narcissique d'objet poussé à l'extrême du narcissisme : on serait tenté d'évoquer un processus de projection, voire une identification projective avant la lettre.

Si Freud situe nettement dans l'Œdipe la cause de la régression du choix d'objet maternel conduisant à une identification à la mère, il ne l'explicite pas davantage. Mais si l'on associe l'absence de toute référence au père, avec le passage au choix d'objet homosexuel, on peut envisager que l'identification primaire, originaire, au père ayant manqué, la mère s'est trouvée investie du trait unique phallique jusqu'à ce que les événements de la puberté déçoivent l'attente. « Le trône et l'autel sont menacés », le phallus maternel dès lors en danger nécessitent la mise en jeu d'identifications narcissiques qui permettent de conforter la permanence de l'investissement phallique narcissique, et le sauvetage du moi sous les espèces des objets homosexuels.

La préhistoire personnelle et l'identification au père originaire de la préhistoire

Le texte de référence initial pour ce qui concerne l'identification primaire, originaire, au père de la préhistoire, est *Totem et tabou*, même si cette question est plus ou moins précisément évoquée antérieurement (notamment dans l'analyse du « petit Hans »). Freud se réfère à de nombreuses théories et observations de préhistoriens et d'ethnologues, notamment J. J. Atkinson et James G. Frazer, mais avant tout Charles Darwin qui suppose à l'origine un père violent, jaloux et chassant ses fils à mesure qu'ils grandissent. Il y ajoute l'hypothèse, basée sur le repas totémique, d'un meurtre du père par les frères unis, qui l'ont ensuite dévoré, s'identifiant à lui par cette absorption, par incorporation s'appropriant chacun une partie de sa force. L'étude porte surtout sur le **passage de l'incorporation à l'identification** ; Freud adopte, au moins partiellement, la formule de Frazer pour qui « *totemism is an identification of a man with his totem* ». Il en vient là notamment par l'étude des phobies et la comparaison entre l'objet phobogène et le totem, représentants l'un et l'autre le père, l'identification s'associant alors avec l'ambivalence des sentiments. Le point capital reste le passage de l'ambivalence, de la haine au sentiment de culpabilité œdipienne et à ses conséquences : les frères enviaient et haïssaient le père mais ils l'aimaient aussi, et, « une fois qu'ils l'eurent éliminé, qu'ils eurent satisfait leur haine et mené à bien leur souhait d'identification avec lui, les motions tendres, qui avaient alors été terrassées, ne pouvaient manquer de se faire valoir ». La future théorie du surmoi est déjà présente, car le repentir et le sentiment de culpabilité ont cette conséquence que « le mort devenait maintenant plus fort que ne l'avait été le vivant » [1].

On sait l'importance de la métaphore préhistorique pour la **conception de l'origine du psychisme individuel.** Il ne s'agit pas seulement de la prise en compte de la phylogenèse pour une conception de l'ontogenèse, mais plus précisément d'un parallélisme entre l'origine de l'homme en général et du sujet œdipien en particulier, tel qu'on le rencontre en analyse, ce qui est exprimé par exemple sous cette forme : *le psychisme primitif est, au plein sens du terme, impérissable*[2]. Sur cette idée reposent les conceptions de l'inconscient et des pulsions. Pour ce qui concerne l'identification, la relation au père originaire comme modèle préœdipien est essentielle. Il n'est pas possible d'en relever ici toutes les traces dans l'œuvre de Freud, qui iraient du

1. *Totem et tabou* (1912-1913a), Paris, Gallimard, 1993, p. 292 ; *OCF* XI, p. 362 ; *GW* IX, p. 173.

2. « Considérations actuelles sur la guerre et sur la mort » (1915b), *Essais de psychanalyse,* Paris, Payot, 1981, p. 22 ; *OCF* XIII (2e éd.), p. 139 ; *GW* X, p. 337.

« vieux » *(der Alte)* qui désigne son père dans les *Lettres à Fliess,* au père violent de *Totem et tabou* en passant, entre autres, par les divers modèles du père dans *Les cinq psychanalyses.* Elles montrent le passage insensible du père originaire au père œdipien ; les traces les plus sensibles du père originaire sur le modèle du père de la préhistoire se retrouvent dans l'*Être supérieur* qui punit inexorablement.

Dans *Psychologie des foules et analyse du moi,* un chapitre entier est consacré à *l'identification,* définie comme manifestation la plus précoce d'un lien affectif à une autre personne[1] ; on voit le petit garçon, dans la préhistoire de son complexe d'Œdipe, prendre son père comme idéal. Il voudrait **devenir et être comme lui,** ce qui n'a rien à voir avec une position passive ou féminine envers le père, mais s'associe à un investissement objectal de la mère. Par la suite, lors du développement de l'Œdipe, la situation se complexifie avec, notamment, un investissement objectal du père. Dans ce cas, l'identification désigne aussi ce que l'on voudrait *être,* c'est-à-dire, cette fois, la mère, celle que dans un temps précédent on voulait *avoir.*

Dans *Le moi et le ça,* sans reprendre les réflexions sur la préhistoire de l'humanité, l'intérêt se porte sur la préhistoire personnelle et particulièrement sur la phase orale primitive de l'individu : en ce temps, « investissement d'objet et identification ne sont sans doute pas à différencier l'un de l'autre »[2]. La relation avec l'idéal du moi y est plus fermement établie : au tout premier âge, se produit la première et la plus importante identification, « l'identification au père de la préhistoire personnelle », ce qui amène à la naissance de l'idéal du moi, qui « cache » l'identification première. L'idéal est en effet considéré comme une formation défensive, une formation réactionnelle ; le surmoi ou idéal du moi « n'est pas simplement un résidu des premiers choix d'objet du ça, mais il a aussi la signification d'une formation réactionnelle énergique contre ceux-ci »[3]. L'identification première

1. *Psychologie des foules et analyse du moi* (1921c), *Essais de psychanalyse,* Paris, Payot, 1981, p. 167 et suivantes ; *OCF* XVI, p. 42 et suivantes ; *GW* XIII, p. 115 et suivantes.

2. *Le moi et le ça* (1923b), *Essais de psychanalyse,* Paris, Payot, 1981, p. 241 ; *OCF* XVI, p. 273 ; *GW* XIII, p. 257.

3. *Ibidem,* p. 246 ; p. 277 ; p. 262.

pose un autre problème, relevé en note : il serait « plus prudent de dire : avec les parents, car père et mère, avant la connaissance sûre de la différence des sexes, du manque de pénis, ne se voient pas attribuer valeur distincte » [1]. Nous retrouvons ainsi la caractéristique essentielle de l'identification, même si Freud ne la rappelle pas ici : **l'identification porte sur un seul trait de la personne à qui l'on s'identifie** – ici le pénis, l'identification primaire portant sur le père qui a un pénis et sur la mère phallique, l'identification confirmant ainsi le primat du phallus.

L'idéal du moi et le surmoi, qui là ne sont pas réellement distingués, ne font que reprendre et cacher l'identification primaire au porteur de phallus, et aussi le choix d'objet portant sur la mère lorsque la différence sexuelle est reconnue. Leur apparition marque **l'entrée dans l'Œdipe ouvrant le jeu des identifications et des choix d'objets.** Notons encore que l'expression « résidus des choix d'objets du ça », qui caractérise pour une part le surmoi-idéal du moi, est bien un mode d'identification secondaire aux objets incestueux originaires.

L'identification féminine, primaire ou secondaire

La position de Freud reste, apparemment, bien établie : la première identification, antérieure à tout choix d'objet, se fait au père de la préhistoire personnelle [2] ; cette identification est l'origine de l'idéal du moi lié au surmoi, elle est commune au garçon et à la fille bien qu'elle soit plus évidente et pour ainsi dire naturelle pour le garçon. Pour la fille elle se justifie en raison de la phase initiale phallique qu'elle traverse avant de s'identifier à la mère et de changer d'objet en faveur du père.

Mais les complications sont nombreuses dans cette évolution : ainsi, l'attachement excessif de la fille à son père recouvre en fait un attachement primaire intense à la mère ; il est remarquable que Freud, pour le décrire, évite de parler de choix d'objet et emploie le terme « attachement préœdipien » [3]. « **L'identification à la mère, chez**

1. *Ibidem,* p. 243 ; p. 275 ; p. 259.

2. *Ibidem.*

3. *Nouvelles conférences d'introduction à la psychanalyse* (1933a [1932]), Paris, Gallimard, 1984, p. 160 ; *OCF* XIX, p. 203 ; *GW* XV, p. 127.

la femme, permet de reconnaître deux strates, la préœdipienne qui repose sur la liaison tendre à la mère et la prend pour modèle, et celle, plus tardive, issue du complexe d'Œdipe, qui veut éliminer la mère et la remplacer auprès du père. » C'est d'ailleurs « la phase de la tendre liaison préœdipienne qui est décisive pour l'avenir de la femme »[1]. Comment comprendre ces changements, presque contradictoires ? Il convient sans doute d'en admettre les éléments : dans les deux sexes l'identification primaire au père assure le primat du phallus, en même temps que l'attachement à la mère, constitué essentiellement d'une **identification, mais aussi d'un amour d'objet tendre** (c'est-à-dire sans doute déjà désexualisé) assure l'identité féminine. Là aussi on pourrait ajouter : « dans les deux sexes ». Mais si Freud évite le plus souvent de désigner ce mouvement comme identification, parlant plutôt d'attachement à la mère *(Mutterbindung),* c'est bien pour souligner que ce lien, quelle qu'en soit l'importance, est d'une tout autre nature que l'identification primaire. Il le manifeste encore en concluant le chapitre : « On a l'impression que l'amour de l'homme et celui de la femme sont séparés par une différence de phase psychologique. »[2] On peut penser que cette différence de phase concerne, avant tout, l'identification.

Peu de temps auparavant, dans « Sur la sexualité féminine », Freud s'était déjà heurté à une difficulté à propos de cet attachement primaire à la mère, sans pouvoir vraiment élucider la nature de ce lien originaire. « La pénétration dans la période préœdipienne de la petite fille nous surprend comme, dans un autre domaine, la découverte de la civilisation minoé-mycénienne derrière celle des Grecs. »[3] On reconnaît là l'opposition coutumière du temps des déesses mères au règne des dieux phalliques. Il ajoutait que ce domaine lui « paraissait si blanchi par les ans, vague, à peine capable de revivre, comme soumis à un refoulement particulièrement inexorable », mais ne soulevait pas alors le problème de l'identification primaire à la mère, se

1. *Ibidem,* p. 179 ; p. 217 ; p. 143.

2. *Ibidem,* p. 180 ; p. 218 ; p. 144.

3. « Sur la sexualité féminine » (1931b), *La vie sexuelle,* Paris, PUF, 1969, p. 140 ; *OCF* XIX, p. 10 ; *GW* XIV, p. 519.

limitant à l'« attachement », dont le rapport à l'identification est pour le moins complexe. Dans le même temps, il reconnaît que les femmes analystes ont un accès plus immédiat que lui à ces problèmes chez leurs patientes, y voyant une difficulté liée au transfert au père chez les analysantes. Il n'évoque pas les questions de l'identification féminine primaire et de l'homosexualité primaire.

Remontant dans l'œuvre freudienne, nous trouvons encore une trace d'identification maternelle primaire dans *Totem et tabou* (mais elle n'est pas explicitement reconnue comme telle) à propos de la plus primitive des organisations humaines, la *Kinship* : « Un *Kin* est un groupe de personnes dont les vies sont à ce point liées en une seule unité physique qu'on peut les considérer comme les fragments d'une vie unique commune... Dès lors, il est naturel qu'on ne lui donne pas seulement pour fondement le fait qu'on est une partie de la substance de la mère dont on est né et du lait de laquelle on a été nourri, mais que la nourriture que l'on consomme plus tard et par laquelle on renouvelle son corps peut aussi procurer et renouveler la *Kinship*. » La communauté, l'identité avec la mère nourricière, est clairement affirmée : l'identification apparaît dans le renouvellement de l'appartenance au groupe par la prise de nourriture. Soulignons que la *Kinship* maternelle est antérieure à la société familiale, et que, pourtant, Freud s'appuie sur la formule hébraïque : « Tu es mes os et ma chair », comme pour la désigner dans son antériorité à l'identification primaire au père caractéristique de la pensée biblique. En même temps, il montre la survivance de cette phase antique, mais évite, là aussi, de parler d'identification, ce qu'il fera dix ans plus tard[1]. Sans cesser de faire question, cela n'entre pas dans le concept d'identification freudien.

Identification et instances

Si nous récapitulons les éléments concernant surmoi, idéal du moi et moi, nous constatons que le **surmoi** est essentiellement formé d'**identifications aux premiers objets parentaux,** dont le choix comme

1. *Psychologie des foules et analyse du moi* (1921c), *Essais de psychanalyse,* Paris, Payot, 1981, p. 174, n. 1 ; *OCF* XVI, p. 48, n. 2 ; *GW* XIII, p. 121, n. 2.

objet d'amour a régressé à l'identification ou, plus exactement, à la formation de « résidus », de « précipités » desdits objets. Mais les objets de ces objets jouent un rôle dans la formation et le fonctionnement du surmoi : les représentations des grands parents font partie du surmoi d'un sujet dans la mesure où ce surmoi est formé par identification au surmoi même de ses parents. Dans les *Nouvelles conférences d'introduction à la psychanalyse,* nous trouvons une description assez complète du jeu des identifications dans la formation du caractère ; si celui-ci est à attribuer au moi, un certain nombre de choses qui le créent relèvent du surmoi. « Avant tout, l'incorporation de l'instance parentale précoce, [...] qui en est sans doute le morceau le plus important, décisif ; ensuite les identifications avec les deux parents de l'époque ultérieure [...], et les mêmes identifications en tant que précipités de relations d'objet laissées vacantes. »[1] Sans oublier que « le surmoi de l'enfant ne s'édifie pas sur le modèle des parents, mais sur celui du surmoi parental »[2].

Le surmoi se distingue finalement de l'idéal du moi, bien qu'issu également de l'identification au père phallique. Il s'agit cette fois du père œdipien : ainsi le surmoi proprement dit est-il secondaire, œdipien et structurant dans la mesure où il permet, dans le conflit, la formation d'un moi relativement indépendant des identifications primaires. L'opposition contradictoire entre les deux aspects du surmoi-idéal du moi est exprimée dans une formule lapidaire : « Tu dois être ainsi (dit l'idéal), tu n'as pas le droit d'être ainsi (comme le père), c'est-à-dire tu n'as pas le droit de faire tout ce qu'il fait (selon le surmoi). »[3] Les deux sens de « être » sont ici fondamentalement différents : le premier, idéalisant, est narcissique, le second désigne en fait l'action, l'acte incestueux réprimé par le surmoi. Cette fois, tu ne peux être ou faire comme le père, « certaines choses lui sont réservées ». L'indétermination du mode d'identification est désormais

1. *Nouvelles conférences d'introduction à la psychanalyse* (1933a [1932]), Paris, Gallimard, 1984, p. 123 ; *OCF* XIX, p. 173-174 ; *GW* XV, p. 97.

2. *Ibidem,* p. 93 ; p. 150 ; p. 73.

3. *Le moi et le ça* (1923b), *Essais de psychanalyse,* Paris, Payot, 1981, p. 247 ; *OCF* XVI, p. 278 ; *GW* XIII, p. 262.

levée, mais il importe de garder à l'esprit leur association, sinon leur confusion à l'origine, dans la double orientation narcissique et œdipienne des deux instances, ce qui permet de ne pas recourir abusivement à l'idée d'un surmoi archaïque.

L'**idéal du moi** est aussi décrit comme étant une « formation substitutive qui remplace la nostalgie pour le père » [1], ce qui ne va pas sans remettre en cause la nature même de l'identification qui n'a plus alors qu'une valeur de remplaçant pour une nostalgie (désir ardent) qui reste active et ambivalente. Soulignons encore les rapports de l'idéal du moi à l'identification au père de la préhistoire, figure qui se retrouve sous l'aspect du leader du groupe ou de la foule, héritier du chef de la horde. L'identification au père originaire *(Urvater)* crée l'idéal du moi en même temps que le moi (moi idéal, si l'on veut) est identifié à un membre de la horde fraternelle, identique aux autres frères dans la soumission et dans la participation à l'exaltation du père.

Les **identifications constitutives du moi** sont de type hystérique, et surtout narcissique ; elles sont également faites de résidus et précipités des identifications secondaires, tout comme le surmoi ; là est un des points de confluence entre les deux instances. Une difficulté se rencontre en effet, dans le développement de l'œuvre de Freud, à propos de la relation du surmoi et du moi, et notamment de la variation dans leur relation qui va de la soumission du moi masochiste à l'instance surmoïque cruelle, jusqu'à la relation plus tendre dans l'humour, voire à la confluence des deux instances dans ce même cadre en l'absence de conflit. Dès qu'apparaît le conflit se manifeste l'opposition entre les deux instances [2].

Identifications et transfert

Le leader d'une foule, comme en d'autres circonstances l'hypnotiseur, prend la place de l'idéal du moi, c'est-à-dire du père originaire, du surhomme surpuissant, etc., auquel l'hypnotisé l'identifie et vis-à-vis duquel il garde une nostalgie passionnée. Ces circonstances lèvent

1. *Ibidem,* p. 249 ; p. 280 ; p. 265.

2. « L'humour » (1927d), *L'inquiétante étrangeté et autres essais,* Paris, Gallimard, 1985, p. 328 ; *OCF* XVIII, p. 140 ; *GW* XIV, p. 389.

une hésitation : « Est-il donc certain que l'identification présuppose l'abandon de l'investissement d'objet, ne peut-il y avoir identification, l'objet étant conservé ? » [1] Prenant la suite de l'analogie qui unit foule à deux, hypnose, situation analytique, on trouve le transfert qui associe identification au père originaire et persistance à son endroit d'une nostalgie amoureuse. Si nous revenons à l'un des modèles de l'identification hystérique, où un groupe de jeunes pensionnaires s'identifie à l'une d'entre elles dont elles connaissent l'intrigue amoureuse en adoptant son symptôme, nous voyons la continuité entre le courant narcissique (identification à proprement parler) et le courant hystérique (où l'amour objectal prime tout de même sur la formation substitutive qu'est l'identification). La démarche théorique est allée une fois encore du superficiel, tardif (le symptôme hystérique), au primaire, narcissique.

Dans le transfert, des mouvements identificatoires du même ordre se produisent, déterminant la tonalité ou la dominance du transfert (maternelle ou paternelle) dont l'évolution est largement dépendante du mouvement libidinal, de l'identification à l'investissement d'objet, et inversement. Le transfert est un déplacement ; de ce fait, les identifications hystériques, mobiles et labiles, permettent un retour à l'investissement d'objet d'origine dans le cadre transférentiel. L'identification narcissique, qui témoigne d'une forte fixation à l'objet d'amour et d'un faible investissement d'objet, est de ce fait peu mobilisable. Dans le premier cas, l'identification, cet accumulateur de libido, la remet en cours dans l'amour ou la haine de transfert. Dans l'autre cas, la fixation empêche la mise en mouvement de la libido narcissique. L'idéalisation de l'analyste et l'identification à cet objet idéalisé est l'exemple même de ce mode de fixation transférentielle : *dans ce cas, l'objet s'est mis à la place de l'idéal du moi.*

IDENTIFICATIONS, NÉVROSES NARCISSIQUES, PSYCHOSES

Nous ne reviendrons pas sur la question de la mélancolie (au sens freudien, qui est le modèle même de la névrose narcissique) dont

1. *Psychologie des foules et analyse du moi* (1921c), *Essais de psychanalyse,* Paris, Payot, 1981, p. 179 ; *OCF* XVI, p. 52 ; *GW* XIII, p. 125.

nous avons vu quel pivot elle constitue pour l'extension du concept d'identification, mais nous nous attacherons aux autres névroses narcissiques qui comprennent ce que nous nommerions aujourd'hui les états-limites et les troubles narcissiques de la personnalité, jusqu'aux abords de la schizophrénie.

L'obstacle définitif à l'analyse dans tous ces cas, tout au moins dans les limites du processus morbide, tient selon Freud à l'absence de transfert du fait que la libido s'est repliée dans le moi. Absence donc de transfert, dans un *état anobjectal.*

Cependant, le langage persiste, qui suppose un jeu d'identifications, une tentative de se comprendre et de se faire comprendre. Freud va directement au cœur de la difficulté dans son étude de cas rapportés par Viktor Tausk. Nous nous en tiendrons à l'exemple de cette jeune femme qui se plaint d'avoir été « changée de position » *(anders stellen),* « comme si quelqu'un la changeait de position, comme si elle était changée de position » *(als* ***stellt*** *sie jemand, als würde sie* ***gestellt****),* à l'église par son ami, homme ordinaire. **Elle est devenue semblable à lui :** « Il a donné le change, elle est maintenant comme lui (identification !), il l'a changée. *Er hat sich* ***verstellt****, sie ist jetzt so wie er (Identifizierung !) er hat sie* ***verstellt****.* » Freud adopte l'opinion de Tausk selon laquelle le mouvement *« des sich anders stellen »* est une figuration *(Darstellung)* du mot *verstellen* et de l'identification avec l'aimé.

Ainsi montre-t-il que ce qui apparaît comme un trouble du langage constitue en fait une tentative de guérison en raison de l'investissement de mot qui persiste et tente de pallier l'abandon de l'investissement d'objet. Le processus est une tentative de **retrouver l'identification** par le moyen d'une distorsion langagière complexe, qui utilise le « langage d'organe » et le jeu des figurations, du moins des représentations concrètes induites par les mots, pour rendre compte de l'expérience psychotique et tenter **une identification qui n'a que des rapports formels et lointains avec l'identification hystérique.** L'identification de la patiente à l'aimé qui l'abandonne est un fait de langage qui se « figure » dans une sensation corporelle. Est-ce tout de même une façon de retrouver le lien à l'aimé décevant, sur un modèle de type mélancolique ? Freud n'aborde pas cette question, se limitant à souligner la forme surprenante que prend l'identification dans ce cas[1].

PASSIVITÉ ENVERS LE PÈRE ET IDENTIFICATION À DIEU : LA PARANOÏA

Le cas du « Président Schreber »[2] avance une théorie de l'**identification dans la paranoïa.** Rappelons que dans sa pathographie le Président expose son fantasme de « transformation en femme ». Dans son commentaire, Freud n'insiste pas sur le terme d'« identification », ni d'ailleurs réellement sur le concept lui-même : en effet, il met plutôt l'accent sur sa position libidinale homosexuelle, sur son importance dans l'évolution délirante. La transformation en femme était à la fois désirée et redoutée, afin de pouvoir réaliser un fantasme homosexuel concernant en un premier temps son médecin Flechsig, plus tard Dieu, l'un et l'autre recouvrant la personne du père, « qui n'avait pas été quelqu'un d'insignifiant ». La castration, **l'identification à une femme, ou plutôt la transformation en femme** permettent sans doute une relation amoureuse au Dieu père, sans que Schreber s'identifie d'abord lui-même à Dieu. Il se contente de donner naissance à une nouvelle race d'hommes nés de son esprit.

Vingt ans plus tard, le thème est repris dans une étude sur *Le président T. W. Wilson*. (Ce travail qui fut réalisé en collaboration avec William C. Bullitt dut attendre longtemps pour être publié. Il est cosigné, mais nous ignorons ce qui est véritablement de la main de Freud ; nous avons pourtant choisi d'évoquer ici quelques passages qui portent plus spécifiquement sur la paranoïa.) Y est montré de façon détaillée le jeu des identifications chez un personnage qui n'était sans doute pas réellement psychotique, mais cependant bien proche de la psychose et le fut de plus en plus au long de sa vie. L'essentiel, chez lui, tenait à son identification à « son incomparable père ».

1. *Métapsychologie,* Paris, Gallimard, 1968, p. 111-114 ; *OCF* XIII, p. 235-239 ; *GW* X, p. 295-300.

2. « Remarques psychanalytiques sur l'autobiographie d'un cas de paranoïa *(dementia paranoides)* (Le Président Schreber) » (1911c [1910]), *Cinq psychanalyses,* Paris, PUF, 1954, p. 297 ; *OCF* X, p. 272-273 ; *GW* VIII, p. 285.

Soumis dans son enfance à ce père tout-puissant, sa féminité et sa passivité l'empêchèrent de manifester une révolte et une agressivité masculines ; elles furent refoulées et « stockées » dans son surmoi, par identification. Ainsi s'édifia un « surmoi extraordinairement puissant et exalté ». En effet, « nous avons observé comment le petit garçon substitue au désir de tuer son père une autre méthode de le supprimer, celle de s'identifier à lui, et comment celle-ci produit le surmoi ». Divers traits indiquent que « son père et lui ne faisaient qu'un : c'était une identification totale. Il revécut, dans un style plus grandiose, l'existence de son père ». Pour le petit Tommy, son père était identifié à Dieu ; de là il n'y avait qu'un pas pour le conduire à sa propre identification au Sauveur de l'humanité, à Jésus-Christ. Ainsi se trouvait-il comme « l'homme qui installe Dieu comme surmoi, en équilibre instable entre l'abîme de la névrose d'un côté et celui de la psychose de l'autre ». De nombreux avatars des identifications au Christ ou à Dieu le père apparaissent au long de la vie de Wilson, témoignant de l'importance particulière ici de l'aspect économique, ce texte mettant en valeur tant le « stockage de la libido » dans ces « accumulateurs » que sont surtout les identifications surmoïques, que le rôle des « canaux » qui en permettent l'écoulement[1].

QUESTIONS ET ENJEUX

Nous avons vu l'extension du domaine où s'applique la notion, puis le concept d'identification dans l'œuvre de Freud. Nous souhaiterions ici évoquer des notions voisines abordées par Freud : *inférence* et *empathie,* ainsi que les questions qu'il pose concernant *l'être* et *l'avoir* – notamment l'être féminin, avec *l'identification féminine* qui reste une énigme sur laquelle se termine l'œuvre.

Nous prêtons, « sans réflexion spéciale, à tout être en dehors de nous, notre propre constitution et donc aussi notre conscience ; et notre compréhension présuppose cette identification » ; ce procédé

1. S. Freud et W. Bullitt, *Le président T. W. Wilson (1930-1938)* (1966b), Paris, Payot, 1990, p. 107-111.

concerne, à l'origine tous les êtres vivants, mais avant tout « l'autre le plus proche » c'est-à-dire l'homme. En fait, cette identification apparaît plutôt comme une inférence, ou une « conclusion » *(Schluss)* tirée par analogie. La psychanalyse exige que ce procédé d'inférence soit appliqué à la personne propre et permette ainsi de « juger » les actes et les manifestations « que je remarque en moi comme s'ils appartenaient à une autre personne », car nous reconnaissons volontiers comme psychiques, chez d'autres personnes, des actes que nous ne reconnaissons comme tels pour nous-même. Il s'agit de montrer le bien-fondé de l'hypothèse de l'inconscient, mais on peut y voir aussi l'ébauche d'un exposé de la méthode de l'analyse qui nécessite ce **procédé d'inférence et d'identification** pour reconnaître l'inconscient, « bien qu'il n'existe pas de tendance constitutionnelle à le faire », au contraire de ce qui existe pour les actes psychiques conscients[1]. L'inférence ainsi décrite, de même que l'empathie *(Einfühlung)*, est sans doute assez proche de ce que l'on appellera l'*insight*, l'un et l'autre pouvant être unis dans la notion d'*intuition*, dont la parenté avec l'identification, dans son sens général, est évidente.

Nous conclurons avec l'une des dernières notes rédigées par Freud, en juillet 1938, qui témoigne de l'insistance du problème de l'identification[2]. « Comme substitut de l'envie de pénis, identification avec le clitoris, la plus belle expression de l'infériorité, source de toutes les inhibitions. » Le plus bel exemple d'identification partielle sans doute, pourrions-nous ajouter, et sans doute aussi bien étrange : le sentiment d'infériorité se rapporterait ainsi non seulement à l'identification à l'enfant que l'on a été, mais à la femme supposée châtrée, gardant pourtant un reste, petit ou inférieur, auquel l'on s'identifierait sur le mode la partie pour le tout.

Mais la note se poursuit : « Avoir et être chez l'enfant. L'enfant aime bien exprimer la relation d'objet par l'identification : je suis l'objet. L'avoir est la relation ultérieure, retombe dans l'être après la perte de l'objet. Modèle : sein. Le sein est un morceau de moi, je suis le sein. Plus tard seulement : je l'ai, c'est-à-dire je ne le suis pas... » S'agit-il d'une introduction ultime de l'identification à la mère de la préhistoire

1. « L'inconscient » (1915e), *Métapsychologie*, Paris, Gallimard, 1968, p. 70-72 ; *OCF* XIII, p. 208 ; *GW* X, p. 267.

2. *Résultats, idées, problèmes, II*, Paris, PUF, 1984, p. 287-288 ; *OCF* XX, p. 319 ; *GW* XVII, p. 151.

personnelle, garçon et fille étant le sein, avant de l'avoir chacun à sa manière ? Chacun aussi est un morceau du sein, avant de l'avoir. L'identification finale se ferait alors sur un mode narcissique-mélancolique après la perte de l'objet-sein, qui à nouveau « tombe » dans l'être. Mais nous sommes une fois encore passé à côté de l'identification sexuée féminine, qui semble se limiter dans les deux sexes à l'identification à un ersatz clitoridien. « Il manque toujours quelque chose… »

Quelques jours plus tard : « L'ultime fondement de toutes les inhibitions intellectuelles et des inhibitions au travail semble être l'inhibition de l'onanisme infantile. Mais peut-être cela va-t-il plus loin : non pas son inhibition par des influences extérieures mais sa nature insatisfaisante en soi. Il manque toujours quelque chose pour que la décharge et la satisfaction soit complète… » Toujours, comme une « part manquante » à soi-même ? Chez les deux sexes, peut-on penser…

Pierre CHAUVEL

Identité → Identification → Négation

IMAGO

all. : ***Imago.*** – angl. : *imago.* – esp. : *imago.* – ital. : *imago.* – port. : *imago*

Les imagos sont des modèles inconscients (des « schémas », « prototypes », « clichés ») insérés dans des séries psychiques préexistantes ; elles peuvent être paternelles, maternelles, fraternelles. Précipités d'investissements d'objets abandonnés, elles s'éloignent de plus en plus des individus parentaux originaires, devenant plus impersonnelles. Leur rôle est fondamental tant dans la compréhension des identifications du transfert que dans celles du surmoi.

MISE EN SITUATION

Imago *est le mot latin pour signifier l'« image » représentant quelqu'un, son portrait ; le pluriel latin* (imagines, *que Freud utilise aussi) désignait, à Rome, le masque de cire réalisé sur le mort et placé à l'entrée de la maison pour le commémorer. Il est certain que Freud, tout imprégné de culture gréco-latine, connaissait parfaitement ces acceptions ; c'est en ce sens qu'il en use (notamment du pluriel), négligeant l'usage alors quasiment exclusif de « stade de l'insecte arrivé à son complet développement et capable de se reproduire ». Pour une fois, ce n'est pas la référence biologique qui l'a inspiré.*

LE TEXTE FREUDIEN

IMAGO ET TRANSFERT

C'est pour rendre compte de « La dynamique du transfert » qu'en 1912 Freud emprunte l'« heureuse expression » d'*imago* à Carl Gustav Jung[1], mais sous une autre acception : il s'agit alors pour lui d'éclairer le *transfert,* ce phénomène qui le déroute et qui, jusqu'à la fin de sa vie, lui apparaît comme un de ces faits qui ne cessent de le surprendre[2]. La question qui se pose clairement dès 1912 est de **comprendre comment des désirs infantiles peuvent s'actualiser sur des personnages actuels.** Elle sera reposée régulièrement et, à chaque fois, il s'agira de dire en quoi consiste cette façon « de *répéter* le refoulé comme expérience vécue dans le présent au lieu de se le *remémorer* comme un fragment du passé » ; la fidélité avec laquelle survient cette reproduction « a toujours pour contenu un fragment de la vie sexuelle infantile, donc du complexe d'Œdipe et de ses ramifications »[3]. Il convient alors d'expliquer comment, sur une personne

1. Jung avait introduit le terme d'*imago* quelques mois plus tôt (l'empruntant lui-même à un roman alors en vogue) en le proposant de préférence à « complexe » ; il abandonnera le mot quelques années plus tard, puis la notion, au profit de celle d'*archétype* puis, plus spécifiquement, d'*anima.*

2. *Abrégé de psychanalyse* (1940a [1938]), Paris, PUF, 1985, p. 42 ; *OCF* XX, p. 267-268 ; *GW* XVII, p. 100.

3. *Au-delà du principe de plaisir* (1920g), *Essais de psychanalyse,* Paris, Payot, 1981, p. 58 ; *OCF* XV, p. 289 ; *GW* XIII, p. 17.

« qui est tout à fait une autre » peut se reproduire un processus « qui est tout à fait le même » – et, surtout, de saisir par quels biais cela peut s'opérer. Tout va dépendre de ce qui peut permettre à ce qui s'est fixé dans l'inconscient de venir déterminer ce qui se passe dans la réalité actuelle, exerçant une véritable contrainte à l'insu du sujet ; **il s'agit là d'une action venue de l'intérieur pour modeler la réalité actuelle :** la névrose de transfert est l'illustration quasi expérimentale de ce processus.

Dans l'article de 1912, Freud a entrepris de répondre à ces questions. Chaque individu, tant en fonction d'une prédisposition naturelle que des faits vécus dans son enfance, a une façon personnelle, déterminée, de vivre sa vie amoureuse ; « sa façon d'aimer est soumise à certaines conditions, il y satisfait certaines pulsions et se pose certains buts » ; de la sorte **sont élaborés des « clichés » qui, tout au long de la vie, se répètent et se reproduisent** dès que les circonstances le permettent – c'est ainsi que tout nouveau personnage peut faire l'objet de cette recherche d'amour, de ce « transfert ».

C'est une véritable contrainte qui s'exerce, s'efforçant de faire coïncider la réalité avec l'espoir libidinal : sont ainsi au travail « les deux parts de la libido, celle qui est capable d'accéder au conscient et celle qui demeure inconsciente ». Ce ne sont pas véritablement des représentations qui sont ici à l'œuvre, mais quelque chose qui est tout à la fois plus archaïque et plus complexe, qui tient aux espoirs conscients, mais aussi à tout ce qui, réprimé, est devenu inconscient. Si le transfert a d'abord été perçu à propos du père, il n'est pas « lié » à ce prototype ; il ne lui est pas exclusif et se réalise tout aussi bien selon des images maternelle, fraternelle, etc. Comme attiré, modelé par eux dans le transfert, **l'investissement du nouvel objet s'attache à des prototypes, conformément à l'un des clichés déjà présent, et en fonction de « séries psychiques » déjà établies.** Il faut que la relation réelle avec l'analyste concorde avec le cliché du père, par exemple : « C'est l'*imago* paternelle qui donne la mesure de cette intégration. » Ainsi se comprend mieux ce qui est véritablement à l'œuvre dans cette « énigme » qu'est le *transfert* ; son aspect si particulier tient à ce qu'il dépasse la mesure et s'écarte de ce qui serait normal, sa référence étant celle de l'*imago* réprimée[1]. La même année 1912, il nomme « Imago » une publication qu'il vient de fonder, revue « consacrée aux applications non médicales de l'analyse » ; elle ne cessera de paraître qu'en 1941.

Imago et surmoi

Le terme, avec la notion, réapparaît brièvement en 1924, dans « Le problème économique du masochisme », pour indiquer comment le complexe d'Œdipe se trouve à la source de notre vie morale : lorsque l'enfant en vient à se détacher de ses parents, son surmoi les « signifie » moins, mais alors leurs *« imagines »* se joignent aux influences des maîtres, des modèles et des héros reconnus ; « la dernière figure de cette série commençant avec les parents est l'obscure puissance du Destin que seulement le plus petit nombre d'entre nous parvient à concevoir de façon impersonnelle »[2].

Freud reprend cette thèse en 1932 dans les *Nouvelles conférences d'introduction à la psychanalyse*. Il cherche à mieux comprendre les processus d'*identification,* car les développements qu'il a pu jusque-là en proposer le laissent « profondément insatisfait ». Il pense malgré tout pouvoir avancer un certain nombre de points, partant du constat que « l'institution du surmoi peut être décrite comme un cas réussi d'identification avec l'instance parentale » ; elle est intimement rattachée au destin du complexe d'Œdipe, dont le surmoi apparaît comme l'héritier. Mais, ce faisant, l'enfant doit renoncer aux investissements placés chez ses parents ; en dédommagement, les anciennes identifications sont renforcées à l'extrême, formant de véritables « **précipités d'investissements d'objets abandonnés** » qui vont constituer le surmoi. Au cours du développement, celui-ci va progressivement adopter les influences des personnes qui ont pu prendre la place des parents, s'éloignant donc de plus en plus des modèles originaires ; il devient plus impersonnel. Les identifications qui s'ensuivront contribuent certes à former le caractère, mais ne concernent que le moi,

1. « La dynamique du transfert » (1912b), *De la technique psychanalytique,* Paris, PUF, 1953, p. 50-52 ; *OCF* XI, p. 107-109 ; *GW* VIII, p. 364-366.

2. « Le problème économique du masochisme » (1924c), *Névrose, psychose et perversion,* Paris, PUF, 1973, p. 295 ; *OCF* XVII, p. 20 ; *GW* XIII, p. 380-381.

« elles n'influencent plus le surmoi qui a été déterminé par les *imagines* parentales les plus anciennes » [1].

Nous retrouvons bien dans le surmoi les caractères de ce qui désignait en 1912 les « imagos » : l'héritage des premiers liens abandonnés et la perpétuation des investissements d'objets perdus, tout en même temps que s'opère un éloignement de leurs premières représentations et la constitution d'un modèle « impersonnel ». On ne peut qu'être sensible à ce qu'implique ce rapprochement : de même que le transfert ne porte pas sur les parents mais « va s'attacher à des prototypes, conformément à l'un des clichés déjà présent chez le sujet » [2], tout pareillement « le surmoi de l'enfant ne s'édifie pas, en fait, d'après le modèle des parents mais d'après le surmoi parental » [3] – qui vient justement d'être désigné comme « déterminé par les imagos parentales les plus anciennes ». Pour désigner ce qui est en jeu, **on retrouve donc le même décalage spécifique des imagos et, ce faisant, on perçoit comment le surmoi est nécessairement engagé par le transfert.**

QUESTIONS ET ENJEUX

La notion d'*imago* est liée à celle d'identification. C'est le cas dès le moment où elle vient ; en 1912, éclairer le transfert, lorsqu'il faut répondre aux questions : « Qui suis-je ? » et : « De qui suis-je l'image ? » Inévitablement, la réponse met en jeu une problématique d'investissement, mais d'investissement qui, plus encore que libidinal, ressort des « prototypes », des « clichés déjà présents » permettant de modeler l'identité du sujet ; c'est bien là ce qui détermine le transfert. Vingt ans plus tard, le surmoi conduit à approfondir la problématique

1. *Nouvelles conférences d'introduction à la psychanalyse* (1933a [1932]), Paris, Gallimard, 1984, p. 89-90 ; *OCF* XIX, p. 147-148 ; *GW* XV, p. 70.

2. « La dynamique du transfert » (1912b), *De la technique psychanalytique*, Paris, PUF, 1953, p. 50-52 ; *OCF* XI, p. 107-109 ; *GW* VIII, p. 364-366.

3. *Nouvelles conférences d'introduction à la psychanalyse* (1933a [1932]), Paris, Gallimard, 1984, p. 93 ; *OCF* XIX, p. 150 ; *GW* XV, p. 73.

identificatoire, dont les imagos ne sont finalement que des avatars ; ce qui ne fait qu'un peu plus embrouiller la question (selon le dire de Freud) tient à la part très archaïque de ce processus d'assimilation d'un moi à un autre qui lui est étranger : c'est d'une dévoration cannibale qu'il s'agit. Nous ne pouvons que renvoyer à l'article « Identification » mais, pour ce qui nous intéresse ici, nous devons souligner que les *imagines* renvoient non seulement à un *en-deça,* mais à un *au-delà* de l'individu : d'un côté les incorporations orales de la toute première enfance et, de l'autre, les lignées de surmoi des ancêtres qui déterminent la culture dans laquelle il doit s'insérer – avec, pour unir les deux et comme dernière figure de cette série, « l'obscure puissance du Destin ». Plus que de savoir à qui je suis semblable, la véritable question (demeurant sans réponse tant nous la comprenons mal) est bien : « Qui suis-je ? » Comme le souligne Freud, dans cette constitution du surmoi en fonction des *imagos* les plus anciennes, est en jeu « un rapport structurel » ; il ne saurait s'agir d'une simple abstraction [1].

Ceci rappelé, on s'étonne d'autant plus du destin très particulier des *imagos,* ou plus exactement des *imagines,* dans l'élaboration freudienne. Si la notion ne se rencontre que deux fois dans l'œuvre (voire trois), c'est à chaque fois pour spécifier un concept majeur : d'abord le *transfert* puis, quinze à vingt ans plus tard, le *surmoi.* Chose remarquable, si l'objet théorique peut sembler avoir changé, le second est en fait dans la continuité logique du premier ; surtout, l'appareil conceptuel pour en rendre compte demeure le même. Bien que repris à vingt ans de distance et ainsi confirmé – donc jamais abandonné –, le terme n'apparaît pas entre-temps, et n'apparaîtra plus dans le reste de l'œuvre. On peut certes penser que cet « oubli » prolongé du mot n'est pas indifférent au fait qu'il a été « emprunté » à Jung, même si Freud se l'est totalement approprié en lui attribuant un autre sens. Mais alors pourquoi, après avoir choisi en 1932 de le réhabiliter, l'abandonner de nouveau ?

Ceci est d'autant plus remarquable que l'idée, elle, demeure présente, en dehors même des travaux sur l'Œdipe, sur le narcissisme ou sur les identifications. Nous ne prendrons que l'exemple du travail du deuil, en 1915 : l'investissement d'objet fut supprimé, la libido libérée se retira dans le moi de façon bien particulière, établissant une identification avec l'objet abandonné. « *L'ombre de l'objet* tomba ainsi sur

1. *Ibidem,* p. 88-91 ; p. 146-148 ; p. 69-71.

le moi qui put alors être jugé par une instance particulière comme un objet, comme l'objet abandonné. »[1] Cette *ombre de l'objet tombant sur le moi* est d'une expression superbe (fort souvent citée, et qui sera d'ailleurs reprise en 1923[2]) mais peut sembler quelque peu énigmatique. Elle s'éclaire pourtant si, à ce « royaume des ombres » évoqué, on associe les *imagines* si proches – et nous retrouvons alors, dans cette phrase, tant le rappel de l'imago telle qu'elle hante le transfert, que l'annonce de celle qui fonde l'instance qui sera reconnue comme surmoi. (Ajoutons l'indication, dans *Totem et tabou*[3], du chasseur « immanquablement frappé de maladie si l'ombre d'un individu en deuil tombait sur lui ».)

Encore un mot sur le destin de la notion. Assez curieusement, après Freud, le terme a connu le même sort qu'avec lui : jamais rejeté et rarement discuté, il demeure assez peu utilisé en propre par les analystes (à la notable exception de Melanie Klein et Suzan Isaacs, ainsi d'ailleurs que Jacques Lacan, épisodiquement, dans ses tout premiers travaux), même si on pourrait citer bien des textes témoignant de la prégnance actuelle de l'idée – mais aussi de la méconnaissance du mot.

Claude Le Guen

INCONSCIENT, PRÉCONSCIENT, CONSCIENT

all. : ***Unbewusste, Vorbewusste, Bewusst.*** – angl. : *unconscious, preconscious, consciousness.* – esp. : *inconsciente, preconsciente, consciencia.* – ital. : *inconscio, preconscio, conscienza.* – port. : *inconsciente, preconsciente, consciência*

Ces termes, complémentaires et indissociables, se justifient l'un par l'autre et s'impliquent l'un l'autre ; ils décrivent les qualités premières de l'appareil psychique et fondent les systèmes qui permettent de le

1. « Deuil et mélancolie » (1917e [1915]), *Métapsychologie,* Paris, Gallimard, 1968, p. 158 ; *OCF* XIII (2e éd.), p. 270 ; *GW* X, p. 435.

2. *Psychologie des foules et analyse du moi* (1921c), *Essais de psychanalyse,* Paris, Payot, 1981, p. 173 ; *OCF* XVI, p. 47 ; *GW* XIII, p. 120-121.

3. *Totem et tabou* (1912-1913a), Paris, Gallimard, 1993, p. 153 ; *OCF* XI, p. 259 ; *GW* IX, p. 68.

situer pour en rendre compte. Au fil de la pensée freudienne, leurs spécifications furent rectifiées, précisées et affinées.

La *conscience* est au départ de la réflexion sur le fonctionnement psychique ; donnée immédiate, elle apparaît comme une évidence qu'il n'y a pas plus lieu d'interroger que la réalité, son répondant indépassable : elle est d'abord conscience de la perception d'un extérieur et d'un intérieur. Partant d'elle, rendant compte de certaines productions psychiques qu'il rencontre dans le traitement des névrosés, Freud constate que certaines sont non-conscientes : tout se passe là comme si la conscience refusait certaines pensées et les refoulait, les rendant *inconscientes*. Pour établir une théorie du fonctionnement psychique et situer l'espace psychique il doit dépasser ce cadre descriptif trop limité pour pouvoir définir des systèmes (modes de représentation théorique obligés dans toute pensée scientifique) aptes à justifier ce qui peut produire ces phénomènes ; il passe donc de l'apparence à la chose, du qualificatif au substantif, de ce qui est inconscient à *l'inconscient* en tant que système (l'*Ics*) ; il le complète avec son antonyme, le *conscient* (*Cs*). Entre les deux, un troisième système vient connoter ce qui, sans être conscient, peut le devenir (est donc latent) ; c'est le *préconscient* (*Pcs*), qui se confond de fait avec le conscient, les deux formant alors le *système conscient-préconscient* (*Cs-Pcs*).

Très tôt s'offre un mot familier dont Freud use pour impliquer la personne qui pense, le sujet conscient : on parle alors communément de *moi*, voire d'*un moi*. Aussi, dès 1895 ce *moi* vient s'intriquer aux systèmes *conscient* et *inconscient* pour, en 1923, revêtir le statut systémique d'instance : ayant l'avantage de s'affranchir des références descriptives du conscient-inconscient, *le moi* désigne dorénavant le conscient (une importante part inconsciente y étant d'ailleurs incluse). Cette nouvelle instance doit être complétée par une autre impliquant l'inconscient lui-même ; ce sera le *ça*, pronom neutre désignant de l'indéterminé, voire de l'indéterminable : celui de l'inconscient. Ainsi se constitua le système de la deuxième topique (*moi-ça*) censée être d'un maniement plus commode et plus pertinent que la première (*conscient-inconscient*). Elle est surtout, voire seulement, un outil mieux adapté à la situation et la construction métapsychologique ; elle n'écarte pourtant pas plus la notion d'inconscient que celle de conscience qui demeure le recours ultime, notre seule lumière pour nous guider dans les ténèbres de la vie psychique.

Alors que le *Cs* domine fermement la motilité volontaire, et moins l'affect, l'*Ics* ne connaît ni négation, ni doute, seulement des investissements très mobiles mais variables dans leur capacité de fixation (inertie, viscosité de la libido), soumis au seul principe de plaisir ; il ignore le temps et la réalité. Ses contenus sont les représentants refoulés de la pulsion cherchant à décharger leurs investissements sous forme de motions de désirs renvoyant à l'enfance, ***pulsion*** à la base de l'organisation et du fonctionnement psychique, chair de l'inconscient, mais notion peut-être encore plus énigmatique que l'inconscient lui-même et pour laquelle Freud déplorera toujours de ne pas disposer d'une véritable théorie. Ces refoulés pulsionnels, régis par les processus primaires (déplacement, condensation), s'efforcent de faire retour dans la conscience mais ils se heurtent à la censure, qui les déforme et tend à les refouler de nouveau.

Ces refoulés inconscients ne nous sont accessibles que transposés en conscient, la conscience se comportant à leur égard comme les organes des sens le font avec le monde extérieur : il s'agit toujours de percevoir le monde où nous nous situons, le dedans étant traité comme s'il était au dehors. Transposer de l'inconscient en conscient est la tâche de la cure analytique ; ainsi la psychanalyse peut, avec raison, se définir comme *science de l'inconscient*.

MISE EN SITUATION

L'acception du sème conscience *(le fait d'être conscient) pour désigner la connaissance immédiate de sa propre activité psychique, est usitée depuis le* XVIIe *siècle en France comme en Allemagne (ce qu'exprima le* cogito *cartésien), tout comme son privatif* inconscient *renvoyant à un état de non-conscience ;* préconscient, *qui n'apparaît qu'à la fin du* XIXe *siècle pour désigner un état intermédiaire mal appréhendé, témoigne d'un certain embarras des psychologues (comme son équivalent* subconscient *utilisé par Pierre Janet, et autres synonymes). Dans les années 1890, ces termes et notions s'offrent aux étudiants et jeunes chercheurs qui, dans le laboratoire de Brücke, pouvaient entendre discuter des travaux de Hartmann et de sa* Philosophie de l'inconscient *que Freud dit pourtant n'avoir connu que « plus tard »*[1]*, de ceux de Theodor Lipps où, avec un certain agacement, il « trouve ses propres principes très nettement exposés [... :] le conscient ne serait qu'un organe sensoriel, le contenu psychique une simple idéation, et les processus psychiques demeureraient tous inconscients »*[2]*, mais surtout de celui qu'il désignait comme le « grand Fechner » sur les idées duquel il reconnaît avoir pris appui*[3] *(avec les termes mêmes qu'il reprend : inconscient, énergie psychique, topique, principes de plaisir, de constance et de répétition) ; voire de Schopenhauer, qu'il n'aurait lu qu'assez tard mais à qui il rendra hommage à plusieurs reprises*[4]*. Si l'idée d'inconscient était bien dans l'air du temps, il s'agissait surtout alors d'une non-conscience.*

Freud n'eut donc pas à découvrir l'inconscient ; il le croisa dans quelques lectures mais elles ne furent pas déterminantes et son mérite est ailleurs : s'y étant heurté dans sa pratique clinique, il sut s'y arrêter jusqu'à vouloir comprendre comment il influe la conscience et agit le fonctionnement psychique ; il s'y attacha jusqu'à en proposer une théorie systémique, dynamique et topique. Il ne découvre ni n'invente l'inconscient mais – tâche plus ardue – il lui confère un statut épistémologique ; ce faisant, il peut inventer, créer la psychanalyse *comme* science de l'inconscient.

En 1892 Freud aborde d'ailleurs l'inconscient avec circonspection, comme en témoignent ses réserves lors de la première apparition du mot sous sa plume : « un souvenir inconscient ou, pour parler plus

1. *L'interprétation des rêves* (1900a), Paris, PUF, 1967, p. 449 ; *OCF* IV, p. 581, n. 1 ; *GW* II-III, p. 533, n. 1 ; et *Psychologie des foules et analyse du moi* (1921c), *Essais de psychanalyse*, Paris, Payot, 1981, p. 121 ; *OCF* XVI, p. 39 n. 1 ; *GW* XIII, p. 111 n. 1.

2. Lettre à Fliess du 31 août 1898, dans *La naissance de la psychanalyse*, Paris, PUF, 1956, p. 233 ; *Lettres à Wilhelm Fliess*, Paris, PUF, 2006 (édition complète), p. 414. (T. Lipps, *Études de psychologie*, paru en 1893.)

3. *Sigmund Freud présenté par lui-même* (1925d), Paris, Gallimard, 1984, p. 100-101 ; *OCF* XVII (« Autoprésentation »), p. 107 ; *GW* XVI, p. 86.

4. *Ibidem*. Cf. aussi : *Au-delà du principe de plaisir* (1920g), *Essais de psychanalyse*, Paris, Payot, 1981, p. 187 ; *OCF* XV, p. 323 ; *GW* XIII, p. 53 ; et « Une difficulté de la psychanalyse » (1917a), *L'inquiétante étrangeté et autres essais*, Paris, Gallimard, 1985, p. 17 ; *OCF* XV, p. 50-51 ; *GW* XII, p. 12.

correctement : un état de conscience second »[1]*... S'il se fit rapidement au mot, il demeura toujours perplexe à l'encontre de ce qu'il désigne, et plus encore lorsqu'il dut en faire un substantif pour signifier un système. Mais comment aurait-il pu ne pas l'être lorsqu'il dut convenir, dans un essai justement intitulé « L'inconscient », que « en eux-mêmes les processus inconscients sont inconnaissables, et même incapables d'exister » ? Comment fonder une science sur ce qui ne peut être ? Comment le justifier ? Il cherchera toujours à se libérer de ce qui ne peut lui apparaître que comme une aporie, pour aboutir enfin à l'indétermination dénominative d'un ça ; mais d'avoir abandonné le mot ne le délivra pas pour autant de la chose et ne put abolir la fâcheuse prééminence du qualificatif inhérent au constat clinique, par rapport au substantif apporté par la systématique ; après bien des efforts d'élucidation, il doit finir par constater en 1933 que « le sens le plus ancien et le meilleur du mot inconscient est le sens descriptif ; nous appelons inconscient un processus psychique dont il nous faut supposer l'existence parce que, par exemple, nous le déduisons de ses effets, mais dont nous ne savons rien »*[2].

Tant son embarras que son souhait de pouvoir passer d'une représentation descriptive à une élaboration systémique apparaît assez tôt ; il l'exprime clairement en 1915 dans la Métapsychologie *: employer les mots conscient et inconscient tantôt en un sens descriptif, tantôt en un sens systématique amène une certaine confusion et suscite le souhait de parvenir à « désigner ces systèmes psychiques par des noms arbitrairement choisis qui ne feraient pas la moindre allusion au fait d'être conscient » – mais comment justifier alors la distinction de systèmes en éludant le fait d'être conscient, fait qui est justement « le point de départ de toutes nos recherches »*[3] *?* Non liquet... *Néanmoins, il pense réaliser ce projet en 1923 avec* Le moi et le ça *; il n'y aboutit que partiellement : l'énigme de l'inconscient demeure, tout comme l'évidence incontournable de la conscience.*

1. « Pour une théorie de l'attaque hystérique » [avec J. Breuer] (1940d [1892]), *Résultats, idées, problèmes, I*, Paris, PUF, 1984, p. 27 ; *OCF* I, p. 365 ; *GW* XVII, p. 11.

2. *Nouvelles conférences d'introduction à la psychanalyse* (1933a), Paris, Gallimard, 1984, p. 98 ; *OCF* XIX, p. 153 ; *GW* XV, p. 76.

3. « L'inconscient » (1915e), *Métapsychologie*, Paris, Gallimard, 1968, p. 75-77 ; *OCF* XIII, p. 214 ; *GW* X, p. 271-272.

LE TEXTE FREUDIEN

Si, en 1892, Freud trouve plus correct de parler d'un « état de conscience second »[1], si le mot « inconscient » réapparaît bien trois ans plus tard, ce n'est pas de son fait mais dû à la plume de Breuer[2] ; c'est au cours de l'année 1896 qu'il s'approprie progressivement le terme, avec réticence d'abord, puis avec de plus en plus de conviction lorsqu'il parvient à l'insérer dans un schéma d'ensemble sous la forme d'« inscriptions mnémoniques »[3]. Au long de l'année 1897, ayant écarté les aprioris mécanicistes de l'« Esquisse d'une psychologie scientifique », il l'intègre dans la construction d'un appareil psychique qui met en œuvre refoulement et libido ; il recourt au substantif *inconscient* qui prend dès lors le sens que va lui conférer la métapsychologie : « il n'existe dans l'inconscient aucun indice de réalité »[4]. Désormais, Freud peut jeter les bases d'une théorie d'un appareil psychique s'appuyant sur les relations hiérarchisées des « systèmes inconscient, préconscient et conscient ».

Il va la parachever les années suivantes jusqu'à la publication, en 1900, de *L'interprétation des rêves*[5]. « La conscience m'apparaît comme un organe des sens qui perçoit le contenu d'un autre

1. « Pour une théorie de l'attaque hystérique » [avec J. Breuer] (1940d [1892]), *Résultats, idées, problèmes, I*, Paris, PUF, 1984, p. 27 ; *OCF* I, p. 365 ; *GW* XVII, p. 11.

2. *Études sur l'hystérie* (1895d), Paris, PUF, 1956, p. 181 ; *OCF* II, p. 247-248 ; *GW* I, p. 282.

3. Manuscrit K du 1er janvier, lettres du 20 mai et du 6 décembre 1896, *La naissance de la psychanalyse*, Paris, PUF, 1956, p. 132, 147, et 154-155 ; *Lettres à Wilhelm Fliess*, Paris, PUF, 2006 (édition complète), p. 213, 243 et 264-265.

4. *Ibidem*, Manuscrit M du 25 mai, p. 182 et 314, et Manuscrit N du 31 mai 1897, p. 185 et 318, lettre du 21 septembre 1897, p. 191 et 335.

5. *L'interprétation des rêves* (1900a), Paris, PUF, 1967 ; *OCF* IV ; *GW* II-III. (« *L'interprétation des rêves* était achevée pour l'essentiel en 1896 ; elle ne fut cependant rédigée qu'au cours de l'été 1899 », et fut publiée en 1900 ; dans Sigmund Freud, *Sur l'histoire du mouvement psychanalytique* [1914d], Paris, Gallimard, 1991, p. 39-40 ; *OCF* XII, p. 265 ; *GW* X, p. 60-61.)

domaine »[1], note-t-il alors ; s'il use à l'occasion de l'adjectif afin de qualifier un processus ou un fantasme[2], pour l'essentiel il recourt très tôt au substantif qui lui permet d'élaborer une construction systémique : « Représentons-nous l'appareil psychique comme un instrument dont nous appellerons les parties composantes "instances" ou, pour plus de clarté, "systèmes", orientés spatialement entre eux. »[3] « Nous appellerons *préconscient* le dernier des systèmes à l'extrémité motrice », les excitations pouvant parvenir directement à la conscience s'il y a une certaine intensité de l'attention ; « nous donnons le nom d'*inconscient* au système placé plus en arrière » qui ne peut accéder à la conscience qu'en passant par le préconscient[4].

Devenir conscient dépend de l'attention ; celle-ci n'est que partielle et peut être détournée vers d'autres buts ; lorsque, par exemple, notre jugement repousse des pensées qui lui paraissaient inexactes, inutilisables ou fâcheuses, cela peut entraîner un processus ignoré par la conscience. « Nous appelons ce processus *préconscient*, et nous le considérons comme tout à fait normal ; il peut être abandonné, interrompu ou réprimé ». Des représentations-but, jaillies de nos désirs inconscients, d'origine infantile et toujours actifs, sont aux aguets dans le préconscient ; elles peuvent se lier à un désir inconscient, en accaparer l'énergie et se maintenir, bien que ce renforcement n'ouvre en rien l'accès à la conscience. « Des pensées jusque-là préconscientes ont été attirées dans l'inconscient »[5]. Dans le système inconscient sont seuls à l'œuvre des *processus primaires* qui obéissent au seul principe de plaisir-déplaisir, d'où la nécessité d'un second système permettant à l'investissement mnésique du désir d'atteindre la perception et de lier les forces psychiques puis, par la motilité volontaire, de faire apparaître la perception réelle de l'objet de satisfaction (le sein) ; « ces deux systèmes sont le germe de ce que nous nommerons, dans l'appareil

1. *Ibidem*, p. 132 ; p. 180 ; p. 150.
2. Par ex. p. 420 ; p. 544 ; p. 497.
3. *Ibidem*, p. 456 ; p. 590 ; p. 542.
4. *Ibidem*, p. 459-460 ; p. 594 ; p. 546.
5. *Ibidem*, p. 504-505 ; p. 648-649 ; p. 598-599.

achevé, l'inconscient et le préconscient »[1]. L'inconscient constitue le fond de toute la vie psychique; il enferme le conscient. Tout fait conscient a d'abord été inconscient, alors que l'inconscient se passe très bien du stade conscient. « **L'inconscient est le psychique lui-même et son essentielle réalité.** *Sa nature intime nous est aussi inconnue que la réalité du monde extérieur, et la conscience nous renseigne sur lui d'une manière aussi incomplète que nos organes des sens sur le monde extérieur* »[2].

« Notre inconscient » n'est pas celui des philosophes; il est à considérer comme étant une fonction de deux systèmes distincts : dans l'un il ne peut en aucun cas parvenir à la conscience, et c'est celui-là que nous appelons *inconscient*; dans l'autre il peut y parvenir en se conformant à certaines règles, peut-être après une nouvelle censure, mais sans se préoccuper du système *Ics*, et c'est pour cette raison que nous le nommons *préconscient*, préconscient qui « joue le rôle d'un écran entre l'inconscient et la conscience ». La *conscience* apparaît alors comme *un organe des sens qui permet de percevoir les qualités psychiques*. Elle est l'activité propre d'un système déterminé aux caractères analogues à ceux du système perceptif : excité par des qualités et incapable de conserver la trace des modifications, donc sans mémoire. « L'appareil psychique, qui est tourné vers le monde extérieur par les organes des sens de son système perceptif, est lui-même monde extérieur pour l'organe sensoriel de la conscience, qui trouve d'ailleurs dans ce rapport sa justification téléologique »[3].

Freud publie un autre ouvrage qui se propose de dévoiler le sens de symptômes à l'œuvre dans la vie quotidienne : oublis, lapsus, actes manqués et autres. Assez curieusement, alors que *Psychopathologie de la vie quotidienne* entend démontrer que ces « actes apparemment non-intentionnels s'avèrent [...] être déterminés par des mobiles inconnus de la conscience »[4], le terme même d'inconscient n'apparaît

1. *Ibidem*, p. 508-509 ; p. 654-655 ; p. 604.

2. *Ibidem*, p. 520 ; p. 667-668 ; p. 617-618.

3. *Ibidem*, p. 521-522 ; p. 669-670 ; p. 619.

4. *Psychopathologie de la vie quotidienne* (1901b), Paris, Gallimard, 1997, p. 384 ; *OCF* V, p. 335 ; *GW* IV, p. 267.

que rarement au long de ses quatre cents pages ; il est vrai que le dernier chapitre, qui récapitule et théorise, lui redonne toute son importance : « **L'obscure connaissance de l'existence de facteurs et de faits psychiques propres à l'inconscient se reflète dans la construction d'une *réalité suprasensible* que la science a pour tâche de retransformer en *psychologie de l'inconscient*.** On pourrait se risquer à résoudre d'une telle manière les mythes du paradis et du péché originel, de Dieu, du Bien et du Mal, de l'immortalité, etc., à transformer la *métaphysique* en *métapsychologie* »[1] (première occurrence de ce terme dans l'œuvre publiée). Et c'est précisément dans la métapsychologie que le concept va trouver toute sa place.

Dans *L'interprétation des rêves*, répondant à une critique de Fliess, Freud avait soutenu que si le rêve peut parfois paraître spirituel cela ne tient pas tant à la personne du rêveur qu'à la nature du rêve lui-même qui, « la voie directe et immédiate pour exprimer ses pensées lui étant barrée, devient spirituel par nécessité » ; mais ce reproche va l'engager à « comparer la technique des jeux d'esprit avec le travail du rêve »[2]. C'est la tâche qu'il assigne, en 1905, à l'ouvrage *Le mot d'esprit et sa relation à l'inconscient*, qui analyse tant la façon dont le trait d'esprit (*Witz*) provoque le rire que sa fonction de protection et de socialisation. Il poursuit ainsi son projet de révéler comment le travail de l'inconscient peut être reconnu dans les activités de pensée de la vie courante de chaque être humain ; après l'avoir débuté avec les rêves, poursuivi avec oublis, lapsus et autres actes manqués, il en arrive ainsi aux mots et traits d'esprit.

Le processus général qui gouverne le travail du mot d'esprit peut se résumer ainsi : « *Une pensée préconsciente se trouve momentanément abandonnée à l'élaboration inconsciente et, aussitôt après, le résultat de celle-ci se trouve appréhendé par la perception consciente* »[3]. Le mot d'esprit a la particularité d'être « une idée qui vient » involontai-

1. *Ibidem*, p. 412 ; p. 355 ; p. 287-288.

2. *L'interprétation des rêves* (1900a), Paris, PUF, 1967, p. 258 n. 1 ; *OCF* IV, p. 341 n. 1 ; *GW* II-III, p. 303 n. 1.

3. *Le mot d'esprit et sa relation à l'inconscient* (1905c), Paris, Gallimard, 1988, p. 300 ; *OCF* VII, p. 192 ; *GW* VI, p. 189.

rement ; c'est « une démarche de pensée qui émerge brusquement de l'inconscient » qui, par son travail de condensation, lui confère sa concision[1]. Ce faisant, l'inconscient reprend les modalités du processus primaire (condensation, déplacement, figuration) qui participent aux techniques du mot d'esprit (tout comme dans le rêve). Toutefois, la figuration dont il s'agit ici n'est pas la figuration hallucinatoire du rêve, mais une *figuration indirecte*, verbale, essentiellement métaphorique ; le mot allemand *Darstellung* ne désigne pas seulement la figuration, mais toute manière de présenter, de donner forme concrète à une idée abstraite ou à une impulsion en utilisant des éléments de l'actualité, tels des souvenirs visuels récents, des actes moteurs, voire des mots (actes manqués, lapsus) afin de « figurer » une représentation pulsionnelle inconsciente – ceci fait que, non sans quelque raison, les *OCF* peuvent le traduire par *présentation*.

La théorie du mot d'esprit approfondit ainsi celle de l'économie des investissements : l'épargne de dépense psychique permise par sa concision, liée à la condensation, est source de plaisir. Que ce gain soit obtenu grâce à des mots (plaisir autorisé au stade du jeu puis réprimé au cours du développement), ou qu'il naisse de façon automatique, il s'agit toujours de plonger la pensée dans l'inconscient : « La pensée qui s'immerge dans l'inconscient en ayant pour fin de former le mot d'esprit ne fait que se rendre dans l'ancien lieu familier de son jeu d'autrefois avec les mots. » Ce qui donne ici un effet comique pourra, dans d'autres circonstances, susciter un sentiment d'étrangeté ; comme dans le rêve on a pu parler ici d'un « retour de la vie psychique au point de vue embryonnaire »[2], ce qui définit le plus généralement l'accès à l'inconscient. Le plaisir éprouvé par l'adulte devant les mots d'enfant témoigne non seulement de sa satisfaction de s'éprouver grand face à un petit, mais de l'autorisation qu'il se donne de ressentir empathie, imitation ou identification à un enfant qui n'est pas soumis aux modérations et inhibitions de l'adulte, notamment lorsqu'il s'agit de fonctions corporelles[3].

1. *Ibidem*, p. 302-305 ; p. 194-195 ; p. 191-192.
2. *Ibidem*, p. 308 ; p. 198 ; p. 195.
3. *Ibidem*, p. 391-395 ; p. 253-254 ; p. 253-254.

Les interventions de Freud lors des réunions de la Société psychanalytique de Vienne fournissent quelques indications sur les jalons de sa réflexion ; c'est ainsi que, faisant une première présentation de ce qui deviendra *L'homme aux rats*, il souligne que les relations entre sexualité et névrose montrent que « l'inconscient de l'homme ne peut être fondamentalement différent de celui de la femme » (s'opposant ainsi à Rank qui pensait que l'inconscient de l'homme était sa féminité et celui de la femme sa masculinité) ; ou encore que notre conscience, qui se comporte comme un organe sensoriel, n'est d'abord tournée que vers le monde extérieur et que ce n'est que par les sentiments, et secondairement, qu'elle se tourne vers la vie psychique, devenant ainsi « l'organe sensoriel pour nos processus internes [...] ; la conscience est seulement un organe sensoriel pour le reste de nos représentations de mots ». Enfin « le développement de l'humanité pourrait être caractérisé par une formule [...] : d'une part il s'agit d'un élargissement de la conscience de l'humanité (analogue au processus par lequel des pulsions et des forces ayant agi jusque-là de façon inconsciente deviennent conscientes), d'autre part le progrès peut être décrit comme un refoulement qui progresse au cours des siècles. [... De fait,] ces deux processus se déterminent l'un l'autre : l'élargissement de la conscience est ce qui permet à l'humanité d'exister et de faire face au progrès constant du refoulement » [1].

En 1912, poursuivant le projet de « transformer la métaphysique en métapsychologie », une « Note sur l'inconscient en psychanalyse » reprend les définitions : « Appelons "consciente" la représentation qui est présente à notre conscience et que nous percevons comme telle, et posons que c'est là le seul sens du terme "conscient". Pour ce qui est des représentations latentes [...] nous les désignerons par le terme "inconscient". Ainsi une représentation inconsciente est une représentation que nous ne percevons pas mais dont nous sommes prêts à admettre l'existence à partir d'autres preuves ou d'autres signes » [2].

1. *Minutes de la Société psychanalytique de Vienne*, t. I, Paris, Gallimard, 1976, 6 novembre 1907, p. 248 ; et t. II, Paris, Gallimard, 1978, 3 mars 1909, p. 166-167, et 10 mars 1909, p. 173.

2. « Note sur l'inconscient en psychanalyse » (1912g), *Métapsychologie*, Paris, Gallimard, 1968, p. 177 ; *OCF* XI, p. 173-174 ; *GW* VIII, p. 260.

Au sein de telles pensées latentes, il convient de distinguer celles qui ne peuvent, aussi fortes soient-elles, pénétrer dans la conscience de celles qui, non conscientes de par leur faiblesse, peuvent devenir conscientes si elles se renforcent ; ces dernières seront dites *préconscientes* et *inconscient* sera réservé au premier type. Jusqu'ici descriptif, le terme « inconscient désigne dorénavant les pensées présentant un certain caractère dynamique, maintenues à l'écart de la conscience malgré leur intensité et leur efficience » [1]. L'inconscience est une phase régulière et inévitable des processus psychiques qui commencent tous par être inconscients ; en fonction des résistances qu'ils rencontrent, soit ils le demeurent, soit ils se développent jusqu'à devenir conscients ; la distinction entre les deux n'est pas primaire, ne s'établissant qu'une fois la défense entrée en jeu[2]. « **La valeur d'index de l'inconscient a dépassé de loin son importance comme propriété.** Le système révélé par le signe que les processus singuliers constituant des parties de ce système sont inconscients, nous le désignons du nom d'*inconscient* faute d'un terme qui soit meilleur et moins ambigu. Je propose de connoter ce système par les lettres *Ics* [en allemand *Ubw*, abréviation du terme *Unbewuste*] » [3].

L'année suivante Freud évoque « l'énigmatique noyau de l'inconscient » pour rappeler qu'il est constitué par « ce qui est demeuré infantile, en tant que refoulé inutilisable », toujours prêt à échapper aux forces refoulantes, tirant parti de toutes les occasions de faillite des formations psychiques supérieures face aux difficultés du monde réel[4].

En 1915, le recueil d'essais regroupés sous le titre de *Métapsychologie* pose « les concepts fondamentaux » de la psychanalyse, fût-ce avec « un certain degré d'indétermination » [5]. Débutant avec les pulsions, il poursuit avec le refoulement puis, au cœur de l'ouvrage,

1. *Ibidem*, p. 180-181 ; p. 175-176 ; p. 262.

2. *Ibidem*, p. 184 ; p. 178 ; p. 264.

3. *Ibidem*, p. 187 ; p. 180 ; p. 266.

4. « L'intérêt de la psychanalyse » (1913j), *Résultats, idées, problèmes*, *I*, Paris, PUF, 1984, p. 207 ; *OCF* XII, p. 119 ; *GW* III, p. 413.

5. *Métapsychologie*, Paris, Gallimard, 1968, p. 11 ; *OCF* XIII, p. 165 ; *GW* X, p. 210.

place le plus long de ces essais consacrés à l'inconscient. Ce texte majeur, dense, en assoit la théorie en commençant par rappeler que le refoulement vise à empêcher la représentation pulsionnelle de devenir consciente ; inconsciente, elle n'en produit pas moins des effets dont certains peuvent atteindre la conscience. « **Tout refoulé demeure nécessairement inconscient, mais le refoulé ne recouvre pas tout l'inconscient** » qui s'étend plus largement. « Naturellement **nous ne connaissons l'inconscient que comme conscient, une fois qu'il a subi une transposition ou traduction en conscient** ». L'hypothèse d'un inconscient est nécessaire, légitime, et nous avons des preuves de son existence. Le contenu de la conscience reste, pour sa part, très limité, aussi la plus grande part de notre connaissance demeure, le plus souvent, en état de latence[1].

Les caractères physiques des états psychiques inconscients nous demeurent inaccessibles ; nous n'avons aucune idée de leur physiologie ou de leur chimie. Ils entretiennent de vastes échanges avec les processus conscients, si bien que nous pouvons les décrire en recourant aux mêmes catégories (représentations, tendances et autres) ; en fait, « ils ne se distinguent des états conscients que par l'absence de la conscience »[2]. La psychanalyse ne peut que « déclarer les processus psychiques inconscients en soi et comparer leur perception par la conscience à la perception du monde extérieur par les organes des sens »[3].

Il faudrait pouvoir « laisser de côté la question de savoir s'ils sont conscients ou inconscients, pour les classer et les relier uniquement selon leur rapport aux pulsions et aux buts », voire selon leurs connexions et places dans les systèmes psychiques. C'est irréalisable et nous ne pouvons échapper à l'ambiguïté qu'implique l'emploi des mots conscient et inconscient : tantôt en un sens descriptif, tantôt en un sens systématique indiquant l'appartenance à des systèmes déterminés. On pourrait aussi tenter d'éviter la confusion en désignant ces systèmes par des noms arbitrairement choisis, mais il faudrait pouvoir

1. « L'inconscient » (1915e), *Métapsychologie*, Paris, Gallimard, 1968, p. 65-67 ; *OCF* XIII, p. 207-208 ; *GW* X, p. 264-265.

2. *Ibidem*, p. 69 ; p. 209-210 ; p. 267.

3. *Ibidem*, p. 73 ; p. 212 ; p. 270.

justifier la distinction des systèmes (ce que réalisera *Le moi et le ça* en 1923). Un acte psychique est d'abord inconscient et appartient au système *Ics* et doit passer l'épreuve d'une *censure* qui peut lui refuser l'accès au *pcs* (on le dit alors *refoulé*) ; il reste inconscient mais, s'il réussit l'épreuve, il entre dans le système *Cs*. Il n'est pas encore conscient mais est *susceptible de devenir conscient* (c'est pourquoi on nomme aussi ce système *préconscient*) ; devenir conscient serait déterminé par une autre censure séparant plus strictement les systèmes *Pcs* et *Cs* ; la psychanalyse se distinguait déjà par sa conception *dynamique* des processus psychiques, maintenant elle se réfère également à leur *topique* qui indique dans quel système ils s'activent[1].

Seule la représentation qui représente la pulsion peut devenir objet de la conscience ; sans cette représentation, sans un affect, nous ne saurions rien de la pulsion. Le *Cs* domine la motilité volontaire mais est moins assuré vis-à-vis de l'affect, « d'où une lutte constante entre les deux systèmes *Cs* et *Ics* pour s'assurer le primat dans l'affectivité »[2]. En raison de la censure entre *Ics* et *Pcs*, l'*Ics*, constitué par des motions de désir qui se coordonnent, persistent et se juxtaposent sans s'influencer, ne connaît « ni négation, ni doute, ni degré dans la certitude ». Les intensités d'investissement y sont très mobiles : alors que le *déplacement* permet de transmettre l'investissement d'une représentation à une autre, la *condensation* s'approprie l'investissement de plusieurs autres ; reprenant ce qu'il avait déjà développé dans *L'interprétation des rêves*, Freud indique que ces deux mouvements caractérisent le processus *primaire* dans lequel l'énergie s'écoule librement, ce qui est spécifique de l'*Ics* (le processus *secondaire*, où l'énergie est liée avant de pouvoir s'écouler, est propre au *Pcs*). Ajoutons que les processus *Ics* sont intemporels (le temps est lié au travail *cs*) ; ils ne tiennent pas compte de la réalité et demeurent soumis au principe de plaisir. « *Absence de contradiction, processus primaire* (mobilité des investissements), *intemporalité* et *substitution à la réalité extérieure de la réalité psychique*, tels sont les caractères propres [...] au système *Ics* ». Accessibles seulement

1. *Ibidem*, p. 75-77 ; p. 211-212 ; p. 271-272.
2. *Ibidem*, p. 82-85 ; p. 218-220 ; p. 275-278.

dans les conditions du rêve et de la névrose, lorsque les processus du système *Pcs* ont régressé, « **les processus inconscients sont en eux-mêmes inconnaissables, et même incapables d'exister** parce que le système *Ics* a été recouvert très tôt par le système *Pcs* qui s'est emparé de l'accès à la conscience et à la motilité ». Au système *Pcs* revient : la capacité de lier toniquement l'énergie permettant l'investissement, l'instauration d'une capacité de communication entre les contenus des représentations qui s'influencent réciproquement, l'ordonnancement temporel des contenus, l'introduction des censures, l'épreuve et le principe de réalité, la mémoire consciente enfin (à distinguer des traces mnésiques où se fixent les expériences vécues par l'*Ics*). Freud décide que, dorénavant, il appellera le système le plus élevé « indifféremment tantôt *Pcs*, tantôt *Cs* » [1].

L'*Ics* se prolonge dans ses rejetons ; « accessible aux événements de la vie, il exerce une influence permanente sur ce que l'on appelle le *Pcs* et il est même soumis de son côté aux influences du *Pcs* ». Parmi ces rejetons certains réunissent des déterminations opposées, comparables à des « sang-mêlés », appartenant qualitativement au système *Pcs*, mais en fait à l'*Ics* ; leur origine « reste décisive pour leur destin ». Une très grande partie du préconscient provient de l'inconscient dont les rejetons sont soumis à une censure ; une part du *Pcs* peut devenir consciente directement. À la frontière du préconscient l'inconscient est donc renvoyé par la censure ; ses rejetons peuvent la tourner, s'organiser, accroître leur investissement dans le *Pcs* jusqu'à une certaine intensité puis, lorsqu'ils veulent s'imposer à la conscience ils sont reconnus comme rejetons de l'*Ics* et se voient « refoulés de nouveau à une nouvelle frontière : la censure entre *Pcs* et *Cs*. Ainsi la première censure fonctionne contre l'*Ics* lui-même, la seconde contre les rejetons *pcs* de l'*Ics* ». La cure psychanalytique nous apporte la preuve irréfutable de cette seconde censure.

Si maintenant on considère les rapports de l'*Ics* avec les autres systèmes, on constate que, de par leurs racines pulsionnelles, ils communiquent largement entre eux. Les processus d'excitation remontent depuis l'*Ics* vers le *Cs* où ils revêtent leur plus haute forme psychique ;

1. *Ibidem*, p. 96-100, p. 227-229 ; p. 285-288.

mais l'*Ics* ressent aussi les expériences vécues par la perception extérieure. Si toutes les voies allant de la perception à l'*Ics* demeurent libres, seules celles qui conduisent plus haut sont barrées par le refoulement.

« Il est très remarquable que l'*Ics* d'un homme puisse réagir à l'*Ics* d'un autre en tournant le *Cs* » ; de surcroît, **la cure psychanalytique est justement fondée sur l'idée qu'il est possible au *Cs* d'influencer l'*Ics***, même si la tâche s'avère difficile ; c'est ce que nous permettent les rejetons de l'*Ics* qui, intermédiaires entre les deux systèmes, nous frayent la voie. « S'il existe chez l'homme des formations psychiques héritées, quelque chose d'analogue à l'instinct des animaux, c'est là ce qui constitue le noyau de l'*Ics* ». Plus tard s'y ajoute ce qui a été éliminé comme inutilisable au cours du développement ; ce n'est qu'au moment de la puberté que s'instaure une séparation nette et définitive du contenu des deux systèmes[1].

Les investigations sur la schizophrénie permettent de « savoir en quoi une représentation consciente se distingue d'une représentation inconsciente » : la première « comprend la représentation de chose plus la représentation de mot qui lui appartient, la représentation inconsciente est la représentation de chose seule. Le système *Ics* contient les investissements de chose des objets, premiers et véritables investissements d'objets ; le système *Pcs* apparaît du fait que cette représentation de chose, reliée aux représentations de mot qui lui correspondent, est surinvestie ». Ces surinvestissements permettent le remplacement du processus primaire qui règne dans l'*Ics* par le processus secondaire à l'œuvre dans le *Pcs*[2]. Soit notre activité psychique part des pulsions pour émerger du système *Ics* et aboutir au travail de pensée conscient, soit elle réagit à une incitation de l'extérieur et, passant par le système *Cs-Pcs*, elle arrive aux investissements *ics* du moi et des objets. Cette deuxième voie doit, en dépit des refoulements préalables, rester praticable ; elle le demeure jusqu'à un certain point, permettant à la névrose de récupérer ses objets[3]. L'essai

1. *Ibidem*, p. 101-109 ; p. 228-233 ; p. 289-294.
2. *Ibidem*, p. 118-119 ; p. 240 ; p. 300.
3. *Ibidem*, p. 122 ; p. 244 ; p. 302-303.

suivant, reprenant des données de *L'interprétation des rêves*, précise que même si on doit faire coïncider le système *P* (Perception) avec le système *Cs* (Conscient) qui régit l'accès à la conscience, « le fait de devenir conscient ne coïncide pas pleinement avec l'appartenance à un système » ; il y a là une difficulté qui réclame une meilleure compréhension du système *Cs*, que nous connaissons encore trop mal[1].

Si les conférences prononcées en 1916-1917 entendent « livrer non seulement une introduction à la psychanalyse, mais aussi la majeure partie de son contenu », Freud doit constater que « bien des sujets importants comme, par exemple, celui de l'inconscient, ne purent être traités de manière exhaustive, [...] toujours dans l'attente d'une nouvelle occasion d'ajouter quelque chose à leur connaissance »[2]. Et, effectivement, dans ces *Conférences d'introduction à la psychanalyse*, si le mot « inconscient » revient régulièrement connoter les processus du rêve ou la doctrine des névroses, on n'y trouve aucun apport nouveau ; notons seulement les rappels que « l'inconscient de la vie psychique est l'infantile », et qu'il est « un royaume psychique particulier avec ses propres motions de désir, un mode d'expression propre et des mécanismes psychiques qui lui sont particuliers et ne sont pas en vigueur ailleurs »[3].

Dans les mêmes temps, Freud en dit plus dans une lettre à Georg Groddeck, témoignant de la poursuite de sa réflexion : « L'acte inconscient exerce sur les processus somatiques une action plastique intense que n'obtient jamais l'acte conscient. [...] Le facteur psychique joue aussi un rôle d'une ampleur insoupçonnée dans la naissance des maladies organiques. [...] **L'inconscient est certainement le véritable intermédiaire entre le somatique et le psychique**, peut-être est-il le *missing link* tant cherché »[4].

En 1920, *Au-delà du principe de plaisir* poursuit la recherche de ce maillon manquant. Après avoir rappelé les difficultés rencontrées

1. *Ibidem*, p. 141 et 143 ; p. 255 et 256 ; p. 323 et 324.

2. *Conférences d'introduction à la psychanalyse* (1916-1917), Paris, Gallimard, 1999, p. 15 et 14 ; *OCF* XIV, p. 1 et 5 ; *GW* XVI, p. 274 et XI, p. 3.

3. *Ibidem*, p. 269 et 271 ; p. 216 et 218 ; p. 215 et 216.

4. Lettre à G. Groddeck du 5 juin 1917, dans *Correspondance (1873-1939)*, Paris, Gallimard, 1966, p. 345-346.

pour rendre conscient l'inconscient (qui demeure le but fixé), et avoir montré comment l'actualisation de l'Œdipe dans le transfert permet en partie de les contourner, Freud note combien « il faut avant tout se libérer de l'idée erronée que, lorsqu'on combat les résistances, on aurait affaire à la résistance de l'inconscient ». Celui-ci, qui peut être identifié au refoulé, n'oppose aucune espèce de résistance à l'analyse, cherchant seulement à se frayer un chemin vers la conscience ; la résistance provient des systèmes psychiques supérieurs responsables autrefois du refoulement. Comme nous savons que les résistances sont d'abord inconscientes, « nous rectifierons une impropriété terminologique et nous n'opposerons plus le conscient et l'inconscient mais le *moi*, avec sa cohésion, et le *refoulé* » ; une grande part de ce moi (qui n'a pas encore accédé au statut d'instance) est d'ailleurs inconsciente, le *préconscient* n'en recouvrant qu'une petite partie[1] – « la conscience serait seulement une fonction particulière des processus psychiques, [d'un système particulier que l'on désigne comme *conscient* (Cs)] ; ce que la conscience nous livre consiste essentiellement en perceptions d'excitations venant du monde extérieur et en sensations de plaisir et de déplaisir qui ne peuvent provenir que de l'intérieur de l'appareil psychique »[2] (on retrouve le constat, posé dès 1900, que « la conscience n'est qu'un organe des sens qui permet de percevoir les qualités psychiques »[3]). Les processus diffèrent fondamentalement selon les systèmes *Ics* et *Cs* : si dans l'inconscient les investissements peuvent facilement être déplacés et condensés (processus primaire), ce ne peut être le cas dans le préconscient-conscient (processus secondaire)[4]. La relative indétermination des termes témoigne ici de la réélaboration à laquelle se livre alors Freud ; le moi systémique sera individualisé et systématisé trois ans plus tard ce qui,

1. *Au-delà du principe de plaisir* (1920g), *Essais de psychanalyse*, Paris, Payot, 1981, p. 57-59 ; *OCF* XV, p. 288-290 ; *GW* XIII, p. 16-18.

2. *Ibidem*, p. 65 ; p. 295 ; p. 23.

3. *L'interprétation des rêves* (1900a), Paris, PUF, 1967, p. 522 ; *OCF* IV, p. 670 ; *GW* II-III, p. 619.

4. *Au-delà du principe de plaisir* (1920g), *Essais de psychanalyse*, Paris, Payot, 1981, p. 77-78 ; *OCF* XV, p. 305-306 ; *GW* XIII, p. 35-36.

presque paradoxalement, permettra de clarifier quelques données sur conscient et inconscient.

En 1923 donc, avec *Le moi et le ça*, Freud entreprend de réaliser le vœu émis en 1915 : « laisser de côté la question de savoir si les actes psychiques sont conscients ou inconscients pour les classer et les relier uniquement selon leur rapport aux pulsions et aux buts ; [...] essayer d'éviter la confusion en désignant ces systèmes psychiques que nous avons reconnus par des noms arbitrairement choisis qui ne feraient pas la moindre allusion au fait d'être conscient » [1].

Dans *Le moi et le ça* Freud va reprendre ces éléments, rappelant que « la division du psychique en conscient et inconscient est la présupposition fondamentale de la psychanalyse, qu'elle seule lui donne la possibilité de comprendre les processus pathologiques aussi fréquents qu'importants de la vie psychique, et de les faire entrer dans le cadre de la science », il va développer longuement son argumentation. À côté d'un inconscient latent susceptible de devenir conscient, mais qui n'est inconscient que du point de vue descriptif, en existe un autre que nous pourrions désigner comme le véritable inconscient au sens dynamique, incapable de devenir conscient, et dont le refoulé est le prototype. « Nous avons maintenant trois termes, conscient (*cs*), préconscient (*pcs*) et inconscient (*ics*), dont le sens n'est plus seulement descriptif ». Cela reste vrai mais demeure insuffisant dans la pratique ; les processus psychiques d'une personne apparaissent comme une organisation cohérente qui ne sont rien d'autre que son *moi* ; « à ce moi se rattache la conscience qui commande les accès à la motilité », qui contrôle ses propres processus partiels, et d'où partent les refoulements de certaines tendances psychiques et comportements devant être exclus de la conscience. Or ce moi contient quelque chose d'inconscient qui se comporte comme le refoulé et ne peut être rendu conscient que par un travail particulier ; d'innombrables difficultés surgissent dans la pratique analytique si l'on s'obstine à vouloir ramener la névrose à un conflit entre le conscient et l'inconscient : « nous devons remplacer cette opposition par une autre, issue de notre com-

1. « L'inconscient » (1915e), *Métapsychologie*, Paris, Gallimard, 1968, p. 75 ; *OCF* XIII, p. 211-212 ; *GW* X, p. 271.

préhension des rapports structuraux de la vie psychique : l'opposition entre le moi cohérent et le refoulé séparé de lui par clivage ». Ce faisant nous accédons à une correction : **si tout refoulé est bien *ics*, tout *Ics* n'est pas pour autant refoulé, une importante partie du moi étant également *ics*.** Devant reconnaître l'existence d'un *Ics* non refoulé, « nous devons admettre que le caractère d'être inconscient perd pour nous de son importance » ; il ne s'agit plus que d'une qualité aux multiples significations, sans spécificité aucune – « nous devons pourtant nous garder de le négliger car la propriété conscient ou non est notre unique fanal dans les ténèbres de la psychologie des profondeurs ».

Et Freud de constater une fois de plus que « **tout notre savoir est toujours lié à la conscience** » (à commencer par celui sur l'inconscient), et c'est d'elle que nous devons toujours repartir. La conscience est la surface de l'appareil psychique ; cette surface perceptive est notre point de départ, avec ses perceptions sensorielles externes et les sensations et sentiments venus de l'intérieur. Pour passer d'une représentation *ics* à une représentation *pcs* (une pensée), il faut que quelque chose devienne préconscient par connexion avec les représentations de mots correspondantes ; d'où l'idée que **ne peut devenir conscient que ce qui le fut déjà autrefois**, les traces mnésiques étant contenues dans des systèmes contigus au système *Pc-Cs* et communiquant avec lui. Pour rendre préconscient du refoulé, le travail analytique met en place ces termes intermédiaires *pcs* : « la conscience reste donc à sa place, mais sans que pour autant l'*Ics* soit, en quelque sorte, remonté jusqu'au *Cs* ».

Sensations et sentiments ne deviennent conscients qu'en atteignant le système *Pc* (perception), « la distinction entre *Cs* et *Pcs* n'a aucun sens en ce qui concerne les sensations, le *Pcs* ici fait défaut, les sensations sont ou bien conscientes ou bien inconscientes ». Les représentations de mots permettent aux processus de pensée de se transformer en perceptions, un surinvestissement des pensées permet de les percevoir comme venant de l'extérieur ; elles sont alors perçues comme vraies. « La distinction entre le conscient et l'inconscient est en définitive une question de perception, à laquelle il faut répondre par oui ou par non, et l'acte de perception lui-même ne fournit aucune information sur la raison pour laquelle une chose est perçue ou n'est pas perçue » ; ne peut devenir conscient que ce qui fut auparavant perception, si bien que ce qui, venant de l'intérieur, veut devenir conscient, doit être transposé en perceptions – ce que permettent les traces mnésiques (système *Pc-Cs*). Le perçu est assimilé à la réalité, situé à l'extérieur, les faits psychiques eux-mêmes devant être projetés au dehors pour être perçus : « toute connaissance provient de la perception externe », à commencer par celle de notre conscience ; la perception a la concrétude du fait biologique et l'impalpable du pur psychique, si bien qu'elle « joue pour le moi le rôle qui dans le ça échoit à la pulsion ».

Les relations entre les perceptions et le système superficiel *Pc-Cs* se trouvent ainsi éclaircies ; il convient ici de noter que si c'est l'une des rares fois où Freud explicite le système perception-conscience, celui-ci n'en est pas moins primordial à ses yeux. Il lui devient maintenant possible d'achever « l'édification de notre représentation du moi : nous le voyons partir du système *Pc* comme de son noyau et englober d'abord le *Pcs* qui s'étaye sur les restes mnésiques. Mais le moi est aussi inconscient ». S'inspirant de Groddeck, Freud désigne cette entité comme étant le *moi*, et nomme *ça* la part du psychisme dans laquelle se continue le moi et qui est *ics*. « Un individu est donc un *ça* psychique, inconnu et inconscient, à la surface duquel est posé le *moi* qui s'est développé à partir du système *Pc* comme de son noyau ».

« Habitué à transporter partout avec [lui] le point de vue de la valeur sociale ou éthique », Freud convient aisément que de basses passions se déroulent dans l'inconscient, mais l'expérience analytique l'amène à constater que les fonctions psychiques élevées n'ont pas nécessairement l'apanage de l'accès à la conscience : un travail intellectuel subtil et difficile peut être préconscient et ne pas parvenir à la conscience ; autocritique et conscience morale (fonctions psychiques élevées) sont inconscientes, ont les effets les plus importants ; et un *sentiment de culpabilité inconscient* joue un rôle économique décisif. **« Ce n'est pas seulement le plus profond mais aussi le plus élevé dans le moi qui peut être inconscient »** [1].

1. *Le moi et le ça* (1923b), *Essais de psychanalyse*, Paris, Payot, 1981, p. 223-239 ; *OCF* XVI, p. 258-271 ; *GW* XIII, p. 239-255.

Sans doute peut-on considérer qu'à ce point parvenu Freud a dit l'essentiel sur conscient et inconscient et qu'il peut se borner à rappeler ce qu'il a déjà énoncé, voire à en préciser l'intention. Ainsi en 1924 : « Si on accepte la distinction que j'ai proposée récemment qui décompose l'appareil psychique en un moi tourné vers le monde extérieur et pourvu de conscience, et un ça inconscient dominé par ses besoins pulsionnels, la psychanalyse est alors à définir comme une psychologie du ça (et de ses effets sur le moi) » [1]. Dans les *Nouvelles conférences*, en 1933 donc, ayant remarqué qu'il ne faut pas dévaloriser le critère *conscient* car avec lui, « il en va comme de notre vie : elle ne vaut pas grand-chose mais c'est tout ce que nous avons, et sans son flambeau pour nous guider nous serions perdu », Freud considère que « nous n'avons pas besoin de discuter de ce qu'il convient d'appeler conscient, c'est hors de doute », quant au mot inconscient, « le sens le plus ancien et le meilleur du mot est le sens descriptif ; **nous appelons inconscient un processus psychique dont il nous faut supposer l'existence parce que, par exemple, nous le déduisons de ses effets, mais dont nous ne savons rien** ». La plupart des processus conscients ne le sont que peu de temps et deviennent très vite latents, mais « sommes-nous seulement certain qu'à l'état de latence ils sont encore quelque chose de psychique » ? Quoi qu'il en soit, « nous avons trois termes (conscient, préconscient, inconscient) avec lesquels nous nous tirons d'affaire dans la description des phénomènes psychiques ». Ce qui conduit à conceptualiser ce que l'on désigne aujourd'hui comme *deuxième* topique : constatant qu'un vaste domaine de la vie psychique reste soustrait à la connaissance du moi (dont d'ailleurs les processus sont en bonne part inconscients), il a fallu étendre l'inconscient dans un sens topique, parler de systèmes du préconscient et de l'inconscient, donner de plus en plus au mot le sens d'une province plutôt que d'une qualité psychique. Aussi, bien qu'embarrassante, la découverte que des parties du moi et du surmoi sont inconscientes fut finalement un soulagement puisque, l'état inconscient n'étant pas son caractère exclusif, il n'est plus possible d'appeler système *Ics* le

1. « Petit abrégé de psychanalyse » (1924f), *Résultats, idées, problèmes, II*, Paris, PUF, 1985, p. 112 ; *OCF* XVI, p. 354 ; *GW* XIII, p. 427.

domaine psychique étranger au moi ; il faut donc user d'un nom meilleur et ne prêtant pas à malentendus : nous parlerons du *ça*[1].

Durant les années qui suivent, des écrits aussi importants que « L'analyse avec fin et l'analyse sans fin » (1937) ou *L'homme Moïse et la religion monothéiste* (1939) ne mentionnent qu'occasionnellement l'inconscient ou le ça. Ces concepts majeurs, mais acquis, ne réapparaissent que dans l'ouvrage récapitulatif qui « entend rassembler [...] les thèses de la psychanalyse sous la forme la plus ramassée et dans la version la plus définitive » : l'*Abrégé de psychanalyse* en 1940.

Le retour s'opère dès la première phrase de l'ouvrage : « La psychanalyse suppose un postulat fondamental qu'il appartient à la philosophie de discuter mais dont les résultats justifient la valeur. De ce que nous appelons psychisme (ou vie psychique) deux choses nous sont connues : d'une part son organe somatique, le lieu de son action, le cerveau (ou le système nerveux), d'autre part nos activités de conscience dont nous avons une connaissance directe et que nulle description ne saurait nous faire connaître. Tout ce qui se trouve entre ces deux points extrêmes nous demeure inconnu »[2]. Et Freud de préciser que son « point de départ est **un fait sans équivalent, qui ne peut ni s'expliquer ni se décrire : la conscience**. Pourtant, si l'on parle de conscience, chacun sait immédiatement, d'expérience personnelle, de quoi il s'agit »[3]. Mais cette conscience, si importante soit-elle, « n'est qu'une qualité (une propriété) du psychisme, d'ailleurs inconstante »[4]. Freud peut ensuite se borner à reprendre l'essentiel tant des faits observés que de leur élaboration théorique, d'abord comme systèmes conscient-préconscient, puis moi-ça, débouchant toujours sur la même interrogation liée au même constat d'ignorance, déclaration à valeur testamentaire que nous nous devons de reproduire *in extenso* : « Nous admettons une division topographique de l'appareil psy-

1. *Nouvelles conférences d'introduction à la psychanalyse* (1933a), Paris, Gallimard, 1984, p. 97-100 ; *OCF* XIX, p. 153-155 ; *GW* XV, p. 76-79.

2. *Abrégé de psychanalyse* (1940a), Paris, PUF, 1949, p. vii et 3 ; *OCF* XX, p. 231 et 233 ; *GW* XVII, *Nachtragsband*, p. 749, et *GW* XVII, p. 67.

3. *Ibidem*, p. 18 ; p. 247 ; p. 79.

4. *Ibidem*, p. 20 (note) ; p. 314 ; p. 146.

chique en moi et en ça, division à laquelle correspondent les qualités de conscient et d'inconscient. Nous pensons aussi que les qualités ne sont qu'un indice et non l'essentiel de la différence. Quelle est donc la nature véritable de l'état qui se traduit dans le ça par la qualité d'inconscient et dans le moi par la qualité de préconscient, et en quoi consiste la distinction entre ces deux états ? Nous avouons n'en rien savoir et les profondes ténèbres de notre ignorance sont à peine éclairées par une faible lueur. C'est ici que nous approchons de l'énigme véritable, non encore résolue, que présentent les phénomènes psychiques. » **L'énigme tiendrait à la nature de l'énergie qui entre en jeu dans la vie psychique** ; son existence nous paraît un fait incontournable mais nous ne savons à quelle autre énergie la comparer ; il semblerait qu'elle existe sous deux formes, l'une mobile et l'autre liée, et pour qualifier la transformation de l'une en l'autre, nous parlons d'investissements et de surinvestissements et « notre savoir s'arrête là, mais nous soutenons fermement que la différence entre l'état inconscient et l'état préconscient tient à de semblables relations dynamiques » [1].

Sur ce constat d'ignorance se fonde l'argument de cet ouvrage testamentaire ; la pulsion et l'inconscient demeurent les concepts premiers et nécessaires tout autant que les énigmes persistantes de la psychanalyse.

QUESTIONS ET ENJEUX

L'aporie de l'inconscient

« Psychanalyse est le nom de la science des processus psychiques inconscients » [2] ; sans conteste, l'idée d'un inconscient dynamique est l'hypothèse fondatrice de la psychanalyse, « hypothèse *nécessaire* et *légitime*, et nous possédons de multiples *preuves* de l'existence de

1. *Ibidem*, p. 22-27 ; p. 249-254 ; p. 81-86.

2. « Psychanalyse » (1926f), *Résultats, idées, problèmes, II*, Paris, PUF, 1951, p. 154 ; *OCF* XVII, p. 290 ; *GW* XIV, p. 300.

l'inconscient »[1]. Dont acte. Avant de pouvoir ainsi l'affirmer, Freud dut mûrir sa pensée ; observant, expérimentant et théorisant d'abord en laboratoire, découvrant ensuite au contact des malades les insuffisances des réponses de la neurologie et de la psychiatrie comme de la psychologie, si bien que c'est un praticien rompu aux aléas de la recherche qui, dans les années 1890, en vint à s'interroger sur l'évidence dérangeante de ce qu'une bonne part des phénomènes psychiques ne sont pas conscients. On ne l'a d'ailleurs pas attendu pour les dire « inconscients », mais ce n'est là qu'un qualificatif, une description, au mieux une phénoménologie qui ne saurait suffire à les expliquer. Pour le tenter, il faut en faire la théorie : des preuves déduire des « systèmes », passer de l'adjectif au substantif, aller de pensées inconscientes à l'inconscient. Pareille entreprise n'est pas sans risques car l'inconscient demeure irréductiblement hypothétique – mais les hypothèses ne fondent-elles pas les bases de toute science ?

Freud dut partir du tangible, de la seule certitude disponible, celle de la conscience : « naturellement, nous ne connaissons l'inconscient que comme conscient, une fois qu'il a subi une transposition ou traduction en conscient »[2] ; pareille évidence est lourde de conséquences lorsqu'elle s'accompagne du constat que, « en eux-mêmes, les processus inconscients sont inconnaissables, et même incapables d'exister »[3]. Autrement dit : *l'inconscient lui-même, nous ne le connaissons pas, nous ne pouvons le connaître directement, nous ne le connaîtrons jamais*… mais nous devons travailler sur lui et avec lui, en n'oubliant jamais que les connaissances que nous pouvons en acquérir ne sauraient être qu'indirectes et hypothétiques. Nous ne pouvons le connaître et nous devons en user… De fait, Freud se trouve là face à *une aporie*[4]. Ce n'est d'ailleurs pas la seule qu'il rencontre à ce propos ; ainsi notre « appareil psychique » nous transmet des observations permettant d'en étudier les implications, mais comme c'est

1. « L'inconscient » (1915e), *Métapsychologie*, Paris, Gallimard, 1968, p. 66 ; *OCF* XIII, p. 205-206 ; *GW* X, p. 285.

2. *Ibidem*, p. 65 ; p. 207 ; p. 264.

3. *Ibidem*, p. 96 ; p. 227 ; p. 285.

4. Que, dans un tout autre univers, la physique en propose de semblables (tels les objets quantiques qui n'existent que dès l'instant où ils sont observés, quittes à se trouver simultanément en plusieurs lieux), en nous laissant perplexes peut nous réconforter mais ne saurait nous justifier.

justement cet appareil que nous étudions, nous perdons nos repères objectivants (voire tout simplement objectifs), aboutissant à la situation paradoxale où sujet qui étudie et objet étudié se confondent, un psychisme humain ne pouvant être exploré que par un psychisme humain, corrélat de ce que « notre appareil psychique est partie constituante de cet univers que nous avons à explorer »[1].

C'est là se trouver confronté au théorème de Gödel (on ne peut rendre compte d'un système de l'intérieur : il faut en sortir en passant à un système « supérieur ») ; s'il est probable que Freud ne connaissait pas ce logicien (même si, viennois, il était son compatriote et contemporain), il applique le précepte en s'inspirant explicitement des conseils de Georg Groddeck pour qui la conscience, le moi donc, « se comporte de façon essentiellement passive ». Pour dépasser l'aporie de l'inconscient, Freud le délaisse et imagine une nouvelle topique, une autre systématique réalisant ses vœux de 1915 de ne relier les actes psychiques que selon la pulsion et les systèmes hiérarchisés ; ce furent donc ceux du moi, du ça et du surmoi. Loin d'être souveraine la conscience doit passer « par le biais d'une perception incomplète et peu sûre ; [si bien que] le moi n'est pas maître dans sa propre maison »[2]. De par sa nature même, ce moi (non encore topique), cette conscience émerge au point de recoupement du fait biologique et de l'effet de société, là où « nous sommes "vécus" par des forces inconnues et impossibles à maîtriser »[3] qui n'en affrontent pas moins la réalité extérieure, forces qui quelques années plus tôt étaient déjà reconnues comme suscitant des « représentations et impulsions qui surgissent on ne sait d'où, [...] qui donnent aux malades eux-mêmes l'impression d'être des hôtes surpuissants venus d'un monde étranger »[4], étrangers qui sont en nous pour nous faire nous-mêmes, part inconsciente du moi si importante et déterminante.

1. *L'avenir d'une illusion* (1927c), Paris, PUF, 1971, p. 80 ; *OCF* XVIII, p. 197 ; *GW* XIV , p. 380.

2. « Une difficulté de la psychanalyse » (1917a), *L'inquiétante étrangeté et autres essais*, Paris, Gallimard, 1985, p. 186 ; *OCF* XV, p. 50 ; *GW* XII, p. 11.

3. *Le moi et le ça* (1923b), *Essais de psychanalyse*, Paris, Payot, 1981, p. 235 ; *OCF* XVI, p. 268 ; *GW* XIII, p. 251.

4. *Conférences d'introduction à la psychanalyse* (1916-1917), Paris, Gallimard, 1999, p. 355 ; *OCF* XIV, p. 287 ; *GW* XI, p. 287.

Au-delà de la psychanalyse, remarquons-le, ces difficultés sont inhérentes non seulement à la notion d'inconscient mais à celle même de conscience. Dans les temps où Freud publiait sa *Métapsychologie*, Watson, aux États-Unis, crut pouvoir se débarrasser du problème : il ne s'occuperait pas des phénomènes de conscience mais seulement des comportements sociaux ; ce fut le *behaviorisme*, bientôt suivi des *comportementalismes*, dont les réponses simples à des questions complexes ne pouvaient que connaître un certain succès. Mais le déni est sûrement la plus mauvaise réponse possible à une impasse aporétique : l'évitement ne saurait être une issue, pas plus que le recours à ce qui serait apparu à Gödel comme un système « inférieur ». Même si elle n'a pas totalement résolu la difficulté, comme Freud ne cessa de le déplorer, la psychanalyse sut affronter ce problème épistémologique et, en dépit de toutes les incertitudes qu'elle put rencontrer, la science analytique a établi que les processus inconscients ont leurs lois propres, celles du processus primaire ; « ainsi l'étude des qualités psychiques n'aura finalement pas été tout à fait infructueuse » [1], peut-il conclure. Mais l'hypothèse d'un inconscient posa d'autres problèmes.

De l'évidence de la conscience aux incertitudes du ça

Donc, « le point de départ de notre étude nous est fourni par ce fait sans équivalent, défiant toute explication comme toute description, qu'est la conscience » [2], constate Freud. S'il part de la conscience c'est qu'elle s'impose à lui comme à tout un chacun ; elle est là, incontournable au point que « si l'on parle de conscience, chacun sait immédiatement, d'expérience personnelle, de quoi il s'agit » [3]. Ce constat d'évidence n'est pas sans nous rappeler celui que pose Descartes dans ses *Principes* : « la réalité devrait être rangée parmi ces notions qui sont d'elles-mêmes si claires qu'on les obscurcit en les voulant définir », conviction d'ailleurs rejointe par les logiciens modernes (Cantor, Frege, Russell et autres) pour qui la réalité

1. *Abrégé de psychanalyse* (1940a), Paris, PUF, 1949, p. 27 ; *OCF* XX, p. 254 ; *GW* XVII, p. 86.

2. *Ibidem*, p. 18 ; p. 247 ; p. 79.

3. *Ibidem*.

appartient aux axiomes fondamentaux qui requièrent l'évidence. La psychanalyse, partant donc du constat d'évidence de la conscience, déroule les déductions logiques qui aboutissent aux constructions métapsychologiques autour de l'inconscient. Ces évidences jumelles de la réalité et de la conscience se recoupent : « La distinction entre le conscient et l'inconscient est en définitive une question de perception, celle-ci ne fournissant aucune information sur sa raison d'être » [1] ; seul ce qui a déjà été perçu peut devenir conscient, si bien que ce qui, venant de l'intérieur, veut devenir conscient doit être transposé en perception, traité par la conscience comme une réalité extérieure – ce que permettent les traces mnésiques[2]. Le perçu est assimilé à la réalité, donc situé à l'extérieur car « toute connaissance provient de la perception externe » [3], à commencer par celle de notre conscience ; pour sa part la perception, ce témoin du réel, a la concrétude du fait biologique et l'impalpable du pur psychique, si bien qu'elle « joue pour le moi le rôle qui dans le ça échoit à la pulsion » [4]. On pourrait ajouter qu'elle est à la conscience ce que l'excitation est à la pulsion.

Le parallèle ainsi établi souligne deux étapes essentielles du processus qui aboutit à l'élaboration psychique : – *D'abord l'instauration de la pulsion, concept-limite entre le psychique et le somatique, représentant psychique des excitations issues de l'intérieur du corps* ; elle est « comme la mesure de l'exigence de travail qui est imposée au psychique en conséquence de sa liaison au corporel ». – *Ensuite l'instauration du moi dans un rapport complexe avec la perception* qui non seulement demeure l'élément fondamental du moi, mais est aussi son mode d'expression, le tout opérant dans une relation en boucle où le moi est créé par la perception en même temps qu'il la construit.

On peut penser qu'aux yeux de Freud l'évidence de la conscience le justifie d'en parler peu, sauf pour rappeler que, aussi transitoire soit-elle, elle demeure notre seul accès au psychique. Donc, très tôt, en lieu et place de conscience il évoque le « moi », conformément à l'usage ancien et courant pour désigner ce qui fait l'individualité et la

1. *Le moi et le ça* (1923b), *Essais de psychanalyse*, Paris, Payot, 1981, p. 226 ; *OCF* XVI, p. 260 ; *GW* XIII, p. 242.

2. *Ibidem*, p. 230-232 ; p. 263-265 ; p. 246-247.

3. *Ibidem*, p. 235 ; p. 267 ; p. 250.

4. *Ibidem*, p. 237 ; p. 269 ; p. 253.

personnalité d'un être humain (« moi, je... »), moi qui, de fait, n'est rien d'autre que la conscience de soi. D'emblée, le moi-conscience est situé au point de rencontre du biologique et du social, là où « nous sommes "*vécus*" par des forces inconnues et impossibles à maîtriser » [1] qui viennent s'affronter à la réalité extérieure. Dans le même temps où il rédige deux études cliniques majeures (sur *le petit Hans* et *l'homme aux rats*), Freud remarque que « le développement de l'humanité peut se formuler ainsi : d'une part il s'agit d'un élargissement de la conscience de l'humanité (analogue au processus par lequel des pulsions et des forces ayant agi jusque-là de façon inconsciente deviennent conscientes), d'un autre côté le progrès peut être décrit comme un refoulement qui progresse au cours des siècles. [... De fait,] ces deux processus se déterminent l'un l'autre : l'élargissement de la conscience est ce qui permet à l'humanité d'exister et de faire face au progrès constant du refoulement » [2]. Dans *Le moi et le ça* il note que « la psychanalyse est un outil qui doit donner au moi la possibilité de conquérir progressivement le ça » [3], ce qu'il reformulera avec force et concision en 1933 dans l'adage qui exige : « Où était du ça doit venir du moi [*wo Es war, soll Ich werden*]. C'est là un travail de civilisation, un peu comme l'assèchement du Zuiderzee » [4] (pour une fois, il conviendrait sans doute ici, en français, de parler de culture plutôt que de civilisation pour bien marquer ce que cette entreprise civilisatrice doit à la culture en tant que conquête agricole : on pourrait dire qu'en ça il vient du moi, comme il vient du blé en Beauce... ou dans le Zuiderzee), si bien que de la même façon que des terres arables cultivées prennent la place de la mer, du moi doit remplacer du ça afin que s'étende le champ de la conscience. Mais le champ de l'inconscient ne s'étrécissant pas pour autant, son approche s'en complexifie d'autant.

1. *Ibidem*, p. 235 ; p. 267 ; p. 250.

2. *Minutes de la Société psychanalytique de Vienne*, t. II, Paris, Gallimard, 1978, 10 mars 1909, p. 173.

3. *Le moi et le ça* (1923b), *Essais de psychanalyse*, Paris, Payot, 1981, p. 271 ; *OCF* XVI, p. 299 ; *GW* XIII, p. 286.

4. *Nouvelles conférences d'introduction à la psychanalyse* (1933a), Paris, Gallimard, 1984, p. 110 ; *OCF* XIX, p. 163 ; *GW* XV, p. 86.

D'UN « INCONSCIENT INCONNAISSABLE » À « L'ÉNIGME VÉRITABLE »

Le constat que « nous ne pouvons connaître l'inconscient qu'en le rendant conscient »[1] vient ajouter une gageure à son étude. D'emblée Freud en est dérangé, même s'il est fasciné ; l'inconscient l'embarrassait d'autant qu'il ne pouvait s'en passer dans la pratique même de l'analyse. Aussi, et en dépit des avancées systémiques et de l'introduction d'instances plus sophistiquées, l'inconscient persiste et se maintient au cœur de sa réflexion, quand même parut-il être, à l'occasion, supplanté par le ça (avec le moi) ; si ceux-ci s'avèrent des outils conceptuels précieux, voire nécessaires, ils demeurent non suffisants. Tout se passe comme si la notion d'inconscient avait la prégnance propre à la réalité, fût-elle psychique ; en somme, tout comme « l'inconscient est le psychique lui-même et son essentielle réalité »[2], la réalité de l'inconscient, fût-il « inconnaissable, voire incapable d'exister »[3], est l'essentiel de la réalité psychique ; c'est bien là ce qui le rend aussi incontournable qu'inacceptable, aussi inéluctable qu'inatteignable.

Dans les années 1920 Freud tenta donc de réaliser son rêve ancien de se débarrasser de l'inconscient, ou à tout le moins de l'écarter, certains constats troublants l'ayant convaincu que ce moment était venu. Au premier rang d'entre eux fut la découverte, dans le moi lui-même (fût-il encore celui de la première topique), dans la conscience donc, d'une part inconsciente ample et active, amenant des imprécisions et difficultés innombrables (notamment pour ramener la névrose à un conflit entre conscient et inconscient). La tentative de remplacer cette opposition par celle entre un moi cohérent et le refoulé n'avait fait que montrer combien l'*Ics* ne pouvait coïncider avec le refoulé, conduisant à postuler un troisième inconscient non refoulé. Ainsi, « le caractère d'être inconscient perd pour nous de son importance, il devient une qualité aux multiples significations ne permettant pas d'en tirer des conséquences étendues et

1. *Le moi et le ça* (1923b), *Essais de psychanalyse*, Paris, Payot, 1981, p. 229-230 ; *OCF* XVI, p. 263 ; *GW* XIII, p. 245-246.

2. *L'interprétation des rêves* (1900a), Paris, PUF, 1967, p. 520 ; *OCF* IV, p. 567-568 ; *GW* II-III, p. 617-618.

3. « L'inconscient » (1915e), *Métapsychologie*, Paris, Gallimard, 1968, p. 96 ; *OCF* XIII, p. 227 ; *GW* X, p. 285.

exclusives »[1], il perd les vertus épistémologiques que le statut d'instance conférait à un inconscient substantivé. Freud élabore alors un système théorique affranchi de toutes références à l'inconscient, capable de réaliser enfin le vœu de « laisser de côté la question de savoir si les actes psychiques sont conscients ou inconscients pour les classer et les relier uniquement selon leur rapport aux pulsions et aux buts »[2], voire selon leurs connexions et places dans les systèmes psychiques – se débarrassant, en somme, de l'inconscient. Hélas, si l'inconscient est bien à l'évidence une notion descriptive, donc limitée par la phénoménologie de cette approche, insatisfaisante en somme, il n'en faut pas moins constater que « le sens le plus ancien et le meilleur du mot inconscient est le sens descriptif »[3], qui reprend dès lors toute sa pertinence et se fait déterminant ; même si nous savons que « les qualités de conscient et d'inconscient ne sont qu'un indice et non l'essentiel de la différence »[4], nous n'en avons pas de vraiment meilleur et ignorons en quoi consiste cette différence. Le recours au système moi-ça, parût-il d'un maniement plus commode, n'a rien réglé.

Ce rappel de la prégnance de la référence descriptive et de l'importance intrinsèque des qualités qu'elle désigne, aussi insatisfaisantes soient-elles, apparaît comme un retour au concret de l'objet psychanalytique lui-même, dans son évanescence. Si nous ne pouvons partir que de l'évidence de la conscience, celle-ci ne se justifie que d'être consciente du monde où elle se meut et qui l'agit, consciente d'une réalité extérieure que nous ne connaissons que par notre perception. Insistons : « Ne peut devenir conscient que ce qui fut déjà autrefois perception consciente et ce qui, provenant de l'intérieur (sentiments exceptés) veut devenir conscient, doit tenter de se transposer en perceptions externes ; ce qui est rendu possible par les traces mné-

1. *Le moi et le ça* (1923b), *Essais de psychanalyse*, Paris, Payot, 1981, p. 228-229 ; *OCF* XVI, p. 262-263 ; *GW* XIII, p. 244-245.

2. « L'inconscient » (1915e), *Métapsychologie*, Paris, Gallimard, 1968, p. 75 ; *OCF* XIII, p. 211 ; *GW* X, p. 271.

3. *Nouvelles conférences d'introduction à la psychanalyse* (1933a), Paris, Gallimard, 1984, p. 98 ; *OCF* XIX, p. 153 ; *GW* XV, p. 77.

4. *Abrégé de psychanalyse* (1940a), Paris, PUF, 1949, p. 27 ; *OCF* XX, p. 254 ; *GW* XVII, p. 86.

siques »[1]. Ces « sentiments exceptés », avec les sensations, autres formes de l'affect, méritent que l'on s'y arrête.

Si, de manière d'ailleurs pas tout à fait correcte, on parle de « sensations inconscientes », celles-ci diffèrent des représentations inconscientes en ce que, le *pcs* faisant ici défaut, elles n'ont pas besoin des représentations de mots, même lorsqu'elles y sont liées : « ce n'est pas à celles-ci qu'elles doivent de devenir conscientes, elles le deviennent directement ». Par les représentations de mots les pensées sont transformées en perceptions « illustrant la proposition que toute connaissance provient de la perception » et que c'est par leur surinvestissement que les pensées sont véritablement perçues[2]. Si la conscience contrôle assez bien la motricité, elle peine plus avec les affects qui, sans jamais être véritablement inconscients, viennent donner du sens à ce qui est perçu, avec ou sans représentations de mots, et ainsi à organiser le conscient. L'inconscient, le ça, demeure cette « partie obscure », ce « chaos, chaudron plein d'excitations en ébullition » qui « à partir des pulsions se remplit d'énergie mais n'a pas d'organisation »[3], ça qui peut pourtant être lui-même désigné comme « l'autre monde extérieur au moi que celui-ci s'efforce de se soumettre »[4] – ce qui nous rappelle que, base et condition de la conscience, « la perception joue pour le moi le rôle qui, dans le ça, échoit à la pulsion »[5]. La question de l'inconscient demeure grosse de celle de la pulsion, qui est sa raison.

Tel est d'ailleurs l'aboutissement auquel parvient l'ouvrage ultime, traitant alors des qualités psychiques. « Les qualités de conscient et d'inconscient ne sont qu'un indice et non l'essentiel de la différence. » À quoi tient donc celle-ci ? « Nous avouons n'en rien savoir et les profondes ténèbres de notre ignorance sont à peine éclairées par une faible lueur. C'est ici que nous approchons de l'énigme véritable, non encore résolue, que présentent les phénomènes psychiques. » Freud rappelle ce constat qu'une certaine énergie doit

1. *Le moi et le ça* (1923b), *Essais de psychanalyse*, Paris, Payot, 1981, p. 230-232 ; *OCF* XVI, p. 263-265 ; *GW* XIII, p. 246-247.

2. *Ibidem*, p. 234-235 ; p. 267-268 ; p. 252.

3. *Nouvelles conférences d'introduction à la psychanalyse* (1933a), Paris, Gallimard, 1984, p. 102 ; *OCF* XIX, p. 156-157 ; *GW* XV, p. 80.

4. *Le moi et le ça* (1923b), *Essais de psychanalyse*, Paris, Payot, 1981, p. 271 ; *OCF* XVI, p. 298 ; *GW* XIII, p. 285.

5. *Ibidem*, p. 237 ; p. 269 ; p. 263.

entrer en jeu dans la vie psychique, mais il doit de nouveau avouer sa totale ignorance sur ce que peut être cette énergie et ne sait comment la comparer à d'autres. (Je ne sais si cela l'aurait réconforté d'apprendre que, près d'un siècle plus tard, ces « autres énergies », à commencer par les plus « physiques », nous laissent tout aussi perplexes, et que les mots pour en parler n'ont guère changé : « L'énergie semble une propriété importante mais très abstraite [...] ; elle n'est pas directement tangible bien que ses effets se fassent sentir en permanence ; s'il est difficile de la saisir en tant que concept général, des exemples simples peuvent nous faire sentir son existence ». Ajoutons que « sa caractéristique la plus remarquable est que si sa forme peut changer, elle se conserve toujours en tant que quantité » [1].) Freud (qui a toujours eu en tête, implicitement, le modèle de la thermodynamique) poursuit en précisant qu'il semblerait que cette énergie psychique puisse prendre deux formes, mobile et liée, et qu'il suppose qu'un surinvestissement détermine une sorte de synthèse lorsque de l'énergie libre se transforme en énergie liée ; « notre savoir s'arrête là, mais nous soutenons fermement que la différence entre l'état inconscient et l'état préconscient tient à de semblables relations dynamiques » [2].

En fait, avec cette énergie dont la pulsion n'est que la représentance psychique, se trouve posée la question de la nature et de l'origine de la vie, question elle aussi demeurée sans réponse. Énigmes non résolues, questions ultimes... On comprend que l'inconscient, dont l'examen nous a mené là, nous soit apparu aporétique. On se souvient que Freud, en proposant d'établir une métapsychologie, récusait tout recours à une idéologie (*Weltanschauung* [3]) et entendait dépasser la métaphysique qui « n'est rien d'autre que de la psychologie projetée vers le monde extérieur » dans laquelle se reflètent les « facteurs et faits psychiques propres à l'inconscient » [4] ; on comprend qu'il en ait

1. Michel Serres et Nayla Farouki (dir.), *Dictionnaire des sciences*, Paris, Flammarion, 1997, p. 318.

2. *Abrégé de psychanalyse* (1940a), Paris, PUF, 1949, p. 26-27 ; *OCF* XX, p. 253-254 ; *GW* XVII, p. 85-86.

3. *Nouvelles conférences d'introduction à la psychanalyse* (1933a), Paris, Gallimard, 1984, p. 243 ; *OCF* XIX, p. 268 ; *GW* XV, p. 192.

4. *Psychopathologie de la vie quotidienne* (1901b), Paris, Gallimard, 1997, p. 411-412 ; *OCF* V, p. 353 ; *GW* IV, p. 286.

ardemment poursuivi l'exploration. On peut aussi comprendre combien il lui paraissait important, nécessaire, vital pour elle de situer clairement la psychanalyse, « science de l'inconscient », comme une partie de la science[1]. La conscience, et donc l'inconscient ; la pulsion sexuelle, et donc la survie de l'autoconservation ; la vie, et donc la mort ; toute la psychanalyse est là, et toute la philosophie aussi. Serait-ce trop ? Peut-être.

Claude LE GUEN

Incorporation → Identification

INHIBITION

all. : ***Hemmung.*** – angl. : *inhibition.* – esp. : *inhibición.* – ital. : *inibizione.* – port. : *inibição*

L'inhibition est un processus actif, normal, s'opposant à l'excitation et témoignant de limitations fonctionnelles du moi d'origines variées. Elle se distingue ainsi du symptôme (formation de compromis produite hors du moi et relevant de la pathologie). Mais les névroses étant des inhibitions de développement de la libido, et le symptôme ne visant qu'à échapper à l'angoisse, toute inhibition que s'impose le moi peut aussi être considérée comme un symptôme névrotique. Elle est en rapport tant avec le conflit qu'avec la pulsion. On peut distinguer : des inhibitions spécialisées (le moi renonce à des fonctions afin d'éviter un nouveau refoulement et un conflit avec le ça), d'autres au service de l'auto-punition (le moi renonce à ses activités pour ne pas entrer en conflit avec le surmoi). Le surmoi, procédant du ça et dominant le moi, exprime et représente les inhibitions de la pulsion, caractéristiques de l'homme.

1. *Nouvelles conférences d'introduction à la psychanalyse* (1933a), Paris, Gallimard, 1984, *ibidem.*

MISE EN SITUATION

Comme Hemmung *en allemand, « inhibition » désignait initialement l'action de freiner, d'arrêter un mouvement par un mouvement contraire : ainsi d'un bateau que l'on retenait en ramant à contre-courant. Le droit va s'emparer du terme pour indiquer, au* XVIIIe *siècle, le fait de suspendre, de contrer le pouvoir d'un individu ; au* XIXe, *notamment grâce à Johann H. Jackson, il va faire son entrée en physiologie et, surtout, en neurologie. Depuis, et tout en conservant sa connotation initiale, il est utilisé dans ces disciplines de façons très diverses, s'appliquant à des phénomènes de complexités différentes et de domaines variés, allant de la neurologie clinique à la neurobiologie.*

Dans toutes ses acceptions, des plus anciennes aux plus modernes, « inhibition » indique donc, très régulièrement, une action entreprise pour empêcher une autre action ; plus précisément, depuis son introduction en physiologie, elle désigne une façon active de s'opposer à une excitation – ce qui en fait une composante essentielle du fonctionnement du système nerveux central. Cependant, assez récemment et de manière plutôt relâchée, sans aucune référence théorique précise et en contradiction avec la connotation « active » nécessairement impliquée par le mot, est apparue une certaine dérive langagière dans les champs de la psychologie et de la psychopathologie, venant qualifier d'inhibition des carences, des insuffisances fonctionnelles, voire des états déficitaires – de simples « passivités » en somme. Il importe alors de redire que, conformément à sa définition initiale, l'inhibition est le processus qui vient contrer (équilibrer) l'excitation, et ne va pas sans elle ; c'est bien là d'ailleurs pourquoi la fonction qu'elle assure est exigeante en énergie.

En 1895, dès ses premiers travaux annonçant la psychanalyse, en bon neurophysiologiste Freud reprend tout naturellement le terme et l'idée. Très vite, et sans rien renier, il l'adapte pour l'incorporer à la théorie psychanalytique ; dans celle-ci l'inhibition, liée au moi, vise la pulsion et, plus particulièrement, les produits conflictuels de la pulsion : là encore, elle contre activement l'excitation, les deux termes apparaissant en opposition, fonctionnant comme en couples d'opposés. L'inhibition intervient dans deux directions : en amont sur le développement, et en aval sur le but. C'est là redire qu'elle est avant tout un processus « actif » essentiel, exigeant en énergie, participant pleinement du fonctionnement psychique ; c'est aussi poser qu'elle est d'abord « normale », même si, bien souvent, la névrose peut l'utiliser jusqu'à en faire un symptôme.

LE TEXTE FREUDIEN

Dès l'« Esquisse d'une psychologie scientifique » (1895), Freud explique comment le moi (qui n'est pas encore une « instance ») se débarrasse de ses charges par l'action de l'*inhibition* en la faisant porter sur la répétition des affects (et d'abord des plus douloureux), un « investissement » latéral « s'opposant au passage de la quantité » en **déployant une grandeur équivalente à celle à inhiber**[1]. Très vite, il étend cette approche neurologique à la compréhension du psychisme : lorsque l'objet désiré est investi, jusqu'à être halluciné, le critère de réalité fait défaut ; mais si le désir se trouve inhibé, sa charge ne suffit plus à donner un indice de qualité (comme cela se fait pour une perception extérieure) et l'épreuve de réalité conserve sa valeur : « **C'est une inhibition due au moi qui rend possible la formation d'un critère permettant d'établir une distinction entre une perception et un souvenir.** » C'est elle qui va permettre le jugement, celui-ci étant « provoqué par une dissemblance entre l'investissement du souvenir empreint de désir et un investissement perceptuel qui lui ressemble »[2].

L'INHIBITION S'OPPOSE À L'EXCITATION

L'interprétation des rêves, en 1900, après avoir constaté que leur formation impose la suppression des impulsions motrices dirigées vers l'extérieur, va plus loin en utilisant l'étude des processus du rêve pour

1. « Esquisse d'une psychologie scientifique » (1950c [1895]), *La naissance de la psychanalyse*, Paris, PUF, 1956, p. 341 et 342. – *Lettres à Wilhelm Fliess*, Paris, PUF, 2006 (édition complète), p. 631 et 632.

2. *Ibidem*, p. 344 – p. 634.

comprendre comment l'inhibition joue un rôle majeur dans le fonctionnement psychique. L'inhibition de mouvement, en exprimant la contradiction entre une volonté et une autre qui lui résiste, témoigne d'un « conflit de volontés »[1] ; au-delà, l'inhibition des affects apparaît comme « le second effet de la censure, dont la déformation était le premier »[2]. Freud est alors amené à reconnaître, dans l'appareil psychique, *deux systèmes* qui apparaissent comme les germes de l'inconscient et du préconscient[3] ; ils seront dorénavant *désignés comme « processus primaire » et « processus secondaire »* : le premier laisse écouler librement les quantités d'excitation et fonctionne selon le principe de déplaisir/plaisir, le second inhibe cet écoulement et opère selon le principe de la plus petite dépense – voilà qui nous donne « la clef de la théorie du refoulement : **le second système ne peut investir une représentation que lorsqu'il est capable d'inhiber le développement du déplaisir qui peut en venir** »[4]. Il convient dès ce moment de souligner que, d'une part, *le fonctionnement psychique repose sur l'opposition complémentaire et nécessaire entre excitation et inhibition* et que, d'autre part, *l'inhibition entre en jeu relativement tardivement puisqu'elle le fait dans le cadre du préconscient et des processus secondaires, avec le refoulement qu'elle contribue à fonder*[5].

En 1905, les *Trois essais sur la théorie sexuelle* s'attachent à montrer comment les **inhibitions apparaissent dans la vie sexuelle des enfants autour de la troisième ou quatrième année** (donc avec le complexe d'Œdipe), marquant l'**entrée dans la période de latence,** qui se poursuivra jusqu'à la puberté. À ce moment, « s'édifient les forces psychiques qui se dresseront plus tard comme des obstacles sur la voie de la pulsion sexuelle et qui, telles des digues, resserreront son cours ». On pourrait avoir alors le sentiment que ces digues inhibitrices sont l'œuvre de l'éducation (celle-ci y contribue d'ailleurs largement) mais,

1. *L'interprétation des rêves* (1900a), Paris, PUF, 1967, p. 290 ; *OCF* IV, p. 382 ; *GW* II-III, p. 342-343.

2. *Ibidem,* p. 399 ; p. 518 ; p. 471.

3. *Ibidem,* p. 509 ; p. 655 ; p. 605.

4. *Ibidem,* p. 511 ; p. 657 ; p. 607

5. *Ibidem,* p. 513 ; p. 659 ; p. 609.

« en réalité, cette évolution est organiquement déterminée, héréditairement fixée » ; cette inhibition peut très bien se produire tout à fait en dehors de l'éducation. *Pendant la période de latence les motions sexuelles infantiles elles-mêmes n'ont pas cessé mais elles ont été inhibées* et détournées de la sexualité, s'orientant vers de nouveaux buts : ainsi se constituent les « sublimations ».

Il faut bien constater, que laissées à elles-mêmes, les motions sexuelles infantiles seraient non seulement inutilisables (en raison de l'immaturation physiologique), mais qu'elles seraient « perverses », puisqu'elles ne pourraient susciter que du déplaisir ; il importe donc qu'elles puissent éveiller des contre-forces (des digues : inhibitions et motions réactionnelles) afin de réprimer efficacement ce déplaisir[1]. L'ajournement de la maturation sexuelle permet de gagner assez de temps pour « **ériger, à côté des autres inhibitions sexuelles, la barrière contre l'inceste** »[2]. Ainsi un énergique refoulement va venir conclure la phase œdipienne, marquée par une intense investigation sexuelle ; lorsqu'elle est achevée, le plaisir lié à l'investigation peut partager le destin de la sexualité ; « l'avidité de savoir reste dès lors inhibée et la libre activité de l'intelligence limitée, peut-être à vie ; tel est le type de l'inhibition névrotique » (d'autres choix sont aussi possibles : l'investigation sexuelle réprimée peut faire retour sous forme de compulsion de rumination ou, cas le plus rare mais le meilleur, la libido se sublime en avidité de savoir)[3].

Le refoulement

Ces modalités du refoulement vont alors passer au premier plan de la réflexion. L'**inhibition de développement,** telle qu'elle vient s'inscrire dans la fixation (première phase du refoulement), immobilise à un stade infantile une composante pulsionnelle alors inhibée dans

1. *Trois essais sur la théorie sexuelle* (1905d), Paris, Gallimard, 1987, p. 98-101 ; *OCF* VI, p. 112-114 ; *GW* V, p. 77-79.

2. *Ibidem,* p. 169 ; p. 163-164 ; p. 126.

3. *Un souvenir d'enfance de Léonard de Vinci* (1910c), Paris, Gallimard, 1987, p. 83-85 ; *OCF* X, p. 104-105 ; *GW* VIII, p. 147-148.

son développement[1] – ce qui peut fournir une voie d'entrée particulière dans la névrose[2].

La *Métapsychologie* (1915) met en évidence combien **l'inhibition est essentielle dans le refoulement,** puisque le but spécifique de celui-ci est la répression du développement de l'affect ; c'est là d'ailleurs ce qui peut autoriser à parler d'affects « inconscients »[3]. Dans tout cela il s'agit, d'abord et surtout, d'**inhiber le développement d'angoisse** : pour ce faire, ce qui, dans l'environnement, s'associe à la représentation substitutive est investi avec une intensité particulière et devient donc fort sensible à l'excitation (qui est ici perceptive) ; celle-ci va pouvoir « déclencher un développement d'angoisse minime, qui est alors utilisé comme signal pour inhiber l'angoisse » – c'est là un « **signal d'angoisse** ». La phobie en est l'exemple prototypique, mais cette construction se produit aussi dans les autres névroses[4]. Ce procédé de substitution d'investissement s'avère très proche de ce que Freud, dans les mêmes pages mais sans y référer explicitement l'inhibition, décrit comme *contre-investissement,* processus dont on connaît le rôle dans la formation des névroses, mais aussi dans celle du refoulement originaire[5].

Un autre important destin pulsionnel est individualisé : **l'inhibition quant au but.** Elle apparaît lorsque une certaine progression vers la satisfaction pulsionnelle est tolérée mais est ensuite inhibée ou dérivée. Pourtant, « de tels processus ne vont pas sans une satisfaction partielle »[6], et ils vont jouer un rôle essentiel dans les sublimations.

1. « Remarques psychanalytiques sur l'autobiographie d'un cas de paranoïa *(dementia paranoides)* (Le Président Schreber) » (1911c [1910]), *Cinq psychanalyses,* Paris, PUF, 1954, p. 311-312 ; *OCF* X, p. 289-290 ; *GW* VIII, p. 303-304.

2. « Sur les types d'entrée dans la névrose » (1912c), *Névrose, psychose et perversion,* Paris, PUF, 1973, p. 179 ; *OCF* XI, p. 123 ; *GW* VIII, p. 327.

3. « L'inconscient » (1915e), *Métapsychologie,* Paris, Gallimard, 1968, p. 84-85 ; *OCF* XIII, p. 221 ; *GW* X, p. 279.

4. *Ibidem,* p. 92-93 ; p. 224-225 ; p. 282-283.

5. *Ibidem,* p. 88-96 ; p. 222-226 ; p. 280-284.

6. « Pulsions et destins des pulsions » (1915c), *Métapsychologie,* Paris, Gallimard, 1968, p. 19 ; *OCF* XIII (1994), p. 169-170.

PULSIONS INHIBÉES QUANT AU BUT ET COURANT TENDRE

À partir de 1920 avec *Au-delà du principe de plaisir,* mais surtout en 1921 avec *Psychologie des foules et analyse du moi,* puis *Le moi et le ça* (1923), ce « destin » inhibiteur conduit à reposer les rapports que le moi doit engager avec la réalité, les perceptions qu'il en a prenant le même sens que celle que revêtent les pulsions pour le ça[1] ; c'est là dire que **la réalité sociale ne peut qu'influencer le refoulement.** Il est ainsi remarquable que, dans le même temps où un individu au sein d'une foule voit s'exalter ses affects et se limiter son rendement intellectuel, *ses inhibitions pulsionnelles peuvent être levées* – pareille transformation psychique témoignant de ce que l'essence de l'âme collective est, elle aussi, constituée par les relations amoureuses[2].

Durant le premier état de celles-ci, lors de l'Œdipe, l'enfant trouve dans l'un des deux parents un premier objet d'amour sur lequel se réunissent toutes ses pulsions sexuelles ; **le refoulement vient imposer le renoncement aux buts proprement sexuels,** modifiant les relations qui sont dorénavant dominées par des **pulsions inhibées quant au but,** ces inhibitions permettant aux sentiments de devenir *« tendres »* – même si, dans l'inconscient, les tendances sexuelles précoces subsistent inentamées. Mais la puberté va susciter de nouveaux conflits, étant marquée par l'irruption de tendances nouvelles intenses orientées vers les **buts sexuels directs** – ce qui ne peut que **susciter des inhibitions, et donc des refoulements** ; l'adolescent, dans son rapport à l'objet sexuel, va alors devoir tenter de *conjuguer les pulsions non inhibées avec celles qui sont inhibées quant au but*[3].

Point important : alors que les pulsions sexuelles directes perdent leur énergie à chaque satisfaction et doivent en attendre le renouvellement, incitant au changement d'objet, **les pulsions sexuelles inhibées quant au but permettent de créer des liens durables** dans la mesure où

1. *Le moi et le ça* (1923b), *Essais de psychanalyse,* Paris, Payot, 1981, p. 253 ; *OCF* XVI, p. 283 ; *GW* XIII, p. 268.

2. *Psychologie des foules et analyse du moi* (1921c), *Essais de psychanalyse,* Paris, Payot, 1981, p. 147 et 152 ; *OCF* XVI, p. 26 et 30 ; *GW* XIII, p. 95 et 99.

3. *Ibidem,* p. 176 ; p. 49-50 ; p. 122-123.

leur inhibition ne saurait être totale ; *elles sont plastiques,* pouvant se mélanger avec les pulsions non inhibées, et ainsi se retransformer. Elles apparaissent lorsque des tendances sexuelles directes rencontrent des obstacles s'opposant à l'accession aux buts sexuels ; ils peuvent être internes tel le refoulement en période de latence, ou externes tel la pression sociale (l'intolérance du père de la horde primitive en est l'exemple originaire) – tous les liens sur lesquels repose la foule étant de ce type[1].

Ces liens solides et stables entre humains forment le « **courant tendre** », établissant les relations de tendresse entre parents et enfants, les sentiments d'amitié et les liens sentimentaux issus d'une inclination sexuelle. Apparemment **proches des sublimations,** les pulsions inhibées quant au but ne sauraient être considérées comme leur appartenant car elles n'ont pas véritablement abandonné leurs buts directement sexuels ; il se trouve, simplement, qu'elles ne peuvent pas y accéder, devant se contenter d'approcher de la satisfaction[2].

Les inhibitions issues du surmoi

Nous sommes ainsi conduits à la **fonction inhibitrice du surmoi-idéal du moi** qui semble indiscutable, même si Freud ne l'a pas explicitée autant qu'il put le faire pour la fonction interdictrice[3]. Lorsqu'il pose que le surmoi résulte de la conjonction de deux facteurs biologiques (le long état de détresse et de dépendance du nourrisson, et le complexe d'Œdipe qui est de surcroît historique), précisant « que nous avons ramené [celui-ci] à l'interruption du développement de la libido par la période de latence »[4], il implique que les inhibitions puissent non seulement être produites par le surmoi, mais aussi qu'elles l'originent, puisque la période de latence est justement produite et signifiée par les inhibitions qui, apparaissant alors, vont

1. *Ibidem,* p. 211-212 ; p. 78-79 ; p. 156-157.

2. « "Psychanalyse" et "Théorie de la libido" » (1923a), *Résultats, idées, problèmes, II,* Paris, PUF, 1984, p. 76 ; *OCF* XVI, p. 207 ; *GW* VIII, p. 232.

3. *Le moi et le ça* (1923b), *Essais de psychanalyse,* Paris, Payot, 1981, p. 246-47 ; *OCF* XVI, p. 277-278 ; *GW* XIII, p. 262-263.

4. *Ibidem,* p. 247-248 ; p. 278 ; p. 263.

constituer les forces psychiques qui auront à s'opposer plus tard à la pulsion sexuelle. Le rattachement des inhibitions au surmoi, qui les « représente », sera d'ailleurs clairement spécifié trois ans plus tard.

« Le moi entreprend les refoulements au service et pour le compte de son surmoi » [1], et nous savons la fonction inhibitrice des refoulements. Pour sa part, **l'inhibition est au service du moi, l'aidant à maîtriser les pulsions.** Elle n'y réussit pas toujours et, dans des névroses obsessionnelles par exemple, le moi apparaît impuissant, pris entre les instigations meurtrières du ça et les reproches du surmoi. Pourtant, même là, « il réussit au moins à inhiber leurs actions les plus brutales », mais au prix d'une interminable auto-torture, puis d'une torture systématique de l'objet lorsqu'il peut être atteint [2].

Pour que le moi puisse maîtriser les pulsions, fût-ce partiellement, il lui faut impérativement l'aide de l'inhibition ; pour ce faire, le surmoi-idéal du moi (qui est finalement une formation réactionnelle contre les processus pulsionnels du ça) a un rôle considérable. C'est bien là, par ce travail inhibiteur, ce qui permet de définir la psychanalyse comme « **un outil qui doit donner au moi la possibilité de conquérir progressivement le ça** », aidant ainsi le moi à inhiber le ça [3].

Les limitations des fonctions du moi

En 1926, *Inhibition, symptôme et angoisse,* comme l'annonce son titre, **resitue et resignifie l'inhibition** parmi les processus psychiques, et plus particulièrement par rapport au symptôme et à l'angoisse. Freud va, cette fois, en faire véritablement la théorie. Pour ce, il part du constat que, se rapportant à une fonction, **l'inhibition ne saurait être en soi pathologique.** Elle peut cependant le devenir, surtout lorsqu'elle porte sur « la fonction sexuelle au déroulement compliqué », une perturbation pouvant intervenir à chaque étape : lorsque la libido se détourne simplement de la fonction, l'inhibition sexuelle est alors « pure » (accompagnée de déplaisir psychique) ; mais elle peut aussi porter sur les conditions physiques préalables (absence

1. *Ibidem,* p. 267 ; p. 294 ; p. 281.
2. *Ibidem,* p. 269 ; p. 297 ; p. 284.
3. *Ibidem,* p. 271 ; p. 298-299 ; p. 286.

d'érection), voire abréger ou suspendre l'acte (éjaculation précoce ou absente) ; c'est enfin l'effet psychique désiré qui peut ne pas se produire (orgasme sans sensation voluptueuse).

Quoi qu'il en soit, **l'inhibition cherche à éviter le développement d'angoisse.** Il est de peu d'intérêt de préciser les différents procédés inhibiteurs, et guère plus de détailler les autres fonctions sur lesquelles ils peuvent porter (alimentaires, motrices, sociales et autres) ; mieux vaut en « présenter une interprétation qui ne laisse plus guère subsister d'énigme dans son concept : **l'inhibition est l'expression *d'une limitation fonctionnelle du moi*** », limitation dont les origines peuvent d'ailleurs être fort différentes. Comme « la fonction qu'un organe remplit au service du moi est atteinte lorsque son érogénéité, sa signification sexuelle, s'accroît », le moi n'a plus qu'à chercher à l'inhiber, fût-ce en renonçant à certaines fonctions afin d'éviter un conflit avec le ça. Il doit de même sacrifier des activités, qui pourraient pourtant lui apporter profit et succès, afin de ne pas entrer en conflit avec le surmoi, les inhibitions se mettant alors au service de l'auto-punition.

En somme, les **inhibitions sont des « limitations des fonctions du moi »**, des renonciations pour éviter un conflit avec le ça, voire avec le surmoi. Lorsque le moi subit une épreuve particulièrement difficile (un deuil, par exemple), son appauvrissement en énergie est tel qu'il doit restreindre sa dépense sur plusieurs points (comme dans la mélancolie) ; ces limitations se font par mesure de précaution, ou par appauvrissement énergétique. Les inhibitions se distinguent ainsi des symptômes qui émanent du ça et ne se passent pas dans le moi[1]. Ces processus n'en interagissent pas moins entre eux. Ainsi, très fréquemment, des productions du ça occasionnent un développement d'angoisse dans le moi (tels les refoulements). Deux cas sont alors possibles : soit ce qui se produit dans le ça place le moi en situation de danger et l'invite à donner le « **signal d'angoisse** » **en vue de l'inhibition** (pouvant ensuite déboucher sur un symptôme), soit la réaction d'angoisse se produit automatiquement et produit ce qu'on appelle une « **angoisse automatique** » (renvoyant au traumatisme de

1. *Inhibition, symptôme et angoisse* (1926d [1925]), Paris, PUF, 1951, p. 1-5 ; *OCF* XVII p. 205-209 ; *GW* XIV, p. 113-117.

la naissance)[1]. La formation de symptôme n'est entreprise qu'afin d'échapper à l'angoisse ; en ce sens, « **toute inhibition que s'impose le moi peut aussi être nommée symptôme** »[2] – ce qui vient corriger l'assertion initiale sur la « normalité » de l'inhibition.

La place de l'inhibition

Ayant à présenter la psychanalyse pour l'*Encyclopædia Britannica* (1926), Freud en dresse le panorama et, bien sûr, ne saurait ignorer l'inhibition. Il la situe d'abord par rapport aux instances : « **Le surmoi, procédant du ça, domine le moi et représente les inhibitions de la pulsion,** caractéristiques de l'homme. »

Puis il explique que la vie sexuelle de l'être humain existe depuis le début de la vie intra-utérine, atteint un apogée vers la cinquième année (Œdipe), subit une **inhibition lors de la période de latence,** à laquelle met fin la puberté (second apogée) : ainsi se constituent des organisations « prégénitales » successives auxquelles se « fixe » la libido (alors *inhibée*) et auxquelles elle fait retour en cas de refoulement ultérieur (par *régression*), les formes des pulsions sexuelles ainsi fixées et inhibées décidant de la forme que prendra la névrose. Pour des raisons culturelles, ces pulsions sexuelles sont touchées préférentiellement par le refoulement ; c'est aussi avec elles qu'il échoue le plus facilement, laissant la place aux satisfactions substitutives des symptômes névrotiques – c'est ainsi que « **les névroses apparaissent comme des inhibitions de développement de la libido** ». Seuls des rapports quantitatifs décident de l'issue des conflits : santé ou inhibition névrotique de la fonction[3].

Par la suite, si la notion d'inhibition est toujours régulièrement utilisée, si elle est explicitement mentionnée dans les *Nouvelles conférences sur la psychanalyse* (1933) ou l'*Abrégé de psychanalyse* (1938) par exemple, elle n'y est plus enrichie de considérations nouvelles.

1. *Ibidem*, p. 65 ; p. 256 ; p. 171.
2. *Ibidem*, p. 69 ; p. 259 ; p. 175.
3. « Psycho-Analysis » [« Psychanalyse »] (1926f), *Résultats, idées, problèmes, II*, Paris, PUF, 1984, p. 156-158 ; *OCF* XVII, p. 292-294 ; *GW* XIV, p. 302-304.

QUESTIONS ET ENJEUX

Des trois notions éponymes de cette œuvre majeure qu'est *Inhibition, symptôme et angoisse,* l'inhibition, placée en premier, est celle qui appartient *d'abord* au fonctionnement psychique normal, le symptôme représentant le pôle pathologique et l'angoisse assurant le lien entre les deux ; elle en constitue un élément nécessaire, répondant à l'excitation qu'elle doit corriger et équilibrer. Autant celle-ci demeure une « énigme », postulat nécessaire à la base de la conception énergétique et située au plus près du biologique, autant l'inhibition vient s'y opposer point par point : produite par le moi et par sa rencontre avec la réalité, elle a pour fonction de réduire et de contenir l'excitation issue du ça. La question n'est pas tant de savoir si elle est « normale », mais de constater qu'elle est nécessaire.

Cette normalité ne saurait donc être que relative, toute inhibition pouvant prendre valeur de symptôme ; c'est probablement avec elle que s'illustre le mieux le constat de l'arbitraire de la frontière entre normal et pathologique, que Freud répète tout au long. Plus intéressante peut-être nous apparaît l'un des corollaires de cette « normalité » : l'inhibition est une fonction du moi, qu'elle représente et qu'elle doit protéger, parfois au prix d'une grande dépense d'énergie[1]. Il apparaît donc (même si ce n'est jamais explicité dans le texte freudien) que l'inhibition a bien une *fonction défensive* – mais, en fin de compte, ni plus ni moins que les autres processus pris dans le conflit et devant le traiter : ils ne peuvent qu'être défensifs, « par essence » pourrait-on dire. Prise entre les exigences du ça, du surmoi et du monde extérieur, l'inhibition a pour tâche de contribuer à maîtriser et à réguler les productions pulsionnelles.

Nous retrouvons alors cette défense qu'est le refoulement, dont l'inhibition est le cœur : *les désirs refoulés sont des désirs inhibés*. Pour nous faire plus précis, disons que ce processus très particulier qu'est la répression de l'affect, dont la raison d'être est d'inhiber l'angoisse, est au principe même du refoulement – c'est d'ailleurs ce qui permet à Freud, dès *L'interprétation des rêves*, d'individualiser ces supports de

1. *Inhibition, symptôme et angoisse* (1926d [1925]), Paris, PUF, 1951, p. 5 ; *OCF* XVII, p. 209 ; *GW* XIV, p. 117.

l'inconscient et du conscient que sont les processus primaire et secondaire. Évoquer ceux-ci implique, bien sûr, la notion de *liaison* puisque, comme on le sait, la différence entre les deux tient à ce que, dans le cas du processus primaire, l'énergie psychique s'écoule librement alors que, avant de s'écouler (d'une façon qui est alors contrôlée), elle se retrouve « liée » lorsqu'elle est régie par le processus secondaire.

Or, avec celui-ci, une représentation ne peut être investie que lorsque le déplaisir provoqué par le processus primaire a été inhibé : là est « la clef de la théorie du refoulement », et tout aussi bien de l'inconscient. En effet, le processus inhibiteur ne vise pas à réduire le plaisir, mais bien au contraire à le protéger ; si le développement du déplaisir doit être inhibé, c'est pour conserver au moi une possibilité de plaisir. Remarquons ici que Freud ne s'attarde jamais à signifier la différence entre « inhibition » et « liaison » ; on peut simplement noter qu'il use d'un terme ou de l'autre selon le contexte métapsychologique – si l'on cherche à préciser celui-ci, on peut penser, au premier regard, qu'il est plutôt question de liaison lorsque la pulsion est en cause, et d'inhibition lorsqu'il s'agit d'excitation. Cette distinction (qui n'est d'ailleurs pas explicitée dans le texte freudien), même si elle peut sembler fournir un repérage conceptuel n'en est pas moins trompeuse car forcée. Ainsi, elle ne saurait s'accorder avec les notions d'impact momentané caractérisant l'excitation, et de poussée permanente propre à la pulsion : l'inhibition ne saurait se réduire à l'instantanéité, elle qui exige une dépense constante d'énergie. Plutôt que de chercher à les séparer, sans doute convient-il plutôt de remarquer combien inhibition et liaison peuvent s'intriquer, la première contribuant à déclencher le travail de la seconde, et celle-ci venant entretenir celle-là.

Quoi qu'il en soit, et pour conclure, il importe de remarquer que, pour l'essentiel, c'est le travail sur *l'inhibition au cours de la cure analytique* qui, conformément à la formule freudienne, permet au moi de conquérir progressivement le ça [1], selon un processus que l'on pourrait sans doute désigner comme participant d'une « guérison » – comme si se construisait ainsi une nouvelle « normalité » de la fonction inhibitrice. Ceci n'est pas, bien évidemment, sans

1. *Le moi et le ça* (1923b), *Essais de psychanalyse*, Paris, Payot, 1981, p. 271 ; *OCF* XVI, p. 298 ; *GW* XIII, p. 286.

conséquences sur l'appréciation de la fonction des inhibitions dans la conduite de la cure.

Claude Le Guen

INQUIÉTANTE ÉTRANGETÉ (sentiment d'irréalité, éphémère, sentiment océanique)

all. : ***Unheimlich*** ; ***Unrealitätsgefühl*** ; ***Vergänglichkeit*** ; ***Ozeanischemgefühl***
angl. : *uncanny* ; *feeling or sense of unreality* ; *transience* ; *oceanic feeling or sense*
esp. : *sospechoso* ; *sentimiento de irrealidad* ; *efimero* ; *sentimiento oceánico*
ital. : *preoccupante stranezza* ; *sentimento di irrealtà* ; *effimero* ; *sentimento oceanico*
port. : *sospeto* ; *sentimento de irrealidade* ; *efémero* ; *sentimento oceânico*

Nous avions écarté l'entrée « Inquiétante étrangeté » en considérant que ce terme correspond à un affect, un sentiment qui, s'il est bien particulier, n'est pas véritablement singulier ; ce n'est d'ailleurs que pour des raisons circonstancielles, voire anecdotiques, que Freud en est venu, ponctuellement, à lui faire un sort. Il nous est apparu que cette singularité dans l'œuvre freudienne était plus conséquente qu'il y paraissait d'abord. Poursuivant notre réflexion, nous avons estimé qu'il convenait, selon Freud, d'y associer trois autres affects, « sentiments particuliers » apparentés : l'*éphémère,* le *sentiment océanique* et le *sentiment d'irréalité* (qui accompagna un étrange trouble de mémoire de Freud) ; nous les examinons à la fin de notre étude du *texte freudien* (donc selon une chronologie de parution qui peut se trouver décalée).

« Sentiment particulier » correspondant à la perception d'un affect pénible, l'inquiétante étrangeté est un affect d'angoisse déplacé sur des objets indifférents. Dans son expression actuelle il ressortit à

l'effroyable, à ce qui suscite angoisse, voire horreur (il peut ainsi prendre l'image du *double*, analogon de la mort des figurations de l'animisme primitif) ; en fait il renvoie à des impressions et des émotions très anciennes qui furent sources de plaisirs mais qui ont, depuis longtemps, succombé au refoulement. Exploités par la littérature, qui leur confère des caractères particuliers (relevant alors de « l'esthétique »), de tels sentiments peuvent se rencontrer chez tout un chacun, même si tous les individus n'y offrent pas la même sensibilité.

D'autres « sentiments particuliers » s'y apparentent avec ce trait essentiel qui les différencie : ils sont dépourvus d'angoisse. Le *sentiment d'étrangeté, d'irréalité*, affect le plus voisin, est malgré tout sans angoisse, proche du *sentiment de dépersonnalisation.* Le *sentiment d'éphémère* face à la fragilité et la fugitivité des choses correspond à une exigence d'éternité qui est en fait un refus de la frustration de la perte, et de la mort ; le *sentiment océanique*, à l'inverse, est une sensation d'éternité, d'illimité, d'appartenance à un grand tout qui renvoie aux premiers rapports du moi à l'objet maternel. Ces « *sentiments particuliers* » sont avant tout des affects et en possèdent tous les caractères.

MISE EN SITUATION

Si Unheimlich *est un terme spécifique à la langue allemande, il y est d'usage courant ; comme Freud le constate, la plupart des langues n'ont pas de mot pour désigner cette nuance particulière de l'effroyable : elles recourent généralement à des périphrases pour en rendre l'idée*[1]. *(Les traductions que nous proposons dans nos langues de référence, même si elles correspondent bien aux indications lexicographiques, sont donc approximatives.)*

Pour traduire le mot en français, au début des années 1930 (et, semble-t-il, avec l'accord de Freud qui, dans son texte précisément

1. « L'inquiétante étrangeté » (1919h), *L'inquiétante étrangeté et autres essais*, Paris, Gallimard, 1985, p. 216 ; « L'inquiétant », *OCF* XV, p. 135 ; « Das Unheimliche », *GW* XII, p. 232.

intitulé « Das Unheimliche », avait simplement retenu la traduction du dictionnaire de Sachs-Villatte : « inquiétant, sinistre, mal à son aise »), Marie Bonaparte propose, après de longues réflexions, la locution « inquiétante étrangeté » ; elle indique alors : « Il nous a semblé impossible de mieux traduire ce terme allemand en réalité intraduisible en français. Le double vocable auquel, après bien des hésitations, nous nous sommes arrêtées, nous paraît du moins avoir le mérite de rendre les deux principaux concepts contenus dans le terme allemand »[1]. *Les traducteurs qui s'y sont confrontés depuis ne pouvaient que rencontrer les mêmes perplexités et insatisfactions ; pour notre part, nous nous rangeons à l'opinion de ceux qui, tout en reconnaissant les défauts de cette approximation, constatant qu'ils n'ont pas de meilleur terme à proposer, reprennent la traduction par « inquiétante étrangeté » telle qu'elle s'est généralement établie en français (à noter que les traducteurs des* OCF *ont préféré revenir à Sachs-Villatte avec « inquiétant », qui a l'inconvénient tant de négliger la part de « hors-venu » fortement impliquée par* unheimlich, *que de tendre à écarter les « sentiments particuliers » apparentés mais dépourvus d'angoisse*[2]*).*

Pour autant, les singularités propres à chaque langue, comme les équivalences entre certaines d'entre elles, ne sauraient se réduire à des difficultés « traductologiques » ; c'est ce que suggère Freud considérant, entre autres, comment « le petit mot heimlich *» peut en venir à « coïncider avec son opposé* unheimlich *». Tout autant, les nuances qu'introduit l'allemand pour exprimer l'idée de « l'étranger » selon qu'il est « celui qui n'est pas du foyer » (*Unheimliche*) ou « celui qui vient du dehors » (*Fremde*) n'ont pas d'équivalent véritable en français ; elles n'en peuvent pas moins ouvrir sur quelques aperçus métapsychologiques. Ainsi, inquiétant certes, l'*Unheimliche *nous apparaît plus étrange encore qu'étranger, et « l'inquiétante étrangeté » a effectivement, pour nous Français, quelque chose d'insaisissable.*

*Les trois autres « sentiments particuliers » que nous allons avoir à examiner n'exposent pas aux mêmes difficultés. Traduire « sentiment océanique » ne pose guère de problèmes, qu'il s'agisse du sentiment (*Gefühl*) ou de l'océanique (*ozeanischem*). Pour référer l'émoi qui a saisi Freud sur l'Acropole, traduire* Erinnerungsstorung *par « trouble*

1. « L'inquiétante étrangeté », *Essais de psychanalyse appliquée*, Paris, Gallimard, 1933, p. 163.

2. *OCF* XV, p. 148.

du souvenir » est sans doute plus juste que « trouble de mémoire », mais cela semble sans grande conséquence. Pour ce qui est du troisième terme (et du troisième texte), vergänglich *ne devrait guère exposer à plus d'embarras même si les traducteurs successifs purent proposer divers équivalents, les dictionnaires s'accordant, pour ce mot, à proposer « éphémère, passager, périssable »,* Vergänglichkeit *correspondant donc à un état de « fugacité, fragilité » (à noter que Freud s'abstient de faire précéder ce substantif de l'article* (die)*, procédé qui ajoute à l'idée d'évanescence). La première traduction choisie par Marie Bonaparte en 1956 était « Fugitivité »* [1]*, François Lévy (qui ne connaissait pas cette traduction) retient « L'éphémère » en 1981* [2] *puis, en 1984, « Éphémère destinée » est avancé par J. Altounian, A. Bourguignon, P. Cotet et A. Rauzy* [3]*; enfin en 1988 les* OCF *proposent « passagèreté »* [4] *(néologisme ignoré des lexicographes). Redisons notre surprise de constater que sur un mot posant aussi peu de problèmes le consensus n'ait pu se faire ; pour notre part, nous nous en tiendrons au plus simple, qui paraît être aussi le plus fidèle : « éphémère » (avec un regret, peut-être, pour « fugitivité »).*

LE TEXTE FREUDIEN

L'INQUIÉTANTE ÉTRANGETÉ

L'expression apparaît pour la première fois en 1909, dans la description que fait l'homme aux rats de ses premières pensées obsédantes : il voudrait « voir nues certaines personnes », désir violent accompagné du sentiment que ses parents connaissent ses pensées ; « j'avais, en éprouvant ces désirs, un sentiment d'inquiétante étrangeté [*ein unheimliches Gefühl*], comme s'il devait arriver quelque chose si je pensais cela et comme si je devais tout faire pour

1. *Revue française de psychanalyse*, 20 (3), 1956, p. 307-310.
2. *Revue française de psychanalyse*, 45 (3), 1981, p. 569-573.
3. *Résultats, idées, problèmes, I*, Paris, PUF, 1984, p. 233-236.
4. *OCF* XIII, p. 325-328.

l'empêcher », car l'idée s'imposait à lui que cette pensée risquait de faire mourir son père – ce que Freud commente, reprenant les mots du patient : « L'affect pénible prend nettement le caractère d'inquiétante étrangeté [*Unheimlichen*] et fait naître, à ce moment déjà, des impulsions à faire quelque chose pour détourner le désastre » [1].

L'année suivante (en 1910, donc), une conférence de Stekel, à la Société psychanalytique de Vienne, sur « Le sentiment d'étrangeté dans le rêve et la vie » (à propos d'un travail de Löwenfeld sur certains patients qui se plaignent de ce que tout leur semble étrange et changé, comme dans un rêve) amène Freud à s'interroger sur ce que peut impliquer cet étrange sentiment. Il considère qu'il s'agit là d'une « perception endopsychique d'un détachement d'affect » qui se déplace sur des objets indifférents ; cela peut se retrouver, précise-t-il, dans bien des pathologies : l'hystérie, le deuil et la mélancolie, voire la démence précoce. Se trouve ainsi en cause la relation entre le moi et le monde extérieur, ce qui conduit à une contradiction : « **ce sentiment d'étrangeté *là* a toujours une transformation du moi pour origine** ». Ces personnes ont trouvé irréelles et indifférentes certaines expériences désagréables non pas en raison d'une faiblesse du moi mais, tout au contraire, de son insolence car « il se sent si fort qu'il se permet de rejeter le monde extérieur », aboutissant à un second type de sentiment d'étrangeté, d'ailleurs voisin – mais « **il s'agit toujours de destins de la libido,** que ce soit des investissements que l'individu ne veut pas effectuer ou des investissements qu'il retire » [2]. Ce faisant, Freud ébauche une réflexion qui annonce les développements sur le moi-instance. On peut penser qu'à côté du compte-rendu des *Minutes*, il rédige alors quelques notes personnelles qu'il range dans un tiroir ; elles ne seront pas retrouvées, mais ce pourrait bien être celles qu'il nous dit avoir ressorties au printemps 1919 pour rédiger « Das Unheimliche » ; jusqu'à cette date, le terme se trouve encore utilisé

1. « Remarques sur un cas de névrose obsessionnelle (L'homme aux rats) » (1909d), *Cinq psychanalyses*, Paris, PUF, 1954, p. 203-205 ; *OCF* IX, p. 141-142 ; *GW* VII, p. 387-389.

2. *Minutes de la Société psychanalytique de Vienne*, t. II (1908-1910), Paris, Gallimard, 1978, séance du 18 mai 1910, p. 524-525.

incidemment pour décrire et pour qualifier certaines situations particulières.

Tel est le cas avec *Totem et tabou* en 1912-1913, ouvrage dans lequel « le principe qui gouverne la magie, la technique du mode de pensée animiste » est qualifié comme étant celui de la « toute-puissance des pensées », reprenant une expression qu'avait forgée l'homme aux rats ; Freud note : « Il semble que nous conférons le caractère de l'inquiétante étrangeté aux impressions qui, de façon générale, tendent à confirmer la toute-puissance des pensées et le mode de pensée animiste, alors que dans notre jugement nous nous en sommes déjà détournés »[1]. La même année 1913, le terme apparaît dans « Le motif du choix des coffrets » (texte pour lui très chargé d'affects puisqu'il écrira à Ferenczi que les trois sœurs de l'histoire le renvoient à ses trois filles[2], la plus jeune d'entre elles, Anna, l'ayant d'ailleurs accompagné à Marienbad où il rédige l'essai[3]). Dans ce travail il cherche à caractériser une situation marquée par la fatalité de l'amour et de la mort : « La plus belle et la meilleure des sœurs, qui a pris la place de la déesse de la mort, a gardé des traits qui frisent l'inquiétante étrangeté, si bien que nous avons pu deviner, à partir d'eux, ce qui est caché »[4].

Le thème n'est véritablement analysé qu'en 1919 dans un essai relativement long, précisément intitulé « Das Unheimliche » – « **L'inquiétante étrangeté** », donc –, sur lequel nous allons nous attarder car il va au-delà de « l'analyse du sentiment esthétique » dont il prétend d'abord rendre compte. Freud le rédige dans des circonstances qui méritent d'être rappelées : il vient d'écrire, en deux mois, un « premier

1. *Totem et tabou* (1912-1913a), Paris, Gallimard, 1993, p. 204-205 ; *OCF* XI, p. 295-296 ; *GW* IX, p. 106.

2. Ernest Jones, *La vie et l'œuvre de Sigmund Freud*, Paris, PUF, 1961, t. 2, p. 384-385.

3. Sigmund Freud et Sándor Ferenczi, *Correspondance, 1908-1914*, Paris, Calmann-Lévy, 1992, p. 528, lettre du 9 juillet 1913 ; et Sigmund Freud, *Correspondance, 1873-1939*, Paris, Gallimard, 1966, p. 323, lettre datée par erreur du 7 juillet 1913.

4. « Le motif du choix des coffrets » (1913f), *L'inquiétante étrangeté et autres essais*, Paris, Gallimard, 1985, p. 79 ; *OCF* XII, p. 63 ; *GW* X, p. 35.

brouillon » d'*Au-delà du principe de plaisir* et cherche à « remplir ses quelques heures creuses » avant son départ en cure où il projette de reprendre l'*Au-delà* – ce qui sera d'ailleurs remis à plus tard car, durant ces vacances, il « se sent trop bien » pour y travailler[1]. Pour se distraire donc, il exhume un ancien manuscrit (les notes prises à l'occasion de la conférence de Stekel en mai 1910 ?) et choisit de s'intéresser à « une émotion inhibée quant au but », qualité de sentiment assez particulière qu'il convient de ranger dans « l'esthétique », fût-elle négligée par la littérature consacrée à celle-ci. Avec ce qui lui apparaît comme une « récréation » avant de se mettre à l'*Au-delà*, mais en fait en prise avec lui, il va commettre un essai étonnamment riche tant en appréciations cliniques qu'en aperçus théoriques sur le moi et ses objets.

À l'évidence, l'inquiétante étrangeté « **ressortit à l'effroyable, à ce qui suscite l'angoisse et l'horreur** » mais, comme ce terme est souvent employé de façon approximative et sans qu'on puisse lui attribuer une définition précise, il faut considérer que, « le plus souvent, il coïncide tout simplement avec ce qui suscite l'angoisse ». On n'en est pas moins en droit de s'attendre à trouver un « noyau particulier justifiant l'utilisation d'un terme conceptuel particulier » ; il convient donc de chercher à déterminer ce qui, dans l'angoissant, distingue l'inquiétante étrangeté, d'autant que l'on ne trouve quasiment rien dans les ouvrages d'esthétique, et pas grand-chose dans les traités médico-psychologiques, mise à part une étude assez sérieuse (de Ernst Jentsch) qui note la diversité dans la réceptivité à cette qualité de sentiment ; Freud confesse d'ailleurs que lui-même y est peu sensible, et qu'il y a bien longtemps qu'il n'a rien vécu ou connu qui ait suscité en lui pareille impression.

Il engage une étude linguistique et lexicographique attentive, constate qu'à « beaucoup de langues il manque un mot pour cette nuance particulière de l'effroyable », la plupart recourant à des périphrases pour l'exprimer. Pour autant, l'allemand ne va pas sans ambiguïtés. Si « *unheimlich* est manifestement l'antonyme de *heimlich* » qui indique le chez-soi, le familier, l'intime, laissant penser

1. Ernest Jones, *La vie et l'œuvre de Sigmund Freud*, Paris, PUF, 1969, t. 3, p. 44.

qu'une chose est effrayante lorsqu'elle n'est ni connue ni familière, pour autant la relation n'est pas réversible : tout ce qui est nouveau et non familier n'est pas forcément effroyable ; pour que la nouveauté devienne effrayante il faut que quelque chose s'y ajoute pour la rendre étrangement inquiétante (*unheimliche*). Une deuxième difficulté résulte de ce que non seulement « le petit mot *heimlich* présente de multiples nuances de significations » mais que, parmi celles-ci, il en est une où il « coïncide avec son opposé *unheimlich* », l'*heimlich* devenant alors *unheimlich* ; *heimlich*, loin d'être univoque, ressort de « deux ensembles de représentations qui, sans être opposées, n'en sont pas moins franchement étrangères [*fremd*] » : le familier et le confortable d'une part, le dissimulé et le caché de l'autre. *Unheimlich* serait donc l'antonyme du premier, mais pas du second ; serait inquiétant ce qui devrait rester caché dans l'ombre mais qui en est sorti. Ce faisant, le sens d'*heimlich* se développe vers l'ambivalence, jusqu'à finir par coïncider avec son opposé *unheimlich*. *Unheimlich* est en quelque sorte une espèce de *heimlich*[1].

Freud s'attache alors à « passer en revue les personnes et les choses, les impressions, événements et situations susceptibles d'éveiller en nous, avec une force et une netteté particulières, le sentiment de l'inquiétant », de l'*Unheimliche* ; il le fait longuement au travers d'une étude psychanalytique d'un conte d'Hoffmann (ce « maître inégalé » de l'inquiétante étrangeté), *L'Homme au sable* « qui arrache leurs yeux aux enfants », nous renvoyant à « une angoisse infantile ancienne effrayante » (voire à un désir ou une simple croyance) : l'angoisse de castration[2].

Un autre ouvrage d'Hoffmann (*Les Élixirs du diable*) fournit l'occasion d'explorer le « motif producteur d'inquiétante étrangeté » qu'est le ***double*** (déjà étudié par Otto Rank), cette « identification à une autre personne de sorte qu'on ne sait plus à quoi s'en tenir sur le moi propre, ou qu'on met le moi étranger à la place du moi propre – donc dédoublement, division, permutation du moi – et du retour

1. « L'inquiétante étrangeté » (1919h), *L'inquiétante étrangeté et autres essais*, Paris, Gallimard, 1985, p. 213-223 ; *OCF* XV, p. 151-159 ; *GW* XII, p. 229-237.

2. *Ibidem*, p. 223-234 ; p. 159-167 ; p. 238-246.

permanent du même »[1]. À l'origine assurance contre la disparition du moi et démenti de la mort, « l'âme "immortelle" a été le premier double du corps » ; ces représentations sont nées « sur le terrain du narcissisme primaire qui domine la vie de l'enfant comme du primitif » mais peuvent recevoir ultérieurement un nouveau contenu et se présenter comme conscience morale, voire comme délire de surveillance. Cette faculté de s'observer soi-même permet d'attribuer au double bien des choses faisant partie de « l'ancien narcissisme surmonté des origines », seul fait à même de pouvoir « expliquer l'effort défensif qui le projette en dehors du moi comme quelque chose d'étranger »[2].

Divers exemples cliniques de patients obsessionnels fournissent l'occasion d'illustrer cet étrange sentiment, faisant évoquer le principe de « toute-puissance des pensées », qui lui-même nous ramène aux « conceptions animistes du monde ». Il semble bien que pour chacun de nous l'évolution individuelle retraverse ces lointaines périodes au cours desquelles un « narcissisme illimité » protégeait les primitifs des objections irrécusables de la réalité, et **ce qui nous apparaît aujourd'hui comme étrangement inquiétant renvoie à ces restes animistes,** leur permettant de s'exprimer[3]. Le moment est alors venu pour Freud de « consigner le contenu essentiel de cette petite investigation » : 1°- si le refoulement transforme bien tout affect émotionnel en angoisse, il faut qu'il y ait, parmi les cas d'angoissant, **du refoulé qui fasse retour** (qu'il ait été lui-même angoissant à l'origine ou ait été porté par un autre affect), constituant justement l'inquiétante étrangeté ; 2°- si telle est bien sa nature secrète, on comprend que l'usage fasse passer le *Heimlich* en un *Unheimlich* opposé qui n'a rien de nouveau mais a toujours été familier à la vie psychique, **n'étant devenu étranger que par le refoulement**[4].

Freud soumet ses vues à l'épreuve de quelques cas, examinant d'abord l'inquiétante étrangeté attachée aux morts et à leur éventuel

1. *Ibidem*, p. 235 ; p. 167 ; p. 246.
2. *Ibidem*, p. 236-238 ; p. 168-170 ; p. 246-248.
3. *Ibidem*, p. 242-245 ; p. 172-174 ; p. 251-253.
4. *Ibidem*, p. 245-246 ; p. 175 ; p. 254.

retour (fantômes), inquiétude qui remonte à la nuit des temps et, aujourd'hui même, « la biologie n'a pu encore décider si la mort est le destin nécessaire de tout être vivant ou bien si elle n'est qu'un accident régulier, mais peut-être évitable, au sein de la vie » (on retrouve là encore une préoccupation au cœur d'*Au-delà du principe de plaisir*, alors en cours de rédaction) ; notre inconscient persiste à refuser de se représenter sa propre mort, les religions exploitant cette angoisse primitive. Mais nous vivons dans un « monde qui se dit cultivé » dans lequel nous ne sommes pas censés croire que nous puissions voir l'âme des défunts ; là est la condition du retour du refoulé qui va susciter une inquiétante étrangeté. Avec « l'animisme, la magie et la sorcellerie, la toute-puissance des pensées, la relation à la mort, la répétition non intentionnelle et le complexe de castration », nous avons à peu près fait le tour de ce qui peut transformer l'angoissant en étrangement inquiétant. Celui-ci peut être projeté sur certains personnages, que ce soit le *jettatore* (jeteur de sort), l'épileptique ou le fou – et on peut s'attendre à ce que la psychanalyse elle-même devienne étrangement inquiétante pour beaucoup.

Ces exemples témoignent de ce que l'inquiétante étrangeté est souvent l'effet d'**un effacement de la frontière entre fantaisie et réalité** en rapport avec « l'accentuation excessive de la réalité psychique par rapport à la réalité matérielle », caractéristique de la toute-puissance de pensée infantile ; le symbole prend toute la signification du symbolisé (comme dans les pratiques magiques) et ce que nous considérions jusque-là comme fantastique se présente comme réel. Le sexe féminin peut lui-même se révéler dangereusement inquiétant car il est l'entrée de l'ancien pays natal de l'enfant des hommes, « ce lieu dans lequel chacun a séjourné jadis et d'abord » ; l'étrangement inquiétant est, là aussi, le chez-soi (*Heimische*) d'autrefois, anciennement familier, le préfixe *un-* de l'*Unheimlich* étant alors la marque du refoulement[1].

Mais s'il est vrai que l'inquiétante étrangeté est le retour du refoulé d'un « familier chez-soi », tout désir refoulé des temps originaires n'apparaît pas pour autant inquiétant ; on trouve ainsi nombre de

1. *Ibidem*, p. 246-252 ; p. 175-180 ; p. 255-259.

récits et de contes mettant en scène des amputations, des animations d'objets, des morts revenant à la vie, des réalisations de désirs immédiats sans qu'ils suscitent inquiétude et angoisse. Pour susciter des sentiments d'inquiétante étrangeté, il faut donc d'autres conditions encore que celles touchant au contenu ; constatant que tous ces exemples proviennent de fictions littéraires, il nous faut distinguer entre les expériences vécues et celles qui procèdent d'un effet esthétique.

Les inquiétantes étrangetés ***vécues***, si elles sont les moins nombreuses, sont aussi les plus simples à comprendre ; elles peuvent toutes être **ramenées à un refoulé autrefois familier**. On peut néanmoins opérer un tri dans le matériel : l'inquiétante étrangeté peut résulter de restes de la croyance en la toute-puissance des pensées, si puissante chez nos lointains ancêtres, certes oubliées et refoulées depuis, mais pouvant parfois continuer de vivre en nous, à l'affût ; l'épreuve de la réalité matérielle peut en venir à bout. Mais lorsque sont à l'œuvre les complexes infantiles refoulés (complexe de castration, fantasme du ventre maternel, etc.), la réalité psychique entre seule en ligne : il s'agit alors du véritable refoulement d'un contenu avec retour du refoulé, et non pas de la suppression de la croyance en la réalité de ce contenu. **L'inquiétante étrangeté vécue se produit lorsque des complexes infantiles refoulés sont ranimés par une impression, ou lorsque des convictions primitives surmontées semblent se voir confirmées.** Pour autant, les deux modes que nous avons reconnus sont loin de se laisser toujours distinguer aussi nettement, d'autant que les convictions primitives sont en étroite corrélation avec les complexes infantiles, y trouvant leurs racines : leurs délimitations ne peuvent que s'estomper.

L'inquiétante étrangeté ***esthétique***, suscitée par la fiction, apparaît beaucoup plus riche, d'autant qu'elle englobe tous les éléments de celle qui est vécue, avec d'autres choses en plus ; Freud en cite nombre d'exemples. En s'affranchissant de l'épreuve de réalité, la création littéraire fait que bien des choses qui seraient étrangement inquiétantes si elles avaient lieu dans la réalité cessent de l'être dans la fiction ; comme il en va dans le conte, l'écrivain s'autorise nombre de libertés, à commencer par celle de choisir la représentation du monde qu'il nous propose, étrange ou familier, inquiétant ou prévisible.

C'est donc sur « l'esthétique » que Freud termine son étude, comme il l'a ouverte avec elle. Revenant sur quelques écrits et leurs jeux avec la réalité, il admet s'être laissé entraîner dans cette recherche sans l'avoir vraiment voulu, cédant à la tentation d'élucider quelques contradictions entre certains exemples littéraires et ses propres déductions sur le psychisme : dans l'œuvre de fiction, nos réactions affectives sont fonction des choix de l'auteur et non de la matière qu'il traite : il peut choisir de susciter nos angoisses ou de nous les épargner[1].

Après cet essai spécifiquement consacré à l'inquiétante étrangeté, l'étude de ce sentiment ne sera pas reprise ; par la suite, le terme apparaît cependant encore dans des travaux que l'on peut cataloguer comme « **socioculturels** ». Dès 1921, dans *Psychologie des foules et analyse du moi*, Freud a l'occasion d'en reparler à propos du rapprochement qu'il opère tant entre la horde originaire et la formation de masse qu'entre celle-ci et l'hypnose : l'hypnose a en soi, de façon directe, une dimension étrangement inquiétante ; mais ce caractère renvoie à quelque chose d'ancien et de familier qui a succombé au refoulement (une note signale l'essai sur « L'inquiétante étrangeté »)[2]. Puis en 1927, dans *L'avenir d'une illusion*, tentant de comprendre comment l'homme a « humanisé la nature », Freud constate qu'il n'a pu le faire qu'en y projetant ses passions : « si même la mort n'est rien de spontané mais est l'acte de violence d'une volonté maligne, **si partout dans la nature on est entouré d'êtres comme ceux qu'on connaît dans sa propre société, alors on respire, on se sent en quiétude dans l'inquiétante étrangeté**, on peut élaborer psychiquement son angoisse dénuée de sens. On est peut-être encore sans défense, mais on n'est plus en état de détresse et paralysé »[3]. Ajoutons que l'année suivante le « mal sacré », l'épilepsie, qui peut provoquer des états d'inquiétante étrangeté, est désigné comme une maladie « étrangement inquiétante » (*unheimliche Krankheit*) ; il conviendrait cependant de différencier une épilepsie

1. *Ibidem*, p. 252-263 ; p. 180-188 ; p. 259-268.

2. *Psychologie des foules et analyse du moi* (1921c), *Essais de psychanalyse*, Paris, Payot, 1981, p. 193 ; *OCF* XVI, p. 64 ; *GW* XIII, p. 140.

3. *L'avenir d'une illusion* (1927c), Paris, PUF, 1971, p. 23-24 ; *OCF* XVIII, p. 157 ; *GW* XIV, p. 338.

organique et une épilepsie affective, proche de l'hystérie, dans laquelle « la perturbation est une expression de la vie psychique elle-même » [1].

D'AUTRES « SENTIMENTS PARTICULIERS »

Nous devons mentionner trois autres écrits car, même si l'inquiétante étrangeté n'y est pas explicitement nommée, non seulement ils visent aussi des « sentiments particuliers » échappant habituellement à la réflexion psychologique, mais ils évoquent fortement l'inhabituel, voire l'étrange à défaut de l'inquiétant. Si nous nous en tenons à ce que peut être leur noyau particulier commun, nous retrouvons bien sûr un refoulement qui a rendu étranger quelque chose qui fut autrefois familier ; mais, fait important, les sentiments d'*éphémère*, d'*océanique*, et d'*irréalité*, ne suscitent pas, ou pas véritablement d'angoisse : ils peuvent donc paraître étranges sans être vraiment inquiétants. Cependant – comme l'inquiétante étrangeté, justement – **tous mettent en scène les rapports du moi aux objets** et au monde, à la libido et à la mort.

Ajoutons que, sans être des exceptions, ces sentiments sont suffisamment particuliers pour demeurer ignorés de certains, voire de beaucoup ; Freud lui-même n'en aurait guère eu d'expérience personnelle (à une exception notable), et ce n'est qu'à l'occasion d'échanges avec quelques « amis » (point commun entre tous ces écrits qui en font le récit), que Freud est conduit à les interroger. Sauf un, ces sentiments particuliers ont de plus la particularité rédactionnelle d'être rapportés dans des textes « de circonstance ».

Le sentiment de l'éphémère

En **1916**, dans une brève contribution à un ouvrage collectif d'hommage à « La terre de Goethe », Freud rapporte l'échange qu'il eut, lors d'une promenade, avec quelques amis, dont un jeune poète (R. M. Rilke ?). Face à la beauté de la nature un jour d'été, celui-ci exprima son trouble à l'idée qu'une telle splendeur dusse passer l'hiver venu – et qu'il en est hélas ainsi de tout ce que les hommes ont

1. « Dostoïevski et le parricide » (1928b [1927]), *Résultats, idées, problèmes, II*, Paris, PUF, 1985, p. 164-165 ; *OCF* XVIII, p. 210 ; *GW* XIV, p. 402.

créé ou pourraient créer de beau et de noble : leur destin est ***éphémère***. Deux mouvements psychiques opposés peuvent expliquer pareille émotion, l'un conduisant au douloureux dégoût du monde, l'autre à la révolte contre cette réalité : accepter de croire à de telles fatalités destructrices serait insensé, sacrilège. « **Cette exigence d'éternité est une trop évidente émanation de nos propres désirs** pour pouvoir prétendre à une valeur de réalité ; être douloureux n'empêche pas d'être vrai ». Freud tente de convaincre son jeune ami que, tout au contraire, l'éphémère confère au passage du temps une rareté ; la beauté et la perfection des œuvres d'art et de la pensée ne sauraient être diminuées par leur limitation temporelle. Ces considérations demeurent sans effets sur ses compagnons, leur jugement se trouvant sans doute troublé par un puissant facteur affectif : la révolte contre une mort annoncée et le recul instinctif de l'âme devant toute douleur.

Aussi naturel soit-il, le deuil demeure une énigme, un de ces phénomènes que l'on ne peut tirer au clair directement mais seulement en le reliant à d'autres choses obscures : nous disposons d'une certaine quantité d'amour, de *libido* qui à l'origine est attachée au moi puis, très tôt, s'en écarte pour se tourner vers les objets qui se trouvent alors pris dans le moi ; lorsqu'ils sont détruits ou perdus notre capacité d'amour redevient libre d'en prendre d'autres ou de revenir au moi. « Mais pourquoi le détachement de la *libido* de ses objets doit-il être si douloureux, nous ne le comprenons pas » ; elle s'y cramponne, se refuse à abandonner ceux qu'elle a perdus : tel est le deuil. Cet entretien eut lieu l'été 1913. L'été suivant éclatait la guerre qui détruisit une si grande partie des beautés et des grandeurs de ce monde, brisa tant d'espoirs, souilla notre science, déchaîna en nous les mauvais esprits que nous pensions avoir durablement domptés : « Elle nous dépouilla de ce que nous avions aimé et nous montra la caducité de bien des choses que nous avions cru durables ». Pour autant, les biens précieux ne sont pas dévalorisés d'avoir été perdus ; **le sentiment d'irréparable qui frappe beaucoup est simplement l'état de deuil** qui suit une perte, et « le deuil, si douloureux qu'il puisse être, s'arrête spontanément » [1].

1. « Éphémère destinée » (1916a), *Résultats, idées, problèmes*, *I*, Paris, PUF, 1984, p. 233-236 ; *OCF* XIII [« Passagèreté »], p. 323-328 ; *GW* X, p. 358-361.

L'homme doit le savoir. (Cette sérénité face à la disparition d'un être cher, Freud devait pourtant la perdre sept ans plus tard, en 1923, avec la mort de son petit-fils Heinz qui, pour la première fois de sa vie, dit-il, le plongea dans la dépression, sans pour autant l'amener à réviser son appréciation sur le sentiment d'éphémère des choses et des êtres.)

Le sentiment « océanique » (sentiment d'éternité, d'illimité)

En 1930, Freud introduit ***Malaise dans la civilisation*** en se référant à une lettre de Romain Rolland dans laquelle celui-ci, en écho à *L'avenir d'une illusion* qu'il venait de recevoir, regrette qu'y soit négligée « la source véritable de la religiosité » qui serait un sentiment particulier, sensation d'éternité, d'illimité, qu'il qualifie d'« **océanique** », et place à la source de toute « l'énergie religieuse », alors même qu'on « récuse toute croyance et toute illusion ». Si ce sentiment est bien un fait purement subjectif, nullement un article de foi, écrit-il, il n'en est pas moins capté, dirigé, absorbé par les diverses Églises et systèmes religieux. Freud se trouve fort embarrassé par cette déclaration car il ne parvient pas à découvrir en lui pareil sentiment. Il constate, une fois de plus, combien il est difficile de traiter scientifiquement des affects et des sentiments ; on peut pourtant « tenter d'en décrire les manifestations physiologiques » mais, lorsque ce n'est pas possible (comme sans doute avec le sentiment océanique), il ne reste plus qu'à s'en tenir au contenu des représentations qui s'y associent. Il croit y reconnaître le sentiment d'une appartenance au monde dans sa totalité, vue qui lui semble plutôt intellectuelle, avec une tonalité sentimentale ; s'il ne peut se convaincre sur lui-même de la nature primaire d'un tel sentiment, il ne se sent pas le droit d'en contester la présence chez d'autres.

Il s'autorise cependant à en avancer une interprétation. Normalement, rien ne nous semble plus assuré que le sentiment de notre propre moi qui nous apparaît comme un tout. Apparence trompeuse car, au contraire, **notre moi est sans limites précises avec l'intérieur**, où il se prolonge dans le ça ; vers l'extérieur, du moins, le moi semble avoir des lignes de frontière bien tranchées, sauf pourtant au comble de l'état amoureux où moi et objet tendent à se confondre, ainsi que dans certaines pathologies où les frontières entre moi et monde extérieur deviennent incertaines. Le sentiment du moi de l'adulte est l'aboutissement d'un long développement ; **le nourrisson ne différencie pas encore son moi du monde extérieur** d'où affluent des sensations diverses, la plus forte d'entre elles et la plus désirée étant le sein maternel. Par là, pour la première fois, le moi se trouve face à un « objet » qui se trouve « au dehors » et qui, à certains moments, se soustrait à lui. Par ailleurs, les inévitables sensations de douleur et de déplaisir donnent une nouvelle tonalité à la reconnaissance d'un dehors. Apparaît alors la tendance de chercher à mettre hors du moi ce qui peut être source de déplaisir, de former un moi-plaisir pur auquel s'oppose un dehors étranger et menaçant. Partant de là, un apprentissage se fait tendant à différencier par une activité sensorielle orientée et une activité musculaire appropriée ce qui appartient au moi de ce qui relève du monde extérieur ; ainsi, progressivement s'organise le principe de réalité qui dominera le développement de l'adulte. « À l'origine le moi contient tout, ultérieurement il sépare de lui un monde extérieur. **Notre actuel sentiment du moi n'est donc qu'un reste ratatiné d'un sentiment beaucoup plus large,** [...] embrassant tout ». Ce sentiment d'un moi primaire s'est conservé plus ou moins bien dans le psychisme des hommes, sous-jacent au sentiment d'un moi mature aux frontières plus nettes ; les contenus de représentation qui correspondent à cette juxtaposition seraient ceux « d'une absence de frontière et d'un lien avec le Tout [tel qu'il] explicite le sentiment "océanique" ».

Cela implique l'hypothèse d'une survivance de l'originel juxtaposé à l'être ultérieur qui en est issu, ce qui conduit Freud à aborder le problème, stimulant mais irrésolu, de la « conservation dans le psychique » non seulement de l'histoire individuelle mais de celle de l'espèce ; là-dessus, notre ignorance est grande : « la seule chose à laquelle nous pouvons tenir fermement est que, dans la vie psychique, la conservation du passé est la règle plutôt qu'une déconcertante exception ». S'il est prêt à reconnaître un sentiment « océanique » chez de nombreuses personnes, s'il tend à le faire remonter à une phase précoce du développement du moi, il ne voit pas en quoi ce sentiment pourrait prétendre être la source des besoins religieux. Le rattachement des besoins religieux à l'état de détresse infantile, avec la nostalgie du père qu'il suscite, semble irréfutable, d'autant que ce sentiment est entretenu durablement par l'angoisse éprouvée face au destin (on retrouve ici le « sentiment d'éphémère »). On peut concevoir que le sentiment océanique, « qui pourrait en quelque sorte aspirer à la réinstauration d'un narcissisme illimité », ait pu être, après coup, associé à la religion ; cette pensée de faire un avec le Tout est une façon pour le moi de nier le danger du monde extérieur dans une tentative de consolation par la religion. Après avoir redit son malaise à « travailler sur ces insaisissables », Freud se rallie au plongeur de Schiller : *Qu'il se réjouisse, celui qui respire dans la lumière rose*[1] *!*

Le sentiment d'irréalité

C'est encore Romain Rolland qui, en **1936**, offre à Freud l'occasion de traiter d'un sentiment correspondant à une « étrange pensée [*befremdliche Gedanke*] » ; mais cette fois, il s'agit d'une expérience toute personnelle. Sous la forme d'une lettre (elle devait s'insérer dans un ouvrage collectif d'hommage pour les soixante-dix ans de son « ami »), il évoque « **Un trouble du souvenir sur l'Acropole** », « phénomène psychique inhabituel, anormal », survenu il y a plus de trente ans et qui lui revient régulièrement en mémoire depuis quelque temps, sans qu'il sache trop pourquoi ; il s'est résolu à faire l'analyse de ce petit épisode de sa vie, et à communiquer le résultat de ce travail.

Lors d'un voyage de vacances avec son jeune frère, à la suite de quelques péripéties à Trieste, d'hésitations sur leur destination et d'accès d'humeurs maussades, de tergiversations et de comportements « vraiment très singuliers », ils se retrouvèrent à Athènes. Là, découvrant l'Acropole, Freud eut soudain cette étrange pensée : « *Ainsi donc tout cela existe réellement comme nous l'avons appris à l'école !* » – ou, pour être plus précis, disons que la personne qui exprimait son sentiment se distinguait d'une façon inhabituelle d'une autre qui enregistrait les faits ; si toutes deux étaient étonnées, ce n'était pas de la même chose : la première devait se rendre à l'évidence de l'existence de quelque chose dont, jusque-là, elle n'était pas certaine, alors que l'autre s'étonnait car elle ignorait que la réalité de ces sites eut

1. *Malaise dans la civilisation* (1930a), Paris, PUF, 1971, p. 5-16 ; *OCF* XVIII [*Malaise dans la culture*], p. 249-259 ; *GW* XIV, p. 421-431.

jamais été mise en doute. Pour comprendre cette pensée déconcertante, Freud la rapproche de sa mauvaise humeur à Trieste qui ne faisait qu'exprimer son scepticisme sur la possibilité de voir Athènes : ce serait trop beau pour être vrai ! Attitude apparemment paradoxale face à la promesse d'un plaisir, mais qui tient à ce que le refus intérieur prend la place du refus extérieur, et on retrouve encore le sentiment de *l'éphémère :* « on ne peut s'attendre à rien de bon de la part du destin ». En outre, la culpabilité n'est pas loin sous la forme d'un « je ne mérite pas un tel bonheur » ; en fait, la première motivation n'est que la projection de la seconde sous la figure du destin, « la matérialisation du sévère surmoi dans lequel s'est déposée l'instance répressive de notre enfance ». **Ces sentiments d'étrangeté dépendent du passé ; ils sont fonction de ce qui fut autrefois vécu par le moi, expériences souvent pénibles et alors refoulées.**

Freud se livre à une analyse attentive des déformations et transpositions autour du « doute ». En fait, ce qu'il a éprouvé sur l'Acropole est un « sentiment d'étrangeté [*Entfremdungsgefühl*] » (remarquons qu'ici le terme choisi évoque ce qui, venu du dehors [« hors-venu »], est étranger [*Fremd*] et peut aliéner, plutôt que l'antonyme désignant ce qui n'appartient pas au familier, au chez-soi [*Heimlich*]), sentiment dont il s'est efforcé de se protéger en évoquant le passé de façon erronée. On comprend encore mal de tels sentiments ; plus qu'à de simples sensations, ils correspondent à des processus compliqués qui, fréquents dans certaines pathologies, se rencontrent aussi chez l'homme normal. Apparentés aux actes manqués, constitués comme les rêves, ils s'observent sous deux formes selon l'implication du moi : ou bien ce qui se montre étranger au moi est une part de la réalité extérieure, ou bien c'est une partie de notre propre moi – dans ce dernier cas, on parle de *dépersonnalisation* ; on a ainsi « une grande série de comportements du moi au caractère plus ou moins nettement pathologique » (fausse reconnaissance, déjà-vu, déjà-raconté). En s'efforçant d'éloigner quelque chose du moi, de le dénier, **ces sentiments d'étrangeté assurent une fonction de « *défense* »** contre des menaces émanant soit du monde extérieur, soit du monde intérieur – de là vient peut-être la différence entre le « sentiment d'étrangeté » proprement dit et la « dépersonnalisation ». À la suite d'autres associations, Freud débusque enfin la pensée qu'il lui fallut refouler en découvrant l'Acropole : le sentiment de culpabilité à l'égard de son père en constatant, avec satisfaction, qu'il l'avait surpassé de bien des façons [1].

QUESTIONS ET ENJEUX

« **Sentiment particulier** » est donc le qualificatif attribué par Freud à l'inquiétante étrangeté comme aux trois autres affects dont nous venons de traiter ; elle s'en distingue pourtant dans la mesure où elle est la seule des quatre à être un affect d'angoisse. Pour autant, son particularisme ne va pas jusqu'à lui conférer une véritable singularité ; en elle-même, elle n'est ni symptomatique, ni pathologique. Affect d'angoisse donc, ce sentiment est certes particulier, mais comme le sont finalement tous les affects dans leur infinie variété, comme l'est chacun d'eux pour peu qu'on le considère en lui-même (c'est bien ce qui nous avait d'abord conduit à l'écarter de ce dictionnaire). Supposant sans doute que cela va de soi, Freud ne nous dit d'ailleurs pas ce qu'il a de particulier (et ne le fait pas plus pour les trois autres) ; à lire les textes, on pourrait avoir le sentiment que cela résulterait surtout de l'attention qu'alors lui porte Freud. Bien sûr, il y a plus, et nous devons tenter de le reconnaître.

Comme nous l'avons vu, l'intérêt pour chacun d'eux fut d'abord affaire de circonstance ; mais, tout aussi bien et à chaque fois, il s'agit d'*appliquer la compréhension psychanalytique à des vécus particuliers* que l'on pourrait qualifier de littéraires et que Freud désigne comme « esthétiques », s'appuyant à l'occasion sur les qualités des « amis » qu'il élit alors comme interlocuteurs (le jeune poète Rainer Maria Rilke et l'écrivain Romain Rolland). C'est là dire que ces sentiments peuvent être partagés, ce en quoi justement ils intéressent le psychanalyste ; tous n'en présentent pas moins une caractéristique particulière que nous pouvons identifier comme correspondant à un moment de vacillement du moi dans ses rapports aux objets, aboutissant à une incertitude, une interrogation sur les réalités du monde extérieur, ce qui ne peut qu'alors retentir sur le monde intérieur. On

1. « Un trouble de mémoire sur l'Acropole » (1936a), *Résultats, idées, problèmes, II*, Paris, PUF, 1985, p. 221-230 ; *OCF* XIX, p. 329-338 ; *GW* XVI, p. 250-257.

le voit, dans ce contexte, la question de la mise en œuvre de défenses du moi ne peut qu'être posée.

Défenses ? Symptômes ? Puisqu'il s'agit donc là de sentiments, d'affects, leur statut métapsychologique ne devrait guère poser problème. C'est ce que nous avions d'abord estimé mais, comme à chaque fois où l'on examine d'un peu près une notion freudienne, c'est moins simple qu'il n'y paraît. C'est ainsi que l'on s'aperçoit que le statut de l'inquiétante étrangeté n'est guère plus aisé à établir que la traduction de l'*Unheimliche* germanique. Nous avons vu comment Freud s'est attaché à en faire une exploration linguistique ; recherchant « quelle signification l'évolution de la langue a déposé dans le mot », il remarque qu'il y a là une singularité allemande, les autres langues européennes recourant à une périphrase pour exprimer cette émotion littéralement intraduisible – mais, s'il le note, il ne s'interroge pas plus avant sur les possibles raisons de cette singularité germanique, sur ce qui peut faire méconnaître cette étrangeté inquiétante aux usagers des autres langues.

D'emblée cet « inquiétant » est désigné comme ressortissant de « ce qui suscite l'angoisse », « qualité de sentiment » qui se rencontre à des degrés très divers chez des personnes différentes [1] ; mais aussi particulière puisse-t-elle apparaître à l'occasion, l'inquiétante étrangeté est à ranger parmi les affects, est nantie de leurs caractères propres et donc, plus particulièrement ici, soumise aux processus de refoulement et de retour du refoulé [2]. Affect donc, cette angoisse se découvre pour l'essentiel au travers de l'utilisation qui en est faite dans des fictions littéraires ; si Freud rapporte quelques cas pris dans la vie quotidienne, il note que ceux-ci sont relativement rares et remarque que lui-même ne l'a pas éprouvée depuis bien longtemps – d'où, sans doute, sa déclaration liminaire qu'il entend là, exceptionnellement, s'extraire des préoccupations propres à la psychanalyse pour « se livrer à des investigations esthétiques » [3]. Il n'en demeure pas moins que l'effet produit par le récit littéraire ne se justifie que d'éveiller un sentiment qui a pu être, qui a dû être déjà vécu ; la genèse de ce sentiment particulier mérite donc de s'y arrêter.

1. « L'inquiétante étrangeté » (1919h), *L'inquiétante étrangeté et autres essais*, Paris, Gallimard, 1985, p. 213-214 ; *OCF* XV, p. 151-152 ; *GW* XII, p. 229-230.
2. *Ibidem*, p. 245 ; p. 175 ; p. 254.
3. *Ibidem*, p. 213 ; p. 151 ; p. 229.

Angoisse, sentiment, affect, l'inquiétante étrangeté est donc de ces émotions qui peuvent être partagées et reconnues par la plupart, fût-ce avec plus ou moins d'intensité. Mais cet émoi étrange et inquiétant, ignoré de certains sinon de beaucoup, relevant éventuellement de sentiments esthétiques, n'est en fait ni ordinaire, ni tellement courant. On doit alors se demander s'il ne faudrait pas le ranger parmi les symptômes ? Si l'inquiétante étrangeté résulte bien du refoulement du désir de retrouver le bien-être intime de la petite enfance, « tout ce qui est nouveau et non familier n'est pas effrayant » [1], et ce n'est pas pour autant que tout désir refoulé des temps originaires doit apparaître angoissant ou inquiétant. Il faut donc que quelque chose d'autre s'introduise – et c'est là que Freud se trouve conduit à distinguer entre l'étrangeté apparue dans le vécu et celle suscitée par la fiction. La première est bien l'effet d'un désir infantile refoulé qui fait retour, éveillant un conflit ; en ce sens, elle se présente effectivement comme un *symptôme*. Les exemples contraires, où la détermination par le refoulement ne se découvre pas, sont tous empruntés à la fiction ; le sentiment esthétique plus ou moins inquiétant qui peut alors saisir le lecteur étant obtenu par le biais d'artifices littéraires qui lui permettent, protégé par la convention esthétique, d'éprouver des émois susceptibles d'évoquer des angoisses anciennes qui, elles, durent sans doute être refoulées, quitte à provoquer alors cauchemars et accès d'angoisse chez des sujets fragiles. Alors : « symptôme » ou « affect » ?

Quel rapport du moi à son angoisse et à lui-même ? L'angoisse étant un « affect de déplaisir », pareille interrogation suscite de nouvelles questions. Pour les poser, nous inspirant de Freud, nous allons recourir à la philologie pour voir ce que peut révéler le passage sémantique d'une langue à l'autre, espérant éclairer les éventuels non-dits et méconnaissances. Pour traduire *Unheimliche*, et faute de meilleures propositions, nous avons retenu la périphrase confortée par l'usage : « inquiétante étrangeté » ; une fois admis que chacun des deux termes demeure approximatif, il nous reste à espérer que leur association puisse évoquer cette émotion très particulière qualifiée en allemand par le seul *unheimlich*. Qu'engage le recours à deux mots en français ?

Commençons par « l'inquiétant », d'autant que, utilisé seul, il est censé suffire à rendre *das Unheimliche*, aussi bien pour Sachs-Villatte (le dictionnaire dont usait Freud) que pour Jean Laplanche

1. *Ibidem*, p. 215 ; p. 153 ; p. 231.

dirigeant la traduction des *Œuvres complètes* de Freud. Cette option économique, au moins en mots, a le mérite d'être proche de la construction d'*unheimlich* puisque inquiet (« qui ne peut trouver le repos, angoissé ») ajoute un préfixe de négation (in-) à quiet (« paisible, tranquille »), demeurant fidèle aux sources latines de *quies* et *inquietus*. Mais ce raccourci tend à perdre la cause même de l'inquiétude que l'allemand lie explicitement au fait de « ne pas être chez soi » ; en ce sens, l'adjonction de « l'étrangeté » est bien venue, tout en ayant l'inconvénient de tendre à faire primer l'insolite sur le non-familier, l'étrange sur l'étranger. Si la racine latine de ces deux derniers mots est la même (*extra, extraneus* : au-dehors, à l'extérieur), leurs sens ont divergé : étrange apparaît le premier (dès 1050) en conservant le sens latin originel d'extériorité (« étranger » étant alors un verbe signifiant « éloigner »), et ce n'est qu'un siècle plus tard qu'il va aussi désigner ce qui est « hors du commun, incompréhensible », prenant dès lors son sens moderne (« ce qui est très différent de ce dont on a l'habitude sans pour autant être invraisemblable »). Au XVIIe siècle, étranger se substantifie et s'impose alors pour désigner « ce qui n'appartient pas à un groupe et demeure en dehors, ce qui est d'une autre nation », évinçant étrange de cette acception pour le cantonner à ce qui est « bizarre » (La Fontaine peut encore parler des « nations étranges » alors que dans les mêmes temps Racine évoque une « mère étrangère »). L'étrangeté, ce malaise diffus, insolite et difficile à expliquer, n'apparaît qu'au XVIIIe siècle ; sans l'impliquer explicitement, le terme n'est pas sans suggérer l'inquiétant et, en ce sens et quitte à entendre se limiter à un seul mot, il serait aussi acceptable de traduire *das Unheimliche* par l'étrangeté.

En allemand, *unheimlich* est construit à partir de *heim* qui, comme adverbe, indique « à la maison » et, comme substantif, signifie « le chez-soi, le foyer, l'intérieur » ; le préfixe privatif *un-* introduit l'idée de « contraire », d'« opposition », de « négation ». Il s'agit donc de « ne pas être à la maison », « ne pas être chez soi ». On pourrait considérer qu'est ainsi indiqué ce qui est étranger (d'où l'étrangeté) mais, en allemand, l'étranger est généralement un *Ausländer*, Freud utilisant plutôt le terme *fremde* (« qui est d'ailleurs ») ; l'idée impliquée est là bien différente de « ce qui n'est pas de chez nous, de chez moi », « ce que je ne reconnais pas comme étant de ma maison » : « étranger » ne saurait être réduit à un antonyme de « familier » – et si, en français, « étranger » désigne aussi bien ce qui vient du dehors, de l'inconnu, que ce qui n'est pas du dedans, de l'intime, l'allemand établit clairement la distinction. Ainsi dès 1905 : « L'angoisse des enfants n'est rien d'autre à l'origine que l'expression du fait que la personne aimée leur manque ; de ce fait, ils abordent chaque étranger [*Fremden* : qui vient du dehors] avec angoisse » [1] ; l'idée est reprise en 1926 pour évoquer « l'angoisse du nourrisson qui, au lieu de sa mère, aperçoit une personne étrangère [*eine fremde Person*] » [2]. Les deux termes peuvent aussi être employés simultanément, soulignant alors une distinction conséquente, comme dans cet aperçu anthropologique : lors de la préhistoire les hommes ne peuvent s'approcher des forces et destins impersonnels impliqués par les éléments naturels qui « nous demeurent à jamais étrangers [*fremd* : extérieurs] », aussi la civilisation doit familiariser, « humaniser » la nature pour la débarrasser des terreurs qu'elle porte mais si l'homme se dit que dans les éléments des passions se déchaînent comme dans son âme, si même la mort résulte d'une volonté maligne extérieure, si partout dans la nature on est entouré d'êtres à l'image de ceux qu'on connaît dans son monde, « alors on respire, on se sent quiet dans l'inquiétant », « on se sent chez soi [*heimish* : à l'intérieur, du pays] dans l'inquiétante étrangeté [*Unheimliche*], on peut élaborer psychiquement son angoisse dénuée de sens » [3]. La distinction dans l'usage des termes qu'apporte la langue allemande est loin d'être anodine puisque *Unheimliche*, en référant le fait de « ne pas appartenir à la maison, à l'intime », entend introduire l'idée d'« inquiétant » (que le français doit rendre en ajoutant un mot) – sentiment que n'implique nullement *fremde* ; mais les choses se compliquent encore du fait que le mot allemand *heimlich*, dans son évolution et du fait même que ce qui est « privé » est aussi « secret », a pu glisser jusqu'à « coïncider avec son contraire (*unheimlich*) » [4], le quiet devenant inquiétant.

1. *Trois essais sur la théorie sexuelle* (1905d), Paris, Gallimard, 1987, p. 167 ; *OCF* VI, p. 162 ; *GW* V, p. 125.

2. *Inhibition, symptôme et angoisse* (1926d), Paris, PUF, 1951, p. 61 et 99 ; *OCF* XVII, p. 252 et 284 ; *GW* XIV, p. 167 et 202.

3. *L'avenir d'une illusion* (1927c), Paris, PUF, 1971, p. 23-24 ; *OCF* XVIII, p. 157 ; *GW* XIV, p. 338.

4. « L'inquiétante étrangeté » (1919h), *L'inquiétante étrangeté et autres essais*, Paris, Gallimard, 1985, p. 221 ; *OCF* XV, p. 157 ; *GW* XII, p. 235.

On voit les risques de mésinterprétation que le texte freudien peut offrir au lecteur francophone qui, s'il néglige cette différence, peut assimiler « l'étranger » qui suscite une angoisse chez le nourrisson à « l'étrange inquiétant » : il faudra que le « chez moi » soit conceptualisé, c'est-à-dire que le moi se concrétise et ne vacille plus, que le sujet se reconnaisse comme tel, pour que l'inquiétant puisse se manifester. L'*Unheimliche*, avec le « chez moi », vient **lier l'angoisse au moi** (on pourrait élargir en disant que *das Heim*, c'est le moi), dans un mouvement nettement différent, si ce n'est inverse, de celui du *Fremde* qui désigne **ce qui n'est pas moi**, celui qui venant de l'extérieur comme représentant de la réalité se distingue de moi et me permet de distinguer mon moi ; c'est là situer l'opposition entre un mouvement qui personnalise en suscitant le moi, et un autre qui dépersonnalise en inquiétant le moi.

Toute la **portée métapsychologique** de l'*Unheimliche* se révèle ainsi, même si Freud ne l'explicite pas comme telle : l'inquiétante étrangeté est grosse de **la théorie du moi et de l'objet** dont elle témoigne (on verra ainsi Jacques Lacan y recourir pour marquer la place étrange que revêt « l'objet a »). La récréation que pensait s'offrir Freud avec elle n'a pu éviter les thèmes qu'il disait alors vouloir écarter de ses préoccupations : ceux mêmes qui animent l'*Au-delà du principe de plaisir*, avec *Le moi et le ça* qui le prolonge et le complète. La même problématique se retrouvera d'ailleurs dans les trois autres « sentiments particuliers » que nous avons repérés et qui se découvrent apparentés, voire semblables, avec l'angoisse en moins.

Ils se présentent comme formant une **série complémentaire** avec, à un bout *l'inquiétante étrangeté* et sa charge d'angoisse, et à l'autre *le sentiment océanique* paisible et quiet, assez proche de la sublimation (il est d'ailleurs désexualisé). Le sentiment du caractère *éphémère* des choses de ce monde exprime un état voisin mais y introduit du déplaisir, tristesse qui demeure familière, proche du deuil, voire de la nostalgie, rapidement évoquée à propos du sentiment d'inquiétante étrangeté que peut susciter l'organe sexuel féminin chez certains névrosés (Freud remarque alors qu'il s'agit de « l'entrée de l'antique terre natale du petit d'homme », du lieu d'où nous sommes tous venus et que nous aspirons à retrouver ; c'est l'intime, le chez-soi par excellence : « l'amour est le mal du pays »). Ces deux sentiments (éphémère et océanique) impliquent le sujet dans une référence à un « universel » régulièrement exploité par les constructions religieuses ; on peut penser qu'ils pourraient rencontrer l'idée de « transcendance », si ce mot n'était totalement étranger au vocabulaire freudien. Le moi, qu'impliquent alors ces sentiments, est un moi aux limites incertaines, dont les objets sont imprécis, n'existant que par leur perte éventuelle ; nous sommes là tout proches des origines, au plus près du sein de la mère génitrice « d'où nous sommes tous venus ». Avec le sentiment d'*irréalité*, qui implique l'idée de quelque chose d'étranger à nos repères, plus que le moi lui-même vacille le monde extérieur et les objets eux-mêmes hésitent. La dépersonnalisation n'est pas loin ; pourtant, elle n'est pas ici véritablement à l'œuvre, justement parce que ce n'est pas le moi propre qui se trouve mis en doute, mais la réalité elle-même. Un pas de plus : l'angoisse surgit, et avec elle l'*inquiétante étrangeté*, le moi lui-même souffre ; nous sommes à l'autre bout de la série complémentaire, à l'opposé du sentiment océanique et de sa sublimation ; cette fois nous sommes plus proches de la pathologie, mais d'une pathologie susceptible d'être domestiquée, « humanisée » disait Freud, comme en témoignent l'exploitation littéraire et l'appropriation esthétique qui peuvent en être faites.

En tant qu'affects, ces sentiments particuliers témoignent du travail du moi dans ses rapports aux objets ; ce faisant, **ils impliquent le narcissisme**, cet état dans lequel le moi se prend lui-même comme objet. Il en va ainsi pour les quatre sentiments que nous avons considérés, mais c'est particulièrement explicité dans « L'inquiétante étrangeté » à propos du « double » : l'ancien narcissisme des temps originaires doit être surmonté pour que se développe le moi mais, lorsque celui-ci se trouve perturbé, lorsqu'il en vient à douter de lui-même et qu'il vacille, il fait retour à ces phases antérieures où il ne se différenciait pas encore clairement de l'extérieur et d'autrui ; il donne alors une impression de répétition et peut entraîner un sentiment d'inquiétante étrangeté, jusqu'à conférer à la vie psychique un caractère démoniaque[1].

Un moi menacé, donc, mais pas forcément un moi faible : dès 1910 Freud note que certaines personnes trouvent irréelles et indifférentes certaines expériences désagréables non pas en raison d'une faiblesse du moi mais tout au contraire de son insolence car « il se sent si fort qu'il se permet de rejeter le monde extérieur », aboutis-

1. *Ibidem*, p. 235-242 ; p. 167-172 ; p. 246-251.

sant à un second type de sentiment d'étrangeté, d'ailleurs voisin [1] ; ce faisant, Freud ébauche une réflexion qui annonce les développements sur le moi-instance.

Toujours doivent être mis en scène les rapports si souvent douloureux, voire étrangement inquiétants, du moi aux objets et au monde, à la libido et à la mort ; ainsi du **deuil** qui demeure une énigme : nous disposons d'une certaine quantité de libido qui, d'abord attachée au moi, s'en écarte très tôt pour se tourner vers les objets qui se trouvent alors pris dans le moi et, lorsqu'ils sont détruits ou perdus, notre libido redevient libre d'en prendre d'autres ou de revenir au moi – mais nous ne comprenons toujours pas pourquoi le fait pour le moi de détacher la libido de ses objets doit être si douloureux ? Elle s'y cramponne pourtant, se refuse à abandonner ceux qu'elle a perdus : tel est le deuil [2].

Contrairement aux apparences **notre moi n'est pas un tout** : ses limites sont imprécises avec l'intérieur où il se prolonge dans le ça, et même avec l'extérieur (où pourtant les frontières semblent tranchées) ; moi et objet tendent à se confondre lors d'états particuliers (amoureux par exemple, ou certaines pathologies). Le moi de l'adulte n'est qu'une « partie du ça modifiée sous l'influence directe du monde extérieur », l'aboutissement fragile d'un long développement avec tous ses aléas, une « pauvre créature [menacée] par le monde extérieur, la libido du ça et la sévérité du surmoi » [3] ; si aux débuts il contient tout il doit s'appauvrir en se séparant du monde extérieur, ce qui fait que « notre actuel sentiment du moi n'est qu'un reste ratatiné d'un sentiment beaucoup plus large » [4]. L'étonnant n'est-il pas alors qu'il n'éprouve pas plus souvent un sentiment d'inquiétante étrangeté ?

Claude Le Guen

1. *Minutes de la Société psychanalytique de Vienne*, t. II (1908-1910), Paris, Gallimard, 1978, séance du 18 mai 1910, p. 524-525.

2. « Éphémère destinée » (1916a), *Résultats, idées, problèmes, I*, Paris, PUF, 1984, p. 233-236 ; *OCF* XIII [« Passagèreté »], p. 323-328 ; *GW* X, p. 358-361.

3. *Le moi et le ça* (1923b), *Essais de psychanalyse*, Paris, Payot, 1981, p. 237 et 271 ; *OCF* XVI, p. 269 et 299 ; *GW* XIII, p. 252 et 286.

4. *Malaise dans la civilisation* (1930a), Paris, PUF, 1971, p. 5-16 ; *OCF* XVIII [*Malaise dans la culture*], p. 249-259 ; *GW* XIV, p. 421-431.

INSTANCES, SYSTÈMES (provinces)

all. : ***Instanzen, Systeme.*** – angl. : *agency, system.* – esp. : *instancia, sistema.* – ital. : *istanza, sistema.* – port. : *instância, sistema*

La notion d'instances est inséparable de celle d'appareil psychique : elles en représentent des parties diverses au même titre que le font ce que Freud nomme les provinces, ou les systèmes. La notion de topique repose essentiellement sur les différenciations qu'elles permettent. Cependant, le sens d'instance, en allemand comme en français, est essentiellement juridique et désigne l'aire ou sa compétence s'exerce. L'usage du terme dans la première topique est assez lâche, désignant le plus souvent aussi bien le moi au sens de personne totale, ou encore la censure, l'instance refoulante voire les éléments où se forment les traces mnésiques. C'est dans ce cadre que la notion de système trouve sa place, essentiellement en permettant de distinguer l'inconscient systématique *(systematisch)*, désigné par l'abréviation *Ics* d'un inconscient descriptif, d'une part, et d'autre part les systèmes préconscient *Pcs* et conscient *Cs*, qui peuvent être unis en *Pcs-Cs*. Dans la seconde topique les instances désignent les formations de l'appareil psychique que sont le ça, le moi et le surmoi (idéal du moi). Mais les frontières entre ces entités ne sont pas conçues comme fixes ni définitives, elles varient notamment selon la nature des conflits où elles sont concernées. La dénomination de surmoi (idéal du moi) est l'exemple de l'incertitude et de la variance possible de ces concepts, notamment de leurs limites réciproques.

MISE EN SITUATION

Déjà, dans les lettres à Wilhelm Fliess, sans que le terme d'« instance » soit employé, l'idée de l'organisation de l'appareil ou du mécanisme est avancée, sous forme d'un processus de stratification, notamment dans le cas de la mémoire[1]*. Deux faits dirigent la néces-*

1. *La naissance de la psychanalyse* (1950a), Paris, PUF, 1956, p. 153 – *Lettres à Wilhelm Fliess*, Paris, PUF, 2006 (édition complète), p. 264.

sité de différenciations internes dans l'appareil psychique : d'une part la nécessité de distinguer voire séparer le monde extérieur du monde interne, et d'autre part, dans ce dernier cas, ce qui est inconscient de ce qui est conscient.

Dans l'« Esquisse pour une psychologie scientifique », le développement de la théorie de la mémoire nécessite d'en imaginer un support sous la forme d'un appareil neuronal. Les divers types de neurones y sont organisés de façon à distinguer perception (neurones φ, qui se laissent traverser par l'excitation) et mémoire (assurée par les neurones ψ, qui lui sont imperméables). L'essentiel de leur fonction est assuré par les barrières de contact entre les neurones qui les rendent donc plus ou moins perméables aux quantités d'excitation. Ainsi les barrières de contact jouent un rôle de réception des excitations et « d'écran à l'égard des quantités ». Il s'agit là de l'ébauche, sur un modèle neuronal qui se révèle de plus en plus métaphorique, d'un système séparant des fonctions, sans qu'apparaissent encore nettement des instances. Mais ces premières approches peuvent être considérées comme le soubassement des théories de la mémoire, du refoulement, du moins dans la première topique.

La lettre dite 52[1] *réaffirme l'importance de l'hypothèse selon laquelle le mécanisme psychique s'est établi grâce à un processus de stratification. Ainsi est conçu un système d'enregistrements successifs de la perception, qui est liée à la conscience et ne laisse pas de trace, jusqu'à la conscience-pensée secondaire, en passant par l'inconscient et le préconscient. Ce schéma sera repris sous des formes très diverses dans la conception des futures instances.*

Les rapports entre ces parts séparées sont très tôt conçues dans toute leur complexité : « L'appareil psychique, qui est tourné vers le monde extérieur par les organes des sens de son système perceptif, est lui-même monde extérieur pour l'organe des sens de la conscience. » On retrouve ici le ***principe des instances successives*** *qui régissent la construction de l'appareil psychique, mais ceci vaut essentiellement pour la première topique*[2].

1. *Ibidem*, p. 153 et suiv. – p. 264 et suiv.

2. *L'interprétation des rêves* (1900a), Paris, PUF, 1967, p. 522-523 ; *OCF* IV, p. 671 ; *GW* II-III, p. 620-621.

LE TEXTE FREUDIEN

Dans *L'interprétation des rêves,* le rôle des instances est clairement spécifié dans le cadre de la description d'un appareil psychique apte à percevoir, représenter ou figurer. En fait, les instances délimitent « le lieu psychique », indépendant de toute localisation anatomique et qui est défini par rapport à l'appareil psychique. Il « correspond à un point de cet appareil où se forme l'image ». Ce peut être un point idéal, lieu virtuel qui permet une figuration de la réalité psychique. Les *instances ou systèmes* ont une orientation spatiale constante les uns par rapport aux autres. Ils sont représentés sur deux schémas qui montrent leur organisation spatiale, reprenant les avancées de la lettre 52, mais proposant une orientation de l'appareil d'une extrémité sensible à une extrémité motrice, ce qui permet de maintenir l'arc réflexe comme modèle fondamental du fonctionnement psychique. Dans ce nouvel appareil, les instances recevant les inscriptions sont plus nombreuses, mais il est souligné à plusieurs reprises que l'appareil perceptif ne retient rien car, comme la conscience, la perception exclut la mémoire. Les instances, systèmes ou strates reçoivent donc les traces mnésiques qui permettent les associations[1]. Une nouvelle instance est encore introduite, *l'instance critique ou auto-observante*[2] qui se dresse comme un écran entre la conscience morale *(Gewissen)* et l'instance critiquée. Elle contrôle aussi l'accès à la motricité.

Dans le chapitre VII consacré à la psychologie des processus du rêve, le terme « instance » est tantôt équivalent à système, tantôt le système désigne un ensemble d'instances, ce qui entraîne une certaine confusion. Par la suite, seule persistera l'instance critique, jusqu'à l'introduction de l'instance surmoi (idéal du moi). En effet, le terme instance désigne, dans les années qui suivent, uniquement ou presque « l'instance refoulante ». Ainsi le symptôme névrotique peut-il être décrit comme un compromis entre une motion pulsionnelle sexuelle et l'instance refoulante.

1. *Ibidem,* p. 416-417 ; p. 540 ; p. 493.
2. *Ibidem,* p. 430 ; p. 557 ; p. 509.

Cependant, parmi les nouveautés théoriques apportées par « Pour introduire le narcissisme »[1], est remarquable l'introduction, ou du moins la conceptualisation d'une nouvelle « instance psychique particulière » qui est chargée d'**observer le moi** et sa conformité aux exigences de l'idéal du moi. Se démarquant peu de la conscience morale, son origine se trouve dans la critique des parents ; elle est également désignée comme l'instance de censure, et est en fait intégrée à l'idéal du moi, dont les rapports avec le surmoi seront établis ultérieurement.

Par la suite, dans les essais de la *Métapsychologie,* le terme instance est généralement référé à la critique, voire à la censure, alors que conscient et inconscient sont désignés comme systèmes, d'ailleurs séparés les uns des autres par la censure. Il s'agit non seulement de la première censure qui sépare les systèmes *Cs-Pcs* et *Ics* et de la deuxième, entre *Cs* et *Pcs,* mais de nombreux éléments du même ordre dont la caractéristique première est la variabilité, sinon la mobilité. Ceci amène à opposer l'inconscient descriptif à l'inconscient systématique, ce dernier étant le seul à pouvoir être considéré comme terme métapsychologique et spécifique des *systèmes* inconscients. Par commodité, il est désigné par les lettres *Ics* et associé au *Cs,* conscient, et au *Pcs.* Ainsi sont déterminés deux (ou trois) systèmes, séparés par des censures, dont seule est *rigoureuse* celle qui s'oppose au passage de l'*Ics* au *Pcs* (ou *Cs*)[2]. Ainsi la psychanalyse se distingue radicalement de toute psychologie descriptive en ajoutant à la conception dynamique la **conception topique,** qui permet ou impose d'indiquer pour tout acte psychique « à l'intérieur de quel système ou bien entre quels systèmes il se joue ».

L'opposition des systèmes *Cs* et *Ics* est particulièrement marquée dans le cas des affects et sentiments, qui correspondent à des processus de décharge dont les manifestations finales sont perçues comme sensations. Le refoulement peut inhiber la transposition de la motion pulsionnelle en manifestation de l'affect. Si le système *Cs* contrôle la motilité, du moins dans le cas de la névrose, sa domination est

1. « Pour introduire le narcissisme » (1914c), *La vie sexuelle,* Paris, PUF, 1969, p. 99-100 ; *OCF* XII, p. 238-239 ; *GW* X, p. 162-163.

2. « L'inconscient » (1915e), *Métapsychologie,* Paris, Gallimard, 1968, p. 75-77 ; *OCF* XIII, p. 211-213 ; *GW* X, p. 271-273.

beaucoup moins ferme dans le cas de l'affect, d'où une lutte constante entre les deux systèmes ; lorsque le développement de l'affect part du système *Ics,* « il a toujours un caractère d'angoisse ». Cependant, il est de règle qu'« un affect ne se produise pas tant qu'il n'a pas réussi la percée qui lui donne une nouvelle façon d'être représenté dans le système *Cs* », ce qui survient en général par un processus de substitution d'une représentation par une autre[1]. Le processus de refoulement concerne pour sa part les investissements des représentations situées à la limite des deux systèmes *Ics* et *Pcs(Cs).*

L'importance de ce qui se joue à ces limites est encore affirmée par l'étude des **rejetons** de l'inconscient : ils appartiennent à l'*Ics* tout en relevant qualitativement du système *Pcs.* Bien qu'ils soient organisés et proches de la conscience, ils restent inconscients, ou sont renvoyés dans l'inconscient si l'investissement qu'ils reçoivent s'élève. Par contre si, en tant que formations substitutives, ils entrent en conjonction avec un contre-investissement du *Pcs,* ils peuvent pénétrer dans la conscience (tel est, par exemple, le cas du « souvenir de couverture », dit aussi « souvenir-écran », ou de la représentation « hyperclaire » dans lesquels l'investissement d'une représentation, restée inconsciente, se porte sur une formation substitutive, éventuellement contre-investie). Tout cela remet en jeu la question de la censure qui décide du devenir-conscient ou du refoulement, c'est-à-dire celle qui est placée entre *Ics* et *Cs,* différente de celle qui est située entre *Pcs* et *Cs* : d'une manière générale, une censure correspond à tout passage d'un système au système qui lui est immédiatement supérieur et correspond à un niveau plus élevé d'organisation psychique. Un tel processus, et notamment celui du devenir-conscient, nécessite un **surinvestissement,** qui correspond à un nouveau progrès dans l'organisation psychique[2].

Un autre système est encore décrit dans le « Complément métapsychologique à la théorie du rêve », le système *Cs(P)* pour conscience-perception, responsable de *l'orientation dans le monde grâce à la distinction entre intérieur et extérieur.* Le Cs doit en effet disposer

1. *Ibidem,* p. 84-86 ; p. 217-219 ; p. 276-279.
2. *Ibidem,* p. 104-107 ; p. 232-234 ; p. 290-292.

d'une innervation motrice qui permette de décider si l'on peut ou non faire disparaître une perception, ce qui constitue *l'épreuve de réalité.* Ce système *Cs(P)* est considéré comme une des grandes institutions du moi, au même titre que les censures. Il est intéressant de souligner que, à propos de l'*amentia,* le fait que le moi se retire de la réalité est d'abord mis au nombre des processus de refoulement, avant qu'un processus de scission soit mis ici en évidence, qui annonce la théorisation du clivage. Il faut encore noter l'importance que prend le moi dans ce texte qui anticipe déjà la seconde topique[1].

L'introduction de cette dernière, dans *Le moi et le ça,* ne se réfère en effet directement ni aux instances ni aux systèmes, pas même pour désigner le surmoi. Ce texte initial de la seconde topique n'a pas pour but de proposer une étude réellement structurale de l'appareil psychique mais de reprendre et dépasser la métapsychologie dans ses conceptions systémique ou dynamique, qui caractérise la première topique. Ainsi, il est fait un bref rappel de la description de l'inconscient dynamique et du *Pcs* avant que le moi *auquel se rattache la conscience* soit explicitement désigné comme une instance psychique dont la fonction est de commander la motilité et d'exercer un contrôle sur les processus partiels. L'accent se porte surtout sur le fait qu'il est pour une part considérable inconscient, de même que le surmoi ou idéal du moi, et que, ainsi, *il reste en permanence proche du ça, dans lequel il plonge*[2].

Le but est de montrer les relations pulsionnelles, d'amour et de haine, qui existent entre moi et surmoi et qui trouvent leur origine dans le ça. Le moi et le surmoi sont des différenciations du ça, le premier en raison de son rapport au monde extérieur, à la réalité, le second étant dans une relation beaucoup plus intime avec le ça, et particulièrement avec le complexe d'Œdipe. L'idéal du moi, associé au surmoi, est quant à lui une formation réactionnelle à ce complexe. De ce fait, la délimitation des structures perd de son importance, les zones d'incertitude entre les instances sont admises, où Éros et les pulsions

1. « Complément métapsychologique à la théorie du rêve » (1917d [1915]), *Métapsychologie,* Paris, Gallimard, 1968, p. 142-144 ; *OCF* XIII (2e éd.), p. 256-258 ; *GW* X, p. 422-424.

2. *Le moi et le ça* (1923b), *Essais de psychanalyse,* Paris, Payot, 1981, p. 227 et 263 ; *OCF* XVI, p. 261 et 291 ; *GW* XIII, p. 243 et 278.

de mort poursuivent leur combat. Le moi, conscient et inconscient, apparaît comme « **un être de frontière** » entre le monde extérieur, le ça et le surmoi. Dès lors, il est tenté de devenir « complaisant opportuniste et menteur » pour en concilier leurs exigences contradictoires. On peut penser que désormais l'être de frontière constitue la frontière elle-même et qu'une vision systématique, tout comme la référence à l'idée d'instance, ne puissent être rigoureuses.

Cela sera repris avec l'examen, avec « La décomposition de la personnalité psychique », où les *relations structurales* en sont plus précisément prises en compte. La métaphore territoriale s'affirme : ainsi le refoulé est-il pour le moi une *terre étrangère,* tout comme la réalité est une *terre étrangère externe,* cependant que le moi est défini comme *instance résistante, rejetante et refoulante.* Mais, comme précédemment, l'instance la plus caractérisée reste l'instance observatrice et menaçante que constitue le surmoi, formée par « clivage » du moi. La fonction d'auto-observation lui revient, tandis que la fonction judiciaire reste l'apanage de la conscience morale. Pourtant, tout en étant clivé, le surmoi reste dans le moi où il prend la place de l'instance parentale et ainsi l'observe, le dirige et le menace[1]. Il n'est pas seulement le successeur de droit mais réellement l'héritier naturel légitime de l'instance parentale et constitue un *cas réussi d'identification* avec celle-ci. C'est un fait décisif que l'instance supérieure créée dans le moi soit intimement rattachée au destin du complexe d'Œdipe, de telle façon qu'il hérite de cette liaison affective, au prix d'un renoncement aux investissements d'objets placés chez les parents. Mais l'intérêt essentiel de la genèse de l'instance « surmoi » est qu'elle en vient à constituer un **rapport structurel**, comme le complexe d'Œdipe, et pas seulement la personnification d'une abstraction[2]. C'est là sans doute un trait essentiel de ce qui est désigné comme instance.

La question « structurelle » est dès lors reprise dans l'opposition d'une organisation « systématique » telle qu'elle est établie dans « L'inconscient », à une conception territoriale, sur le mode de la **pro-**

1. *Nouvelles conférences d'introduction à la psychanalyse* (1933a [1932]), Paris, Gallimard, 1984, p. 108 et 80-81 ; *OCF* XIX, p. 161-162 et 140-141 ; *GW* XV, p. 85 et 62-63.

2. *Ibidem,* p. 84-94 ; p. 142-151 ; p. 65-74.

vince psychique. La constatation de l'absence de superposition entre les instances moi et surmoi d'une part, et ça d'autre part, et l'opposition conscient et inconscient a conduit au recours à la deuxième topique. Si le ça est en effet inconscient il a été montré que des parts importantes du moi et du surmoi le sont également, au sens dynamique, contrairement a ce qui avait été admis. De ce fait, il faut renoncer à la notion de système, tout en gardant celle de topique au sens de la première topique, c'est-à-dire la distinction de conscient, préconscient et inconscient en tant que *qualité*. La notion de province (ou encore de royaume ou de région) est désormais préférée essentiellement pour désigner le ça et ses limites floues avec les territoires voisins que sont le moi et le surmoi. La métaphore géographique permet de montrer tant la variété des paysages que la diversité et le mélange des populations dans les territoires considérés. Cependant, la notion de système est bientôt reprise pour montrer le fonctionnement du moi notamment dans ses rapports avec le monde extérieur qui sont assurés par le système *Pc-Cs,* tourné d'ailleurs aussi bien vers le monde extérieur que vers l'intérieur de la vie psychique[1].

L'incertitude des limites est à nouveau soulignée par l'opposition cette fois entre le dessin aux contours nets, qui ne convient pas pour représenter les séparations entre moi, surmoi et ça, et les champs de couleur estompés des peintres modernes qui en rendent mieux compte. Ceci vaut pour la différenciation entre moi et surmoi, mais surtout pour ce qui permet au moi profond d'entrer en relation avec le ça, de telle façon que l'on puisse parvenir à ce que là où était du ça puisse advenir du moi[2].

QUESTIONS ET ENJEUX

Les divisions de l'appareil psychique sont apparemment bouleversées par l'introduction de la deuxième topique. Pourtant, les termes instance et système continuent d'être utilisés car la nouvelle topique

1. *Ibidem,* p. 101 et 104 ; p. 156 et 157-158 ; p. 79 et 81-82.
2. *Ibidem,* p. 110 ; p. 162 ; p. 86.

n'abolit pas l'ancienne. C'est le point de vue général sur la structure de l'appareil psychique qui est modifié, donc les notions de topique et tout particulièrement celle de système. La première topique avait pour objet principal de permettre la conception de l'inconscient, des représentances pulsionnelles et des représentations de choses, en opposition aux systèmes conscient et pré-conscient, ces derniers ayant en charge les représentations de mot. La structure de l'appareil psychique était conçue métaphoriquement sur le modèle de séries de plans (comparables à des associations de neurones ou plus schématiquement à des appareils optiques) ou de surfaces aptes à recevoir des inscriptions. Certes, la question de l'énergie et de la dynamique n'était en rien négligée, mais les divers modes de représentation semblaient être la base d'une compréhension et d'une action possible sur le refoulé et l'inconscient, par l'intermédiaire du préconscient. Les textes métapsychologiques de 1915 constituent de ce point de vue à la fois la référence et l'avancée ultime de ces élaborations théoriques.

De 1920 à 1923, la perspective change, au sens où la dynamique et l'économique prennent le pas sur les représentations de la pulsion. Les références à ces dernières disparaissent presque au profit des motions pulsionnelles, qui certes étaient déjà utilisées occasionnellement. La différence entre ces termes peut paraître minime, elle témoigne pourtant d'un changement d'appréhension de la réalité psychique où c'est l'ensemble de la chose pulsionnelle avec son investissement qui est désormais pris en considération, sans privilégier en quelque sorte le contenu. Dans le même temps, la conception systématique de l'appareil psychique est révisée, car l'inconscient n'est plus limité au système *Ics,* du fait que moi et surmoi sont pour une grande part inconscients. L'inconscient n'est plus seulement le refoulé, même en tenant compte du refoulé originaire, d'où la nécessité d'une nouvelle entité, le ça, qui n'est pas réellement une instance contrairement à l'inconscient. Ce dernier était structuré, sinon comme un langage, du moins en une structure feuilletée dont les feuillets avaient pu recueillir les traces mnésiques les plus anciennes, les représentances les plus originaires, les figurations prémnésiques de même que les traces d'événements plus récents, représentés ou conscients. À cela, le ça, dont la métaphore est celle d'un chaudron en ébullition, s'oppose par son absence radicale d'organisation. L'énergie libre y circule, aussi longtemps que les instances que sont le moi et le surmoi (idéal du moi) ne se différencient pas à partir du contenu du chaudron.

Toutefois, c'est au surmoi que s'applique le plus clairement le terme d'« instance » car il représente un pouvoir judiciaire issu du complexe d'Œdipe, jusque dans ses formes les plus originaires, qui sont en jeu par exemple dans le cas de la mélancolie. En comparaison, le moi peut sembler n'être qu'une instance d'importance secondaire, car il reste soumis aux forces émanant aussi bien du ça que du surmoi. Pourtant, si faible qu'il soit, il reste, de la même façon que le conscient, notre seul fanal dans l'obscurité de la psychologie des profondeurs. En fait, il est l'appareil sensoriel de tout l'appareil psychique, il assume toute la relation au monde extérieur, qu'il représente auprès du ça. C'est lui qui contrôle l'accès à la motilité, qui introduit entre le besoin et l'action, le délai de la pensée, détrônant ainsi le principe de plaisir au profit du principe de réalité[1].

Il nous faut relever que instance ou système impliquent *a priori* une organisation, avec des limites précises. Cela aussi est mis en cause dans la dernière topique, où les références aux censures et même à la plus importante d'entre elles, le refoulement, ne sont plus au premier plan. La dynamique du passage d'un système à l'autre perd de sa netteté et c'est pourquoi, finalement, le choix du terme de « province » paraît mieux rendre compte de la nature et du fonctionnement des éléments de l'appareil psychique. Ainsi sont décrites, dans « **La décomposition de la personnalité psychique** », les populations mêlées dans des zones frontières plus ou moins floues.

Mais le plus important reste la modification de la nature des conflits. En effet, au-delà des conflits entre les systèmes conscients et inconscients, qui se déroulent aux frontières, gardées par les censures, il faut désormais prendre en compte les conflits à l'intérieur des provinces elles-mêmes. C'est encore le moi qui en est le lieu privilégié, ce qui oblige à donner une importance et aussi un sens nouveaux au clivage. Dans « **La décomposition de la personnalité psychique** », il est décrit comme une brisure du moi, qui se produit lors d'un traumatisme, selon des lignes déjà délimitées dans sa structure[2], sans que le sens et l'origine de ces lignes de faiblesse ne soient précisés. Plus radicalement, comme on le voit dans « **Le clivage du moi dans le processus de défense** », l'action du traumatisme entraîne une déchirure dans

1. *Nouvelles conférences d'introduction à la psychanalyse* (1933a [1932]), Paris, Gallimard, 1984, p. 105 ; *OCF* XIX, p. 158-159 ; *GW* XV, p. 82.

2. *Ibidem*, p. 82 ; p. 141-142 ; p. 64.

le moi lorsqu'il est confronté à un conflit intolérable ; cette déchirure sépare deux parties du moi dont l'une reconnaît une réalité inacceptable tandis que l'autre la dénie. Le clivage tend alors à toujours s'aggraver, mais Freud, tout en soulignant son importance dans les processus psychotiques, en montre aussi la présence dans les névroses où, en soi, sa signification n'est pas toujours inquiétante. Mais la fragilité du moi est ici une fois de plus affirmée car, non seulement cette instance comporte des limites incertaines, mais de plus elle peut se déformer, se briser, voire se déchirer irrémédiablement. Les traumatismes qui peuvent déterminer une telle issue sont désignés comme essentiellement de l'ordre de la castration[1]. Rappelons pourtant que l'impossibilité du deuil après la mort du père avait été évoquée dans « Le fétichisme » comme origine possible d'un déni et d'un clivage du moi[2].

La question du déni de la réalité et du clivage du moi est reprise dans l'*Abrégé de psychanalyse* où l'origine du clivage est corrélative de celle même du moi : celui-ci se forme au contact du monde extérieur, et c'est lorsque la réalité devient intolérable ou bien lorsque le moi est confronté à un *énorme renforcement des pulsions* que son clivage survient. Le traumatisme causal peut ainsi être aussi bien d'origine externe qu'interne. Le clivage du moi dans la psychose atteint un tel degré que le moi se sépare en une part qui, telle une personne normale, observe et laisse se dérouler la fantasmagorie morbide, ce qui montre que le détachement de la réalité dans la psychose n'est probablement jamais total. Il est finalement posé, comme un postulat, que dans toute psychose existe un clivage du moi. Pourtant, le clivage se retrouve aussi dans maints états névrotiques mais tout particulièrement dans le fétichisme qui est rangé dans la catégorie des perversions et qui a été étudié sous cet angle en 1927. Cette fois, c'est la nature de compromis que réalise le fétiche qui est particulièrement soulignée : le fétichiste dénie certes la perception de la réalité de la castration de la femme, mais d'autre part il la reconnaît, et ces deux attitudes coexistent la vie durant. Il ne réussit jamais parfaitement à

1. « Le clivage du moi dans le processus de défense » (1940e [1938]), *Résultats, idées, problèmes, II,* Paris, PUF, 1984, p. 284-286 ; *OCF* XX, p. 223-224 ; *GW* XVII, p. 61-62.

2. « Le fétichisme » (1927e), *La vie sexuelle,* Paris, PUF, 1969, p. 137 ; *OCF* XVIII, p. 129-130 ; *GW* XIV, p. 316.

détacher son moi de la réalité extérieure. On voit ainsi que le postulat du clivage de l'instance « moi » permet de maintenir la reconnaissance de la réalité aussi bien dans la psychose que dans les perversions et les névroses qui s'en approchent, ce qui sans doute justifie le maintien du clivage dans les processus de défense, qui « défendent » finalement la relation du moi et de la réalité [1].

Pierre CHAUVEL

Interdiction → Frustration

Interdit → Tabou et interdit

INTERPRÉTATION (dans le rêve et dans la cure)

all. : ***Deutung.*** – angl. : *interpretation.* – esp. : *interpretación.* – ital. : *interpretazione.* – port. : *interpretação*

Interpréter consiste à retrouver le sens des pensées latentes à partir des pensées manifestes qui s'expriment dans la cure. L'interprétation s'appuie sur l'ensemble de la théorie et permet la mise en place de l'essentiel de la méthode analytique, c'est-à-dire de la pratique soutenue par la conception générale de l'appareil psychique. Dans son sens spécifique, l'interprétation se conçoit dans la cure et met en jeu le transfert et le contre-transfert. Par extension, elle peut être utilisée comme procédé hors de la pratique de l'analyse, et sans nécessairement s'appuyer sur les associations de l'auteur du propos manifeste – ainsi que Freud en donne de nombreux exemples, avant tout dans *L'interprétation des rêves* où sont dégagées les bases de la théorie de l'interprétation, mais aussi dans *Le mot d'esprit et sa relation à l'inconscient.*

1. *Abrégé de psychanalyse* (1940a [1938]), Paris, PUF, 1985, p. 77-81 ; *OCF* XX, p. 299-302 ; *GW* XVII, p. 132-135.

MISE EN SITUATION

Dès l'abord, une difficulté doit être soulignée : l'interprétation, si on la considère dans les termes de la métapsychologie telle qu'elle a été établie en 1915, permet de retrouver la représentation (**Vorstellung**) *de chose et de mot à partir du matériel déformé fourni par le récit des rêves, actes manqués, lapsus... ou, surtout, les associations formulées dans la séance et que l'on peut rassembler sous le terme de « figuration ». En fait, le terme de* **Darstellung** *est de sens beaucoup plus large que celui de figuration. Il concerne l'ensemble qui, dans le cas du rêve, est désigné comme « pensées ou contenu manifestes », ou encore l'ensemble des productions psychiques conscientes ou accessibles à la conscience qui peuvent relever d'une interprétation. Les choses étaient déjà relativement claires dans* L'interprétation des rêves *du fait de la distinction du contenu ou pensées latentes du rêve (correspondant à ce qui sera plus tard conceptualisé comme* ***représentation****), opposées aux pensées ou contenu manifestes, qui le sont au sens ou elles sont* ***figurées, ou figurables****, si elles sont préconscientes. Cependant, malgré une différence radicale, un risque de confusion existe entre représentation et figuration (ou présentation, comme on a pu le proposer, ce qui est d'ailleurs conforme à la proximité des termes que Freud a choisis, qui sont à la fois de sens très proche dans le langage courant et très éloigné dans la conception métapsychologique). La proximité se trouve particulièrement dans le fait que ce qui apparaît dans la présentation (figuration) consciente n'est pas sans rapport avec ce qui reste latent dans la représentation inconsciente, qu'elle soit de chose ou qu'elle ait été séparée du mot par le travail de refoulement, en deçà du travail de déformation du rêve ou de la névrose. Nous reviendrons plus loin sur le problème complexe de la figuration.*

Le terme **Deutung**, *interprétation, est remarquable par sa relation avec le sens, la signification :* **Bedeutung** *(qui désigne également le signifiant). Notons qu'elle dérive d'un terme germanique ancien qui signifie le peuple, la langue du peuple, ce qui donnera le terme* **Deutsch**[1]. *L'interprétation éclaire, clarifie la signification, en l'exprimant dans les termes de la langue de tout le monde. Freud insiste*

1. Voir le *Dictionnaire Wahrig*.

souvent, on le sait, sur l'importance de « l'usage de la langue », ce qui va dans le même sens.

Le terme est proche aussi de **Deutlichkeit** *ou de* **deutlich** *qui insistent sur l'intelligibilité, la clarté. C'est ce qu'apporte l'interprétation, et apparaît encore plus avec l'adjectif* **überdeutlich** *dont Freud fait la théorie dans « Constructions dans l'analyse » (1937), texte fondamental sur l'interprétation dans la cure : chez certains patients, une « construction manifestement pertinente provoquait... un phénomène surprenant et d'abord incompréhensible. Ils sentaient émerger des souvenirs très vivaces, qu'ils qualifiaient eux-mêmes d'"excessivement nets". La description de ces souvenirs* "überdeutlich" *les montre proches de l'étrangement inquiétant, survenant dans les rêves qui suivent l'émergence des souvenirs, proches également de l'hallucination, à ceci près qu'ils n'entraînent pas la croyance à leur actualité »* [1].

Ces souvenirs, tels qu'ils sont décrits, complètent le contenu de l'interprétation ou de la construction qui a été proposée par l'analyste, et permettent la levée du refoulement, « la poussée vers le haut » du refoulé. Mais la résistance entre en jeu pour éclairer, sur-éclairer, les objets voisins de ceux qui sont en cause dans le refoulé et renforcer ainsi le refoulement. L'interprétation peut entrer aussi bien, voire simultanément, au service de la levée que d'une nouvelle organisation du refoulement.

L'interprétation peut aussi être proche du jeu de mots ; d'ailleurs, elle peut être effectivement un jeu de mots. Elle vise dans un premier mouvement la représentation de mot, par sa brièveté, éventuellement sa violence liée à la condensation, et aussi à la polysémie qu'elle comporte. Ainsi, elle ébranle le système défensif, ce qui fait sa force mais aussi sa limite. Comme nous le verrons, la construction tend plutôt à la décondensation, mais, tout comme l'interprétation brève, elle a aussi pour but d'obtenir un déplacement. Condensation et déplacement sont, avec la figuration, des termes clés qui trouvent tout leur développement dans L'interprétation des rêves. *Ils sont reconnus comme les outils essentiels du travail du rêve et de la déformation qui permet au contenu inconscient et à ses représentations de trouver comme nous l'avons dit une présentation-figuration qui n'éveille pas la censure.*

1. « Constructions dans l'analyse » (1937d), *Résultats, idées, problèmes, II,* Paris, PUF, 1985, p. 278 ; *OCF* XX, p. 72 ; *GW* XVI, p. 54.

Le travail inverse, travail de l'interprétation, est pour l'essentiel, dans les modèles qu'en offre l'œuvre de Freud, un travail de construction (reconstruction) plus que d'interprétation brève, dont les occurrences sont rares. On peut d'ailleurs admettre que l'interprétation brève participe à une construction plus vaste dans laquelle elle s'insère.

LE TEXTE FREUDIEN

L'INTERPRÉTATION DANS LA CURE

Rêve et théorie de l'interprétation

L'interprétation des rêves apporte dès 1900 les bases implicites de l'ensemble du fonctionnement psychique, de son interprétation, et, par conséquent, au-delà de l'interprétation des rêves, celle de l'interprétation dans la cure. Cette dernière ne sera d'ailleurs pas reprise de façon systématique, mais seulement dans les textes dits *techniques*, ou à propos de textes cliniques, dont on a souvent souligné la rareté à partir des années 1920. Les bouleversements liés à l'introduction de la théorie du narcissisme puis de la deuxième théorie des pulsions ne remettront qu'assez peu en cause la « méthode » établie dès ce texte, en tous points fondateur.

« L'essentiel de ce que j'ai écrit sur le rêve et son interprétation et sur les **théorèmes**[1] qui en découlent demeure inchangé », dit d'ailleurs Freud en préface à la deuxième édition de l'ouvrage. *« Interpréter un rêve » signifie indiquer son « sens », le remplacer par quelque chose qui peut s'insérer dans la chaîne de nos actions psychiques, chaînon important semblable à d'autres et d'égale valeur*[2]. Après cette définition liminaire tirée du chapitre consacré à la *méthode d'interprétation des rêves,* Freud rappelle que Joseph Breuer considérait que

1. Souligné par nous.

2. *L'interprétation des rêves* (1900a), Paris, PUF, 1967, p. 90 ; *OCF* IV, p. 131 ; *GW* II-III, p. 100.

l'interprétation ou plutôt la résolution *(Auflösung)* « des phénomènes psychiques considérés en tant que **symptômes morbides** coïncide avec leur dissolution *(Lösung)* »[1]. Ce qui souligne la similitude de l'approche dans les deux cas : « De là à traiter le rêve comme les autres symptômes et à lui appliquer la méthode élaborée pour ceux-là, il n'y avait qu'un pas. »

La méthode consiste à proposer au patient l'auto-observation du rêve et des productions psychiques. Il est chargé de laisser de côté toute critique et tout jugement de valeur (il faut qu'il soit tout à fait impartial vis-à-vis des ses propres idées). Il doit observer ses propres réflexions spontanées plutôt que réfléchir, à proprement parler. *Le seul effort à faire est de réprimer la critique,* ce qui constitue la base du travail de l'analyse répondant au travail du rêve. Freud souligne que l'on reconstitue là un état intermédiaire entre veille et sommeil, qui n'est pas sans parenté avec l'état hypnotique, en ce qui concerne la répartition de l'énergie (remarquons que Freud n'entend pas décrire ici l'attitude psychique de l'analyste, et qu'il poursuit en expliquant pourquoi il choisit d'interpréter ses propres rêves, en l'occurrence le rêve de l'injection faite à Irma).

Cette question sera reprise dans le chapitre VI sur « Le travail du rêve », à propos de **l'élaboration secondaire,** c'est-à-dire de l'investissement conscient prématuré du matériel du rêve : « C'est donc bien l'intervention de notre pensée normale, et non d'une autre instance psychique, qui impose au rêve l'intelligibilité, le soumet à une première interprétation *et l'amène par là à être tout à fait mal compris.* »[2] Retenons, à propos de la méthode, le caractère essentiel de la répartition de l'énergie qui doit investir le préconscient, en évitant l'exigence d'intelligibilité, ou de réflexion consciente, qui n'est en rien une « interprétation ». Il convient aussi de maintenir l'écart vis-à-vis de la figuration, c'est-à-dire en général du processus secondaire où l'énergie se met au service du conscient. La primauté dans l'interprétation est accordée au travail du préconscient aussi bien chez l'analysant que chez l'analyste.

1. *Ibidem,* p. 94 ; p. 135 ; p. 104.
2. *Ibidem,* p. 426 (souligné par nous) ; p. 55 ; p. 504.

Nous ne reprendrons pas ici le rêve d'Irma et la longue série d'interprétations que Freud en propose et qu'il nomme « analyse du rêve ». Ceci montre que non seulement l'analyse commence avec l'interprétation mais que l'une et l'autre se confondent, du moins sur un plan conceptuel, voire d'étude théorique comme dans cet exemple inaugural d'auto-analyse (il ne peut bien sûr en être de même dans la cure, sinon comme perspective de fin d'analyse idéale où tout serait immédiatement interprétable par l'analysant lui-même). Rappelons que le projet de Freud, à propos du rêve, est d'en établir la théorie et, du même coup, celle de l'appareil psychique et de l'interprétation, et non de se contenter d'en montrer la fonction dans la cure.

Le chapitre consacré à la méthode se termine par l'affirmation maintes fois répétée : « Après complète interprétation, tout rêve se révèle comme l'accomplissement d'un désir. » [1] Ce qui implique que le **sens de l'interprétation est de reconnaître le désir**, caché par le travail du rêve et ses divers procédés de déformation (figuration, déplacement, condensation). De la façon la plus générale, elle vise à rendre conscient l'inconscient, à passer du sens manifeste au sens latent, en prenant en compte les facteurs économiques qui régissent les processus secondaire et primaire. C'est dire qu'à ces divers degrés la théorie du refoulement est essentielle à la compréhension de l'interprétation qui n'a d'autre but que sa levée, et la mise au jour du conflit intrapsychique masqué par la déformation.

La déformation dans le rêve

La déformation, dans son sens le plus général, déguise le contenu latent en contenu manifeste, ce que l'interprétation repère dans le cas aussi bien du rêve que de la cure dans des contextes bien différents. La première « déformation » soulignée par Freud est celle de **l'angoisse dans le rêve** – le cauchemar – en contradiction apparente avec la découverte fondamentale selon laquelle le rêve est l'accomplissement d'un désir. Le rêve indifférent relève d'une déformation du même ordre, imposée par la censure, qui dans ce cas transforme l'agréable, le plaisir lié à l'accomplissement du désir, en affect désagréable ou en impression

1. *Ibidem*, p. 112 ; p. 156 ; p. 126.

d'indifférence. La conception de la censure repose sur l'opposition des ***tendances***[1] au ***système,*** c'est-à-dire l'opposition entre ce qui construit le désir exprimé par le rêve et ce qui le censure en le déformant. Les deux instances, c'est ainsi que Freud les nomme, peuvent être identifiées à l'inconscient d'une part, au conscient d'autre part, et aux conditions du devenir conscient *(Bewusstwerden)* soumis à la censure dont les rapports avec le refoulement ne sont ici que suggérés.

Dans son article sur « La négation » en 1925, Freud montrera que le premier des déguisements ou des déformations est constitué par la négation, et l'on peut considérer que l'ensemble des déguisements et déformations interprétables ont le sens d'une négation du désir. **L'interprétation rétablit le sens du *courant* pulsionnel dans sa forme et ses connexions originelles,** et confirme que tout rêve analysé se révèle comme accomplissement d'un désir.

Notons une déformation d'importance réalisée dans les rêves contraires au désir *(Gegenwunschtraüme)* qui semblent démentir la doctrine du rêve accomplissant un désir. Ces rêves de transfert négatif révèlent généralement le désir de frustrer l'analyste ou de s'opposer à lui. Ils comportent aussi une satisfaction masochiste dont l'interprétation doit tenir compte. Mais Freud trouve ici la limite « où la tendance du rêve à accomplir des désirs échoue »[2], ce qui sera repris dans le contexte de la deuxième topique.

Travail du rêve et théorie de l'interprétation

Le chapitre VI offre une base à la théorie de l'interprétation : l'exposé qui est fait des conditions dans lesquelles le contenu latent est transformé en contenu manifeste permet en effet de représenter le travail inverse, travail de l'interprétation, qui permettra de découvrir le sens latent, refoulé.

« Les pensées du rêve et le contenu du rêve apparaissent comme deux exposés des mêmes faits en deux langues différentes. »[3] Ces

1. *Ibidem,* p. 131 ; p. 178 ; p. 148 (*Strömungen,* utilisé ici, signifie plus exactement « courants », au sens de courants pulsionnels).

2. *Ibidem,* p. 207 ; p. 275 ; p. 242.

3. *Ibidem,* p. 241 ; p. 321 ; p. 283.

faits imposent ici une traduction *(Übertragung),* sinon une interprétation, à la manière de la traduction de hiéroglyphes ou de la résolution d'un rébus : les pensées du rêve apparaissent sous cette forme et les signes ou les images doivent être traduits successivement en syllabes ou en mots afin d'en atteindre le sens.

Les deux caractéristiques essentielles du travail du rêve demeurent la *condensation et le déplacement.*

La **condensation** est telle que l'on ne peut jamais être sûr d'avoir entièrement interprété un rêve. Chaque élément du rêve est en effet surdéterminé et le plus souvent représenté plusieurs fois, ou se répète dans les pensées du rêve. Des unités nouvelles apparaissent, personnes collectives notamment, où se condensent par identification des traits appartenant à plusieurs personnes, par exemple dans le rêve d'Irma où sont soulignés notamment surdétermination et création de personnes collectives[1]. Ce processus atteint son maximum dans les condensations de mots ou de noms. Freud en propose plusieurs exemples où d'apparents néologismes se révèlent à l'interprétation comme des condensations de plusieurs mots porteurs d'un sens latent[2] (ainsi par exemple le terme de *Maistollmütz,* renvoie notamment à *maïs, toll, manstoll, Olmütz,* le mot *maïs* lui-même à *Meissen, Miss, mies,* et dans chaque cas à diverses séries associatives).

Le travail de déplacement est non moins essentiel : le contenu du rêve est *autrement centré* que les pensées du rêve : « [...] dans le travail du rêve se manifeste un pouvoir psychique qui, d'une part, dépouille des éléments de *haute* valeur psychique de leur intensité, et d'autre part, *grâce à la surdétermination,* donne une valeur plus grande à des éléments de moindre importance, de sorte que ceux-ci peuvent pénétrer dans le rêve. »[3] Ainsi, il y a transfert et déplacement des intensités psychiques des divers éléments entre pensées et contenu du rêve, ce que le travail d'interprétation prend en compte, ici encore, en reconnaissant la censure.

1. *Ibidem,* p. 254-256 ; p. 335-338 ; p. 298-302.
2. *Ibidem,* p. 257-263 ; p. 339-344 ; p. 302-306.
3. *Ibidem,* p. 265 ; p. 352 ; p. 313.

La figuration et la figurabilité

L'ensemble des procédés permettant de donner forme aux constructions psychiques complexes dans le langage figuré du rêve pose un problème également complexe d'interprétation. La figuration répond à deux types de formations qui d'ailleurs peuvent se compléter.

— D'une part, elle est le produit de l'élaboration de représentations, au sens métapsychologique, qui franchissent la censure au prix de déformations que celle-ci lui impose. Condensations et déplacements déforment le matériel du rêve, sous une forme essentiellement visuelle, ou scénique (*Darstellung* se dit notamment pour désigner une représentation graphique ou théâtrale).

— D'autre part, l'hallucination ou plus précisément la **figuration hallucinatoire**[1] apparaît comme un processus désigné comme *régression* du travail du rêve et qui suit la voie qui mène des pensées aux images perceptives. Ce qui apparaît au terme de cette *transformation rétroactive* c'est que le travail du rêve ne prend en charge pour le figurer que « le matériel brut des représentations », en supprimant ou en ne tenant pas compte des *rapports de pensée*. Au terme du processus régrédient, « l'assemblage des pensées du rêve se trouve désagrégé et ramené à sa matière première »[2].

Ainsi, les relations logiques entre les pensées, et tout particulièrement les relations de causalité, d'alternative (ou bien... ou bien) d'opposition, de contradiction, disparaissent ou ne trouvent pas de figuration interprétable. Nous retrouvons le cas de la négation : *le rêve paraît ignorer le non*. Pourtant, l'absurdité dans le rêve peut en être un équivalent, bien qu'elle ne signifie pas un simple « non » mais la manière d'exprimer une contradiction, une critique, sans éveiller la censure. Par contre, la sensation d'inhibition est *l'expression de la contradiction, du « non »*[3] dans le contexte d'un conflit de volontés

1. *Le mot d'esprit et sa relation à l'inconscient* (1905c), Paris, Gallimard, 1988, p. 269 ; *OCF* VII, p. 188-189 ; *GW* VI, p. 185.

2. *L'interprétation des rêves* (1900a), Paris, PUF, 1967, p. 462 ; *OCF* IV, p. 597 ; *GW* II-III, p. 549.

3. *Ibidem*, p. 290 ; p. 381 ; p. 342.

qui relève le plus souvent d'une impulsion libidinale et de son refus. Ce conflit est alors conçu comme l'opposition du désir de l'inconscient au préconscient.

Nous pouvons rapprocher *le renversement, la transformation en son contraire,* des procédés équivalents à la négation. Dans l'ensemble, les désirs que la censure refuse sont admis sous leur forme inversée, ou encore ils sont déguisés par des rapports temporels inversés, où l'on trouve par exemple *les prémisses à la fin du rêve*[1]. Nous voyons, avec ces divers procédés défensifs, que ce qui est de l'ordre de la figuration est une mise en scène des conflits psychiques, déformés, déplacés ou surtout inversés. C'est sur cela que porte le travail interprétatif.

Seule **la ressemblance** trouve une expression aisée par la figuration du rêve. Celle-ci entraîne soit le recours à l'identification, déterminée par la condensation, ou aux formations composites qui relèvent du déplacement. Dans tous les cas, *le rêve est absolument égoïste,* le moi se cache dans tout échange ou identification avec une autre personne. Les formations composites permettent des condensations plus vastes et plus commodes car les liens avec les « choses » représentées peuvent être plus lâches encore qu'ils ne le sont dans l'identification. Le travail de l'interprétation consistera à décondenser les figurations du rêve, à déplacer les expressions d'affect pour les ramener à la représentation qu'elles investissaient antérieurement.

Il faut garder à l'esprit que la **figuration dans le rêve *n'est certes pas faite pour être comprise,*** c'est-à-dire pour être interprétée : elle est l'élément principal de la formation du rêve dont le but est avant tout d'être le **gardien du sommeil,** notamment en accomplissant le désir qui pourrait le troubler. Le rôle de l'interprétation est de passer de la figuration à la représentation pulsionnelle (ou dans les termes de *L'interprétation des rêves,* du contenu manifeste aux pensées latentes). Même s'il y a une parenté entre l'une et l'autre, ce passage rencontre une résistance importante, car, nous l'avons vu, la figuration est par excellence la déformation du rêve, qui le rend conforme aux exigences de la censure. Surtout, elle est une ***pseudo pensée***[2]

1. *Ibidem,* p. 282 ; p. 372 ; p. 333.
2. *Ibidem,* p. 269 ; p. 357 ; p. 318.

(scheinbare Denken : pensée apparente ou spécieuse) qui fournit le contenu mais non les relations mutuelles des pensées du rêve. Ce caractère de pseudo-pensée se retrouve avec le mode de figuration finalement le plus général que représente la symbolique du rêve. On peut considérer que si la déformation et la figuration gardent le sommeil, l'interprétation tend à éveiller, à dissiper l'illusion, et à comprendre ce qui soulève de fortes résistances.

La figuration, les symboles et les rêves typiques

Nous serons bref sur ces aspects de la figuration, bien que Freud leur accorde un développement assez important. Il considère que le rapport, parfois énigmatique, de la figuration symbolique avec le contenu est en quelque sorte génétique : **ce qui est aujourd'hui lié symboliquement fut vraisemblablement lié autrefois par une identité conceptuelle et linguistique**[1]. Cette idée qui lui est chère et qui concerne les symboles qui ont toujours le même sens trouve sa limite avec la remarque selon laquelle il ne faut pas perdre de vue la plasticité particulière du matériel psychique qui permet d'utiliser le symbole dans un sens nouveau, ce qui est comparable à l'utilisation du langage en général. Il recense nombre de symboles sexuels dont la signification est généralement constante (s'appuyant surtout sur les travaux de Wilhelm Stekel, vis-à-vis desquels il reste pourtant très critique).

Les **symboles,** dans leur conception freudienne, sont équivalents à la figuration par rébus ou hiéroglyphes qui, comme nous l'avons vu, permettent une traduction plutôt qu'une interprétation à proprement parler. « On peut comprendre des rêves de cette espèce, entièrement ou par fragments, même sans le secours du rêveur »[2], du moins, est-il précisé, si l'on connaît les circonstances exactes et leurs associations ordinaires. Ceci reprend l'idée selon laquelle « les symboles retrouvent les voies qui furent celles de l'humanité primitive et dont témoignent encore nos langues... »[3] (de laquelle on peut rapprocher la remarque selon laquelle les symboles énigmatiques montrent que

1. *Ibidem,* p. 302 ; p. 397 ; p. 357.
2. *Ibidem,* p. 294 ; p. 387 ; p. 347.
3. *Ibidem,* p. 298 ; p. 392 ; p. 352.

le rapport entre le symbole et le « représenté » est *génétique*, que ce qui est aujourd'hui lié symboliquement l'était autrefois par une identité conceptuelle et linguistique[1]). Le corollaire en est que « le rêveur dispose des symboles dès le début de sa vie », ce qui est un aspect de la question de l'originaire que nous ne pouvons développer ici, soulignant cependant que la plupart des symboles ont un sens sexuel archaïque, et souvent bisexuel.

Les **rêves typiques**, tout en étant, comme les symboles, interprétables sans l'aide du rêveur, « [...] ont probablement les mêmes sources chez tous les hommes et peuvent nous fournir des indications sur ces sources »[2]. Ainsi, le rêve de confusion à cause de la nudité et le rêve de la mort de personnes chères se rapportent l'un et l'autre à des situations érotiques infantiles. L'énigme de ces rêves est de ne pas être soumis à la censure et d'être immédiatement compréhensibles pour l'interprète cependant que le sens échappe au rêveur. *Même en rêve nous ne pourrions avoir une idée pareille*, pense le rêveur, de telle sorte que les idées meurtrières et érotiques ne sont pas directement déformées par la censure, puisqu'elles apparaissent comme invraisemblables. D'autre part, elles peuvent être masquées par le *souci* défensif à l'égard de la personne concernée.

Symboles et rêves typiques sont ainsi le plus souvent transparents, apparemment non déformés par la censure, mais ils permettent dans certains cas de revenir à l'interprétation au sens habituel : les uns ont toujours le même sens, et sont donc de l'ordre des symboles à traduire, les autres, « malgré un contenu identique ou analogue, doivent être interprétés de façons très diverses »[3], ce qui limite considérablement la place des symboles au sens strict dans l'analyse des rêves. Ils peuvent être considérés comme un **langage de base du rêve**, figuratif ou imagé, qui n'est pas sans parenté avec les clés des songes préscientifiques, et doit être intégré dans la démarche d'interprétation. De même, les rêves typiques, qui généralement suscitent peu d'associations et dont la signification est refusée, peuvent aussi s'insérer

1. *Ibidem*, p. 302 ; p. 397 ; p. 357.
2. *Ibidem*, p. 211 ; p. 280 ; p. 247.
3. *Ibidem*, p. 330 ; p. 432 ; p. 390.

dans un mouvement important dans la cure. Freud souligne d'ailleurs à propos de rêves de mort de personnes chères qu'*une représentation accessoire ne manque jamais dans ces cas : on éprouve dans le rêve des impressions douloureuses.* **Cela rapproche donc ce rêve typique du cauchemar,** où l'angoisse est présente, ainsi que des affects douloureux, *actuels, d'origine somatique,* ce qui souligne dans ces cas l'échec de la censure, du refoulement.

Nous pouvons en rapprocher les **rêves d'enfant,** qui sont souvent selon Freud « des réalisations naïves », réalisations de désir sans déformation, tout au moins dans les exemples qu'il en donne (rêves des fraises[1]). D'une autre manière, les **rêves dits de commodité,** tentent d'apaiser un besoin tel que la soif ou l'envie d'uriner, sans que le désir, ou le besoin, soit déguisé. D'autres rêves peuvent aussi attribuer les douleurs ressenties par le sujet à d'autres personnes. Dans tous ces cas, la réalisation du désir est immédiatement reconnue au réveil.

Les **sources du rêve** n'ont du point de vue de l'interprétation qu'une importance limitée, notamment les **restes diurnes** que l'on retrouve constamment avec un plus ou moins grand développement dans chaque rêve. Freud constate qu'il s'agit essentiellement de restes du jour qui précède le rêve. Mais il classe tout cela dans le chapitre consacré au « récent et à l'indifférent dans le rêve ». L'intérêt se situe en effet dans les éléments qui renvoient à des souvenirs infantiles, particulièrement à des souvenirs concernant la sexualité. En fait, **le déplacement des charges affectives est l'élément principal** : les souvenirs récents lorsqu'ils sont apparemment intensément investis le sont pour d'autres faits psychiques que l'analyse et l'interprétation révèlent. Les souvenirs récents sont le modèle même du manifeste dans le rêve qui conduira aux pensées latentes, ils sont de ce fait un élément important dans la formation des éléments figurés. Les souvenirs latents mènent à des souvenirs plus anciens qui retrouvent dans l'analyse leur investissement. On constate que le rêve a le plus souvent plusieurs significations. « Non seulement il accomplit plusieurs désirs ; mais un sens, l'accomplissement d'un désir, peut en cacher

1. *Ibidem,* p. 120 ; p. 165 ; p. 135.

d'autres, jusqu'à ce que, de proche en proche, on tombe sur un désir de la première enfance. »[1]

Les affects dans le rêve et le travail de l'interprétation

Le contenu affectif des rêves est très souvent en contradiction avec leur contenu représentatif. Freud indique d'abord que le contenu représentatif a changé alors que l'affect est resté le même, il forme la partie du contenu qui résiste à la censure, que ce soit d'ailleurs dans la névrose ou dans le rêve. « **L'affect a toujours raison** »[2] pour ce qui est de sa qualité. Son intensité, par contre, peut varier selon les déplacements et condensations qui sont en fait d'une importance primordiale dans le destin de l'affect. Aussi Freud insiste-t-il particulièrement sur les questions de variations d'intensité de l'affect, mais aussi d'intensité de la représentation. En fait, l'intensité, la clarté, ou l'obscurité de la représentation sont liées à l'affect auquel elle est elle-même liée, ou plus exactement *accolée,* et dont elle peut être séparée par l'interprétation qui retrouve la représentation refoulée à laquelle se rattache en réalité l'affect.

Le travail du rêve réduit souvent la tonalité affective au niveau de l'indifférence. Il réprime les affects, qui seront retrouvés au cours du travail interprétatif. Cependant, la théorie des affects considère leur déliaison *comme un processus centrifuge, mais orienté vers l'intérieur du corps.* Ce paradoxe apparent souligne la parenté de l'affect avec les processus d'innervation motrice et sécrétoire. De ce fait, ils sont réprimés dans le sommeil comme le sont les impulsions motrices. Est-ce là un effet du travail du rêve ou une conséquence du sommeil ? Freud voit là un **compromis** entre les affects liés aux pensées du rêve, pensées nécessairement associées à leur contraire. La répression des affects pourrait être ainsi une conséquence de l'inhibition qu'exercent ces contraires les uns sur les autres. La censure s'exercerait, elle, sur les impulsions éventuelles.

La transformation et le renversement en son contraire sont donc une caractéristique essentielle du travail du rêve sur les affects. Celui-

1. *Ibidem,* p. 193 ; p. 257 ; p. 224.
2. *Ibidem,* p. 393 ; p. 510 ; p. 464.

ci peut s'accomplir aussi bien au service de la censure que de l'accomplissement d'un désir, en transformant un affect désagréable en son contraire et vice versa. Cependant, si le renversement en son contraire peut entrer aussi bien au service de l'instance qui réprime que de celle qui est réprimée, aboutissant aussi bien à des rêves « hypocrites » qu'à des rêves de châtiment (justifiés par la satisfaction d'un désir interdit), il arrive aussi que l'affect soit renforcé dans le rêve par un accord occasionnel entre les deux instances. Dans tous les cas, comme nous l'avons déjà vu, le travail de l'interprétation consistera à retrouver au moyen des associations du rêve les pensées refoulées auxquelles s'accordent les affects réprimés et déformés.

Le travail de l'interprétation

« Il ne faut pas s'attendre à ce que l'interprétation tombe du ciel » [1], ou encore : « il faut travailler comme une bête », ainsi que l'exigeait Claude Bernard, c'est-à-dire avec acharnement et **sans représentation-but.** Avec ces maximes, Freud souligne que le travail du rêve impose un autre travail, le travail de l'interprétation, non moins important, qui permet la suppression de la déformation. Même si les concepts de représentation ne sont pas encore définis, en 1900, l'essentiel est la mise en place de la méthode, qui consiste avant tout à mettre à l'écart toute représentation-but [2], chez l'analyste comme chez l'analysant, en supposant que l'on finira par tomber sur les pensées latentes. Une surinterprétation est alors toujours possible, et l'on peut même considérer qu'une interprétation complète est impossible : « Les rêves les mieux interprétés gardent souvent un point obscur ; on remarque là un nœud de pensées que l'on ne peut défaire… C'est l'*ombilic* du rêve, le point où il se rattache à l'Inconnu. » Cette formulation brillante et pour le moins énigmatique renvoie aux formes diverses de l'originaire, et de la régression : « Derrière l'enfance individuelle, nous entrevoyons l'enfance phylogénétique, le développement du genre humain. » [3]

1. *Ibidem*, p. 444 ; p. 575 ; p. 527.
2. *Ibidem*, p. 447 ; p 579 ; p. 531.
3. *Ibidem*, p. 467 ; p. 602 ; p. 554.

Au delà du principe de plaisir et le rêve dans la névrose traumatique

L'adage suivant lequel « tout rêve se révèle comme l'accomplissement d'un désir » se trouve radicalement mis en cause par l'étude de la névrose traumatique. Le rêve ramène constamment le malade à la situation de l'accident, entraînant le réveil dans l'effroi. Sans aucun déplacement ou déformation, la situation originelle est reproduite telle quelle, ou à peu près, dans la figuration onirique. Le patient paraît *fixé psychiquement* au traumatisme. A priori, l'interprétation n'a pas place ici, le travail du rêve et la déformation sont absents, de même que la censure. Le rêve répète « des expériences du passé qui ne comportent aucune possibilité de plaisir et qui même en leur temps n'ont pu apporter satisfaction » – à moins d'évoquer les énigmatiques tendances masochistes du moi (ce qui sera approfondi en 1924 dans « Le problème économique du masochisme »). La fonction du rêve est ébranlée et détournée de ses fins, remarque Freud. Pourtant, il reste place pour l'élaboration psychique par le biais de la répétition qui permet la maîtrise de l'effroi lié à la situation traumatique vécue passivement[1].

L'INTERPRÉTATION DANS LA CURE

Nous n'avons plus affaire à un abord centré sur le matériel par un interprète qui serait, la plupart du temps, détaché de la situation transférentielle. Il s'agit désormais de situer l'opportunité et l'incidence de l'interprétation dans la réalité de la relation analytique, en s'appuyant sur les principes qui régissent ce que Freud nomme ***le travail d'analyse,* qui est l'inverse du travail du rêve**[2].

Rêve et symptôme. La névrose

« Le rêve est un symptôme névrotique », dit Freud à plusieurs reprises. S'il expose peu dans *L'interprétation des rêves* sa manière

1. *Au-delà du principe de plaisir* (1920g), *Essais de psychanalyse,* Paris, Payot, 1981, p. 50 et suivantes ; *OCF* XV, p. 282 ; *GW* XIII, p. 10.

2. *Sur le rêve* (1901a), Paris, Gallimard, 1988, p. 60 ; *OCF* V, p. 28 ; *GW* II-III, p. 654.

d'interpréter dans les cures qu'il lui arrive d'évoquer, il montre par contre la proximité des processus à l'œuvre dans le rêve et dans la cure (essentiellement celle des névroses). Surtout, à plusieurs reprises dans ce texte et ultérieurement, il considère le rêve comme un symptôme.

En quoi le rêve est-il comparable à un symptôme ? Tout d'abord, il est essentiellement un compromis, une **formation de compromis,** tout comme le symptôme. C'est-à-dire que le rêve donne satisfaction à la pulsion tout en déguisant, en déformant les conditions de cette satisfaction. Le **cauchemar** le montre de la façon la plus nette : le déplaisir, l'angoisse, sont au premier plan et cachent le plaisir lié à l'accomplissement du désir. La censure dépend, dans les termes ultérieurs de la métapsychologie, du surmoi-idéal du moi (surtout, selon Freud, de l'idéal), mais aussi éventuellement du moi.

Cependant, le **rôle de la figuration,** dont nous avons vu l'importance dans le travail de déformation du rêve, est **moins évident dans le compromis qui caractérise le symptôme.** En fait, le symptôme hystérique est typiquement, c'est-à-dire schématiquement, d'ordre moteur ou sensitif. La phobie se manifeste par un acte de fuite, la névrose obsessionnelle à la fois par des actes de négation magique (annulation rétroactive, ou isolation qui tend à nier les liens) et par une érotisation de la pensée, où la satisfaction est inscrite dans le fonctionnement compulsif de la pensée elle-même. C'est dire que les processus de déformation de la revendication pulsionnelle, qui contribuent à la formation du symptôme, se manifestent peu sous forme de figuration, qui est nécessairement plus mentalisée et aussi plus « déformée ». Le fantasme sous-jacent au symptôme reste inconscient et n'apparaîtra que dans le travail de l'analyse.

L'avertissement de la première édition de *L'interprétation des rêves* indique cependant que « celui qui ne peut expliquer l'origine des images du rêve cherchera vainement à comprendre les phobies, les obsessions, les idées délirantes et à exercer sur elles une influence thérapeutique ». Mais la compréhension de la névrose ne passe pas par l'interprétation directe de ses symptômes, au contraire de ce que Freud tentait dans la phase pré-analytique de son travail. L'interprétation du rêve n'est certes pas gratuite, elle ouvre le domaine de l'analyse qui ne peut concerner au sens strict que les productions psychiques de l'ordre de l'image ou de la parole. Ou, si l'on veut, qui relèvent de l'ordre de la figuration ou finalement de la représentation.

De l'interprétation des rêves à Dora : la prise en compte du transfert

L'analyse dans le cas de *Dora* reste d'abord centrée sur le sens des symptômes et la recherche des significations des associations. Elle ne s'éloigne pas de l'intérêt primordial porté à l'interprétation des symptômes et des symboles et à l'évaluation des fixations. Cela renvoie au mode de travail interprétatif des premiers temps de l'analyse, bien que Freud rappelle dans son « avant-propos » que cette méthode est dépassée depuis les *Études sur l'hystérie*[1].

Dans l'analyse de Dora, nous pouvons dire que les symptômes sont expliqués et les fantasmes de désir sous-jacents clairement démontrés, mais l'interprétation à proprement parler porte essentiellement sur les rêves, ce qui était d'ailleurs le projet initial du texte, d'abord intitulé *Rêve et Hystérie.* Les interprétations, aussi explicites que celles qui sont rapportées dans *L'interprétation des rêves,* se présentent comme des constructions complexes, comme elles seront définies en 1937 dans « Constructions dans l'analyse ». **La nouveauté est la prise en compte du transfert, éventuellement son interprétation.** On peut considérer que, dans son ensemble, le cas Dora est rapporté de la même manière que, par exemple, le rêve de l'injection faite à Irma. La cure, brève, est l'objet d'interprétations, ou plutôt de commentaires analytiques, de la même manière que peut l'être un rêve. La part consacrée à l'interprétation proprement dite, telle qu'elle est formulée en lien avec les associations de Dora, est plus restreinte, tout en s'appuyant sur les éléments de théorie et de technique développés par ailleurs.

La démarche d'investigation qu'adopte Freud, et qui fait partie du travail d'analyse, est remarquable par le nombre et l'importance des questions qu'il pose. Elles visent à former Dora à l'interprétation[2] en

1. « Fragment d'une analyse d'hystérie (Dora) » (1905e [1900]), *Cinq psychanalyses,* Paris, PUF, 1954, p. 5 ; *OCF* VI, p. 192 ; *GW* V, p. 169.

2. *Ibidem,* p. 46 ; p. 243 ; p. 226.

même temps qu'à développer l'enquête et à préparer les constructions successives, ce que nous pouvons suivre surtout dans l'étude du premier rêve. Dans le second rêve rapporté (il eut lieu dans les derniers jours de l'analyse de Dora), l'interprétation est certes conduite selon la même technique qu'à l'occasion du premier rêve ; on doit pourtant souligner l'accent porté sur les identifications dont le registre s'étend de la madone, mère vierge, qui permet des représentations sexuelles féminines, à l'identification au jeune homme qui lui fait la cour. Le point capital de ce texte est **la théorisation du transfert et de son interprétation.** « L'interprétation des rêves, l'extraction d'idées et de souvenirs inconscients des associations du malade ainsi que les autres procédés de traduction sont faciles à apprendre ; c'est le malade qui en donne toujours le texte. Mais le transfert, par contre, doit être deviné sans le concours du malade... »[1] La traduction ne se confond donc en rien avec l'interprétation, et Freud ajoute à cela la notion de conviction acquise lorsque le *transfert est résolu,* ce que l'on peut entendre comme justement interprété.

Le fait de devoir *deviner* met en cause non seulement les capacités personnelles de l'analyste en tant que devin, ou au moins sa perspicacité, mais aussi les **conditions contre-transférentielles** où il se trouve, au sens le plus large. Le terme de « contre-transfert » n'est à ce moment-là pas encore proposé, mais Freud en donne plusieurs exemples *a posteriori* (notamment dans une note de 1923). Ainsi, il nomme « erreur technique » le fait d'avoir « omis de deviner » l'amour homosexuel de Dora à l'égard de Mme K... et de le lui communiquer. Il indique de plus le *désarroi complet* où il pouvait se trouver du fait de cette méconnaissance[2], soulignant du même coup l'importance décisive de l'analyse du contre-transfert.

Il reviendra sur ce problème en 1910, montrant à la fois l'importance du « tact médical »[3] don inné, sans doute essentiel à la pratique de l'interprétation. Il souligne la nécessité d'acquérir la technique

1. *Ibidem,* p. 87 ; p. 295-296 ; p. 280.

2. *Ibidem,* p. 90, n. 1 ; p. 299, n. 1 ; p. 284, n. 1.

3. « À propos de la psychanalyse dite "sauvage" » (1910k), *De la technique analytique,* Paris, PUF, 1953, p. 41 ; *OCF* X, p. 212 ; *GW* VIII, p. 124.

nécessaire pour que l'analyste soit capable de se servir de son propre inconscient comme d'un instrument[1].

De « L'homme aux rats » et de « L'homme aux loups » à « Constructions dans l'analyse »

La première de ces analyses, dans les deux textes où elle est rapportée (« Remarques sur un cas de névrose obsessionnelle (L'homme aux rats) » et *Journal d'une analyse*) permet de suivre plus systématiquement le travail de construction interprétative et particulièrement de sa phase préparatoire (« Introduction à la compréhension de la cure »)[2]. Ainsi, après avoir expliqué les différences psychologiques entre conscient et inconscient, l'homme aux rats avance l'hypothèse d'une désagrégation de sa personnalité. Freud l'approuve alors et développe l'idée que *l'inconscient, clivé du conscient, c'est l'infantile en nous*. Auparavant, il a exposé la comparaison qui lui est chère entre l'analyse et l'archéologie en montrant les objets provenant de Pompéi dont l'inaltérabilité est comparable à celle des contenus de l'inconscient. Plus loin, il « juge utile » d'exposer d'autres idées théoriques, concernant les pensées de mort du patient à l'égard de son père, et notamment que « **l'inconscient est l'inverse contradictoire du conscient** ». De telles constructions paraissent en ce temps nécessaires à Freud, et peut-être précisément chez ce patient qui est pour ainsi dire un « remarquable constructeur ».

La violence du transfert est montrée et interprétée, c'est-à-dire intégrée dans la construction : le patient retrouvant à sa surprise la rage qu'il éprouvait à l'égard de son père mais n'en étant cependant pas convaincu, il dut *passer par la voie douloureuse du transfert* pour reconnaître ses sentiments infantiles, sous la forme de la peur d'être battu par l'analyste en raison de ses injures et surtout de ses pensées injurieuses. « Quantité de faits réels... furent mis ainsi, en pleine cure,

1. « Conseils aux médecins sur le traitement psychanalytique » (1912e), *De la technique psychanalytique,* Paris, PUF, 1953, p. 66 ; *OCF* XI, p. 150 ; *GW* VIII, p. 381-382.

2. « Remarques sur un cas de névrose obsessionnelle (L'homme aux rats) » (1909d), *Cinq psychanalyses,* Paris, PUF, 1954, p. 211-220 ; *OCF* IX, p. 151-161 ; *GW* VII, p. 399-408.

à notre disposition pour permettre de reconstituer l'enchaînement des faits. »[1]

Nous retrouvons le même type de travail préparatoire et de recherche de *l'enchaînement des faits* qui paraît essentiel à l'approfondissement du travail dans la cure chez une personnalité très différente, « L'homme aux loups » : **une longue éducation** fut nécessaire, dit Freud, pour amener le patient à prendre une part personnelle au traitement. Nous n'en donnerons qu'un exemple qui montre le développement de la construction à partir de souvenirs-écrans (la petite « queue » de la gouvernante, son chapeau qui s'envole au cours d'une promenade) immédiatement interprété comme expression du sens du complexe de castration. « **Communiquer une telle construction ne comporte absolument aucun danger** », affirme-t-il. Selon cette opinion qu'il soutient constamment, sous la condition qu'il n'y ait pas de la part de l'analyste d'obstination dans l'erreur, une construction fausse n'a tout simplement pas d'effet, elle ne nuit pas. De toute façon, on ne l'énonce pas si l'on n'a pas quelque espoir de s'approcher par son moyen, d'une façon quelconque, de la vérité[2].

Pour rester dans l'analyse de « L'homme aux loups », notons que la communication de cette construction fait apparaître des rêves centrés sur un ensemble d'actes agressifs contre la sœur ou la gouvernante suivis de punitions à l'égard du patient : C'était comme si, après son bain, il avait voulu mettre à nu sa sœur, lui arracher ce qui l'enveloppait, ou ses voiles… Il n'était pas possible d'arriver par l'interprétation à un contenu certain ; Freud qualifie de *« prétendues réminiscences »* ces fantasmes, qui permettent de révéler la scène inverse où le patient était l'objet des séductions de sa sœur. Nous voyons ici que **l'interprétation initiale touche bien au souvenir du trauma,** en l'occurrence la séduction exercée par sa sœur et subie passivement. Ce serait en raison de cette atteinte au « sentiment viril de sa dignité » que sa conduite agressive renversant la situation de passivité, lui permettait de restaurer son narcissisme.

1. *Ibidem,* p. 235 ; p. 179-180 ; p. 429-430.

2. « Extrait de l'histoire d'une névrose infantile (L'homme aux loups) » (1918b [1914]), *Cinq psychanalyses,* Paris, PUF, 1954, p. 334 ; *OCF* XIII (2e éd.), p. 16 ; *GW* XII, p. 42.

Cette brève séquence pourrait illustrer la **théorisation de la construction** telle qu'elle est proposée en 1937 dans « Constructions dans l'analyse ». Freud revient là sur l'idée que la construction erronée n'aurait pas d'effet négatif : non seulement l'interprétation-construction erronée ne laisse pas de trace, mais elle pourrait bien permettre une approche de la vérité historique. La « carpe de la vérité a été attrapée grâce à l'appât du mensonge », rappelle-t-il, en citant Polonius. Une « construction pertinente » permet cependant plus régulièrement de faire surgir des souvenirs « excessivement nets » ; ce n'est pas le souvenir même de la scène traumatique en cause qui est éveillé, mais des détails voisins perçus avec une extrême netteté, et que l'on peut comprendre comme l'effet combiné de la poussée vers le haut du refoulé et de la résistance qui persiste. Les souvenirs parcellaires (tels ceux de « L'homme aux loups » portant sur la séduction qu'il aurait subie de sa sœur, paraissent bien être de cet ordre). Dans certains cas, les souvenirs prennent un caractère hallucinatoire, ou constituent de véritables hallucinations – Freud évoquant à ce propos « **le morceau de vérité historique** » que contiennent les hallucinations éveillées par la construction interprétative. De façon plus générale, il convient de retenir l'hypothèse d'un noyau de vérité historique dans toute hallucination, ce qui peut aider à comprendre les psychoses[1].

Autres aspects techniques de l'interprétation

Mais nous n'en avons pas fini avec « Constructions dans l'analyse ». ***L'interprétation brève*** s'oppose apparemment à la construction qui est une démarche reconstructive du passé et du refoulé : elle est, pour Freud, l'essentiel du travail d'analyse, que **le terme de « construction » est « de beaucoup plus approprié » à désigner, le terme d'« interprétation » se rapportant « à la façon dont on s'occupe d'un élément isolé du matériel »**[2]. On peut d'ailleurs remarquer qu'il ne donne que très peu d'exemples d'interprétations brèves et rapporte plutôt des lapsus spirituels de patients, lapsus qui semblent avoir non

1. « Constructions dans l'analyse » (1937d), *Résultats, idées, problèmes, II*, Paris, PUF, 1985, p. 273-280 ; *OCF* XX, p. 64-72 ; *GW* XVI, p. 47-55.

2. *Ibidem*, p. 272 ; p. 63 ; p. 46.

seulement une valeur d'indice pour l'analyste mais aussi d'auto-interprétation pour le patient. Ainsi le terme de *Jauner* surgissait dans les rêves d'un patient : « Je lui proposai comme interprétation qu'il pensait probablement *Gauner* (filou) en disant *Jauner*, et le patient répondit promptement : "Ceci me semble tout de même trop osé" (*jewagt* dit-il au lieu de *gewagt*). » [1] Sans doute l'interprétation brève de Freud est-elle un mot d'esprit, une condensation qui permet de saisir soudain l'ensemble d'une histoire transférentielle que le lecteur ne peut que deviner mais que le patient comprend sans explication ; et il le manifeste par le renvoi d'un nouveau lapsus spirituel.

Rappelons l'insistance avec laquelle Freud prône **l'éducation,** le recours à une **introduction préliminaire** avant d'engager l'analyse à proprement parler, c'est-à-dire avant d'entreprendre l'analyse du transfert. Il ne s'agit pas même, dans ce premier temps, de véritables constructions analytiques, mais d'une sorte d'apprentissage de la méthode. À l'opposé, l'interprétation brève est le plus souvent, comme dans l'exemple que nous avons cité, très proche d'un jeu de mots, d'un *Witz* (qui désigne plutôt un bon mot, voire une blague). Le rire des patients témoigne « qu'on est parvenu à révéler à leur conscience, avec exactitude, l'inconscient jusque-là voilé » [2]. Il est permis de supposer que les ouvertures transférentielles contenues dans l'échange spirituel rapporté furent l'objet d'une élaboration ultérieure, même si tout semble dit sur le moment même. Ajoutons que le *Witz* est aussi et avant tout une manière de retrouver la source infantile du plaisir, qu'il est défini **comme une pensée préconsciente momentanément abandonnée au traitement inconscient** [3]. Ce qui résulte de ce traitement est récupéré par la perception consciente.

L'interprétation brève, conçue sur le même mode mais inversée, ouvre une vue soudaine sur l'inconscient, d'où son efficacité et ses limites. Elle est caractérisée par sa condensation, parfois extrême, qui contraste avec le travail essentiel de décondensation qui lui revient ;

1. *Ibidem*, p. 276 ; p. 68 ; p. 51.

2. *Le mot d'esprit et sa relation à l'inconscient* (1905c), Paris, Gallimard, 1988, p. 261 ; *OCF* VII, p. 162 ; *GW* VI, p. 159.

3. *Ibidem*, p. 300 ; p. 242 ; p. 240.

d'où la position finalement réservée que Freud exprime à son propos, sans toutefois refuser l'intérêt de telles interprétations : **c'est la reconstruction de l'objet psychique qui est le but et la fin de l'effort de l'analyste,** la construction, comme l'interprétation brève, n'en étant que des éléments préliminaires[1]. La concision et la condensation sont le fait du matériel du mot d'esprit et de son mode de figuration, alors que l'interprétation brève a surtout pour but de mettre en valeur l'expression de la représentation inconsciente qui peut alors se faire jour chez le patient.

Nous pouvons ici encore trouver une description de la situation où se trouve l'analyste au moment de penser, ou de formuler une interprétation brève, en nous rapportant aux conditions de la formation d'un *Witz*. On dit faire un mot d'esprit, mais on sait bien que l'on a alors une conduite différente de celle adoptée lorsqu'on porte un jugement. Le mot d'esprit a, d'une façon tout à fait remarquable, le caractère d'une « idée qui vient », involontaire. Même quelques instants avant, on ignore encore quel mot d'esprit on va faire, mot d'esprit qu'on n'a plus alors qu'à habiller avec des mots : « On ressent bien plutôt quelque chose d'indéfinissable, que je comparerais le plus volontiers à une absence, à une brusque mise au repos de la tension intellectuelle, et puis d'un seul coup le mot d'esprit est là généralement avec son habillement. »[2] Certes, les conditions de formation de l'interprétation brève sont différentes, mais pour l'essentiel le retour à la nécessité de l'élaboration inconsciente est identique ; les changements concernent « l'habillage avec des mots », comme le choix de l'opportunité d'énoncer ou non l'interprétation, et sous quelle forme. En d'autres termes, l'interprétation est le résultat du « choix de l'habillage » qui permet à l'analyste de passer de l'inconscient au préconscient dans le jeu de son fonctionnement psychique, tout en gardant une relation étroite avec le niveau topique où se trouve l'analysant.

1. « Constructions dans l'analyse » (1937d), *Résultats, idées, problèmes, II*, Paris, PUF, 1985, p. 272 ; *OCF* XX, p. 63-64 ; *GW* XVI, p. 46.

2. *Le mot d'esprit et sa relation à l'inconscient* (1905c), Paris, Gallimard, 1988, p. 302-303 ; *OCF* VII, p. 194 ; *GW* VI, p. 191.

Nous passerons rapidement sur les autres aspects techniques de l'interprétation, d'ailleurs assez limités, car **Freud se refuse à édicter des règles en la matière.** Tout au plus formule-t-il des conseils ou, à l'opposé, relève des conduites à proscrire ou des fautes techniques à éviter. Il indique ainsi que « **l'interprétation ne se fera que lorsque le patient s'est rapproché des matériaux refoulés, que son transfert est fort** »[1]. Ceci est en rapport avec l'importance de l'analyse des résistances, qui comprenaient originellement le transfert, avant qu'il soit aussi considéré comme l'auxiliaire principal dans le travail d'analyse. Si l'analyste doit savoir *à tout moment ce qui occupe la surface psychique,* s'il doit être au fait de « l'ordre du jour » de l'inconscient, il importe tout autant qu'il « maintienne son attention flottante et tourne vers l'inconscient émetteur du malade son propre inconscient en tant qu'organe récepteur »[2]. Ce sont là les conditions qui permettent la justesse d'une interprétation. À ce propos, Freud souligne souvent que l'analyse est un art, avant tout un art d'interprétation, « elle devint un art de découvrir les résistances s'opposant à la construction de l'analyste »[3].

On sait cependant que les résistances actives chez l'analyste restent relativement peu étudiées, leur levée étant renvoyée à son analyse personnelle ou à son auto-analyse. Ainsi, comme il est dit dans « Constructions dans l'analyse », le travail analytique se déroule **sur deux scènes séparées,** où l'un des acteurs est chargé de se remémorer quelque chose qui a été vécu et refoulé, tandis que l'autre est chargé de construire ce qui a été oublié[4]. Freud n'en dit pas plus sur ce que le travail de construction implique de la part de l'analyste et sur la nécessité qui l'amène à quitter sa « scène séparée », mais nous avons

1. « À propos de la psychanalyse dite "sauvage" » (1910k), *De la technique analytique,* Paris, PUF, 1953, p. 40-41 ; *OCF* X, p. 211 ; *GW* VIII, p. 123.

2. « Conseils aux médecins sur le traitement psychanalytique » (1912e), *De la technique psychanalytique,* Paris, PUF, 1953, p. 66 ; *OCF* XI, p. 150 ; *GW* VIII, p. 381-382.

3. *Au-delà du principe de plaisir* (1920g), *Essais de psychanalyse,* Paris, Payot, 1981, p. 57 ; *OCF* XV, p. 288 ; *GW* XIII, p. 16.

4. « Constructions dans l'analyse » (1937d), *Résultats, idées, problèmes, II,* Paris, PUF, 1985, p. 270 ; *OCF* XX, p. 61-62 ; *GW* XVI, p. 44.

vu, notamment dans les remarques concernant Dora, des aperçus sur le travail de contre-transfert, qui apparaissait en fait dès l'analyse du rêve d'Irma.

QUESTIONS ET ENJEUX

Ainsi que nous l'avons évoqué, le pivot essentiel de la théorie et de la pratique de l'interprétation est **son rapport aux divers procédés de négation.** Rappelons seulement l'exemple qu'en donne Freud dans son article de 1925 sur « La négation », précisément : « Vous demandez qui peut être cette personne dans le rêve. Ma mère, ce n'est pas elle. » L'interprétation suit naturellement : donc c'est elle, car nous prenons la liberté *de faire abstraction de la négation, et d'extraire le pur contenu de l'idée incidente.* Du moins est-ce le premier pas de l'interprétation car il reste à obtenir la conviction de l'intéressé quand elle n'est pas d'emblée acquise. En l'occurrence, il s'agit d'obtenir la levée totale du refoulement dont la négation fait partie : sous cette forme, avec le *symbole de négation,* le contenu inconscient ou plus précisément déjà préconscient a émergé. Ici la mère a été reconnue sous la « déformation » qui la déguise en une autre femme, mais elle ne prendra toute sa place que dans l'ensemble de l'analyse à venir de la situation œdipienne comportant la reconnaissance de son contexte affectif[1].

Dans cet ordre d'idées, Freud insistait dès *Le mot d'esprit et sa relation à l'inconscient* sur l'importance de la « **figuration par le contraire** » dans le processus de négation, notamment dans le rêve où deux opposés sont figurés dans une seule et même formation composite. Il ajoute, citant ce qu'il avançait déjà dans *L'interprétation des rêves* : « On ne sait, au départ, d'aucun élément susceptible d'avoir un contraire s'il est contenu dans les pensées du rêve de façon positive ou négative.

Le travail de l'interprétation est alors de prendre en compte le sens de la négation pour la levée du refoulement qui équivaut à *l'acte de juger.* »[2]

1. « La négation » (1925h), *Résultats, idées, problèmes, II,* Paris, PUF, 1984, p. 135-139 ; *OCF* XVII, 1984 ; p. 167-171 ; *GW* XIV, p. 11-15.

2. *Le mot d'esprit et sa relation à l'inconscient* (1905c), Paris, Gallimard, 1988, p. 314 ; *OCF* VII, p. 128 ; *GW* VI, p. 119.

Tout autre est la situation lors du **déni associé au clivage,** autre processus que l'on considère peut-être abusivement comme de l'ordre d'une négation. L'emploi du terme « déni » va certes dans ce sens et sans doute aussi celui de « *Verleugnung* » dont il est une traduction acceptable mais trop limitée. Mais cette défense décrite dans un des derniers textes de Freud n'apparaît pas si clairement comme une négation. Le clivage du moi domine ; la représentation, typiquement la castration, refusée dans une part clivée du moi, est acceptée dans une autre part, au prix d'aménagements complexes, parmi lesquels le choix d'un fétiche reste essentiel. Nous ne reprendrons pas ici la discussion de ces différents termes auxquels il faudrait encore ajouter celui de rejet, *Verwerfung,* introduit dans « L'homme aux loups », nous limitant à remarquer que, dans ces cas, la question de la place éventuelle de l'interprétation n'est pratiquement pas abordée par Freud. Il faut noter cependant qu'il évoque une difficulté majeure du travail interprétatif en qualifiant de « rusée » cette modalité de défense ; de même, le terme de *Verleugnung,* proche du mensonge *(Lügen),* souligne que l'on se trouve là aux limites de la perversion et de la psychose. Le travail de l'interprétation dans ces divers domaines en est resté à ses prémisses, soulignant l'importance des troubles narcissiques, globalement considérés par Freud comme inaccessibles au transfert, sinon de façon marginale.

La question de la temporalité, peut-être plus exactement du tempo que doit respecter l'incidence de l'interprétation dans la cure, est constamment définie dans son rapport avec le transfert et, de façon plus ou moins explicite, avec le contre-transfert. « Tant que le patient continue sans entrave à révéler les pensées, les idées qui lui viennent à l'esprit, il convient de ne pas aborder la question du transfert. » Il faut attendre pour cela que le transfert se soit mué en résistance. À la question essentielle du moment où l'on doit commencer à interpréter les propos du patient, la réponse est : pas avant qu'un transfert sûr, un rapport favorable, aient été établis chez lui[1]. Ceci signifie que le patient s'attache à l'analyste et l'admet au rang des séries d'imago dont il avait l'habitude de recevoir des marques d'amour. Il faut donc que le transfert positif soit solidement établi pour que puissent

1. « Le début du traitement » (1913c), *De la technique psychanalytique*, Paris, PUF, 1953, p. 99 ; « Sur l'engagement du traitement », *OCF* XII, p. 181-182 ; *GW* VIII, p. 474-475.

apparaître les résistances, les manifestations du transfert négatif, qui seront éventuellement l'objet d'interprétation. À nouveau donc se trouvent condamnées les interprétations prématurées, d'autant plus sauvages qu'elles seraient plus justes[1]. Aussi faut-il prendre en compte le transfert négatif et notamment la négativité sous-jacente à l'amour de transfert excessif (et tout aussi bien de contre-transfert). Tout cela est affaire de tact comme nous l'avons vu précédemment. Il est intéressant d'ailleurs de noter que la dénomination d'interprétation est déniée à ces procédés sauvages qui relèvent d'un défaut narcissique chez un praticien (autocomplaisant ou irréfléchi) qui jetterait à la figure du patient les « solutions » ou les « traductions » qu'il croit avoir découvertes. Ces conduites ne sont pas reliées au contre-transfert qui vient d'être établi, sans doute parce qu'elles en sont des figures par trop caricaturales, mais on doit noter qu'elles mettent en évidence, non seulement l'absence de tact, mais surtout l'absence de prise en compte du temps de l'analyse, ce temps qui est un élément essentiel de la constitution du pare-excitation, nous est-il dit dans *Au-delà du principe de plaisir*[2]. Rappelons que notre conception abstraite du temps semble avoir été tirée du mode de travail Pc-Cs. Elle semble correspondre à une auto-perception de ce mode de travail qui peut agir comme pare-excitation notamment lorsque s'opposent les processus inconscients intemporels et les processus Pc-Cs. Nous pouvons avancer que l'interprétation réalisant le passage de l'Ics au Pc-Cs est potentiellement traumatique car elle comporte une mise en cause plus ou moins brutale du système défensif, si le pare-excitation temporel n'est pas suffisamment pris en compte.

Ceci nous amène à évoquer la question de la **régression dans ses rapports avec l'interprétation.** C'est là un aspect qui n'est pas directement traité par Freud mais qui sous-tend la pratique comme la théorie de l'interprétation. L'interprétation étant fondamentalement interprétation de transfert, elle commence par l'abord de l'Œdipe et idéalement en vient aux formations plus régressives. Pourtant, les modalités de la régression sont une fois encore étudiées à partir du **rêve et du mot d'esprit,** et de là nous pouvons les extrapoler, pour ainsi dire,

1. « À propos de la psychanalyse dite "sauvage" » (1910k), *De la technique psychanalytique*, Paris, PUF, p. 41 ; *OCF* X, p. 212 ; *GW* VIII, p. 124.

2. *Au-delà du principe de plaisir* (1920g), *Essais de psychanalyse,* Paris, Payot, 1981, p. 70 ; *OCF* XV, p. 299 ; *GW* XIII, p. 28.

aux conditions de la cure. C'est notamment à partir du mot d'esprit que Freud revient sur les conditions du travail du rêve qu'il résume comme associant « transformation visant à rendre figurable, condensation, déplacement »[1], auxquels il ajoute la prise en compte de la topique de l'appareil psychique et de la régression. Nous aurons là, essentiellement, les **transformations** aboutissant à la figuration en relation avec la régression.

« Ce que le travail du rêve prend en charge pour le figurer ce n'est pour ainsi dire, que le matériel brut des représentations » ; c'est là ce que Freud nomme aussi la **transformation rétroactive des pensées du rêve en images sensibles,** transformation régressive qui peut aller jusqu'à la **figuration hallucinatoire.** Tout cela signifie que « le travail du rêve, processus qui prépare le rêve, doit être situé dans la région de l'inconscient »[2]. Il apparaît ainsi clairement que le travail du rêve part des représentations inconscientes pour en arriver régressivement à un ensemble de condensation, déplacement et transformation prenant en compte les restes diurnes pour former les figurations, formes perçues et conscientes qui **s'offrent à l'interprétation.**

Divers niveaux de régression peuvent être distingués, qu'ils soient topiques, temporels, formels, mais Freud accorde que « ces trois sortes de régression n'en font pourtant qu'une à la base et se rejoignent dans la plupart des cas, car ce qui est le plus ancien dans le temps est aussi primitif au point de vue formel et est situé dans la topique psychique le plus près de l'extrémité de perception »[3]. Aussi l'importance de ces niveaux est-elle **relativement restreinte du point de vue de l'interprétation.** L'essentiel reste que le rêve, considéré comme modèle des manifestations psychiques issues du processus primaire, est « une régression au plus ancien passé du rêveur, comme une reviviscence de son enfance, des modalités pulsionnelles qui ont dominé celle-ci, des modes d'expression dont elle a disposé ». Freud ajoute que, derrière cette enfance individuelle, nous entrevoyons l'enfance phylogénétique ; enjeu final, ou arrière-fond constant de la démarche d'interprétation, c'est aussi

1. *Le mot d'esprit et sa relation à l'inconscient* (1905c), Paris, Gallimard, 1988, p. 297 ; *OCF* VII, p. 190 ; *GW* VI, p. 187.

2. *Ibidem,* p. 298 ; p. 191 ; p. 188.

3. *L'interprétation des rêves* (1900a), Paris, PUF, 1967, p. 466-467 ; *OCF* IV, p. 602 ; *GW* II-III, p. 554.

l'origine du « désir indestructible, à l'image du passé » dont l'évocation clôt *L'interprétation des rêves*.

Pierre CHAUVEL

Intrication et désintrication des pulsions → **Mélange et démélange (union et désunion) des pulsions**

Introjection → **Identification**

INVESTISSEMENTS (investissement, retrait d'investissement, contre-investissement, surinvestissement)

all. : ***Besetzung***. – angl. : *investment*. – esp. : *carga*. – ital. : *investimento*. – port. : *investimento*

Les investissements correspondent à un concept économique désignant les déplacements d'énergie inhérents au fonctionnement d'un appareil psychique fondé sur le conflit. Tout investissement est investissement d'objet, permettant à la pulsion d'atteindre son but : la satisfaction. Les investissements sont les agents de la transformation pulsionnelle, marquant les jalons du travail psychique exigé par la pulsion.

En première topique, les processus d'investissement sont des processus de liaison. L'*investissement* est défini comme la transformation de la motion pulsionnelle en une représentation de chose par sa liaison avec la trace mnésique de l'objet de satisfaction, « les investissements de chose des objets sont les premiers et véritables investissements d'objet » [1]. Un *surinvestissement* transformera la représentation de chose inconsciente en une représentation de mot préconsciente, ouvrant l'accès aux processus de pensée. Les *contre-investissements* sont les processus économiques du refoulement ; constitués différemment dans chacune des trois névroses, ils exigent une dépense

1. « L'inconscient » (1915e), *Métapsychologie*, Paris, Gallimard, 1968, p. 118 ; *OCF* XIII, p. 240 ; *GW* X, p. 300.

constante d'énergie contre l'investissement de la représentation inconsciente qui tente de faire irruption dans le système préconscient. Ils se traduisent dans la cure par des résistances, dites de refoulement.

Dans la deuxième topique, les investissements d'objet par les pulsions du ça ont une fonction de décharge de l'énergie libidinale, le choix d'objet étant indifférent. L'*investissement libidinal* des représentations d'objet appartient au moi marquant le moment de sortie du narcissisme primaire absolu. La notion de *contre-investissement* s'étend aux processus de défense contre l'irruption de grandes quantités d'excitation traumatique, force contre force. Très coûteux en énergie, ils peuvent appauvrir le moi jusqu'à le vider. Les *surinvestissements* interviennent dans tous les processus de transformation des grandes quantités d'excitation en petites quantités, c'est-à-dire dans tous les processus de liaison qui définissent le travail du moi : processus perceptifs, processus de pensée et production du signal d'angoisse ; ils déterminent une synthèse de divers processus au cours de laquelle l'énergie libre se transforme en énergie liée. Les surinvestissements participent aux visées de l'Éros « de donner forme à partir de la substance vivante à des unités de plus en plus grandes, et ainsi de conserver la permanence de la vie et de la conduire à de plus hauts développements »[1].

MISE EN SITUATION

En allemand Besetzung *a deux sens : « occupation », dans le sens militaire (l'acte d'occuper une place ou l'état d'une place occupée), et « distribution », dans le sens de distribution des rôles dans une pièce de théâtre (impliquant l'idée de répartition). Ce double sens se retrouve dans l'utilisation du terme par Freud, référé tantôt à la topique avec l'investissement en énergie d'un système, tantôt aux mouvements dans la répartition de l'énergie. En décrivant des processus d'investissements, nous favorisons ce deuxième sens plus proche, semble-t-il, de la pensée de Freud qui, s'interrogeant sur le*

1. « "Psychanalyse" et "Théorie de la libido" » (1923a), *Résultats, idées, problèmes, II*, Paris, PUF, 1985, p. 77 ; *OCF* XVI, p. 208 ; GW XIII, p. 233.

passage d'un système à un système voisin, indique « qu'il ne s'effectue pas par une nouvelle inscription mais par un changement d'état, une modification dans l'investissement. L'hypothèse fonctionnelle a ici évincé sans peine l'hypothèse topique » [1]*. Mais investissement est aussi un terme économique, avec le sens financier de placements de capitaux : ainsi, les contre-investissements sont dits « très coûteux en énergie ».*

Notion énergétique, le concept tient ses incertitudes des interrogations posées par la théorie de l'énergie (et donc par la théorie des pulsions). Jalon du trajet pulsionnel, l'investissement est évoqué par Freud dans tous les mouvements organisateurs du psychisme, la question de la nature de l'énergie psychique restant posée tout au long de l'œuvre. Les premiers écrits, qui présupposent une analogie entre l'énergie psychique et celle des physiciens, donnent de l'investissement une définition uniquement quantitative : l'investissement serait « quelque chose (quantum d'affect, somme d'excitation) qui a tous les caractères d'une quantité – bien que nous ne possédions aucun moyen de la mesurer – quelque chose qui est capable d'augmentation, de diminution, de déplacement et de décharge, et qui s'étend sur les traces mnésiques des représentations un peu comme une charge électrique sur la surface du corps » [2]*. Mais très vite (et paradoxalement dans l'« Esquisse » dès 1895) le concept est référé à l'objet et donc, à partir de 1905, à la pulsion, qu'elle soit pulsion du moi ou pulsion sexuelle. La complexité du concept tient au problème des relations du quantitatif au qualitatif et du passage de l'un à l'autre. Il pourra sembler être contourné par la différenciation avancée en 1938 entre investissements et surinvestissements ; ceux-ci, par les liaisons qu'ils opèrent, seraient les véritables agents de la transformation qualitative des grandes quantités d'excitation. Mais l'énigme persiste quant à l'investissement qui précède : est-il quantitatif, qualitatif ? Marquerait-il le moment du passage de l'un à l'autre ?*

1. « L'inconscient » (1915e), *Métapsychologie*, Paris, Gallimard, 1968, p. 88 ; *OCF* XIII, p. 220 ; *GW* X, p. 279.

2. « Les psychonévroses de défense » (1894a), *Névrose, psychose et perversion*, Paris, PUF, 1974, p. 14 ; *OCF* III, p. 18 ; GW I, p. 74.

LE TEXTE FREUDIEN

Les processus d'investissements dans la première topique

Le terme apparaît en 1895 (*Études sur l'hystérie*) pour désigner les rapports entre affect et représentation : « un émoi non liquidé, en investissant une représentation, entraînait chaque fois une certaine inaccessibilité associative rendant impossibles de nouveaux investissements »[1] ; dans les mêmes temps, dans un travail écarté (« Esquisse d'une psychologie scientifique »), Freud met l'accent sur l'aspect économique de l'investissement, usant alors du langage anatomophysiologique : le neurone est investi d'une quantité d'excitations endogènes, prenant naissance dans l'intérieur du corps, l'investissement concerne soit une unité soit un système regroupant des unités investies et possédant son propre investissement, deux systèmes investis sont individualisés (l'inconscient et le moi), « perpétuellement investis » en énergie à un niveau maintenu aussi bas que possible suivant le principe de constance fondé sur le principe d'inertie.

L'ambiguïté du terme apparaît d'emblée : il désigne aussi bien le mouvement porteur de la charge énergétique que la quantité d'excitation ; lui sont synonymes des expressions telles que « charge en désir » et « quantum d'affect », qui désignent des quantités rapportées à des expériences vécues en lien avec l'objet : celles engendrant la satisfaction et celles provoquant du déplaisir dont les affects et états de désir sont les traces. Effectivement, l'investissement ne peut être réduit à son aspect quantitatif dans la mesure où il concerne les traces de l'expérience vécue avec l'objet ; c'est ce que montre dès cette époque la description de l'épreuve de la satisfaction qui associe étroitement trois phénomènes : 1) arrêt momentané de la tension génératrice de déplaisir et plaisir de la décharge, grâce à l'action d'un objet « secourable » ; 2) investissement correspondant à la perception de l'objet qui a permis la satisfaction ; 3) mise en jeu de la motricité par le déclenchement

1. *Études sur l'hystérie* (1895d), Paris, PUF, 1971, p. 70 ; *OCF* II, p. 108 ; *GW* I, p. 145.

du mouvement réflexe de succion qui suit l'action effectuée par l'objet secourable. L'investissement d'objet est au centre de « l'épreuve de satisfaction » conçue comme une expérience biologique qui va fonder toute la théorisation freudienne des origines de la pensée. Lors de la montée de l'excitation du besoin, la non-coïncidence du souvenir de l'objet désiré (dans l'exemple de la tétée, le sein vu de face) et de l'objet perçu (par exemple le sein vu de côté) déclenche en effet chez l'infans une activité de pensée qui cesse dès que s'établit une identité de perception entre l'investissement du souvenir de l'objet qui a permis la satisfaction et l'investissement de sa perception[1]. L'établissement d'une identité de perception est donc une première activité de pensée qui passe par un jugement, par le souvenir d'une expérience motrice et par le maintien d'un but à atteindre : retrouver la perception de l'objet qui a permis la satisfaction. L'identité de perception repose sur un mécanisme biologique « dont on ne peut se passer » : le mécanisme d'attention qui consiste en l'investissement automatique de neurones déjà investis par la perception et qui vont être surinvestis. La fonction d'attention, qui s'origine dans ce mécanisme, est décrite comme une fonction d'expectation qui permet d'envoyer des « investissements latéraux » vers toutes les directions à la recherche d'une identité de perception[2]. Ces investissements latéraux lient l'excitation et rendent possibles les processus secondaires, donc les processus de pensée. Ainsi s'effectue la transformation des grandes quantités d'investissements en petites quantités, puis en qualités.

Avec l'« Esquisse » apparaît un modèle de l'appareil psychique dont le fonctionnement est d'emblée fondé sur les mouvements permanents des investissements, consistant en modifications des répartitions de la quantité.

L'interprétation des rêves, en 1900, fournit une description précise de ces mouvements d'investissements mais affirme préalablement deux points fondamentaux : – Le premier est le désir qui met en mouvement tout l'appareil, il est « le capitaliste qui engage la mise de

1. « Esquisse d'une psychologie scientifique » (1950c [1895]), Paris, PUF, 1986, p. 336-337 et p. 346-347.

2. *Ibidem*, p. 381-382.

fonds psychologique »[1] selon un courant qui, allant du déplaisir au plaisir, vise à reconstituer l'expérience de la première satisfaction, et les forces qui animent ce mouvement de désir sont « les forces pulsionnelles d'origine organique », les « véhicules » de ces désirs inconscients étant les représentations-but qui orientent le cours de toutes nos pensées. – Le deuxième point concerne le principe de plaisir-déplaisir qui, bien que peu cité dans l'ouvrage, est omniprésent, d'abord appelé principe de déplaisir, ce principe économique, fondé sur le principe d'inertie, règle automatiquement le cours des excitations : leur accumulation est éprouvée comme déplaisir, et « provoque l'activité de l'appareil en vue de répéter l'expérience de satisfaction qui impliquait une diminution de l'excitation et était ressentie comme plaisir »[2] ; **le principe de déplaisir conditionne donc tout le fonctionnement psychique par la mobilisation des investissements** et les répartitions de quantités d'excitation. Deux modalités de déplacements des investissements sont alors décrites, les processus primaires et les processus secondaires, attribués respectivement au système inconscient et au système préconscient et conscient.

Les *processus primaires*, les seuls qui aient cours dans l'inconscient, rendent l'énergie d'investissement mobile et susceptible de se décharger de façon à obtenir un plaisir immédiat par les voies les plus courtes. Ils y parviennent par l'établissement d'une identité de perception entre l'investissement de l'objet désiré et un nouvel investissement perceptif ; il y a alors décharge totale de l'énergie par un déplacement en bloc des investissements. Cette grande mobilité des investissements selon le processus primaire permet les deux mécanismes qui le caractérisent : le déplacement et la condensation. Les *déplacements*, substitutions d'une représentation à une autre qui lui est associée, effectuent des « transferts d'investissements » par lesquels la charge quantitative passe d'une représentation fortement investie à une autre qui l'est faiblement ; c'est ainsi qu'une représentation inconsciente peut agir au niveau préconscient par son alliance avec une représentation

1. *L'interprétation des rêves* (1900a), Paris, PUF, 1967, p. 477 ; *OCF* IV, p. 615 ; *GW* II-III, p. 566.

2. *Ibidem*, p. 509 ; p. 654 ; p. 604.

préconsciente sans importance qui lui sert de couverture. La *condensation*, responsable de la pauvreté du contenu manifeste du rêve par rapport à son contenu latent, procède de la surdétermination qui aboutit à ce que « chaque élément du contenu manifeste renvoie à une pluralité de sens », le facteur déterminant n'étant pas l'intensité psychique des représentations mais leur répétition et leur associativité facile. La condensation confère une intensité sensorielle aux images qu'elle a surdéterminées, leur conférant ainsi un pouvoir attractif favorisant la régression topique du rêve. Le transfert d'investissement (hyperinvestissement d'une représentation) et la surdétermination, relevant tous deux du processus primaire et augmentant l'intensité des représentations, ne sauraient être confondus avec le surinvestissement qui « crée une nouvelle série qualitative » et participe du processus secondaire[1].

Les *processus secondaires* sont ceux du deuxième système préconscient-conscient ; ils modèrent les processus primaires et visent à l'obtention d'un plaisir plus assuré car différé par des processus de pensée permettant la prise en considération de la réalité. Alors que les processus primaires produisent une identité de perception, les processus secondaires visent à atteindre une identité de pensée, « chemin détourné qui va du souvenir de la satisfaction pris comme représentation-but, à l'investissement identique de ce même souvenir »[2]. Ils sont caractérisés par leur « influence inhibitrice » sur l'écoulement de l'excitation qui transforme l'écoulement libre de grandes quantités d'excitations du système inconscient en déplacement inhibé, « tranquille », portant sur des petites quantités du système *Pcs-Cs*. Le deuxième système n'emploie que peu d'énergie en vue de ses déplacements, et parvient à réserver la plus grande partie de ses investissements d'énergie. Les déplacements d'investissements portant sur des petites quantités permettent une multiplication des investissements « mis à l'essai ». Il s'agit de « disposer de tout le matériel mnésique », de « tâtonner », de « fournir des investissements dans tous les sens, puis de les retirer ». La transformation de grandes

1. *Ibidem*, p. 500-517 ; p. 643-664 ; p. 594-614.
2. *Ibidem*.

quantités en petites quantités permet à des souvenirs, même déplaisants, d'être investis. C'est là une étape indispensable aux processus de pensée qui doivent « s'affranchir toujours davantage de la régulation excessive par le principe de déplaisir, et réduire le développement des affects à un minimum utilisable comme signal ». Cette activité exploratoire, qui conditionne les processus de pensée par l'élaboration même de ce qui dégage du déplaisir, est celle de la fonction d'attention ; les surinvestissements, qui assurent l'activité de la conscience, en sont le substratum économique. Mais l'inconscient est « le psychique lui-même, et son essentielle réalité » ; celle-ci nous est aussi inconnue que la réalité du monde extérieur : il faut donc cesser de surestimer la conscience.

Celle-ci « n'est qu'un organe des sens qui permet de percevoir les qualités psychiques », c'est-à-dire les qualités de plaisir et déplaisir. Son fonctionnement est analogue à celui du système perceptif ; tous deux disposent d'une énergie d'investissement mobile, l'attention, qui se dirige vers la perception du plaisir et du déplaisir comme elle le fait pour les perceptions par nos organes des sens. En percevant de nouvelles qualités de plaisir et déplaisir le système de la conscience, organe sensoriel supérieur, influence le cours des investissements à l'intérieur de l'appareil psychique ; il se peut qu'intervienne alors un deuxième réglage par l'attention, plus fin, qui permettra de soumettre à investissement ce qui dégage du déplaisir ; « ce réglage, lui-même automatique, fait cesser le contrôle automatique du principe primaire de déplaisir ». Le résultat de ce deuxième réglage est un surinvestissement, ici rapporté aux souvenirs de mots. Pour donner une qualité aux processus de pensée qui en sont dépourvus, « l'homme les associe à des souvenirs de mots dont les restes de qualité suffisent à appeler l'attention de la conscience, et à obtenir par là un nouvel investissement mobile ». **Le surinvestissement crée une nouvelle série qualitative,** « un nouveau réglage, qui constitue peut-être un des privilèges de l'homme sur l'animal » [1].

L'utilisation du terme de *processus* (primaire et secondaire), renvoyant aux différences d'écoulement de l'excitation, signifie qu'un

1. *Ibidem*, p. 520-524 ; p. 668-673 ; p. 618-622.

mode de représentation dynamique doit remplacer le mode de représentation topique. Le conflit est permanent entre ces deux modalités de déplacements des investissements, générant des mouvements particuliers d'investissements qui définissent le refoulement (quelques phrases très condensées en fait ici la première description métapsychologique). L'apparition tardive des processus secondaires par rapport aux processus primaires explique que des souvenirs n'aient jamais été accessibles aux pensées préconscientes auxquelles ils transfèrent cependant la force des désirs inconscients ; parmi ces désirs, il en est dont la réalisation serait contraire aux représentations-but de la pensée secondaire parce qu'ils provoqueraient, à la place du plaisir attendu, un déplaisir qui « prend fin avec le retrait d'investissement des pensées de transfert, dans le préconscient ». Mais il arrive que le désir inconscient, renforcé organiquement, prête une nouvelle force aux pensées de transfert qui vont essayer de pénétrer de force ; « il y a alors renforcement de l'opposition du préconscient aux pensées refoulées (contre-investissement), puis compromis, passage des pensées de transfert (chargées du désir inconscient) sous une forme intermédiaire, et création du symptôme » ; les pensées refoulées, abandonnées par l'investissement préconscient, « succombent » alors au processus primaire[1].

Sommeil et rêve révèlent l'existence d'une orientation dans la marche des investissements, le sens pouvant en être régrédient ou progrédient. Dans le sommeil, le mouvement régrédient commence avec le retrait des investissements du *pcs* qui obéit au désir de dormir. Le retrait des investissements *pcs* et l'arrêt du courant qui, le jour, va de la perception à la motilité, accentuent l'attraction des souvenirs inconscients qui ont gardé une grande vivacité sensorielle. Les pensées refoulées sont alors soumises aux processus primaires de l'inconscient : déplacement et condensation qui aboutissent à une identité de perception sur un mode hallucinatoire. Le rêve, devenu contenu perceptif, peut alors attirer l'investissement d'attention de la conscience, dans un mouvement progrédient[2].

1. *Ibidem*, p. 514 ; p. 660 ; p. 610.
2. *Ibidem*, p. 459-466 ; p. 594-602 ; p. 546-554.

Les *Trois essais sur la théorie de la sexualité* (1905) permettent de définir la pulsion comme le représentant psychique d'un taux continu d'excitation. Désormais, **l'énergie d'investissement est synonyme d'énergie pulsionnelle.** La théorie des pulsions est d'emblée dualiste, opposant les pulsions du moi (ou d'auto-conservation) aux pulsions sexuelles, le terme d'investissement se rapportant indifféremment aux unes et aux autres. Pendant la période de latence, s'édifient des contre-forces, des digues qui feront obstacle aux pulsions sexuelles ; ces digues (dégoût, pudeur, aspirations morales et esthétiques) sont fixées par l'hérédité. Elles se constituent aux dépens des tendances sexuelles de l'enfant, en formations réactionnelles, suivant un processus de sublimation. Mais un ajout, en 1915, vient indiquer qu'il s'agit là de deux processus différents[1].

Dans « Formulations sur les deux principes du cours des événements psychiques » (1911), opposition pulsionnelle et opposition processuelle se recouvrent. Les pulsions du moi, en relation étroite avec les activités secondarisées de la conscience, obéissent au principe de réalité selon lequel ce qui est représenté n'est plus ce qui est agréable mais ce qui est réel, même si cela doit être désagréable. Ce principe implique une activité de pensée, activité d'épreuve impliquant le déplacement de petites quantités d'investissement, ce qui suppose « une transformation des investissements librement déplaçables en investissements liés, et une telle transformation est atteinte par le moyen d'une élévation du niveau de l'ensemble du processus d'investissement ». La fonction d'attention devient une activité de conscience qui consiste à « prélever périodiquement des données du monde extérieur pour que celles-ci lui soient connues à l'avance quand surgit un besoin impossible à ajourner »[2]. Les pulsions sexuelles, en relation étroite avec le fantasme, restent bien plus longtemps sous la domination du principe de plaisir, tendance maîtresse à laquelle obéissent les processus primaires. Le refoulement est tout-puissant, inhibant *in*

1. *Trois essais sur la théorie de la sexualité* (1905d), Paris, Gallimard, 1962, p. 99-100 et p. 101 n. 1 ; *OCF* VI, p. 94 et p. 170 n. 1 ; *GW* V, p. 58 et p. 133 n. 1.

2. « Formulations sur les deux principes du cours des événements psychiques » (1911b), *Résultats, idées, problèmes, I*, Paris, PUF, 1984, p. 136-138 ; *OCF* XI, p. 15-16 ; *GW* VIII, p. 233.

statu nascendi des représentations dont l'investissement peut occasionner du déplaisir. « C'est là le point faible de notre organisation psychique » ramenant sous la domination du principe de plaisir des processus de pensée déjà rationnels.

Dans la *Métapsychologie* (1915), le concept d'investissements est véritablement défini à l'occasion de la dissociation du représentant psychique de la pulsion en représentation de chose et quantum d'affect. Jusqu'alors, le contenu de l'inconscient était fait de représentants pulsionnels (ou représentants psychiques) qui englobaient, en un tout indissociable : « **une représentation ou un groupe de représentations investies d'un quantum déterminé d'énergie psychique** (libido, intérêt) ». Ce tout doit désormais être dissocié : « il faut considérer, à côté de la représentation, quelque chose d'autre qui représente la pulsion ; pour désigner cet autre élément du représentant psychique, le nom de quantum d'affect est admis », deux termes distincts donc : représentation et quantum d'affect.

Dans l'inconscient, les affects sont des quantités qui, conformément au principe de plaisir qui y règne, tendent à se décharger totalement et immédiatement : c'est le mode de décharge de l'énergie de l'inconscient qui ne peut se décharger dans la motilité volontaire, contrôlée par le système conscient. Celui-ci va donc tenter de contrôler l'affectivité comme il contrôle la motilité mais « cette domination est moins assurée ». Le quantum d'affect est le facteur quantitatif de la motion pulsionnelle[1]. La représentation de chose, la seule existant dans l'inconscient, consiste « en un investissement, sinon des images mnésiques directes des choses, du moins en celui de traces mnésiques plus éloignées qui en dérivent ». Sur ces traces mnésiques sont fixées les expériences vécues de satisfaction se rapportant aux objets, qui ne sont adjoints à la pulsion qu'en raison de leur aptitude à rendre la satisfaction possible.

L'investissement d'objet est défini comme une transformation de la motion pulsionnelle en une liaison avec la trace mnésique de l'objet de satisfaction ; le résultat en est une représentation de chose : « **le**

1. « L'inconscient » (1915e), *Métapsychologie*, Paris, Gallimard, 1968, p. 83-84 ; *OCF* XIII, p. 217-218 ; *GW* X, p. 277.

système inconscient contient les investissements de chose des objets, premiers et véritables investissements d'objets » – Freud emploie alors indifféremment les termes de « représentation » et d'« investissement » de chose. Ceux-ci sont donc des processus de liaison, qui contribuent à maîtriser l'affect, tâche la plus importante qu'ait à accomplir l'appareil psychique. Contrôle de l'affect et inhibition de la décharge sont l'enjeu de conflits permanents, et le terme d'investissements prend ici tout son sens guerrier ; **les processus d'investissements sont les mouvements d'une stratégie de défense contre l'irruption des affects** ; ils consistent en *surinvestissements* d'une part, et d'autre part en *retrait d'investissement* et *contre-investissements* – qui sont les mouvements mêmes du refoulement.

Les *surinvestissements* peuvent être définis plus précisément du fait de la distinction entre représentation de chose inconsciente et représentation de mot préconsciente ; ils assurent la liaison entre les représentations de choses fondées sur des traces mnésiques de perceptions visuelles, et des représentations de mots fondées sur des traces mnésiques de perceptions auditives. « **Le système préconscient apparaît quand cette représentation de chose est surinvestie du fait qu'elle est reliée aux représentations de mot lui correspondant** » [1]. Processus de liaison, ces surinvestissements rendent possible le remplacement du processus primaire par le processus secondaire et introduisent une organisation psychique plus élevée. Le surinvestissement des représentations de chose par des représentations de mot renforce les qualités qu'elles avaient perdues du fait de leur éloignement des systèmes de pensée. La transformation qualitative ainsi induite permet l'accès à la conscience des représentations de chose, seules représentations inconscientes. Mais cet accès à la conscience dépend d'un surinvestissement supplémentaire dû à une orientation de l'attention ; les surinvestissements qui permettent à l'énergie des processus secondaires d'être toniquement liée rendent possible la maîtrise de l'affect porté par la représentation de chose inconsciente. La répression totale de l'affect est la véritable tâche du refoulement mais, au-delà d'une certaine intensité de la force pulsionnelle, elle échoue.

1. *Ibidem*, p. 118 ; p. 239-240 ; p. 300.

Dans le refoulement proprement dit opère un double mouvement : un retrait et un contre-investissement.

Le *retrait d'investissement* est le mouvement essentiel du refoulement secondaire (ou refoulement proprement dit) ; à la représentation préconsciente est retiré l'investissement du préconscient. La représentation peut rester désinvestie ou conserver l'investissement inconscient qu'elle avait déjà, ou recevoir un investissement de l'inconscient. **Le passage du système inconscient dans un système voisin s'effectue par une modification dans l'investissement** et non par une nouvelle inscription : « l'hypothèse fonctionnelle a évincé sans peine l'hypothèse topique ». Le retrait est un mécanisme actif qui témoigne d'un jeu de forces ; à la force de répulsion du préconscient répond l'attraction du refoulé originaire. Le destin de l'énergie d'investissement est double : d'une part il va ajouter de l'investissement à l'investissement inconscient, d'autre part il va alimenter l'énergie d'un contre-investissement.

Le *contre-investissement* est complémentaire du retrait d'investissement. Effectivement, si le retrait d'investissement agissait seul, « on ne voit pas pourquoi la représentation refoulée qui est restée investie ou qui a reçu un investissement provenant de l'inconscient ne tenterait pas à nouveau, forte de son investissement, de faire irruption dans le système préconscient ». Il faut l'intervention d'un autre processus contre la poussée de la représentation inconsciente ; telle est la fonction du contre-investissement, qui nécessite une dépense permanente d'énergie qui provient probablement de l'investissement retiré à la représentation[1].

Les *contre-investissements* se manifestent dans la cure par la résistance du refoulement ; ils se constituent différemment dans chacune des trois névroses. Prépondérants dans la *névrose obsessionnelle*, ils s'organisent en formations réactionnelles dans le moi par « renforcement de l'attitude opposée à la direction de la pulsion à refouler »[2], produisant une modification durable du moi par exagération des traits de caractère normaux qui se développent durant la latence.

1. *Ibidem*, p. 88 ; p. 220 ; p. 279.

2. « Le refoulement » (1915d), *Métapsychologie*, Paris, Gallimard, 1968, p. 62 ; *OCF* XIII, p. 200 ; *GW* X, p. 260.

Dans la *névrose phobique*, l'investissement retiré à la représentation écartée se dirige vers une formation substitutive, contre-investie, obtenue par déplacement ; elle est à la fois proche de la représentation écartée et suffisamment éloignée d'elle pour être soustraite au refoulement. Elle deviendra cependant elle-même source d'angoisse et la tentative pour maîtriser l'affect se poursuivra par la projection à l'extérieur du danger pulsionnel ; ce seront alors les éléments de l'environnement externe, en connexion avec la représentation substitutive, qui deviendront des contre-investissements endiguant le développement de l'angoisse, au prix de lourds sacrifices en liberté personnelle et de dépenses très coûteuses d'énergie d'investissement. Dans l'*hystérie de conversion*, le retrait d'investissement préconscient aboutit d'une part à une décharge de l'investissement jusqu'à l'innervation somatique, et d'autre part à un contre-investissement du système *Cs(pcs)* qui se révèle dans la formation du symptôme ; celui-ci doit exprimer à la fois le but de désir de la motion pulsionnelle et la tendance du système *Cs* à se défendre. Le symptôme est donc surinvesti, maintenu de deux côtés. La dépense en énergie de contre-investissement est ici moindre que dans la phobie puisque le symptôme s'appuie aussi sur l'investissement pulsionnel issu du système inconscient[1].

Le refoulement originaire, défini comme « une première phase de refoulement qui consiste en ceci que le représentant psychique (représentant-représentation) de la pulsion se voit refuser la prise en charge dans le conscient », produit une fixation ; « le représentant correspondant subsiste, à partir de là, de façon inaltérable, et la pulsion demeure liée à lui »[2]. Il ne saurait y avoir ici de retrait d'investissement puisque la représentation inconsciente qui doit être refoulée n'a reçu aucun investissement préconscient. **Le contre-investissement est donc le seul mécanisme du refoulement originaire dont il assurera la permanence**, au prix d'une dépense constante en énergie ; il consiste en une fixation.

1. « L'inconscient » (1915e), *Métapsychologie*, Paris, Gallimard, 1968, p. 90-95 ; *OCF* XIII, p. 221-224 ; *GW* X, p. 279-284.

2. « Le refoulement » (1915d), *Métapsychologie*, Paris, Gallimard, 1968, p. 48 ; *OCF* XIII, p. 193 ; *GW* X, p. 250.

Le « Complément métapsychologique à la théorie du rêve » (1915) rappelle que le narcissisme de l'état de sommeil, phénomène libidinal, présuppose que tout investissement psychique ait été retiré du monde extérieur sur le moi propre ; plus les investissements pulsionnels sont forts, plus labile est le sommeil. Après avoir comparé le travail du rêve avec la phase hallucinatoire de la schizophrénie et la confusion hallucinatoire aiguë (*amentia*), Freud établit « une topique du processus de refoulement » à comprendre comme retrait d'investissement : « dans le rêve, le retrait de l'investissement (libido, intérêt) touche également tous les systèmes ; dans les névroses de transfert c'est l'investissement *pcs* qui est retiré ; dans la schizophrénie c'est celui de l'*ics* ; dans l'*amentia*, celui du *cs* »[1].

Quitte à modifier quelque peu l'ordre chronologique, nous devons évoquer maintenant les deux textes fondamentaux traitant du *narcissisme* ; ils marquent un tournant dont témoigne le traitement des grandes quantités d'investissements.

« Pour introduire le narcissisme » (1914) propose un nouveau dualisme qui, tout en maintenant la distinction entre les pulsions sexuelles et les pulsions du moi, oppose pulsion sexuelle objectale et pulsion sexuelle du moi, narcissique ; ceci suppose « l'existence d'**une énergie psychique indifférente qui ne deviendrait libido que par l'acte d'investissement d'objet** ». L'investissement du moi est un investissement libidinal auquel on peut donner deux sens : investissement en énergie libidinale du moi conçu comme un réservoir de libido, ou investissement du moi comme objet de la pulsion. Ces deux sens se confondent dans le narcissisme originaire : « Nous nous formons la représentation d'un investissement libidinal originaire du moi. Plus tard, une partie est cédée aux objets mais fondamentalement, l'investissement du moi persiste et se comporte envers les investissements d'objet comme le corps d'un animalcule protoplasmique envers les pseudopodes qu'il a émis. »[2] Il y a une balance énergétique entre l'investissement du moi et les investissements

1. « Complément métapsychologique à la théorie du rêve » (1917d [1915]), *Métapsychologie*, Paris, Gallimard, 1968, p. 146 ; *OCF* XIII, p. 258 ; *GW* X, p. 426.

2. « Pour introduire le narcissisme » (1914c), *La vie sexuelle*, Paris, PUF, 1969, p. 83-85 ; *OCF* XII, p. 220-223 ; *GW* X, p. 141-144.

objectaux : – lorsque l'investissement du moi en libido dépasse une certaine mesure, entraînant une stase libidinale dans le moi ressentie comme déplaisir, il y a une contrainte à sortir du narcissisme pour placer la libido sur les objets ; – inversement, la distribution de la libido peut aller dans le sens d'un retrait d'investissement des objets sur le moi ce qui est le cas, de façon normale, dans la maladie organique et l'état de sommeil, dans l'hypochondrie et la paraphrénie ; ce qui serait à mettre en rapport avec une stase dans la libido du moi. La différence entre ces affections et les névroses de transfert est que la libido, si elle devient libre par frustration, ne demeure pas attachée à des objets dans le fantasme mais se retire sur le moi. **Dans tout investissement objectal il y a une participation narcissique manifeste dans le choix d'objet**, comme dans la surestimation amoureuse du « plein amour d'objet » selon le type par étayage. La formation de l'idéal du moi hérite du quantum de libido du narcissisme infantile qui ne peut passer totalement dans des investissements d'objet ; une activité psychique rapportée à l'objet idéal du moi, substitut du narcissisme perdu de l'enfance, est projetée sur le modèle de l'activité psychique rapportée à un objet extérieur : à l'activité de conscience tournée vers la perception correspond l'activité de la « conscience observante » (conscience morale) qui exerce une activité de jugement en comparant le moi actuel à l'idéal du moi et veille à assurer la satisfaction narcissique provenant de l'idéal du moi (on retrouve le modèle de l'identité de perception dont les processus sont les surinvestissements). La formation de l'idéal, qui fait refuser par la censure de la conscience morale la satisfaction de la pulsion libidinale objectale inconciliable serait, du côté du moi, la condition du refoulement. La conséquence en est que les pulsions sexuelles, refoulées car jugées inconciliables, vont « succomber aux processus primaires » caractérisés par la grande mobilité des investissements, et investir en excès leurs objets. Cet investissement excessif par les pulsions sexuelles qui ne sont plus soumises à contrôle entraîne un appauvrissement du moi, une blessure ; « du fait que des investissements libidinaux extraordinairement grands sont retirés au moi »[1] s'instaure un

1. *Ibidem*, p. 88-103 ; p. 225-241 ; p. 148-166.

cercle vicieux, le moi se mettant en quête permanente d'objets narcissiques pour se renflouer.

L'extension de la libido au domaine du narcissisme pose la question de la justification des pulsions d'auto-conservation (pulsions du moi). L'investissement du moi est désormais un investissement libidinal : « Nous pouvons remplacer investissements par libido puisqu'il s'agit ici, comme nous le savons, des destins des pulsions sexuelles. » [1] Désormais, **la théorie des investissements et la théorie de la libido se confondent.**

« Deuil et mélancolie » (écrit en 1915 mais publié en 1917) repose la question des mouvements de répartition d'investissements entre libido objectale et libido narcissique. Le processus décrit dans la *mélancolie* est l'inverse de celui des névroses de transfert : il y a eu, à la suite d'une déception, un retrait de libido d'un objet investi mais, au lieu d'un déplacement vers un nouvel objet, ce qui aurait été normal, l'investissement d'objet est supprimé. La libido devenue libre se retire dans le moi et produit une identification narcissique avec l'objet d'amour abandonné. L'investissement d'objet, d'abord produit sur une base narcissique, a régressé jusqu'au narcissisme : « L'identification narcissique avec l'objet devient alors le substitut de l'investissement d'amour » [2]. La régression de l'investissement d'objet jusqu'à la phase orale de la libido, qui appartient encore au narcissisme, est caractéristique de la mélancolie. La conséquence économique en est un immense appauvrissement du moi. « Le complexe mélancolique se comporte comme une blessure ouverte, attirant de toutes parts vers lui des énergies d'investissements (celles que nous avons nommées dans les névroses de transfert "contre-investissements"), vidant le moi jusqu'à l'appauvrir complètement ». Les contre-investissements de la mélancolie, processus inconscients portant sur de grandes quantités et vidant le moi, ne sont pas les mêmes que ceux des névroses de transfert. Dans la *manie*, toute la charge de contre-investissement que la pensée douloureuse de la mélancolie avait attirée du moi et qu'elle

1. « L'inconscient » (1915e), *Métapsychologie*, Paris, Gallimard, 1968, p. 90 ; *OCF* XIII, p. 221 ; *GW* X, p. 281.

2. « Deuil et mélancolie » (1917e [1915]), *Métapsychologie*, Paris, Gallimard, 1968, p. 158 ; *OCF* XIII , p. 368 ; *GW* X, p. 436.

avait liée, est devenue disponible ; le maniaque part « comme un affamé, en quête de nouveaux investissements d'objets » – cela pourrait expliquer la manie. L'étude de ces pathologies révèle des processus d'investissements bien différents de ceux, précédemment décrits, rapportés aux représentations de chose et de mot, mais ne signifie pas pour autant leur disparition [1].

C'est ce que montre l'étude du *deuil* dans lequel les surinvestissements ont un rôle majeur. Lors de la perte d'un objet réel, ils assurent la confrontation détaillée à la réalité de sa disparition : « chacun des souvenirs, chacun des espoirs par lesquels la libido était unie à l'objet est mis sur le chantier, surinvesti, et le détachement de la libido est accompli sur lui » [2]. Ces processus de surinvestissements aboutissent au retrait de l'investissement des représentations de chose de l'objet ; ils se déroulent dans l'*ics* mais rien ne s'oppose ensuite à ce qu'ils se propagent par la voie normale, passant par le *pcs* jusqu'à la conscience – voie qui se trouve barrée pour la mélancolie.

« La théorie de la libido et le narcissisme », 26e des *Conférences d'introduction à la psychanalyse* (1916-1917), voit se confirmer la nécessité de maintenir la distinction entre pulsions d'autoconservation et pulsions sexuelles (à celles-ci doit désormais être réservé le terme de libido) ; toutefois cette indubitable séparation n'est pas d'une grande portée pour la psychanalyse, et ne relève d'ailleurs même pas de sa compétence dans la mesure où elle se réfère à des motifs biologiques : « **Nous nommions les investissements énergétiques que le moi opère sur les objets de ses aspirations sexuelles *libido*,** tous les autres qui sont émis par les pulsions d'autoconservation *intérêt* » [3]. Seuls nous intéressent les investissements libidinaux dans la mesure où c'est leur étude à travers les névroses de transfert qui nous a donné un premier aperçu « des rouages des forces psychiques ». Effectivement, le pouvoir d'exercer un effet pathogène semble bien le privilège des pulsions libidinales et l'affect d'angoisse

1. *Ibidem*, p. 164-167 ; p. 272-274 ; p. 439-442.

2. *Ibidem*, p. 150 ; p. 263 ; p. 430.

3. *Conférences d'introduction à la psychanalyse* (1916-1917), Paris, Gallimard, 1999, p. 526 ; *OCF* XIV, p. 429 ; *GW* XI, p. 430.

lui-même est à rapporter à la libido du moi et non aux pulsions d'auto-conservation. Autrement dit, seuls les investissements libidinaux intéressent le psychanalyste, ce qui ne veut nullement dire qu'il n'y a pas d'investissements par les pulsions d'auto-conservation, mais ici nous les nommons « intérêt » et « égoïsme ».

L'analyse d'autres perturbations que celles des névroses de transfert vient confirmer l'existence d'investissements du moi de nature libidinale. Freud reprend alors les travaux d'Abraham montrant que ce qui fait défaut dans la *dementia praecox* est l'investissement libidinal d'objet. La libido qui se détourne des objets se retourne sur le moi, et ce retournement est la source de la mégalomanie, comparable à la surestimation sexuelle de l'objet. Le narcissisme est l'investissement du moi propre par la libido détournée des objets, retrouvant l'état universel du narcissisme originaire.

La théorie de la libido, en s'étendant au narcissisme, peut dorénavant expliquer toute une série d'états psychiques : l'état amoureux, l'état qui accompagne une affection organique, l'état de sommeil (qui est un état de narcissisme intégral dans lequel sont abandonnés et ramenés dans le moi tous les investissements d'objet, aussi bien libidinaux qu'égoïstes). La distinction d'états normaux d'avec les états pathologiques repose sur le fait que dans ces derniers cas, la libido devenue narcissique ne peut trouver le chemin qui la ramènerait aux objets : cet empêchement dans sa mobilité devient effectivement pathogène. Pour les névroses narcissiques il nous faut supposer des points de fixation de la libido remontant à des phases évolutives plus précoces que pour les névroses de transfert. Il existe cependant dans ces affections un double processus et, comme pour le rêve et l'état de sommeil, un double mouvement des investissements : l'un écarte la libido des objets et l'accumule dans le moi en tant que libido narcissique, l'autre tend à ramener la libido vers les objets : il y a « une aspiration de la libido à revenir vers les objets »[1]. Ce processus est un processus de restauration, de guérison, quand bien même il entraîne les symptômes les plus tapageurs. Ainsi dans la *dementia praecox* la libido, dans son effort pour revenir aux représentations d'objets,

1. *Ibidem*, p. 535 ; p. 437 ; p. 437.

attrape leurs ombres, c'est-à-dire les représentations de mots qui vont avec.

Les processus d'investissements dans la deuxième topique

En 1920, *Au-delà du principe de plaisir* opère un décentrage du fonctionnement psychique. Jusqu'alors, le principe de plaisir, modifié par le principe de réalité, assurait la régulation automatique des processus d'investissements. L'étude des rêves de la névrose traumatique, en même temps qu'elle confirme l'existence d'une compulsion à répéter des expériences qui ne comportent aucune possibilité de plaisir, ouvre « une perspective sur une fonction de l'appareil psychique qui, sans contredire le principe de plaisir, est pourtant indépendante de lui et semble plus originaire que la visée du gain de plaisir et l'évitement du déplaisir »[1].

S'avèrent *traumatiques* des excitations qui effractent le pare-excitation ; le principe de plaisir est alors mis hors d'action et une autre tâche apparaît : « maîtriser l'excitation, lier psychiquement les sommes d'excitation qui ont pénétré par effraction pour les amener ensuite à liquidation ». Pour admettre un afflux d'énergie et la lier, un système doit être fortement investi et sa capacité de liaison est proportionnelle à son niveau d'investissement. Une modification de la théorie de l'angoisse s'ébauche alors, annonçant celle de 1925 ; une préparation par l'angoisse implique le surinvestissement des systèmes récepteurs, ainsi rendus aptes à lier l'excitation grâce à l'augmentation de leur investissement, lié ou quiescent. La préparation par l'angoisse, avec son surinvestissement des systèmes récepteurs, est le facteur décisif pour l'issue d'un grand nombre de traumatismes. Son insuffisance, par faiblesse des surinvestissements, provoque une réaction psychique face à l'effraction traumatique (décrite sur le modèle de la douleur physique) : « l'énergie d'investissement est rappelée de toutes parts pour créer, dans le voisinage du point d'effraction, des investissements énergétiques d'une intensité correspondante. Il

1. *Au-delà du principe de plaisir* (1920g), *Essais de psychanalyse*, Paris, Payot, 1981, p. 75 ; *OCF* XV, p. 303 ; *GW* XIII, p. 32.

s'établit un contre-investissement considérable au profit duquel tous les autres systèmes psychiques s'appauvrissent »[1].

L'absence de pare-excitation fait que les transferts d'excitations internes occasionnent des perturbations économiques analogues à une névrose traumatique, les motions pulsionnelles étant les sources les plus abondantes d'une telle excitation interne. Elles obéissent au processus primaire, « processus nerveux librement mobile et poussant vers la décharge », et ce serait la tâche des couches supérieures de l'appareil psychique de lier cette excitation pulsionnelle qui arrive sous forme de processus primaire[2]. **Les processus d'investissement, opérant au-delà du principe de plaisir, sont donc des processus défensifs contre l'effraction traumatique du pare-excitation** ; ils sont de deux types : – les *contre-investissements* comme processus d'urgence travaillant force contre force face à l'effraction du pare-excitation qui, très coûteux en énergie, appauvrissent tous les systèmes ; – les *surinvestissements* qui, au contraire, élevant le niveau d'énergie, s'inscrivent dans une temporalité et anticipent le traumatisme, sont synonymes de liaison comme acte préparatoire qui introduit et assure la domination du principe de plaisir en transformant l'énergie d'investissement librement mobile en investissement quiescent. Ils ressortent d'une fonction qui serait indépendante du principe de plaisir et plus originaire que lui. Les pulsions d'auto-conservation sont bien de nature libidinale, et une nouvelle dualité doit être posée : « celle des pulsions de vie (Éros) et des pulsions de mort »[3]. Libido, liaison et surinvestissements forment un ensemble unitaire que désigne *Éros*.

Dans *Psychologie des foules et analyse du moi* (1921), Freud établit clairement la distinction entre *investissement d'objet* (qui concerne la libido objectale) et *identification* (qui met en œuvre la libido narcissique et réfère l'idéal). L'investissement d'objet est un lien psychologiquement différent, nettement sexuel. Ainsi le petit garçon qui prend son père comme idéal s'identifie à lui alors que, simultanément et peut-être antérieurement, il effectue un investissement objectal de la

1. *Ibidem*, p. 72-74 ; p. 301-303 ; p. 30-32.
2. *Ibidem*, p. 77-78 ; p. 305-306 ; p. 35-36.
3. *Ibidem*, p. 111 ; p. 335 ; p. 66 : ajout de 1921.

mère selon le type par étayage. Le complexe d'Œdipe inversé met en évidence chez le petit garçon la différence entre identification et investissement d'objet : « dans le premier cas le père est ce qu'on voudrait être, dans le second ce qu'on voudrait avoir ». L'identification aspire à rendre le moi semblable à l'autre pris comme modèle ; elle est « la forme la plus précoce et la plus originaire du lien affectif » à l'objet et il arrive que le choix d'objet régresse jusqu'à l'identification. Mais, avec le constat que l'identification, ambivalente dès le début, « se comporte comme un rejeton de la première phase orale de l'organisation libidinale », la distinction entre identification à l'objet et investissement d'objet perd de sa clarté, même si les deux liens, psychologiquement différents, coexistent un temps sans s'influencer ni se perturber réciproquement[1].

En 1923 *Le moi et le ça* est l'occasion de revenir sur les rapports entre identification et investissement d'objet. Aux origines, à la phase orale primitive, investissement d'objet et identification ne peuvent être distingués ; plus tard, le moi a connaissance des investissements d'objet du ça qui ressent les tendances érotiques comme des besoins ; il l'accepte ou s'en défend par un refoulement. Une modification du moi se substitue alors à l'investissement de l'objet sexuel abandonné : elle consiste en une introjection de l'objet, sorte de régression à la phase orale qui pourrait être, d'une façon générale, la condition pour que le ça abandonne les objets. Le processus d'identification (déjà reconnu dans la mélancolie) est en fait très fréquent : il constitue **le caractère du moi, résultat des sédimentations des investissements d'objets abandonnés**, transposition de libido d'objet en libido narcissique – et le moi, qui a adopté les traits de l'objet, « s'impose pour ainsi dire lui-même au ça comme objet d'amour ». L'identification s'accompagne d'un abandon des buts sexuels, d'une désexualisation, « donc d'une espèce de sublimation ».

Le ça est le grand réservoir de libido puisque c'est de lui que partent les investissements d'objets ; la libido, qui afflue vers le moi par les identifications, constitue son narcissisme secondaire. Ces identifications

1. *Psychologie des foules et analyse du moi* (1921c), *Essais de psychanalyse*, Paris, Payot 1981, p. 168-169 ; *OCF* XVI, p. 44-45 ; *GW* XIII, p. 116-117.

résultent donc de l'abandon d'investissements d'objet; mais, il est une identification directe, immédiate et plus précoce que tout investissement d'objet: l'identification au père de la préhistoire personnelle qui se cache derrière la constitution de l'idéal du moi – mais peut-être serait-il plus prudent de dire « identification aux parents ». Les relations entre investissements et identification étant compliquées tant par la disposition triangulaire de l'Œdipe que par la bisexualité, il convient de les décrire plus à fond.

Le *complexe d'Œdipe* positif du garçon comporte au tout début un investissement d'objet à l'égard de la mère selon le type par étayage et une identification au père, ces deux relations cheminant côte à côte. Par la suite, en raison du renforcement des désirs sexuels pour la mère, le père est perçu comme un obstacle et l'identification se fait ambivalente, jusqu'à devenir désir de l'éliminer et de prendre sa place auprès de la mère. Lors de la dissolution de l'Œdipe l'investissement objectal de la mère est abandonné et remplacé par l'identification au père, la plus normale; cette identification ne répond donc pas à notre attente car elle n'introduit pas dans le moi l'objet abandonné qu'est la mère. Il faut ici faire intervenir la bisexualité. Plus facile à observer chez la fille si ses dispositions masculines sont fortes, elle rend compte de la forme la plus complète du complexe d'Œdipe, positif et négatif. « Cette intervention de la bisexualité rend bien difficile d'y voir clair dans les relations des choix d'objet et des identifications primitifs ». Le résultat en est « une sédimentation dans le moi qui consiste dans la production de ces deux identifications accordées de quelque façon l'une à l'autre ». Cette modification du moi constitue l'idéal du moi ou surmoi, à la fois résidu des premiers choix d'objet du ça et formation réactionnelle énergique contre eux. Les conflits qui opposaient le moi aux investissement d'objet du ça se poursuivent en conflits avec le surmoi, héritier de ces investissements [1].

La constatation d'un inconscient du moi interroge sur les modalités d'accès à la conscience des processus internes, réunis sous le terme de processus de pensée; ces processus « s'accomplissent quelque part à

1. *Le moi et le ça* (1923b), *Essais de psychanalyse*, Paris, Payot, 1981, p. 242-246; *OCF* XVI, p. 274-277; *GW* XIII, p. 258-262.

l'intérieur de l'appareil, comme des déplacements d'énergie psychique sur la voie de l'action ». Freud reprend alors les théorisations de *Métapsychologie* : quelque chose ne peut devenir conscient que s'il devient préconscient par sa « connexion avec les représentations de mot correspondantes » ; ce sont des restes mnésiques : elles furent autrefois des perceptions et ce qui, provenant de l'intérieur, veut devenir conscient doit tenter de se transposer en perceptions externes par le moyen des restes mnésiques. Les restes verbaux proviennent de nos perceptions auditives : « Le mot est bien à proprement parler le reste mnésique du mot entendu ». Grâce aux surinvestissements s'effectuent les liaisons entre représentations de chose et représentations de mot, les pensées sont perçues comme venant de l'extérieur et tenues pour vraies[1].

La nouvelle dualité pulsionnelle confirme l'intégration des processus d'investissements à l'Éros qui englobe dorénavant les pulsions sexuelles tournées vers l'objet *et* les pulsions d'auto-conservation attribuées au moi : « L'Éros poursuit le but de compliquer la vie en rassemblant, de façon toujours plus extensive, la substance vivante éclatée en particules et naturellement, en plus, de la maintenir. »[2] La distinction fondamentale entre pulsions érotiques et pulsions de mort rencontre cependant l'énigme de la transformation de la haine en amour, et inversement. Revient alors la question de l'unicité de l'énergie, déjà posée lors de la théorisation du narcissisme. Ainsi, dans la paranoïa et l'homosexualité, la transformation amour/haine s'opère par un déplacement réactionnel de l'investissement, de l'énergie étant retirée à une motion et apportée à la motion contraire ; « nous ne pouvons nous passer de l'hypothèse d'une énergie déplaçable qui, en soi indifférente, peut venir s'ajouter à une motion qualitativement différenciée, érotique ou destructrice et augmenter son investissement total »[3]. Cette énergie déplaçable, en activité dans le moi et dans le ça, proviendrait de la réserve de libido narcissique, et serait donc de l'Éros désexualisé ; elle travaillerait au service du plaisir pour éviter

1. *Ibidem*, p. 231-232 ; p. 264-265 ; p. 247-248.
2. *Ibidem*, p. 254 ; p. 283 ; p. 269.
3. *Ibidem*, p. 258 ; p. 287 ; p. 272.

les stases et faciliter les décharges ; étant de la libido désexualisée, sublimée, elle sert l'intention principale de l'Éros qui est d'unir et de lier de façon à instaurer l'ensemble unitaire du moi. Les processus de pensée au sens large sont inclus dans les déplacements de cette énergie indifférente, résultat de la sublimation des forces de pulsions érotiques. Nous retrouvons ainsi la notion de désexualisation de la libido du ça, de liquidation par le moi des premiers investissements d'objet du ça et de leur transposition en libido du moi par l'identification. Mais, en s'emparant de la libido des investissements d'objet, le moi travaille à l'encontre des desseins d'Éros et sert les motions pulsionnelles adverses… Le moi prête donc assistance aux pulsions de mort dans le ça pour la maîtrise de la libido et, pour cette action d'assistance, il doit lui-même se remplir de libido ; c'est ainsi qu'il devient le représentant de l'Éros et dès lors veut vivre et être aimé[1].

Deux articles reprennent la théorisation des processus de pensée en l'édifiant sur le modèle des processus perceptifs et de la recherche d'une identité de perception, les uns et les autres étant rapportés à des petites quantités d'investissements, c'est-à-dire à l'état psychiquement lié de l'énergie. Dans « Note sur le “bloc-notes magique” », Freud reprend une hypothèse qu'il s'était faite depuis longtemps, mais avait gardée par-devers lui, sur le fonctionnement de l'appareil perceptif : « des innervations d'investissement sont envoyées de l'intérieur par coups rapides et périodiques dans le système *Pc-Cs* »[2]. L'inconscient étendrait vers le monde extérieur, et par le moyen du système *Pc-Cs*, des antennes qui seraient rapidement retirées après en avoir comme dégusté les excitations ; ce mode de travail discontinu du système *Pc-Cs* serait à l'origine de la représentation du temps. L'article « La négation » vient compléter la description en l'appliquant aux processus de pensée : « La perception n'est pas un processus passif mais **le moi envoie périodiquement dans le système de perception des petites quantités d'investissements** grâce auxquelles il déguste les stimuli externes pour, après chacune de ces incursions tâtonnantes, se retirer

1. *Ibidem*, p. 260-262 ; p. 289 ; p. 275.

2. « Note sur le “bloc-notes magique” » (1925a [1924]), *Résultats, idées, problèmes*, *II*, Paris, PUF, 1985, p. 123 ; *OCF* XVII, p. 143 ; *GW* XIV, p. 8.

à nouveau. » Les processus de pensée se construisent sur ce modèle : l'ajournement par la pensée est un acte d'essai, « un tâtonnement moteur » qui permet, avec des dépenses de décharge réduites, l'établissement d'un jugement d'existence. Il s'agit en fait de « savoir si quelque chose de présent dans le moi comme représentation peut aussi être retrouvé dans la perception (réalité) ». L'étude du jugement nous permet d'approcher, peut-être pour la première fois, « la façon dont s'engendre la fonction intellectuelle à partir du jeu des motions pulsionnelles primaires » (Freud retrouve ainsi implicitement ce qu'il notait en 1895 sur la fonction d'attention fondée sur les surinvestissements). Processus perceptifs et processus de pensée impliquent un travail du moi qui ne peut s'effectuer qu'avec de petites quantités d'énergie d'investissement[1].

La nouvelle théorie de l'*angoisse* élaborée dans *Inhibition, symptôme et angoisse* en 1926 fait justement de la production du signal d'angoisse le résultat d'un travail du moi, en relation avec l'attente du danger. Anticipation fondée sur un jugement guidé par des expériences faites, l'angoisse est reproduite par le moi comme signal d'alarme. Le point décisif est le premier déplacement de cette réaction à son attente ; viennent ensuite d'autres déplacements du danger à ce qui le détermine, c'est-à-dire la perte de l'objet sous différentes formes. En faisant du moi le seul et unique lieu de l'angoisse, la production du signal résulte d'un travail du moi dont l'énergie est de la libido désexualisée et « le rapport intime entre l'angoisse et la libido se trouve lui aussi relâché »[2].

Ceci permet peut-être d'expliquer la différence entre douleur et angoisse, fondée sur des facteurs économiques. La survenue de la sensation de déplaisir de la douleur plutôt que de la réaction d'angoisse s'explique par « le niveau élevé des relations d'investissement et de liaison auquel s'accomplissent ces processus qui conduisent à la sensation de déplaisir »[3]. La douleur est la réaction à la perte d'objet, alors

1. « La négation » (1925h), *Résultats, idées, problèmes, II*, Paris, PUF, 1985, p. 137-138 ; *OCF* XVII, p. 169-170 ; *GW* XIV, p. 15.

2. *Inhibition, symptôme et angoisse* (1926d [1925]), Paris, PUF, 1951, p. 90 ; *OCF* XVII, p. 275 ; *GW* XIV, p. 194.

3. *Ibidem*, p. 102 ; p. 286 ; p. 205.

que l'angoisse est la réaction au danger que comporte cette perte. L'objet mère, créé par la répétition des situations de satisfaction, subit un investissement intense, « nostalgique ». La comparaison avec la douleur physique est alors reprise, en termes économiques : l'intensité et le caractère continuel, inapaisable de l'investissement de l'objet absent (perdu) en nostalgie créent les mêmes conditions économiques que l'investissement en douleur concentré sur un endroit du corps lésé. « **Le passage de la douleur corporelle à la douleur psychique correspond à la transformation de l'investissement narcissique en investissement d'objet** »[1]. La douleur psychique est donc le résultat d'une transformation, donc d'un travail psychique qui porte sur des quantités élevées d'investissements, alors que l'angoisse est un signal portant sur des quantités réduites. Le moi s'en sert comme moyen pour déclencher le mécanisme plaisir-déplaisir, puis la mise en jeu du refoulement. Celui-ci n'est plus que l'une des méthodes de défense dont se sert le moi. Les contre-investissements correspondant à tout ce qui est éprouvé comme résistance dans l'analyse et s'oppose, par une dépense continuelle d'énergie, à la poussée constante de la pulsion. Dans la *névrose obsessionnelle* ils consistent en une modification du moi par formations réactionnelles, simples exagérations des traits de caractère normaux de la période de latence (scrupulosité, pitié, propreté), développées par le moi sur l'ordre d'un surmoi rendu spécialement sévère et dur par la régression libidinale caractéristique de l'affection. La formation réactionnelle est une issue possible au conflit d'ambivalence haine-amour : une des deux motions qui s'affrontent se voit renforcée, et maintient l'autre réprimée. Les formations réactionnelles « peuvent être considérées comme un nouveau mécanisme de défense à placer à côté de la régression et du refoulement »[2]. Dans l'*hystérie*, ces formations réactionnelles existent aussi, mais sans atteindre le niveau de généralité de traits de caractère ; en fait y opère une autre forme de contre-investissement, plus conforme à sa nature : un retrait de l'investissement d'attention de la perception de l'objet désiré par la pulsion. Cette technique de contre-investissement est

1. *Ibidem*, p. 101 ; p. 286 ; p. 205.
2. *Ibidem*, p. 35-36 ; p. 232 ; p. 145.

encore plus frappante dans les phobies où il faut s'éloigner toujours plus des conditions d'apparition de la perception redoutée.

Le contre-investissement est donc intérieur dans la névrose obsessionnelle et extérieur dans l'hystérie et les phobies ; il nous faut admettre « qu'il existe une relation particulièrement intime entre refoulement et contre-investissement extérieur d'une part, régression et contre-investissement intérieur (modification du moi par formation réactionnelle) d'autre part ». Les contre-investissements entravent les processus de surinvestissements dans la mesure où le moi, qui s'y cramponne, « a du mal à diriger son attention vers des perceptions et des représentations qu'il s'était jusqu'alors fait une règle d'éviter ». Cette résistance du refoulement est la première des résistances du moi[1].

En 1932, la 31e des *Nouvelles conférences d'introduction à la psychanalyse* (« La décomposition de la personnalité psychique ») reprend les relations énigmatiques entre identification et investissement d'objet : l'identification n'est pas la même chose qu'un choix d'objet, elle est une forme très importante de la liaison à l'autre, peut-être la plus originelle ; elle put être comparée à l'incorporation orale, cannibalique de la personne étrangère. L'identification du moi à un objet perdu peut le dédommager de cette perte : « le choix d'objet régresse, en quelque sorte, à l'identification ». Même s'il n'est absolument pas satisfait de ces développements sur l'identification, Freud souligne que le surmoi est un « cas réussi d'identification avec l'instance parentale » ; les identifications parentales, vraisemblablement présentes depuis longtemps, se trouvent renforcées lors de l'abandon du complexe d'Œdipe, en dédommagement du renoncement aux investissements d'objet intensifs que l'enfant avait placés chez ses parents[2]. La liaison bascule donc du côté de l'identification et les investissements d'objets, investissements intenses, sont ici à rapporter au ça dans lequel le facteur économique quantitatif est dominant : « des investissements pulsionnels qui réclament leur décharge, tout cela est dans le ça ». Les investissements sont alors confondus avec

1. *Ibidem*, p. 85-89 ; p. 271-274 ; p. 189-193.

2. *Nouvelles conférences d'introduction à la psychanalyse* (1933a [1932]), Paris, Gallimard, 1984, p. 88-90 ; *OCF* XIX, p. 146-148 ; *GW* XV, p. 69-71.

les motions pulsionnelles caractérisées par l'état mobile de l'énergie, expliquant les déplacements et les condensations « qui font si totalement abstraction de la qualité de l'investi – dans le moi, nous l'appellerions une représentation »[1]. Mais, « on donnerait beaucoup pour pouvoir mieux comprendre ces choses »... Effectivement, et ce d'autant que « les investissements d'objet provenant des revendications pulsionnelles du ça, le moi doit d'abord les enregistrer »[2].

La conférence suivante (« Angoisse et vie pulsionnelle ») complète la description du travail du moi dans la production du signal d'angoisse, sur le modèle des processus perceptifs et des processus de pensée, qui portent sur de petites quantités d'investissements. Il s'agit d'un processus, non conscient ou préconscient, qui consiste pour le moi à anticiper la satisfaction d'une motion pulsionnelle susceptible de susciter une situation de danger dont il se souvient, en appliquant un investissement d'essai. Dans ces situations d'expectation se reproduisent, sous forme de signal, les sensations de déplaisir ayant provoqué la situation de danger redoutée ; **grâce à ces investissements d'essai le moi peut éveiller l'automatisme plaisir-déplaisir** : « Il s'aide par une technique qui est au fond identique à celle de la pensée normale. Penser c'est agir à titre d'essai, avec de petites quantités d'énergie » (on reconnaît là les processus de surinvestissements, même si le terme n'apparaît pas dans le texte). La mise en jeu de l'automatisme plaisir-déplaisir accomplit alors le refoulement de la revendication pulsionnelle scabreuse, refoulement sous l'influence de l'angoisse, dont Freud décrit le processus en termes énergétiques. À l'excitation le moi oppose un contre-investissement qui peut soit se réunir avec l'énergie de la motion refoulée pour former un symptôme, soit être admis dans le moi comme formation réactionnelle contribuant à la formation du caractère par renforcement de dispositions antérieures – réactions de défense qui sont l'équivalent d'une liaison psychique du refoulé[3]. Dans le ça, la motion pulsionnelle refoulée, bien que sous pression constante du moi, peut conserver son investissement ; elle

1. *Ibidem*, p. 103-104 ; p. 157-158 ; p. 81.
2. *Ibidem*, p. 106 ; p. 160 ; p. 83.
3. *Ibidem*, p. 122-123 ; p. 173-174 ; p. 96-97.

peut aussi subir une destruction complète ce qui serait, idéalement, le cas du complexe d'Œdipe, normalement détruit dans le ça. La libido est alors dérivée définitivement vers d'autres voies.

Dans l'*Abrégé de psychanalyse* (1938), le concept conserve ses obscurités dans la mesure où l'énergie de la vie psychique demeure « l'énigme véritable, non encore résolue »[1].

Investissement est un terme générique pour désigner des « intensités psychiques » ; il est permis de penser qu'il pourrait désigner dans le ça « un premier mode d'expression psychique », « sous des formes qui nous restent inconnues », des pulsions émanées de l'organisation somatique[2]. Ces pulsions qui agissent à l'intérieur du ça ont pour seul but de se satisfaire au moyen de modifications d'organes qu'elles obtiennent grâce à des objets extérieurs. Dans le moi, l'investissement libidinal des représentations d'objet marque le moment de sortie du narcissisme primaire absolu, état défini par l'accumulation de toute la charge disponible de libido, proche de l'indifférenciation moi-ça[3]. Les contre-investissements correspondent à une fonction du moi dont ils marquent les frontières. Ils représentent une importante dépense énergétique dans sa lutte pour maintenir en soumission les exigences pulsionnelles du ça. Leur intégrité garantit le fonctionnement normal du moi, plus le moi se sent accablé, plus il s'y cramponne. Au cours du traitement, l'intensité des contre-investissements se traduit par des résistances, incorrectement appelées « résistances de refoulement », dans la mesure où c'est le moi qui résiste alors que l'inconscient, par sa poussée ascendante, vient à notre aide[4]. Les surinvestissements, investissements de la pensée, sont une activité essentielle du moi dont « le rôle constructif consiste à intercaler entre l'exigence pulsionnelle et l'acte propre à satisfaire cette dernière, une activité intellectuelle qui, une fois bien considérés l'état des choses présent et les expériences passées, s'efforce, au moyen d'essais expérimentaux, de peser

1. *Abrégé de psychanalyse* (1940a [1938]), Paris, PUF, 1985, p. 27 ; *OCF* XX, p. 253 ; *GW* XVII, p. 86.

2. *Ibidem*, p. 4 ; p. 233 ; p. 68.

3. *Ibidem*, p. 10 ; p. 239 ; p. 72-73.

4. *Ibidem*, p. 47 ; p. 271 ; p. 104.

les conséquences de la ligne de conduite envisagée »[1]. En transformant l'énergie libre, mobile, en énergie liée de l'état préconscient, le moi effectue sa fonction qui est d'élever les processus du ça à un niveau dynamique plus élevé. « **Nous parlons d'investissements et de surinvestissements des contenus psychiques et nous allons même jusqu'à supposer qu'un surinvestissement détermine une sorte de synthèse de divers processus au cours de laquelle l'énergie libre se transforme en énergie liée. Notre savoir s'arrête là…** »[2]

QUESTIONS ET ENJEUX

Le terme d'investissement désigne des processus psychiques différents les uns des autres des points de vue topique et dynamique mais que regroupe leur nature énergétique – ce qui n'est pas sans poser la question de l'unicité de l'énergie psychique et de la forme qu'elle prend. Leur conceptualisation pose également la question de leur nature : sont-ils quantitatifs ou qualitatifs ? Ne seraient-ils pas à considérer, avant tout, comme des processus de transformation, de passage du quantitatif au qualitatif ? Nous allons aborder ces questions à travers chacun de ces processus.

L'investissement renvoie à *la naissance de la vie psychique*, à la transformation de l'excitation avec le passage du biologique au psychique ; il est, comme la pulsion, un concept limite à situer sur le versant psychique de l'articulation biologique/psychique. Il serait, dans le ça, « ce quelque chose d'autre qui représente la pulsion […] Pour cet autre élément de la représentance psychique, le nom de montant d'affect s'est acquis droit de cité ; il trouve une expression conforme à sa quantité dans des processus qui se signalent à la sensation sous forme d'affects »[3]. Investissement et montant (quantum) d'affect sont synonymes : référés à la pulsion, ils désignent tous deux des contenus du ça, mais le terme d'affect, qui doit être réservé au

1. *Ibidem*, p. 74 ; p. 297 ; p. 129.

2. *Ibidem*, p. 27 ; p. 253-254 ; p. 86.

3. « Le refoulement » (1915d), *Métapsychologie*, Paris, Gallimard, 1968, p. 55 ; *OCF* XIII, p. 195 ; *GW* X, p. 254.

processus de décharge perçu par le moi comme sensation d'affect, est qualitatif ; l'investissement, qui correspondrait à la quantité d'affects, pourrait être cet « autre chose » qui leur correspond dans l'écoulement de l'excitation, justifiant l'emploi du terme de « sensations inconscientes ».

En deuxième topique, le terme se rapporte aux investissements des objets par les motions pulsionnelles du ça : investissements érotiques du ça, investissements des primes origines, de la phase orale primitive « quand toute la libido est accumulée dans le ça alors que le moi est encore en cours de formation ou débile »[1], les investissements des représentations de chose des objets désignant désormais des investissements du moi qui a la tâche de représenter le ça auprès du monde extérieur ; le moi se différencie du ça en fonction de ses relations intimes avec le système de perception à partir duquel il s'est développé[2]. Les investissements des représentations de chose, « premiers véritables investissements d'objet » en première topique, seraient-ils en deuxième topique des processus de surinvestissements réalisant une synthèse de différents processus, impliquant le processus perceptif ? L'investissement serait-il un premier mode d'expression psychique dans le ça des pulsions émanant de l'organisation somatique « sous des formes qui nous restent inconnues » ? Ces questions renvoient à celles sur les origines de la liaison à l'objet, avec les difficultés que rencontra Freud, sans d'ailleurs les résoudre, pour distinguer entre identification à l'objet et investissement d'objet.

Aux tout premiers temps, à la phase orale primitive, *investissement d'objet* et *identification* ne peuvent être distingués. L'identification est définie comme la forme la plus originaire du lien affectif à l'objet ; comparée à l'incorporation orale, cannibalique de la personne étrangère, elle est « un rejeton de la première phase orale de l'organisation libidinale » ; mais, en ces temps premiers, il s'agit seulement d'une coexistence entre investissement d'objet et identification, qui ne s'influencent ni se perturbent réciproquement car ces deux liens sont « psychologiquement différents » : l'investissement par la libido objectale est « nettement sexuel » alors que l'identification, référée à l'idéal, met en œuvre la libido narcissique. Derrière la constitution de l'idéal

1. *Le moi et le ça* (1923b), *Essais de psychanalyse*, Paris, Payot, 1981, p. 260 ; *OCF* XVI, p. 289 ; *GW* XIII, p. 275.

2. *Ibidem*, p. 237 ; p. 269 ; p. 252.

du moi se cache d'ailleurs la première identification, celle au père de la préhistoire personnelle. La référence à l'identification paternelle sera reprise en 1923 et conceptualisée en termes d'identification primaire comme « identification directe, immédiate, plus précoce que tout investissement d'objet »[1] ; ce temps préhistorique serait fondateur. L'identification primaire serait du côté de l'inscription, de la trace, voire de la phylogenèse de par sa contribution à la formation du surmoi-idéal du moi, alors que l'investissement serait « nettement » pulsionnel, jalonnant le travail psychique imposé par la pulsion. En 1932, le ça apparaît constitué d'investissements pulsionnels réclamant leur décharge, alors que l'identification est une forme majeure de la liaison à l'autre, peut-être même la plus originelle. Quelle est la nature de cette liaison ? Comment concevoir une liaison à un objet qui ne serait pas un investissement d'objet ? L'identification à l'objet est-elle un processus nécessaire pour que les revendications pulsionnelles du ça (et les investissements d'objets ainsi produits) puissent être « enregistrées » par le moi ?

Les *contre-investissements*, processus économiques, constituent des activités défensives du moi ; inscrits d'emblée dans la théorie du refoulement, leur définition fut essentiellement clinique dans un premier temps, les éléments contre-investis se constituant différemment dans chacune des névroses : innervation corporelle dans l'hystérie de conversion, représentation substitutive puis éléments de l'environnement externe dans la phobie, formations réactionnelles dans la névrose obsessionnelle. Mais en 1915 l'affirmation que le contre-investissement du refoulement originaire est une fixation opère un déplacement du concept du côté de la régression. « Deuil et mélancolie » confirme la même année leur implication dans d'autres processus : ils font partie du « complexe mélancolique » caractérisé par la régression narcissique. Les contre-investissements sont alors définis comme processus énergétiques constitués par la mobilisation de grandes quantités d'énergie ; c'est un dispositif défensif extrême, mis en place pour colmater une blessure mais inefficace puisqu'il aboutit à un appauvrissement complet du moi. Freud s'en tient, dans sa description, à une définition énergétique du processus sans préciser si point de fixation à la phase orale et identification narcissique à l'objet sont des contre-investissements. L'aspect énergétique va pri-

1. *Ibidem*, p. 243 ; p. 275 ; p. 259.

mer dans les textes ultérieurs traitant du traumatisme : les contre-investissements y apparaissent comme des forces opposées aux excitations qui effractent le pare-excitation ; il s'agit alors, fût-ce aux dépens de tous les autres systèmes psychiques, de ramener l'énergie « pour créer, dans le voisinage du point d'effraction, des investissements énergétiques d'une intensité correspondante » [1]. Constitués grâce au retrait d'investissement « de toutes parts », les contre-investissements sont des transferts massifs d'investissements ; la fixation au traumatisme, par son pouvoir attracteur, serait-elle alors le moteur de la mise en marche des mouvements énergétiques des contre-investissements ?

Il y aurait deux « techniques » de contre-investissements : l'une renvoyant au refoulement proprement dit (ou refoulement après-coup), et l'autre à la fixation, constitutive du refoulement originaire, pôle attracteur des régressions ultérieures. Les contre-investissements du refoulement après-coup posent peu de problèmes puisque ce sont de simples déplacements de l'investissement de la représentation refoulée sur une formation de substitut. En revanche, les contre-investissements en rapport avec la régression sont plus complexes, mettant notamment en œuvre les processus voisins de l'identification secondaire et de la formation réactionnelle.

Freud décrit en 1921 plusieurs sources d'identification : à la suite de l'identification primaire, forme la plus originaire de lien affectif à l'objet, prennent place des identifications secondaires, substituts d'un lien objectal libidinal et formés par régression. Dans celles-ci il y a transposition de la libido d'objet en libido narcissique qui s'accompagne d'une « désexualisation », donc « d'une espèce de sublimation ». Il en résulte une modification du moi telle qu'il puisse maîtriser le ça : « Le moi liquide les premiers investissements d'objets du ça, et certainement aussi des investissements ultérieurs, en réveillant leur libido dans le moi, et en la liant à la modification du moi produite par identification » [2]. Ainsi se constitue le narcissisme du moi (narcissisme secondaire) par retrait sur le moi des investissements d'objets érotiques du ça. L'identification secondaire, processus régressif,

1. *Au-delà du principe de plaisir* (1920g), *Essais de psychanalyse*, Paris, Payot, 1981, p. 72 ; *OCF* XV, p. 301 ; *GW* XIII, p. 30.

2. *Le moi et le ça* (1923b), *Essais de psychanalyse*, Paris, Payot, 1981, p. 260 ; *OCF* XVI, p. 289 ; *GW* XIII, p. 274.

suppose un retrait des investissements libidinaux dont la liaison, avec la modification du moi produite par identification, produit un contre-investissement. Ce faisant, « le moi travaille à l'encontre des desseins de l'Éros, [...] de l'Éros et du combat contre l'Éros ! »[1]. L'énergie ainsi utilisée serait de la libido désexualisée par régression de la libido d'objet à la libido narcissique.

Aussi important soit le rôle joué par *la régression*, elle ne suffit pas à expliquer la constitution de ces « contre-forces » psychiques que sont les formations réactionnelles. Si dans l'hystérie et la phobie le contre-investissement est plutôt dirigé vers l'extérieur, il faut admettre une relation intime entre refoulement et contre-investissement extérieur, comme entre régression et contre-investissement intérieur, celui-ci étant la modification du moi par formation réactionnelle[2]. Dans la névrose obsessionnelle, la régression de la libido à la phase sadique-anale fait remplacer la tendance tendre par une tendance sadique, mais cette impulsion sadique contre l'objet aimé doit être refoulée et le retrait d'investissement se sert de la formation réactionnelle en renforçant un opposé ; cela signifie que la formation réactionnelle préexiste au retrait d'investissement. Constituée par un trait de caractère, une modification du moi, un renforcement de l'attitude opposée à la direction de la pulsion à refouler, elle serait « un symptôme primaire de défense », de défense « réussie » excluant de la conscience les représentations conflictuelles en s'opposant directement à la réalisation du désir. Peut-elle s'expliquer par la seule régression-fixation ? La formation réactionnelle est une issue au conflit d'ambivalence qui revient poser la question de la transformation de l'amour en haine.

L'ambivalence haine-amour, ambivalence « commune », est si originaire qu'on doit la considérer comme une union pulsionnelle qui ne s'est pas accomplie, plutôt que comme le résultat d'une désunion. La transformation de l'amour en haine s'opère par « déplacement réactionnel de l'investissement, de l'énergie étant retirée à la motion érotique et apportée à la motion hostile »[3]. C'est là un problème

1. *Ibidem.*

2. *Inhibition, symptôme et angoisse* (1926d [1925]), Paris, PUF, 1951, p. 87 ; *OCF* XVII, p. 273 ; *GW* XIV, p. 191.

3. *Le moi et le ça* (1923b), *Essais de psychanalyse*, Paris, Payot, 1981, p. 257 ; *OCF* XVI, p. 283 ; *GW* XIII, p. 269.

complexe qui remet en question la dualité pulsionnelle et, pour le résoudre, Freud suppose l'existence d'« *une énergie déplaçable, en soi indifférente*, qui peut venir s'ajouter à une motion qualitativement différenciée, érotique ou destructive, et augmenter son investissement total »[1]. Cette énergie de déplacement, probablement en activité dans le moi et dans le ça, serait de la libido désexualisée, « sublimée » au service de l'Éros dans son aspiration unitaire. Ceci n'entrerait-il pas en contradiction avec l'idée avancée dans « Pour introduire le narcissisme » que l'énergie psychique indifférente ne deviendrait libido que par un investissement d'objet ? La question de l'antériorité de l'une sur l'autre reste énigmatique, de même que la place de la régression dans ces processus de contre-investissements que sont les formations réactionnelles.

Formation réactionnelle et *identification secondaire* ne relèvent pas du même processus économique, même si le résultat est dans les deux cas une modification du moi qui contribue à la formation du caractère. Ces contre-investissements que constituent les identifications secondaires sont fondés sur des mouvements de régression libidinale, alors que les contre-investissements des formations réactionnelles correspondent aux déplacements d'une énergie indifférente qui viendrait s'ajouter à une motion pulsionnelle qualitativement différenciée. Les contre-investissements regroupent donc des processus divers ayant en commun d'être des déplacements d'énergie que le moi utilise pour sa défense contre l'irruption traumatique d'excitations. Qu'ils appartiennent au refoulement ou au couple régression-fixation, ils touchent aux fondements archaïques du psychisme, chaque refoulement renvoyant au refoulement originaire, et toute régression renvoyant à la fixation qui la détermine.

À partir de la transformation complexe de l'amour en haine, le contre-investissement par formation réactionnelle pose la question de la *nature de l'énergie déplacée*. Énergie « désexualisée » ? Énergie « indifférente » qui ne deviendrait libido que par l'investissement d'objet ? C'est toute la question de l'unicité de l'énergie qui se trouve ici soulevée, question que nous retrouvons avec *les surinvestissements*. Définis dans un premier temps comme substratum économique de la fonction d'attention (fonction du moi, au service des pulsions d'auto-conservation, qui repose sur un mécanisme

1. *Ibidem*, p. 258 ; p. 287 ; p. 272.

biologique décrit comme « investissement plus poussé de l'objet perçu »), les surinvestissements relient les processus de mémorisation, les processus perceptifs et la pulsion. Par les liaisons qu'ils opèrent ils transforment les processus primaires en processus secondaires; reliant la trace mnésique du mot entendu à l'investissement de la représentation de chose de l'objet, ils produisent les représentations de mots et sont à l'origine des processus de pensée. La fonction d'attention sort de la terminologie freudienne en 1914 avec la théorisation du narcissisme qui donne aux pulsions d'auto-conservation une nature libidinale, mais le rôle des surinvestissements se renforce alors puisque, agents de liaison, ils contribuent à toutes les activités de travail du moi : processus perceptifs, processus de pensée, mais aussi travail de deuil et production du signal d'angoisse. On a pu dire que « les surinvestissements, à travers le déploiement des représentations des signes et du langage, mettent en jeu toutes les capacités imaginatives et symboliques du psychisme humain » [1]. En réduisant les quantités d'excitation, ils sont des processus de transformation psychique et participent au travail de sublimation ; ils ont le même enjeu : détourner le but de la pulsion « si bien que la pulsion originellement sexuelle trouve désormais sa satisfaction dans une opération qui n'est plus sexuelle, qui est socialement ou éthiquement évaluée plus haut » [2]. La proximité de la sublimation et des surinvestissements fait de ceux-ci « un des privilèges de l'homme sur l'animal » et les éloigne de la fonction d'attention, ancrée dans les automatismes biologiques et l'auto-conservation. L'énergie à l'œuvre dans les processus de surinvestissements serait, comme pour la sublimation, la libido « désexualisée », « sublimée », provenant « de la réserve de libido narcissique ».

Mais, malgré l'affirmation de 1923, que « le travail intellectuel est pris en charge par sublimation d'une force de pulsion érotique » [3], la question de la nature de l'énergie à l'œuvre dans les processus intellectuels ne sera jamais vraiment résolue. La clinique de ces années charnière pose la question de l'existence de processus intellectuels

1. Jean-Luc Donnet, « Travail de culture et Surmoi », *Le travail psychanalytique*, Paris, PUF, 2003.

2. « "Psychanalyse" et "Théorie de la libido" » (1923a), *Résultats, idées, problèmes, II*, Paris, PUF, 1985, p. 74 ; *OCF* XVI, p. 205 ; *GW* XIII, p. 230.

3. *Le moi et le ça* (1923b), *Essais de psychanalyse*, Paris, Payot, 1981, p. 259 ; *OCF* XVI, p. 288 ; *GW* XIII, p. 275.

très développés, coupés de tout investissement libidinal ; le cas de l'homme aux loups amène à penser un fonctionnement psychique où les processus intellectuels sont coupés de leurs racines pulsionnelles : « son intelligence irréprochable était comme coupée des forces pulsionnelles qui dominaient son comportement » [1]. De même, la jeune patiente homosexuelle de 1920 qui, suivant « la même tactique russe », se montrait « très coopérante du point de vue intellectuel sans se départir de sa tranquillité d'âme », était, en réalité, animée d'une passion homosexuelle « d'une force élémentaire », « une tempête psychique » [2].

Nous retrouvons ainsi la question, posée à propos des contre-investissements, sur *la nature de l'énergie*. Question non résolue par Freud qui, en 1923, avait été conduit à « l'hypothèse dont nous ne pouvons absolument pas nous passer » d'une énergie déplaçable en soi indifférente [3], énergie qui, avait-il noté précédemment, ne deviendrait libido que par l'investissement d'objet [4]. En 1920, Freud fait référence à une fonction qui, sans contredire le principe de plaisir, est pourtant indépendante de lui et semble plus originaire que la recherche du gain de plaisir et l'évitement du déplaisir : il s'agit d'une fonction de liaison, « l'une des plus précoces et les plus importantes de l'appareil psychique » [5]. Que peut être cette fonction, sinon l'ancienne fonction biologique d'attention, d'où dérivaient les surinvestissements ? En fondant les processus de pensée sur une technique motrice construite sur le modèle des processus perceptifs (« La négation », 1925), Freud ne remet-il pas en cause la nature de l'énergie à l'œuvre dans les processus de pensée ? Quelles sont ces « motions pulsionnelles primaires » mises en jeu par le jugement et les premières

1. « Extrait de l'histoire d'une névrose infantile (L'homme aux loups) » (1918b [1914]), *Cinq psychanalyses*, Paris, PUF, 1982, p. 328 ; *OCF* XIII, p. 9 ; *GW* XII, p. 33.

2. « Psychogenèse d'un cas d'homosexualité féminine » (1920a), *Névrose, psychose et perversion*, Paris, PUF, 1973, p. 262 et 265 ; *OCF* XV, p. 253 et 256 ; *GW* XII, p. 291 et 295.

3. *Le moi et le ça* (1923b), *Essais de psychanalyse*, Paris, Payot, 1981, p. 258 ; *OCF* XVI, p. 287 ; *GW* XIII, p. 272.

4. « Pour introduire le narcissisme » (1914c), *La vie sexuelle*, Paris, PUF, 1969, p. 85 ; *OCF* XII, p. 223 ; *GW* X, p. 144.

5. *Au-delà du principe de plaisir* (1920g), *Essais de psychanalyse*, Paris, Payot, 1981, p. 112 ; *OCF* XV, p. 336 ; *GW* XIII, p. 67.

activités de pensée dont il montre l'ancrage biologique ? Ne peut-on, là encore, penser qu'il n'est pas possible de se passer d'une énergie indifférenciée qui ne deviendrait libido que par l'acte d'investissement d'objet ? Cette énergie unique, d'avant l'investissement objectal, ne serait-elle pas celle des pulsions d'auto-conservation telles que Freud les maintenait bien distinctes des pulsions sexuelles, avant de les englober dans l'Éros dont l'énergie est la libido ? Dans cette perspective, les surinvestissements des fonctions intellectuelles supérieures dériveraient des automatismes psychophysiologique et non d'un travail de sublimation impliquant une désexualisation des pulsions sexuelles. Ces questions sont toujours d'actualité, comme peuvent en témoigner certains développements actuels des sciences cognitives, telles qu'elles tendent à éliminer le sexuel du fonctionnement psychique.

La définition des surinvestissements, donnée par Freud dans l'*Abrégé*, confirme la complexité du concept et laisse entière l'énigme de la nature énergétique : « nous admettons qu'une certaine énergie entre en jeu dans la vie psychique, mais toutes les indications qui nous permettraient de comparer cette énergie à d'autres font défaut. [...] nous allons même jusqu'à supposer qu'un "surinvestissement" détermine une sorte de synthèse de divers processus au cours de laquelle l'énergie libre se transforme en énergie liée. Notre savoir s'arrête là... »[1]

Françoise Cribier

Isolation → Annulation rétroactive et isolation

1. *Abrégé de psychanalyse* (1940a [1938]), Paris, PUF, 1985, p. 27 ; *OCF* XX, p. 253 ; *GW (Nachtragsband)*, p. 166.

J-L

Jugement → Négation → Vérité

Lapsus → Acte manqué

LIAISON-DÉLIAISON

all. : ***Bindung-Entbindung.*** – angl. : *binding-unbinding.* – esp. : *ligazón-deligazon.* – ital. : *legame-delegame.* – port. : *ligação-deligação*

La liaison des motions pulsionnelles est l'une des fonctions les plus précoces et les plus importantes de l'appareil psychique ; elle permet de remplacer le processus primaire par le processus secondaire en transformant l'énergie d'investissement librement mobile en investissement tranquille ; la déliaison permet le retour à un libre écoulement de l'énergie, assurant le jeu entre systèmes. La liaison permet le passage à la conscience, les représentations de mot venant lier celles de chose ; c'est elle qui instaure cet ensemble unitaire qu'est le moi. La liaison est le but de l'Éros.

MISE EN SITUATION

Cette définition reprend, presque textuellement, celles avancées par Freud dans le cours de son œuvre[1]. *On doit remarquer que si la notion de « liaison » apparaît dès 1895 dans l'« Esquisse d'une psychologie scientifique », elle ne doit rien à la neurobiologie, qui a pourtant inspiré celle-ci ; la notion est, d'emblée, un apport freudien. La liaison, telle que la conçoit Freud, a certes pour fonction de lier, mais au sens fort de « ligoter », et non pas simplement de mettre en rapport ; elle peut cependant être déliée, ce qui assure toute la mobilité des investissements.*

Si la traduction de bindung *ne pose guère de problème, on peut remarquer que Freud use assez souvent de « dompter »* (bändigen) *comme d'un synonyme ; il semble pourtant qu'à l'occasion il fasse aussi équivaloir ce dernier terme à celui de « réprimer » puisque, lorsqu'il rédige l'article « Résistances à la psychanalyse », il le fait d'abord en français et écrit : « Les impulsions sexuelles proprement dites sont chez la plupart des hommes incomplètement et, psychologiquement parlant, incorrectement* réprimées… *», alors que, lorsqu'il le traduit en allemand, ça donne : « Les pulsions sexuelles, au sens étroit, sont, chez la plupart des hommes,* domptées *d'une façon insuffisante et psychologiquement incorrecte… »*[2] *Quoi qu'il en soit, l'idée est que, bien loin d'une simple association, la liaison est une force extrêmement puissante, comme l'exige la pulsion.*

1. *Au-delà du principe de plaisir* (1920g), *Essais de psychanalyse*, Paris, Payot, 1981, p. 112 ; *OCF* XV, p. 336 ; *GW* XIII, p. 67-68. – *Le moi et le ça* (1923b), *Essais de psychanalyse*, Paris, Payot, 1981, p. 259 ; *OCF* XVI, p. 288 ; *GW* XIII, p. 274. – *Abrégé de psychanalyse* (1940a [1938]), Paris, PUF, 1985, p. 8 ; *OCF* XX, p. 237 ; *GW* XVII, p. 71.

2. « Résistances à la psychanalyse » (1925e), texte original (en français) dans *Résultats, idées, problèmes, II*, Paris, PUF, 1984, p. 131 ; traduction de l'allemand dans *OCF* XVII (PUF, 1992), p. 132 ; *GW* XIV, p. 107.

LE TEXTE FREUDIEN

Mentionnée pour la première fois en juin **1894** dans la *Correspondance avec Fliess*, la notion est reprise en octobre 1895 dans l'« Esquisse d'une psychologie scientifique » [1]. **La liaison doit expliquer les mécanismes de pensée,** le « processus cogitatif » et, plus particulièrement, l'accroissement d'attention exigé par la perception et la mémoire : il y faut à la fois un puissant investissement et un faible déplacement, ce qui impose l'idée qu'il y aurait « un état lié des neurones qui, malgré un investissement marqué, ne laisse passer qu'un faible courant », le moi lui-même étant « une masse de neurones de ce genre », c'est-à-dire « liée » (bien sûr, ce « moi » là n'est pas encore une instance). Mais une telle hypothèse pose plusieurs problèmes psychologiques et, notamment, celui de savoir comment un tel moi peut se développer [2] ? Il faut que les souvenirs générateurs d'affects puissent être « domptés ». Lorsqu'à leur origine se trouvent des traces d'incidents pénibles, investis d'une quantité d'énergie excessive et ayant acquis un frayage exagéré, surgit un déplaisir ; le moi doit donc « soumettre » ces souvenirs par « une très forte "liaison" souvent répétée » [3]. Cette conception physiologique de la psychologie, pour « mécanique » qu'elle soit (dit Freud en la rejetant à peine achevée [4]), ébauche cependant quelques idées qui, réélaborées et surtout resituées, deviendront des notions fortes de la métapsychologie en conceptualisant, notamment, le rôle de la liaison dans la théorie énergétique.

En **1900,** *L'interprétation des rêves* considère la liaison selon une autre approche. Sans méconnaître sa fonction de « domptage » de l'excitation, elle s'attache plutôt au **travail sur les représentations.**

1. *La naissance de la psychanalyse. Lettres à Wilhelm Fliess. Notes et plans (1887-1902)* (1950a [1887-1902]), Paris, PUF, 1956, p. 83, 95, 115.

2. « Esquisse d'une psychologie scientifique » (1950c [1895]), *La naissance de la psychanalyse,* Paris, PUF, 1956, p. 378-379.

3. *Ibidem,* p. 390.

4. Dès la fin novembre 1895, dans une lettre à Fliess, à qui il avait envoyé le manuscrit un mois avant.

Ainsi, la relation entre source du désir, souhait du rêve et impression indifférente de la veille, ne peut s'expliquer que par un *travail en après-coup utilisant le frayage de voies de liaison préétablies*[1]. Dans l'analyse des pensées du rêve, ce qui vient à l'idée après coup doit être considéré comme ayant déjà agi pendant le sommeil, contribuant à la formation du rêve ; les liaisons nouvelles apparues dans le récit sont des courts-circuits, rendus possibles par l'existence de voies de liaison différentes situées plus en profondeur[2] ; l'un des principes est que « des représentations qui d'un côté ont noué une liaison très intime récusent pour ainsi dire des groupes entiers de nouvelles liaisons »[3]. Mais le courant d'excitation inconscient doit toujours être lié dans le préconscient lorsqu'il ne peut s'écouler dans la motilité ; c'est justement ce qui se produit dans le rêve où l'investissement du préconscient « vient au devant du rêve devenu perception » (parce que dirigé par l'excitation de la conscience), « lie l'excitation inconsciente du rêve et la rend inoffensive »[4]. Le travail du rêve vise à rendre mobile, et capable de décharge, l'énergie d'investissement, négligeant la signification des représentations[5].

La théorie des **deux systèmes psychiques** (Ψ) peut être alors développée. *Le premier système est caractérisé par le processus primaire :* tendant à faire écouler librement les quantités d'excitation, il est incapable d'accepter quelque chose de désagréable dans les pensées et ne peut donc que « souhaiter ». *Le second système active le processus secondaire :* il inhibe cet écoulement pour en faire un investissement tranquille (« quiescent », selon certaines traductions), investit le souvenir déplaisant afin que la déliaison de déplaisir soit évitée – ainsi d'ailleurs que « l'écoulement, comparable à une innervation motrice, qui mène au développement de déplaisir ». Le processus primaire, en déchargeant des quantités d'excitation qu'il rassemble,

1. *L'interprétation des rêves* (1900a), Paris, PUF, 1967, p. 160 ; *OCF* IV, p. 215 ; *GW* IV, p. 184.

2. *Ibidem,* p. 243 et 415 ; p. 322-323 et 537 ; p. 286 et 490.

3. *Ibidem,* p. 479 ; p. 617 ; p. 568-569.

4. *Ibidem,* p. 491-492 ; p. 633-634 ; p. 584.

5. *Ibidem,* p. 307 ; p. 652 ; p. 602.

établit une *identité de perception* ; en les liant, le processus secondaire atteint une *identité de pensée*[1]. Lorsqu'il se trouve libéré des inhibitions de l'investissement préconscient, *l'appareil psychique travaille en processus primaire* ; abandonnées et laissées à elles-mêmes, *les représentations se chargent d'une énergie libre,* venue de l'inconscient et cherchant à s'écouler : le déplacement de l'excitation préconsciente sur la motilité se fait sur le même mode que la liaison des mots avec des représentations préconscientes[2].

Dans *Le mot d'esprit et sa relation à l'inconscient* (1905), Freud reprend sa proposition selon laquelle le rire naît quand un quantum d'énergie psychique, cessant d'être investi, « peut connaître une libre décharge »[3]. Mais c'est la *pensée* qu'il va explorer explicitement en 1911 dans les « Formulations sur les deux principes du cours des événements psychiques » : partant de l'activité de représentation, il remarque que la pensée nécessite une suspension de la décharge motrice et que, durant celle-ci, se produit un accroissement de la tension d'excitation ; pour ce faire, il faut que des investissements librement déplaçables soient transformés en investissements liés, ce qui impose d'élever leur niveau – inconsciente à l'origine, *la pensée devient consciente par la liaison aux restes verbaux*[4].

Dans la *Métapsychologie,* en 1915, apparaît la notion de **fixation** qui permet de distinguer une liaison particulièrement intime à l'objet ; très active au tout début du développement de la pulsion, elle « fixe » celle-ci et résiste à toute dissolution[5]. Freud adhère pleinement à la vue profonde de Joseph Breuer d'admettre l'existence dans la vie psychique de « **deux états différents de l'énergie d'investissement, un**

1. *Ibidem,* p. 510-511 ; p. 655-657 ; p. 605-607.

2. *Ibidem,* p. 514 ; p. 660 ; p. 610.

3. *Le mot d'esprit et sa relation à l'inconscient* (1905c), Paris, Gallimard, 1988, p. 269 ; *OCF* VII, p. 172 ; *GW* VI, p. 165.

4. « Formulations sur les deux principes du cours des événements psychiques » (1911b), *Résultats, idées, problèmes, I,* Paris, PUF, 1984, p. 138 ; *OCF* XI, p. 16 ; *GW* VIII, p. 230.

5. « Pulsions et destins des pulsions » (1915c), *Métapsychologie,* Paris, Gallimard, 1968, p. 19 ; *OCF* XIII, p. 170 ; *GW* X, p. 215.

état d'énergie toniquement liée et un état d'énergie librement mobile, tendant à la décharge »[1].

Au-delà du principe de plaisir établit véritablement la **théorie de la liaison et de la déliaison.** Le point de départ de la réflexion freudienne est le *traumatisme* qui impose de maîtriser, de *« lier psychiquement les sommes d'excitation qui ont pénétré par effraction »* afin de pouvoir, ensuite, les liquider. Un système fortement investi peut admette un afflux d'énergie et la transformer en investissement tranquille : il la « lie » psychiquement ; sa capacité de liaison varie avec le degré de cet investissement, et un afflux d'énergie dans un système faiblement investi va accroître les effets de l'effraction du pare-excitation. Mais ce sont là des considérations qui, pour être métapsychologiques, n'en demeurent pas moins indéterminées puisque « **nous ne savons rien sur la nature du processus d'excitation** dans les éléments des systèmes psychiques [et...] nous opérons donc toujours avec un grand *X* que nous reportons dans chaque nouvelle formule », à commencer par celles qui traitent de la liaison de l'excitation. On peut cependant dire qu'il doit s'agir d'énergies quantitativement, voire qualitativement différentes, ce qui renvoie à la conception du double investissement des systèmes psychiques : l'un dont le flux est libre et se décharge, l'autre qui est tranquille, « quiescent » ; la liaison de l'énergie consisterait à passer d'un état à l'autre. **Un surinvestissement permet de préparer les systèmes recevant en premier l'excitation afin de pouvoir les lier ;** tel est le rôle de l'angoisse. Si cette préparation n'a pas lieu, l'effroi surgit : l'investissement étant trop bas, les systèmes ne sont pas en état de lier les sommes d'excitation arrivant de l'extérieur, qui alors forcent dangereusement le pare-excitation. Il faut admettre que dans les rêves existe un temps précédant l'accomplissement de désir, que les rêves de la névrose traumatique cherchent à lier psychiquement les impressions traumatiques – ce faisant, ils obéissent à la compulsion de répétition[2].

1. *Ibidem*, p. 99 ; p. 229 ; p. 287.

2. *Au-delà du principe de plaisir* (1920g), *Essais de psychanalyse*, Paris, Payot, 1981, p. 72-75 ; *OCF* XV, p. 301-304 ; *GW* XIII, p. 30-33.

Les motions pulsionnelles librement mobiles, poussant vers la décharge, constituent le « processus primaire » et s'opposent au processus secondaire qui, à l'état de veille, vient lier l'investissement. « **Ce serait alors la tâche des couches supérieures de l'appareil psychique que de lier l'excitation pulsionnelle lorsqu'elle arrive sous forme de processus primaire** » (son échec provoquant l'équivalent d'une névrose traumatique) ; cela conditionne l'établissement de la domination du principe de plaisir (et du principe de réalité) – « jusque-là, c'est l'autre tâche de l'appareil psychique, maîtriser ou lier l'excitation, qui prévaudrait », non pas en s'opposant au principe de plaisir, mais « indépendamment de lui et partiellement sans en tenir compte » [1].

Lier les motions pulsionnelles est « l'une des fonctions les plus précoces et les plus importantes de l'appareil psychique », le but étant de remplacer le processus primaire par le processus secondaire, de transformer l'énergie d'investissement librement mobile en investissement tranquille (tonique). Il faut remarquer que cette transformation ignore le développement de déplaisir, sans entraîner pour autant une suppression du principe de plaisir ; au contraire, elle se produit plutôt à son service : « *La liaison est un acte de préparation qui introduit et assure la domination du principe de plaisir.* » Même le plus grand plaisir, l'acte sexuel, qui résulte de l'extinction momentanée d'une excitation à son acmé, est préparé par « la liaison de la motion pulsionnelle », à qui il appartient de mettre l'excitation en état d'être liquidée dans la réalisation du plaisir de la décharge orgastique. Il est certain que les processus primaires, non liés, produisent des sensations beaucoup plus intenses que les processus liés, secondaires. Mais, à côté de sensations de plaisir et de déplaisir, notre conscience *nous fait parvenir du dedans une tension particulière, plaisante ou déplaisante.* Tient-elle à la différence entre processus liés et non liés ? Ou témoignerait-elle de la grandeur absolue de l'investissement ? Il y a encore « une foule d'autres questions qui ne peuvent pour l'instant recevoir de réponse » [2].

1. *Ibidem,* p. 77-78 ; p. 305-306 ; p. 35-36.
2. *Ibidem,* p. 112-114 ; p. 336 et 337 ; p. 68 et 69.

L'une d'entre elles est abordée trois ans plus tard dans *Le moi et le ça,* lorsque Freud pose l'*hypothèse nécessaire* d'une « **énergie déplaçable qui, en soi indifférente, peut venir s'ajouter à une motion qualitativement différenciée** », qui peut être érotique ou destructrice mais vient augmenter son investissement. Sans doute active dans le moi et le ça, elle proviendrait de « la réserve de libido narcissique, et serait donc de l'Éros désexualisé » ; elle travaillerait au service du plaisir, évitant les stases et facilitant les décharges. Libido désexualisée, elle est aussi *sublimée,* et « **s'en tiendrait encore et toujours à l'intention principale de l'Éros, unir et lier** », en contribuant à instaurer cette totalité, cette inspiration unitaire qui caractérise le moi[1]. Nous retrouvons cette problématique avec le surmoi : né par une identification paternelle, il a le caractère d'une désexualisation, voire d'une sublimation. « Or il semble que dans une telle transposition, il se produise aussi une désunion pulsionnelle. » La sublimation effectuée, la composante érotique n'a plus la force de lier toute la destructivité qui était associée ; alors celle-ci **devient libre en tant que tendance à l'agression et à la destruction.** « C'est de cette désunion que l'idéal en général tirerait son caractère de dureté et de cruauté, celui du devoir impératif. »[2] Il n'en demeure pas moins que, quelle que soit l'issue finale, durant la vie doit s'opérer un « domptage de la pulsion de mort par la libido », opération accomplie par liaison à des rapports libidinaux – mais, la physiologie elle-même ne nous étant là d'aucun secours, *on en sait bien peu là-dessus*[3].

En fait, comme nous l'avons vu, **la liaison est au cœur de cet être unitaire qu'est le moi,** thème que va reprendre *Inhibition, symptôme et angoisse* en 1926. Le moi est une organisation où circule librement (entre les parties qui s'influencent réciproquement) une énergie désexualisée qui, de plus en plus à mesure que le moi se développe, aspire à la liaison et à l'unification ; c'est ainsi que le moi va user de

1. *Le moi et le ça* (1923b), *Essais de psychanalyse,* Paris, Payot, 1981, p. 258-259 ; *OCF* XVI, p. 287-288 ; *GW* XIII, p. 272-273.

2. *Ibidem,* p. 270 ; p. 297 ; p. 284.

3. « Le problème économique du masochisme » (1924c), *Névrose, psychose et perversion,* Paris, PUF, 1973, p. 292 ; *OCF* XVII, p. 16 ; *GW* XIII, p. 376.

toutes les possibilités pour lier le symptôme et se l'incorporer[1] – *symptôme « liant l'énergie psychique qui serait sans cela déchargée sous forme d'angoisse »*[2].

En 1938, l'*Abrégé de psychanalyse* souligne encore que **la liaison est le but de l'Éros**[3]. Il faut encore en revenir à l'énergie, même si notre ignorance demeure profonde. Nous devons cependant admettre qu'il en va comme avec les autres sciences de la nature, et donc « qu'une certaine énergie entre en jeu dans la vie psychique ». Il semble aussi que cette énergie psychique « existe sous deux formes, l'une facilement mobile et l'autre, au contraire, liée » ; et à propos des investissements de cette énergie, nous supposons qu'un « surinvestissement », par une sorte de synthèse, transforme de l'énergie libre en énergie liée : mais « notre savoir s'arrête là »[4].

QUESTIONS ET ENJEUX

Donc *la liaison appartient à la théorie énergétique,* comme la déliaison d'ailleurs ; elle vise à « dompter » l'écoulement primaire du flux d'excitations afin d'aboutir à une énergie « tranquille » au service des processus secondaires. Sont là en cause, bien évidemment, des mouvements pulsionnels. En conséquence, la théorie de la liaison-déliaison ne pourra que refléter la problématique, voire les incertitudes de la théorie des pulsions.

Apparue dès les premiers travaux (l'« Esquisse d'une psychologie scientifique ») encore dominés par un mode de pensée mécaniciste et une inspiration neurophysiologique, la liaison désigne un état des neurones au cours des processus cogitatifs, le moi n'étant alors qu'une « masse de neurones de ce genre ». On le voit, avec ce « moi

1. *Inhibition, symptôme et angoisse* (1926d [1925]), Paris, PUF, 1951, p. 14 ; *OCF* XVII, p. 216 ; *GW* XIV, p. 126.

2. *Ibidem,* p. 69 ; p. 259 ; p. 175.

3. *Abrégé de psychanalyse* (1940a [1938]), Paris, PUF, 1985, p. 8 ; *OCF* XX, p. 237 ; *GW* XVII, p. 71.

4. *Ibidem,* p. 27 ; p. 253 ; p. 86.

neuronique » nous sommes encore bien loin d'une théorie proprement analytique, telle qu'elle aboutira trente ans plus tard aux « instances » : entre-temps (dès 1898, en fait), Freud a opéré le « renversement épistémologique » qui lui a permis de créer la psychanalyse. Bien des mots sont les mêmes (tels énergie, excitation, frayage, investissement, liaison, moi… pour ce qui concerne cet article). Pourtant, ces similitudes sont trompeuses : Freud se sert des termes à sa disposition, empruntés à un contexte culturel qui lui est familier ; il en use librement, mais sa pensée les a profondément transformés en les reconceptualisant, en les « métapsychologisant », jusqu'à en changer profondément le sens. Ceci dit, les préoccupations demeurent, les mêmes recherches se poursuivent : il veut savoir comment ça travaille dans la pensée, comment l'inconnu peut être connu, combien d'inconscient deviendra conscient ?

Nous l'avons constaté : *la théorie de la liaison-déliaison ne peut que refléter les difficultés de la théorie des pulsions*. Parfois, dans le corpus freudien, nous avons surtout affaire à ce qui doit être lié et à la manière de le faire ; c'est décrit, pour l'essentiel, dans la *Métapsychologie,* mais sera repris dix ans plus tard dans *Inhibition, symptôme et angoisse,* et on voit que les changements théoriques de 1920-1923 n'ont ici apporté qu'assez peu de modifications. D'autres fois, c'est surtout la « raison énergétique » qui est au premier plan, le questionnement portant plutôt sur les « destins », sur l'« au-delà » des pulsions, retrouvant à l'occasion la problématique de l'« Esquisse d'une psychologie scientifique », mais avec des incertitudes nouvelles qui la transcendent ; aussi, c'est surtout cette approche qu'il nous faut discuter.

La principale difficulté tient à une *ambiguïté amenée par Freud* lorsque (pour ne prendre que cet exemple, mais il en est d'autres), traitant de la libido désexualisée, sublimée donc, il souligne qu'elle « maintiendrait encore et toujours la visée principale de l'Éros, réunir et lier, en servant à l'instauration de cet ensemble unitaire par lequel – ou par l'aspiration auquel – se caractérise le moi » [1]. La question se pose, avec sans doute plus d'acuité encore, à propos de l'union (du « mélange », de la « mixtion ») ; pour autant, elle ne saurait être esquivée pour la liaison. Celle-ci est l'aspiration d'Éros et il est alors logique qu'elle institue le moi, l'unifiant en unissant ses composants. On peut

1. *Le moi et le ça* (1923b), *Essais de psychanalyse,* Paris, Payot, 1981, p. 258 et 259 ; *OCF* XVI, p. 287 et 288 ; *GW* XIII, p. 273 et 274.

pourtant s'interroger sur ce qui, au juste, se trouve ainsi être lié, et pareillement sur la nature des rapports éventuels entre « unir » et « lier » : connexion ou identité ? Mais quelques pages plus loin, à propos du surmoi qui se présente comme une désexualisation, voire une sublimation, Freud considère qu'il faut qu'alors se produise aussi une désunion (« démélange », « démixtion ») pulsionnelle. « La composante érotique n'a plus, après la sublimation, la force de lier la totalité de la destruction qui s'y adjoignait et celle-ci devient libre, comme tendance à l'agression et à la destruction » [1]. Cette fois, c'est clair : si Éros ne peut plus lier la destruction, les deux pulsions se séparent ; à l'intérieur même du mélange pulsionnel opère la liaison : il semblerait même qu'elle la fonde. Mais alors, qu'est-ce qui peut justifier de différencier la liaison du mélange ? Tout au long de la vie, Éros vient lier libidinalement des éléments des pulsions de mort, même si on ne saurait dire les parts qui « échappent à ce domptage » [2] ; et il en va ainsi jusqu'à ce que, s'épuisant, la libido ne parvienne plus à lier la pulsion de destruction, qui s'en trouve donc déliée : la mort triomphe [3]. À chaque fois, c'est une liaison-déliaison qui se retrouve à l'œuvre.

Si la notion de liaison est à peu près claire, il n'en va pas de même avec *ses contraires*. En effet, celui qui vient d'abord à l'esprit est l'antonyme, la déliaison. Il faut pourtant considérer que le premier antagonique à la liaison de l'énergie est l'état où elle se trouve lorsqu'elle s'écoule librement : telle est d'ailleurs sa forme originaire d'« énergie libre », se présentant alors sous la forme d'une excitation qui doit être liée. Cela peut échouer, soit en raison d'une certaine « stase » libidinale, soit parce que l'excitation à dompter s'avère trop forte, et c'est alors le traumatisme par rupture du pare-excitation. Nous pouvons évoquer ici, pour mémoire, le problème voisin de l'inhibition : Freud ne s'attarde jamais à signifier leur différence, mais tend plutôt à les faire travailler ensemble dans le registre économique ; nous sommes là aussi dans les symptômes et autres rejetons du refoulé, les représentations et les souvenirs, les objets et tout ce qui

1. *Ibidem*, p. 270 ; p. 297-298 ; p. 284.

2. « Le problème économique du masochisme » (1924c), *Névrose, psychose et perversion*, Paris, PUF, 1973, p. 292 ; *OCF* XVII, p. 16 ; *GW* XIII, p. 376.

3. *Abrégé de psychanalyse* (1940a [1938]), Paris, PUF, 1985, p. 10 ; *OCF* XX, p. 239 ; *GW* XVII, p. 72.

constitue le moi : tout cela se fait dans un jeu incessant entre liaison et déliaison, au service d'Éros. En revanche, il est une forme de non-liaison, de rupture, qui est d'un autre ordre puisqu'elle s'apparente à la désunion, au démélange pulsionnel tel qu'il peut se deviner, comme nous l'avons vu, dans le travail du surmoi lorsque Éros n'a plus la force de lier la totalité de la destruction, en laissant une part libre : « C'est de cette désunion que l'idéal en général tirerait son caractère de dureté et de cruauté. »[1] Nous retrouvons là, en fait, les difficultés que peut nous poser le « unir et lier » freudien ; si nous sommes au clair avec la liaison qui est un pur produit de l'Éros, avec la non-liaison nous plongeons dans l'ambiguïté, le champ s'ouvrant sur la pulsion de mort, avec ses interrogations, voire ses apories.

Claude Le Guen

Libidinales (organisations) → Phases, stades, organisations libidinales

LIBIDO

Libido : le même mot dans toutes les langues.

Le concept de libido désigne la quantité variable d'énergie permettant les processus et les transpositions dans le domaine de l'excitation sexuelle, énergie dont dispose la pulsion sexuelle en vue de la réalisation de ses buts. En bref, c'est, dans la deuxième théorie des pulsions, l'énergie de l'Éros : « La manifestation de la force de l'Éros est nommée en psychanalyse libido. »[2] Sa définition est directement liée à celle de la sexualité au sens freudien qui comprend tous les aspects de la sexualité infantile, des pulsions sexuelles et du narcissisme, sans recouvrir l'ensemble de l'énergie psychique.

1. *Le moi et le ça* (1923b), *Essais de psychanalyse,* Paris, Payot, 1981, p. 270 ; *OCF* XVI, p. 297 ; *GW* XIII, p. 224.

2. « “Psychanalyse” et “Théorie de la libido” » (1923a), *Résultats, idées, problèmes, II,* Paris, PUF, 1984, p. 62 ; *OCF* XVI, p. 193 ; *GW* XIII, p. 220.

MISE EN SITUATION

Le terme même serait, selon Freud, emprunté à Abraham Moll (1898), il apparaît en fait dès 1894, dans le « Manuscrit E ». En latin, il désigne l'envie, le désir intense, la volupté, avec une nuance péjorative que l'on retrouve dans le terme « libidineux » (employé par les premiers traducteurs de Freud, avant le choix de l'adjectif « libidinal », qui a finalement prévalu.) Il est proposé comme équivalent, pour ce qui concerne l'amour ou la pulsion sexuelle, au mot « faim » dans son rapport avec la pulsion d'alimentation ou pulsion orale ; la pulsion sexuelle manque d'un tel complément dans la langue populaire, souligne Freud. Il ne paraît d'ailleurs pas totalement satisfait de son choix, et il note que le mot allemand approprié aurait été « Lust » [1], *terme malheureusement équivoque, qui désigne aussi bien le besoin que la satisfaction ressentie, dit-il. En fait,* Lust *est plus en rapport avec le désir et le plaisir qu'avec la satisfaction du besoin.*

La note de Freud souligne ainsi une difficulté de la théorie de l'excitation et du plaisir. Il convient de souligner, dès l'abord, le caractère intensément sexualisé du choix du mot, et la polyvalence qui est proposée par Freud lui-même entre désir sexuel, faim, excitation, besoin. Mais l'accent est constamment porté sur la signification énergétique, voire de mesure de l'énergie de la pulsion, que comporte le terme de « libido ».

Soulignons encore que le sens du mot reste sensiblement constant au long de l'œuvre, compte tenu de son élasticité, et qu'il constitue l'un des axes de la pensée freudienne, en tant qu'élément fondamental du concept de pulsion. Son importance s'affirme dans les moments critiques de l'évolution théorique, notamment lors du conflit avec Carl Gustav Jung, *autour de l'introduction du concept de narcissisme et de la discussion du sens exclusivement sexuel de la libido, qui ne peut se perdre dans une conception de simple énergie non spécifique. Les remaniements imposés par l'introduction de la deuxième théorie des pulsions amènent également à revoir la question de la libido.*

1. *Trois essais sur la théorie sexuelle* (1905d) (ajout de 1910), Paris, Gallimard, 1987, p. 37 ; *OCF* VI, p. 67 ; *GW* V, p. 33.

LE TEXTE FREUDIEN

À propos de la formation des symptômes, dans le **Manuscrit N**[1], la question de la défense et de sa place dans l'inconscient, et donc des exigences qui sont **imposées à la libido** pour atteindre la réalisation du désir est développée. Le symptôme est en effet un compromis, à la fois une forme de réalisation du désir et un châtiment pour la satisfaction d'« impulsions *[Impulse]* mauvaises ». Si la libido reste peu différenciée de ce qui sera décrit comme pulsion, elle apparaît tout de même essentiellement comme l'énergie qui s'attache au fait de se souvenir afin de former soit le symptôme soit la réalisation onirique du désir. Dès ce texte, est introduite l'idée que la libido se transforme en angoisse, au sein de l'inconscient lui-même, et cela en rapport avec les fantasmes refoulés.

Dans les *Trois essais sur la théorie sexuelle,* la libido est comparée à un fleuve dont le lit principal peut être obstrué ; elle envahit alors les canaux collatéraux, déterminant ou renforçant une fixation perverse[2]. Une théorie de la libido est proposée, mais elle est, en fait et pour l'essentiel, ajoutée en 1915 en intégrant les vues nouvelles sur le narcissisme[3] ; elle est alors définie comme « **une force quantitativement variable permettant de mesurer les processus et les transpositions dans le domaine de l'excitation sexuelle** ». Il faut la distinguer de l'énergie qui est à la base de tous les processus psychiques, et donc lui conférer un caractère qualitatif qui permette de distinguer les processus sexuels de l'organisme et les processus nutritifs (c'est-à-dire ici d'auto-conservation) par un *chimisme particulier,* qui reste inconnu. Il est précisé que l'excitation sexuelle ne provenant pas uniquement des parties dites génitales mais de tous les organes du corps, il

1. *La naissance de la psychanalyse. Lettres à Wilhelm Fliess. Notes et plans (1887-1902)* (1950a [1887-1902]), Paris, PUF, 1956, p. 185 (lettre du 31 mai 1887). *Briefe an Wilhelm Fliess,* éd. S. Fisher, 1986, p. 269.

2. *Trois essais sur la théorie sexuelle* (1905d) (ajout de 1910), Paris, Gallimard, 1987, p. 86-87 ; *OCF* VI, p. 104 ; *GW* V, p. 70.

3. *Ibidem,* p. 157-161 ; p. 155-159 ; p. 118-122.

convient de concevoir la *représentation d'un quantum de libido* dont le représentant psychique est nommé : **libido du moi,** également désignée comme **libido narcissique.** Pourtant, cette libido du moi ne nous est accessible que dans la mesure où elle investit des objets sexuels et qu'elle devient ainsi libido d'objet. Elle se concentre sur ces objets, s'y fixe, ou les abandonne pour passer à d'autres ou retourner vers le moi, formant l'investissement narcissique secondaire. La libido narcissique ou libido du moi est ainsi le grand réservoir d'où sont envoyés les investissements d'objet et où ils se retirent.

En conséquence de l'impossibilité de reconnaître la libido du moi lorsqu'elle n'est pas investie sur des objets, les troubles psychotiques profonds restent difficilement explicables, autrement que par la voie de la spéculation. Pour ce qu'il en est de la différence de l'homme et de la femme, il est une fois de plus souligné que « la sexualité des petites filles a un caractère entièrement masculin » (une note ajoutée en 1915 précisera que les concepts de masculin et de féminin font partie des notions les plus confuses du domaine scientifique et indiquent au moins trois orientations différentes)[1]. La conséquence en est que, pour préciser les concepts de masculin et féminin, il est possible de soutenir que « **la libido est, de façon régulière et conforme à des lois, de nature masculine, qu'elle se manifeste chez l'homme ou chez la femme, et abstraction faite de son objet, que celui-ci soit l'homme ou bien la femme** ».

L'analyse de la phobie du « **petit Hans** » permet de clarifier les rapports de la libido et de l'angoisse. Celle-ci correspond en effet à une aspiration libidinale refoulée. La satisfaction n'entraînerait pas d'angoisse, mais elle ne supprime pas l'angoisse établie, elle n'en est pas une thérapeutique : l'angoisse ne peut plus être entièrement retransformée en libido ; l'obtention de l'objet convoité ne suffit pas à supprimer l'angoisse pathologique. Ce n'est pas la masturbation qui suscite l'angoisse, car la satisfaction libidinale ne l'entraîne jamais, mais c'est le refoulement de l'aspiration libidinale. L'angoisse, qui témoigne du refoulement, persiste tant que celui-ci n'est pas levé[2].

1. *Ibidem.*

2. « Analyse d'une phobie chez un petit garçon de cinq ans (Le petit Hans) » (1909b), *Cinq psychanalyses,* Paris, PUF, 1954, p. 107-109 ; *OCF* IX, p. 21-22 ; *GW* VII, p. 260-261.

La phobie du « petit Hans » est aussi l'occasion d'aborder le problème de la haine et de la tendance à l'agression, en opposition aux conceptions introduites par Alfred Adler. L'angoisse phobique n'est pas, en effet, seulement déterminée par le refoulement des désirs libidinaux et de l'amour à l'égard de la mère mais aussi par celui de la haine et de la rivalité concernant le père tout autant que des désirs de violence sadique dirigés vers la mère ou vers la sœur. Adler propose de considérer que l'angoisse est engendrée par la répression de la pulsion d'agression. Ce dernier point de vue est repoussé par Freud qui n'admet alors que pulsions sexuelles et pulsions d'auto-conservation. Il considère que toutes les pulsions comportent une **part d'agressivité, qui constitue précisément leur caractère pulsionnel** et leur capacité à déclencher la motricité. Il garde donc sa conception des pulsions qui laisse à chacune sa faculté d'être agressive. Il reconnaît dans les deux pulsions apparemment refoulées chez Hans « **les composantes depuis longtemps familières de la libido sexuelle** »[1]. Il est de ce fait amené à ajouter en 1923 qu'il a lui-même proposé ultérieurement une pulsion d'agression, ou plutôt de destruction ou de mort, dont l'opposition aux pulsions libidinales se manifeste dans la polarité de l'amour et de la haine. Ceci ne change cependant rien à son refus du point de vue d'Adler, qui ne peut mener qu'à un « déni du refoulement ».

Dans « **La dynamique du transfert** »[2], Freud remarque que tout individu possède une manière personnelle de vivre sa vie amoureuse, déterminée par une prédisposition et par les faits survenus dans son enfance. Ainsi se forment divers « clichés » qui se répètent au cours de l'existence mais peuvent être modifiés par des impressions ultérieures. Ces « émois *(Regungen)* libidinaux » peuvent être tournés vers la réalité et former une partie de la personnalité consciente. Une autre part, arrêtée dans son développement et maintenue éloignée de la personnalité consciente comme de la réalité, peut s'exprimer dans des fantasmes ou rester inconsciente. **L'investissement libidinal en attente** est tout prêt à se porter vers le nouvel objet qu'est le médecin

1. *Ibidem,* p. 192-193 ; p. 122-123 ; p. 371.

2. « La dynamique du transfert » (1912b), *De la technique psychanalytique,* Paris, PUF, 1970, p. 53-60 ; *OCF* XI, p. 105-116 ; *GW* VIII, p. 364-374.

et à l'intégrer dans l'une des « séries psychiques » déjà établies en lui et qui vont instituer le transfert. Freud reprend à ce propos, la notion d'**introversion de la libido** introduite pas Carl Gustav Jung, et qui est une condition invariable et inévitable de l'analyse des névroses. Elle consiste, dans sa conception, en ce que la quantité de libido capable de devenir consciente et de se tourner vers la réalité diminue alors que la partie inconsciente s'accroît et alimente les fantasmes du sujet. La libido s'engage, totalement ou en partie, dans la voie de la régression et réactive les *imagos* infantiles, avant tout l'imago paternelle. Seule la partie inconsciente des « complexes » infantiles est réinvestie par la libido. « Le traitement analytique suit la libido sur ce chemin et tente de la rendre à nouveau accessible au conscient pour finalement la mettre au service de la réalité. »

Les résistances surviennent lorsque l'analyse découvre une des « cachettes » de la libido et déclenche ainsi un conflit. En effet, l'introversion ou la régression sont survenues dans un contexte où le monde extérieur s'opposait à la satisfaction libidinale et ainsi les justifiait. Pour libérer la libido, il faut faire cesser l'attraction exercée par l'inconscient, c'est-à-dire lever le refoulement des pulsions inconscientes, ce qui explique l'intensité des résistances qui vont jusqu'à laisser persister la maladie, c'est-à-dire les formations de compromis, alors même que la raison d'être du recul devant la réalité a disparu. La disposition *(Bereitschaft)* de la libido dans le mécanisme du transfert témoigne de l'influence persistante des imagos infantiles auxquelles la libido reste fixée. *Ce qui devient résistance dans le transfert est à la fois le transfert négatif de sentiments hostiles sur la personne de l'analyste, et le transfert positif, non de sentiments tendres, mais de sentiments érotiques refoulés*. C'est au cours du *dépistage* de la libido qui a échappé au conscient que l'on pénètre dans le domaine de l'inconscient et c'est ainsi que les émois inconscients qui ne veulent pas être remémorés cherchent à se reproduire suivant l'atemporalité et les capacités hallucinatoires de l'inconscient.

Dans « Sur les types d'entrée dans la névrose » **l'accent est porté sur le facteur quantitatif** dans la détermination de la névrose, par conséquent sur le rôle de la libido et d'autres facteurs, au premier rang desquels se trouve la **frustration** *(Versagung)*, qui suscitent le conflit psychique dont la névrose sera l'issue. La frustration dont l'origine est extérieure, réelle, représente le cas le plus simple : elle endigue la libido et il ne s'agit alors que de savoir combien de temps l'individu supportera l'élévation de tension qui s'ensuit ou quelles voies il trouvera pour s'en débarrasser. Il ne peut que convertir cette tension en énergie active qui oblige le monde extérieur à permettre une satisfaction réelle de la libido, ou sublimer la libido endiguée pour atteindre des buts non érotiques qui offrent une possibilité d'échapper à la frustration. Celle-ci, cependant, n'est pas seule à décider de la santé ou de la maladie. Il faut encore tenir compte de la « **disposition** » libidinale et de sa mise en jeu par la frustration elle-même. Son rôle est mis en évidence dans le processus d'*introversion* de la libido, qui s'éloigne de la réalité insatisfaisante et dévalorisée pour se tourner vers la vie fantasmatique et ranimer « les traces de formations de désir plus anciennes, oubliées ». L'introversion mène à la **régression** aux buts pulsionnels infantiles et au conflit avec la partie de la personnalité restée en relation avec la réalité. La formation de symptômes résout ce conflit tout en retrouvant le sol de la réalité, car ils permettent des satisfactions libidinales substitutives en constituant un **compromis.**

« L'École de Zurich » a mis en évidence un autre type de frustration, où la satisfaction libidinale échoue car le sujet ne peut atteindre un but réel qui impliquerait un effort dont il n'est pas ou ne se sent pas capable en raison de ses difficultés internes.

Dans le premier cas, c'est une modification du monde extérieur qui est au premier plan du conflit et de sa résolution éventuelle par une satisfaction libidinale directe ; dans le second, il faudrait l'obtenir par une modification du monde interne et l'on tombe malade par suite d'un **défaut de développement.** Le rôle de la fixation antérieure de la libido est alors plus évident. Quoi qu'il en soit, l'échec de la satisfaction aboutit à la **stase** de la libido, mais le second cas relève essentiellement des fixations libidinales préexistant au conflit qui créent pour l'essentiel la *disposition* de la libido.

Dans un troisième cas, peu différent du précédent, la libido reste insatisfaite en raison d'une inhibition du développement, ce qui correspond en fait à d'intenses fixations infantiles.

Enfin, l'importance fondamentale du facteur quantitatif dans tous les cas est montrée à propos des personnes qui tombent malades sans que l'on décèle de causes internes préexistantes ni d'événements extérieurs notables. Les effets de l'augmentation de la quantité de libido sont alors liés aux perturbations de l'économie psychique tels qu'elles surviennent par exemple lors de la puberté ou de la ménopause. « **La stase de la libido est ici le facteur primaire** » qui peut rouvrir les voies de la régression. On ne peut mesurer cette quantité qui reste en stase, on ne peut que la postuler. Ce qui importe, d'ailleurs, n'est pas la quantité absolue mais le « rapport entre le quantum actif de libido et cette quantité de libido que le moi individuel peut maîtriser, c'est-à-dire maintenir sous tension, sublimer ou utiliser directement » [1].

Un des apports de « Pour introduire le narcissisme » est notamment, sinon principalement, de « distinguer une énergie sexuelle, la libido, d'une énergie des pulsions du moi ». De ce fait, il faut aborder « la relation du narcissisme avec **l'autoérotisme que nous avons décrit comme un état de la libido à son début** » [2]. Une autre question porte sur la pertinence de la distinction d'une libido sexuelle et d'une énergie non sexuelle des pulsions du moi. Freud s'objecte à lui-même, en fait plutôt à Jung, qu'il n'existe pas au début d'unité comparable au moi et qui pourrait être investie de libido. Une **nouvelle action psychique** (c'est-à-dire l'investissement libidinal secondaire de l'ébauche du moi) doit être ajoutée à l'autoérotisme, qui existe dès le début, pour donner forme au narcissisme. L'hypothèse d'une **énergie psychique indifférente** qui ne deviendrait libido que par l'investissement d'objet pourrait être avancée, mais Freud tient à l'opposition de l'amour et de la faim, emblématique de celle des pulsions sexuelles et des pulsions du moi. Surtout, c'est l'argument qu'il qualifie de **biologique** qui l'emporte : l'individu mène une double existence, il est d'une part à lui-même sa propre fin, et d'autre part il est le maillon d'une chaîne à laquelle il est assujetti indépendamment de sa volonté, ce qui correspond aux deux perspectives des deux types de pulsions et qui impliquent des énergies distinctes. Il évoque même le substrat possible de substances chimiques différentes aux deux énergies

1. « Sur les types d'entrée dans la névrose » (1912c), *Névrose, psychose et perversion*, Paris, PUF, 1998, p. 175-182 ; *OCF* XI, p. 119-126 ; *GW* VIII, p. 322-330.

2. « Pour introduire le narcissisme » (1914c), *La vie sexuelle*, Paris, PUF, 1970, p. 84 ; *OCF* XII, p. 220-221 ; *GW* X, p. 141-142.

désignées, mais préfère s'en tenir à l'idée de forces psychique déterminées. L'hypothèse du narcissisme et de l'investissement libidinal du moi s'appuie sur les exemples offerts par la maladie organique, l'hypocondrie, le sommeil, les névroses actuelles et narcissiques, la « paraphrénie ». La distribution de la libido chez le malade se résume dans la citation connue : « Son âme se resserre au trou étroit de la molaire », chez celui qui souffre. Il retire ses investissements de libido sur son moi, pour les émettre à nouveau après la guérison. **Ici libido du moi et intérêt du moi ont le même destin,** ils ne peuvent être distingués l'un de l'autre, ce qui se manifeste dans l'égoïsme du malade. Le sommeil montre aussi un retrait narcissique des positions libidinales sur la personne propre, ou plus exactement sur le désir de dormir. Ici encore libido et intérêt du moi coïncident.

L'**hypocondrie,** comme la maladie organique, se traduit par des sensations corporelles douloureuses, et entraîne le retrait de l'intérêt du moi et de la libido, mais les lésions corporelles manquent apparemment. En effet, c'est l'organe génital en état d'excitation qui est donné comme modèle des plaintes hypocondriaques : l'organe-siège des douleurs et des plaintes de l'hypocondriaque fonctionne comme une zone érogène qui entraîne une modification de la distribution de la libido dans le moi. L'hypocondrie est dans une relation à la paraphrénie semblable à celle de la névrose d'angoisse avec l'hystérie ou la névrose obsessionnelle. L'angoisse hypocondriaque serait, de la part de la libido du moi, le pendant de l'angoisse névrotique. Quant à la paraphrénie, elle dépendrait de la libido du moi de la même façon que les névroses de transfert dépendent de la libido d'objet. Dans les deux cas le facteur essentiel serait la **stase de la libido.** C'est elle qui impose le placement de la libido sur les objets. Pour ce qui concerne la libido du moi, s'il est vrai qu'un solide égoïsme préserve de la maladie, on doit finalement aimer pour ne pas tomber malade, en conséquence de la stase libidinale, et « l'on doit tomber malade lorsque l'on ne peut aimer par suite de frustration » [1].

1. *Ibidem,* p. 91-92. Nous ferons deux remarques : 1 / Le terme de « paraphrénie » ne recouvre pas ici la signification qu'il a en France. Freud l'utilise à propos de Schreber et précise, dans les *Conférences d'introduction à la psychanalyse* p. 537, qu'il entend regrouper ainsi paranoïa et dementia præcox. 2 / Ainsi que le proposent les traducteurs (D. Berger, J. Laplanche *et alii*), nous garderons le terme de frustration,

L'élaboration psychique, qui se rapproche ici de la sublimation, « accomplit des exploits » qui permettent de dériver la libido et d'en éviter la stase. Mais lorsque cette dérivation aboutit à l'investissement d'objets irréels (introversion de la libido) la stase peut survenir. C'est le cas dans les paraphrénies, où le délire des grandeurs est la conséquence de l'élaboration délirante de la libido retournée dans le moi. Il constitue ainsi une tentative d'en limiter la stase ou de la maîtriser.

La **fixation** et la **régression de la libido** sont reprises et complétées dans les *Conférences d'introduction à la psychanalyse*. La fixation pulsionnelle ou libidinale, comparée aux arrêts de l'évolution de l'embryon, voire de l'espèce, résulte de la *rémanence* d'une tendance partielle à un stade antérieur du développement, bien que d'autres parties poursuivent leur cours vers le but, dit normal, qui est d'entrer au service de la procréation.

Fixation et **régression** ne sont pas indépendantes l'une de l'autre. Plus les fixations sont fortes, plus la fonction aura tendance à régresser aux fixations sans pouvoir résister aux obstacles, c'est-à-dire aux conflits qu'elle peut rencontrer. Il existe deux sortes de régression, l'une qui retourne aux premiers objets, incestueux, de la libido, l'autre où c'est l'organisation sexuelle qui retourne à des stades antérieurs. Les deux, plus ou moins associées, sont régulièrement retrouvées dans le cours des **névroses de transfert** où, cependant, la régression à des stades antérieurs de l'organisation sexuelle est la plus frappante ; l'importance de la frustration pour la formation d'une névrose est encore soulignée. Inversement, ce sont les possibilités d'adaptation et de tolérance qui permettent de supporter la privation sans dommage psychique[1]. Surtout, en raison de l'extraordinaire **plasticité** de la libido, les motions pulsionnelles peuvent permuter et changer d'objet au profit d'un autre plus accessible ou plus acceptable socialement, ce qui est le cas dans la sublimation. Mais la plasticité, c'est-à-dire la libre mobilité de la libido, ne se conserve pas entièrement chez tous, et

---

bien qu'il ne corresponde pas au *Versagung* de Freud. Mais on ne peut en français en rendre les nuances de refus de satisfaction, que la réalité l'impose, ou que le refus soit le fait du sujet lui-même.

1. *Conférences d'introduction à la psychanalyse* (1916-1917), Paris, Gallimard, 1999, p. 436-440 ; *OCF* XIV, p. 356-359 ; *GW* XI, p. 356-359.

d'autre part, **la sublimation ne peut assouvir qu'une fraction de la libido,** très variable selon les individus. En fait, plus les fixations sont nombreuses à des phases précoces de l'organisation et de la découverte de l'objet et plus les causes de frustration seront importantes, augmentant les risques d'évolution vers la névrose. La fixation de la libido représente le facteur prédisposant, interne, la frustration le facteur accidentel, externe, de cette évolution pathologique[1].

L'éventualité de la constitution d'une **perversion** dépend largement d'une qualité de la libido, qui est en quelque sorte la condition de la fixation, que Freud nomme **viscosité de la libido.** Elle détermine une fixation particulièrement immuable dans le cas du fétichisme, qui reste le modèle des perversions. Il est d'autant plus difficile d'évaluer la relation de la libido avec les pulsions du moi que l'évolution du moi est plus mal connue que celle de la libido. On ne connaît en effet la structure du moi que par l'étude des névroses narcissiques. L'évolution des pulsions du moi n'est ni indépendante de la libido ni sans répercussion sur elle. Un point important est de savoir comment le moi se comporte quand la libido laisse une *forte fixation derrière elle.* Il peut l'accepter et devenir de cette manière pervers, c'est-à-dire infantile, il peut aussi refuser cet ancrage de la libido et alors « le moi fait l'expérience d'un *refoulement* là où la libido a fait l'expérience d'une *fixation* »[2].

La **faiblesse du moi** est des plus importantes dans la détermination de la névrose. « Une personne n'est affectée de névrose que si son moi a perdu la faculté de trouver quelque hébergement pour la libido. » Dans ce cas d'insuffisance du moi, la libido va « pourvoir aux symptômes », qui font office de caches, où elle se réfugie, et qui offrent des possibilités de satisfaction substitutives[3].

La conférence **consacrée à l'angoisse** insiste particulièrement sur les conditions de la **transformation de la libido en angoisse qui caractérise l'économie névrotique,** en opposition à l'angoisse provoquée par la réalité. Le premier exemple proposé est celui de diverses situations

1. *Ibidem,* p. 447 ; p. 364-365 ; p. 365.
2. *Ibidem,* p. 456 ; p. 372 ; p. 373.
3. *Ibidem,* p. 489-490 ; p. 400 ; p. 401.

de frustration sexuelle. Dans les circonstances où l'excitation sexuelle ne donne pas lieu à une décharge suffisante, l'excitation libidinale s'évanouit et l'angoisse entre en scène. Après ce rappel de la situation originelle de la névrose d'angoisse, modèle de la névrose actuelle, Freud étend aux névroses de transfert, et plus particulièrement à l'hystérie, **la théorie du remplacement de la libido par l'angoisse,** mais il remarque que d'autres affects, de gêne, de honte, et surtout des affects agressifs, de colère, de rage, peuvent également se transformer en angoisse : *« L'angoisse est donc la monnaie qui a cours partout »* et qui remplace tout type d'affect lorsque la représentation associée a été refoulée. Cependant, la fuite du moi devant sa libido reste la cause essentielle de l'angoisse névrotique qui s'origine dans les premières séparations d'avec la mère ou, ce qui est équivalent, dans la rencontre avec « des étrangers » en lieu et place de la mère aimée. La déception et le désir douloureux *(Sehnsucht)* qui ne peut atteindre son objet, se transposent en angoisse, qui est donc de la libido devenue inutilisable[1]. Ceci renvoie à l'angoisse éprouvée lors de la naissance que l'on peut considérer comme la première séparation ou la première frustration.

L'angoisse réaliste ne joue qu'un rôle insignifiant dans la détermination des phobies car leur objet n'offre pas en soi un danger suffisant. Là aussi, **c'est la libido inutilisable qui est sans cesse transmuée** en donnant l'apparence d'angoisse devant la réalité. Cependant, cette angoisse venant de la libido rendue inutilisable en raison de son attachement nostalgique à l'objet d'origine ne suffit pas à expliquer l'angoisse névrotique chez l'adulte, car il a appris à tenir en suspens ou à utiliser autrement une telle libido. Chez lui, l'angoisse est attachée à la représentation refoulée, et c'est cet affect, investissement libidinal transformé en angoisse, qui est la part la plus importante du processus de refoulement. L'affect d'angoisse a été défini dans la *Métapsychologie* comme un processus de décharge, et il est plus exact de parler de **décharge sous forme d'angoisse plutôt que de transformation de la libido en angoisse.** Il est encore rappelé que seule la libido du moi est susceptible de se transformer en angoisse. Ce n'est pas le

1. *Ibidem,* p. 509-516 ; p. 416-442 ; p. 416-423.

cas des pulsions égoïstes du moi, qui sont les véritables pulsions d'auto-conservation.

« La théorie de la libido et le narcissisme » n'apporte pas d'éléments nouveaux sur ce qui oppose les pulsions sexuelles aux pulsions du moi, sur la distinction de la libido et de l'intérêt, ni sur l'investissement libidinal du moi qui définit le narcissisme. Cependant, le sommeil offre l'image du narcissisme intégral dans lequel libido et intérêt du moi ne peuvent être distingués et « habitent dans le moi qui se suffit à lui-même »[1]. Encore une fois, **la libido, qu'elle soit tournée vers les objets ou vers le moi, reste la libido,** elle ne se transpose jamais en intérêt égoïste et inversement, qu'elle se tourne vers les objets ou vers le moi[2].

En s'appuyant sur une vue d'ensemble de ce qui est désigné comme névroses narcissiques, incluant schizophrénie et paranoïa, il apparaît que les progrès, certes limités, que permet le concept de libido du moi, permettent de conclure qu'il ne serait pas étonnant que **le pouvoir d'exercer un effet pathogène s'avère être un privilège des pulsions libidinales** et que la théorie de la libido triomphe ainsi sur toute la ligne[3].

Les rapports de l'angoisse et de la libido sont totalement renouvelés dans *Inhibition, symptôme et angoisse*. L'ancienne thèse selon laquelle la libido de la motion pulsionnelle était transformée en angoisse par le refoulement fait place à l'idée selon laquelle c'est **l'angoisse qui fait le refoulement et non le refoulement qui fait l'angoisse.** L'examen des phobies montre en effet que dans leur cas **l'angoisse de castration** est le moteur du refoulement. La peur typique d'être castré par le père, sous diverses formes régressives, constitue le refoulant. L'angoisse de la phobie d'animal est l'angoisse de castration non transformée, donc une angoisse devant le réel, devant un danger réellement menaçant ou jugé réel. Les phobies témoignent d'une angoisse du moi devant les exigences de la libido. **Jamais l'angoisse ne précède la libido refoulée,** l'angoisse du moi est toujours

1. *Ibidem,* p. 529 ; p. 432 ; p. 432.
2. *Ibidem,* p. 533 ; p. 435 ; p. 435-436.
3. *Ibidem,* p. 544 ; p. 444 ; p. 445.

l'élément primaire et provoque le refoulement. Si Freud s'était antérieurement contenté de dire qu'après le refoulement une certaine quantité d'angoisse apparaît en lieu et place de la manifestation de la libido attendue, il n'aurait rien à en retirer, mais il ne peut soutenir l'idée d'une transformation directe de la libido en angoisse. Pourtant, il garde cette hypothèse dans le cas des névroses actuelles qui sont liées à des pratiques sexuelles insatisfaisantes ; d'autre part, les troubles de la libido des processus du ça sous l'impulsion du refoulement rendent également possible sa transformation directe en angoisse. Tout cela amène à admettre qu'il reste exact que de l'angoisse puisse se former au cours du refoulement à partir de l'investissement libidinal des motions pulsionnelles, sans que ce soit le processus le plus habituel. L'opposition de l'angoisse du moi, caractéristique des phobies, et de l'angoisse du ça, persiste, mais elle aboutit à un *Non liquet,* qui laisse ainsi coexister les deux processus[1]. Un addendum, consacré à « L'angoisse par transformation de la libido », remarque que cette question de « la transformation directe de la libido en angoisse » a perdu de son intérêt depuis que **le moi est considéré comme le seul et unique lieu de l'angoisse,** dans le cadre de la nouvelle topique[2].

La deuxième théorie de l'angoisse a permis de s'écarter de la vision initiale trop exclusivement économique, avec sa conception de l'accumulation, de la stase, de la libido qui aboutit soit à sa décharge, soit à sa transformation en angoisse, par « l'intermédiaire d'une sorte de fermentation de l'investissement libidinal, dont le cours a été perturbé »[3]. Freud vient en effet de poser que l'événement de la naissance, sans avoir l'importance totalement déterminante que lui accorde Otto Rank, constitue tout de même le paradigme de toutes les situations de danger et de perte d'objet, avant tout perte de la mère, de son visage familier. Dans toute situation de ce genre, survient le souvenir de la situation d'angoisse passée, sous la forme de

1. *Inhibition, symptôme et angoisse* (1926d [1925]), Paris, PUF, 1951, p. 28-29 ; *OCF* XVII, p. 226-227 ; *GW* XIV, p. 137-139.

2. *Ibidem,* p. 91-92 ; p. 277 ; p. 195.

3. *Ibidem,* p. 45 ; p. 240 ; p. 153.

signal d'angoisse, qui devient angoisse de castration à partir de la phase phallique. La situation d'excitation libidinale, génitale, suscite le signal d'angoisse de castration qui est ainsi **indépendante de la stase** liée à l'absence de décharge. Dès lors, le rapport du développement de l'angoisse et du refoulement se modifie. En fait, il apparaît que le destin de la libido n'est pas chaque fois le même, notamment selon que refoulement ou régression prédominent : dans certains cas, la motion refoulée dans le ça conserve son investissement libidinal, sous le contrôle du moi, ailleurs, cette motion subit une destruction complète tandis que l'organisation libidinale régresse à un stade antérieur. Soulignons encore que le siège de ces conflits et transformations en rapport avec la libido, qui se la manifeste par l'angoisse, est le moi[1]. Quelle que soit la théorie de l'angoisse que l'on considère, celle-ci est en rapport avec le refoulant, c'est-à-dire le moi.

La **régression** caractérise typiquement le sort de la libido dans la névrose obsessionnelle. On peut considérer qu'il s'agit d'une régression formelle : sous l'action d'un surmoi hyper sévère, intolérant, les motions libidinales doivent « s'engager dans les voies tracées par la régression pour apparaître sous la forme d'intentions agressives et destructrices ». Il est à noter qu'il n'y a pas de mutation de libido en poussée agressive, ce qui n'est pas concevable, mais un *déguisement* des tendances érotiques en motions agressives, en raison de la régression au stade sadique-anal d'une libido dont l'organisation génitale s'avère trop faible[2]. Cette régression libidinale est rapportée au conflit entre moi et surmoi et au démélange des pulsions qui s'ensuit.

Les rapports de la libido et de l'angoisse – et plus particulièrement la **transformation de la libido insatisfaite en angoisse** – sont repris dans les *Nouvelles conférences d'introduction à la psychanalyse.* On l'observe dans certaines phobies de l'enfance, dans l'angoisse d'être seul ou avec des personnes étrangères ; la solitude, tout comme le visage étranger, éveille le désir intense, nostalgique, de la mère. L'enfant ne peut ni dominer ni laisser en suspens l'excitation libidinale qu'il ressent et il la transforme en angoisse. Il s'agit non d'une angoisse

1. *Ibidem,* p. 64-65 ; p. 255-256 ; p. 170-171.
2. *Ibidem,* p. 37-38 ; p. 233-234 ; p. 146-147.

devant la réalité, ici la réalité de l'absence de la mère, mais d'une **angoisse névrotique.** C'est ce qui se produit également dans la névrose d'angoisse qui, bien qu'actuelle, reste une névrose. En fait, le mécanisme qui engendre l'angoisse lors du refoulement n'est pas très différent. Le refoulement porte sur la représentation mais « son quantum d'affect est régulièrement transformé en angoisse »[1]. Nous voyons qu'ici le quantum d'affect est équivalent à la libido et la transformation est liée au fait que ce quantum est devenu inutilisable, quelle qu'en soit la raison : faiblesse infantile du moi dans le cas de phobie infantile, processus somatique dans la vie sexuelle pour la névrose d'angoisse, refoulement pour l'hystérie. « Les deux mécanismes de la naissance de l'angoisse névrotique coïncident donc en fait. » Le fait essentiel est que le siège de l'angoisse est **le moi, qui seul peut produire et ressentir de l'angoisse.** De ce fait, la question de savoir de quoi est faite l'angoisse (c'est-à-dire de libido inutilisable) perd de son importance. Ce qui compte est sa valeur de signal au service de l'autoconservation, comme cela a été bien montré dans *Inhibition, symptôme et angoisse*. En fait, le retour sur les positions antérieures à ce texte confirme qu'une théorie n'abolit pas la précédente mais qu'elles coexistent.

La question de la **nature de la libido selon le sexe** peut maintenant être débattue. La vie sexuelle étant dominée par la polarité masculin-féminin, il faut prendre en compte le rapport de la libido à cette « opposition ». L'idée selon laquelle il existerait une libido spécifique à chaque sexe est repoussée : « *Il n'y a qu'une seule libido* qui est mise au service de la fonction masculine aussi bien que féminine. »[2] L'affirmation du caractère masculin de la libido n'est pas reprise, au contraire « nous ne pouvons pas lui donner, à elle-même, de sexe ». Si en raison de l'assimilation conventionnelle de l'activité à la masculinité on peut la qualifier de masculine, il ne faut pas oublier qu'elle porte aussi des aspirations aux buts passifs. Mais une contrainte plus forte s'exerce sur la libido qui est au service de la fonction féminine

1. *Nouvelles conférences d'introduction à la psychanalyse* (1933a [1932]), Paris, Gallimard, 1984, p. 113-114 ; *OCF* XIX, p. 165-166 ; *GW* XV, p. 89.

2. *Ibidem*, p. 176 ; p. 215 ; p. 141.

et, pour parler de façon téléologique, « la nature tient moins soigneusement compte de ses exigences que dans le cas de la masculinité ». L'accomplissement du but biologique a été confié à l'agressivité de l'homme et rendu dans une certaine mesure indépendant du consentement de la femme.

QUESTIONS ET ENJEUX

La libido est très régulièrement comparée à un liquide, un fluide, éventuellement à un courant électrique, dont l'origine est l'inconscient, ultérieurement le ça. Les sources en sont corporelles, ce qui implique le corps entier, et pas seulement les zones érogènes, bien que leur rôle soit évidemment prédominant. La libido s'accumule en un réservoir, ou un accumulateur, qui est le moi, ou le ça avant l'organisation du moi. Dès l'introduction du narcissisme, en effet, le moi est considéré comme le principal réservoir libidinal. Cependant, il importe de délimiter les temps du ça et du moi, et de supposer une confusion, voire une entité moi-ça originaire, ce qui pose la question non résolue de ce qu'est la libido à l'origine de la vie psychique.

De ces sources, de ce réservoir, celle-ci s'écoule comme un fleuve, dont le lit peut être obstrué. Le courant est alors détourné en divers canaux. Une telle image rend compte dans un premier temps de la genèse des perversions et des névroses, déterminées par la **stase** de la libido, ou sa **fixation** à une position ou un objet érotique infantile. Les qualités de la libido définies comme plasticité, ou à l'inverse, viscosité, sont un facteur déterminant de la fixation pathologique, à l'origine de la perversion. Ici entrent en jeu les aspects non seulement qualitatifs constitutionnels mais aussi et surtout **quantitatifs.** L'excès de la quantité de libido peut être lié à la stase, à des facteurs biologiques, tels la puberté ou la ménopause, et entraîne constamment une **frustration,** à l'origine d'une régression-fixation, qui se manifeste typiquement par une perversion.

Nous avons vu l'importance des relations entre les théories de la libido et de l'angoisse dans de nombreux textes, et notamment leurs rapports avec la théorie du refoulement qui rend compte du destin du flux libidinal dans ses rapports à l'objet, du moins à sa représentation.

Au début, la théorie de l'angoisse est relativement simple et purement énergétique : la libido, qui ne peut suivre son cours, pulsionnel, de la source au but par le moyen de l'objet, toujours plus ou moins contingent, peut : – se fixer à une satisfaction perverse ; – se sublimer, par un canal collatéral, dans un but différent et par le truchement d'un autre objet ; – ou, plus souvent et typiquement, se transformer en angoisse névrotique dont l'expression et le destin varient selon le choix de la névrose. En fait, les diverses directions sont apparentées, ce qui apparaît par exemple avec la **sublimation** d'une pulsion partielle d'abord fixée à une satisfaction perverse, ou encore avec la fréquence des « **penchants à la perversion des névrosés** ». Les processus, les modalités des transformations de la libido, de même que les conditions du retour de l'angoisse à la libido initiale ne sont pas précisément déterminés, en dehors de ce qui survient au cours du processus analytique. Toutefois, pour ce qui concerne le courant sublimé, on retiendra que « la libido abandonne toujours un débouché s'il s'en trouve un autre plus proche des pulsions instinctuelles originelles », ou « qu'elle est toujours prête à renoncer à une sublimation si elle en trouve une autre, plus voisine de son objet originel » [1]. Ce n'est pas une tâche facile pour le moi que d'unifier les désirs de la libido les uns avec les autres, en gardant l'accord du surmoi [2].

Libido d'objet. Libido du moi

Jusqu'à la présentation du concept de narcissisme, ébauchée en 1912 dans *Totem et tabou* et développée dans « Pour introduire le narcissisme », il apparaît que la libido est en état de réserve, ou en train de s'accumuler, en attendant l'issue soit dans l'investissement d'objet et la décharge, accompagnée de plaisir, soit dans la sublimation ou encore, la transformation en angoisse. Elle représente alors nettement l'énergie des pulsions sexuelles opposée à l'énergie des pulsions du moi, ou d'auto-conservation. En opposition à la proposition de Jung de désigner sous le terme de « libido » l'ensemble de l'énergie psychique, Freud propose une clarification des concepts et une

1. S. Freud et W. Bullittt, *Le président T. W. Wilson (1930-1938)* (1966b), Paris, Payot, 1990, p. 90.
2. *Ibidem*, p. 66.

ouverture de la réflexion qui trouvera son aboutissement dans la deuxième topique.

Nous nous limiterons ici à un abord bref de l'opposition, mais aussi des relations, existant entre libido du moi, ou libido narcissique, et libido d'objet. À partir de l'observation des schizophrènes, en opposition à l'analyse des névrosés, Freud distingue l'**introversion** de la libido du névrosé, où l'investissement libidinal et la relation érotique aux objets sont maintenus dans le fantasme, et **le retrait libidinal sur le moi,** effectué par le schizophrène, moi qui reçoit ainsi, dans le délire des grandeurs, l'investissement libidinal retiré aux objets, investissement secondaire de ce fait.

Ainsi peuvent être conçus un narcissisme primaire, origine de tout investissement libidinal, et un narcissisme secondaire, résultat du retour sur le moi des investissements d'objet. Il s'agit là d'un processus général dans l'économie de la libido qui ne concerne pas seulement l'économie des psychoses.

L'investissement originaire du moi est figuré sous la forme d'un animalcule protoplasmique émettant et retirant ses investissements, comparés à des pseudopodes. Mais la libido (investissement d'objet) est encore séparée de l'énergie des pulsions du moi. La question est reprise dans *Le moi et le ça* dans le cadre de la deuxième topique : les différences s'atténuent encore et, désormais, les pulsions du moi sont considérées comme investissement érotique du moi. Libido du moi ou d'objet ne connaissent plus une différence de nature mais seulement une différence fonctionnelle. Ceci ne faisait d'ailleurs que confirmer la position de 1914, selon laquelle le fait que la libido ne soit « au fin fond des choses » qu'un produit de différenciation de l'énergie « à l'œuvre dans la psyché, ne tire pas à conséquence ». Ce qui revient à dire que le refus de la position de Jung ne concerne pas l'origine de la libido mais la nécessité de la différencier d'une énergie sexuelle spécifique, nécessaire à la conception du conflit psychique. Les pulsions du moi que nous connaissons sont de nature libidinale, ce qui n'exclut pas l'existence de pulsions du moi que nous ignorons encore[1]. Dans *Le moi et le ça,* est introduite l'hypothèse d'une **énergie indifférente,** non spécifique et mobile, qui peut s'ajouter à une motion qualitativement différenciée, érotique ou destructive. Il paraît plausible que cette

1. *Au-delà du principe de plaisir* (1920g), *Essais de psychanalyse,* Paris, Payot, 1981, p. 100-101 ; *OCF* XV, p. 326-327 ; *GW* XIII, p. 57.

énergie indifférente provienne de la réserve de libido narcissique indifférenciée et soit de l'**Éros désexualisé**[1]. En fait, cette idée avait déjà été proposée dans *Au-delà du principe de plaisir* où il était admis que le concept de libido s'étend aux *cellules individuelles,* et que c'est ainsi que la pulsion sexuelle se transforme en Éros, qui cherche *à provoquer et à maintenir la cohésion des parties de la substance vivante*[2].

La question se trouve relancée avec l'introduction de la pulsion de mort. Freud rejette l'idée d'une *destrudo,* et finalement aussi d'une énergie propre à la pulsion de mort. Pourtant, il lui laisse le statut de « pulsion ». On ne peut que s'interroger sur la relation établie entre libido et principe de nirvana, « qui se tiendrait au service de la pulsion de mort », mais que la libido transforme par la force en principe de plaisir. Ainsi, la libido participe, à côté de la pulsion de mort, « à la régulation des principes vitaux »[3]. Cette régulation s'exerce notamment par l'amoindrissement de la charge d'excitation, l'ajournement de la décharge d'excitation ou une tolérance temporaire de la tension de déplaisir.

Biologie et libido

Freud s'est posé à de nombreuses reprises la question de l'origine de la libido et de sa nature biologique. Elle revient à propos des déterminants économiques en général et particulièrement pour ce qui concerne les conditions du plaisir et du déplaisir. Mais l'insistance de cette référence est particulièrement marquée pour la libido, bien plus que pour la pulsion : celle-ci est un concept limite entre le somatique et le psychique, son importance est éminemment métapsychologique ; la libido s'en démarque par sa signification d'énergie érotique. Mais, si la référence biologique est souvent évoquée, elle ne reçoit aucune réponse directe. Il reste que la libido est d'origine somatique et que son rapport aux zones érogènes est prédominant mais non exclusif

1. *Le moi et le ça* (1923b), *Essais de psychanalyse,* Paris, Payot, 1981, p. 258 ; *OCF* XVI, p. 287 ; *GW* XIII, p. 273.

2. *Au-delà du principe de plaisir* (1920g), *Essais de psychanalyse,* Paris, Payot, 1981, p. 110, n. 16 (ajouté en 1921) ; *OCF* XV, p. 335, n. 1 ; *GW* XIII, p. 63, n. 1.

3. « Le problème économique du masochisme » (1924c), *Névrose, psychose et perversion,* Paris, PUF, 1973, p. 288 ; *OCF* XVII, p. 12 ; *GW* XIII, p. 372.

car le corps entier est libidinal. Le rapport à l'autoérotisme n'est pas développé, il est seulement rappelé qu'il représente « un état de la libido à son début ». On peut penser que c'est l'apport « somatique » des sensations données par les soins (et l'amour) de la mère ou de la personne secourable évoquée dans l'« Esquisse d'une psychologie scientifique » qui serait l'organisateur de cet état initial de la libido.

« Pour introduire le narcissisme » apporte de nouveaux éléments, non sur le plan des rapports avec la biologie, dont la prééminence dans le concept de libido est à nouveau affirmée. Freud montre cependant le sens de la référence biologique : dans la mesure où « l'individu mène une double existence, en tant qu'il est à lui-même sa propre fin, et en tant que maillon d'une chaîne à laquelle il est assujetti contre sa volonté... il est un simple appendice de son plasma germinatif », qui est l'origine et la fin de la libido. On en voit plus clairement l'asservissement à la biologie, et à ses lois, même si Freud concède que les substances chimiques déterminées qui président à ces processus nous étant inconnues, nous les remplaçons par des « forces psychiques déterminées ». La « nature » du narcissisme est désignée comme « complément libidinal à l'égoïsme de la pulsion d'auto-conservation ». Dès ce moment, s'amorce le rapprochement entre pulsions sexuelles et d'auto-conservation, dont le conflit ne pourra plus simplement continuer à représenter la causalité essentielle de la névrose. L'intérêt du moi s'affirme, comme réservoir de la libido narcissique d'où partent et où rentrent les investissements libidinaux d'objet. Une opposition s'instaure ainsi entre libido du moi et libido d'objet. Le refoulement apparaît alors comme un processus « à l'intérieur de la libido elle-même » où la libido narcissique s'oppose à la libido d'objet[1].

On peut rapporter également à la conception « biologique » de Freud la discussion concernant l'activité de la libido, et son caractère masculin. L'activité autoérotique est la même pour les deux sexes, dit-il, et ceci jusqu'à la puberté. Il propose la thèse suivante : « Il serait possible de soutenir que la libido est, de façon régulière et conforme à des lois, de nature masculine, qu'elle se manifeste chez l'homme ou chez la femme, et abstraction faite de son objet. »[2] Il précisera

1. *Sigmund Freud présenté par lui-même* (1925d), Paris, Gallimard, 1984, p. 94-95 ; *OCF* XVII (« Autoprésentation »), p. 103-104 ; *GW* XIV, p. 83.

2. *Trois essais sur la théorie sexuelle* (1905d) (ajout de 1910), Paris, Gallimard, 1987, p. 161 ; *OCF* VI, p. 158 ; *GW* V, p. 120.

en 1915 qu'elle est masculine parce que la pulsion est toujours active, même quand elle s'est fixé un but passif.

Affect et libido

La question de l'affect se pose notamment à propos de la transformation, de la libido en angoisse, sous certaines conditions de stase ou de frustration. Pour que cette transformation soit possible il faut considérer que libido et angoisse sont de même nature, c'est-à-dire des affects. L'angoisse est sans doute un état affectif, mais qu'en est-il de la libido : tension, désir, envie, désir-plaisir *(Lust),* désir-excitation *(Reiz)* ? Deux points méritent d'être mentionnés :

— D'une part, Freud précise que la libido du moi est « le représentant psychique d'un quantum d'affect », ce qui tend à placer la libido sur le même plan de « représentation » que la pulsion elle-même, et lui donne un statut psychique et non « biologique ». Peut-on en inférer la possibilité d'une représentation d'affect, dont la discussion reste ouverte ?

— D'autre part, le rapport de la libido à l'excitation est également difficile à conceptualiser. On peut considérer, cependant, que l'excitation *(Erregung* ou *Reiz)* est suscitée ou perçue de façon autoérotique essentiellement dans le fonctionnement des zones érogènes. « Une nouvelle action psychique doit s'ajouter à l'autoérotisme originaire », nous est-il dit, pour donner forme au narcissisme. Cette nouvelle action non précisée paraît bien être encore de l'ordre de l'accès à la représentabilité, et sans doute répond-elle à la perte de l'objet qui aboutit dans le même temps à la reconnaissance de cet objet et à l'origine du moi.

Une question demeure ouverte : celle des rapports de la pulsion sexuelle, dont l'énergie peut être nommée libido, et de cette même libido lorsqu'elle est considérée pour elle-même. En effet, il est fermement établi dans « Pulsions et destins des pulsions » que « la pulsion agit toujours comme une force constante »[1] et que sa poussée est son facteur moteur, la somme de force ou la mesure d'exigence de travail qu'elle représente. Existe-t-il une différence entre pulsion, ou tout au

1. « Pulsions et destins des pulsions » (1915c), *Métapsychologie*, Paris, Gallimard, 1968, p. 14 ; *OCF* XIII, p. 165 ; *GW* X, p. 212.

moins poussée de la pulsion, et libido ? La différence essentielle paraît être la variabilité de l'investissement libidinal, qui contredit ou complète la constance de la poussée pulsionnelle. Il faut probablement admettre que la pulsion agit avec une force constante qui investit les représentations. D'autre part, il se peut que cette « force » anticipe la constance de l'investissement des pulsions de vie, de l'Éros. Au contraire, la libido est un concept plus biologique et plus en rapport avec l'excitation qui se conçoit de façon plus variable et immédiatement réactive.

Pierre CHAUVEL

Libido (plasticité et viscosité de la) → Plasticité et viscosité (de la libido)

Libido pulsionnelle → Pulsions sexuelles (avant Éros) et libido pulsionnelle

Libre association → Association libre, attention en égal suspens (flottante), règle fondamentale

M

Manie → Mélancolie, deuil, manie

Masochisme → Sadisme et masochisme

Mécanismes de défense du moi → Défense (mécanismes de défense du moi)

MÉLANCOLIE, DEUIL, MANIE

all. : *Melancholie, Trauer, Manie.* – angl. : *melancholy, mourning, mania.* – esp. : *melancolía, duelo, mania.* – ital. : *melancolia, lutt, mania.* – port. : *melancolia, luto, mania*

Deuil, mélancolie et *manie* sont des entités cliniques étroitement liées, jusqu'à pouvoir être considérées comme s'inscrivant dans une série complémentaire. Leur point commun est d'impliquer une perte grave et douloureuse, ce qui explique leur effet sur l'investissement narcissique ; les différences entre elles tiennent aux moyens mis en œuvre pour tenter d'aménager la perte.

Le *deuil* est la réaction affective « normale » à la perte de l'objet. Il apparaît sous l'influence de l'épreuve de réalité qui exige de se séparer de l'objet disparu ; sa fonction est de travailler au retrait des investissements, hors de l'objet, dans toutes les situations où celui-ci était très investi. La *mélancolie* se caractérise par une dépression profondément douloureuse, une suspension de l'intérêt pour le monde extérieur, la perte de la capacité d'aimer, l'inhibition de toute activité. À ces traits, déjà présents dans le deuil mais ici aggravés, s'ajoute la diminution du sentiment d'estime de soi se manifestant par des auto-reproches, allant jusqu'à l'attente délirante du châtiment. La *manie* a le même contenu que la mélancolie, mais elle en a maîtrisé ou écarté le « complexe » douloureux ; son « modèle » dans la normalité est l'état de joie, de jubilation et de triomphe qui libère une énergie jusque-là inhibée ou engagée ailleurs. Elle porte à l'excès ces exaltations de l'humeur, de décharges joyeuses, d'hyperactivité mais, avec elle, le moi ignore ce qu'il surmonte et ce dont il triomphe. Dans la manie, le moi s'est libéré de l'objet qui l'avait fait souffrir.

MISE EN SITUATION

La terminologie freudienne n'a rien ici de particulièrement psychanalytique. « Mélancolie » *est un mot attesté en français dès le* XIIIe *siècle (en allemand aussi semble-t-il) pour indiquer une « humeur noire », triste, ce que l'on nommera « dépression » sans plus à partir de 1850. C'est en ce sens usuel que Freud commence à user du mot dans sa correspondance avec Wilhelm Fliess, avant d'en spécifier la pathologie.* « Deuil » *vient du latin* dolus *signifiant « douleur » ; le mot, comme la notion, sont d'acception parfaitement courante, universelle même comme la peine qu'elle exprime.* « Manie » *est aussi un vieux mot directement issu du grec* « mania », *qui désigne la « folie furieuse » ; il a pu parfois s'affadir dans les « petites manies », innocentes ou non.*

Freud recueille les mots que lui offre donc la langue courante ; il les mentionne tôt, à l'occasion, afin de décrire tel ou tel état. Ce n'est qu'en 1914-1915, dans un texte majeur, qu'il les spécifie pour en faire des concepts. En 1921-1923, s'ajouteront des compléments théoriques tout aussi majeurs. Les causes peuvent alors être considérées comme connues, les mécanismes compris. Par la suite, les uns et les autres seront rappelés, mais sans plus.

La mélancolie *tient une place particulière dans l'œuvre freudienne car elle est la seule affection à s'être trouvée traitée en propre, jusqu'à fournir le thème central d'un ouvrage princeps, qu'elle contribue à titrer : « Deuil et mélancolie ». Freud a déjà traité de « cas » cliniques pour illustrer la compréhension psychanalytique de la psychopathologie (les principaux furent rassemblés en français sous le titre de* Cinq psychanalyses*), il réfère souvent certains traits de psychonévroses et de psychoses pour illustrer des mécanismes psychiques particuliers, mais la mélancolie (avec son dérivé : la manie) est la seule « maladie » à avoir eu le sort singulier d'un traitement particulier.*

Sans doute cela tient-il à sa situation théorico-clinique : d'une part, son étude peut bénéficier de l'impact de la référence clinique et de l'autorité de ce qui s'appuie directement sur l'expérience psychanalytique ; d'autre part elle se situe comme une charnière théorique, la compréhension de ce qui la produit ayant d'abord été rendue possible par l'introduction du narcissisme dans la théorie, puis s'étant complétée par la conception d'un surmoi. De surcroît, elle se situe à un autre carrefour, point majeur dans une série complémentaire, entre la normalité et la guérison : le deuil en est le modèle à l'œuvre dans la vie courante, la manie étant une tentative ratée de guérison.

LE TEXTE FREUDIEN

Dans sa correspondance avec Wilhelm Fliess, à l'occasion de ses commentaires cliniques, Freud est amené à évoquer chacun de ces états, et plus particulièrement la mélancolie. Il tente d'en reconnaître les spécificités, car les entités cliniques ne sont pas encore véritablement individualisées. Dès février 1893, il nomme la mélancolie mais dans son acception, commune à l'époque, d'état dépressif. Le problème est alors de la distinguer de la neurasthénie, puis de la névrose d'angoisse, ce qui amène d'ailleurs Freud à s'interroger sur son rapport à la sexualité. La clinique le conduit au constat que « l'affect qui correspond à la mélancolie est celui du deuil », qu'il s'agit de l'amer regret de quelque chose qui a été perdu, d'une perte affectant la vie pulsionnelle ; et aussi à celui qu'elle est « le cas inverse de la manie ». Il revient régulièrement, au fil des lettres, sur cette « maladie » toujours aussi difficile à situer. Ainsi, en 1897, le refoulement n'engendrerait pas de l'angoisse « mais de la dépression – peut-être de la mélancolie. C'est par là que les mélancolies se rattachent aux névroses obsessionnelles »[1].

Il ne va plus en être question, et pas plus du deuil et de la manie, durant une bonne quinzaine d'années. Des mentions faites ici ou là, en passant, témoignent pourtant de la persistante actualité de la question. C'est ainsi qu'en 1909, lors d'une séance de la Société psychanalytique de Vienne, Freud rappelle que « toutes les névroses et psychoses ont la même étiologie et ont leur origine dans des troubles analogues des mêmes pulsions » et, pour illustrer sa thèse selon laquelle la diversité des formes ne tient qu'à la différence des mécanismes, il indique : « Ainsi la manie n'est rien d'autre qu'un mécanisme de refoulement. »[2] De même l'année suivante, à la même société, lors d'une discussion sur le suicide de lycéens, il estime qu'il faut « partir de l'état cliniquement connu de la mélancolie et de sa comparaison avec l'affect de deuil ». Mais nous ignorons tout des processus affectifs et des destins de la libido dans la mélancolie, et l'affect du deuil lui-même « n'a pas encore été rendu psychanalytiquement compréhensible » – il convient donc de différer notre jugement[3].

Heureusement, les expériences s'accroissent et la réflexion progresse. En 1914, une avancée théorique d'importance est faite avec « Pour introduire le narcissisme » ; la notion était travaillée depuis 1909 et mentionnée dans différents écrits[4], mais elle est

1. *La naissance de la psychanalyse. Lettres à Wilhelm Fliess. Notes et plans (1887-1902)* (1950a [1887.1902]), Paris, PUF, 1956, p. 65, 82, 93, 97, 185, Paris, PUF, 2006 (éd. complète), p. 60, 108, 130,136, 319.

2. *Les premiers psychanalystes (minutes de la Société psychanalytique de Vienne)* (1978a), Paris, Gallimard, 1978, t. II (1908-1910), p. 180 (séance du 24 mars 1909).

3. « Contribution à la discussion sur le suicide » (1910g), *Résultats, idées, problèmes, I,* Paris, PUF, 1984, p. 132 ; *OCF* X, p. 78 ; *GW* VIII, p. 64.

4. Citons seulement : – divers ajouts aux *Trois essais sur la théorie sexuelle* (1905d), Paris, Gallimard, 1987, p. 50, n. 1 et 165, n. 1 ; *OCF* VI, p. 77, n. 1 et 161, n. 1 ; *GW* V, p. 44, n. 1 et 123, n. 1. – « Remarques psychanalytiques sur l'autobiographie d'un cas de paranoïa *(dementia paranoides)* (Le Président Schreber) » (1911c

conceptualisée dans ce texte fondateur où il lui revient de contribuer à expliquer les processus des psychonévroses de défense et, surtout, des psychoses (schizophrénies et paraphrénies) – il est alors d'autant plus remarquable que ce travail ne cite jamais la mélancolie (bien qu'elle soit déjà individualisée et sera désignée, en 1924, comme la « névrose narcissique » par excellence), pas plus d'ailleurs qu'il n'évoque le deuil[1]. Pourtant, seulement un an plus tard (mais cinq ans après l'aveu d'ignorance sur ces deux affections), est produit un écrit qui apparaît comme l'un des plus remarquables, réalisant une parfaite synthèse théorico-clinique : il s'agit, bien sûr, de « Deuil et mélancolie », rédigé en une quinzaine de jours de mai 1915, publié en 1917, qui se centre sur la *mélancolie* mais explore aussi son « modèle » : le *deuil,* et son inversion : la *manie.* Nous avons là nos trois entités cliniques. Il faudrait ici reproduire tout le texte, ce que bien sûr nous ne saurions faire ; nous fournirons seulement les repères essentiels à son intelligence.

Le projet déclaré est donc d'« **éclairer l'essence de la mélancolie en la comparant avec l'affect normal de deuil** », tâche nécessaire car la mélancolie est un concept variable à la clinique diverse, évoquant tantôt des affections somatiques, tantôt psychogènes ; le rapprochement avec le deuil devrait être fécond. En effet, si la perte d'une personne aimée (ou d'un idéal) provoque habituellement un deuil, chez nombre de personnes il arrive que se produise alors une mélancolie. Celle-ci « se caractérise par une dépression profondément douloureuse, une suspension de l'intérêt pour le monde extérieur, la perte de la capacité d'aimer, l'inhibition de toute activité et la diminution du sentiment d'estime de soi » (entraînant des auto-reproches pouvant aller jusqu'à l'attente délirante du châtiment). Or le deuil (surtout s'il est sévère) présente les mêmes traits, sauf la perte de l'estime de soi (et donc les auto-reproches). Si ce dernier comportement ne nous semble

[1910]), *Cinq psychanalyses,* Paris, PUF, 1954, p. 306 ; *OCF* X, p. 283 ; *GW* VIII, p. 297. – *Totem et tabou* (1912-1913a), Paris, Gallimard, 1993, p. 209 ; *OCF* XI, p. 299 ; *GW* IX, p. 109.

1. « Pour introduire le narcissisme » (1914c), *La vie sexuelle,* Paris, PUF, 1969 ; *OCF* XII ; *GW* X.

nullement pathologique, c'est pour la seule raison que nous savons l'expliquer[1].

***Le deuil* est provoqué par un constat de réalité :** l'objet aimé n'existe plus, il faut donc en retirer toute la libido – ce contre quoi l'individu ne saurait que se rebeller, quitte à se détourner du monde. Normalement, le respect de la réalité finit par l'emporter, mais la tâche doit être accomplie en détail, ce qui exige une grande dépense d'énergie, mais aussi beaucoup de temps, pendant lequel « l'existence de l'objet perdu se poursuit psychiquement » ; les souvenirs, les espoirs qui liaient la libido à l'objet sont repris, surinvestis, aboutissant à un détachement libidinal progressif. Il est difficile d'expliquer pourquoi cette activité de compromis est si douloureuse ; « il est remarquable que ce déplaisir de la douleur nous semble aller de soi, mais le fait est que le moi, après avoir achevé le travail du deuil, redevient libre et sans inhibitions ».

Si nous nous penchons maintenant sur la **mélancolie,** nous constatons que, fort souvent, **elle peut être aussi une réaction à la perte d'un objet aimé. D'autres fois, elle correspond à une perte plus morale :** « L'objet n'est pas réellement mort mais il a été perdu en tant qu'objet d'amour. » D'autres fois encore, on ne peut pas clairement reconnaître ce qui a été perdu, et le malade, s'il sait parfois *qui* il a perdu, ignore *ce* qu'il a ainsi perdu – d'où l'idée que **dans la mélancolie la perte de l'objet est soustraite à la conscience, alors que dans le deuil rien de ce qui concerne la personne n'est inconscient.** Si, tel qu'il absorbe le moi, le travail du deuil explique parfaitement l'inhibition et l'absence d'intérêt, le fait que la perte soit inconnue dans la mélancolie ne saurait dispenser du même travail intérieur, responsable de la même inhibition. « La seule différence est que l'inhibition mélancolique nous fait l'impression d'une énigme parce que nous ne pouvons pas voir ce qui absorbe si complètement les malades. » Il est pourtant une différence essentielle : le mélancolique présente une diminution extraordinaire de l'estime de soi, un immense appauvrissement du moi, ce qu'ignore le deuil. « **Dans le**

1. « Deuil et mélancolie » (1917e [1915]), *Métapsychologie,* Paris, Gallimard, 1968, p. 147-149 ; *OCF* XIII (2e éd.), p. 263-264 ; *GW* X, p. 428-429.

deuil le monde est devenu pauvre et vide, dans la mélancolie c'est le moi lui-même. » On peut alors parler d'un « délire de petitesse morale », qui peut aller jusqu'à la défaite de la pulsion qui contraint tout vivant à tenir à la vie[1].

Dans son « délire », ce malade n'a pas totalement tort : « Il est effectivement aussi dépourvu d'intérêt, aussi incapable d'amour et d'activité qu'il le dit », mais c'est là une conséquence d'un travail intérieur, comparable au deuil, qui le consume. Dans certaines de ses plaintes contre lui-même, il nous semble saisir la vérité avec une acuité inhabituelle : « Lorsque, dans son autocritique exacerbée, il se décrit comme mesquin, égoïste, menteur, incapable d'autonomie, comme un homme dont tous les efforts ne tendaient qu'à cacher les faiblesses de son être, il pourrait bien s'être passablement approché de la connaissance de soi, et nous nous demandons seulement pourquoi on doit commencer par tomber malade pour accéder à une telle vérité. » Mais il est certain qu'il faut être malade pour découvrir de telles choses sur soi et les dire, vérité ou pas ; l'importance de l'autodépréciation ne correspond en rien à sa justification réelle. Enfin, on ne peut qu'être frappé de ce qu'ici manque la honte devant les autres ; au contraire, le mélancolique s'épanche de façon importune, trouvant satisfaction à se mettre à nu. Il a perdu le respect de lui-même, mais pour quelles raisons ? Le deuil correspond à une perte concernant l'objet, les dires du mélancolique nous font plutôt penser à une perte concernant son moi. Disons plutôt qu'une partie du moi s'oppose à l'autre, la critique, la prend comme objet ; elle agit comme une instance critique, et « c'est cette instance qu'on appelle habituellement *conscience morale* ». **Dans la mélancolie domine l'aversion morale du malade envers son propre moi.** Mais, à écouter patiemment ses multiples plaintes en forme d'autoaccusation, on a finalement l'impression que les plus sévères conviennent fort mal à sa propre personne, mais qu'à quelques modifications près elles pourraient s'appliquer à l'un de ses proches : « **Les auto-reproches sont des reproches contre un objet d'amour, qui sont renversées de celui-ci sur le moi** » – telle est la clef du tableau clinique du mélancolique. Quelques auto-

1. *Ibidem,* p. 150-152 ; p. 265-266 ; p. 430-431.

reproches fondés peuvent se pousser au premier plan parce qu'ils aident à méconnaître ceux contre l'objet ; en fait, les plaintes de ces malades « sont des plaintes portées contre » – ils sont d'ailleurs bien loin de témoigner à leur entourage l'humilité et la soumission qui seules conviendraient à des personnes si indignes, ils se font tracassiers comme s'ils étaient victimes d'une grande injustice. Leurs réactions étaient celles de la révolte, elles ont évolué vers l'accablement mélancolique[1].

Il est possible de reconstruire le processus. Un objet avait été choisi, et sous l'effet d'une déception la liaison de la libido à cette personne aimée fut ébranlée ; au lieu de se retirer de cet objet pour se déplacer sur un autre, **l'investissement d'objet fut supprimé et la libido libre se retira dans le moi ; elle établit alors une identification du moi à l'objet abandonné** : « L'ombre de l'objet tomba ainsi sur le moi » qui fut alors jugé par une instance particulière comme l'objet abandonné. « La perte de l'objet s'était transformée en une perte du moi, et le conflit entre le moi et la personne aimée en une scission entre la critique du moi et le moi modifié par identification. » Pareil processus implique une forte fixation à l'objet d'amour mais aussi, et de façon contradictoire, une faible résistance de l'investissement d'objet, ce qui suppose un choix d'objet narcissique orientant les éventuelles régressions. « L'identification narcissique avec l'objet devient alors le substitut de l'investissement d'amour » ; ce qui témoigne de ce que, en dépit du conflit, la relation d'amour n'est pas abandonnée. Pareille substitution de l'identification à l'amour d'objet, qui est spécifique des affections narcissiques, laisse penser que l'identification est le stade préliminaire du choix d'objet, d'où son ambivalence ; conformément à la phase orale (cannibalique) du développement de la libido, le moi voudrait s'incorporer l'objet par dévoration. Il faudra poursuivre les études pour vérifier que la prédisposition à la mélancolie réside dans la prédominance du type narcissique dans le choix d'objet, ce qui ne peut encore être confirmé ; dans les névroses de transfert aussi les identifications à l'objet sont loin d'être rares, mais nous saisissons la différence entre l'identification narcissique dans laquelle l'investisse-

1. *Ibidem*, p. 153-157 ; p. 267-269 ; p. 432-434.

ment d'objet est abandonné, et l'identification hystérique où il persiste et peut exercer certaines actions isolées.

Nous comprenons qu'**une partie des caractères de la mélancolie est empruntée au deuil, une autre à la régression jusqu'au narcissisme**; comme le deuil, elle est réaction à la perte réelle de l'objet d'amour, mais elle est de plus marquée par l'ambivalence des relations amoureuses. À noter que, s'il y a prédisposition à la névrose obsessionnelle, le conflit ambivalentiel rend le deuil pathologique, l'amenant aux auto-reproches, mais sans que s'y ajoute le retrait de la libido (ni l'abandon de l'objet). **Pour déclencher une mélancolie, il faut un conflit d'ambivalence** (à propos d'un deuil bien sûr, mais aussi lors de toutes les situations de préjudice, d'humiliation, de déception, qui suscitent une opposition amour-haine) dont l'origine peut tantôt être plutôt liée à la réalité, tantôt davantage aux facteurs constitutionnels. Si, alors que l'objet lui-même est abandonné, l'amour pour l'objet ne peut l'être puisqu'il s'est réfugié dans l'identification narcissique, la haine frappe cet objet substitutif en l'injuriant, le rabaissant, le faisant souffrir sadiquement. Tout comme ce qui se passe dans la névrose obsessionnelle, « **la torture que s'inflige le mélancolique et qui, indubitablement, lui procure de la jouissance, représente la satisfaction de tendances sadiques et haineuses** » ; celles-ci visent un objet et ont dû être retournées sur la personne propre. Dans les deux affections, l'auto-punition permet de tirer vengeance des objets originaires et aimés, le refuge dans la maladie évitant au malade d'avoir à manifester son hostilité. Dans la mélancolie l'investissement d'amour objectal régresse sur l'identification et, en même temps, se voit reporté au stade du sadisme par le conflit ambivalentiel (alors que dans la névrose obsessionnelle cette régression n'existe pas).

C'est ce sadisme qui vient résoudre l'énigme de la *tendance au suicide* du mélancolique. A priori, l'immense amour originaire du moi pour lui-même, qui se manifeste lorsque la vie est menacée, témoignant d'une charge gigantesque de libido narcissique, ne permet pas de comprendre comment ce moi peut consentir à son autodestruction. Nous savons, certes, que l'intention suicidaire d'un névrosé correspond à un retournement sur soi d'une impulsion meurtrière contre autrui, mais nous ne comprenons pas quelles forces le font passer à l'acte. La mélancolie nous enseigne que « **le moi ne peut se tuer que**

lorsqu'il peut, de par le retour de l'investissement d'objet, se traiter lui-même comme un objet », lorsqu'il retourne contre lui une haine qui vise l'objet, « réaction originaire du moi contre des objets du monde extérieur ». Ainsi, dans la régression à partir du choix d'objet narcissique, bien que supprimé, l'objet s'avère plus puissant que le moi lui-même. Le moi est écrasé par l'objet.

Des questions demeurent en suspens. Comme *le deuil, la mélancolie* se termine après un certain temps sans laisser d'altérations apparentes. Dans le deuil, la durée semble requise pour que, par un travail permettant au moi de libérer sa libido de l'objet perdu, opère l'épreuve de réalité ; nous pouvons penser que dans la mélancolie le moi est occupé à un travail analogue – même si, dans un cas comme dans l'autre, ce processus nous échappe du point de vue économique. **L'état mélancolique est comme une blessure ouverte attirant de toute part les énergies d'investissement** (de « contre-investissement »), vidant le moi jusqu'à l'appauvrissement complet. La question reste posée de savoir si un appauvrissement libidinal d'origine toxique peut donner directement certaines formes de la maladie, ce qui se ferait sans que l'objet entre en ligne de compte[1] ?

Mais il est une particularité extrêmement singulière de cette affection, « celle qui a le plus besoin d'être élucidée » : parfois, **la mélancolie a tendance à se renverser dans l'état de *manie*, où les symptômes sont opposés.** Certains cas ont une évolution périodique avec, dans les intervalles, disparition quasi complète de la tonalité maniaque ; d'autres alternent régulièrement les phases mélancoliques et maniaques (folie cyclique). Dans un certain nombre de cas, le travail psychanalytique a pu avoir un effet thérapeutique, ce qui nous oblige à étendre à la manie une explication analytique de la mélancolie.

Pour le moment, n'est possible qu'une première orientation, partant de deux points d'appui. D'abord l'impression, tirée de la psychanalyse, que la manie a les mêmes contenus que la mélancolie, toutes deux luttant contre le même « complexe » auquel le moi semble avoir succombé dans la mélancolie, alors qu'il l'a maîtrisé ou écarté dans la manie. Le deuxième est un fait économique, d'expérience commune,

1. *Ibidem,* p. 158-164 ; p. 270-274 ; p. 436-440.

selon lequel tous les états de joie, de jubilation, de triomphe (prototypes de la manie dans la normalité), présentent les mêmes conditions économiques : on y trouve un événement dont l'action rend superflue une grande dépense psychique longtemps entretenue, cette énergie devenant ainsi disponible pour des décharges de toutes sortes. Il y a exaltation de l'humeur, signes de décharge de l'affect de joie, propension accrue à accomplir toutes sorte d'actions, tout à fait comme dans la manie et en totale opposition à la dépression et l'inhibition de la mélancolie. **La manie n'est rien d'autre qu'un tel triomphe, à ceci près qu'avec elle le moi ignore ce qu'il a surmonté et ce dont il triomphe.** Il faut donc que dans la manie le moi ait surmonté la perte de l'objet (voire l'objet lui-même), rendant disponible toute la charge du contre-investissement que la peine douloureuse avait retirée du moi et qu'elle avait liée ; le maniaque, affamé de nouveaux investissements d'objet, nous prouve qu'il est libéré de l'objet qui l'avait fait souffrir.

Tout en ayant l'air plausible, cette explication est trop imprécise ; elle fait surgir de nouvelles questions et des doutes plus nombreux encore. Ainsi : le *deuil* normal parvient aussi à surmonter la perte de l'objet en absorbant toutes les énergies du moi ; alors pourquoi n'instaure-t-il pas, à la fin, une phase de triomphe, fût-elle discrète ? Mais nous ne savons même pas quels moyens économiques ce deuil met en œuvre. On peut seulement supposer qu'à chaque souvenir, chaque situation d'attente montrant une libido attachée à l'objet perdu, la réalité rappelle qu'il n'existe plus ; le moi, alors sommé de choisir s'il veut ou non partager ce destin, se laisse décider par toutes les satisfactions narcissiques qu'il trouve à rester en vie et à rompre son lien avec l'objet perdu ; cette rupture serait si lente et progressive que l'énergie dépensée pour l'effectuer se trouve dissipée à la fin du travail.

Nos conjectures sur le travail du deuil devraient nous aider à nous représenter le travail de la *mélancolie*. Pourtant, une incertitude nous arrête. Nous avons négligé le point de vue topique et ignorons **entre quels systèmes psychiques se produit ce travail** ? Quelle part des processus psychiques alors en œuvre joue encore sur les investissements d'objet inconscients laissés vacants, quelle part se porte sur leurs substituts par identification dans le moi ? La représentation inconsciente de l'objet figure sous la forme d'innombrables traces inconscientes d'impressions particulières, aussi le retrait de la libido ne peut être instantané ; si dans le deuil opèrent bien des tentatives de détachement, rien ne s'oppose à ce que ces processus se propagent normalement par le *Pcs* jusqu'à la conscience. Cette voie est barrée à la mélancolie. Un tel travail doit pourtant opérer, il ne peut être que de longue durée, progressant pas à pas, sans que l'on connaisse très bien ni ce cheminement, ni son rythme. Les analyses nous montrent souvent qu'alors que les plaintes, fatigantes par leur monotonie, gardent la même teneur, les souvenirs qui les activent sont divers, provenant chaque fois d'un fond inconscient différent ; nous constatons aussi que lorsque l'objet n'a pas pour le moi une importance aussi considérable, sa perte ne suscite ni deuil ni mélancolie. **L'accomplissement en détail du détachement de la libido est bien un caractère qui doit être attribué à la mélancolie tout comme au deuil, sans doute fondée sur la même situation économique, au service des mêmes tendances**[1]**.**

Mais il y a plus dans la mélancolie que dans le deuil normal : la relation à l'objet n'y est pas simple, compliquée par l'ambivalence ; celle-ci peut s'attacher à toutes les relations d'amour de ce moi, ou découler d'expériences vécues de menace de la perte de l'objet. Aussi il y a bien **plus d'occasions de déclencher une mélancolie qu'un deuil,** qui n'est guère provoqué que par la mort, par la perte réelle de l'objet. Dans la mélancolie, l'objet est au centre de multiples combats singuliers entre haine et amour, combats qui ne peuvent être situés que dans l'*Ics,* dans « le royaume des traces mnésiques des choses, par opposition aux investissements de mot ». Si dans le deuil jouent ces mêmes tentatives de détachement, rien ne s'oppose alors à leur propagation jusqu'à la conscience en passant par le *Pcs,* voie qui est barrée au travail de la mélancolie. Tout ce qui touche à ces combats ambivalentiels échappe à la conscience tant que l'issue de la mélancolie n'est pas survenue, tant que l'investissement libidinal menacé n'a pas abandonné l'objet pour se retirer à nouveau dans le moi. **En fuyant dans le moi, l'amour évite sa suppression ; après la régression de la libido, le processus peut devenir conscient : il se représente à la**

1. *Ibidem,* p. 165-170 ; p. 275-277 ; p. 441-444.

conscience sous forme d'un conflit entre une partie du moi et une instance critique.

La conscience ne connaît donc qu'une partie accessoire tant du travail de la mélancolie que de celui qui influe pour résoudre sa souffrance. Là encore, nous découvrons une analogie essentielle entre travail du deuil et de la mélancolie : de même que le deuil amène le moi à renoncer à l'objet en le déclarant mort, lui offrant la prime de rester en vie, de même dans la mélancolie chaque combat ambivalentiel **relâche la fixation à l'objet en le dévalorisant, en le rabaissant, en le frappant à mort,** jusqu'à ce que la fureur s'épuise, ou que l'objet soit abandonné comme sans valeur. Le moi peut alors se reconnaître comme meilleur, comme supérieur à l'objet.

Mais la question demeure de comprendre la condition économique qui produit la manie lorsque est terminée la mélancolie. Trois conditions sont requises pour la mélancolie : « perte de l'objet, ambivalence et régression de la libido dans le moi ». Les deux premières se retrouvent lors des reproches obsédant après un décès où l'ambivalence est le ressort du conflit, mais, une fois celui-ci terminé, rien ne reste qui ressemble à un état maniaque. Ce serait donc le troisième facteur, la régression, qui aurait cet effet. **L'accumulation d'un investissement lié, devenant libre à la fin du travail mélancolique, rend possible la manie ;** « cette accumulation doit être en relation avec la régression de la libido au narcissisme ». En échangeant le combat pour l'objet contre le conflit dans le moi, la mélancolie agit comme une blessure douloureuse réclamant un contre-investissement extraordinairement élevé. Mais ici, il faut repousser à plus tard la suite de l'explication de la manie, attendre de voir plus clair dans l'économie de la douleur, qu'elle soit corporelle ou psychique. En effet, « l'interdépendance et l'intrication des problèmes psychiques nous obligent à laisser inachevée chacune de nos recherches jusqu'à ce que les résultats d'une autre étude puissent lui venir en aide »[1].

En 1916, dans « Éphémère destinée », Freud revient sur le *deuil* pour expliquer aux profanes que s'il leur apparaît tout naturel, il demeure une grande énigme pour le psychologue. Disons que nous

1. *Ibidem,* p. 171-174 ; p. 278-280 ; p. 445-446.

disposons d'une certaine quantité d'amour (de libido) qui s'orientait vers le moi aux tout débuts, puis s'en détourne pour se tourner vers les objets qui peuvent ainsi être accueillis dans le moi. Si ces objets sont détruits ou perdus, la libido devient libre, peut alors élire d'autres objets – mais ce détachement libidinal s'avère être un processus très douloureux, ce que nous ne comprenons pas ; tout ce que nous pouvons constater est que « **la libido se cramponne à ses objets et ne veut pas renoncer à ceux qu'elle a perdus, même lorsqu'un substitut se trouve disponible. C'est bien là le deuil** » [1].

Les remaniements théoriques de 1920-1923 (avec, plus particulièrement, la deuxième topique) permettent de reprendre des questions, levées en 1914 mais laissées sans réponses, notamment sur la manie et la douleur. Une brève indication, dans *Au-delà du principe de plaisir,* traduit une fois de plus les préoccupations de Freud sur le rôle des atteintes endo- ou exogènes, remarquant que l'on n'a pas suffisamment exploité, pour la théorie, le fait que « des perturbations de la libido, aussi graves que celles d'une mélancolie, peuvent être temporairement supprimées par une affection organique intercurrente » [2].

Psychologie des foules et analyse du moi, en 1921, s'intéresse aux changements d'humeur : « Il y a une sensation de triomphe quand, dans le moi, quelque chose coïncide avec l'idéal du moi, alors que le sentiment de culpabilité (et d'infériorité) peut être compris comme expression de la tension entre moi et idéal » (rappelons qu'en 1921 la nouvelle topique n'est pas encore tout à fait aboutie et que l'« idéal » ici en question sera plutôt le « surmoi » deux ans plus tard). Et il y a des gens chez qui l'humeur oscille de manière périodique entre une dépression démesurée et un bien-être exagéré, passant par un état intermédiaire ; ces alternances ont des amplitudes très variables, certaines à peine décelables, d'autres extrêmes qui, « sous forme de mélancolie et de manie, interviennent de façon hautement torturante et perturbatrice ». Habituellement, **ces troubles cycliques de l'humeur semblent sans rapport avec les événements extérieurs et, pour ce qui**

1. « Éphémère destinée » (1916a), *Résultats, idées, problèmes, I,* Paris, PUF, 1984, p. 235 ; *OCF* XIII (2e éd.), p. 326-327 ; *GW* X, p. 359-360.

2. *Au-delà du principe de plaisir* (1920g), *Essais de psychanalyse,* Paris, Payot, 1981, p. 76 ; *OCF* XV, p. 305 ; *GW* XIII, p. 34.

est de motifs intérieurs, ces malades n'ont rien de plus ou de moins que tout un chacun – ces cas seraient donc non psychogènes, et nous ignorons les raisons de ces oscillations spontanées de l'humeur, nous ne connaissons pas *le mécanisme qui fait relayer une mélancolie par une manie*. Nous devons donc avancer des hypothèses.

Il n'est pas douteux que moi et idéal du moi confluent chez le maniaque, dont aucune autocritique ne trouble l'humeur triomphale et satisfaite ; les inhibitions, les égards pour autrui et les auto-reproches ont disparu. Il est tout à fait vraisemblable que la misère du mélancolique correspond à une division entre ces deux instances, l'idéal exagérément sensible condamnant brutalement le moi. Toute la question est de savoir quelle peut être la cause de ces nouvelles relations entre moi et idéal du moi. Le renversement en manie n'est pas inéluctable après une mélancolie, en vînt-elle à se répéter. Nous connaissons aussi des mélancolies psychogènes, provoquées par les circonstances (perte d'un objet aimé), et qui peuvent aussi déboucher sur une manie, ou non. Les choses sont donc assez obscures. Pour l'instant, **nous ne comprenons que les cas où l'objet est abandonné parce qu'indigne d'amour ; il est ensuite réintégré dans le moi par identification, et sévèrement jugé par l'idéal du moi** – ce sont les auto-reproches mélancoliques. Mais une telle mélancolie peut aussi se renverser en manie, laissant penser que cette possibilité est indépendante des autres caractères cliniques. Par ailleurs, nous ne pouvons écarter une rébellion périodique du moi contre l'idéal du moi, que la mélancolie soit psychogène ou spontanée ; dans les formes spontanées, on suppose que l'idéal du moi déploie une particulière rigueur qui entraîne automatiquement sa suppression temporaire ; dans les mélancolies psychogènes, le moi se rebelle contre les sévices de son idéal qui l'identifie à un objet rejeté[1].

L'étude de la *mélancolie* est plus particulièrement reprise dans *Le moi et le ça* en 1923. Ce que l'on peut considérer comme « sentiment de culpabilité normal », qui correspond à la *conscience morale,* résulte de la condamnation du moi par l'idéal du moi ; les sentiments

1. *Psychologie des foules et analyse du moi* (1921c), *Essais de psychanalyse,* Paris, Payot, 1981, p. 201-204 ; *OCF* XVI, p. 70-72 ; *GW* XIII, p. 147-149.

d'infériorité, si fréquents chez les névrosés, en participent. Ce sentiment de culpabilité est intensément conscient dans la névrose obsessionnelle et dans la mélancolie ; l'idéal du moi s'y montre particulièrement sévère, voire cruel avec le moi. Mais, entre les deux, il existe d'importantes différences de comportement de l'idéal du moi.

Dans beaucoup de *névroses obsessionnelles* le sentiment de culpabilité s'exprime bruyamment, mais ne peut se justifier : « le surmoi est influencé par des processus restés inconnus du moi », il en sait plus long que le moi sur le ça ; il s'agit là de motions inconvenantes restées en dehors du moi. Dans la mélancolie, l'impression de domination du surmoi sur le moi est encore plus forte, mais celui-ci se reconnaît coupable et se soumet aux châtiments ; l'objet que vise la colère du surmoi est englobé dans le moi par identification.

Le sentiment de culpabilité, si intense dans ces affections, n'est autre que la perception par le moi de la violente critique du surmoi. Mais pourquoi celui-ci se manifeste-t-il sous cette forme, avec tant de dureté et une si extraordinaire sévérité ? *Dans la mélancolie* le surmoi, excessivement fort, s'annexe la conscience et fait rage contre le moi, comme s'il détenait tout le sadisme disponible ; **la destruction, retranchée dans le surmoi, se tourne contre le moi.** « Une pure culture de pulsion de mort règne maintenant dans le surmoi » et, de fait, il peut mener le moi à la mort (une issue possible pour ce moi est alors de virer dans la manie). Ceci s'explique si on se souvient que le surmoi est né d'une identification au modèle paternel qui a le caractère d'une désexualisation, voire d'une sublimation. Dans pareille transposition, se produit aussi une désunion pulsionnelle : après la sublimation la composante érotique n'a plus la force de lier la destruction qui lui était jointe ; celle-ci devient alors tendance à l'agression et à la destruction [1].

L'angoisse de mort, tellement présente ici, se joue entre moi et surmoi : « **Le moi s'abandonne parce qu'il se sent haï et persécuté par le surmoi au lieu d'être aimé.** » Pour lui, vivre veut dire être aimé par le surmoi qui, tout en étant le représentant du ça, représente la fonc-

1. *Le moi et le ça* (1923b), *Essais de psychanalyse*, Paris, Payot, 1981, p. 265-270 ; *OCF* XVI, p. 293-298 ; *GW* XIII, p. 280-285.

tion de protection qui était celle du père. Mais, face à un danger réel excessif qu'il ne croit pas pouvoir surmonter, il se voit abandonné des puissances protectrices et se laisse mourir. « L'angoisse de mort, comme l'angoisse de conscience, peut être conçue comme élaboration de l'angoisse de castration. »[1]

En 1924, la *mélancolie*, avec l'élucidation du rôle joué par le surmoi, est maintenant comprise. Elle est même suffisamment aboutie pour que Freud puisse postuler qu'il doit y avoir « **des affections reposant sur un conflit entre le moi et le surmoi. L'analyse nous autorise à admettre que la mélancolie est un cas exemplaire de ce groupe** ». Il propose alors de nommer *« psychonévroses narcissiques »* ce genre de troubles, qu'il convient donc de séparer des autres psychoses, permettant ainsi de perfectionner « notre formule génétique simple » : « La névrose de transfert correspond au conflit entre le moi et le ça, la névrose narcissique au conflit entre le moi et le surmoi, la psychose au conflit entre le moi et le monde extérieur. »[2]

Le recours au concept de *narcissisme* a permis de « jeter un coup d'œil par-dessus le mur » des psychoses, et Freud tient à rendre hommage à Karl Abraham (il mourra à la fin de cette même année 1925) qui « a fait le plus avancer les choses dans le domaine de la mélancolie ». Mais, dans le domaine des psychoses, « tout savoir ne se transpose certes pas de nos jours en pouvoir thérapeutique, mais même le simple gain théorique n'est pas à dédaigner »[3]. Le *deuil* est également élucidé, « son explication ne réserve plus de difficulté », est-il indiqué dans un chapitre d'*Inhibition, symptôme et angoisse* consacré à « Angoisse, douleur et deuil », qui explore aussi la *nostalgie*. Pour ce qui nous intéresse ici, disons que, dans le deuil, la confrontation à l'épreuve de réalité impose de se séparer de l'objet qui n'est plus ; le deuil doit donc travailler au retrait, hors de l'objet, des investissements élevés. Lors de la reprise de situations dans lesquelles doit être

1. *Ibidem*, p. 273-274 ; p. 300-301 ; p. 288-289.

2. « Névrose et psychose » (1924b), *Névrose, psychose et perversion*, Paris, PUF, 1973, p. 285-286 ; *OCF* XVII, p. 6 ; *GW* XIII, p. 390.

3. *Sigmund Freud présenté par lui-même* (1925d), Paris, Gallimard, 1984, p. 102 ; *OCF* XVII (« Autoprésentation »), p. 108-109 ; *GW* XIV, p. 87.

défaite la liaison à l'objet, l'impossibilité de son investissement nostalgique explique le caractère douloureux de cette séparation[1].

En 1933, les *Nouvelles conférences* reprennent les descriptions et explications sur la mélancolie (et la manie), sur le rôle qu'y joue le surmoi. Mise à part la référence nouvelle aux subdivisions des phases orales et anales (telles que les a révélées Karl Abraham) pour préciser le lieu où la mélancolie se situe dans le développement de la libido, il n'y a plus d'apport nouveau ; le regret sur l'insuffisance de nos connaissances sur les causes et mécanismes à l'œuvre dans ces affections est pourtant réitéré[2].

Quelques années plus tôt, dans une lettre à Ludwig Binswanger, Freud put se laisser aller à livrer un écho de sa propre douleur, celle d'un deuil qui perdure bien au-delà de ce qu'il aurait dû – mais « c'est bien ainsi », dit-il. Évoquant la mort de sa fille Sophie, survenue neuf ans plus tôt, il écrit : « Aujourd'hui, ma fille aurait eu exactement trente-six ans. […] On sait qu'après une telle perte le deuil aigu s'atténuera, mais on reste toujours inconsolable, sans trouver de substitut. Tout ce qui prend cette place, même en l'occupant entièrement, reste cependant toujours autre. Et, au fond, c'est bien ainsi. C'est la seule façon de perpétuer cet amour qu'on ne veut abandonner à aucun prix. »[3]

QUESTIONS ET ENJEUX

Dans les textes qui suivent *Le moi et le ça* – et même s'il doit admettre que ses connaissances sur les causes et mécanismes de la mélancolie, de la manie et du deuil conservent bien des obscurités –

1. *Inhibition, symptôme et angoisse* (1926d [1925]), Paris, PUF, 1951, p. 102 ; *OCF* XVII, p. 286 ; *GW* XIV, p. 205.

2. *Nouvelles conférences d'introduction à la psychanalyse* (1933a [1932]), Paris, Gallimard, 1984, p. 85-86 et 134-135 ; *OCF* XIX, p. 143-144 et 182 ; *GW* XV, p. 66-67 et 106.

3. *Sigmund Freud-Ludwig Binswanger : correspondance 1908-1938*, Paris, Calmann-Lévy, 1995 (lettre du 12 avril 1929, p. 280 (figure aussi dans L. Binswanger, *Discours, parcours et Freud*, Paris, Gallimard, 1970).

Freud pense avoir, pour l'essentiel, réussi à en comprendre les causes et les mécanismes ; c'est ce qui explique qu'après les compléments apportés par la deuxième topique, il n'ajoutera plus rien à leur étude, alors considérée comme aboutie. Cela laisse assez peu d'ouvertures aux questions et aux enjeux.

Pourtant, la dernière fois qu'il traite de la mélancolie et de la manie, il conclut en indiquant que ces « processus sont riches d'énigmes non résolues » ; il ne nous dit alors pas explicitement lesquelles mais, au fil du texte, on peut en identifier certaines. Revenons donc sur quelques questions laissées en suspens, et d'abord celles qui visent le deuil, cette « maladie naturelle ». S'il est vrai que, dans la trilogie des affects et affections suscités par la perte, la mélancolie est au centre des préoccupations théorico-cliniques de Freud, il n'en demeure pas moins que *le deuil apparaît comme la « grande énigme »,* d'autant, peut-être, qu'il est « si naturel au profane qu'il le déclare évident ». Comment se fait-il que la fin du « deuil normal », qui a réussi à surmonter la perte de l'objet, ne soit pas marquée par une phase de triomphe, fût-elle discrète ? Nous comprenons mal les moyens économiques mis en œuvre dans le travail du deuil. Freud suppose seulement que la satisfaction narcissique qu'il peut y avoir à rester en vie permet de distendre le lien, tellement fort, de la libido à l'objet perdu – mais de façon si lente, si progressive, que l'énergie manque à la fin du travail. Certes... Mais alors, dans une situation encore plus aiguë et qui s'en prend au narcissisme, où la manie trouve-t-elle les ressources pour triompher ? Tant que nous n'aurons pas compris l'économie de la douleur, nous ne saurons répondre. « L'interdépendance et l'intrication des problèmes psychiques nous oblige à laisser inachevée chacune de nos recherches », en espérant que de nouveaux travaux pourront nous venir en aide, quitte à retrouver de nouvelles interrogations [1].

Celles-ci se manifestent d'abord à propos de la *douleur,* physique aussi bien que psychique, et elles ne recevront guère de réponses. Elles surgissent aussi lorsqu'on se demande *où* cela se passe : c'est *la question de la topique.* Il est certain que la mise en place des nouvelles instances a permis un grand progrès avec le recours au surmoi, mais cela ne va pas sans réinterroger le surmoi lui-même, et donc la

1. « Deuil et mélancolie » (1917e [1915]), *Métapsychologie,* Paris, Gallimard, 1968, p. 174 ; *OCF* XIII (2e éd.), p. 280 ; *GW* X, p. 446.

topique. En effet, l'un des grands acquis de la réflexion sur la mélancolie est que cette névrose narcissique résulte d'un conflit entre le moi et le surmoi, surmoi qui prend alors une dimension démoniaque, jusqu'à se découvrir comme « une pure culture de la pulsion de mort qui, en fait, réussit assez souvent à mener le moi à la mort »[1] – et ce, alors même qu'il devrait être « un modèle idéal pour ce que vise toute tendance du moi, à savoir la réconciliation de ses multiples allégeances »[2]. On a alors le sentiment que ce sont les bases mêmes de la topique qui vacillent avec ce surmoi aux facettes tellement contradictoires, montrant la mélancolie comme l'expression de son conflit avec le moi, dans les mêmes temps (ou presque) où est rappelé qu'il serait « tout à fait injustifié de se représenter le moi et le ça comme deux camps opposés », et idem « pour les rapports du moi au surmoi »[3]. Alors ? Cela pourrait bien refléter, dans la topique, les contradictions et les conflits dynamiques inhérents au complexe d'Œdipe. Après tout, celui-ci a pour héritier le surmoi qui résulte d'une identification au modèle paternel, père qui protège et qui rassure ; il a le caractère d'une désexualisation, voire d'une sublimation, mais celle-ci peut conduire à une désunion pulsionnelle : ainsi est retirée à la libido la force de lier la destruction, qui devient alors tendance à l'agression et à la destruction (remarquons-le, la pulsion de mort n'est pas ici nommée), et nous somme là dans la mélancolie[4]. Tout est présenté comme si, de fait, il y avait deux surmoi : un « bon » veillant à protéger le moi et les synthèses qu'il s'efforce de mettre en œuvre, et un « mauvais », démoniaque, cherchant à pousser le moi à la mort. Certes, on doit considérer que le surmoi est biface, tantôt l'un, tantôt l'autre, le plus souvent les deux en proportions variables. On n'en reste pas moins avec le sentiment que la mélancolie, ce deuil exacerbé où la perte ne vise plus tant l'objet que le moi lui-même, dans la violence même de ses oppositions, œuvre à une destruction de

1. *Le moi et le ça* (1923b), *Essais de psychanalyse,* Paris, Payot, 1981, p. 268 ; *OCF* XVI, p. 296 ; *GW* XIII, p. 283.

2. « Névrose et psychose » (1924b), *Névrose, psychose et perversion,* Paris, PUF, 1973, p. 285-286 ; *OCF* XVII, p. 6 ; *GW* XIII, p. 390.

3. *Inhibition, symptôme et angoisse* (1926d [1925]), Paris, PUF, 1951, p. 13 ; *OCF* XVII, p. 215 ; *GW* XIV, p. 124.

4. *Le moi et le ça* (1923b), *Essais de psychanalyse,* Paris, Payot, 1981, p. 270 ; *OCF* XVI, p. 298 ; *GW* XIII, p. 285.

l'organisation topique – et du fonctionnement économique ? Le plus étonnant est d'ailleurs que l'on puisse survivre à une mélancolie et, effectivement, on n'y survit pas toujours.

Parmi les énigmes qui perdurent, il en est une qui, sans doute, échappera toujours à la psychanalyse ; elle n'est pas de son champ mais ne l'en interroge pas moins : c'est celle d'*une organicité éventuelle*. Régulièrement, Freud évoque les ressemblances de certains symptômes, mélancoliques et maniaques, avec les effets toxiques de différentes hormones et de certaines drogues. Le problème tient à ce que, d'étiologie organique ou non, ces symptômes correspondent à des perturbations libidinales, et qu'il y a là quelque chose qu'on n'a « pas suffisamment exploité pour la théorie de la libido ».

Si le deuil n'est pas concerné par cette organicité (et là pourrait être une clef de ses différences « structurales » avec la mélancolie), il n'est pas à l'abri de nombre de ces questionnements. Non seulement sa douleur est mal comprise mais, une fois installée, pourquoi finit-elle par disparaître ? Qu'est-ce qui fait que, « normalement », le travail du deuil puisse s'achever ? Il semble bien que la lettre à Binswanger, sur laquelle nous avons conclu notre revue du *texte freudien,* renvoie à l'une de ces énigmes. Régulièrement donc, Freud indique qu'après un certain temps le deuil est achevé, mais sa propre expérience lui montre que, neuf ans étant passés, lui-même « reste toujours inconsolable, sans trouver de substitut ». Pourtant, ce deuil ne lui semble aucunement pathologique. Ce qu'il évoque alors est bien plus qu'une nostalgie ; il demeure, de fait, « inconsolable ». Tout demeure « autre », et cette « perpétuation » douloureuse de l'amour lui semble « bien » car elle permet, à défaut de conserver l'objet – ce que la réalité interdit – d'en maintenir l'amour, « amour qu'on ne veut abandonner à aucun prix ». De quoi s'agit-il ? Pas facile à dire. Il semble bien que Freud lui-même ne souhaitait guère, là-dessus, explorer plus loin le mécanisme de ses sentiments. Dans le fil de ces années de deuil, il a rédigé le chapitre consacré à l'angoisse, à la douleur, au deuil et à la nostalgie dans *Inhibition, symptôme et angoisse.* On garde l'impression d'une grande retenue, et l'on est frappé de ce que la sublimation, comme issue au deuil, n'y est pas évoquée, alors qu'elle peut venir à l'esprit à la lecture de la lettre à Binswanger. Serait-elle trop liée au surmoi et, par lui, au modèle paternel, comme il le redit encore dans *Le moi et le ça*[1] ?

1. *Ibidem,* p. 269-270 ; p. 297-298 ; p. 284-285.

L'immense douleur de la perte ne renvoie-t-elle pas à la détresse de la première rupture, celle de la naissance et, à sa suite, à celle qui survient lors de la découverte de l'absence possible de la mère ? Toutes ces références sont, elles aussi, éminemment freudiennes, et d'ailleurs évoquées dans le même ouvrage, comme le sont celles du surmoi identifié au père sublimé. Peut-être pouvons-nous imaginer que, dans la mélancolie comme dans le deuil, la douleur renvoie aux investissements maternels et la culpabilité aux paternels ? Cela n'est pas dit...

Claude Le Guen

MÉLANGE et DÉMÉLANGE (union et désunion) DES PULSIONS

all. : ***Mischung-Entmischung.*** – angl. : *fusion-defusion.* – esp. : *fusión-difusión.* – ital. : *fusione-defusione.* – port. : *fusão-defusão*

Le mélange, l'union des deux forces primitives, antagonistes et combinées, que sont l'Éros et la destruction, engendre les pulsions organiques qui agissent à l'intérieur du ça. Ce mélange se fait en proportions variables, ce qui rend ces pulsions méconnaissables. Leur séparation (désunion ou démélange) en est le complément nécessaire et inversé.

MISE EN SITUATION

*Notre définition ne fait que reprendre celle que Freud nous a livrée dans cette œuvre quasiment testamentaire qu'est l'*Abrégé de psychanalyse. *La notion de mélange est au cœur de la dernière théorie des pulsions, où il lui appartient de fonder les rapports entre Éros et pulsion de mort ; c'est dire qu'elle ne peut qu'en refléter les difficultés, voire les éventuelles apories – que Freud connaissait si bien, et dont il se plaignait. Cela peut s'illustrer des embarras qu'il rencontre pour apparier celles qui doivent pourtant se mélanger : ainsi, non seulement il ne trouve pas de nom satisfaisant pour, face à Éros, désigner l'« autre pulsion », mais pas plus, face à la libido, pour nommer* *l'énergie de la pulsion de mort*[1]*. Si les processus de séparation relèvent bien de la théorie pulsionnelle élaborée en 1920, ils ne furent pourtant conçus que trois ans plus tard.*

Les commentateurs français ont, comme subrepticement et sans doute à leur insu, imposé l'idée que les deux notions de mélange et de séparation des pulsions formeraient un couple[2]*. Pareille conjonction induit diverses représentations théoriques, et c'est bien ce qui fait problème car jamais Freud n'utilise ainsi les deux termes, jamais il ne les apparie comme il peut le faire, par exemple, pour « le couple d'opposé sadisme-masochisme » ou celui de « voyeurisme-exhibitionisme » qui correspondent à des pulsions partielles*[3]*, ou encore « l'opposition aimer-être aimé » qui renvoie à actif-passif*[4]*, ou amour-haine qui sous-tend l'Éros et la pulsion de mort*[5]*. Certes, il les associe, mais d'une façon que l'on pourrait qualifier à la fois de circonstancielle (« à cette union des pulsions correspondra sous certaines influences une désunion »*[6]*), et d'approximative (« dans les fonctions biologiques, les deux pulsions fondamentales sont antagonistes ou combinées »*[7]*). Freud ne les accouplera que fort tard, mais ce sera pour les extraire du champ de la biologie : « Par analogie avec le couple de nos pulsions fondamentales nous sommes entraînés, au-delà du domaine de la vie, jusqu'au couple d'opposés qui règne dans le monde anorganique : attraction et répulsion. »*[8] *Nous*

1. *Abrégé de psychanalyse* (1940a [1938]), Paris, PUF, 1985, p. 8-9 ; *OCF* XX, p. 238-239 ; *GW* XVII, p. 71-72.

2. Ainsi, le *Vocabulaire de la psychanalyse* de Laplanche et Pontalis désigne explicitement « le couple union-désunion », et *Traduire Freud,* introduction à la traduction française de *Sigmund Freud, œuvres complètes,* « le couple mixtion-démixtion » ; chacun fait d'ailleurs des deux mots accolés une entrée lexicale propre.

3. *Trois essais sur la théorie sexuelle* (1905d), Paris, Gallimard, 1987, p. 72 et 82 ; *OCF* VI, p. 93 et 101 ; *GW* V, p. 59 et 66.

4. *Métapsychologie* (1991d [1915-1917]), Paris, Gallimard, 1991, p. 35 ; *OCF* XIII, p. 180 ; *GW* X, p. 226.

5. *Au-delà du principe de plaisir* (1920g), *Essais de psychanalyse,* Paris, Payot, 1981, p. 101-102 ; *OCF* XV, p. 327 ; *GW* XIII, p. 57.

6. « Le problème économique du masochisme » (1924c), *Névrose, psychose et perversion,* Paris, PUF, 1973, p. 292 ; *OCF* XVII, p. 16 ; *GW* X, p. 376.

7. *Abrégé de psychanalyse* (1940a [1938]), Paris, PUF, 1985, p. 8-9 ; *OCF* XX, p. 238-239 ; *GW* XVII, p. 71-72.

8. *Ibidem.*

pensons donc qu'il convient de mettre en garde le lecteur qui, se voyant désigner un « couple » (union-désunion par exemple), peut être entraîné, tout naturellement, à l'assimiler à un « couple d'opposés » de la vulgate freudienne – ce qui, d'une certaine façon, serait un faux-sens.

Alors qu'en anglais, à la suite de James Strachey, fusion *et* defusion *sont très largement adoptés comme équivalents de* Mischung *et* Entmischung, *les traductions françaises ont varié : ce fut d'abord « intrication-désintrication » proposé en 1927 par la Commission linguistique de la Société psychanalytique de Paris, puis « union-désunion » retenu en 1967 dans le Vocabulaire de la psychanalyse de J. Laplanche et J.-B. Pontalis, enfin « mixtion-démixtion » préféré en 1989 par la Commission de terminologie des* Œuvres complètes de Freud, *sous la direction de J. Laplanche. Les premières propositions n'étaient pas sans inconvénients, car approximatives ; le terme de « mixtion » est effectivement plus proche de la notion directement impliquée par le* Mischung *allemand. Pourtant, lui non plus n'est pas sans défauts : mise à part sa fâcheuse homophonie, mixtion est un terme technique dont usaient les apothicaires pour désigner, de façon savante, leurs mixtures et compositions de drogues. Le mot français de « mélange », traduction usuelle et sans doute la plus fidèle de* Mischung, *n'a pas d'antonyme disponible pour traduire* Entmischung *et a donc été écarté. Pourtant, en français, « démixtion » n'existe pas plus que « démélange » : les deux sont des néologismes, aussi disgracieux l'un que l'autre. Dans nos citations, lorsque nous ne traduisons pas nous-mêmes, nous avons respecté les choix opérés par les traducteurs ; dans nos propres commentaires, et bien que convaincu que « séparation » serait sans doute le mot le plus pertinent, nous nous sommes résolu à user ici de « désunion » et de « démélange » afin de respecter l'antonymie voulue par Freud. L'un des problèmes tient pourtant à ce que* Entmischung *est lui-même un terme qu'il a fabriqué pour la circonstance, selon un procédé tout à fait usuel en allemand et qui n'engage pas le même forçage de la langue que la création d'un néologisme en français. Quoi qu'il en soit, le sens que lui attribue Freud est sans équivoque : il s'agit pour lui de poser que les pulsions mélangées peuvent être séparées, « démélangées » donc.*

Il importe pourtant de souligner que si ces termes n'avaient d'antonymes ni en allemand, ni en français, c'est pour l'excellente raison qu'ils ne correspondent à rien dans la langue et que, disons-le, ils n'ont littéralement pas de sens. On peut mêler et démêler, lier et délier, intriquer et désintriquer, unir puis désunir tout ce que l'on veut mais, pas plus en allemand qu'en français, on ne saurait, dans l'entendement commun, défaire (si ce n'est, et encore, par de complexes opérations chimiques) ce qui s'est trouvé mélangé. Par nature, un mélange ne saurait se « démélanger » : on ne peut séparer le café d'un café au lait ou, pour prendre un exemple sans doute plus pertinent, la nature même du mélange des races fait que tout « démétissage » est aussi impossible qu'impensable. C'est pourtant ce que Freud entend réaliser : pour ce faire, pour en venir à créer un mot désignant une action qui ne saurait exister, il avait un certain nombre de raisons fortes, propres à sa deuxième théorie des pulsions. Là est tout le problème posé par cette notion.

LE TEXTE FREUDIEN

L'idée de mélange et de démélange **n'apparaît véritablement qu'en 1923,** dans le cadre de la deuxième théorie des pulsions. Elle sera reprise régulièrement ensuite, avec seulement quelques aménagements, et relativement peu de nouveaux développements.

En **1910,** le mot *Entmischung* (que nous traduisons donc par « démélange ») apparaît assez curieusement et en dehors de tout mélange, dans une correspondance avec Oskar Pfister. Se référant à une « polarisation » (qui n'est pas précisée) dont lui aurait parlé celui-ci, il lui indique : « Chez moi cela s'appelle : désunion des opposés dans lesquels apparaissent le plus souvent nos pulsions. » Il propose alors une image qui, pour être inversée, n'en est pas moins assez voisine de celle du café au lait de notre introduction : « C'est comme si la cuisinière avait mis tout le sucre dans un coin de la pâte et tout le sel dans un autre. Naturellement le goût n'existe plus. » Et d'ajouter : « Un beau thème, qui est encore loin d'être élaboré à fond »[1] – et qui attendra plus de dix ans pour être enfin exploité.

1. *Correspondance de Sigmund Freud avec le pasteur Pfister* (1963 [1909-1939]), Paris, Gallimard, 1966, p. 78-79 (lettre du 19 juillet 1910).

Il est assez remarquable qu'en 1920 *Au-delà du principe de plaisir,* qui introduit la pulsion de mort face à l'Éros, ignore complètement le mélange de ces deux pulsions – et *a fortiori* leur démélange. Il faut attendre **1923** pour que deux textes introduisent et situent véritablement la notion.

Dans le premier, « "Psychanalyse" et "Théorie de la libido" », Freud entend montrer comment la psychanalyse se voit malgré tout **« contrainte, pour sa théorie des pulsions, de chercher appui auprès de la biologie ».** L'idée est que non seulement les pulsions érotiques et les pulsions de mort doivent se mélanger, s'allier chez tous les êtres vivants ; mais que leur séparation doit être également possible : « La vie serait faite des manifestations du conflit ou de l'interférence des deux sortes de pulsions », et Freud d'ajouter que toutes deux « seraient à l'œuvre dès la première émergence de la vie et travailleraient l'une contre l'autre »[1]. Remarquons ici que ce « travail l'une contre l'autre » s'avère différent d'un mélange, aconflictuel par nature ; la phrase précédente marque d'ailleurs la distinction en parlant « du conflit *ou* de l'interférence » entre pulsions.

C'est surtout dans *Le moi et le ça* (pourtant consacré pour l'essentiel à la nouvelle topique) que, quelques mois plus tard, est développée et précisée la relation entre les deux pulsions, laissant pourtant quelques questions en suspens. Dans ce travail, Freud abandonne la référence explicite au conflit, mais confirme celle à la biologie : chacune de ces deux pulsions correspondrait à un processus physiologique particulier de construction et de démolition, **« dans chaque morceau de substance vivante seraient actives les deux sortes de pulsions »**, mais elles le seraient selon un mélange aux proportions variables, de sorte qu'une substance pourrait avoir à représenter l'Éros de façon dominante (on peut penser que Freud vise ici le « morceau » sexuel). Il est encore impossible de dire comment ces pulsions se mélangent, mais cela doit s'être produit régulièrement et à grande échelle ; la réunion d'organismes unicellulaires en pluricellulaires aurait neutralisé la pulsion de mort de la cellule unique, dérivé vers

1. « "Psychanalyse" et "Théorie de la libido" » (1923a), *Résultats, idées, problèmes, II,* Paris, PUF, 1984, p. 77 ; *OCF* XVI, p. 208 ; *GW* X, p. 233.

l'extérieur les motions de destruction par cet organe particulier qu'est la musculature. À partir de ce moment, la pulsion de mort va se manifester, de façon sans doute partielle, « sous la forme de *pulsion de destruction* », tournée vers l'extérieur. Si l'on admet la possibilité d'un mélange, d'une union des pulsions, il faut envisager celle de leur séparation, fût-elle plus ou moins complète. Un « exemple classique », bien que partiel, en serait le *sadisme* lorsqu'il devient indépendant en prenant la forme d'une perversion ; mais il faut reconnaître que « la pulsion de destruction est régulièrement mise au service de l'Éros à des fins de décharge ». L'attaque épileptique pourrait témoigner de cette désunion, comme d'ailleurs bien des névroses graves dans lesquelles la pulsion de mort peut prendre une place prépondérante. En généralisant, on pourrait supposer que **toute régression repose sur une séparation pulsionnelle, et que tout progrès dépend d'un apport de composantes érotiques.** L'ambivalence elle-même pourrait résulter d'une telle désunion, quoi qu'elle soit plutôt « à considérer comme une union pulsionnelle qui n'est pas accomplie » [1].

Pourtant, la différenciation entre les deux pulsions paraît incertaine, et « **des faits provenant de l'analyse clinique pourraient venir en révoquer la prétention** ». Ainsi de l'hypothèse d'une transformation de l'amour en haine (ou inversement) que constate la clinique des névroses car, « si cette transformation est plus qu'une simple succession temporelle, donc un relais, alors évidement le sol vient à manquer pour une différenciation aussi fondamentale que celle entre pulsions érotiques et de mort, qui présuppose des processus physiologiques aux cours opposées » [2]. Dans la paranoïa, par exemple, la défense contre un lien homosexuel trop fort aboutit à créer un persécuteur haï. Dans la genèse des sentiments sociaux désexualisés, nous pouvons retrouver des rivalités agressives qui, lorsqu'elles sont surmontées, aboutissent à ce que « l'objet précédemment haï devient l'objet aimé, ou l'objet *(Gegenstand)* d'une identification ». Y a-t-il là transposition directe de la haine en amour, puisqu'il s'agit de

1. *Le moi et le ça* (1923b), *Essais de psychanalyse*, Paris, Payot, 1981, p. 254-255 ; *OCF* XVI, p. 284-285 ; *GW* XIII, p. 270.

2. *Ibidem*, p. 256 ; p. 285-286 ; p. 271.

« changements purement internes », parfaitement indépendants d'un changement quelconque de l'objet ? On peut aussi penser qu'une ambivalence existe dès le début, que la transformation s'opère par déplacement, de l'énergie étant retirée à la motion érotique et apportée à la motion hostile. Quelque chose d'analogue survient lorsque la rivalité hostile, ne pouvant se satisfaire, est relayée par une attitude aimante et conduit à l'homosexualité. Dans chacun de ces cas, l'hypothèse d'une transformation directe de la haine en amour n'est pas nécessaire ; elle doit surtout être écartée car elle serait « inconciliable avec le caractère qualitativement différent des deux espèces de pulsions ».

En revanche, s'impose l'hypothèse que **doit exister, dans le moi ou dans le ça, « une énergie déplaçable qui, en soi indifférente, peut s'ajouter à une motion qualitativement différenciée, érotique ou destructive, et élever son niveau d'investissement global** » ; et Freud d'ajouter qu'il ne saurait se passer d'une telle hypothèse. Pourtant, elle ne va pas sans poser quelques questions, tant par rapport à la dualité des pulsions qu'à la spécificité propre de leur énergie – sans compter celle de savoir ce qui peut se mélanger, dans ce cas d'un ajout quantitatif à du qualitatif, d'une énergie indifférente à une autre différenciée ? Cela montre combien « le problème de la qualité des motions pulsionnelles et de leur conservation à travers les différents destins pulsionnels est encore très obscur ». Il n'est à peu près clair que pour les seules pulsions partielles qui peuvent, à l'occasion, communiquer, se renforcer entre elles, se substituer l'une à l'autre.

Il faut, pour aller plus loin, avancer d'autres hypothèses. On peut ainsi penser que **cette énergie déplaçable et indifférente provient sans doute « de la réserve de libido narcissique,** et est donc de l'Éros désexualisé » ; elle doit alors être au service du plaisir, évitant stase et décharge, décharge qui est elle-même indifférente. Nous le savons, ce trait caractérise le ça qui, dans les investissements érotiques, témoigne d'une indifférence particulière à l'égard de l'objet, « tout particulièrement dans les transferts au cours de l'analyse qui doivent nécessairement s'accomplir, indifféremment sur une personne ou une autre » (le travail du rêve offre la même laxité dans les déplacements du processus primaire). Cette énergie de déplacement indifférente, cette libido désexualisée peut aussi être dite *sublimée,* car elle s'en tient, « encore et toujours, à **la visée principale de l'Éros, unir et lier, en servant à l'instauration de cet ensemble unitaire par lequel – ou par l'aspiration auquel – se caractérise le moi** » – auquel nous ramène l'énergie déplaçable indifférente, dont les processus d'investissement évoquent ceux du ça[1].

À la suite, Freud ne peut que refaire le constat que, « encore et toujours, *les motions pulsionnelles dont nous pouvons suivre la trace, se révèlent être des rejetons de l'Éros* ». Il devient difficile de maintenir la thèse dualiste (que menaçait déjà la notion d'une seule énergie indifférente) ; pour le faire, il faut poser que « les pulsions de mort sont pour l'essentiel muettes et que le bruit de la vie provient surtout de l'Éros »[2]. Nous retrouvons donc le conflit… Mais alors l'union, le mélange ? Celui-ci, nous allons le retrouver (avec son contraire) à propos de la désexualisation et la sublimation, telles qu'elles caractérisent le surmoi né d'une identification au modèle paternel, dans laquelle semble se produire aussi une désunion pulsionnelle. Après la sublimation, la part érotique « n'a plus la force de lier la totalité de la destruction qui s'y adjoignait » et qui, du coup, devient libre et se manifeste en tant que tendance à l'agression et à la destruction ; de cette désunion, l'idéal du moi « tirerait son trait de dureté et de cruauté, celui du devoir impératif ». La névrose obsessionnelle nous montre que « la désunion de l'amour avec l'agressivité ne s'est pas produite par une action du moi » ; il y a fallu une régression accomplie dans le ça[3].

L'année suivante (1924), « Le problème économique du masochisme » confirme *Le moi et le ça*, la physiologie s'avérant finalement sans utilité pour **comprendre « le domptage de la pulsion de mort par la libido »**. La seule hypothèse qui tienne demeure celle d'un mélange entre les pulsions, amalgame à proportions variables, au point que doit être écartée l'idée de pulsions de vie et de mort à l'état pur ; n'en est pas moins maintenue l'idée que leur mélange doit pouvoir s'inverser. On ne saurait dire « quelle est l'importance des

1. *Ibidem*, p. 257-259 ; p. 286-288 ; p. 273-274.
2. *Ibidem*, p. 260 ; p. 289 ; p. 275.
3. *Ibidem*, p. 270 ; p. 297-298 ; p. 284-285.

éléments des pulsions de mort qui échappent à ce domptage accompli par liaison à des rapports libidinaux ».

Le mélange des deux pulsions, si important pour la vie, se serait accompli lors d'une phase de formation durant laquelle la plus grande part du sadisme originaire s'est déplacé sur les objets extérieurs, laissant à l'intérieur, comme résidu, le masochisme proprement dit, érogène, dont une part contribue maintenant à la libido, et une autre prend l'individu pour objet. Ce masochisme serait donc « un témoin et un vestige » de cette phase, si bien qu'il serait possible de dire, au prix d'une certaine inexactitude, que, **dans l'organisme, la pulsion de mort serait identique au masochisme**[1]. Le masochisme moral, avec son sentiment de culpabilité inconscient et le retournement du sadisme contre la personne propre, témoigne du mélange pulsionnel. Il est dangereux car lui aussi s'origine dans la pulsion de mort et « il correspond à la partie de celle-ci qui a évité d'être tournée vers l'extérieur sous forme de destruction » ; il n'en a pas moins, aussi, une composante érotique, car « même l'autodestruction de la personne ne peut se produire sans satisfaction libidinale »[2].

Mentionné dans « La négation » (1925)[3], le démélange des pulsions sera confirmé en **1926** dans *Inhibition, symptôme et angoisse* comme **explication métapsychologique de la régression** : elle tiendrait au fait « que les composantes érotiques qui étaient venues s'ajouter, avec le début de la phase génitale, aux investissements destructifs de la phase sadique, s'en voient séparées »[4]. Là encore, la névrose obsessionnelle en fournit un exemple : « Le surmoi, qui tire son origine du ça, ne saurait se soustraire à la régression et à la désintrication des pulsions qui y sont intervenues. »[5]

1. « Le problème économique du masochisme » (1924c), *Névrose, psychose et perversion,* Paris, PUF, 1973, p. 292 ; *OCF* XVII, p. 16 ; *GW* XIII, p. 376.

2. *Ibidem,* p. 297 ; p. 23 ; p. 383.

3. « La négation » (1925h), *Résultats, idées, problèmes, II,* Paris, PUF, 1984, p. 139 ; *OCF* XVII, p. 171 ; *GW* XIV, p. 15.

4. *Inhibition, symptôme et angoisse* (1926d [1925]), Paris, PUF, 1951, p. 34-35 ; *OCF* XVII, p. 231 ; *GW* XIV, p. 143.

5. *Ibidem,* p. 36 ; p. 233 ; p. 145.

C'est encore une fois le couple *sadisme-masochisme* qui va soutenir la réflexion dans *Malaise dans la civilisation* (**1929-1930**), ouvrage « social » qui donne à Freud l'occasion d'**expliquer, justifier comment il en est venu à la notion d'un mélange nécessaire des pulsions.** Les manifestations d'Éros étaient assez évidentes, et celles de la pulsion de mort suffisamment discrètes, pour laisser penser que celle-ci travaillait silencieusement à la destruction de l'être. Mais ce n'était là qu'une hypothèse. « L'idée qu'une part de la pulsion se tourne contre le monde extérieur et se fait jour alors comme pulsion à l'agression et à la destruction », mena plus loin : elle se mettrait ainsi au service d'Éros puisqu'au lieu de sa propre personne elle anéantirait quelque chose d'extérieur ; du coup, sa répression intensifierait l'autodestruction. Ceci suggérait que les deux pulsions ne sauraient être isolées l'une de l'autre, qu'elles « s'allient l'une avec l'autre selon des mélanges divers aux proportions très variables et se rendent ainsi méconnaissables à notre jugement ». Le sadisme comme le masochisme, ces pulsions partielles, seraient de ces alliages ; dans leurs cas, la liaison de la destruction avec la sexualité, qui n'est habituellement pas perceptible, deviendrait tangible. Freud peut alors, « en gros », proposer sa nouvelle façon de voir : « **À chaque manifestation pulsionnelle participe de la libido, mais en elle tout n'est pas libido.** »

Ces conceptions lui apparaissent « incomparablement plus utilisables que n'importe quelles autres [car] elles instaurent cette simplification qui ne néglige ni ne viole les faits, à laquelle nous aspirons dans le travail scientifique ». Il maintient pourtant que **ce n'est là qu'une hypothèse** qui, reposant pour l'essentiel sur des raisons théoriques, n'est pas à l'abri d'objections théoriques. Nous ne faisons que deviner cette pulsion de destruction « comme un reliquat » derrière l'Éros, sans lequel elle se dérobe ; c'est déjà clair dans le sadisme, mais même dans les rages de destruction aveugle, on peut reconnaître la satisfaction, « connectée à une jouissance narcissique extraordinairement élevée, du fait qu'elle fait voir au moi ses anciens souhaits de toute-puissance accomplis ». Lorsqu'elle est domptée, inhibée quant au but, la pulsion de destruction « procure au moi la satisfaction de ses besoins vitaux et la domination sur la nature » ; elle nous aide ainsi à comprendre le sens du développement de la culture qui nous montre « le combat entre Éros et Mort tel qu'il se déroule au niveau de l'espèce humaine » [1].

En **1933,** dans les *Nouvelles conférences sur la psychanalyse,* sadisme et masochisme sont à nouveau désignés comme d'excellents exemples du mélange de l'Éros avec l'agressivité. Ce rapport serait même exemplaire : **toutes les motions pulsionnelles que nous pouvons étudier consistent en de tels mélanges ;** les proportions en sont des plus variées, la diversité émanant des pulsions érotiques, les agressives n'admettant que des atténuations. Ces mélanges peuvent aussi se désagréger, de telles désunions de pulsions ayant généralement les plus graves conséquences [2].

En **1938,** dans l'*Abrégé de psychanalyse,* Freud entend poser, brièvement, un point final à la question. Il repart des fonctions biologiques dans lesquels « **les deux pulsions fondamentales sont antagonistes ou combinées** » (manger détruit l'objet pour se l'incorporer, et l'acte sexuel est une agression pour s'unir) – c'est bien là ce qui confère à la vie toute sa diversité. Au-delà de celle-ci, le couple de nos pulsions fondamentales nous mène à la paire d'opposés du monde anorganique : attraction et répulsion. Les modifications survenant dans les proportions de chaque pulsion ont des retentissements des plus évidents ; trop d'agressivité sexuelle fait d'un amoureux un meurtrier sadique, et si elle manque il devient timide ou impuissant.

Freud retrace alors l'*histoire pulsionnelle :* au tout début, le moi-ça, encore indifférencié, contient toute l'énergie d'Éros, la *libido* qui neutralise les tendances destructrices également présentes ; ensuite, ses destins sont assez faciles à reconnaître, au contraire de ceux de la pulsion de destruction (pour qualifier celle-ci on ne dispose pas d'un terme analogue à celui de « libido ») qui, *lorsqu'elle agit intérieurement* (ce qui est dans la nature même d'une pulsion) en tant que pulsion de mort, reste muette et ne se révèle que lorsque, en tant que pulsion de destruction, elle se tourne vers l'extérieur grâce au système musculaire. *Vers l'intérieur :* **lorsque s'instaure le surmoi, elle vient**

1. *Malaise dans la civilisation* (1930a [1929]), Paris, PUF, 1971, p. 74-78 ; *OCF* XVIII, p. 305-309 ; *GW* XIV, p. 478-481.

2. *Nouvelles conférences d'introduction à la psychanalyse* (1933a [1932]), Paris, Gallimard, 1984, p. 141 ; *OCF* XIX, p. 188 ; *GW* XV, p. 112.

largement se fixer dans le moi, et s'y fait autodestructrice ; tel est le danger qu'apporte la civilisation : « réfréner son agressivité est en général malsain et pathogène », l'agressivité entravée pouvant se transformer en autodestruction. Une fraction de celle-ci demeure à l'intérieur de l'individu jusqu'à le tuer : « Il nous est ainsi permis de supposer que l'individu meurt de ses conflits internes, tandis que l'espèce, au contraire, succombe après une lutte malheureuse contre le monde extérieur, lorsque ce dernier se modifie de telle façon que les adaptations acquises ne suffisent plus. » [1]

Le « *ça* ténébreux » est le noyau de notre psychisme, ne pouvant communiquer avec l'extérieur que par l'entremise du moi. Freud termine en soulignant l'antériorité des deux forces primitives, Éros et son antagoniste, par rapport aux pulsions, fussent-elles organiques. D'ailleurs, elles les génèrent : « **Les *pulsions* organiques agissent à l'intérieur du *ça* et résultent elles-mêmes de l'union en proportions variables de deux forces primitives : l'Éros et la Destruction** » ; par leur relation avec les organes, elles se différencient, leur seul but étant de se satisfaire en modifiant ces organes, modifications qu'elles obtiennent grâce à l'aide d'objets extérieurs[2]. C'est sans doute, là encore, resituer l'humain comme participant de la société, de la nature et de l'univers, au travers de ces forces universelles que sont l'attraction et la répulsion – c'est ce qui nous a d'ailleurs conduit à reprendre ce commentaire dans notre propre définition.

QUESTIONS ET ENJEUX

Dans cet ouvrage ultime, nous venons de le voir, Freud fait la synthèse de ses idées sur le mélange pulsionnel. On peut *résumer ce résumé :* dès l'état initial du moi-ça indifférencié, la libido neutralise les tendances destructrices ; elle va continuer à le faire tout au long de

1. *Abrégé de psychanalyse* (1940a [1938]), Paris, PUF, 1985, p. 8-10 ; *OCF* XX, p. 238-240 ; *GW* XVII, p. 71-73.

2. *Ibidem*, p. 72 ; p. 295 ; p. 128.

la vie, liant une pulsion de mort qui, en tant que telle, reste muette, ne se manifestant qu'en devenant pulsion de destruction tournée vers l'extérieur, ce qui aboutit de fait à la mettre au service de la conservation de la vie ; mais la libido finit par s'épuiser et la destruction peut s'en prendre à l'individu, jusqu'à le tuer – la mort réelle étant le seul moment où la pulsion de mort est manifeste, se détruisant alors elle-même. Qu'y a-t-il avant ?

Nous retrouvons la phrase, quelque peu sibylline, qui conclut notre revue du texte freudien, selon laquelle *les deux forces primitives que sont l'Éros et la Destruction, en s'unissant en proportions variables, engendrent les pulsions organiques qui agissent dans le ça.* Freud poursuit en précisant que celles-ci se spécifient par leurs relations aux organes qu'elles modifient en usant d'objets extérieurs. Éros et Destruction sont là des « forces primitives » générant les pulsions ; leur union, leur mélange serait donc antérieur aux pulsions proprement dites. C'est sans doute ainsi que l'on peut être « entraîné, au-delà du domaine de la vie, jusqu'à la paire d'opposés qui règne dans le monde anorganique : attraction et répulsion » – ce qui, remarquons-le, nous fait passer de la nomination d'un état (mélange ou séparation) à l'indication d'un mouvement.

En deçà, à travers le mélange et le démélange des pulsions, Freud nous a mené du début de la vie de l'individu jusqu'à sa mort, dans un raccourci éclairant. Pourtant, *quelques problèmes subsistent* car, dans la mesure où il doit en fonder les rapports, ce processus reflète toutes les difficultés et contradictions du couple Éros-pulsion de mort. De la prospection pour établir la théorie des pulsions, Freud connaissait les tâtonnements laborieux et se souciait de ses obscurités[1] ; le recours au mélange, avancé pour la première fois dans *Le moi et le ça,* tentait de proposer des solutions, sans pour autant rendre caduque la constatation, faite dans le même ouvrage, que « la distinction des deux espèces de pulsions paraît insuffisamment assurée »[2].

Comme nous l'avons signalé en introduisant cet article, *le lexique témoigne déjà de la difficulté,* conduisant Freud à fabriquer un terme,

1. Cf., par exemple : *Inhibition, symptôme et angoisse* (1926d [1925]), Paris, PUF, 1951, p. 48 ; *OCF* XVII, p. 241 ; *GW* XIV, p. 155 ; ou *Malaise dans la civilisation* (1930a [1929]), Paris, PUF, 1971, *OCF* XVIII, p. 71 ; p. 303 ; *GW* XIV, p. 476.

2. *Le moi et le ça* (1923b), *Essais de psychanalyse,* Paris, Payot, 1981, p. 254-256 ; *OCF* XVI, p. 284-285 ; *GW* XIII, p. 269-270.

Entmischung, qui pose problème dans la mesure où « mélanger » n'est pas simplement relier, associer des éléments qui restent distincts mais, nous disent les dictionnaires, consiste à « unir des choses différentes de manière à former un ensemble, un tout » ; dans un « tout » véritable, en principe, on ne saurait reconnaître de fractions distinctes, ou alors ce n'est qu'un assemblage, une addition de parties. Aussi, lorsque Freud postule comme une évidence qu'un mélange implique la possibilité d'un « démélange » avec lequel on retrouve chacun des constituants (le mélange fût-il incomplet)[1], il force non seulement la sémantique, mais surtout la rigueur scientifique. S'il s'y décide, c'est qu'il en a besoin pour des *raisons théoriques et méthodologiques* : il perçoit comme impératif de pouvoir maintenir le « dualisme fondamental », pilier de la théorie psychanalytique, qui impose non seulement d'identifier deux pulsions, mais aussi de les faire travailler ensemble – ce qui, remarquons-le, suppose un processus en cours (telle la liaison), et non un état (comme l'est une union, un mélange) ; en instituant un démélange, Freud change de paramètres, et même de référent épistémologique. C'est que, pour lui, chaque pulsion doit toujours être, en principe, identifiable, fût-elle « muette », c'est-à-dire non repérable. Il ne saurait donc y avoir de « fusion » qui aboutirait à ce qu'il n'y ait plus qu'une seule pulsion : ça doit donc pouvoir se séparer. Il tient d'autant plus à réaffirmer son postulat dualiste fondamental[2] que, « encore et toujours nous nous apercevons que les motions pulsionnelles dont nous pouvons suivre la trace se révèlent être des rejetons de l'Éros ». Ajoutons que l'on pourrait dire, pareillement, que partout et toujours nous voyons à l'œuvre la liaison et la déliaison, le mélange et le démélange demeurant obscur. Les pulsions doivent donc demeurer « deux », ce qui impose que puisse être défait le « tout » que produit le mélange : d'où la nécessité de poser un « démélange ». Celui-ci est nommé, finalement, pour justifier la mort. Nous aboutissons alors à quelque chose d'assez paradoxal puisque, ce faisant, le démélange fait disparaître la pulsion de mort elle-même, à peine révélée ; le mélange était la vie. Il n'y a donc pas de véritable opposition entre le mélange, qui mêle la pulsion de vie et la pulsion de mort et non pas la vie et la mort, et le démélange qui, par

1. *Ibidem*.
2. *Ibidem*, p. 260 ; p. 289 ; p. 275.

disparition du mélange, n'est plus en rien affaire de pulsions mais s'avère être la mort, toute simple. Le lexique avait raison : il n'y a pas d'antonyme à mélange. Ainsi, comme nous l'avions souligné d'entrée et contrairement peut-être aux apparences, le mélange-démélange n'est pas une union des contraires, ça ne fonctionne pas comme un couple d'opposés.

En revanche, il semble bien que nous ayons là affaire à une *série complémentaire*. Régulièrement, Freud désigne le mélange comme étant « à proportions variables »[1] : il n'y a « pas de motions pulsionnelles pures, mais des alliages des deux pulsions dans des proportions diverses »[2] ; dans ces mélanges « les rapports sont les plus variés », et eux-mêmes varient[3]. Il est clair que ceci relève de l'économique. Cela ne saurait être sans conséquences et « toute modification dans la proportion des pulsions unies l'une à l'autre a les retentissements les plus évidents »[4], au point d'aller jusqu'au moment où l'accroissement quantitatif va susciter un changement qualitatif : la vie aboutit alors à la mort lorsque, la libido étant entièrement épuisée, la fraction de destruction réussit enfin à tuer l'individu[5].

Mais, ceci posé, dans ce que nous décrit Freud, *s'agit-il véritablement d'un mélange, d'un tout* ? S'il est aisé de comprendre qu'au départ les proportions entre pulsions puissent être en proportions variables, il peut être surprenant de les voir ensuite fluctuer : la question se pose de savoir ce qui les fait ainsi changer ? C'est pour répondre à cette question, à partir de l'exemple des transformations entre haine et amour, « de l'énergie étant retirée à la motion érotique et apportée à la motion hostile », que Freud pose l'existence d'une énergie déplaçable, indifférente, qui viendrait s'ajouter à une motion érotique ou destructive. Son

1. *Ibidem*. Cf. aussi : « Le problème économique du masochisme » (1924c), *Névrose, psychose et perversion*, Paris, PUF, 1973, p. 292 ; *OCF* XVII, p. 16 ; *GW* XIII, p. 377.

2. *Inhibition, symptôme et angoisse* (1926d [1925]), Paris, PUF, 1951, p. 48 ; *OCF* XVII, p. 241 ; *GW* XIV, p. 155.

3. *Nouvelles conférences d'introduction à la psychanalyse* (1933a [1932]), Paris, Gallimard, 1984, p. 141 ; *OCF* XIX, p. 187 ; *GW* XV, p. 111. Cf. aussi *Abrégé de psychanalyse* (1940a [1938]), Paris, PUF, 1985, p. 72.

4. *Abrégé de psychanalyse* (1940a [1938]), Paris, PUF, 1985, p. 8 ; *OCF* XX, p. 238 ; *GW* XVII, p. 71.

5. *Ibidem*, p. 10 ; p. 240 ; p. 73.

statut pose problème car on peut se demander si cela ne tendrait pas à en venir à une seule énergie, indifférente, qui se spécifierait ensuite avec la motion choisie ? Voilà qui flirterait dangereusement avec le monisme… Freud ne pose pas la question mais fait l'hypothèse que cette énergie « provient de la réserve de libido narcissique, et est donc de l'Éros désexualisé » (autrement dit « sublimé ») qui, pour autant, n'en persiste pas moins à unir et à lier [1] – ce qui revient à considérer que, toute indifférente qu'elle soit, elle s'ajoute pour l'essentiel à la seule motion érotique. Qui plus est, cette diversité, telle qu'elle caractérise le mélange pulsionnel, « émanerait des pulsions érotiques, les agressives n'admettant que des atténuations » [2]. Et c'est là, encore et toujours, le triomphe d'Éros, tout au moins jusqu'à ce qu'il s'épuise. Mais n'est-ce pas aussi ce qu'implique l'idée que s'accomplit régulièrement un « domptage de la pulsion de mort » par liaison libidinale ? [3]

« Unir et lier », nous dit Freud pour définir l'Éros, dès *Au-delà du principe de plaisir*. Ce disant, n'assimile-t-il pas le processus d'union à celui de liaison ? Y aurait-il alors une équivalence entre mélange-démélange et liaison-déliaison ? Comme ce n'est nullement ce qu'il dit, il ne nous reste plus qu'à nous demander ce qui peut différencier les deux notions ? Tout au long de la vie, Éros vient lier libidinalement des éléments des pulsions de mort, même si on ne saurait dire les parts qui « échappent à ce domptage » [4] ; et il en va ainsi jusqu'à ce que, s'épuisant, la libido ne parvienne plus à lier la pulsion de destruction, qui s'en trouve donc déliée : c'est le triomphe de la mort [5]. Dans tout cela, soulignons-le, il n'est nul besoin de postuler un mélange des pulsions puisque, à chaque fois, c'est une liaison-déliaison qui est à l'œuvre. Visant d'abord à maîtriser l'excitation, la liaison existe par les formations psychiques qu'elle investit : les symptômes et autres rejetons du refoulé, les représentations et les souvenirs, les objets et

1. *Le moi et le ça* (1923b), *Essais de psychanalyse,* Paris, Payot, 1981, p. 258-259 ; *OCF* XVI, p. 287-288 ; *GW* XIII, p. 273.

2. *Nouvelles conférences d'introduction à la psychanalyse* (1933a [1932]), Paris, Gallimard, 1984, p. 141 ; *OCF* XIX, p. 187 ; *GW* XV, p. 111.

3. « Le problème économique du masochisme » (1924c), *Névrose, psychose et perversion,* Paris, PUF, 1973, p. 292 ; *OCF* XVII, p. 16 ; *GW* XIII, p. 377.

4. *Ibidem.*

5. *Abrégé de psychanalyse* (1940a [1938]), Paris, PUF, 1985, p. 10 ; *OCF* XX, p. 238 ; *GW* XVII, p. 72.

tout ce qui constitue le moi, moi qu'elle a d'ailleurs produit. Agent d'Éros, la liaison agit. Elle établit ces rapports au monde que ne saurait prendre en compte le mélange, car il ne peut concerner que les rapports à l'intérieur de la monade biologique, au plus profond du « ça ténébreux ». Ce faisant, la liaison se situe dans le quantitatif, et le représente ; en revanche, mélange et démélange, qualifiant un état, relèvent du qualitatif. C'est sans doute ce qui fait que, si liaison-déliaison forment bien un couple d'opposés et que leur appariement s'en trouve pleinement justifié, mélange et démélange ne sont qu'une série complémentaire, qu'il n'y a pas véritablement lieu de les opposer. On doit alors se demander si ces deux notions ne feraient pas que représenter deux points de vue pour aborder la pulsion ? Mais, si on accepte ceci, il faudra se demander comment peut alors se situer le dualisme, dont Freud ne saurait se passer...

Nous ne saurions terminer sans mentionner le *conflit,* d'autant que la liaison l'implique directement. Or celui-ci apparaît comme antinomique de l'idée d'un mélange, d'une union. Là encore, Freud entretient l'ambiguïté : dès 1923 en situant explicitement le conflit entre les deux sortes de pulsions dès l'émergence de la vie[1], jusqu'en 1938 où il finit par conclure que « l'individu meurt de ses conflits internes », référant alors les deux pulsions[2]. Là encore il laisse régner l'incertitude puisque, si « la vie elle-même serait un combat et un compromis entre ces deux tendances », les deux pulsions, en convergeant pour atteindre la paix de la mort, « tendent à la restauration d'un état perturbé par l'apparition de la vie ». Mais n'est-ce pas ce qu'il conclut en 1938 en disant que « les deux pulsions fondamentales sont antagonistes *ou* combinées » ? S'il est clair qu'on aboutit à une identification du conflit à l'Éros, on est beaucoup plus embarrassé pour savoir s'il ne faudrait pas alors assimiler le mélange pulsionnel à la pulsion de mort (et non pas à celle de destruction qui, elle, « est régulièrement mise au service de l'Éros à des fins de décharge »)[3], ce qui serait un autre paradoxe.

1. « "Psychanalyse" et "Théorie de la libido" » (1923a), *Résultats, idées, problèmes, II,* Paris, PUF, 1985, p. 77 ; *OCF* XVI, p. 208 ; *GW* X, p. 233.

2. *Abrégé de psychanalyse* (1940a [1938]), Paris, PUF, 1967, p. 10 ; *OCF* XX, p. 238-239 ; *GW* XVII, p. 71-72.

3. *Le moi et le ça* (1923b), *Essais de psychanalyse,* Paris, Payot, 1981, p. 254 ; *OCF* XVI, p. 284 ; *GW* XIII, p. 269.

Même si Freud entendait ignorer ce genre de questions, nous ne pouvons éviter de nous demander si mélange et démélange sont vraiment à considérer comme *concepts métapsychologiques* ? Ces deux notions sont placées là pour marquer la nature des deux pulsions, certes, mais aussi et surtout pour fixer leur destinée. On pourrait presque alors qualifier cette notion de « métaphysique », tant ce destin vise aussi à qualifier, au-delà de la métapsychologie du psychisme de l'homme, toute sa culture, et jusqu'au monde anorganique tel qu'il peut l'interpréter.

Claude Le Guen

Mémoire → Oubli

MÉTAPSYCHOLOGIE
(les trois points de vue : dynamique, topique, économique)

all. : ***Metapsychologie.*** – angl. : *metapsychology.* – esp., ital., port. : *metapsicologia*

Nous sommes là confronté à une question de présentation et d'organisation du texte. En effet, si historiquement les trois « points de vue » sont d'abord apparus séparément, la métapsychologie non seulement les regroupe mais ne se définit, n'existe – comme en après-coup – que par eux. En outre, elle tend à en dépasser le cadre. Il serait alors trop artificiel de séparer les quatre notions en quatre entrées distantes suivant l'ordre alphabétique, puisqu'elles se complètent dans des renvois réciproques.

Nous traiterons de la Métapsychologie en premier (même si elle est historiquement la dernière apparue) car elle subsume les trois facteurs que sont les points de vue dynamique, topique et économique. Nous les classons dans cet ordre car si, pour chacun, l'idée est présente d'emblée dans le texte freudien, la dynamique s'impose d'abord comme la référence majeure (ce qui tient à la nature foncièrement énergétique de la psychanalyse freudienne), la topique la suit comme naturellement en situant les lieux psychiques, l'économique ne prenant toute son importance que lorsqu'elle vient rejoindre les deux autres pour fonder la métapsychologie. Leur interdépendance est telle que l'on pourrait se demander s'il ne conviendrait pas de les traiter comme un tout. Nous avons écarté cette option car chacun des points de vue possède ses traits propres et, ponctuellement, est d'ailleurs souvent pris seul en compte.

Ceci nous a conduit à un bref chapitre introductif, intitulé « Les trois points de vue », pour tenter de mettre en place leurs relations, tant entre eux qu'avec la métapsychologie. Ceci posé, nous aurions pu également intégrer ici une entrée « Énergétique »...

I – LA MÉTAPSYCHOLOGIE

La métapsychologie entend clarifier et approfondir les hypothèses théoriques sur lesquelles un système psychanalytique peut être fondé. Pour ce faire, elle doit décrire et apprécier chaque processus psychique sous les rapports et en fonction des trois coordonnées de la dynamique, de la topique et de l'économique, ce qui n'est encore réalisable que sur quelques points. Un tel mode d'exposition est pourtant le plus complet que la psychanalyse puisse nous représenter. Il serait l'objectif ultime auquel on puisse parvenir, même s'il est malheureusement difficile à atteindre, car les informations de la « sorcière métapsychologique » ne sont chaque fois ni très claires, ni très explicites. Il est pourtant indispensable de spéculer, théoriser, voire fantasmer métapsychologiquement. La métapsychologie est une superstructure spéculative ; c'est dire que chaque élément peut en être abandonné ou modifié.

MISE EN SITUATION

En lui-même, le terme ne devrait pas poser de problème de traduction ou de sémantique dans la mesure où il est une création de Freud. Pourtant, après lui, son utilisation s'avère plus ou moins extensive selon les auteurs. En ajoutant le préfixe « méta- » à « psychologie », Freud entendait signifier que sa construction théorique va

« au-delà » de la psychologie classique ou, plus précisément, qu'elle va « plus profond » ; mais il vise tout autant la métaphysique, entendant la subordonner à la psychologie. Surtout, par le recours à ce néologisme, il revendique un statut rigoureux pour la théorie propre à la nouvelle « science psychanalytique » ; il ne saurait suffire d'émettre une formulation théorisante à propos d'une description phénoménologique pour aboutir à une représentation métapsychologique.

Les psychologies de la conscience sont les premières visées, l'intention étant d'affirmer la problématique de la connaissance de l'inconscient avec ses spécificités et ses obscurités, la première d'entre elles tenant à ce que, par définition, celui-ci ne saurait être connu directement : « L'obscure connaissance des facteurs et des faits psychiques de l'inconscient (autrement dit la perception endopsychique de ces facteurs et de ces faits) se reflète dans la construction d'une réalité suprasensible, que la science transforme en psychologie de l'inconscient. »[1] *En posant les rapports entre dynamique, topique et économique comme critères privilégiés de la validité métapsychologique d'un concept, Freud confère à ces trois « points de vue » une place, une fonction et un statut singuliers et particuliers dans l'élaboration de la psychanalyse. Il importe donc de ne pas les négliger, quelle que puisse être la difficulté de l'entreprise.*

Si, une fois énoncée, la définition n'a pas varié, la position de Freud a sensiblement évolué. On peut distinguer clairement trois périodes : – de 1896 à 1915, le terme n'apparaît dans nul écrit, seulement dans de rares correspondances, mais l'idée est bien présente, tout au moins comme un projet qui sous-tend l'œuvre ; – de 1915 à 1920, la métapsychologie est promue comme devant être « l'achèvement de la recherche psychanalytique » (à noter cependant que le terme ne figure pas dans la somme que réalisent en 1916-1917 les Conférences d'introduction à la psychanalyse*) ; – de 1920 jusqu'à 1938, si la métapsychologie est maintenue comme concept fondamental, les difficultés rencontrées dans son élaboration imposent plus de prudence, voire une relative prise de distance.*

1. *Psychopathologie de la vie quotidienne* (1901b), Paris, Gallimard, 1997, p. 411-412 ; *OCF* V, p. 355 ; *GW* IV, p. 287-288.

LE TEXTE FREUDIEN

LA CRÉATION DU MOT ET LA GESTATION DU CONCEPT

Le terme apparaît tôt sous la plume de Freud, dès 1896. Dans sa *Correspondance avec Fliess*, il note que « la psychologie – ou plutôt la métapsychologie – le préoccupe sans cesse » ; il lui soumet « quelques questions métapsychologiques » avec lesquelles, en passant de la médecine à la psychologie, il réalise ses aspirations de jeunesse à la philosophie. Deux ans plus tard, à propos des rêves, il note que si « la réalisation d'un désir donne bien une solution psychologique, [il ne fournit] aucune solution biologique, bien plutôt métapsychologique » – et de l'interroger pour savoir s'il peut « donner à [sa] psychologie, qui aboutit à l'arrière-plan du conscient, le nom de métapsychologie ». Du point de vue biologique, les rêves procéderaient des « résidus d'une époque préhistorique (de un à trois ans) » au cours de laquelle s'est formé l'inconscient et, avec lui, la cause de toutes les psychonévroses, émanant de scènes sexuelles vécues[1]. Surtout, dira-t-il bientôt, la métapsychologie va **bien au-delà de la psychologie,** qu'elle remet d'ailleurs en question dans la mesure où elle décrit, prend en compte et étudie le fonctionnement psychique inconscient ; **elle conteste également la métaphysique** qui, apparaissant comme une psychologie projetée dans le monde extérieur, doit être traduite en métapsychologie[2].

Mais si l'intention est claire, la réalisation est plus difficile, si bien que pendant une quinzaine d'années le terme ne figurera dans aucune publication ; il n'apparaîtra qu'épisodiquement dans sa correspondance avec Carl Gustav Jung et Karl Abraham, lorsque Freud doit déplorer certains recours à la notion de « personnalité » qui relève de

1. *La naissance de la psychanalyse. Lettres à Wilhelm Fliess. Notes et plans (1887-1902)* (1950a [1887-1902]), Paris, PUF, 1956 (lettre du 13 février 1896, p. 139, du 2 avril 1896, p. 143-144, et du 10 mars 1898, p. 218. – *Lettres à Wilhelm Fliess* (éd. complète), Paris, PUF, 2006, p. 222, 233 et 384.

2. *Psychopathologie de la vie quotidienne* (1901b), Paris, Gallimard, 1997, p. 411-412 ; *OCF* V, p. 274-275 ; *GW* IV, p. 287-288.

la psychologie des surfaces et, à l'encontre de ce que réalise la métapsychologie, n'apporte rien à la compréhension des processus réels. Une discussion de novembre 1911 à la Société psychanalytique de Vienne est déjà plus explicite en présentant le schéma de l'appareil psychique figurant dans la VIIe section de *L'interprétation des rêves* (« qui s'est, jusqu'à présent, avéré fort utile pour ordonner tout ce que nous avons appris ») comme un exemple de ce qu'on pourrait qualifier de métapsychologique [1] ; il peut en être ainsi parce que la séparation d'un inconscient d'avec la conscience a permis une rupture en allant « à l'arrière-plan du conscient », au plus profond.

La mise en forme du concept

C'est d'ailleurs à l'occasion d'explications fournies dans certaines lettres qu'on voit l'idée prendre forme [2]. Le concept va pouvoir être présenté en 1915 dans « L'inconscient », essai qui s'intègre dans le recueil justement intitulé *Métapsychologie*. Ce qui apparaît alors comme un aboutissement a été permis, dans une perspective énergétique, par **l'acquisition progressive du point de vue économique à côté des points de vue dynamique et topique,** déjà reconnus. Cette nouvelle approche des phénomènes psychiques entend suivre les quantités d'excitation et les évaluer, fût-ce de façon relative. « Ce mode d'appréhension constitue l'achèvement de la recherche psychanalytique », aussi mérite-t-il d'être qualifié d'un nom particulier : « Je propose de parler de présentation *métapsychologique* lorsque nous réussissons à décrire un processus psychique sous les rapports *dynamiques, topiques et économiques.* » Prudent, **Freud prévoit de n'y parvenir que sur des « points isolés »**, et parle même d'« entreprise risquée ». Il s'y essaie cependant avec l'étude du refoulement dans les névroses de transfert (la vérification par la pratique clinique

1. Correspondances avec : – *Carl Gustav Jung* (1975a [1906-1914]), Paris, Gallimard, 1975, p. 133 ; – *Karl Abraham* (1965a [1907-1926]), Paris, Gallimard, 1969, p. 20. *Minutes de la Société psychanalytique de Vienne* (1979a), Paris, Gallimard, 1979, t. III *(1910-1911)*, p. 299-300 (séance de novembre 1911).

2. *Correspondance Sigmund Freud-Karl Abraham* (1965a [1907-1926]), Paris, Gallimard, 1969, p. 225 ; avec *Lou Andreas-Salomé* (1966a [1930-1936]), Paris, Gallimard, 1970, p. 36-37.

apparaissant, de fait, comme le *schibboleth* de la métapsychologie). Il y inclut ce qu'il considère comme « la vue la plus profonde » sur la nature de l'énergie, qui distingue un état d'énergie toniquement lié d'une autre d'énergie librement mobile tendant à la décharge – avec la réserve qu'il conviendra, dit-il, d'en rediscuter. La condition nécessaire pour accéder à une conception métapsychologique de la vie psychique est claire : il importe de savoir se libérer de la référence au « fait d'être conscient »[1] – et c'est bien ce qu'annonçait déjà, et permettait de fait, le schéma de *L'interprétation des rêves*.

Dans tout cela, il s'agit avant tout de « clarifier et d'approfondir les hypothèses théoriques sur lesquelles un système psychanalytique pourrait être fondé », tout en sachant que nous sommes encore peu familiarisés avec les conditions métapsychologiques des processus psychiques[2].

Maintien du concept et difficultés d'application (ou prise de distance)

La nouvelle théorie des pulsions et la nouvelle topique ne remettent pas en question la métapsychologie, mais ses difficultés d'élaboration se font plus sensibles. En 1920, dans *Au-delà du principe de plaisir* et à propos de la régulation des processus psychiques par le principe de plaisir, Freud **confirme la spécification de la métapsychologie par les facteurs économique, topique et dynamique** ; ce mode d'exposition est « le plus complet que nous puissions nous représenter actuellement ».

Une fois de plus est souligné que la conscience ne peut être qu'une fonction particulière des processus inconscients : elle n'est, métapsychologiquement parlant, que « la fonction d'un système particulier qu'on désigne par les lettres *Cs* ». Sans doute plus importantes sont les conjectures métapsychologiques sur les réactions à une effraction

1. « L'inconscient » (1915e), *Métapsychologie,* Paris, Gallimard, 1968, p. 89-90, 99, 105 ; *OCF* XIII, p. 222-223, 229, 233 ; *GW* X, p. 281, 287, 291.

2. « Complément métapsychologique à la théorie du rêve » (1917d [1915]), *Métapsychologie,* Paris, Gallimard, 1968, p. 133, 125 n.1 ; *OCF* XIII, p. 252, 247, n. 1 ; *GW* X, p. 418, 412, n. 1.

du pare-excitation ; elles montrent comment un système fortement investi peut admettre un afflux d'énergie, « la transformer en investissement quiescent, c'est-à-dire la "lier" psychiquement ». Mais **régulièrement nos considérations métapsychologiques se heurtent à nos ignorances** ; notamment, ici, au fait que nous ne savons rien sur la nature véritable du processus d'excitation [1].

Un an plus tard, la *Psychologie des foules* va poursuivre dans ce sens. Ainsi, s'il est facile de dire que dans l'identification au père celui-ci est ce qu'on voudrait *être,* alors qu'avec le choix du père comme objet il est ce qu'on voudrait *avoir* – la différence portant alors sur le sujet ou l'objet du moi –, « il est bien plus difficile de donner de cette différence une représentation métapsychologique concrète » ; ce l'est tout autant de décrire métapsychologiquement le détournement du but sexuel qui marque les liens affectifs tendres [2]. Pourtant, en 1923, dans *Le moi et le ça,* Freud connote métapsychologiquement les instances en parlant d'un « **moi psychanalytique ou métapsychologique** » qu'il décrit comme ayant « lui aussi, la tête en bas, comme l'homoncule cérébral des anatomistes ». Il s'agit là de le différencier du *surmoi,* « réincarnation de formations antérieures du moi qui ont laissé leurs sédiments dans le ça », jusqu'aux acquis phylogénétiques : proche du *ça,* qu'il représente face au *moi,* il « plonge profondément dans le ça et est donc plus éloigné de la conscience que le moi » [3].

En 1925, dans son « Autoprésentation », il va confirmer ses difficultés à mettre en œuvre la métapsychologie. Il semble pourtant trouver un certain réconfort dans l'idée qu'elle est une « superstructure spéculative de la psychanalyse dont chaque pièce peut être sacrifiée ou échangée sans dommage ni regret ». Il rappelle comment en 1915 il s'est lancé dans cette tentative en posant que l'analyse doit tendre à ce que chaque processus psychique puisse être « apprécié en fonction des trois coordonnées de la *dynamique,* de la *topique* et de

1. *Au-delà du principe de plaisir* (1920g), *Essais de psychanalyse,* Paris, Payot, 1981, p. 43, 65, 72-73 ; *OCF* XV, p. 277, 295, 301-302 ; *GW* XIII, p. 3, 24, 30, 31-32.

2. *Psychologie des foules et analyse du moi* (1921c), *Essais de psychanalyse,* Paris, Payot, 1981, p. 168, 210-211 ; *OCF* XVI, p. 44, 77 ; *GW* XIII, p. 116, 155.

3. *Le moi et le ça* (1923b), *Essais de psychanalyse,* Paris, Payot, 1981, p. 263 n. 1 ; *OCF* XVI, p. 291, n. 1 ; *GW* XIII, p. 278, n. 1.

l'*économique* » ; il y voyait « l'objectif ultime », mais reconnaît avoir dû interrompre le projet à l'état d'ébauche, et avoir eu raison, « **car le temps d'une telle fixation théorique n'était pas encore venu** ». Ses derniers travaux subdivisant l'appareil psychique en un *moi,* un *ça* et un *surmoi* (celui-ci étant l'héritier du complexe d'Œdipe) relèvent sans doute d'une métapsychologie plus aboutie – mais il ne le dit pas explicitement[1].

Pour autant, la métapsychologie n'est nullement abandonnée, et quand il reprend en 1926 les grandes interrogations théorico-pratiques de la psychanalyse en les rassemblant sous le titre de *Inhibition, symptôme et angoisse,* il sait y recourir. Révisant la théorie de l'angoisse pour la situer dorénavant dans le moi, il rejette fermement l'hypothèse antérieure d'une transformation de la libido refoulée : **cela « n'avait valeur que de description phénoménologique, non pas de représentation métapsychologique »**[2].

Dorénavant, dans l'œuvre, la présence de la notion s'estompe, figurant brièvement pour indiquer comme un regret (Freud parle alors de « tentatives de représentations métapsychologiques du fonctionnement psychique »)[3], voire un espoir (« un jour nous saurons certainement caractériser [la sublimation] de façon métapsychologique »)[4].

Pourtant, **elle revient lorsque la connaissance des facteurs et faits psychiques s'avère obscure,** tellement obscure qu'il devient nécessaire de recourir à une « réalité suprasensible ». C'est ainsi qu'en 1937, lorsque la question se pose de donner du sens à la notion de « liquidation durable d'une revendication pulsionnelle », la réponse s'avère si difficile qu'une fois encore il faut recourir à « la sorcière métapsychologique ». C'est que, « **sans spéculer ni théoriser – pour un peu j'aurais dit fantasmer – métapsychologiquement, on n'avance**

1. *Sigmund Freud présenté par lui-même* (1925d), Paris, Gallimard, 1984, p. 55 et 99 ; *OCF* XVII (« Autoprésentation »), p. 79-80 et 106 ; *GW* XIV, p. 58 et 86.

2. *Inhibition, symptôme et angoisse* (1926d [1925]), Paris, PUF, 1951, p. 9 et 28 ; *OCF* XVII, p. 211 et 227 ; *GW* XIV, p. 120 et 138.

3. « L'humour » (1927d), *L'inquiétante étrangeté et autres essais,* Paris, Gallimard, 1985, p. 326 ; *OCF* XVIII, p. 139 ; *GW* XIV, p. 388.

4. *Malaise dans la civilisation* (1930a [1929]), Paris, PUF, 1971, p. 25 ; *OCF* XVIII, p. 266 ; *GW* XIV, p. 438.

pas ici d'un pas. Malheureusement les informations de la sorcière ne sont, cette fois encore, ni très claires, ni très explicites ». Disons alors que, de tout cela, le lecteur retire l'impression d'une certaine ambivalence métapsychologique… Et quelques pages plus loin, Freud doit constater que « la distinction topique – s'agit-il du moi, s'agit-il du ça ? – a pour notre recherche beaucoup perdu de sa valeur » [1], ce qui n'est pas sans faire écho à la satisfaction qu'il exprimait dix ans plus tôt (à propos de l'angoisse comme signal du moi visant à influencer l'instance plaisir-déplaisir) de pouvoir se libérer de « l'obsession de l'économique » [2].

L'année suivante, le dernier ouvrage (d'ailleurs interrompu par la mort) est également remarquable par ce qu'il ne dit pas. L'*Abrégé de psychanalyse,* conçu pour présenter brièvement la doctrine psychanalytique, ne mentionne jamais la métapsychologie alors qu'il nomme à plusieurs reprises la psychologie. On peut toujours penser qu'elle aurait dû figurer dans la partie manquante, mais on doit remarquer que sa place aurait été toute trouvée dans les premiers chapitres de « L'appareil psychique » aux « Qualités psychiques » qui furent entièrement rédigés, voire même dans la troisième partie, elle demeurée inachevée, sur « Les progrès théoriques »… Il n'en a rien été et, à vrai dire, l'économique, pourtant omniprésent tout au long de l'exposé, n'est pas plus mentionné que les autres « points de vue » – alors même que l'énergie, libre et liée, se trouve en bonne place. Nous ne pouvons qu'en prendre acte.

QUESTIONS ET ENJEUX

La tendance de nombre de psychanalystes, plus particulièrement en France, est de faire de la métapsychologie *la* théorie de la psychanalyse, recouvrant tous les « principes », « concepts » et « modèles »

1. « L'analyse avec fin et l'analyse sans fin » (1937c), *Résultats, idées, problèmes, II*, Paris, PUF, 1984, p. 240 et 256 ; *OCF* XX, p. 26 et 43 ; *GW* XVII, p. 69 et 86.

2. *Inhibition, symptôme et angoisse* (1926d [1925]), Paris, PUF, 1951, p. 64 ; *OCF* XVII, p. 255 ; *GW* XIV, p. 271.

théoriques élaborés au fil de l'œuvre. Freud, pour sa part, est beaucoup plus exigeant. C'est pourquoi, même au moment où il pense pouvoir atteindre avec elle « l'objectif ultime auquel puisse parvenir la psychologie », relativement peu d'élaborations lui apparaissent véritablement « métapsychologiques » (il parle de « points isolés »), la plupart d'entre elles demeurant trop phénoménologiques, trop proches de la conscience, trop « en surface ». Et si la métapsychologie est toujours présente dans les derniers travaux, « la réalité suprasensible construite sur une obscure connaissance » y est devenue « la sorcière, aussi nécessaire qu'énigmatique ». On est certes en droit de considérer que toutes les élaborations touchant à des concepts appartenant à la psychanalyse relèvent de la métapsychologie, celle-ci devenant synonyme de « théorie psychanalytique ». Ce peut être commode mais n'est pas à l'évidence de la métapsychologie au sens strictement freudien du terme. Certains choisissent de la contourner, voire de l'ignorer...

Ceci pose la question de savoir ce qui est proprement métapsychologique dans les concepts freudiens. À suivre le texte, on peut considérer comme tel le modèle de l'appareil psychique présenté dans la VIIe section de *L'interprétation des rêves*, puisque c'est ainsi que la qualifiera Freud quinze ans plus tard. C'est également explicite, dans les essais de la *Métapsychologie*, à propos de la théorie des investissements, du refoulement et des défenses ; ce l'est aussi, en 1920, dans la conception d'une énergie se différenciant en énergie libre et énergie liée. On peut également considérer que sa présence est effective dans les rapports entre les trois instances du ça, du moi et du surmoi. Certes, des points demeurent obscurs à propos de chacune de ces notions, mais sans remettre en question leur rattachement à la métapsychologie. En revanche, celle-ci s'avère inapplicable pour des notions aussi fondamentales que celles de *pulsions* (Freud a régulièrement déploré « l'absence d'une véritable théorie des pulsions ») et d'*excitation* (sur la nature de laquelle « nous ne savons rien »).

La signification épistémologique de cette défaillance de la théorie peut poser problème. On peut ainsi être surpris de constater que ce qui fonctionne avec les énergies libre et liée, n'est plus opérant lorsqu'il faut rendre compte de l'excitation et de la pulsion. À vrai dire, la carence métapsychologique qui frappe ces deux concepts de base n'est pas du même ordre pour chacun : c'est sa théorisation qui s'avère problématique pour la pulsion, tandis que pour l'excitation c'est sa nature même qui demeure inconnue. Une fois rappelé que si, en psychanalyse, toute élaboration métapsychologique est nécessairement théorique, il ne saurait suffire d'élaborer théoriquement pour se situer dans la métapsychologie ; si nous ne perdons pas de vue la visée théorique que constitue l'implication des trois points de vue, il reste à mettre en œuvre ces préceptes – tâche difficile, nous a prévenu Freud.

Pour ce faire, nous pouvons tenter de reprendre ses critiques à l'encontre des développements qu'il condamne comme n'étant « pas métapsychologiques ». C'est assez clair lorsque la métapsychologie n'est pas encore conceptualisée mais demeure à usage « privé » pour la correspondance : ne saurait mériter ce qualificatif ce qui est descriptif, phénoménologique et donc trop soucieux de la conscience, tout ce qui appartient à « la psychologie de surface ». En 1915, encore dans une correspondance, il se fait plus précis : non seulement il reproche à Karl Abraham d'avoir négligé l'aspect topique (en l'occurrence : régression de la libido et levée de l'investissement d'objet inconscient), mais de s'être satisfait d'explications certes justes, mais trop générales (érotisme anal et complexe de castration font partie de tout syndrome pathologique), et de n'avoir pas véritablement expliqué le mécanisme de l'affection elle-même qui ne peut l'être que d'un point de vue *dynamique, topique* et *économique* ; là, c'est encore explicite. Mais lorsqu'en 1921, à propos de l'identification au père et du choix du père comme objet, il note combien il est « difficile de donner de cette différence une représentation métapsychologique concrète », l'explication qu'il propose (forme originaire du lien à l'objet, substitut régressif d'un lien libidinal, perception d'une communauté) n'est pas explicitée comme métapsychologique, même si elle peut en paraître assez proche[1]. De même, lorsqu'en 1926 il reprend la théorie de l'angoisse et critique sa première formulation, il indique que, plus qu'une description, il croyait avoir alors « décelé le processus métapsychologique d'une transformation directe de la libido en angoisse », conception que ses derniers travaux ont condamnée ; il lui faut bien alors reconnaître qu'il était « bien en peine alors d'indiquer comment s'accomplit une telle transformation »[2].

1. *Psychologie des foules et analyse du moi* (1921c), *Essais de psychanalyse,* Paris, Payot, 1981, p. 168-171 ; *OCF* XVI, p. 44-45 ; *GW* XIII, p. 116-118.

2. *Inhibition, symptôme et angoisse* (1926d [1925]), Paris, PUF, 1951, p. 28 ; *OCF* XVII, p. 227 ; *GW* XIV, p. 138.

Sa perplexité est alors manifeste, et nous l'avons vu passer, au fil des ans, d'une solide assurance épistémologique à la déception face au constat de ses ignorances. Nous nous trouvons donc assez mal éclairé pour nous prononcer sur ce qui peut faire qu'une explication soit, ou non, métapsychologique – d'autant que lui-même, en dépit de ses insatisfactions, maintient tout au long l'exigence de sa quête. Nous demeurons ainsi, à la fin de l'œuvre, pris entre sa claire affirmation de l'impérieuse nécessité de recourir à la « sorcière métapsychologique », aussi obscure soit-elle parfois, dans « L'analyse avec fin et l'analyse sans fin » de 1937, et en 1938 l'énigmatique silence métapsychologique de l'*Abrégé de psychanalyse.*

II – LES TROIS « POINTS DE VUE » : TOPIQUE, DYNAMIQUE, ÉCONOMIQUE

« Je propose qu'on parle d'une présentation métapsychologique lorsque nous réussissons à décrire un processus psychique selon ses relations dynamiques, topiques et économiques. » [1] Ce sont ces *« trois points de vue »*, ces *« facteurs »* comme les désigne Freud, que nous avons tenu à présenter séparément car ils ne sont pas « une autre façon » de nommer la métapsychologie : ils ont, en tant que trilogie, leur propre spécificité qui ne saurait se réduire à une juxtaposition, voire à une addition. Cela nous paraît d'autant plus nécessaire que le terme de métapsychologie tend souvent à être posé comme synonyme de « théorie psychanalytique », recouvrant alors bien d'autres notions que les trois point de vue. Cela ne nous dispensera nullement de la saisie séparée de chacun d'entre eux.

Freud parle – à peu près indifféremment, accolant même parfois les termes, les traitant comme des équivalents – de « points de vue » ou de « facteurs », plus souvent sans doute du premier (tout au moins aux débuts) mais sans que cela soit vraiment significatif. Il lui arrive aussi, plus rarement, de parler de « relations »... Pourtant, sémanti-

1. « L'inconscient » (1915e), *Métapsychologie,* Paris, Gallimard, 1968, p. 77 et 89-90 ; *OCF* XIII, p. 215 et 222-223 ; *GW* X, p. 273 et 281.

quement, il ne devrait pas s'agir de la même chose. Si un « point de vue » *(Ausblick)* est d'abord l'endroit d'où on surplombe un site, voire ce site lui-même, il est aussi, par extension et, pourrait-on dire, par subjectivation, une manière de concevoir un problème selon l'opinion personnelle de celui qui regarde. Un « facteur » est d'abord un élément qui, sans nécessairement préjuger de sa nature, conditionne un résultat ; en biologie (première discipline de Freud), il s'agit d'un corps qui peut être défini et décelé par son action physiologique sans que sa composition soit encore connue ; en dépit de cette incertitude, le facteur est une notion objectivante, et c'est en ce sens que Freud parle de « facteurs quantitatif et qualitatif ».

Les termes de « facteurs » ou « points de vue » ne sauraient se suffire à eux-mêmes : ils doivent mettre en œuvre une « approche », une « référence » qui justifie l'intérêt qu'on leur porte ; telle est bien l'idée de Freud. Mais il en est une autre, plus déterminante encore : les facteurs et points de vue (comme les « relations » d'ailleurs) sont concourants, complémentaires et indissociables (ce qui ne va pas sans rappeler les trois dimensions de l'espace).

S'ils sont complémentaires, les trois points de vue sont pourtant entrés séparément en psychanalyse. Le point de vue dynamique est le premier apparu[1] ; on pourrait aussi le dire prééminent en psychanalyse freudienne car témoignant directement de son essence énergétique. Mais s'il est effectivement nécessaire, il s'avère vite non suffisant. Le point de vue topique le suit donc très vite (d'autant qu'il appartenait aux préoccupations de Freud depuis ses premiers travaux anatomiques). Il met bien en place des « lieux psychiques », mais il vise tout autant, et peut-être même d'abord, des systèmes dans lesquels se trouve mise en œuvre la dynamique. Le dernier à être reconnu, l'économique, est sans doute le plus contingent, mais aussi le plus important concrètement et cliniquement ; en réglant les variations des quantités d'énergie selon les systèmes, il se subsume en permanence aux autres facteurs. Il arrive d'ailleurs à Freud, à propos du refoulement, concept typiquement économique (et régulièrement défini comme tel), de le désigner comme « un concept topique-

1. *Ibidem.*

dynamique »[1] – soulignant ainsi leur indispensable complémentarité : jamais on ne doit se satisfaire d'un seul point de vue.

Il semble bien qu'en recourant aux trois points de vue, la démarche de pensée de Freud soit la même qu'avec la pulsion : il lui importe de sérier un concept en divers sous-concepts interdépendant les uns les autres et subordonnés au concept global (d'où l'accent qu'il met régulièrement sur les « rapports ») ; ils seraient donc consubstantiels. Schématiquement, et quitte à forcer le trait, on peut noter les harmoniques entre la dynamique et la poussée, celles de la topique avec le but et la source, de l'économique avec l'objet. Les deux derniers (économique et objet), régis l'un et l'autre par les investissements, sont à la fois les plus dépendants et les plus changeants ; d'une certaine façon, ce sont les plus près de la conscience – ce sont aussi ceux qui posent le plus de problèmes. Si Freud associe rarement de façon explicite la métapsychologie à la théorie des pulsions, il ne l'en situe pas moins clairement dans sa mouvance lorsqu'il lui faut définir les trois points de vue : toutes les forces qui font la dynamique sont à l'origine de nature pulsionnelle, donc d'origine organique ; ce sont les délégations psychiques des pulsions qui sont investies de quantités déterminées d'énergie dont la régulation justifie le point de vue économique ; les lieux où se produisent les différents processus psychiques, pulsionnels (les systèmes) fondent la topique. Mais si la doctrine des pulsions est un domaine obscur, même pour la psychanalyse, il n'en demeure pas moins que ces représentations générales, résultats ultimes du travail psychanalytique, sont sujets à révision ; c'est parce que la psychanalyse repose sur l'observation des faits que sa superstructure théorique, encore incomplète, est toujours en mouvement et en devenir[2].

DYNAMIQUE

all. : ***dynamisch***. – angl. : *dynamic*. – esp. : *dynámico*. – ital. : *dinamico*. – port. : *dinâmico*

1. *Conférences d'introduction à la psychanalyse* (1916-1917), Paris, Gallimard, 1999, p. 435 ; *OCF* XIV, p. 355 ; *GW* XI, p. 355.

2. « Psycho-Analysis » (1926f), *Résultats, idées, problèmes, II,* Paris, PUF, 1984, p. 155-156 ; *OCF* XVII, p. 291-293 ; *GW* XIV, p. 302-303.

Le point de vue *dynamique* sur l'appareil psychique ramène tous ses processus au jeu de forces qui s'activent ou s'inhibent, s'opposent, se combinent, etc., l'essentiel tenant à leurs relations. D'abord pulsionnelles (organiques), ces forces se délèguent dans des représentations affectivement investies ; ce sont des tendances orientées vers un but, travaillant entre elles de manières convergente ou opposée. Elles permirent de distinguer un inconscient et un préconscient ; par la suite de spécifier le moi. L'évolution culturelle est le reflet des conflits dynamiques entre moi, ça et surmoi de l'individu.

MISE EN SITUATION

La spécificité de la psychanalyse, par rapport aux approches de la psychologie, est signifiée d'emblée (et rappelée régulièrement) par sa capacité à proposer une explication dynamique, fondée sur l'interaction des forces psychiques, ne se limitant pas à une simple description phénoménologique. C'est ainsi que peut être conçue l'idée d'un inconscient, non directement connaissable, qui serait le champ de ces forces ; c'est aussi ce qui permet d'en privilégier l'étude, négligeant celle des phénomènes de conscience, immédiatement saisissables et finalement mineurs. La dynamique implique les conflits psychiques et elle est, comme eux, l'expression de l'action des pulsions. C'est là redire que la psychanalyse est d'abord dynamique, témoignant ainsi de ce qu'elle est une conception énergétique. Dans l'élaboration de la pensée freudienne elle est non seulement première historiquement, mais elle apparaît comme étant le premier facteur à l'œuvre dans l'appareil psychique, le premier des points de vue auxquels il incombe de fonder la métapsychologie, les deux autres venant s'articuler à elle. Nous pouvons d'ailleurs remarquer que cette primauté est en plein accord avec l'indication d'Einstein (qui fut, à l'occasion, son correspondant) selon laquelle la science est l'étude des phénomènes dynamiques[1].

1. Cf. « Pourquoi la guerre ? » (1933b), *Résultats, idées, problèmes, II,* Paris, PUF, 1984 ; *OCF* XIX ; *GW* XVI.

LE TEXTE FREUDIEN

Dès 1895, dans les *Études sur l'hystérie,* Freud décrit l'organisation des symptômes hystériques selon un double schéma : l'un « morphologique », étageant chronologiquement les souvenirs autour d'un noyau, l'autre « dynamique » où ils sont reliés par des liens logiques suivant les voies les plus sinueuses, avec des nœuds et des convergences surdéterminant les symptômes[1].

Ce mode d'approche est réaffirmé en 1900 dans *L'interprétation des rêves* : la maladie doit être interprétée « **d'un manière dynamique, comme un renforcement ou un affaiblissement des composantes d'un jeu de forces** ». C'est d'ailleurs l'occasion de préciser que si, pour simplifier, il est licite de dire qu'après avoir été refoulées les pensées inconscientes cherchent à pénétrer de force dans la conscience, il ne l'est pas pour autant de penser qu'il y aurait formation d'une seconde idée située en un autre lieu. Présenter les systèmes inconscient et conscient comme deux régions de l'appareil psychique est une métaphore qui peut induire en erreur ; mieux vaut dire, « ce qui paraît plus près de la réalité, qu'une certaine énergie a été investie ou a été retirée à une organisation, de telle sorte que la formation psychique s'est trouvée contrôlée par une instance ou a été soustraite à son pouvoir. Ici, de nouveau, nous remplaçons un mode de représentation topique par un mode de représentation dynamique ; ce n'est pas la formation psychique qui nous paraît changer, mais son innervation »[2].

À partir de 1910, est régulièrement reprise (sans tellement de commentaires, d'ailleurs) la définition de la dynamique en fonction de conflits de forces psychiques[3] : **la psychanalyse cherche à dévoiler dynamiquement les métamorphoses et développements des forces**

1. *Études sur l'hystérie* (1895d), Paris, PUF, 1956, p. 234.

2. *L'interprétation des rêves* (1900a), Paris, PUF, 1967, p. 517-518 ; *OCF* IV, p. 665-666 ; *GW* II-III, p. 815-616.

3. *Sur la psychanalyse (cinq conférences)* (1910a), Paris, Gallimard, 1991, p. 59-60 ; *OCF* X, p. 22 ; *GW* VIII, p. 23.

pulsionnelles psychiques originelles[1]**, ramenant la vie psychique à un jeu de forces qui se favorisent et s'inhibent les unes les autres**[2]. Ce sera repris les années suivantes, précisant que si cette explication dynamique implique bien la possibilité d'un « refoulement », le conflit peut tout aussi bien trouver une issue normale[3].

En 1913, la notion d'*inconscient* s'éclaire de ce que la force des pensées latentes ne saurait suffire à les rendre conscientes, certaines ne parvenant pas à le faire, aussi fortes soient-elles devenues ; alors que les autres ne sont que préconscientes, celles-ci sont vraiment inconscientes. Le terme cesse d'être purement descriptif pour viser alors les pensées présentant un caractère dynamique, maintenues à l'écart de la conscience malgré leur intensité et leur efficience. Nous touchons ainsi aux relations fonctionnelles et dynamiques au sein de l'activité psychique[4].

L'essai sur « L'inconscient », en 1915, permet de se faire une représentation complète. Assez curieusement, alors que régulièrement Freud soulignait la nécessité de remplacer la description topique par une approche dynamique (lui conférant comme une primauté), il fait retour à celle-là (comme une réhabilitation) : jusqu'alors, la psychanalyse se distinguait de la psychologie par sa conception dynamique, maintenant elle se réfère également à la topique en désignant le ou les systèmes mis en action par un acte psychique quelconque ; telle est donc la « psychologie des profondeurs ». Mais l'évolution de la réflexion s'est poursuivie et, à ces deux points de vue, il a fallu ajouter le point de vue *économique* qui suit le destin des quantités d'excitation et cherche à les évaluer. Ceci « constitue l'achèvement de la recherche psychanalytique », et Freud propose de « **parler de**

1. *Un souvenir d'enfance de Léonard de Vinci* (1910c), Paris, Gallimard, 1987, p. 175 ; *OCF* X, p. 161-162 ; *GW* VIII, 208.

2. « Le trouble psychogène de la vision dans la conception psychanalytique » (1910i), *Névrose, psychose et perversion,* Paris, PUF, 1973, p. 169 ; *OCF* XI, p. 181 ; *GW* VIII, p. 97.

3. « Sur la psychanalyse » (1913m [1911]), *OCF* XI, p. 29-31 ; *GW (Nachtragsband)*, p. 208-209.

4. « Note sur l'inconscient en psychanalyse » (1912g), *Métapsychologie,* Paris, Gallimard, 1968, p. 178-183 ; *OCF* XI, p. 174-177 ; *GW* VIII, p. 262-264.

présentation *métapsychologique* lorsque nous réussissons à décrire un processus psychique sous les rapports *dynamiques, topiques et économiques* », tout en admettant la difficulté de l'entreprise[1]. **Ce n'est pas tant la dynamique qui se trouve amoindrie, que les deux autres facteurs qui se retrouvent promus.**

Les *Conférences d'introduction à la psychanalyse,* en 1916-1917, reprennent longuement cette approche mais, d'emblée, insistent à nouveau sur les « indices d'un jeu de forces » car « **nous sommes en quête d'une conception dynamique des phénomènes psychiques** », sans pour autant abandonner les deux autres points de vue[2]. Ceci peut s'illustrer de la théorie du développement de l'affect d'angoisse, dès lors qu'il faut en comprendre la « dynamique topique » : elle demeure obscure lorsqu'il convient d'apprécier les énergies psychiques alors dépensées, lorsqu'il faut situer les systèmes d'où elles opèrent[3]. En fait, la topique ne saurait se réduire au descriptif et **les points de vue sont liés.** C'est ainsi que lorsque Freud veut distinguer la compréhension du refoulement de celle de la régression, il indique que celle-ci est un concept purement descriptif alors que le refoulement est précisément topique-dynamique. L'introduction de la prise en compte de la quantité, de la grandeur des énergies vient, par le point de vue économique, compléter la conception simplement dynamique dès lors reconnue insuffisante[4]. C'est aussi toute la conception dynamique du processus de guérison qui, à la suite, se trouve renouvelée par cette reprise en compte du transfert[5].

Dans *Au-delà du principe de plaisir,* en 1920, plutôt que le conscient à l'inconscient, Freud décide d'opposer le *moi* cohérent au *refoulé.* Ce faisant, une fois de plus, il entend ainsi remplacer une terminologie descriptive par une **terminologie systématique, dyna-**

1. « L'inconscient » (1915e), *Métapsychologie,* Paris, Gallimard, 1968, p. 77 et 89-90 ; *OCF* XIII, p. 215 et 222-223 ; *GW* X, p. 272 et 281.

2. *Conférences d'introduction à la psychanalyse* (1916-1917), Paris, Gallimard, 1999, p. 86-87, 149, 181 ; *OCF* XIV, p. 65, 116, 143 ; *GW* XI, p. 62, p. 115, p. 141.

3. *Ibidem,* p. 435 et 513 ; p. 355 et 421 ; p. 355 et 420.

4. *Ibidem,* p. 475-476 ; p. 389-390 ; p. 389-390.

5. *Ibidem,* p. 565 et 578 ; p. 464 et 472 ; p. 463 et 474.

mique, rendant mieux compte des mouvements ; elle permet notamment de situer la résistance dans le moi, et d'attribuer la compulsion de répétition au refoulé inconscient. Surtout, en distinguant deux sortes de pulsions dans la substance vivante (celles qui conduisent la vie à la mort et les pulsions sexuelles qui indéfiniment parviennent à renouveler la vie), la psychanalyse établit un corollaire dynamique à la théorie morphologique d'August Weismann (qui distingue un *soma,* voué à la mort, du *plasma germinal,* immortel)[1]. Trois ans plus tard, *Le moi et le ça* poursuit dans cette voie et, surtout, la complète. Revenant encore sur la façon dont la dynamique psychique a permis de parvenir au concept d'inconscient, Freud indique qu'il faut maintenant apporter une autre correction en recourant au point de vue structural qui nous oblige à reconnaître que l'*Ics* ne coïncide pas avec le refoulé, et qu'une importante partie du moi est inconsciente[2].

Les résistances, qui s'opposent à la levée du refoulement, alimentent une bonne part des préoccupations d'*Inhibition, symptôme et angoisse* (1926) ; il devient maintenant possible de comprendre ce temps essentiel de la cure qu'est la phase de « perlaboration » : **le facteur dynamique qui l'impose,** afin de pouvoir supprimer la résistance du moi, **tient à l'emprise de la compulsion de répétition qui doit être surmontée,** à l'attraction qu'exercent les prototypes inconscients, à ce que l'on peut qualifier de « résistance de l'inconscient ». En fait, dans l'analyse, nous devons combattre cinq sortes de résistances : à côté de celle du *ça* (que nous venons de voir), et de celle du *surmoi* (la dernière reconnue, la plus obscure mais pas toujours la plus faible), trois proviennent du *moi* et diffèrent par leur dynamique (la résistance de refoulement, la résistance de transfert et le bénéfice de la maladie)[3].

La même année, un bref exposé de la doctrine destiné à l'*Encyclopædia Britannica,* est l'occasion de définir précisément la dynamique,

1. *Au-delà du principe de plaisir* (1920g), *Essais de psychanalyse,* Paris, Payot, 1981, p. 59 et 92 ; *OCF* XV, p. 290 et 318 ; *GW* XIII, p. 92 et 49.

2. *Le moi et le ça* (1923b), *Essais de psychanalyse,* Paris, Payot, 1981, p. 224-225 et 228-229 ; *OCF* XVI, p. 259 et 263 ; *GW* XIII, p. 241 et 245.

3. *Inhibition, symptôme et angoisse* (1926d [1925]), Paris, PUF, 1951, p. 88-89 ; *OCF* XVII, p. 274 ; *GW* XIV, p. 192-193.

ce premier des « trois points de vue », comme ramenant tous les processus proprement psychiques au « jeu de forces qui s'activent ou s'inhibent, se combinent, entrent dans des compromis, etc. ». **D'abord pulsionnelles, donc organiques, dans leur dynamique, ces forces formidables se délèguent dans des représentations affectivement investies.** Domaine obscur, la doctrine des pulsions conduit à poser deux groupes de pulsions, la libido exprimant la force d'Éros [1].

En 1933, dans les *Nouvelles conférences d'introduction à la psychanalyse,* entendant décrire la personnalité psychique, Freud revient encore sur les fondements même de sa réflexion sur la dynamique psychique : le passage du conscient à l'inconscient, et réciproquement – ce qui le conduit à redire ses interrogations sur la notion, voire même l'existence d'un inconscient. S'appuyant sur l'interprétation des *lapsus linguae* et des rapports dynamiques qu'ils mettent en évidence, il justifie une fois encore la distinction dynamique d'un inconscient et d'un préconscient, mais constate qu'il a ainsi été conduit à ajouter un sens topique ou systématique au terme « inconscient », lui attribuant alors la signification d'une province psychique plutôt que d'une qualité. D'avoir plus tard reconnu que **des parties du moi sont, elles aussi, inconscientes au sens dynamique,** l'a conduit à renoncer à qualifier comme inconscient un domaine psychique parce qu'étranger au moi, et du coup à **renoncer à son sens systématique.** Il a alors fallu trouver des noms nouveaux pour désigner les « royaumes, régions, provinces en lesquelles nous décomposons l'appareil psychique » : ce fut le surmoi, le moi et le ça. **C'est d'abord du point de vue dynamique que le moi peut être spécifié :** simple morceau du ça, il est faible puisqu'il doit emprunter au ça ses énergies, par « ruse », pourrait-on dire [2].

En 1935, il rajoute un post-scriptum à sa dernière autobiographie pour relater comment l'histoire de l'humanité avec ses interactions entre nature humaine, évolution des cultures, retours des expériences originelles qu'exploite la religion, lui est de plus en plus apparue clai-

1. « Psycho-Analysis » (1926f), *Résultats, idées, problèmes, II,* Paris, PUF, 1984, p. 155 ; *OCF* XVII, p. 291 ; *GW* XIV, p. 302.

2. *Nouvelles conférences d'introduction à la psychanalyse* (1933a [1932]), Paris, Gallimard, 1984, p. 99-100 et 106 ; *OCF* XIX, p. 154-155 et 159 ; *GW* XV, p. 78-79 et 83.

rement comme n'étant que « **le reflet des conflits dynamiques entre moi, ça et surmoi,** que la psychanalyse étudie chez l'individu » ; les processus sont les mêmes, mais repris sur une plus vaste scène[1]. Trois ans plus tard, l'*Abrégé de psychanalyse* conclura sur l'impérieuse exigence qu'il y a, lorsqu'il faut décrire les phénomènes observés (la phénoménologie), à le faire selon les points de vue dynamique et économique[2].

QUESTIONS ET ENJEUX

En soi, le facteur dynamique ne pose guère d'autres problèmes que ceux que peut soulever la notion d'énergie (ce qui en fait, tout de même, quelques-uns). La dynamique est donnée comme étant l'essence même des processus psychiques et elle peut, à la limite, être considérée comme étant un postulat freudien. Le seul point qui pourrait faire question en psychanalyse tient aux rapports qu'elle doit engager avec les autres facteurs. Si, dans le principe, sa prééminence n'est jamais véritablement mise en doute, sa part dans l'explication des processus n'apparaît pas toujours au premier plan, pouvant parfois donner l'impression d'une sorte d'indétermination ; l'accent se porte alors plutôt sur les lieux psychiques et, sans doute plus encore, sur les rapports quantitatifs, donnant comme une préférence implicite (fût-elle parfois jugée exagérée) à l'économique. Pourtant, l'attitude épistémologique attribuant la primauté à la dynamique dans la métapsychologie est la conséquence inéluctable de la nature « essentielle » du concept (on aurait presque envie de dire « essentialiste ») ; c'est peut-être aussi ce qui peut, parfois, entraîner quelques hésitations pour situer la dynamique – ce qui ne saurait, en rien, amoindrir son importance et sa portée, autrement dit sa nécessité.

1. *Sigmund Freud présenté par lui-même* (1925d), Paris, Gallimard, 1984 (post-script. de 1935), p. 123 ; *OCF* XVII (« Autoprésentation »), p. 120-121 ; *GW* XIV, p. 33.

2. *Abrégé de psychanalyse* (1940a [1938]), Paris, PUF, 1967, p. 17 ; *OCF* XX, p. 245 ; *GW* XVII, p. 78.

TOPIQUE

all. : ***Topik ; topisch.*** – angl. : *topography ; topographical.* – esp. : *tópica ; topográfico.* – ital. : *topico.* – port. : *tópico ; topográfico*

La *topique,* aussi appelée « systématique » par Freud, désigne une approche spatiale de l'appareil psychique qui suppose une organisation en différents systèmes propres et ordonnés, considérés comme des « lieux psychiques » (non pas anatomiques), des « provinces ». On parle aussi d'« instances » ayant entre elles une relation spatiale qui, bien que fixe, n'en représente pas moins la succession régulière des fonctions ; elle s'avère être, de ce fait, spatio-temporelle. La topique est l'un des trois « points de vue » (avec la dynamique et l'économique) nécessaires à justifier et assurer une « métapsychologie ». Elle permet de spécifier, dans la théorie freudienne, deux grands moments qui sont désignés comme « première topique » (en fonction des qualités d'inconscient et de conscient) et « deuxième topique » (en fonction des structures, des instances du ça et du moi qu'elle implique).

MISE EN SITUATION

Déjà dans ses « topiques » Aristote classe les « lieux », axiomatiques de la dialectique, selon différents « points de vue » ; ainsi, la topique (du grec τόποι) vient de la philosophie, plus précisément de la logique (et de la rhétorique), où elle désigne la « théorie des lieux » – des « lieux communs », c'est-à-dire des classes générales permettant de ranger les arguments et développements, de les ordonner et les repérer en catégories, pour « faciliter l'invention » (ce qui deviendra l'« heuristique »).

Certes, Freud connaissait la philosophie classique – depuis donc les « topiques » d'Aristote jusqu'à Kant et sa « topique transcendantale » – mais lorsqu'il reprend le terme pour l'appliquer aux « lieux psychiques », c'est plus vraisemblablement à la topologie des localisations cérébrales qu'il pense : pourrait justement en témoigner son insistance à se démarquer de toute assimilation des lieux qu'il décrit avec ceux de l'anatomie du cerveau. Celle-ci n'est pourtant pas récusée en elle-même, et l'on connaît sa conviction qu'un jour, sans doute lointain, tout ce qu'il décrit trouvera un support et une légitimation organique ; il puise cette certitude dans sa ferme conviction matérialiste. Celle-ci impose l'existence d'un support « matériel » aux opérations psychiques, aussi abstrait puisse-t-il apparaître ; d'une certaine façon, l'exigence d'une topique n'est que la transcription métapsychologique de la référence constante que fait Freud au soubassement biologique de toute activité psychique.

LE TEXTE FREUDIEN

Si Freud, à l'occasion de ses travaux neurologiques et de sa *Contribution à la conception des aphasies,* est amené à s'intéresser à la topographie et aux localisations cérébrales, c'est surtout pour en faire la critique (plus particulièrement celle des travaux de Pierre Paul Broca et Karl Wernicke) et tenter de « substituer des facteurs fonctionnels aux facteurs topiques, en vue d'expliquer ces troubles » [1]. Dès **1895,** dans les *Études sur l'hystérie,* il décrit l'organisation des symptômes hystériques selon un double schéma : l'un « morphologique », que l'on peut dire « topique », étageant chronologiquement les souvenirs autour d'un noyau, l'autre « dynamique » où ils sont reliés par des liens logiques suivant des voies les plus sinueuses. Il appartiendra à Joseph Breuer, dans le même ouvrage, d'insister sur ces facteurs pour montrer qu'une même partie, qu'un seul et même organe ne saurait suffire à des conditions fonctionnelles contradictoires [2] (à cette occasion, il compare l'appareil psychique à un télescope, image que Freud reprendra cinq ans plus tard [3]). Tout au long de son œuvre, Freud s'est attaché à bien distinguer les deux facteurs, rappelant régulièrement

1. *Contribution à la conception des aphasies* (1891b), Paris, PUF, 1983, p. 9.

2. *Études sur l'hystérie* (1895d), Paris, PUF, 1956, p. 234 et p. 149 n. 1 ; *OCF* II, p. 315-316 et p. 209 n. 1 ; *GW (Nachtragsband)*, p. 293 et p. 247 n. 1.

3. *L'interprétation des rêves* (1900a), Paris, PUF, 1967, p. 455 et 518 ; *OCF* IV (2003), p. 589 et 666 ; *GW* II-III, p. 541 et 616.

que **les lieux psychiques ne sont en aucune façon superposables aux localisations anatomiques.**

On peut pourtant considérer que c'est en **1900,** dans *L'interprétation des rêves,* qu'apparaît véritablement le terme et la notion de « topique » ; assez curieusement d'ailleurs, celle-ci est décrite avant d'être nommée. Pour se représenter ce que pourrait être l'appareil psychique, nous dit Freud, il convient de le décomposer en « instances », en « systèmes » ayant entre eux une orientation spatiale constante ; l'excitation les parcourt selon un ordre temporel déterminé modifiable selon les processus : ce sont les « systèmes ψ ». Cela va d'une extrémité sensitive à une extrémité motrice (comme avec « le réflexe, modèle de toute production psychique »). À ce schéma doit être intégrée la mémoire, qui suppose la modification persistante des éléments à l'intérieur des systèmes ; or un seul système ne saurait en même temps garder ces transformations et demeurer disponible à de nouveaux changements, ce qui amène à **répartir ces deux opérations entre deux systèmes différents** : un externe, superficiel, qui reçoit les perceptions sans les retenir (il n'a pas de mémoire), et un autre système, placé derrière lui, qui transforme l'excitation momentanée en traces durables. Ce qui est ainsi conservé peut être associé dans la mémoire. **Le système dépourvu de mémoire donne à *la conscience* ses qualités sensibles ; les souvenirs conservés dans l'autre système sont par nature *inconscients.***

La formation du rêve ne peut s'expliquer que par l'existence de ces deux instances psychiques dont l'une critique l'autre, lui interdisant l'accès de la conscience. Plus que la qualité d'être conscient ou inconscient (au sens « descriptif » selon Freud), c'est précisément cette capacité de devenir conscient qui fait toute la différence et conduit à reconnaître un **système préconscient** dont les contenus ne sont pas dans le champ actuel de la conscience mais sont susceptibles d'y accéder (ce que ne sauraient faire les contenus de l'inconscient). Nous arrivons ainsi à reconnaître **trois systèmes (ou instances), nommés en fonction de leur relation à la qualité de conscience.** Nous avons donc, en premier car elle est « le point de départ de notre étude », la *conscience,* ce « fait sans équivalent qui ne se peut ni expliquer ni décrire », comme Freud pourra la qualifier beaucoup plus tard, tout en indiquant qu'on a, par expérience, une idée immédiate de cette conscience lorsqu'il en est parlé[1]. Vient ensuite un *préconscient*, placé à l'extrémité motrice ; il est le système qui permet la motilité volontaire puisque l'excitation peut parvenir très vite à la *conscience* (on parlera donc d'un système *préconscient-conscient*). L'*inconscient* est le système qui, placé plus en arrière, ne saurait accéder à la conscience sans passer par le préconscient. Si nous avons bien trois systèmes ordonnés dans l'espace psychique, en psychanalyse nous n'avons véritablement affaire qu'à deux : *le préconscient-conscient* et *l'inconscient*. Il devient ainsi possible de situer l'impulsion à former des rêves en fonction de ces divers systèmes, ce qui conduit à la notion d'une *régression* se faisant à l'intérieur de l'appareil psychique, entre ses instances[2]. (Ce schéma permettra, en 1914, de distinguer une « régression topique » selon le sens du système ψ, à côté des régressions temporelle et formelle[3].)

Mais cette présentation « simplifiée » en deux systèmes (inconscient et préconscient-conscient) risque de susciter quelques erreurs d'interprétation. Lorsque, après avoir été « refoulée », une pensée inconsciente fait retour et s'efforce de pénétrer dans la conscience, il ne saurait s'agir de la formation d'une « seconde idée, située en un autre lieu, quelque chose comme une transcription ». Dire qu'une pensée est refoulée dans l'inconscient n'est qu'une métaphore qui ne saurait impliquer qu'une certaine formation aurait été détruite dans une région psychique pour être remplacée par une nouvelle, « dans une autre région psychique ». Plutôt que ces images, mieux vaut dire qu'**une certaine quantité d'énergie a été investie ou retirée à une organisation, « de telle sorte que la formation psychique s'est trouvée contrôlée par une instance ou a été soustraite à son pouvoir »**. Une fois de plus, un mode de représentation dynamique remplace une représentation topique ; ce n'est pas la formation psychique qui change, mais son investissement. Il n'en est pas moins utile de

1. *Abrégé de psychanalyse* (1940a [1938]), Paris, PUF, 1967, p. 18 ; *OCF* XX, p. 247 ; *GW* XVII, p. 79.

2. *L'interprétation des rêves* (1900a), Paris, PUF, 1967, p. 455-462 ; *OCF* IV (2003), p. 589-595 ; *GW* II-III, p. 541-547.

3. *Ibidem*, p. 517 ; p. 664 ; p. 614.

continuer à représenter ainsi, concrètement, les deux systèmes, mais en veillant à ne jamais perdre de vue que **les formations psychiques ne sauraient être localisées dans des éléments organiques, mais seulement l'une par rapport à l'autre** : ce sont leurs rapports qui importent, et tout ce qui peut devenir objet de perception interne est *virtuel*[1].

C'est bien la « topique » des systèmes inconscient-conscient qui se trouve ainsi clairement mise en place, mais le mot n'est ici utilisé qu'une fois, pour indiquer la prééminence de la dynamique. Il faudra attendre quinze ans pour faire véritablement aboutir la notion, mais en complétant la description des lieux par celle de leurs modes de fonctionnement : ce sera l'entrée en jeu du facteur économique. Entre-temps, différentes mentions sont faites de la topique, témoignant de ce que l'idée continue de travailler[2].

En présentant les fondement de la *« métapsychologie »*, et en situant les « trois points de vue » qui la constituent, l'essai sur « L'inconscient » pose donc ce qui sera désigné plus tard comme *« première topique »*. En **1915**, différentes modifications amènent à reprendre ce qui avait été élaboré en 1900. C'est ainsi que d'avoir reconnu la liaison avec les restes des représentations verbales comme étant ce qui détermine une représentation consciente, impose d'introduire une note rectificative dans *L'interprétation des rêves*[3]. Il devient vraiment nécessaire de « prendre au sérieux une topique des actes psychiques » (du lieu où ça se passe) mais, pour ce faire, il convient d'avoir réglé au préalable une question, ancienne mais toujours embarrassante : que peut être un « lieu psychique » ? À quoi correspondent les transpositions du système *Ics* (inconscient) dans le système *Cs* (conscient) ? S'agit-il d'une deuxième inscription dans un nouveau lieu, ou d'un changement d'état dans le même lieu ? Certes, pour le moment, notre topique psychique n'a rien à voir avec l'anatomie ; même si nous savons que de telles relations doivent exister, toutes les tentatives de

1. *Ibidem*, p. 517-518 ; p. 665-666 ; p. 615-616.

2. Voir : « Le début du traitement » (1913c), *De la technique psychanalytique*, Paris, PUF, 1953, p. 102 ; *OCF* XII, p. 183 ; *GW* VIII, p. 477. Et aussi : « L'intérêt de la psychanalyse » (1913j), *Résultats, Idées problèmes, I*, Paris, PUF, 1984, p. 206 ; *OCF* XII, p. 118 ; *GW* VIII, p. 413.

3. *Ibidem*, p. 518 ; p. 666 ; p. 616.

localisation cérébrale des processus psychiques ont radicalement échoué et nous pouvons, nous devons l'écarter, mais cela ne suffit pas à nous donner une idée précise de la topique psychique[1]. Pour répondre à la question, Freud s'interroge sur la situation de l'affect par rapport aux systèmes *Ics* et *Cs (Pcs)* (préconscient), et sur le travail du refoulement : tout repose sur l'*investissement-désinvestissement* de la motion refoulée. Mais ces considérations supposent que le passage d'un système dans un autre voisin ne soit pas le fait d'une nouvelle inscription, mais d'un changement d'état, d'une modification dans l'investissement. « **L'hypothèse fonctionnelle a ici évincé sans peine l'hypothèse topique.** » À la suite, Freud complète l'analyse du refoulement par le recours au *contre-investissement*. Surtout, pour ce qui concerne notre sujet, il est ainsi amené à constater que, dans sa présentation des phénomènes psychiques, à côté des points de vue *dynamique* et *topique,* il a dû recourir à un « point de vue *économique,* qui s'efforce de suivre les destins des quantités d'excitation » et d'en obtenir une évaluation, fût-elle relative. **La *métapsychologie* est ainsi fondée, se proposant de « décrire un processus psychique sous les rapports *dynamiques, topiques et économiques* »** – ce qui, il faut l'admettre, ne pourra se faire que sur des points isolés[2].

Les *Conférences d'introduction à la psychanalyse,* en 1916-1917, vont confirmer l'importance topique du refoulement : celui-ci est un processus purement psychologique qui n'a aucune relation à la sexualité ; **nous pouvons encore mieux caractériser le refoulement en le qualifiant de *topique,*** puisqu'il a surtout à voir avec les espaces psychiques structurés en systèmes séparés. C'est ce qui le différencie d'une régression (qui est un concept purement descriptif) dans la mesure où il ne se borne pas à qualifier un maintien à un stade inférieur de l'inconscient : « Il est précisément un concept topique-dynamique. »[3]

1. « L'inconscient » (1915e), *Métapsychologie,* Paris, Gallimard, 1968, p. 77-79 ; *OCF* XIII, p. 215-216 ; *GW* XIII, p. 273-274.

2. *Ibidem,* p. 89-90 ; p. 221-223 ; p. 280-281.

3. *Conférences d'introduction à la psychanalyse* (1916-1917), Paris, Gallimard, 1999, p. 435-436 ; *OCF* XIV, p. 354-355 ; *GW* XI, p. 355.

En 1920, *Au-delà du principe de plaisir* confirme les propositions de 1915, et Freud va même les illustrer en proposant un schéma très simplifié de l'organisme vivant, posé comme « une vésicule indifférenciée de substance excitable ». Selon sa description très imagée, la surface est tournée vers l'extérieur et reçoit les excitations qui viennent ainsi la modifier durablement, jusqu'à former une écorce qui, endurcie, ne saurait plus être modifiée (ce qui explique l'apparition de la conscience). Cette couche fonctionne désormais comme une enveloppe spéciale qui tient l'excitation à l'écart, n'en laissant passer qu'un fragment ; c'est là le *pare-excitation,* dont la fonction est encore plus importante que la réception de l'excitation. La couche corticale réceptrice s'est depuis longtemps retirée profondément à l'intérieur, mais certaines parties en sont restées à la surface pour former les organes des sens [1].

Il faut attendre **1923** pour que **la topique se retrouve profondément bouleversée,** passant du qualitatif au structural. Dans *Le moi et le ça* **cette nouvelle opposition se substitue à celle entre « conscient-inconscient »**. Il importe, en effet, de tenir compte d'une meilleure compréhension des rapports structuraux de la vie psychique, qui montre que si tout refoulé est bien *Ics,* tout *Ics* n'est pas pour autant refoulé : une importante partie du moi est *Ics* – et cet *Ics* du moi n'est pas latent au sens du *Pcs* [2]. Freud repart donc de ce qu'il a déjà pu avancer sur la conscience, la signifiant comme *surface* de l'appareil psychique, fonction d'un système qui est le premier spatialement, et le premier aussi à recevoir les perceptions sensorielles venues de l'extérieur (là est la *Cs*). Mais qu'en est-il des processus internes, de ces sensations et sentiments venus de l'intérieur ? Ces déplacements d'énergie psychique se déplacent-ils vers la surface, faisant naître la conscience ? Ou la conscience vient-elle à eux ? « C'est là une des difficultés qui se présentent quand on veut prendre au sérieux la représentation spatiale, *topique,* des événements psychiques. » À bien les regarder, les deux éventualités s'avèrent tout aussi inconcevables ;

1. *Au-delà du principe de plaisir* (1920g), *Essais de psychanalyse,* Paris, Payot, 1981, p. 65-69 ; *OCF* XV, p. 295-299 ; *GW* XIII, p. 24-27.

2. *Le moi et le ça* (1923b), *Essais de psychanalyse,* Paris, Payot, 1981, p. 228-229 ; *OCF* XVI, p. 262-263 ; *GW* XIII, p. 245.

il faut donc en rechercher une troisième, qui serait la bonne. Pour ce faire, on doit revenir à l'idée que la représentation *Pcs* résulte de l'ajout de représentations de mot aux représentations de chose, ce qui suggère que « ne peut devenir conscient que ce qui fut déjà autrefois perception *Cs* » ; ce qui, de l'intérieur (sentiments exceptés), cherche à devenir conscient doit d'abord se transposer en perceptions extérieures – c'est ce que permettent les traces mnésiques, s'appuyant sur l'origine auditive des restes verbaux. Le travail analytique permet de rendre (pré)conscient quelque chose de refoulé en mettant en place ces termes intermédiaires *Pcs* : « **La conscience reste donc à sa place, mais sans pour autant que l'*Ics* ne soit en quelque sorte remonté jusqu'au *Cs*.** »

Pourtant, la distinction entre les deux instances du *Pcs* et du *Cs* n'a aucun sens pour les sensations qui sont ou conscientes, ou inconscientes ; même liées à des représentations de mot, elles deviennent conscientes directement. Les représentations de mot permettent de transformer les pensées en perceptions, comme si elles venaient de l'extérieur. Ainsi, nous pouvons nous représenter **une entité partant du système *Pc*** (perception) **comme d'un noyau et englobant le *Pcs* étayé sur les restes mnésiques : nous l'appellerons le *moi* ; celui-ci se continue dans une autre partie du psychisme où il se comporte comme *Ics* : nous la nommerons le *ça*.** Avec ces nouvelles figurations psychiques, une nouvelle organisation de l'appareil psychique se trouve proposée : il s'agit bien là d'une ***nouvelle topique,*** même si les « *instances* » qui se trouvent maintenant placées au premier plan représentent, comme leur nom l'indique, un pouvoir, une fonction, et non plus un lieu, un espace. Selon cette topique, « un individu est un *ça* psychique, inconnu et inconscient, à la surface duquel est posé le *moi* développé à partir du système *Pc* ». Ajoutons que ce *moi* ne recouvre le *ça* que partiellement, là où le système *Pc* forme sa surface, et qu'ailleurs il fusionne avec lui (nous retrouvons ainsi impliquée la référence spatiale). Mais le refoulé se fond aussi avec le ça, dont il n'est qu'une partie avec laquelle il peut communiquer, alors que les résistances du refoulement le séparent du moi. « **Le moi est la partie du ça qui a été modifiée sous l'influence directe du monde extérieur par l'intermédiaire du *Pc-Cs*** » ou, pour le dire autrement, « le moi est avant tout un moi corporel qui n'est pas seulement un être de surface mais est lui-même la projection d'une surface »[1].

Deux ans plus tard, en 1925, Freud est amené à définir plus précisément « le point de vue dit topique » : il implique de **se représenter l'appareil psychique comme un instrument fait de plusieurs parties,** des instances (ou systèmes) remplissant chacune une fonction particulière, ayant entre elles une relation spatiale fixe, mais dont les repères (« devant » et « derrière », « superficiel » et « profond ») ont pour premier sens de présenter la succession régulière des fonctions – ce qui suppose que, de fait, cette topique est *spatio-temporelle* (et c'est sans doute ce qu'impliquait de définir le refoulement, ainsi que nous l'avons vu, comme un « concept topique-dynamique » dans les *Conférences d'introduction*). Mais on doit savoir que cette subdivision de l'inconscient (entre un préconscient et un inconscient proprement dit) n'est qu'une « superstructure spéculative » dont chaque partie peut être modifiée, voir supprimée[2].

Ces réserves faites, il convient de maintenir l'idée que la psychanalyse envisage la vie psychique de trois points de vue : dynamique, économique et topique. Parmi ceux-ci, le point de vue topique, en 1926, considère que **les lieux des processus psychiques sont le ça, le moi et le surmoi** dont les fonctions sont précisées : – le *« ça »* est porteur des motions pulsionnelles, – le *« moi »* est la partie la plus superficielle du « ça » modifiée par l'influence du monde extérieur, – le *« surmoi »,* sorti du « ça », domine le moi et représente les inhibitions de la pulsion, caractéristiques de l'homme[3]. La qualité de « conscience » implique aussi une référence topique ; les processus du ça étant absolument inconscients, la conscience est la fonction de la couche la plus externe du moi destinée à percevoir le monde extérieur.

1. *Ibidem,* p. 230-238 ; p. 263-270 ; p. 246-254.

2. *Sigmund Freud présenté par lui-même* (1925d), Paris, Gallimard, 1984, p. 55 ; *OCF* XVII (« Autoprésentation »), p. 79-80 ; *GW* XIV, p. 58. – Et aussi : *La question de l'analyse profane* (1926e), Paris, Gallimard, 1986, p. 44 ; *OCF* XVIII, p. 16 ; *GW* XIV, p. 221.

3. « Psycho-Analysis » (1926f), *Résultats, idées, problèmes, II,* Paris, PUF, 1984, p. 155-156 ; *OCF* XVII, p. 291-293 ; *GW* XIV, p. 302-303.

Les *Nouvelles conférences d'introduction à la psychanalyse*, en 1933, sont l'occasion de rappeler, voire de resituer, ces notions récemment acquises. Un *troisième sens* à attribuer au terme « inconscient » était donc apparu lorsqu'on découvrit qu'une bonne part des processus se déroulant dans le moi, en plus du sens topique ou systématique, étaient également inconscients au sens dynamique ; le mot a pris alors de plus en plus la signification d'une province psychique, plutôt que d'une qualité. Mais de reconnaître que des parties du moi (et du surmoi) sont inconscientes au sens dynamique a permis d'éliminer une complication : désormais, il n'était plus acceptable de réserver le terme de « système *Ics* » à ce qui est étranger au moi, d'utiliser « inconscient » au sens systématique. Dorénavant, ce qui était ainsi désigné devait recevoir un nom ne prêtant plus à malentendu : ce fut le *« ça »*. « Surmoi, moi et ça sont donc les trois royaumes, régions, provinces en lesquelles nous décomposons l'appareil psychique de la personne. »[1] **C'est bien la « deuxième topique » qui est ainsi réaffirmée.**

Pourtant, en 1937, « L'analyse avec fin et l'analyse sans fin » vient marquer une certaine prise de distance avec les trois points de vue. Ayant posé que les résistances du moi peuvent être « aussi bien héréditairement déterminées qu'acquises dans des combats défensifs », la distinction topique perd alors beaucoup de sa valeur[2].

L'année suivante, l'*Abrégé de psychanalyse* se ressaisit des **deux topiques** pour examiner leurs équivalences. Les processus psychiques ont trois qualités (conscients, préconscients, inconscients) mais cette théorie des trois qualités du psychisme, qui est plutôt un compte rendu des faits observés, tend à embrouiller les choses et ses complexités nous portent plutôt à chercher à comprendre les rapports fort complexes « entre les qualités du psychisme et les provinces ou instances de l'appareil psychique ». On peut cependant parvenir à la conclusion que « le ça et l'inconscient sont aussi étroitement liés que le moi et le préconscient, et le lien est même encore plus exclusif ».

1. *Nouvelles conférences d'introduction à la psychanalyse* (1933a [1932]), Paris, Gallimard, 1984, p. 100 ; *OCF* XIX, p. 155 ; *GW* XV, p. 79.

2. « L'analyse avec fin et l'analyse sans fin » (1937c), *Résultats, idées, problèmes, II*, Paris, PUF, 1984, p. 256 ; *OCF* XX, p. 43 ; *GW* XVI, p. 86.

L'étude du développement permet de comprendre leurs relations : « À l'origine, tout était ça. Le moi s'est développé à partir du ça sous l'influence persistante du monde extérieur. » Certains contenus du ça passèrent à l'état préconscient et prirent place dans le moi, d'autres demeurèrent inchangés dans le ça en en constituant le noyau ; durant ce développement le moi, encore faible, a repoussé dans l'inconscient certains contenus déjà acceptés, suscitant dans le ça une certaine partie qui est le *refoulé* (ce qui coïncide, en gros, avec l'inné et l'acquis). Nous nous retrouvons ainsi à **admettre une « division topographique de l'appareil psychique en moi et en ça, division à laquelle correspondent les qualités de conscient et d'inconscient** », mais ces qualités ne sont qu'un indice, et non pas l'essentiel. Hélas, nous ignorons « la véritable nature de l'état qui se traduit dans le ça par la qualité d'inconscient et dans le moi par la qualité de préconscient, et en quoi consiste la distinction entre ces deux états ». Sans doute cela a-t-il à voir avec une certaine énergie active dans la vie psychique, mais de celle-ci nous savons seulement qu'elle peut prendre une forme tantôt mobile, tantôt liée, pouvant se transformer par le jeu des investissements ; la différence entre l'état inconscient et l'état préconscient, et donc entre le ça et le moi (la distinction topique donc) tiendrait à de telles relations dynamiques, ce qui expliquerait leurs mutations[1]. La topique se trouve ainsi réhabilitée en devenant dynamique, et aussi en s'incluant dans une perspective épistémologique. Cet essai ultime, « testamentaire », qu'est l'*Abrégé de psychanalyse,* conclut que, « en admettant l'existence d'un appareil psychique à étendue spatiale, composé de parties adaptées à leur rôle, développé par les nécessités de l'existence et ne produisant les phénomènes de la conscience qu'en un point particulier et dans certaines conditions, nous avons été en mesure d'établir la psychologie sur des bases analogues à celles de toute autre science, de la physique par exemple »[2].

1. *Abrégé de psychanalyse* (1940a [1938]), Paris, PUF, 1967, p. 23-27 ; *OCF* XX, p. 250-254 ; *GW* XVII, p. 82-86.

2. *Ibidem,* p. 70 ; p. 294 ; p. 126.

QUESTIONS ET ENJEUX

Pour situer la place de la topique dans la métapsychologie, sans doute peut-on se souvenir de la référence aristotélicienne. Il s'agirait effectivement d'établir une théorie des lieux communs considérés comme propres au psychisme, afin de situer et d'ordonner ses mouvements dynamiques, d'en repérer les catégories afin de « faciliter l'invention » ; c'est ainsi que Freud peut en venir à considérer qu'il ne s'agit là que d'une « superstructure spéculative dont chaque partie peut être modifiée, voir supprimée ». La topique, cependant, si elle demeure des plus utiles pour rendre compte du fonctionnement psychique, ne s'en situe pas moins en dépendance de la dynamique : ce qui est déterminant n'est pas de situer les lieux eux-mêmes, mais d'établir leurs rapports (entre eux et à l'intérieur de chacun) et, tout aussi bien, de reconnaître les mouvements qui assurent les passages de l'un à l'autre. Autrement dit, la topique dépend de changements d'état dont elle permet le repérage ; le refoulement en est non seulement un excellent exemple, mais il ne serait pas faux de dire qu'il résume et fonde les topiques au gré des passages du refoulé, d'un système à un autre.

Nous sommes ainsi conduit à nous interroger sur la pertinence « topologique » de ce point de vue. Non seulement Freud a souvent répété que les lieux psychiques ne devaient surtout pas être confondus avec des lieux anatomiques, mais il a souligné que les passages d'un système à un autre ne correspondaient nullement à une inscription dans un autre lieu, mais bien à un changement d'état : l'hypothèse fonctionnelle évince sans peine l'hypothèse topique, souligne-t-il alors. Ce qui sera redit dix ans plus tard pour, reprenant la métaphore d'un appareil psychique fait de plusieurs systèmes assurant chacun une fonction particulière, il spécifie que, plus que la spatialisation, leur sens premier est de présenter la succession régulière des fonctions. Les lieux psychiques apparaissent finalement bien peu « locaux », avant tout signifiés par leurs mouvances et leurs agencements, la dynamique primant là encore sur la topique ; celle-ci est bien, pour l'essentiel, une commodité de repérage et un lieu de fonctionnement. C'est sans doute ce qu'entendait Freud en proposant, à côté de « lieu », de parler de « provinces » : plus encore qu'un site, celle-ci est une organisation complexe, lourde de son histoire. Ce qui nous conduit à remarquer que ces « lieux » psychiques ne sont pas donnés d'emblée (à la différence de la dynamique énergétique), mais qu'ils apparaissent au cours du développement, que ce soit sous la forme de la conscience se dégageant de ce qui est inconscient (il serait sans doute plus juste ici de parler, à ce moment, de ce qui est « non conscient »), ou du moi se développant à partir du ça sous l'influence de la réalité extérieure. La topique doit être acquise ; elle témoigne de l'histoire individuelle, ce qui ne fait que confirmer sa dimension temporelle.

Si on se demande ce qui différencie les deux topiques, il apparaît clairement que la première se définit en fonction de la *qualité* « être conscient » ou « être inconscient » (comme ce sera redit jusqu'à la fin), alors que la seconde se spécifie *structuralement* au travers des instances du ça et du moi, toute la problématique devenant alors celle de ce qui travaille entre qualités et structures, celle des rapports de pouvoir réciproques entre ces instances – ce qui s'illustre dans l'image du moi devant servir « trois despotes » aux exigences incompatibles (ça, surmoi, monde extérieur)[1]. Les changements de dénominations ont leurs justifications, et un moment vient où la première topique, avec sa prédominance du qualitatif, s'avère par trop descriptive, ainsi trop éloignée de ce que chaque système recouvre. C'était déjà implicite lorsqu'il fallut recourir à un préconscient à la localisation finalement imprécise (phénoménologiquement inconscient et donc proche de l'*Ics,* fonctionnellement plus près de la conscience, d'où le qualificatif de *Pcs-Cs*). Cela devint criant lorsqu'il fallut accepter que ce que l'on désignait déjà couramment comme « moi » (avec, par exemple, les notions de « pulsions du moi » ou de « moi-plaisir et moi-réalité », mais « moi » qui n'était pas encore reconnu comme une instance) que ce « moi » donc était pour une bonne part inconscient, à commencer par sa partie défensive. Si un « nouveau moi » peut apparaître à partir de 1923, ce n'est pas tant en raison de nouveaux attributs (sa part inconsciente était déjà implicite dans la notion de préconscient) que parce qu'est apparue la nécessité de spécifier le ça en fonction de lui-même et de sa dynamique propre – puis, corrélativement et à la suite, de concevoir un surmoi, essentiellement

1. *Nouvelles conférences d'introduction à la psychanalyse* (1933a [1932]), Paris, Gallimard, 1984, p. 107 ; *OCF* XIX, p. 160 ; *GW* XV, p. 84.

inconscient mais ne se justifiant qu'à viser le moi (comme d'ailleurs l'indique sa dénomination).

Lorsqu'elle est élaborée comme métapsychologie, la première topique apparaît comme l'« objectif ultime ». Dix ans plus tard, il faut considérer que ce n'était là en fait qu'une ébauche, et qu'il convient de l'interrompre « car le temps d'une telle fixation théorique n'est pas encore venu ». Les dernières « spéculations » ont débouché sur une subdivision, plus satisfaisante, entre un moi, un ça et un surmoi. Pour autant, la deuxième topique n'entend ni abolir, ni remplacer la première, mais la compléter et la corriger ; elle cherche surtout à la faire accéder à une représentation plus « scientifique », à en faire véritablement une « superstructure spéculative » : « établir la psychanalyse sur des bases analogues à celles des autres sciences » (à l'opposé des dires d'une critique, parfois entendue, la présentant comme « anthropomorphique »).

Économique

all. : ***ökonomisch***. – angl. : *economic*. – esp. : *económico*. – ital. : *economico*. – port. : *econômico*

Le point de vue *économique* désigne le facteur quantitatif selon lequel les représentants pulsionnels sont investis de quantités déterminées d'énergie, l'appareil psychique tendant à en réguler automatiquement les variations pour les maintenir à un niveau tolérable, en fonction du principe de plaisir-déplaisir (le déplaisir ressort d'un accroissement de l'excitation, le plaisir d'une diminution). L'analyse quantitative-économique est nécessaire non seulement pour apprécier les conflits névrotiques et les facteurs constitutionnels attachés à des pulsions partielles, mais aussi le déroulement même de la cure. Tous les humains seraient qualitativement identiques, et ne se différencieraient que par les rapports quantitatifs.

MISE EN SITUATION

D'emblée, le terme « économie » est employé littéralement par Freud, à ceci près que l'économie réalisée porte sur la « dépense psychique » – notion qui, d'ailleurs, lui apparaît d'emblée « très obscure » ; elle fera l'objet de réévaluations tout au long de l'œuvre, mais ne sera jamais abandonnée. L'idée de « quantité » est évidemment implicite dans celles de « dépense » et d'« économie ». C'est elle qui se retrouve dans le quantum, *terme retenu en français pour traduire le* betrag *allemand. S'il a bien le mérite d'impliquer la quantité, ce mot a le tort d'escamoter la référence économique prévalente de « dépense », de « montant monétaire » qu'implique fortement* betrag *; ainsi, bien plus qu'un substrat, le quantum d'affect est un flux, une dépense (d'énergie en l'occurrence) à montant variable, et c'est en tant que telle qu'elle peut être la référence de base dans les théories de l'angoisse et du refoulement (Freud en viendra d'ailleurs à souhaiter « se libérer » de l'économique). La « quantité » implique l'idée de « mesure », sans que pour autant cela soit chiffrable. Nous pouvons l'illustrer en restant dans l'affect pour constater que celui-ci est mesurable puisqu'on aime plus ou moins, sans qu'il soit pour autant envisageable d'en chiffrer la mesure : la seule échelle possible serait celle donnée par l'effeuillage de la marguerite. L'important ne saurait, de toute façon, être dans la quantité en soi (donc dans* un *chiffre), mais dans les variations de quantités – et c'est bien ce qu'implique la notion économique.*

LE TEXTE FREUDIEN

L'idée apparaît dès mai 1895, dans une lettre à Wilhelm Fliess, à qui il avoue sa grande ambition de découvrir « **quelle forme assume la théorie du fonctionnement mental quand on y introduit la notion de quantité, une sorte d'économie des forces nerveuses** »[1].

1. Lettre à Wilhelm Fliess du 23 mai 1895, citée par Ernest Jones, in *La vie et l'œuvre de Freud*, Paris, PUF, 1958, t. 1, p. 381.

C'est ce projet qui va progressivement se développer, et d'abord en 1905 pour s'appliquer à la compréhension du plaisir suscité par les *mots d'esprit* : ceux-ci permettent de lever une inhibition et d'économiser la dépense psychique qu'elle exige ; il s'agit là d'un « **principe d'économie** » **qui devrait permettre d'éclairer quelque peu l'obscur concept de** « **dépense psychique** ». Les plaisirs du mot d'esprit, du comique et de l'humour sont tous issus d'une épargne et d'une prévoyance : ils constituent des méthodes permettant à l'activité psychique de regagner un plaisir que le développement seul de cette activité avait fait perdre[1]. C'est un peu un processus inverse qui opère dans la *névrose obsessionnelle* : l'inhibition à l'extrémité motrice se voit renforcée par une énergie qui, habituellement orientée vers l'action, vient investir des pensées qui remplacent régressivement des actes ; le facteur psychologique, si longtemps recherché, du caractère compulsionnel des obsessionnels s'explique ainsi par ce processus économique[2]. Dans les deux cas, nous avons une illustration de cette **tendance générale de notre appareil psychique : le** « **principe économique de la moindre dépense** ». C'est lui qui fait se cramponner aux sources de plaisir disponibles auxquelles il est si difficile de renoncer[3] : la polarité économique est celle du plaisir-déplaisir[4].

Dorénavant (nous sommes en **1915** et, nous le voyons, la gestation du concept fut longue), le point de vue économique – qui se signifie à suivre et évaluer, fût-ce relativement, les quantités – est pleinement pris en compte, pour lui-même. **C'est lui qui, en rejoignant les points de vue dynamique et topique, va permettre de franchir ce pas théorique important** « **qui constitue l'achèvement de la recherche**

1. *Le mot d'esprit et sa relation à l'inconscient* (1905c), Paris, Gallimard, 1988, p. 225-226 et 410-411 ; *GW* VI, p. 133 et 269.

2. « Remarques sur un cas de névrose obsessionnelle (L'homme aux rats) » (1909d), *Cinq psychanalyses,* Paris, PUF, 1954, p. 259 ; *OCF* IX, p. 211-212 ; *GW* VII, p. 461.

3. « Formulations sur les deux principes du cours des événements psychiques » (1911b), *Résultats, idées, problèmes, I,* Paris, PUF, 1984, p. 138 ; *OCF* XI, p. 16 ; *GW* VIII, p. 234.

4. « Pulsions et destins des pulsions » (1915c), *Métapsychologie,* Paris, Gallimard, 1968, p. 44 ; *OCF* XIII, p. 187 ; *GW* X, p. 232.

psychanalytique » **:** nous concevons une *métapsychologie* lorsque nous réussissons à décrire un processus psychique sous les rapports *dynamiques, topiques et économiques*[1].

Les *Conférences d'introduction à la psychanalyse,* en 1916-1917, consacrent de nombreuses pages au sujet, partant d'abord des malades atteints de névroses de guerre qui font comme si la *situation traumatique* se trouvait devant eux, telle une tâche actuelle non maîtrisée ; ceci permet de comprendre les processus économiques. D'ailleurs, « **l'expression "traumatique" n'a pas d'autre sens qu'un tel sens économique** » : il s'agit de l'apport, en un temps très bref, d'un accroissement de stimulation si fort qu'il ne peut être liquidé ou élaboré, entraînant, de ce fait, « des perturbations durables dans la gestion de l'énergie »[2].

C'est encore une considération économique qui intervient pour évaluer la différence entre les pulsions sexuelles et celles d'autoconservation, entre le principe de plaisir et le principe de réalité. On peut repérer, dans notre appareil psychique, son intention principale : le gain de plaisir et l'évitement du déplaisir. C'est là ce qu'on appelle le *principe de plaisir* : le peu que nous en savons tient à ce que le plaisir est lié à la diminution, l'abaissement ou l'extinction de la quantité de stimulus dans l'appareil psychique, le déplaisir à son augmentation. Dans ces régulations du plaisir, il s'agit bien des **destins de quantités d'excitation ou d'énergie psychique ; « nous qualifions des considérations de cet ordre d'économiques** »[3].

Lorsqu'il faut expliquer l'enchaînement étiologique qui conduit aux symptômes et aux névroses, c'est le facteur de la quantité, de la grandeur des énergies qui est à prendre en considération. En fait, il doit être partout pris en compte. Une conception simplement dynamique, partant de la seule analyse qualitative, est largement insuffisante ; il importe de lui adjoindre le point de vue *économique* : pour

1. « L'inconscient » (1915e), *Métapsychologie,* Paris, Gallimard, 1968, p. 89-90 ; *OCF* XIII, p. 222-223 ; *GW* X, p. 281.

2. *Conférences d'introduction à la psychanalyse* (1916-1917), Paris, Gallimard, 1999, p. 351 ; *OCF* XIV, p. 284-285 ; *GW* XI, p. 284-285.

3. *Ibidem,* p. 451-452 ; p. 368-369 ; p. 370.

qu'éclate un conflit entre deux aspirations, il faut que « certaines intensités d'investissement aient été atteintes, même si les conditions de contenu sont depuis longtemps présentes ». Et il en va de même pour les facteurs constitutionnels, fonctions des quantités relatives de pulsions partielles. Le facteur quantitatif est tout aussi décisif pour s'opposer à l'entrée dans la névrose, y résister. Le but final de l'activité psychique (plaisir-déplaisir) « **se présente du point de vue économique comme la tâche qui consiste à maîtriser les grandeurs d'excitation** » ; ce faisant, elle tend à en empêcher l'accumulation, cause de déplaisir. Pour rendre compte de tout cela, il fallut passer d'une présentation descriptive à la conception dynamique, puis de celle-ci à l'économique[1].

Il est significatif que le tout premier paragraphe d'*Au-delà du principe de plaisir* (1920) soit consacré à rappeler que **lorsque nous tenons compte de ce principe de plaisir, nous introduisons le point de vue économique** qui, avec les facteurs topique et dynamique, constituent la métapsychologie, « mode d'exposition le plus complet que nous puissions nous représenter actuellement ». Quelques pages plus loin, c'est encore en référant le point de vue économique (la considération du gain de plaisir) qu'est introduite l'analyse du « jeu de la bobine », argument destiné à étayer la compulsion de répétition[2]. C'est toujours la référence économique qui doit rendre compte des transferts d'excitation interne provoqués par une faiblesse du pare-excitation ; les perturbations économiques ainsi provoquées sont alors comparables à ce qui se passe dans les névroses traumatiques. Pourtant ce sont là, le plus souvent, des excitations issues des pulsions de l'organisme et transférées à l'appareil psychique : « C'est là l'élément le plus important mais aussi le plus obscur de la recherche psychologique. »[3] En 1922, l'importance du facteur quantitatif, tel qu'il se révèle dans la mesure d'investissements des formations névrotiques, est connue depuis longtemps par l'analyse de l'hystérie, mais

1. *Ibidem*, p. 475-476 et 479-480 ; p. 387-388 et 391 ; p. 389-390 et 392.

2. *Au-delà du principe de plaisir* (1920g), *Essais de psychanalyse*, Paris, Payot, 1981, p. 43 et 51 ; *OCF* XV, p. 277 et 284 ; *GW* XIII, p. 3 et 11.

3. *Ibidem*, p. 77 ; p. 305 ; p. 35.

il se découvre maintenant dans la paranoïa où, pareillement, l'effet pathogène ne se manifeste que lorsque les rejetons des motions pulsionnelles refoulées, longtemps tolérés, reçoivent un surinvestissement ; alors éclate le conflit qui produit le symptôme. « **Le progrès de notre connaissance nous pousse toujours de plus en plus à mettre au premier plan le point de vue économique.** »[1]

Durant l'année **1923**, en introduisant les nouvelles instances, *Le moi et le ça* procède à une redéfinition topique, ce qui n'est pas sans conséquences sur leur fonctionnement économique. Repartant de la base de toute réflexion psychanalytique – l'inconscient et l'énergétique – Freud rappelle d'abord comment l'expérience l'a forcé à admettre un facteur quantitatif, donc économique. Il convient, bien sûr, d'y associer les sensations de plaisir qui ne souhaitent que perdurer, alors que les sensations de déplaisir poussent au changement, à la décharge. Ce qui devient conscient comme plaisir et déplaisir est une « autre chose » dans l'écoulement psychique, « autre d'un point de vue et quantitatif et qualitatif », et qui se comporte comme une motion refoulée[2]. L'année suivante, la question des névroses et des psychoses est réabordée : dans les névroses, le refoulement est le résultat d'un retrait de l'investissement que le moi a placé au-dehors ; dans les psychoses, c'est sans doute le même mécanisme qui lui permet de se détacher du monde extérieur. **L'issue de ces situations de conflit dépend bien des circonstances économiques, de la grandeur relative de chacune des tendances qui luttent entre elles**[3].

La même année 1924, est posé « Le problème économique du masochisme ». En effet, **le masochisme représente une véritable énigme économique** : comment le concilier avec le principe de plaisir censé dominer les processus psychiques ? Si douleur et déplaisir peuvent être des buts et non plus des avertissements, « le principe de

1. « Sur quelques mécanismes névrotiques dans la jalousie, la paranoïa et l'homosexualité » (1922b [1921]), *Névrose, psychose et perversion,* Paris, PUF, 1973, p. 276-277 ; *OCF* XVI, p. 93 ; *GW* XIII, p. 202-203.

2. *Le moi et le ça* (1923b), *Essais de psychanalyse,* Paris, Payot, 1981, p. 224-225 et 233-234 ; *OCF* XVI, p. 259 et 266-267 ; *GW* XIII, p. 240 et 249-250.

3. « Névrose et psychose » (1924b), *Névrose, psychose et perversion,* Paris, PUF, 1973, p. 286 ; *OCF* XVII, p. 7 ; *GW* XIII, p. 391.

plaisir est paralysé, le gardien de notre vie psychique est comme sous l'effet d'un narcotique ». Cette difficulté va conduire à quelques remises en question, à commencer par celle de l'idée que le plaisir correspond à un abaissement de la tension, le déplaisir à une élévation ; c'est ce que l'excitation et la satisfaction sexuelles viennent démentir avec éclat. Ainsi, **le facteur quantitatif ne saurait suffire à rendre compte de ce fonctionnement ; il faut lui adjoindre un caractère qualitatif** (mais nous ignorons ce qu'il peut être). Là se situe le problème économique du masochisme qui va conduire à redistribuer les attributs des principes de *Nirvâna* (pulsion de mort), de *plaisir* (libido), de *réalité* (monde extérieur), principes qui d'ailleurs s'accommodent économiquement les uns des autres, même si les conflits sont inévitables – si bien que le principe de plaisir demeure le gardien de la vie[1].

On peut être surpris que dans *Inhibition, symptôme et angoisse,* dans l'analyse approfondie qu'il fait des trois notions qui valent son titre à l'ouvrage, le point de vue économique paraisse ignoré. Freud, pourtant, le mentionne une fois, comme en passant (à propos de l'angoisse comme signal du moi visant à influencer l'instance plaisir-déplaisir), mais c'est alors pour faire une remarque lourde d'arrière-pensées sur sa satisfaction de pouvoir, à cette occasion, **se libérer de « l'obsession de l'économique »**[2]. Aussi encombrant apparaisse-t-il parfois, le facteur économique ne saurait pourtant être évacué, et la même année Freud doit constater que c'est bien lui qui impose l'investissement de quantités déterminées d'énergie sur les représentants des pulsions, la tâche de l'appareil psychique étant de maintenir au plus bas niveau possible la somme des excitations afin d'éviter la stase des quantités d'énergie investies[3].

Ce sera redit, en 1933, dans les *Nouvelles conférences d'introduction à la psychanalyse* : « **Le facteur économique ou, si vous voulez,**

1. « Le problème économique du masochisme » (1924c), *Névrose, psychose et perversion,* Paris, PUF, 1973, 287-289 ; *OCF* XVII, p. 11-13 ; *GW* XIII, p. 371-373.

2. *Inhibition, symptôme et angoisse* (1926d [1925]), Paris, PUF, 1951, p. 64-65 ; *OCF* XVII, p. 255 ; *GW* XIV, p. 270-271.

3. « Psycho-Analysis » (1926f), *Résultats, idées, problèmes, II,* Paris, PUF, 1984, p. 155-156 ; *OCF* XVII, p. 292 ; *GW* XIV, p. 302-303.

quantitatif, intimement lié au principe de plaisir, domine tous les processus. » Le facteur *traumatique*, en faisant échouer les efforts du principe de plaisir, le met pourtant en question : l'objet de l'angoisse (ce qui est redouté) est toujours « l'apparition d'un facteur traumatique qui ne peut être liquidé selon la norme du principe de plaisir » ; c'est dire que celui-ci ne nous protège pas des dommages objectifs mais seulement d'un « dommage déterminé de notre économie psychique » – c'est toujours, et partout, une question de quantités relatives [1]. D'où l'ultime conclusion : « Les phénomènes normaux ou anormaux observés (ce qui constitue la phénoménologie) exigent d'être décrits au points de vue dynamique et économique. » [2]

QUESTIONS ET ENJEUX

Des trois « point de vue » sur lesquels s'appuie la métapsychologie, le facteur économique est sans doute celui dont le champ est le plus vaste et le plus varié, le plus complexe en somme. Dernier reconnu dans la théorie psychanalytique, il put sembler un temps en être l'achèvement ; il est aussi le dernier apparu lors du développement de l'individu, puisqu'il exige un moi qui puisse investir des objets. Son modèle de référence est celui de « l'économie » (au sens domestique ou marchand du terme), visant les dépenses, les excès, les réserves, les circulations, les changements... étant entendu qu'il s'agit là toujours de *quantités d'énergie*. Comme les deux autres « facteurs », l'économique est foncièrement énergétique.

C'est sans doute la notion de « quantum d'affect » (de « montant ») qui illustre le mieux l'importance du quantitatif (économique donc). Élément essentiel (« le plus important ») de la théorie du refoulement, cette dépense énergétique tire l'essentiel de sa fonction de ses variations – jusqu'à ses excès qui peuvent en venir à rompre le pare-

1. *Nouvelles conférences d'introduction à la psychanalyse* (1933a [1932]), Paris, Gallimard, 1984, p. 103 et 127 ; *OCF* XIX, p. 157-158 et 176-177 ; *GW* XV, p. 81 et 100.

2. *Abrégé de psychanalyse* (1940a [1938]), Paris, PUF, 1967, p. 17 ; *OCF* XX, p. 245 ; *GW* XVII, p. 78.

excitation, avec toutes les conséquences qui en découlent. L'approche économique est la clé de la clinique et, plus encore peut-être, de la conduite de la cure. Pour autant, elle ne saurait dispenser du recours aux deux autres points de vue, comme en témoigna le problème du masochisme qui ne put être compris qu'en intégrant dans ses attendus la dynamique du qualitatif (fût-elle difficile à spécifier), associée au quantitatif. (En ce qui concerne les problèmes posés par les notions de « qualité-quantité », nous renvoyons le lecteur au chapitre ainsi intitulé.)

En fait, le point de vue économique concerne non seulement tout ce qui relève de la clinique, depuis l'angoisse jusqu'aux inhibitions et aux symptômes, depuis les névroses jusqu'aux psychoses, mais aussi tout ce qui appartient au fonctionnement de l'appareil psychique, notamment à travers le jeu des investissements et de leurs dérivés.

Peut-être facteur le plus complexe et le plus ardu de la métapsychologie, l'économique en est aussi le plus concret.

III – LA SCIENCE MÉTAPSYCHOLOGIQUE ?

Nous nous sommes tenus à la métapsychologie que Freud a spécifiée, déterminée qu'elle est par la trilogie factorielle des *« trois points de vue »* ; c'est là, pourrait-on dire, son sens « étroit ». Nous avons cependant signalé, régulièrement, que cette approche n'est pas toujours aussi restrictive ; elle apparaît surtout comme un vœu, accompagné du regret qu'il se trouve trop peu souvent réalisé. Ce qui le sous-tend est la claire volonté de situer la psychanalyse comme *science de la nature* ; en ce sens, on doit considérer la métapsychologie comme ayant une vocation épistémologique. Aussi, nous ne saurions nous dispenser, pour conclure cet article, de revenir à ces textes – que l'on pourrait qualifier de « didactiques » – dans lesquels Freud évoque ce qui lui apparaît comme *fondements de la psychanalyse* – d'où la question : ceux-ci ont-ils aussi valeur métapsychologique ?

Dans sa biographie de 1925 il se borne à indiquer que les théories de la *résistance,* du *refoulement, de l'inconscient,* de la *sexualité infantile,* « sont les principaux éléments de l'édifice théorique de la psychanalyse » ; surtout, il souligne qu'ils « se décomposent et s'articulent entre eux »[1]. Il n'en demeure pas moins que ces bases elles-mêmes, ou certaines d'entre elles, peuvent se révéler incertaines. Ainsi en 1938, dans l'*Abrégé de psychanalyse,* les obscurités de la connaissance de l'inconscient – cette raison d'être de la psychanalyse – sont mises en évidence. Ce travail « testamentaire » n'hésite d'ailleurs pas à s'étendre sur les ignorances persistantes de la psychanalyse. Évoquant sa construction « topographique » d'un moi et d'un ça, Freud avoue ne rien savoir de la « nature véritable de l'état qui se traduit dans le ça par la qualité d'inconscient et dans le moi par la qualité de préconscient, et en quoi consiste la distinction entre ces deux états », évoquant alors les « profondes ténèbres de notre ignorance ». La seule lueur susceptible de les éclairer quelque peu est à chercher dans « une certaine énergie qui entre en jeu dans la vie psychique » – mais que nous ne savons comment relier cette énergie à d'autres : nous parlons d'investissements et de surinvestissements pour « lier » cette énergie, mais « notre savoir s'arrête là ». Malgré tout, la « science analytique » a pu établir le fait que « les processus qui se jouent dans l'inconscient ou le ça obéissent à d'autres lois que ceux qui se déroulent dans le moi préconscient » (ces « lois » posent le processus primaire opposé au processus secondaire) – « ainsi l'étude des qualités psychiques n'aura finalement pas été tout à fait infructueuse »[2].

En 1926, dans un texte écrit pour l'*Encyclopædia Britannica,* Freud se propose de définir la *Psychanalyse* (tel est son titre). D'entrée, il y indique que celle-ci « relève de trois points de vue : dynamique, économique et topique » (curieusement, il s'abstient cette fois de nommer en tant que telle la métapsychologie). Les examinant, il est amené à préciser que la dynamique ramène tous les processus à un jeu de forces qui, « à l'origine, sont toutes de nature pulsionnelle, donc d'origine organique » – mais « la doctrine des pulsions est un domaine obscur même pour la psychanalyse ». On doit remarquer combien la théorie des pulsions, énergétique par essence, est ici étroitement associée au fac-

1. *Sigmund Freud présenté par lui-même* (1925d), Paris, Gallimard, 1984, p. 67 ; *OCF* XVII (« Autoprésentation »), p. 86 ; *GW* XIV, p. 65.

2. *Abrégé de psychanalyse* (1940a [1938]), Paris, PUF, 1967, p. 26-27 ; *OCF* XX, p. 253-254 ; *GW* XVII, p. 85-86.

teur « dynamique », ce qui laisse penser qu'elle devrait avoir elle-même valeur métapsychologique – mais ce n'est indiqué nulle part, et on peut se demander si cette abstention tient à son « obscurité », ou à des raisons épistémologiques ? Freud poursuit en remarquant que nous avons là les « résultats ultimes du travail psychanalytique », qui « sont sujets à révision ». Il peut alors reprendre le propos qui attribue « trois piliers » à la théorie analytique : le refoulement, le transfert, les pulsions sexuelles (dont découle le complexe d'Œdipe)[1]. Il est clair que les facteurs dynamique, topique et économique sont très présents dans les deux premiers, c'est plus « obscur » en ce qui concerne le troisième « pilier », d'ordre pulsionnel. Devrait-on alors les intégrer à la métapsychologie, au moins à titre potentiel et en espérant qu'une « véritable » théorie des pulsions finira par voir le jour ? Rien n'en est dit.

C'est là, bien sûr, que le bât blesse. La psychanalyse s'est construite sur quelques *grands principes*, à commencer par celui « de plaisir », ce qui amène à se demander si ces principes sont à considérer comme appartenant à la métapsychologie, ou à tout le moins en relevant ? Si oui, comment ? Une fois encore, se repose la question de la pulsion puisque c'est elle qui en est le moteur – et d'aller « au-delà » du principe de plaisir ne saurait dépasser le problème : même ainsi qualitativement enrichies, les pulsions demeurent, aussi énigmatiques, et même plus encore. Prendre acte de ce que la psychanalyse ne dispose pas d'une véritable théorie des pulsions ne reviendrait-il pas alors à constater que celles-ci ne sauraient s'intégrer dans la métapsychologie ? Pourquoi ? Vu leur place fondamentale dans la théorie du fonctionnement psychique, pareille carence ne vient-elle pas remettre en question la métapsychologie elle-même ? À ce point parvenu, sans doute faut-il plutôt s'interroger sur ce qu'entend Freud lorsqu'il déplore de ne pouvoir disposer d'une « véritable théorie des pulsions » ? Il semble assez clair que ce qu'il considère alors lui manquer est une base « véritablement scientifique » pour soutenir les propositions propres aux pulsions.

1. « Psycho-Analysis » (1926f), *Résultats, idées, problèmes, II*, Paris, PUF, 1984, p. 157-157 ; *OCF* XVII, p. 291-293 ; *GW* XIV, p. 301-303.

Freud s'est assez souvent exprimé sur ce que recouvre une exigence scientifique, telle qu'il entend s'y soumettre – et ce dès l'« Esquisse d'une psychologie scientifique », avec laquelle il a « cherché à faire entrer la psychologie dans le cadres des sciences naturelles »[1]. Mais un tel projet porte en lui les difficultés inhérentes à tout travail scientifique – encore plus lorsque la discipline en est à se constituer. C'est là ce que Freud tient encore à rappeler dès les premières lignes du premier des essais rassemblés sous, justement, le titre de « Métapsychologie » : si des concepts clairement définis fondent effectivement toute science, ils ne sont jamais trouvés d'emblée et on doit toujours commencer par décrire les phénomènes, les rassembler, les ordonner pour les mettre en relation ; dès ce moment, on ne saurait se dispenser de recourir à certaines idées abstraites puisées ici ou là et qui, retravaillées, deviendront les concepts fondamentaux de la nouvelle science. Dans les premiers pas de celle-ci, il y a donc nécessairement « un certain degré d'indétermination », le contenu ne pouvant en être cerné clairement ; il faut alors, en multipliant les références au matériel, savoir se satisfaire d'accords provisoires sur leur signification. « Elles ont donc, en toute rigueur, le caractère de conventions », même si elles sont déterminées par leurs relations à l'expérience, relations que l'on « croit avoir devinées avant même de pouvoir en avoir la connaissance et en fournir la preuve ». Il faudra soumettre à un examen plus approfondi le champ de ces phénomènes pour enfin saisir « les concepts scientifiques fondamentaux qu'il requiert et les modifier progressivement ». Alors seulement peut venir le temps des définitions. Même alors (l'exemple de la physique l'enseigne) leur contenu devra être constamment modifié. Or, en psychanalyse, nous avons un « concept fondamental conventionnel de ce genre » ; il est encore assez confus mais nous ne pouvons nous en passer : « C'est celui de la pulsion. »[2] Concept indispensable, fondamental et confus, telle est donc la pulsion ; en cette année 1915, si elle a bien valeur

1. *La naissance de la psychanalyse. Lettres à Wilhelm Fliess. Notes et plans (1887-1902)* (1950a [1887-1902]), Paris, PUF, 1956, p. 315 – *Lettres à Wilhelm Fliess* (éd. complète), Paris, PUF, 2006.

2. « Pulsions et destins des pulsions » (1915c), *Métapsychologie*, Paris, Gallimard, 1968, p. 11-12 ; *OCF* XIII (2e éd.), p. 165-166 ; *GW* X, p. 210-211.

scientifique, elle n'a pas véritablement de théorie propre, fût-elle révisable.

Ces principes sont rappelés huit ans plus tard, opposant les certitudes immuables de la philosophie à la démarche de la psychanalyse qui, avec son attachement aux faits, à l'observation et à l'expérience, demeure toujours inachevée et toujours aménageable. « Elle supporte, aussi bien que la physique ou la chimie, que ses concepts majeurs ne soient pas clairs, ses présupposés provisoires », et de la poursuite de ses recherches, elle attend une détermination plus rigoureuse[1]. La psychanalyse appartient bien aux sciences de la nature, comme la physique et la chimie, ces sciences en pleine maturité et en évolution constante, même si, pour sa part, elle en est encore à sa prime jeunesse.

Pourtant, dix ans plus tard, une phrase de Freud pourrait laisser un doute sur cette scientificité ; c'est sans doute pourquoi elle est assez souvent citée, non sans arrière-pensées, mais le plus souvent hors contexte. « La théorie des pulsions est, pour ainsi dire, notre mythologie », écrit-il dans l'une des *Nouvelles conférences d'introduction à la psychanalyse* où il en rapporte les propriétés telles qu'elles sont acquises en 1933. Il prévient : « Les pulsions sont des êtres mythiques, formidables dans leur imprécision. Nous ne pouvons dans notre travail faire abstraction d'elles un seul instant, et cependant nous ne sommes jamais certains de les voir nettement. »[2] C'est toujours la « véritable théorie » qui se révèle manquante. Pour autant, la « science psychanalytique » viendrait-elle à manquer ? Ce n'est absolument pas ce qu'indique le contexte mais, si un doute subsistait, dans les mêmes temps un article, sous couvert d'une correspondance avec Einstein, lève toute ambiguïté : après d'assez longs commentaires pour lui exposer ce qu'il en est des pulsions, il commente : « Peut-être avez-vous l'impression que nos théories sont une sorte de mythologie, pas même réjouissante dans ce cas. » C'est bien le même terme, avec toute son apparente ambiguïté, qui est ici repris ; mais Freud tient cette fois

1. « "Psychanalyse" et "Théorie de la libido" » (1923a), *Résultats, idées, problèmes, II,* Paris, PUF, 1984, p. 72 ; *OCF* XVI, p. 204 ; *GW* XIII, p. 229.

2. *Nouvelles conférences d'introduction à la psychanalyse* (1933a [1932]), Paris, Gallimard, 1984, p. 129 ; *OCF* XIX, p. 178 ; *GW* XV, p. 101.

à préciser sa pensée : « Toute science de la nature n'aboutit-elle pas à un telle sorte de mythologie ? En est-il autrement pour vous, dans la physique contemporaine ? » [1]

Des obscurités laissées par la démarche métapsychologique, on peut en citer plusieurs, relevées par Freud lui-même (nous avons d'ailleurs eu, déjà l'occasion de les signaler). Sans revenir sur la carence métapsychologique qui frappe la pulsion, remarquons que sa notion jumelle d'excitation n'est guère mieux pourvue – mais pour elle, c'est sa nature même qui demeure inconnue. Ceci nous amène à remarquer que si, en psychanalyse, toute élaboration métapsychologique est nécessairement théorique, il ne saurait suffire d'élaborer théoriquement pour se situer dans la métapsychologie. Lorsque, en 1921, à propos de l'identification au père et du choix du père comme objet, Freud note combien il est « difficile de donner de cette différence une représentation métapsychologique concrète », l'explication qu'il propose malgré tout (forme originaire du lien à l'objet, substitut régressif d'un lien libidinal, perception d'une communauté) n'est pas explicitée comme étant métapsychologique, même si on peut choisir de l'en trouver assez proche[2]. De même, lorsqu'en 1926 il reprend la théorie de l'angoisse et critique sa première formulation, il indique que, plus qu'une description, il croyait avoir alors « décelé le processus métapsychologique d'une transformation directe de la libido en angoisse », conception que ses derniers travaux ont condamnée ; il lui faut bien maintenant reconnaître qu'il était « bien en peine alors d'indiquer comment s'accomplit une telle transformation » [3].

La progression dans la recherche psychanalytique conduit inévitablement à réviser des concepts majeurs qui se révèlent n'avoir été que des présupposés provisoires. C'est parfois douloureux, mais cela témoigne de sa scientificité. Pour éclairer la pensée métapsychologique selon Freud, nous pensons devoir reprendre, une fois encore,

1. « Pourquoi la guerre ? » (1933b), *Résultats, idées, problèmes, II,* Paris, PUF, 1984, p. 211-212 ; *OCF* XIX, p. 78 ; *GW* XVI, p. 22-23.

2. *Psychologie des foules et analyse du moi* (1921c), *Essais de psychanalyse,* Paris, Payot, 1981, p. 168-171 ; *OCF* XVI, p. 44-45 ; *GW* XIII, p. 116-118.

3. *Inhibition, symptôme et angoisse* (1926d [1925]), Paris, PUF, 1951, p. 28 ; *OCF* XVII, p. 227 ; *GW* XIV, p. 138.

quelques-unes des images qu'il propose ; lorsque nous nous sentons trop en difficulté pour approfondir théoriquement quelque point nous devons nous souvenir que, « sans spéculer ni théoriser – pour un peu j'aurais dit fantasmer – métapsychologiquement, on n'avance pas ici d'un pas. Malheureusement, les informations de la sorcière ne sont, cette fois encore, ni très claires, ni très explicites » [1]. Pour autant, nous ne saurions nous dispenser de l'aide de la sorcière, figure emblématique de la mythologie psychanalytique. À bien y regarder, cette sorcière n'est autre que la spéculation scientifique. Celle-ci sait bien que « la réalité demeurera à jamais “inconnaissable” », et qu'il s'agit seulement de découvrir des connexions et des interdépendances ; ainsi « nous inférons l'existence d'une quantité de processus en eux-mêmes “inconnaissables”, que nous insérons ensuite parmi ceux dont nous sommes conscients ». Mais la psychanalyse est une science jeune qui n'a pas encore eu le temps d'étudier pleinement chacune des fonctions de l'appareil psychique, jusqu'à l'intégrer dans une conception globale[2]. Nous devons considérer que la métapsychologie représente l'un des moments forts de cette entreprise.

Claude Le Guen

Méthode cathartique → Abréaction et méthode cathartique

Mixtion et démixtion des pulsions → Mélange et démélange (union et désunion) des pulsions

MOI

all. : ***Ich***. – angl. : *ego*. – esp. : *yo*. – ital. : *io*. – port. : *ego*

L'usage de ce mot, comme le sens à lui attribuer, change de telle façon avec l'introduction de la deuxième topique qu'il est ici

1. « L'analyse avec fin et l'analyse sans fin » (1937c), *Résultats, idées, problèmes, II*, Paris, PUF, 1984, p. 240 ; *OCF* XX, p. 26 ; *GW* XVI, p. 69.

2. *Abrégé de psychanalyse* (1940a [1938]), Paris, PUF, 1967, p. 71-72 ; *OCF* XX, p. 293-296 ; *GW* XVII, p. 126-128.

nécessaire d'en donner deux définitions; cela ne saurait empêcher d'en reconnaître la continuité, la persévérance au travers du bouleversement théorique. C'est sans doute ce que voulait indiquer Freud en gardant le même terme dans les deux topiques : cette fois encore, il évite les distinctions trop tranchées qui ne sauraient correspondre aux situations rencontrées tant au cours de l'analyse que dans la psychanalyse elle-même, où il ne faut jamais songer à des « frontières nettes, telles qu'elles ont été tracées en géographie politique » [1].

Nous aurions pu, dans ce dictionnaire, introduire deux entrées; nous avons pensé qu'il serait plus fécond de chercher à conserver la continuité terminologique voulue par Freud, voire l'ambiguïté qui l'anime parfois. D'où cette présentation un peu inhabituelle, dans laquelle nous pensons que le lecteur devrait se retrouver.

I – Le moi dans la première topique (avant 1920).

II – Le moi dans la deuxième topique.

MISE EN SITUATION GÉNÉRALE

Le terme de « moi » ne présente aucune difficulté particulière, si ce n'est celle, ontologique, suscitée par l'interrogation : « Qui suis-je ? » Pourtant, pareille simplicite tend à elle-même ses propres pièges : « Le mot de la langue le plus difficile à prononcer et à placer convenablement, c'est moi *» – et, paraphraserons-nous, il est le mot le plus difficile à penser pleinement. Cette appréciation témoigne surtout de soucis de posture chez un grand auteur (Alfred de Vigny dans le* Journal d'un poète*), mais l'inquiétude ici dévoilée pourrait bien aussi se retrouver comme correspondant à une grande pertinence métapsychologique : on peut penser que ce fut une difficulté de ce genre que rencontra Freud avec le* moi *de la première topique, jusqu'à le conduire à imaginer le moi plus construit, plus pensé de la deuxième.*

1. *Nouvelles conférences d'introduction à la psychanalyse* (1933a [1932]), Paris, Gallimard, 1984, p. 109 ; *OCF* XIX, p. 162 ; *GW* XV, p. 85-86.

La difficulté n'est donc nullement dans le « pronom personnel de la première personne du singulier et des deux genres représentant le locuteur », mais bien dans l'acte même d'impliquer, de désigner celui-ci. Nous pouvons illustrer le dilemme avec Montaigne qui, voulant trouver réponse à la question impossible de justifier les raisons de la grande affection qu'il porte à La Boétie, écrit dans les Essais*: « Je l'aimais parce que c'était lui, parce que c'était moi » ; aurait-il dit « parce qu'il était lui, parce que j'étais moi », la redondance des pronoms personnels aurait marqué la différence, impliquât-elle une complémentarité, alors que le recours au démonstratif dans l'indistinction implique une connivence inexpliquée des êtres – comme si ce « c'était lui, c'était moi » préfigurait les constructions freudiennes. « Ça était lui, ça était moi »... tout est dit, mais ça ne nous en dit pas plus. Comme si, avec le moi, plus on cherche à se faire précis, plus on se perd dans l'incertain.*

Ainsi, lorsque Freud cherche un terme pour désigner l'entité qui fonde le moi et lui fait face, il ne choisit surtout pas un autre pronom personnel, même pas un pronom indéfini comme « autre » justement, mais recueille un démonstratif (que lui tend Georges Groddeck) que l'on pourrait qualifier d'indéterminé. Mais on n'en a pas moins le sentiment qu'avec ce ça il se sent plus à l'aise et, d'une certaine façon, sait mieux de quoi il parle qu'avec le moi, *« pauvre créature devant servir trois maîtres et subissant, par conséquent, la menace de trois dangers »*[1].

Pour autant, le moi est aussi un terme et une notion qu'il rencontre lorsqu'il conduit sa recherche et qu'il se borne à emprunter au vocabulaire culturel de l'époque. C'est ainsi que le Ich *fut d'abord, pour lui, le substantif désignant l'individu s'identifiant, la personne en tant qu'elle a conscience d'elle-même et se pense comme telle – concept que depuis plusieurs siècles maniaient les philosophes et qu'il recueille, la prenant à peu près comme telle. Il n'en est que plus remarquable que, partant de cette abstraction réductrice (qu'il s'efforce d'ailleurs, dans un tout premier temps, de réduire encore en la posant comme une question biologique à laquelle il cherche une réponse par les neurones dans l'« Esquisse d'une psychologie scientifique »), partant donc du moi de la philosophie positiviste la plus*

1. *Le moi et le ça* (1923b), *Essais de psychanalyse,* Paris, Payot, 1981, p. 271 ; *OCF* XVI, p. 299 ; *GW* XIII, p. 286.

combative, il en soit venu à le découvrir comme pauvre créature en quête d'un être et d'un maître. Mais, ce faisant, le moi des philosophes perd définitivement sa plus grande spécificité : la référence prévalente à la conscience, le moi se retrouvant dès lors dévoré par l'inconscient. La première topique se proposait de dévoiler comment l'inconscient détermine le moi conscient, la seconde dut convenir que le moi n'était qu'un produit du ça, certes commode, nécessaire même pour comprendre ce ça, ou tout au moins s'approcher de son intelligence – mais qu'il n'était que ça.

I – LE MOI DANS LA PREMIÈRE TOPIQUE (AVANT 1920)

Le « moi », ou « personne propre », ou « moi total » (entre autres dénominations), est utilisé dans la première topique d'une manière usuelle, sans faire même l'objet d'une définition, l'usage philosophique ayant créé ce pronom substantivé pour désigner l'individu, la personne en tant qu'elle a conscience d'elle-même et se pense comme telle ; le mot était à disposition et il est venu naturellement sous la plume de Freud. C'est pourquoi les rapports du moi avec la conscience aussi bien qu'avec le préconscient, sinon l'inconscient, sont alors relativement indéterminés. Le but de Freud étant, de diverses manières, l'établissement d'une *métapsychologie*, le moi, objet habituel de la psychologie et de la philosophie, ne saurait être au centre de son élaboration.

On peut considérer que les multiples abords du moi dans la première topique sont en rapport avec les développements de la théorie de la cure analytique, dont le but est la découverte de l'inconscient par les moyens du préconscient et du conscient. Ces éléments topiques ne constituent pas, à proprement parler une instance, mais doivent être rassemblés dans une entité désignée comme « le moi », et qui constitue le pivot des avancées théoriques. Nous pouvons en relever quelques directions principales : – le moi considéré comme *organisateur des défenses*, essentiellement du refoulement, et comme médiateur de la relation à la réalité ; – le moi dans *sa relation au narcissisme* (amour

du moi) qui amène à considérer les limites du moi et des processus impliquant le soi *(Selbst)*, tel qu'il apparaît dans les processus auto-érotiques ou d'auto-conservation ; – le moi et *l'identification*, alors essentiellement *narcissique*.

LE TEXTE FREUDIEN

Les prolégomènes aux **développements et variations de la notion de « moi » apparaissent dans l'« Esquisse d'une psychologie scientifique »** en 1895. Dans ce texte, que l'on peut qualifier de pré-analytique (document de travail, d'ailleurs renié, et non véritable exposé théorique achevé), on peut relever que la question des fonctions du moi est abordée dans un premier temps, sans que le terme même de moi soit toujours utilisé, notamment en raison du projet de Freud qui était alors de traiter la question psychologique au niveau cellulaire, neuronal. Sans reprendre la question des deux types de neurones (ϕ et ψ), qui ne se retrouveront pas au-delà de ce texte, nous pouvons surtout remarquer deux thèmes essentiels : le *frayage* (création de voies pour la décharge des quantités d'énergie psychique, que l'on désignerait plutôt aujourd'hui comme un processus de facilitation) et les *barrières de contact (kontaktschranke)* qui désignent un processus d'inhibition, c'est-à-dire un premier abord de la résistance et de la défense. Cela sera repris ultérieurement au sein d'une conception générale du moi.

Le *moi infantile*, que l'on peut ainsi subsumer, est incapable de déclencher l'action spécifique qui soulagerait l'excitation pulsionnelle (endogène, dans le texte). Il ne peut qu'alerter une personne secourable, ouvrant ainsi la voie à « la compréhension mutuelle », fonction essentielle du moi. Sur cette base, le frayage apparaît comme un abaissement des barrières de contact entre neurones chargés (d'énergie) : le frayage est dès lors facilité ou trouve un équivalent dans la charge d'énergie déjà présente dans un neurone, prête à être utilisée. Ceci est une première approche de la théorie de l'énergie liée et de l'énergie libre dans le fonctionnement psychique que Freud éclaire en indiquant que la satisfaction aboutit à un frayage entre deux images mnésiques, celle de l'objet désiré et celle d'un mouvement réflexe, qui se réactivera dès la réapparition de l'état de tension ou de désir. La régulation du désir et de l'inhibition dans la recherche de la satisfaction est dès lors conceptualisée en même temps que le moi apparaît sous la forme initiale de « l'être impuissant » qui trouve l'aide de « la personne secourable » qui l'étaie, pourrait-on dire. Un processus de même ordre, mais plus puissant, entre en action dans l'expérience de la douleur. Tout ceci donne un premier aperçu des régulations de plaisir-déplaisir, dans cet exemple d'*attraction et de défense primaires,* cette dernière étant déjà nommée *refoulement*[1].

Ainsi se forme ce qui est déjà désigné comme instance : **le moi, décrit comme un réseau de neurones investis dont les « relations mutuelles sont faciles » et dont la fonction est d'entraver, d'inhiber les processus psychiques primaires en évitant le développement de déplaisir et permettant la satisfaction du désir.** Il lui revient également de développer l'*attention* à l'égard de l'apparition des images pénibles, de reconnaître les indices de réalité, de qualité, à l'égard des perceptions de *l'objet,* donc de reconnaître son existence, de distinguer la perception de la représentation, la satisfaction réelle de la satisfaction hallucinatoire[2]. On voit que les **bases de la théorie du moi** sont d'ores et déjà posées, que ses fonctions sont déterminées : « Nous décrirons donc le moi en disant qu'il constitue à tout moment la totalité des investissements ψ. » Ce que nous retrouverons plus tard lorsque le moi sera désigné, plus précisément, comme le *réservoir de la libido,* dont il régule la distribution. Est également évoqué le rôle du moi dans l'accès aux processus de pensée et de jugement, s'appuyant sur la perception, les souvenirs et les représentations, de même que des vues nouvelles sur la réalité, les indices de réalité, la différence « entre l'investissement du souvenir empreint de désir et un investissement perceptif qui lui ressemble »[3].

1. « Esquisse d'une psychologie scientifique » (1950c [1895]), *La naissance de la psychanalyse,* Paris, PUF, 1956, p. 337-338.

2. *Ibidem,* p. 340 et suivantes.

3. *Ibidem,* p. 346.

En 1900, dans ***L'interprétation des rêves,*** Freud montre que, comme il en va pour le rêve et l'enfant lui-même, **le moi infantile et le moi du rêve sont absolument égoïstes.** Apparemment, l'égoïsme absolu témoigne de l'absence, chez le rêveur ou l'enfant, de censure efficace, de conscience morale ; le moi infantile en est dépourvu, le conflit d'où surgira le surmoi n'est pas encore d'actualité. Pour le moi du rêveur, la censure du rêve se limite à camoufler succinctement l'expression des désirs du moi égoïste ; ceci apparaît avant tout dans les *rêves de la mort de personnes chères* : chères sans doute, mais gênantes, et dans le rêve le moi égoïste s'en débarrassent sans scrupule ; les premières victimes désignées sont, sans que cela surprenne, les frères et sœurs, suivis par le père et la mère. Ce type de rêve conduit directement Freud à introduire Œdipe, dans un parallèle avec Hamlet : tous deux, égoïstement, sont animés d'un désir de mort visant leur père (déjà mort avant l'ouverture de la tragédie, ce qui souligne la relation de l'origine du moi et du désir de mort du père). Suivant Theodor Meynert, Freud **désigne le moi égoïste comme moi primaire,** qui sera plus tard recouvert d'un **moi secondaire** correspondant aux processus secondaires. Processus et moi secondaires résultent d'un compromis avec la censure, plus généralement avec les processus défensifs, qui sont nécessaires au développement psychique et constituent en même temps un obstacle à la compréhension du moi primaire, c'est-à-dire aussi de l'inconscient et du préconscient.

Le moi primaire est déclaré « mauvais » *(schlecht)* et non « méchant » *(schlimm)* – ce dernier terme désignerait plutôt un moi pervers animé par le désir de faire le mal ou de faire souffrir ; le « mauvais » est, semble-t-il, simplement dépourvu de bonté ou de compassion et ne souhaite que la réalisation de ses désirs. Il se retrouve dans le moi hystérique, et « on est frappé par les analogies que présentent le caractère de l'hystérique et celui de l'enfant mauvais ». On peut aussi associer l'égoïsme du moi infantile à celui de l'homme primitif *(Urmensch)* : l'un et l'autre partagent la même conception de la mort, qui n'est que la disparition d'un importun, au contraire du moi adulte civilisé qui imagine « l'horreur de la destruction, le froid de la tombe, l'épouvante du néant sans fin ». L'enfant oublie sa mère partie « pour le pays inexploré d'où ne revient jamais aucun voyageur », et ce n'est qu'après coup que se forme le souvenir de la morte[1]; après coup, pouvons-nous ajouter, se forme le moi secondaire, moi éventuellement altruiste.

Le rêve, absolument égoïste, ne connaît que le moi du rêveur, ce qui met en jeu l'identification : – ou bien le moi n'apparaît pas directement dans le rêve, il est alors représenté par d'autres personnes représentant des parties du moi mises sur la scène du rêve ; – ou bien le moi est représenté et il faut penser qu'une autre personne se cache derrière lui, là encore par identification. Que le moi soit représenté de façon directe ou par l'intermédiaire d'autres, l'identification est toujours en cause[2]. Déjà nous devinons ce qui sera précisé et développé plus tard : **le moi est constitué d'identifications, de précipités d'identification, notamment à des objets abandonnés,** c'est-à-dire avant tout les objets incestueux.

La **libido du moi,** aux destins si déterminants, est tôt reconnue (dès 1905), mais la psychanalyse ne peut alors nous informer que sur la libido d'objets, « demeurant incapable de **distinguer la libido du moi des autres énergies agissant dans le moi** »[3]. Il faut attendre 1915 et l'introduction du narcissisme pour que se découvre tout l'importance de l'investissement libidinal du moi (comme s'il se trouvait alors traité lui-même comme un objet). Avoir reconnu cette nouvelle notion ne pouvait qu'avoir de lourdes conséquences sur la théorie du moi[4].

Le narcissisme reçoit comme définition d'être « le complément libidinal à l'égoïsme des pulsions d'auto-conservation » ; pour autant ne s'y trouve pas nommé précisément le moi, seulement un mécanisme de type « auto- » *(Selbst),* qui relèverait plutôt du soi. Un tel mécanisme ne fonctionne sans doute pas sans énergie, mais celle-ci n'est pas déterminée. Par contre, il est clair que le narcissisme désigne

1. *L'interprétation des rêves* (1900a), Paris, PUF, 1967, p. 219 et 221 ; *OCF* IV, p. 291-293 ; *GW* II-III, p. 257-259.

2. *Ibidem,* p. 136 et 276 ; p. 184-185 et 366-367 ; p. 154-155 et 327.

3. *Trois essais sur la théorie sexuelle* (1905d), Paris, Gallimard, 1987, p. 159-160 ; *OCF* VI, p. 157 ; *GW* V, p. 119.

4. « Pour introduire le narcissisme » (1914c), *La vie sexuelle,* Paris, PUF, 2e éd., 1970, p. 81-105 ; *OCF* XII, p. 217-245 ; *GW* X, p. 138-170.

l'investissement en énergie libidinale de la simple auto-conservation – nous saisissons ici la relation de cette description avec l'étayage des pulsions sexuelles sur les pulsions d'auto-conservation : c'est ainsi qu'elles les investissent de libido. C'est bien là que réside l'essentiel de la question du narcissisme : dans sa relation avec l'autoérotisme. Là encore est en jeu le passage de l'autoérotisme au narcissisme, au **moi investi** donc, et non plus seulement aux zones érogènes régies par les besoins et les plaisirs d'organe. Ce contexte amène Freud à se demander s'il serait possible de ne recourir qu'à une seule énergie psychique (ce que propose Carl Gustav Jung), énergie présente dès l'origine sous une forme encore indéterminée et qui se spécifierait selon les nécessités de la sexualité ou de l'auto-conservation ; on pourrait d'ailleurs évoquer, dans ces conditions, la notion d'urgence ou de « nécessité de la vie » *(Lebensnot)*. **À ce moment originaire, il n'existe pas encore « une unité semblable au moi »** ; les pulsions autoérotiques existent dès l'origine et « quelque chose, une nouvelle action psychique doit donc venir s'ajouter à l'autoérotisme pour donner forme au narcissisme ».

Mais l'avancée théorique reste insatisfaisante, prématurée peut-être, et Freud se plaint d'être poussé à ce travail, qu'il qualifie de stérile, par les propositions inacceptables de Jung visant à désexualiser, à banaliser la notion même de libido. Or les concepts de libido du moi et de libido d'objet sont corrélatifs de la distinction des pulsions sexuelles et des pulsions du moi ; il faut donc revenir sur la séparation entre les fins qui, si elles sont activement poursuivies par l'« individu » (le moi), sont indépendantes de sa volonté. L'une de ses fins, l'une de ces perspectives est la sexualité. Dans une autre, l'individu est **un simple appendice de son plasma germinatif, à la disposition duquel il met ses forces en échange d'une prime de plaisir**[1] – « la distinction des pulsions sexuelles et des pulsions du moi ne fait que refléter cette double fonction de l'individu ».

La prise en compte de **l'idéal du moi** (ou du moi-idéal, *Idealich* et *Ichideal* étant employés dans ce texte sans différenciation

1. « Pour introduire le narcissisme » (1914c), *La vie sexuelle,* Paris, PUF, 1969, p. 82-86 ; *OCF* XII, p. 218-223 ; *GW* X, p. 139-144.

convaincante) apporte une possibilité de conceptualiser la formation du moi, en corrélation avec l'institution du refoulement. « Ce qu'il projette devant lui comme son idéal est le substitut du narcissisme perdu de son enfance ; en ce temps-là il était à lui-même son propre idéal ». Cette projection paraît unifier le narcissisme en établissant et renforçant « l'estime de soi qu'a le moi ». Le développement du moi consiste avant tout à lui permettre de s'éloigner du narcissisme primaire, la conséquence en étant une aspiration intense à le retrouver ; l'idéal du moi, cette fois imposé de l'extérieur (notamment par les parents ou leurs imagos), est essentiel à la réalisation de cet éloignement[1].

En 1915, **la mélancolie (avec le deuil) fournit l'occasion de revenir sur le moi narcissique et d'en explorer de nouvelles** formes avec le « sentiment d'estime de soi » (*Ichgefühl* ou *Selbsteinschätzung*). Dans la mélancolie, donc, le moi est décrit comme appauvri, souffrant d'un abaissement extraordinaire de sa propre estime, ce que Freud considère comme après tout assez justifié, s'étonnant seulement qu'il soit nécessaire d'être malade pour atteindre à cette vérité sur sa propre valeur ! Mais il est remarquable que celui qui condamne avec tant de force son propre moi n'en éprouve pas de honte, parlant de lui-même comme il parlerait d'un autre, voire comme il pourrait l'accuser – ce qui n'est pas sans nous donner un aperçu « **sur la constitution du moi humain** »[2], posant alors la question cruciale de l'identification mélancolique.

Dans cette entité qu'est le moi, il convient de distinguer toute la part de l'instance critique, ou conscience morale (qui sera reconnue plus tard surmoi-idéal du moi), qui est de fait l'une des « grandes instances du moi », à côté de l'épreuve de réalité. Elle prend pour objet non pas le moi du malade, comme il semble d'abord, mais inconsciemment un proche précédemment aimé et désormais haï ; les plaintes à son égard retombent désormais sur le moi, qui n'a plus aucune raison d'être honteux. Ainsi, « l'ombre de l'objet tombe sur

1. *Ibidem*, p. 98-99 ; p. 236-238 ; p. 160-162.

2. « Deuil et mélancolie » (1917e [1915]), *Métapsychologie*, Paris, Gallimard, 1968, p. 155 ; *OCF* XIII (2e éd.), p. 266 ; *GW* X, p. 433.

le moi », le moi s'identifie à l'objet abandonné parce que décevant, et il devient victime des mauvais traitements en lieu et place de cet objet. Avec toutes sortes de variations, ce processus apparaît comme un mode très général de **formation du moi par identification narcissique** à l'objet, sur le mode mélancolique ou, plus généralement, par régression du choix d'objet à l'identification narcissique ; c'est ainsi que « l'amour pour l'objet ne peut être abandonné, tandis que l'objet lui-même est abandonné, s'est réfugié dans l'identification narcissique » [1].

Comme en d'autres textes, Freud souligne ici que l'identification est le stade préliminaire du choix d'objet (du moi), caractérisé par l'ambivalence : **le moi veut s'incorporer l'objet aimé en le détruisant avec haine dans la dévoration.** Cependant, cette nouvelle part du moi n'en est pas moins un objet qui lui est étranger : les parents, ou plus précisément leurs imagos, les objets œdipiens incorporés dans le moi, seront, avec la deuxième topique, individualisés dans les instances du surmoi et de l'idéal du moi.

Dans la ***Métapsychologie,*** et plus particulièrement dans « Pulsions et destins des pulsions », sans y être étudié en tant que tel, le moi est une référence constante, et on doit considérer que, sur le moi avant 1920, c'est là l'ouvrage princeps[2]. C'est d'ailleurs ce qu'implique l'un des thèmes forts de cet essai : l'étude du concept de **pulsions du moi** (ou d'auto-conservation, ou encore d'auto-conservation du moi) – ces diverses dénominations montrant à nouveau qu'à ce moment le moi tend plutôt à désigner quelque chose de l'ordre du « soi », du *Selbst* au sens de « auto- ». À celles-ci vont s'en ajouter quelques autres qui sont plus qualificatives (au sens grammatical) que classificatrices. La nécessité théorique de pulsions du moi découle de l'opposition originelle, et même biologique, entre les pulsions sexuelles et celles d'auto-conservation ; celles-ci sont les moins accessibles et les plus originelles, **elles sont au service de l'entretien, du maintien, de l'organisation du moi** – et donc de la vie. Aussi la

1. *Ibidem,* p. 158 et 161 ; p. 270 et 272 ; p. 235 et 438.

2. « Pulsions et destins des pulsions » (1915c), *Métapsychologie,* Paris, Gallimard, 1968, p. 11-44 ; *OCF* XIII, p. 165-187 (2e éd.) ; *GW* X, p. 210-232.

connaissance du moi ne commence pas par celle des pulsions du moi, comme cela pourrait paraître logique, mais par celle des pulsions sexuelles, que l'on peut reconnaître à l'occasion du conflit névrotique entre les exigences des pulsions du moi, biologiques, et celles des pulsions sexuelles tendant à la satisfaction individuelle. À l'origine, les pulsions du moi étayent les pulsions sexuelles et leur montrent la voie dans la découverte de l'objet ; une partie des pulsions sexuelles demeure ainsi associée aux pulsions du moi, les dotant de composantes libidinales.

Dès lors qu'il y a un moi, il importe de pouvoir **le défendre.** Le conflit entre les exigences des pulsions du moi et celles des pulsions sexuelles est l'occasion de reconnaître les tout premiers modes de défense : *renversement en son contraire, retournement sur la personne propre* ; la première fonction du moi est d'assurer sa défense[1]. En effet, pour l'essentiel et tel que conçu dans la première topique, **le moi est une organisation défensive** ; il lui revient d'assumer le *destin des pulsions* en les contraignant à ne pas suivre leur propre voie de façon directe. Nous pouvons observer que les premiers processus visent à fournir un pivot, un axe dans les deux opérations de retournement ou de renversement, assurant la fonction de ce qui va devenir le moi. Ces mécanismes sont d'ailleurs considérablement plus complexes que leur dénomination le laisse entendre. Freud les compare à une action grammaticale : le passage de la voix active à la voix passive, et surtout à la voix moyenne réfléchie (par exemple : regarder, être regardé, se regarder). Nous nous limiterons au temps essentiel du **passage de l'autoérotisme au moi,** sans développer ici l'ensemble de la discussion sur les processus de retournement de la pulsion. Ainsi la pulsion de regarder a-t-elle dès l'origine un but autoérotique : elle a bien un objet mais le trouve sur le corps propre, avant de le trouver sur le corps d'un autre. À l'opposé, le sadisme consiste d'emblée en une activité de violence à l'encontre d'une autre personne prise pour objet avant que cet objet soit abandonné et remplacé par la personne propre. On voit la complexité de la découverte du moi dans l'activité des pulsions partielles, qui trouvent leur origine dans l'autoérotisme. C'est ainsi que le

1. *Ibidem,* p. 24 ; p. 172 ; p. 219-220.

mouvement suivant va prendre à nouveau pour objet une personne étrangère à qui il appartiendra d'assumera le rôle antérieurement dévolu au sujet – le point essentiel est ici le passage de l'activité à la passivité dans les mouvements pulsionnels[1].

Par ailleurs, l'autoérotisme et le passage au narcissisme et au choix d'objet impliquent la **prise en compte du moi narcissique.** Ainsi le stade préliminaire de la pulsion de regarder, où le plaisir de regarder a pour objet le corps propre, apparaît comme une formation narcissique ; de même, la transformation du sadisme en masochisme, signifie un retour à l'objet narcissique. Ces destins pulsionnels portent la marque de « **l'organisation narcissique du moi** et fonctionnent sur un mode autoérotique, c'est-à-dire que leur objet s'efface au profit de l'organe qui est leur source »[2]. Ceci montre l'importance théorique de la notion d'*objet narcissique*, de *choix narcissique d'objet* qui, à partir de l'organe source de plaisir, ouvre à la relation du moi avec l'objet – tout en impliquant un *moi narcissique*.

Dans ce même ouvrage, sont ainsi nommés différents « moi » sans que, pour autant et ainsi que nous l'avons déjà signalé, cela ait véritablement valeur classificatoire. C'est ainsi qu'est référé un **moi-sujet,** très lié au concept de narcissisme : même s'il n'a pas été évoqué dans « Pour introduire le narcissisme » il est ici particulièrement présent, en relation avec la question complexe de l'amour, de la haine et de l'indifférence ; il constitue de fait une entité nécessaire entre le fonctionnement autoérotique et le narcissisme qui permet l'amour de soi, ce qui nécessite au moins l'ébauche d'un moi à et pour aimer. Le moi-sujet, pour originaire qu'il soit, dispose du critère essentiel qui permet de **distinguer moi et non-moi** : une action musculaire décidée par le moi, si elle peut modifier ou faire cesser les excitations venues du dehors, demeure sans effet sur les excitations pulsionnelles d'origine interne. Ce même critère définit aussi le **moi-réalité,** capable de distinguer pulsion (et fantasme) et réalité (ou monde extérieur), ou encore l'excitation pulsionnelle et l'excitation d'origine externe (l'endogène et l'exogène). Une nouvelle étape amène à reconnaître un **moi-plaisir**

1. *Ibidem*, p. 21-31 ; p.171-178 ; p. 216-223.
2. *Ibidem*, p. 33-34 ; p. 177-178 ; p. 223.

purifié qui fonctionne selon le principe de plaisir et amène le moi-sujet à introjecter ce qui est source de plaisir et à refuser le reste. Pourtant, ce reste a d'abord été introjecté, puis reconnu comme inacceptable et alors rejeté : c'est donc une partie du moi qui a été extraite du moi avec l'objet finalement refusé – cette partie est désormais ressentie comme hostile (cette idée connaîtra un développement considérable dans l'œuvre de Mélanie Klein). Aux temps originaires, « l'extérieur, l'objet, le haï » sont identiques. Plus tard, l'objet reconnu comme source de plaisir est incorporé au moi, où il constitue le « moi plaisir purifié ». Après l'opération d'incorporation de la partie plaisante de l'objet, le monde, l'extérieur, l'objet sont à nouveau considérés comme source de déplaisir et haïs, rejetés. Nous voyons que « le moi-réalité du début se transforme ainsi en un moi-plaisir purifié », ce qui contredit apparemment la préséance accordée au principe de plaisir sur le principe de réalité, telle qu'elle avait été établie dans les « Formulations sur les deux principes du cours des événements psychiques ». Mais, en fait, **on ne peut parler de *moi,* de fonctionnement possible du moi, que lorsque intérieur (moi) et extérieur (non-moi) sont délimités,** lorsque moi et « réalité » sont clairement définis à partir du critère de l'action possible sur l'extérieur – alors qu'aucune action n'est possible sur le monde intérieur. Dès lors, le moi peut passer de l'hostilité ou de la peur éprouvées à l'égard d'un monde-objet haï, à l'attirance, au goût, au désir à l'égard de ce qu'il recèle comme possibilité de plaisir. On retrouve alors, par un détour, le **primat du principe de plaisir.** La purification (du moi-plaisir) est obtenue par l'action des premières défenses, antérieures au refoulement, dans une dialectique **amour-haine, activité-passivité,** sous le contrôle du double retournement de la pulsion (en son contraire et sur la personne propre). L'opposition introjection-projection joue également un rôle primordial dans le processus de « purification » du moi-plaisir[1].

Cette modalité introjective-projective du fonctionnement du moi, dans laquelle le monde extérieur objectal est toujours nécessairement mauvais, s'oppose au modèle du refoulement où le mauvais, l'inconciliable, ce qui est trop excitant, trop plaisant pour un système et

1. *Ibidem,* p. 38-39 ; p. 182-183 ; p. 228-229.

déplaisant pour un autre, se trouve refoulé, c'est-à-dire rejeté – mais cette fois vers l'intérieur, les profondeurs, l'inconscient. En fait, deux modes de fonctionnement du moi sont désignés, à partir desquels il serait possible de définir des modèles psychopathologiques, ce qui n'est pas la démarche de Freud à ce moment. Il considère ces processus dans leur développement historique qui n'exclut pas leur coexistence, et aussi dans leur permanence au cours du développement de la psyché. La question du refoulé devra être reprise plus tard avec le *ça* qui est pour le moi « son autre monde extérieur ».

Un aspect du moi dans la cure : l'inférence par analogie [1]

La pensée par inférence nous permet d'identifier communément autrui comme conscient ; « la psychanalyse n'exige rien d'autre que l'application de ce procédé à la personne propre », même s'il n'existe pas de penchant constitutionnel à le faire. Mais si je le fais, je remarque que tous les actes et toutes les manifestations en moi que je ne sais pas relier à ma vie psychique habituelle doivent être jugés comme s'ils appartenaient à une autre personne et que l'on doit les expliquer en leur attribuant une vie psychique propre. L'expérience montre aussi que, si on refuse, dans son propre cas, de reconnaître une signification psychique à certains actes, on s'entend pourtant fort bien à les interpréter – c'est-à-dire à les intégrer au contexte psychique – lorsqu'ils se produisent chez les autres. Ainsi **le moi-personne propre, à condition qu'il s'observe comme il le ferait d'un autre, est l'instrument, en même temps que l'objet de l'analyse.** L'exigence que formule l'analyse apparaît comme un décalage, qui n'est en rien naturel, qui assurerait au moi, vis-à-vis de lui-même, la même clairvoyance que celle dont il dispose sur autrui. Freud semble définir là les conditions d'une auto-analyse, tout en avertissant qu'elle est impossible (rien de constitutionnel ne le permet). Cependant, l'analyse le permet, encore qu'il ne faille pas « mettre la perception de conscience à la place du processus psychique inconscient qui est son objet ». Mais la

1. « L'inconscient » (1915e), *Métapsychologie,* Paris, Gallimard, 1968, p. 71-74 ; *OCF* XIII (2e éd.), p. 211-213 ; *GW* X, p. 268-270.

conclusion demeure : l'objet intérieur est moins inconnaissable que ne l'est le monde extérieur (Kant).

II – LE MOI DANS LA DEUXIÈME TOPIQUE

Le moi, instance psychique au même titre que surmoi (idéal du moi) et ça, est à l'origine la partie organisée du ça. Il établit l'ordonnancement temporel des processus psychiques et les soumet à l'épreuve de réalité. Il parvient à différer les décharges motrices et à dominer dans une certaine mesure les accès à la motilité, ce qui définit son rôle défensif : il évolue de la perception des pulsions à la maîtrise des pulsions, voire de l'obéissance aux pulsions à leur inhibition. Il s'enrichit de l'extérieur de toutes les expériences de la vie, cependant que le ça est « son autre monde extérieur » qu'il s'efforce de se soumettre. Il est un réservoir de libido, retirée au ça et surtout aux objets, et se constitue par de multiples identifications aux objets du ça. Investi de libido, il n'est pas seulement voué à l'auto-conservation, il est aussi un objet sexuel, narcissique. Il est intermédiaire entre le ça, le surmoi (idéal du moi), qui reste proche du ça, et la réalité extérieure. Il est ainsi essentiellement « un être de frontière », entre les instances. Il est aussi tout particulièrement un « moi-corps » dès l'origine, et reste de ce point de vue un « être de surface » c'est-à-dire qu'il représente la projection de la surface du corps, mais aussi la surface de l'appareil mental. Il contient le conscient-préconscient mais reste pour une part importante inconscient.

LE TEXTE FREUDIEN

La notion de moi, jusqu'ici considéré essentiellement comme organisation défensive, « instance refoulante, censurante et capable de construire des moyens de protection, de produire des formations réactionnelles » [1], prend à partir de *Au delà du principe de plaisir* un autre

1. *Au-delà du principe de plaisir* (1920g), *Essais de psychanalyse*, Paris, Payot, 1981, p. 99 ; *OCF* XV, p. 325 ; *GW* XIII, p. 55.

relief en raison d'une nouvelle prise en compte du narcissisme et, surtout, du remaniement profond de la théorie des pulsions. Cela aboutit à l'élaboration de la deuxième topique délimitant les instances du moi, du surmoi (idéal du moi) et du ça. De ce fait, **les relations du moi avec la pulsion** s'inscrivent désormais dans une autre perspective.

D'une part, le moi est reconnu comme le « **réservoir de la libido** », encore que le ça puisse être aussi désigné comme ce même réservoir. Cependant, on peut admettre que le ça est la source et le réservoir primaire de la libido, alors que le moi contient la libido du narcissisme secondaire, retirée aux objets ; les investissements vers l'objet en partent et y retournent lorsque ce dernier est désinvesti et, de ce fait, le moi prend place parmi les objets sexuels. La *libido du moi,* ou libido narcissique, doit être reconnue comme « manifestation de la force des pulsions sexuelles », ce qui amène la remise en cause de la notion de pulsions du moi opposée aux pulsions sexuelles. La théorie de la névrose repose désormais plus globalement sur le conflit entre le moi et l'investissement libidinal d'objet. C'est là un des enjeux de la révision de la théorie des pulsions, que nous ne développerons pas ici, retenant seulement que l'ancienne opposition pulsion du moi, pulsions sexuelles, coexiste avec une nouvelle dualité pulsion de vie, pulsion de mort. Freud pose un moment l'hypothèse selon laquelle les pulsions du moi sont à considérer comme pulsions de mort, puisque l'auto-conservation, qui est leur fonction, n'aurait d'autre but que d'assurer à l'organisme sa propre voie vers la mort, hypothèse qu'il récuse partiellement par la suite[1].

Pour ce qui concerne le moi, retenons qu'il reste essentiellement défensif, pivot du conflit avec les exigences pulsionnelles, sous l'égide du principe de plaisir, mais qu'il est aussi le pivot de la répartition libidinale, objectale et narcissique, et qu'il est lui-même investi de libido. Cet investissement libidinal assure notamment la cohésion du moi qui est considérée comme un « résultat de l'addition des quantités de la libido par lesquelles les cellules du soma adhèrent l'une à l'autre »[2]. On voit ici en quoi le moi peut être vu comme le réservoir

1. *Ibidem,* p. 110, n. 16 ; p. 335, n. 1 ; p. 66, n. 1.
2. *Ibidem,* p. 100 ; p. 326 ; p. 57.

originaire de la libido au moment de sa formation à partir du ça : c'est là une condition *sine qua non* de son existence et de sa permanence, et c'est pourquoi la notion de pulsion sexuelle est élargie et supplantée par la notion d'**Éros**, ou de **pulsion de vie**, dans laquelle s'intègrent les pulsions du moi. Du même coup, il apparaît que les pulsions du moi, pulsions d'auto-conservation, sont de nature libidinale, et qu'il n'y a « peut-être absolument pas d'autres pulsions que libidinales ». Du moins n'y a-t-il pas d'autres pulsions qui nous soient accessibles, ce qui annonce les développements à venir notamment dans *Le moi et le ça* à propos de la pulsion de mort.

On peut retenir des apports de 1920, dont nous avons évoqué les mouvements parfois contradictoires, que la théorie des névroses de transfert n'est pas en soi bouleversée ou fondamentalement modifiée : elle repose sur le conflit entre pulsions du moi et pulsions sexuelles dans lesquelles le moi est essentiellement au service des défenses qu'il organise ; par contre **la théorie du moi se trouve mise en cause.**

La réflexion sur le narcissisme amène à le considérer comme un objet sexuel, « prévalent » en tant que tel, ce qui entraîne une difficulté : le moi est un objet de la pulsion, alors même qu'il organise la défense contre elle. D'autre part, si les pulsions du moi restent au service d'Éros, dans leur part visible, il en persiste une part inconnue, inconsciente, que Freud signale dès ce texte, avant de le développer dans *Le moi et le ça*. Tout ceci ouvre les questions de l'analyse du moi, dans le cadre de la névrose, mais aussi dans celui des troubles narcissiques, jusqu'aux perversions et psychoses.

La distinction d'un ça, d'un moi et d'un surmoi (**idéal du moi**) est introduite dans *Le moi et le ça*[1], et proposée comme nouvelle topique de l'appareil psychique. En fait, il ne s'agit pas tant de remplacer la première (fondée sur conscient, préconscient et inconscient), mais plutôt de les superposer : la première topique n'est pas abolie, car elle ne répond pas aux mêmes préoccupations et nécessités théoriques. En quelque sorte, elle répartit des **qualités** (pour l'essentiel les qualités de

1. *Le moi et le ça* (1923b), *Essais de psychanalyse,* Paris, Payot, 1981, p. 219-274 ; *OCF* XVI, p. 255-302 ; *GW* XIII, p. 211-233.

conscience ou d'inconscience) ; la deuxième topique répartit quant à elle les **instances** (moi, surmoi et idéal du moi), et trouve son origine dans l'introduction du narcissisme dans la théorie, qui est venue imposer une nouvelle prise en considération du moi et de l'idéal du moi. (La reconnaissance du narcissisme a d'ailleurs été désignée dès *Au-delà du principe de plaisir*[1] comme le second pas dans la théorie des pulsions, après l'élargissement du concept de sexualité et avant celui de pulsion de mort.) La question du moi est introduite par un rappel de la première topique, de son insuffisance et de la nécessité de définir le moi, ce qui n'avait pas été réellement fait jusque-là : « Nous nous sommes formé la représentation d'une organisation cohérente et nous l'appelons le moi de cette personne. C'est à ce moi que se rattache la conscience ; il commande les accès à la motilité, c'est-à-dire à la décharge des excitations dans le monde extérieur ; c'est cette instance psychique qui exerce un contrôle sur tous ses propres processus partiels, qui va dormir la nuit tout en exerçant encore la censure du rêve. De ce moi partent aussi les refoulements par lesquels certaines tendances psychiques doivent être exclues non seulement de la conscience mais aussi des autres manières de s'affirmer et d'agir. »[2] On reconnaît dans cet exposé une synthèse des fonctions de conscience, de censure et de conscience morale qui restent donc inchangées dans la nouvelle conception du moi.

Freud montre alors l'existence d'une **part inconsciente dans le moi** qui se manifeste par une résistance inconsciente, reconnue à partir de l'observation clinique. Même si le patient peut la deviner, il en ignore la nature. Cette résistance qui émane du moi implique qu'une partie du moi soit inconsciente et que la névrose ne puisse être ramenée totalement à un conflit entre conscient et inconscient. La part du moi inconsciente, et pas seulement latente au sens du *Pcs*, exige pour être reconnue un travail important, ce qu'on appellera l'analyse des résistances.

1. *Au-delà du principe de plaisir* (1920g), *Essais de psychanalyse*, Paris, Payot, 1981, p. 101-110 ; *OCF* XV, p. 325-333 ; *GW* XIII, p. 54-64.

2. *Le moi et le ça* (1923b), *Essais de psychanalyse*, Paris, Payot, 1981, p. 228 ; *OCF* XVI, p. 262 ; *GW* XIII, p. 244.

La formation du moi

Certes, **le moi est la partie du ça modifiée par l'influence du système perceptif,** le représentant du monde extérieur réel dans le psychique, mais sa constitution ne s'arrête pas là. Nous avons vu, avec la résistance qu'il manifeste dans la cure, que l'on ne peut rabattre simplement le moi sur le conscient, bien que celui-ci, tout comme le préconscient d'ailleurs, fasse partie intégralement du moi. La question nouvelle est que le moi est désormais reconnu comme une « organisation cohérente » qui s'oppose au refoulé. Cette perspective de cohérence soutient les diverses métaphores et représentations spatiales par lesquelles Freud précise la notion du moi, dans le même temps où il en montre la fragilité.

Le moi est un « être de surface » ; il est aussi la projection d'une surface : la surface du corps. Le moi est en effet essentiellement corporel, au sens où il dérive de sensations corporelles, il est être de surface au sens où il est non seulement projection mentale de la surface du corps mais représente aussi la surface de l'appareil mental. D'où **l'importance de la perception dans l'appareil du moi :** – perception de l'extérieur, tel est le sens du moi-surface ; – la perception de l'intérieur se fait par les sensations en provenance du corps, notamment des sensations douloureuses ; – enfin et surtout, perception du ça. Ainsi, le moi doit être situé comme *surface limitante et sensible entre deux mondes hétérogènes.* Cela lui permet de connaître la réalité et de faire ainsi primer le principe de réalité sur le principe de plaisir qui domine le ça sans partage. Comme la pulsion le fait pour le ça, la perception apporte au moi des excitations qui doivent encore être élaborées en représentations[1].

La complexité de cette structure est illustrée par les figures que Freud propose successivement. Il imagine d'abord un schéma général de l'appareil psychique où le moi est constitué à partir du noyau du préconscient et s'étend sur une surface limitée par l'étendue de ce même préconscient, soulignant ainsi l'importance considérable des relations du moi et du préconscient (soulignons que le moi n'est pas séparé du ça, dont il n'est que la partie organisée). Les parties superfi-

1. *Ibidem,* p. 237-238 ; p. 271 ; p. 254.

cielles de l'appareil psychique, donc le moi, sont les seules qui nous soient connues. Le moi, figuré « à peu près comme le disque germinatif [est] posé sur l'œuf », comporte une calotte acoustique, posée de travers ; c'est là une manière de montrer **l'importance de l'entendu,** donc des représentations de mots, du langage en général dans la constitution du moi, en même temps peut-être que la faiblesse de cet appareillage placé « de travers ». Le moi, corporel et projection de la surface corporelle, est ensuite comparé à l'homoncule cérébral des anatomistes situé dans le cortex cérébral, la tête en bas, les pieds en haut, regardant vers l'arrière et portant à gauche la zone du langage. Cette métaphore anatomique a pour but, semble-t-il, de **figurer la projection qui définit le moi,** tout en mettant l'accent sur la construction qui le constitue, et le caractère fragile tant de sa cohérence que des données qu'il recueille, qu'elles viennent de la surface du corps ou de la surface mentale. Le moi, sur le modèle neurologique, apparaît dans une position de réception et de contrôle de l'ensemble de l'appareil perceptif et moteur, en même temps que, étant situé en profondeur, il se trouve en relation avec le ça.

De tout cela on peut retirer l'impression d'une construction effectivement faite « de travers », et somme toute assez improbable. Telle est sans doute l'intention de Freud qui reviendra d'ailleurs sur d'autres aspects de la faiblesse du moi dans ses relations avec les autres instances psychiques. Il est important de retenir l'idée des *faiblesses structurales du moi,* en même temps que de sa force, même s'il ne la tire qu'indirectement, de sa relation avec le ça, à la manière du cavalier qui dirige sa monture, ou est censé le faire. Encore le moi ne peut-il le faire qu'avec des forces d'emprunt et avec une grande incertitude : il est bien souvent obligé d'aller où le veut le ça, en renonçant à ses propres buts. (Notons qu'un schéma assez semblable est à nouveau proposé en 1933 [1], les commentaires soulignant alors surtout les relations entre instances sans apporter d'éléments vraiment nouveaux.)

1. *Nouvelles conférences d'introduction à la psychanalyse* (1933a [1932]), Paris, Gallimard, 1984, p. 108-109 ; *OCF* XIX, p. 161-162 ; *GW* XV, p. 85.

Les **identifications** contribuent d'autre part très largement à la formation du moi. Mais elles interviennent plus encore dans la constitution de cette autre instance qu'est le surmoi (idéal du moi) – cette association, maintenue en 1923, rappelle d'une part que l'idéal du moi fut introduit le premier dans la théorie à partir du narcissisme, d'autre part que surmoi et idéal du moi sont les produits d'une première identification au père de la préhistoire personnelle, un premier effet du complexe d'Œdipe. De là on est amené à considérer que cette nouvelle instance, ou ces instances, dérivent d'une première forme du moi : elles sont une différenciation du moi est-il précisé. Cette partie du moi est d'ailleurs « dans une relation moins étroite avec la conscience » que ne l'est le moi lui-même. Elle est le produit d'une identification sur le modèle de l'érection de l'objet perdu dans le moi. Au-delà de la première identification au père de la préhistoire, constitutive des instances, ce même processus, qui est peut-être la condition qui permet au moi d'abandonner un investissement d'objet, se répète indéfiniment. De cette façon, les sédiments de ces investissements s'accumulent dans le moi.

Plusieurs conséquences peuvent être tirées de ces faits : – les restes d'investissements d'objet contribuent fortement à la constitution du caractère du moi, qui rend compte de l'histoire des choix d'objet ; – la capacité de résistance du sujet, dans l'analyse, dépend de la facilité plus ou moins grande avec laquelle il accepte ou refuse ces « influences », c'est-à-dire ces identifications. Pour autant, l'identification n'est pas contradictoire au maintien du choix d'objet : le caractère du moi peut se modifier sans que l'objet ait été abandonné, et si même ce doit être le cas, la modification du caractère qui survit à la relation d'objet « peut en un certain sens la conserver ». (On sait que Freud n'emploie jamais le terme d'« objet interne », cependant la coexistence de relation d'objet et d'identification peut évoquer un tel objet : on comprend ainsi pourquoi il souligne fréquemment cette coexistence dans le transfert, qui est de plus nécessaire à la mobilisation des identifications du moi.) D'un autre point de vue, la transposition d'un choix d'objet en une modification du moi, c'est-à-dire une identification, est aussi une voie par laquelle le moi peut maîtriser le ça et approfondir ses relations avec lui, au prix d'une grande docilité à l'égard de ce qui est vécu par le ça. En fait, il s'agit là d'un premier abord des relations de dépendance du moi et d'un autre aspect de la fragilité du moi, qui se manifeste ici par son besoin d'être aimé par le ça. Une formule célèbre résume ce mouvement : « Tu peux m'aimer moi aussi, vois comme je ressemble à l'objet », pourrait dire le moi au ça, en adoptant par identification les traits de l'objet perdu. Comme conséquences possibles des identifications constitutives du moi, lorsqu'elles sont « trop nombreuses, trop fortes et inconciliables entre elles », on peut évoquer la possibilité d'un *éclatement du moi,* où les diverses identifications sont séparées par des résistances[1]. La question du clivage du moi n'est pas encore abordée, bien que ce qui est décrit ici paraisse en relever (comme l'éventualité de « personnalités multiples »). En fait, cela se trouve renvoyé aux problèmes de l'hystérie et des identifications hystériques, sans qu'il soit manifestement question alors de scission dans le moi.

Cependant, les plus importantes identifications sédimentent dans le moi ; ce sont celles qui constituent le complexe d'Œdipe. Identification « multiple » en soi, puisqu'elle passe par la première identification au père de la préhistoire et continue par l'introjection du premier objet choisi, la mère ; elle se poursuit par les identifications secondaires qui renforcent et modifient les premières. Tout cela se condense dans la formule déjà citée qui établit que le résultat le plus général de la phase sexuelle dominée par le complexe d'Œdipe est « une sédimentation dans le moi qui consiste dans la production de ces deux identifications accordées de quelque façon l'une à l'autre ». Ainsi se constitue « l'idéal du moi ou surmoi », qualifié de « modification du moi ». Ces instances sont donc distinguées, tout en gardant une communauté. Ce qui est aussi le cas de la distinction du moi et du ça.

Libido et moi

Une nouvelle élaboration de la théorie de la pulsion, de l'énergie pulsionnelle, apparaît nécessaire pour déterminer à la lumière de la nouvelle conception des pulsions, les passages de l'amour à la haine,

1. *Le moi et le ça* (1923b), *Essais de psychanalyse*, Paris, Payot, 1981, p. 242-243 ; *OCF* XVI, p. 274 ; *GW* XIII, p. 258-259.

et inversement. Il n'est pas possible d'admettre dans tous les cas une simple différence d'origine, l'amour relevant de la pulsion érotique, la haine de la pulsion de mort. L'ambivalence offre à ce propos une difficulté de conception en même temps qu'une issue à la même difficulté. L'ambivalence est en effet originaire, elle est la base de tout conflit névrotique, et ses variations sont bien connues notamment dans l'évolution du paranoïaque ou de l'homosexuel. Dans le cas de la paranoïa, il est reconnu que le lien homosexuel trop intense à l'égard d'un objet aboutit à son inverse, c'est-à-dire à une persécution par l'objet qui est haï en retour. Dans certains cas d'homosexualité, la transformation est de même ordre, mais inversé, de la haine d'un rival à son investissement amoureux éventuellement exclusif. De telles variations amènent à évoquer une **énergie déplaçable,** indifférente en elle-même et prête à investir une motion pulsionnelle différenciée. Cette énergie ne peut venir que de la libido narcissique, mise en réserve, soit dans le ça, soit dans le moi.

En fait, l'hésitation est constante sur le lieu de cette réserve. Dans un premier temps, la libido déplaçable et indifférente paraît être à la disposition du ça, prête à investir n'importe quel objet, comme il apparaît au cours du travail du rêve. Mais la libido désexualisée et sublimée, qui est au service de l'Éros et sert à unir et lier, peut être tout aussi bien au service du moi. Freud évoque, sans insister particulièrement, le rôle de cette libido dans la mise en place des processus de pensée. En tant que processus sublimatoire elle permet le travail de pensée et cette fois on ne peut plus clairement, dans le domaine du moi.

Il convient ici, pour ce qui concerne particulièrement la répartition de la libido, de se souvenir de l'insistance avec laquelle il est conseillé de ne pas trop figer la distinction du ça et du moi. Dans « La décomposition de la personnalité psychique », les limites entre instances sont comparées à « des champs de couleur qui s'estompent » plutôt qu'à des contours linéaires. Il faut de plus « à nouveau laisser se fondre ce que nous avons séparé ». L'essentiel étant ici le repère de l'objet, indifférent dans le cadre du ça, il est moins labile, investi de façon moins relâchée, qui peut aller jusqu'à la fixation, lorsqu'il s'agit du moi.

Un point doit être souligné dans tous les processus utilisant la libido narcissique désexualisée : ils restent soumis au principe de plaisir et leur fonction est d'éviter les stases de la libido.

LES RELATIONS DE DÉPENDANCE DU MOI ET LES PROBLÈMES DE L'AGRESSIVITÉ DU SURMOI. LA PULSION DE MORT ET LE MOI, L'AGRESSIVITÉ À L'INTÉRIEUR DU MOI[1]

Nous retrouvons, à propos de la libido, la pulsion de mort dans le cours du travail du moi : si aucun conflit ne survient lorsque la libido se déplace dans le ça, sur les divers objets (notamment incestueux) qu'elle peut investir, il n'en est pas de même lorsqu'il s'agit du moi. Celui-ci peut ainsi proposer à la libido un but qui va « à l'encontre » de ceux de l'Éros, dans le cas de la **sublimation** ou de l'**identification,** en utilisant l'énergie pulsionnelle, la libido, au profit de ses propres visées (identification aux objets œdipiens, sublimation, travail de pensée). Il s'empare alors de la libido des investissements d'objet, et s'impose, particulièrement dans le cas de l'identification, comme unique objet d'amour. Il prive ainsi le ça de ses buts pulsionnels érotiques, et, s'éloignant du primat du principe de plaisir, il renforce les motions pulsionnelles adverses.

Le moi est certes constitué essentiellement, dès l'origine, d'identifications. Si l'identification au père de la préhistoire personnelle constitue le surmoi, celui-ci hérite également des identifications appartenant au complexe d'Œdipe, après son déclin. Ces identifications participent aussi à la formation du moi, mais le surmoi, lui, est le premier concerné, rappelons-le, par les imagos originaires qui l'instituent comme le véritable héritier du complexe d'Œdipe. Le surmoi se modifiera peu, car il reste fixé à la phase sexuelle primaire de l'enfance. Au contraire, le moi est beaucoup plus accessible aux identifications plus tardives, aux objets de la vie sexuelle. Mais la désunion des pulsions, qui survient en raison du travail de l'identification, laisse libre, en tous les cas, la pulsion de mort, la destructivité, l'agressivité. Les identifications sont pour une part à la disposition du surmoi qui les tourne

1. *Ibidem,* p. 262-274 ; p. 290-301 ; p. 277-289 (en fait, nous devons nous référer ici à tout ce 5e chapitre).

contre le moi, et pour une autre part elles restent libres dans le moi, ce qui survient « essentiellement dans le cas du masochisme primaire ». Nous en voyons les effets dans les états de dépendance du moi à l'égard des autres instances, dans diverses situations cliniques.

Le sentiment de culpabilité repose sur la tension entre le moi et l'idéal du moi, qui aboutit à la condamnation du moi. **Dans les névroses, obsessionnelles et hystériques, ou dans la mélancolie,** cette tension atteint une intensité particulière qui implique de façon très différente les diverses instances.

Ainsi, le **moi hystérique** se défend du sentiment de culpabilité par un acte de refoulement, déclenché par le moi. Le refoulement, au lieu d'être au service du surmoi, est ici accompli contre lui. Il porte sur un investissement incestueux, qui se traduit par le sentiment de culpabilité. L'un et l'autre sont entraînés par le refoulement du complexe d'Œdipe. Dans la **névrose obsessionnelle** au contraire, le sentiment de culpabilité s'exprime bruyamment, mais ne peut « se justifier devant le moi » : le surmoi (idéal du moi) est sous l'influence de processus qui sont inconnus du moi : le surmoi en sait plus que le moi sur le ça, le moi est inconscient des « motions inconvenantes » dont l'accuse le surmoi. Dans la **mélancolie,** la situation est la même, mais le moi n'émet aucune protestation, se reconnaît coupable et se soumet aux châtiments. L'objet est compris dans le moi, par identification, le moi s'attire la colère qui vise initialement l'objet.

Ajoutons encore que, dans le cas de la mélancolie, le surmoi « fait rage » contre le moi, tout le sadisme est désormais contenu dans le surmoi, qui devient ainsi une « culture pure de pulsion de mort ». Il en est presque de même dans certaines formes de névrose obsessionnelle, où cependant le risque de suicide est faible, à l'opposé de ce qui caractérise la mélancolie. En effet, l'objet du moi y est maintenu, *le lien à l'objet persiste sous une forme régressive,* où l'amour est remplacé par des impulsions haineuses, qui donnent l'impression de vouloir détruire l'objet. Le moi ne cède pas à ces impulsions et lutte aussi bien contre les instigations du ça meurtrier que contre les reproches du surmoi, d'où auto-torture d'un côté et torture de l'objet de l'autre. Ainsi, c'est à ce prix que l'objet et le moi sont maintenus en vie.

Ceci pose le problème des rapports de l'**agressivité** et du **moi,** ou plus généralement des relations du ça, du surmoi et du moi. Le ça est amoral et cruel, le surmoi, qui en dérive est certes hyper-moral mais avec toute la cruauté dont le ça est capable. Ce qui aboutit à l'apparent paradoxe d'un moi d'autant plus soumis à un surmoi (idéal du moi) sévère, intolérant et cruel qu'il est lui-même moins agressif à l'égard du monde extérieur. Ceci apparaît comme un **retournement contre le moi de l'agressivité d'abord destinée à l'extérieur,** ce qui a aussi pour effet d'entraîner une formation réactionnelle énergique contre les pulsions. L'Être supérieur intériorisé comme surmoi ou idéal du moi était aussi à l'origine le premier représentant du monde extérieur, ce qui soutient l'importance de la représentation du père primitif. L'agressivité dirigée contre lui, comme dans le conflit d'ambivalence étudié dans *Totem et tabou,* est ainsi retournée contre le moi.

La nouvelle théorie rejoint ainsi la précédente : le surmoi naît d'une identification avec le modèle paternel, et toutes les identification de ce genre ont le caractère d'une désexualisation et même d'une sublimation. Elles ont pour conséquence une désunion pulsionnelle, dont le but est de désamorcer le conflit œdipien en le désexualisant. Il s'ensuit que la composante érotique n'a plus ensuite la force de lier la destruction qui lui était associée. Ainsi, l'origine et la nécessité du surmoi sont d'assurer la maîtrise du moi sur la libido, ce qui, dans les cas précédents, à des degrés divers, libère la pulsion de mort dans le moi. Le surmoi peut éventuellement la reprendre et la diriger contre le moi.

L'étude de la névrose obsessionnelle permet encore de découvrir une autre voie pour la compréhension de l'agressivité à l'égard du moi. La désunion pulsionnelle dans le ça n'est pas seulement l'effet d'une action du moi mais la conséquence d'une **régression dans le ça.** Le même processus s'étend du ça vers le surmoi, dont nous voyons à quel point ils sont proches. Celui-ci exerce maintenant l'agressivité contre le moi, sous forme d'une aggravation de sa sévérité.

Plus généralement, les relations du ça au moi sont de deux ordres : elles peuvent être directes ou se faire par l'intermédiaire de l'idéal du moi. Le moi évolue, nous l'avons vu, de « la perception des pulsions à la maîtrise des pulsions, de l'obéissance aux pulsions à l'inhibition des pulsions ». Dans le deuxième cas, qui consiste donc à maîtriser ou à inhiber les pulsions, le rôle de l'idéal est essentiel, et ce d'autant plus qu'il est lui-même une **formation réactionnelle contre les processus pulsionnels du ça,** œdipiens.

C'est dans une telle situation que le moi est décrit comme « une pauvre créature devant servir trois maîtres et subissant, par conséquent, la menace de trois dangers, de la part du monde extérieur, de la libido du ça et de la sévérité du surmoi. À ces trois dangers correspondent trois sortes d'angoisse, « car l'angoisse est l'expression d'une retraite devant le danger ». En somme, le moi, être de frontière, veut assurer la médiation entre le monde et le ça, rendre le ça docile au monde, et rendre le monde conforme au désir du ça. C'est là une nouvelle manière, particulièrement expressive, de reprendre la relation du principe de plaisir au plaisir de réalité, une manière aussi de distinguer à nouveau monde intérieur, ça, et monde extérieur : le ça peut être rendu docile au monde sans que ses désirs et ses buts ne changent, mais seul le monde extérieur peut changer par l'action du moi, qui commande la motricité. Ou encore, si la pulsion peut être domptée et si le ça peut être trompé par un moi « obséquieux », seule la réalité est modifiable.

Les types d'angoisse dont le moi est le lieu

Qu'il s'agisse de danger extérieur ou de danger venant du ça, **le moi retire son investissement de la perception ou de la représentation menaçante** (ou qu'il considère comme telle). Cet investissement est « dépensé » sous forme d'angoisse, et la réaction est de fuir le danger extérieur, ou ressenti comme extérieur dans le cas de la projection phobique (cela sera modifié et complété en 1926 dans *Inhibition, symptôme et angoisse*). Pour le moment, on ne peut préciser ce que le moi redoute du danger extérieur et du danger libidinal, dans la mesure où il craint le débordement ou l'anéantissement, ce qu'« on ne peut concevoir analytiquement ». Il s'agit alors pour le moi d'éviter la douleur et le risque réel, en conformité avec le principe de plaisir. On aurait attendu une référence à la pulsion d'auto-conservation, mais celle-ci est mise à l'écart dans ce moment d'élaboration de la nouvelle topique.

Par contre, l'angoisse du moi face au surmoi, ou encore angoisse de conscience *(Gewissensangst)*, est l'objet de nouveaux développements. Certes, cette angoisse est angoisse de castration en raison de la menace provenant de l'« être supérieur » ou père de la préhistoire personnelle. Cependant, les relations du surmoi et du moi sont encore précisées : sans doute le moi, par son travail d'identification et de sublimation, va à l'encontre de la satisfaction libidinale et suscite une désunion pulsionnelle. Il devient l'objet des pulsions de mort libérées, et risque de périr par l'agression du surmoi. Le processus en est comparé à ce qui survient au cours du métabolisme des protistes[1] qui finissent par périr du fait des produits de décomposition qu'ils ont eux-mêmes créés. À partir de cette comparaison, on en arrive à concevoir que la pulsion de mort libérée par le processus d'identification, se retrouve dans « la morale qui opère dans le surmoi », c'est-à-dire dans « l'angoisse de conscience », et cela dès l'identification originaire.

Ceci amène une nouvelle question portant sur la relation du surmoi et de **l'angoisse de mort.** Cette notion est d'ailleurs discutée car la mort reste « un concept abstrait au contenu négatif ». L'origine de cette angoisse se trouverait dans le fait que **le moi « dépouille dans une très large mesure son investissement libidinal narcissique, donc s'abandonne lui-même** », particulièrement dans la mélancolie, parce qu'il se sent haï et persécuté par le surmoi.

Mais toute l'élaboration complexe qui vient d'être faite à propos de la pulsion de mort et de la puissance de son rôle dans l'action du surmoi sur le moi est *in fine* ramenée au complexe de castration : vivre en effet est « pour le moi, synonyme d'être aimé, être aimé par **le surmoi qui, ici encore, entre en scène comme représentant du ça** ». Abandonné, il retrouve l'angoisse de la naissance et son élaboration ultérieure qui aboutit à l'angoisse de castration. On pourrait avoir l'impression que le rôle de la pulsion de mort est alors réduit ou ramené à la conception antérieure des complexes paternels, c'est-à-dire, complexes d'Œdipe ou de castration. En effet, si la pulsion de mort combat l'Éros dans le ça, elle reste cependant muette. Son action vise au « repos » mortel, à l'opposé de celle du trouble-paix qu'est l'Éros. Elle se réalise par la déliaison dont une des conséquences est

1. *Ibidem*, p. 272 ; p. 299-300 ; p. 287. – Cf. aussi *Au-delà du principe de plaisir* (1920g), *Essais de psychanalyse*, Paris, Payot, 1981, p. 96-98 ; *OCF* XV, p. 322-324 ; *GW* XIII, p. 52-54.

l'intoxication par les produits de décomposition qui en proviennent, si l'on suit le parallèle proposé avec la mort des protistes.

Dans le même ordre d'idées, le rôle du **masochisme du moi** est mis en évidence, à propos du sentiment inconscient de culpabilité qui serait plus légitimement nommé « besoin de punition », si l'on s'en tient à son résultat[1]. Le masochisme du moi, au contraire du sadisme du surmoi, reste inconscient : il se déduit du comportement, ce qui laisse entendre qu'il n'apparaît que dans le récit des actes du patient, hors de la cure, ou dans celle-ci, directement dans le transfert. Certes, il est l'expression du complexe d'Œdipe, qu'il ressuscite en fait de façon régressive et dangereuse pour le moi. En effet, le masochisme moral, masochisme du moi, correspond à la part de la pulsion de mort qui, au lieu d'être tournée vers l'extérieur, se retourne contre le moi. Dans ce cas, « même l'auto-destruction de la personne ne peut se produire sans satisfaction libidinale ».

Les fonctions du moi et leur inhibition

À partir des textes fondamentaux et novateurs précédemment évoqués, et qui ne seront pas fondamentalement modifiés, un certain nombre d'ajouts sont apportés, notamment dans *Inhibition, symptôme et angoisse*. Nous n'en ferons qu'un résumé, centré sur le rôle désormais imparti au moi et particulièrement aux « *fonctions du moi* ».

L'**inhibition** se rapporte nécessairement à une fonction et elle est intimement liée à une angoisse, ressentie par le moi. Quelle que soit l'inhibition, de la fonction sexuelle, alimentaire, motrice ou sociale (en rapport avec le travail, notamment), quels que soient son degré ou ses caractéristiques, elle se traduit par une limitation fonctionnelle du moi qui veut éviter un conflit avec le ça, ou, dans d'autres cas, veut éviter une punition, et dans ce but éviter un conflit avec le surmoi. Dans certains cas, l'inhibition du moi peut-être plus globale ; en raison d'un deuil, de la répression des affects ou parce qu'il est soumis à l'émergence d'un afflux de fantasmes sexuels contre lesquels il lutte, le moi doit restreindre ses dépenses d'énergie, comme doit le

1. « Le problème économique du masochisme » (1924c), *Névrose, psychose et perversion*, Paris, PUF, 1973, p. 294 ; *OCF* XVII, p. 18-19 ; *GW* XIII, p. 379.

faire « un spéculateur qui a immobilisé ses capitaux dans ses placements ». On voit ainsi que l'inhibition est un processus mis à la disposition du moi pour réguler la dépense d'énergie libidinale, en accord avec le principe de plaisir[1].

L'**angoisse** apparaît lorsque le moi refuse de coopérer à un investissement pulsionnel qui a pris naissance dans le ça ; il a alors recours au refoulement et la représentation porteuse de la motion inacceptable ne peut parvenir à la conscience. Dans le même temps, le cours de l'excitation est inhibé ou dévié par le moi, et la question est alors de déterminer ce qui prime, de l'angoisse ou du refoulement. Longtemps, Freud a pensé que le refoulement survient d'abord et que l'angoisse apparaît automatiquement par un processus économique, ce qui maintenant lui « semble de peu d'intérêt » ; dans sa nouvelle conception le moi, impuissant directement en face du ça, parvient à ses fins en donnant un signal de déplaisir, qui lui permet d'utiliser à son profit le principe de plaisir. Le moi retire son investissement au représentant pulsionnel à refouler et l'utilise à libérer le déplaisir sous forme d'angoisse (originaire, rappelant le traumatisme de la naissance, le désarroi en l'absence de la personne aimée et finalement angoisse de castration) **dont le lieu est réellement le moi.** Ce n'est pas le lieu ici de développer la deuxième théorie de l'angoisse qui est ainsi délimitée, soulignant seulement la fonction fondamentale désormais reconnue au moi : non seulement il est le lieu de l'angoisse, mais par son contrôle du signal d'angoisse, il dispose effectivement du processus du refoulement. Le signal d'angoisse, symbole d'affect, est constitué d'une image mnésique préexistante reproduite « sous forme d'état d'affect », qui annonce un danger, c'est-à-dire, fondamentalement, la menace de castration[2].

Le **symptôme** oblige à reprendre encore l'ensemble des rapports du moi et du refoulement, celui-ci montrant à la fois la force et la faiblesse du moi, et ses **capacités de compromis dans la formation de symptômes.** Dans certains cas, la motion pulsionnelle qui doit être refoulée

1. *Inhibition, symptôme et angoisse* (1926d), Paris, PUF, 1951, p. 2-5 ; *OCF* XVII, p. 205-209 ; *GW* XIV, p. 114-117.

2. *Ibidem*, p. 27-29 et 64 ; p. 226-228 et 255 ; p. 137-139 et 170-171.

demeure isolée, sans que le reste du ça vienne en quelque sorte à son aide. C'est le cas habituel, où le moi montre sa force, et montre surtout que le ça et le moi ne sont en rien comparables à des forces opposées. Ailleurs, la motion pulsionnelle du ça échappe à toute influence, le refoulement partiel en a fait un symptôme, qui est hors de l'organisation du moi. Ce qui est le cas de tous les rejetons du ça, qui éventuellement annexent des parties de l'organisation du moi et ainsi s'étendent aux dépens du moi. **Le symptôme, comparé dans sa relation au moi à un corps étranger qui entretient des relations d'excitation et de réaction avec le tissu où il est implanté,** constitue de ce fait un « épilogue qui traîne en longueur ou n'en finit pas ». La lutte contre la motion pulsionnelle se poursuit en lutte contre le symptôme[1].

Le moi montre ainsi deux visages : il est l'agent du refoulement lorsqu'il utilise le signal d'angoisse mais, dans le même temps, il se montre conciliant vis-à-vis de la motion pulsionnelle inacceptable et, en raison de sa « compulsion à la synthèse », tente de se lier le symptôme qui la représente. Il essaie de se l'incorporer, c'est-à-dire d'en faire une formation de compromis entre le besoin de satisfaction pulsionnelle et l'exigence de punition venant du surmoi. Le moi est en effet la partie organisée du ça et il lui reste soumis. Le ça est fondé sur la libre circulation d'une énergie sexualisée, tandis que le moi aspire à la liaison et à l'unification. Cette « **compulsion à la synthèse** » augmente tout au long de son développement. De même que la dépendance, voire l'obséquiosité du moi tant vis-à-vis du ça que du surmoi, elle est la condition déterminante de la constitution du symptôme qui est une tentative de satisfaire des exigences éventuellement inconciliables. Mais le bénéfice secondaire ainsi lié au symptôme entraîne une **résistance du moi qui s'est incorporé le symptôme et lui est fixé.** Cette description se rapporte essentiellement à la névrose hystérique, alors que les résistances opposées par le moi dans un contexte obsessionnel ou paranoïaque s'appuient plus particulièrement sur les satisfactions narcissiques que le moi tire de l'élaboration de ses « systèmes » obsessionnels ou des délires paranoïaques[2]. On peut encore noter que la

1. *Ibidem,* p. 13-17 ; p. 215-218 ; p. 124-127.
2. *Ibidem.*

compulsion à la synthèse du moi est en soi une opposition au développement du processus analytique, qui lui est antinomique.

Cependant, l'exigence pulsionnelle n'est que rarement enkystée dans le symptôme, et, malgré les tentatives de conciliation et d'incorporation du symptôme par le moi, celui-ci est pour ainsi dire contraint de renouveler le signal de déplaisir et de relancer le conflit défensif entre pulsion et moi, que nous ne développerons pas ici, non plus que la question de la régression, dans le ça, avec ses conséquences dans le moi. Nous n'aborderons pas plus ici les problèmes liés au clivage du moi ni les questions spécifiquement liées au moi dans la psychose, non plus que dans les perversions ou dans les troubles narcissiques, renvoyant le lecteur aux différentes entrées correspondantes.

QUESTIONS ET ENJEUX

L'entité, l'instance que constitue le moi, témoigne des variations et développements de la théorie et de la pratique de l'analyse. Nous voyons ainsi que **le moi dans la première topique** est considéré d'une manière assez banale comme la personne en un sens général, et pris en compte comme porteur du symptôme, organisant les défenses, le processus secondaire, alors que, dans le même temps, l'accent est porté essentiellement sur le refoulé, l'inconscient, le processus primaire. Le moi, la personne propre, est l'obstacle à la levée des résistances qu'il convient de tourner, voire de forcer, au début, par l'insistance, la suggestion en allant jusqu'aux limites de l'hypnose. On peut penser que les racines hypnotiques de l'analyse pèsent sur la conception initiale du moi qui « souffre » sans doute du symptôme et dont l'accord ou la connivence sont essentiels à la réussite thérapeutique. Il apparaît surtout comme l'adversaire que l'hypnotiseur doit vaincre, à défaut de pouvoir le convaincre. En fait, il restera constamment une certaine considération pour la suggestion, qui transparaîtra encore dans l'importance accordée par Freud à la **conviction** du patient. Encore doit-elle être emportée par la justesse de l'interprétation et non par l'idéalisation de l'analyste.

Le moi n'est pas réellement pris en compte en tant que tel jusqu'à « Pour introduire le narcissisme », la théorie développant surtout alors les notions de conscient et préconscient opposés à l'inconscient. La *Métapsychologie* constitue, rétrospectivement, le point culminant de cet édifice théorique basé avant tout sur l'inconscient, les pulsions, les défenses avec le refoulement, la plus importante d'entre elles. Le **concept de narcissisme** vient mettre l'accent sur le moi en et par lui-même. Il n'est plus seulement la personne, son caractère et ses identifications, ses dispositions, ses défenses à l'égard des pulsions avec sa capacité à les accepter, il n'est pas seulement le siège de la conscience morale et le lieu où se déroulent les conflits entre instances ; il est **un objet de la pulsion,** investi de libido. Le moi, ainsi considéré comme objet, doit être défini ; non seulement ses fonctions, mais sa nature même doivent être établis.

Deux questions paraissent essentielles dans une telle perspective : celle d'une prise en compte du complexe d'Œdipe dans la conception du moi d'une part, et celle de l'angoisse dans son rapport au refoulement qui le démarque de toute psychologie du moi préexistante. La première est une conséquence de la théorie de l'identification qui implique qu'au choix d'objet œdipien s'associe ou succède une identification primaire, origine du moi et du surmoi, puis des identifications secondaires qui concernent davantage le moi. La seconde découle des apports de la deuxième topique : le moi est le lieu de l'angoisse, le refoulement est déclenché par le signal d'angoisse de castration (au lieu d'être la cause de l'angoisse) ; quant à l'angoisse, elle n'est pas le résultat d'une transformation de la libido – encore que cette hypothèse ne soit pas totalement récusée.

Nous devons encore évoquer les rapports **du moi et du pare-excitation**[1] à partir de la métaphore de la « vésicule indifférenciée de substance excitable » que Freud propose pour représenter la forme la plus simple, originelle, de l'organisme vivant. Le conscient, du moins son ébauche, se différencie au contact du monde extérieur, sous la forme d'une « écorce » qui ne peut plus être modifiée et se laisse traverser par les excitations, sous forme d'énergie libre, non liée, qui ne laisse pas de traces durables. La couche la plus superficielle de cette écorce, au contact le plus direct du monde extérieur, se transforme en une « membrane » dépourvue des caractères de la substance vivante et donc « dans une certaine mesure anorganique ». Elle protège les

1. *Au-delà du principe de plaisir* (1920g), *Essais de psychanalyse,* Paris, Payot, 1981, p. 69-75 ; *OCF* XV, p. 298-303 ; *GW* XIII, p. 26-32.

couches plus profondes, leur permettant « de prélever et déguster » des échantillons du monde extérieur sans être mises en danger par les excitations qui en proviennent. Cet ensemble de métaphores surprenantes est proposé avant que la deuxième topique soit établie. Cependant, il représente une théorie du moi que l'on retrouvera dans la conception « d'être de surface », la protection de cet être étant assurée par le pare-excitation, efficace contre l'extérieur, absent à l'égard des excitations internes, pulsionnelles. Nous ne ferons qu'en évoquer l'importance pour ce qui concerne la théorie de la projection : ce qui produirait trop de déplaisir est projeté à l'extérieur. Dès lors, le pare-excitation peut en protéger le moi, qui peut en prendre connaissance, le percevoir ainsi que le souligne Freud, sans courir de danger du fait d'événements qui lui restent ainsi extérieurs. De façon complémentaire, la **théorie du traumatisme** repose largement sur les conditions de l'effraction du pare-excitation qui supprime la protection que la projection offre au moi.

Ainsi, **le moi doit lutter sur deux fronts**[1] : contre le monde extérieur qui menace de le détruire et contre un monde intérieur bien trop exigeant. Excitations extérieures ou forces pulsionnelles excessives ne « peuvent l'anéantir, mais elles risquent de détruire son organisation dynamique particulière et de le ramener à n'être plus qu'une fraction du ça ». Malgré cette situation périlleuse, c'est du moi que l'on attend dans l'analyse qu'il se fortifie, qu'il soit plus indépendant du surmoi. Il s'agit « d'élargir son champ de perception et de consolider son organisation de sorte qu'il puisse s'approprier de nouveaux morceaux du ça. **Là où était du ça, doit advenir du moi** »[2].

Par ailleurs, les concepts de moi et de surmoi sont l'un et l'autre concernés par la **théorie de l'hérédité** développée notamment dans *Le moi et le ça*[3] : en effet, les expériences vécues, si elles se répètent au travers de nombreuses générations, se transposent « en expériences vécues du ça » dont les empreintes persistent, de telle sorte que le ça héréditaire héberge les restes d'innombrables moi ; lorsque le moi

1. *Abrégé de psychanalyse* (1940a [1938]), Paris, PUF, 1967, p. 75 ; *OCF* XX, p. 297-298 ; *GW* XVII, p. 130.

2. *Nouvelles conférences d'introduction à la psychanalyse* (1933a [1932]), Paris, Gallimard, 1984, p. 110 ; *OCF* XIX, p. 163 ; *GW* XV ; p. 86.

3. *Le moi et le ça* (1923b), *Essais de psychanalyse*, Paris, Payot, 1981, p. 250-252 ; *OCF* XVI, p. 181-182 ; *GW* XIII, p. 266-267.

puise son surmoi dans le ça « peut-être ne fait-il que remettre au jour des figures du moi plus anciennes et les ressusciter ». On peut considérer que ces notations témoignent de l'intérêt que Freud portait aux recherches lamarckiennes et aussi qu'elles peuvent évoquer les théories actuelles de transmission transgénérationnelle. Il faut remarquer cependant que, dans ce texte, il est essentiellement question du surmoi à propos des empreintes héréditaires du moi. Plus tard, il apparaît que le surmoi de l'enfant ne s'édifie pas d'après le modèle des parents mais **d'après le surmoi parental** : « Il se remplit du même contenu, il devient porteur de la tradition, de toutes les valeurs à l'épreuve du temps qui se sont perpétuées de cette manière de génération en génération. » [1]

Nous entrevoyons ainsi une double difficulté concernant les origines du moi et du surmoi. D'une part, il n'est pas toujours évident de déterminer si Freud parle de l'un ou de l'autre, l'un et l'autre étant issus du ça, dont ils sont une différenciation. Le surmoi est issu du moi à un stade précoce, il reste plus proche du ça que le moi, il est donc aussi plus largement inconscient. D'autre part, l'un et l'autre se différencient nettement par le destin des identifications œdipiennes. Le surmoi est l'héritier des imagos les plus originaires et particulièrement de celle du père primitif, de la préhistoire personnelle, et, plus concrètement, des grands-parents. Le moi est quant à lui surtout formé des précipités des identifications plus tardives qui ne sont qu'accessoirement reprises par le surmoi.

Reste la question compliquée de ce que recouvre l'hérédité pour Freud, qui est d'autant plus complexe qu'elle met en jeu à l'origine de la psyché tant le rôle de l'idéal du moi que du surmoi. Certes nous sommes habitués à l'association étroite, voire aux alternances de similitude et d'opposition de ces deux derniers concepts, qui culminent dans la formule définissant la première identification. Nous ne l'aborderons pas ici, notant seulement qu'elle désigne le plus souvent la **disposition de la psyché** et non les contenus.

Pierre CHAUVEL

1. *Nouvelles conférences d'introduction à la psychanalyse* (1933a [1932]), Paris, Gallimard, 1984, p. 93 ; *OCF* XIX, p. 150 ; *GW* XV ; p. 73.

Moi idéal → Idéal du moi, moi idéal

Moi-réalité → Réalité

Montant → Refoulement → Quantitatif-qualitatif (quantité-qualité)

MOT D'ESPRIT

all. : ***Witz.*** – angl. : *joke.* – esp. : *chiste.* – ital. : *motto di spirito.* – port. : *chiste*

Le mot d'esprit se caractérise par un travail, une technique, dominée par la condensation, et par un mode de figuration qui permet, le plus souvent par le jeu d'un double sens, de donner un aperçu sur l'inconscient. Du point de vue de l'investissement économique il est envisagé essentiellement sous l'angle du plaisir qui en résulte pour l'auteur du mot d'esprit ou son auditeur et des conséquences éventuelles sur la « personne objet ».

MISE EN SITUATION

La référence de ce terme se résume pratiquement au livre paru en 1905 sous le titre Le mot d'esprit et sa relation à l'inconscient. *L'intérêt que lui porte Freud se situe dans la recherche poursuivie depuis* L'interprétation des rêves *concernant les manifestations de l'inconscient et les voies d'accès offertes à son analyse.*

Il est étudié dans ses procédés de la même façon que le rêve l'a été, en mettant en valeur le « travail » du mot d'esprit. De même, il en est rapproché en tant que procédé de pensée ce qui donne l'occasion de revenir sur ses rapports avec les questions de la figuration et de l'hallucinatoire dans sa détermination, déjà abordées dans L'interprétation des rêves. *Le terme* Witz, *employé pour le titre, le désigne à peu près uniquement dans le cours de l'ouvrage. Sa traduction par mot d'esprit est peu satisfaisante car il ne s'agit pas nécessairement d'une expression « spirituelle », ce peut être une blague éventuellement grivoise. De plus, il ne contient pas d'allusion au mot en lui-même, bien qu'il soit en règle verbal, et il permet un rapprochement par assonance avec le mot* Blitz *(éclair), qui évoque sa soudaineté, son caractère inattendu, qui jouent un grand rôle dans son efficacité, liée surtout à « la stupéfaction et à l'illumination »* [1] *qu'il entraîne. En ce sens, il se rapproche de l'idée incidente, ou idée qui vient* (Einfall) *qui, cependant, ne comporte pas habituellement d'effet comique ou plaisant et ne s'adresse pas à un autre, en dehors de la situation analytique.*

Avant ce texte, un certain nombre de mots d'esprit, ou du moins d'expressions spirituelles, sont rapportées sans faire l'objet d'une étude spécifique. Dans la correspondance avec Wilhelm Fliess, qui s'étonne de l'esprit qui se manifeste dans les rêves, Freud note que tous les rêveurs sont d'insupportables plaisantins « parce qu'ils sont dans l'embarras et que la voie directe leur est fermée ». Le caractère de drôlerie des processus inconscients est lié à la théorie du mot d'esprit et du comique précise-t-il, alors même que cette théorie n'est apparemment pas élaborée [2].

LE TEXTE FREUDIEN

Nous pouvons retenir de l'historique présenté par Freud dans *Le mot d'esprit et sa relation à l'inconscient* que les idées de divers auteurs, soulignant notamment dans la formation du mot d'esprit *le contraste de représentations, le sens dans le non-sens, la stupéfaction et l'illumination,* ne constituent que *des disjecta membra que nous souhaiterions voir assemblés en un tout organique* [3]. Nous suivrons cette démarche dans le texte dont le plan offre un parallèle certain avec la construction de *L'interprétation des rêves*. En effet, les premiers chapitres s'attachent à la technique et au travail en cause dans l'élaboration du mot d'esprit tandis que le chapitre intitulé « Relation

1. *Ibidem,* p. 44 et 48. Th. Lipps et R. M. Werner, « Komik und Humor » (1898), *Beiträge zur Aesthetik*.

2. Lettre à Fliess du 11 septembre 1899.

3. *Le mot d'esprit et sa relation à l'inconscient* (1905c), Paris, Gallimard, 1988, p. 53 ; *OCF* VII, p. 23 ; *GW* VI, p. 11.

au rêve et à l'inconscient » reste dans la ligne théorique du chapitre VII de *L'interprétation des rêves* consacré à la psychologie du rêve.

Examen de la technique

Cela débute par la reprise d'un mot de Heinrich Heine, dans lequel son héros, qui est aussi une manière de double, Hirsch-Hyacinthe, se félicite d'avoir été traité par Rothschild de façon tout à fait *famillionnaire*. Ce n'est pas essentiellement ici une pensée qui est comique, celle de la situation du pauvre traité comme un égal par un riche personnage, mais la forme qui le montre en un seul mot comme un familier ou un membre de la famille d'un millionnaire. Un néologisme est créé par un raccourcissement *(Verkürzung)* et une formation mixte. On retrouve les élaborations faites à propos du travail du rêve dans cette *condensation accompagnée de la formation d'un substitut,* aboutissant à un mot mixte *(Mischwort)*[1]. Freud montre alors une série d'exemples de telles condensations accompagnées de modifications qui suscitent l'effet comique et il laisse entendre qu'il s'agit là d'un procédé commun au rêve et au mot d'esprit.

Sans atteindre la complexité d'un néologisme issu d'une condensation, de nombreux mots d'esprit sont basés sur la répétition d'un même mot, éventuellement légèrement modifié, mais ils relèvent de la même technique de condensation et de changement du sens. Cependant, la concision, la condensation qu'elle implique, ne sont pas nécessairement comiques, l'effet comique relève de plus de l'expression verbale que prend le processus de condensation. La référence à *L'interprétation des rêves* s'impose alors, le processus de transformation par condensation étant très proche dans le cas du mot d'esprit et du rêve, et sous-tendu par la perspective du **gain de plaisir.** L'exemple du rêve où le mot *Autodidasker* se révèle comme une condensation d'*Autodidact* et de *Lasker* montre la similitude des deux processus en même temps que l'absence d'effet comique dans la transformation réalisée par le rêve.

1. *Ibidem,* p. 60-63 ; p. 29-30 ; p. 17-19.

Les mots sont un matériau plastique avec lequel on peut faire toutes sortes de choses, notamment utiliser le même mot successivement en un sens plein et en un sens vide, ou encore[1] en deux sens différents. Le double sens des mots permet les jeux de mots à proprement parler, qui sont souvent associés à une allusion. La grande variété des exemples rapportés a en fait pour but de relever l'unité qui les recouvre ; dans tous les cas **la condensation demeure la catégorie qui englobe toutes les autres**[2]. La citation de Hamlet en est une illustration frappante : « *Économie, économie, Horatio, les viandes rôties pour les funérailles ont fourni un repas froid pour les tables de la noce.* » Nous pouvons remarquer ici le double sens de cette citation spirituelle sinon comique qui souligne à la fois le ton amer, cynique, de Hamlet et le fond de la théorie économique du mot d'esprit.

L'économie n'est pas pourtant en elle-même une source de gain de plaisir, de même que le raccourci ou la condensation ne sont pas nécessairement spirituels. L'économie ne consiste pas à exprimer deux pensées dans la même phrase, ou au prix d'une modification minime, car il aurait été sans doute plus « économique » d'exprimer les deux pensées sans rechercher un effet comique. Ceci conduit à l'étude du calembour, qui est *la variété la plus basse* des mots d'esprit, du fait même qu'elle ne nécessite qu'un faible effort, la technique se limitant souvent à rechercher une assonance ou une ressemblance approximative entre deux mots de signification différente. Freud en rapproche cependant une catégorie de mots plus élaborés, où l'effet comique provient du *changement de point de vue, du déplacement de l'accent psychique*[3] entre deux termes de l'histoire racontée. En l'occurrence, le déplacement de l'accent est aussi un déplacement de l'intonation dans l'histoire où un juif à qui l'on demande s'il a pris un bain (Hast du *genommen* ein Bad), fait mine de se sentir accusé de l'avoir volé (Hast du genommen ein *Bad*). Ainsi la pointe de l'histoire repose sur une homologie accompagnée d'un déplacement d'accentuation vocale, plus commun en allemand qu'en d'autres langues, et parallèle-

1. *Ibidem,* p. 88 ; p. 44 ; p. 34.
2. *Ibidem,* p. 101 et 102 ; p. 54 ; p. 43 (*Hamlet,* Acte I, scène 2).
3. *Ibidem,* p. 113 ; p. 63 ; p. 52.

ment d'un déplacement d'accent psychique. Quoi qu'il en soit cela permet d'introduire la notion de déplacement, au sens du détournement de la démarche de pensée, dans la technique du mot d'esprit.

D'autres *fautes de raisonnement* préservant une apparence de logique entrent encore dans cette technique, comme pour ce qui concerne le *mot d'esprit de type sophistique,* dont l'exemple reste celui du chaudron : A a emprunté un chaudron à B. Celui-ci accuse A de le lui avoir rendu troué et donc inutilisable. A se défend en ces termes : « *Primo* je n'ai jamais emprunté de chaudron à B ; *secundo,* le chaudron avait déjà un trou lorsqu'il me l'a donné ; *tertio,* j'ai rendu le chaudron en parfait état. » Les diverses objections seraient valables séparément, mais elles s'excluent mutuellement, l'apparence de logique s'effondre : A *emploie un « et » là où un « ou bien... ou bien » serait seul possible.*

Outre les sophismes, une place particulière est faite à la *figuration par le contraire,* particulièrement un oui à la place d'un non et réciproquement. C'est là un élément important de la technique du jeu de mots, et qui rappelle encore le travail du rêve. Il en est de même dans le cas de la *figuration indirecte,* ou par allusion, où le lien utilisé entre deux pensées est une simple ressemblance, obtenue éventuellement par une légère modification. Freud en vient d'ailleurs à remarquer que **les divers modes de figuration peuvent être ramenés à la figuration indirecte.** « Faute de raisonnement, unification, figuration indirecte : tels sont donc les noms des points de vue qui permettraient alors de classer les techniques du mot d'esprit fondé sur des pensées... » [1] On peut encore en rapprocher la *figuration par un élément petit ou extrêmement petit* qui permet d'exprimer tout un caractère par un détail, ou encore la *comparaison.*

La grande variété des techniques qui sont relevées amène à les rassembler en conclusion du chapitre consacré à la technique[2]. Les similitudes de la formation du rêve et du mot d'esprit sont à nouveau affirmées, et particulièrement le rôle du processus de condensation accompagné d'une formation de substitut. Les techniques du mot

1. *Ibidem,* p. 161 ; p. 98 ; p. 86.
2. *Ibidem,* p. 174-175 ; p. 104-105 ; p. 95-96.

d'esprit fondé sur des pensées (déplacement, fautes de raisonnement, non-sens, figuration indirecte, figuration par le contraire) avaient déjà été repérées dans la technique du travail du rêve, sont distinguées sinon opposées aux techniques des mots d'esprit fondées sur des mots qui sont particulièrement représentées par les processus de condensation, accompagnées par la formation d'un substitut. Cette concordance avec les processus en jeu dans le rêve ne saurait être le fait du hasard, « en établir de façon détaillée l'existence et tenter d'en dépister les fondements, telle sera l'une de nos tâches futures », conclut Freud.

Les tendances du mot d'esprit

Elles opposent les mots d'esprit « innocents » *(Harmlos)* aux « tendancieux » *(tendenziös)*. Les premiers, inoffensifs ou anodins *innocents,* donc, ne se distinguent pas des seconds pour ce qui concerne les procédés techniques qu'ils nécessitent ; ils s'opposent par contre par la nature du plaisir qu'ils entraînent : modéré, de l'ordre du sourire, dans le premier cas, brusque éclat de rire dans le second. Bien que le mot *Tendenz* ne désigne pas spécifiquement la pulsion, l'adjectif « tendancieux » évoque une intention érotique, obscène, ou hostile. L'*obscénité* se caractérise notamment par le retour à l'indistinction du sexuel et de l'excrémentiel, c'est-à-dire à la théorie du cloaque. La grivoiserie, la plaisanterie obscène, obligent la personne agressée « à se représenter la partie du corps ou l'acte en question » et montrent que « l'agresseur se représente lui-même de telles choses » [1]. Cela équivaut à une mise à nu *(Entblössung)* des parties sexuelles qui est le mobile de la grivoiserie, et constitue « une des composantes originelles de la libido ».

On voit ainsi que le mot d'esprit *tendancieux* a généralement besoin de trois personnes : l'auteur de la grivoiserie, l'objet de l'agression sexuelle ou hostile et une troisième en qui s'accomplit **l'intention du mot d'esprit qui est de produire du plaisir**. Freud décrit précisément le développement de ce scénario, qui vaut en fait pour tout mot d'esprit. L'impulsion libidinale du premier, lorsqu'il voit sa satisfaction inhi-

1. *Ibidem,* p. 190 ; p. 116-117 ; p. 106-107.

bée par la femme, se transforme en une tendance hostile à son égard, et il fait appel à la troisième personne, qui était d'abord gênante, pour en faire son alliée. La femme est ainsi dénudée devant ce tiers dont la libido est satisfaite sans effort. En bref, montrer en paroles la nudité non voilée procure du plaisir au premier et fait rire le troisième[1]. Le refoulement empêche le développement de la jouissance liée au mot obscène, plus chez la femme que chez l'homme, du moins dans les classes aisées, où l'on se contente de l'allusion ou de la plaisanterie fine. Dans les classes populaires, la retenue serait moindre, mais Freud montre la labilité de ce refoulement de classe, car le rôle de la plaisanterie tendancieuse est précisément de permettre de contourner l'obstacle du refoulement.

Le mot d'esprit *hostile* est en fait très comparable, d'autant que l'obscénité comporte en soi une part d'agression. Ici comme dans le cas de l'obscénité, l'agression, dont l'expression directe est réprimée au cours du développement de la civilisation, trouve une expression plus ou moins acceptée grâce à la parole et notamment au mot d'esprit. Le rôle de la tierce personne qui jouit de la plaisanterie est ici encore de rire aux dépens de l'agressé, sans avoir à dépenser aucun effort. C'est ce que montre l'expression *mettre les rieurs de son côté*. Souvent, la technique consiste à montrer que l'ennemi, surtout s'il occupe une position élevée, est en fait ridiculement petit, comme un enfant. Il est à remarquer qu'aucune référence directe n'est faite ici à la situation œdipienne.

La tendance hostile peut s'exprimer encore en dirigeant contre soi-même, ou contre un groupe auquel on appartient, la critique ou la révolte en fait dirigée contre d'autres. C'est le ressort des histoires juives que Freud cite abondamment. Il remarque que ces histoires inventées par des juifs s'opposent à celles qui viennent de non-juifs, qui sont des bouffonneries brutales et sans esprit. Les premières montrent sans doute les défauts des juifs mais aussi le réseau des relations qui les unit à leurs qualités. Il les rapproche des histoires cyniques en ce sens qu'elles tendent à rabaisser les puissants du peuple juif, à les mettre au même niveau que les misérables, révélant

1. *Ibidem,* p. 194 ; p. 118 ; p. 109.

ainsi la *façon de penser démocratique des juifs*. Par exemple, Dieu est soumis au mot d'esprit cynique par Heine mourant : au prêtre qui lui laisse espérer la rémission de ses péchés par Dieu, il répond : « Bien sûr qu'il me pardonnera, c'est son métier. » Il montre que le mourant sans force a encore conscience de s'être créé lui-même un Dieu en le dotant d'un pouvoir dont il peut éventuellement se servir lui-même. *Avant son anéantissement, la soi-disant créature se révèle être le créateur*[1]. On retrouvera le développement de ce mode de pensée dans les textes consacrés à l'humour.

Quant au mot d'esprit *sceptique*, illustré par l'histoire du juif qui va à Cracovie[2], il ne montre pas seulement l'utilisation de la technique du non-sens, mais surtout la figuration par le contraire. En effet, d'après l'affirmation non contredite du premier juif, le second ment quand il dit la vérité et il dit la vérité au moyen d'un mensonge. Ainsi ce mot met en cause la question des conditions de la vérité. Ces mots, qualifiés de *sceptiques*, attaquent non une personne, fût-elle divine, ni une institution, *mais la sûreté de notre jugement lui-même, qui est l'un de nos biens spéculatifs*[3].

Mécanisme du plaisir et psychogenèse du mot d'esprit

Il s'agit, pour Freud, de reprendre et d'approfondir cette question qu'il a déjà évoquée tant à propos de la technique que, surtout, des tendances du mot d'esprit. Le mot tendancieux apporte directement du plaisir qui provient de la satisfaction pulsionnelle, qui n'aurait pu être atteinte autrement. Plus que les obstacles extérieurs ce sont les obstacles internes, avant tout la répression (le refoulement n'est pas cité ici), qui s'opposent à la tendance. **Le mot d'esprit évite la *stase***

1. *Ibidem*, p. 216-219 ; p. 133-134 ; p. 125-126.

2. Dans une gare de Galicie, deux juifs se rencontrent dans un train. « Où vas-tu ? », demande l'un. « À Cracovie », répond l'autre. « Regardez-moi ce menteur ! », s'écrie le premier furieux. « Si tu dis que tu vas à Cracovie, c'est bien que tu veux que je croie que tu vas à Lemberg. Seulement, moi je sais que tu vas vraiment à Cracovie. Alors, pourquoi tu mens ? »

3. *Le mot d'esprit et sa relation à l'inconscient* (1905c), Paris, Gallimard, 1988 ; *OCF* VII, p. 135-136 ; *GW* VI, p. 127-128.

***psychique* causée par la répression.** L'inhibition de la tendance n'est maintenue qu'au prix d'une dépense d'énergie que le mot d'esprit permet d'« économiser ».

Cependant, le plaisir qui en est tiré directement est lié à la manière de traiter les mots en ne prenant en compte que *leur représentation acoustique* plutôt que leur signification. On retrouve ainsi la manière infantile qui consiste à traiter *les mots comme des choses*[1]. Un tel traitement du langage est comparé à un court-circuit, occasion d'un plaisir d'autant plus intense que les deux domaines de représentations sont plus éloignés l'un de l'autre, et que l'économie réalisée dans le cheminement de la pensée est plus grande.

D'une tout autre manière, les caractéristiques du mot d'esprit (unification, homophonie, utilisation multiple, modification de locutions connues, allusion à des citations connues) permettent de retrouver le déjà connu là où l'on aurait pu attendre quelque chose de nouveau. *Le fait de retrouver le connu est empreint de plaisir,* car c'est là encore une occasion d'économiser la dépense psychique que la prise en compte de la nouveauté exigerait.

Dans le même ordre d'idées, la question du jeu de l'enfant est abordée sous l'angle de la recherche du plaisir, ce qui constituera ainsi une base à *Au-delà du principe de plaisir*. Le jeu apparaît chez l'enfant tandis qu'il apprend à employer les mots et à assembler des pensées ; il trouve du plaisir à la répétition du semblable et à la retrouvaille du connu, ce qui l'amène à cultiver le jeu sans prendre en considération la signification des mots ni la cohérence des phrases. Ce serait là le premier des stades préliminaires du mot d'esprit[2]. Ce jeu prend fin avec le renforcement de la critique *raisonnable* qui amène à le considérer comme absurde, dès lors il est remplacé par la plaisanterie *(Scherz),* en fait très proche du mot d'esprit. Elle ne s'en différencie que par le fait qu'elle n'est pas nécessairement riche de contenu[3] et qu'elle n'a d'autre intention que produire du plaisir.

1. *Ibidem,* p. 226-227 ; p. 141-142 ; p. 133-134.
2. *Ibidem,* p. 240 ; p. 150-151 ; p. 143-144.
3. *Ibidem,* p. 247 ; p. 155 ; p. 148.

La levée du refoulement par le mot d'esprit tendancieux libère du plaisir à partir de sources qui lui sont soumises. C'est là d'ailleurs son caractère principal : **se mettre au service des tendances réprimées**[1]. Il y parvient par le moyen d'une *prime d'incitation* qui permet à l'aide du petit plaisir produit par le mot d'esprit, tendancieux, d'en obtenir un plus grand qu'il aurait été difficile d'atteindre autrement. Cette prime est rapprochée d'une façon plus générale du plaisir préliminaire dont l'importance est soulignée au point d'amener l'introduction d'un principe, le *principe de plaisir préliminaire*.

Existe-t-il d'autres *mobiles*[2] au mot d'esprit que le gain de plaisir ? Rappelons que la relation de Harry-Heinrich Heine avec son double et ses « proches » est étudiée à partir de Hirsch-Hyacinth et de ses famillionnaires. Toute l'amertume et le désir de vengeance du pauvre Heinrich Heine à l'égard de son riche oncle deviennent ainsi manifestes au travers de ses mots. De façon plus générale, les personnes spirituelles se révèlent névrosées ou « clivées et prédisposées aux affections nerveuses ». Ainsi, l'ambition, l'exhibitionnisme, les désirs sadiques réprimés, entre autres, peuvent-ils se manifester dans les mots tendancieux les plus habituels de tel ou tel.

Mais le côté « social » s'exprime surtout par le besoin de communiquer : *nul ne peut se satisfaire d'avoir fait un mot d'esprit pour soi tout seul*[3]. S'il est possible de se réjouir d'une plaisanterie que l'on garde pour soi, **le mot d'esprit au contraire nécessite impérativement un public,** fait au moins d'une autre personne. Dans le cas du comique simple, voire du mot d'esprit innocent, il peut s'agir simplement de la personne objet, dont la présence garantit que le jeu avec le non-sens et les mots reste dans les limites de la raison ; on se refuse de rire soi-même d'un mot, c'est à un autre qu'est transférée la tâche de décider si le travail du mot d'esprit est accompli. La personne objet joue donc ici le rôle qui, dans le cas d'un mot d'esprit obscène ou hostile, sera imparti à la troisième (au tiers ou à l'autre[4], qui

1. *Ibidem,* p. 249 ; p. 158 ; p. 151.
2. *Ibidem* (Les mobiles du mot d'esprit. Le mot d'esprit comme processus social).
3. *Ibidem,* p. 262 ; p. 167 ; p. 160.
4. *Ibidem,* p. 264 ; p. 163 ; p. 161 (Freud n'attribue pas ici de majuscule à *anderen*).

préfigure le surmoi). Dans ce dernier cas, il s'agit d'un processus psychique concernant trois personnes. Il s'accomplit cette fois non entre le moi et la personne objet comme précédemment, mais entre le moi et la troisième personne, étrangère, à propos de la personne objet, que celle-ci soit présente ou le plus souvent absente. La situation devient plus complexe car les conditions subjectives où se trouve cette troisième personne doivent être dès lors prises en compte. La citation de Shakespeare le montre : « La fortune d'une plaisanterie se trouve dans l'oreille de celui qui l'entend, jamais sur la langue de celui qui la fait. »[1] Au-delà des conditions qui permettent le rire, on peut voir là le modèle d'une théorie de l'interprétation qui semble sous-jacente à l'intérêt que Freud porte aux conditions nécessaires pour qu'un mot tendancieux soit acceptable ou opérant.

Les conditions économiques du rire sont en effet revues, notamment la nécessité d'être en accord avec l'auditeur, éventuellement en détournant son attention de façon à obtenir un *accord profond (Übereinstimmung)*. Il est à souligner que **l'inhibition surmontée chez l'auteur du bon mot continue pourtant d'exister chez lui.** Son but est de créer chez son auditeur une disponibilité à l'égard de l'inhibition, de telle sorte que dès les premiers mots, cette disponibilité « se déploie » en même temps que l'inhibition est reconnue comme superflue. De ce fait, l'énergie d'inhibition devenue sans emploi est déchargée par le rire *in statu nascendi*[2], ce qui fait le plaisir de l'auteur du mot.

Parmi les techniques du mot d'esprit, celles qui permettent de détourner l'attention jouent le plus grand rôle pour le développement de son efficacité. À ce propos, une remarque de Theodor Lipps[3] concernant la *stase psychique* permet d'avancer que la stupéfaction occasionnée par le mot d'esprit l'augmente, et accroît ainsi l'intensité de la décharge. **Le but de l'auteur du mot paraît essentiellement d'obtenir chez la troisième personne le plus haut niveau possible de décharge et de plaisir.** Ainsi le mot d'esprit apparaît-il « comme un

1. *Ibidem* (*Love's Labour's Lost V, 2 Peines d'amour perdues*).
2. *Ibidem,* p. 275 ; p. 175 ; p. 169.
3. *Ibidem,* p. 281 ; p. 179 ; p. 173.

coquin, en lui-même duplice, qui sert deux maîtres à la fois ». Apparemment, c'est le plaisir de la troisième personne qui est pris en compte, comme si l'auteur, qui ne peut rire, était soumis à des obstacles insurmontables qui empêchent chez lui la décharge et que toute la complexité du jeu de mots ne lui permet de l'obtenir que « par ricochet »[1].

On voit ainsi que l'hypothèse première selon laquelle le plaisir tiré du mot d'esprit provient de l'évitement de la dépense psychique est juste mais insuffisante; la prise en compte de la troisième personne oblige à une élaboration plus complexe en rapport avec l'importance économique réelle de l'enjeu qui est d'**obtenir un allégement général de la dépense psychique par la décharge, réussie chez le tiers.**

Nous pouvons ajouter que ces considérations complexes constituent un apport considérable à la théorie du refoulement, alors en élaboration. Il est aussi important de remarquer que les relations élucidées entre l'auteur du mot d'esprit tendancieux, son auditeur et la personne objet, bien qu'elles ne visent pas directement la théorie du transfert et de l'interprétation, en donnent une préfiguration indirecte.

La relation du mot d'esprit au rêve et à l'inconscient[2]

C'est elle qui apporte le complément le plus important à la théorie de l'inconscient, telle que traitée dans *L'interprétation des rêves* et, tout particulièrement, aux questions posées par la régression.

En fait, ces relations ont déjà été en partie traitées dans les chapitres précédents, notamment pour ce qui est lié au déplacement et surtout à la condensation (à la concision), et plus généralement au rôle du travail. Ce qui concerne le travail du rêve, désigné comme « la somme totale des processus de transformation qui ont opéré le passage des pensées latentes du rêve au rêve manifeste », s'applique sans beaucoup de modification au travail du mot d'esprit[3]. Le déplacement y joue un rôle particulier car il permet que l'énergie d'investissement passe de représentations importantes sur d'autres qui ne le sont

1. *Ibidem,* p. 283 ; p. 180 ; p. 174.
2. *Ibidem,* p. 289-322 ; p. 186-207 ; p. 181-205.
3. *Ibidem,* p. 291 ; p. 177 ; p. 183.

pas, ce qui donne dans la pensée normale l'impression d'une *faute de raisonnement (Denkfehler).* Ces processus, ainsi que la figuration indirecte étudiée précédemment, se retrouvent donc dans le travail du mot d'esprit, du moins chez celui qui est désigné comme « la première personne », et qui bien sûr est la plus importante, comparable au rêveur. En quelque sorte, le matériel *se trouve abaissé vers l'inconscient,* de telle façon que : « Une pensée préconsciente se trouve momentanément abandonnée à l'élaboration inconsciente, et, aussitôt après, le résultat de celle-ci se trouve appréhendé par la perception consciente. »[1] Nous pouvons remarquer qu'il ne s'agit pas là d'un processus du même type que la régression dans le rêve, car on n'arrive pas vraiment à une *figuration hallucinatoire,* mais le résultat en est comparable car on parvient à une *perception consciente,* verbale, des résultats de l'élaboration inconsciente, au prix de ce qui apparaît comme une faute de raisonnement. En fait, Freud en vient à insister sur le rapprochement avec *l'idée qui vient (Einfall),* car on ne sait pas à l'avance quel mot d'esprit on va *faire,* que l'on n'aura plus qu'à habiller avec des mots. Il compare ce qui est alors éprouvé à une absence, une mise au repos de la tension intellectuelle, d'où surgit d'un seul coup le mot d'esprit, avec son habillage. Il insiste à nouveau sur le fait que **toute cette formation consiste à laisser tomber une démarche de pensée qui ensuite émerge brusquement de l'inconscient**[2]. L'immersion dans l'inconscient facilite les condensations qui permettent un gain de plaisir. Cela est comparable au fonctionnement infantile car celui-ci est la source de l'inconscient, dont les processus de pensée *ne sont rien d'autre que ceux qui se trouvent mis en place dans la prime enfance, à l'exclusion de tout autre*[3]. La chose est tellement importante qu'elle est répétée sous deux autres formes : *l'acte de penser se trouve reporté pour un temps au stade infantile ; la singulière élaboration inconsciente n'est rien d'autre que le type infantile du travail de la pensée* (dans *L'interprétation des rêves* l'idée

1. *Ibidem,* p. 300 ; p. 192 ; p. 189.
2. *Ibidem,* p. 302-303 ; p. 194-195 ; p. 191-192.
3. *Ibidem,* p. 306 ; p. 196-197 ; p. 193-194.

« d'un retour de la vie psychique au point de vue embryonnaire » était déjà avancée[1]).

Une différence essentielle existe cependant entre les techniques du travail du rêve et celles du mot d'esprit : celui-ci n'a pas recours aux formations de compromis, mais utilise le jeu avec le mot ou avec le non-sens, tout en apparaissant comme sensé, grâce à la polysémie des mots. Le sens dans le non-sens repose ainsi sur la *double face,* le *double langage* du mot d'esprit.

Les mots d'esprit et les variétés du comique[2]

La comparaison établie ensuite entre les uns et les autres s'écarte en fait de l'étude du mot d'esprit. Elle montre cependant que les diverses formes du comique se ramènent bien souvent à une dérision de l'infantile, du petit qui fait rire en étant ridicule, et montre ainsi le caractère infantile d'autrui. Elle n'apporte guère d'éléments nouveaux sinon une étude qui, à propos du comique de geste, porte sur les représentations motrices mises en jeu par le comique et le rire, et contient ainsi des éléments d'une théorie de la représentation d'action ou du geste, vues ici encore sous l'angle de dépense psychique et de son économie : « La représentation d'un geste d'une grandeur déterminée, je l'ai acquise en accomplissant ce geste ou en l'imitant, et en faisant cette action, j'ai découvert dans mes sensations d'innervation une mesure pour ce mouvement. »[3] Ainsi en vient-on à théoriser l'économie de dépense en passant de l'agir *au représenter ou penser,* en mettant en valeur l'importance originelle de la figuration mimique, notamment pour ce qui concerne l'expression des émotions.

Notons enfin une situation « amusante », liée à deux lapsus, rapportée dans « Constructions dans l'analyse »[4]. Dans les rêves d'un

1. *Ibidem,* p. 308. *L'interprétation des rêves* (1900a), Paris, PUF, 1967, chap. VII.

2. *Ibidem,* p. 323-398 ; p. 209-260 ; p. 206-260.

3. *Ibidem,* p. 339 ; p. 220 ; p. 218.

4. « Constructions dans l'analyse » (1937d), *Résultats, idées, problèmes, II,* Paris, PUF, 1985, p. 276 ; *OCF* XX, p. 68 ; *GW* XVI, p. 51. [Ce cas avait déjà été publié dans un ajout de 1907 à *Psychopathologie de la vie quotidienne* (1901b), Paris, Gallimard, 1997, p. 171 ; *OCF* V, p. 177 ; *GW* IV, p. 104.]

patient revenait un nom bien connu à Vienne : *Jauner*. Freud propose *comme interprétation* qu'il pensait probablement *Gauner* (filou) et le patient répond : « Ceci me paraît tout de même trop osé » (*jewagt*, alors qu'il aurait dû dire *gewagt*). Nous voyons un échange spirituel, préconscient chez le patient, et en quelque sorte *dénudé* par l'analyste, qui montre la position transférentielle négative, immédiatement reconnue par un redoublement de la faute de prononciation. Ceci peut être donné comme une illustration de l'application de la théorie du mot d'esprit à l'interprétation et notamment du déplacement de l'accent sur le jeu des mots, qui peut entraîner un déplacement d'investissement, d'une manière discrète mais éventuellement essentielle.

QUESTIONS ET ENJEUX

Suivant de près la publication de *L'interprétation des rêves*, l'étude portant sur le mot d'esprit se situe dans la même perspective, d'ailleurs explicite dans le titre même. Ainsi le parallèle est dégagé entre les mécanismes en cause dans les deux cas, avec une insistance particulière portée sur la condensation et surtout sur le déplacement. Curieusement, la figuration hallucinatoire, qui *a priori* n'est pas en jeu dans la technique du mot d'esprit est l'objet d'un approfondissement théorique important. Elle est en effet inséparable de la mise en jeu de la régression qui est différente de ce qui a été montré à propos du rêve. Elle sert dans les deux cas une intention mais se joue nécessairement dans le cas du mot d'esprit entre une ou deux personnes associées au faiseur du mot. Le mot joue donc un rôle « social » entre ces deux ou trois personnes, dont l'une est éventuellement le public au sens le plus large comme le plus restreint mais, et ce n'est qu'à peine suggéré, cela intéresse surtout le public constitué par l'analyste, l'analysant et la personne objet.

Ce qui importe au premier abord est le rapprochement possible entre, non seulement la technique du mot d'esprit et de l'interprétation, mais surtout les changements topiques et économiques en jeu dans les deux cas. La description saisissante qui en est faite semble concerner l'interprétation brève : elle est concise, condensée, visant à entraîner, sinon l'apparition de *stupéfaction et d'illumination*, tout au moins l'abaissement du niveau des défenses et une libération soudaine des « tendances » pulsionnelles. C'est ce que le rire manifeste dans le cas du mot spirituel, éventuellement aussi dans celui de l'interprétation, ouvrant un aperçu sur le refoulé, sans que cela engage nécessairement une véritable mutation. Chez l'auteur du mot un élément préconscient passe dans l'inconscient où il est élaboré et repris aussitôt par la *perception consciente*. Nous voyons les raisons pour lesquelles la figuration tient une place importante dans ce travail : la perception est sous-jacente au déguisement verbal de l'expression spirituelle, et dans nombre de cas de l'interprétation, ce qui définit une figuration hallucinatoire, si fugitive qu'elle soit. Ainsi se rapprochent le mot d'esprit, l'idée incidente *(Einfall)*, et aussi l'interprétation du rêve, au sens de *Deutung*, tel que Freud l'avance en l'opposant aux constructions[1]. Cependant, « l'habillage de mots », qui prévaut dans le mot d'esprit, lorsque l'idée incidente émerge de l'inconscient et n'a d'autre but que de déguiser la pensée et ses intentions en lui donnant un tour comique et stupéfiant, est d'une tout autre nature dans le cas de l'interprétation brève. Si brève que soit son élaboration elle doit se rendre acceptable pour le patient en intégrant l'actualité du transfert et tout autant du contre-transfert. De ce fait, l'interprétation est sans doute dans tous les cas, une construction ou un élément d'une construction, qu'elle soit pleine d'esprit ou non.

Freud attache beaucoup d'attention au « trio » nécessaire au mot d'esprit, du moins lorsqu'il est tendancieux. Celui-ci comporte l'auteur du mot, ou première personne, l'auditeur, appelé aussi tierce personne ou l'autre. La seconde personne est l'objet ou la victime de la plaisanterie obscène qui la *dénude* éventuellement, qu'elle soit présente ou non. Apparemment, seule est prise en compte la condition économique qui consiste en un jeu complexe où l'auteur ne peut rire de sa plaisanterie et n'en jouit que par le rire de la tierce personne. Celle-ci n'étant pas concernée peut jouir sans inhibition de la situation scabreuse, après avoir été mise en tension, dans un état de stase libidinale croissante, par l'auteur de la plaisanterie. On ne peut penser que ce scénario ait été monté puis démonté de façon « innocente », sans rapport avec la situation analytique. Celle-ci paraît pourtant exclue dans le contexte sadique qui vise à « dénuder » une personne. Peut-être faut-il considérer que le trio décrit en fait la situation de deux personnes, dont l'une

1. *Ibidem*, p. 279 ; p. 71 ; p. 54.

est alternativement ou simultanément l'auteur et la tierce personne. S'il s'agit du patient, il décrit une situation obscène concernant un ou des absents, sans doute œdipiens, avec l'intention de faire rire l'analyste, mais sans s'impliquer vraiment dans la situation qui se présente comme comique. Mais cela peut aussi concerner l'analyste, l'interprétant, dont une part préconsciente plonge dans l'inconscient, et en fait retour sous la forme d'une idée incidente, qui peut être énoncée avec l'habillage de mots dans lequel elle émerge (« il me vient de dire », peut-il penser par exemple) ou plus souvent être retenue, dans une certaine stase. Elle peut être alors élaborée et faire entrer dans les formes d'une construction une idée incidente émergeant du préconscient. Elle peut éventuellement prendre la forme d'un mot d'esprit.

Dans ce cas c'est le processus de condensation, en jeu dans l'élaboration du mot, qui exigera ou non un travail plus ou moins prolongé de déplacements tant chez l'analyste que chez l'analysant. Mais il arrive aussi que le mot reste comme un point de condensation d'énergie, à l'arrière-plan de la scène analytique où se révéleront ses facettes, dans un travail où condensation et déplacement s'associent ou alternent dans le travail du jeu de mots tout comme de son interprétation.

Pierre CHAUVEL

MOTILITÉ, MOTRICITÉ, DÉCHARGE MOTRICE

all. : ***Motilität*, *Motorik*.** – angl. : *motility*, *motricity*, *motivity*. – esp. : *motilitã*, *motricidad*. – ital. : *motilità*, *motricità*. – port. : *motilidade*, *motricidade*

Désignant la capacité d'un organisme vivant à se mouvoir, la motilité est au fondement même du fonctionnement psychique : ensemble des fonctions qui assurent la motricité, elle assure le deuxième temps de l'arc réflexe, permet l'individuation du moi, assure la mise en place du principe de réalité. De la décharge motrice à la motricité, la motilité détermine nombre de fonctions qui appartiennent toutes à la sphère motrice.

Le constat puis l'étude de sa suspension dans le rêve, comme de son inhibition dans les névroses, ont permis de mieux les comprendre et, surtout, de jeter les bases de la construction d'un appareil psychique et de son fonctionnement.

MISE EN SITUATION

Le terme le plus utilisé par Freud est celui de motilité *mais, selon le contexte, il recourt à ceux de* motricité, *de* moteur, *de* décharge motrice, *toutes notions incluses dans ce qu'il désigne comme appartenant à la* sphère motrice[1]. *La notion, dont il traite avant même qu'il ait conçu la psychanalyse, est directement issue des acquis de la physiologie qui, en décrivant un* arc réflexe *avec une extrémité sensitive et une autre motrice, annonce les distinctions fondatrices tant entre les affects et la motilité qu'entre le conscient et l'inconscient. Ces notions sont clairement établies dès* L'interprétation des rêves, *le constat de la possibilité d'agir de façon motrice sur le monde extérieur permettant de distinguer le moi du non-moi et d'établir un principe de réalité.*

Fondements de la psychanalyse, étroitement liées à l'affect et à son fonctionnement, ces notions concernant la motilité sont régulièrement reprises telles quelles, réaffirmées tout au long de l'œuvre, avec tout au plus quelques précisions, compléments ou extensions (comme, par exemple, l'annulation rétroactive en 1926).

Cette position prépondérante dans la théorie, impérative comme une évidence, n'a pas empêché (peut-être même y a-t-elle contribué) que la motilité soit peu reprise dans les travaux psychanalytiques.

LE TEXTE FREUDIEN

Dès 1893, dans une « Communication préliminaire » aux *Études sur l'hystérie*, Freud note que l'équivalence entre langage et acte permet d'abréagir l'affect[2] (d'agir l'excitation de l'affect). Deux ans plus tard, en 1895 dans l'« Esquisse d'une psychologie scientifique », en

1. Par ex. dans *Inhibition, symptôme et angoisse* (1926d), Paris, PUF, 1951, p. 43 ; *OCF* XVII, p. 237 ; *GW* XIV, p. 150.

2. *Études sur l'hystérie* (1895d), Paris, PUF, 1956, p. 5-6 ; *OCF* II, p. 29 ; *GW* I, p. 87.

bon neurophysiologiste il souscrit à la distinction entre neurones « sensibles » et « moteurs » pour expliquer le mouvement réflexe, les décharges de quantités d'excitation et le principe d'inertie ; « partout, la décharge se produit par la motilité »[1]. De surcroît, « sensations et images motrices [... sont étroitement] liées à la fonction de jugement, à l'investissement somatique et à l'appréciation de la réalité » qu'elles conditionnent[2] ; les associations verbales résultent de la liaison des neurones moteurs avec ceux « servant aux images auditives, elles-mêmes très étroitement associées aux images verbales motrices »[3].

Ce thème est largement repris et développé en 1900 dans *L'interprétation des rêves*, texte fondateur de la psychanalyse qui s'appuie sur le constat que « toute notre activité psychique part de stimuli (internes ou externes) et aboutit à des innervations. L'appareil aura donc une extrémité sensitive et une extrémité motrice ; à l'extrémité sensitive se trouve un système qui reçoit les perceptions, à l'extrémité motrice s'en trouve un autre qui ouvre les écluses de la motricité. **Le processus psychique va en général de l'extrémité perceptive à l'extrémité motrice** »[4]. Le courant continu qui va de la perception vers la motilité durant le jour s'arrête la nuit, laissant agir un courant régressif de l'excitation et assurant la coupure avec le monde extérieur[5]. Pour s'employer au mieux, la force psychique doit pouvoir arrêter la régression afin de tenir compte de la réalité ; là est le rôle du deuxième système qui contrôle la motilité volontaire, « utilisant les mouvements pour des fins que nous offre notre mémoire ». Transfert et psychonévroses nous

1. « Esquisse d'une psychologie scientifique » (1895a), *La naissance de la psychanalyse. Lettres à Wilhelm Fliess*, Paris, PUF, 1956, p. 316, 331 ; *Lettres à Wilhelm Fliess*, Paris, PUF, 2006 (édition complète), p. 604, 620 ; *GW (Nachtragsband)*, p. 388-389, 404.

2. *Ibidem* (1956), p. 350. Cf. aussi p. 351 : « L'exemple du jugement nous porte à croire qu'il existe une différence quantitative entre la pensée et le processus primaire. Il paraît raisonnable de supposer que, dans l'acte de penser, un petit courant d'innervation motrice émane de ψ ».

3. *Ibidem*, p. 375.

4. *L'interprétation des rêves* (1900a), Paris, PUF, 1967, p. 416 ; *OCF* IV, p. 590 ; *GW* II-III, p. 542.

5. *Ibidem*, p. 462 ; p. 597 ; p. 549.

montrent combien les motions de désirs inconscients tendent à se manifester aussi pendant le jour, cherchant à pénétrer jusqu'à la conscience et à la motilité volontaire ; la censure entre inconscient et préconscient est le gardien de notre santé mentale, gardien qui ne peut relâcher sa vigilance pendant le sommeil que parce qu'il ferme la porte à la motilité : il peut laisser les pulsions inconscientes occuper la scène car elles demeurent inoffensives, n'étant pas en mesure de mettre en mouvement l'appareil moteur, seul à même de modifier le monde extérieur [1]. Chaque processus inconscient d'excitation peut soit déverser son trop-plein dans la motilité, soit tomber sous l'influence du préconscient qui l'endigue, comme dans le rêve [2]. Mobilisant les affects et protégé par la suspension de la motilité, le rêve est soumis aux motions de souhaits et de désirs ; « tout cela est fondé sur **une hypothèse déterminée concernant le développement de l'affect, considéré ici comme un effet moteur** et sécrétoire, la clef de son innervation se trouvant dans les représentations de l'inconscient » [3]. Freud fournit alors un résumé de sa doctrine : l'appareil psychique, qui tend à éviter l'excitation, est construit sur le modèle d'un appareil réflexe dont la décharge motrice assure les changements internes du corps. Ressentie comme déplaisir, l'accumulation d'excitations provoque l'activité de l'appareil qui cherche à retrouver la satisfaction : nous appelons désir ce courant qui va du déplaisir au plaisir et qui peut seul mettre l'appareil en mouvement. « Désirer a dû être d'abord un investissement hallucinatoire du souvenir de satisfaction », mais cette hallucination s'avérant incapable de faire cesser le besoin, il fallut alors qu'un second système vienne interdire l'accès à la conscience et lier les forces psychiques pour les détourner et, « **par la motilité volontaire, modifier le monde extérieur de telle sorte que la perception réelle de l'objet de satisfaction puisse se produire** ». Dans l'appareil achevé ces deux systèmes deviendront l'*Ics* et le *Pcs* ; mais, pour que la motilité puisse efficacement transformer le monde extérieur, le système mnésique doit avoir accumulé un

1. *Ibidem*, p. 482-483 ; p. 620-621 ; p. 572-573.
2. *Ibidem*, p. 491-492 ; p. 633 ; p. 584.
3. *Ibidem*, p. 495 ; p. 637 ; p. 588.

grand nombre d'expériences et fixé les relations entre les diverses représentations-but[1].

Les *Trois essais sur la théorie sexuelle* (1905) consacrent une section à l'*activité musculaire* qui procure un plaisir associé à une satisfaction sexuelle ; il est fréquent que « l'association infantile entre la lutte corporelle et l'excitation sexuelle détermine la direction qui sera privilégiée ultérieurement par la pulsion sexuelle », ce qui pourrait bien être une des racines de la pulsion sadique (une note de 1910 confirmera « la nature sexuelle du plaisir de se mouvoir »)[2]. Spécifiées de la sorte, les bases peuvent être confirmées en 1911 avec les « Formulations sur les deux principes du cours des événements psychiques » qui reprennent l'« Esquisse » ; la décharge motrice, qui doit « débarrasser l'appareil psychique de l'accroissement des excitations », prend une nouvelle fonction : **la motilité s'emploie à modifier la réalité de façon appropriée en se changeant en action** ; « la suspension, devenue nécessaire, de la décharge motrice, est assurée par le processus de pensée qui se forme à partir de l'activité de représentation » de l'action[3] ; les qualités propres à la pensée permettent à l'appareil psychique de supporter l'accroissement de la tension d'excitation pendant l'ajournement de la décharge. La pensée consiste en « une activité d'épreuve » qui, portant sur des investissements *a minima*, permet une moindre décharge. Pour en arriver là, il a fallu que les investissements puissent être liés mais, au départ, la pensée est sans doute inconsciente et ce n'est que lorsqu'elle pourra opérer la liaison aux restes verbaux qu'elle acquerra les qualités propre de la conscience. **Les pulsions sexuelles ne rencontrent pas les restrictions à la décharge motrice**, et pas plus les frustrations imposées par l'instauration du principe de réalité, dans la mesure où elles peuvent se satisfaire dans le corps propre (autoérotique) ; c'est là ce qui les distingue des pulsions du moi qui, par la suspension de la décharge

1. *Ibidem*, p. 508-509 ; p. 654-655 ; p. 604-605.

2. *Trois essais sur la théorie sexuelle* (1905d), Paris, Gallimard, 1987, p. 135-136 ; *OCF* VII, p. 140 ; *GW* V, p. 104.

3. « Formulations sur les deux principes du cours des événements psychiques » (1911b), *Résultats, idées, problèmes, I*, Paris, PUF, 1984, p. 138 ; *OCF* XI, p. 16 ; *GW* VIII, p. 233.

motrice et les représentations qui les accompagnent, imposent la reconnaissance de la réalité et l'activité de conscience[1]. Pour conclure *Totem et tabou*, Freud reprend l'aphorisme de Goethe : « au début était l'acte », entendant ainsi signifier qu'aux origines des individus comme des sociétés, « c'est plutôt l'acte qui, pour ainsi dire, remplace la pensée »[2].

À partir de 1914 la réflexion sur les modalités de la fonction motrice s'approfondit. Elle s'ébauche d'abord avec « Remémoration, répétition et perlaboration » (1914) où se précise l'idée qu'**est « traduit en actes » ce qui a été oublié et refoulé** : « Ce n'est pas sous forme de souvenir que le fait oublié reparaît, mais sous forme d'action » ; étant bien entendu que le malade ignore qu'il s'agit là d'une répétition – plus la résistance sera grande, plus cette répétition mise en acte va se substituer au souvenir[3]. Face à elle, dans une lutte perpétuelle, le psychanalyste utilise le transfert (lui-même pris dans la motricité), espérant que le travail de la remémoration puisse remplacer les actes itératifs[4].

C'est avec la *Métapsychologie* qu'**en 1915 la théorie de la fonction motrice prend toute sa place.** Après avoir rappelé que, **face à l'impact unique de l'excitation la réaction la plus appropriée est la fuite motrice** (alors que, face à la force constante de la pulsion, aucune fuite n'est possible), Freud s'interroge sur la situation d'un petit être en état de détresse, non orienté dans le monde et qui reçoit des stimuli nerveux ; rapidement, il pourra néanmoins effectuer une première distinction et s'orienter par rapport au monde : d'une part, il sentira des excitations auxquelles il peut se soustraire par une action musculaire (fuite) et il les met alors au compte d'un monde extérieur ; mais, d'autre part, il éprouvera aussi des excitations contre lesquelles une telle action demeurera vaine et qui conserveront malgré tout leur caractère de

1. *Ibidem*, p. 137-139 ; p. 16-17 ; p. 233-234.

2. *Totem et tabou* (1912-1913a), Paris, Gallimard, 1993, p. 318 ; *OCF* XI, p. 382 ; *GW* IX, p. 194.

3. « Remémoration, répétition et perlaboration » (1914g), *De la technique psychanalytique*, Paris, PUF, 1953, p. 108-109 ; *OCF* XII, p. 190-191 ; *GW* X, p. 130-131.

4. *Ibidem*, p. 112 ; p. 193 ; p. 133.

poussée constante ; de telles excitations sont le signe caractéristique d'un monde intérieur, et la preuve de besoins pulsionnels. « **La substance perceptive de l'être vivant aura ainsi acquis, dans l'efficacité de son activité musculaire, un point d'appui pour séparer un "à l'extérieur" d'un "à l'intérieur"** » [1] ; autrement dit l'individu peut précocement opposer le moi au non-moi, le sujet à l'objet, et l'idée d'un extérieur s'impose à lui, grâce à son expérience de « pouvoir faire taire, par son action musculaire, les excitations externes tandis qu'il reste sans défense contre les excitations pulsionnelles » [2]. Cette prise motrice sur le monde permet à l'amour, narcissique à l'origine, de s'étendre aux objets incorporés au moi élargi, « exprimant la tendance motrice du moi vers ces objets en tant que sources de plaisir » [3].

Le refoulement s'éclaire de constater qu'il n'écarte la représentation du conscient que parce que cela « permet de se tenir à l'écart de l'action et d'enchaîner l'impulsion quant à la motricité » [4] ; en inhibant la transposition de la pulsion en manifestation d'affect, il témoigne de ce que, « normalement, le système *Cs* régit l'affectivité aussi bien que l'accès à la motilité ». La tâche du refoulement est d'empêcher l'accès à la conscience, le développement de l'affect et le déclenchement de l'activité musculaire ; « **aussi longtemps que le système *Cs* régit l'affectivité et la motilité, nous appelons normal l'état psychique de l'individu** ». En inhibant l'affectivité et la motilité qu'elle contrôle, le refoulement empêche l'accès à la conscience – tel est donc l'état psychique « normal » de l'individu. Nous avons là deux actions de décharge, qu'il convient pourtant de bien distinguer : alors que les décharges motrices, mises en jeu par la motilité, débouchent sur des actions destinées à transformer le monde extérieur, et demeurent sous la domination ferme du système perception-conscience, celles de l'affectivité (sécrétoire, vasorégulatrice...) sont destinées à transformer le corps propre de façon interne,

1. « Pulsions et destins des pulsions » (1915c), *Métapsychologie*, Paris, Gallimard, 1991, p. 14-15 ; *OCF* XIII, p. 166-167 ; *GW* X, p. 212.

2. *Ibidem*, p. 35-36 ; p. 181 ; p. 227.

3. *Ibidem*, p. 42 ; p. 185 ; p. 231.

4. « Le refoulement » (1915d), *Métapsychologie*, Paris, Gallimard, 1968, p. 63 ; *OCF* XIII, p. 200 ; *GW* X, p. 260.

et leur domination par la conscience est moins assurée. Dans l'inconscient, la représentation refoulée reste capable d'action, preuve qu'elle a conservé son investissement[1].

Une différence demeure, et non des moindres : l'affectivité se manifeste essentiellement en décharges motrices (sécrétoires, vasorégulatrices) destinées à transformer le corps de l'intérieur et sans rapport avec le monde extérieur, alors que la motilité vise par ses actions à transformer le monde extérieur. Cependant, « tandis que la domination du *Cs* sur la motilité volontaire est fermement établie [...], la domination du développement de l'affect par le *Cs* est moins ferme »[2]. En eux-mêmes les processus inconscients sont « inconnaissables et même incapables d'exister parce que le système *Ics* a été recouvert très tôt par le système *Pcs* qui s'est emparé de l'accès à la conscience et à la motilité » ; la décharge du système *Ics* dans l'innervation somatique suscite le développement d'affect, mais ce moyen de décharge lui est contesté par le *Pcs*. « À lui seul **le système *Ics* ne saurait mener à bien, dans des conditions normales, aucune action musculaire appropriée**, à l'exception de celles qui sont déjà organisées sous forme de réflexes. »[3]

En conclusion de ce recueil d'essais, le « Complément métapsychologique à la théorie du rêve » insiste : « la première orientation de l'organisme dans le monde se fait grâce à ses perceptions en distinguant un "dehors" et un "dedans" selon leur relation avec une action musculaire »[4].

Dans les années 1920-1923 la mise en place d'une nouvelle topique (essentiellement dans *Le moi et le ça*) ne modifie en rien la place et la fonction de la motilité dans l'appareil psychique qui reste dévolue au moi. « **L'importance fonctionnelle du moi se manifeste en ce que, normalement, il lui revient de commander les accès à la motilité** », et

1. « L'inconscient » (1915e), *Métapsychologie*, Paris, Gallimard, 1968, p. 85-87 ; *OCF* XIII, p. 218-221 ; *GW* X, p. 277-278.

2. *Ibidem*, p. 85 ; p. 218 ; p. 278.

3. « L'inconscient » (1915e), *Métapsychologie*, Paris, Gallimard, 1968, p. 96 ; *OCF* XIII, p. 226-227 ; *GW* X, p. 286-287.

4. « Complément métapsychologique à la théorie du rêve » (1917d), *Métapsychologie*, Paris, Gallimard, 1968, p. 142 ; *OCF* XIII, p. 256 ; *GW* X, p. 423-424.

ce même s'il ne peut refréner la force du ça qu'en lui empruntant sa force ; bien souvent et faute de mieux, par une sorte de ruse, « le moi a coutume de transformer en action la volonté du ça comme si c'était la sienne propre » [1]. C'est à lui qu'il appartient d'ordonner les processus psychiques en les soumettant à l'épreuve de réalité : « en intercalant les processus de pensée, il parvient à différer les décharges motrices et il domine les accès à la motilité » [2]. C'est en somme ce que vient confirmer l'article sur « La négation », en 1925, en précisant que « **le juger est l'action intellectuelle qui décide du choix de l'action motrice**, met un terme à l'ajournement par la pensée, et du penser fait passer à l'agir. L'ajournement par la pensée [...] est à considérer comme une action d'essai, un tâtonnement moteur avec des dépenses de décharge réduites » [3] – ce qui, d'une certaine façon, était déjà annoncé dans l'« Esquisse ».

La réévaluation de la métapsychologie entreprise dans *Inhibition, symptôme et angoisse*, en 1926, fait une large place à la motilité-motricité ; elle le fait dans chacune de ces trois grandes entités, bien sûr, mais surtout dans **les processus de défense** qu'ils mobilisent, à commencer par le refoulement qui est capable de priver le processus substitutif de toute possibilité de décharge par la motilité ; s'il y échoue, il s'épuise à modifier le corps propre sans empiéter sur le monde extérieur car « il lui est interdit de se convertir en action » [4]. Plus nouveaux apparaissent les apports de l'étude du mécanisme des *grands symptômes obsessionnels* :

– *L'annulation rétroactive* est une magie négative qui, par une symbolique motrice, vise à « enlever en soufflant dessus non pas les conséquences d'un événement [...], mais cet événement lui-même » ; elle se rencontre dans les symptômes en deux temps où le second acte supprime le premier, tout se passant dès lors comme si rien n'était arrivé

1. *Le moi et le ça* (1923b), *Essais de psychanalyse*, Paris, Payot, 1981, p. 237 ; *OCF* XVI, p. 269-270 ; *GW* XIII, p. 253.

2. *Ibidem*, p. 271 ; p. 298 ; p. 285.

3. « La négation » (1925h), *Résultats, idées, problèmes, II*, Paris, PUF, 1984, p. 138 ; *OCF* XVII, p. 170 ; *GW* XIV, p. 14.

4. *Inhibition, symptôme et angoisse* (1926d), Paris, PUF, 1951, p. 11 ; *OCF* XVII, p. 213 ; *GW* XIV, p. 122.

alors qu'en fait il y a eu deux actes. Esquissée dans le comportement normal lorsqu'on décide de traiter un événement comme non arrivé et de ne rien entreprendre contre lui, dans la névrose on cherche à supprimer le passé lui-même et à « **le refouler de façon motrice** ». Le même mécanisme se retrouve dans la compulsion à la répétition : ce qui n'est pas conforme au souhait est annulé par sa répétition sous une autre forme : « Nous acquérons ainsi un aperçu inattendu sur une nouvelle technique, technique motrice de la défense ou bien, pour nous exprimer ici avec plus de précision, du refoulement » [1]. Si le terme de « refoulement moteur » n'apparaît pas tel quel dans le texte freudien, l'idée y semble suffisamment explicite pour que nous puissions le considérer comme approprié : il ne serait pas faux de dire que le symptôme, que tout symptôme est l'effet de cette « technique motrice du refoulement ».

– *L'isolation* est une autre « technique [qui] se rapporte également à la sphère motrice et consiste en ce qu'après un événement désagréable ou, aussi bien, après une activité du sujet dotée d'une signification pour la névrose, une pause est intercalée durant laquelle plus rien ne saurait arriver, aucune perception avoir lieu, aucune action être accomplie » [2].

– *L'angoisse* se distingue des états analogues (deuil, douleur) par ses « manifestations motrices » [3] ; réaction originaire à la détresse dans le traumatisme, elle est ensuite reproduite comme signal d'alarme [4].

Redonnant une fois encore les fondements de la psychanalyse dans *Malaise dans la civilisation* en 1929, Freud rappelle comment le moi primitif apprend à connaître « un procédé permettant, au moyen d'une orientation intentionnelle des organes des sens et d'une action musculaire appropriée, de distinguer l'intérieur de l'extérieur », accédant ainsi au « principe de réalité » [5]. De même en 1933 dans les *Nou-*

1. *Ibidem*, p. 41-42 ; p. 236-237 ; p. 149-150.

2. *Ibidem*.

3. *Ibidem*, p. 56 ; p. 248 ; p. 163.

4. *Ibidem*, p. 96 ; p. 281 ; p. 200.

5. *Malaise dans la civilisation* (1930a [1929]), Paris, PUF, 1971, p. 9 ; *OCF* XVIII [*Malaise dans la culture*], p. 253 ; *GW* XIV, p. 425.

velles conférences d'introduction à la psychanalyse : « toute motion pulsionnelle exerce une poussée pour se satisfaire par l'action mais [dans le rêve] le chemin qui mène à la motilité est barré par les dispositifs physiologiques de l'état de sommeil » [1] ; « **le moi régit les accès à la motilité, il intercale entre le besoin et l'action le délai du travail de la pensée** pendant lequel il utilise les restes mnésiques de l'expérience. De cette manière il détrône le principe de plaisir qui domine sans restriction le cours des processus dans le ça, et le remplace par le principe de réalité qui promet plus de sécurité et un succès plus grand » [2]. L'*Abrégé de psychanalyse*, en 1940, conclut l'œuvre en évoquant une « pulsion de sommeil, apparue à la naissance et consistant à retourner à la vie intra-utérine. Le sommeil est cette sorte de retour dans le ventre maternel ». Comme le moi éveillé régit la motilité, cette fonction est paralysée pendant le sommeil et une bonne part des inhibitions imposées au ça inconscient deviennent superflues ; celui-ci acquiert ainsi une certaine liberté, désormais inoffensive, de par le retrait ou la diminution de ces « contre-investissements » [3].

QUESTIONS ET ENJEUX

Au fil du texte freudien nous avons pu être surpris par le nombre et l'importance des références à la motilité ; jamais privilégiée mais omniprésente, elle a l'évidence de « la sagesse de tous les jours » [4]. Elle est au fondement de l'appareil psychique et assure son fonctionnement : elle conditionne la distinction d'un dehors et d'un dedans, d'un *ics* et d'un *pcs*, d'un ça et d'un moi, elle permet la réalisation des désirs et le recours à la réalité, suscite la représentation et la pensée ;

1. *Nouvelles conférences d'introduction à la psychanalyse* (1933a), Paris, Gallimard, 1984, p. 30 ; *OCF* XIX, p. 100 ; *GW* XV, p. 20.

2. *Ibidem*, p. 105 ; p. 159 ; p. 82.

3. *Abrégé de psychanalyse* (1940a), Paris, PUF, 1949, p. 30 ; *OCF* XX, p. 256 ; *GW* XVII, p. 88-89.

4. *La question de l'analyse profane* (1926e), Paris, Gallimard, 1985, p. 45 ; *OCF* XVIII, p. 17 ; *GW* XIV, p. 221-222.

en somme, la motilité est la vie. Une telle évidence, une telle prégnance a pu faire qu'elle soit oubliée lors de propositions théorico-cliniques qui semblaient la concerner ; il nous semble pourtant que quelques points méritent que l'on s'y arrête, d'autant que dans le texte freudien elle n'est pas une connotation de circonstance mais un trait fondamental de la conscience et du fonctionnement psychique. Avec constance, Freud souligne que la motilité-motricité partage avec l'affect certaines caractéristiques qui imposent de les réunir et les désigne comme « actions de décharge », les situant au plus près de *la biologie* tout en les associant à *l'état de conscience* ; il les distingue cependant nettement puisque, tournée vers le monde extérieur, la motilité est fermement dominée par la conscience alors que, visant le monde interne et le corps propre avec ses décharges, l'affectivité lui est moins assujettie.

Avec ce prémisse à la connaissance de l'inconscient qu'est le sommeil du rêve, et son paradigme qu'est la conduite de la cure, la place de la motilité dans la psychanalyse est exemplairement signifiée par sa suspension : pour pouvoir accéder à l'inconscient les processus du système *Pcs* doivent réduire leur activité, à commencer par le contrôle de la motilité – et c'est justement là ce que réalisent tant le sommeil que le protocole de la cure. Il en va ainsi parce que, « à lui seul, le système *Ics* ne saurait mener à bien, dans des conditions normales, aucune action musculaire appropriée, à l'exception de celles qui sont déjà organisées sous forme de réflexes ». Il est pourtant une activité psychique motrice qui entre dans le champ de la conscience : « le développement de l'affect est considéré comme un effet moteur et sécrétoire »[1] – et ce sont précisément les affects qui viennent donner aux rêves et aux cures leur tonalité si particulière, leur force d'impact, d'autant plus agissante que la motricité en est justement exclue.

Si le cadre de la cure interdit tout agir, la motilité n'y est pas moins très présente, d'autant mieux signifiée que, comme dans le rêve, elle ne peut se réaliser en acte. Lorsque Freud entend spécifier le transfert, il le situe comme appartenant à « la sphère motrice », et le désigne comme « véritable force motrice de la participation du patient au travail analytique ». Parler ainsi n'est nullement une métaphore mais la définition du cadre actif de la cure : « Tout se passe comme si [le

1. *L'interprétation des rêves* (1900a), Paris, PUF, 1967, p. 495 ; *OCF* IV, p. 637 ; *GW* II-III, p. 588.

patient] agissait devant nous, au lieu de seulement nous informer »[1] – sa parole est devenue acte, autorisant ainsi l'acte d'interprétation.

On connaît la place et la fonction quasi initiatrices du modèle de l'arc réflexe pour concevoir l'organisation et le fonctionnement de l'appareil psychique : l'appareil aura une extrémité sensitive et une extrémité motrice, le processus psychique allant de l'une à l'autre »[2]. Ainsi, la décharge motrice assure d'abord les changements internes du corps en fonction des besoins à satisfaire et suscite un investissement hallucinatoire du souvenir de satisfaction ; celui-ci s'avérant incapable de mettre fin au besoin, ce premier système doit être relayé par un deuxième qui interdit l'accès à la conscience, lie les forces psychiques, les détourne en activant « la motilité volontaire [qui vient] modifier le monde extérieur de telle sorte que la perception réelle de l'objet de satisfaction puisse se produire » – dans l'appareil achevé ces deux systèmes deviendront l'*Ics* et le *Pcs* ; « nous appelons cette organisation son moi »[3].

Parmi les nombreuses *notions et processus impliquant la motilité* c'est sans doute *le refoulement* qui apparaît d'abord. Régulièrement désigné comme équivalent à une *fuite*, il porte « naturellement » une implication motrice ; l'idée, annoncée dès l'« Esquisse », est exposée dans la *Métapsychologie* : si le refoulement a bien pour tâche d'empêcher l'accès à la conscience, il doit surtout s'opposer tant aux développements de l'affect qui transforment le corps propre de façon strictement interne, qu'aux déclenchements de la motilité qui est le produit des « actions destinées à transformer le monde extérieur »[4]. Tout cela se joue dans le champ de la représentance, les représentations (de chose et de mot) étant tenues à l'écart du conscient afin de maîtriser l'affect et de « se tenir à l'écart de l'action, d'enchaîner l'impulsion quant à la motricité »[5]. *Le symptôme* en est un cas exemplaire dans la mesure où ce produit du « refoulement

1. *Abrégé de psychanalyse* (1940a), Paris, PUF, 1949, p. 43 et 44 ; *OCF* XX, p. 267 et 268 ; *GW* XVII, p. 100 et 101.

2. *L'interprétation des rêves* (1900a), Paris, PUF, 1967, p. 416 ; *OCF* IV, p. 590 ; *GW* II-III, p. 542.

3. *La question de l'analyse profane* (1926e), Paris, Gallimard, 1985, p. 45 ; *OCF* XVIII, p. 17 ; *GW* XIV, p. 221-222.

4. « L'inconscient » (1915e), *Métapsychologie*, Paris, Gallimard, 1968, p. 85 n. 1 ; *OCF* XIII, p. 220 n. 1 ; *GW* X, p. 278 n. 1.

5. *Ibidem*, p. 63 ; p. 202 ; p. 260.

raté » est privé de toute possibilité de décharge par la motilité ; il existe d'ailleurs une « technique motrice de la défense, du refoulement, [qui consiste à] refouler de façon motrice »[1]. Si le terme de refoulement moteur n'apparaît pas dans le texte, l'idée y est fort présente. Ajoutons que l'*inhibition*, ce concept jumeau, complémentaire et souvent équivalent du symptôme, est plus spécialement attachée à la *fonction*[2], et que c'est justement en tant que fonction qu'elle vise avant tout l'action motrice.

Au-delà de ce rôle très fonctionnel, la motilité apparaît tout aussi essentielle dans *la recherche du plaisir* et son accommodement avec l'extérieur ; plus encore que la part déterminante que lui impartit l'épreuve de réalité (d'abord dans la poursuite du but : il n'y a pas de motricité sans but, donc sans désir), elle s'impose au moi pour représenter le désir de plaisir, s'avère indispensable à la conscience désirante (c'est ainsi que la notion de scène originaire fit son apparition dans la psychanalyse à l'occasion du rêve de l'homme aux loups : un enfant immobile regardant une scène animée).

Si nous poursuivons l'énumération (fût-ce de façon très sommaire) des implications directes de la motilité-motricité, nous trouvons (comme nous l'avons déjà rapporté) : la *séparation d'un « dehors » et d'un « dedans »*[3] ainsi que « l'opposition moi–non-moi (sujet–objet) »[4], sa sujétion à la conscience (plus forte que pour l'affect)[5]. « L'innervation motrice » dont dispose le système *Cs(P)* assure une représentation du monde et « permet de décider si on peut faire disparaître la perception ou si celle-ci se révèle résistante. L'*épreuve de réalité* n'a pas à être autre chose que ce dispositif »[6]. Ce qui nous conduit directement à *la pensée*, étroitement liée à la motricité de par « l'activité d'épreuve » qui suspend la décharge motrice, permettant ainsi au moi de tenter de dominer les accès à la motilité et de fonder « l'acte de jugement [qui] décide du

1. *Inhibition, symptôme et angoisse* (1926d), Paris, PUF, 1951, p. 42 ; *OCF* XVII, p. 237 ; *GW* XIV, p. 150.

2. *Ibidem*, p. 1 ; p. 205 ; p. 113.

3. « Pulsions et destins des pulsions » (1915c), *Métapsychologie*, Paris, Gallimard, 1991, p. 14-15 ; *OCF* XIII, p. 166-167 ; *GW* X, p. 212.

4. *Ibidem*, p. 35-36 ; p. 181 ; p. 227.

5. « L'inconscient » (1915e), *Métapsychologie*, Paris, Gallimard, 1968, p. 85 ; *OCF* XIII, p. 220 ; *GW* X, p. 278.

6. *Ibidem*, p. 142-143 ; p. 256 ; p. 424.

choix de l'action motrice, met un terme à l'ajournement par la pensée, et du penser fait passer à l'agir » – entre le besoin et l'action s'est intercalée la pensée qui utilise les restes mnésiques de l'expérience, à commencer par la motrice, et c'est ainsi que le principe de réalité peut détrôner le principe de plaisir[1] ; pour accéder à ce principe de réalité *la répétition* elle-même engage des rapports étroits avec la motricité pour assurer la maîtrise sur les mondes extérieur et intérieur (ce qu'illustre fort bien le « jeu de la bobine »), prenant valeur défensive car la « technique motrice de la défense [est une] annulation d'une expérience traumatique par la répétition »[2].

Le moins qu'on puisse dire, au terme de cette récapitulation, est que la motricité est bel et bien impliquée dans les notions principales de la psychanalyse ; elle s'avère active dans tous les grands processus psychiques. De cela, Freud s'est attaché à rendre compte. Alors, *comment se fait-il qu'elle soit si souvent négligée ou méconnue ?*

Freud a sans doute une part de responsabilité dans cette mise à l'écart dans la mesure où, s'il la mentionne souvent, *il n'en a jamais traité spécifiquement*, comme il le fit pour l'affect auquel il l'associe pourtant très régulièrement ; regroupé avec les représentations, celui-ci est même explicitement désigné comme « représentant de la pulsion ». Le seul statut nommément attribué à la motilité-motricité est d'être, avec l'affect, une « action de décharge » ; pourtant, bien qu'il la relie régulièrement à l'excitation et qu'il y recoure pour spécifier la recherche du but pulsionnel (voire pour en qualifier la source), il ne la désigne jamais comme représentant de la pulsion. Pourquoi ?

Cela pourrait peut-être tenir à *une certaine difficulté à la situer*, et d'abord par rapport à la perception–conscience, en raison même de sa prégnance et des rapports que la pensée engage avec elle. Mais sans doute en va-t-il pareillement pour l'affect, qualifié comme étant

1. « Formulations sur les deux principes du cours des événements psychiques » (1911b), *Résultats, idées, problèmes, I*, Paris, PUF, 1984, p. 138 ; *OCF* XI, p. 16 ; *GW* VIII, p. 233. – *Le moi et le ça* (1923b), *Essais de psychanalyse*, Paris, Payot, 1981, p. 271 ; *OCF* XVI, p. 298 ; *GW* XIII, p. 285. – « La négation » (1925h), *Résultats, idées, problèmes, II*, Paris, PUF, 1984, p. 138 ; *OCF* XVII, p. 170 ; *GW* XIV, p. 14. – *Nouvelles conférences d'introduction à la psychanalyse* (1933a), Paris, Gallimard, 1984, p. 105 ; *OCF* XIX, p. 159 ; *GW* XV, p. 82.

2. *Inhibition, symptôme et angoisse* (1926d), Paris, PUF, 1951, p. 42-43 ; *OCF* XVII, p. 237-238 ; *GW* XIV, p. 150.

« quelque chose de très composite », de fort obscur et des moins accessibles, dont il est impossible de dire « à quoi cela correspond dans l'inconscient », tous qualificatifs qui pourraient tout aussi bien s'appliquer à cet autre « processus de décharge » qu'est la motilité. Si nous repartons de celui des deux qu'il formalisa le plus, nous constatons que, lorsqu'il cherche à l'expliciter, Freud nous dit qu'au sens dynamique un affect englobe « des innervations et décharges motrices déterminées » et que les sensations qu'il recouvre sont tout autant les perceptions des actions motrices que celles de plaisir et de déplaisir, même si ce sont celles-ci qui lui donnent sa tonalité fondamentale[1]. *La motricité serait donc à situer en dépendance de l'affect ?* Voilà qui pourrait, effectivement, non seulement répondre aux questions posées par leurs communes proximités avec la biologie et la conscience, mais surtout dispenser de s'étendre sur la motricité ; voire justifier Freud de s'être abstenu de la conceptualiser ?

Sans doute... Mais cela ne va pas sans nous laisser une certaine insatisfaction métapsychologique. Quels que soient leurs voisinages, nous sommes peu tentés de réduire la motricité à l'affect – d'autant que l'inverse serait également recevable, les décharges motrices étant elles-mêmes, à l'évidence, porteuses d'affect. Une autre explication ne pourrait-elle alors tenir à *la provenance de la décharge qui les initie* : ce serait plutôt la pulsion pour l'affect, et plutôt l'excitation pour la motricité ? Or, l'on sait que l'indétermination est plus grande encore pour celle-ci que pour celle-là : « Nous ne savons rien sur la nature du processus d'excitation dans les éléments des systèmes psychiques »[2] ; notre seul repère tient à ce que l'excitation agit comme un impact unique (alors que la pulsion opère comme une force constante)[3] et tend à se déplacer vers la source, c'est-à-dire à se rapprocher du biologique – sans d'ailleurs perdre pour autant son caractère essentiellement conscient. Dans ces conditions il serait sans doute, du strict point de vue métapsychologique, *plus approprié de s'attacher*

1. *Conférences d'introduction à la psychanalyse* (1916-1917), Paris, Gallimard, 1999, p. 501 et 519 ; *OCF* XIV, p. 410 et 425 ; *GW* XI, p. 410 et 425.

2. *Au-delà du principe de plaisir* (1920g), *Essais de psychanalyse*, Paris, Payot, 1981, p. 73 ; *OCF* XV, p. 302 ; *GW* XIII, p. 30-31.

3. « Pulsions et destins des pulsions » (1915c), *Métapsychologie*, Paris, Gallimard, 1991, p. 14 ; *OCF* XIII, p. 166 ; *GW* X, p. 212.

à l'affect qu'à la motricité, sans pour autant négliger celle-ci. Peut-on alors penser que cette option s'imposa à Freud, assez naturellement ?

Une question demeure quant aux successeurs qui, dans leur majorité, négligent la motilité-motricité au point de l'omettre dans les traités et de la minorer dans les dictionnaires. Comme si, en dépit de Freud, elle ne saurait prendre place parmi les notions et concepts propres à la psychanalyse ? Nous pensons avoir ici montré le contraire, mais il n'entre pas dans la vocation de cet ouvrage de traiter de cette absence ; nous avons seulement cru devoir la relever et signaler ce point, laissant chacun à ses réflexions propres.

Claude LE GUEN

N

NARCISSISME et AUTOÉROTISMES

all. : *Narzismus* et *Autoerotismus*. – angl. : *narcissism* et *auto-erotism*. – esp. : *narcisismo* et *autoerotismo*. – ital. et port. : *narcisismo* et *auto-erotismo*

Le *narcissisme* est un placement fondamental de la libido, qui correspond au rapport libidinal à soi-même comme objet total, unificateur des autoérotismes. Les *autoérotismes* correspondent à des activités érotiques effectuées sur le corps propre, de nature prégénitale, relevant des pulsions partielles et mettant en jeu les zones érogènes ; ils caractérisent la sexualité infantile.

D'abord défini comme un stade intermédiaire entre les autoérotismes et l'amour d'objet, auquel peut régresser la libido, le narcissisme est surtout l'investissement libidinal de soi-même. Le narcissisme primaire est un moment théorique premier de satisfaction et de complétude narcissique avant toute différenciation d'avec l'objet. Les identifications narcissiques, à la différence des hystériques portant sur des traits secondaires partiels, sont des identifications totales de soi à l'objet investi. La libido du moi, de nature narcissique, englobe ce que la première théorie des pulsions appelait auto-conservation ; le moi transforme la libido qui l'investit en libido d'objet, processus

d'ailleurs réversible : la libido d'objet peut redevenir libido narcissique (ou libido du moi). Le narcissisme est résolument pulsionnel, même s'il peut se prêter, au profit du surmoi-idéal du moi, à des désexualisations.

MISE EN SITUATION

Les Trois essais sur la théorie sexuelle *étudient en 1905 les autoérotismes de la sexualité infantile et leur enracinement dans des zones érogènes. Jusqu'en 1914 – ainsi que dans les* Leçons d'introduction à la psychanalyse *de 1916-1917 –, ils sont très souvent évoqués, en lien avec le narcissisme à partir de 1910-1911. Par la suite, ils sont volontiers rappelés, mais sans théorisation nouvelle et le terme disparaît de l'œuvre après 1927.*

C'est en 1910-1911 qu'apparaissent les premières mentions du narcissisme, à propos de Léonard de Vinci *et de* Schreber, *pour décrire des régressions qui peuvent aller jusqu'à la reviviscence d'autoérotismes infantiles. Des notations sur le narcissisme sont ajoutées aux* Trois essais sur la théorie sexuelle *en 1910, 1915 et 1920. L'écrit princeps « Pour introduire le narcissisme », en 1914, fixe la notion freudienne de narcissisme et son champ de pertinence, qui se précise en 1915 (« Deuil et mélancolie ») et 1921* (Psychologie des foules et analyse du moi) *sur la question des identifications narcissiques. Après 1920, les destins de la libido du moi et sa priorité logique sur la libido d'objet viennent articuler le narcissisme avec la deuxième théorie des pulsions et permettent peut-être d'éclairer autrement la notion de narcissisme primaire, source de multiples discussions.*

LE TEXTE FREUDIEN

LES AUTOÉROTISMES

Dans « Fragment d'une analyse d'hystérie (Dora) » (1901-1905) Freud décrit Dora la suçoteuse, tiraillant en même temps le lobe de l'oreille de son frère ou de sa nourrice[1] ; il définit les lèvres et la bouche comme zone érogène primaire. Le pénis viendra ultérieurement à la place du mamelon originel, et du pouce qui le vicarie, dans le fantasme de succion du pénis représenté dans la toux de sa patiente.

Les *Trois essais sur la théorie sexuelle* (1905) soulignent que, dans la sexualité infantile, la pulsion est autoérotique (selon une expression empruntée à Havelock Ellis), c'est-à-dire qu'elle se satisfait sur le corps propre et n'est pas orientée vers d'autres personnes. Cela renvoie à la notion de zone érogène, mais en sachant que « n'importe quel autre lieu de la peau et de la muqueuse peut assumer le service de zone érogène ». L'enfant qui suçote est déterminé par la recherche d'un plaisir – plaisir déjà vécu et maintenant remémoré ; se référant à Lindner, Freud souligne aussi l'importance du rythme et de l'agrippement qui lui est souvent associé. **L'enfant rassasié qui s'endort après la tétée reste « la norme pour l'expression de la satisfaction sexuelle dans la vie ultérieure ».** Le besoin de satisfaction sexuelle se sépare ensuite du besoin d'ingestion de nourriture ; en élisant pour la succion un lieu de sa propre peau, l'enfant se rend indépendant du monde extérieur et crée en quelque sorte une seconde zone érogène, mais inférieure à la première, ce qui plus tard le poussera à rechercher les lèvres d'une autre personne. Tous les enfants ne suçotent pas ; le suçotement implique un renforcement – que Freud estime constitutionnel – de la signification érogène de la zone labiale ; adultes, si ce renforcement persiste, ces enfants aimeront les baisers, mais aussi boire et fumer. Si le refoulement est intervenu, ils auront au contraire du dégoût pour la nourriture et une tendance aux vomissements hystériques. Sont ainsi dégagés les caractères d'une manifestation sexuelle infantile : elle est autoérotique c'est-à-dire qu'elle ne connaît pas encore d'objet sexuel, et son but sexuel est sous la domination d'une zone érogène ; ajoutons qu'elle apparaît par étayage sur une fonction corporelle vitale[2]. L'activité autoérotique est la même dans les deux sexes, même si par ailleurs les prédispositions masculines et féminines

1. « Fragment d'une analyse d'hystérie (Dora) » (1905e [1900]), *Cinq psychanalyses*, Paris, PUF, 1954, p. 36-37 ; *OCF* VI, p. 231-232 ; *GW* V, p. 211-212.

2. *Trois essais sur la théorie sexuelle* (1905d), Paris, Gallimard, 1987, p. 104-108 ; *OCF* VI, p. 116-118 ; *GW* V, p. 81-83.

sont claires. « On pourrait poser comme thèse que la sexualité des petites filles a un caractère entièrement masculin »[1], et considérer que la libido est de nature masculine, qu'elle soit présente chez l'homme ou chez la femme (mais il faudrait mieux déterminer les concepts de masculin et de féminin). En tout cas, la bisexualité est essentielle. Quant au développement de la pulsion sexuelle, elle a initialement un objet sexuel en dehors du corps propre, dans le sein maternel ; elle le perd ensuite, sans doute en même temps que l'enfant se forme une représentation globale de la personne qui possède l'organe qui lui donnait satisfaction. **La pulsion sexuée devient alors en règle générale autoérotique, et le rapport à l'objet ne se réinstaure qu'après que soit surmontée la période de latence.** La tétée est ainsi prototype de toute relation amoureuse, et la trouvaille de l'objet une retrouvaille[2].

Pour mémoire, signalons que, dans « Les explications sexuelles données aux enfants » (1907) sont rappelées les principales thèses des *Trois essais sur la théorie sexuelle* sur l'autoérotisme et les zones érogènes[3], à nouveau reformulées, en 1909, dans les *Cinq leçons sur la psychanalyse*[4].

« La morale sexuelle "civilisée" et la maladie nerveuse des temps modernes » (1908) rappelle le stade de l'autoérotisme : « Nous assignons comme tâche à l'éducation de le limiter, parce que s'y attarder rendrait pour plus tard la pulsion sexuelle immaîtrisable et inexploitable. » **Le développement de la pulsion sexuelle va de l'autoérotisme à l'amour d'objet** et de l'autonomie des zones érogènes à la subordination de celles-ci au primat des organes génitaux mis au service de la reproduction. Pendant ce développement, une part de l'excitation sexuelle fournie par le corps propre est inhibée, comme inutilisable pour la fonction de reproduction et, quand le cas est favorable, dirigée vers la sublimation : les forces mises au service du travail de

1. *Ibidem*, p. 161 ; p. 158 ; p. 120.

2. *Ibidem*, p. 165 ; p. 160-161 ; p. 123.

3. « Les explications sexuelles données aux enfants » (1907c), *La vie sexuelle*, Paris, PUF, 1969, p. 9 ; *OCF* VIII, p. 151 ; *GW* VII, p. 22.

4. *De la psychanalyse* (1910a), Paris, Gallimard, 1991, p. 51 ; *OCF* X, p. 43 ; *GW* VIII, p. 46.

civilisation sont ainsi largement acquises par la répression des parts dites perverses de l'excitation sexuelle. Mais, pour certains individus, ce développement de l'autoérotisme vers l'amour d'objet ne s'accomplit pas correctement ni de manière suffisamment profonde, suscitant des pervers ou des homosexuels. Lorsque, sous l'influence de l'éducation et des exigences sociales, les pulsions sont réprimées sous la forme d'un « ratage de la répression », apparaissent des phénomènes substitutifs caractéristiques des psychonévroses[1]. La répression de la pulsion sexuelle n'est pas anodine. Ainsi, l'infériorité intellectuelle de beaucoup de femmes peut être ramenée à l'inhibition de pensée qu'exige la répression sexuelle. Et parmi ceux qui se vantent d'une abstinence réussie, celle-ci n'est possible qu'à l'aide de la masturbation et de satisfactions similaires qui se rattachent aux activités autoérotiques de la prime enfance[2], au risque de prédisposer aux maladies psychiques et de susciter de nouveaux conflits avec l'idéal.

Quelques articles de 1908-1909 apportent certaines précisions. La sexualité infantile ne prend pas en compte les différences sexuées, parce que s'impose la représentation d'une universalité du pénis, c'est-à-dire finalement d'une femme au pénis (encore présente dans les rêves de l'adulte), qui entraîne le petit garçon à dénier sa perception, à supposer que chez sa petite sœur le pénis poussera quand elle grandira, car il est « dès l'enfance la zone érogène directrice, l'objet sexuel autoérotique primordial »[3], ce qui se reflète dans l'incapacité à se représenter une personne semblable au moi sans cette partie essentielle du corps. Le fantasme inconscient comme rejeton du fantasme conscient qui a jadis accompagné la masturbation, résulte d'une soudure entre l'action purement autoérotique initiale pour obtenir du plaisir à partir d'une zone érogène et la représentation de souhait provenant de la sphère de l'amour d'objet qui s'y est adjointe. Le renoncement à la satisfaction masturbatoire fantasmatique entraîne

1. « La morale sexuelle “civilisée” et la maladie nerveuse des temps modernes » (1908d), *La vie sexuelle,* Paris, PUF, 1969, p. 34-36 ; *OCF* VIII, p. 204-206 ; *GW* VII, p. 151-153.

2. *Ibidem,* p. 42 ; p. 214 ; p. 162.

3. « Les théories sexuelles infantiles » (1908c), *La vie sexuelle,* Paris, PUF, 1969, p. 19 ; *OCF* VIII, p. 233 ; *GW* VII, p. 178.

l'arrêt de ces pratiques, tandis que le fantasme devient inconscient[1]. S'il n'y a pas d'autre satisfaction sexuelle, ni de déviation de l'excitation sexuelle vers une sublimation, le fantasme est ravivé, prolifère, et s'impose, au moins pour une part, comme symptôme pathologique.

L'accès hystérique est le substitut d'une satisfaction autoérotique jadis pratiquée et depuis abandonnée ; parfois, cette satisfaction fait retour dans l'accès lui-même, sans être consciente. La survenue de l'accès, par accroissement de la libido et consolation au service de la tendance primaire, répète également les conditions dans lesquelles cette satisfaction fut autrefois recherchée intentionnellement. L'anamnèse montre le refoulement et le retour du refoulé selon les étapes suivantes : 1 / satisfaction autoérotique sans contenu représentatif ; 2 / la même satisfaction reliée à un fantasme qui débouche sur la satisfaction ; 3 / refoulement de ce fantasme qui s'impose dans l'accès hystérique ; 4 / l'accès ramène éventuellement la satisfaction[2].

L'« Analyse de la phobie d'un garçon de cinq ans (Le petit Hans) » (1909) montre Hans répondre d'une façon autoérotique à ses interrogations sur l'origine des enfants[3]. À ce propos, Freud reprend son *analyse de l'homosexualité* : il n'y a pas de pulsion homosexuelle particulière, mais une particularité du choix d'objet ; les homosexuels sont restés fixés, dans le développement qui va de l'autoérotisme à l'amour d'objet, en un point plus proche de l'autoérotisme ; la significativité érogène de leur propre organe génital les empêche de renoncer à sa concordance avec leur objet sexuel. Dans leur enfance, la possession d'un tel organe sexuel leur paraissait universelle. Hans « est homosexuel comme tous les enfants peuvent l'être, en complet accord avec le fait, à ne pas perdre de vue, qu'il ne connaît qu'une espèce

1. « Les fantasmes hystériques et leur relation à la bisexualité » (1908a), *Névrose, psychose et perversion*, Paris, PUF, 1973, p. 151 ; *OCF* VIII, p. 181 ; *GW* VII, p. 193.

2. « Considérations générales sur l'attaque hystérique » (1909a), *Névrose, psychose et perversion*, Paris, PUF, 1973, p. 163-164 ; *OCF* VIII, p. 247-248 ; *GW* VII, p. 238-239.

3. « Analyse d'une phobie chez un petit garçon de cinq ans (Le petit Hans) » (1909b), *Cinq psychanalyses*, Paris, PUF, 1970, p. 160 ; PUF « Quadrige », p. 236 ; *OCF* IX, p. 84 ; *GW* VII, p. 330.

d'organe génital, un organe génital comme le sien »[1]. D'autres éléments confirment ici l'importance des autoérotismes : l'intérêt autoérotique pour le fait-wiwi[2], la coexistence de l'autoérotisme et de l'amour d'objet dans le jeu de faire-wiwi[3], le symptôme autoérotique masturbatoire du remue-ménage avec les jambes[4], l'excitabilité érotique appelant des satisfactions érotiques masturbatoires[5]. Dans le fantasme final victorieux de sa phobie – le plombier qui lui donne un plus grand derrière et un plus grand fait wiwi, satisfaisant son espoir de devenir un petit papa –, Hans « fait la somme de toutes ses motions de souhait érotiques, celles issues de la phase autoérotique, et celles en corrélation avec l'amour d'objet »[6]. Les notes de 1910 ajoutées aux *Trois essais sur la théorie sexuelle* intègrent les découvertes faites lors du traitement du petit Hans : coexistence de l'autoérotisme et de l'amour d'objet ; théories sexuelles infantiles ; nature sexuelle autoérotique du plaisir du mouvement[7].

La même année, un autre cas clinique (« L'homme aux rats ») permet de noter que l'être humain, au cours de sa croissance, « cherche à brouiller la mémoire de son activité autoérotique en élevant ses traces mnésiques au stade de l'amour d'objet » ; d'où une surabondance de séductions et d'attentats sexuels dans ses fantasmes, là où il n'y eut dans la réalité effective qu'une activité autoérotique suscitée par la tendresse et les punitions. De plus, celui qui fantasme sur son enfance sexualise ses souvenirs. Le contenu de la vie sexuelle enfantine est fait de l'activation autoérotique des composantes sexuelles prédominantes, de traces d'amour d'objet et du complexe nucléaire des névroses (motions tendres et hostiles envers les parents et envers les frères et sœurs une fois éveillée la curiosité

1. *Ibidem*, p. 171 ; p. 249 ; p. 97 ; p. 344-345.
2. *Ibidem*, p. 168-169 ; p. 246 ; p. 94 ; p. 341.
3. *Ibidem*, p. 101 ; p. 164-165 ; p. 13 ; p. 251.
4. *Ibidem*, p. 170 ; p. 248 ; p. 95-96 ; p. 343.
5. *Ibidem*, p. 187 ; p. 268 ; p. 116 ; p. 364.
6. *Ibidem*, p. 171 ; p. 253 ; p. 101 ; p. 348.
7. *Trois essais sur la théorie sexuelle* (1905d), Paris, Gallimard, 1987, p. 122, 136 ; *OCF* VI, p. 130, 140 ; *GW* V, p. 94, 104.

sexuelle)[1]. Dans la névrose obsessionnelle, la régression de l'agir au penser est plus ou moins marquée; les actes obsessionnels se rapprochent des actions infantiles de l'ordre de l'onanisme. On en arrive donc, quand même, à des actes amoureux mais, par une nouvelle régression, ce sont des actes qui ne concernent plus une personne (l'objet d'amour ou de haine) mais sont des actions autoérotiques comme dans l'enfance[2].

Une **synthèse** de ces thèses apparaît dans les « Formulations sur les deux principes du cours des événements psychiques » en 1911, les mettant en rapport avec la prise en compte de la réalité. Les pulsions sexuelles se comportent d'abord de façon autoérotique, avant de connaître les modifications qui les conduisent, en passant par diverses phases intermédiaires, à l'amour d'objet au service de la reproduction[3]. Lorsque commence pour elles la trouvaille de l'objet, le processus connaît une longue interruption, jusqu'à la puberté, du fait de la période de latence. La pulsion sexuelle est donc mise en suspens dans sa forme psychique et demeure beaucoup plus longtemps – et même toujours chez bien des gens – sous la domination du principe de plaisir. De ce fait, s'établit une liaison plus étroite entre pulsion sexuelle et fantasme d'une part, pulsions du moi et conscience d'autre part. « L'autoérotisme persistant rend possible que la satisfaction instantanée et fantastique relative à l'objet sexuel, laquelle est plus facile, soit maintenue si longtemps à la place de la satisfaction réelle exigeant, elle, efforts et ajournements. »[4]

La même année sont distingués : – l'onanisme du nourrisson, qui comprend toutes les manœuvres autoérotiques servant à la satisfaction sexuelle[5] ; – l'onanisme des enfants, issu du précédent, et fixé

1. « Remarques sur un cas de névrose obsessionnelle (L'homme aux rats) » (1909d), *Cinq psychanalyses,* Paris, PUF, 1970, p. 233-234 ; PUF « Quadrige », p. 342-343 ; *OCF* IX, p. 178-179 ; *GW* VII, p. 428.

2. *Ibidem,* p. 258 ; p. 374 ; p. 210 ; p. 460.

3. « Formulations sur les deux principes du cours des événements psychiques » (1911b), *Résultats, idées, problèmes, I,* Paris, PUF, 1984, p. 139 ; *OCF* XI, p. 17 ; *GW* VIII, p. 234.

4. *Ibidem,* p. 141 ; p. 19 ; p. 237.

5. « Pour introduire la discussion sur l'onanisme » (1912f), *Résultats, idées, problèmes, I,* Paris, PUF, 1984, p. 178 ; *OCF* XI, p. 160 ; *GW* VIII, p. 336.

sur des zones érogènes déterminées ; – l'onanisme de la puberté rattaché à celui des enfants bien que séparé de lui par la période de latence.

DES AUTOÉROTISMES AU NARCISSISME

L'homosexualité de Léonard de Vinci et le délire de Schreber sont l'occasion d'une **première thématisation du narcissisme en lien avec des régressions autoérotiques.**

L'un des arguments présentés dans *Un souvenir d'enfance de Léonard de Vinci* (1910) est que, chez les hommes homosexuels, il y eut dans la première enfance, oublié ensuite, un lien érotique très intense à une personne féminine, généralement la mère, suscitée ou favorisée par sa tendresse excessive, confortée de plus par un retrait du père dans la vie de l'enfant[1]. Ensuite, le garçon refoule l'amour de la mère tout en s'identifiant à elle, et élit ses nouveaux objets d'amour à la ressemblance de sa propre personne, devenant ainsi homosexuel ; en fait, **il a régressé vers l'autoérotisme, puisque les garçons que l'adolescent aime maintenant sont des substituts et des renouvellements de lui-même** qu'il aime comme sa mère l'a aimé enfant. « Nous dirons qu'il trouve ses objets d'amour dans la voie du narcissisme »[2], selon la légende grecque. Celui qui devient homosexuel par cette voie reste inconsciemment fixé à l'image de sa mère, et demeure fidèle à cet amour refoulé : courir en amoureux après les garçons, c'est fuir les autres femmes qui pourraient le rendre infidèle et transcrire sur eux l'excitation qu'elles suscitent.

Les « Remarques psychanalytiques sur l'autobiographie d'un cas de paranoïa » (1911) notent nombre de traits autoérotiques chez Schreber : « volupté spirituelle » ressentie lors de l'excrétion et lorsqu'il urine, perturbation par le père de la satisfaction autoérotique[3],

1. *Un souvenir d'enfance de Léonard de Vinci* (1910c), Paris, Gallimard, 1987, p. 117-118 ; *OCF* X, p. 125-126 ; *GW* VIII, p. 169-170.

2. *Ibidem*, p. 165 ; p. 126 ; p. 170.

3. « Remarques psychanalytiques sur l'autobiographie d'un cas de paranoïa *(dementia paranoides)* (Le Président Schreber) » (1911c [1910]), *Cinq psychanalyses*, Paris, PUF, 1970, p. 277 ; *OCF* X, p. 249 ; *GW* VIII, p. 260.

triomphe grandiose de la tendance sexuelle infantile par le fantasme de la transformation en femme exigé par le père, accomplissement du désir sexuel infantile en même temps que transformation de la menace du père qui fait le plus peur, celle de la castration[1]. C'est pour éclairer le rôle du souhait homosexuel dans la paranoïa que Freud revient sur le stade de développement de la libido, dans le chemin qui va de l'autoérotisme à l'amour d'objet, qu'il a mis en évidence à propos de l'homosexualité de Léonard de Vinci et qu'il entend qualifier comme stade de « *narcissisme* ». Pour acquérir un objet d'amour, l'individu en cours de développement rassemble en une unité ses pulsions sexuelles qui travaillent autoérotiquement, et « prend d'abord soi-même, son propre corps, comme objet d'amour, avant de passer de celui-ci au choix d'objet d'une personne étrangère ». **Le narcissisme est donc une phase intermédiaire entre autoérotisme et choix d'objet,** mais certains s'y arrêtent pour une période inhabituellement longue. Les organes génitaux peuvent être déjà la chose capitale dans cet amour pour soi-même, ce qui conduit au choix d'objet ayant des organes génitaux semblables – exigence qui demeure chez les homosexuels manifestes –, puis à l'hétérosexualité. Une fois atteint le choix d'objet hétérosexuel, les tendances homosexuelles ne sont pas supprimées, mais écartées du but sexuel et amenées à de nouvelles utilisations, et constituent avec les pulsions du moi les pulsions sociales, fournissant la contribution de l'érotisme à l'amitié, la camaraderie, l'amour des humains en général. Les paranoïaques cherchent à se défendre d'une sexualisation de leurs investissements pulsionnels sociaux ; le point faible de leur développement est à chercher « dans la partie située entre autoérotisme, narcissisme et homosexualité »[2]. Le noyau du conflit est le fantasme de désir homosexuel (aimer l'homme) et les diverses formes de paranoïa tentent de le contredire : délire de persécution, érotomanie, délire de jalousie, délire des grandeurs. Dans la paranoïa, la libido retirée à l'objet (du fait de la défense contre l'homosexualité), devenue libre, est adjointe au moi, utilisée pour l'agrandissement du moi : la paranoïa présente généralement un délire

1. *Ibidem,* p. 302 ; p. 278 ; p. 291.
2. *Ibidem,* p. 306-307 ; p. 283-284 ; p. 297-298.

des grandeurs, et un tel délire peut à lui seul constituer une paranoïa. Le paranoïaque revient ainsi au narcissisme dans lequel le moi propre est l'unique objet sexuel, témoignant d'une fixation ; ce « pas en arrière depuis l'homosexualité sublimée jusqu'au narcissisme indique le montant de la régression caractéristique de la paranoïa »[1]. Dans la *dementia præcox* ou paraphrénie, la régression va « jusqu'à la vacance totale de l'amour d'objet et au retour à l'autoérotisme infantile »[2], ce qui suppose une fixation plus précoce que dans la paranoïa.

« La disposition à la névrose obsessionnelle » (1913) précise à nouveau les étapes du développement de la libido : entre l'autoérotisme initial et le regroupement des pulsions partielles en vue du choix d'objet sous le primat des organes génitaux, il faut intercaler : – non seulement le stade du narcissisme où le choix d'objet a eu lieu mais coïncide encore avec le moi propre, – mais aussi un stade érotique-anal où les pulsions partielles sont regroupées, l'objet reconnu comme une personne étrangère, où le primat de zones génitales n'est pas encore institué[3].

Totem et tabou (1913) revient sur ce qui caractérise le narcissisme : c'est un stade intermédiaire où les pulsions sexuelles ne sont plus isolées comme dans l'autoérotisme initial, mais se sont composées en une unité et ont déjà un objet « mais cet objet n'est pas un objet externe, étranger à l'individu, c'est le moi propre, constitué à cette époque ». La personne se comporte comme si elle était amoureuse d'elle-même ; pulsions du moi et souhaits libidinaux ne se laissent pas départager. L'organisation narcissique ne sera plus jamais complètement abandonnée. Les investissements d'objet sont des émanations de la libido résidant dans le moi et peuvent de nouveau être retirés et ramenés en elle. Les états amoureux, prototypes normaux des psychoses, correspondent au degré maximal de ces émanations vers l'objet. La surestimation des actions psychiques chez les primitifs et chez les névrosés

1. *Ibidem*, p. 316 ; p. 295 ; p. 309-310.

2. *Ibidem*, p. 320 ; p. 299 ; p. 314.

3. « La disposition à la névrose obsessionnelle. Une contribution au problème du choix de la névrose » (1913i), *Névrose, psychose et perversion*, Paris, PUF, 1973, p. 192-193 ; *OCF* XII, p. 89 ; *GW* VIII, p. 446.

peut être mise en relation avec le narcissisme : « Chez les primitifs la pensée est encore dans une grande mesure sexualisée et de là provient la croyance à la toute-puissance des pensées » ; chez les névrosés cette attitude primitive subsiste dans une large mesure, et une sexualisation renouvelée des processus de pensée est provoquée par le refoulement. Originel ou régressif, le surinvestissement libidinal de la pensée a les mêmes effets : narcissisme intellectuel, toute-puissance des pensées. **La phase animiste de développement de l'humanité correspond au narcissisme dans le développement libidinal de l'individu**[1].

LA THÉORISATION DU NARCISSISME

Un ouvrage-clé, « Pour introduire le narcissisme » (1914), rassemble et complète ces élaborations afin de faire une présentation d'ensemble de la notion et de l'intégrer au corpus psychanalytique (le terme est emprunté à P. Näcke (1899) mais c'est Havelock Ellis qui utilisa le premier la notion en 1898[2]).

Freud élargit le sens du terme qui servait à désigner des formations pathologiques perverses dans lesquelles un individu traite son propre corps de façon semblable à celle dont on traite d'ordinaire le corps d'un objet sexuel : le caresser, le cajoler… Car les traits du comportement narcissique se retrouvent dans d'autres troubles : l'homosexualité selon Isidor Sadger, l'introversion de la démence précoce (schizophrénie), le comportement des névrosés pendant le traitement psychanalytique. Pour intégrer la compréhension de la schizophrénie à la théorie de la libido, « on fut finalement amené à supposer qu'un certain placement de la libido, qui doit être désigné comme narcissisme, pourrait […] revendiquer une place dans le développement sexuel régulier de l'être humain »[3]. **Le narcissisme serait le complément libidinal de la pulsion d'auto-conservation.**

1. *Totem et tabou* (1912-1913a), Paris, Gallimard, 1993, p. 209-210 ; *OCF* XI, p. 299-300 ; *GW* IX, p. 109-110.

2. *Trois essais sur la théorie sexuelle* (1905d), Paris, Gallimard, 1987, p. 160 (note ajoutée en 1920) ; *OCF* VI, p. 157 ; *GW* V, p. 119.

3. « Pour introduire le narcissisme » (1914c), *La vie sexuelle*, Paris, PUF, 1969, p. 81 ; *OCF* XII, p. 217 ; *GW* X, p. 138.

Le délire des grandeurs apparaît aux dépens de la libido d'objet : la libido soustraite au monde extérieur est apportée au moi, état que nous pouvons nommer narcissisme. Son introduction est également légitimée par la surestimation des désirs et des actes psychiques chez les enfants et le peuples primitifs. « Nous formons ainsi la représentation d'un **investissement libidinal originel du moi**, dont plus tard quelque chose est cédé aux objets, mais qui, fondamentalement, persiste et se comporte envers les investissements d'objet comme le corps d'un animalcule protoplasmique envers les pseudopodes qu'il a émis. »[1] Il y a une **opposition entre la libido du moi et la libido d'objet** : plus l'une se déploie, comme la libido d'objet dans l'état amoureux, plus l'autre s'appauvrit (abandon de la personnalité propre en échange de l'investissement d'objet), à l'inverse de l'autoperception de fin du monde chez les paranoïaques. Les énergies psychiques sont impossibles à différencier dans le narcissisme ; seul l'investissement d'objet permet de mettre en évidence une énergie sexuelle, la libido, distincte d'une énergie des pulsions du moi[2].

Comment articuler **le narcissisme et l'autoérotisme** ? Les pulsions autoérotiques sont là dès le tout début, tandis qu'il n'y a pas dès le début, chez l'individu, d'unité comparable au moi ; le moi doit subir un développement. « Il faut donc que quelque chose, une nouvelle action psychique, vienne s'ajouter à l'autoérotisme pour donner naissance au narcissisme. »[3] La valeur des concepts de libido du moi et de libido d'objet tient à ce qu'ils proviennent de l'élaboration des caractères intimes des processus névrotiques et psychotiques.

Et pourquoi, s'il y a dans le moi un investissement primaire de libido, est-il encore nécessaire de séparer une libido sexuelle d'une énergie non sexuelle des pulsions du moi ? Freud maintient – jusqu'à ce qu'elle soit défaillante ou se confirme –, en l'absence d'une théorie des pulsions suffisamment élaborée pour guider sa pensée, la distinction entre des pulsions sexuelles et des pulsions du moi non sexuelles, distinction qui lui paraît pertinente dans les névroses de transfert et

1. *Ibidem*, p. 83 ; p. 220 ; p. 141.
2. *Ibidem*, p. 84 ; p. 220 ; p. 141.
3. *Ibidem*, p. 84 ; p. 221 ; p. 142.

correspondrait à la différence entre la faim et l'amour. Mais cette distinction a peu d'appui psychologique et il pourrait aussi s'agir d'une énergie psychique qui ne devient libido que par l'acte de l'investissement de l'objet ? Il convient de récuser la thèse de Carl Gustav Jung qui juge la théorie de la libido inapplicable à la schizophrénie et refuse de voir dans son seul retrait la cause de la perte de la fonction du réel. Ce débat est essentiel dans la mesure où **l'étude directe du narcissisme n'est pas possible** ; l'analyse des paraphrénies (démence précoce et paranoïa) en est la principale voie d'accès[1]. (Cette thèse sur le repli narcissique et le désinvestissement des objets dans la schizophrénie, est reprise en 1915 dans « L'inconscient »[2], où elle conduit à distinguer représentation de mot et représentation de chose.)

La connaissance du narcissisme est aussi accessible à partir de l'observation de la maladie organique, de l'hypocondrie et de la vie amoureuse. La douleur et la maladie font abandonner tout intérêt pour le monde extérieur. Le malade retire son intérêt libidinal de ses objets d'amour et « cesse d'aimer aussi longtemps qu'il souffre », car il a **replié ses investissements libidinaux sur son moi.** Le sommeil aussi est un retrait narcissique de la libido sur le seul désir de dormir, ce qui est en accord avec l'égoïsme des rêves[3]. L'hypocondrie, que l'on peut considérer comme une névrose actuelle, s'exprime en sensations corporelles pénibles et modifie aussi la répartition de sa libido, retirant son intérêt du monde extérieur et concentrant intérêt et libido sur l'organe qui l'occupe. De même que l'organe génital est congestionné, gonflé et source de multiples sensations, de même tout organe peut être le siège d'une érogénéité, manifeste dans nombre de zones érogènes, suscitant chaque fois une modification de l'investissement libidinal dans le moi. Hypocondrie et paraphrénie seraient alors à penser comme provenant de stases dans la libido du moi, source de déplaisir du fait de l'élévation de tension, tandis que, dans les

1. *Ibidem,* p. 88 ; p. 225 ; p. 148.

2. « L'inconscient » (1915e), *Métapsychologie,* Paris, Gallimard, 1968, p. 109 ; *OCF* XIII, p. 235 ; *GW* X, p. 295.

3. « Pour introduire le narcissisme » (1914c), *La vie sexuelle,* Paris, PUF, 1969, p. 89 ; *OCF* XII, p. 226 ; *GW* X, p. 148.

névroses de transfert, il s'agit de stases de la libido d'objet. Il faudrait donc sortir du narcissisme et investir la libido sur des objets lorsque l'investissement de la libido sur le moi dépasse une certaine mesure : « Un solide égoïsme préserve de l'entrée en maladie, mais à la fin l'on doit se mettre à aimer pour ne pas tomber malade », et l'on tombe malade lorsque l'on ne peut aimer[1].

La **vie amoureuse** ouvre un autre accès à l'étude du narcissisme : dans son choix d'objet, l'enfant (l'adolescent aussi) tire ses objets sexuels de ses premières expériences vécues de satisfaction. À côté des choix d'objet par étayage sur les personnes qui ont donné leurs soins au nourrisson et au jeune enfant, il y a ceux dont le développement libidinal a connu une perturbation, comme les pervers et les homosexuels, qui choisissent leur objet d'amour ultérieur sur le modèle de leur propre personne – observation qui a été le plus puissant motif pour faire l'hypothèse du narcissisme. Le plein amour d'objet selon le type par étayage caractérise surtout l'homme, avec une surestimation sexuelle issue du narcissisme originel de l'enfant et transférée sur l'objet sexuel. L'état amoureux se ramène alors à un appauvrissement du moi en libido au profit de l'objet. Chez la femme (encore que bien des femmes aiment selon le type masculin de choix d'objet), surtout si elle est belle, la surestimation sexuelle va dans le sens d'une autosuffisance qui les fait non pas chercher à aimer, mais à être aimée, et qui exerce un grand charme sur les hommes[2]. Le charme de l'enfant repose en grande partie sur son narcissisme, son inaccessibilité ; possèdent également ce genre de charme certains animaux comme les chats et les grands animaux de proie qui ne semblent pas se soucier de nous ; ou encore le grand criminel et l'humoriste qui montrent un narcissisme conséquent en tenant à distance de leur moi ce qui le diminuerait. Mais les femmes narcissiques qui restent froides envers l'homme peuvent accéder à l'amour d'objet par l'enfant qu'elles mettent au monde, « partie de leur corps qui se présente à elles comme un objet étranger, auquel elles peuvent maintenant, en partant du narcissisme, vouer »[3] un plein amour d'objet.

1. *Ibidem*, p. 91 ; p. 229 ; p. 151.
2. *Ibidem*, p. 94 ; p. 231 ; p. 154.
3. *Ibidem*, p. 95 ; p. 233 ; p. 156.

Au total, « **on aime 1 / selon le type narcissique :** ***a*** **/ ce que l'on est soi-même ;** ***b*** **/ ce que l'on a été soi-même ;** ***c*** **/ ce que l'on voudrait être soi-même ;** ***d*** **/ La personne qui a été une partie du propre soi.** 2 / Selon le type par étayage : *a* / la femme qui nourrit ; *b* / l'homme qui protège ; *c* / et les lignées de personnes substitutives qui en partent »[1]. Il reste à apprécier le caractère significatif du choix d'objet narcissique pour l'homosexualité de l'homme.

Il faut postuler un **narcissisme primaire,** qui est sentiment de complétude et de toute-puissance, lequel est maintenu ou réapparaît par régression dans les formes pathologiques du narcissisme. Ce narcissisme primaire correspond à une autosuffisance (illusoire) du nourrisson, facilitée par l'indistinction entre lui-même et le monde extérieur. Ce narcissisme primaire n'est naturellement compréhensible que si l'on admet que c'est l'ensemble « nourrisson-soins maternels » qui forme l'unité narcissique (ce que Freud ne précise pas). Il est en contraste avec la dépendance effective du nourrisson, avec sa détresse originaire *(Hilflosigkeit).* L'enfant est d'autant plus facilement la proie d'une illusion narcissique qu'il est pour ses parents un objet sur lequel ils projettent leur narcissisme, selon la logique de la surestimation dans le choix d'objet. Pour ses parents, leur enfant est le plus beau et le plus parfait, promis à un avenir qui réaliserait ce qu'ils auraient eux-mêmes rêvé d'accomplir. « L'amour parental, si touchant et, au fond, si enfantin, n'est rien d'autre que le narcissisme des parents qui vient de renaître et qui, malgré sa métamorphose en amour d'objet, révèle à ne pas s'y tromper son ancienne nature. »[2]

En posant l'existence et l'importance de la **formation d'idéal,** Freud envisage trois problèmes très précis. Le premier est l'existence d'une instance critique au sein du moi, observatrice et susceptible de porter des jugements internes. L'idéal du moi est ici la première version des fonctions qui seront dévolues au surmoi à partir de 1923 ; dans ce texte, il reste en même temps l'idéal que se donne le moi. « Ce qu'il projette devant lui comme son idéal est le substitut du narcissisme

1. *Ibidem,* p. 95-96 ; p. 233-234 ; p. 156-157.
2. *Ibidem,* p. 96 ; p. 235 ; p. 158.

perdu de son enfance, où il était lui-même son propre idéal. »[1] Le second est l'articulation entre la formation d'idéal, auquel on mesure son moi, et la dimension narcissique de la sublimation. Freud souligne que l'**idéalisation** est une déformation de l'objet, magnifié, tandis que la sublimation est un changement du but pulsionnel. L'idéalisation agrandit et exalte l'objet sans changer sa nature. Il ne faut donc pas confondre les deux notions, même si l'idéalisation peut être un facteur qui déclenche et donc rend possible un processus de sublimation[2]. Le troisième thème examiné est le **sentiment d'estime de soi,** qui reste en relation avec l'élément narcissique de la vie amoureuse, et dont dépend largement l'impression de bonheur ou de satisfaction ; il suppose que l'instance critique approuve le moi qu'elle observe ou soit réconciliée avec lui : être aimé est le but et la satisfaction dans le choix d'objet narcissique[3]. Du fait de l'idéal, les investissements d'objet conformes au moi ne contredisent pas l'estime de soi, mais ceux qui sont refoulés sont un amoindrissement du moi et rendent impossible la satisfaction amoureuse[4]. Au total, il faut s'éloigner du narcissisme primaire pour permettre le développement du moi, et engendrer une forte aspiration à recouvrer ce narcissisme ; le déplacement de la libido sur un idéal du moi imposé de l'extérieur permet cet éloignement[5]. À ces questions, Freud ajoute des remarques rapides sur le **développement du moi,** le **caractère narcissique de la passion amoureuse** (idéalisation de l'objet sexuel), et sur l'importance du narcissisme pour l'étude et la compréhension de la **psychologie collective.**

Dans « Pulsions et destins des pulsions » (1915), la satisfaction pulsionnelle autoérotique est assimilée au narcissisme en tant que stade précoce de développement du moi. Le stade préliminaire de la pulsion de regarder, qui a pour objet le corps propre, est une formation narcissique à partir de laquelle se développe la pulsion active de

1. *Ibidem,* p. 98 ; p. 237 ; p. 161.
2. *Ibidem,* p. 99 ; p. 237 ; p. 161.
3. *Ibidem,* p. 102 ; p. 241 ; p. 166.
4. *Ibidem,* p. 103 ; p. 242 ; p. 167.
5. *Ibidem,* p. 104 ; p. 243 ; p. 168.

regarder l'autre qui s'en éloigne, tandis que la pulsion passive – être regardé – maintient le narcissisme. De même, la mutation du sadisme en masochisme signifie un retour à l'objet narcissique ; dans les deux cas, le sujet narcissique est échangé par identification avec un autre moi, étranger. De manière plus générale, « les destins de pulsions que sont le retournement sur le moi propre et le renversement de l'activité en passivité, sont dépendants de l'organisation narcissique du moi ». Les couples d'opposés pulsionnels survenant comme ambivalents, sadisme-masochisme et plaisir à regarder-plaisir à montrer, exercent leur activité autoérotiquement : leur objet s'efface au profit de l'organe qui est leur source et coïncide en général avec lui[1]. L'opposition par retournement pulsionnel aimer/être aimé comporte une troisième possibilité, s'aimer soi-même, ce qui est la caractéristique du narcissisme, dont « être aimé » reste proche.

Freud reformule la notion d'un **narcissisme primaire.** Originellement, le moi est pulsionnellement investi et en partie capable de satisfaire ses pulsions sur lui-même : « Nous appelons cet état celui du narcissisme et cette possibilité de satisfaction autoérotique. Le monde extérieur n'est pas à ce moment-là investi d'intérêt [...] le moi-sujet coïncide avec ce qui est empreint de plaisir »[2], le monde extérieur étant indifférent ou source de déplaisir. Un nouveau développement amène le moi à devenir un « moi plaisir purifié », c'est-à-dire à s'incorporer ce qui est source de plaisir et à rejeter ce qui est occasion de déplaisir, même lorsque cela provient de sources internes. Le monde extérieur comporte alors une part de plaisir qu'il s'est incorporée et un reste étranger ; mais il jette dans le monde extérieur une part constitutive de son moi propre qu'il ressent comme hostile, formant en même temps la polarité de la haine dans le couple d'opposés amour/haine, du fait de l'entrée de l'objet dans le narcissisme primaire initial[3].

1. « Pulsions et destins des pulsions » (1915c), *Métapsychologie*, Paris, Gallimard, 1968, p. 32-33 ; *OCF* XIII, p. 177 ; *GW* X, p. 224-225.

2. *Ibidem*, p. 36 ; p. 180 ; p. 227.

3. *Ibidem*, p. 37 ; p. 181 ; p. 228.

Les ajouts de 1915 à la réédition des *Trois essais sur la théorie sexuelle* intègrent les nouveaux acquis[1] ; précisent le choix d'objet en deux temps et selon les deux voies de l'étayage ou du narcissisme[2]. Un long paragraphe présente le nouvel état des destins de la libido du moi et de la libido d'objet[3].

Le « Complément métapsychologique à la théorie du rêve » (1915) insiste sur le retrait narcissique du monde environnant dans l'état de sommeil, réactivation du séjour dans le ventre de la mère, et sur la fonction du rêve comme gardien du sommeil. **Dans l'état de sommeil, la régression de la libido va jusqu'à l'instauration du narcissisme primitif,** et la régression temporelle et formelle jusqu'au stade de la satisfaction hallucinatoire. C'est aussi ce retour au narcissisme qui permet de comprendre que le rêve est égoïste et que la personne principale des scènes soit toujours à identifier avec le rêveur[4]. L'égoïsme est aussi un phénomène libidinal ; le narcissisme est son complément libidinal. Comme dans la phobie hystérique, le rêve est une projection, l'extériorisation d'un processus interne ; le narcissisme du sommeil accepte donc ici une exception qui amorce la formation du rêve, à partir des restes du jour, investissements de pensée qui ont maintenu un intérêt libidinal, et sont ainsi excitateurs du rêve, grâce au renforcement venu de sources pulsionnelles inconscientes[5].

L'identification narcissique dans la mélancolie est particulièrement explorée dans « Deuil et mélancolie » (1917) où est posée, sans pouvoir la confirmer, l'hypothèse d'une disposition à la mélancolie liée à la prédominance du type narcissique de choix d'objet ; en tout cas, elle présente une régression de l'investissement d'objet jusqu'à « la phase orale de la libido, qui appartient encore au narcissisme » et à une identification narcissique (l'identification la plus originelle)

1. *Trois essais sur la théorie sexuelle* (1905d), Paris, Gallimard, 1987, p. 104-106 et 126-128 ; *OCF* VI, p. 116-117 et 133-135 ; *GW* V, p. 81-83 et 97-99.

2. *Ibidem,* p. 165 ; p. 161 ; p. 123.

3. *Ibidem,* p. 157-159 ; p. 156-157 ; p. 118-119.

4. « Complément métapsychologique à la théorie du rêve » (1917d [1915]), *Métapsychologie,* Paris, Gallimard, 1968, p. 124-125 ; *OCF* XIII, p. 245-246 ; *GW* X, p. 412-413.

5. *Ibidem,* p. 127 ; p. 247 ; p. 414.

avec l'objet abandonné, l'investissement d'objet étant laissé vacant (à la différence de l'identification hystérique où il subsiste). **L'identification narcissique avec l'objet devient le substitut de l'investissement d'amour,** mécanisme important dans les affections narcissiques ; l'identification est le stade préliminaire du choix d'objet et la première manière, ambivalente, d'élire un objet, en l'incorporant, conformément à la phase orale ou cannibalique du développement de la libido[1]. La mélancolie emprunte donc une partie de ses caractères au deuil, une autre à la régression allant du choix d'objet narcissique au narcissisme, marqué par un intense conflit d'ambivalence. Le triomphe maniaque est lui aussi à comprendre en corrélation avec la régression de la libido (libre et non plus liée par les auto-reproches) au narcissisme.

Clinique du narcissisme

Dans l'« Extrait de l'histoire d'une névrose infantile (L'homme aux loups) », on retrouve naturellement nombre de traits concernant les autoérotismes et le narcissisme que nous ne ferons que mentionner : – renouvellement du premier choix d'objet, le plus originel, sur le père par identification conformément au narcissisme infantile[2] ; – la force du refoulement du souhait d'être satisfait par le coït comme l'est la mère vient de la libido génitale narcissique qui se rebelle face à la menace sur le membre masculin, le narcissisme menacé soutenant la masculinité contre l'attitude passive envers son père[3] ; – à noter également l'origine narcissique de la « compassion » dont il témoigne[4]. Mais, si l'identification au père est bien narcissique, elle est déjà génitale, compte tenu du rôle joué par le pénis ; la seule victoire de la masculinité (narcissique) est la réaction d'angoisse devant les buts

1. « Deuil et mélancolie » (1917e [1915]), *Métapsychologie,* Paris, Gallimard, 1968, p. 156-157 ; *OCF* XIII, p. 268-269 ; *GW* X, p. 436.

2. « Extrait de l'histoire d'une névrose infantile (L'homme aux loups) » (1918b [1914]), *Cinq psychanalyses,* Paris, PUF, 1970, p. 341 ; PUF « Quadrige », p. 517 ; *OCF* XIII, p. 25 ; *GW* XII, p. 52.

3. *Ibidem,* p. 357 ; p. 535-536 ; p. 43 ; p. 73.

4. *Ibidem,* p. 392 ; p. 578 ; p. 86 ; p. 121.

sexuels passifs[1]. Le moi ne réagit pas à partir de tendances sexuelles, mais seulement par intérêt pour son auto-préservation et la conservation de son narcissisme[2].

Outre « L'homme aux loups » et « Le petit Hans », divers textes portent la trace des réflexions freudiennes sur le narcissisme et les identifications. En 1916, « Quelques types de caractère dégagés par le travail psychanalytique » décrit, sur le modèle du *Richard III* de Shakespeare, l'attitude de patients qui réclament le droit à être une exception, en raison d'un préjudice subi – trait pathologique s'il est massif mais plutôt universel sous des formes plus discrètes. « Nous exigeons tous un dédommagement pour des blessures précoces de notre narcissisme. »[3] « Une difficulté de la psychanalyse » (1917) reprend les thèses sur le narcissisme antérieurement développées, en les élargissant, aboutissant à l'idée que, du fait des découvertes scientifiques, le narcissisme universel, l'amour-propre de l'humanité a subi trois vexations graves[4] : la terre n'est pas le centre de l'univers (Copernic), nous ne sommes pas d'une essence différente de celle des animaux (Darwin), et, enfin, le moi n'est pas maître dans sa propre maison car la vie pulsionnelle ne se laisse pas dompter et les processus psychiques sont fondamentalement inconscients (Freud)[5].

« Sur les transpositions des pulsions, plus particulièrement dans l'érotisme anal » (1916-1917) rappelle que le souhait infantile visant le pénis se transforme chez la femme (non disposée à la névrose) en souhait visant l'homme, ce qui rend possible une vie amoureuse selon le type masculin de l'amour d'objet, à côté du type féminin dérivé du narcissisme. Dans d'autre cas, c'est seulement l'enfant qui entraîne le passage de l'amour de soi narcissique à l'amour d'objet. Dans la défécation et l'éducation à la propreté, on peut choisir entre l'attitude

1. *Ibidem,* p. 408 ; p. 597-598 ; p. 108 ; p. 146.

2. *Ibidem,* p. 412 ; p. 598 ; p. 108 ; p. 147.

3. « Quelques types de caractère dégagés par le travail psychanalytique » (1916d), *L'inquiétante étrangeté et autres essais,* Paris, Gallimard, 1985, p. 145 ; *OCF* XV, p. 19 ; *GW* X, p. 369.

4. « Une difficulté de la psychanalyse » (1917a), *L'inquiétante étrangeté et autres essais,* Paris, Gallimard, 1985, p. 180-181 ; *OCF* XV, p. 45-46 ; *GW* XII, p. 6-7.

5. *Ibidem,* p. 186 ; p. 50 ; p. 11.

objectale ou l'entêtement narcissique ; de l'érotisme anal procède, s'il est utilisé narcissiquement, le défi comme réaction du moi aux exigences des autres ; l'intérêt pour l'excrément transite vers l'intérêt pour le cadeau et ensuite pour l'argent, tandis que le souhait d'enfant a pris la place du souhait du pénis[1].

Les *Conférences d'introduction à la psychanalyse* de 1916-1917 sont l'occasion de confirmer, voire de reformuler la conception des autoérotismes et du narcissisme. La thèse de la tétée comme point de départ de toute la vie sexuelle, le prototype de toute satisfaction sexuelle ultérieure ; la mère y est le premier objet de la pulsion sexuelle, qu'il s'agira plus tard de retrouver dans la quête d'objet. Le suçotement autoérotique s'y étaie sur la prise de nourriture[2]. La recherche sexuelle des enfants, l'angoisse de castration du garçon devant la différence des sexes, l'envie du pénis et la satisfaction autoérotique de la petite fille par le clitoris sont indiquées[3], tout comme le développement de la libido, avec le moment essentiel du rassemblement des pulsions partielles autoérotiques et de leur subordination au primat des organes génitaux et, à partir de là , à la fonction de reproduction[4]. Les pulsions sexuelles sont difficilement éducables du fait qu'elles se satisfont d'abord directement sur le corps propre, de façon autoérotique, tandis que l'auto-conservation a besoin de l'objet et apprend à se plier à la réalité[5]. Le symptôme répète des modes infantiles précoces de satisfaction, déformés et méconnaissables, et sont ainsi un retour « à une sorte d'autoérotisme élargi »[6].

La force de transformation qui permet la guérison dépend du transfert, c'est-à-dire en définitive de l'amour et de la croyance qu'il suscite ; c'est seulement dans la mesure de la capacité d'investissement

1. « Sur les transpositions des pulsions, plus particulièrement dans l'érotisme anal » (1917c), *La vie sexuelle,* Paris, PUF, 1969, p. 109 et 110 ; *OCF* XV, p. 58 et 60-61 ; *GW* X, p. 405 et 409.

2. *Conférences d'introduction à la psychanalyse* (1916-1917), Paris, Gallimard, 1999, p. 398 et 408 ; *OCF* XIV, p. 324 et 327 ; *GW* XI, p. 325 et 328.

3. *Ibidem,* p. 403 ; p. 327 ; p. 328.

4. *Ibidem,* p. 417 ; p. 339 ; p. 340.

5. *Ibidem,* p. 451 ; p. 368 ; p. 369.

6. *Ibidem,* p. 465 ; p. 379 ; p. 380.

libidinal d'objet que le symptôme est accessible car **l'ampleur du narcissisme est une limite à l'influence du psychanalyste** (ce qui empêche le succès thérapeutique dans les névroses narcissiques)[1]. Le travail d'interprétation en transposant de l'inconscient en du conscient agrandit le moi dont la crainte devant les revendications de la libido est diminuée par la possibilité d'en liquider une partie par la sublimation ; les limites sont dans le manque de mobilité de la libido et « la rigidité du narcissisme qui ne laisse pas croître le transfert d'objet au-delà d'une certaine frontière »[2].

« L'inquiétante étrangeté » (1919), se référant à l'étude d'Otto Rank de 1914, s'attache particulièrement au motif du double, qui serait éminemment narcissique ; le dédoublement est une défense contre l'anéantissement. « Ces représentations sont nées sur le terrain de l'amour de soi illimité, celui du narcissisme primaire » qui domine la vie psychique de l'enfant comme celle du primitif[3]. Avec le surmontement de cette phase, l'indice affectant le double se modifie : d'assurance de survie qu'il était, il devient annonciateur de mort. Dans les stades de développement ultérieurs du moi, s'instaure une instance d'auto-observation et d'autocritique, qui peut s'opposer au reste du moi et se fait reconnaître comme conscience morale. Bien des choses peuvent être attribuées à l'ancienne représentation du double, « principalement tout ce qui apparaît à l'autocritique comme relevant de l'ancien narcissisme des temps originaires qui a été surmonté »[4]. En fait, l'analyse de l'inquiétante étrangeté nous ramène à cette ancienne conception du monde qu'est l'animisme, avec la surestimation narcissique des processus psychiques et la toute-puissance des pensées suscitant les techniques de la magie, qui semble être aussi une phase qu'au cours de notre développement individuel nous avons tous traversée, laissant des restes et des traces encore capables de s'exprimer[5].

1. *Ibidem,* p. 566 ; p. 462 ; p. 463.
2. *Ibidem,* p. 578 ; p. 472 ; p. 474.
3. « L'inquiétante étrangeté » (1919h), *L'inquiétante étrangeté et autres essais,* Paris, Gallimard, 1985, p. 236-237 ; *OCF* XV, p. 168 ; *GW* XII, p. 247.
4. *Ibidem,* p. 238 ; p. 169 ; p. 248.
5. *Ibidem,* p. 245 ; p. 174 ; p. 253.

L'introduction au livre *Sur la psychanalyse des névroses de guerre* (1919) indique que seul le concept de libido narcissique permet d'apprécier l'énergie sexuelle attachée au moi lui-même, d'étendre la théorie de la libido aux névroses narcissiques, aux psychoses et aux névroses traumatiques – ce qui suppose que soient précisées les relations entre effroi, angoisse et libido narcissique[1].

Narcissisme et deuxième théorie des pulsions

D'après *Au-delà du principe de plaisir* (1920), la floraison de la vie sexuelle infantile est vouée à la disparition par suite du caractère inconciliable de ses souhaits avec la réalité ; elle laisse un sentiment de perte d'amour et d'échec, une « cicatrice narcissique » qui porte atteinte au sentiment d'estime de soi[2]. Les névroses de guerre sont à ramener au cas plus général des névroses traumatiques, facilitées par un conflit du moi, et apparaissent surtout s'il n'y a pas eu de blessure physique, car la lésion corporelle lie l'excédent d'excitation par un surinvestissement narcissique de l'organe souffrant[3].

Biologiquement, la pluricellularité des organismes permet d'allonger la durée de vie et la copulation, fusion momentanée de deux unicellulaires, agit dans le sens de la conservation de la vie et du rajeunissement. De même, les pulsions de vie, ou pulsions sexuelles, actives dans chaque cellule, prennent pour objet les autres cellules en neutralisant en partie les pulsions de mort, les conservant ainsi en vie tandis que d'autres le font pour elles. **Les cellules germinales se comporteraient de façon absolument « narcissique », car elles ont besoin de leur libido,** de l'activité de la pulsion de vie comme provision pour leur activité ultérieure prodigieusement constructive. Sont également narcissiques les cellules des néo-formations malignes qui détruisent l'organisme. « C'est ainsi que la libido de nos pulsions

1. « Introduction à *La psychanalyse des névroses de guerre* » (1919d), *Résultats, idées, problèmes, I,* Paris, PUF, 1984, p. 246 ; *OCF* XV, p. 222 ; *GW* XII, p. 324.

2. *Au-delà du principe de plaisir* (1920g), *Essais de psychanalyse,* Paris, Payot, 1981, p. 60 ; *OCF* XV, p. 291 ; *GW* XIII, p. 19.

3. *Ibidem,* p. 60 ; p. 291 ; p. 19.

sexuelles coïnciderait avec l'Éros des poètes et des philosophes, qui maintient en cohésion tout ce qui est vivant. »[1]

Freud propose alors une vue d'ensemble sur le lent développement de la théorie psychanalytique de la libido, insistant sur l'importance de la possibilité pour le moi propre d'être investi comme objet de la pulsion libidinale, les pulsions du moi comportant elles-mêmes des composants libidinales, idée qui a permis la reconnaissance claire du narcissisme. Quand la libido séjourne dans le moi, elle est narcissique ; elle manifeste aussi la force des pulsions sexuelles que l'on ne peut alors qu'identifier avec celle de l'auto-conservation : l'opposition originelle pulsions du moi / pulsions d'auto-conservation devient inadéquate, une partie au moins des pulsions du moi étant libidinale. Des pulsions sexuelles (avec d'autres, sans doute) œuvrent dans le moi. La différence entre les deux espèces de pulsions n'est que topique : la névrose de transfert est le résultat d'un conflit entre le moi et l'investissement libidinal. Comment comprendre la composante sadique de la pulsion sexuelle ? Comment la faire dériver de l'Éros ? L'hypothèse est que « ce sadisme est à proprement parler une pulsion de mort qui a été repoussée du moi par l'influence de la libido narcissique »[2].

Psychologie des foules et analyse du moi (1921) commence par rappeler l'opposition, dans la psychologie individuelle, entre investissements d'objet, notamment sociaux, et processus narcissiques[3], mais la réalité des masses dément une opposition aussi tranchée. Chaque rapprochement intime entre deux personnes ou deux familles suscite, outre les sentiments positifs, des sentiments hostiles : une ambivalence et, le plus souvent, une surestimation narcissique de soi par rapport à l'autre. La relation de la mère au fils ferait exception car elle est fondée sur le narcissisme que ne perturbe pas une rivalité ultérieure et qui est renforcée par une amorce de choix sexuel[4]. Les aversions et répulsions envers les inconnus expriment un amour de soi, un narcissisme

1. *Ibidem,* p. 98 ; p. 324 ; p. 54.

2. *Ibidem,* p. 101-102 ; p. 325-327 ; p. 56-58.

3. *Psychologie des foules et analyse du moi* (1921c), *Essais de psychanalyse,* Paris, Payot, 1981, p. 124 ; *OCF* XVI, p. 5 ; *GW* XIII, p. 58.

4. *Ibidem,* p. 162 ; p. 39 ; p. 110.

qui aspire à son auto-affirmation et se comporte comme si l'écart avec autrui portait critique de son propre mode de vie, manifestant une propension à la haine et une agressivité élémentaire[1]. Cette intolérance se dissipe par la formation en masse et dans la masse dans laquelle les individus, au moins pour un temps, se conduisent comme s'ils étaient semblables, s'assimilant à l'autre, sans plus de répulsion[2]. Cette restriction de l'amour-propre narcissique implique une liaison libidinale, une relation d'amour qu'on ne peut réduire à la communauté d'intérêts ; elle indique que l'essence de la formation en une foule consiste en des liaisons libidinales d'une nouvelle sorte entre les membres de ce collectif[3] qui ne vont pas sans évoquer l'état amoureux et les identifications. Dans l'état amoureux comme dans les foules, s'instaurent surestimation sexuelle et idéalisation qui faussent le jugement, créant l'illusion que l'objet est aimé à cause de ses qualités, alors que c'est la satisfaction sensuelle qui lui prête ces qualités. L'objet y est traité comme le moi propre, et une bonne mesure de libido narcissique déborde ainsi sur l'objet ; dans bien des choix amoureux, il est clair que l'objet sert à remplacer un idéal du moi qui ne peut être atteint : « On l'aime à cause des perfections auxquelles on a aspiré pour le moi propre et qu'on voudrait maintenant se procurer par ce détour pour la satisfaction de son narcissisme. »[4] Si le processus s'accentue, le moi est de plus en plus dénué de revendications et se sacrifie tandis que l'objet, de plus en plus grandiose, entre en possession de la totalité de l'amour de soi du moi ; il a, en quelque sorte, consommé le moi. La satisfaction sexuelle abaisse cette surestimation, mais l'amour malheureux connaît une exacerbation du processus dans l'aveuglement de l'amour. « L'objet s'est mis à la place de l'idéal du moi. »[5] Dans la horde originaire, les individus étaient liés entre eux, tandis que le père était libre, peu lié libidinalement, ses actes étaient indépendants, sa volonté n'avait pas besoin du renforcement

1. *Ibidem,* p. 163 ; p. 40 ; p. 111.
2. *Ibidem,* p. 164 ; p. 40 ; p. 112.
3. *Ibidem,* p. 165 ; p. 41 ; p. 113.
4. *Ibidem,* p. 177 ; p. 50-51 ; p. 124.
5. *Ibidem,* p. 178 ; p. 51 ; p. 125.

de celle des autres. Les individus de la foule, reviviscence de la horde originaire, ont besoin du mirage selon lequel ils sont aimés de manière égale par le meneur, mais « le meneur, lui, n'a besoin d'aimer personne d'autre, il a le droit d'être de la nature des maîtres, absolument narcissique, mais sûr de lui et ne dépendant que de lui » [1]. L'amour endigue le narcissisme, et il est ainsi devenu facteur de culture.

Abandonné à lui-même, le névrosé remplace par des formations de symptômes les grandes formation de masse dont il est souvent exclu, se crée fantasmes et religion privée, et répète ainsi, avec des distorsions, les grandes institutions de l'humanité. Du point de vue de la théorie de la libido, l'état amoureux repose sur la présence simultanée de tendances sexuelles directes et de tendances inhibées quant au but, l'objet attirant sur lui une partie de la libido du moi narcissique. L'hypnose repose entièrement sur les tendances sexuelles inhibées quant au but (ce qui favorise l'écart entre le moi et l'idéal du moi) et met l'objet à la place de l'idéal du moi. L'existence en foule multiplie ce processus et concorde avec l'hypnose, mais en y ajoutant l'identification avec d'autres [2]. Hypnose et formation en masse sont tous deux des héritages phylogénétiques. La névrose (demeurée aux prises avec le conflit psychique), l'hypnose et la formation en masse sont, à la différence de l'état amoureux, des régressions.

Le moi et le ça (1923) rappelle, pour justifier l'hypothèse de la différenciation d'un idéal du moi (ou surmoi) à l'intérieur même du moi, qu'un objet perdu est réérigé dans le moi : un investissement d'objet est alors relayé par une identification. Un tel remplacement a une grande part dans la mise en forme du moi et contribue à instaurer son caractère, qui est un précipité des investissements d'objet abandonnés et contient l'histoire de ces choix d'objet [3]. Quand le moi adopte les traits de l'objet, il s'impose au ça comme objet d'amour et cherche à remplacer sa perte, comme s'il lui disait : tu peux m'aimer moi aussi, je suis si semblable à l'objet. « La transposition de libido d'objet en libido narcissique qui se produit ici entraîne manifestement

1. *Ibidem,* p. 191-192 ; p. 63 ; p. 138.
2. *Ibidem,* p. 216 ; p. 82 ; p. 160.
3. *Ibidem,* p. 241 ; p. 273 ; p. 257.

un abandon des buts sexuels, une désexualisation, donc une espèce de sublimation. » Toute sublimation se produit par l'intermédiaire du moi qui transforme d'abord la libido d'objet sexuelle en libido narcissique pour lui poser ensuite un nouveau but, entraînant éventuellement une désintrication d'autres pulsions. L'« Introduction au narcissisme » attribuait au moi d'être le grand réservoir de libido ; maintenant qu'est faite la démarcation entre le moi et le ça, il faut attribuer cette fonction au ça. **La libido qui afflue vers le moi par les identifications instaure son « narcissisme secondaire »** [1].

Explicitant les mécanismes de la mutation de l'amour en haine, Freud fait l'hypothèse qu'une énergie déplaçable, indifférente, active dans le moi et dans le ça, « provient de la réserve de libido narcissique » ; elle serait donc de l'Éros désexualisé [2]. Aux primes origines, pendant que le moi est encore faible ou en cours de formation, toute la libido est accumulée dans le ça qui en envoie une part sur des investissements d'objet érotiques ; le moi renforcé cherche à s'emparer de cette libido d'objet et à s'imposer au ça comme objet d'amour : « Le narcissisme du moi est ainsi un narcissisme secondaire retiré aux objets. » [3] Le mécanisme de l'angoisse de mort pourrait être que le moi se défait dans une très large mesure de son investissement de libido narcissique, et donc s'abandonne lui-même ; il est toujours le lieu de l'angoisse, et l'angoisse de mort se joue entre le moi et le surmoi [4].

La force et la diversité du narcissisme

« Quelques conséquences psychiques de la différence anatomique entre les sexes » (1925) rappelle que la position œdipienne du garçon appartient au stade phallique et périt par l'angoisse de castration, donc du fait de son intérêt narcissique pour l'organe sexuel [5], même s'il veut aussi remplacer la mère comme objet d'amour du père. Chez

1. *Ibidem,* p. 242 ; p. 274 ; p. 258.
2. *Ibidem,* p. 258 ; p. 287 ; p. 273.
3. *Ibidem,* p. 260 ; p. 289 ; p. 275.
4. *Ibidem,* p. 273 ; p. 300 ; p. 288.
5. « Quelques conséquences psychologiques de la différence anatomique entre les sexes » (1925j), *La vie sexuelle,* Paris, PUF, 1969, p. 125 ; *OCF* XVII, p. 193 ; *GW* XIV, p. 21.

la fille, les conséquences de l'envie du pénis, quand elles ne donnent pas lieu à un complexe de masculinité, sont diverses et de grande portée, suscitant notamment un sentiment d'infériorité qui est comme une cicatrice liée à la reconnaissance de sa blessure narcissique[1]. Chez le garçon, l'investissement narcissique extraordinairement élevé du pénis est lié à sa signification pour la continuité de l'espèce ; la chute du complexe d'Œdipe est donc comme une victoire de la génération sur l'individu[2].

Le « **narcissisme des petites différences** » est décrit en 1918 ; par lui s'exacerbe l'ambivalence, et particulièrement les haines inexpiables entre personnes proches et largement semblables mais qui ont narcissiquement besoin de surinvestir leur différence ; il fonde les sentiments d'étrangeté et d'hostilité[3]. Ce sera repris et précisé dans *Psychologie des foules et analyse du moi* (1921)[4], puis dans le *Malaise dans la civilisation* (1929)[5], et enfin dans *L'homme Moïse et la religion monothéiste* (1938)[6].

La **naissance** est la première expérience vécue d'angoisse, première séparation objective avec la mère, mais celle-ci est, « en tant qu'objet, complètement inconnue du fœtus entièrement narcissique »[7]. Le danger alors vécu n'a encore aucun contenu psychique : le fœtus ne peut rien remarquer mais seulement ressentir une formidable perturbation dans l'économie de sa libido narcissique[8], avec l'irruption de grandes sommes d'excitation, des sensations de déplaisir d'un genre nouveau,

1. *Ibidem*, p. 127 ; p. 197 ; p. 25.

2. *Ibidem*, p. 131 ; p. 200 ; p. 29.

3. « Le tabou de la virginité » (1918a [1917]), *La vie* sexuelle, Paris, PUF, 1969, p. 72 ; *OCF* XV, p. 86 ; *GW* XII, p. 169.

4. *Psychologie des foules et analyse du moi* (1921c), *Essais de psychanalyse*, Paris, Payot, 1981, p. 163 ; *OCF* XVI, p. 40 ; *GW* XIII, p. 111.

5. *Malaise dans la civilisation* (1930a [1929]), Paris, PUF, 1971, p. 68 ; *OCF* XVIII, p. 300 ; *GW* XIV, p. 474.

6. *L'homme Moïse et la religion monothéiste* (1939a), Paris, Gallimard, 1986, p. 183 ; *OCF* XX, p. 170 ; *GW* XVI, 197.

7. *Inhibition, symptôme et angoisse* (1926d [1925]), Paris, PUF, 1951, p. 54 ; *OCF* XVII, p. 247 ; *GW* XIV, p. 161.

8. *Ibidem*, p. 59 ; p. 250 ; p. 165.

des organes violemment soumis à des investissements accrus, prélude aux futurs investissements d'objet. L'angoisse de castration, lors de la phase phallique, est aussi une angoisse de séparation, celle d'être séparé de l'organe génital dont la haute estimation narcissique tient peut-être aussi à ce qu'il est la garantie d'une nouvelle union avec la mère ou ses substituts[1].

Dans la **douleur corporelle,** un investissement narcissique élevé de l'endroit du corps douloureux, qui va en augmentant, agit pour ainsi dire sur le moi en le vidant[2], tandis qu'il y a concentration sur le représentant psychique de cet organe douloureux, ce qui amène la transposition de l'expérience de douleur corporelle en souffrance psychique vis-à-vis de l'objet perdu dont on éprouve l'absence. « Le passage de la douleur du corps à la douleur psychique correspond au changement de l'investissement narcissique en investissement d'objet »[3], avec une représentation d'objet fortement investie du fait du manque, et une continuité de l'investissement sans possibilité de l'inhiber qui produit la même détresse.

Le **fétiche** est le substitut du phallus de la femme (de la mère) auquel a cru le petit garçon et auquel il ne veut pas renoncer : il a refusé de prendre en compte sa perception, qui lui montrait que la femme n'a pas de pénis, parce que, si elle est castrée, sa propre possession d'un pénis est menacée ; le narcissisme attaché à cet organe se rebelle[4] avec un sentiment de panique qui mène à des conséquences illogiques, comme lorsque, pour des adultes royalistes, le trône et l'autel sont menacés.

L'**humour** n'est pas seulement libérateur, comme le trait d'esprit et le comique, mais apporte aussi quelque chose de grandiose et d'exaltant. C'est « le triomphe du narcissisme, dans l'invulnérabilité, victorieusement affirmée, du moi »[5] qui refuse de se laisser vexer, forcer à

1. *Ibidem,* p. 63 ; p. 254 ; p. 169.

2. *Ibidem,* p. 101 ; p. 285 ; p. 204.

3. *Ibidem,* p. 102 ; p. 286 ; p. 205.

4. « Le fétichisme » (1927e), *La vie sexuelle,* Paris, PUF, 1969, p. 134 ; *OCF* XVIII, p. 126 ; *GW* XIV, p. 312.

5. « L'humour » (1927d), *L'inquiétante étrangeté et autres essais,* Paris, Gallimard, 1985, p. 323 ; *OCF* XVIII, p. 136 ; *GW* XIV, p. 385.

souffrir par les situations provenant de la réalité, il maintient que les traumas du monde extérieur ne peuvent l'atteindre, et même ne sont pour lui que des facteurs de plaisir.

La **culture,** par la satisfaction que l'idéal offre à ceux qui y participent, est de nature narcissique[1] et repose sur la fierté d'une réalisation réussie ; elle contrecarre ainsi avec succès l'hostilité à la culture qui porte atteinte au narcissisme naturel[2] et pourrait laisser dans un état d'attente angoissée permanent du fait du renoncement pulsionnel imposé par la culture. Les créations artistiques, en particulier, exaltent les sentiments d'identification dont la sphère culturelle a besoin, soutiennent le sentiment de communion dans des sensations élevées, et évoquent de façon impressionnante les idéaux d'une civilisation.

Les motifs de formation de la **religion** sont liés à la détresse narcissique qui appelle un besoin de protection, comme ce fut le cas pour le bébé avec la mère qui nourrit et protège, élue comme premier objet d'amour, comme pare-angoisse contre les dangers du monde extérieur, transposant ensuite cette fonction protectrice sur le père ; mais ces motifs religieux sont aussi, plus profondément, liés à l'ensemble du complexe paternel[3].

Le **sentiment océanique,** comme le besoin religieux, prend pareillement sa source dans la détresse infantile (prolongée par l'angoisse devant le destin) et l'appel à la protection du père ; il s'agit avant tout d'une aspiration « à la restauration du narcissisme illimité », ici sous la forme du sentiment d'*être-un avec le Tout,* consolation par une « autre voie pour dénier le danger dont le moi reconnaît la menace venant du monde extérieur »[4].

Malaise dans la civilisation contient également une réévaluation de l'importance de l'introduction du narcissisme dans la pensée

1. *L'avenir d'une illusion* (1927c), Paris, PUF, 1971, p. 20 ; *OCF* XVIII, p. 153 ; *GW* XIV, p. 334.

2. *Ibidem,* p. 23 ; p. 156 ; p. 337.

3. *Ibidem,* p. 32-33 ; p. 164 ; p. 345.

4. *Malaise dans la civilisation* (1930a [1929]), Paris, PUF, 1971, p. 16 ; *OCF* XVIII, p. 258 ; *GW* XIV, p. 430.

freudienne, lorsque la recherche passa du refoulé au refoulant et s'intéressa au moi. Ce qui fut décisif, c'est de comprendre que le moi lui-même est « investi de libido, qu'il en est même le berceau originel et qu'il en reste aussi en quelque sorte le quartier général » [1]. La libido narcissique, en se tournant vers les objets, devient libido d'objet, et peut se retransformer en libido narcissique. Le rapport variable entre libido narcissique et libido d'objet contribue d'ailleurs aux conditions – et aux difficultés – d'accès au bonheur. Le concept de narcissisme éclaira la névrose traumatique, ainsi que les psychoses. Les pulsions du moi aussi sont libidinales, et même si cela n'empêchait pas de comprendre les névroses de transfert comme des défenses contre la sexualité, il y avait à éviter de faire de la libido un simple équivalent de la notion d'énergie pulsionnelle, ce qui conduisit à la deuxième théorie des pulsions.

Narcissisme et vie pulsionnelle

Dans son essai *typologique* de 1931, Freud propose : – un type érotique tourné vers sa vie amoureuse –, un type obsessionnel où s'affirme la prédominance du surmoi, – un **type narcissique** d'abord caractérisé négativement : il est sans prédominance des besoins érotiques et sans tension entre moi et surmoi ; peu intimidable et autonome, il est tourné vers la conservation de lui-même, dispose d'une grande capacité d'agression qui le rend prêt pour l'action, préfère aimer plus qu'il ne cherche à être aimé, s'impose aisément comme personnalité qui dirige ou soutient, peut donner de nouvelles impulsions au développement culturel ou porter atteinte à ce qui est établi [2].

Comme types mixtes, à côté du type « érotico-obsessionnel », où la prépondérance de la vie pulsionnelle est limitée par l'influence du surmoi, le plus fréquent serait le type « érotico-narcissique » qui parvient à réunir des contradictions et confirme que l'activité et l'agression vont avec le narcissisme. Le type « narcissique-obsessionnel » ajoute à l'indépendance extérieure et à l'observation des exigences

1. *Ibidem*, p. 72 ; p. 304 ; p. 477.

2. « Des types libidinaux » (1931a), *La vie sexuelle*, Paris, PUF, 1969, p. 157 ; *OCF* XIX, p. 4-5 ; *GW* XIV, p. 511.

morales la capacité d'agir et un renforcement du moi conte le surmoi. Celui qui serait « érotico-obsessionnel-narcissique » représenterait l'harmonie idéale ; mais l'idée même de types libidinaux provient de ce qu'une ou deux des utilisations de la libido dans la vie psychique ont été privilégiées. Les types narcissiques, qui ont de grandes potentialités, sont en même temps exposés au repli du monde extérieur, et par suite à la psychose ou à la criminalité[1].

Dans les *Nouvelles conférences d'introduction à la psychanalyse,* Freud remarque que l'opposition entre pulsions du moi et pulsions sexuelles lui apparut perdre sa base quand, abordant le moi lui-même, il dut prendre en compte le narcissisme qui, sous sa forme extrême, montre un moi amoureux de lui-même, et sous sa forme générale permet de comprendre que le moi soit le principal réservoir de la libido, tandis que les investissements libidinaux des objets en partent et y reviennent. « De la libido du moi est ainsi sans cesse muée en libido d'objet et de la libido d'objet en libido du moi » ; on ne peut donc les opposer par leur nature, elles sont l'énergie psychique qui relève d'Éros et s'opposent aux pulsions de destruction[2].

À noter que, dans la conférence sur « La féminité », tout en notant qu'il est difficile de faire la part de ce qui relève de la fonction sexuelle et de ce qui doit être attribué au dressage social, Freud attribue à la sexualité féminine « un plus haut degré de narcissisme qui influence encore son choix d'objet »[3].

NARCISSISME ET DÉSEXUALISATION

Pulsionnel dans son origine et son essence, le narcissisme peut aussi être parfois facteur de désexualisation. C'est ainsi que, dans *L'homme Moïse et la religion monothéiste* (1938), nous découvrons la fierté narcissique du moi quand il offre au surmoi le sacrifice d'un renoncement à la pulsion et a conscience de mériter son amour, comme avant que l'autorité soit intériorisée comme surmoi il y avait sécurité et

1. *Ibidem,* p. 158-159 ; p. 5-6 ; p. 511-513

2. *Nouvelles conférences d'introduction à la psychanalyse* (1933a [1932]), Paris, Gallimard, 1984, p. 138-139 ; *OCF* XIX, p. 185-186 ; *GW* XV, p. 109.

3. *Ibidem,* p. 177 ; p. 215-216 ; p. 141-142.

satisfaction quand l'enfant avait réussi à renoncer à une pulsion par amour pour ses parents. Ceci pose la question de la désexualisation du développement de la culture et de la religion : durant le développement de l'humanité, « la vie sensorielle est peu à peu dominée par la vie de l'esprit » et les hommes se sentent fiers de ce progrès – peut-être parce que le narcissisme s'accroît de la conscience d'une difficulté surmontée ; cette vie de l'esprit se trouve elle-même ultérieurement dominée par le phénomène émotionnel énigmatique de la foi religieuse[1].

Il est difficile de décrire le comportement de la libido dans le moi et le surmoi. Ce que nous savons « concerne le moi où s'accumule, dès le début, toute la part disponible de libido. C'est à cet état de choses que nous donnons le nom de **narcissisme primaire absolu** »[2], ancré dans les sources somatiques de la libido et les zones érogènes, qui persiste jusqu'au moment où le moi commence à investir libidinalement ses représentations objectale et à transformer en libido objectale la libido narcissique. Ce n'est que dans les grands états amoureux que la majeure partie de la libido se trouve transférée à l'objet qui prend, dans une certaine mesure, la place du moi. Le moi encore faible et inachevé de la première enfance « se trouve durablement endommagé par l'effort qu'il a réalisé pour échapper aux dangers inhérents à cette époque de la vie » : la sécurité apportée par la protection des parents, il la paye en crainte de perdre leur amour, ce qui « le livrerait sans défense à tous les dangers du dehors ». Ce facteur exerce une influence décisive sur l'issue du conflit œdipien, dès qu'il s'amorce : la menace de castration qui pèse sur son narcissisme, renforcée par des sources primitives phylogénétiques, prend possession de lui et suscite des défenses ; provisoirement efficace, le refoulement ne suffit plus lorsqu'il y a réactivation de la sexualité[3].

1. *L'homme Moïse et la religion monothéiste* (1939a), Paris, Gallimard, 1986, p. 217-219 ; *OCF* XX, p. 195-197 ; *GW* XVI, 225-226.

2. *Abrégé de psychanalyse* (1940a [1938]), Paris, PUF, 1967, p. 10 ; *OCF* XX, p. 239 ; *GW* XVII, p. 72.

3. *Ibidem*, p. 77-78 ; p. 297-298 ; p. 130-131.

QUESTIONS ET ENJEUX

L'accueil des disciples de Freud à la mise en forme de la notion de narcissisme fut très positif. Viktor Tausk et Lou Andreas-Salomé, en particulier, souhaitaient qu'il donne toute son ampleur aux conséquences de cette distinction entre libido d'objet et libido du moi. Mais on connaît ses réserves sur les interprétations du premier et, à la seconde, il explique ses réticences : le concept de narcissisme ouvre de vastes perspectives, mais on risque de lui faire englober des phénomènes trop différents les uns des autres : mieux vaut une réflexion menée par fragments, évitant les vues d'ensemble trop spéculatives.

Le narcissisme primaire

La notion en paraît bien spéculative. Dans quelle mesure le « narcissisme primaire absolu », accumulation dans le moi de toute la part disponible de libido, en attendant qu'il y ait des investissements d'objet, comme l'évoque l'*Abrégé de psychanalyse*, est-elle compatible avec l'idée des autoérotismes partiels de la sexualité infantile qui parfois investit des objets, comme dans le voyeurisme ou le sadisme ?

Le problème est mal posé tant que l'on méconnaît que la notion de narcissisme primaire est une *construction* et non une observation clinique. Elle a d'abord comme signification de faire la différence avec le narcissisme secondaire « retiré aux objets » lorsqu'il y a déception, douleur corporelle, deuil ou séparation et repli des investissements sur le moi, ainsi d'ailleurs que lorsque se forment les symptômes de repli des névroses narcissiques. Le narcissisme primaire est le narcissisme d'avant l'investissement objectal, mais cette antériorité est d'abord logique. Il s'agit d'affirmer l'existence d'un investissement narcissique libidinal sur le moi, et d'une réserve de libido narcissique dans le moi avant tout autre investissement (fût-ce un investissement du moi propre pris comme objet). La notion de narcissisme primaire vient en première topique corriger la notion d'auto-conservation qui ne suffit pas pour penser ni l'origine de la libido, ni son destin.

L'idée de narcissisme primaire est beaucoup moins nécessaire en deuxième théorie des pulsions, puisque celles-ci, conservatrices, visent à réinstaurer ce qui fut et que les pulsions libidinales de vie, comme de mort, investissent d'abord le moi et ne sont qu'ultérieurement défléchies vers l'extérieur. L'intuition clinique de la première topique sur le trajet de la libido du narcissisme vers l'objet, qui s'était appuyée sur l'analyse des symptômes, se trouve désormais théoriquement fondée.

Pourquoi Freud maintient-il la notion de narcissisme primaire qui n'a plus la même nécessité ni pulsionnelle ni théorique ? Sans doute parce qu'entre-temps ce narcissisme initial s'est imposé, en particulier dans l'étude des mouvements régressifs, mais aussi par l'analyse des différentiations successives que connaît la vie psychique, et qui aboutira, en 1923, à la formulation de la deuxième topique. C'est la régression, à commencer par celles de l'état de sommeil et du rêve, qui conduit à postuler un narcissisme primaire. Et pour que les différenciations ultérieures soient compréhensibles, il faut postuler une indifférenciation primaire, que l'étude des identifications vient conforter. L'identification primaire non dissociable de l'investissement d'objet primaire (1921) et le bouleversement de l'économie narcissique du fœtus lors de la naissance, qui ne peut encore être un événement psychiquement perçu (1926), posent l'ancrage de l'économie narcissique dans un narcissisme primaire qui correspond au fait qu'il n'y ait pas d'investissement de l'objet ni de recours à l'objet, alors même que de l'extérieur, objectivement, celui-ci est omniprésent et répond à la détresse biologique et psychique du nouveau-né. L'illusion narcissique, sous toutes ses formes, naît de ce décalage : se croire omnipotent et autosuffisant suffit à témoigner de la plus grande détresse. C'est sous cette contradiction que s'élabore le narcissisme, et l'on ne saurait s'étonner de voir la pensée paradoxale fleurir tout particulièrement dans les pathologies narcissiques.

Enjeux et destins de la libido du moi

Dans « Pour introduire le narcissisme », Freud s'interroge : s'il y a dans le moi un investissement primaire de libido, est-il encore nécessaire de séparer une libido sexuelle d'une énergie non sexuelle des pulsions du moi ? Il maintiendra jusqu'en 1920 le principe de pulsions d'auto-conservation distinctes des pulsions sexuelles (pour des raisons qu'il dit souvent biologiques) à partir de la distinction entre la faim et l'amour. Mais la faim est-elle vraiment dissociable des investissements de la pulsion orale ?

Le regroupement en 1920 des pulsions d'auto-conservation et des pulsions sexuelles sous l'égide des pulsions de vie, qu'elles investissent le moi ou l'objet, et plus encore la dénomination de celles-ci comme Éros, tranche le débat. Freud n'exclut pas qu'il y ait dans les pulsions de vie des pulsions autres que sexuelles, mais il n'oppose plus l'auto-conservation – qui témoigne d'un investissement du moi – au narcissisme. Ce qui compte en psychanalyse est l'investissement libidinal du moi. Celui-ci a d'abord été conçu comme une étape intermédiaire unificatrice des autoérotismes, dans le chemin qui va de la sexualité infantile à l'amour d'objet. De plus en plus, les autoérotismes sont descriptivement indiqués, mais la réalité psychique est celle du narcissisme qui les englobe. Ce qui est significatif ce sont les mouvements de la libido et les transformations de la libido narcissique en libido d'objet, et réciproquement, posant la question de la nature de cette énergie et de son éventuelle déqualification en énergie mobile indifférenciée.

Le caractère pulsionnel du narcissisme

Dès son introduction dans la psychanalyse, le narcissisme freudien est résolument pulsionnel. A été décisif de comprendre que le moi lui-même est investi de libido dont il est à l'origine le « berceau » puis, tout au long de la vie psychique, le « quartier général ». Le narcissisme s'avère partie intégrante de la théorie de la libido et indispensable à la compréhension de son développement. Cette position ne se dément pas, et va même en se radicalisant au fil de l'œuvre. À partir de 1920, l'opposition pulsions du moi/pulsions d'auto-conservation est devenue inadéquate. La libido est narcissique si elle est orientée vers le moi, manifestant alors la force de pulsions sexuelles que l'on ne peut qu'identifier avec celles d'auto-conservation. Une partie au moins des pulsions du moi est libidinale. La deuxième topique, en différenciant les instances psychiques origine la libido dans le ça, qui en est l'unique source, l'organisation moïque étant seulement un lieu où elle peut s'accumuler (de même que le moi est le seul lieu de l'angoisse qu'elle peut susciter). Certes, le narcissisme peut se mettre au service de la défense et engendrer notamment des formations réactionnelles. Mais c'est toujours l'investissement sexualisé du moi (dont la forme prend notamment celle de l'investissement idéalisé du membre sexuel masculin par les deux sexes : « primat du phallus » en 1923-1925) que Freud reconnaît désormais indispensable à la compréhension du complexe de castration.

Articulation du narcissisme et de l'Œdipe

La libido du moi et la libido d'objet se distinguent et peuvent échanger leurs investissements, se retransformant l'une dans l'autre. L'investissement d'objet est plus élaboré et suppose un développement du moi et de la libido, du moins lorsqu'il s'agit d'un investissement de la personne totale et non de pulsions partielles qui restent caractéristiques de la sexualité infantile perverse polymorphe, surtout lorsque l'investissement est génital. À l'inverse, les régressions sont souvent des retours à des positions plus narcissiques. Néanmoins, Freud ne propose jamais une position d'amour d'objet qui serait la négation et le dépassement du narcissisme. Au contraire, l'état amoureux qui entraîne la surestimation sexuelle de l'objet est un appauvrissement du moi. Plus encore, bien des choix amoureux sont des choix d'objet narcissiques (processus narcissique à visée objectale), ce qui témoigne de l'extrême imbrication des processus de la libido du moi et de celle de l'objet, d'autant que l'on peut aussi se prendre soi-même comme objet d'amour (processus objectal à visée narcissique). En outre, l'étude des identifications, en montrant le destin des investissements d'objet abandonnés, souligne l'importance essentielle des processus narcissiques dans la formation du caractère et l'enrichissement du moi. Or, l'un des résultats de l'Œdipe est la richesse des identifications croisées qu'il instaure, ce qui permet en particulier l'instauration du surmoi.

Plus précisément, les réflexions sur l'instauration de l'Œdipe chez la fille et du déclin du complexe d'Œdipe chez le garçon font apparaître, dans les années 1923-1925, l'importance de la participation de processus narcissiques, notamment l'idéalisation du pénis, dans l'élaboration et le surmontement de l'Œdipe. La thèse soutenue dès 1909 à propos des théories sexuelles infantiles : « Le pénis est dès l'enfance la zone érogène directrice, l'objet sexuel autoérotique primordial » [1], est réaffirmée, et manifeste la continuité entre les activités autoérotiques de la première sexualité infantile et la génitalité accomplie de la névrose infantile œdipienne ainsi que du retour du refoulé post-pubertaire. La double dénomination de l'instance psychique créée par l'élaboration de l'Œdipe témoigne de cette imbrication : si le surmoi est héritier du complexe d'Œdipe et n'est constitué comme instance que par son élaboration, il intègre également l'idéal du moi, héritier du narcissisme originaire. Freud parle dès 1914, à propos du narcissisme, de l'instance auto-observatrice, de même qu'en 1923 il associe la notion d'idéal du moi à celle de surmoi.

Finalement, l'*Abrégé* (1938) parvient à une compréhension dialectique du devenir du narcissisme : 1 / narcissisme absolu ; 2 / protection des parents et peur de la perdre (investissement à la fois objectal et narcissique) ; 3 / renoncement aux pulsions sexuelles objectales (qui lors de l'Œdipe visent précisément ces parents !), ce qui est en même temps renoncement à son monde interne et à sa puissance narcissique au profit de la culture, satisfaction narcissique désexualisée. On renonce sexuellement aux parents par amour des parents (désexualisation de la libido objectale manifeste et refoulement de la passion sexuelle, amoureuse et agressive), et par besoin narcissique de protection du fait de la détresse (dimension traumatique)... Mais la force de la libido revient.

Narcissisme et désexualisation

Si le narcissisme est pulsionnel, il est aussi capable de rendre possibles des désexualisations (au rebours des symptômes névrotiques qui sexualisent). L'inhibition quant au but est un processus objectal qui peut être mis en œuvre pour des raisons narcissiques. Mais d'autres processus spécifiquement narcissiques concourent aux désexualisations, à commencer par la formation d'idéal. L'idéalisation, surestimation de l'objet, peut désexualiser l'investissement ; la sublimation, soutenue par l'idéal que se donne le moi et visant une gratification narcissique, implique une désexualisation. Les replis narcissiques régressifs sur le moi abandonnent l'investissement

1. « Les théories sexuelles infantiles » (1908c), *La vie sexuelle*, Paris, PUF, 1969, p. 19 ; *OCF* VIII, p. 233 ; *GW* VII, p. 178.

sexualisé de l'objet et vont même parfois jusqu'à un désinvestissement complet, une désobjectalisation. Finalement, si les fixations narcissiques peuvent immobiliser la libido, les processus narcissiques participent tout autant à sa mobilité.

Dominique BOURDIN

NÉGATION, DÉNÉGATION, DÉNI

all. : ***Verneinung***. – angl. : *negation*. – esp. : *negación*. – ital. : *negazione*. – port. : *negação*

Terme régulièrement utilisé par Freud tout au long de l'œuvre, et toujours dans son acception la plus courante. La négation est au cœur du fonctionnement psychique, du jugement, des identifications, et plus particulièrement des défenses : Freud individualisera d'ailleurs l'une d'entre elle sous cette dénomination. Sans jamais la désigner comme telle, il finit par en user, de fait, comme d'un principe.

MISE EN SITUATION

La traduction de Verneinung *ne devrait pas poser de problèmes, le mot français de « négation » s'imposant – si ce n'est la difficulté inhérente à la sémantique même du mot. Il n'en demeure pas moins que l'allemand a recours à un seul terme là où le français peut être tenté, à côté de la « négation » grammaticale, de distinguer un sens plus subjectif en parlant de « dénégation ». Or c'est précisément cette indication d'un refus qui prévaut dans la défense mettant en œuvre ce procédé, telle que Freud l'individualisa en 1925 dans l'article ainsi intitulé, tout en marquant, d'ailleurs, sa filiation avec son sens logique de « jugement ». Voilà qui ne pouvait qu'interroger les commentateurs, à commencer par Jacques Lacan qui, à la suite d'Hyppolite et pour spécifier la négation entendue comme défense, proposa « dénégation » ; Jean Laplanche et J.-B. Pontalis tentèrent ensuite un compromis en usant d'un artifice typographique :*

« (dé)négation ». Si l'usage du terme « dénégation » semble s'être répandu, on peut lui reprocher d'escamoter les rapports entre les approches grammaticale et subjective sur lesquelles joue précisément Freud dans son article. Il semble que l'on tende, de plus en plus et peut-être après le « mea culpa » de Jean Laplanche, à renoncer à dénégation pour revenir à négation.

La notion même de « négation » ne va pas sans poser quelques difficultés aux sémanticiens, et ce dans toutes les langues. En son sens lexical, elle est un « acte de l'esprit qui consiste à rejeter un rapport, une proposition, une existence ; elle est l'expression de cet acte ». Si l'on veut être plus précis, on mentionne la distinction linguistique entre la négation simple (prédicative) et la négation polémique (modale). Ainsi, « un des problèmes difficiles [posé par la négation est de désigner] à la fois le rejet, l'absence, l'altérité, le vide, l'absurde, l'impossible » ; « il n'existe pas, dans quelque langue que ce soit, de marqueur unique d'une opération de négation » ; celle-ci « est primitive *et, par complexification, se développe une négation* construite »[1]. *Soulignons-le : en aucune façon la négation ne saurait être ramenée à une affirmation inversée. Les antonymes (dont Freud fait un large usage) posent un problème particulier dans la mesure où, avec eux, l'éventuelle antériorité de l'un des termes est indécidable ; on sait, en effet, qu'en bonne logique comme en linguistique, la négation suppose la construction préalable du domaine notionnel, et doit ainsi répondre à une affirmation préexistante (il faut avoir déjà posé « A » pour pouvoir lui opposer « non-A ») – mais comment, sans recourir à des présupposés métaphysiques, décider lequel est premier de ces opposés que sont le bien et le mal, le bon et le mauvais ? Chacun d'entre eux est, à l'évidence, la négation de l'autre ; pour autant, pouvons-nous décider d'une prééminence ou d'une antériorité logique de l'un sur l'autre ? Seul pourrait le permettre un glissement sémantique qui irait de la « négation » au « négatif » ; ce serait passer de l'acte à sa conséquence, recourir au qualitatif statique pour imposer un jugement de valeur – en somme, faire un contresens, ce que Freud refusa. Pour sortir de cette aporie, il convenait de renouveler l'approche de la question, ce que sut faire Freud.*

1. A. Culioli, *Pour une linguistique de l'énonciation*, Paris, Ophrys, 1990, t. I, p. 84, 92 et 95.

La notion générale de négation est très présente dans le corpus freudien ; même si elle n'y est ni spécifiée, ni explicitée en tant que concept, elle joue un rôle important dans le fonctionnement psychique. Elle apparaît ainsi très tôt dans l'œuvre, souvent explicitement, mais implicitement de façon encore beaucoup plus large. Lorsqu'elle est nommée, elle l'est dans son sens courant, constamment maintenu et toujours déterminant ; la façon d'en rendre compte se trouve, au fil des années, élargie et affinée, mais ses caractères spécifiques demeurent identiques. Il convient toutefois de noter que tout se passe comme si la négation avait évolué, entre 1920 et 1925, de la « notion » au « concept » ; ceci apparaît clairement à l'occasion de l'introduction de la spécification conceptuelle de deux modes particuliers de défense : la dénégation et le déni. Au-delà de celles-ci, l'idée de négation, en elle-même et par ce qu'elle implique d'opposition, de conflit, de contradiction et de renversement, est au fondement de nombreux concepts et de notions fondamentales – et ce dès les premiers temps de l'œuvre freudienne. Non seulement la négation peut indiquer un refus, mais aussi une absence, conduisant ainsi au jugement et à la reconnaissance de la réalité. En outre, lorsque Freud entend indiquer un trait particulier de l'Ics – que l'on pourrait qualifier de structural – il recourt au latinisme germanisé de Negation *: « Dans ce système, il n'y a ni négation, ni doute. »*[1]

*Après l'avoir examinée sous cet angle, nous aborderons ensuite la forme particulière de négation que représente la défense qui en privilégie le mécanisme et en conserve le nom (« la négation »). Nous la ferons suivre de l'autre défense ayant recours au « non » (mais d'une façon plus violente) : « le déni », d'autant qu'il peut arriver à Freud, avant 1924, d'user indifféremment des deux mots (*verneinung *et* verleugnung*) pour signifier une négation.*

1. « L'inconscient » (1915e), *Métapsychologie*, Paris, Gallimard, 1968, p. 96 ; *OCF* XIII (2e éd.), p. 227 ; *GW* X, p. 285.

LE TEXTE FREUDIEN

I – LE PRINCIPE DE NÉGATION (LA NÉGATION COMME PROCESSUS PSYCHIQUE)

User indifféremment de *Verneinung* et de *Verleugnung* pour signifier une négation est ce que fait Freud en 1915 en considérant que **les diverses oppositions découlent des rapports entre l'amour et la haine.** Si « on ne peut pas douter de la relation intime entre ces deux sentiments opposés », on n'en doit pas moins constater que non seulement « la haine est plus ancienne que l'amour », mais que ces deux sentiments « ont des origines différentes et ont suivi chacun son développement propre avant de se constituer en opposition ». Dire ceci revient à considérer que leur domaine notionnel n'est pas univoque (ce qui conduit à penser que, dans le fonctionnement psychique, « A » ne conditionne pas « non-A »). Entre l'un et l'autre, **l'effet de négation apparaît après coup,** il est indépendant des moments et des processus qui les fondent. Une illustration de ceci (mais elle est une nouvelle occasion de complications) nous est offerte par le fait que « aimer est susceptible d'entrer non pas dans une mais dans trois oppositions » correspondant aux « trois polarités » qui dominent la vie psychique (sujet-objet, plaisir-déplaisir, actif-passif), fournissant autant de couples d'opposés [1]. Le petit enfant, confronté au monde extérieur, doit opérer des choix ; cela donne, « dans le langage des motions pulsionnelles les plus anciennes, les pulsions orales : cela je veux le manger ou bien je veux le cracher, [...] ça doit être en moi ou bien hors de moi » – bases de la distinction entre le bon et le mauvais. **Partant de ce refus ou de cette acceptation, l'enfant pourra ensuite passer au jugement d'existence** afin de « savoir si quelque chose de présent dans le moi comme représentation peut aussi être retrouvé dans la perception (réalité) », le principe de plaisir pouvant dès lors être mis à l'écart au profit du

1. « Pulsions et destins des pulsions » (1915c), *Métapsychologie*, Paris, Gallimard, 1968, p. 34-44 ; *OCF* XIII (2e éd.), p. 180-186 ; *GW* X, p. 225-232.

principe de réalité[1]. Ce faisant, l'enfant a pu passer de la négation polémique des linguistes (elle est ici primitive) à ce qu'ils désignent comme négation prédicative (construite).

Ainsi se met en place l'*identification*, entendue ici d'abord au sens « d'identifier un objet » et donc de le reconnaître, mais aussi au sens voisin de « s'identifier soi-même » comme différent de l'objet, c'est-à-dire de se connaître une identité. L'identification est la reconnaissance d'un non-soi, d'une altérité ; elle est « la source de la négation construite » selon les linguistes, du « jugement d'existence » selon Freud. **La négation apparaît ainsi comme la condition préalable nécessaire à la création du sens** à attribuer à ce qui est reconnu exister ; en permettant de déterminer et de délimiter, elle rend possible la construction des signes et des représentations : toute détermination est négation[2]. C'est dire que la négation permet l'accès au symbolique.

La question se pose alors de la place qui peut être attribuée au *manque* et à l'*absence* : quels rapports le constat de non-existence peut-il engager avec la négation ? Le « non-être » (fût-ce sous forme de « ne-pas-être-là ») est d'abord un état (fût-il état d'inexistence) et, en tant que tel, il ne saurait être assimilé à la négation qui est avant tout processus (visât-elle à nier l'existence) ; l'*opposition* et le *conflit* ne vont apparaître qu'avec le refus et le rejet de l'absence – et non du fait de l'absence elle-même. Disons que la négation (alors polémique) fait exister l'absence et vient lui donner sens, permettant de l'identifier et de s'en différencier par une négation simple, prédicative. Ajoutons que **la négation se pose comme action** (l'acceptation étant plutôt passive), impliquant ainsi un rapport étroit à la réalité (que souligne encore son rôle particulièrement fort dans la « fonction de jugement »).

En psychanalyse, la négation « primitive » prévaut donc sur la négation « construite », même si dans les opérations plus spécifiquement défensives (« polémiques ») nous avons plutôt affaire à des négations construites. Nous l'avons vu, la question de l'antériorité de

1. « La négation » (1925h), *Résultats, idées, problèmes, II*, Paris, PUF, 1984, p. 137 ; *OCF* XVII, p. 168-169 ; *GW* XIV, p. 13.

2. A. Culioli, *Pour une linguistique de l'énonciation*, Paris, Ophrys, 1990, t. I, p. 98 et 103.

l'une par rapport à l'autre se résout par la précession de la négation ; nous pouvons d'ailleurs remarquer qu'en lexicologie, il n'est pas rare que le sens négatif apparaisse avant l'affirmatif (par exemple : l'antonyme « intolérable » est mentionné dès le milieu du XIIIe siècle, alors que « tolérable » n'est reconnu qu'en 1370) et, de surcroît, nombre d'antonymes n'ont jamais trouvé leur mode affirmatif (tel « impunément » dont le sens positif appelle la double négation : « il ne le fit pas impunément »).

Dans l'étude du fonctionnement psychique, deux idées déterminent la place qu'il convient d'attribuer à la négation. Elles sont apparues séparément en psychanalyse, la première étant un constat précoce, la seconde une construction métapsychologique plus tardive (Freud ne les confronta véritablement qu'en conférant de fait à la négation le statut de concept en 1925). D'une part **la négation n'a pas de place dans l'inconscient** : dès 1900 le rêve « paraît ignorer le non » [1] et, quinze ans plus tard, « il n'existe pas de "non" dans l'inconscient » [2], il « n'y a, dans le système *Ics,* ni négation *[Negation],* ni doute, ni degré dans la certitude » [3]. D'autre part, mais dans le même mouvement : **la négation est au fondement des processus de défense,** et d'abord du refoulement : cette « négation est un substitut de refoulement d'un niveau supérieur » [4], et « le refoulement s'exprime par l'acquisition d'un sens contraire, [...] la négation n'apparaît que grâce au processus de refoulement » [5]. Cette double approche correspond à une « conception de la négation [qui veut] que l'**on ne rencontre dans l'analyse aucun "non" sortant de l'inconscient,** et que la reconnaissance de

1. *L'interprétation des rêves* (1900a), Paris, PUF, 1967, p. 274 ; *OCF* IV, p. 362 ; *GW* II-III, p. 323.

2. « Extrait de l'histoire d'une névrose infantile (L'homme aux loups) » (1918b [1914]), *Cinq psychanalyses,* Paris, PUF, 1954, p. 386, n. 2 ; *OCF* XIII (2e éd.), p. 79, n. 2 ; *GW* XII, p. 113, n. 2.

3. « L'inconscient » (1915e), *Métapsychologie,* Paris, Gallimard, 1968, p. 96-97 ; *OCF* XIII (2e éd.), p. 227 ; *GW* X, p. 285.

4. *Ibidem.*

5. « Extrait de l'histoire d'une névrose infantile (L'homme aux loups) » (1918b [1914]), *Cinq psychanalyses,* Paris, PUF, 1954, p. 386, n. 2 ; *OCF* XIII (2e éd.), p. 79, n. 2 ; *GW* XII, p. 113, n. 2.

l'inconscient de la part du moi s'exprime en une formule négative »[1]. S'ils peuvent d'abord paraître contradictoires, ces deux traits de la négation n'en ont pas moins organisé les rapports entre conscience et inconscient dans la première topique, comme ceux entre le moi et le ça dans la deuxième.

L'inconscient lui-même nous fournit un bon exemple des questions posées par la négation en psychanalyse. Le mot est un antonyme, il est construit comme tel ; non seulement il ne se justifie qu'à référer un état de conscience (il est d'abord posé comme indiquant une non-conscience), mais sa « négativité » va jusqu'à le rendre en lui-même inconnaissable : elle impose de passer par son opposé, la conscience : « Naturellement, nous ne connaissons [l'inconscient] que comme conscient, une fois qu'il a subi une transposition ou traduction en conscient. »[2] Il est donc clair que, d'un point de vue purement sémantique et en accord avec les linguistes, il ne se justifie qu'en référence à une affirmation postulant la conscience. Mais, épistémologiquement et historiquement, nous devons constater qu'en psychanalyse l'inconscient prime sur la conscience, et la devance : « Dans la psychologie fondée sur la psychanalyse nous nous sommes habitués à partir des processus psychiques inconscients, et nous tenons ces processus pour les plus anciens, pour primaires. »[3] Cette dépendance du conscient à l'égard de l'inconscient se trouve renforcée par la nouvelle topique qui constate que « le moi est précisément la partie organisée du ça »[4], que « le moi est la partie du ça qui a été modifiée sous l'influence directe du monde extérieur »[5] ; ainsi « le moi s'est déve-

1. « La négation » (1925h), *Résultats, idées, problèmes, II,* Paris, PUF, 1984, p. 139 ; *OCF* XVII, p. 171 ; *GW* XIV, p. 15.

2. « L'inconscient » (1915e), *Métapsychologie,* Paris, Gallimard, 1968, p. 65 ; *OCF* XIII (2e éd.), p. 207 ; *GW* X, p. 264.

3. « Formulations sur les deux principes du cours des événements psychiques » (1911b), *Résultats, idées, problèmes, I,* Paris, PUF, 1984, p. 136 ; *OCF* XI, p. 14 ; *GW* VIII, p. 231.

4. *Inhibition, symptôme et angoisse* (1926d [1925]), Paris, PUF, 1951, p. 13 ; *OCF* XVII, p. 215 ; *GW* XIV, p. 124.

5. *Le moi et le ça* (1923b), *Essais de psychanalyse,* Paris, Payot, 1981, p. 237 ; *OCF* XVI, p. 269 ; *GW* XIII, p. 252.

loppé à partir de la couche corticale du ça »[1]. La dynamique des processus psychiques part de l'inconscient, c'est là où « ça » agit et, en ce sens, il ne serait pas exagéré de dire que si l'inconscient est sémantiquement la négation de la conscience (de son affirmation), il en est psychiquement la condition préalable, l'engendrant, la déterminant et, en somme, la « positivant ».

Nous venons de vérifier qu'une fois de plus le jeu des antonymes nous confronte a un problème délicat : « négatif » peut renvoyer aussi bien à « affirmatif » qu'à « positif » (dont les significations sont pourtant fort différentes) – et nous remarquons qu'ici, contrairement à ce qui est le plus usuel (comme pour « plaisir » et ses nombreux opposés), c'est l'antonyme qui appelle plusieurs mots sources. Mais « négation », pour sa part, ne peut renvoyer qu'au seul « affirmation » (et, à la rigueur, au très voisin « approbation »). Ceci apparaît d'autant plus important à souligner que si Freud use couramment du terme de « négation » pour indiquer un acte, il recourt peu à celui de « négatif » pour marquer un état ; il ne le fait guère que pour parler d'un transfert négatif ou d'un Œdipe négatif, voire d'hallucination ou de magie négatives, utilisant alors le mot *negativ* qui, en allemand, renvoie d'abord à la photographie (voire à l'opposition de pôles en électromagnétisme). Et, en effet, c'est bien quelque chose « à l'envers » (et non pas un refus, ou une négation) que postulent alors ces diverses notions, ainsi qu'en témoigne le contexte comme, par exemple, lorsqu'il faut énoncer que « la névrose est pour ainsi dire le négatif de la perversion »[2], qu'elle en est comme l'image inversée. La métaphore est bien celle de l'inversion cliché/épreuve en photographie, à ceci près qu'avec celle entre perversion et névrose, la première apparue (la perversion) serait le positif, la seconde (la névrose) devenant le positif.

Si « négation » et « affirmation » ne préjugent en rien de ce qui doit être refusé ou accepté, nous avons déjà eu l'occasion de signaler que « négatif » comme « positif » impliquent le plus souvent un jugement de valeur (ce dont se garde bien Freud), en appelant au « bon » et au

1. *Abrégé de psychanalyse* (1940a [1938]), Paris, PUF, 1967, p. 74 ; *OCF* XX, p. 296-297 ; *GW* XVII, p. 129.

2. *Trois essais sur la théorie sexuelle* (1905d), Paris, Gallimard, 1987, p. 80 ; *OCF* VI, p. 99 ; *GW* V, p. 65.

« mauvais », au « bien » et au « mal ». Il convient d'ailleurs de se demander si ce n'est pas, en dépit de sa prudence, cette idée implicite, ce « jugement » qui put faire dire à Freud, glissant comme subrepticement du négatif à la négation, que « l'affirmation appartient à Éros et que la négation appartient à la pulsion de destruction » [1]. Pour que pareille attribution apparaisse recevable, la négation doit être assimilée à la néantisation et à la destruction, Éros recueillant alors la positivité de l'affirmation. Or, nous l'avons vu, c'est la négation qui, par l'identification entre autres, permet l'apparition de la conscience de soi et des autres, c'est elle qui fait surgir le sens et la symbolisation. On peut alors se demander s'il ne serait pas plausible d'inverser la proposition de Freud en assimilant Éros à la négation et la pulsion de mort à l'affirmation-acceptation, comme le firent d'ailleurs certains de ses premiers disciples, telle Lou Andreas-Salomé qui le lui proposa. Irait d'ailleurs dans ce sens l'idée que « le principe de plaisir semble être en fait au service des pulsions de mort » [2], tout comme le fait le « principe de Nirvana [3]. Quoi qu'il en soit, nous retiendrons surtout ici l'idée que **la négation vient fonder la reconnaissance et la délimitation du moi et de l'objet.**

Non seulement la négation est à l'origine de la reconnaissance identitaire opérée par le sujet (à la source de la naissance du moi), mais elle s'en institue le gardien. Elle est en effet au fondement de toutes les défenses, à commencer par le refoulement lui-même, ce « pilier sur lequel repose l'édifice de la psychanalyse » [4]. Elle est aussi étroitement associée à ce qu'en 1914 Freud désigne comme les premières « tentatives de défense » [5] ; il s'agit en l'occurrence du processus de renverse-

1. « La négation » (1925h), *Résultats, idées, problèmes, II,* Paris, PUF, 1984, p. 138 ; *OCF* XVII, p. 170 ; *GW* XIV, p. 15.

2. *Au-delà du principe de plaisir* (1920g), *Essais de psychanalyse,* Paris, Payot, 1981, p. 114 ; *OCF* XV, p. 337 ; *GW* XIII, p. 69.

3. « Le problème économique du masochisme » (1924c), *Névrose, psychose et perversion,* Paris, PUF, 1973, p. 288 ; *OCF* XVII, p. 12 ; *GW* XIII, p. 372.

4. *Sur l'histoire du mouvement psychanalytique* (1914d), Paris, Gallimard, 1991, p. 29 ; *OCF* XII, p. 258 ; *GW* X, p. 54.

5. « Pulsions et destins des pulsions » (1915c), *Métapsychologie,* Paris, Gallimard, 1968, p. 33 ; *OCF* XIII (2ᵉ éd.), p. 180 ; *GW* X, p. 225.

ment (qui est lui-même à la base du refoulement par « transformation du plaisir en déplaisir »[1]). C'est d'ailleurs lui qui, bien que « le rêve paraisse ignorer le non », lui permet de l'exprimer et d'y introduire un mouvement de négation[2]. Les rapports étroits que la négation engage ainsi avec le moi (et donc avec les objets) sont directement liés à sa fonction de « révélatrice de sens ».

Ainsi, ces généralités sur la négation sont véritablement introductives aux développements que nous allons pouvoir apporter aux notions et concepts qui mettent en œuvre l'idée et le processus ; elles leurs sont nécessaires et nous paraissent plus particulièrement aptes à éclairer les défenses particulières. Mais, nous en tenant à l'approche générale, nous constatons que nous avons été conduits, de fait, à considérer la négation comme « cause agissante », et à la reconnaître comme telle. Ceci revient à dire qu'elle fonctionne effectivement comme un *principe*, comme ceux-là même que Freud put identifier aux fondements du plaisir et de la réalité (qu'elle contribue d'ailleurs a déterminer). C'est pourquoi nous nous sommes autorisés à référer cet article sur la négation (au sens général) sous le titre de *« principe de négation »* . Il convient pourtant d'avoir présent à l'esprit que, ce faisant, nous en faisons dire à Freud plus qu'il n'en exprima explicitement ; nous n'en pensons pas moins demeurer fidèles non seulement à l'esprit de l'œuvre, mais à son texte même.

Claude Le Guen

II – LA DÉNÉGATION (COMME DÉFENSE)

all. : ***Verneinung.*** – angl. : *negation.* – esp. : *negación.* – ital. : *negazione.* – port. : *negação*

1. *L'interprétation des rêves* (1900a), Paris, PUF, 1967, p. 513 ; *OCF* IV, p. 659 ; *GW* II-III, p. 609, et *Inhibition, symptôme et angoisse* (1926d [1925]), Paris, PUF, 1951, p. 7-9 ; *OCF* XVII, p. 209-211 ; *GW* XIV, p. 118-120.

2. *L'interprétation des rêves* (1900a), Paris, PUF, 1967, p. 281-282 ; *OCF* IV, p. 370-371 ; *GW* II-III, p. 331-332.

La dénégation est l'expression d'un contenu inconscient refoulé sous forme de négation explicite. Le jugement dénégatif permet la reconnaissance par l'interprétation de la représentation inconsciente – parfois même son acceptation intellectuelle par celui qui la prononce – mais maintient l'essentiel du refoulement. Fonctionnant comme une défense, elle permet de préciser comment s'engendre la fonction intellectuelle, notamment les fonctions du jugement, à partir du jeu des motions pulsionnelles primaires. Elle rend également manifeste un paradoxe constitutif de la situation analytique en tant que lieu transférentiel de la mise au jour de contenus inconscients refoulés.

La dénégation est repérée dès le début de l'œuvre freudienne, mais elle n'est reconnue comme concept que dans un mouvement d'après-coup ; elle sera spécifiée en 1925. Dans l'expérience de la cure, l'existence de la dénégation est très tôt mise en évidence. Dès les *Études sur l'hystérie,* Freud souligne cette forme de résistance particulière : à mesure que l'on pénètre plus profondément au travers des strates de représentations concentriquement disposées autour du noyau pathogène, « la reconnaissance des souvenirs qui émergent se fait plus difficile jusqu'au moment où on se heurte au noyau central des souvenirs dont le patient persiste à nier l'existence lors de leur apparition »[1].

La cure de « L'homme aux rats » fournit de bons exemples de dénégation : à douze ans, il aimait la sœur d'un camarade – pas sensuellement précise-t-il : « Je ne voulais pas la voir nue, elle était trop petite. »[2] Il pensa qu'elle serait plus affectueuse pour lui s'il était frappé par un malheur, ce qui va entraîner une suite d'autres dénégations visant la mort du père, et le souhait qu'il peut en faire.

Dans l'article de la *Métapsychologie* consacré à « L'inconscient », en 1915, Freud étudie les conditions du devenir-conscient d'un souvenir inconscient. Dans le système inconscient, existent des contenus plus ou moins fortement investis, mais il n'y a « ni négation, ni doute,

1. *Études sur l'hystérie* (1895d), Paris, PUF, 1956, p. 234 ; *OCF* II, p. 316 ; *GW* I, p. 293.

2. « Remarques sur un cas de névrose obsessionnelle (L'homme aux rats) » (1909d), *Cinq psychanalyses,* Paris, PUF, 1954, p. 214 ; *OCF* IX, p. 155 ; *GW* VII, p. 402.

ni degré dans la certitude ». Tout cela n'est introduit que par le travail de la censure entre *Ics* et *Pcs*. « La négation est un substitut du refoulement à un degré supérieur » (le terme allemand d'origine latine *Negation* est pris d'abord dans son sens logique, et non comme processus défensif). Mais la communication intellectuelle d'un contenu inconscient ne suffit pas à produire la levée d'un refoulement, tant que les résistances ne sont pas surmontées et que la représentation jusque-là refoulée n'entre pas en relation effective avec les traces mnésiques inconscientes[1] : il y a bien un appel indirect au mécanisme de défense.

L'idée que, dans la cure, la prise de conscience du contenu refoulé se signale souvent par une dénégation est au point de départ du bref article qui lui est consacré en 1925. Le texte présente **le fait clinique de la dénégation,** étudie sa signification métapsychologique, et l'articule sur une réflexion logique consacrée aux fonctions du jugement et au rôle du symbole de négation. La clarté des exemples proposés offre un assez bon aperçu du type de contenus qui peuvent faire l'objet d'une dénégation : agressivité transférentielle, contenu œdipien, élément tenu pour « le plus invraisemblable de tout ». La dénégation de l'obsessionnel prend une forme spécifique : l'idée m'est venue aussitôt que ce pouvait être cela. Mais ce n'est sûrement pas le cas, sinon l'idée n'aurait pu m'en venir[2]. La technique de l'interprétation consiste à faire abstraction de la négation, pour reconnaître le contenu de l'idée incidente. La dénégation est même, selon la conclusion de l'article, la « preuve » la plus forte possible de la découverte réussie de l'inconscient, lorsque l'analysé réagit par la phrase : à cela, je n'ai (jamais) pensé[3].

Trois affirmations liées entre elles posent **la métapsychologie de la dénégation :**

— la dénégation permet de prendre connaissance du contenu refoulé ;

1. « L'inconscient » (1915e), *Métapsychologie,* Paris, Gallimard, 1968, p. 96 ; *OCF* XIII (2e éd.), p. 225 ; *GW* X, p. 285.

2. « La négation » (1925h), *Résultats, idées, problèmes, II,* Paris, PUF, 1984, p. 135 ; *OCF* XVII, p. 167 ; *GW* XIV, p. 11.

3. *Ibidem,* p. 139 ; 171 ; p. 15.

— ce qui est supprimé est simplement l'impossibilité pour le contenu refoulé de parvenir à la conscience, c'est-à-dire est une conséquence du refoulement mais l'essentiel en demeure, même lorsqu'il y a acceptation intellectuelle de l'idée exprimée ;

— le symbole de la négation permet à la pensée de se libérer des limitations du refoulement, mais on voit que cette possibilité instaure une séparation entre les contenus de pensée et l'affect.

La troisième affirmation métapsychologique sur **le symbole de la négation** pose la thèse de l'article : **la dénégation psychanalytique et la négation au sens logique et linguistique ont même origine.** L'étude du **jugement**[1] nous dévoile comment s'engendre la fonction intellectuelle à partir du jeu des motions pulsionnelles primaires, notamment à partir des motions orales : cela, je veux le manger ; ou bien : cela, je veux le cracher. Le moi-plaisir originel veut s'introjecter le bon et jeter hors de lui tout le mauvais, ce qui est à la source de l'évaluation des propriétés (bonnes ou mauvaises) attribuées aux objets. C'est à partir de là que s'établit la différence entre ce qui existe et ce qui n'existe pas : il y a passage de l'affect au sens, et apparition de la question de la réalité. La dénégation comme symptôme est donc l'utilisation sur un mode névrotique d'un processus plus général et plus fondamental. Le juger est le développement ultérieur, approprié à une fin, de l'inclusion dans le moi ou de l'expulsion hors du moi qui, originellement, se produisaient selon le principe de plaisir. Il faut la création du symbole de négation – précisément mis en œuvre de façon spécifique par la dénégation – pour que s'instaure le jugement, qui permet à la pensée un premier degré d'indépendance à l'égard des conséquences du refoulement, et de ce fait, à l'égard de la contrainte du principe de plaisir. Dans la dénégation, la reconnaissance-négation paradoxale du contenu inconscient refoulé manifeste bien ce premier degré relatif d'indépendance entre principe de plaisir et capacité de penser, signant par là même l'existence du conflit psychique.

Dans « Constructions dans l'analyse » (1937), Freud revient sur une objection de principe qui s'impose : si la dénégation a valeur de confirmation lorsqu'elle est opposée à l'interprétation de l'analyste,

1. *Ibidem*, p. 136-138 ; p. 168-170 ; p. 12-14.

celui-ci n'est-il pas en position de triomphe assuré[1] ? Mais le oui de l'analysé est aussi équivoque que le non, et il incite l'analyste à chercher la confirmation de la valeur de la dénégation dans le contexte et dans l'évolution de la cure. La tâche de l'analyste est de construire ce qui a été oublié, pour permettre au patient de se remémorer ce qu'il a vécu et refoulé ; les erreurs éventuelles de construction de l'analyste sont sans effet. Le non du patient ne prouve rien quant à l'exactitude de la construction, mais s'accorde avec cette possibilité[2]. D'autant que le non peut porter sur ce qui est encore inexact ou incomplet dans la construction, comme il peut être la trace d'un maintien du refoulement.

Ce sont donc les confirmations indirectes ou complémentaires qui ont le plus grand indice de certitude, notamment la production de nouveaux souvenirs. Néanmoins, la dénégation reste un index qui signale le moment où une idée ou un désir inconscients commencent à resurgir, dans la cure ou en dehors d'elle. Et la phrase déjà proposée à la fin de l'article sur « La négation » – « je n'ai jamais pensé cela » – est un mode de confirmation fiable, presque stéréotypé d'ailleurs. Mais il porte plus fréquemment sur des points isolés que sur des constructions plus globales. Le contenu projectif du processus défensif est donc ce qui signe la plus grande valeur de confirmation.

QUESTIONS ET ENJEUX

Ce rapide survol de l'historique du concept de dénégation ne suffit pas à rendre compte des problèmes nombreux qu'il suscite. Nous en dégagerons quelques-uns.

Nous avons déjà évoqué le problème de **traduction** française posé par le terme *die Verneinung* mais, puisque c'est à propos de la négation comme défense (de la « dénégation » donc) que purent être

1. « Constructions dans l'analyse » (1937d), *Résultats, idées, problèmes, II*, Paris, PUF, 1984, p. 269 ; *OCF* XX, p. 61 ; *GW* XVI, p. 43.

2. *Ibidem*, p. 275 ; p. 67 ; p. 50.

soulevés quelques débats, nous nous devons d'y revenir. En allemand, « *Verneinung* » signifie la négation au sens logique et grammatical du terme, mais aussi la dénégation, au sens du refus d'une affirmation. En février 1954, Jean Hyppolite a pu proposer de traduire le terme par *la dénégation* Il n'est pas tout à fait suivi par le *Vocabulaire de la psychanalyse* dans lequel Jean Laplanche et J.-B. Pontalis se rallient à un mode d'écriture qui souligne la difficulté : (dé)négation. Les *Œuvres complètes* reviennent à la traduction par *la négation,* puisqu'il s'agit dans l'article de 1925 de montrer que le mécanisme psychologique est à l'origine de la négation au sens logique et linguistique, ce qui suppose l'identité du terme ; or seul le terme « négation » rend compte de la dimension proprement logique et il n'exclut pas en français la composante psychologique de refus actif. Ce faisant, est escamoté le fait que le processus défensif se situe au plus près du conscient, et que c'est précisément ce qui justifie son rapprochement avec la logique. L'ordre inconscient de la négation comme processus général du fonctionnement psychique est méconnu.

Tout en reconnaissant le bien-fondé de cette argumentation pour la traduction du titre de l'article, et pour les emplois de *Verneinung* qui y figurent, nous pouvons reprendre le terme usuel de dénégation pour l'article de dictionnaire qui porte sur le mécanisme de défense, même si le texte freudien qui l'analyse le plus précisément le fait dans le contexte plus large d'une réflexion sur le principe de négation.

L'étude de la dénégation suscite d'autre part des interrogations sur le **refoulement** : la réflexion sur les conditions et les processus de la mise au jour de contenus inconscients apparaît particulièrement dans le texte de la *Métapsychologie* consacré à « L'inconscient ». L'évaluation de la levée et/ou de la persistance du refoulement dans la dénégation a donné lieu à des débats entre traducteurs, dont l'enjeu porte essentiellement sur l'interprétation du terme freudien *Aufhebung,* qui suppose à la fois un maintien, une suppression et un dépassement. Il s'agit, aussi bien en 1915 qu'en 1925, d'une levée réelle mais partielle d'un aspect du refoulement, mais l'essentiel du refoulement demeure. Le terme de « suppression du refoulement » est donc sans doute trop radical.

Mais quel est cet essentiel qui demeure ? Ce qui caractérise le maintien d'un refoulement lors même de la dénégation, c'est la persistance du contre-investissement qui est à l'origine du refoulement. En effet, lorsqu'il y a une véritable levée de refoulement, la pulsion liée au refoulement ne peut connaître que les deux destins de la satisfaction ou de la sublimation ; et l'énergie de contre-investissement est alors mise à la disposition du moi, ou réaffectée à un contre-investissement dans un dispositif de refoulement préexistant, masqué jusque-là. Ainsi, « la négation est un substitut du refoulement à un degré supérieur » [1], c'est-à-dire qu'elle est plus proche des niveaux « supérieurs » de la conscience ; la négation ne s'oppose pas radicalement au refoulement, mais est un équivalent qui ouvre à d'autres propriétés, grâce au changement de système psychique. Nier quelque chose signifie au fond : c'est là quelque chose que je préférerais de beaucoup refouler. En 1925, le jugement de condamnation, dénégatif, peut donc être considéré comme un substitut intellectuel du refoulement : il ne supprime pas le contre-investissement psychique de la représentation refoulée, mais il libère la pensée de l'une des limitations introduites par l'existence du refoulement. La dénégation est ici une négation intellectuelle (mais seulement intellectuelle) de la négation concrète effectuée par le contre-investissement qui a produit le refoulement. Ainsi s'opère une dissociation entre l'affect et la représentation.

Freud élabore en 1925 une réflexion complexe sur le **jugement**, qui prend appui sur l'origine projective et introjective du jugement : « Cela, je veux l'introduire en moi, et cela l'exclure hors de moi. » Le moi-plaisir originel rejette ainsi hors de lui tout le mauvais, et le mouvement de la dénégation garde quelque chose de cette expulsion initiale : telle est la genèse primordiale de la pensée, qui correspond à un modèle cannibalique.

Mais la dénégation relève en même temps de processus de pensée élaborés, liés au recours au symbole de négation et à la relative autonomie de la pensée qu'il rend possible. La construction et la portée de la dénégation signent son appartenance aux systèmes préconscient/conscient. C'est l'idée que toute défense (d'abord « normale » par définition), aussi pathologique qu'elle puisse devenir, se borne à utiliser des fonctionnements « normaux », leur éventuelle perversion étant dans les modalités et les buts de l'utilisation. Le lien établi par Freud entre sa conception logique de la négation et la conception métapsychologique qu'il en a élaborée n'est donc pas seulement originaire, et ne fait pas que confirmer que le non ne relève

1. « L'inconscient » (1915e), *Métapsychologie*, Paris, Gallimard, 1968, p. 96 ; *OCF* XIII (2e éd.), p. 225 ; *GW* X, p. 285.

pas de l'inconscient ; il marque et délimite toute la clinique de la dénégation.

Il s'ensuit une question épistémologique sur l'effectuation de la **vérité** dans la cure analytique que l'on peut formuler comme le problème du paradoxe de la « preuve » par la dénégation dans la pratique analytique. Tout en maintenant la valeur de confirmation fiable de la célèbre phrase : « à cela, je n'ai jamais pensé », Freud nuance en 1937 l'affirmation selon laquelle la dénégation est par elle-même l'indice de la vérité de l'interprétation. Mais ceci n'atténue pas le caractère paradoxal de l'effectuation de la vérité analytique. Les confirmations y sont en effet indirectes, le non y est un plus sûr indice que le oui, et ce sont les apports associatifs ultérieurs qui viennent soutenir ce qui n'a d'ailleurs été pour l'essentiel établi que par construction.

D'autant que l'interprétation de la dénégation par l'analyste ne peut se réduire à une simple abstraction automatique du symbole de négation. L'affect contre-transférentiel de l'analyste y est engagé, par son attente vis-à-vis de l'évolution de la cure. Et l'interprétation de la dénégation se présente donc comme une négation de la dénégation (« Il n'est pas vrai que ce n'est pas de sa mère qu'il s'agit »). Cela peut en expliquer l'efficience, mais implique une violence intrinsèque. Et pourtant, le sentiment d'effectivité *(Wirklichkeit)* peut avoir dans l'analyse une force plus grande que bien des démonstrations objectives externes, qui restent parfois marquées du sceau du refoulement ; tandis que la vérité analytique, qui exige d'être subjectivement établie, fait la preuve de son effectivité dans le devenir même de la cure, et dans l'histoire de l'analysant.

L'enjeu métapsychologique de la dénégation dans le cadre de la **deuxième topique** fait cependant problème. À bien des égards, l'article de 1925 continue de se référer à la première topique et aux réflexions de 1915. La seconde théorie des pulsions a pourtant été établie depuis 1920, et Freud tente une mise en concordance relativement allusive en écrivant que la polarité du jugement « semble correspondre à l'opposition des deux groupes de pulsions [...] L'affirmation – comme substitut [*Ersatz*] de l'unification – appartient à l'Éros, la négation – successeur *[Nachfolge]* de l'expulsion – appartient à la pulsion de destruction »[1]. Mais si la négation dans le jugement – qui

1. « La négation » (1925h), *Résultats, idées, problèmes, II*, Paris, PUF, 1984, p. 138 ; *OCF* XVII, p. 170 ; *GW* XIV, p. 15.

est bien l'instrument logique et linguistique de la dénégation psychologique – correspond à la pulsion de destruction, comment vient-elle garantir l'efficacité du refoulement, malgré la formulation consciente du contenu inconscient, c'est-à-dire se mettre au service d'une défense qui vise à maintenir la suprématie du principe de plaisir dans la vie psychique ? Or il est difficile d'attribuer à la négation un rôle fondamental dans la symbolisation tout en la faisant relever essentiellement de la pulsion de destruction. On retrouve ici les hésitations freudiennes quant aux liens qui sont à établir entre principe de plaisir, Éros et pulsion de mort…

Les raisons de Freud qui seraient en faveur de cette bipartition sont si peu évidentes que nombre de psychanalystes parmi les plus proches de lui, à commencer par Lou Andreas-Salomé, lui ont souligné que les termes peuvent en être inversés. En fait, la négation étant à la source du jugement, c'est-à-dire de la reconnaissance du sens, elle assure le travail de liaison nécessaire à la perpétuation du moi, et elle est ainsi pleinement au service d'Éros.

Un autre argument est d'ailleurs à prendre en compte, à partir cette fois de la **clinique.** L'article de 1925 invoque le négativisme pour établir le rapprochement entre pulsion de destruction et dénégation. Mais ce « plaisir généralisé de la négation » n'obéit plus aux mêmes fonctions topique, dynamique et économique que la négation comme substitut du refoulement, qui suppose le maintien de l'investissement des représentations de chose, et le contre-investissement concomitant du refoulement. Même si certains cliniciens évoquent, par extension du concept, une dénégation de l'objet antérieure au langage, superposable au mouvement d'inclusion et d'expulsion du moi-plaisir purifié – et parlent à cet égard de dénégation psychotique –, il est sans doute préférable de maintenir le sens strict du terme de « dénégation », qui passe par la formulation d'un symbole de négation et permet plus clairement d'établir les démarcations entre la dénégation et le déni (ou désaveu), condition nécessaire à l'évaluation des diverses formes de négativisme.

Mais ces distinctions ne doivent pas nous empêcher de situer, comme l'a fait Freud, le rôle propre de la dénégation dans l'ensemble plus vaste d'un principe de négation à l'œuvre dans le psychisme.

Dominique Bourdin

III – LE DÉNI (DE RÉALITÉ) : se reporter à l'article « Déni (de réalité) » du présent dictionnaire

Dominique BOURDIN et Claude LE GUEN

Neurasthénie → Névroses et choix de la névrose

Névrose actuelle → Névroses et choix de la névrose

Névrose de caractère → Caractère → Névroses et choix de la névrose

Névrose de contrainte → Névrose obsessionnelle

NÉVROSE OBSESSIONNELLE (ou de contrainte)

all. : *Zwangsneurose*. – angl. : *obsessional neurosis*. – esp. : *neurosis obsesiva*. – ital. : *nevrosi ossesiva*. – port. : *neurose obsessiva*

Conception nosographique introduite par Freud, la névrose obsessionnelle, dont l'origine est rattachée à une séduction infantile source de plaisir et de culpabilité, se caractérise par l'intensité de l'activité de pensée sous forme de représentations obsédantes, associées à des actes réalisés de façon contraignante, compulsive, le plus souvent semblables à des rites. Un contexte caractériel est habituel, associant méfiance, scrupules, tendance au remords. Ces manifestations sont à rattacher aux fixations et à la régression anale qui se manifeste notamment par l'ambivalence liée à l'inhibition de l'amour par la haine. La névrose obsessionnelle prend une nouvelle importance dans l'élaboration de la deuxième théorie des pulsions, où le sadisme est rattaché à la pulsion de mort et où le rôle du surmoi, qui exerce son sadisme contre le moi, est mis en évidence.

MISE EN SITUATION

Pour situer cette névrose nous ne saurions mieux faire que de référer Freud qui initia terme et notion en 1896 – d'autant qu'il le fit alors en français dans un article original de la Revue neurologique*: « Pour éviter tout malentendu possible j'exposerai d'abord deux remarques sur la nosographie des névroses et sur l'étiologie des névroses en général. Il m'a fallu commencer mon travail par une innovation nosographique. À côté de l'hystérie j'ai trouvé raison de placer la névrose des obsessions (*Zwangsneurose*) comme affection autonome et indépendante »* [1] *(à noter que dans les pages suivantes il parlera de « névrose d'obsessions »). À la suite, les auteurs de langue française usèrent tous du terme de « névrose obsessionnelle » (à commencer par J. Laplanche et J.-B. Pontalis dans leur* Vocabulaire de la psychanalyse*). Le dire de Freud est clair et net, d'où notre surprise à découvrir le choix fait par les rédacteurs de l'édition française des* Œuvres complètes *de Sigmund Freud aux* PUF *d'introduire le terme de « névrose de contrainte » (censé coller au terme allemand* Zwang*) ; dans les mêmes temps, cette proposition est d'ailleurs écartée par les responsables des* Œuvres de Sigmund Freud *chez Gallimard. On doit en outre remarquer – dans un souci de cohérence internationale et de communication – que dans toutes nos langues de référence c'est bien l'équivalent, dans chacune, de la dénomination « obsessionnelle » qui est utilisé. Aussi traitons nous ici de la « névrose obsessionnelle ».*

LE TEXTE FREUDIEN

Dès « Les psychonévroses de défense » (*Die Abwehr-neuropsychosen*)[2] dont le sous-titre est « Essai d'une théorie psychologique

1. « L'hérédité et l'étiologie des névroses » (1896a), *Névrose, psychose et perversion*, Paris, PUF, 1973, p. 50 et 54-55 ; *OCF* III, p. 110 et 115 ; *GW* I, p. 411 et 416.

2. « Les psychonévroses de défense » (1894a), *Névrose, psychose et perversion*, Paris, PUF, 1973, p. 7 ; *OCP* III, p. 10 ; *GW* I, p. 59.

de l'hystérie acquise, de nombreuses phobies et représentations d'obsessions et de certaines psychoses hallucinatoires », Freud introduit la relation qu'il fait à ce moment entre la théorie de l'hystérie, et celle de cette nouvelle « théorie psychologique des phobies et des représentations obsessionnelles ». Partant de la notion d'hystérie de « défense » (départagée des hystéries hypnoïdes et de rétention), il décrit l'oubli, ou plutôt la tentative d'oubli volontaire d'une représentation « inconciliable ». La tâche que s'assigne le moi est de traiter cette représentation comme « non arrivée ». Cependant lorsque l'aptitude à la conversion (corporelle) n'est pas présente la séparation de cette représentation et de son affect est entreprise, mais l'affect doit nécessairement rester dans le domaine psychique. La représentation, affaiblie, persiste donc dans la conscience à l'écart de toute association, mais son affect s'attache à d'autres représentations, en soi non inconciliables, que cette « fausse connexion » transforme en représentations obsessionnelles. « Voilà en peu de mots la théorie psychologique des obsessions et phobies », conclut Freud.

Bien que cette théorie reste reconnue, un nouveau développement en est proposé dans les « Nouvelles remarques sur les psychonévroses de défense ». La névrose obsessionnelle est ici considérée comme conséquence d'un trauma sexuel, comme c'est le cas dans la névrose hystérique. Ce trauma toutefois est plus précoce que dans l'hystérie, il n'est pas subi mais au contraire réalisé activement par l'enfant, du moins dans un deuxième temps car il est précédé le plus souvent d'un premier épisode de séduction passive. Freud note qu'il a trouvé dans tous ses cas un soubassement de symptômes hystériques qui se laissent ramener à une scène de passivité précédant l'action, ressentie avec plaisir. Il déduit de ce fait que l'agression sexuelle présuppose toujours une expérience de séduction. En tout cas un plaisir est éprouvé par l'enfant, ce qui joue un rôle essentiel dans le développement de la culpabilité, de l'angoisse et du remords caractéristiques de la névrose. Les conséquences du traumatisme sexuel infantile surviennent après-coup, lors de la puberté ou plus tard, en organisation psychique névrotique dont le modèle reste l'hystérie.

L'essence de la névrose obsessionnelle peut s'exprimer en une formule simple : « les représentations obsessionnelles sont chaque fois des reproches transformés faisant retour hors du refoulement.

Elles se rapportent toujours à une action du temps de l'enfance, accomplie avec plaisir »[1]. Nous pouvons remarquer que la simplicité de la formule a déjà été affirmée, mais ici elle ouvre à la description du déroulement typique d'une névrose obsessionnelle qui va se révéler singulièrement complexe. C'est dans une première période, dite de l'immoralité enfantine, que surviennent les événements qui contiennent le germe de la névrose à venir : dans l'enfance la plus précoce, les expériences vécues de séduction sexuelle rendront possible le refoulement puis les actes d'agression sexuelle contre l'autre sexe qui seront plus tard l'objet des reproches. La « maturation sexuelle » met fin à cette période. Un « reproche » s'attache alors aux expériences passées, génératrices de plaisir, et la corrélation avec l'expérience vécue initiale de passivité rend possible le refoulement de ce reproche et son remplacement par un « symptôme de défense primaire », tel que scrupulosité, honte, méfiance de soi-même.

Le second temps défensif contre le retour de la représentation inconciliable comporte des modifications du caractère, tendance aux scrupules, au remords. Ces faits permettent la constitution de la troisième période, « celle de la santé apparente, à vrai dire celle de la défense réussie ». La période de maladie à proprement parler est caractérisée par le retour des souvenirs refoulés, ce qui constitue le ratage de la défense. Cela est souvent déterminé par les troubles sexuels actuels du patient, mais peut survenir aussi sans cause apparente. Quoi qu'il en soit, si les reproches sont conscients, ils sont modifiés et ce sont des formations de compromis entre les représentations refoulées et les représentations refoulantes qui atteignent la conscience. Notons encore quelques remarques, qui à partir de la névrose obsessionnelle concernent la théorie générale des névroses et notamment celle du refoulement. Ainsi à propos des déformations que subit le contenu de la représentation obsédante, Freud rappelle qu'il est déformé d'une double façon par rapport à l'action compulsive de l'enfance : quelque chose d'actuel est mis à la place du passé

1. « Nouvelles remarques sur les psychonévroses de défense » (1896b), *Névrose, psychose et perversion*, Paris, PUF, 1973, p. 66 à 72 ; *OCF* III, p. 123 à 146 ; *GW* I, p. 379 à 403.

et d'autre part le sexuel se voit substituer un analogue non sexuel. Il est souligné que ces déformations sont l'effet du refoulement qui *est attribué au moi*. Dans le même ordre d'idées, chaque fois qu'une contrainte psychique survient, elle provient du refoulement. « Les représentations obsédantes ont pour ainsi dire, *cours contraint* (*Zwangskurz*) psychique, non pas à cause de leur valeur propre, mais à cause de la source dont elles sont issues ou qui a apporté une contribution à leur valeur. » [1]

Nous ne suivrons pas dans ce texte les descriptions des diverses configurations cliniques qui peuvent relever de la névrose obsessionnelle non plus que les développements de la défense secondaire contre les affects de contrainte ni les mesures de protection qu'elle peut susciter et qui peuvent elles-mêmes se transformer en actions de contrainte. Leur intérêt théorique n'est pas affirmé et lorsqu'elles sont reprises, particulièrement à l'occasion d'exemples cliniques, c'est à propos des symptômes ou des traits caractériels qui ne sont plus référés à la « défense secondaire ».

L'article « Actions compulsionnelles et exercices religieux » [2] décrit la névrose obsessionnelle comme une **unité clinique particulière qui regroupe les personnes qui s'adonnent à des actions compulsionnelles ou à un cérémonial, ceux qui souffrent de pensées, de représentations obsessionnelles.** La notion de *caractère obsessionnel* est introduite ; elle était en fait déjà décrite sous la désignation de symptôme secondaire de défense. Surtout, les différentes formes de cérémonial névrotique sont rapprochées des actions sacrées du rite religieux : « La névrose obsessionnelle fournit la caricature mi-comique, mi-tragique d'une religion privée. » Cependant, l'action compulsionnelle sert à exprimer des motifs et représentations inconscients, et celui qui souffre de compulsions et d'interdictions est en fait sous l'empire d'une *conscience de culpabilité inconsciente*. Cette conscience est ravivée par toute tentation actuelle ; elle fait surgir une *angoisse d'attente* : attente d'un malheur qui ne peut que surgir en

1. *Ibidem*, p. 68 et 69 ; p. 130 et 132 ; p. 389.

2. « Actions compulsionnelles et exercices religieux » (1907b), *Névrose, psychose et perversion*, Paris, PUF, 1973, p. 133-142 ; *OCF* VIII, p. 137-146 ; *GW* VII, p. 129-139.

réponse à la perception interne de tentation sexuelle, à titre de sanction. Le rôle du cérémonial est d'éviter la menace, le malheur. Le parallèle est ici évident avec les mesures de protection que représente le cérémonial religieux. Le mécanisme de la névrose dépend essentiellement du refoulement d'une motion pulsionnelle qui s'était fait jour dans l'enfance ; les scrupules sont une formation réactionnelle qui, cependant, n'est pas assurée, et la survenue de la tentation témoigne de la permanence de la menace pulsionnelle. Le refoulement n'est donc ici jamais complètement réussi : le conflit est insoluble et de nouvelles rigueurs sont sans cesse exigées pour équilibrer la pression constante de la pulsion.

Le cérémonial montre sous quelles conditions quelque chose qui n'est pas totalement interdit peut être réalisé. De la même façon, la cérémonie du mariage permet à l'homme pieux la jouissance sexuelle interdite en dehors de ce rituel. Dans tous les cas, les manifestations de la névrose obsessionnelle sont un compromis entre les diverses puissances psychiques en lutte. Elles permettent toujours un plaisir qu'elles sont chargées de conjurer ; elles ne servent pas moins les pulsions refoulées que les instances refoulantes. Quant au caractère souvent inepte des interdits et des prescriptions, il dépend du déplacement psychique, de la chose propre et significative au petit quelque chose de substitution.

L'obsessionnel ne peut qu'ignorer la signification, du moins la signification principale, de son action que seule l'analyse peut découvrir : cette action « sert à exprimer des motifs et représentations inconscients » [1]. Ce qui constitue une nouvelle différence avec l'exercice religieux mais permet surtout d'introduire la question de la conscience de culpabilité, dont le sujet ne sait rien, donc d'une conscience de culpabilité inconsciente « ainsi qu'on est obligé de s'exprimer en dépit de la répugnance qu'ont ces mots à aller ensemble ». Cette question sera évoquée à plusieurs reprises, notamment dans *Le moi et le ça* et « Le problème économique du masochisme », témoignant de ce qu'elle continue à poser problème. Ici, elle permet de souligner la source de la conscience de culpabilité

1. *Ibidem*, p. 138 ; p. 142 ; p. 135.

dans des processus psychiques précoces, constamment ravivés lors des tentations. Elle suscite une angoisse d'attente, attente d'un malheur, lié par le châtiment à la perception interne de la tentation.

Le parallèle entre névrose obsessionnelle et religion laisse apparaître une anticipation de ce qui sera décrit comme surmoi : le développement des religions anciennes permet de reconnaître que des actes auxquels l'homme avait renoncé, parce qu'il les considérait comme des crimes, avaient été abandonnés à Dieu, ou étaient permis en son nom. Ainsi se libérait-on de la domination des pulsions mauvaises et antisociales. Le fait qu'elles soient attribuées aux dieux, qui pouvaient s'y adonner sans mesure, ne les autorisaient pas aux humains – ce qui sera exprimé plus tard sous la forme des impératifs du surmoi-idéal du moi : « Tu dois *[sollst]* être ainsi (comme le père) », suivie de l'interdiction : « Tu n'as pas le droit *[darfst]* d'être ainsi (comme le père), c'est-à-dire tu n'as pas le droit de faire tout ce qu'il fait ; certaines choses lui restent réservées[1]. » Quelques remarques dans la correspondance avec Jung notent que les cas de névrose obsessionnelle ne relèvent que de deux ou trois pulsions fondamentales (pulsion de regarder et de savoir, éventuellement pulsion d'emprise qualifiée de sadique) ; ainsi s'expliquerait l'organisation de la névrose en manies de ruminer, en pensées obsédantes et en actes obsessionnels impulsifs. Ce sont là en fait les seules composantes de la pulsion sexuelle qui ne soient pas auto-érotiques, mais dirigées d'emblée vers un objet.

Le cas de « **L'homme aux rats** » (complété par le « Journal d'une analyse ») va permettre de développer les notions déjà établies tant par la richesse de l'exposé clinique que par les élaborations théoriques qui s'y rapportent. Nous nous limiterons ici à relever certaines de ces notations tirées de l'exposé clinique pour reprendre en conclusion l'élaboration plus largement théorique regroupée dans le second chapitre intitulé « Contribution à la théorie ». Dès l'abord la question de la « langue de la névrose obsessionnelle » est évoquée, considérée comme un dialecte de la langue hystérique, dans la poursuite du parallèle et de l'opposition déjà établis entre névroses hystériques et obses-

1. *Le moi et le ça* (1923b), *Essais de psychanalyse,* Paris, Payot, 1981, p. 247 ; *OCF* XVI, p. 277 ; *GW* XIII, p. 262.

sionnelles. L'attente d'une plus grande facilité à entendre ce dialecte, puisque la névrose obsessionnelle, ne comportant pas ce bond caractéristique de l'hystérie du psychique à l'innervation somatique, est plus proche de « notre » mode de penser que de celui de l'hystérique, est déçue. En effet les névrosés obsessionnels viennent bien plus rarement que les hystériques à l'analyse et ne s'adressent au médecin que lorsqu'ils sont parvenus à des degrés si avancés que s'il s'agissait d'une tuberculose pulmonaire, ils ne seraient pas admis dans un centre de soins… Pourtant les cas légers et les cas graves vus précocement permettent de brillants succès thérapeutiques. Mais nous n'aurons pas d'autres éclaircissements sur les caractéristiques de la langue en question, sinon qu'elle est proche de la langue ordinaire.

Au cours de la cure le récit du patient montre l'établissement précoce (de 6 à 7 ans) d'une obsession sexuelle sous forme de désir intense de voir nues les personnes de sexe féminin, précédée de scènes sexuelles avec de jeunes gouvernantes. En ce temps le caractère obsessionnel n'est pas encore établi car le moi n'est pas encore en pleine contradiction avec ce désir qu'il ne ressent pas comme étranger. Mais plus tard un affect pénible, qui se rapporte à l'idée que quelque chose d'effroyable peut survenir, accompagne le désir. Cette chose se révèle bientôt : s'il a cette envie, son père doit mourir. Ainsi une pulsion érotique et une révolte contre elle, un désir, pas encore marqué de contrainte, une appréhension qui s'y oppose et qui a déjà un caractère obsessionnel, un affect pénible et une poussée défensive, voilà *l'inventaire complet d'une névrose*, affirme Freud[1]. Ici nous ne suivrons pas plus avant le déroulement clinique proposé car ce chapitre, justement qualifié d'« extrait », défie le résumé tout comme le choix d'éléments significatifs ; nous nous limiterons aux développements sur l'ambivalence avec les fixations anales et, surtout, sur la régression de l'acte à la pensée. Ainsi, le doute « correspond à la perception de l'indécision qui s'empare du malade à chaque intention d'agir, par suite de l'inhibition de l'amour par la haine ». Une illustration en est encore donnée par les actes compulsionnels en deux temps, dont le premier est

1. « Remarques sur un cas de névrose obsessionnelle (L'homme aux rats) » (1909d), *Cinq psychanalyses*, Paris, PUF, 1954, p. 205 ; *OCF* IX, p. 136 ; *GW* VII, p. 382.

annulé par le second ; ils représentent le conflit de deux mouvements opposés et d'intensité presque égale, entre l'amour et la haine. Le sadisme n'est alors qu'une forme dégradée de l'amour. Pour l'inconscient, « je voudrais t'assassiner » signifie « je voudrais jouir de toi en amour »[1]. Ces conflits et leur expression sont déterminés par des mouvements de régression ; comme dans l'hystérie, la régression de la libido se fait vers les premiers objets sexuels, et les fantasmes sadiques ne visent que les personnes les plus aimées du sujet. Mais, contrairement à ce qui se passe dans l'hystérie, les phases de l'organisation sexuelle régressent également jusqu'au stade sadique-anal, devant le conflit œdipien. Ces régressions s'accompagnent d'un intense refoulement car les revendications de satisfaction régressives liées à l'organisation sadique-anale sont inacceptables pour le moi. Le conflit est ainsi entretenu et rend compte des symptômes. Nous reviendrons en conclusion sur les développements théoriques que permet ce texte.

Dans « La disposition à la névrose obsessionnelle »[2], à propos d'une observation complexe, de nombreuses questions sont reprises concernant notamment le **rôle des pulsions partielles érotico-anales et sadiques** dans l'opposition de l'amour et de la haine, si caractéristique de la névrose obsessionnelle. De même, l'opposition masculin/féminin est précédée par celle entre l'activité « due à la pulsion d'emprise au sens large, que nous appelons précisément sadisme quand nous la trouvons au service de la pulsion sexuelle », et le courant de la passivité, alimenté par l'érotisme anal. Le primat du sadisme et de l'érotisme anal dans cette névrose est indiscutable, mais d'autres pulsions partielles méritent l'attention, notamment la pulsion de savoir, qui « n'est au fond qu'un rejeton sublimé, intellectualisé, de la pulsion d'emprise »[3]. Le doute n'est que la récusation de cette pulsion, de savoir et d'emprise. D'autre part, il faut tenir compte, dans l'évaluation de la disposition névrotique, de la phase de développement de la

1. *Conférences d'introduction à la psychanalyse* (1916-1917), Paris, Gallimard, 1999, p. 437 ; *OCF* XIV, p. 356 ; *GW* XI, p. 356.

2. « La disposition à la névrose obsessionnelle. Une contribution au problème du choix de la névrose » (1913f), *Névrose, psychose et perversion,* Paris, PUF, 1973, p. 189-197 ; *OCF* XII, p. 85-94 ; *GW* VIII, p. 442-452.

3. *Ibidem,* p. 196 ; p. 93 ; p. 451.

libido au même titre que de celle du moi dans laquelle a lieu la fixation. Il faut considérer, bien que l'évolution des pulsions du moi soit moins connue que celle de la libido, que *le développement du moi devance dans le temps celui de la libido*. Il en résulte que les pulsions du moi sont contraintes au choix d'objet avant que la fonction sexuelle n'ait atteint sa configuration définitive, d'où une *fixation* au stade prégénital, sadique-anal.

Dans *Un souvenir d'enfance de Léonard de Vinci,* un bref aperçu est donné sur le sort de la pulsion d'investigation lorsqu'elle est soumise à l'inhibition névrotique sur un mode obsessionnel. Lorsque le développement intellectuel est suffisamment vigoureux pour résister au refoulement, quelque temps après la disparition de l'investigation sexuelle infantile, celle-ci revient de l'inconscient « sous forme de compulsion de rumination, suffisamment puissante pour sexualiser la pensée elle-même et pour imprimer aux opérations intellectuelles la marque du plaisir et de l'angoisse inhérents aux processus sexuels proprement dits »[1]. L'investigation devient ainsi une activité sexuelle, qui en exclut toute autre, mais qui reste sans conclusion – comme il en va pour l'investigation sexuelle infantile. Ceci se reproduit dans la rumination qui ne trouve pas de fin, et « la sensation de solution, que l'on recherche, s'éloigne toujours davantage ».

Le problème de la névrose obsessionnelle est élargi au **point de vue anthropologique** dans *Totem et tabou*. La prohibition du contact avec l'objet du désir ne s'applique pas seulement au contact physique direct avec l'objet, mais à tout ce qui rapproche les pensées de l'objet interdit. « Les obsédés se comportent comme si les personnes et les choses "impossibles" étaient les sources d'une dangereuse contagion, prête à s'étendre par contact à tout ce qui se trouve dans le voisinage. »[2] Le maintien de l'isolation exige un travail permanent, d'autant plus que « l'action obsédante est apparemment un acte de

1. *Un souvenir d'enfance de Léonard de Vinci* (1910c), Paris, Gallimard, 1987, p. 84 ; *OCF* X, p. 104 ; *GW* VIII, p. 147.

2. *Totem et tabou* (1912-1913a), Paris, Gallimard, 1993, p. 116 ; *OCF* XI, p. 230 ; *GW* IX, p. 37.

défense contre l'acte prohibé, mais réellement, à notre avis, une répétition de celui-ci ».

La toute-puissance des idées de l'obsessionnel[1] est proche de celle de l'homme primitif qui a recours à l'animisme et à la magie pour tenter d'expliquer « l'essence du monde ». Chez lui, la transformation libidinale de la pensée se produit de manière régressive, et c'est la répression sexuelle qui détermine une nouvelle sexualisation des processus intellectuels. Pourtant, si les actes obsessionnels primaires sont de nature proprement magique comme le sont ceux du primitif, ce ne sont pas des actes de sorcellerie mais de contre-sorcellerie, destinés à détourner le malheur auquel s'attend le malade, et qui n'est autre que la mort. Surtout, le primitif et l'obsessionnel diffèrent en ce que le premier ne connaît pas d'entrave dans l'action, que chez lui l'acte remplace l'idée, tandis que chez le névrosé l'action se trouve complètement inhibée et totalement remplacée par l'idée.

« Le refoulement »[2] dans la névrose obsessionnelle est l'objet d'une étude qui reprend l'ensemble des travaux précédents du point de vue des défenses. La question de l'ambivalence est au premier plan, à tel point que « l'on se demande d'abord ce que l'on doit tenir pour le représentant succombant au refoulement : une tendance libidinale ou une tendance hostile » ? C'est la régression qui est ici en cause, par laquelle une tendance sadique prend la place d'une tendance tendre, et c'est en fait la première qui est refoulée, tout d'abord avec succès : le contenu de la représentation est écarté et l'affect disparaît. Mais une altération du moi persiste, à titre de formation de substitut. En fait, c'est une formation réactionnelle, sous forme d'augmentation de la tendance aux scrupules, qui témoigne de la haine sous-jacente et du désir de nuire. Ici, le refoulement a réalisé un retrait de libido par une formation réactionnelle, c'est-à-dire le renforcement d'un opposé. **La formation, réactionnelle ou de substitut, coïncide fondamentalement avec le refoulement,** mais elle n'aboutit pas à la formation d'un symptôme, c'est-à-dire d'un compromis entre les deux tendances en cause :

1. *Ibidem,* p. 204-211 ; p. 295-300 ; p. 106-111.

2. « Le refoulement » (1915d), *Métapsychologie,* Paris, Gallimard, 1968, p. 61-63 ; *OCF* XIII, p. 199 ; *GW* X, p. 259.

il ne s'agit pas en effet d'un conflit entre motion pulsionnelle et défense, mais du fait de la régression, d'une même pulsion objectale qui se présente comme amour pour l'objet et dans le même temps comme haine ou impulsion sadique-anale qui doit être refoulée, transformée par une altération du moi. Ce processus ne tient pas, le refoulement par formation réactionnelle laisse persister l'ambivalence par laquelle le refoulé réussit à faire retour. L'affect revient transformé en angoisse sociale ou morale, en reproches sans merci, dont nous voyons maintenant la signification : la représentation écartée est remplacée par un **substitut de déplacement sur l'infime ou l'indifférent,** comme cela avait été remarqué dès les premières approches de la névrose obsessionnelle. En dépit des déplacements, on constate que la représentation écartée du conscient est maintenue avec obstination, et « finalement le travail du refoulement débouche sur une lutte sans succès et sans fin ».

Les *Conférences d'introduction à la psychanalyse*[1] reprennent ces divers points avec un certain nombre d'illustrations cliniques. Nous retiendrons cependant une vue d'ensemble sur la névrose qui *nous est devenue plus transparente et plus familière* que l'hystérie. Les malades sont occupés par des pensées auxquelles ils ne s'intéressent pas, des impulsions qui leur paraissent étrangères, et sont poussés à des actions dont l'exécution ne leur procure aucun plaisir, mais dont l'omission est impossible. Le patient doit, contre sa volonté, ruminer et spéculer. Les impulsions qu'il ressent peuvent lui paraître infantiles et absurdes, mais elles peuvent être effrayantes comme des tentations de crime. Cependant, elles ne sont jamais exécutées, la fuite et la précaution l'emportent toujours au prix de l'épuisement du patient. Il ne fait réellement que des actions compulsionnelles inoffensives, anodines, des répétitions ou des « ornementations cérémonieuses » qui transforment les actes banaux de la vie en des tâches longues et épuisantes. *C'est bien là une pathologie complètement folle.* C'est d'ailleurs l'avis du patient qui ne peut cependant se soustraire à ses symptômes : il ne peut que déplacer, permuter, passer d'un interdit à un autre. Le

1. *Conférences d'introduction à la psychanalyse* (1916-1917), Paris, Gallimard, 1999, p. 330-334 ; *OCF* XIV, p. 265-268 ; *GW* XI, p. 265-268.

caractère déplaçable des symptômes est en effet un des caractères principaux de la maladie, ainsi que le doute, d'où viennent l'irrésolution, le manque d'énergie, la limitation de la liberté, toujours croissants. Cela contraste avec ce qu'était à l'origine le névrosé : un caractère aux dispositions énergiques, mais aussi souvent opiniâtre, excessivement consciencieux, correct au-delà de l'habitude. (Ce tableau clinique est complété par une critique de la notion de dégénérescence dans laquelle la psychiatrie classique prétend faire entrer ces patients.)

Un chapitre de « L'homme aux loups » est consacré à la névrose obsessionnelle, qui désigne ici une période de sa névrose infantile[1]. Il s'agit d'une description des symptômes obsessionnels survenus alors que l'enfant avait quatre ans et demi. Ils sont rattachés à un combat d'ambivalence dans le thème de la religion proposé par la mère, entre les motions pulsionnelles contradictoires d'amour et d'hostilité envers le père. En réalité, cette symptomatologie obsessionnelle s'intègre dans une fixation anale complexe et un développement profondément troublé qui ne se laissent pas limiter au cadre d'une névrose obsessionnelle. Du reste, Freud note que ce serait une grande erreur de croire que, après la disparition des symptômes, vers l'âge de dix ans, il n'aurait subsisté aucun effet permanent de la névrose obsessionnelle. Il insiste notamment sur le trouble de l'activité intellectuelle, persistant après ce qui pouvait apparaître comme une victoire de la piété et de la foi sur la révolte, cette dernière étant basée sur une recherche critique. Ce processus avait pour présupposé le refoulement de la position homosexuelle qui a été ainsi soustraite aux sublimations possibles qui lui auraient notamment permis l'accès aux intérêts sociaux.

À partir de *Le moi et le ça,* le concept de pulsion de mort, introduit en 1920, modifie l'abord théorique de la névrose obsessionnelle. En effet, **le sadisme est considéré comme le représentant de cette névrose.** L'essence d'une régression de la libido à la phase sadique-anale repose sur la désunion pulsionnelle, dans la névrose obsession-

1. « Extrait de l'histoire d'une névrose infantile (L'homme aux loups) » (1918b [1914]), *Cinq psychanalyses,* Paris, PUF, 1954, p. 369-378 ; *OCF* XIII (2e éd.), p. 58-69 ; *GW* XII, p. 91-102.

nelle comme dans toute névrose grave. Mais, comme cette régression ainsi que l'ambivalence, qui résulterait plutôt d'une union qui ne s'est pas accomplie, en sont des caractères essentiels, elle constitue le modèle, avec la mélancolie dans un registre différent, des conséquences de la désunion pulsionnelle. La question est approfondie à propos du sentiment de culpabilité inconscient de l'obsessionnel, qui souffre consciemment d'un tel sentiment mais n'en reconnaît pas les causes car les impulsions hostiles et haineuses sont refoulées. On peut dire que ici *le surmoi en sait plus long que le moi sur le ça inconscient,* c'est-à-dire sur le complexe d'Œdipe[1]. Cependant, l'obsessionnel ne franchit pas la barrière du suicide ainsi que le fait le mélancolique, car l'objet chez lui est maintenu, et avec lui l'intrication pulsionnelle. Du fait de la régression, les impulsions amoureuses se transposent en impulsions d'agression contre l'objet. Certes, la pulsion de destruction a été libérée et cherche à détruire l'objet, ou du moins en donne l'impression. Mais le moi ne prend pas en lui ces tendances dont il se défend particulièrement par les formations réactionnelles. Les tendances destructrices restent dans le ça, mais le surmoi se conduit comme si le moi en était responsable. Le sérieux avec lequel le surmoi persécute les intentions destructrices montre que la régression n'est pas seule en cause dans ces faits, mais qu'il y a *un réel remplacement de l'amour par la haine*[2].

Une revue générale de la névrose obsessionnelle est proposée dans *Inhibition, symptôme et angoisse*[3]. Les symptômes sont essentiellement des mesures d'interdiction, de précaution, des pénitences, c'est-à-dire qu'ils sont de nature négative. Ils peuvent prendre aussi la signification de satisfactions substitutives, qui sont alors positives. L'interdiction même peut prendre le sens d'une satisfaction. D'une manière générale, les symptômes acquièrent la signification contraire de celle qu'ils avaient à l'origine. C'est là une manifestation de l'ambivalence si caractéristique

1. *Le moi et le ça* (1923b), *Essais de psychanalyse,* Paris, Payot, 1981, p. 264-266 ; *OCF* XVI, p. 293-295 ; *GW* XIII, p. 280-282.

2. *Ibidem,* p. 268-269 ; p. 296-297 ; p. 283-284.

3. *Inhibition, symptôme et angoisse* (1926d [1925]), Paris, PUF, 1951, p. 31-45 ; *OCF* XVII, p. 228-240 ; *GW* XIV, p. 140-153.

de la névrose, qui se manifeste typiquement dans la deuxième partie de l'enfance, après la phase de latence. En effet, le moteur de la défense est le complexe de castration, le défendu étant constitué par les diverses tendances du complexe d'Œdipe[1]. Les pulsions agressives de l'enfance sont alors réactivées et les nouvelles motions libidinales, du fait de la régression sadique-anale s'expriment sur un mode agressif. À la destruction du complexe d'Œdipe s'ajoute la dégradation régressive de la libido. **Le surmoi devient particulièrement sévère et, sur son ordre, le moi développe des formations réactionnelles qui prennent la forme du scrupule, de la pitié, de la propreté.** Ces formations ne sont que des exagérations de la formation caractérielle normale, mais elles peuvent, dans la névrose obsessionnelle et dans l'hystérie, être considérées comme des défenses au même titre que la régression et le refoulement. Une fois encore, la sévérité et la dureté du surmoi sont rapportées à la régression et à la désintrication pulsionnelle qui s'associent. Cela apparaît notamment lors de la puberté où les motions agressives de l'enfance sont réactivées. Une partie plus ou moins grande des nouvelles motions libidinales doit alors s'engager dans les voies qui ont été tracées par la régression, pour apparaître sous forme d'intentions agressives ou destructrices. *Le moi étonné se dresse contre les suggestions d'actes de cruauté et de violence, sans soupçonner que par là il combat des désirs érotiques.*

Le rôle du refoulement persiste à côté de celui de la régression, bien que la représentation obsédante accède en général à la conscience. Mais, précisément, elle est passée par le processus du refoulement et, dans la plupart des cas, la teneur de la pulsion agressive reste inconnue du moi, auquel seul un substitut déformé, pour ainsi dire évanescent, peut parvenir. Mais *le surmoi se comporte comme s'il n'y avait pas eu de refoulement,* et le moi, tout en se sachant innocent, doit ressentir un sentiment de culpabilité qu'il ne peut s'expliquer : la contradiction dans le moi prouve qu'il s'est fermé du côté du ça au moyen du refoulement, tout en restant entièrement accessible aux influences provenant du surmoi. Aussi, des techniques adjuvantes ou substitutives apparaissent et sont comme une preuve des difficultés que rencontre le refoulement. L'*annulation rétroactive* vise à effacer

1. *Ibidem,* p. 35 ; p. 232 ; p. 144.

non les conséquences d'un événement mais l'événement lui-même par une magie négative agissant par une symbolique motrice (effacer en soufflant dessus). L'*isolation*[1] consiste en ce que, après un événement désagréable, une pause est intercalée où rien ne peut survenir. L'expérience vécue n'est pas oubliée mais dépouillée de son affect et ses relations associatives sont rompues. En cherchant à empêcher ainsi associations et liaisons entre les pensées, le moi suit une des injonctions essentielles de la névrose obsessionnelle : le tabou du toucher, du contact corporel qui est le but premier de l'investissement d'objet aussi bien agressif que tendre.

QUESTIONS ET ENJEUX

« La diversité des formes sous lesquelles se manifeste la névrose obsessionnelle est si considérable que, malgré tous les efforts, on n'est pas encore parvenu à donner une synthèse cohérente de toutes ses variations », remarquait Freud[2]. On ne peut qu'esquisser ses limites ainsi qu'il le faisait dès les premiers textes, où il partait d'une sorte de contrepoint avec l'hystérie, considérée comme la névrose féminine par excellence, tandis que les névrosés obsessionnels seraient le plus souvent des hommes qui font dériver leurs inhibitions de leur combat contre leur position féminine vis-à-vis de leur père. Cependant, l'hypothèse persiste d'une strate de symptômes hystériques, formés très tôt, au niveau le plus inférieur de la névrose obsessionnelle. La question de l'étendue, et donc des limites, de la névrose obsessionnelle est récurrente ; Freud leur a d'ailleurs consacré plusieurs essais à les décrire. C'est peut-être dans les considérations théoriques qui concluent « L'homme aux rats » que la synthèse en est la plus complète[3].

1. *Ibidem,* p. 41 ; p. 236-237 ; p. 149-150.

2. *Ibidem,* p. 39 ; p. 235 ; p. 148.

3. « Remarques sur un cas de névrose obsessionnelle (L'homme aux rats) » (1909d), *Cinq psychanalyses,* Paris, PUF, 1954, p. 242-261 ; *OCF* IX, p. 191-214 ; *GW* VII, p. 439-463.

Tout d'abord, se pose la question de la *pensée compulsionnelle*, dont le caractère général vise à atténuer la netteté de la pensée et à en présenter un contenu dépourvu de sa charge affective. Phénoménologiquement, et plus précisément à propos de ce que Freud nomme des « délires »[1], il y a un mélange de deux modes de pensée : d'une part les idées de défense, d'autre part les prémisses de la compulsion qu'elles devaient combattre. Les rêves peuvent apporter le texte d'un commandement compulsionnel sous forme de phrases énoncées, alors que pendant la veille il n'est communiqué que sous une forme méconnaissable. Les techniques du rêve sont largement utilisées dans la pensée compulsionnelle : outre les déplacements, notamment sur l'insignifiant, la déformation elliptique et l'omission sont largement utilisées, sur le modèle du mot d'esprit.

L'incertitude et le doute sont essentiels dans la vie de l'obsédé. L'incertitude l'oblige à se retirer de la réalité et à s'isoler du monde extérieur, le doute lui évite également d'avoir à prendre une décision. Son intérêt se porte sur les sujets soumis pour tous au doute, soit avant tout la paternité, la durée de la vie, la survie après la mort, la mémoire…

La *toute-puissance de la pensée* et des sentiments, commune à la plupart des obsessionnels, peut elle aussi faire penser à un délire, idée que Freud écarte cependant : lorsqu'il s'agit, comme c'est le cas le plus fréquent, de pensées concernant la mort d'un proche, le patient surestime l'effet de ses sentiments hostiles parce qu'il ignore consciemment une bonne part de l'action psychique interne de ces sentiments ; ce sont justement eux qui produisent les *obsessions dont il ne comprend pas l'origine et contre lesquelles il se défend sans succès*.

Le *conflit de la haine et de l'amour*, avec l'ambivalence, sont des caractères les plus constants de la névrose obsessionnelle. Dans cette coexistence chronique de l'amour et de la haine envers une même personne, l'amour n'éteint pas la haine mais la refoule, ce qui lui permet de persister et même de croître inconsciemment. La séparation de ces contraires à l'âge « préhistorique » de l'enfance en est la condition ; le résultat en est une incapacité de décision dans toutes les actions dont le motif est amoureux, mais s'étend de là à toute l'activité. Ainsi se constitue « l'empire du doute et de la compulsion »,

1. *Ibidem*.

doute qui est au fond un *doute de l'amour* qui se répand sur tout le reste et se déplace volontiers sur l'insignifiant. Il est à l'origine de toutes les mesures de protection, de répétition qui cherchent à faire cesser l'incertitude. Mais celle-ci atteint les mesures de protection elles-mêmes, car si l'impulsion d'amour se manifeste à l'abri d'un acte insignifiant, l'impulsion hostile l'y suit et l'annule.

Non moins importante est ce que l'on peut considérer comme une *régression de l'acte à la pensée* : « Grâce à une sorte de régression, les actes préparatoires remplacent les décisions définitives, la pensée se substitue à l'action, et une pensée en tant que stade préliminaire à l'acte se fait jour avec une force compulsive à la place de l'acte substitutif. »[1] Cette régression est favorisée par un autre facteur : il arrive très souvent que la pulsion sexuelle de voir et de savoir se développe et soit refoulée très précocement. « Ce rapport de la pulsion de savoir au processus de penser rend celle-ci particulièrement apte à capter l'énergie qui s'efforce vainement de se frayer une voie jusqu'à un acte, pour l'attirer vers le penser, où s'offre la possibilité d'une autre satisfaction pleine de plaisir. » Les processus de pensée dans la névrose obsessionnelle prennent dès lors une signification sexuelle, régressive. On ne peut qu'en rapprocher l'apparition et le refoulement précoces du voyeurisme et de la curiosité sexuelle. Lorsque les pulsions de curiosité sexuelle prévalent, la *rumination mentale* devient le symptôme principal : le plaisir sexuel attendu de la curiosité ou du voyeurisme – c'est-à-dire des contenus de la pensée – se dirige sur l'acte de penser lui-même qui devient l'origine d'une satisfaction sexuelle. Grâce à la pulsion à connaître, les actes de penser préparatoires continuent à remplacer l'acte. Ainsi s'expliquent l'importance et le plaisir liés au caractère compulsionnel des manifestations de la névrose : les processus représentatifs qui s'effectuent d'ordinaire avec une énergie qui n'est destinée qu'à l'action, l'utilisent par suite d'une régression dans l'exercice même de la pensée. Ces processus, au lieu de permettre une dépense d'énergie moindre que celle qu'exigent les actes, l'utilisent dans leur fonctionnement compulsionnel.

En conclusion, Freud rapporte l'impression que lui donnait l'homme aux rats. Il serait scindé en trois personnalités : une inconsciente et deux préconscientes, entre lesquelles oscillait son conscient. « Son inconscient englobait des tendances précocement refoulées, que

1. *Ibidem*, p. 258 ; p. 211 ; p. 460.

l'on pourrait appeler ses passions et ses mauvais penchants. À l'état normal il était bon, aimait la vie, était intelligent, fin et cultivé ; mais dans une troisième organisation psychique, il se révélait superstitieux et ascétique, de sorte qu'il pouvait avoir deux opinions sur le même sujet et deux conceptions de la vie différentes. Cette dernière personnalité préconsciente contenait en majeure partie des formations réactionnelles à des désirs inconscients, et il était facile de prévoir que, si sa maladie avait duré plus longtemps, cette personnalité-là aurait absorbé la personnalité normale. »[1] Le clivage décrit n'est pas développé davantage, mais on ne peut que penser à celui qui est décrit, quelques années plus tard chez « L'homme aux loups », à propos de la castration : après avoir résisté, il avait reconnu la castration comme un fait réel, mais les deux courants contraires existaient en lui côte à côte, dont l'un refusait la castration et l'autre était prêt à l'accepter en se consolant grâce au substitut offert par la féminité[2]. Mais le troisième courant, le plus ancien et le plus profond, qui avait tout simplement rejeté la castration, demeurait capable d'entrer en activité.

Ces deux cas cliniques, présentés comme typiques de la névrose obsessionnelle, sont ainsi l'un et l'autre des occasions de montrer l'existence de *clivage*, avant même que la notion en soit conceptualisée. Nous pourrions encore ajouter que l'homme aux rats croit à la mort de son père et la dénie, ou du moins en ébauche le déni, tout comme le patient obsessionnel cité dans « Le fétichisme » dénie la mort de son père et la reconnaît dans le même moment[3]. Tout cela nous ramène encore à la question des limites incertaines de la névrose obsessionnelle, tant du côté de la perversion que de la psychose.

Pierre CHAUVEL

1. *Ibidem.*

2. « Extrait de l'histoire d'une névrose infantile (L'homme aux loups) » (1918b [1914]), *Cinq Psychanalyses,* Paris, PUF, 1954, p. 389 ; *OCF* XIII (2e éd.), p. 82-83 ; *GW* XII, p. 117.

3. « Le fétichisme » (1927e), *La vie sexuelle,* Paris, PUF, 1969, p. 137 ; *OCF* XVIII, p. 129-130 ; *GW* XIV, p. 316.

NÉVROSES et CHOIX DE LA NÉVROSE

all. : ***Neurosenwahl.*** – angl. : *choice of neurosis.* – esp. : *elección de la neurosis.* – ital. : *scelta della nevrosi.* – port. : *escolha da neurose*

Le « choix de la névrose » renvoie tant à l'identification des facteurs qui déterminent la forme clinique particulière prise par une affection « névrotique », qu'à celle des mécanismes alors engagés par un individu. Plus que de « différentes névroses », Freud parle des « formes » qu'elles peuvent prendre en fonction de l'évolution, dans un respect absolu de l'unicité du psychisme.

La question du « choix de la névrose » suppose l'identification, fût-elle approximative, des différentes « névroses » pouvant être concernées par ce « choix » ; la nosographie ayant varié selon les époques et les pays, des incertitudes peuvent apparaître, un siècle plus tard, à la lecture de textes ainsi « datés ». Freud reprend, pour l'essentiel, la terminologie en usage en Allemagne en son temps, apportant à l'occasion quelques propositions d'aménagements. En fait, il se préoccupait beaucoup plus des causes des névroses que de leur classification – d'autant qu'il constate très vite que les intrications entre les diverses affections, tant dans le temps que dans l'espace sémiologique, rendent assez approximatives les nosologies ; de ce fait, celles-ci perdent, à ses yeux, beaucoup de leur intérêt. Il n'en demeure pas moins que le lecteur d'aujourd'hui des textes freudiens doit connaître le sens qu'avaient alors les termes psychiatriques alors utilisés, plus ou moins différents (parfois beaucoup, comme avec la notion même de névrose) de ceux en usage aujourd'hui. C'est pourquoi nous commençons ce chapitre par une introduction sur Les différentes névroses, examinant la terminologie psychiatrique reprise par Freud, et repérant les diverses entités évoquées. Nous le poursuivrons en traitant du choix de la névrose, qui constitue le thème véritablement freudien.

I – LES DIFFÉRENTES NÉVROSES

MISE EN SITUATION

La question du « choix de la névrose » conduisit Freud à se préoccuper très tôt d'identifier les différentes névroses ; il revient régulièrement sur ce « choix », s'agaçant de ne pas trouver LA *réponse. Mais pour poser la question du choix d'une névrose parmi d'autres, encore faut-il savoir de quelles névroses il s'agit : quelles sont les différentes « affections » pouvant être considérées comme névrotiques ? Le problème occupait beaucoup les psychiatres en cette fin du* XIX*e siècle où Freud commence à s'intéresser sérieusement à la psychopathologie. Il est plus particulièrement débattu en Allemagne (avec surtout Émile Kraepelin et quelques autres, puis Eugen Bleuler), ainsi qu'en France (Valentin Magnan, Gaëtan Gatian de Clérambault, Capgras par exemple, suivis de Pierre Janet, Henri Claude et d'autres), discussions qui vont se poursuivre au début du* XX*e siècle. C'est l'époque de la psychiatrie dite « classique », qui accomplit un important travail de mise en ordre nosographique et de description sémiologique, d'ailleurs toujours recommencé, au risque de se perdre (jusqu'aux* Manuels diagnostiques et statistiques des troubles mentaux *[DSM]).*

C'est dans ce cadre que, dès 1895, Freud cherche des repères dans ce qui apparaît plutôt disparate. Il commence ainsi par individualiser une « névrose d'angoisse » face aux « neurasthénies », afin de mieux pouvoir opposer ces « névroses actuelles » aux « psychonévroses » ; il sera ainsi amené à spécifier les différentes « névroses », ce terme désignant alors toutes les affections touchant le fonctionnement du système nerveux sans base organique connue (dont les psychoses, donc). Il entreprend de reconnaître leur psychogenèse, dans laquelle il découvre l'importance déterminante des facteurs sexuels. Il s'interroge alors pour savoir ce qui peut faire que quelqu'un aura telle ou telle névrose : c'est ce qu'il appelle le choix de la névrose – même si, dans la clinique, celles-ci s'intriquent, le plus souvent, en « névroses mixtes ».

C'est pourquoi nous commençons cette étude en référant les diverses entités nosographiques telles que Freud les reconnaissait, avec le souci de préciser sa terminologie – même si, pour l'essentiel, il se borne à reprendre celle de la psychiatrie allemande contemporaine.

Nous pensons surtout devoir, à cette occasion, préciser le sens de deux termes (névroses et psychonévroses), dont Freud usait couramment mais en leur attribuant des acceptions particulières, voire innovantes, qui risquent de conduire le lecteur d'aujourd'hui à quelques erreurs d'interprétation, au risque du faux-sens, voire du contre-sens.

— Les névroses, *au début de l'élaboration freudienne, désignent toutes les affections fonctionnelles sans bases organiques affectant le système nerveux. C'est donc un terme à portée très générale, dont le sens est bien différent de celui qu'il prendra ensuite pour s'opposer aux psychoses, psychoses qui ne sont au départ que des formes particulières de névroses (l'étymologie même en témoigne puisque le mot* « psychosis », *apparu en allemand au milieu du* XIXe *siècle, est une contamination de* psyché *par* neuros, *avéré près d'un siècle plus tôt). Au fil de l'œuvre, Freud suit l'évolution de la sémantique des termes, jusqu'à en venir à une terminologie « moderne »* [1].

— Les psychonévroses *correspondent à une catégorie de névroses qualifiée par ce néologisme freudien dans lequel le préfixe* psycho- *ne réfère en aucune façon la psychose, mais la psyché elle-même (comme dans psycho-analyse). C'est en effet par là qu'elles s'opposent aux névroses actuelles dans lesquelles la cause est événementielle – ceci explique qu'elles comprennent aussi bien les névroses de transfert que les névroses narcissiques (les psychoses d'aujourd'hui).*

LE TEXTE FREUDIEN

Freud a recueilli l'héritage d'Émile Kraepelin, utilisant sa nosographie et sa terminologie clinique. À proprement parler, **il n'y a pas de nosologie freudienne,** les termes dont il use en psychopathologie étant, pour l'essentiel, ceux de la psychiatrie – apportant, ici ou là,

1. Cf., par exemple : « Névrose et psychose » (1924b), *Névrose, psychose et perversion,* Paris, PUF, 1973 ; *OCF* XVII ; *GW* XIII.

quelque touche personnelle suscitée par l'approche psychanalytique (ainsi pour la névrose d'angoisse ou les paraphrénies). C'est qu'en effet, « en tant que science, la psychanalyse n'est pas caractérisée par la matière qu'elle traite, mais par la technique avec laquelle elle travaille » [1]. Il n'y a donc pas lieu de se soucier de définir la « matière » psychiatrique et les entités nosographiques, mais de s'attacher tant aux facteurs qui les suscitent qu'aux mécanismes qu'ils mettent en œuvre, donc à la façon de les reconnaître. C'est ainsi qu'en 1909, Freud est amené à signifier à ses collègues viennois qu'ils peuvent se dispenser de rechercher l'unité des névroses parce qu'elle est connue depuis longtemps : « Les névroses sont des formations substitutives de la libido refoulée, leurs différences tenant aux différents mécanismes du refoulement et du retour du refoulé. » La forme de maladie est choisie plus tard, en fonction du stade de développement des pulsions sexuelles et de l'état du moi au moment de la survenue du trouble [2]. Ce qu'il confirmera presque vingt ans plus tard en redisant que, puisque les névroses correspondent à des inhibitions de développement de la libido, « **il n'existe pas de causes spécifique de l'affection névrotique** » ; l'issue des conflits (santé ou inhibition névrotique) dépend des rapports quantitatifs [3].

Pourtant, ne serait-ce que par commodités cliniques, et même thérapeutiques, il est **souhaitable de pouvoir se repérer entre ces différentes « formes » névrotiques.** Pour ce faire, Freud commence par dresser une opposition entre :

— Les *névroses actuelles* (neurasthénie, névrose d'angoisse et hypocondrie) dont les symptômes sont pris dans le corps, provoqués par un trouble actuel de la sexualité conscient, dépourvus de signification psychique, et relèvent donc de la recherche biomédicale et d'une approche thérapeutique non spécifiquement psychanalytique. « Com-

1. *Conférences d'introduction à la psychanalyse* (1916-1917), Paris, Gallimard, 1999, p. 492 ; *OCF* XIV, p. 402 ; *GW* XI, p. 403-404.

2. *Les premiers psychanalystes (minutes de la Société psychanalytique de Vienne)* (1978a), Paris, Gallimard, 1978, t. II (1908-1910), p. 264 (séance du 2 juin 1909). Et *Ibidem*, t. III (1910-1911), p. 43 (séance du 26 octobre 1910).

3. « Psycho-Analysis » (1926f), *Résultats, idées, problèmes, II,* Paris, PUF, 1984, p. 157-158 ; *OCF* XVII, p. 294 ; *GW* XIV, p. 304.

munes », pain quotidien des consultations des généralistes mais aussi des psychiatres, elles ne concernent la psychanalyse que dans la mesure où elles sont une voie d'entrée possible, et d'ailleurs fréquente, à une psychonévrose.

— Les *psychonévroses* (névroses de transfert et névroses narcissiques) sont endopsychiques, provoquées par un conflit infantile inconscient lié à la sexualité. Parmi elles, les *névroses de transfert* (hystérie d'angoisse, hystérie de conversion et névrose obsessionnelle) se reconnaissent à ce que la libido qui y œuvre se trouve des objets, ce qui les rend accessibles au traitement psychanalytique. Pour leur part, les *névroses narcissiques* (psychose maniaco-dépressive, paranoïa, paraphrénie) se caractérisent par un retrait de la libido sur le moi qui rend difficile (voire impossible) le transfert, et donc la cure psychanalytique. Se référant à Émile Kraepelin pour la paranoïa (tenant compte de ses révisions de 1909), et à Bleuler pour la schizophrénie, Freud confirme l'étroite parenté des deux affections, tout en indiquant que la théorie de la libido permet de les distinguer. Il propose, en ce moment de sa réflexion, de donner à la démence précoce le nom de *paraphrénie,* terme générique évoquant la proximité tant avec la paranoïa qu'avec l'hébéphrénie (on note que le titre de son étude sur le « Président Schreber », écrite en 1910, mentionne qu'il s'agit d'« un cas de paranoïa *(dementia paranoides)* »)[1].

Toujours avec le même souci de clarification, en 1924 et s'appuyant sur la nouvelle topique, il se sent en mesure de proposer une formule simple, mais des plus importantes, permettant de différencier génétiquement la névrose de la psychose : « *La névrose serait le résultat d'un conflit entre le moi et son ça, la psychose l'issue analogue d'un trouble équivalent dans les relations entre le moi et le monde extérieur.* » Il demeure pourtant réservé en estimant que, si cette formule se vérifiait *grosso modo,* il serait déjà satisfait. Mais, qu'il s'agisse des unes ou des autres, la cause ultime en est toujours le « non-accomplissement d'un désir infantile », demeuré indompté tant il est enraciné

1. « Remarques psychanalytiques sur l'autobiographie d'un cas de paranoïa *(dementia paranoides)* (Le Président Schreber) » (1911c [1910]), *Cinq psychanalyses,* Paris, PUF, 1954, p. 307-308 et 318-319 ; *OCF* X, p. 284-285 et 298 ; *GW* VIII, p. 298-299 et 312.

profondément, jusque dans la phylogenèse. L'effet pathogène varie selon que le moi respecte sa dépendance vis-à-vis de l'extérieur et tente de bâillonner le ça, ou qu'il se laisse dominer par le ça et se voit ainsi arraché à la réalité. La nécessité de prendre en compte le surmoi conduit à définir les affections en fonction d'un conflit mettant en jeu le moi et le surmoi : ainsi de la mélancolie qui en serait un cas exemplaire et mériterait pleinement le nom de « psychonévrose narcissique », se séparant alors des « autres psychoses ». La « formule génétique » se trouve ainsi perfectionnée. « **La névrose de transfert correspond au conflit entre le moi et le ça, la névrose narcissique au conflit entre le moi et le surmoi, la psychose au conflit entre le moi et le monde extérieur.** » S'il est clair que tout relève de conflits entre le moi et les autres instances, il reste à comprendre comment le moi peut parvenir à échapper à ces conflits omniprésents ; l'issue est sans aucun doute économique (grandeur relative de chacune des tendances en lutte), mais le moi peut aussi éviter la rupture en se déformant, voire en se clivant ou se morcelant[1].

On le voit, les intuitions des débuts se sont confirmées : il n'y a qu'une seule étiologie à toutes les névroses (au premier sens totalisant du terme), et il s'agit d'un conflit relevant d'un désir infantile, sexuel, insatisfait ; ensuite, la variété des formes dépend des conditions économiques, la nouvelle métapsychologie des instances permettant de les clarifier.

QUESTIONS ET ENJEUX

Puisque, en ouvrant ce chapitre sur les « différentes névroses », notre unique intention était de permettre au lecteur de se repérer dans leurs désignations par Freud, nous ne saurions y trouver d'occasions pertinentes de discuter d'éventuels questions et enjeux. Remarquons

1. « Névrose et psychose » (1924b), *Névrose, psychose et perversion,* Paris, PUF, 1973, p. 283-286 ; *OCF* XVII, p. 3-7 ; *GW* XIII, p. 387-391.

seulement que, lorsqu'il nomme les névroses, Freud se borne à suivre l'actualité terminologique.

Il est pourtant un point qui pourrait faire problème : lorsqu'il réfère les différentes névroses, que ce soit comme névroses actuelles ou psychonévroses, il ne cite jamais les *perversions*. La raison en est qu'avec elles nous avons affaire à une différence, que l'on pourrait presque qualifier de qualitative : les névroses (et leurs symptômes) ne naissent jamais de la pulsion sexuelle « normale », mais sont l'expression convertie de pulsions qui apparaîtraient *perverses* (au sens large) si elles s'exprimaient directement (en restant conscientes) à travers des actes ou des fantasmes – « les symptômes se forment donc en partie aux dépens d'une sexualité *anormale ; la névrose est pour ainsi dire le négatif de la perversion* », comme une image inversée par les inhibitions de la pulsion. En fait, les perversions sont directement ancrées dans le « normal », et c'est pourquoi on les retrouve comme forces inconscientes qui se trahissent dans la formation des symptômes ; elles sont « la prédisposition originelle et universelle de la pulsion sexuelle humaine », celle-là même que la maturation devra inhiber, souvent au prix du symptôme[1]. Les perversions n'ont donc pas leur place parmi les névroses, aussi « différentes » apparaissent-elles.

II – LE CHOIX DE LA NÉVROSE

MISE EN SITUATION

À la fin du XIX*e siècle et dans les débuts du* XX*e, la médecine des maladies mentales éprouve un impérieux besoin d'une mise en ordre, qui est d'abord nosographique. C'est donc tout naturellement que les jeunes psychiatres (c'est à cette époque que le terme commence à relayer celui d'aliéniste) s'engagent dans une réflexion qui privilégie l'étude des « névroses » (et plus particulièrement de celles qui spécifieront ce terme vingt ans plus tard). Au premier rang d'entre eux se*

1. *Trois essais sur la théorie sexuelle* (1905d), Paris, Gallimard, 1987, p. 80 et 179-180 ; *OCF* VI, p. 99 et 169-170 ; *GW* V, p. 65 et 132-133.

trouvent deux élèves de Jean-Martin Charcot : le Français Pierre Janet et l'Allemand Sigmund Freud ; leur premier thème de réflexion, qui est de comprendre pourquoi un individu est atteint de telle affection plutôt que de telle autre, leur est commun, mais ils prennent des voies divergentes, qui vont les conduire à s'opposer avec animosité. Dès 1896, Freud « cherche impétueusement à forcer la citadelle »[1]*, mais connaît très vite bien des déconvenues ; régulièrement il pense « avoir quelque chose de très joli entre les mains, la solution au problème du choix de la névrose, [...] mais cela m'a de nouveau glissé des mains, comme une fois déjà il y a des années. Mais une fois je le rattraperai »*[2]*. Ce ne sera pas si facile...*

LE TEXTE FREUDIEN

Dès 1896, la correspondance avec Wilhelm Fliess met en évidence l'intérêt que Freud porte au « choix de la névrose », en cherchant l'explication dans les stades d'évolution[3]. Alors qu'il vient d'achever *L'interprétation des rêves* – où il affirme que seules les motions de désir sexuelles infantiles refoulées lors du développement peuvent fournir les forces pulsionnelles requises pour former les symptômes[4] –, il lui explique combien le choix des névroses le préoccupe : « **Dans quelles circonstances une personne devient-elle hystérique, au lieu de devenir paranoïaque ?** » Se reprochant sa précédente impétuosité, qui

1. *La naissance de la psychanalyse. Lettres à Wilhelm Fliess. Notes et plans (1887-1902)* (1950a [1887-1902]), Paris, PUF, 1956 (lettres du 9 décembre 1899, p. 270). Et *Lettres à Wilhelm Fliess* (éd. complète), Paris, PUF, 2006.

2. *Correspondance Sigmund Freud-Carl Gustav Jung* (1975a [1906-1914]), Paris, Gallimard, 1975, vol. I (lettre du 25 janvier 1908, p. 173).

3. *La naissance de la psychanalyse. Lettres à Wilhelm Fliess. Notes et plans (1887-1902)* (1950a [1887-1902]), Paris, PUF, 1956 (lettres des : 20 mai 1896, p. 146 ; 6 décembre 1896, p. 158 ; 24 janvier 1897, p. 168 ; 14 novembre 1897, p. 207. Et *Lettres à Wilhelm Fliess* (éd. complète), Paris, PUF, 2006.

4. *L'interprétation des rêves* (1900a), Paris, PUF, 1967, p. 515 ; *OCF* IV, p. 661 ; *GW* II-III, p. 611.

lui avait fait croire que tout était fonction de l'âge auquel s'était produit un traumatisme, évoquant son renoncement puis l'abstention perplexe qui s'ensuivit, il pense trouver une réponse avec la théorie de la sexualité infantile : alors que l'hystérie et la névrose obsessionnelle sont allo-érotiques, la paranoïa serait « la poussée d'un courant auto-érotique, comme un retour à la situation de jadis », ses rapports avec le « moi » primitif éclairant son caractère – mais « c'est ici que le fil se rompt à nouveau »[1].

Il laisse alors la question en suspens, manifestant à l'occasion qu'elle continue de le préoccuper[2]. Sans l'aborder nommément, il y apporte des réponses en 1905, dans les *Trois essais sur la théorie sexuelle,* avec l'introduction du couple *régression-fixation,* essentiel à la théorie analytique. En s'appuyant sur ce « facteur psychique d'origine inconnue » qu'est la capacité de fixation du psychisme, des activations accidentelles de la sexualité infantile (séductions) fournissent le matériel qui « peut être fixé sous la forme d'un trouble durable ». Ainsi vont être déterminées les déviations ultérieures de la sexualité et les névroses dont, pour une large part, **la formation se partage entre constitution et activation fortuite externe de la pulsion sexuelle par une influence externe**[3].

C'est maintenant à Carl Gustav Jung que, dans ses lettres, il fait état de l'avancement de ses réflexions sur le choix de la névrose « qui le préoccupe vivement ». Périodiquement, il pense tenir quelque chose, mais cela lui échappe régulièrement – pourtant, il y tient, et il persévère. Il pense arriver enfin à un début d'hypothèse qui se tient. Il reprend l'idée de « **faire remonter les névroses à des troubles dans le développement des destins de la libido** », estimant que l'hystérie est due à des troubles des composantes érogènes, et la névrose

1. *La naissance de la psychanalyse. Lettres à Wilhelm Fliess. Notes et plans (1887-1902)* (1950a [1887-1902]), Paris, PUF, 1956 (lettre du 9 décembre 1899, p. 270).

2. Ainsi dans : *Trois essais sur la théorie sexuelle* (1905d), Paris, Gallimard, 1987, p. 87-88 ; *OCF* VI, p. 104 ; *GW* V, p. 70 ; et « Mes vues sur le rôle de la sexualité dans l'étiologie des névroses » (1906a), *Résultats, idées, problèmes, I,* Paris, PUF, 1984, p. 117-118 ; *OCF* VI, p. 314 ; *GW* V, p. 155.

3. *Trois essais sur la théorie sexuelle* (1905d), Paris, Gallimard, 1987, p. 194-196 ; *OCF* VI, p. 180-181 ; *GW* V, p. 144-145.

obsessionnelle à ces mêmes troubles dans les composantes d'objet (originairement d'« étayage ») ; elle s'avère dépendre de la pulsion de regarder et de savoir d'une part, de celle d'emprise d'autre part – or ces composantes de la pulsion sexuelle sont les seules à ne pas être autoérotiques, mais « dirigées d'emblée vers un objet » alors que, pour sa part, l'hystérie est attachée aux zones érogènes. La paranoïa, elle, proviendrait d'un défaut dans le passage de l'autoérotisme à l'amour d'objet, l'hystérie et la névrose obsessionnelle proviendraient de défauts dans la formation primaire de l'appareil génital. Mais Freud se sent alors « trop émoussé pour mener ces points de vue jusqu'au bout » [1].

La réflexion progresse mais ne semble pas encore le satisfaire puisque durant toute cette période, en dépit d'un intérêt explicité, il ne publie aucun texte évoquant la question, fût-ce en passant. Nous pouvons cependant en suivre la progression au travers de ce qu'il en dit aux autres analystes, dans sa correspondance (comme nous venons de le voir) et dans les discussions lors des réunions scientifiques. Ainsi, devant la Société psychanalytique de Vienne, il rappelle les principes qui le guident dans cette recherche : **toutes les névroses et psychoses ont la même étiologie,** ce sont les mêmes troubles des mêmes pulsions qui les provoquent ; leur diversité tient aux différences des mécanismes mis en œuvre, mais il lui faut bien reconnaître que toutes ses « tentatives d'expliquer le choix de la névrose ont échoué jusqu'à présent » en raison du grand nombre de facteurs à prendre en considération. Le stade de développement atteint est sans doute le facteur essentiel ; les différentes névroses se relaient et se développent les unes en fonction des autres mais, si au cours de l'analyse d'une névrose obsessionnelle on retrouve fréquemment certaines formes d'hystérie (ce qui suppose son antériorité), on ne sait que faire des cas où, à une névrose obsessionnelle, succède six mois plus tard une hystérie, ou de ceux (fréquents mais rarement étudiés) où apparaît graduellement une démence sur une hystérie, ou encore de ceux où une hystérique devient soudain paranoïaque... Pourtant, l'unité

1. *Correspondance Sigmund Freud-Carl Gustav Jung* (1975a [1906-1914]), Paris, Gallimard, 1975, vol. I (lettres du : 1er janvier 1907, p. 63 ; 25 janvier 1908, p. 173 ; 3 mars 1908, p. 191-192).

des névroses est connue depuis longtemps ; ce sont toutes des « formations substitutives de la libido refoulée » dont les différences tiennent à celles des mécanismes du refoulement et du retour du refoulé, c'est dire que **la disposition au choix de la névrose tient aux destins de la libido**[1]. L'année suivante, partant du constat que les pulsions sexuelles résistent plus longuement au principe de réalité que les pulsions du moi, Freud avance l'idée que cela doit avoir affaire avec le choix de la névrose ; **la forme de maladie choisie ultérieurement dépendrait du stade du développement des pulsions sexuelles au moment de la survenue du premier refoulement**[2].

À l'occasion de son étude sur le cas du « Président Schreber », en 1911, il reprend la notion de *fixation,* qui avait été introduite en 1905 : il y a autant de points de fixation que de stades libidinaux, et donc autant de mécanismes du refoulement et de formation de symptômes, ce qui « effleure le problème du choix de la névrose », auquel il est encore trop tôt pour s'attaquer[3]. On doit penser que chaque stade du développement, qui va de l'autoérotisme à l'amour d'objet, peut devenir le siège d'une prédisposition névrotique, en déterminant ainsi la forme, c'est-à-dire le choix de la névrose[4].

Afin de préciser « La disposition à la névrose obsessionnelle », en 1913, Freud commence par constater, une fois de plus, que la psychanalyse doit savoir « pourquoi et comment un être humain peut succomber à une névrose » mais, pour y répondre, sans doute faudrait-il déjà « savoir pourquoi telle ou telle personne ne doit succomber qu'à une névrose déterminée et à aucune autre » – et nous

1. *Les premiers psychanalystes (minutes de la Société psychanalytique de Vienne)* (1978a), Paris, Gallimard, 1978, t. II (1908-1910), p. 180 (séance du 24 mars 1909), et p. 263-264 (séance du 2 juin 1909).

2. *Ibidem,* Paris, Gallimard, 1979, t. III (1910-1911), p. 43 (séance du 26 octobre 1910).

3. « Remarques psychanalytiques sur l'autobiographie d'un cas de paranoïa *(dementia paranoides)* (Le Président Schreber) » (1911c [1910]), *Cinq psychanalyses,* Paris, PUF, 1954, p. 312 ; *OCF* X, p. 290 ; *GW* VIII, p. 305.

4. « Formulations sur les deux principes du cours des événements psychiques » (1911b), *Résultats, idées, problèmes, I,* Paris, PUF, 1984, p. 141 ; *OCF* XI, p. 19 ; *GW* VIII, p. 237.

retrouvons la question du choix de la névrose. Pour y répondre, il convient de repartir de ce que nous savons, d'un point de vue général : **il y a des causes constitutionnelles et des causes accidentelles, mais le choix de la névrose dépend, sans exception, des premières, il est indépendant des expériences vécues.** Ces dispositions – qui relèvent de la fonction sexuelle, mais aussi de diverses fonctions du moi – doivent passer par un développement long et compliqué, difficile, au risque de provoquer un « point de fixation » à un stade antérieur, auquel la fonction pourra ensuite régresser à l'occasion d'un trouble externe : « Nos dispositions sont donc des inhibitions du développement. » Si ceci semble assuré, nous n'en ignorons pas moins quels facteurs peuvent provoquer ces troubles du développement ; « le travail psychanalytique se démet et abandonne le problème à la recherche biologique ». Alors, le problème du choix de la névrose ? Disons que les paraphrénies, qui apparaissent fort tard, remonteraient à des inhibitions et des fixations très anciennes, alors qu'hystérie et névrose obsessionnelle, dont la formation de symptômes a lieu très tôt, se situeraient dans les phases les plus récentes du développement de la libido[1]. En 1915, un paragraphe rajouté aux *Trois essais sur la théorie sexuelle* vient souligner la difficulté qu'il y a à estimer la part des facteurs constitutionnels (que la théorie tend à surestimer) et des facteurs accidentels (sur lesquels insiste la pratique) ; il existe entre eux « **un rapport de coopération et non d'exclusion** », et on peut se représenter les choses sous la forme d'une « série complémentaire »[2].

Dix ans vont passer avant que le problème soit de nouveau abordé, la question devenant alors plutôt de savoir comment peut-on ne pas être fou ? « Comment le moi peut-il réussir à échapper aux conflits omniprésents sans tomber dans la maladie » ? Sans aucun doute, cela dépend de la grandeur relative de chacune des tendances en conflit mais, dans ce cadre économique, on peut imaginer que le

1. « La disposition à la névrose obsessionnelle. Une contribution au problème du choix de la névrose » (1913f), *Névrose, psychose et perversion*, Paris, PUF, 1973, p. 189-191 ; *OCF* XII, p. 85-87 ; *GW* VIII, p. 442-444.

2. *Trois essais sur la théorie sexuelle* (1905d), Paris, Gallimard, 1987, p. 191-192 ; *OCF* VI, p. 178 ; *GW* V, p. 141.

moi pourrait éviter la rupture « en se déformant lui-même, en acceptant de faire amende de son unité, éventuellement même en se crevassant ou en se morcelant » [1] (nous voilà ainsi très proche du clivage, qui ne sera conceptualisé que presque quinze ans plus tard).

Un point demeure assuré : ce sont les fixations libidinales infantiles qui décident du choix névrotique ultérieur ; les névroses sont des inhibitions de développement de la libido, aussi « **il n'existe pas de causes spécifique de l'affection névrotique** », l'issue des conflits dépendant des rapports quantitatifs [2]. Ce sera redit en 1938 dans le dernier texte, l'*Abrégé de psychanalyse,* qui ajoutera seulement qu'il serait vain de rechercher aux névroses des agents pathogènes ; non seulement il n'y a pas de solutions de continuité entre elles et l'état dit normal, mais dans tout état dit normal on peut déceler, fût-ce a minima, quelques traits névrotique. « La cause déterminante de toutes les formes du psychisme humain doit être recherchée dans l'action réciproque des prédispositions innées et des événements accidentels. » [3]

QUESTIONS ET ENJEUX

Le « choix » impliqué par le choix de la névrose (on le retrouve dans le « choix d'objet ») est un terme, élu par Freud et qui lui est propre, qui peut surprendre – d'autant qu'il peut apparaître comme une provocation dans la mesure où, à une première lecture, il tend à suggérer l'idée d'une sélection entre différentes possibilités. Or la psychanalyse freudienne se veut rigoureusement déterministe. En fait, ce « choix » d'une névrose est d'abord un « agir » psychique, une action de l'individu : quelqu'un se trouve contraint de « choisir » ce qui découle de sa constitution, de son hérédité, de son histoire personnelle et des accidents de la

1. « Névrose et psychose » (1924b), *Névrose, psychose et perversion,* Paris, PUF, 1973, p. 286 ; *OCF* XVII, p. 7 ; *GW* XIII, p. 391.

2. « Psycho-Analysis » (1926f), *Résultats, idées, problèmes, II,* Paris, PUF, 1984, p. 157-158 ; *OCF* XVII, p. 294 ; *GW* XIV, p. 304.

3. *Abrégé de psychanalyse* (1940a [1938]), Paris, PUF, 1967, p. 53 ; *OCF* XX, p. 278 ; *GW* XVII, p. 110.

vie, de ses rapports à la réalité et à son milieu, etc. En nous indiquant qu'à l'origine du choix de la névrose se trouvent, « sans exception », des causes constitutionnelles, Freud nous laisse avec le sentiment que ce pourrait bien être la névrose qui nous choisit... Quoi qu'il en soit, cette multiplicité de facteurs, qui recouvre de fait toute la vie psychique, explique les grandes difficultés qu'il a rencontrées, ne serait-ce déjà que pour cerner le sujet ; non seulement la problématique est multifactorielle, mais elle dépend d'un développement long et compliqué – surtout, comment peut-on espérer cerner les raisons du choix de la névrose alors qu'il « n'existe pas de causes spécifiques des névroses » ? Avec ce choix, nous ne savons trop si nous nous trouvons à un point d'articulation, ou dans un *no mand's land* ? D'autant que si, comme il se doit, le choix de la névrose est largement inconscient, voire phylogénétique, il participe aussi de l'acte (pré)conscient...

Nous l'avons vu, découvrir pourquoi tel individu « choisit » telle névrose plutôt que telle autre ressemble fort à une gageure. Quelques éléments se dévoilent en 1913, mais demeurent d'ordre très général : cela tient à des « inhibitions du développement » avec « points de fixation », mais il s'agit plus là de la description d'un fonctionnement que de l'élucidation d'une détermination. En fait, la question clairement posée en 1899 – comprendre pourquoi « une personne devient hystérique au lieu de devenir paranoïaque » – n'a toujours pas véritablement reçu de réponse trente ans plus tard. On en vient alors à se demander si ce qui apparaissait alors tellement comme LA question, n'était pas une fausse question ? Que, *in fine,* le texte testamentaire se borne à conclure que la cause ultime, déterminante, de toutes les variations que peut prendre le psychisme humain est à rechercher dans « l'action réciproque des prédispositions innées et des événements accidentels »[1], semble nous confirmer que le problème du choix de la névrose est, tout bonnement, celui du psychisme humain.

Claude LE GUEN

Nirvâna (principe de) ⟶ Principe de plaisir-déplaisir, principe de réalité

1. *Ibidem.*

NOSTALGIE

all. : ***Sehnsucht, Heimweh.*** – angl. : *homesickness.* – esp., ital., port. : *nostalgia*

Complémentaire de l'angoisse de séparation, la nostalgie désigne le désir douloureux de retrouver les objets primaires de la pulsion. Freud donne d'abord une place essentielle à la nostalgie du père, associée au fantasme de son meurtre. En deçà de cette situation conflictuelle, œdipienne, la séparation et l'angoisse de séparation d'avec la mère, le manque de secours *(Hilflosigkeit)* qui en résulte, apparaissent comme l'origine du désir ardent de la retrouver.

MISE EN SITUATION

Les occurrences des deux termes allemands dans l'œuvre de Freud sont peu fréquentes, et concernent pour l'essentiel la relation au père. C'est en général le mot Sehnsucht *qui est utilisé. La place de* Heimweh *est limitée à la citation d'un dicton, qui se trouve dans « L'inquiétante étrangeté » (1919) :* Liebe ist Heimweh [1] – *l'amour est nostalgie – dont la justesse et l'étendue rendent surprenant le choix habituel de Freud en faveur de* Sehnsucht. Heimweh *désigne la souffrance d'être loin de la maison, désir lancinant presque morbide, de tonalité dépressive, ou, plutôt, d'endeuillement. Un objet a en effet été perdu qui représente avec plus ou moins d'intensité l'objet primordial, comme tous les termes dérivés de* Heim *(maison, dans un sens proche du* home *anglais). L'aspiration douloureuse au retour à la maison et à la mère porte souvent la tonalité* unheimlich.

Sehnsucht *est aujourd'hui souvent traduit par « désir ardent douloureux », ou encore par le néologisme « désirance », certains traducteurs prenant le parti de ne pas traduire le terme* Sehnsucht *(Gallimard). En fait, le terme de* Sehnen, *substantivant le verbe* sehnen (sich) *signifie sensiblement les mêmes éprouvés. Quant à*

1. « L'inquiétante étrangeté » (1919h), *L'inquiétante étrangeté et autres essais,* Paris, Gallimard, 1985, p. 252 ; *OCF* XV, p. 180 ; *GW* XII, p 259.

Sucht, *il indique le désir ou besoin irrépressible, sur le mode de l'addiction, ou de la passion dévorante. On voit donc la redondance désignant dans le même mot la violence du désir, désir nostalgique, orienté vers* le *passé.*

Par convention et commodité, nous utiliserons généralement les termes de nostalgie, ou de désir nostalgique, sachant qu'ils ne conviennent pas en toutes circonstances, peut-être même en aucune, tant il est vrai que le terme Sehnsucht *dans l'usage freudien n'a pas d'équivalent en français et que, notamment, il diffère de « désir » en raison de sa proximité avec l'angoisse, le désarroi lié à la solitude: l'*Hilflosigkeit.

LE TEXTE FREUDIEN

Dans *Totem et tabou,* la nostalgie du père est particulièrement considérée dans sa relation avec son meurtre. Nous devons garder à l'esprit que le thème de l'ouvrage est précisé en sous-titre : « Quelques concordances entre la vie psychique des sauvages et celle des névrosés. » C'est en effet cette dernière qui est finalement en vue. Totem ou dieu ne sont que des substituts successifs du père, le dieu étant la forme la plus tardive sous laquelle le père n'est plus représenté par un animal, mais retrouve l'aspect humain. Une telle création provient de la nostalgie, de la désirance du père *(Sehnsucht),* qui est la véritable racine des formations religieuses. Après le meurtre, avec le temps, et Freud insiste sur ce facteur, le désir des frères de devenir semblables au père après l'avoir incorporé reste déçu. Dès lors, la nostalgie prend le pas sur le ressentiment. La nostalgie croît et, de ce fait, « **un idéal a pu voir le jour qui avait pour contenu la toute-puissance et l'infinité du père originaire** ». Soulignons que Freud ne fait qu'évoquer ici les *grandes divinités maternelles* qui ont sans doute précédé les dieux-pères, sans leur assigner de place, non plus d'ailleurs qu'une nostalgie particulière. Quoi qu'il en soit, la société fraternelle instituée dans le clan des « nouveaux pères » que sont devenus les frères parricides reste insatisfaisante et entretient la persistance de la

Sehnsucht inassouvie. En cela, elle est désir d'identification frustré, ou refusé, du fait de l'ambivalence qui, après le meurtre et malgré la dévoration et l'incorporation, laisse apparaître les sentiments tendres à l'égard du père. Ainsi, la part de ce qui ne peut s'accomplir en identification se transforme en amour ou désir du père mort idéalisé, entraînant le renoncement à l'inceste maternel ou à son fantasme en raison de l'horreur qui lui est désormais liée.

L'essentiel reste que le développement de la notion d'ambivalence doit être compris dans sa stratification historique et non de façon plane, comme une allégorie, souligne Freud avec insistance. Si le même père figure deux fois dans la scène du sacrifice, en tant que victime sacrificielle et en tant que dieu, c'est en deux temps historiques différents : « La scène de la défaite du père, de sa pire humiliation, est devenue ici le matériel d'une figuration de son triomphe suprême. » Le sacrifice divin théanthropique, sacrifice humain, montrait que « l'objet de l'acte sacrificiel était toujours le même, celui qui est adoré à présent en tant que dieu, c'est-à-dire le père ». L'ambivalence des sentiments, de façon plus générale la conjonction d'amour et de haine à l'égard du même objet, est un phénomène fondamental de notre vie affective[1]. Freud se demande si sa véritable origine n'est pas étrangère à la vie affective et si elle a été *acquise par l'humanité dans le complexe paternel* – ici une note précise : « ou plutôt parental », ce que nous retrouverons dans un autre contexte, à propos de l'identification[2].

Ainsi, dans le cadre du « complexe parental » – cette autre façon de désigner l'Œdipe –, **la nostalgie du père, en tant qu'évocation du meurtre réel du père préhistorique, apparaît chez le névrosé en rapport avec le sentiment de culpabilité.** Elle témoigne, sous la forme du fantasme infantile de meurtre du rival, du désir de jouir de l'amour de la mère, **et trouve son expression finale sous la forme de l'idéal du moi.**

Un texte très lié à la collaboration avec Sandor Ferenczi (qui n'avait pas été publié), *Vue d'ensemble des névroses de transfert,* développe

1. *Totem et tabou* (1912-1913a), Paris, Gallimard, 1993, p. 299-301 ; *OCF* XI, p. 368-369 ; *GW* IX, p. 179-180.

2. *Ibidem,* p. 312 ; p. 377 ; p. 189.

le rôle de la période glaciaire dans les inscriptions phylogénétiques. À cette époque de dénuement, qui ne peut qu'évoquer l'*Hilflosigkeit*, l'humanité serait *devenue universellement anxieuse*. La question centrale de cette hypothèse est de déterminer les rapports de l'angoisse liée au réel *(Realangst)*, de la libido d'objet et de l'angoisse de désir *(Sehnsuchtangst)*, que nous désignerions plutôt ici comme « angoisse de désir orienté vers le passé », sinon comme nostalgie. Certes, durant la préhistoire de l'« âge de glace », tous les objets ne sont pas perdus, puisqu'ils sont humains ; les conditions de vie sont pourtant telles que le sujet se détourne de l'investissement d'objet, retient la libido dans le moi et transforme « ainsi en angoisse de réel ce qui auparavant avait été libido d'objet ». Cela signifie que la libido devenue inutilisable, frustrée, se détourne de l'objet, investit le réel et se heurte aux conditions frustrantes, dangereuses, glaciales sans doute, de la réalité. Il en est de même chez **l'enfant qui transforme la libido d'objet en angoisse de réel devant ce qui est étranger.**

Freud évoque une longue discussion qu'il aurait eue (sans doute avec Sandor Ferenczi) portant sur la question de savoir si c'est l'angoisse liée au réel qui est la plus originaire ou bien si c'est l'angoisse de nostalgie *(Sehnsuchtangst)*, si l'enfant transforme sa libido en angoisse devant le réel et parvient de cette manière à la représentation du danger ou bien s'il cède plutôt à une anxiété de caractère universel et apprend de celle-ci à redouter aussi sa libido insatisfaite. Finalement, en s'appuyant sur la phylogenèse, il clôt le débat en faveur de l'angoisse devant le réel. Nous voyons cependant que, ici, **la libido et le désir nostalgique sont donnés pour équivalents,** et que, notamment, la transformation de la libido insatisfaite en angoisse est condensée dans le terme, sinon le concept, de *Sehnsuchtangst*. La libido est en effet essentiellement tournée vers les objets du passé, tout comme la pulsion. Cependant, l'angoisse devant le réel, dont la prééminence est affirmée, doit être considérée dans son contexte préhistorique, mais surtout au sens de la préhistoire personnelle : c'est elle qui a imposé son modèle à l'angoisse mais elle reste liée au désir nostalgique [1].

1. *Vue d'ensemble sur les névroses de transfert. Un essai métapsychologique* (1985a [1915]), Paris, Gallimard, 1986, p. 34-35 ; *OCF* XIII (2e éd.), p. 295 ; *GW (Nachtragsband)*, p. 644-645.

Nombre d'enfants apportent en naissant l'anxiété venant de l'époque glaciaire et traitent « la libido insatisfaite comme un danger extérieur ». Nous pouvons considérer que l'angoisse nostalgique renouvelle sur le plan ontogénétique et individuel les privations libidinales originelles. Il reste à souligner l'importance du fantasme d'ère glaciaire *(Eiszeit)*. Désigne-t-il la mère des origines, et son environnement ? La « fantaisie » de glaciation évoque sans doute le manque de secours dont souffre le nourrisson. Freud ne le précise pas mais, à propos des névroses narcissiques, avance l'idée que la répression exercée par le père poursuit le rôle de la détresse qui avait suivi la fin de l'ère glaciaire. Ce qui reste passablement énigmatique est qu'il devienne alors l'objet du désir nostalgique[1]. La suite montrera qu'en réprimant les désirs de l'enfant il le protège et devient objet de désir.

Dans les *Conférences d'introduction à la psychanalyse* les rapports de la nostalgie et de l'angoisse sont étudiés dans la perspective de la libido frustrée, conformément à la première théorie de l'angoisse ; ils concernent notamment l'investissement libidinal de la mère et l'angoisse de l'enfant devant l'étranger. L'enfant s'effraie devant la silhouette étrangère « parce qu'il se règle sur la vue de la personne familière et aimée au fond, la mère ». Sa déception et son désir nostalgique se transforment en angoisse, dont le « fond » est constitué par le désir et l'investissement primitif dirigés vers elle. Les figures diverses des « personnes étrangères » reviennent toujours à la personne centrale du père qui éveille d'abord peur et angoisse, puis, agressivité, désir de meurtre. En même temps, il en protège, ou est censé en protéger dans l'ambivalence fondamentale. L'obscurité et la solitude sont les circonstances où se réactualise le premier état d'angoisse, le trauma de la naissance. Ces « phobies de situation » ont en commun le manque de la mère. **Le désir nostalgique est alors remanié en angoisse.** Une fois encore, nous retrouvons le lien étroit **entre la situation de manque de secours et le désir nostalgique,** la mère étant toujours celle qui manque, d'où le recours à la personne étrangère de l'origine, le père, bien que son apparition soit l'occasion de la première angoisse liée à un objet. Soulignons que sous la forme de désir

1. *Ibidem*, p. 41-42 ; p. 299-300 ; p. 649-650.

nostalgique « la libido est momentanément inutilisable », du moins chez l'enfant qui n'est pas capable « de la maintenir en suspens ou de l'utiliser autrement ». L'adulte se trouve dans la même situation par rapport à une exigence libidinale jusque là refoulée : **la libido se transforme alors en angoisse du fait de la régression à la phobie infantile** ; en d'autres termes, il se trouve confronté à l'intensité de la nostalgie et du besoin de présence maternelle qu'éveille le désir inassouvi, la frustration, avant que la présence du père prenne un autre sens que celui de l'étranger[1].

Bien que la question du meurtre du père soit largement reprise dans *Psychologie des foules et analyse du moi,* celle de la nostalgie n'y est pas d'abord évoquée mais reste sous-jacente à la conception de l'idéal du moi et à sa relation à l'hypnose. Celle-ci a, en soi, un aspect « franchement inquiétant » qui renvoie à **quelque chose d'ancien et de familier.** Cela évoque certes le magnétisme animal ou le Mana qui émane des rois et chefs de tribus, ou encore, dans le contexte biblique, de la face rayonnante de Moïse lorsqu'il revient vers le peuple après avoir été en présence de Dieu. L'intensité de ce qui est évoqué n'est pas rapporté à la nostalgie mais peut sans doute éclairer la nature de celle-ci, liée à la relation d'amour et de terreur originaire qui la fonde[2].

Les « désirs nostalgiques » et leurs conséquences sont repris dans l'élaboration poétique de l'« origine » et de son héros qui le représente[3]. La nostalgie incite le héros, généralement le plus jeune des fils, à remplacer le père dans le rôle de premier idéal du moi. Il était le fils préféré de la mère, celui qu'elle avait protégé de la jalousie paternelle. Pourtant, la mère ne devient apparemment pas objet de nostalgie mais, bien qu'elle soit le prix du combat, est présentée comme « la tentatrice et instigatrice du forfait ». Dans cette nouvelle version, l'accent est porté sur l'élaboration mensongère et mythique

1. *Conférences d'introduction à la psychanalyse* (1916-1917), Paris, Gallimard, 1999, p. 514-518 ; *OCF* XIV, p. 421-434 ; *GW* XI, p. 421-424.

2. *Psychologie des foules et analyse du moi* (1921c), *Essais de psychanalyse,* Paris, Payot, 1981, p. 193-194 ; *OCF* XVI, p. 64-66 ; *GW* XIII, p. 140-141.

3. *Ibidem,* p. 207-209 ; p. 74-76 ; p. 152-153.

réalisée par le poète épique qui aboutit à la déification du héros et à une nouvelle chronologie divine dans laquelle se succèdent : déesse-mère-héros-dieu-père. Mais l'élévation du père originaire, jamais oublié, donne finalement à la divinité les traits que nous lui connaissons. **L'insistance remarquable portée sur le rôle de la mère et sur la nostalgie qui pourrait lui être attachée, est ainsi à nouveau recouverte par le primat du père des origines.**

La nostalgie est brièvement reprise dans *Le moi et le ça,* à propos de l'examen des *relations de dépendance du moi,* et plus précisément à propos des problèmes posés par la notion d'**angoisse de mort.** Freud la limite au domaine de la mélancolie et la rattache à la situation du moi, qui « s'abandonne lui-même parce qu'il se sent haï et persécuté par le surmoi au lieu d'être aimé ». Il se trouve ainsi abandonné de toutes ses puissances protectrices et se laisse mourir. « C'est d'ailleurs encore la même situation qui se trouvait au fondement du premier grand état d'angoisse, celui de la naissance, et de l'angoisse-nostalgie infantile *[Sehnsucht-Angst],* celle de la séparation d'avec la mère protectrice. » Cette fois, **la nostalgie est clairement rattachée au premier objet d'amour, à la séparation et à l'angoisse originaire,** à l'angoisse de mort et à la catastrophe mélancolique que représente son retour sous forme d'abandon, qui désigne en fait la situation d'*Hilflosigkeit.* Cependant, s'il n'est pas désigné en tant que tel, **le père apparaît sous la forme du surmoi** qui représente « la même fonction de protection et de salut que, jadis, le père ». On voit ici que, à la limite, la mère n'exerce de protection, ou de secours, que jusqu'à la naissance ; seul le père ou le surmoi paternel pourrait suppléer aux conséquences d'une telle séparation radicale[1]. Ce pourrait être du moins la situation du mélancolique qui ne serait psychiquement doté que d'une mère inexistante, ou toute-puissante mais hostile.

La nouveauté apportée dans *Inhibition, symptôme et angoisse* concerne surtout la relation de la nostalgie à la séparation et à la présence de l'étranger d'une part, avec le deuil d'autre part. Les relations du désir douloureux, ardent ou violent, sont étudiées dans leur

1. *Le moi et le ça* (1923b), *Essais de psychanalyse,* Paris, Payot, 1981, p. 274 ; *OCF* XVI, p. 301 ; *GW* XIII, p. 288-289.

rapport actuel avec la présence ou l'absence de la mère qui protège du manque de secours ou d'aide. Au delà du traumatisme de la naissance et de l'angoisse qui l'accompagne, Freud examine la situation plus tardive de l'enfant resté seul, ou laissé dans l'obscurité, surtout dans les conditions où il trouve une personne étrangère à la place de celle qui lui est familière : dans tous ces cas, il s'agit de la personne ardemment désirée *(ersehnten)*. L'image mnésique de la mère ardemment désirée est intensément investie « d'abord de façon hallucinatoire, vraisemblablement. Mais en vain, et tout semble indiquer que ce désir ardent *(Sehnsucht)* se transforme en angoisse ». Immédiatement, Freud rapproche cette situation tant de l'angoisse de castration, qui a aussi pour contenu l'angoisse de la séparation d'avec un objet hautement estimé, que de l'angoisse originaire de la naissance qui est également en rapport avec une séparation. Nous laisserons de côté le développement concernant l'angoisse qui est à ce moment le but essentiel de Freud pour nous limiter au désir ardent, à la nostalgie de l'enfant[1].

La mère en est alors l'objet unique, son objet, mais elle le laisse sans recours en son absence : l'investissement hallucinatoire de son souvenir est inefficace et l'on peut deviner que **la personne étrangère, si angoissante qu'elle soit, va être le pivot de l'évolution de l'angoisse qui est liée à l'absence de recours et à l'élévation de quantités d'excitation immaîtrisables et va devenir une angoisse liée à une perte de l'objet pénis, représentable.** La mère apparaît d'abord ici comme l'objet de nostalgie, d'investissement primaire essentiel, mais cet objet ne permet pas de contrôler la perturbation économique que son absence déclenche – ce rôle était, dans les textes antérieurs, limité au père qui se retrouvera en effet investi du désir ardent d'abord consacré à la mère, celle-ci demeurant la première « personne ardemment désirée ». Ultérieurement, ce rôle sera imparti au surmoi.

Freud examine enfin la position particulière de la nostalgie, du désir ardent par rapport au deuil, situation dans laquelle le terme français de « nostalgie » rend le plus souvent compte avec assez d'exactitude

1. *Inhibition, symptôme et angoisse* (1926d [1925]), Paris, PUF, 1951, p. 61-63 ; *OCF* XVII, p. 252-254 ; *GW* XIV, p.167-169.

du *Sehnsucht,* allemand. L'angoisse du nourrisson devant une personne étrangère est rappelée, mais la présence de douleur est soulignée. L'enfant se comporte comme s'il ne devait plus jamais revoir sa mère, mais la répétition sous forme du jeu de cacher puis découvrir le visage de la mère lui permet de ressentir quelque chose comme de la nostalgie, sans que celle-ci s'accompagne de désespoir. En fait, **il s'agit tout autant de désir de revoir la mère que de nostalgie du visage perdu.** Mais l'expérience commence dans la douleur. Freud le souligne en opposant l'angoisse de la naissance qui, en absence d'objet, ne comporterait pas de douleur, à l'angoisse déclenchée par l'absence de l'objet mère. Ce dernier a été créé par de multiples expériences de satisfaction qui aboutissent à un investissement intense dont la perte entraîne de la douleur. Mais comment comparer l'expérience de la douleur qui survient « lorsqu'une excitation, attaquant la périphérie, fait effraction dans les dispositifs du pare-excitation », avec celle qui est ressentie en cas de perte d'objet ? Pour ce faire, Freud part de la constatation de l'investissement narcissique intense d'un endroit du corps douloureux. Il le compare à l'investissement des douleurs portant sur des organes internes qui, habituellement, ne sont pas représentés de façon consciente et qui, du fait même de la douleur, font l'objet de représentations spatiales. Il remarque que, lorsque l'esprit est distrait par un autre intérêt, les douleurs corporelles ne se produisent pas car l'investissement se concentre sur le « **représentant psychique de l'endroit du corps douloureux** » et non sur la partie du corps où s'origine la douleur . Ainsi le transfert de la sensation de douleur au domaine du psychisme devient-il possible : **l'investissement de l'objet absent (perdu) en nostalgie** *(Sehnsuchtsbesetzung),* **investissement intense et inapaisable qui ne cesse d'augmenter, crée les mêmes conditions économiques que l'investissement en douleur concentré sur l'endroit du corps lésé.** Les conséquences en sont fortes sur la conception des investissements narcissiques et objectaux, car **la représentation d'objet, fortement investie par le besoin, joue le rôle de l'endroit corporel investi par l'augmentation de l'excitation**[1].

1. *Ibidem,* p. 99-102 ; p. 284-286 ; p. 202-205.

Ce parallèle entre la nostalgie (avec la douleur psychique qui la caractérise) et la douleur corporelle, avait été ébauché dix ans plus tôt dans « Pour introduire le narcissisme » : celui qui a une rage de dent « retire ses investissements de libido sur son moi, pour les émettre à nouveau après la guérison. Son âme se resserre au trou étroit de la molaire » ; désormais, la représentation de la molaire, et non le trou douloureux, devient l'objet de l'investissement – où, si l'on veut, l'intérêt se tourne vers l'« âme » ou la représentation du corps[1]. De la même manière, **la douleur nostalgique concentre tous les investissements sur la représentation de l'absent ou de l'absente et aboutit à ce qui était son origine : le même état de détresse psychique subi dans la séparation.** Mais la possibilité d'investissement du représentant psychique ouvre la voie qui mène aux représentations et à l'élaboration psychique.

Le thème de la nostalgie du père est repris dans *L'avenir d'une illusion*[2], où Freud montre pourtant les liens entre la détresse du nouveau-né, l'investissement et l'attachement à la mère. Celle-ci satisfait la faim et protège des dangers indéterminés qui menacent l'enfant, et devient de ce fait la première protection contre l'angoisse ; puis elle est remplacée par le père, plus fort, qui inspire cependant une ambivalence, avec autant de crainte que de nostalgie ou d'admiration – parallèle à la relation primitive d'amour et de ressentiment à l'égard de la mère. Tous ces traits se retrouvent dans les dieux que l'homme se crée.

Malaise dans la civilisation[3] offre encore l'occasion de revenir à l'origine du sentiment religieux à propos du « sentiment océanique », et ceci en relation avec la nostalgie ; Freud accepte de le rapporter à la phase primitive du sentiment du moi, mais sans en faire la source de tout besoin religieux. Il est irréfutable que ces besoins sont rattachés à l'*Hilflosigkeit,* état de dépendance absolue, et au *Vatersehnsucht*

1. « Pour introduire le narcissisme » (1914c), *La vie sexuelle,* Paris, PUF, 1969, p. 89 ; *OCF* XII, p. 226 ; *GW* X, p. 148-149.

2. *L'avenir d'une illusion* (1927c), Paris, PUF, 1971, p. 32-33 ; *OCF* XVIII, p. 164 ; *GW* XIV, p. 346.

3. *Malaise dans la civilisation* (1930a [1929]), Paris, PUF, 1971, p. 17 ; *OCF* XVIII, 259-260 ; *GW* XIV, p.431-432.

(désirance pour le père), qu'il suscite et qui est entretenu par l'angoisse ressentie devant la prépondérance puissante du destin ; on ne saurait trouver un autre besoin d'origine infantile aussi fort que celui de protection par le père. Ceci ramène le sentiment océanique à une tendance au **rétablissement du narcissisme illimité** ; l'origine de l'attitude religieuse étant le sentiment infantile de dépendance. Peut-être autre chose encore se cache là derrière et reste enveloppé de brouillard, et on ne peut qu'évoquer ici le souvenir de l'absence de secours suivi de celui du retour du parent perdu, remarquer qu'il est alors fortement repoussé dans le brouillard et rappeler que Freud dit ne découvrir en lui aucun sentiment de cet ordre…

L'homme Moïse, ou plutôt le grand homme, tel qu'il apparaît dans *L'homme Moïse et la religion monothéiste,* est le modèle du père des origines du peuple juif, et de ce fait objet de la nostalgie la plus vive. Il l'est pour deux raisons : non seulement sa personnalité, mais aussi et surtout l'idée pour laquelle il s'engage. Quoi qu'il en soit, il satisfait « le fort besoin d'une autorité que l'on puisse admirer » qui provient de « la nostalgie du père, qui habite en chacun depuis son enfance ». L'origine de la nostalgie de la masse ou de l'individu à l'égard du père provient de ce qu'il offre la résolution de la pensée, la force de la volonté, l'énergie des actions et surtout l'autonomie, l'indépendance, la « divine insouciance, qui peut se hausser jusqu'à l'absence de scrupule ». On ne s'étonnera pas que, dans cette apologie du grand homme, la nostalgie de la mère occupe peu de place ; pourtant, dans le parallèle serré qui est établi entre l'homme des origines et le primitif de notre temps, c'est-à-dire l'enfant, la question de la mère est évoquée sans être approfondie. Dans la partie historique, la situation du matriarcat apparaît comme une conséquence transitoire du meurtre du père, bien qu'il soit fait allusion, sans plus, aux « Grandes Mères » à côté des dieux mâles qui seraient leurs fils. En parallèle, l'histoire des névroses évoque les traumatismes de la première enfance, essentiellement de deux à quatre ans, la période précédente ne pouvant être déterminée avec exactitude, et les événements qui y sont survenus ne pouvant apparemment être pris en compte. De ce fait, si la nostalgie de la mère n'apparaît pas en tant que telle, l'attachement à la mère se retrouve souligné, éventuellement décrit comme *traumatisme,* revécu dans la recherche répétée d'une nouvelle dépendance à l'égard d'une autre personne[1]. Le mot de nostalgie n'est pas repris ; il pourrait l'être, et nous avons vu que les situations où elle s'origine – manque de secours de la part de la mère ou soumission suivie de révolte à l'égard du père – sont en effet des plus traumatiques. Mais *L'homme Moïse et la religion monothéiste* montre la *Sehnsucht* comme spécifique du père, dans le cadre du complexe paternel, et ne la relie pas à l'attachement à la mère, qui n'est pas l'objet de ce texte.

QUESTIONS ET ENJEUX

Sans revenir sur les difficultés que pose la traduction de *Sehnsucht,* nous nous attacherons à la diversité de son emploi par Freud. Il s'en tient en effet, comme en d'autres cas, au rôle essentiel du complexe paternel dans l'élaboration théorique. La nostalgie, le retour nostalgique à l'amour du père après le meurtre – ou le fantasme de meurtre – s'organisent dans le complexe d'Œdipe. Tout cela montre suffisamment le pivot fondamental que constitue le retour au père, instituant l'interdit de l'inceste ou toute forme de retour incestueux à la mère qui signifierait la fin du « progrès de la vie de l'esprit », comme cela est montré dans *L'homme Moïse et la religion monothéiste*. La force du surmoi repose aussi sur cet amour et cette dépendance du moi à l'égard du père de la préhistoire personnelle, qui joue le rôle d'un « pare-angoisse » ; mais il n'est que le second, puisque Freud reconnaît que la mère est le premier pare-angoisse[2]. Pourtant, elle ne l'est pas à l'égard du trauma de la naissance, car elle n'existe pas alors en tant qu'objet. La violence en est d'autant plus intense que l'*Hilflosigkeit* est alors absolue : il n'y a aucun objet actuel auquel faire recours, aucun secours extérieur à attendre dans l'expérience que serait la naissance, modèle de toute angoisse. L'objet (recours ou aide, ou encore la personne secourable déjà évoquée dès l'« Esquisse d'une psychologie scientifique ») s'établit grâce aux expériences de satisfaction successives qui abolissent les moments de détresse, en réponse aux appels et aux pleurs

1. *L'homme Moïse et la religion monothéiste* (1939a), Paris, Gallimard, 1986, p. 207, 213 ; *OCF* XX, p. 188, 192 ; *GW* XVI, p. 217, 221.

2. *L'avenir d'une illusion* (1927c), Paris, PUF, 1971, p. 32-33 ; p. 164 ; p. 245-246.

du nourrisson. Les expériences de satisfaction hallucinatoire alternent avec les satisfactions réelles et contribuent fortement à l'ambivalence à l'égard de l'objet mère et finissent par le rendre douteux en tant que pare-angoisse. C'est pourtant cet objet qui suscite l'attachement, dont Freud reconnaît finalement qu'il associe dès l'origine amour et identification. Longtemps, en effet, il s'en est tenu à l'identification primaire au père de la préhistoire personnelle, avant d'admettre qu'elle puisse être identification au couple parental, puis identification à la mère dans le cadre de l'attachement primaire. L'évolution du sens de la nostalgie est à peu près parallèle. L'amour, certes, concerne d'abord la mère. L'angoisse est déclenchée par son absence et le surgissement de l'étranger, premier objet annonçant le père rival puis aimé, et toujours craint. Rappelons que Freud, dans *Le moi et le ça,* qualifie d'angoisse-nostalgie ce qui est ressenti dans cette épreuve fondamentale.

Revenons aux rapports de l'étrangeté, en y incluant l'étrangeté du féminin et de la nostalgie de la mère. Certes, dans « L'inquiétante étrangeté », la nostalgie, au sens de *Sehnsucht,* n'est pas évoquée directement mais (nous l'avons mentionné) l'amour y est défini comme *Heimweh* – dont le sens est en effet la nostalgie, au sens du *homesick* anglais. Le contexte est éclairant car Freud mentionne la fréquence avec laquelle « des hommes névrosés déclarent que le sexe féminin est pour eux quelque chose d'étrangement inquiétant »[1]. Ainsi l'amour est-il le désir de revenir à l'antique patrie *(Heimat)* des hommes, le lieu où chacun a déjà été une fois, ce qui amène à conclure que ce qui est *unheimlich* est aussi ce qui était autrefois, *Heimische* c'est-à-dire le chez-soi. « Le préfixe *un* par lequel commence ce mot est la marque du refoulement. »

Bien que ni l'étrangeté, ni la nostalgie n'y soient mentionnés, l'étude de la féminité apporte des éléments nouveaux à leur compréhension. Cette fois, c'est principalement l'attachement initial de la petite fille à sa mère et son ambivalence qui sont pris en compte. Certes, les relations du garçon avec sa mère sont montrées dans toute leur ambivalence, mais, une fois de plus, le postulat d'une relation en soi satisfaisante entre la mère et le garçon est affirmé. Il n'en va pas de même pour ce qui concerne la petite fille dont l'attachement initial est

1. « L'inquiétante étrangeté » (1919h), *L'inquiétante étrangeté et autres essais,* Paris, Gallimard, 1985, p. 252 ; p. 180 ; p. 259.

pourtant fortement mis en évidence ; mais les inévitables frustrations et contraintes de l'éducation entraînent inexorablement l'amour vers le développement de la haine. L'envie du pénis centre les revendications de la petite fille à l'égard de sa mère. Pourtant, Freud reprend la notion de l'attachement préœdipien à sa mère : « Le complexe d'Œdipe de la fille a longtemps caché à notre regard sa liaison préœdipienne à la mère qui est pourtant très importante et laisse des fixations très durables. »[1] Nous voyons là les bases de ce qui pourrait être une nostalgie des plus vives, mais qui n'est jamais explicitement désignée comme telle. Sans doute l'importance de l'ambivalence chez la fille (supposée plus importante que chez le garçon) empêche-t-elle de la reconnaître, mais c'est surtout la nécessité de donner une place centrale au complexe paternel, au complexe de castration, à l'envie du pénis qui oblige à maintenir la nostalgie de la mère dans un « brouillard » où elle reste cependant repérable.

On peut finalement considérer que ce qui spécifie la nostalgie et la différencie de l'attachement est le rôle qui lui est reconnu dans *Inhibition, symptôme et angoisse* pour ce qui concerne l'origine de la représentation en relation avec la douleur psychique. La représentation et, au-delà, la représentation de mot avec le langage, permettent de ressentir « quelque chose comme de la nostalgie sans que celle-ci s'accompagne de désespoir »[2].

Pierre CHAUVEL

1. XXXIIIe conférence « La féminité » (1933a), *Nouvelles conférences d'introduction à la psychanalyse* (1933a [1932]), Paris, Gallimard, 1984, p. 159-160 et 172-173 ; *OCF* XIX, p. 202-203 et 212 ; *GW* XV, p. 127 et 138.

2. *Inhibition, symptôme et angoisse* (1926d [1925]), Paris, PUF, 1951, p. 99 ; *OCF* XVII, p. 284 ; *GW* XIV, p. 203.

O

Objet de la pulsion → Pulsion

Obsession → Névrose obsessionnelle → Névroses et choix de la névrose

Œdipe → Complexe d'Œdipe et complexe de castration

ONTOGENÈSE-PHYLOGENÈSE (hérédité)

all. : *Ontogenese-phylogenese (Vererbung).* – angl. : *ontogenesis–phylogenesis (heredity).* – esp. : *ontogénesis-phylogénesis (herencia).* – ital. : *ontogenesi-phylogenesi (eredita).* – port. : *ontogénese-phylogénese (hereditade)*

Ces termes, qui n'ont rien de proprement psychanalytique, appartiennent à la biologie. L'ontogenèse y désigne tout ce qui concerne le développement de l'individu, depuis l'œuf fécondé jusqu'à l'état adulte ; elle s'oppose à la phylogenèse qui s'attache au développement de l'espèce. L'hérédité est la transmission de certains caractères des êtres vivants à leur descendance. La place que Freud leur impartit dans son œuvre, comme la fonction qu'il leur confère dans la théorie analytique, justifient cet article. Si en biologie les deux notions sont

parfaitement distinctes, dans l'usage freudien elles sont étroitement liées en raison de la référence prévalente au psychisme individuel ; chacune renvoyant à l'autre, elles fonctionnent et se justifient l'une par l'autre. Nous les avons donc associées, les accompagnant de leur soubassement de référence : l'hérédité.

MISE EN SITUATION

Freud puisa ces notions dans le fond culturel, tant implicite qu'explicite, qu'il avait privilégié, s'appuyant sur ses valeurs et se formant à travers elles ; il s'inspira ainsi des convictions matérialistes et positivistes de Ernst W. von Brücke et Hermann L. F. von Helmholtz, et fut tout autant et très tôt induit par l'évolutionnisme darwinien, qui le fascinait. Ce sont là, pour une part, des marques d'époque, mais elles n'étaient pas les seules et il en négligea ou récusa bien d'autres. C'est pourquoi il nous semble légitime de considérer que celles qu'il choisit d'élire traduisent plus des convictions épistémologiques que des prédéterminations idéologiques, et c'est sans doute pourquoi il en vint souvent à s'opposer aux courants dominants. Peut en témoigner, à propos des items de cet article, son « néolamarckisme », encore revendiqué alors même qu'il admet ne rien ignorer de « l'attitude actuelle de la science biologique, qui ne veut rien savoir de la transmission des caractères acquis aux descendants » ; il ne l'en assume pas moins pleinement car il estime « ne pouvoir se passer de ce facteur » (il lui est d'ailleurs arrivé de dire qu'il « est quelquefois bien utile d'avoir des préjugés »[1]). Il perçoit pourtant fort bien, avec acuité même, les différences de champs, voire les divergences de méthodes entre la transmission de caractères biologiques et celle de traces mnésiques[2].

1. *Sur la psychanalyse (cinq conférences)* (1910a), Paris, Gallimard, 1991, p. 66 ; *OCF* X, p. 26 ; *GW* VIII, p. 27.

2. *L'homme Moïse et la religion monothéiste* (1939a), Paris, Gallimard, 1986, p. 196 ; *OCF* XX, p. 179-180 ; *GW* XVI, p. 207.

LE TEXTE FREUDIEN

Dès **1893,** Freud évoque l'hystérique qui, en retrouvant une préhistoire individuelle et collective, ne symbolise pas selon le langage usuel, mais va « puiser à la même source que lui » [1] (interprétation qui, de fait, annonce le prochain recours à la phylogenèse) ; à ce propos, il mentionne Charles Darwin. Déjà adolescent, il se passionnait pour l'homme (souvent associé à Goethe) [2] ; conjointement, il s'intéressa très tôt à l'hérédité. Mais, en 1896, il entend plutôt **prendre ses distances avec le facteur héréditaire dans les névroses** et se démarque, pour ce faire, de la thèse de Jean-Martin Charcot lui imputant l'hystérie. Sans la rejeter totalement, il estime que l'hérédité ne saurait, « à elle seule produire les psychonévroses ». Il entend même la remplacer par « l'expérience sexuelle précoce », allant même jusqu'à considérer que celle-ci détermine la névrose, qu'elle soit hystérique ou obsessionnelle [3].

Dès **1900,** dans *L'interprétation des rêves,* **la phylogenèse est reconnue** ; il y aurait une enfance phylogénétique derrière l'enfance individuelle, le développement de l'individu n'étant qu'une répétition abrégée de celui du genre humain : « *Nous pouvons espérer parvenir par l'analyse des rêves à connaître l'héritage archaïque de l'homme, à découvrir ce qui est psychiquement inné.* » Rêve et névrose conserveraient la préhistoire de l'esprit, « si bien que la psychanalyse est en droit de réclamer un rang élevé parmi les sciences qui s'efforcent de reconstruire les phases les plus anciennes et les plus obscures des origines de l'humanité » [4] (il convient de noter que ce passage a été rajouté en 1919).

1. *Études sur l'hystérie (communication préliminaire)* (1893a), Paris, PUF, 1956, p. 144-145 ; *OCF* II, p. 203-204 et p. 209 ; *GW (Nachtragsband)*, p. 250-251.

2. *Sigmund Freud présenté par lui-même* (1925d), Paris, Gallimard, 1984, p. 16 ; *OCF* XVII, p. 56.

3. « L'hérédité et l'étiologie des névroses » (1896a), *Névrose, psychose et perversion,* Paris, PUF, 1973, p. 119-120 (rédigé en français) ; *OCF* III, p. 114 ; *GW* I, p. 414.

4. *L'interprétation des rêves* (1900a), Paris, PUF, 1967, p. 467 ; *OCF* IV, p. 602 ; *GW* II-III, p. 554.

En **1910**, explicitement, Freud **adjoint le « phylogénique » à l'« ontogénique »**. Il considère les parties génitales qui, étant « à l'origine orgueil et espoir des vivants », en sont venues à faire l'objet d'une vénération divine suscitant « par sublimation d'innombrables figures de dieux » et débouchant sur des cultes secrets. Il remarque que cela fonctionna jusqu'à ce que « tant de divin et de sacré fut extrait de la sexualité que le reliquat de celle-ci, privé de force, succomba au mépris ». Mais les traces psychiques sont indestructibles, aussi les formes primitives d'adoration des parties génitales ont persisté jusqu'à nos jours, comme en témoignent le langage, les mœurs et les superstitions. « **Le développement psychique de l'individu répète en raccourci le cours du développement de l'humanité.** »[1] Freud retrouve là, implicitement, l'énoncé de Ernst Haeckel voulant que *« l'ontogenèse soit la répétition de la phylogenèse »*. Il le redit l'année suivante : dans le rêve et la névrose les analystes rencontrent non seulement l'enfant, mais « encore l'homme primitif, sauvage » ; ainsi « l'individuel ontogénique est une amplification anthropologique, phylogénétique »[2]. Et même s'il tient à mettre en garde ses élèves, indiquant que ce n'est qu'après avoir épuisé les explications psychologiques que nous sommes en droit de conclure à un souvenir phylogénétique[3], il va reprendre le thème au cours des années suivantes, pour confirmer l'idée. Dans *Totem et tabou* (1913), il explicite l'une des bases de sa réflexion théorique : « *La psychologie des peuples ne saurait exister sans l'hypothèse d'une psyché de masse, d'une continuité dans la vie affective des hommes* qui permette de faire abstraction des interruptions des actes psychiques » (« Ce que tu as hérité de tes pères, Acquiers-le afin de le posséder », disait Goethe). L'idée d'un « **parallélisme entre évolution ontogénétique et**

1. *Un souvenir d'enfance de Léonard de Vinci* (1910c), Paris, Gallimard, 1987, p. 114-115 ; *OCF* X, p 122-123 ; *GW* VIII, p. 166-167.

2. « Remarques psychanalytiques sur l'autobiographie d'un cas de paranoïa *(dementia paranoides)* (Le Président Schreber) » (1911c [1910]), *Cinq psychanalyses*, Paris, PUF, 1954, p. 324 ; *OCF* X, p. 304 ; *GW* VIII, p. 319-320.

3. *Minutes de la Société psychanalytique de Vienne* (1979a), Paris, Gallimard, 1979, t. III (1910-1911), p. 299 (séance du 8 novembre 1911).

évolution phylogénétique » s'impose[1]. Ce sera redit à la fin de la même année[2].

Dans « L'homme aux loups » (rédigé pour l'essentiel dès la fin 1914), un « **schéma phylogénétique** » s'impose au petit garçon qui s'y adapte, fût-ce à l'encontre de son expérience personnelle : alors que les menaces émanaient des femmes, « c'est de la part du père qu'il en vint à redouter la castration, [et] sur ce point, *l'atavisme triompha des circonstances accidentelles de la vie* ; aux temps préhistoriques, ce devait être incontestablement le père qui pratiquait la castration en tant que châtiment et c'est lui qui, ultérieurement, dut l'atténuer jusqu'à n'être plus que la circoncision »[3].

En **1915**, Freud reprend le thème et laisse aller son « imagination créatrice », faisant des « hypothèses hasardeuses » dans un texte au curieux destin : *Vue d'ensemble sur les névroses de transfert*[4]. D'abord destiné à former le douzième essai de la *Métapsychologie,* il en fut retiré avec les six précédents, tous constituant ce qu'il appelle un « reste qui peut être passé sous silence ». Fortuitement retrouvé en 1983, ce travail est surtout consacré à des spéculations phylogénétiques que Freud annonce à Sandor Ferenczi comme des « fantaisies qui me dérangent et auxquelles il ne sera guère possible de donner une expression publique ». Ce texte n'en est pas moins éclairant, d'autant que, malgré sa mise à l'écart, les idées qui y sont avancées vont se retrouver dans bien des écrits ultérieurs, mais exposées sur un mode moins provocant.

Sous couvert d'effectuer une ressaisie des névroses (y compris les narcissiques), ce travail se préoccupe surtout d'en **éclairer l'origine**

1. *Totem et tabou* (1912-1913a), Paris, Gallimard, 1993, p. 314-315 et 325 ; *OCF* XI, p. 378-379 et 385 ; *GW* IX, p. 190 et 745.

2. « L'intérêt de la psychanalyse » (1913j), *Résultats, idées, problèmes, I,* Paris, PUF, 1984, p. 207 ; *OCF* XII, p. 119 ; *GW* VIII, p. 413.

3. « Extrait de l'histoire d'une névrose infantile (L'homme aux loups) » (1918b [1914]), *Cinq psychanalyses,* Paris, PUF, 1954, p. 391 ; *OCF* XIII (2e éd.), p. 84-85 ; *GW* XII, p. 119.

4. *Vue d'ensemble sur les névroses de transfert. Un essai métapsychologique* (1985a [1915]), Paris, Gallimard, 1986, p. 27-35 ; *OCF* XIII (2e éd.), p. 290-294 ; *GW (Nachtragsband),* p. 6-11.

censée reproduire le développement de l'humanité. Pour l'essentiel, il est consacré « à la fantaisie, à l'imagination » phylogénétique – comme la qualifie Freud qui, admettant avoir pour une fois pris ses distance avec l'esprit critique, réclame l'indulgence du lecteur : « Ces choses non démontrées viennent à être exposées simplement parce qu'elles sont stimulantes et ouvrent des perspectives. »

La première idée défend l'importance des acquisitions qui ne sauraient être éliminées par la fixation constitutionnelle ; d'autant que celle-ci ne résulte elle-même que de « dispositions héritées, vestige de l'acquisition des ancêtres », l'individu continuant à ajouter à ce patrimoine de nouvelles aptitudes tirées de sa propre expérience : une complémentarité est ici indispensable. C'est en somme ce dont témoigneraient les névroses, qui donnent « l'impression que **l'histoire du développement de la libido répète une séquence beaucoup plus ancienne du développement que ne le fait l'histoire du développement du moi** », remontant peut-être jusqu'aux conditions de développement des vertébrés (celle du moi dépendant de l'évolution humaine). Freud envisage alors une « succession ordonnée » des psychonévroses, selon le moment de leur apparition : une description à grands traits laisse penser que « plus la névrose apparaît tardivement et plus elle doit régresser à une phase libidinale précoce ».

Mais, parallèlement à cette ontogenèse, une autre succession ordonnée, phylogénétique celle-là, interviendrait – et Freud reprend ici l'idée de Ferenczi plaçant le développement de l'humanité sous l'influence des destins géologiques, le dénuement des époques glaciaires poussant vers la civilisation. **Les psychonévroses seraient alors des « régressions aux phases par lesquelles l'espèce humaine dans son ensemble a dû passer à un certain moment, entre le début et la fin de l'ère glaciaire ».** Bien sûr, les névroses comportent plus d'éléments que ne peut en amener la régression. Elles sont aussi l'expression de la rébellion contre cette régression : elles sont donc « un compromis entre l'Ancien, préhistorique, et la revendication du Nouveau, qui vient de la civilisation » – elles doivent même « ramener la figure originaire, à la mesure du triomphe du refoulé en elle ». L'humanité est devenue universellement anxieuse avec l'accumulation des menaces et des dangers à la période glaciaire ; toute nouveauté suscitait alors l'angoisse réaliste[1]. Pour autant, la libido ne perdit pas d'emblée ses objets, humains par nature, mais le sujet, se sentant menacé, se détourna en partie de l'objet, retint la libido dans le moi et la transforma en cette angoisse. C'est ce que, devant ce qui est étranger, voire devant toute nouveauté, rejoue l'enfant dans l'angoisse infantile, transformant la libido d'objet en angoisse réaliste. **Les considérations phylogénétiques nous font considérer que l'angoisse réaliste est plus originaire que l'angoisse-désir :** « *Un certain nombre d'enfants apportent en naissant l'anxiété qui vient du début de l'époque glaciaire, et cette anxiété induit dès lors ces enfants à traiter la libido insatisfaite comme un danger extérieur.* »

Freud propose alors d'accomplir le programme de Ferenczi tendant à « **concilier les types de régression névrotique avec les étapes de l'histoire phylogénétique de l'humanité** ». Les dispositions aux névroses de transfert auraient été acquises dans les luttes de l'époque glaciaire : c'est l'époque patriarcale de la civilisation. Les fixations propres aux névroses narcissiques se font lors de la répression par le père perpétuant ce dénuement alors même que l'ère glaciaire est finie : ce qui conduit à l'étape sociale. « Faisant retour après des millénaires, les fixations résultant de ces deux combats se transforment en disposition aux deux groupes de névroses : la névrose est aussi, en ce sens, une acquisition de la civilisation. » Mais Freud en vient à se demander si ce parallèle est plus qu'un jeu ? D'ailleurs, à la suite, il va examiner « une série d'objections qui nous rappellent que nous ne devons pas

1. Freud écrit *Realangst*. On a proposé : « angoisse réelle » par Jankélévitch (*Conférences d'introduction à la psychanalyse...*, Paris, Payot, 1951) ; « angoisse devant un danger réel » par J. Laplanche et J.-B. Pontalis (*Vocabulaire de psychanalyse*, Paris, PUF, 1967) où ils indiquent qu'ils ne veulent pas « entrer dans la théorie freudienne de l'angoisse » ; « angoisse réaliste » par F. Cambon (*Conférences d'introduction à la psychanalyse*, Paris, Gallimard, 1999). Dans l'édition française de *Vue d'ensemble sur les névroses de transfert*, P. Lacoste emprunte aux *OCF* le terme « angoisse de réel », mais le fait avec réticence : « Il serait peut-être plus juste de s'en tenir à "angoisse-réel" par opposition à "angoisse-désir" », écrit-il. On peut enfin se demander si « angoisse-réalité » (amenant « angoisse-plaisir ») ne conviendrait pas mieux encore, ce qui aurait l'avantage de faire écho au couple « moi-plaisir – moi-réalité ». Il faut bien choisir et, ayant retenu « angoisse réaliste » dans l'article *Angoisse* de ce dictionnaire, nous l'avons maintenu ici.

surestimer les déductions obtenues » ; elles l'amènent à conclure que « nous ne sommes pas à la fin mais au début d'une compréhension de ce facteur phylogénétique »[1].

En rapport avec ce travail, une lettre à Karl Abraham fournit quelques éclaircissements sur « l'idée qui a germé » entre Ferenczi et lui. En fait, il l'en informe, mais au moment même où il est en train de l'abandonner : « Notre intention serait de faire venir Lamarck sur notre terrain et de montrer que son "besoin", qui crée et transforme les organes, n'est rien d'autre que la puissance exercée par la représentation inconsciente sur le corps propre, dont nous voyons les vestiges dans l'hystérie, bref : la "toute-puissance des pensées". **La finalité serait alors vraiment expliquée psychanalytiquement ;** ce serait le parachèvement de la psychanalyse. On dégagerait deux grands principes de changement dans le progrès : le changement par adaptation du corps propre, et le changement ultérieur par reformation du monde extérieur (autoplastique et hétéroplastique), etc. »[2]

Dorénavant, c'est avec insistance que, dans la plupart des écrits, va revenir le thème phylogénétique (avec régularité jusqu'en 1926, puis de façon plus espacée, pour réapparaître en force dans les dernières années).

Les *Conférences d'introduction à la psychanalyse,* dans leur volonté de faire le point dans les années **1916-1917**, ne pouvaient que le reprendre. Elles le font d'abord dans l'analyse du travail du rêve qui ramène l'individu à son enfance, mais il faut savoir qu'au cours de celle-ci il a aussi réitéré les premiers âges, phylogénétiques, de l'évolution humaine, sans que l'on puisse très bien savoir la part de chacune de ces régressions en ces temps originaires. Un argument en faveur de cette hypothèse tient au fait que la relation symbolique, pourtant si active, n'a jamais eu à être apprise ; c'est pourquoi elle « paraît mériter d'être considérée comme un patrimoine phylogénétique »[3]. **Les évolutions du**

1. *Vue d'ensemble sur les névroses de transfert. Un essai métapsychologique* (1985a [1915]), Paris, Gallimard, 1986, p. 36-45 ; *OCF* XIII (1994), p. 296-302.

2. *Correspondance Sigmund Freud–Karl Abraham* (1965a [1907-1926]), Paris, Gallimard, 1969, p. 266 (lettre du 11 novembre 1917).

3. *Conférences d'introduction à la psychanalyse* (1916-1917), Paris, Gallimard, 1999, p. 255-256 ; *OCF* XIV, p. 205 ; *GW* XI, p. 203-204.

moi et de la libido sont comme « des héritages, des répétitions en raccourci de l'évolution de l'humanité depuis les premiers temps ». Cette provenance phylogénétique est évidente pour la libido, et si des pulsions sont bien éveillées par des expériences vécues accidentelles, cela ne saurait faire négliger que « l'enfant a apporté avec lui des directions pulsionnelles dans ses dispositions innées ». Ainsi la fixation de la libido de l'adulte, qui représente « **le facteur constitutionnel, dans l'équation étiologique de la névrose, se décompose [...] en deux autres facteurs : la prédisposition héritée et la disposition acquise pendant la tendre enfance** ». Cela est particulièrement vrai en ce qui concerne la sexualité. La question se pose alors « de savoir si la plus frappante des régressions de la libido, celle qui ramène à des stades antérieurs de l'organisation sexuelle, n'est pas essentiellement conditionnée par le facteur de la constitution héréditaire »[1]. On peut en voir une illustration dans ces « symptômes étranges, ne rappelant en rien ce qui pourrait donner une satisfaction, faisant abstraction de l'objet et abandonnent du coup la relation à la réalité externe » : retours à un autoérotisme élargi, ils mettent « une action interne à la place d'une action externe, une adaptation au lieu d'un acte, ce qui correspond à une régression hautement significative du point de vue phylogénétique » ; il s'agit là d'une esquive du principe de réalité et d'un retour au principe de plaisir[2].

De tels événements de l'enfance sont nécessaires pour constituer le fond permanent de la névrose : « S'ils sont contenus dans la réalité, alors c'est bon ; si la réalité les a refusés, ils sont fabriqués à partir d'amorces et complétés par le fantasme. Le résultat est le même. » Il s'agit là, comme bien souvent, d'un rapport de complémentarité ; quant à l'origine de tels fantasmes, qui sont chaque fois les mêmes et avec le même contenu, « mon avis est que **ces *fantasmes originaires* sont un patrimoine phylogénétique** ». La séduction infantile, la scène originaire, la castration, ont été, « dans les premiers temps de la famille humaine, réalité, et l'enfant qui fantasme ne fait que boucher les trous de la vérité individuelle avec de la vérité préhistorique »[3].

1. *Ibidem*, p. 449 et 459-460 ; p. 366 et 374 ; p. 367 et 375-376.
2. *Ibidem*, p. 465 ; p. 379 ; p. 380-381.
3. *Ibidem*, p. 471-473 ; p. 383-385 ; p. 385-387.

Tout pareillement, il semble que filles et garçons, dans leurs choix d'objet précoce incestueux, ont « comme un pressentiment de ce que seront plus tard les buts sexuels définitifs et normaux » mais, à l'occasion d'un événement, extérieur ou interne peu importe, cette éclosion succombe à la fatalité du refoulement : ces amours « **s'en vont parce que leur temps est révolu** », et les enfants ne peuvent alors que « répéter le refoulement du choix d'objet incestueux que leur dicte l'histoire de l'humanité, tout comme auparavant ils ont été poussés à adopter un tel choix d'objet » [1].

Dans *Au-delà du principe de plaisir*, en **1920**, il appartient à l'hérédité et l'embryologie de fournir « les preuves les plus éclatantes de la compulsion de répétition organique », l'ontogenèse répétant la phylogenèse, selon la proposition déjà référée de Haeckel[2]. Trois ans plus tard, le tout est confirmé dans cette récapitulation qu'est « "Psychanalyse" et "Théorie de la libido" » dans laquelle, reprenant le totémisme, Freud estime que « l'ordre étatique, la moralité, le droit et la religion étaient, aux tout premiers temps de l'humanité, nés conjointement en tant que formation réactionnelle au complexe d'Œdipe » [3].

En **1923**, *Le moi et le ça* accorde une place majeure à ces thèses. Lorsque Freud rappelle combien la pensée en image est plus ancienne que la pensée en mots, il tient à souligner qu'elle l'est « d'un point de vue onto- aussi bien que phylogénétique » [4]. Il redit que l'instauration diphasée de la vie sexuelle est un héritage de la période glaciaire, et que « la séparation du surmoi d'avec le moi [...] en porte les traits », pérennisant les facteurs qui, dans l'espèce, lui ont donné son origine[5].

1. « Un enfant est battu. Contribution à la genèse des perversions sexuelles » (1919e), *Névrose, psychose et perversion*, Paris, PUF, 1973, p. 227-228 ; *OCF* XV, p. 128-129 ; *GW* XII, p. 207.

2. *Au-delà du principe de plaisir* (1920g), *Essais de psychanalyse*, Paris, Payot, 1981, p. 81 ; *OCF* XV, p. 308 ; *GW* XIII, p. 38.

3. « "Psychanalyse" et "Théorie de la libido" » (1923a), *Résultats, idées, problèmes, II*, Paris, PUF, 1984, p. 71-72 ; *OCF* XVI, p. 203 ; *GW* XIII, p. 229.

4. *Le moi et le ça* (1923b), *Essais de psychanalyse*, Paris, Payot, 1981, p. 233 ; *OCF* XVI, p. 266 ; *GW* XIII, p. 249.

5. *Ibidem*, p. 248 ; p. 278-279 ; p. 263.

« Ce que la biologie et le destin de l'espèce humaine ont créé et laissé dans le ça est repris par le moi au moyen de la formation de l'idéal et revécu en lui sur le plan individuel. Par suite de l'histoire de sa formation, **l'idéal du moi a les liens les plus étendus avec l'acquis phylogénétique de l'individu, son héritage archaïque** ». Il en va de même, bien sûr, pour les sentiments sociaux en rapport avec le complexe d'Œdipe. Freud est conscient des difficultés suscitées par l'évocation de la phylogenèse, au point « qu'au moment de répondre, on serait tenté de s'esquiver prudemment ; mais [...] il faut risquer l'épreuve ». C'est en se demandant si c'est « le moi du primitif, ou son ça » qui a pu, avec l'Œdipe, acquérir morale et religion, qu'il est amené à préciser ces instances. Il remarque d'abord que leur différenciation n'est pas seulement le fait « des hommes primitifs, mais encore des êtres vivants beaucoup plus simples, puisqu'elle est l'expression nécessaire du monde extérieur ». Ensuite, que le ça ne peut faire l'épreuve du monde extérieur qu'en passant par le moi, qui le représente auprès de lui. Mais on ne saurait, pour autant, oublier que le moi est une partie du ça et que ses expériences vécues doivent être perdues pour le patrimoine héréditaire. Pourtant, par leur répétition insistante chez nombre d'individus, de générations en générations, « elles se transposent, pour ainsi dire, en expériences vécues du ça, dont les empreintes sont maintenues par hérédité. De la sorte, le ça héréditaire héberge les restes des existences d'innombrables moi et, lorsque le moi puise son surmoi dans le ça, peut-être ne fait-il que remettre au jour les figures du moi plus anciennes et les ressusciter »[1]. Qui plus est, étant l'héritier du complexe d'Œdipe et des premiers investissements d'objet du ça, **le surmoi « entre en relation avec les acquisition phylogénétiques du ça et en fait la réincarnation de formations moïques antérieures,** qui ont laissé derrière elles leurs précipités dans le ça » ; c'est pour cette raison que le surmoi y plonge profondément, et se trouve donc plus éloigné de la conscience que le moi[2].

De 1923 à 1925, Freud entreprend d'approfondir le complexe d'Œdipe, celui-ci se dévoilant de plus en plus comme phénomène

1. *Ibidem*, p. 249-251 ; p. 280-282 ; p. 265-267.
2. *Ibidem*, p. 263 ; p. 291 ; p. 278.

central de la sexualité infantile. Un des problèmes majeurs demeure de savoir pourquoi il succombe au refoulement. Il semblerait d'abord qu'il sombre du fait de son échec, résultat de son impossibilité interne. Mais on doit aussi concevoir qu'il « *doit tomber parce que le temps de sa dissolution est venu, tout comme les dents de lait tombent quand poussent les dents définitives* ». En fait, même si chacun doit le vivre pour lui-même, il n'en est pas moins aussi « un phénomène déterminé par l'hérédité, établi par elle et qui, conformément au programme, doit passer lorsque commence la phase de développement prédéterminée qui lui succède. Il est alors assez indifférent que cela arrive à telle ou telle occasion ou qu'on n'arrive pas du tout à découvrir à quelle occasion ». C'est là dire que, **dans l'Œdipe comme ailleurs, la conception phylogénétique côtoie l'ontogénétique**[1].

Puis, en **1926**, *Inhibition, symptôme et angoisse* fait retour sur la causation des névroses. Elle tient à trois facteurs : **à côté du biologique et du psychologique prend place le phylogénétique.** Son inférence résulte du constat que la vie sexuelle humaine se fait en deux temps, s'interrompant brutalement vers les cinq ans pour ne reprendre qu'à la puberté. Cette interruption pourrait bien être le « sédiment historique » d'un événement ancien, capital. « La signification pathogène de ce facteur est due à ce que la plupart des revendications pulsionnelles de cette sexualité infantile sont traitées par le moi comme des dangers contre lesquels il se défend », les motions de la puberté étant soumises à l'influence des prototypes infantiles refoulés : « Nous touchons ici l'étiologie la plus directe des névroses. »[2]

En **1938**, l'*Abrégé de psychanalyse* confirme tout ceci, revenant au rêve pour indiquer qu'il « fait surgir des contenus qui ne peuvent appartenir ni à la vie adulte, ni à l'enfance du rêveur. *Il faut donc considérer ce matériel-là comme faisant partie de l'héritage* archaïque, *résultat de l'expérience des aïeux, que l'enfant apporte en naissant, avant toute expérience personnelle* ». Les légendes et certaines coutumes correspondent sans doute à ce matériel phylogénétique : « C'est

1. « La disparition du complexe d'Œdipe » (1924d), *La vie sexuelle*, Paris, PUF, 1969, p. 117-118 ; *OCF* XVII (1992), p. 27.

2. *Inhibition, symptôme et angoisse* (1926d [1925]), Paris, PUF, 1951, p. 82-83 ; *OCF* XVII, p. 269-270.

ainsi que le rêve offre une source appréciable de renseignements sur la préhistoire humaine. »[1] Mais, tout aussi bien, « l'importance unique, incomparable, inaltérable et permanente » que revêt la mère pour les deux sexes, ce « **prototype de toutes les relations amoureuses ultérieures** », **témoigne du** « **fondement phylogénétique** qui prédomine à tel point sur les facteurs personnels, accidentels, qu'il importe peu que l'enfant ait réellement tété sa mère ou qu'il ait été nourri au biberon sans connaître jamais les tendres soins maternels »[2]. La menace de castration elle-même, ou tout au moins l'extraordinaire terreur qu'elle provoque, pourrait bien être due, « en partie, à une trace mnésique phylogénétique, souvenir de l'époque préhistorique où le père jaloux enlevait réellement à son fils ses organes génitaux quand il le considérait comme un rival auprès d'une femme », la circoncision, ce substitut symbolique de la castration, en étant comme un lointain reflet[3].

Mais c'est sans doute dans son tout dernier ouvrage, *L'homme Moïse et la religion monothéiste* (publié en **1939,** mais rédigé entre 1934 et 1938) que là-dessus Freud va prendre position avec peut-être le plus de force. La vie psychique de l'individu n'est pas tant agie par ce qu'il a vécu que par « des contenus innés, des éléments de provenance phylogénétique, un *héritage archaïque* » : il s'agit là de dispositions déterminées, de tendances à suivre certaines évolutions, facteur constitutionnel qui en témoignerait[4]. Mais il convient d'aller plus loin en constatant que les réactions aux traumatismes précoces vont au-delà de ce qui a été vécu, reproduisant un événement qui ne peut s'expliquer que par l'influence d'un événement très ancien qui aurait été transmis phylogénétiquement. Qui plus est, dans les complexes d'Œdipe et de castration, abondent « **des réactions qui semblent injustifiées du point de vue individuel et qui**

1. *Abrégé de psychanalyse* (1940a [1938]), Paris, PUF, 1967, p. 30-31 ; *OCF* XX, p. 256-257 ; *GW* XVII, p. 88-89.

2. *Ibidem,* p. 59 ; p. 283 ; p. 116.

3. *Ibidem,* p. 61 n. 1 ; p. 284 n. 1 ; p. 117 n. 1.

4. *L'homme Moïse et la religion monothéiste* (1939a), Paris, Gallimard, 1986, p. 193-194 ; *OCF* XX, p. 178-179 ; *GW* XVI, p. 205-206.

ne peuvent être comprises que phylogénétiquement », en fonction des vécus des générations antérieures. Sans doute n'a-t-on pas assez insisté sur cette hérédité de traces mnésiques du vécu des ancêtres, « indépendamment d'une communication directe et de l'influence de l'éducation par l'exemple ». Certes, actuellement, « la science biologique ne veut rien savoir de la transmission des caractères acquis aux descendants. Mais nous avouons en toute modestie que nous ne pouvons malgré tout pas nous passer de ce facteur dans l'évolution biologique ». Point majeur pour Freud, **l'hypothèse de leur conservation dans l'héritage archaïque jette un pont entre les psychologies individuelle et collective**; de surcroît, **nous réduisons aussi le fossé entre l'homme et l'animal** dont les instincts, manifestes dès le départ, ne peuvent guère s'expliquer qu'en référence à l'expérience de l'espèce, à ce qu'ont vécu leurs ancêtres. Freud revient alors sur ce qu'il avançait dès 1912 dans *Totem et tabou* : « Je n'hésite pas à affirmer que les hommes ont toujours su – de cette manière particulière – qu'ils ont possédé un jour un père primitif et qu'ils l'ont mis à mort. » L'importance et la répétition de l'événement expliquent comment son souvenir a pu pénétrer dans l'héritage archaïque. Il est plus difficile de comprendre comment il a pu devenir actif, « sortir de son état inconscient dans le ça pour pénétrer dans la conscience, même s'il est modifié et déformé ». Ce réveil de la trace mnésique oubliée correspond généralement à une répétition récente réelle de l'événement; ainsi du meurtre de Moïse et, plus tard, de la mise à mort du Christ; « c'est comme si la genèse du monothéisme n'avait pu se passer de ces événements ».

Il convient enfin de remarquer qu'une « tradition qui ne serait fondée que sur de la communication ne pourrait pas produire le caractère de contrainte qui appartient aux phénomènes religieux ». Elle pourrait être éventuellement rejetée comme tout ce qui vient de l'extérieur, et ne pourrait jamais s'affranchir de la contrainte de la pensée logique : « Elle doit avoir subi le destin du refoulement, l'état de ce qui séjourne dans l'inconscient, avant de pouvoir plier les masses à son empire, comme nous l'avons vu avec étonnement, sans jusqu'ici le comprendre, dans la tradition religieuse. » Pareillement, chez nos enfants, « **le retour du refoulé s'accomplit lentement, sûrement pas**

d'une manière spontanée, sous l'influence de tous les changements qui remplissent l'histoire de la civilisation » [1].

QUESTIONS ET ENJEUX

La **transmission des caractères acquis** est sans doute ce qui fait le plus question, en dehors et en dedans de la psychanalyse. En suivant pas à pas le texte freudien, on ne peut qu'être frappé de constater la place occupée par le thème « phylogénétique », sa permanence et même son renforcement dans le corpus, ainsi que l'insistance mise par Freud à souligner sa nécessité pour asseoir la théorie psychanalytique ; c'est d'ailleurs le travail même de l'analyse qui lui fournit le meilleur argument en faveur de l'existence de traces mnésiques d'un héritage archaïque. C'est encore longuement repris dans le dernier ouvrage, *L'homme Moïse et la religion monothéiste,* mais la conviction est ancienne : elle daterait, nous dit-il, de l'adolescence, lors même que « la doctrine de Darwin [...] exerçait sur moi un attrait puissant parce qu'elle promettait une extraordinaire avancée dans la compréhension du monde » [2]. Et sa préoccupation demeure de « comprendre le monde » en suivant, pour ce faire, la « voie royale » qu'est l'étude du psychisme, à commencer par celle de l'inconscient. C'est ce dont il témoigne avec force lorsqu'il réfère la phylogenèse dans le *Moïse,* lui donnant pour tâche de rapprocher la psychologie collective de la psychologie individuelle, mais aussi de réduire le fossé entre l'homme et l'animal ; telles étaient déjà les préoccupations de Haeckel, de Darwin et de Lamarck. C'est aussi à cette volonté de « comprendre le monde » que répond son intérêt privilégié pour ce dernier, qu'il justifie par le souci de le « faire venir sur notre terrain » et, ce faisant, d'éclairer la puissance exercée par l'inconscient sur le corps [3]. Là comme ailleurs, sa position se veut scientifique ; Freud

1. *Ibidem,* p. 238 ; p. 211 ; p. 241.

2. *Sigmund Freud présenté par lui-même* (1925d), Paris, Gallimard, 1984, p. 16 ; *OCF* XVII (1992), p. 56.

3. Dans une lettre à Abraham du 11 novembre 1917, dans *Correspondance Sigmund Freud–Karl Abraham* (1965a [1907-1926]), Paris, Gallimard, 1969, p. 266.

s'est toujours déclaré hostile à « la fabrication de visions du monde »[1].

En référant la transmission des caractères acquis, il connaissait le rejet qu'en faisait la biologie et savait heurter ainsi quelques bastions – mais « nous avouons en toute modestie que nous ne pouvons malgré tout pas nous passer de ce facteur dans l'évolution biologique ». Cette prise de position tranquille et tranchée put laisser perplexe, voire consterner nombre de psychanalystes, à commencer par son élève et biographe Ernest Jones qui (par un *very british understatement*) la qualifie de « déconcertante »[2]. Qu'est-ce à dire ? Freud, toujours attentif aux données scientifiques, en serait-il venu à en abandonner les principes et la rigueur ? Rappelons encore qu'il les a régulièrement confirmés, et notamment sur ce thème. C'est ainsi que, dans les mêmes temps où il écrit *Totem et tabou* (dans lequel il introduit la notion d'une « mémoire héréditaire du meurtre d'un père primitif »), il tient à mettre en garde ses élèves, mais sans doute aussi lui-même : « Nous ne sommes pas en droit de conclure à une réserve de souvenirs transmis phylogénétiquement aussi longtemps que nous sommes en mesure d'expliquer ces choses par une analyse de phénomènes psychiques »[3] puis, s'en prenant à Carl Gustav Jung, il souligne combien « il est incorrect, du point de vue méthodologique, d'avoir recours à une explication tirée de la phylogenèse tant que tout ce que l'ontogenèse peut offrir n'a pas été épuisé »[4]. Il n'a jamais abandonné ces principes mais, justement, il confirme en 1939 qu'en ce qui concerne certains faits, les explications ontogénétiques ont failli et qu'il convient là-dessus d'en appeler à une transmission de ce qui a été acquis par les générations antérieures. Il y a alors quatorze ans que Thomas Hunt Morgan a établi la théorie chromosomique, Freud en a entendu parler et la connaît ; il ne pouvait qu'ignorer l'existence de l'ADN qui ne sera découvert que cinq ans plus tard, mais sans doute cela ne l'aurait-il pas fait changer d'avis. En effet, il est

1. *Inhibition, symptôme et angoisse* (1926d [1925]), Paris, PUF, 1951, p. 12 ; *OCF* XVII, p. 214.

2. E. Jones, *La vie et l'œuvre de Sigmund Freud,* Paris, PUF, 1969, t. III, p. 352.

3. *Minutes de la Société psychanalytique de Vienne* (1979a), Paris, Gallimard, 1979, t. III (1910-1911), p. 299 (séance du 8 novembre 1911).

4. « Extrait de l'histoire d'une névrose infantile (L'homme aux loups) » (1918b [1914]), *Cinq psychanalyses,* Paris, PUF, 1954, p. 399-400 et 94-95.

convaincu qu'il ne traite pas du même sujet que ces biologistes, qu'il « ne s'agit pas de la même chose »[1].

Là-dessus, remarquons que *le rejet de la transmission des caractères acquis est loin d'être aussi totalement et universellement reconnu* que l'avançait Ernest Jones, qui s'en tint aux seuls dires de Thomas H. Huxley, farouche contempteur de Lamarck. Si Freud se fait un reproche, c'est plutôt d'avoir raisonné comme si n'entraient en ligne de compte que les communications directes, les influences éducatives, les transmissions de traditions[2], négligeant « ce qui a été vécu par les ancêtres et qui réapparaît toujours, comme hors de toute mémoire consciente. De telles expressions résiduelles se manifestent lors du travail analytique ; il s'agit alors d'un héritage archaïque qui correspond aux instincts des animaux, même s'il diffère par son ampleur et son contenu ; [ce sont ces] instincts qui leur permettent de se comporter dès le départ dans une situation de vie nouvelle comme si c'était une situation ancienne, depuis longtemps familière » : on ne voit pas comment expliquer ceci sans considérer qu'ils retrouvent là les expériences de l'espèce, « donc qu'ils ont conservé en eux des souvenirs de ce qui avait été vécu par leurs ancêtres ». On doit, de nos jours, considérer que ces expériences n'ont sans doute pas provoqué de mutations génétiques mais, à l'évidence, ce n'est pas ce qui est en jeu ; elles n'en demeurent pas moins présentes, actives, et leurs mécanismes continuent de faire problème. Le « néo-lamarckisme » de Freud repose sur l'idée que l'organisme participe par lui-même à son évolution, bien plus qu'il ne subit le hasard des variations. Sans doute conviendrait-il de parler là d'« évolutionnisme socioculturel » (de fait, il se réfère souvent à Spencer, James G. Frazer, Thomas Hunt Morgan, et aussi d'ailleurs Franz Boas, critique de ce dernier). Mais il sait combien cette position manque de rigueur, les caractères acquis

1. *L'homme Moïse et la religion monothéiste* (1939a), Paris, Gallimard, 1986, p. 196 ; *OCF* XX, p. 179 ; *GW* XVI, p. 207.

2. Remarquons ici que Freud n'aurait pu que récuser la notion de « transgénérationnel » qui tend à réduire ce qui se transmet entre génération à une communication ; très loin des intentions freudiennes cette conception n'est concevable que sur quelques générations et ne saurait en rien éclairer l'histoire de l'humanité. Elle n'a, en fait, pas grand chose à voir avec le « ça héréditaire », cette raison d'être du surmoi (*Le moi et le ça* (1923b), *Essais de psychanalyse,* Paris, Payot, 1981, p. 251-252 ; *OCF* XVI, p. 282 ; *GW* XIII, p. 267).

étant difficiles à appréhender alors que les traces mnésiques laissées par les communications verbales ont quelque chose de tangible, d'immédiatement saisissable, qui les met en évidence – mais il « est bien possible que nous ne puissions au fond nous représenter l'un sans l'autre ».

L'expression même de « transmission des caractères acquis » hérisse nombre de néo-darwiniens, voire de psychanalystes, qui ont *tendance à schématiser l'idée, voire à la caricaturer*. Il n'en demeure pas moins que si les hypothèses de la théorie synthétique (pour qui, dans l'évolution, le hasard est exclusif, écartant la nécessité) fonctionnent assez bien en micro-évolution (l'espèce humaine y prend place), elles demeurent impuissantes à rendre compte de la macro-, voire de la méga-évolution (d'où les vives critiques, argumentées de nombreux faits, que leur portent les paléontologues), tout comme du caractère exponentiel de l'évolution humaine (par rapport aux temps phylogénétiques), difficilement justifiable par une sélection naturelle étroitement biologique. Si la transmission directe de l'acquis, telle que Lamarck la proposait[1] (à laquelle adhérait Darwin, comme d'ailleurs tous les naturalistes de l'époque), n'est plus aujourd'hui recevable, il n'en demeure pas moins que, même avec les avancées de la génétique moléculaire (qui se situe sur un autre plan), le problème reste ouvert : si (en dehors de certains cercles religieux) nul ne met plus sérieusement en question l'évolution elle-même, les divergences pour en comprendre les mécanismes demeurent d'autant plus vives que les diverses écoles n'ont chacune à présenter que des systèmes d'hypothèses et non des faits probants. Mais l'évolutionnisme évolue aussi et nombre de darwinistes se sont demandé pourquoi le seul mécanisme de l'évolution à échapper à la sélection naturelle serait précisément celui qui suscitait les variations héréditaires et, depuis les

1. Certains néo-darwinistes (tels Huxley, précisément) ont tendu à présenter l'œuvre de Lamarck comme stérile et caduque ; rappelons alors que, au-delà de la transmission des caractères acquis, il est non seulement le père de l'évolutionnisme, mais aussi de la biologie elle-même, à qui il a donné un nom et dont il a fondé les principes ; il a ainsi montré que « l'évolution biologique se trouve conduite par le conflit de forces organisatrices et de forces désorganisatrices » (Bocquet) – on voit là combien Freud ne pouvait qu'être sensible à une telle pensée. Puisque nous en sommes aux mises au point, rappelons que Ernst Haeckel, darwiniste convaincu qui fut également souvent critiqué (peut-être en raison de ses options néo-lamarckiennes), est le créateur de l'écologie en tant que science.

années 1980, avec l'« hérédité épigénétique », on connaît des transmissions qui échappent à l'ADN : les conditions environnementales n'interviennent pas seulement dans la sélection, mais peuvent aussi les produire – ce qui est, somme toute, fort proche de ce que décrit Freud. Mais sans doute est-il plus sage de reprendre, là encore, la formule freudienne, et conclure : *non liquet*...

Mais *pourquoi Freud tient-il tant à la transmission des caractères acquis*, au point de considérer qu'elle est la condition nous permettant de continuer à « avancer sur le chemin où nous nous sommes engagés. [...] Il s'agit d'une audace que nous ne pouvons éviter » [1]. On aurait pu penser que sa référence aux thèses d'August Weismann (sur la séparation radicale entre *germen* immuable mais transmissible, et *soma* dépendant du milieu et périssable), qui condamnent la transmission de l'acquis, l'amènerait aussi à la rejeter ; mais il n'en est rien. Ce qui lui importe d'abord est de se donner les moyens d'une saisie globale de l'humain, voire du vivant (cela guide son élaboration de la deuxième théorie pulsionnelle). L'approche phylogénétique lui permet, pense-t-il, de « jeter un pont par-dessus le fossé qui sépare la psychologie individuelle de la psychologie des masses, [de] traiter les peuples comme l'individu névrosé » [2] – et même, nous l'avons vu, de combler le fossé entre l'homme et l'animal. Mais il lui faut, tout aussi bien, justifier l'extraordinaire constance du fonctionnment psychique qui, au-delà d'une grande variété apparente, et en dépit des avatars particuliers à chaque individu, retrouve les mêmes « schémas » organisateurs dont témoignent les fantasmes originaires, à commencer par le complexe d'Œdipe. Il y a encore une autre raison, un « argument psychologique » qui s'appuie sur le rapprochement nécessaire entre psychologies collective et individuelle : l'effet de « contrainte » impérative, tel qu'il est commun aux symptômes de la névrose obsessionnelle et aux phénomènes religieux, ne saurait se justifier du seul fait d'une « tradition qui ne serait fondée que sur de la communication » ; en son absence, on jugerait, on rejetterait éventuellement, on ne s'affranchirait pas de la pensée logique. Il faut qu'intervienne le refoulement pour imposer le destin de ce qui séjourne dans l'inconscient – sinon nous ne saurions comprendre le pouvoir de contrainte

1. *L'homme Moïse et la religion monothéiste*, Paris, Gallimard, 1986, p. 196 ; *OCF* XX, p. 179 ; *GW* XIII, p. 207.

2. *Ibidem*.

tyrannique de la tradition religieuse : « Une telle considération pèse d'un grand poids pour nous amener à croire que les choses se sont effectivement passées comme nous avons tenté de le décrire, au moins de manière analogue. »[1]

Mais il demeure quelques points qui demandent commentaires. Ainsi nous avons, dès notre introduction, souligné combien, en psychanalyse, les deux termes de phylogenèse et d'ontogenèse sont associés. Il pourrait alors être tentant de les considérer comme formant un ***couple d'opposés.*** Nous devons pourtant constater que Freud ne les désigne pas comme tels, bien qu'il use, comme d'une référence majeure, de la « loi biogénétique fondamentale » de Haeckel qui pose l'ontogenèse comme récapitulation de la phylogenèse (la validité en demeure, pour l'essentiel et à quelques nuances près). Ne s'agirait-il pas là d'un fonctionnement en couple d'opposés ? L'accouplement tient ici à l'idée de genèse, l'éventuelle opposition se situant entre individu et espèce ; il n'y a, là-dedans, rien de pulsionnel, et rien de véritablement conflictuel. En fait, nous avons surtout affaire ici à une complémentarité.

Nous devons aussi remarquer que nous avons peu rencontré le terme d'« **hérédité** », et d'abord dans le texte freudien lui-même ; la notion est pourtant à la base même de la phylogenèse comme de l'ontogenèse. Si Freud en use dans un de ses tout premiers articles (1896), « L'hérédité et l'étiologie des névroses », il le fait pour se démarquer de la thèse de Charcot imputant l'hystérie à l'hérédité. C'est pour lui l'occasion d'y substituer « l'expérience sexuelle précoce » comme source de la névrose, qu'elle soit hystérie ou obsession[2]. Et ce sera tout, mis à part une mention incidente dans *Totem et tabou*[3]. Ce n'est qu'avec *Le moi et le ça* que le terme et la notion vont être véritablement pris en compte. Il s'agit d'introduire l'idée qu'il ne saurait y avoir de transmission directe dans le moi, qu'il faut passer par un « ça héréditaire » à qui il appartient de préserver les traces des expériences oubliées du moi lorsqu'elles se répètent au fil des générations ; aussi, « lorsque le moi puise son surmoi dans le ça, peut-être ne fait-il que remettre au jour les figures du moi plus anciennes et les

1. *Ibidem,* p. 198 ; p. 181 ; p. 209.

2. « L'hérédité et l'étiologie des névroses » (1896a), *Névrose, psychose et perversion,* Paris, PUF, 1973, p. 119-120 ; *OCF* III, p. 114 ; *GW* I, p. 414-415.

3. *Totem et tabou* (1912-1913a), Paris, Gallimard, 1993, p. 314 ; *OCF* XI, p. 379 ; *GW* IX, p. 190.

ressusciter »[1]. L'hérédité va trouver sa pleine fonction avec l'étude de 1924 sur « La disparition du complexe d'Œdipe » : celui-ci est bien une aventure aussi individuelle qu'universelle, mais n'en est pas moins déterminé par l'hérédité car il doit inexorablement, « conformément au programme », passer lorsque le temps en est venu, quelle que soit l'occasion qui provoque cette disparition[2].

Ce n'est que fort tard, en 1939 dans *L'homme Moïse et la religion monothéiste,* que Freud va s'en expliquer plus, se reprochant d'avoir négligé « l'hérédité de traces mnésiques relatives à ce qui a été vécu par des ancêtres, indépendamment d'une communication directe et de l'influence de l'éducation par l'exemple ». Trop souvent, il a privilégié la transmission de la tradition par la communication, c'est-à-dire les traces mnésiques d'impressions extérieures tangibles, au détriment des traces mnésiques de l'héritage archaïque inscrites dans l'évolution biologique (facteur dont il ne saurait se passer) ; peut-être d'ailleurs ne peut-on se représenter l'un sans l'autre. En fait, en ne nommant pas l'hérédité là où, pense-t-il, il aurait dû le faire, Freud aurait manqué d'audace, semble-t-il penser. Là gît pourtant l'opportunité de jeter un pont entre les psychologies individuelle et sociale, comme entre l'humain et l'animal. Et il a cette phrase remarquable : « S'il en est autrement, nous n'avancerons pas d'un pas sur le chemin où nous nous sommes engagés, ni dans l'analyse, ni dans la psychologie des masses. Il s'agit d'une audace que nous ne pouvons éviter. »[3] Même si Freud n'en a vraiment parlé qu'à la fin de son œuvre, l'hérédité est bien au cœur du problème : c'est elle qui conditionne tout ce qu'il a pu développer si longuement autour de l'ontogenèse et de la phylogenèse.

Claude LE GUEN

Opposés (couples d') → Couples d'opposés (polarités)

1. *Le moi et le ça* (1923b), *Essais de psychanalyse,* Paris, Payot, 1981, p. 249-251 ; *OCF* XVI, p. 280-282 ; *GW* XIII, p. 265-267.

2. « La disparition du complexe d'Œdipe » (1924d), *La vie sexuelle,* Paris, PUF, 1969, p. 117-118 ; *OCF* XVII, p. 27 ; *GW* XIII, p. 396.

3. *L'homme Moïse et la religion monothéiste* (1939a), Paris, Gallimard, 1986, p. 195-196 ; *OCF* XX, p. 178-180 ; *GW* XVI, p. 206-207.

ORALE (phase), ORALITÉ

all. : ***orale Phase, Oralität.*** – angl. : *oral stage, orality.* – esp. : *fase oral, oralidad.* – ital. : *fase orale, oralità.* – port. : *fase oral, oralidade*

La *phase orale* est la première organisation libidinale, caractérisée par sa source pulsionnelle, la bouche comme première zone érogène, par son objet préférentiel qui est le sein maternel, et par son but, l'incorporation. De cette organisation primitive de la libido dérive une formation pulsionnelle liée aux fixations orales, l'oralité.

La notion d'*oralité* comporte des registres de significations différents bien qu'intimement reliés. Si elle est souvent simple synonyme de « pulsion orale », elle se trouve cependant couramment employée dans des acceptions dont les nuances importent. On peut concevoir l'oralité comme l'ensemble de traits de caractère dérivant de la transposition de la pulsion orale primitive, comme une réorganisation symptomatique à valeur défensive. On peut appréhender l'oralité en tant que fonctionnement pulsionnel, dont les caractéristiques sont référées à la phase orale, et qui garde de celle-ci non tant la notion de zone érogène orale que celle de son mode particulier de but pulsionnel (l'incorporation) et qui en vient à désigner un type d'investissement libidinal et d'identification narcissiques. Le terme d'« oralité » peut désigner la qualité de ce qui est oral, terme générique et descriptif qualifiant un champ sémantique, désignant le caractère manifeste de certaines représentations sans préjuger des fonctionnements sous-jacents.

MISE EN SITUATION

Si la notion de phase orale fait partie des premières conceptualisations freudiennes du développement libidinal et se précise au fil des différentes versions des Trois essais sur la théorie sexuelle, *il n'en est pas de même pour le terme d'« oralité ». Celui-ci, absent comme tel chez Freud, est d'un usage courant en psychanalyse ; il n'a pourtant pas reçu une définition précise et est employé dans des acceptions diverses masquées par une certaine « évidence » psychologique où se recoupent les nuances de sens distinguées ci-dessus. Freud préfère employer l'adjectif pour qualifier par exemple pulsion, phase ou érotisme. La notion d'oralité a cependant bénéficié de l'échange serré entre Freud et Karl Abraham au sujet des phases prégénitales, et son approche se doit de prendre en considération l'entrelacement des apports de l'un et de l'autre (c'est pourquoi, dans cette définition, nous devrons faire une place relativement importante à ce dernier).*

LE TEXTE FREUDIEN

Dès les premières formulations des *Trois essais sur la théorie sexuelle,* Freud met en avant la sexualité orale comme première expression de la sexualité infantile polymorphe. Néanmoins, il ne parle pas encore de stade oral ni d'organisation orale. Il s'appuie sur les observations du pédiatre Lindner pour prendre comme « modèle des satisfactions sexuelles infantiles le *suçotement* (succion voluptueuse) » [1]. Celui-ci est caractérisé par l'absence de finalité alimentaire et peut s'accompagner d'une pulsion d'agrippement d'une partie du propre corps ou de celle d'une autre personne. Freud évoque alors la possibilité que ce suçotement puisse provoquer « une sorte d'orgasme » et souvent s'accompagner de masturbation génitale. Ces diverses notations désignent fortement la valeur autoérotique de ces premières manifestations sexuelles infantiles. Mais il est clair, ajoute Freud, que « l'acte de l'enfant qui suçote est déterminé par la recherche d'un plaisir déjà vécu et désormais remémoré » [2]. La bouche, première zone érogène, est le *lieu-source* de ce plaisir indéniable pris au contact du sein et du lait maternel. « Au début, la satisfaction de la zone érogène était sans doute associée à la satisfaction du besoin alimentaire. L'activité sexuelle s'étaye tout d'abord

1. *Trois essais sur la théorie sexuelle* (1905d), Paris, Gallimard, 1987, p. 102 ; *OCF* VI, p. 114-115 ; *GW* V, p. 80.

2. *Ibidem,* p. 105 ; p. 117 ; p. 82.

sur une des fonctions servant à la conservation de la vie et ne s'en affranchit que plus tard. »[1] Ainsi se trouve formulée, avec les précisions théoriques de 1915, la théorie de l'étayage qui trouve son modèle premier dans la pulsion orale de l'enfant.

Cependant, que cela soit dans l'ordre du développement pathologique ou normal, Freud n'a pas dédié à l'« oralité », la même attention qu'à l'« analité » à laquelle il consacre, par exemple, « Caractère et érotisme anal » en 1908, puis en 1917 « Sur les transpositions des pulsions, plus particulièrement dans l'érotisme anal ». Pourtant, les questions qu'il se posait dans ce dernier texte, à propos des sources pulsionnelles de l'érotisme anal, ont pu être légitimement reprises concernant l'érotisme oral. Il se demandait alors si les pulsions prégénitales perdaient leur importance pour la vie sexuelle du fait de l'établissement de l'organisation génitale définitive, si elles subsistaient en tant que telles, mais refoulées, si elles étaient sublimées, transposées en attributs de caractère, ou trouvaient accueil dans la nouvelle structuration de la personnalité[2].

Il concluait que, vraisemblablement, aucun de ces destins ne saurait exclure les autres et invitait, pour l'érotisme anal, à étudier la répartition de ces différentes possibilités. Dans les *Trois essais sur la théorie sexuelle,* il avait souligné la persistance des plaisirs oraux dans les relations sexuelles adultes, en tant que plaisirs préliminaires (une fixation exclusive déterminant une perversion), et évoqué le maintien d'une signification érogène chez ceux qui, « adultes, deviendront de friands amateurs de baisers, développeront un penchant pour les baisers pervers, ou, si ce sont des hommes, auront de sérieux motifs pour boire et pour fumer »[3]... Mais, pour l'oralité, il n'a pas mis en avant une triade de traits de caractère tels que le font « ordre, économie et obstination » pour le caractère anal ; les autres destins n'ont pas été étudiés en tant que tels. Ceci correspond, avant tout, à

1. *Ibidem.*

2. « Sur les transpositions des pulsions, plus particulièrement dans l'érotisme anal » (1917c), *La vie sexuelle,* Paris, PUF, 1969, p. 107 ; *OCF* XV, p. 56 ; *GW* X, p. 403.

3. *Trois essais sur la théorie sexuelle* (1905d), Paris, Gallimard, 1987, p. 106 ; *OCF* VI, p. 118 ; *GW* V, p. 83.

l'évolution de la recherche freudienne qui, progressivement et avec l'introduction de la seconde topique, se détourne de certains aspects phénoménologiques cliniques et délaisse l'étude du « caractère », bien que la référence aux phases du développement libidinal ne soit jamais abandonnée.

En effet, elle parcourt toute son œuvre et la référence orale reste au cœur de sa réflexion sur la sexualité, depuis les *Trois essais sur la théorie sexuelle* jusqu'aux *Nouvelles conférences d'introduction à la psychanalyse*. Ainsi écrit-il en 1905 : « Lorsqu'on voit un enfant rassasié quitter le sein en se laissant choir en arrière et s'endormir, les joues rouges, avec un sourire bienheureux, on ne peut manquer de se dire que cette image reste le prototype de l'expression de la satisfaction sexuelle dans l'existence ultérieure. »[1] Et en 1933, dans sa XXXIIIe conférence sur la féminité, il note qu'il semble « que l'avidité de l'enfant pour sa première nourriture soit insatiable, qu'il ne se console jamais de la perte du sein maternel ». Si le terme d'« oralité » n'apparaît pas, la valeur de modèle de la pulsion orale demeure constante dans les écrits freudiens.

C'est en s'appuyant sur la théorie des phases d'organisation de la libido infantile et sur les éléments proposés par Freud en 1908, puis en 1917 dans les textes précités sur l'analité, que ses successeurs et élèves, en particulier Karl Abraham, se sont efforcés non seulement de distinguer et de décrire les différents destins des motions pulsionnelles prégénitales, d'en déduire des « caractères » marqués par la prédominance de certains traits, mais souvent de les associer très directement aux structures psychopathologiques. Celles-ci trouveraient leur étiologie dans une fixation à ces étapes précoces du développement libidinal auquel l'individu aurait ultérieurement régressé.

Il se trouve que, comme le note clairement Karl Abraham dans « Étude psychanalytique de la formation du caractère » (1925), une part importante de l'érotisme oral est directement utilisée dans la vie adulte et n'est pas refoulée comme celle de l'érotisme anal : il s'ensuit que « les composantes orales seront transformées en traits de caractère ou sublimées dans une proportion bien moindre que les

1. *Ibidem*, p. 105 ; p. 117 ; p. 82.

composantes anales »[1]. Pour Abraham, l'expérience psychanalytique enseigne que le développement du caractère ne signifie qu'un dépassement relatif des types d'organisations primitifs ; il cherche à souligner le polymorphisme des différents traits et la relativité de la synthèse sous primat génital. Mais, si dans ce dernier texte il reprend la distinction qu'il a été le premier à établir, dans « Examen de l'étape prégénitale la plus précoce du développement de la libido »[2] en 1916, entre stade oral de succion préambivalent, et stade sadique-oral où la morsure témoigne de l'ambivalence[3], il s'en sert ici dans une description essentiellement phénoménologique et ne l'utilise ni comme une référence nosographique, ni comme une base de réflexion sur des processus concernant l'édification de l'appareil psychique. Il oppose alors, et/ou associe, les traits de caractère oral et anal, ces derniers venant moduler les premiers : optimisme/pessimisme, libéralité/avarice, etc. Dans une perspective assez réaliste, les traits de caractère oraux sont alors reliés à des traumatismes précoces réels survenus lors du stade oral, soit par carence de l'environnement, soit par excès de satisfaction libidinale. Ainsi, par exemple, des conséquences d'une insatisfaction lors de la période d'allaitement conclut-il à l'avidité insatiable des sujets à caractère oral : « La façon dont ils formulent leurs vœux tient de la succion obstinée et permanente. »[4] On perçoit la valeur métaphorique d'une telle référence, tout comme la séduction d'une telle description qui, dans le développement historique de cette direction de pensée, a parfois pu glisser vers une forme de réification réaliste et de généralisation hâtive.

1. K. Abraham (1925), « Étude psychanalytique de la formation du caractère », *Œuvres complètes,* Paris, PUF, 1965, t. II, p. 246.

2. K. Abraham (1916), « Examen de l'étape prégénitale la plus précoce du développement de la libido », *Œuvres complètes,* Paris, Payot, 1965, t. II.

3. Freud reprendra cette distinction d'Abraham, dans sa XXXIIe conférence « Angoisse et vie pulsionnelle », in *Nouvelles conférences d'introduction à la psychanalyse* (1933a [1932]), Paris, Gallimard, 1984, p. 134 ; *OCF* XIX, p. 182 ; *GW* XV, p. 105-106.

4. K. Abraham, « Étude psychanalytique de la formation du caractère » (1925), *Œuvres complètes,* Paris, Payot, 1965, t. II, p. 251.

C'est cependant à travers l'étude de certaines pathologies qu'une acception plus métapsychologique de l'oralité s'est progressivement dégagée. L'aspect nosographique de la référence orale est très sensible dans le texte d'Abraham « Esquisse d'une histoire du développement de la libido fondée sur la psychanalyse des troubles mentaux » [1] (1924), qui reprend et précise ses premières élaborations de 1916. Il s'agit toujours de mettre en relation telle pathologie (en l'occurrence la psychose maniaco-dépressive) avec des fixations à la phase orale. Mais il y a aussi, comme dans le texte de Freud « Deuil et mélancolie » auquel il se réfère, une attention particulière portée aux *processus* et une réflexion sur l'incorporation, but pulsionnel caractéristique de la phase orale dont Abraham repère là les avatars pathologiques. En effet, « Deuil et mélancolie » (dans lequel Freud reconnaît explicitement sa dette envers K. Abraham) avait permis, à travers l'étude du « travail de la mélancolie » et de la régression mélancolique à la phase orale, de souligner la signification de l'incorporation comme refus du deuil de l'objet et comme identification primaire pathologique. À partir de là, l'oralité se trouve, chez Freud tout au moins, en partie dégagée de son appartenance à une description génétique du développement de la libido, pour prendre la valeur d'une modalité de fonctionnement pulsionnel, caractérisée par un mode particulier d'identification lié à un investissement narcissique de l'objet, dans lequel, précisément, investissement libidinal et identification se confondent. Freud émet clairement l'idée que « l'identification est le stade préliminaire du choix d'objet et la première manière, ambivalente dans son expression, selon laquelle le moi élit un objet. Il voudrait s'incorporer cet objet, et cela, conformément à la phase orale ou cannibalique du développement de la libido, par le moyen de la dévoration » [2].

Cette extension du modèle et ce dégagement de la référence pathologique est patent dans les œuvres plus tardives de Freud, comme « La

1. K. Abraham, « Esquisse d'une histoire du développement de la libido fondée sur la psychanalyse des troubles mentaux » (1924), *Œuvres complètes*, Paris, Payot, 1965, t. II.

2. « Deuil et mélancolie » (1917e [1915]), *Métapsychologie*, Paris, Gallimard, 1968, p. 157 ; *OCF* XIII, p. 268 ; *GW* X, p. 436.

négation » (1923), qui reprend des élaborations de « Pulsions et destins des pulsions » (1915). Dans « La négation », il parle du « langage des motions pulsionnelles les plus anciennes, les motions orales » [1], par lequel le moi plaisir purifié introjecte le plaisant et projette le déplaisant à l'extérieur. « Cela je veux le manger ou bien je veux le cracher. » [2] Freud fait de la relation orale primitive la source du développement intellectuel ultérieur, dans la mesure où une continuité symbolique relie incorporation, unification, affirmation d'un côté, et réjection, destruction, négation de l'autre. Les formes de l'activité intellectuelle (jugement d'attribution, jugement d'existence) sont mises en relation avec les formes de la vie pulsionnelle originaire. L'oralité a dès lors, au-delà de la référence pathologique, la place d'un *modèle métapsychologique* tendant à définir les contours d'un appareil psychique en formation, dans une réflexion plus structurale que génétique.

QUESTIONS ET ENJEUX

Cependant, quelle que soit la valeur que prend l'oralité comme modèle premier de la pulsion chez Freud, elle garde pour une part une certaine imprécision dans l'usage qu'en firent ses successeurs quand elle se réfère à l'ensemble de traits de caractère dérivant de la transposition de la pulsion orale primitive, car elle hérite alors des difficultés conceptuelles liées aux notions de stades du développement libidinal. Les caractères, loin de rendre compte de la complexité de la vie psychique, risquent de la schématiser et de transformer l'abord psychopathologique en succession de tableaux de La Bruyère, le talent en moins...

Ces écueils sont parfois sensibles chez certains théoriciens quand la polarisation sur l'oralité fonctionne comme grille d'explication globale. Les réflexions sur *« la relation d'objet orale »* montre souvent la

1. « La négation » (1925h), *Résultats, idées, problèmes, II,* Paris, PUF, 1985, p. 137 ; *OCF* XVII, p. 168 ; *GW* XIV, p. 13.

2. *Ibidem*, p. 137 ; p. 168-169 ; p. 13.

difficile limite entre une psychologie réaliste, qui va jusqu'à substantifier l'adjectif, « *l'oral* » étant par exemple une personnalité pathologique avide, insatiable, impatiente ; ce qui débouche sur une théorisation psychanalytique de l'oralité comme organisation prégénitale de la libido dont les dérivées se retrouvent plus ou moins dans le comportement de l'adulte, c'est-à-dire dans sa relation objectale. Les analystes qui ont développé la notion de « relation d'objet », cherchant à éviter la pure description phénoménologique du caractère, ont tenté de concevoir les références aux stades du développement libidinal, avec souvent une valeur paradigmatique accordée à la phase orale, dans une vision d'ensemble de la structure de la personnalité qui mettrait en rapport mode d'investissement pulsionnel, mode de défenses spécifiques et traits de caractère – ainsi que Freud avait pu l'ébaucher dans « Caractère et érotisme anal », et tel qu'Abraham l'a développé.

Une autre acception plus vague et assez globale du terme d'« oralité » est courante et d'un usage ambigu : en effet, il a pu sembler nécessaire de distinguer dans ce champ de l'oralité entre ce qui renvoie à un mode pulsionnel prévalent lié à une régression libidinale ou à une structuration particulière, et des fantasmes à thématique orale où les déplacements dus au processus de symbolisation permettent qu'une problématique soit figurée dans un matériel représentatif oral. Une thématique orale ne renvoie pas forcément, comme par exemple dans certains fantasmes hystériques, à la pulsion orale, mais bien à un déguisement de désirs génitaux. L'emploi du terme « oralité » dans un tel contexte est peut-être un peu laxiste, mais désigne cependant un champ sémantique qui prend une grande importance dans les productions imaginaires, individuelles comme collectives, tout en ne disant rien des processus sous-jacents et des fonctionnements à l'œuvre. Il indique, dans ce cas seulement, le caractère oral d'un matériel manifeste, mais la productivité métaphorique d'un tel emploi est certaine : ainsi la faim et ses figures peuvent-elles désigner toute forme de désir dans une proximité relative aux significations plus psychanalytiques indiquées ci-dessus, dans un envol métaphorique qui dit bien cependant la valeur de modèle de la pulsion orale.

Hélène PARAT

Oralité → Orale (phase), oralité

Organisation génitale → Génitale et phallique (phases)

Organisations libidinales → Phases, stades, organisations libidinales

Organisations → Travail et élaboration psychique

ORIGINAIRE, ORIGINEL

all. : *ur-*. – angl. : *primal*. – esp. : *originaria*. – ital. : *originarie*. – port : *primitivas*

Ce terme réfère, tout naturellement, ce qui renvoie aux origines, qu'il s'agisse de celles d'un individu pris en tant que tel, ou considéré comme appartenant à l'espèce – ce qui renvoie à l'ontogenèse et la phylogenèse. Omniprésente dans l'œuvre freudienne, la notion n'y a été ni explicitée, ni spécifiée. Lorsqu'elle apparaît dans le texte, elle est indiquée par un préfixe *(ur-)* venant connoter un substantif – c'est ainsi qu'elle se retrouve dans de nombreux mots composés.

MISE EN SITUATION

L'allemand préfixal UR- *n'a pas d'équivalent dans la langue française ; pour en rendre compte, celle-ci doit recourir à un qualificatif référant l'origine, ce qui tend à amoindrir sa prégnance, voire sa capacité de généralisation. La notion, avec l'idée qui l'inspire, imprègne le texte freudien, comme en témoignent de nombreux termes proprement psychanalytiques (*Urphantasien : *fantasmes originaires ;* Urszene : *scène originaire ;* Urverdrängung : *refoulement originaire ;* Urvater : *père originaire ;* urzeitliche Mutter : *mère des temps préhistoriques, etc.), ainsi que dans d'autres, pris dans leur acception courante et utilisés au fil de l'œuvre (*Urzeit : *temps préhistoriques ;* Urgeschichte : *préhistoire ;* Urbevölkerung : *aborigènes ;* Urbild : *archétype, etc.). Le mot français « origine », dérivé du latin* oriri *(se* *lever, naître), ne pose guère de problèmes sémantiques mais est loin d'avoir l'impact immédiat du préfixe allemand. On peut s'amuser de constater que jusqu'au* XVe *siècle prévalait « orine » (plus proche de* ur*) mais que, par décence et pour éviter toute contamination par le quasi-homonyme « urine » (évoquant alors le* prima inter feces*), on lui préféra « origine ».*

Pour tenter de retrouver la prégnance de l'allemand nous avons retenu ici la forme substantivée de ce qui est normalement un adjectif. Deux mots français s'offrent à nous : « originaire » qui est le plus utilisé mais indique plutôt « ce qui est à l'origine », et « originel » qui aurait notre préférence puisqu'il désigne « ce qui date de l'origine, qui en vient ». À noter l'existence de certaines traductions par « primitif » qui, même si elles ne sont en rien un contresens, risquent de susciter des confusions fâcheuses avec « primaire », terme qui marque la temporalité et la chronologie, alors que « originaire » est essentiellement structural et processuel. Notre attention est ainsi attirée sur ce qu'il y a d'équivoque dans les termes d'origine, d'originel et d'originaire, qui sont – comme on a pu le remarquer – impliqués dans nombre de problèmes traditionnels où ils appellent à chaque fois une critique spéciale[1].

Il va de soi que la psychanalyse ne saurait échapper à ce traitement particulier mais, dans cette perspective, nous pensons utile de rappeler quelques idées générales pouvant éclairer l'approche freudienne. Ainsi, pour s'en tenir aux origines propres d'un « originaire-originel », l'idée en apparaît à l'âge classique avec John Locke et se développe à l'époque des Lumières avec Jean-Jacques Rousseau, elle sera élargie aux relations à l'histoire avec Karl Marx. Il s'agit alors d'une démarche philosophique, mais ses implications scientifiques sont évidentes : un événement se produit et peut être considéré comme « acte fondateur » de ce qui l'agit et est agi par lui, servant ainsi de modèle, de norme à tout ce qui lui adviendra ensuite. Ainsi sont marqués les possibles, mais aussi les impossibles du devenir ; les événements ultérieurs peuvent venir recouvrir et travestir les données fondatrices, mais ils ne sauraient les supprimer : celles-ci demeurent la référence obligée et contraignante, ce qui explique qu'on puisse en retrouver la trace. Il semble bien que lorsque Freud recourt au UR-, *il le fait selon cette acception, réservant le* primäre *à ce qui apparaît en premier (tels l'identification ou les processus primaires).*

1. Cf. A. Lalande (dir.), *Vocabulaire de la philosophie,* Paris, PUF, 1956.

Une autre remarque préalable s'impose : contrairement à ce que pourrait laisser croire une approche superficielle, l'originaire n'a guère à faire avec les origines telles que mythes et religions les mettent en place ; celles-ci, traitant pour l'essentiel de la création du monde, doivent en appeler à l'intervention extérieure de quelques dieux ou démiurges, alors que l'originaire se fonde sur le sujet et se justifie en lui. Il permet ainsi d'interpréter son histoire et de l'organiser ; sans lui, celle-ci se réduirait à une suite disparate d'anecdotes plus ou moins tragiques et obscures : l'originaire produit l'histoire, il l'origine comme il origine tout ce qui constituera le sujet ; il vise la nature, l'essence même de l'être qu'il organise et dont il organise le développement. Pour autant, l'originaire ne saurait être une explication de l'être, il est seulement un outil, utile et même nécessaire, pour tenter de comprendre son organisation. C'est en ce sens qu'il s'est imposé à Freud.

LE TEXTE FREUDIEN

Nous nous limitons ici à repérer les moments d'apparition et de développements particuliers des termes et notions, sans nous y étendre ; le lecteur peut se reporter aux entrées propres.

L'idée se fait jour en **1897** à propos des fantasmes hystériques qui ne renverraient pas à de véritables souvenirs mais à des « pulsions découlant de scènes originaires » utilisées après coup[1]. En 1900, Freud espère, « par l'analyse des rêves, connaître l'héritage archaïque de l'homme, découvrir ce qui est psychiquement inné, [...] les rêves conservant la préhistoire de l'esprit »[2].

La référence à cette préhistoire s'impose en **1912** dans *Totem et tabou*, ouvrage qui s'appuie sur l'idée de Charles Darwin selon

1. *La naissance de la psychanalyse. Lettres à Wilhelm Fliess. Notes et plans (1887-1902)* (1950a [1887-1902]), Paris, PUF, 1956, p. 174.

2. *L'interprétation des rêves* (1900a), Paris, PUF, 1967, p. 467 ; *OCF* IV, p. 602 ; *GW* II-III, p. 554.

laquelle aux premiers temps de l'humanité existaient de petites communautés d'hommes, *hordes originaires* sous la domination absolue du mâle le plus fort contre lequel les fils opprimés se révoltèrent et s'allièrent pour le mettre à mort, s'organisant ensuite pour assumer son pouvoir ; ce meurtre du *père originaire* aurait ainsi fondé les organisations sociales, les morales et les religions[1]. Cet argument sera repris en 1921, à peu près à l'identique, dans *Psychologie des foules et analyse du moi*[2] puis, dix-huit ans plus tard, dans *L'homme Moïse et la religion monothéiste*[3].

En **1915**, la notion d'originaire prend véritablement place dans la *métapsychologie,* dans le même temps où celle-ci s'élabore et se définit dans le livre qui porte ce nom. Elle apparaît selon ses deux acceptions de « fantasmes originaires » et de « refoulement originaire », dans deux textes qui, s'ils sont parfaitement distincts dans leur objet comme dans leur traitement, sont de même inspiration, les deux notions s'éclairant l'une l'autre.

Le *refoulement originaire* est explicité et justifié dans la *Métapsychologie.* Il vient signifier l'originaire des processus psychiques, établir le rapport entre inconscient et conscient, marquer l'apparition d'un moi-conscience ; recourant à l'étude des investissements pulsionnels, et plus particulièrement du contre-investissement (qui est en fait son seul mécanisme), il lui appartient d'expliquer le début d'un fonctionnement[4]. Ceci sera ensuite largement développé, permettant par exemple d'expliquer pourquoi « les motifs du refoulement ne doivent pas être sexualisés » car leur justification première, noyau de

1. *Totem et tabou* (1912-1913a), Paris, Gallimard, 1993, p. 266, 289, 300 ; *OCF* XI ; *GW* IX, p. 153, 171, 180.

2. *Psychologie des foules et analyse du moi* (1921c), *Essais de psychanalyse,* Paris, Payot, 1981, p. 191-193, 206-212 ; *OCF* XVI, p. 62-64, 74-79 ; *GW* XIII, p. 137-140, 151-156.

3. *L'homme Moïse et la religion monothéiste* (1939a), Paris, Gallimard, 1986, p. 170-177, p. 197, p. 242 ; *OCF* XX, p. 159-166, p. 180-181, p. 214-215 ; *GW* XVI, p. 186-192, p. 208, p. 245.

4. « Le refoulement » (1915d), *Métapsychologie,* Paris, Gallimard, 1968, p. 47 et 48 ; *OCF* XIII, p. 192 et 193 ; *GW* X, p. 249-250. Et « L'inconscient » (1915e), *Métapsychologie,* Paris, Gallimard, 1968, p. 88-89 ; *OCF* XIII, p. 222 ; *GW* X, p. 280.

l'inconscient, tient à l'héritage archaïque dont une part, inutilisable et nuisible, doit être abandonnée lors du développement ; mais les pulsions sexuelles étant particulièrement rebelles au refoulement, elles peuvent susciter des formations névrotiques sans être, pour autant, à l'origine du refoulement lui-même[1].

Les *fantasmes originaires* apparaissent explicitement dans un texte de 1915[2], mais sont plus particulièrement étudiés dans les « Extraits de l'histoire d'une névrose infantile (L'homme aux loups) » en 1918 où, dans le cadre de la polémique avec Carl Gustav Jung, ils doivent contribuer à démontrer la vérité d'une sexualité et d'une névrose infantiles, en justifiant les structures représentatives du psychisme (il convient de noter qu'un seul de ces fantasmes, la *scène originaire,* qui est d'ailleurs aussi la seule à être explicitement désignée comme telle, est véritablement étudié, alors que séduction et castration appellent peu de commentaires quant à leur détermination originaire). En naissant, l'enfant apporte des schémas qui doivent « classer » les impressions qu'apporte ensuite la vie, et, lorsque les événements ne s'adaptent pas au schéma héréditaire, ils sont remaniés ; ces schémas, qui ont une existence indépendante, triomphent de l'expérience individuelle, et ne sont pas sans évoquer le savoir instinctif des animaux. Ce patrimoine, qui constituerait le noyau de l'inconscient, garde le pouvoir d'attirer des processus plus élevés ; c'est ce dont témoignerait le refoulement[3]. Si assez vite Freud prendra de la distance avec cette notion dans sa forme la plus systématique, il maintiendra et développera l'exigence d'une référence à un originaire archaïque, préhistorique, perpétuant l'inspiration de *Totem et tabou.*

1. « Un enfant est battu. Contribution à la genèse des perversions sexuelles » (1919e), *Névrose, psychose et perversion,* Paris, PUF, 1973, p. 243 ; *OCF* XV, p. 146 ; *GW* XII, p. 225-226.

2. « Communication d'un cas de paranoïa en contradiction avec la théorie psychanalytique (1915f), *Névrose, psychose et perversion,* Paris, PUF, 1973, p. 215 ; *OCF* XIII, p. 318 ; *GW* X, p. 242.

3. « Extrait de l'histoire d'une névrose infantile (L'homme aux loups) » (1918b [1914]), *Cinq psychanalyses,* Paris, PUF, 1954, p. 418-419 ; *OCF* XIII (2e éd.), p. 117-118 ; *GW* XII, p. 155-156.

Le *complexe d'Œdipe* ne peut qu'être impliqué par tout ceci, d'autant que les trois fantasmes originaires nommés s'avèrent en être des constituants partiels. Il est explicitement désigné comme l'un des schémas phylogénétiques apportés à la naissance, précipité de l'histoire de la civilisation dont il est, de fait, l'exemple le mieux connu[1] – ce qui revient à le désigner comme le premier des fantasmes originaires ; il n'en est que plus remarquable que le qualificatif d'originaire ne lui soit jamais appliqué.

À partir de **1920,** la notion s'impose de plus en plus, afin de soutenir les développements théoriques ; ainsi, la séparation du surmoi d'avec le moi « pérennise l'existence des facteurs auxquels elle doit son origine » en portant la marque du développement historique et biologique de l'individu dans l'espèce[2]. Un glissement sémantique a cependant opéré : le terme « originaire » semble désormais réservé à la horde et au père originaires ; ailleurs, il est remplacé par la référence « *phylogénétique* ». Si, avec elle, nous sommes toujours dans les origines, l'accent se porte alors sur ce qui s'est transmis de l'espèce à travers les générations, jusqu'à venir déterminer l'individu par une véritable contrainte, schéma héréditaire qui triomphe de l'expérience individuelle.

QUESTIONS ET ENJEUX

Dans ses divers développements, Freud affirme une *position qui dépasse le champ de la psychanalyse*. Il pose l'unité et l'universalité de l'humain au-delà des singularités individuelles, des races, des cultures et des croyances ; il entend jeter un pont entre psychologie individuelle et psychologie des masses et, de surcroît, réduire le fossé entre l'homme et l'animal[3]. Cette conviction freudienne soutient tout

1. *Ibidem.*

2. *Le moi et le ça* (1923b), *Essais de psychanalyse,* Paris, Payot, 1981, p. 248-249 ; *OCF* XVI, p. 279-280 ; *GW* XIII, p. 264-265.

3. *L'homme Moïse et la religion monothéiste* (1939a), Paris, Gallimard, 1986, p. 196-197 ; *OCF* XX, p. 179-181 ; *GW* XVI, p. 207-208.

aussi bien l'ancrage dans le biologique que la dépendance historique et sociale, situant le psychisme humain au point de recoupement de l'un et de l'autre, comme au lieu de recouvrement de l'un par l'autre ; c'est elle qui permet d'entreprendre la psychanalyse d'un individu par un autre individu puisqu'il peut le comprendre au-delà de leurs particularités réciproques. Freud pose la nécessité d'une réappropriation de l'histoire sociale par chaque individu, pour son propre compte ; il l'explicite dès 1912 en citant Goethe : « Ce que tu as hérité de tes pères, Acquiers-le afin de le posséder. »[1]

Encore convient-il de savoir *ce que doit originer l'originaire* ? Nous pouvons avancer qu'il origine l'accession au sens et la mise en sens du sujet ou, pour user de termes plus psychanalytiques, nous dirons qu'il lui revient d'originer le moi, aussi hésitant, aussi fragile celui-ci puisse-t-il alors apparaître. La question de l'origine pose celle de la continuité : c'est bien le même être qui poursuit son existence biologique depuis sa sortie du ventre maternel, voire dès son séjour utérin, jusqu'à la mort, sa continuité sociale subissant un bouleversement à l'occasion de la mutation qualitative de l'avènement d'un moi ; l'être est bien le même mais il n'est plus le même, sa continuité historique doit se refonder et, en ce sens, l'originaire apparaît comme une naissance, fût-ce une nouvelle naissance. Mais celle-ci marque déjà un destin et, dorénavant, des contraintes vont s'exercer.

Lorsque Freud emprunte aux Grecs la légende d'Œdipe pour nommer ce qu'il vient de découvrir et qui lui apparaît comme le noyau, le complexe fondamental de l'humanité, il lui attribue de fixer le destin de chacun, indépendamment des particularités individuelles. Œdipe peut bien avoir l'innocence de l'enfant naissant, il n'en est pas moins le sujet-objet de ce qui lui échoit et doit donc aller jusqu'au terme de son destin, quelles que soient ses tentatives pour y échapper. S'il ne s'agissait que d'un drame, il serait une victime ; mais il est un héros tragique et sa liberté n'est pas entre ses mains ; c'est ανανκε destin fixé par l'originaire qui s'organise en ce moment où naît le moi. L'humain est dorénavant soumis à une contrainte qui néglige les particularités individuelles pour les soumettre à la loi commune à tous, loi édictée par l'histoire du développement social depuis les

1. *Totem et tabou* (1912-1913a), Paris, Gallimard, 1993, p. 314 ; *OCF* XI, p. 379 ; *GW* IX, p. 190.

temps préhistoriques : l'originaire est tout autant un impératif de la phylogenèse que de l'ontogenèse. Ainsi s'origine un schéma qui va déterminer tant les modalités de fonctionnement que les modes d'organisation de ce qui va se produire.

L'originaire freudien fut si bien spécifié par quelqu'un avec qui j'ai travaillé que je me permets d'en reprendre le texte *pour conclure* : « Avant, c'est toujours le paradis. L'originaire est un coup de force épistémologique qui fixe le point de bascule entre l'inconnaissable et le début de la connaissance du fonctionnement psychique ; il est inaugural et organisateur. En tant qu'événement premier, il participe à la fois d'une nature identique à celle des événements ultérieurs (il appartient à une séquence) et simultanément d'une nature transcendantale, intemporelle, son aspect premier le détachant de la séquence temporelle ; il est à la fois accidentel et nécessaire. Son caractère contingent fait de toute tentative pour établir son existence une question d'ordre empirique, ballottée entre des preuves qui peuvent aller dans tous les sens, alors que son caractère nécessaire rend superflu le recours à la preuve. Le "UR" n'est jamais producteur de phénomènes, mais en rapport avec la singularité des effets qui traduisent cette fonction dans l'inconscient, d'où sa vocation processuelle ; là s'efface la différence entre réalité psychique et réalité matérielle (et peut-être entre le mot et la chose). Son caractère contingent fait de toute tentative pour établir son existence une question d'ordre empirique, ballottée entre des preuves qui peuvent aller dans tous les sens, alors que son caractère nécessaire rend superflu le recours à la preuve. » [1]

Claude LE GUEN

Originel → Originaire, originel

1. Ruth Menahem, « Le refoulement (les défenses) », *in* C. Le Guen *et alii,* Rapport au « 45e congrès des psychanalystes de langue française », Paris, 1985 (in *Revue française de psychanalyse,* 1986, n° 1).

OUBLI

all. : ***Vergessen*** ou ***Vergesslichkeit***. – angl. : *forgetfulness* ou *oblivion*. – esp. : *olvido*. – ital. : *dimenticanza* ou *oblio*. – port. : *esquecimento*

En psychanalyse, l'oubli n'est ni une lacune, ni une défaillance de la mémoire, mais une force active, une défense psychique qui doit être référée à la théorie du refoulement. L'oubli est une potentialité inhérente à l'appareil psychique, indissociable de la mémoire et indispensable pour comprendre les remémorations, leurs formes ou leurs impossibilités. Modalité du fonctionnement psychique étroitement liée à la force de l'affect, l'oubli est le plus souvent un effet du refoulement, trace en creux de l'existence de l'inconscient et de la représentation refoulée. L'amnésie infantile témoigne de la généralité de ce rapport psychique à un passé oublié, toujours susceptible de reviviscence, mais pas toujours accessible au souvenir conscient, même lors de la cure. L'oubli de ce qui est pourtant conservé, et peut revenir sous forme de réminiscence ou de souvenir, conduit à postuler des « traces mnésiques », inscriptions inconscientes inaccessibles à la conscience. Certaines expériences psychiques s'imposent sur le mode négatif de l'effacement, trace négative mais révélatrice de ce qui ne peut être reconnu mais qui agit en nous sans nous : les désirs inconscients et les traces traumatiques.

MISE EN SITUATION

L'oubli apparaît tôt dans l'œuvre freudienne : la prise en compte de cette notion est contemporaine de la naissance de la psychanalyse et demeure en son cœur. Si Freud s'y réfère tout au long de l'œuvre, dans la mesure même où le concept de refoulement implique la notion d'oubli, les moments essentiels d'élaboration figurent dans L'interprétation des rêves *à propos de leur oubli et, dans la* Psychopathologie de la vie quotidienne, *à propos de celui des noms. Un peu plus tard, l'amnésie infantile retiendra l'attention de Freud. La répétition agie venant en place de la remémoration, les conditions de la levée du refoulement et la question de la construction du souvenir montrent d'ailleurs que le destin psychique des expériences oubliées ne passe pas toujours par le dépassement de l'oubli.*

Précisons que le français emploie généralement le même terme oubli *pour indiquer un oubli précis, qu'il porte sur un objet ou sur une idée, et pour désigner le mécanisme psychique qui produit l'oubli, à la différence de l'allemand et d'autres langues qui disposent d'une pluralité de termes.*

La pensée freudienne renouvelle radicalement la question de l'oubli, inséparable de celle des conditions et des formes du souvenir, en montrant qu'il est indissociable de l'action du refoulement : il n'est pas une lacune mais le résultat plus ou moins radical d'un processus dynamique, d'une défense active. D'abord descriptive et présentée par Freud comme un argument en faveur du refoulement, la notion d'oubli s'avère corrélative de celle d'un appareil psychique dont la compréhension implique la conjonction des points de vue topique, dynamique et économique.

LE TEXTE FREUDIEN

Dès 1892, Freud situe l'oubli comme effet d'un **fonctionnement énergétique du psychisme,** le réfère au conflit psychique (susciter ou non une réaction), et le caractérise donc d'un point de vue dynamique. Cette position sera constante tout au long de l'œuvre, mais c'est entre les années 1893 et 1901 que Freud explicite et fonde l'élaboration de la notion.

Oublis, réminiscences, remémorations

Dans la *Communication préliminaire* aux *Études sur l'hystérie,* écrite avec Joseph Breuer en 1892 et publiée en 1893, Freud propose une première conception de l'oubli : L'effacement d'un souvenir, ou la perte en affect qu'il subit, dépend de plusieurs facteurs. En premier lieu, il importe de savoir **si l'événement déclenchant a ou non provoqué une réaction énergique.** « En parlant ici de réaction, nous pensons à toute la série des réflexes volontaires ou involontaires grâce auxquels [...] il y a décharge d'affects, depuis les larmes jusqu'à l'acte de vengeance. Dans les cas où cette réaction s'effectue à un degré suffisant, une grande partie de l'affect disparaît [...] Quand cette réaction se trouve entravée, l'affect reste attaché au souvenir. »[1] Nous restons là dans une perspective de *catharsis* : décharger l'excès d'affect pour empêcher le caractère pathogène du souvenir. Mais il est intéressant de noter l'équivalence posée d'emblée entre effacement du souvenir (l'oubli au sens courant du terme) et la perte d'affect liée à un souvenir. L'oubli est alors l'indice d'une tension psychique qui vise à se décharger, mais des équivalents d'oubli existent lorsqu'un contenu psychique se trouve dépourvu d'affect ou isolé du reste du fonctionnement psychique, et donc soustrait aux associations dans lesquelles il serait appelé à entrer.

Par ailleurs, l'oubli est immédiatement mis en relation avec l'effet d'une « réaction énergique », donc d'une situation de tension ou de conflit psychique. À ce moment, ce sont les processus de décharge qui retiennent l'attention de Freud ; sans disposer encore d'une étude systématique du processus d'oubli, il pose le **lien étroit qui unit le devenir de l'affect et l'expérience de l'oubli.** Ainsi, un affect déplaisant peut disparaître grâce aux déplacements obtenus par associations, de même que les impressions et les souvenirs s'effacent lorsque les affects qui leur sont liés perdent de leur force.

Encore faut-il comprendre ce qui provoque l'oubli et ce que deviennent les souvenirs oubliés. Si le traitement de l'hystérie a été l'inspirateur de la première forme d'élaboration de la psychanalyse, on peut dire que, dès les *Études sur l'hystérie* de 1895, l'oubli est au cœur de la méthode psychanalytique. C'est sur la base de sa conception énergétique que Freud élabore l'expérience clinique qui lui montre que les souvenirs à l'origine des phénomènes hystériques ne sont pas à la disposition de la mémoire des malades. En effet, lorsqu'il désigne la maladie hystérique par l'expression célèbre : « Les hystériques souffrent de réminiscences »[2], la réminiscence s'oppose au sou-

1. *Études sur l'hystérie* (1895d), Paris, PUF, 1956, p. 5 ; *OCF* II, p. 28-29 ; *GW* I, p. 87.

2. *Ibidem.*

venir, le symptôme venant en ses lieu et place, et c'est la représentation source de déplaisir qui fait l'objet du refoulement. Dans la conversion hystérique, le corps porte la marque de l'événement traumatique, trace mnésique symbolisée mais non consciente ; ce qui a été refoulé resurgit sous une forme méconnaissable. Ainsi Élisabeth von R... éprouve-t-elle comme douleur dans ses jambes la trace de son désir de mort envers sa sœur aimée : la douleur exprime le désir jadis refoulé, mais aussi la défense contre ce désir et la culpabilité ; ne pas pouvoir marcher revient à s'interdire de sortir et de fréquenter des jeunes gens pour se punir inconsciemment de ce qu'elle a pensé (pendant un fragment de seconde et en repoussant avec horreur cette idée) le jour où, apprenant le décès de sa sœur, que son beau-frère était libre et pourrait peut-être l'épouser[1]...

En renonçant au traitement par l'hypnose, Freud fait au début de sa carrière l'expérience, avec ses patientes, de la résistance au retour des souvenirs enfouis, notamment de ceux qui ont laissé place à un symptôme. Le concept de refoulement dans un système psychique inconscient va permettre d'élaborer une double conviction : **le souvenir oublié n'est pas perdu, il est maintenu hors conscience dans un système psychique distinct** de celui de la vie psychique consciente et défendu contre le retour dans la conscience par une censure qui s'éprouve dans la cure comme résistance et se manifeste dans les rêves (où le refoulé fait retour) par la déformation du désir inconscient ainsi rendu méconnaissable.

Selon les *Études sur l'hystérie,* l'oubli des malades a une cause dont on peut rendre compte : ils savent inconsciemment ce qu'ils ont consciemment oublié. Le texte décisif correspond à l'exposé des raisons et des formes de l'abandon de l'hypnose, à propos du cas de Lucy R..., bien qu'elle n'ait pas été la première patiente freudienne à être traitée sans hypnose. Pour Hippolyte Bernheim, les souvenirs du somnambulisme n'étaient « oubliés qu'en apparence » à l'état de veille et pouvaient être évoqués « par une petite exhortation alliée à un contact de la main » ; Freud travaille de même à faire resurgir les souvenirs apparemment oubliés en s'y référant. Suggestion et transfert

1. *Ibidem,* p. 106-145 ; p. 154-213 ; p. 196-251.

sont associés pour vaincre ce que Freud commence à nommer résistance ; en une sorte de combat, il s'agit « d'extorquer leur information aux malades », de « forcer » les patients à révéler non plus un événement vécu peu avant pendant un sommeil hypnotique, mais « ce qui pouvait avoir une importance pathogène » – en particulier le point de départ du symptôme et ce qui aurait pu le provoquer. Mais déjà la suggestion freudienne n'est plus formulée en termes de tout ou rien mais comme invitation à un fonctionnement associatif : « Vous allez vous en souvenir sous la pression de mes mains. Au moment où cette pression cessera, vous verrez quelque chose devant vous ou il vous passera par la tête une idée qu'il faudra saisir, ce sera celle que nous cherchons. »[1]

L'idée surgie du fait de la suggestion a toujours montré à Freud « la voie à suivre » pour ses investigations, lui fournissant ce dont il avait besoin. Il peut ainsi élargir « le champ sans doute rétréci d'une conscience » sans rester dépendant de l'hypnose, ce qui lui permet de « prendre connaissance des causes souvent déterminantes de l'"oubli" des souvenirs ». Or la découverte essentielle que Freud fait alors est celle de l'**intentionnalité de l'oubli** : « Je puis affirmer que ces comportements sont souvent intentionnels, souhaités, et ne réussissent jamais *qu'en apparence.* » Car de tels oublis ne sont que relatifs, et le souvenir peut être retrouvé.

Il y a donc un rapport entre l'intensité de la résistance manifestée par des comportements d'évitement ou de défense et les raisons qui firent oublier le souvenir ; c'est l'affect de déplaisir attaché à ce qui a été oublié qui empêche aussi le retour du souvenir. Les patients de Freud « n'avaient pas encore appris à abandonner l'usage de leur sens critique et rejetaient l'idée ou le souvenir resurgis parce qu'ils les considéraient comme inutilisables ou comme un obstacle interférent » ; mais, une fois l'idée retrouvée, ils reconnaissaient y avoir pensé sans vouloir le dire, ou encore s'écriaient : « J'espérais que ce ne serait pas ça ! » Par le même procédé, Freud s'attache alors à retrouver des chiffres et des dates depuis longtemps oubliés, et découvre que la remémoration est surdéterminée : « Mais naturellement, c'est

1. *Ibidem*, p. 86 ; p. 129 ; p. 168.

parce que c'était l'anniversaire de mon père que je m'attendais à voir se produire l'incident dont nous avons parlé », lui dit une malade[1].

Rappelons que le refoulement est le produit des rapports que le psychisme doit engager avec la réalité ; il vise à aménager les difficultés, les conflits, voire les traumatismes au travers des objets qui les représentent, protégeant ainsi le moi des exigences pulsionnelles qui peuvent le déborder. L'oubli est une manifestation majeure du refoulement ; c'est un **processus actif.** C'est lui qui explique les oublis symptomatiques (oubli de noms, actes manqués, oublis hystériques, symptômes désignant et masquant à la fois le souvenir traumatique) ; l'oubli n'est qu'apparent et le contenu refoulé reste psychiquement agissant, souvent producteur d'angoisse, de rêves et de symptômes. Autrement dit, si le refoulement suscite phénoménologiquement un oubli pour la conscience, il ne se réduit pas à l'oubli, ou plutôt il modifie profondément la signification même du terme oubli. L'oubli est un contenu psychique soustrait à la conscience, mais il l'est de façon dynamique, du fait d'un conflit psychique : **l'oubli n'est pas lacune, mais défense.** La représentation oubliée reste d'autant plus active qu'elle n'est pas consciemment contrôlable. L'oubli est un élément essentiel du fonctionnement psychique dont le processus est à référer à la théorie du refoulement.

Déplacements et condensations dans l'oubli des noms

Un premier exemple d'oubli de nom ayant affecté Freud figure dans la *lettre à Wilhelm Fliess* du 26 août 1898 : il est facile d'oublier un nom et de le remplacer par quelque partie d'un autre « que l'on jurerait exacte même si chaque fois elle se révèle fausse »[2]. Mais c'est avec la *Psychopathologie de la vie quotidienne* (1901)[3] que Freud analyse une série d'oublis de noms et de suites de mots qui résultent d'une

1. *Ibidem*, p. 87 ; p. 130 ; p. 169.

2. *La naissance de la psychanalyse. Lettres à Wilhelm Fliess. Notes et plans (1887-1902)* (1950a [1887-1902]), Paris, PUF, 1956, p. 232 (lettre du 26 août 1898), et in *Lettres à Wilhelm Fliess* (éd. complète), Paris, PUF, 2006, p. 413.

3. *Psychopathologie de la vie quotidienne* (1901b), Paris, Gallimard, 1997, p. 37-95 ; *OCF* V, p. 79-123 ; *GW* IV p. 5-50.

perturbation de la pensée consciente parasitée par une pensée inconsciente ; des noms de substitution s'offrent, reconnus comme incorrects mais qui pourtant s'imposent. Il y a déplacement, ce qui renvoie à l'un des processus essentiels du travail du rêve. Ces déplacements reposent sur des assonances ; ces échos dans la forme des mots ne sont pas arbitraires : leur fonction est de masquer des idées déplaisantes.

Une première version de l'analyse de l'oubli du nom de Signorelli figure dans un article de 1898 « Sur le mécanisme psychique de l'oubli » dans lequel Freud propose un graphique pour rendre compte aussi bien des causes de l'oubli que des pensées substitutives[1]. Il venait d'en faire part à Wilhelm Fliess[2], puis il le reprendra donc dans la *Psychopathologie de la vie quotidienne* où il prend le temps de systématiser sa réflexion : oubli avec ou sans mot de substitution, mode de récupération du terme manquant. Il précise les trois conditions pour que se produise l'oubli d'un nom avec fausse réminiscence : disposition à l'oubli, répression récente d'un élément, association formelle (« extérieure ») possible entre le nom et l'élément réprimé. Il peut y avoir des cas de simple oubli de nom propre sans refoulement[3], mais il y a substitution par un autre terme lorsqu'un refoulement sous-jacent a motivé l'oubli (comme dans l'exemple de Signorelli). Il existe un autre mécanisme de l'oubli : une idée est perturbée par une contradiction provenant d'une source refoulée[4] ; le refoulement joue alors de façon indirecte. Enfin, lorsque la défense ne réussit pas à susciter l'oubli, une autre chose liée par association à ce qui devrait être oublié se trouve plongée dans l'oubli[5]. En tout cas, **un sentiment désagréable motive tous les cas d'oubli**[6].

1. « Sur le mécanisme psychique de l'oubli » (1898b), *Résultats, idées, problèmes, I*, Paris, PUF, 1984, p. 104 ; *OCF* III, p. 248 ; *GW* I, p. 524.

2. *La naissance de la psychanalyse. Lettres à Wilhelm Fliess. Notes et plans (1887-1902)* (1950a [1887-1902]), Paris, PUF, 1956, p. 235 (lettre 176 du 22 septembre 1898), et in *Lettres à Wilhelm Fliess* (éd. complète), Paris, PUF, 2006, p. 414.

3. *Psychopathologie de la vie quotidienne* (1901b), Paris, Gallimard, 1997, p. 42-44 ; *OCF* V, p. 84-85 ; *GW* IV, p. 11-12.

4. *Ibidem*, p. 52-53 ; p. 91-92 ; p. 18-19.

5. *Ibidem*, p. 251 ; p. 236 ; p. 163.

6. *Ibidem*, p. 234 et 249 ; p. 224-225 et 236 ; p. 150 et 162.

En 1907, Freud insère plusieurs ajouts à la nouvelle édition de la *Psychopathologie de la vie quotidienne,* reformulations mieux synthétisées plutôt que nouvelle élaboration : « Entre le nom perturbé dans sa reproduction et le complexe perturbateur, soit il existe d'emblée une corrélation, soit celle-ci s'est établie grâce à des associations (extérieures) superficielles, souvent par des voies qui apparaissent artificielles. » De la même manière, il propose une typologie plus simplifiée de ses développements antérieurs : « D'une façon générale, on peut distinguer deux cas principaux d'oubli de nom, soit que le nom lui-même touche à des choses désagréables, soit qu'il se trouve mis en liaison avec un autre qui serait susceptible de produire un tel effet, de sorte que des noms peuvent voir leur reproduction perturbée à cause d'eux-mêmes ou de leurs relations associatives proches ou lointaines. »[1] Plus largement, d'ailleurs, tous les matériaux de nos souvenirs sont soumis à deux influences : des condensations et des déformations ; l'oubli de noms n'en est qu'un cas particulier. Mais Freud veut surtout établir le fait du refoulement ; il multiplie les exemples sans expliciter, dans cet ouvrage qui vise à gagner un large public, la théorisation mise en évidence en 1900 dans *L'interprétation des rêves* : la déformation relève de la censure, ce qui entraîne les effets de condensation, de déplacement ou d'oubli, du fait de la régression aux processus primaires.

En 1917, les *Conférences d'introduction à la psychanalyse* reprennent tout ceci dans une perspective explicitement pédagogique[2] ; ces pages n'apportent pas d'éléments vraiment nouveaux, aussi nous ne les commenterons pas.

Le souvenir-écran

L'étude freudienne du souvenir-écran (ou souvenir-couverture), faite dès 1899 dans « Sur les souvenirs-écrans », est un bon exemple de la façon dont le souvenir et l'oubli sont conjointement à l'œuvre dans le fonctionnement psychique. Ce sont des « souvenirs » isolés,

1. *Ibidem,* p. 92 ; p. 121 ; p. 48.

2. *Conférences d'introduction à la psychanalyse* (1916-1917), Paris, Gallimard, 1999, p. 144, 146-148 ; *OCF* XIV, p. 111, 114, 115 ; *GW* XI, p. 110, 112, 113.

très nets, échappés à l'amnésie infantile mais en fait inconsciemment reconstruits ; sous leur apparence anodine, ils renvoient de façon très condensée à des éléments essentiels de l'histoire infantile. Comme le symptôme, le souvenir-écran peut indiquer un refoulement : cet enfant de trois ans n'a pas semblé perturbé par la mort de sa grand-mère mais, adulte, le seul souvenir qu'il en garde est celui de la grand-mère donnant de la glace au goûter à la tablée de ses petits-enfants : manifestation du refoulé, la glace est la trace déplacée et conservée du froid du cadavre ressenti par l'enfant lorsqu'on l'a emmené embrasser une dernière fois sa grand-mère.

Dans la *Psychopathologie de la vie quotidienne* (1901), Freud compare l'oubli de nom accompagné de faux souvenir au souvenir-écran qui semble s'y opposer puisqu'il conserve ; en fait les analogies l'emportent car, dans l'oubli des noms, surgissent des noms de substitution, tandis que le souvenir-écran cache des impressions autres, plus importantes, masquant même le fait de leur oubli. « L'énigme semble avoir dans les deux cas une orientation différente. [...] Mais à la suite d'un examen quelque peu approfondi, on constate que, malgré les différences qui existent entre les deux phénomènes du point de vue des matériaux psychiques et de la durée, ils présentent des analogies qui enlèvent à ces différences toute importance. » Freud est sensible à un point commun significatif : perte de l'accès à l'événement et remplacement de la lacune (ce que l'on retrouve dans l'amnésie de Wernicke). « Dans un cas comme dans l'autre, il s'agit de défectuosités de la mémoire, laquelle reproduit non le souvenir exact mais quelque chose qui le remplace. Dans l'oubli de noms, la mémoire fonctionne, mais en fournissant des noms de substitution. Dans le cas des souvenirs-écrans, il s'agit de l'oubli d'autres impressions, plus importantes. Dans les deux cas, une sensation intellectuelle nous avertit de l'intervention d'un trouble dont la forme varie d'un cas à l'autre. » Freud précise à la fois cette différence de forme et leur principe commun. Dans l'oubli de nom, nous savons que les termes qui viennent à la pensée sont faux, tandis que le souvenir-écran étonne et que nous nous demandons d'où il provient et à quoi il correspond. Mais dans les deux cas, nous observons un même fonctionnement psychique : un déplacement selon une association superficielle, alors que nous avons affaire à des matériaux psychiques et à des temporalités différentes.

Nous pouvons pressentir un principe général : « L'arrêt de fonctionnement ou le fonctionnement défectueux de la faculté de reproduction révèlent plus souvent qu'on ne le soupçonne l'intervention d'un facteur partial, d'une tendance qui favorise tel souvenir ou cherche à s'opposer à tel autre. » [1] C'est naturellement le refoulement qui entre ici en scène.

Le souvenir-écran s'avère caractéristique car il permet de condenser mémoire et oubli : il est un oubli sous forme de souvenir, il est une trace du passé le plus reculé qui émerge comme une indication dans l'amnésie des premières années d'enfance, mais il doit secrètement beaucoup aux années ultérieures, notamment celles de l'adolescence.

LES TRACES MNÉSIQUES (OU MNÉMONIQUES)

Si l'oublié peut être remémoré mais que le souvenir est habituellement déformé, qu'est donc ce qui se conserve, ce qui peut être rappelé ou reproduit ? Comment comprendre la notion freudienne de *trace mnésique (Erinnerungsspur)* ? Elle est présente même quand il y a oubli, inconsciemment donc ; elle permet tant le symptôme que le souvenir. Le terme est à la fois précoce et permanent dans l'œuvre, répondant à la nécessité de désigner et de prendre en compte ce qui se manifeste indirectement dans les réminiscences symptomatiques, et directement dans le devenir conscient et les levées du refoulement. L'élaboration de cette notion – qu'il ne faut pas confondre avec celle de « restes mnésiques », beaucoup plus vague car elle peut désigner des traces ou des souvenirs de niveaux psychiques très différents – est liée pour Freud à sa réflexion sur l'inscription dans l'inconscient de traces des éléments perçus des événements vécus.

En 1894, Freud conclut son article sur « Les psychonévroses de défense » en dégageant l'idée que : « Dans les fonctions psychiques, quelque chose est à différencier (montant d'affect, somme d'excitation) qui a toutes les propriétés d'une quantité [...] quelque chose qui est capable d'agrandissement, d'amoindrissement, de déplacement et de décharge, et qui s'étend sur les traces mémorielles des

1. *Psychopathologie de la vie quotidienne* (1901b), Paris, Gallimard, 1997, p. 98-99 ; *OCF* V, p. 127 ; *GW* IV, p. 53.

représentations, un peu comme une charge électrique sur la surface des corps. »[1] Il est essentiel de noter qu'il s'agit surtout d'une définition négative : la trace mnésique est ce qui, dans l'inscription inconsciente, n'est ni quantitatif ni énergétique (quantum d'affect ou somme d'excitation) ; il en découle une définition positive, d'ailleurs assez floue : ce sont là des traces des représentations. Cette élaboration livre la clef de la notion telle qu'elle se retrouvera tout au long de l'œuvre : les traces mnésiques ne sont ni un concept, ni une chose ou une réalité que l'on pourrait décrire ; c'est la simple désignation de quelque chose qui doit bien exister pour que soit possible ce que nous pouvons « appréhender » (oubli, symptôme, retour du refoulé, réminiscence, souvenir...). Il s'agit donc d'une notion purement logique, vide de tout contenu descriptible, construite pour rendre compte du fonctionnement de l'appareil psychique.

La notion d'*après-coup* est proposée dès 1895 dans le « Projet de psychologie scientifique » à propos du « proton pseudos » lié au diphasisme de la sexualité humaine : « Chaque personne adolescente possède des traces mnésiques qui ne peuvent être comprises qu'au moment où surviennent ses propres sensations sexuelles »[2], les hystériques étant les personnes chez qui l'excitation sexuelle s'éveille prématurément. En 1896, les « Nouvelles remarques sur les psychonévroses de défense » soulignent à nouveau la séquence qui caractérise les névroses de défense : trauma infantile, réveil post-pubertaire de ce trauma, déliaison de l'affect et de la trace mnésique refoulée[3] ; ce faisant, celle-ci, tout en étant elle-même non représentable, voit ainsi son statut reformulé.

1. « Les psychonévroses de défense » (1894a), *Névrose, psychose et perversion*, Paris, PUF, 1973, p. 14 ; *OCF* III, p. 17-18 ; *GW* I, p. 74.

2. « Projet de psychologie scientifique » (1895), *Lettres à Wilhelm Fliess* (éd. complète), Paris, PUF, 2006, p. 660 ; et in *La naissance de la psychanalyse. Lettres à Wilhelm Fliess. Notes et plans (1887-1902)* (1950a [1887-1902]), Paris, PUF, 1956, p. 367.

3. « Nouvelles remarques sur les psychonévroses de défense » (1896b), *Névrose, psychose et perversion*, Paris, PUF, 1973, p. 64-66 ; *OCF* III, p. 127-129 ; *GW* I, p. 384 et 385.

Dans une *lettre à Fliess,* le 6 décembre 1896, Freud tente une explication et une systématisation des inscriptions inconscientes : « Tu sais que je travaille avec l'hypothèse que notre mécanisme psychique est apparu par superposition de strates, le matériel présent sous forme de traces mnésiques connaissant de temps en temps un *réordonnancement* selon de nouvelles relations, une *retranscription.* »[1] Freud propose, prenant appui sur son étude des aphasies, de considérer la mémoire comme correspondant à une pluralité d'inscriptions (au moins trois) consignées en diverses sortes de signes, séparés les uns des autres selon leurs « supports neuronaux » (pas nécessairement de façon topique). Le refoulement est défaut ou refus *(Versagung)* de la traduction à cause d'un déplaisir, souvent lié à des « événements sexuels, parce que les grandeurs d'excitation que ceux-ci délient augmentent en elles-mêmes avec le temps (développement) »[2]. Le 14 novembre 1897, Freud précise que l'excitation sexuelle ne se produit pas seulement du fait d'un stimulus périphérique sur les organes sexuels, ou de leurs excitations internes mais aussi « à partir des représentations, donc des traces mnésiques, donc aussi par la voie de l'après-coup »[3].

La trace mnésique est sans forme et sans image. Si le fantasme réprimé s'esquive dans une scène d'enfance, c'est qu'il faut supposer « une trace mnésique telle que son contenu offre des points de contact avec celui de la fantaisie qui, en quelque sorte, vient au devant de celle-ci » ; « on dirait qu'une trace mnésique de l'enfance a été retraduite à une époque ultérieure (époque de réveil) en plastique et visuel », mais aucune reproduction de l'impression originelle ne parvient jamais à la conscience[4].

1. *La naissance de la psychanalyse. Lettres à Wilhelm Fliess. Notes et plans (1887-1902)* (1950a [1887-1902]), Paris, PUF, 1956, p. 154 (lettre 52), et in *Lettres à Wilhelm Fliess* (éd. complète), Paris, PUF, 2006, p. 264 (lettre 112 du 6 décembre 1896).

2. *Ibidem, La naissance de la psychanalyse,* p. 156 ; éd. complète p. 266.

3. *Ibidem, La naissance de la psychanalyse,* lettre 75, p. 205-206 ; éd. complète, lettre 146, p. 355.

4. « Sur les souvenirs-écrans (1899a), *Névrose, psychose et perversion,* Paris, PUF, 1973, p. 127-128 et 131 ; *OCF* III, p. 272 et 275 ; *GW* I, p. 549 et 552-553.

L'interprétation des rêves, en 1900, se fait explicite : « Des perceptions qui parviennent à nous, il reste dans notre appareil psychique une trace que nous pouvons appeler "trace mnésique". La fonction qui se rapporte à cette trace mnésique, c'est elle que nous appelons "mémoire". Si nous mettons à exécution le dessein de rattacher les processus psychiques à des systèmes, la trace mnésique ne peut consister qu'en des modifications persistantes portant sur des éléments des systèmes. » Or un seul et même système doit garder les modifications déjà reçues et en même temps, « toujours frais et capable d'accueil, s'exposer à de nouvelles occasions de modification ». C'est à partir de cette remarque que Freud précise son schéma d'une modélisation de l'appareil psychique, en répartissant en systèmes distincts les différentes inscriptions inconscientes permettant de transposer l'excitation momentanée en traces permanentes ; le système perceptif, qui ne garde aucune modification, donne à la conscience toute la variété des qualités sensorielles, tandis que les souvenirs, en soi inconscients même s'ils peuvent être rendus conscients, en sont largement dépourvus. **Mémoire et qualité sensorielle s'excluent mutuellement,** alors même que « ce que nous appelons notre caractère repose bel et bien sur les traces mnésiques de nos impressions » [1].

Comparé à la pensée normale, le rêve se caractérise par son mouvement régrédient « à partir de tel ou tel acte de représentation complexe jusqu'au matériel brut des traces mnésiques qui sont à sa base », mais, pendant la veille, cette régression ne va « jamais au-delà des images mnésiques » [2], alors que le rêve permet l'hallucination d'images de perception. Les traces mnésiques, matériel brut, sont donc à distinguer des images mnésiques, rejetons déjà élaborés et moins régressifs, tandis que le rêve s'approche au plus près, par son caractère hallucinatoire, de la reviviscence des perceptions. Dans le rêve, le mouvement régrédient fait revivre l'image mnésique de la perception associée à la satisfaction du besoin qui a mis fin à l'excitation interne ; cette image mnésique reste liée à la trace mémorielle de l'excitation du besoin et

1. *L'interprétation des rêves* (1900a), Paris, PUF, 1967, p. 457-458 ; *OCF* IV, p. 591-593 ; *GW* II-III, p. 543-545.

2. *Ibidem*, p. 461 ; p. 596 ; p. 548.

peut ainsi provoquer à nouveau la perception elle-même (identité de perception), c'est-à-dire reconstituer la situation de la première satisfaction. « C'est ce mouvement que nous appelons désir ; la réapparition de la perception est l'accomplissement du désir. »[1] Par ces propos, Freud rend compte du *rêve comme accomplissement de désir* (ou de souhait). La description de ce mouvement régressif ne fait que confirmer le caractère abstrait et purement logique de la notion de « trace mnésique », puisqu'elles sont non seulement du matériel brut, mais sont dissociées de l'affect lié à l'expérience de satisfaction qui a précisément suscité leur conservation ; l'identité de perception initiale postulée, l'image hallucinatoire du rêve, et même l'image mnésique (qui peut parfois être retrouvée à l'état de veille), portent au contraire la marque de l'affect et relèvent du désir.

Les années 1915-1917 témoignent d'une tentative de dépasser la notion logique de trace mnésique, soit en lui donnant un statut métapsychologique plus précis, soit en reformulant une métapsychologie qui puisse s'en passer.

Dans « L'inconscient », en 1915, Freud critique son ancienne théorisation et en propose une nouvelle, fondée sur la notion de représentation de chose. La représentation d'objet consciente se décompose en représentation de mot et en représentation de chose, investissement de traces mnésiques dérivées de l'image directe des choses ; représentation consciente et représentation inconsciente « ne sont pas, comme nous l'avons estimé, des inscriptions distinctes du même contenu en des lieux psychiques distincts, ni non plus des états d'investissement fonctionnels distincts du même lieu, mais la représentation consciente comprend la représentation de chose plus la représentation de mot afférente, l'inconsciente est la représentation de chose seule. Le système *Ics* contient les investissements de chose des objets, les premiers et véritables investissements d'objet »[2]. Dans cette élaboration en termes d'investissement disparaît pratiquement la nécessité de distinguer un contenu purement représentatif qui serait

1. *Ibidem,* p. 481 ; p. 620 ; p. 571.

2. « L'inconscient » (1915e), *Métapsychologie,* Paris, Gallimard, 1968, p. 118 ; *OCF* XIII, p. 241-242 ; *GW* X, p. 300.

inconsciemment « inscrit ». Mais, deux ans plus tard, une remarque fait réapparaître une certaine ambiguïté (ou confusion terminologique) qui montre que Freud n'en a pas fini avec la notion insistante de trace mnésique : le système inconscient y est en effet caractérisé comme le « royaume des traces mnésiques de chose (en opposition aux investissements de mot) » [1], ce qui revient à faire du terme « trace mnésique » *(Erinnerungsspur)* un équivalent de « représentation » *(Vorstellung)*.

La thèse et le schéma élaborés dès 1900 sont d'ailleurs rappelés en 1920 dans *Au-delà du principe de plaisir* : même si nous savons fort peu de choses sur l'apparition de la conscience, le processus d'excitation n'y laisse pas de modification permanente et l'on « devra du moins accorder la signification d'une affirmation relativement précise à la thèse selon laquelle **la conscience apparaît à la place de la trace mnésique** » [2] ; ce qui n'est rien d'autre qu'une reformulation de la thèse de l'exclusion réciproque entre conscience et mémoire, qui demeure donc explicitement impliquée dans le nouveau dualisme pulsionnel. Pour leur part, les reformulations topiques de 1923, dans *Le moi et le ça,* s'appuient volontiers sur l'idée de traces mnésiques : « Ne peut devenir conscient que ce qui a été un jour perception *cs* et, en dehors des sentiments, ce qui, provenant de l'intérieur, veut devenir conscient, doit tenter de se transposer en perceptions externes. Cela devient possible par le moyen des traces mnésiques » – donc à nouveau présentées comme une nécessité logique pour pouvoir passer de la représentation inconsciente au devenir-conscient ; pour le devenir-conscient des processus de pensée est insuffisant l'appui sur les seuls « restes mnésiques optiques » avec les limitations intrinsèques au « penser en images » qui n'est « qu'un devenir-conscient très imparfait ». Dans tout ce passage, le glissement vers l'expression « restes mnésiques », qui correspond à des systèmes « immédiatement contigus au système *Pc-Cs* (perception-conscience) » et peut désigner également des restes verbaux provenant des impressions auditives

1. « Deuil et mélancolie » (1917e [1915]), *Métapsychologie,* Paris, Gallimard, 1968, p. 171 ; *OCF* XIII, p. 278 ; *GW* X, p. 444.

2. *Au-delà du principe de plaisir* (1920g), *Essais de psychanalyse,* Paris, Payot, 1981, p. 67 ; *OCF* XV, p. 296 ; *GW* XIII, p. 25.

relevant du préconscient[1], témoigne d'une théorisation beaucoup plus lâche quant à la détermination du matériel brut et toujours inconscient des traces mnésiques telles qu'elles avaient été pensées autour de 1900 (avec leur inscription psychique), au profit d'une conceptualisation qui porte sur les conditions et les formes du devenir-conscient.

La « Note sur le "Bloc-notes magique" » (1925) réexamine la question des inscriptions inconscientes et de leur réapparition (éventuelle) en partant de la question de savoir où est rangé le souvenir reproductible, fixé sans les déformations que la mémoire aurait pu lui faire subir. La « trace mnésique durable » d'une feuille de papier ne peut figurer cette fonction, car la capacité de réception de la surface d'écriture s'y épuise bientôt et n'a plus de place pour de nouvelles notations ; d'où la nécessité de recourir à une figure plus compliquée, celle du bloc-notes magique, où peuvent se décoller et se distinguer système de réception des traces et inscription conservée de ces même traces[2], ce qui reprend les conceptions de 1896 et de 1900, avec une interrogation nouvelle sur le resurgissement des traces.

Dans l'*Abrégé de psychanalyse*, en 1938, Freud reprend la distinction d'un ça qui ne connaît que la qualité inconsciente, et d'un moi caractérisé par l'importance du préconscient. Mais cette différence repose aussi sur une temporalité différenciée puisque, à l'origine, tout était ça, tandis que le moi se développe ultérieurement sous l'influence persistante du monde extérieur ; certains contenus du ça passent alors à l'état préconscient tandis que d'autres demeurent inconscients, inchangés et exclus du moi. De plus, « durant ce développement, le moi jeune et faible a repoussé dans l'inconscient certains contenus qu'il avait déjà intégrés et s'est comporté de la même façon à l'égard d'impressions nouvelles qu'il aurait pu recueillir, de sorte que ces dernières, rejetées, n'ont pu laisser de traces que dans le ça. C'est à cette partie du ça que nous donnons, du fait de son origine, le nom de

1. *Le moi et le ça* (1923b), *Essais de psychanalyse,* Paris, Payot, 1981, p. 231-232 ; *OCF* XVI, p. 264-265 ; *GW* XIII, p. 247.

2. « Note sur le "bloc-notes magique" » (1925a [1924]), *Résultats, idées, problèmes, II,* Paris, PUF, 1984, p. 119 ; *OCF* XVII, p. 139 ; *GW* XIV, p. 3.

refoulé »[1]. Peut-on assimiler ces traces de contenus exclus par le moi à des traces mnésiques ? Sans doute, puisque comme les traces mnésiques des années 1896-1900, elles correspondent à ce qui a été refoulé. Mais désormais, en deuxième topique, l'action refoulante du moi (devenu instance psychique différenciée) est beaucoup plus fermement affirmée, référant non plus simplement l'impossibilité pour la conscience de conserver les traces de perception, mais soulignant le mouvement défensif actif du moi, désormais compris comme une instance psychique, pour exclure et rejeter dans le ça les contenus psychiques perturbants.

En 1939, *L'homme Moïse et la religion monothéiste* confirme et élargit encore la relation intrinsèque entre traces mnésiques et fonctionnement dynamique de l'oubli. L'élargissement est audacieux : « J'estime que la concordance entre l'individu et la masse est presque parfaite sur ce point; dans les masses aussi l'impression du passé se conserve dans des traces mnésiques inconscientes. » On pourrait donc parler légitimement de refoulement collectif. Mais ce faisant, le lien initial des années 1896-1900 entre support neuronique et inscription psychique se trouve totalement dénoué ; élargir à la culture la notion de refoulement, c'est le délier de toute base directement neurobiologique. En ce qui concerne l'individu, poursuit Freud, la trace mnésique est conservée dans une condition psychologique particulière, celle d'un toujours su, d'une connaissance inconsciente d'elle-même « comme on connaît le refoulé ». Refoulé, l'oublié n'est pas effacé et conserve son impulsion, son aspiration à pénétrer dans la conscience ; « ses traces mnésiques existent dans toute leur fraîcheur mais sont isolées par des "contre-investissements" »[2]. Moins directement liée à la recherche de l'explication des modes d'inscription inconscients, aux limites entre biologie et psychisme, la réflexion de 1939 concerne davantage le mode psychologique de l'économie des traces mnésiques, sur l'autre frontière qui constitue les limites de la psychanalyse, entre culture et psychisme. Il est intéressant de noter que, quelques pages

1. *Abrégé de psychanalyse* (1940a [1938]), Paris, PUF, 1967, p. 26 ; *OCF* XX, p. 253 ; *GW* XVII, p. 85.

2. *L'homme Moïse et la religion monothéiste* (1939a), Paris, Gallimard « Folio », 1986, p. 188-189 ; *OCF* XX, p. 174 ; *GW* XVI, p. 201.

plus loin, Freud souligne l'importance psychanalytique de « l'universalité de la symbolique du langage », reprenant à cette lumière la compréhension de l'héritage archaïque et de « l'hérédité d'une disposition de pensée », cherchant ainsi à préciser le « modèle d'un événement phylogénétique ». La force probante du matériel étudié à propos de Moïse permet « d'oser le pas suivant et d'affirmer que **l'héritage archaïque de l'homme n'englobe pas seulement des dispositions mais aussi des contenus, des traces mnésiques relatives au vécu de générations antérieures** ». Freud a clairement conscience de la modification théorique fondamentale qu'il introduit ici dans sa conception du phylogénétique : « Nous devons nous avouer que nous nous sommes conduits depuis longtemps comme si l'hérédité de traces mnésiques relatives à ce qui a été vécu par des ancêtres, indépendamment d'une communication directe et de l'influence de l'éducation par l'exemple, n'entrait pas en ligne de compte. » Nous réduisons le plus souvent à une communication directe la conservation d'une ancienne tradition ou la formation d'un caractère national ; l'articulation avec la biologie est difficile, dans la mesure où elle « ne veut rien savoir de la transmission des caractères acquis aux descendants » ; mais « nous ne pouvons pas nous passer de ce facteur dans l'évolution biologique ».

Freud, sans nier la difficulté qu'il rencontre quant au statut biologique d'une telle trace dans la transmission phylogénétique, souligne l'enjeu de cet élargissement de la notion de trace mnésique : « Si nous admettons la conservation de telles traces mnésiques dans l'héritage archaïque, nous avons jeté un pont par-dessus le fossé qui sépare la psychologie individuelle de la psychologie des masses, nous pouvons traiter le peuples comme l'individu névrosé. » Malgré la radicalité de la formulation, ce que Freud revendique n'est pas l'absolue identité entre le névrosé et les peuples, mais la possibilité de postuler un refoulement collectif, celui du meurtre du père primitif. Même s'il n'a pour cela « actuellement pas de preuves plus fortes des traces mnésiques de l'héritage archaïque que les manifestations résiduelles du travail analytique qui demandent à être dérivées de la phylogenèse », cette preuve lui paraît assez solide pour postuler une telle transmission inconsciente[1].

1. *Ibidem*, p. 194-196 ; p. 178-180 ; p. 206-207.

Le terme de « trace mnésique » s'en trouve assez radicalement transformé tandis que l'attachement de Freud à ses conceptions phylogénétiques y trouve son ancrage et sa nécessité. Il reste alors à se demander dans quelles conditions un tel souvenir s'intègre à l'héritage archaïque et en quelles circonstances il devient actif et revient à la conscience, fût-ce sous forme déformée. Nous retrouvons donc, mais à l'échelle de la culture, les questions de la levée du refoulement, de la déformation du souvenir et des conditions de la remémoration.

L'OUBLI DES RÊVES

Si la trace mnésique demeure malgré l'oubli ou la déformation, l'interprétation peut se risquer à partir de ce qui est déformé pour atteindre ce qui est oublié. Tel est l'enjeu de la double relation entre les rêves et l'oubli. D'une part, le rêve utilise des impressions et des faits d'enfance oubliés à l'état de veille[1]. Il comporte des restes diurnes parfois non remarqués durant le jour et qui entrent dans l'élaboration du rêve. Surtout, il réveille des souvenirs enfouis et participe à l'expression des rejetons de l'inconscient permettant, si le rêve est interprété, une forme particulière de levée du refoulement. C'est ce qui permet à Freud d'affirmer que, **dans l'inconscient rien n'est oublié** ; si un souvenir inconscient est pathogène, pour le livrer à l'oubli normal il faut le faire resurgir en même temps que l'affect qui lui est lié[2]. Il est intéressant de noter cette distinction entre « oubli normal » d'un contenu psychique non investi et oubli pathogène (soumis au refoulement et intervenant dans la production de symptômes qui sont des réminiscences inconscientes et non des souvenirs) ; l'oubli normal est susceptible d'être surmonté : le souvenir est accessible à la conscience, même s'il n'est pas toujours actualisé. Mais le souvenir soumis au refoulement sans entraîner de manifestation pathologique, comment le classer ? Car nous rêvons tous... Si nos rêves sont pour partie constitués de souvenirs oubliés déformés par la censure, cette dernière entraîne aussi l'oubli d'un grand nombre de rêves, ou des

1. *L'interprétation des rêves* (1900a), Paris, PUF, 1967, p. 149 ; *OCF* IV, p. 200 ; *GW* II-III, p. 170.
2. *Ibidem*, p. 491 ; p. 633 ; p. 583.

souvenirs seulement partiels de beaucoup d'entre eux. Nous nous arrêterons davantage sur ce point.

Il est plusieurs fois question de l'oubli des rêves dans *L'interprétation des rêves,* en 1900, d'abord parce que le rêve ne nous est accessible consciemment qu'à partir du souvenir du rêve : pendant que nous rêvons, nous ne nous en rendons pas compte. L'oubli du rêve fait intrinsèquement partie du phénomène onirique, puisque notre seul accès au rêve est un acte de mémoire – le plus souvent incomplet. Le souvenir est ainsi le seul accès au contenu manifeste d'un phénomène dont Freud veut nous démontrer qu'il est fondamental pour la compréhension du psychisme humain car il nous ouvre à un contenu latent, inconscient de notre fonctionnement psychique ; ainsi, l'oubli devient lui aussi à la fois important et significatif.

L'oubli des rêves pourrait en empêcher ou fausser l'interprétation lorsque nous ne nous souvenons que partiellement ; comment prétendre à un savoir sur un objet – le rêve – alors que d'une part nous le connaissons seulement dans l'après-coup du souvenir, et d'autre part seulement de façon lacunaire ? On serait tenté d'en conclure soit que le rêve est de peu d'importance, soit à l'impossibilité de toute connaissance significative du psychisme humain. Ce scepticisme ferait de l'homme l'être qui, bien que conscient de sa propre existence et capable de connaître la nature et la réalité extérieure, se méconnaît pourtant radicalement lui-même. Si le rêve est pour l'analyste la « voie royale de la connaissance de l'inconscient », il faut avouer que cette voie reste étroite et aléatoire. Freud aborde à de multiples reprises le thème de l'oubli des rêves, en visant sans cesse à rassurer : cela ne fausse pas notre accès aux contenus psychiques inconscients. Tout de même, cette insistance de l'oubli, qui fait que nous échappons à nous-mêmes, est bien troublante…

Le dernier chapitre de *L'interprétation des rêves,* en abordant la psychologie des processus du rêve, développe des aperçus fondamentaux sur le psychisme. Il le fait en débutant par une assez longue discussion de l'oubli des rêves : si les plus petits détails sont nécessaires à l'interprétation et à leur compréhension complète, nos tentatives d'interprétation ne sont-elles pas rendues vaines par les oublis et les omissions qui en caractérisent souvent le récit ? « Le rêve que nous avons fait pendant la nuit n'a peut-être pas été si incohérent et indistinct que dans notre mémoire, ni aussi cohérent que dans notre récit. »[1] Notre souvenir en est nécessairement fragmentaire et déformé.

En fait, la théorie du rêve élaborée dans les chapitres précédents aplanit ces objections. Oui, nous déformons le rêve en nous en souvenant et en le racontant, du fait même de l'élaboration secondaire, mais cette déformation fait partie de l'élaboration même du rêve, tandis que les différentes chaînes associatives, en décondensant ses éléments, permettent de déployer une partie des chemins multiples qui relient le contenu aux pensées du rêve. Quand le récit d'un rêve lui paraît difficile à comprendre, Freud demande à son patient d'en répéter le récit ; des variantes apparaissent par rapport à la première version, offrant des points de départ à l'interprétation, les termes employés dans le nouveau récit trahissant souvent la résistance accrue qui tente de protéger les points faibles du déguisement du rêve. La défense elle-même conduit à remarquer les déformations suscitées par la censure. Le doute envers le récit du rêve relève lui aussi de la résistance, et l'interprétation n'est possible que si on laisse venir les représentations involontaires sans les écarter pour quelque raison que ce soit.

Tout ce qui interrompt la progression de l'interprétation est une résistance. L'oubli du rêve dépend d'ailleurs beaucoup plus de la résistance à l'interpréter que du temps écoulé entre le sommeil et la veille, ou de l'écart entre veille et sommeil. Les rêves sont aussi peu oubliés que les autres actes psychiques, mais ils subissent tout particulièrement les effets du refoulement, puisque leur constitution même vise à éviter qu'ils ne soient trop aisément compréhensibles pour la conscience. La possibilité d'interpréter un rêve dépend du rapport des forces entre la résistance des forces psychiques qui ont déformé le rêve et le mouvement pulsionnel d'expression du désir jusque-là refoulé. Si le sommeil permet la formation des rêves, c'est parce que la censure s'y trouve affaiblie par rapport à l'état de veille.

Les rêves les mieux interprétés gardent d'ailleurs souvent un point obscur, « l'ombilic du rêve qui le rattache à l'inconnu ». Le rêve surgit comme un champignon au centre du réseau enchevêtré des associa-

1. *Ibidem*, p. 436 ; p. 564 ; p. 571.

tions qui se ramifient en tout sens. Et même les associations les plus superficielles nous renvoient aux relations associatives essentielles.

L'oubli est important – et troublant – par son ampleur : nous ne possédons aucun souvenir de la plupart de nos rêves (qui ont lieu chaque nuit, comme l'ont confirmé les études des neurobiologistes). Nous rêvons plusieurs fois par nuit, nous rêvons inlassablement, et seuls quelques rêves, voire quelques bribes de rêve, échappent à l'oubli dans lequel retombent la plupart de nos images oniriques.

Freud nous propose une voie moyenne : oui, le rêve est important, mais cela ne nous condamne pas au scepticisme. Il est vrai que la connaissance du psychisme humain ne relève pas d'une maîtrise absolue ni du contrôle d'un phénomène exhaustivement exploré et totalement clair. Notre connaissance relève d'une interprétation, et, de ce point de vue, l'oubli du rêve fait intrinsèquement partie du phénomène du rêve, puisqu'il en est la règle, à des degrés divers, dans la mesure où notre accès au rêve est un acte de mémoire – le plus souvent incomplet. Ainsi, **l'oubli partiel n'invalide pas l'interprétation.**

L'OUBLI, UN TYPE D'ACTE MANQUÉ

Parmi les actes manqués, les oublis ne sont pas rares. Il importe donc ici de rappeler l'importance des actes manqués, cette pièce maîtresse de la psychopathologie de la vie quotidienne dans la pensée freudienne. Étudiés dès le début de l'œuvre (*Psychopathologie de la vie quotidienne,* 1901), ils sont repris dans toutes les grandes présentations de la psychanalyse à des profanes : conférences d'introduction à la psychanalyse prononcées aux États-Unis (*Cinq leçons sur la psychanalyse,* 1909), cours donnés par Freud à l'université (*Introduction à la psychanalyse,* 1917 : l'étude des actes manqués y forme la première des trois parties, avant celle des rêves et celle des névroses).

Ils sont, avec le rêve, la confirmation évidente du fait que la psychanalyse est une méthode d'investigation de processus psychiques[1] universels, ne relevant pas seulement de la pathologie. Ils concourent donc à montrer l'absence de rupture radicale entre normalité et

1. « "Psychanalyse" et "Théorie de la libido" » (1923a), *Résultats, idées, problèmes, II,* Paris, PUF, 1984, p. 51 ; *OCF* XVI, p. 183 ; *GW* VIII, p. 211.

pathologie psychique, modifiant absolument la façon de penser courante. Ils montrent la survenue de lacunes de la conscience et de rejetons de l'inconscient dans des comportements et des pensées de la vie la plus quotidienne, que nul ne saurait soupçonner d'anormalité : qui n'a jamais oublié son parapluie ? Mais celui qui admet, avec Freud, qu'il peut y avoir eu une intentionnalité inconsciente dans la survenue de tel oubli se trouve en quelque sorte gagné à la cause freudienne, car on ne saurait dire que, dans tel cas évident, il y a une intentionnalité à l'œuvre, et nier qu'elle existe dans tous les autres cas.

Les *Leçons d'introduction à la psychanalyse* (1916-1917) soulignent que l'acte manqué est à considérer comme un « acte psychique complet, ayant son but propre, une manifestation ayant son contenu et sa signification propre »[1], qui devient le révélateur de la vie psychique inconsciente. Comme le lapsus ou l'acte manqué, l'oubli nous met face à la révélation d'une activité psychique importante et significative qui échappe à la conscience et se poursuit en deçà d'elle. Il n'est donc pas possible de considérer que, lorsque l'explication d'un oubli nous est évidente et nous satisfait, il s'agirait d'un acte manqué inconsciemment intentionnel, mais qu'il n'a aucune valeur lorsque son explication demeure obscure ou que les indices nous conduisent vers une interprétation pénible. Bien souvent (à la différence des rêves), il est possible d'avoir des idées assez adéquates de la signification d'oublis ou d'actes manqués, sans disposer des renseignements liés aux associations de la personne concernée ; s'il n'y a pas de doute lorsque celle-ci confirme ou trouve elle-même l'interprétation, il est plus aléatoire mais pas impossible de préjuger de la signification inconsciente. Certes, la preuve directe manquera, nous en resterons au niveau d'indices, comme lors d'un procès. Ainsi, oublier un nom familier ou ne pas pouvoir le retenir signifie généralement l'existence d'un ressentiment envers cette personne qui empêche de penser volontiers à lui[2]. De même l'oubli de projets peut être rattaché, d'une façon générale, à l'action d'un courant contraire opposé à leur réalisation ;

1. *Conférences d'introduction à la psychanalyse* (1916-1917 [1915-1916]), Paris, Gallimard, 1999, p. 43-44 ; *OCF* XIV, p. 29 ; *GW* XI, p. 28.

2. *Ibidem*, p. 66-67 ; p. 48 ; p. 46.

généralement, l'interprétation en est immédiatement claire, tandis que les oublis comportementaux, la perte d'objets et l'impossibilité de retrouver des objets rangés sont moins univoques. Les cas ne manquent pas où les circonstances qui accompagnent l'oubli d'un objet révèlent une tendance à écarter provisoirement ou de façon durable l'objet en question. Une fois le motif disparu, l'objet cesse d'être introuvable[1].

Amnésie infantile et amnésies névrotiques

En 1905, dans les *Trois essais sur la théorie sexuelle,* Freud affirme que **l'amnésie infantile et l'amnésie des névrosés relèvent de la même logique de refoulement.** Déjà, il écrivait en 1901, dans la *Psychopathologie de la vie quotidienne :* « Force nous est d'admettre que le souvenir (conçu comme une reproduction consciente) est soumis à des conditions tout à fait spéciales qui ont jusqu'à présent échappé à nos recherches. Il est fort possible que l'oubli infantile nous livre le moyen de comprendre les amnésies qui [...] sont à la base de la formation de tous les symptômes névrotiques. » Pourquoi une partie si importante de notre petite enfance, variable selon les individus à des âges où les fonctions psychiques de la mémoire sont actives et efficaces, succombe-t-elle régulièrement au refoulement ? « À mon avis – dit Freud – on a tort d'accepter comme un fait naturel le phénomène de l'amnésie infantile, de l'absence de souvenirs se rapportant aux premières années. On devrait plutôt voir dans ce fait une singulière énigme. On oublie que même un enfant de quatre ans est capable d'un travail intellectuel très intense et d'une vie affective très compliquée, et on devrait plutôt s'étonner de constater que tous ces processus psychiques ont laissé si peu de traces dans la mémoire alors que nous avons toutes les raisons d'admettre que tous ces faits oubliés de la vie de l'enfance ont exercé une influence déterminante sur le développement ultérieur de la personne. Comment se fait-il donc que, malgré cette influence incontestable et incomparable, ils aient été oubliés ? »[2]

1. *Ibidem,* p. 69-70 ; p. 50 ; p. 48.

2. *Psychopathologie de la vie quotidienne* (1901b), Paris, Gallimard, 1997, p. 100-101 ; *OCF* v, p. 128 ; *GW* iv, p. 54-55.

Il semble essentiel que s'efface en partie la névrose infantile (c'est-à-dire à l'histoire complexe de la sexualité infantile avec sa cristallisation dans le complexe d'Œdipe) au profit de l'intériorisation de la capacité de culpabilité, des identifications œdipiennes à chacun des deux parents : la construction de l'identité sexuelle et de ses choix d'objets d'amour y est liée. L'amnésie infantile est aussi caractérisée par le type de souvenirs qu'elle laisse filtrer, par sa parenté avec le rêve, le souvenir-écran : mélange de souvenir et d'oubli, psychiquement investi mais sans que le sens soit manifeste, est un élément important du rapport psychique au passé infantile. Effectuée cette même année 1901, mais publiée en 1905, la cure de Dora amène Freud à considérer les troubles mnésiques comme caractéristiques de la névrose, troubles pouvant avoir une valeur clinique différentielle[1].

Lors d'une séance de la Société psychanalytique de Vienne, le 28 avril 1909, Freud indique que « notre oubli normal est peut-être la scène où s'ébattent nos refoulements insatisfaits ; c'est pourquoi l'enfant qui refoule peu, dispose d'une bonne mémoire. **Se souvenir n'est pas une énigme, c'est oublier qui est un problème** »[2]. Peut-être cette amnésie infantile, en témoignant de la généralité et de l'universalité du processus de refoulement, est-elle un phénomène qui favorise les reconstructions déformées dans lesquelles ce qui se présente comme souvenir est entaché d'oubli. Le modèle en est le souvenir-écran, mais le phénomène ne s'y limite pas. L'histoire familiale est ainsi l'occasion de reconstructions profondes ; beaucoup de névrosés, insatisfaits de leurs parents, s'imaginent des origines plus prestigieuses, soit en se rêvant adoptés, soit en fantasmant un écart de conduite de leur mère, dont ils seraient le fruit : ainsi ménagent-ils leur sentiment de haute valeur ou leur toute-puissance tout en se justifiant à moindre coût de leur hostilité œdipienne – c'est là le roman familial[3]. Cette fois, erreur

1. « Fragment d'une analyse d'hystérie (Dora) » (1905e [1900]), *Cinq psychanalyses,* Paris, PUF, 1954, p. 9 et n. 1 ; *OCF* VI, p. 197 ; *GW* V, p. 174.

2. *Les premiers psychanalystes (minutes de la Société psychanalytique de Vienne)* (1978a), Paris, Gallimard, 1978, t. II (1908-1910), p. 215.

3. « Le roman familial des névrosés » (1909c), *Névrose, psychose et perversion,* Paris, PUF, 1973, p. 157-160 ; *OCF* VIII, p. 253-256 ; *GW* VII, p. 225-231.

historique et oubli se combinent pour dire une vérité de la réalité psychique et maintenir l'ouverture du désir, la nostalgie ou l'idéalisation.

PRÉSENCE DE L'OUBLIÉ DANS LA RÉPÉTITION

Avancée entre 1898 et 1905, la réflexion freudienne sur l'oubli est régulièrement rappelée au fil de l'œuvre. Ainsi, en 1909, les *Cinq leçons sur la psychanalyse* redisent que les associations des patients, les actes symptomatiques de la vie quotidienne, les rêves et les symptômes expriment des intentions inconscientes ; ils naissent de désirs refoulés ; en 1913, dans « L'intérêt de la psychanalyse » : l'oubli peut avoir des causes directes ou indirectes et vise à éviter un affect pénible.

En 1914, « Répétition, remémoration et perlaboration » introduit un devenir spécifique des contenus inconscients : la **répétition agie en place du souvenir.** L'interprétation vise à rendre conscientes les résistances pour permettre la remémoration. Le but reste inchangé : combler les lacunes du souvenir et surmonter les résistances du refoulement. L'oublié est en effet un « toujours su » auquel le patient n'a pas pensé, ou même n'aurait jamais pensé ; les conversions hystériques comme les souvenirs-écrans, couvertures derrière lesquelles se trouve conservé l'essentiel de l'enfance, sont des formes d'oubli toutes relatives. Dans la névrose obsessionnelle les impressions n'ont pas été oubliées, mais rendues inopérantes par la dissolution des corrélations, la méconnaissance des conséquences logiques et l'isolation des souvenirs. Il est cependant une sorte particulière d'expériences vécues extrêmement importantes, situées dans les tout premiers temps de l'enfance et qui, même si elles peuvent être comprises et interprétées après coup, n'éveillent le plus souvent aucun souvenir ; alors « l'analysé ne se remémore absolument rien de ce qui est oublié et refoulé, mais il l'agit ; il ne le reproduit pas sous forme de souvenir mais sous forme d'acte, il le répète, naturellement sans savoir qu'il le répète » [1]. Mais une fois les résistances surmontées l'absence de souvenirs n'empêche pas le patient de croire en ce qui a ainsi été révélé à partir de rêves ou de l'agencement de la névrose. En mettant en

1. « Remémoration, répétition et perlaboration » (1914g), *De la technique psychanalytique,* Paris, PUF, 1953, p. 108 ; *OCF* XII, p. 189 ; *GW* X, p. 129.

évidence la compulsion de répétition, Freud ne souligne pas seulement une difficulté technique, une forme de résistance mise en œuvre dans le transfert nécessitant une perlaboration, il a bien conscience de soulever une question décisive qu'il lui faudra traiter ultérieurement. La répétition en actes manifeste bien que quelque chose a fait trace, mais l'impossibilité du souvenir au long du traitement fait douter qu'il s'agisse d'une trace relevant d'une représentation, fût-elle brute ou archaïque ; la notion de « trace mnésique » est donc à repenser, tout comme la technique de la cure et sa visée.

Permanence de la conception freudienne de l'oubli

La deuxième théorie des pulsions et l'élaboration de la deuxième topique amènent des reformulations impliquant de nouveaux questionnements. Ainsi, en 1920, dans *Au-delà du principe de plaisir,* Freud pose que « nous admettons que tous les processus d'excitation dans les autres systèmes [que le système perception-conscience] y laissent des traces permanentes comme fondement de la mémoire, donc des restes mnésiques qui n'ont rien à faire avec le devenir conscient. Ils ont souvent le plus de force et de ténacité quand le processus qui les a laissés derrière lui n'est jamais venu à la conscience » [1]. Désormais, l'inconscient n'est plus seulement le refoulé ; il est fait de motions pulsionnelles qui peuvent n'être jamais parvenues à la conscience. Plus que jamais, conscience et mémoire s'excluent. C'est ce que confirme la « Note sur le "Bloc-notes magique" » qui, en 1925, précise, partant cette fois de la couche externe en contact avec le monde extérieur : « La couche réceptrice de stimulus – le système perception-conscience – ne forme aucune trace durable, les fondements du souvenir se produisent dans d'autres systèmes, contigus. » [2]

Dans un épilogue de 1922, ajouté au texte de 1909 sur l'*analyse du petit Hans,* Freud remarque – après avoir rencontré le patient devenu adulte – que l'analyse comme le rêve (et la névrose infantile)

1. *Au-delà du principe de plaisir* (1920g), *Essais de psychanalyse,* Paris, Payot, 1981, p. 66 ; *OCF* XV, p. 296 ; *GW* XIII, p. 24.

2. « Note sur le "bloc-notes magique" » (1925a [1924]), *Résultats, idées, problèmes, II,* Paris, PUF, 1984, p. 123 ; *OCF* XVII, p. 142 ; *GW* XIV, p. 7.

peut être frappée d'amnésie[1] ; ainsi s'impose à lui la nécessité psychique de l'oubli. Mais le critère ne saurait être la conscience qui n'est qu'une qualité psychique ; il est dans la mobilité psychique et la manière dont les représentations sont liées aux affects. Freud le redit depuis le début : d'une certaine manière, l'oubli n'est jamais qu'apparent. En 1929, *Malaise dans la civilisation* le rappelle : « Depuis que, revenus d'une erreur, nous ne considérons plus nos oublis courants comme dus à une destruction des traces mnésiques, donc à leur anéantissement, nous inclinons à cette conception opposée : **rien dans la vie psychique ne peut se perdre, rien ne disparaît de ce qui s'est formé,** tout est conservé d'une façon quelconque et peut reparaître dans certaines circonstances favorables, par exemple au cours d'une régression suffisante. »[2]

Dans « Constructions dans l'analyse » (1937), Freud répond aux questions techniques qu'il avait soulevées en 1914 par la mise en évidence des expériences dont on ne peut se souvenir, dans lesquelles la remémoration est remplacée par la répétition agie, débouchant sur une compulsion de répétition. « Le chemin qui part de la construction de l'analyste devrait mener au souvenir chez l'analysé ; il ne mène pas toujours jusque-là. Très souvent, on ne réussit pas à ce que le patient se rappelle le refoulé. » Il est donc des oublis irréductibles. Mais une analyse correctement menée convainc fermement le patient de la vérité de la construction « ce qui, du point de vue thérapeutique, a le même effet qu'un souvenir retrouvé ». Inversement, la communication d'une construction provoque parfois chez les analysés des souvenirs très vivaces, excessivement nets selon leurs propres dires, concernant moins la construction elle-même que des détails voisins de son contenu : les traces mnésiques significatives, dans leur chemin vers la conscience, sont déplacées par une résistance vers des objets voisins d'importance secondaire. Freud souligne la qualité hallucinatoire de ces retours d'événements oubliés : « On n'a pas encore assez apprécié

1. « Analyse d'une phobie chez un petit garçon de cinq ans (Le petit Hans) » (1909b), *Cinq psychanalyses,* Paris, PUF, 1954, p. 198 ; *OCF* IX, p. 130 ; *GW* VII, p. 432.

2. *Malaise dans la civilisation* (1930a [1929]), Paris, PUF, 1971, p. 11 *(Le Malaise dans la culture), OCF* XVIII, p. 254 ; *GW* XIV, p. 426.

ce caractère peut-être général de l'hallucination d'être le retour d'un événement oublié des toutes premières années », avant que l'enfant ne parle ; « c'est ce qui s'impose maintenant à la conscience, mais probablement de façon déformée et déplacée par l'effet des forces qui s'opposent à un tel retour »[1].

Ces notations sur la radicalité de l'oubli, sur l'effet de conviction de la construction sur ce qui ne peut être remémoré, comme sur l'hallucinatoire du souvenir manifestent la complexité des rapports avec certaines expériences précoces et leur traces inconscientes. Freud lui-même a pu éprouver sous forme d'un clivage un « Trouble de mémoire sur l'Acropole » (1936)[2] qui l'a suffisamment marqué pour qu'il le relate à Romain Rolland trente ans plus tard : « Ainsi tout cela existe réellement ! » Ce n'est donc pas tant l'oubli qui fait problème que le conflit psychique qu'il manifeste : par rapport à ce qui est oublié ou secrètement dénié coexistent et s'affrontent une résistance au devenir-conscient et un mouvement vers l'expression pour une remémoration – parfois dans le trouble psychique – ou à défaut pour une répétition agie dont la construction de l'analyste peut néanmoins dénouer la force compulsive et permettre la reconnaissance consciente, même sans l'appui du souvenir.

Il ne faut jamais méconnaître que « **l'oublié n'est pas effacé, mais seulement refoulé** » ; ses traces mnésiques sont isolées par des « contre-investissements ». « Elles ne peuvent pas entrer en relation avec les autres processus intellectuels, elles sont inconscientes, inaccessibles à la conscience. Il se peut aussi que certaines parties du refoulé se soient soustraites au processus, qu'elles restent accessibles au souvenir, qu'elles surgissent à l'occasion dans la conscience, mais même alors elles sont isolées, comme des corps étrangers sans lien avec le reste. »[3] Telle est la reformulation finale donnée en 1939 dans

1. « Constructions dans l'analyse » (1937d), *Résultats, idées, problèmes, II,* Paris, PUF, 1985, p. 278-279 ; *OCF* XX, p. 69-71 ; *GW* XVI, p. 52-54.

2. « Un trouble de mémoire sur l'Acropole (lettre à Romain Rolland) » (1936a), *Résultats, idées, problèmes, II,* Paris, PUF, 1984, p. 221-230 ; *OCF* XIX, p. 325-338 ; *GW* XVI, p. 250-257.

3. *L'homme Moïse et la religion monothéiste* (1939a), Paris, Gallimard, 1986, p. 189 ; *OCF* XX, p. 174 ; *GW* XVI, p. 201.

L'homme Moïse et la religion monothéiste, qui insiste sur les contre-investissements et l'isolation des contenus psychiques soustraits au souvenir, par le refoulement ou par d'autres mécanismes de défense.

QUESTIONS ET ENJEUX

L'OUBLI COMME SYMPTÔME

Nous avons suivi pas à pas les formes symptomatiques de l'oubli et la façon dont Freud dégage très tôt quelques thèses essentielles : 1 / rien n'est radicalement oublié ; 2 / beaucoup d'éléments psychiques sont inaccessibles à la conscience ; 3 / l'oubli est la manifestation phénoménologique du refoulement ; 4 / souvent inconsciemment intentionnel, il vise à éviter le déplaisir et se trouve donc fondamentalement lié à l'affect, participant des défenses et relevant du principe de plaisir ; 5 / en tant que manifestation du refoulement, l'oubli est un phénomène fondamentalement actif et non une lacune ou une défaillance de la mémoire.

Ainsi compris, l'oubli, lié à l'axiome de l'exclusion réciproque entre conscience et mémoire[1], se présente dans des figures symptomatiques précises, qui sont principalement l'oubli des noms, l'oubli des rêves et l'amnésie infantile. Par ailleurs, l'oubli est à l'œuvre dans nombre d'actes manqués, et intervient conjointement avec le souvenir dans le symptôme compris comme réminiscence, dans le souvenir-écran ou dans le roman familial.

Il faudrait y ajouter les amnésies traumatiques ou, à l'inverse, l'impossibilité tant d'oublier que de transformer qui caractérise les rêves traumatiques répétitifs. Mais Freud, s'il prend les rêves traumatiques comme argument dans sa mise en évidence de l'importance de la compulsion de répétition au-delà du principe de plaisir, n'étudie pas systématiquement l'amnésie traumatique, dont pourtant le

1. *La naissance de la psychanalyse. Lettres à Wilhelm Fliess. Notes et plans (1887-1902)* (1950a [1887-1902]), Paris, PUF, 1956, p. 154 (lettre 52), et in *Lettres à Wilhelm Fliess* (éd. complète), Paris, PUF, 2006, p. 264 (lettre 112, du 6 décembre 1896) (thèse reprise notamment dans le chapitre VII de *L'interprétation des rêves*).

caractère protecteur évident éclaire peut-être les amnésies névrotiques dues au refoulement.

La fonction protectrice de l'oubli

L'un des résultats de la réflexion freudienne sur l'oubli des rêves est de montrer combien l'oubli est protecteur : le rêve protège le sommeil en laissant se former et s'exprimer – et ainsi s'expulser – les mouvements de désir qui nous agitent et que les excitations de la journée ont réveillées. Les déguisements du rêve (condensations, déplacements, symbolisations), caractéristiques du travail du rêve, permettent de laisser ces désirs sous une forme qui reste énigmatique pour la conscience vigile, à l'exception des rêves transparents des jeunes enfants chez qui les désirs s'expriment sans détours. L'oubli des rêves est une protection du moi contre l'angoisse ; il s'effectue sous l'effet de la censure psychique qui maintient inconscients les mouvements pulsionnels, censure parfois débordée lors de rêves d'angoisse ressentis comme des cauchemars, et qui souvent réveillent le dormeur (seul moyen d'interrompre le rêve) parce que le désir est tout à coup perçu comme une menace pour le moi.

Il est significatif de voir fréquemment, au fil d'une cure analytique, les rêves devenir plus nombreux et plus élaborés. Oublier systématiquement ses rêves peut relever d'une attitude de méfiance, d'indifférence ou d'angoisse face à son monde intérieur, tandis que le travail de la cure réveille souvent, sauf lors de périodes de résistance inconsciente, une plus grande sensibilité à ses images oniriques. L'ampleur de l'activité préconsciente et la tolérance plus ou moins grande de la conscience pour le monde étrange des rêves, vient ainsi réguler, sous des formes et à des degrés qui peuvent varier au cours de l'existence, la façon dont on se souvient de ses rêves et l'ampleur de leur oubli. Car, surtout dans le rêve, les raisons des oublis sont affectives, et ont une fonction défensive ; l'oubli du rêve ne peut être séparé de la prise en compte du rôle de la censure dans le rêve. L'oubli n'est pas d'abord un obstacle à la remémoration, mais la trace d'une censure renforcée, c'est-à-dire l'effet du refoulement.

L'oubli gêne pour connaître, mais protège de désagréments et de désillusions. La deuxième topique souligne l'importance de la fonction défensive du moi et reconnaît en lui l'instance refoulante. Le refoulement établit une « barrière », jamais abolie ni complètement franchissable, entre les contenus de pensée inconscients et la pensée consciente. Les représentations inconscientes sont des forces, elles sont chargées d'affect et luttent pour se manifester ; l'oubli est tout aussi dynamique et oppose sa force à celle des représentations. Le travail du rêve témoigne de la puissance de l'activité psychique mise en œuvre ; c'est ce conflit qui produit la créativité du rêve, ainsi que son étrangeté.

La remémoration n'est donc pas l'activité paisible de celui qui fait simplement preuve d'attention et de patience, c'est la victoire d'une volonté de savoir – elle-même d'origine pulsionnelle, donc inconsciente – sur les forces défensives du refoulement et de l'oubli. L'interprétation des rêves est une lutte contre les résistances, et Freud emploie volontiers les métaphores de conquête et de bataille, à côté de celle de fouilles archéologiques. La prise de conscience est en effet une remémoration accompagnée de compréhension du sens du rêve. La conscience coexiste habituellement avec le refoulement et la méconnaissance de soi ; la prise de conscience révèle à soi-même quelque chose de soi que l'on ignorait – ou pire : que l'on ne voulait pas savoir.

La levée du refoulement

La question de l'oubli rejoint celle de savoir si le but de l'analyse est bien la levée du refoulement et la réappropriation des souvenirs oubliés ; Freud lui avait assigné pour but la réappropriation des éléments refoulés, donc – semble-t-il – la remémoration de ce qui avait été oublié. Dès 1904, il s'agit « d'extraire du minerai des idées fortuites le pur métal des pensées refoulées »[1], et l'on peut dire « la tâche de la cure est de supprimer les amnésies »[2] ; en 1918, il faut « ramener jusqu'au conscient du malade les éléments psychiques refoulés »[3] ; en 1938, « le psychanalyste est celui qui est en mesure

1. « La méthode psychanalytique de Freud » (1904a), *De la technique psychanalytique,* Paris, PUF, 1953, p. 5 ; *OCF* VI, p. 14 ; *GW* V, p. 7.

2. *Ibidem,* p. 6 ; p. 15 ; p. 8.

3. « Les voies de la thérapie psychanalytique » (1919a), *De la technique psychanalytique,* Paris, PUF, 1953, p. 132 ; *OCF* XV, p. 100 ; *GW* XII, p. 184.

de deviner le matériel refoulé »[1]. « Nous pouvons dire que nous cherchons à rendre conscient l'inconscient ou à supprimer les refoulements ou combler les lacunes mnésiques; tout cela revient au même. »[2] L'important demeure que « Là où était du ça doit advenir du moi »[3].

But spécifique de la psychanalyse, la levée du refoulement, au moins partielle, consiste à ramener le refoulé au conscient. Il s'agit donc bien en ce cas de faire reculer l'oubli, de se réapproprier des contenus psychiques jusque-là inaccessibles à la conscience. C'est ce que la cure rend possible par la régression qu'elle induit, la levée des contre-investissements, la dynamique du processus associatif et transférentiel. L'analyse du transfert, et donc des résistances, détourne le retour du refoulé de ses voies habituelles, et en vient ainsi à dévoiler ce qu'il devait cacher (mais pas toujours par la voie du souvenir) ; devenu interprétable, il permet la « correction après coup » du refoulement. Avec l'actualisation de l'affect retrouvé qui l'accompagne, la levée du refoulement en mobilise de nouveaux et renvoie ainsi à d'autres refoulements qui deviennent à leur tour accessibles à l'analyse.

Le travail de la cure peut donc s'effectuer sans que l'oublié resurgisse. La conviction importe plus que la factualité, car c'est bien la liaison entre affect et représentation qu'il s'agit de faire redevenir vivante; les constructions peuvent donc avoir autant d'effet de transformation psychique que le fait de retrouver un souvenir perdu. La tâche de l'analyste est de construire ce qui a été oublié, pour permettre au patient de se remémorer ce qu'il a vécu et refoulé; les erreurs éventuelles de construction sont sans danger car sans effet sur le patient à qui elles ne parlent pas. Malgré son attachement à l'ancrage historique, Freud en vient donc à relativiser l'importance du souvenir et de la réappropriation de ce qui a été oublié. La question de l'oubli en psychanalyse conduit ainsi à reconsidérer celle de la temporalité psychique dans sa complexité, en donnant place à l'après-coup mais aussi à l'actuel – temps présent toujours relationnel, entre mémoire et oubli,

1. *Abrégé de psychanalyse* (1940a [1938]), Paris, PUF, 1967, p. 42; *OCF* XX, p. 267; *GW* XVII, p. 99.

2. *Conférences d'introduction à la psychanalyse* (1916-1917 [1915-1916]), Paris, Payot, 1971, p. 412; *OCF* XIV, p. 451; *GW* XI, p. 452.

3. *Nouvelles conférences d'introduction à la psychanalyse* (1933a [1932]), Paris, Gallimard, 1984, p. 110; *OCF* XIX, p. 163; *GW* XV, p. 86.

dans la capacité d'élaboration consciente mais toujours partielle de phénomènes psychiques dont la dimension inconsciente reste fondamentale. La notion de vérité (matérielle et historique) s'en trouve ainsi repensée.

Dans la cure, des convictions naissent de la redécouverte d'un souvenir, retrouvé grâce aux associations, à un rêve ou aux expériences transférentielles. Il est aussi des reconstitutions qui s'imposent à la compréhension sans que ce soient à proprement parler des souvenirs retrouvés. Et très fréquemment, des événements qui n'ont jamais été oubliés, mais qui semblaient sans importance ou sans signification particulière prennent un sens essentiel et inattendu. Quelle que soit la forme par laquelle la réappropriation subjective de sa propre histoire s'effectue, telle est bien l'expérience essentielle : ce que l'on est, ce qui a été vécu prend cohérence et sens, devient intelligible et profondément ressenti. L'idéal de la psychanalyse n'est pas l'hypermnésie, mais le contact vital avec les motions pulsionnelles qui nous font vivre, et dont il faut réguler les rejetons.

Le statut des traces mnésiques

Nous avons noté comment *L'homme Moïse et la religion monothéiste* reprend la notion de traces mnésiques pour les appliquer à un refoulement qui surviendrait à l'échelle de l'histoire de l'humanité, donc de la psychologie des masses. Freud se heurte alors à la thèse biologique de la non-transmissibilité des caractères acquis, mais n'en maintient pas moins l'idée ; on peut sans doute s'interroger pour savoir si cette transmission inconsciente de l'héritage archaïque devrait nécessairement être de nature biologique.

Toute la théorisation des années 1896-1900 fait des traces mnésiques une réalité biologique inconnaissable directement, que la nécessité logique oblige à poser. La tentative de les rapporter à des « supports neuronaux » n'est que partiellement satisfaisante ; les schématisations de l'appareil psychique proposent la démultiplication des inscriptions et des systèmes pour résoudre les problèmes posés par le paradoxe du maintien d'une trace malgré l'exclusion réciproque entre conscience et mémoire, et la déformation de la remémoration ou du rêve. Le statut de la trace conservée tend à être rabattu sur l'inconnaissable de son inscription et de sa forme biologique – même si la pensée freudienne maintient toujours que la notion de trace mnésique est d'abord une nécessité logique du fonctionnement de l'appareil psychique, et que les images mnésiques ou les souvenirs constitués ne sont que des rejetons déformés de ces traces pérennes inconscientes. La question du statut de ces traces reste latente mais toujours ouverte pour Freud.

Il reprend le problème en s'interrogeant sur la force des idées religieuses et le resurgissement du monothéisme, questionnant l'histoire et la culture. Freud réutilise alors la formulation « trace mnésique », signifiant ainsi qu'il n'entend pas en faire une réalité neurobiologique ; c'est toujours la nécessité logique de penser conjointement la conservation et le refoulement qui impose la notion, tandis que sa nature et son statut restent problématiques. Si la trace mnésique était d'abord définie comme un fait biologique, elle serait inutilisable pour penser le refoulement collectif dans la culture. Freud ne renonce pas pour autant à l'établissement d'un ancrage biologique. On peut penser que, chaque fois qu'il recourt au « biologique » phylogénétique, Freud cherche l'universalité de ce qu'il met en évidence par opposition à la singularité de la réalité psychique qu'il rencontre dans le travail de chaque cure ; une universalité qui précède l'actualisation dans tel ou tel psychisme, et qui s'impose même en l'absence d'événement singulier ou de configuration suffisante dans l'ontogenèse. *Le phylogénétique permet à Freud de rendre compte des phénomènes universels*. Ce qui se conserve serait à la fois biologique pour l'individu et l'espèce humaine en tant qu'ensemble de corps vivants, et culturel via le fait de parler, d'avoir un langage, pour l'enfant d'emblée accueilli par des humains qui parlent et pour les traces d'expériences culturelles formant ce que Freud appelle l'« héritage archaïque ». On voit l'importance de conserver à la notion de trace mnésique son caractère de nécessité logique, sans détermination ni forme assurée et délimitée.

Cette réévaluation métapsychologique vise à établir une thèse essentielle : « Les humains ont toujours su – de cette manière particulière – qu'ils ont possédé un jour un père primitif et qu'ils l'ont mis à mort. »[1] C'est donc encore une fois (comme pour le *proton pseudos* et l'après-coup) une nécessité de la pensée clinique – de ce que l'on pourrait appeler ici la « clinique de la culture » – qui guide les questionnements et les mises au point théoriques ; jamais la pure logique abstraite d'une

1. *L'homme Moïse et la religion monothéiste* (1939a), Paris, Gallimard, 1986, p. 197 ; *OCF* XX, p. 180-181 ; *GW* XVI, p. 208.

cohérence théorique. C'est bien pourquoi certaines élaborations théoriques restent en suspens du point de vue de la cohérence manifeste, sans pouvoir pour autant être abandonnées.

De l'oubli à la métapsychologie

Nous avons souligné combien la pensée freudienne renouvelle la compréhension de l'oubli pour y reconnaître une force active, une défense psychique. Mais ce niveau symptomatique est encore trop restreint, car c'est tout le fonctionnement de l'appareil psychique qui se trouve engagé. Si l'on admet que la compréhension de l'oubli est inséparable de celle des conditions de la formation du souvenir, comme de la métapsychologie du refoulement, on ne peut manquer de voir combien souvenir et oubli sont au cœur du conflit psychique. Freud l'a formulé dès les *Études sur l'hystérie* : « Les hystériques souffrent de réminiscences. »[1] Or les réminiscences sont une forme de souvenirs qui n'en sont pas, un mélange d'oubli et de retour des impressions vécues, sous une forme méconnaissable, celle des symptômes. Outre son éventuelle impossibilité qui ouvre la voie à la répétition agie, forme de mémoire amnésique, la formation et l'inévitable déformation du souvenir sont déterminées par le conflit psychique et éclairent celui-ci ; c'est bien pourquoi l'oubli est un moment dynamique dans le fonctionnement d'une économie psychique et reflète une répartition topique des traces mnésiques et des motions pulsionnelles qui s'avère inséparable du rapport entre les forces psychiques engagées dans le conflit inconscient. L'oubli est donc une manifestation symptomatique de l'organisation de l'appareil psychique et de l'importance du psychisme inconscient qui requiert une compréhension métapsychologique.

Dominique Bourdin

1. *Études sur l'hystérie* (1895d), Paris, PUF, 1956, p. 5 ; *OCF* II, p. 28-29 ; *GW* I, p. 87.

P

PARANOÏA

all. : ***Paranoïa.*** – angl. : *paranoia.* – esp. : *paranoia.* – ital. : *paranoia.* – port. : *paranóia*

Le terme générique de « paranoïa » recouvre des sens différents suivant les contextes, allant de dispositions caractérielles à des états délirants où domine le délire de persécution. Sont associées, dans tous les cas : – la projection en tant que mécanisme défensif de base ; – la fixation narcissique d'où dérivent le choix d'objet narcissique et l'homosexualité inconsciente ; – la persécution par l'objet homosexuel choisi d'abord comme objet d'amour et secondairement haï (ceci en rapport avec le refus de la passivité et du féminin). Cependant, l'importance donnée d'abord au « complexe paternel » a été complétée par la prise en compte, particulièrement chez la femme paranoïaque, du rôle essentiel des troubles de la relation originaire à la mère.

MISE EN SITUATION

Le terme de « paranoïa » a été directement emprunté au grec – qui en usait pour désigner la folie – par les psychiatres allemands, puis repris en France et ailleurs jusqu'à aboutir à ce qu'on le retrouve identique dans nos six langues de référence.

La paranoïa est abordée à partir de 1895, au même titre que les autres grandes entités cliniques, hystérie et névrose obsessionnelle essentiellement. Le rapport à la psychose, ou plus précisément la démence précoce, est évoqué plus qu'étudié. Il est vrai que, sur le plan nosologique, la question est alors plutôt confuse, la psychiatrie allemande retenant traditionnellement la paranoïa comme cadre général de la psychose avant que les travaux de Émile Kraepelin n'en démembrent les diverses entités.

Sur le plan théorique et clinique, Freud dégage progressivement, à partir de 1895, les caractères de la paranoïa, à commencer par la projection, mécanisme essentiel qu'il désigne comme « une forme de refoulement ». Le rôle des investissements homosexuels est démontré, en collaboration notamment avec Carl Gustav Jung, ce qui amène à considérer l'importance de la fixation narcissique et des autoérotismes avant même la parution de « Pour introduire le narcissisme ».

Notons dès maintenant que les termes de paranoïa ou de démence paranoïde, tels qu'appliqués au cas du Président Schreber, seront l'objet, en conclusion du texte qui lui est consacré, d'une discussion sur leurs différences avec la « démence précoce » de Kraepelin ou la « schizophrénie » de Bleuler, ceci était motivé par la question centrale de l'opposition de ces deux groupes de psychoses. Les démences paranoïdes, mais aussi et plus généralement la paranoïa, se rattachent à la régression aux fixations narcissiques et homosexuelles sous-jacentes au « délire des grandeurs », tandis que le groupe des démences précoces et des schizophrénies serait caractérisé par la prédominance de la régression, « la vacance totale de l'amour d'objet et le retour à l'auto-érotisme infantile » [1]*. Les particularités du cas Schreber néces-*

1. « Remarques psychanalytiques sur l'autobiographie d'un cas de paranoïa (*dementia paranoides*) (Le Président Schreber) » (1911c [1910]), *Cinq psychanalyses*, Paris, PUF, 1954, p. 318-320 ; *OCF* X, p. 298-299 ; *GW* VIII, p. 313-314.

sitaient en effet ces éclaircissements compte tenu des difficultés nosologiques soulevées par ce cas dont l'étude soutient non seulement la conception générale de la paranoïa mais aussi, dans une large mesure, celle des psychoses.

Les études ultérieures concernant la psychose (notamment « Névrose et psychose » et « La perte de la réalité dans la névrose et la psychose ») ne concernent pas directement la paranoïa, mais ouvrent cependant des perspectives sur sa conception. Il en est de même pour les développements concernant le clivage.

LE TEXTE FREUDIEN

Dans les ***Lettres à Wilhelm Fliess***[1] et particulièrement dans le « Manuscrit H », également intitulé « Paranoïa », celle-ci est présentée comme un mode pathologique de défense selon lequel on devient paranoïaque parce qu'on ne peut tolérer certaines choses, à condition naturellement que le psychisme y soit particulièrement « prédisposé ». Ce premier abord est illustré par les conséquences d'une scène de séduction dont les suites, qui auraient aussi bien pu aboutir à un symptôme hystérique ou à une obsession, consistent en d'indéniables symptômes de délires d'observation et de persécution. Le rôle de la « prédisposition » en cause est de permettre le « mésusage d'un mécanisme psychique très courant, celui du déplacement ou de la projection ». Celle-ci consiste en l'occurrence à projeter au dehors le jugement intérieur que la patiente porte sur le trouble ressenti lorsqu'un homme lui mit son pénis dans la main. Le refoulement consiste en ce que le reproche vienne du dehors (les voisines, et non les voisins) lui permettant d'échapper au reproche intérieur. Ainsi apparaît l'importance de la projection[2] : ce qui est ressenti comme un déplaisir, en l'occurrence un trouble éprouvé lors d'un incident primaire

1. *La naissance de la psychanalyse. Lettres à Wilhelm Fliess. Notes et plans (1887-1902)* (1950a [1887-1902]), Paris, PUF, 1956, Manuscrit H du 24 janvier 1895, p. 98.

2. *Ibidem*, lettre du 1er janvier 1896.

dont un autre est rendu responsable, entraîne la formation de méfiance, de suspicion, voire de persécution, au minimum une susceptibilité exagérée. Notons à ce propos qu'en 1901 dans *Psychopathologie de la vie quotidienne*[1] Freud reviendra sur la projection en soulignant que le paranoïaque refuse aux manifestations psychiques d'autrui tout élément accidentel. Il projette en l'autre ce qui existe dans son propre inconscient. Ainsi il aurait toujours raison, car sa vision est plus pénétrante que celle de la pensée normale qui ne découvre ces choses qu'au cours d'une analyse. Mais le paranoïaque ne fait alors qu'étendre à d'autres ce qui n'est vrai que pour lui-même, sans pour autant le reconnaître pour sien.

D'autre part le rôle de la couche sexuelle la plus profonde, celle de **l'auto-érotisme**, *qui n'a aucun but psychosexuel et n'exige qu'une sensation capable de le satisfaire localement*, a été indiqué plus tôt[2]. Dans le même mouvement, il est souligné que la paranoïa défait les identifications hystériques, allo-érotiques, rétablit les personnes aimées dans l'enfance et scinde le moi entre plusieurs personnes étrangères. « Voilà pourquoi j'ai été amené à considérer la paranoïa comme la poussée d'un courant auto-érotique, comme un retour à la situation de jadis », ce qui restera un point essentiel dans la compréhension des divers aspects qu'elle peut prendre, et nous retrouverons cela dans l'opposition de l'hystérie, qui condense, à la paranoïa qui divise ou décompose, défait les identifications.

Dans la **correspondance avec Jung**[3], Freud précise ce qu'il nomme refoulement dans la paranoïa : « Une idée, le contenu du désir, a surgi et est restée, est même d'inconsciente devenue consciente, mais cette idée née à l'intérieur a été projetée à l'extérieur, elle revient comme une réalité perçue, contre laquelle le refoulement peut à présent à nouveau s'exercer comme opposition. » L'essentiel de la théorie de la projection est déjà établi, complété par la prise en compte

1. *Psychopathologie de la vie quotidienne* (1901b), Paris, Gallimard, 1997, p. 406-408 ; *OCF* V, p. 351-352 ; *GW* IV, p. 284-285.

2. Lettre à Wilhelm Fliess du 9 décembre 1999.

3. *Correspondance Sigmund Freud-Carl Gustav Jung* (1975a [1906-1914]), Paris, Gallimard, 1975, vol. I (lettre du 14 avril 1907, p. 86).

du refoulement de l'affect : le crédit qui est refusé à l'affect du désir fait retour sous forme contraire, hostile. Ceci annonce déjà l'idée du retour du dehors de ce qui est aboli à l'intérieur.

Le président Schreber est devenu emblématique de l'ensemble des problèmes posés par l'entité *paranoïa*, dans les diverses formes qu'elle peut revêtir : névroses ou caractères narcissiques, états délirants plus ou moins transitoires ou psychoses organisées. Le cas du président lui-même est désigné par Freud comme *dementia paranoides*, ou éventuellement comme paraphrénie. L'intérêt central de cette autobiographie est de soutenir l'essentiel de la théorie de la paranoïa élaborée en tenant compte des apports de Karl Abraham et de Carl Gustav Jung.

Ceci est repris et développé à propos de la discussion concernant le « stade du narcissisme » : l'individu en cours de développement « pour acquérir un objet d'amour rassemble en une unité ses pulsions sexuelles travaillant auto-érotiquement, prend d'abord soi-même, son propre corps, comme objet d'amour, avant de passer de celui-ci au choix d'objet d'une personne étrangère » [1]. Cette phase est sans doute indispensable pour permettre le passage de l'auto-érotisme au choix d'une personne étrangère. Dans ce soi-même pris pour objet d'amour, les organes génitaux peuvent être « la chose capitale », ce qui conduit au choix manifeste d'objet homosexuel. La **disposition paranoïaque** désigne le lieu de la fixation à ce stade, qui est « aussi le point faible de leur développement (qui) est à chercher dans la partie située entre auto-érotisme, narcissisme et homosexualité ».

Chez le sujet qui ne s'arrête pas à cette phase, les tendances homosexuelles ne sont pour autant ni supprimées ni suspendues. Elles sont écartées du but sexuel, s'assemblent avec des parties des pulsions du moi pour constituer avec elles, « étayées sur elles », la contribution de l'érotisme à l'amitié et par-delà, aux pulsions sociales, sublimées. Par contre les personnes qui ne sont pas pleinement dégagées du stade du narcissisme restent, en raison de cette fixation, ou disposition à la maladie, exposées au risque d'un **déferlement de la libido** qui

1. « Remarques psychanalytiques sur l'autobiographie d'un cas de paranoïa (*dementia paranoides*) (Le Président Schreber) » (1911c [1910]), *Cinq psychanalyses*, Paris, PUF, 1954, p. 306 ; *OCF* X, p. 283 ; *GW* VIII, p. 297.

ne trouverait pas d'autre écoulement. Leurs pulsions sociales seraient alors resexualisées entraînant la suppression de leurs sublimations. Ce qui renforce une telle régression peut provenir tant d'une déception auprès de la femme que d'une stase libidinale, en amont, due à un ratage dans les relations sociales avec l'homme. C'est-à-dire que, d'un côté comme de l'autre, est éprouvée une frustration (ou un refusement, *Versagung* évoquant aussi bien le refus opposé par la réalité que par le conflit pulsionnel).

Une disposition similaire pourrait être imputée à la démence précoce de Kraepelin ou à la schizophrénie de Bleuler. La discussion en reste ouverte, et l'on peut penser que le cas Schreber se trouve aux limites de ces groupes, d'où les incertitudes nosologiques que nous avons évoquées. Quoi qu'il en soit ce cas montre avec clarté diverses modalités régressives. L'expérience de fin du monde, de cette catastrophe intérieure où disparaît le monde objectal, entraîne une double conséquence. D'une part le moi, investi de toute la libido qui fait retour sur lui, est magnifié dans une grandeur délirante où il est difficile de parler réellement d'un triomphe narcissique, même si le sujet s'identifie à un dieu. Il est dieu en effet d'un monde vide ou qui ne contient plus que quelques débris peu signifiants, bien qu'ils soient ce qui reste du moi après la catastrophe. Après que le demi-dieu, ainsi que le cite Freud, a effectivement d'un poing puissant détruit le monde, il tente de le reconstruire, notamment avec des figures humaines « hommes miraculés-là, faits-là en vitesse » (notons que le terme ainsi traduit, *hingemacht*, peut signifier également « chiés-là », ce qui souligne le caractère anal des fixations érotiques de Schreber, et notamment de celles de ses identifications que l'on peut considérer comme féminines). La reconstruction est impossible car il ne reste pas grand-chose du moi, même s'il est tout ce qui reste de réel. Mais peut-être même est-il mort…

On peut considérer que ceci est la conséquence de la formule centrale : « **la paranoïa divise (ou décompose)** ». Par la division elle détruit les identifications narcissiques, et l'on peut ajouter qu'elle les projette dans l'objet narcissique, aimé et haï, qu'elle finit par détruire. Pour autant, le moi appauvri par les projections ne peut accueillir les parties « divisées » qui font retour sur lui. Tout cela anticipe dans une certaine mesure les travaux de M. Klein et de Bion, qui vont expliciter et théoriser les identifications projectives, implicitement contenues dans l'œuvre de Freud.

Nous pouvons voir ainsi le passage régressif du narcissisme à l'auto-érotisme, dès lors que l'investissement libidinal est retiré au moi. La « division » apparaît lorsque l'investissement se fixe à quantité d'objets morcelés (vestibules du ciel, oiseaux miraculés, rayons divins, etc., dont la signification symbolique sexuelle est montrée). Les fixations se produisent aussi sur des organes du sujet dont la souffrance s'exprime sous forme de plaintes hypocondriaques. Leurs expressions et leurs significations sont multiples, désignant aussi bien les miracles du médecin que leur renversement ironique, dont l'organisateur, au-delà de Flechsig, se trouve en la personne du père de Schreber.

Fantasmes d'homosexualité et de transformation en femme : l'idée selon laquelle il devait être beau d'être une femme subissant l'accouplement était le trait saillant du système délirant de Schreber[1]. Le délire de persécution se ramène dans tous les cas à une formule très simple : **la personne qui tient dans sa main tous les fils du complot est celle qui jouait le plus grand rôle dans la vie émotionnelle du patient.** Projetée au dehors, *sous forme de pouvoir venant de l'extérieur, la qualité de l'émotion est changée en son contraire.* Ainsi, celui que l'on hait en tant que persécuteur fut en son temps aimé. Le *fantasme homosexuel* s'imposa après une phase de « protestation mâle » (Freud cite Alfred Adler, sans le suivre) précédant l'éclosion de la psychose, dont les premières manifestations étaient la crainte d'être abusé sexuellement par le Pr Flechsig. La poussée de libido homosexuelle était la cause essentielle de la psychose et de son développement « paranoïde » ; Freud l'affirme à plusieurs reprises, précisant que cette poussée concernait « un fantasme de désir de nature féminine (homosexuel passif) ».

Le délire de persécution se ramène dans tous les cas à une *formule très simple*[2] : la personne qui tient dans sa main tous les fils du

1. « Remarques psychanalytiques sur l'autobiographie d'un cas de paranoïa *(dementia paranoides)* (Le Président Schreber) » (1911c [1910]), *Cinq psychanalyses*, Paris, PUF, 1954, p. 284 ; *OCF* X, p. 257-258 ; *GW* VIII, p. 269.

2. *Ibidem*, p. 289 ; p. 263 ; p. 276.

complot est celle qui jouait le plus grand rôle dans la vie émotionnelle du patient. Projetée au dehors, *sous forme de pouvoir venant de l'extérieur, la qualité de l'émotion est changée en son contraire*. Ainsi celui que l'on hait en tant que persécuteur fut en son temps aimé.

Le *délire mégalomaniaque* est une caractéristique des psychoses paranoïaques, qui se révèle d'une grande complexité. Schreber lie le fantasme d'émasculation et de transformation en femme, prostituée, livrée à son médecin et finalement à Dieu. Ceci permet la réalisation du projet mégalomane d'être alors le (ou la) seul à lui donner la volupté qu'il recherche. Ainsi donnerait-il naissance à une nouvelle race d'hommes. Le moi est de ce fait dédommagé par la mégalomanie et le fantasme féminin devient acceptable ; elle apparaît comme un symptôme donnant satisfaction à plusieurs instances. **La paranoïa « divise tandis que l'hystérie condense »**, ce qui signifie que chez le paranoïaque les condensations et les identifications se résolvent en leurs éléments inconscients. Les multiples subdivisions de Flechsig, de Dieu... surviennent en tant que réactions paranoïdes à une identification à deux ou plusieurs personnes appartenant à une même série. Le persécuteur était antérieurement aimé, Dieu étant le retour d'une personne autrefois également aimée et plus importante, c'est-à-dire le père de Schreber. Freud avance que Flechsig doit alors être réduit au rôle d'un frère aîné. L'attachement nostalgique et érotique au père (et au frère éventuel), tout aussi bien que son refus, constituent le soubassement du délire[1].

Les *mécanismes de la paranoïa* se révèlent au-delà du cas de Schreber ; le projet est d'approfondir les éléments essentiels qui aboutissent à la paranoïa, dans un sens plus large que celui de la *Dementia paranoides* – et plus particulièrement les rapports peut-être constants entre **paranoïa et fantasme de désir homosexuel.** Les patients n'ont pu maîtriser leur homosexualité inconsciente renforcée par les frustrations ou les humiliations sociales, notamment chez les hommes, en raison de l'importance de l'homosexualité inconsciente qui en augmente la composante narcissique. Cela introduit un premier abord **du narcissisme et de ses relations à l'autoérotisme,** qui

1. *Ibidem,* p. 295-297 ; p. 270-272 ; p. 283-285.

permet de caractériser les premiers choix d'objet comme le choix d'un « **soi-même** » pris comme objet d'amour. À l'étape suivante, de choix hétérosexuel, les choix homosexuels ne sont pas abandonnés, mais associés à des éléments des pulsions du moi, ils constituent les « pulsions sociales ». Chez les paranoïaques, le point faible de l'organisation se situe « **quelque part aux stades de l'autoérotisme, du narcissisme et de l'homosexualité** ». C'est encore la déception dans les rapports avec la femme ou la frustration dans les rapports à autrui qui entraînent la sexualisation des investissements pulsionnels sociaux. On voit que la **fixation** au point défini plus haut, et qui constitue une *digue,* risque de se rompre sous l'effet du courant pulsionnel rétrograde.

Le fantasme de désir homosexuel, véritablement central dans les diverses formes de paranoïa, trouve une **expression pour ainsi dire grammaticale,** dans les modalités qui le contredisent, c'est-à-dire les façons diverses de contredire une proposition unique : « Moi, un homme, je l'aime (lui, un homme). » Le **délire de persécution** proclame : « Je ne l'aime pas, je le hais. » Mais la projection étant la défense caractéristique de la paranoïa, la perception intérieure doit être remplacée par une perception venant de l'extérieur, une projection, qui transforme le « je le hais » en « il me hait ».

L'**érotomanie** part d'une autre proposition : « Ce n'est pas lui que j'aime – c'est elle que j'aime. » La projection aboutit à une nouvelle forme : « Je m'en aperçois, elle m'aime. » Et finalement : « Ce n'est pas lui que j'aime – c'est elle que j'aime, parce qu'elle m'aime. » Freud montre toute la complexité de la situation finalement « amoureuse » en soulignant qu'elle commence par « la perception venue de l'extérieur que l'on est aimé » et non par « la perception intérieure que l'on aime (un homme) ». Ainsi, la formule intermédiaire : « C'est elle que j'aime » est acceptable et peut devenir consciente car il est possible d'aimer, lui et elle, sans susciter un conflit inconciliable d'amour et de haine comme dans le cas de l'amour homosexuel qui est intolérable au paranoïaque et aboutit au délire de persécution.

Le **délire de jalousie** concerne l'alcoolique, qui, déçu par la femme, revient à la compagnie des hommes au cabaret et les investit d'amour. Il s'en défend au moyen d'une autre formule : « Ce n'est pas moi qui aime l'homme – c'est elle qui l'aime. » Il la soupçonne alors d'aimer les hommes qu'il est lui-même tenté d'aimer. La déformation par projection ne joue pas ici, car le changement du sujet (elle au lieu de moi) qui aime, suffit « à projeter le processus entier hors du moi ». La projection ici est **sans déformation,** car qu'une femme aime les hommes est le fait d'une perception extérieure, tandis que si soi-même on aime non telle personne mais une autre ce serait le fait d'une perception intérieure.

La **jalousie paranoïaque de la femme** relève d'un mécanisme analogue : « Ce n'est pas moi qui aime les femmes, mais c'est lui qui les aime. » Toutes les femmes lui plaisent en raison de son homosexualité et de son narcissisme exacerbé. L'origine du choix, prêté à l'homme, de femmes souvent *âgées et impropres à l'amour réel,* est la fixation à des objets de l'enfance qui sont des rééditions de nurses, de servantes, d'amies d'enfance ou de sœurs rivales, sinon de la mère, qui n'est pas nommée ici.

On pourrait croire qu'il n'est possible de contredire la proposition en trois termes « je l'aime » que de trois manières : – le délire de jalousie contredit le sujet ; – le délire de persécution, le verbe ; – l'érotomanie, l'objet. Il existe cependant un quatrième terme, qui en fait rejette la proposition tout entière : « Je n'aime pas du tout, je n'aime personne... », ce qui équivaut à « Je n'aime que moi », et constitue l'origine du **délire des grandeurs,** ou plus exactement de la grandeur du moi, dès lors que la libido abandonne l'objet homosexuel pour faire retour sur le moi, ce que l'on observe dans la plupart des cas de paranoïa. Cette mégalomanie est d'origine infantile, narcissique, elle relève de la *surestimation sexuelle du moi.* Elle est certes constamment présente dans les diverses formes de la paranoïa, mais ne s'y limite pas.

La **projection** désigne le fait qu'une perception interne est **réprimée,** et que son contenu, **après avoir subi une certaine déformation,** parvient au conscient sous forme de perception venant de l'extérieur. Typiquement, la déformation consiste en un **retournement de l'affect** : ce qui devait être ressenti intérieurement comme de l'amour est perçu comme de la haine venant de l'extérieur. Mais la projection diffère selon les cas de paranoïa et surtout, loin d'être spécifique de la paranoïa, elle est un mécanisme normal, notamment pour ce qui concerne la reconnaissance des causes de processus psychiques ou d'impressions. Dans ces cas, les causes ne sont pas reconnues en nous-mêmes mais après leur projection à l'extérieur.

La question du **retour du refoulé** (échec du refoulement, irruption en surface du refoulé) est le point essentiel de l'originalité du cas Schreber. À ce propos, la théorie générale des deux premières phases du refoulement, la **fixation** puis le **refoulement après coup** ou refoulement proprement dit, est reprise. L'irruption du refoulé détermine le choix des symptômes (ou de la névrose), qui dépend lui-même du point où eut lieu la fixation et de la régression libidinale que celle-ci implique. Ainsi, le délire des grandeurs, qui existe dans la plupart des cas de paranoïa, est la conséquence de la **régression au narcissisme** : « Les paranoïaques possèdent une fixation au stade du narcissisme, nous pouvons dire que la somme de régression qui caractérise la paranoïa est mesurée par le chemin que la libido doit parcourir pour revenir de l'***homosexualité sublimée au narcissisme.*** » C'est ce qu'illustre le délire de Schreber. Tout commence en apparence par la conviction qu'une grande catastrophe, la fin du monde, est imminente, ce qui témoigne du détachement paranoïaque de la libido ; celle-ci se reporte sur le moi, qui redevient l'unique objet sexuel. Mais le *courant inverse* existe également, c'est-à-dire que la mort du sujet était annoncée, qu'il n'existait plus que sous une forme inférieure, sous laquelle il s'est doucement éteint : « la configuration du délire qui se cramponnait au moi et sacrifiait l'univers » s'avérait la plus forte.

L'idée délirante de catastrophe universelle survient souvent au stade aigu de la paranoïa. Le malade retire aux personnes de son entourage tout l'investissement libidinal dont elles étaient l'objet ; ainsi tout lui devient indifférent et comme sans relation avec lui. Il s'explique alors le monde au moyen d'une « rationalisation secondaire » dont le modèle reste des figures d'hommes rapidement esquissés, dites « à la six quatre deux », imaginés par Schreber. **La fin du monde est la projection de cette catastrophe interne,** car le monde subjectif du malade a disparu depuis qu'il lui a retiré son amour. Il rebâtit alors le monde au moyen du travail de son délire. « Ce que nous tenons pour une production de la maladie est en réalité l'essai de guérison, la reconstruction. » Ce qui est élaboré par cette reconstruction est certes *profondément modifiée,* elle est plus ou moins satisfaisante mais permet de retrouver une relation avec les personnes et les choses du monde, même si les sentiments éprouvés, souvent très intenses, peuvent être hostiles là où ils étaient tendres et attentionnés.

C'est la projection qui permet, ici encore, l'accomplissement du processus de guérison. Mais « il n'était pas juste de dire que le sentiment ou la sensation *[Empfindung]* réprimé à l'intérieur, sera projeté à l'extérieur, nous comprenons plutôt que **ce qui est aboli à l'intérieur revient du dehors** ». Freud ajoute pourtant, après cette formulation saisissante, que la certitude manque encore à l'étude des processus de projection[1].

La « **Communication d'un cas de paranoïa en contradiction avec la théorie psychanalytique** » est un bref écrit clinique, relatant un cas où Freud se trouve mis en position d'expert à propos d'une plainte portée par une jeune femme contre un homme qui la persécuterait, après qu'ils aient eu une relation amoureuse. Cet homme, dit-elle, aurait fait prendre des photographies pendant « leurs tendres ébats ». L'avocat de la jeune femme demandait l'avis de Freud en raison du caractère de cette plainte, qui lui paraissait morbide, sans qu'il puisse l'affirmer. Nous ne décrirons pas la véritable enquête que Freud entreprend et qu'il rapporte dans un style inhabituel, qui pourrait évoquer une nouvelle policière. Son intérêt est éveillé par le fait que le persécuteur précédemment aimé étant un homme, il n'existe pas de lien homosexuel avec lui, ce qui vient contredire la théorie selon laquelle le ou la paranoïaque lutte contre le renforcement de ses tendances homosexuelles renvoyant à un **choix d'objet narcissique.** De ce fait, le persécuteur ne peut être que l'aimé ou l'aimée et, en raison de la nature narcissique du choix d'objet, il ou elle ne peut être que du même sexe que le persécuté[2].

Même si Freud accordait que ce principe ne pouvait encore prétendre à l'universalité, il est cependant clair que sa conviction était déjà acquise ; le cas de la jeune paranoïaque devient dès lors un enjeu important pour la confirmation de sa thèse. Il démontre alors brillamment que le persécuteur précédemment aimé cache une femme âgée,

1. *Ibidem,* p. 306-316 ; p. 282-289 ; p. 296-303.

2. « Communication d'un cas de paranoïa en contradiction avec la théorie psychanalytique (1915f), *Névrose, psychose et perversion,* Paris, PUF, 1973, p. 211 ; *OCF* XIII, p. 313 ; *GW* X, p. 237.

supérieure hiérarchique de la jeune femme, et qu'il en est en fait l'instrument. Désormais, l'essentiel réside dans « un complexe maternel excessivement fort » déterminé par les relations infantiles à l'**image maternelle des temps originaires**[1]. L'élucidation de la formation délirante paranoïaque s'éclaire par la lumière, une nouvelle fois, du rôle de la **projection** et de la **régression** ; la projection concerne la curiosité sexuelle infantile qui apparaît sous la forme de l'idée d'avoir été photographiée pendant les ébats amoureux, la régression, « le petit bout de régression » permet le retour au choix narcissique de l'objet maternel qui comporte une identification (« ma mère le fait, j'en ai le droit moi aussi ») et le maintien avec elle d'une relation. Mais l'ensemble paraît contradictoire puisqu'elle garde le père comme objet d'amour en s'identifiant à la mère, et garde aussi la mère comme objet d'amour, sur le modèle des liens primaires. La possibilité de cette régression (à une identification narcissique) indique « l'origine narcissique de son choix d'objet homosexuel et par conséquent la disposition à l'affection paranoïaque »[2].

Le changement de choix d'objet, de la femme à l'homme, a un caractère inhabituel, car les paranoïaques restent fixés, en règle générale, aux mêmes personnes et donc au même sexe. L'inertie psychique, dont parle Jung, est la condition fondamentale de la névrose (rappelons que la paranoïa entre à ce moment dans le cadre des névroses narcissiques). Le point d'origine de cette inertie « se révèle comme étant la manifestation de connexions très tôt établies, très difficiles à défaire » entre des pulsions et des impressions, ce qui caractérise la fixation, et notamment la fixation paranoïaque[3].

En consacrant un chapitre à la théorie de la libido et du narcissisme, les *Conférences d'introduction à la psychanalyse* ne pouvaient que revenir à la paranoïa, notamment à l'identification narcissique, au choix d'objet narcissique et à l'homosexualité inconsciente qui la caractérisent. Les relations à la démence précoce sont à nouveau soulignées ; sans modifier ce qui avait été avancé dans le cas Schreber

1. *Ibidem*, p. 214 ; p. 316 ; p. 240.
2. *Ibidem*, p. 216 ; p. 318 ; p. 242.
3. *Ibidem*, p. 218 ; p. 321 ; p. 245-246.

dans les cas de délire caractérisé, Freud maintient l'idée que ces affections relèvent de fixations précoces au stade du narcissisme primitif. « Dans les névroses narcissiques, la résistance est insurmontable ; nous pouvons tout au plus jeter un regard curieux par-dessus le mur pour épier ce qui se passe de l'autre côté. » Il nous faudra donc trouver d'autres méthodes techniques mais, quoi qu'il en soit, ces affections « ne peuvent être décryptées que par des observateurs qui se sont formés par l'étude analytique des névroses de transfert » [1].

« Sur quelques mécanismes névrotiques dans la jalousie, la paranoïa et l'homosexualité » aborde le cas d'un paranoïaque jaloux qui prête aux manifestations de l'inconscient de son épouse une attention extraordinaire et s'entend à les interpréter toujours correctement. D'une manière générale, on peut dire que les paranoïaques ne trouvent rien d'indifférent chez autrui : le sens de leur délire de relation est d'attendre de tous les étrangers quelque chose comme de l'amour, alors qu'ils ne reçoivent rien de semblable, bien au contraire. Freud insiste sur la parenté des concepts d'« étranger » *(fremd)* et d'« ennemi » *(feindlich)*, ce qui fait que le paranoïaque n'a pas tellement tort lorsqu'il ressent l'indifférence d'autrui comme hostilité par rapport à son exigence d'amour. Il est vrai, mais insuffisant, de dire que **le paranoïaque projette** au dehors, sur un autre, ce qu'il ne veut pas percevoir en lui-même ; il se laisse conduire par sa connaissance de l'inconscient et **il déplace sur l'inconscient de l'autre l'attention qu'il soustrait du sien.** Ainsi, le jaloux reconnaît l'infidélité inconsciente de sa femme qu'il majore considérablement, ce qui lui permet de méconnaître ses propres désirs. Si ce processus est bien la règle, elle peut être étendue au problème de l'hostilité perçue par le persécuté : elle est le reflet de ses propres sentiments à l'égard de l'autre. Lorsqu'on se souvient que c'est la personne la plus aimée qui devient le persécuteur, il apparaît que **ce qui permet le retournement d'affect de l'amour en haine est l'ambivalence** constante du sentiment ; celle-ci rend le même service au persécuté qu'au jaloux, elle permet dans les deux cas une défense contre l'homosexualité. Lors d'un conflit, le

1. *Conférences d'introduction à la psychanalyse* (1916-1917), Paris, Gallimard, 1999, p. 536-537 ; *OCF* XIV, p. 438 ; *GW* XI, p. 438-439.

paranoïaque se comporte comme l'hystérique : les fantasmes, les motions pulsionnelles refoulées, n'ont pas d'effet pathogène tant qu'ils ne reçoivent pas un **surinvestissement** – le facteur quantitatif joue un rôle essentiel.

Le texte, qui réunit jalousie et paranoïa, comporte également une étude de l'**homosexualité**, en rapport avec la jalousie dans le cadre du choix d'objet homosexuel. Partant de l'observation de plusieurs cas caractérisés par une jalousie particulièrement forte, issue du complexe maternel dès la première enfance, à l'encontre de frères en général plus âgés. On constate que ces attitudes hostiles et agressives, allant jusqu'au désir de mort, disparaissent au cours du développement, lorsqu'il se produit un retournement de sentiments tel que les rivaux deviennent les premiers objets d'amour homosexuel. L'homosexualité « est tout d'abord l'opposé intégral de la *paranoïa persecutoria*, dans laquelle les personnes primitivement aimées deviennent des persécuteurs haïs, tandis qu'ici les rivaux haïs se transforment en objets d'amour » [1].

Précédée par un article, « Sur la sexualité féminine » [2], qui aborde déjà ce thème, la conférence sur « La féminité » des *Nouvelles conférences d'introduction à la psychanalyse* montre que la peur d'être tué ou empoisonné, **éventuel noyau d'une paranoïa future**, se rapporte aux relations libidinales entre la petite fille et la mère à l'époque préœdipienne, aux désirs représentant aussi bien des motions actives que passives, relations pleinement ambivalentes de nature tendre ou hostile et agressive, ce qui n'apparaît souvent qu'après qu'elles se soient « transformées en représentations d'angoisse ». Ainsi, le fantasme des petites filles, disant avoir été séduites par le père, recouvre en fait la séduction réelle par la mère ; d'ailleurs, le fantasme touche ici la réalité des soins corporels. Ceci appuie la thèse de l'homosexualité chez la femme paranoïaque ; le plus fréquent des griefs haineux de la fille à l'égard de la mère est identifié : elle a donné trop peu de lait à l'enfant,

1. « Sur quelques mécanismes névrotiques dans la jalousie, la paranoïa et l'homosexualité » (1922b [1921]), *Névrose, psychose et perversion,* Paris, PUF, 1973, p. 271-281 ; *OCF* XVI, p. 87-97 ; *GW* XIII, p. 195-207.

2. « Sur la sexualité féminine » (1931b), *La vie sexuelle,* Paris, PUF, 1969, p. 144-145 ; *OCF* XIX, p. 15-16 ; *GW* XIV, p. 523-524.

par manque d'amour. Quant au fantasme d'empoisonnement, il est la conséquence du retrait du sein : dès ce moment, la nouvelle nourriture accusée de rendre malade devient un poison. Tout cela se renforce à la naissance d'un autre enfant, qui bénéficie du lait et de l'amour retiré à l'aînée. Celle-ci développe de la haine à l'égard du nouveau venu et au-delà, et surtout envers la mère. Plus largement, la répression des désirs phalliques des enfants des deux sexes est une source d'hostilité et de jalousie, que Freud ne rattache pas à la paranoïa en tant que telle, mais on peut considérer qu'ils peuvent participer au noyau d'une paranoïa éventuelle[1].

Dans *Le président T. W. Wilson,* on retrouve l'importance de la rivalité fraternelle dans la paranoïa. La première partie de l'ouvrage (qui semble bien être de la main même de Freud) rappelle combien il est fréquent d'éprouver une haine considérable pour une personne aimée et inversement, l'une ou l'autre de ces pulsions étant totalement ou partiellement refoulée ; ceci définit le **principe d'ambivalence.** Ainsi, la naissance d'un jeune frère est ressentie par un garçon comme une trahison de la part des parents ; il transfère la haine qu'il éprouve à leur égard sur son frère, puis plus tard sur ses amis qui le trahiront. Le sentiment de trahison naît de la déception des désirs actifs et passifs de la libido, mais le point essentiel est le refoulement de la passivité envers le père, qui peut conduire les hommes à une **forme persécutrice de paranoïa.** La personne aimée excite sans la satisfaire la passivité du malade qui tente de la fuir ; mais s'il croit que la personne qui l'aime le trahit, il peut la haïr au lieu de l'aimer. « Il est facile de retrouver la source de tous les cas de méfiance injustifiée et de manie de la persécution dans une passivité refoulée envers le père. »[2]

L'étude de la vie de Wilson (qui serait plutôt rédigée par William C. Bullitt, mais revue par Freud) montre de nombreux faits psychiques de cet ordre, notamment illustrés par son identification au Christ et à Dieu. La distance entre l'identification au Christ et la défense paranoïde contre la passivité est franchie par « un pont commode » : l'un

1. *Nouvelles conférences d'introduction à la psychanalyse* (1933a [1932]), Paris, Gallimard, 1984, p. 160-166 ; *OCF* XIX, p. 203-207 ; *GW* XV, p. 127-133.

2. S. Freud et W. Bullittt, *Le président T. W. Wilson (1930-1938)* (1966b), Paris, Payot, 1990, p. 91-92.

et l'autre furent trahis par un disciple, un ami, ces trahisons renforçant chaque fois l'identification de Wilson au Christ. C'est ainsi qu'il se servait de mécanismes paranoïaques pour se protéger de sa passivité insatisfaite[1].

QUESTIONS ET ENJEUX

NARCISSISME, NÉVROSE NARCISSIQUE ET PSYCHOSE

L'étude de la paranoïa conduit à s'interroger sur **le narcissisme, les névroses narcissiques et les psychoses.** Le point capital dans l'évaluation des modèles extrêmement divers qui répondent à l'appellation générale de paranoïa est de relever de troubles narcissiques, le plus souvent associés à une régression à l'autoérotisme. En fait, il conviendrait mieux de dire que les fixations autoérotiques et narcissiques se superposent.

Il est remarquable que « Le président Schreber », texte réellement introductif à la question de la paranoïa, soit centré sur un cas de psychose de même que, quelques années plus tard, l'introduction au narcissisme commence par un retour à l'Amentia de Meynert, c'est-à-dire à la confusion mentale aiguë. Dans ces deux cas, cela signifie un changement délibéré dans la démarche analytique qui prend davantage en compte la dimension psychotique en s'appuyant sur la conception du narcissisme. Le passage de l'étude des névroses de transfert à celle des névroses narcissiques et des psychoses ne se fera pas sans nombre d'avancées et de reculs. Nous n'en prendront pour témoin, que l'extrême modestie concernant l'abord de ces névroses narcissiques, qui se limiterait tout au plus à « y jeter un regard par-dessus le mur des résistances ». Il est vrai que dans le temps où est rédigé ce texte, le moi est encore une notion incertaine et que la première topique est un instrument insuffisant. Rappelons les résultats néanmoins obtenus : la projection paranoïaque est identifiée dans le groupe relevant d'un mécanisme de projection de même qu'est reconnue la constance et l'importance de l'investissement homosexuel inconscient

1. *Ibidem*, p. 132-134 et 198.

dans les deux sexes, la mégalomanie, la régression et la fixation à l'auto-érotisme.

Sans se référer essentiellement à la paranoïa, « Pour introduire le narcissisme » permet une première approche qui éclaire rétrospectivement le cas Schreber : « Les pulsions autoérotiques existent dès l'origine ; quelque chose, une nouvelle action psychique, doit venir s'ajouter à l'autoérotisme pour donner forme au narcissisme. » Tel est le développement normal du narcissisme primaire, à partir duquel la libido narcissique peut investir l'objet, éventuellement revenir au moi en constituant la libido narcissique secondaire.

Paranoïa et investissement homosexuel dans les deux sexes

La théorie qui considère que la régression à l'investissement homosexuel et la projection sont les éléments constants de la paranoïa sous toutes ses formes reste constante dans l'œuvre freudienne. Cependant, le rôle originaire de la mère évolue considérablement depuis le cas du *Président Schreber* où elle est à peu près inexistante, jusqu'aux avancées des *Nouvelles conférences d'introduction à la psychanalyse* annoncées par « Sur la sexualité féminine » où Freud montre l'importance de la dépendance originaire à la mère, non seulement pour l'étiologie de l'hystérie mais surtout en ce qu'elle constitue le *germe de la paranoïa ultérieure de la femme,* ce germe étant l'angoisse d'être assassinée (dévorée ?) par elle, angoisse qui correspond à une hostilité envers la mère développée notamment en relation avec les restrictions imposées par l'éducation et les **soins corporels.** Dans ce registre, une insistance particulière est portée sur les lavements et injections intestinales qui suscitent angoisse et fureur, en même temps que l'on peut comparer la fureur avec l'orgasme. Freud se référant ici à Ruth Mack Brunswick note : « Au stade sadique-anal, en réponse à la stimulation passive intense de la zone anale, intervient une explosion de plaisir-désir d'agression, qui se manifeste directement en fureur ou, par suite de sa répression, en angoisse. »[1] Même si ces remarques ne semblent pas concerner directement la paranoïa féminine, elles permettent de prendre en compte avec une clarté nouvelle l'importance de l'analité

1. « Sur la sexualité féminine » (1931b), *La vie sexuelle,* Paris, PUF, 1969, p. 150 ; *OCF* XIX, p. 22-23 ; *GW* XIV, p. 531-532.

et du sadisme, mais nous pouvons ajouter aussi du masochisme, dans la détermination d'une paranoïa future. Surtout, l'origine précoce du conflit avec la mère est affirmée, ainsi que sa prééminence par rapport au conflit avec le père – pourtant, son rôle de séductrice originaire (anale) semble bien ne concerner que la seule petite fille.

La première angoisse, ce germe de la paranoïa qu'est l'angoisse d'être assassinée, dévorée par la mère, met en jeu le processus de projection concernant la haine de la mère. À l'origine, un lien exclusif existait avec elle, et ce lien a chez la femme une *importance bien plus grande que chez l'homme*. L'attitude hostile éventuelle envers la mère n'est pas seulement une conséquence directe de la rivalité œdipienne, mais trouve son origine dans la phase préœdipienne, notamment dans les sentiments de jalousie éprouvés alors. Comme ailleurs, l'amour déçu fait place à une attitude hostile, mais qui revêt ici une particulière intensité.

Freud revient sur le *germe* du conflit paranoïaque : l'angoisse d'être tué par la mère, qui justifie le désir de la mort de la mère ; il remarque pourtant qu'il n'a jamais entendu que des hommes exprimer pareille angoisse. Quelle que soit la complexité de cette question, on peut dire que l'angoisse paranoïde existe dans les deux sexes. La mère est dans tous les cas celle qui nourrit, avant d'être celle qui lave et séduit en excitant les zones érogènes et pas seulement génitales, celle qui déçoit et dont on veut se venger, et celle qui, par projection et rétorsion, se venge à son tour. Chez le garçon, « les sentiments d'hostilité se placent sur le père » qui devient pourtant aussi objet de l'amour homosexuel car il protège contre les séductions et les dangers de la mère originaire passivante et dévorante. Pour ce qui concerne la fille, le conflit paranoïaque reste fixé sur la mère, en même temps que l'attachement préœdipien dont elle est l'objet, et ne parvient pas à se transférer réellement sur l'objet-père et ses substituts, comme le montre la paranoïaque « qui contredisait la théorie » – ce qui, après tout, serait bien le rôle d'une paranoïaque.

Pierre CHAUVEL

Pare-excitation → Excitation (stimulation)

Passivité (passif) → Activité-passivité (actif-passif)

Perception → Conscience, conscient, perception

PERLABORATION

all. : ***Durcharbeiten.*** – angl. : *working through.* – esp. : *trabajo elaborativo.* – ital. : *elaborazione.* – port. : *perlaborçao*

Processus psychique par lequel l'interprétation est assimilée au travers d'un changement topique. Il en résulte une modification dynamique et surtout économique, c'est-à-dire un réaménagement des investissements libidinaux. Il s'agit d'un processus intrapsychique, donc passible de détermination métapsychologique. Mais, par définition, il ne saurait fonctionner sans la relance interprétative de l'analyste : il pose donc un problème technique.

MISE EN SITUATION

Idéalement, l'interprétation devrait ouvrir la voie à la remémoration, mais il n'en est rien ; le patient répète au lieu de se souvenir. C'est le travail avec cette répétition que Freud appelle Durcharbeiten. *La traduction anglaise* (working through), *puisée dans la langue courante, garde le sens de « travail » du mot allemand* Durcharbeiten, *difficile à rendre en français. On a pu proposer l'adoption du néologisme « perlaboration », qui a trouvé droit de cité dans le langage analytique français*[1].

LE TEXTE FREUDIEN

Le sens que Freud lui donne en 1914 dans le court paragraphe final de « Remémoration, répétition et perlaboration », où le concept est fixé, souligne que ce travail psychique porte sur les résistances susci-

1. J. Laplanche et J.-B. Pontalis, *Vocabulaire de la psychanalyse*, Paris, PUF, 1967, p. 365.

tées par l'interprétation : il remplace l'acceptation ou le refus purement intellectuels, par une conviction fondée sur l'expérience vécue[1]. Cette expérience vécue est acquise grâce à l'insistance de l'interprétation qui, après avoir nommé la résistance et la pulsion refoulée, les dévoile dans les différents contextes où elles réapparaissent.

Parler d'expérience vécue exige l'explicitation du lieu de cette reviviscence. C'est bien de l'espace du transfert qu'il s'agit, donc du travail avec ce qui est convoqué comme résistance au niveau du transfert. Dans un passage des *Écrits,* Jacques Lacan traduit, en effet, *Durcharbeiten* par « travail de transfert »[2]. Partie la plus ardue du travail analytique, épreuve de patience pour l'analyste autant que pour le l'analysant, la perlaboration est à la fois ce qui différencie le traitement analytique de tous les traitements par suggestion, et l'agent décisif de son efficacité : ce n'est qu'à travers elle que le changement psychique a lieu.

La première utilisation du terme *Durcharbeiten* en tant que travail psychique accompli par l'analysant apparaît dès les *Études sur l'hystérie* (1895)[3]. Cependant, cette notion de travail psychique reste indéterminée, et doit être pensée en relation avec le concept de « travail du rêve » que Freud est alors en train d'élaborer. Sa signification se précise dans le Manuscrit K (1896), où *Durcharbeiten* correspond au travail nécessaire pour arriver à la guérison : ce travail porte sur les représentations de compromis devenues, passagèrement, obsédantes[4]. Le contexte est celui d'une réflexion sur le conflit de défense chez les obsessionnels, donc de l'économie du plaisir-déplaisir en rapport avec le refoulement. C'est le point de vue économique qui commande (malheureusement, la traduction française ne donne qu'une description du processus, sans le nommer).

1. « Remémoration, répétition et perlaboration » (1914g), *De la technique psychanalytique,* Paris, PUF, 1992, p. 114-115.

2. J. Lacan, « La direction de la cure et les principes de son pouvoir » (1958), *Écrits,* Paris, Seuil, 1966, p. 630.

3. *Études sur l'hystérie* (1895d), Paris, PUF, 1956, p. 235-236.

4. « Manuscrit K » (1896), *La naissance de la psychanalyse,* Paris, PUF, 1956, p. 134.

Il faudra attendre 1914 et le texte « Remémoration, répétition et perlaboration » pour que le sens du concept soit défini. Notons que cette première définition coïncide avec la première mention de la contrainte de répétition. On peut avoir l'impression ici que Freud n'articule pas suffisamment le concept de perlaboration avec les deux autres ; pourtant, c'est bien à partir de la remémoration comme but de la cure, et de la répétition comme obstacle à la cure, que le concept de perlaboration est introduit. **Moyen de dégagement des mécanismes répétitifs qui nourrissent la résistance, la perlaboration est engagée par l'interprétation des résistances actualisées dans le transfert** – c'est-à-dire des souvenirs qui sont agis à la place d'être remémorés.

En 1923, la conceptualisation de la résistance comme opération du moi dans *Le moi et le ça* entraîne une redéfinition[1]. Et en 1926, dans *Inhibition, symptôme et angoisse,* Freud reprend le concept de résistance dans un langage qui correspond à la deuxième topique, et laisse réapparaître le point de vue économique : la résistance émane du moi, d'un moi qui se cramponne à ses contre-investissements[2]. Mais Freud doute désormais que le travail de perlaboration ne concerne que cette seule résistance. Le moi, même après avoir « décidé » d'abandonner ses résistances, trouve mille et une manières de ne pas le faire. La puissance de la contrainte de répétition, autant que l'attraction des complexes inconscients, font que le refoulement a du mal à se défaire : l'inconscient, lui aussi, résiste à la guérison. **La perlaboration est donc redéfinie en fonction de la résistance du ça.**

La question est finalement abordée en 1937 dans « L'analyse avec fin et l'analyse sans fin »[3]. Une fois encore, **c'est le facteur économique qui commande** : la perlaboration est confrontée à la viscosité de la libido, à l'inertie psychique coagulée dans les mécanismes de défense

1. *Le moi et le ça* (1923b), *Essais de psychanalyse,* Paris, Payot, 1981, en particulier au début du chapitre V, p. 262 ; *OCF* XVI, p. 291.

2. *Inhibition, symptôme et angoisse* (1926d [1925]), Paris, PUF, 1990, p. 87 ; *OCF* XVII, p. 273.

3. « L'analyse avec fin et l'analyse sans fin » (1937c), tout le chapitre V et le début du chapitre VI ; *Résultats, idées, problèmes, II,* Paris, PUF, 1984, p. 249-257 ; *OCF* XX, p. 35-43 ; *GW* XVII, p. 79-87.

du moi – un moi qui se dérobe à l'alliance établie avec l'analyste au début de la cure et qui devient ennemi de la guérison. Ses inhibitions, ses traits pathologiques, ses attitudes inadéquates, et même ses symptômes, lui deviennent chers. Il se bat pour conserver un équilibre déjà connu.

Dans la première définition de 1914, l'alliance thérapeutique était considérée comme acquise ; en 1939, elle apparaît compromise par la résistance au dévoilement de résistances, due à une altération structurelle du moi qui impose bien des limites aux possibilités thérapeutiques du travail analytique, et donc à la perlaboration en tant que facteur du changement psychique.

QUESTIONS ET ENJEUX

Perlaboration est un concept qui n'a de sens que dans le cadre de la cure. Il est à la fois la dénomination d'un processus psychique, *et* l'indication d'un cheminement de travail. Peut-être cette qualité mixte, située au point de rencontre de la métapsychologie et de la technique, est-elle responsable de son apparent délaissement. Le concept n'a en effet que peu retenu l'attention des successeurs, alors que sa mise en œuvre a fait fracture dans le mouvement analytique, et que pour Freud il représente le *travail analytique* par excellence.

Processus de reconnaissance de l'insistance de la pulsion refoulée dans des contextes différents, la perlaboration tend à produire un changement, qui se situe du côté du désinvestissement. En ce sens, elle rappelle le « travail de deuil » – rappel qui n'a pas été étranger à l'intérêt de Mélanie Klein pour le sujet – dans lequel la perte de l'objet doit être répétitivement expérimentée pour que la réalité de la disparition soit vraiment admise[1]. Mais si, dans le deuil, la perte de l'objet contraint au travail, et n'a pas besoin d'un espace intersubjectif pour avoir lieu, dans la perlaboration la contrainte incombe à l'analyste, qui doit s'employer à briser la répétition.

1. M. Klein, « Le deuil et ses rapports avec les états maniaco-dépressifs » (1940), *Essais de psychanalyse*, Paris, Payot, 1984, p. 341.

À trop insister sur la notion de travail psychique, en faisant abstraction de la situation analytique, certains analystes américains ont fait du *« working through »* un complexe organisationnel du fonctionnement psychique, qui changerait en fonction du degré de développement individuel – ce qui les amène à concevoir le *« working through »* comme une caractéristique de toute vie organique. Dès lors, le « travail de deuil » devient une sous-espèce de la perlaboration, et le « jeu de la bobine » est pensé comme un modèle primitif du *« working through »*. Le clivage entre la situation analytique et le travail psychique spécifique qui s'y déroule, provoque donc une première cassure dans la communauté analytique : la dérive du concept de perlaboration débouche facilement sur des abus de langage, et l'on voit apparaître, dans une certaine littérature anglo-saxonne, des « modèles de perlaboration » censés correspondre à divers stades de développement psychique. Ces « modèles » sont voués à l'échec tant que l'alliance thérapeutique avec l'analyste ne permet pas la découverte d'un modèle de perlaboration « réussi » [1].

En France, on parlerait plus volontiers de répétition pour ce « *working through* failli », et on réserverait le terme de « perlaboration » pour le travail psychique ayant lieu *en analyse,* fourni par les deux participants, dans le but de déjouer les résistances du transfert. Seul ce travail est considéré apte à promouvoir un changement structurel, c'est-à-dire des rapports entre instances.

Il existe cependant, en France même, une lecture du texte freudien qui semble bien s'opposer à celle de l'hypertrophie de l'alliance thérapeutique, mais qui finit en réalité par la rejoindre. Elle suppose en effet que le travail psychique en cours, une fois la résistance nommée, et sans insistance de l'interprétation, aurait la possibilité presque spontanée d'aller vers le désinvestissement. Cette lecture – qu'il serait peut-être injuste de considérer comme uniquement lacanienne – est issue d'une remarque de Freud qui se trouve à la fin de « Remémoration, répétition et perlaboration » : il faut « laisser au malade le temps de bien connaître cette résistance qu'il ignorait » [2]. Isolée de son contexte, elle put être comprise comme « Il faut laisser le malade s'enfoncer dans ses résistances »... déduction put en être faite d'une indication de

1. Voir, par exemple, M. Ross, « Some clinical and theoretical aspects of working through », *International Journal of Psychoanalysis,* 1973, 54, 3, p. 331-344.

2. « Remémoration, répétition et perlaboration » (1914g), *De la technique psychanalytique,* Paris, PUF, 1992, p. 71-72 ; *OCF* XII, p. 195 ; *GW* X, p. 135.

non-intervention de l'analyste dans le temps de la perlaboration : la responsabilité du désinvestissement ne reviendrait qu'au patient. Cette position, qui témoigne du souci de ne pas se laisser entraîner dans des interprétations surmoïques qui menacent trop de rappeler l'hypnose, la suggestion ou les injonctions adaptatives, méconnaît les remaniements du concept de perlaboration, postérieurs à la conceptualisation de la résistance comme opération du moi.

Il faut ajouter que la famille métaphorique suggérée par l'allemand, qui relie « travail du rêve », « travail de deuil » et *Durcharbeiten,* ainsi que l'idée de « travail psychique » qui lie dans le temps de la conception perlaboration et travail du rêve, tendent à se perdre en français. À la différence du rêve, le travail de la perlaboration suppose l'existence d'un espace transférentiel, et doit être pensé comme travail de transfert. Ce fait, ainsi que le bouleversement théorique amené par la redéfinition de la résistance de l'inconscient, a des implications techniques dont la discussion demeure ouverte.

Faute d'une traduction satisfaisante, une certaine babélisation terminologique a eu lieu en France, qui n'a pas aidé à éclairer le débat. Des travaux importants dans la littérature française parlent plutôt de « travail analytique » que de perlaboration.

Nenuka Amigorena-Rosenberg

PERVERSION

all. : ***Perversion.*** – angl. : *perversion.* – esp. : *perversión.* – ital. : *perversione.* – port. : *perversão*

Les perversions, transgressions (« outrepassements ») de la fonction sexuelle par rapport à la région du corps et à l'objet sexuel, ne relèvent ni de la bestialité ni de la dégénérescence. Elles sont issues de germes relevant de la sexualité polymorphe indifférenciée de l'enfant, caractérisée par la recherche de satisfaction des pulsions partielles. C'est en ce sens que l'enfant est un pervers polymorphe. Les conduites sexuelles perverses chez l'adulte relèvent d'une inhibition du développement de la libido ou d'une régression à l'une des pulsions partielles. Les névroses sont le négatif des perversions : les motions perverses y sont refoulées, mais actives dans les symptômes, les fantasmes et les rêves.

MISE EN SITUATION

Jusqu'en 1890 environ, Freud partage les préjugés communs sur les perversions. L'interrogation sur les rapports entre névrose et perversion modifie ses vues. Entre 1897 et 1905, s'élabore sa double thèse essentielle : l'ancrage des perversions dans la sexualité polymorphe indifférenciée de l'enfant et la névrose comme négatif de la perversion. Il s'ensuit que le devenir « normal » des perversions est leur sublimation, tandis que la perversion comme symptôme relève d'une atrophie du développement ou d'une régression. Les références de Freud (1905, 1908, 1910) à la Psychopathia sexualis *de Krafft-Ebing (1886) sont explicites, mais l'interprétation en est radicalement modifiée. La compréhension freudienne permet une interprétation des névroses : les fantasmes pervers y sont refoulés, mais inconsciemment actifs ; dans la perversion proprement dite, les mêmes productions psychiques sont mises en acte.*

C'est toute la conception de la normalité qui s'en trouve bouleversée, avec une réduction fondamentale de l'écart entre normalité et psychopathologie. Les théorisations des destins des pulsions et celles du développement de la libido par des transpositions pulsionnelles s'enracinent dans cette analyse des perversions. Celles-ci sont notamment essentielles à la compréhension même des possibilités de sublimation des pulsions partielles.

Notons encore que si Freud théorise l'origine, les fonctions et le statut des perversions infantiles (universelles) et adultes (dans le cas de certaines perturbations du développement), il évite le terme de « perversion » lorsqu'il traite d'une déviation sexuelle particulière et ne l'emploie guère que pour le phénomène pris dans son ensemble.

Après 1920, Freud ne revient pas sur la théorie générale des perversions, mais analyse certaines d'entre elles (sadisme, masochisme, fétichisme) à la lumière de sa nouvelle théorie des pulsions qu'elles éclairent en retour. La conceptualisation freudienne porte ainsi sur les *perversions, tant en 1905 (leur polymorphisme) que dans les élaborations plus tardives.*

LE TEXTE FREUDIEN

Historique du concept

L'émergence du questionnement

En **1888,** Freud publie un article sur l'« Hystérie » dans le dictionnaire de médecine de Villaret, qui rapproche névrose et perversion : il pense alors que l'hystérie, malgré la précocité fréquente des enfants hystériques, est une profonde dégénération du système nerveux, qui « se manifeste par une perversion morale persistante »[1]. En **1895,** dans les *Études sur l'hystérie,* Freud est déjà largement revenu de cette prévention : « C'était employer abusivement le mot hystérie que de porter au compte de cette maladie tant de traits de perversion et de dégénérescence. »[2]

Dans le même mouvement, Freud réévalue également sa conception de la perversion. Les ***Lettres à Wilhelm Fliess*** permettent de suivre cette évolution et témoignent de l'importance que prend très tôt dans la pensée freudienne la réflexion sur les perversions, notamment sous l'angle des rapports et des différences entre névrose et perversion. Le problème est posé dans le ***manuscrit K,*** dit « conte de Noël » du **premier janvier 1896,** consacré aux névroses de défense. Freud s'interroge sur les conditions du refoulement en relation avec l'émergence du déplaisir, de la pudeur et du dégoût : « Comment se fait-il alors que dans des conditions analogues, au lieu de la névrose, apparaisse de la perversité ou tout simplement de l'immoralité ? »[3] La ***lettre du 6 décembre 1896*** situe la perversion par rapport à l'hystérie, la névrose de contrainte et la paranoïa : à la différence de ce qui se passe dans ces « psycho-névroses sexuelles », dans la perversion, la défense n'a pas lieu. Soit le refoulement y est impossible, soit il n'est

1. « Hysterie », *Villarets Handworterbuch, GW* XIX, p. 84.

2. « Psychothérapie de l'hystérie », *Études sur l'hystérie* (1895d), Paris, PUF, 1956, p. 208 ; *OCF* II, p. 283 ; *GW* I, p. 256.

3. « Manuscrit K » (1er janvier 1896), *La naissance de la psychanalyse,* Paris, PUF, 1956, p. 131 ; *Lettres à Wilhelm Fliess* (éd. complète), Paris, PUF, 2006, p. 211.

pas mis en œuvre. La bisexualité (pensée à partir des « périodes » conçues par Wilhelm Fliess) s'y manifeste avec un « excédent de déliaison masculine »[1].

Sa conception traumatique de l'hystérie conduit alors Freud à la référer à la séduction d'un pervers ; l'hystérie lui apparaît ainsi « de plus en plus comme la conséquence de la perversion du séducteur, l'hérédité de plus en plus comme une perversion par le père » : la perversion de la première génération suscite une hystérie à la génération suivante. Mais il peut aussi y avoir, chez la même personne, la métamorphose d'une perversion en une hystérie à partir d'une période d'angoisse. « L'hystérie est donc, non pas refus de la sexualité, mais **refus de la perversion.** »[2] L'abandon des zones érogènes, en même temps que le progrès culturel et le développement moral individuel y jouent leur rôle. Un fragment clinique évoque le frère (devenu obsessionnel) d'une patiente qui, à douze ans léchait, les pieds de ses sœurs comme le père le faisait d'une nourrice, scène dont elle fut témoin à quatre ans. Il a donc refoulé des impulsions auxquelles se sont substituées des contraintes ; « s'il pouvait être pervers, il serait bien portant comme son père »[3]. La phase de clownisme dans l'accès hystérique décrit par Jean-Martin Charcot est à rattacher aux cabrioles de satisfaction des séducteurs devant leurs perversions[4], ravivées par l'automatisme de répétition, ainsi qu'aux jeux d'enfant mêlés d'excitations sexuelles devant des perversions d'adultes.

La ***lettre du 11 janvier 1897*** s'efforce de préciser la clinique des perversions : elles ont un caractère d'animalité, débouchent régulièrement sur la zoophilie. « Elles ne s'expliquent pas par le fonctionnement de zones érogènes abandonnées plus tard, mais plutôt par l'action de **sensations** érogènes qui perdent plus tard cette puissance »[5], notamment l'odorat. La ***lettre du 24 janvier 1897*** formule

1. « Lettre 52 », *La naissance de la psychanalyse. Lettres à Wilhelm Fliess. Notes et plans (1887-1902)* (1950a [1887-1902]), Paris, PUF, 1956, p. 158 ; « Lettre 112 » (6 décembre 1896), *Lettres à Wilhelm Fliess* (éd. complète), Paris, PUF, 2006, p. 269.

2. *Ibidem,* p. 158-159 (c'est Freud qui souligne) ; p. 270.

3. *Ibidem,* passage non repris dans *La naissance de la psychanalyse* ; p. 272.

4. *Ibidem,* p. 161 ; p. 277.

5. *Ibidem,* p. 164 (souligné par Freud) ; p. 283.

pour la première fois, comme en passant, ce qui sera la thèse centrale de Freud – « les perversions, dont l'hystérie est le négatif » – et rapproche le rituel pervers du « reste d'un culte sexuel très ancien », qui fut peut-être une religion de l'Orient (Moloch, Astarté). Car les actions perverses sont toujours les mêmes, ont un sens et suivent un modèle repérable ; Freud imagine donc « une religion du diable extrêmement ancienne dont le rite se perpétue en secret » [1]. En revanche, le sacré repose sur le fait que les hommes ont sacrifié, au profit de la communauté et de la culture, à une partie de leur liberté sexuelle et de perversion (l'horreur devant l'inceste est liée à son caractère antisocial) [2].

C'est dans la ***lettre du 8 février 1897*** que Freud accuse son père d'avoir été lui-même pervers et responsable de l'hystérie de son frère et de certaines de ses sœurs [3], tout en s'interrogeant sur la fréquence de telles corrélations. Cette fréquence excessive rend l'hypothèse invraisemblable, ce qui amènera Freud à renoncer solennellement à cette conception traumatique de la névroses, quelques mois plus tard, dans la ***lettre du 21 septembre 1897***. Après avoir invoqué les déceptions dans les tentatives de mener une analyse à son terme, et la possibilité de trouver une autre explication dans les cas de succès partiels, Freud indique en effet les principales objections à sa conception antérieure d'une séduction traumatique : « La surprise de voir que dans l'ensemble des cas il fallait incriminer le père comme pervers, sans exclure le mien, le constat de la fréquence inattendue de l'hystérie, où chaque fois cette même condition se trouve maintenue, alors qu'une telle extension de la perversion vis-à-vis des enfants est quand même peu vraisemblable. » [4] D'autant qu'alors la perversion serait encore plus fréquente que l'hystérie qui implique des conditions supplémentaires. Le fait qu'il n'y ait pas de signe de réalité dans l'inconscient ne permet pas de conclure de l'existence du fantasme pervers à la réalité de la séduction perverse. Mais la question

1. *Ibidem*, p. 167 ; p. 289.
2. *Ibidem*, p. 185-186 ; manuscrit N, p. 319.
3. *Ibidem*, passage non repris dans *La naissance de la psychanalyse* ; p. 294.
4. *Ibidem*, p. 191 ; p. 334.

sur la perversion s'en trouve relancée en même temps que déplacée : « D'où viennent chez tous les patients les épouvantables détails pervers qui sont souvent tout aussi éloignés de ce qu'ils ont vécu que de ce qu'ils connaissent ? » [1]

C'est la réflexion sur l'abandon des anciennes zones érogènes (avec l'hypothèse correspondante d'une dimension organique du refoulement, notamment à propos de l'olfaction) qui va permettre l'élaboration d'hypothèses sur ce point. La région anale et l'aire bucco-pharyngienne ne produisent plus de « déliaison » sexuelle (c'est-à-dire une excitation que Freud conçoit avant tout comme une sécrétion), chez « l'homme normal et mature », qui n'est plus excité par leur vue, tandis que sa libido n'y réagit pas comme elle le fait au contact ou à la vue des organes génitaux. En revanche, chez les animaux, ces zones sexuelles restent en vigueur ; « quand cela persiste chez l'être humain, apparaît... la perversion » [2]. Lors de l'enfance, il demeure une coexcitation de ces zones, car la génitalisation n'est pas encore clairement constituée, et celle-ci contribue à former un premier temps pour d'éventuels après-coups lors de réveils du souvenir d'excitations sexualisées vécues dans l'enfance.

Reprenant la question du choix de la névrose, dans la ***lettre du 9 décembre 1899***, Freud souligne la précédence de l'autoérotisme sur l'allo-érotisme – homosexuel comme hétérosexuel –, même si l'autoérotisme continue à subsister ensuite comme courant particulier. Hystérie et névrose de contrainte relèvent de l'allo-érotisme, tandis que la paranoïa, dans un mouvement de régression, dissout l'identification à la personne aimée, réinstaure les personnages de l'enfance et dissout même le moi dans les personnes étrangères. « La formation de perversion lui correspondant serait ce qu'on appelle la folie originaire. » [3]

En **1900**, dans *L'interprétation des rêves*, au paragraphe du chapitre VI qui concerne « Les affects dans le rêve », Freud mentionne une circonstance où il est mécontent de ses propos lors d'une conférence sur les rapports entre l'hystérie et les perversions : « Tout ce que

1. *Ibidem*, p. 196 ; lettre du 3 octobre 1897, p. 341.
2. *Ibidem*, p. 205 ; lettre du 14 novembre 1897, p. 354.
3. *Ibidem*, p. 270 ; lettre du 9 décembre 1899, p. 495.

j'avais été capable d'en dire m'avait très profondément déplu et m'avait paru dépouillé de toute valeur. » Il faut d'ailleurs faire la part de la répulsion dans ce déplaisir, car Freud précise qu'il éprouvait alors « l'ardent désir de ne plus fouiller dans les saletés humaines » [1]. Mais il est désormais convaincu d'avoir à mettre en mouvement l'Achéron, comme le proclame l'exergue de l'œuvre, car « pour expliquer les rêves sexuels, il aurait fallu que je m'enfonce dans les problèmes embrouillés et encore non éclaircis de la perversion et de la bisexualité » [2], ce qu'il se réserve de faire dans un autre contexte.

L'élaboration décisive

En **1901**, lors de la cure de *Dora,* publiée en 1905 comme un « Fragment d'une analyse d'hystérie », la position éthique et scientifique de Freud est claire : « Ce que nous appelons les perversions sexuelles, les outrepassements *[Überschreitungen]* de la fonction sexuelle selon la région du corps et l'objet sexuel, il faut pouvoir en parler sans indignation [3]. » L'indétermination des frontières de la normalité est un premier argument, essentiel, d'autant que chez les Grecs, peuple culturellement supérieur, la perversion « qui pour nous est la plus rebutante, l'amour sensuel de l'homme pour l'homme » était non seulement tolérée mais chargée d'importantes fonctions sociales. D'ailleurs, chacun outrepasse un petit peu, ici ou là, dans sa propre vie sexuelle « les frontières étroites assignées au normal ». Freud pose alors sa thèse centrale : « Les perversions ne sont ni des bestialités ni des dégénérescences [...] Ce sont des développements de germes qui dans leur ensemble se trouvent contenus dans la prédisposition sexuelle indifférenciée de l'enfant. » C'est donc un point de départ universel dans l'état de la libido, mais il est appelé à des transformations. Les perversions ont leur utilité, voir leur nécessité, car leur « répression ou le retournement sur des buts plus élevés, asexuels

1. *L'interprétation des rêves* (1900a), Paris, PUF, 1980, p. 400 ; *OCF* IV, p. 519 ; *GW* II-III, p. 473.

2. *Ibidem,* p. 515 ; p. 662 ; p. 612.

3. « Fragment d'une analyse d'hystérie (Dora) » (1905e [1900]), *Cinq psychanalyses*, Paris, PUF, 1954, p. 35 ; *OCF* VI, p. 230 ; *GW* V, p. 210.

– leur sublimation – sont destinés à fournir les forces nécessaires à un grand nombre de nos réalisations culturelles »[1]. Le pervers manifeste est resté pervers, du fait d'une inhibition de son développement. Chez les névrosés, les traits pervers sont fortement marqués, mais ont fait l'objet d'un refoulement et sont devenus inconscients. C'est pourquoi les fantasmes névrotiques ont le même contenu que les agissements des pervers : « Les psychonévroses sont pour ainsi dire le négatif des perversions. » La constitution sexuelle et les circonstances de l'existence se conjuguent pour perturber le déploiement de la sexualité, et les obstacles rencontrés entraînent, comme dans le lit d'un fleuve, des reflux vers des frayages plus anciens. « Les forces de pulsion nécessaires à la formation des symptômes hystériques sont fournies non seulement par la sexualité normale refoulée, mais aussi par les motions perverses inconscientes[2]. » Les perversions sexuelles les moins choquantes sont d'ailleurs largement répandues, même si les médecins tendent à l'oublier lorsqu'ils écrivent. C'est ainsi que la fellation avait pu apparaître comme le fantasme sous-jacent chez Dora à la stimulation dans la gorge qui suscite sa toux hystérique. Mais Freud précise explicitement qu'il ne développe pas dans cet essai la relation entre les germes infantiles de perversion et les zones érogènes, ni ce qui concerne la bisexualité[3].

C'est au contraire l'objet central des *Trois essais sur la théorie sexuelle* en **1905.** Le premier est entièrement consacré aux « **aberrations sexuelles** » dont la compréhension s'avère **indispensable à l'élaboration de la notion de libido et à la possibilité d'étudier la sexualité infantile.** Cette première partie de l'œuvre est d'abord descriptive et procède à une typologie qui distingue les **déviations par rapport à l'objet sexuel (inversion), et les déviations par rapport au but sexuel,** avant de développer des réflexions générales sur les perversions qui conduisent Freud à préciser les notions de pulsions partielles et de zones érogènes.

1. *Ibidem*, p. 36 ; p. 230 ; p. 210.
2. *Ibidem*, p. 36 ; p. 230-231 ; p. 211.
3. *Ibidem*, p. 35-36 ; p. 229-231 ; p. 210-211.

Très fréquente, l'inversion sexuelle peut être absolue, ou coexister avec l'hétérosexualité, ou bien être seulement occasionnelle. Freud insiste à la fois sur l'unité de la classification et sur la diversité des manifestations de l'inversion. Il argumente son refus de l'interprétation par la dégénérescence comme par l'innéité (laquelle isolerait l'inversion absolue des autres manifestations d'inversion qui resteraient à expliquer). Le caractère acquis de l'inversion sexuelle ne fait pas de doute car on y reconnaît l'influence claire des impressions sexuelles précoces, le rôle des influences externes et la sensibilité à la suggestion. Mais l'homosexualité n'est pas le résultat direct d'influences externes. Pour en rendre compte, il faut recourir à l'hypothèse de la bisexualité psychique – mais les anomalies anatomiques de l'hermaphrodisme qui s'accompagnent plutôt d'une diminution de la pulsion sexuelle n'aident pas vraiment à comprendre la disposition bisexuelle originelle qui est universelle. L'inversion psychique ne s'accompagne pas forcément d'une perte des traits de caractère de son propre sexe et la bisexualité est malaisée à définir. Deux idées se dégagent de ces discussions : le fait que pour l'inversion « entre en ligne de compte une prédisposition bisexuelle – sauf que nous ignorons, au-delà de la conformation anatomique, en quoi consiste cette prédisposition – et qu'il s'agit de troubles qui concernent la pulsion sexuée dans son développement »[1]. Dans bien des cas, notamment dans l'homosexualité des Grecs orientée vers de jeunes garçons, l'objet sexuel n'est pas tant le même sexe que « la réunion des deux caractères sexués, une sorte de compromis entre une motion qui réclame l'homme et une motion qui réclame la femme, à condition que soit maintenue la masculinité du corps (les organes génitaux) » et Freud ajoute en 1915 « pour ainsi dire le reflet de la propre nature bisexuelle » de l'inverti, explicitant ainsi la nature narcissique du choix d'objet. Même dans l'homosexualité féminine, la diversité est plus grande qu'elle ne le paraît à première vue où les traits masculins semblent fréquents. Au niveau du but sexuel, le commerce anal n'est pas la seule forme d'expression de l'homosexualité masculine. La conclusion de Freud souligne qu'il ne peut élucider l'apparition de

1. *Trois essais sur la théorie sexuelle* (1905d), Paris, Gallimard, 1987, p. 49 ; *OCF* VI, p. 76-77 ; *GW* V, p. 42.

l'inversion sexuelle, mais que **l'étude de l'inversion met en évidence l'indépendance entre la pulsion sexuée et son objet.**

Il existe deux autres déviations de la pulsion sexuelle quant à son objet : les abus sexuels sur les enfants, et le commerce sexuel avec les animaux. On ne peut attribuer de tels troubles aux seuls malades mentaux (chez qui ils peuvent s'intensifier), ce qui montre d'une part comment, en l'absence d'objet approprié, la pulsion sexuelle peut considérablement varier dans l'objet qu'elle prend pour se satisfaire, d'autre part que « les motions de la vie sexuée font partie de celles qui, même normalement, sont les plus difficiles à dominer par les activités animiques supérieures »[1].

D'autres perversions sont décrites comme des déviations par rapport au but sexuel. Freud souligne la notion de **surestimation sexuelle,** note qu'elle est source de la crédulité de l'amour, source originelle de l'autorité et surtout qu'elle s'accorde mal à la restriction du but sexuel à l'union des organes génitaux proprement dits (ce qui est souligné dès 1905, mais repris avec des variantes de détail en 1915 puis en 1920). Les transgressions sont très diverses, muqueuse bucco-labiale (baiser), orifice anal, autres lieux du corps traités comme dans la sexualité infantile comme des organes génitaux. Le fétichisme utilise un substitut inapproprié de l'objet sexuel ; regarder et toucher sont des préliminaires normaux, et regarder favorise la direction d'un montant de libido vers des buts artistiques, mais deviennent pervers s'ils sont exclusifs du but sexuel et se relient à un surmontement du dégoût. Sadisme et masochisme complètent l'inventaire. Puis Freud revient à des considérations générales : la sexualité comporte toujours des variations et des ajouts au but sexuel normal, et il n'est **pas de frontière rigoureuse** entre simple variation et symptôme morbide, même si certaines variations impliquant le dégoût, l'horreur, la douleur, l'abus sexuel sur des cadavres, etc., sont d'emblée dans un registre pathologique sans pour autant concerner exclusivement des malades mentaux. « Des personnes, qui par ailleurs se comportent normalement, se révèlent être des malades dans le seul domaine de la vie sexuelle, sous la domination de la plus débridée de toutes les

1. *Ibidem,* p. 56 ; p. 81 ; p. 48.

pulsions. Par contre, une anormalité manifeste dans d'autres relations de la vie fait apercevoir à chaque fois l'arrière-plan d'un comportement sexuel anormal. » La plupart du temps, ce n'est pas le nouveau but sexuel qui fait qu'il y a perversion, mais son rapport avec le normal : quand elle a remplacé le normal en toutes circonstances. « C'est donc dans l'exclusivité et dans la fixation de la perversion que nous nous voyons le plus souvent autorisés à la juger comme étant un symptôme morbide. »

C'est dans les perversions les plus choquantes qu'il faut admettre « la plus large participation psychique à la transformation de la pulsion sexuelle ». Ce travail psychique a valeur d'une **idéalisation de la pulsion** et la toute-puissance de l'amour se manifeste avec une force particulière dans ces aberrations. « Dans la sexualité existe partout la plus intime interrelation entre ce qu'il y a de plus élevé et ce qu'il y a de plus bas » – du Ciel à travers le Monde jusqu'à l'Enfer (Goethe, *Faust,* I). Freud dégage deux résultats de son étude des perversions : la pulsion sexuelle doit lutter contre des **résistances,** comme la pudeur et le dégoût, qui participent de sa relégation dans les limites du normal et qui, si elles sont précoces, orientent son développement. D'autre part, certaines perversion ne sont compréhensibles que si l'on admet que plusieurs motifs et courants psychiques y convergent : « La pulsion sexuelle n'est peut-être rien de simple, mais [...] elle est faite de composantes qui, dans les perversions, se détachent à nouveau d'elle », et il **est des formes de fusion et d'organisations prégénitales** qui, par la suite, perdent leur expression dans le comportement normal. Deux notes ultérieures confirment l'importance de ce passage et le commentent : en 1915, Freud souligne l'enracinement historique et phylogénétique de ces puissances – pudeur et dégoût, mais aussi moralité – qui endiguent le développement sexuel (*Totem et tabou* est implicitement évoqué). En 1920, Freud revient sur la genèse des perversions sexuelles de l'adulte en soulignant, à partir du modèle du fétichisme, qu'il y a eu une amorce de développement sexuel normal avant la fixation de la perversion. « L'investigation analytique a pu montrer jusqu'à présent dans des cas particuliers, que la perversion, elle aussi, est le reliquat d'un développement vers le complexe d'Œdipe, après le refoulement duquel a surgi de nouveau la composante la plus forte de la pulsion sexuelle selon la prédisposition. »[1]

De cette clarification de la perversion, Freud peut dégager plus précisément les rapports entre névrose et perversion : les symptômes névrotiques, pour l'essentiel, ne naissent pas aux dépens du devenir normal de la pulsion sexuelle, mais « constituent l'expression pervertie de pulsions que l'on qualifierait de perverses au sens le plus large »[2] si elles se manifestaient dans des fantasmes et des actes sans devenir inconscientes. C'est **parce que les symptômes se forment ainsi en partie à partir de la sexualité anormale que l'on peut dire que la névrose est le négatif de la perversion** et que l'on retrouve dans la pulsion sexuelle des névrosés toutes les aberrations de la perversion (fixations orales, anales et homosexuelles, pulsions partielles en couples d'opposés, mais aussi pluralité des pulsions perverses activement et passivement mises en œuvre). L'hystérie comme la perversion rendent particulièrement évidente l'importance des zones érogènes[3]. Mais le penchant à la perversion, négativement manifesté, n'est si grand dans les névroses que parce qu'il est collatéralement accru par le refus de la satisfaction de la libido par des voies normales, et pas seulement pour des raisons constitutionnelles[4].

Cette compréhension des perversions en accroît considérablement l'extension, selon un continuum sans frontière ni hiatus de la normalité à l'aberration. « Quelque chose d'inné se trouve effectivement à la base des perversions, mais quelque chose qui est inné à tous les êtres humains, qui en tant que prédisposition, peut osciller dans son intensité et qui attend que les influences de la vie le fassent ressortir. »[5] Ces racines innées de la pulsion sexuelle peuvent être porteurs effectifs de l'activité sexuelle (perversion), réprimés (refoulement) ou, insuffisamment réprimés par le refoulement, produire des symptômes pathologiques absorbant une part importante de l'énergie sexuelle. C'est

1. *Ibidem,* p. 75-76 ; p. 95 ; p. 62.
2. *Ibidem,* p. 79 p. 99 ; p. 65.
3. *Ibidem,* p. 85 ; p. 102 ; p. 68.
4. *Ibidem,* p. 87 ; p. 104 ; p. 70.
5. *Ibidem,* p. 88-89 ; p. 105 ; p. 71.

une restriction efficace mais non excessive de ces composantes innées qui permet le développement de la vie sexuelle dite normale. La constitution ainsi supposée, qui montre les germes de toutes les perversions, c'est la présence, en intensités modérées, de toutes ces pulsions dans l'enfance : pervers et névrosés ont conservé l'état infantile de leur sexualité ou y ont été reportés par régression.

L'intérêt de Freud pour les déviations sexuelles trouve ainsi sa pleine signification dans **l'éclairage qu'elles apportent à la sexualité infantile** qui fait l'objet du second essai. La vie sexuelle de l'enfant s'éveille spontanément pour des raisons internes, ce qui n'exclut pas les effets de séduction. Or « sous l'influence de la séduction », l'enfant « peut devenir pervers polymorphe » et « être dévoyé vers toutes les transgressions possibles »[1]. Car dans sa prédisposition, il en apporte l'aptitude et les défenses par la pudeur, le dégoût et la morale ne sont pas encore développées. Une femme sans culture peut garder la même prédisposition ; sexuellement normale dans des conditions habituelles, elle peut sous la conduite d'un séducteur habile prendre goût à toutes les perversions ; c'est également cette prédisposition infantile polymorphe qui est utilisée dans la prostitution. Finalement, il est « impossible de ne pas reconnaître dans l'égale prédisposition à toutes les perversions ce qu'il y a d'universellement humain et originel »[2]. C'est ainsi que l'on peut mettre en évidence les pulsions partielles, tendances autonomes et séparées, liées aux zones érogènes, qui caractérisent la sexualité infantile et notamment ses autoérotismes.

Dans la configuration de multiples perversions, vont intervenir également les substituts du pénis « perdu » par castration, dont l'absence chez la femme peut s'avérer insoutenable ; perversion fétichique et envie du pénis chez la fille ont donc la même source[3]. L'interrogation sur le plaisir sexuel fait également place au rôle de la disposition perverse polymorphe dans le plaisir préliminaire, lequel peut entraîner « un danger pour l'obtention du but sexuel normal »[4], s'il est trop

1. *Ibidem,* p. 118 ; p. 127 ; p. 91.
2. *Ibidem,* p. 119 ; p. 127 ; p. 92.
3. *Ibidem,* p. 124 ; p. 131 ; p. 96.
4. *Ibidem,* p. 149 ; p. 149 ; p. 113.

intense et suscite une tension insuffisante. L'action préparatoire peut alors empêcher la poursuite du processus sexuel, du fait d'une fixation infantile sur cette zone érogène et sur la pulsion sexuelle correspondante.

Un autre résultat de la réflexion freudienne sur les perversions concerne la théorie de la libido : l'excitation sexuelle ne provient pas seulement des organes génitaux, mais de tous les organes et de toutes les parties du corps[1], et les *Trois essais sur la théorie sexuelle* développent l'ancrage corporel des diverses zones érogènes mais aussi les coexcitations sexuelles liées à l'activité musculaire, au travail intellectuel et à toutes les autres formes de tension. La récapitulation qui clôt l'ouvrage rappelle la thèse essentielle de la névrose, négatif de la perversion[2], s'interroge à ce sujet sur la constitution sexuelle et les transmissions héréditaires en soulignant la fréquence de la répartition entre psychonévroses (plutôt chez les femmes) et perversions (plutôt chez les hommes) dans une même famille ainsi que sur la succession dans la vie d'une même personne d'une phase perverse puis d'un revirement par refoulement.

Mais Freud refuse fermement la thèse d'une faiblesse innée de la pulsion sexuelle dans les perversions avérées : ce serait réduire la sexualité à la seule génitalité et négliger la sexualité infantile et ses fixations. Dans l'émergence d'une perversion, « le rassemblement des diverses activités sexuelles dans le but de la reproduction », qui est exigé par la puberté a échoué « et la plus forte des autres composantes de la sexualité imposera son activité en tant que perversion »[3]. D'autre part, la maturité sexuelle précoce, qui interrompt ou raccourcit la phase de latence, devient la cause de troubles du fait d'un état inachevé des inhibitions sexuelles et d'un développement insuffisant de la génitalité, qui donne à cette sexualité un caractère de perversions, qui, soit se maintiendront ensuite, soit, par l'entrée en jeu du refoulement, deviendront des forces pulsionnelles pour des symptômes névrotiques ; en tout cas, cette maturité sexuelle précoce rend plus difficile la domination de la

1. *Ibidem*, p. 158 ; p. 155 ; p. 118.
2. *Ibidem*, p. 179 ; p. 169 ; p. 132.
3. *Ibidem*, p. 188 ; p. 175 ; p. 139.

pulsion sexuelle par les instances supérieures de la vie psychique et accroît le caractère de contrainte de la vie pulsionnelle[1]. Comme le développement intellectuel prématuré, elle peut concerner les individus les plus marquants et semble alors moins pathogène que si elle entre en jeu isolément.

Toujours en **1905**, l'article où Freud expose ses « Vues sur le rôle de la sexualité dans l'étiologie des névroses » reformule une cinquième fois la découverte décisive. En renvoyant aux caractères infantiles de la sexualité, Freud a établi une connexion simple entre santé, perversion et névrose « La norme résultait du refoulement de certaines pulsions partielles et de certaines composantes des prédispositions infantiles, ainsi que de la subordination de toutes les autres au primat des zones génitales mises au service de la fonction de reproduction. »[2] Les perversions sont en conséquence des perturbations de ce regroupement sous le primat de la génitalité du fait du « développement excessivement puissant et marqué de contrainte de telle ou telle de ces pulsions partielles »[3], tandis que la névrose se ramène à un refoulement trop étendu des tendances libidinales. Presque toutes les pulsions perverses de prédisposition infantile peuvent être formatrices de symptômes névrotiques, ce qui amène Freud à rappeler sa définition de la névrose comme le « négatif » de la perversion.

Rappels, conséquences et allusions (1905-1914)

Le mot d'esprit et sa relation à l'inconscient (**1905**), après avoir rappelé le plaisir de la grivoiserie, le rapporte au plaisir de regarder et de toucher ce qui est dénudé, composante originaire de la libido sous la forme active ou passive du désir de toucher les parties sexuelles. Ainsi le jeune enfant aime à se mettre nu. Là où ce germe ne connaît pas le destin qui habituellement le réprime ou le recouvre,

1. *Ibidem,* p. 193 ; p. 179 ; p. 132-143.

2. « Mes vues sur le rôle de la sexualité dans l'étiologie des névroses » (1906a), *Résultats, idées, problèmes, I,* Paris, PUF, 1984, p. 119-120 ; *OCF* VI, p. 315 ; *GW* V, p. 156-157.

3. *Ibidem,* p. 120 ; p. 316 ; p.157.

nous aurons chez l'adulte une perversion, celle de la propension à l'exhibition[1].

En **1908**, dans « La morale sexuelle "civilisée" et la maladie nerveuse des temps modernes », Freud discute les positions de Christian Ehrenfels, Wilhelm Erb, Ludwig Binswanger et Richard Krafft-Ebing sur les prédispositions à la maladie nerveuse suscitées par la vie moderne et défend sa propre thèse sur l'excès de répression sexuelle comme source de troubles névrotiques et d'angoisses. Originairement, sous sa forme infantile, la pulsion sexuelle ne vise pas la reproduction mais l'obtention de plaisir ; son développement va de l'autoérotisme à l'amour d'objet. Une partie de l'excitation sexuelle, sur ce trajet, se trouve inhibée et peut au mieux être assignée à la sublimation. « Les forces utilisables pour le travail culturel sont ainsi acquises, pour une grande part, par la répression de ces éléments de l'excitation sexuelle qu'on appelle pervers. » Notre civilisation est construite sur la répression des pulsions. Si le deuxième stade de la civilisation réprime tout ce qui ne sert pas la reproduction (le troisième étant celui où seule la reproduction légitime est un but sexuel autorisé), bien des individus n'y parviennent pas et dévient de la sexualité « normale c'est-à-dire de la sexualité qui est salutaire à une civilisation »[2] : outre ceux dont la pulsion sexuelle, extrêmement intense, ne parvient pas à être inhibée, les diverses sortes de pervers chez qui une pulsion sexuelle infantile s'est fixée à un but sexuel provisoire, ainsi que les homosexuels ou invertis chez qui le but sexuel s'est détourné du sexe opposé n'organisent pas leur pulsion sexuelle sous le primat de la reproduction. Mais la complexité de la pulsion sexuelle peut permettre un développement socialement utilisable alors même que certains composants sont exclus de son développement et la constitution des homosexuels « se distingue même fréquemment par le fait que leur pulsion sexuelle est particulièrement apte à la sublimation culturelle ». Freud, cette fois encore, distingue l'homosexualité (changement d'objet) des perversions (fixation à une pulsion partielle), mais souligne que, dans les

1. *Le mot d'esprit et sa relation à l'inconscient* (1905c), Paris, Gallimard, 1988, p. 190 ; *GW* VI, p. 107.

2. « La morale sexuelle "civilisée" et la maladie nerveuse des temps modernes » (1908d), *La vie sexuelle,* Paris, PUF, 1969, p. 34-35 ; *GW* VII, p. 151-152.

deux cas, une orientation sexuelle déviée trop forte est source de souffrance, tandis que d'autres répriment totalement l'expression des penchants qui les mettent en conflit avec les exigences morales de leur culture. Si la pulsion sexuelle perverse est intense, soit la perversion est mise en œuvre, soit la tentative de répression avorte et ce manqué de la répression suscite la maladie, sous la forme de psychonévroses. La coopération des névrosés aux œuvres culturelles ne se fait qu'avec un grand déploiement de forces et un grand appauvrissement intérieur. « J'ai décrit les névroses comme le "négatif" des perversions parce qu'en elles les motions perverses s'extériorisent, après refoulement, à partir de l'inconscient mental parce qu'elle contiennent à l'état "refoulé" les mêmes penchants que les pervers positifs. »[1]

Ceux qui veulent être plus nobles que ne le leur permet leur constitution sexuelle succombent à la névrose. Chez des frères et sœurs, il est fréquent que l'un soit pervers tandis que l'autre est névrosé, les hommes étant plus fréquemment sains mais immoraux et les femmes hyper raffinées mais nerveusement malades. L'injustice tient à ce que la civilisation exige de tous la même conduite sexuelle, aisément accessible pour certains, mais imposant d'énormes sacrifices psychiques à d'autres. Si la restriction sexuelle s'accroît encore (troisième stade réprimant toute activité sexuelle hors du mariage légitime), le nombre des personnes s'opposant ouvertement à l'exigence culturelle, comme le nombre de celles qui seront poussées vers la maladie névrotique est considérablement augmenté, aux dépens de la civilisation elle-même.

Le *Journal* (1908) tenu par Freud sur les premières séances de la cure de « *L'homme aux rats* » mentionne comme perversion, au 8 novembre, le désir onirique de lécher les pieds de sa bien-aimée – en lien avec le souvenir de masturbation anale, le plaisir infantile à être sale et le fait que le derrière est pour lui particulièrement excitant[2]. À la fin de la longue séance du 21 novembre, après l'évocation du secrétaire de son tribunal, type dégoûtant qu'il se figure nu pendant qu'une femme lui fait une fellation – avant que l'homme aux rats ne

1. *Ibidem*, p. 35-36 : p. 153-154.

2. *L'homme aux rats. Journal d'une analyse* (1909), Paris, PUF, 1974, p. 137 ; *GW* XIX, p. 539-540.

réalise qu'il s'agit en fait aussi de lui-même –, Freud mentionne qu'il lui répète sa conférence du samedi précédent sur les perversions, texte du 16 novembre 1907, qui ne nous est pas connu par ailleurs.

L'« Analyse d'une phobie chez un petit garçon de cinq ans (Le petit Hans) » (**1909**) se contente de mentionner que Hans ne semble prédisposé ni aux perversions ni à la névrose. Mais à cette occasion, Freud développe des remarques sur l'homosexualité. Dans les perversions comme dans les névroses, on observe un recul des zones génitales par rapport à d'autres zones érogènes. Les homosexuels au contraire témoignent d'une prépondérance infantile de la zone génitale, et tout spécialement du pénis. « Et même cette haute estimation du membre masculin devient destin pour les homosexuels », puisqu'ils ne peuvent se passer du pénis qui doit les stimuler au commerce sexuel, et qu'ils en ont exclu la femme, devenue inacceptable comme objet sexuel lorsqu'ils ont réalisé son absence de pénis. L'adolescent d'apparence féminine, en tant que « femme nantie d'un pénis » peut fixer leur libido. Il n'y a pas de pulsion homosexuelle particulière, il s'agit seulement d'une particularité du choix d'objet ; et Hans est homosexuel comme tous les enfants peuvent l'être, dans la mesure où il ne connaît encore qu'une espèce d'organe génital, celui qui est comme le sien. « Les homosexuels sont des personnes qui ont été empêchées par la significativité particulière de leur propre organe génital de renoncer chez leur objet sexuel à cette concordance avec la personne propre. Ils sont restés fixés, dans le développement allant de l'autoérotisme à l'amour d'objet, en un point qui est plus proche de l'autoérotisme. » [1]

Les cinq leçons *Sur la psychanalyse* (**1909**), conférences prononcées aux États-Unis, rappellent la thèse freudienne : il peut arriver que les pulsions partielles se ne soumettent pas toutes à la domination de la zone génitale ; une telle pulsion restée indépendante instaure une perversion qui peut remplacer le but sexuel normal par le sien propre. Très souvent, l'autoérotisme n'est pas pleinement surmonté, ce qui tend à maintenir l'équivalence originelle des deux sexes pour la vie sexuelle et à entraîner dans la maturité un penchant plus ou moins

1. « Analyse d'une phobie chez un petit garçon de cinq ans (Le petit Hans) » (1909b), *Cinq psychanalyses*, Paris, PUF, 1954, p. 171 ; *OCF* IX, p. 96 ; *GW* VII, p. 344.

exclusif à l'activité homosexuelle. Quant aux névroses, elles se comportent par rapport aux perversions comme le négatif vis-à-vis du positif, puisque les mêmes composantes pulsionnelles que dans les perversions y sont décelables, mais refoulées et agissant à partir de l'inconscient, en fonction des fixations infantiles[1]. Face à des obstacles dans l'exercice de la fonction sexuelle, le refoulement peut se trouver battu en brèche. L'élargissement du terme de « sexualité » auquel on est conduit par la prise en compte de la sexualité infantile permet cette compréhension de la corrélation entre perversion, névrose et vie sexuelle.

Un souvenir d'enfance de Léonard de Vinci (**1910**) cite comme une perversion la fréquence du penchant à prendre dans la bouche le membre de l'homme pour le téter, y voit un fantasme de désir fréquent chez les femmes et interprète la fellation comme le remaniement du bien-être obtenu par le nourrisson qui tète le sein, première jouissance « sans doute restée indestructiblement empreinte »[2]. C'est pourquoi, selon Freud, Léonard reporte au temps où il tétait l'expérience qu'il pense avoir vécue avec le vautour (ou le milan). Son fantasme est une réminiscence de la tétée. Plus loin, Freud souligne que la relation de la mère avec son jeune fils, susceptible de rendre le père jaloux, est de la nature d'un rapport amoureux pleinement satisfaisant, sans qu'il y ait à y voir quoi que ce soit de pervers[3].

En **1910,** Freud écrit *au Dr Friedrich S. Krauss,* directeur de la revue *Anthropophyteia,* une lettre publiée dans le n° 7 de cette revue, pour répondre sans ambiguïté à une question sur la valeur scientifique des traits d'esprit érotiques et scatologiques : ces historiettes nous disent quelles pulsions sexuelles partielles sont conservées dans un groupe d'êtres humains comme particulièrement aptes à l'obtention de plaisir. Ainsi, « la psychanalyse nous a forcés à affirmer que la région de l'anus – normalement et même chez les individus non

1. *Sur la psychanalyse* (1909), Paris, Gallimard, 1991, p. 98-100 ; *OCF* X, p. 43-44 ; *GW* VIII, p. 48-49.

2. *Un souvenir d'enfance de Léonard de Vinci* (1910c), Paris, Gallimard, 1987, p. 96 ; *OCF* X, p. 111 ; *GW* VIII, p. 155.

3. *Ibidem,* p. 146 ; p. 143 ; p. 188.

pervers – est le siège d'une sensibilité érogène et se comporte à certains égards tout comme un organe génital »[1]. L'intérêt vraiment universel des humains pour ces zones érogènes et leur produit est indéniable. Sinon, ces histoires susciteraient le dégoût, ou bien ce serait tout le public populaire qu'il faudrait qualifier de « pervers », au nom d'une position moralisante.

D'ailleurs, indique la « Discussion sur l'onanisme » de **1912,** il faut s'attendre « aux mêmes complexes et conflits chez tous les gens sains et normaux »[2]. Tout homme formé par la culture possède une certaine mesure de refoulement des motions perverses, d'érotisme anal, d'homosexualité, etc., en même temps que des éléments de complexe paternel et maternel. L'éducation, précise Freud dans son ***Introduction à* La méthode psychanalytique *du Dr Pfister*** **(1913)** est une prophylaxie censée prévenir les deux issues dommageables que sont la névrose et la perversion, tandis que la psychothérapie, postéducation, intervient quand elles n'ont pu être évitées. De plus, selon « L'intérêt de la psychanalyse » **(1913),** la répression violente de pulsions fortes n'amène ni leur disparition ni leur maîtrise, mais « un refoulement, qui institue le penchant à tomber plus tard malade d'une névrose »[3]. Or les motions pulsionnelles asociales et perverses de l'enfant apportent à la formation du caractère et à la culture de précieuses contributions lorsqu'elles ne sont pas soumises au refoulement mais sont « par le procès de ce qu'on appelle sublimation, détournées de leurs buts originels et tournées vers des buts plus précieux »[4]. Au lieu d'ensevelir ces sources de force, l'éducation devrait se limiter à favoriser les procès qui les conduisent vers les bonnes voies.

Dans sa contribution pour un congrès médical de 1911 à Sydney (« Des principes fondamentaux et des visées de la psychanalyse », **1913,** retraduit en allemand par Anna Freud en 1987), Freud, après

1. « Lettre au docteur Friedrich S. Krauss sur l'*Anthropophyteia* », *OCF* X, p. 217 ; *GW* VIII, p. 224-225.

2. « Pour introduire la discussion sur l'onanisme » (1912f), *Résultats, idées, problèmes, I,* Paris, PUF, 1984, p. 180 ; *OCF* XI, p. 162 ; *GW* VIII, p. 338.

3. « L'intérêt de la psychanalyse » (1913j), *Résultats, idées, problèmes, I,* Paris, PUF, 1984, p. 213 ; *OCF* XII, p. 124 ; *GW* VIII, p. 420.

4. *Ibidem,* p. 213 ; p. 125 ; p. 420.

avoir rappelé la thèse de la sexualité infantile et de son développement complexe, reformule sa conception des perversions : jusque-là énigmatiques, les perversions sexuelles s'expliquent « comme des inhibitions de développement sexuel ou comme des fixations à des stades de développement infantiles ou comme des produits de développement aberrants. Les névroses ne sont rien d'autre que le négatif des perversions »[1]. C'est dire, une fois de plus, combien la compréhension des perversions forme le socle de toute la théorie freudienne des névroses.

L'article de **1913**, « La disposition à la névrose obsessionnelle », rappelle la nécessité de reconnaître les organisations sexuelles prégénitales et de ne pas réduire la sexualité à la génitalité, en comprenant la sexualisation de fonctions non sexuelles dans la névrose ; ce déni revient à renoncer à la psychanalyse et à la « compréhension qu'elle a permise, la corrélation entre santé, perversion et névrose »[2].

Indiquons enfin que, dans les « Extraits de l'histoire d'une névrose infantile (L'homme aux loups » (**1914**), Freud se réfère par deux fois à la « perversité » *(Perversität)* de l'enfance de l'homme aux loups[3], période qui précède sa névrose et que Freud date de trois ans trois mois (son changement de caractère) à quatre ans ; il s'agit donc de perversion infantile, avec chez ce patient essentiellement des fixations anales et des tendances masochistes.

Les apports de la réflexion sur le narcissisme

« Pour introduire le narcissisme », en **1914**, commence par la description du comportement narcissique qui consiste à cajoler et caresser son propre corps comme s'il s'agissait d'un objet sexuel.

1. « Des principes fondamentaux et des visées de la psychanalyse » (1913), *OCF* XI, p. 37 ; *GW* XIX, p. 726.

2. « La disposition à la névrose obsessionnelle. Une contribution au problème du choix de la névrose » (1913f), *Névrose, psychose et perversion,* Paris, PUF, 1973, p. 195 ; *OCF* XII, p. 91 ; *GW* VIII, p. 449.

3. « Extrait de l'histoire d'une névrose infantile (L'homme aux loups) » (1918b [1914]), *Cinq psychanalyses,* Paris, PUF, 1954, p. 333 et 342 ; *OCF* XIII, p. 15 et 26 ; *GW* XII, p. 41 et 53.

« Lorsqu'il prend ces proportions, le narcissisme a la signification d'une perversion qui a absorbé la totalité de la vie sexuelle de la personne. »[1] Par ailleurs, il est mentionné que le choix d'objet narcissique est plus net et plus fréquent chez ceux dont le développement sexuel a connu une perturbation, comme les pervers et les homosexuels. Enfin, la possibilité de sortir de la perversion polymorphe infantile est mise en rapport avec la notion d'idéal du moi, qui, au cours du développement du moi, permet la sortie du narcissisme primaire par déplacement de la libido sur un idéal externe. « Là où un tel idéal ne s'est pas développé, la tendance sexuelle en question pénètre telle quelle, comme perversion, dans la personnalité. »[2]

Dans la mesure où « Pulsions et destins des pulsions » (**1915**) aborde le devenir des pulsions partielles, notamment les couples exhibitionnisme et voyeurisme d'une part, sadisme et masochisme de l'autre, la question de la perversion infantile polymorphe et de ses transformations par retournement est sans cesse posée ; mais elle l'est implicitement, puisque le terme n'apparaît qu'une fois entre parenthèses comme un autre langage possible de ces destins pulsionnels. Manifestement, le terme sémiologique de perversion ne convient pas au propos métapsychologique.

Reprise pédagogique

La troisième série des *Leçons d'introduction à la psychanalyse* (**1916-1917**) reprend de façon détaillée et pédagogique les résultats de la recherche psychanalytique sur les rapports entre névrose et perversion. Le propos y est ferme et articulé, et précise beaucoup plus explicitement que dans les *Trois essais sur la pulsion sexuelle* la nécessité de penser la perversion et son ancrage dans la sexualité infantile pour rendre compte des symptômes névrotiques.

Dans sa description de la vie sexuelle de l'être humain, dans sa vingtième conférence, Freud évoque la diversité des perversions sexuelles et invite à les considérer sans indignation, car leur mise en

1. « Pour introduire le narcissisme » (1914c), *La vie sexuelle,* Paris, PUF, 2e éd., 1970, p. 81 ; *OCF* XII, p. 217 ; *GW* X, p. 138.

2. *Ibidem,* p. 93 et 104 ; p. 231 et 243 ; p. 154 et 168.

relation avec la vie sexuelle normale est nécessaire à la compréhension de celle-ci. Il refuse la conception de la dégénérescence, souligne l'universalité culturelle des pratiques perverses. Ce n'est qu'en les prenant en compte que l'on peut comprendre que les symptômes névrotiques soient des satisfactions sexuelles substitutives, car ce sont les besoins sexuels dits pervers, ou l'homosexualité latente, qui y trouvent satisfaction. Dans l'hystérie, d'autres zones corporelles fonctionnent comme organes génitaux substitutifs, et la prise de nourriture ou l'excrétion peuvent devenir des porteurs de l'excitation sexuelle. Dans la névrose obsessionnelle, les motions sexuelles sadiques sont extrêmement fortes, donc perverses dans leurs buts, même si les symptômes servent surtout à la défense contre ces souhaits ou expriment le combat entre satisfaction et défense. Mais la satisfaction y trouve son compte en se retournant contre la personne propre, qui devient bourreau d'elle-même. Dans les formes ruminatoires, certains actes connaissant une sexualisation démesurée, dont une importante partie remonte à la masturbation, comme en une répétition camouflée. Il ne faut cependant pas surestimer la fréquence et l'intensité des penchants pervers des êtres humains. Les motions perverses sont plus fortes s'il y a, comme c'est souvent le cas dans la maladie névrotique, un refus ou un évitement de la satisfaction sexuelle normale. Il en est de même pour les perversions mises en acte, qui sont souvent provoquées ou activées lorsque de trop grandes difficultés font obstacle à la satisfaction sexuelle normale. Mais ceci montre qu'une disposition latente existait pour une telle perversion.

Or l'analyse des symptômes ramène régulièrement aux premières années de l'enfance, ce que confirment les observations directes d'enfant. Tous les penchants à la perversion ont leur racine dans l'enfance, les enfants sont une prédisposition à ces penchants et les mettent en œuvre à la mesure de leur immaturité, bref « la sexualité perverse n'est rien d'autre que la sexualité infantile agrandie, décomposée en ses motions isolées » [1]. On ne peut plus ignorer la relation

1. *Nouvelles conférences d'introduction à la psychanalyse* (1933a [1932]), Paris, Gallimard, 1984, p. 394 ; *OCF* XIX *[Leçons d'introduction à la psychanalyse]*, p. 321 ; *GW* XV, p. 321.

entre vie sexuelle, sexualité infantile et perversion, même si l'éducation, pour dompter la pulsion sexuelle, tend à interdire toute activité sexuelle à l'enfant et se fixe le but idéal de donner une forme asexuelle à la vie de l'enfant, que l'on veut croire innocent. Mais la parenté entre l'activité sexuelle enfantine et les perversions sexuelles est manifeste : « Si tant est que l'enfant a une vie sexuelle, alors elle est forcément de nature perverse, car il manque encore à l'enfant, mis à part quelques indices obscurs, ce qui fait de la sexualité une fonction de reproduction. » Or le caractère commun à toutes les perversions, c'est d'abandonner le but de la reproduction. Une activité sexuelle est perverse lorsqu'elle poursuit l'obtention de plaisir comme un but indépendant de la reproduction. Le tournant organisateur de la vie sexuelle est celui de sa subordination aux visées de la reproduction. « Tout ce qui survient avant ce tournant, ainsi que tout ce qui s'est soustrait à lui, ce qui sert uniquement au gain de plaisir, est affecté du nom peu glorieux de pervers et proscrit en tant que tel. »[1]

Après cette définition radicale qui considère comme perverse toute sexualité non reproductrice, Freud poursuit son exposé de la sexualité infantile prégénitale et expose l'élargissement psychanalytique de la notion de sexualité. La XXIe leçon aborde alors le développement de la libido et la succession des organisations sexuelles. Autant la sexualité infantile est difficile à délimiter, autant les perversions sexuelles adultes sont tangibles, et clairement sexuelles, puisqu'elles aboutissent généralement à l'orgasme. Mais la réprobation qui les entoure empêche d'en mesurer l'intérêt scientifique. Sans doute parce qu'elles ne sont pas seulement exécrables, mais dangereuses, monstrueuses, c'est-à-dire finalement fascinantes, séduisantes, suscitant l'envie envers ceux qui en jouissent. Or, en fait, « les pervers sont plutôt de pauvres diables, qui expient d'une façon extraordinairement dure une satisfaction qu'ils conquièrent difficilement »[2]. Si décriées que soient les perversions sexuelles, il manque d'ailleurs rarement tel ou tel trait pervers à la vie sexuelle normale. Déjà le baiser peut être considéré comme un acte pervers, en ce qu'il unit deux zones buccales érogènes

1. *Ibidem*, p. 296 ; p. 401 ; p. 326 ; p. 327.
2. *Ibidem*, p. 301 ; p. 409 ; p. 332 ; p. 333.

au lieu des deux organes génitaux. Mais nul ne le rejette comme pervers, il est accueilli comme un indice atténué de l'acte sexuel. Or s'il est assez intense pour provoquer un orgasme, il devient une perversion complète. Toucher, regarder, pincer ou mordre l'objet sexuel, être excité par d'autres régions corporelles que les organes génitaux ne suffisent pas pour être rangé parmi les pervers : l'essentiel de la perversion n'est pas dans la transgression du but sexuel ni dans le remplacement des organes génitaux ou dans la variation de l'objet, mais dans l'exclusivité de ces déviations et la mise à l'écart de l'acte sexuel servant à la reproduction. « Dans la mesure où les actions perverses s'insèrent en tant que contributions préparatoires ou renforçantes dans la mise en œuvre de l'acte sexuel normal, ce ne sont plus des perversions à proprement parler. » [1] Le fossé entre sexualité normale et sexualité perverse est ainsi considérablement réduit. C'est que la sexualité normale est issue de quelque chose qui l'a précédée, dont elle a éliminé certains éléments en regroupant et subordonnant les autres. Car la sexualité perverse adulte est centrée, une pulsion partielle, généralement unique, est dominante, imposant un autre but sexuel que celui de la sexualité normale. La sexualité infantile, au contraire, n'est pas centrée, et chaque pulsion partielle y poursuit ses propres buts (ce qui peut se perpétuer dans un infantilisme sexuel chez l'adulte). Sexualité perverse et sexualité normale sont toutes deux issues de la sexualité infantile.

À partir de la troisième année, la sexualité infantile se rapproche de celle de l'adulte, même si le primat des organes génitaux n'est pas encore solidement assuré et qu'il demeure des traits pervers. C'est avant cette période que dominent les pulsions sadiques et anales, et auparavant encore les pulsions orales, pulsions partielles donnant lieu à une certaine organisation prégénitale, dans laquelle intervient l'opposition entre activité et passivité (tandis que l'opposition entre masculin et féminin ne joue encore aucun rôle). Dans les rêves, les investissements d'objet infantiles sont encore actifs, et tous les hommes ont des rêves pervers, incestueux et pleins de fureur : « Même ceux qui sont aujourd'hui normaux ont parcouru la voie de développement qui

1. *Ibidem*, p. 302 ; p. 409 ; p. 333-334 ; p. 310.

passe par les perversions et les investissements d'objet du complexe d'Œdipe. »[1] Le chapitre XXII, centré sur la régression, analyse la régression sadique-anale de la névrose obsessionnelle, en précisant que, sans refoulement, nous n'aurions pas affaire à une névrose mais à une perversion. Freud insiste sur la plasticité de la libido, et souligne l'ancrage phylogénétique du développement de la libido ; il évoque la proximité, dans maintes classes d'animaux, entre appareil génital et bouche, appareil excrétoire ou motricité : « On voit chez les animaux, pour ainsi dire, toutes les sortes de perversions figées en organisation sexuelle. »[2] Chez l'homme, la pression de la nécessité de la vie, l'Anankè, est une éducatrice sévère susceptible de permettre des sublimations, mais aussi de provoquer des névroses. À propos des voies de la formation du symptôme (chap. XXIII), pour une même régression, la voie menant à la perversion se démarque de celle de la névrose, qui implique une opposition du moi et donc un conflit psychique, tandis que la perversion aboutit à une satisfaction réelle, même si elle est déviante. Enfin, au chapitre XXVI, Freud rappelle son emprunt du terme narcissisme à Näcke qui décrivait la perversion consistant à traiter son propre corps comme un objet sexuel étranger. C'est donc bien une reprise systématique des découvertes antérieures qui caractérisent les *Leçons d'introduction* de 1916-1917.

La genèse du masochisme

En **1919**, « Un enfant est battu », consacré aux formes et aux phases du fantasme de fustigation de la sexualité infantile, porte comme sous-titre « Contribution à la connaissance de la genèse des perversions sexuelles ». Le plaisir attaché à ce fantasme, à des fins de satisfaction autoérotique, est « un trait primaire de perversion »[3]. Freud l'étudie pour apporter des éclaircissement sur la genèse des perversions, notamment le masochisme, et y apprécier le rôle de la

1. *Ibidem,* p. 318 ; p. 429 ; p. 350 ; p. 350.

2. *Ibidem,* p. 334 ; p. 450 ; p. 367 ; p. 368.

3. « Un enfant est battu. Contribution à la genèse des perversions sexuelles » (1919e), *Névrose, psychose et perversion,* Paris, PUF, 1973, p. 221 ; *OCF* XV, p. 122 ; *GW* XII, p. 200.

différence des sexes. Le renforcement constitutionnel ou la précocité d'une composante sexuelle reste un facteur essentiel, mais ici, la perversion ne se manifeste pas comme pulsion partielle isolée, elle est incluse dans l'ensemble des processus de développement, mise en relation avec l'amour d'objet incestueux de l'enfant, et elle surgit sur le terrain de son complexe d'Œdipe. Ce fantasme est même souvent ce qui subsiste de l'Œdipe après son effondrement, héritier de sa charge libidinale. La force de la fixation perverse a poussé l'Œdipe dans une direction particulière et l'a contraint à cette manifestation résiduelle.

La perversion infantile peut servir de fondement à une perversion adulte qui subsiste en absorbant toute la vie sexuelle, ou bien se trouver démantelée, mais « conservée à l'arrière-plan d'un développement sexuel normal, auquel elle ne cesse pourtant de soustraire un certain montant d'énergie » [1]. L'investigation analytique comble le fossé entre le premier cas, déjà connu avant la psychanalyse, et la seconde configuration, car il n'est pas rare qu'une amorce d'activité sexuelle normale ait existé à la puberté, puis ait été abandonnée aux premiers obstacles, qui existent toujours, ramenant alors la personne à sa fixation infantile.

Peut-on alors dériver les perversions à partir du complexe d'Œdipe de façon universelle ? Les anamnèses de perversions d'adulte, fétichistes et autres, ramènent à une première expérience vécue, dont l'action est énigmatique, mais qui ne semble jamais antérieure à la sixième année, c'est-à-dire après le règne du complexe d'Œdipe ; elle représente peut-être l'héritage de ce complexe. Mais il faudrait, pour confirmer cette thèse, pouvoir remonter en deçà de la première impression pathogène. Néanmoins, le complexe d'Œdipe trouve ici une nouvelle confirmation de son rôle central de noyau de la névrose, et ce qui en reste dans l'inconscient constitue chez l'adulte la disposition à une maladie névrotique ultérieure. « La fantaisie de fustigation et autres fixations perverses analogues ne seraient alors, elles aussi, que des précipités du complexe d'Œdipe, en quelque sorte des cicatrices consécutives à un passé révolu. » [2] Freud analyse ensuite l'apport

1. *Ibidem,* p. 232 ; p. 134 ; p. 212-213.
2. *Ibidem,* p. 233 ; p. 135 ; p. 214.

de ce fantasme de fustigation à la compréhension du masochisme et en conclut que la culpabilité des névrosés est liée à la masturbation infantile (donc à la perversion infantile) et non à celle de la puberté. Par ailleurs, derrière la signification apparemment sadique de la troisième phase du fantasme, on peut déceler une susceptibilité particulière face aux personnes fantasmées comme paternelles, réalisant ainsi le fantasme d'être battu par le père pour son plus grand malheur (ce qui peut être aussi sous-jacent au délire de revendication paranoïaque). Le fantasme de fustigation chez les garçons s'avère effectivement œdipien, et la mère y tient la place du père dans le fantasme féminin, mais les différences sont notables, et surtout ces personnes, à la différence des filles qui étaient névrosées, s'avèrent des masochistes sexuels effectifs : fantasmes pervers avec onanisme, ou intégration de pratiques masochistes dans l'acte sexuel – accompagnées de représentations obsessionnelles, sans doute parce que les pervers satisfaits ont rarement recours à l'analyse. À partir d'un même fantasme, Freud en vient ainsi à la différence, pour le traitement psychanalytique, entre le traitement des pervers (moins assuré) et celui des névrosés.

Les perversions dans la fin de l'œuvre freudienne

Ce n'est plus le statut général des perversions qui intéresse Freud après 1920, mais au contraire les caractères spécifiques à chacune : le sadisme comme prototype d'une importante désintrication pulsionnelle, les paradoxes du masochisme, la quasi-exclusion de l'homosexualité de la liste des perversions (du fait de la bisexualité et du narcissisme), le clivage du moi dans le fétichisme.

En **1920,** dans *Au-delà du principe de plaisir,* lors de la mise en évidence de l'opposition entre pulsions de vie et pulsions de mort, au chapitre VI, Freud rappelle que l'amour d'objet témoigne de la polarité entre l'amour (tendresse) et la haine (agression). « Nous avons de tout temps reconnu une composante sadique de la pulsion sexuelle ; comme nous le savons, elle peut se rendre autonome et dominer comme perversion la tendance sexuelle d'ensemble de la personne. » [1]

1. *Au-delà du principe de plaisir* (1920g), *Essais de psychanalyse,* Paris, Payot, 1981, p. 102 ; *OCF* XV, p. 327 ; *GW* XIII, p. 58.

Freud se demande alors comment faire dériver d'Éros ce sadisme, qui est également pulsion partielle dominante dans une des organisations prégénitales. Il faut le poser comme pulsion de mort repoussée du moi et entrée au service de la fonction sexuelle. La perversion sadique est ici mise en opposition avec le devenir du sadisme dans l'intrication pulsionnelle.

C'est la même idée que reprend plus explicitement, en **1923,** *Le moi et le ça* : la composante sadique de la pulsion sexuelle est un exemple classique de la mixtion pulsionnelle, tandis que « le sadisme devenu autonome comme perversion » est « le prototype d'une démixtion, à la vérité non poussée jusqu'à l'extrême » [1].

En **1922,** dans l'article « Psychanalyse », Freud rappelle comment la psychanalyse a mis en évidence les manifestations de la sexualité infantile, dans sa spécificité et ses traits relevant de ce qui, chez les adultes, était condamné comme « perversion » [2], amenant ainsi à élargir le champ conceptuel du terme « sexuel ». Là aussi, l'importance particulière du sadisme est soulignée.

Dans « Théorie de la libido », second article destiné à cette même encyclopédie de Max Marcuse, Freud rappelle que le narcissisme désignait d'abord une perversion, celle des personnes se comportant comme si elles étaient amoureuses d'elles-mêmes. Or, en admettant la nature libidinale des pulsions d'auto-conservation en tant que libido narcissique, la théorie freudienne, après 1920, reconnaît du même coup « une forte proportion de cet amour de soi comme étant l'état primaire et normal » [3].

Toujours en **1923,** lorsque Freud, dans « Névrose et psychose », s'interroge sur les conflits du moi avec les autres instances et sur la possibilité d'un mécanisme de déformation ou de division du moi lui permettant de se détacher du monde extérieur, il note que les « inconséquences, bizarreries et folies des hommes » deviendraient

1. *Le moi et le ça* (1923b), *Essais de psychanalyse,* Paris, Payot, 1981, p. 255 ; *OCF* XVI, p. 284 ; *GW* XIII, p. 270.

2. « "Psychanalyse" et "Théorie de la libido" » (1923a), *Résultats, idées, problèmes, II,* Paris, PUF, 1984, p. 61 ; *OCF* XVI, p. 193 ; *GW* XIII, p. 220.

3. *Ibidem,* p. 75 ; p. 206 ; p. 231.

alors aussi claires que « leurs perversions sexuelles, par l'acceptation desquelles ils s'épargnent en effet des refoulements »[1].

Il est frappant de constater que deux grands textes freudiens consacrés à des perversions spécifiques « Le problème économique du masochisme » en **1924** et « Le fétichisme », qui met précisément en évidence en **1927** ce mécanisme de clivage du moi que pressentait « Névrose et psychose » dès 1923, ne comportent pas le terme de « perversion ». Le texte de 1924 comporte simplement la mention des « agencements réels de pervers masochistes »[2], exécutés comme fin en soi ou comme engageant l'acte sexuel, en soulignant leur concordance avec les fantasmes masochistes. Freud insiste volontiers sur la dimension « perverse » de la sexualité infantile, et emploie le terme de « perversion » au pluriel, comme l'un des devenirs de la libido, mais il l'évite manifestement, sans doute pour ne pas introduire de connotation morale, quand il s'agit de décrire une perversion spécifique. Mais surtout, comme dans « Un enfant est battu », l'intérêt de Freud concerne bien davantage les fantasmes pervers, tels qu'ils peuvent être mis en évidence dans l'analyse des névroses, que les actes pervers.

Dans l'« Autoprésentation » de **1924,** Freud rappelle la thèse psychanalytique classique (également reprise en **1926,** dans *La question de l'analyse profane*) : les perversions, si singulières et répugnantes soient-elles, sont la manifestation de pulsions partielles soustraites au primat génital ; « comme aux temps originaires du développement libidinal »[3], elles recherchent l'acquisition de plaisir de manière autonome. L'homosexualité, la plus importante de ces conduites, mérite à peine le nom de perversion. Elle remonte à la bisexualité constitutionnelle et aux effets du primat phallique. Il est en chacun une part de choix d'objet homosexuel ; si les enfants sont « pervers

1. « Névrose et psychose » (1924b), *Névrose, psychose et perversion,* Paris, PUF, 1973, p. 286 ; *OCF* XVII, p. 7 ; *GW* XIII, p. 391.

2. « Le problème économique du masochisme » (1924c), *Névrose, psychose et perversion,* Paris, PUF, 1973, p. 289 ; *OCF* XVII, p. 13 ; *GW* XIII, p. 374.

3. *Sigmund Freud présenté par lui-même* (1925d), Paris, Gallimard, 1984, p. 64 ; *OCF* XVII (« Autoprésentation »), p. 85 ; *GW* XIV, p. 63.

polymorphes », c'est au sens descriptif, sans évaluation morale, ce qui serait étranger à la psychanalyse.

Un passage de *Malaise dans la culture,* en **1929,** évalue l'attitude sociale envers la sexualité infantile : la prohiber est nécessaire, pour que les désirs sexuels adultes puissent être endigués ; mais notre culture est allée jusqu'à la dénier. Elle a réduit au sexe opposé le choix d'objet sexuel mature et interdit comme perversions la plupart des satisfactions extragénitales. C'est vouloir uniformiser la vie sexuelle de tous, indépendamment des différences de constitution sexuelle (innée et acquise), et générer ainsi une grave injustice en interdisant à beaucoup la jouissance sexuelle. Même l'amour génital hétérosexuel est limité par la légitimité et l'exigence de monogamie. La culture actuelle refuse ainsi la sexualité comme source autonome de plaisir et ne l'accepte que comme moyen de procréation.

Dans les *Nouvelles conférences d'introduction à la psychanalyse,* en **1933,** on trouve deux mentions des perversions. La première, dans « Angoisse et vie pulsionnelle », accompagne la réflexion sur les phénomènes du sadisme (qui est en relation avec la masculinité) et du masochisme (qui a un lien avec la féminité), indiquant, tout en soulignant leur caractère énigmatique, que ces deux tendances sont incluses dans la vie sexuelle normale, mais qu'il y a perversion « quand elles repoussent à l'arrière-plan les autres buts sexuels » [1]. Le texte sur « La féminité » reprend la discussion, interrogeant davantage cette fois la part des fixations infantiles précoces et la part des expériences vécues ultérieurement, tant dans l'envie de pénis chez la femme que dans les perversions sexuelles.

C'est l'*Abrégé de psychanalyse* qui, en **1938,** poursuit cette question. D'une part à la fin du chapitre III, en revenant sur l'homosexualité, universelle mais qui la plupart du temps reste latente, tandis que lorsqu'elle est agie, elle est une déviation du but sexuel normal et, à ce titre, relève des perversions. Mais « les processus qui aboutissent à l'instauration d'un état normal ne sont jamais totalement réalisés

1. *Nouvelles conférences d'introduction à la psychanalyse* (1933a [1932]), Paris, Gallimard, 1984, p. 141 ; *OCF* XIX [« Nouvelle suite des leçons d'introduction à la psychanalyse »], p. 187 ; *GW* XV, p. 111.

ni totalement absents. Ils n'ont en général qu'un caractère **partiel,** de sorte que l'issue dépend de rapports **quantitatifs** » [1]. Au chapitre VII, Freud évoque les éveils traumatiques de la vie sexuelle infantile (séduction ou observation de rapports sexuels) et leur propension à générer soit une névrose, soit des perversions, soit un bouleversement total de la fonction sexuelle. Au chapitre VIII enfin, sans que la question économique soit reprise, Freud situe sa réflexion sur le déni de l'absence de pénis dans le fétichisme dans le cadre des perversions.

QUESTIONS ET ENJEUX

L'élucidation de la relation entre perversion et névrose est au fondement de la découverte psychanalytique. La thèse maintes fois reprise de la *névrose comme négatif de la perversion* en signe les premières formulations.

DÉVIATIONS SEXUELLES OU REFUS DU BUT SEXUEL NORMAL ?

D'abord définies descriptivement comme **déviations, variations de la pulsion sexuelle,** les perversions sexuelles, au terme de l'étude menée par Freud dans les *Trois essais sur la théorie sexuelle* (1905), en viennent à être reconnues par lui comme sa première expression, maintenue ou retrouvée lorsque le but sexuel normal qui les inclut, les dépasse, les écarte ou les refoule n'a pu s'imposer. Il faut prendre la mesure de ce renversement paradoxal : **il y a déviation et anormalité quand il n'y a pas eu transformation** – c'est-à-dire à la fois rassemblement, tri et surtout transposition pulsionnelle. La perversion est positive en ce qu'elle manifeste directement, en actes ou en fantasmes directs, crus, la disposition sexuelle ; la névrose en est le négatif en ce qu'elle comporte le même contenu, masqué et déformé du fait d'une tentative de transformation qui n'a pu aboutir qu'au compromis du symptôme (lequel sexualise du non sexuel). Dans les

1. *Abrégé de psychanalyse* (1940a [1938]), Paris, PUF, 1967, p. 16 ; *OCF* XX, p. 244-245 ; *GW* XVII, p. 78.

deux cas, la fixation est manifeste, nous sommes dans le registre des pulsions partielles, ancrées dans une zone érogène. Mais dans la perversion de l'adulte, la fixation et la régression se portent sur une pulsion et une zone exclusive, tandis que la disposition perverse polymorphe de l'enfant, comme les fantasmes pervers repérables dans les névroses, mettent en jeu des pulsions partielles multiples, avec une première mise en forme par couples d'opposés.

Variations et normalité

À ce premier paradoxe : est déviant ce qui n'a pas été transformé, s'ajoute un second : il n'est **pas de point de rupture entre normalité et anormalité,** il s'agit d'un continuum et non d'une classification. L'approche descriptive laisse place à une étude économique et dynamique des destins de la pulsion sexuelle, déjà très élaborée en 1905, mais sans cesse retravaillée dans l'œuvre freudienne, notamment en 1915 et 1920 pour la théorie pulsionnelle, en 1923, 1924 et 1927 pour le sadisme, le masochisme et le fétichisme. Chaque fois, l'étude des perversions éclaire considérablement le fonctionnement de l'appareil psychique, comme en témoigne l'étude du clivage dans le fétichisme. Jusqu'à la fin de l'œuvre, l'importance du facteur quantitatif est soulignée.

Faut-il maintenir le terme de « perversion » ? Son **extension** est largement redéfinie et délimitée par Freud, du fait de la conceptualisation de la notion, même au simple niveau descriptif. En effet, en toute rigueur de terme, la déviation sexuelle commence dès qu'un organe non sexuel est utilisé dans un but de satisfaction sexuelle : le baiser par exemple. Inversement, cela fait partie de la vie sexuelle normale que d'inclure comme accompagnement ou préliminaires de l'acte sexuel des pratiques qui, exclusives et isolées, seraient perverses.

L'**homosexualité,** la plus importante des conduites impliquant un changement d'objet par rapport à la sexualité procréatrice, mérite à peine le nom de perversion nous dit Freud. Elle est une particularité du choix d'objet, dans laquelle l'autoérotisme reste généralement prévalent sur l'alloérotisme, remonte à la bisexualité constitutionnelle et aux effets du primat phallique. Il est en chacun une part de choix d'objet homosexuel. D'autre part, si les **enfants** sont « pervers polymorphes », c'est au sens descriptif, sans évaluation morale, ce qui serait étranger à la psychanalyse. L'universalité des dispositions perverses les reconnaît comme pleinement humaines, et non bestiales, et fait d'elles les germes de toute la vie sexuelle ultérieure. Ce ne sont donc plus des aberrations, ni l'activité sexuelle déviante de quelques-uns, mais un **fonds commun à toute l'humanité,** auquel il est possible de régresser, selon les fixations de sa sexualité infantile, en cas d'impasses de la sexualité normale, dans son développement ou dans son exercice.

Car, en même temps, la **spécificité des perversions chez l'adulte** demeure. Un pervers n'est pas un névrosé. Mais ce qui le définit, c'est l'exclusivité de sa quête de satisfaction sexuelle hors des voies de la sexualité génitale. Cette position est généralement mise en place faute de mieux, et Freud évoque les pervers comme de « pauvres diables » plutôt que comme des monstres d'immoralité, même si certaines pratiques impliquent de la violence ou provoquent du dégoût.

Il est une fascination de la perversion, sensible chez le normal qui rit de plaisanteries scatologiques ou se montre friand de récits de vie scabreuse, comme chez le pervers qui semble sans foi ni loi. C'est que la perversion, par sa fixation aux pulsions partielles, suscite une **idéalisation de la pulsion partielle,** que Freud note à la fin de son étude des perversions dans les *Trois essais sur la théorie sexuelle.* L'affirmation triomphante de la sexualité infantile peut conduire au déni des impasses perverses et de la souffrance qu'elles impliquent. Sans doute est-ce cette idéalisation de la pulsion partielle qui est le point de passage éventuel – chez le pervers sexuel comme chez ceux qui voient les fixations de leur sexualité infantile réveillées psychiquement par ses actes –, de la perversion à diverses formes de perversité : instrumentalisation de l'objet psychiquement nié, manipulation triomphante ou cynique, et certains aspects de ce que l'on nomme aujourd'hui « perversion narcissique » (dont Freud ne parle pas, réservant, à la suite de Näcke, l'idée d'un narcissisme pervers au culte de son propre corps).

Mais la fascination de la perversion tient également à l'**excès de répression de la sexualité** (1908, 1929) dans la société : cette contrainte excessive a été jusqu'à vouloir nier la sexualité infantile ; elle multiplie les risques d'échec à vivre avec plaisir une sexualité normale et pousse soit à la perversion (régression infantile), soit à la névrose (conflit entre la poussée vers la régression et la lutte contre celle-ci).

Deux remarques freudiennes méritent peut-être une mention particulière à cause de leur intérêt pour la clinique contemporaine. L'une est de 1899 et porte sur le choix de la névrose. Rappelant la précédence de l'autoérotisme sur l'allo-érotisme, elle évoque une perversion généralisée dite « folie originaire », qui reposerait sur la confusion des identités : la paranoïa, dans un mouvement de régression, dissout l'identification à la personne aimée, réinstaure les personnages de l'enfance et dissout même le moi dans les personnes étrangères. « La formation de perversion lui correspondant serait ce qu'on appelle la folie originaire. » [1]

Même si Freud ne revient pas sur cette hypothèse par la suite, elle ouvre une voie pour penser la relation entre perversion et désorganisation psychique, contre laquelle se défend si énergiquement la paranoïa. L'autre figure dans les *Trois essais sur la théorie sexuelle* (1905) et souligne combien la **précocité sexuelle** rend plus difficile la domination de la pulsion sexuelle par les instances de la vie psychique et, par suite, **accroît le caractère de contrainte et de compulsion de la vie pulsionnelle.**

Notons enfin que Freud prête plus d'intérêt à la compulsion perverse qu'aux scénarios et rituels pervers, même lorsqu'il parle du sadisme ou du fétichisme – alors qu'il a tant souligné les rituels obsessionnels. Ce ne sont pas tant les actes pervers que la disposition psychique perverse, qui est au centre de sa réflexion, ainsi que la fonction de celle-ci dans les destins pulsionnels.

Y A-T-IL DEUX THÉORIES FREUDIENNES DE LA PERVERSION ?

On présente parfois le texte de 1927, « Le fétichisme », comme une seconde théorie freudienne de la perversion. Au regard du texte freudien, c'est doublement inexact. En effet, l'analyse du déni et du clivage fétichiste est une **conceptualisation du clivage,** élaborée à partir de la perversion fétichiste (mais aussi du déni du deuil évoqué

1. *La naissance de la psychanalyse. Lettres à Wilhelm Fliess. Notes et plans (1887-1902)* (1950a [1887-1902]), Paris, PUF, 1956, p. 270 ; *Lettres à Wilhelm Fliess* (éd. complète), Paris, PUF, 2006, p. 495 (lettre du 9 décembre 1899).

dans l'article), et **ne saurait absolument pas valoir comme théorie générale de la perversion,** et encore moins remplacer celle de 1905 reprise en 1916-1917. D'autre part, ce n'est pas seulement le **fétichisme, mais le sadisme et le masochisme qui sont réexaminés** en 1923, 1924, 1927, à la lumière de la seconde théorie pulsionnelle, dans un double mouvement : l'un déploie les conséquences de la seconde théorie des pulsions, l'autre soumet celle-ci aux difficultés qui tiennent aux complexités de la clinique.

Privilégier le texte de 1927 pour en faire une clé ultime de la pensée freudienne sur la perversion en général, c'est affaiblir la théorie freudienne des perversions, en atténuant leur caractère polymorphe pour en privilégier l'une des formes, devenue unique référence, et c'est atténuer aussi toute la réflexion freudienne sur le continuum entre normalité et perversion. Par ailleurs, lier trop exclusivement le clivage à la perversion n'est pas cohérent non plus ni avec la clinique du deuil ni avec celle des psychoses : le clivage est bien un nouveau mécanisme psychique fondamental que Freud met en évidence dans plusieurs configurations cliniques, le fétichisme manifestant particulièrement clairement son articulation avec le déni, puisque le déni de la castration signe la pathologie fétichiste.

Perversion et sublimation

On l'a vu, la perversion n'est pas un dévoiement ou une dégénérescence, mais un germe. C'est la matrice du psychisme, indissociable de la théorie de la libido. Freud est en rupture radicale avec Pierre Janet et l'école de Paris.

D'autant que la sublimation est un des devenirs de ces mêmes pulsions partielles, pour la part qui n'aura pu être intégrée à une sexualité adulte normale ou qui en est soustraite (comme Freud le pense pour Léonard de Vinci).

Mais il y a plus : la sublimation elle-même a une essence proche de celle de la perversion, puisqu'elle est aussi un dépassement de la fonction sexuelle en en modifiant le but. Seulement, la sublimation implique une désexualisation et procure à d'autres une satisfaction à cause de l'ancrage sexuel implicite masqué – donc de ses racines perverses. Elle transforme en gratification narcissique la quête de satisfaction sexuelle, ouvrant ainsi au narcissisme une voie objectale inédite de rencontre, voire de communion des narcissismes. La voie perverse, est une voie courte : satisfaction sexuelle directe de la satisfaction de la pulsion partielle autoérotique, et par là pour le moi satisfaction narcissique mais sans le détour de l'autre (et plus largement de la société et/ou d'un public). La satisfaction perverse instrumentalise l'objet au service de la pulsion partielle et glorifie voire idéalise l'organe. La satisfaction sublimatoire requiert la satisfaction désexualisée de l'objet pour un gain narcissique.

À la parenté entre névrose et perversion s'ajoute donc le destin sublimatoire qui, au prix d'une désexualisation, permet à la satisfaction sexuelle perverse de trouver une issue dans la culture et de procurer une satisfaction à la libido narcissique. Le travail psychique s'y déploie entre les deux pôles du corps et de la culture, dans une transformation maximale.

Portée critique, épistémologique et éthique

La pensée freudienne de la perversion est une révolution de la pensée. Non seulement elle se dégage de la condamnation morale et des jugements d'exclusion, mais elle pense **l'universalité et la précocité infantile de la perversion.** Quant à la pathologie perverse, elle ne peut être pensée, comme la névrose, que par une temporalité renouvelée et complexe, impliquant les fixations, les capacités de régression, ainsi que la notion d'après-coup. Malgré son caractère agi et manifeste, moins complexe que son envers qui est la névrose, la perversion, en montrant les devenirs de la pulsion sexuelle lorsqu'elle se soustrait au travail psychique ou échoue à le mener à bien, témoigne de l'inventivité du psychisme au service du plaisir, comme de la force et de la plasticité de la libido. De ce point de vue, **la perversion relève d'Éros,** et réclame, au contraire de la névrose, le plaisir malgré tout. La psychanalyse de la perversion concerne aujourd'hui au premier chef, au-delà des seules perversions répertoriées, l'ensemble de la clinique de l'excitation et de l'agir, qui conserve souvent le caractère immédiat et polymorphe de la sexualité infantile.

D'autre part, la perversion, en tant que pathologie de l'agir, mais aussi et surtout parce que la pression sociale contribue à déterminer le degré de répression qui s'exerce sur la pulsion sexuelle, ainsi que les formes et limites de la sexualité dite normale, **la perversion est une**

question psychanalytique qui donne à voir comment corps, psychisme et culture s'articulent en des relations complexes que la psychanalyse ne peut se dispenser de penser. La corrélation entre les deux pôles de la perversion et de la sublimation le confirme.

Freud insiste volontiers sur la perversion, voire sur la perversité infantile. Il évite en revanche le terme de « perversion », ou ne l'utilise que parcimonieusement, lorsqu'il étudie une perversion adulte précise. On le voit ainsi mener une **lutte délibérée, sur deux fronts, contre deux préjugés : l'innocence d'un enfant sans sexualité, comme l'horreur de l'adulte pervers.** Cette portée critique de la compréhension freudienne de la perversion, dont les **significations anthropologiques et éthiques** sont claires, est également une révolution épistémologique sur la relation entre le normal et le pathologique et sur la compréhension même de la normalité – laquelle est toujours relative : elle n'est jamais totale, ce qui serait d'ailleurs « anormal » et signe d'une répression, et elle est relative aux normes d'une société donnée.

La perversion met aussi en évidence le caractère essentiel de la notion de **travail psychique** dans l'humanisation. La redéfinition freudienne du sexuel et le « pansexualisme » tant reproché à Freud sont ainsi au fondement d'une épistémologie qui n'oppose pas le corps et l'esprit, qui manifeste que le plus élevé est ancré dans le plus bas, qui pose la capacité humaine d'auto-transformation (et même sa nécessité), sous l'aiguillon du principe de plaisir, et qui refuse l'excès de répression de la sexualité tout en soutenant la nécessité de sa maturation. La compréhension freudienne de la perversion permet de corréler santé, névrose et perversion, à l'aune du devenir de la sexualité infantile.

Si les psychanalystes se reconnaissent dans l'importance qu'ils confèrent à la sexualité infantile, tant dans ses formes prégénitales que dans la structuration œdipienne, ils ne devraient pas négliger la réflexion sur la perversion à laquelle Freud a donné une grande importance. **Névrose et perversion ont été pensées et comprises dans un même mouvement, qui fonde la découverte psychanalytique.** Il s'agit de la mise en évidence de la sexualité infantile, mais aussi de l'exploration théorico-clinique des processus économiques et dynamiques de l'appareil psychique (tandis que la topique des névroses est profondément distincte de celle des perversions). **Inhibition, fixation, régression** sont des notions psychanalytiques essentielles qui ne peuvent se passer de la prise en compte de la théorisation freudienne des perversions.

C'est bien pourquoi la psychanalyse implique la notion de pulsion et pense le psychisme à partir de la dynamique pulsionnelle qui met le sexuel en jeu et en mouvement, à partir du corps, dans le champ du psychisme mais aussi celui de la vie sociale et de la culture, depuis le début de la vie.

Dominique BOURDIN

Phase anale → **Anal et phase anale**

Phase orale → **Orale (phase), oralité**

Phase phallique → **Génitale et phallique (phases)**

PHASES, STADES, ORGANISATIONS LIBIDINALES

all. : ***Phase, Stufe, Organisation.*** – angl. : *phase, stage, organisation.* – esp. : *fase, organización.* – ital. : *fase, organizzazione.* – port. : *fase, organização*

Ces termes synonymes, repris ici de la biologie et n'ayant rien de spécifiquement psychanalytique, correspondent aux états successifs pris par l'évolution libidinale. Toujours connotés par une zone érogène correspondant à la localisation de la source pulsionnelle et au mode de relation à l'objet apte à la satisfaire (en atteignant le but de la pulsion), ils indiquent tant un moment dans un processus qu'un mode d'organisation particulier de la libido. On peut ainsi distinguer :
– une période *prégénitale* avec les phases *orale* et *anale* impliquant la pulsion partielle correspondante (avec son objet tout aussi partiel) ;
– une période *génitale,* phase caractéristique de la pulsion sexuelle mature qui regroupe et soumet les précédentes et vise un objet total ;
– enfin une phase intermédiaire, dite *phallique,* souvent associée à la génitale mais encore prise dans le prégénital, essentiellement fonction du complexe d'Œdipe.

MISE EN SITUATION

Les « phases de développement », marquées par une « organisation » spécifique, représentent une notion de base en biologie ; elles constituent une donnée à laquelle Freud ne pouvait qu'adhérer, et dont il use naturellement dans ses façons de penser : cela s'illustre dès 1895 (au tout début de ses recherches) par le recours aux « périodes » imaginées par Wilhelm Fliess, jusqu'aux ultimes réflexions de 1938 (dans L'homme Moïse et la religion monothéiste) sur les grandes étapes de l'ontogenèse et de la phylogenèse. Phases et stades se signifient par rapport à la pulsion ; ce sont des moments particuliers de l'organisation libidinale (ce dernier terme est d'ailleurs le premier à apparaître dans le texte) qu'elles contribuent à situer et individualiser.

Si Freud use bien des deux termes de « phase » (Phase) *et « stade »* (Stufe), *il recourt nettement plus souvent au premier, si bien que l'Index général des* Gesammelte Werke *ne mentionne que* Phase, *ignorant* Stufe. *Sans que ce soit systématique, il semble recourir à « phase » lorsqu'il entend plutôt pointer le moment d'un mouvement au cours d'une évolution, et à « stade » lorsque l'implication est plus statique, structurale ; c'est ainsi qu'il peut parler de « stade d'organisation », alors que l'évolution lui apparaît marquée tant par la succession de « phases » que par leurs superpositions et intrications. Les auteurs français tendent souvent à privilégier « stade » plutôt que « phase », suivant certaines traductions qui purent ainsi forcer quelque peu le texte allemand (peut-être ceux-ci furent-ils insidieusement influencés par le sort que fit Jacques Lacan au « stade du miroir », précédemment décrit et initié par Henri Wallon ?) ; notons que les nuances sémantiques entre les deux termes sont à peu près les mêmes dans les deux langues. Nous avons ici choisi la proximité avec le texte en mettant en avant « phase », mais sans ignorer « stade » pour autant.*

Si le terme appartient sans conteste au vocabulaire freudien, il n'y apparaît véritablement que tardivement. L'idée est certes présente fort tôt, reprise de la pensée biologique de l'évolution, mais (même s'il peut employer « phase » très épisodiquement) Freud parle alors, avant tout, d'« organisations » libidinales. Ce n'est qu'en février 1923, s'inspirant des travaux de Karl Abraham, qui lui-même reprenait les siens, qu'il va critiquer et corriger ses vues antérieures sur « L'organisation génitale infantile » (tel est le titre de ce petit article, destiné au départ à être intégré dans les Trois essais sur la théorie sexuelle*) ; dorénavant, plutôt que d'« organisations », Freud parle de « phases ».*

Dans cette entrée, nous nous bornerons aux généralités. Nous aurions pu (ou peut-être dû ?) insérer à la suite chacune des différentes phases : orale, anale, phallique et génitale, ce qui aurait respecté la cohérence de la notion. Après bien des hésitations, nous nous sommes résolu à placer celles-ci selon l'ordre alphabétique de l'adjectif identifiant la source, laissant le substantif (phase ou stade, voire organisation, entre parenthèses), dans la mesure où leur acception, dans le texte freudien, déborde pour certaines d'entre elles les limites de la notion de phase.

LE TEXTE FREUDIEN

Autant Freud traite longuement des différentes phases identifiées, autant il est discret sur la notion même de phases (ou d'organisations) qui ne semble pas lui poser de problèmes par elle-même et qu'il recueille telle que la biologie la lui offre. Tout au plus se livre-t-il à quelques commentaires pour les situer.

L'idée apparaît en force dès 1895, à l'instigation de Wilhelm Fliess qui élabore une *théorie de la périodicité* sexuelle (périodes de 28 et de 23 jours) à laquelle souscrit d'abord Freud, qui va jusqu'à lui communiquer quelques observations paraissant aller dans ce sens [1]. Même s'il commence à prendre ses distances, il n'en retient pas moins l'idée et propose, l'année suivante, de distinguer « *quatre périodes de vie* : jusqu'à 4 ans (préconsciente), jusqu'à 8 ans (infantile), jusqu'à 14 ans (prépuberté), jusqu'à *x* ans (maturité), auxquelles va correspondre chaque névrose » [2]. Mais ses réticences à l'égard des périodes

1. Introduction des éditeurs (M. Bonaparte, A. Freud, E. Kriss) à *La naissance de la psychanalyse. Lettres à Wilhelm Fliess. Notes et plans (1887-1902)* (1950a [1887-1902]), Paris, PUF, 1956, p. 4-5. – Introduction de l'éditeur (F. Robert) aux *Lettres à Wilhelm Fliess* (éd. complète), Paris, PUF, 2006, p. 18-19.

2. *La naissance de la psychanalyse. Lettres à Wilhelm Fliess. Notes et plans (1887-1902)* (1950a [1887-1902]), Paris, PUF, 1956, p. 145-146. – *Lettres à Wilhelm Fliess* (éd. complète), Paris, PUF, 2006, p. 157-158.

fliessiennes vont grandir (il refuse notamment de fonder le refoulement sur de telles bases biologiques) jusqu'à fâcher Fliess qui prendra l'initiative d'une quasi-rupture dans le courant de l'année 1900, après la publication de *L'interprétation des rêves*. Vingt ans plus tard, l'idée n'en demeure pas moins vive en Freud, au point de lui faire évoquer dans *Au-delà du principe de plaisir* « la conception grandiose de W. Fliess, selon laquelle tous les phénomènes vitaux des organismes – y compris certainement la mort – sont liés à l'accomplissement de périodes déterminées » impliquant la dépendance des substances mâle et femelle à l'égard des cycles solaires ; il n'en redira pas moins ses extrêmes réserves à l'égard d'une conception qui méconnaît l'influence de forces externes[1].

En 1905, avec les *Trois essais sur la théorie sexuelle*, les questions posées par les modes d'organisation libidinale sont véritablement abordées : pour l'essentiel, **la vie sexuelle infantile est autoérotique, trouvant son objet dans le corps propre, et résulte de différentes pulsions partielles qui, indépendamment les unes des autres, tendent à satisfaire chacune une zone érogène unique**, à commencer par l'orale – pareille hypothèse repose sur l'analyse des névroses. Ces différentes pulsions partielles vont finir par se regrouper sous le primat génital pour déboucher sur la puberté qui introduit à « la vie sexuelle dite normale de l'adulte, dans laquelle l'acquisition de plaisir est entrée au service de la fonction de reproduction », formant une « organisation solide permettant d'atteindre le but sexuel dans un objet sexuel étranger ». Freud pense alors qu'un tel choix d'objet « est souvent, sinon régulièrement, effectué dès l'enfance », que c'est « l'ensemble des aspirations sexuelles qui se dirige vers une seule personne », tendant à atteindre leurs buts, bien que la synthèse des pulsions partielles sous le primat du génital ne soit pas encore réalisé[2]. (C'est justement ce qui sera corrigé en 1923-1924.)

La conception psychanalytique de l'organisation libidinale va longtemps demeurer conforme aux propositions de cet ouvrage fon-

1. *Au-delà du principe de plaisir* (1920g), *Essais de psychanalyse*, Paris, Payot, 1981, p. 91 ; *OCF* XV, p. 317 ; *GW* XIII, p. 47-48.

2. *Trois essais sur la théorie sexuelle* (1905d), Paris, Gallimard, 1987, p. 128-130 et 143-144 ; *OCF* VI, p. 133-135 et 144-145 ; *GW* V, p. 98-100 et 108-109.

damental, n'évoluant guère pendant près d'une vingtaine d'années. Elles seront même régulièrement réaffirmées avec force : « La reconnaissance des pulsions partielles sexuelles, des zones érogènes et de l'extension ainsi acquise du concept de "fonction sexuelle" par opposition à celui plus restreint de "fonction génitale", est une question de vie ou de mort pour la psychanalyse. »[1] Ou encore : les pulsions sexuelles sont nombreuses, « issues de sources organiques multiples, elles se manifestent d'abord indépendamment les unes des autres et ne sont rassemblées en une synthèse plus ou moins complète que tardivement ». Chacune cherche, isolément, à obtenir le *plaisir d'organe* ; il faudra que soit réalisée leur synthèse pour que, entrant « au service de la *fonction de reproduction,* elles se fassent généralement connaître comme pulsions sexuelles ». D'abord étayées sur les pulsions de conservation, dans la découverte de l'objet elles suivent aussi les voies que leur montrent celles-ci. « **Une partie d'entre elles restent associées aux pulsions du moi tout au long de la vie et les dotent de composantes *libidinales*** qui, dans le fonctionnement normal, échappent facilement au regard. » Elles peuvent se remplacer l'une l'autre, et échangent facilement leurs objets[2].

La somme des *Conférences d'introduction à la psychanalyse* (1916-1917) reprend ces points, et les précise. Si donc la vie sexuelle de l'enfant montre, à partir de la troisième année, beaucoup de concordances avec celle de l'adulte mais est encore dépourvue d'une organisation stable sous le primat des parties génitales, elle est précédée de phases d'évolution qui sont parcourues très rapidement ; seule l'exploration psychanalytique a permis de les révéler. Cette période d'organisation assez souple, dite *prégénitale,* voit se succéder : une phase primitive où le rôle principal est joué par la zone érogène buccale avec l'activité de suçotement, puis une phase dominée par les pulsions partielles *sadiques* et *anales,* les plus proches de la phase du primat génital. Freud rend alors à Karl Abraham le mérite d'avoir

1. « La disposition à la névrose obsessionnelle. Une contribution au problème du choix de la névrose » (1913f), *Névrose, psychose et perversion,* Paris, PUF, 1973, p. 195 ; *OCF* XII, p. 91 ; *GW* VIII, p. 449.

2. « Pulsions et destins des pulsions » (1915c), *Métapsychologie,* Paris, Gallimard, 1968, p. 24 ; *OCF* XIII (2e éd.), p. 171 ; *GW* X, p. 216.

récemment révélé les traces laissées par cette phase orale. La vie sexuelle, la fonction libidinale, « traverse une série de phases successives qui ne se ressemblent pas, il s'agit par conséquent d'un développement plusieurs fois répété comme celui menant de la chenille au papillon ». Le tournant correspond à « la subordination de toutes les pulsions partielles au primat des organes génitaux »[1].

L'année **1923** s'avère cruciale car elle voit « **réparer une négligence dans le domaine du développement sexuel infantile** », négligence qui n'est pas mince puisqu'elle en vise les « traits généraux et rapports caractéristiques » ; Freud d'ailleurs s'en étonne et considère que cela illustre la difficulté de la recherche en psychanalyse. Il rédige donc un texte bref qu'il destine à être « intercalé dans la théorie de la sexualité » (c'est-à-dire dans les *Trois essais sur la théorie sexuelle*). C'est alors, pour lui, l'occasion de réévaluer cet ouvrage qui n'a jamais été remanié, même s'il dut être complété pour « tenir compte des progrès de notre connaissance en intercalant des passages et en modifiant le texte » ; ce faisant, « l'ancien et le nouveau ne se sont pas bien laissés fusionner dans une unité exempte de contradictions ». C'est ainsi que la première version insistait sur « la différence fondamentale entre la vie sexuelle des enfants et celle des adultes », alors qu'il fallut ensuite « **mettre au premier plan les *organisations prégénitales* de la libido et l'*instauration diphasique* du développement sexuel** ». En 1922, l'*investigation sexuelle* infantile avait retenu tout son intérêt en montrant à quel point son issue se rapproche de la sexualité adulte : un choix d'objet analogue à celui de la phase de puberté « est souvent, sinon régulièrement, effectué dès l'enfance », l'ensemble des aspirations sexuelles se dirigeant vers une seule personne – la seule différence tenant à ce que la synthèse des pulsions partielles et leur subordination au primat du génital n'est pas encore réalisée. Pareille proposition n'est plus satisfaisante : « La vie sexuelle de l'enfant se rapproche de celle de l'adulte dans une bien plus grande mesure et cela ne concerne pas seulement la survenue d'un choix d'objet. » Même s'il n'y a pas de véritable synthèse des pulsions partielles, l'intérêt pour les organes

1. *Conférences d'introduction à la psychanalyse* (1916-1917), Paris, Gallimard, 1999, p. 415-417 ; *OCF* XIV, p. 338-339 ; *GW* XI, p. 338-340.

génitaux et l'activité génitale prennent « une importance dominante qui ne le cède que peu à celle de la maturité ». Cette « *organisation génitale infantile* » ne se différencie de l'organisation génitale définitive de l'adulte que du fait que, « **pour les deux sexes *un* seul *organe génital*, l'organe mâle, joue un rôle. Il n'existe donc pas un primat génital, mais un primat du *phallus*** ». Malheureusement, cette description ne s'applique qu'au garçon, le processus demeurant inconnu chez la petite fille. On le voit, nous sommes là renvoyé au complexe d'Œdipe ; d'où la conclusion : « **On ne peut apprécier à sa juste valeur la signification du complexe de castration qu'à la condition de faire entrer en ligne de compte sa survenue à la phase du primat du phallus.** »[1]

Les travaux qui suivent vont permettre de combler, au moins en partie, les lacunes sur la sexualité infantile de la femme. Freud sait maintenant que, aux phases orale et anale vient s'ajouter une phase *phallique* « où, pour les deux sexes, le membre viril, et ce qui lui correspond chez la petite fille, acquièrent une importance que l'on ne peut plus ignorer ». Lors de la phase génitale d'organisation sexuelle définitive, telle qu'elle s'établit après la puberté, « l'organe génital féminin trouve la reconnaissance que l'organe masculin avait acquise depuis longtemps »[2]. Pour autant, il convient de se garder d'une systématisation simplificatrice : **le développement se fait toujours de façon incomplète et partielle.** Les premières descriptions du développement libidinal, qui montraient comment « une phase orale originaire faisait place à la phase sadique-anale et celle-ci à la phase phallique-génitale », ne sont sans doute pas fausses. Il convient pourtant de les corriger maintenant en soulignant combien ces substitutions s'effectuent progressivement, « de sorte qu'à tous moments des fragments de l'organisation antérieure subsistent à côté de la plus récente » et que, de surcroît, la transformation n'est jamais complète, si bien que des restes de fixations prégénitales persistent dans la configuration définitive[3].

1. « L'organisation génitale infantile » (1923e), *La vie sexuelle*, Paris, PUF, 1969, p. 113-115 ; *OCF* XVI, p. 306-308 ; *GW* XIII, p. 295-296.

2. *Nouvelles conférences d'introduction à la psychanalyse* (1933a [1932]), Paris, Gallimard, 1984, p. 133-134 ; *OCF* XIX, p. 181 ; *GW* XV, p. 105.

3. « L'analyse avec fin et l'analyse sans fin » (1937c), *Résultats, idées, problèmes, II*, Paris, PUF, 1984, p. 243-244 ; *OCF* XX, p. 29-30 ; *GW* XVI, p. 72-73.

QUESTIONS ET ENJEUX

Ce dont nous semble témoigner le passage, dans la *vulgate* freudienne, du terme « organisation » à celui de « phase » (sans que d'ailleurs Freud s'en explique) est, au-delà du changement de mot, une mutation épistémologique. Au premier regard, il semble pourtant que ce qu'introduit l'articulet sur « L'organisation génitale infantile » n'est pas vraiment bouleversant : après tout, il ne s'agit que d'ajouter, aux précédentes, une nouvelle phase, dite *phallique,* d'ailleurs plutôt hybride, hésitant entre le prégénital et le génital... Cela s'est donc passé en 1923. Que signifie cette date ? Elle est certes chargée de peines et de menaces dans la vie de Freud, puisque c'est en cette année qu'on découvre son cancer de la mâchoire, qu'on l'opère mal en avril, mieux en octobre, tandis que son petit-fils meurt en juin – ce fut la seule fois où on le vit pleurer, ce coup l'ayant, dit-il, « affecté bien plus que son cancer »[1]. À partir d'avril, donc, il ne va rien produire durant cette année, même si sont publiés des textes rédigés dans les mois qui précédèrent ces événements néfastes. Ce sont eux qui nous importent ici. *Le moi et le ça,* long et important, est le plus ancien (écrit en juillet 1922) ; l'autre (de février 1923), fort bref, se présente comme un *addendum :* il s'agit donc de « L'organisation génitale infantile » – c'est surtout lui qui doit nous retenir car c'est bien lui qui témoigne de la nouvelle façon d'aborder l'évolution de la sexualité. La mutation qui s'opère, ici explicitée, consiste à resignifier cette évolution en fonction du complexe d'Œdipe – qui lui-même devra, *in fine,* être repensé en fonction de la sexualité féminine. Les deux écrits visent de fait à une remise en ordre, et ce pourrait bien être là ce qui fait problème, pareille opération laissant Freud insatisfait.

Dans une lettre à Sandor Ferenczi, il porte un jugement assez négatif sur *Le moi et le ça* : « *Au-delà* était encore riche en idées et bien écrit, la *Psychologie collective* est proche de la banalité, et le présent ouvrage est nettement obscur, composé de façon artificielle et mal écrit... »[2] L'appréciation surprend, pour un ouvrage qui, entre autres apports, fonde une nouvelle topique des instances psychiques.

1. Cf. E. Jones, *La vie et l'œuvre de Sigmund Freud,* Paris, PUF, 1969, t. III, p. 101-107.

2. *Ibidem,* p. 112-113.

Il est vrai que Freud tendait souvent à dénigrer ses créations (trois ans plus tard, il sera aussi féroce avec *Inhibition, symptôme et angoisse*). Plutôt que ces « mises en ordre », il affectionnait les grands élans de la pensée – comme effectivement il l'avait fait avec *Au-delà du principe de plaisir*... La question des phases d'organisation de la sexualité renvoie à la théorie des pulsions, réélaborée en 1920 : on aurait donc pu s'attendre à ce que ce soit dans le même mouvement que soit révisée celle des phases, mais il fallut encore trois ans de maturation pour que s'effectue la nécessaire remise en ordre, que ce soit sur le plan de la topique et des instances, ou celui des moments évolutifs, dont le plus significatif apparaît finalement comme correspondant à la phase œdipienne – les deux réévaluations se complétant de fait.

Le modèle freudien a pu susciter des interprétations « réalistes ». C'était déjà implicite avec Wilhelm Fliess et ses « périodicités » que dut récuser Freud ; le risque transparaissait dans l'approche de Karl Abraham ; Freud disparu, cela devient patent avec les « psychologies du moi » et les « théories des relation d'objet », pour ne citer qu'elles. C'est que la mise en ordre de 1923 n'était pas sans risques, comme Freud le vérifie quinze ans plus tard : « Nous savons que le premier pas vers la maîtrise intellectuelle du monde environnant, où nous vivons, consiste à découvrir des généralités, des règles, des lois qui mettent de l'ordre dans le chaos. » C'est là un travail de simplification nécessaire du monde des phénomènes, mais qui ne peut éviter de le falsifier, surtout lorsqu'il s'agit de développement et de transformation. Nous cherchons à saisir un changement qualitatif et nous négligeons alors, le plus souvent et au moins au début, un facteur quantitatif ; pourtant, dans la réalité, on rencontre plutôt des transitions et des étapes intermédiaires que des états opposés bien tranchés. Nous ne voulons voir que le résultat des développements et transformations ; de tels processus s'accomplissent habituellement de façon plus ou moins complète et ne sont guère que des modifications partielles : « Il y a presque toujours des manifestations résiduelles, une immobilisation partielle en arrière. » C'est bien ce qui s'illustra avec la nouvelle représentation topique du fonctionnement psychique, mais aussi – surtout pour ce qui nous intéresse ici – avec l'évolution en phases de la sexualité. Notre science elle-même ne peut donc être que partielle, et cela ne peut qu'être valable pour le développement libidinal : il était certes satisfaisant de pouvoir « énoncer qu'une phase orale originaire faisait place à la phase sadique-anale et celle-ci à la phase phallique-génitale », ce qui n'a d'ailleurs pas été contredit. Mais il importe de savoir que ces substitutions sont progressives, de sorte qu'à tous moments « des fragments de l'organisation antérieure subsistent à côté de la plus récente » et que la transformation ne se fait jamais complètement, fût-ce dans le développement normal : « Des restes de fixations libidinales antérieures peuvent être maintenus jusque dans la configuration définitive. »[1]

L'évolution, à commencer par la libidinale, est faite d'interpénétrations, de retours, de recouvrements et de resurgissements, dans lesquels il est difficile, voire artificiel, de repérer des clivages ; Freud put, ailleurs, comparer ces séparations impossibles aux fusions des teintes dans certains tableaux modernes. À vouloir absolument « mettre en ordre » ce qui se dévoile, on court le risque de « falsifier » ce qui est. Certes, il faut le faire, mais il faut en bien connaître les dangers – et nous tendons à penser que de là proviennent certaines insatisfactions de Freud : il ne faudrait pas que ce qui n'est que commodités (fussent-elles nécessaires) devienne vérité. Nous illustrerons ceci par une histoire de couleurs (ce pourrait être une apologue, mais c'est un moment actuel de l'histoire des sciences) : depuis Isaac Newton, tout le monde sait que la lumière blanche résulte du mélange de sept couleurs fondamentales ; ce que l'on sait moins est que, dans le spectre, Newton, comme tout un chacun, ne parvenait à distinguer que six couleurs (beaucoup d'ailleurs n'en voient que cinq) mais que, tenant à ce que soit respecté ce qu'il considérait comme l'« ordre universel » – dont le modèle était censé être fourni par les sept notes chromatique de la musique – il en rajouta une septième, l'indigo. Depuis, les livres qui disent le « vrai » répètent qu'il y a sept couleurs fondamentales… Et trois ou quatre phases libidinales.

Claude Le Guen

Phobie → Hystérie

Phylogenèse → Ontogenèse-phylogenèse (hérédité)

Plaisir (principe de) → Principe de plaisir-déplaisir, principe de réalité

1. « L'analyse avec fin et l'analyse sans fin » (1937c), *Résultats, idées, problèmes, II*, Paris, PUF, 1984, p. 243-244 ; *OCF* XX, p. 29-30 ; *GW* XVI, p. 72-73.

PLASTICITÉ et VISCOSITÉ (de la libido)

all. : ***Plasticität*** et ***Klebrigigkeit***. – angl. : *plasticity* et *adhesiveness*. – esp. : *plasticidad* et *adherencia*. – ital. : *plasticità* et *vischiosità*. – port. : *plasticidade* et *viscosidade*

La *plasticité* désigne la capacité de la libido à changer d'objet ; elle est opposée, de façon assez lâche, à la *viscosité* qui empêche ou freine la mobilité pulsionnelle. Ces deux expressions désignent indifféremment des caractères de la pulsion ou de la libido. Celle-ci, en tant qu'énergie pulsionnelle, est souvent comparée par Freud à un courant, qu'il soit liquide ou électrique, justifiant l'évocation de la dynamique des fluides.

MISE EN SITUATION

Nous avons respecté l'ordre alphabétique pour introduire ces deux termes freudiens, mais il faut savoir que Freud utilise plus souvent le second que le premier. L'idée est de rendre compte de la labilité, de la relative indétermination de la libido à l'égard de ses objets, voire de ses buts : elle est toujours susceptible d'en changer. Plasticité comme viscosité sont donc essentiellement variables, dans le temps et l'espace, et selon les individus ; elles n'en ont pas moins aussi une détermination constitutionnelle.

Ces deux facteurs, qui évoquent manifestement la dynamique des fluides, furent d'abord des élaborations théoriques, mais sont loin d'être des conséquences sur la conduite de la cure.

LE TEXTE FREUDIEN

Plasticite

Les termes de *plasticité* et de *mobilité* sont souvent associés car la plasticité désigne l'aptitude au changement d'objet, éventuellement de but, de la pulsion sexuelle.

Dans les *Conférences d'introduction à la psychanalyse*[1] est indiqué que les pulsions sexuelles sont extraordinairement plastiques ; leur mobilité, leur adaptabilité dans les attachements à l'objet permettent en effet de remplacer un objet par un autre, de déplacer des revendications pulsionnelles vers une autre pulsion, ou de ne satisfaire qu'une pulsion partielle, en lieu et place d'une pulsion. Ainsi, **la plasticité recouvre l'ensemble des virtualités de déplacement, de condensation, voire de renversement en son contraire, ou de retournement sur la personne propre**[2], la mobilité des investissements qu'elle permet atténue les effets pathogènes de la frustration. La possibilité de sublimation en dépend : grâce à la plasticité le but sexuel d'une pulsion peut être abandonné au profit d'un but « social » qui lui est génétiquement relié. Cependant, la quantité de libido insatisfaite que chacun peut supporter aussi bien que sa plasticité ou sa libre mobilité est limitée et variable ; notamment les capacités de sublimation ne peuvent satisfaire qu'une faible part de libido. Ce qui n'est pas mobile en elle laisse de multiples fixations qui ne sont généralement pas aptes à une réelle satisfaction. Ainsi apparaît ce qui est qualifié de *série complémentaire*[3] : la fixation de la libido facilitée par le défaut de plasticité représente le facteur disposant, interne, et la frustration le facteur accidentel, externe, de l'étiologie de la névrose.

Ces mécanismes dont la souplesse, voire la diffusion topique, est soulignée par la comparaison avec « un réseau de canaux emplis de liquide et communicants », ont donc pour fonction essentielle de pallier les effets de la frustration *(Versagung)* ; il convient de rappeler que ce mot désigne le refus de la réalité externe et de la réalité psychique interne, s'opposant à la satisfaction des pulsions sexuelles. De ce fait, sans être une « défense » du moi, la plasticité est une des conditions qui rend notamment possibles les divers « destins » qui s'offrent à la pulsion, c'est-à-dire les défenses elles-mêmes. Elle est ainsi une **condition pulsionnelle qui permet d'éviter la solution névrotique caractéri-**

1. *Conférences d'introduction à la psychanalyse* (1916-1917), chap. 22, Paris, Gallimard, 1999 ; *OCF* XIV ; *GW* XI.

2. *Ibidem*, p. 438- 439 ; p. 358 ; p. 358.

3. *Ibidem*, p. 441 ; p. 359-360 ; p. 359-360.

sée, à condition que l'insatisfaction des revendications de la libido ne soit pas trop intense. La plasticité « prévient » la névrose dans la mesure où elle augmente la tolérance aux traumatismes.

Le conflit du moi et des revendications libidinales ou, ce qui revient au même, le conflit des pulsions d'auto-conservation et des pulsions sexuelles, va déplacer et enrichir le débat autour de la plasticité de la libido. Certes le moi, au cours de son développement, cherche à se mettre en harmonie avec son organisation sexuelle, à « se l'adapter ». Mais le conflit surgit là où le moi rencontre, dans un mouvement régressif, une fixation de la libido, donc un défaut de sa plasticité. Dans ce cas, le conflit peut aboutir à une adaptation du moi à la fixation, et il devient pervers, c'est-à-dire reste infantile ; ou il se dresse contre la fixation, et il éprouve alors un refoulement là où la libido a subi une fixation. Ici encore, **plasticité ou fixation déterminent le destin vers la névrose ou vers la perversion.** La question ne sera pas reprise ailleurs en ces termes, mais on voit clairement que le défaut de la plasticité libidinale est une des conditions qui nécessitera ultérieurement d'élaborer une conception du clivage du moi, précisément à propos de la perversion, voire de la psychose. Si la plasticité est insuffisante, le mouvement régressif trop intense, la fixation perverse ou névrotique n'est plus suffisante et le moi se déforme ou se fend, « se déchire » même, ainsi que Freud l'avance à propos du fétichisme, et surtout dans « Le clivage du moi dans le processus de défense ».

Les relations de la mobilité et la plasticité libidinales avec l'intolérance et les exigences des « idéaux »[1] peuvent alors être précisées. Un *idéal du moi rigide* (d'ailleurs décrit comme étant à l'image de l'idéal des parents) entraîne une perte de plasticité de la libido. Un tel idéal refuse les revendications pulsionnelles, ce qui n'est pas sans conséquences sur l'investissement libidinal, sur son retrait régressif et la constitution (la causation) d'une névrose.

Les conditions du deuil mettent en cause la plasticité de la libido, bien que Freud n'utilise pas ce terme dans « Deuil et mélancolie ». Le deuil réussi consiste en ce qu'au terme de son travail, le moi

1. *Ibidem,* p. 449 ; p. 366 ; p. 367.

redevient libre et la libido se retrouve disponible pour un nouvel objet. Pour cela « tout souvenir, tout espoir par lesquels la libido est rattachée à l'objet est mis sur le métier, surinvesti, et le détachement de la libido est accompli sur lui »[1]. Ceci laisse penser que la plasticité de la libido est en cause : plus elle sera plastique et mobile, plus aisé sera le travail de deuil, tout comme la recherche et l'investissement d'un nouvel objet.

Les choses ne sont pourtant pas si simples, et ce n'est pas fortuitement que Freud laisse de côté la question de la plasticité de la libido lorsqu'il approche le problème de la mélancolie, qui peut être considérée comme l'échec mélancolique du deuil. Il soulève en effet une contradiction en relation avec la théorie du narcissisme : « Il doit exister d'une part une forte fixation à l'objet d'amour, mais d'autre part et de façon contradictoire une faible résistance de l'investissement d'objet. »[2] Ceci implique, selon l'intuition d'Otto Rank que « le choix d'objet se soit produit sur une base narcissique ». L'investissement d'objet régresse alors jusqu'au narcissisme, l'identification narcissique avec l'objet devient le substitut de la relation d'amour et, malgré le conflit, « la relation d'amour n'a pas à être abandonnée ». Peut-on en conclure que la plasticité libidinale témoigne de la prédominance d'un choix d'objet par étayage, et qu'à l'inverse son défaut, la viscosité, est en rapport avec un trouble du narcissisme déterminant le choix narcissique d'objet ? Freud ne nous le dit pas.

Ceci pose la question de la **pertinence de la notion de plasticité,** ou du moins limite considérablement le champ de son utilisation, aussi bien en clinique que dans l'élaboration théorique : elle apparaît comme descriptive, comme une métaphore désignant une qualité essentielle ou constitutionnelle de la libido, dont l'usage se limiterait aux conditions de l'investissement d'objet, et de l'identification de type hystérique dans laquelle la relation à l'objet est conservée ; elle ne saurait rendre compte des conditions de l'identification narcissique

1. « Deuil et mélancolie » (1917e [1915]), *Métapsychologie,* Paris, Gallimard, 1968, p. 150 ; *OCF* XIII, p. 263 ; *GW* X, p. 430.

2. *Ibidem*, p. 158, p. 268, p. 436.

ou mélancolique. Ne serait-il pas plus adéquat de parler, en général, d'une « plasticité de la libido d'objet » ?

Il apparaît cependant en 1937, dans « L'analyse avec fin et l'analyse sans fin », que les résultats, facilement obtenus lorsque la mobilité de la libido est particulièrement aisée, sont fragiles. On travaille alors comme dans l'argile molle, à moins que tout se passe comme si l'on écrivait dans l'eau, ce que résume un proverbe : « Comme on a gagné les choses on les perd. » De plus, la plasticité de la libido peut dans certains cas s'épuiser[1]. Ce peut être le cas chez des personnes très âgées, mais aussi des jeunes gens chez lesquels la force de l'habitude, l'atténuation de la réceptivité, traduisent une sorte d'épuisement psychique où l'on peut reconnaître une figure de la pulsion de mort, ou une manifestation de l'entropie psychique.

Viscosite

L'allemand *Klebrigkeit* serait plus exactement rendu par « adhésivité », *klebrig* signifiant en effet « collant ». Nous garderons cependant le terme consacré par l'usage : *viscosité*. On peut en rapprocher d'autres, presque équivalents, tels *Haftbarkeit* : adhérence, attachement, *Zähigkeit* : ténacité, voire *Trägheit* : inertie, ou *Fähigkeit zur Fixierung* : capacité de fixation, du reste assez peu utilisés par Freud.

La viscosité désigne la force de l'adhésion de la libido à un objet, son défaut de mobilité, l'aptitude de la libido à se fixer à un objet, à un but, à une direction pulsionnelle (ceci se retrouve dans la première théorisation de la perversion). La viscosité est évoquée en tant que facteur psychique d'origine inconnue qui joue un rôle favorisant la fixation de la libido dans les *Trois essais sur la théorie sexuelle*[2]. Le développement le plus explicite de cette qualité de la pulsion se trouve dans les *Conférences d'introduction à la psychanalyse*[3]. La

1. « L'analyse avec fin et l'analyse sans fin » (1937c), *Résultats, idées, problèmes, II*, Paris, PUF, 1985, p. 257 ; *OCF* XX, p. 43 ; *GW* XVI, p. 87.

2. *Trois essais sur la théorie sexuelle* (1905d), Paris, Gallimard, 1987, p. 194-195 ; *OCF* VI, p. 180 ; *GW* V, p. 144.

3. *Conférences d'introduction à la psychanalyse* (1916-1917), Paris, Gallimard, 1999.

viscosité de la libido désigne « la ténacité avec laquelle la libido adhère à certaines directions et à certains objets », les causes de cette qualité de la libido nous étant totalement inconnues. Freud insiste sur son importance chez les pervers, opposés aux névrosés, et rappelle que déjà avant l'analyse on avait « découvert très fréquemment, dans l'anamnèse des pervers, une impression très précoce d'anormalité de l'orientation pulsionnelle ou du choix d'objet, à laquelle la libido de ces personnes reste attachée la vie durant ». On remarque l'ambiguïté de cette phrase, où l'on ne sait si l'impression précoce relève d'un traumatisme sexuel, ou si elle est liée à une « anormalité » de la pulsion. En fait, les deux facteurs sont associés et l'exemple donné alors laisse place aux deux interprétations : la viscosité, ou aussi bien, l'aptitude à la fixation de la libido, relèvent et d'une impression traumatique et d'une caractéristique précoce des directions prises par la pulsion. Si la fixation, en elle-même, est un facteur essentiel pour les deux directions névrotique et perverse, l'ensemble du texte laisse penser que la viscosité de la libido serait davantage une caractéristique de la perversion. Il convient d'ailleurs de noter que la question de la névrose obsessionnelle n'est pas ici développée, ce qui peut surprendre.

Cependant, dans le chapitre consacré à la thérapeutique analytique, Freud reprend brièvement la question de la viscosité, pour la définir simplement comme la force d'adhésion de la libido à ses objets, sans lui donner plus de sens que celui d'une résistance peu spécifique à l'analyse. Le terme ne sera pas réélaboré ultérieurement. On peut pourtant penser qu'il trouve de nouvelles expressions dans le contexte de l'introduction de la contrainte de répétition. L'hypothétique « résistance de l'inconscient, ou du ça »[1], où l'on pourrait reconnaître la viscosité de la libido, est réfutée : toute résistance ne peut venir que des instances supérieures, du moi. Cependant, nous devons garder à l'esprit que le moi comporte une part inconsciente.

1. « L'analyse avec fin et l'analyse sans fin » (1937c), *Résultats, idées, problèmes, II*, Paris, PUF, 1985, p. 257 ; *OCF* XX, p. 43 ; *GW* XVI, p. 87.

QUESTIONS ET ENJEUX

Il serait sans doute excessif d'attribuer la viscosité de la libido à une opposition au retour d'expériences du passé qui ne comporteraient aucune possibilité de plaisir, sans que l'on puisse cependant exclure cette hypothèse. De même, on peut rapprocher la viscosité de « l'éternel retour du même », encore que l'adhésivité désignerait plutôt l'éternelle présence du même, déterminée par la forme de liaison libidinale que représente la viscosité.

La viscosité de la libido, quelle que soit sa nature et son origine, constitue donc un type de résistance particulièrement tenace au développement de la cure analytique, mais une telle résistance recouvre nécessairement des facteurs multiples. Parmi eux, on ne saurait passer sous silence le rôle prédominant du masochisme, du besoin de punition qui conditionne le refus de guérison, la soumission du moi masochiste au surmoi sadique et, avant tout cela, l'angoisse de castration et l'envie du pénis, le refus dans les deux sexes de la passivité qui aboutit à une résistance qui n'est qu'apparemment passive. Mais lorsque Freud aborde ces problèmes, il n'utilise plus la notion de viscosité de la libido, qui n'a plus dès lors qu'un intérêt descriptif, voire d'une notation clinique, commode et pertinente, mais sans véritable contenu théorique[1].

Pierre CHAUVEL

Points de vue dynamique, topique, économique → Métapsychologie

Polarités → Couples d'opposés (polarités)

Poussée de la pulsion → Pulsion

Préconscient → Conscience, conscient, perception (système perception-conscience)

1. *Conférences d'introduction à la psychanlyse (1916-1917)*, Paris, Gallimard, 1999 ; *GW* XI, chap. 22 : « Points de vue sur l'évolution et la régression. Étiologie ».

Présentation → Figuration

PRINCIPE DE CONSTANCE, principe de Nirvâna

all. : ***Konstanzprinzip.*** – angl. : *principle of constance.* – ital. : *principio di constanza.* – esp. : *principio de constancia.* – port. : *principio do constância*

Le ***principe de constance***, postulat de base de la théorie énergétique (économique), apparaît comme un fondement de la métapsychologie. Il pose que l'appareil psychique tend à établir et maintenir aussi bas que possible la quantité d'excitation ; il s'efforce ainsi de faire retour à un état antérieur (posé comme quiescent) en déchargeant son énergie et en évitant qu'elle s'accroisse. Il put être aussi rapproché du ***principe de Nirvâna*** qui, très voisin, introduit l'idée d'une proximité avec la pulsion de mort. Ces principes sont, en fait, « une autre formulation du principe de plaisir » dont ils élargissent les perspectives.

MISE EN SITUATION

En proposant un « principe de constance », Freud s'inscrit dans une suite de savants (physiologistes, physiciens, psychologues et philosophes) dont il fut l'élève ou dont il reconnaît s'être inspiré (Brücke, Fechner, Helmholtz, Herbart). Ce principe, qui fut désigné différemment par les uns et les autres, peut être considéré comme sous-tendu par un principe majeur de la physique : celui de conservation de l'énergie (dit « de Carnot »), deuxième principe de la thermodynamique – et ce même si Freud ne mentionne jamais celle-ci de façon explicite. C'est dire qu'en psychanalyse le principe de constance appartient à la théorie énergétique, que d'ailleurs il fonde.

Si les termes purent varier, depuis le « principe de stabilité » introduit (conjointement à celui de « constance ») par Fechner en 1873, et le

« principe d'inertie » élu par Freud en 1895[1] *(qui réapparaît en 1920 comme « inertie dans la vie organique, expression de la pulsion »*[2]*), la désignation par « principe de constance » est bien la plus généralement utilisée ; sa dénomination comme « principe de Nirvâna », proposée par Barbara Low en 1920, reprise et approuvée par Freud la même année, n'eut guère de conséquence. Quels que soient leurs noms, ces principes se justifient et se définissent en dépendance du « principe de plaisir-déplaisir ».*

Le terme même de « constance » pose problème : indique-t-il une valeur constante (comme il peut en être d'une « constante » dans les sciences physiques) qui traduirait la recherche d'une extinction de l'excitation, tendant donc vers zéro mais sans jamais y atteindre, si ce n'est au terme ultime de la mort ? Ou bien la constance ne serait-elle pas plutôt une permanence dans l'effet (comme il en va pour la « poussée constante » de la pulsion), dût-elle tendre vers une réduction ? Si en 1920 Freud refuse de se prononcer, il ne le fera pas plus par la suite, nous laissant aux prises avec une ambiguïté certaine.

En reprenant les occurrences du terme dans l'œuvre freudienne, on est frappé de constater qu'alors même qu'il accorde un rôle fondamental à la notion dans l'élaboration de sa théorie de l'appareil et du fonctionnement psychiques (il fonde le principe de plaisir), Freud n'en traite explicitement qu'à deux reprises : d'abord avant 1900 (« Esquisse » et L'interprétation des rêves*), puis vingt ans plus tard durant la très riche période 1920-1924 (de* Au-delà du principe de plaisir *au « Problème économique du masochisme ») où il explore et travaille le concept. Pendant les quinze années suivantes, alors même qu'il traite encore largement et régulièrement du « principe de plaisir », il n'en fera plus mention à l'exception,* in fine*, d'une unique allusion au Nirvâna dans son testamentaire* Abrégé de psychanalyse.

1. « Esquisse d'une psychologie scientifique » (1895a), *La naissance de la psychanalyse. Lettres à Wilhelm Fliess*, Paris, PUF, 1956, p. 316 ; *Lettres à Wilhelm Fliess*, Paris, PUF, 2006 (édition complète), p. 604 ; *GW (Nachtragsband)*, p. 388.

2. *Au-delà du principe de plaisir* (1920g), *Essais de psychanalyse*, Paris, Payot, 1981, p. 80 ; *OCF* XV, p. 308 ; *GW* XIII, p. 38.

LE TEXTE FREUDIEN

Lorsqu'en juin 1892 Freud écrit à Breuer pour lui soumettre un plan de ce qui sera publié l'année suivante comme « Communication préliminaire » aux études sur l'hystérie, il propose de commencer par traiter de leurs théories, et d'abord de « la thèse de la constance de la somme d'excitation » [1] (qui, en fait, ne se retrouvera pas dans la publication), laissant supposer que cette thèse, établie depuis un certain temps, leur était commune et familière. Fin 1892, dans une lettre plus élaborée, il propose une *théorie de l'attaque hystérique* spécifiant que « le système nerveux s'efforce de maintenir constante la somme d'excitation » [2]. Il la reprend trois ans plus tard dans l'« Esquisse », la désignant cette fois comme « *principe de l'inertie* des neurones » d'après lequel ceux-ci « tendent à se débarrasser des quantités », mais « en raison des *nécessités de la vie*, [...] il faut renoncer à cette tendance originelle à l'inertie, c.-à-d. au niveau = 0 » [3].

Cette proposition paraît enfin en 1900 dans *L'interprétation des rêves* sans se voir attribuer de dénomination particulière : « **L'appareil psychique a tendu tout d'abord à se maintenir le plus possible à l'abri des stimuli** : c'est pourquoi sa première structure a été celle d'un appareil réflexe ; il pouvait ainsi aiguiller aussitôt sur la voie motrice toute réflexion sensorielle qui l'atteignait. » [4] Freud situe alors les bases théoriques de son argumentation : « Nous avons adopté la fiction d'un appareil psychique primitif dont le travail est réglé par la tendance à éviter l'accumulation d'excitations et à se maintenir le plus possible à l'abri de l'excitation. [...] Nous avons

1. Lettre à Josef Breuer du 29 juin 1892 ; *OCF* II, p. 355 ; *GW* XVII, p. 5.

2. « Pour une théorie de l'attaque hystérique (communication préliminaire) » (1940d [1892]), *Résultats, idées, problèmes, I*, Paris, PUF, 1984, p. 28 ; *OCF* I, p. 366 ; *GW* XVII, p. 12.

3. « Esquisse d'une psychologie scientifique » (1895a), *La naissance de la psychanalyse. Lettres à Wilhelm Fliess*, Paris, PUF, 1956, p. 316-317 ; *Lettres à Wilhelm Fliess*, Paris, PUF, 2006 (édition complète), p. 604-605 ; *GW (Nachtragsband)*, p. 388.

4. *L'interprétation des rêves* (1900a), Paris, PUF, 1967, p. 480 ; *OCF* IV, p. 619 ; *GW* II-III, p. 570.

ensuite indiqué les conséquences psychiques de la satisfaction et nous aurions pu ici introduire notre deuxième hypothèse selon laquelle l'accumulation de l'excitation est ressentie en tant que déplaisir et provoque l'activité de l'appareil en vue de répéter l'expérience de satisfaction qui impliquait une diminution de l'excitation et était ressentie comme plaisir » [1].

Il faut attendre vingt ans pour que l'idée réapparaisse ; elle vient soutenir la réélaboration de la théorie des pulsions, partant du principe de plaisir qui règle l'écoulement des processus psychiques : « celui-ci est chaque fois provoqué par une tension déplaisante et il prend une direction telle que son résultat final coïncide avec un abaissement de cette tension, c'est-à-dire avec un évitement de déplaisir ou une production de plaisir. [Ce faisant] nous introduisons le point de vue économique dans notre travail ». Plaisir et déplaisir dépendent de la quantité d'excitation : « le déplaisir correspond à une élévation et le plaisir à une diminution de cette quantité », étant entendu qu'il ne saurait y avoir un rapport simple (et encore moins directement proportionnel) entre les forces des sensations et leurs modifications ; « il est vraisemblable que le facteur déterminant de la sensation est le taux de diminution ou d'augmentation dans un temps donné ». Ce qui conduit à croire en la domination du principe de plaisir dans la vie psychique est « **l'hypothèse selon laquelle l'appareil psychique a une tendance à maintenir aussi bas que possible la quantité d'excitation présente en lui, ou du moins à la maintenir constante** ». Ce n'est là qu'une autre formulation du principe de plaisir, celui-ci se déduisant du principe de constance qui lui-même découle des faits qui imposèrent l'idée d'un principe de plaisir. Celui-ci est **une tendance au service d'une fonction,** celle qui doit faire en sorte que l'appareil psychique demeure sans excitation (tout au moins au niveau le plus bas possible), et à maintenir ce niveau constant ; cette tendance à la réduction, à la *constance*, est « la tendance dominante de la vie psychique et peut-être de la vie nerveuse en général (principe de *Nirvâna* selon une expression de Barbara Low) comme l'exprime le principe de plaisir » – ce qui apparaît à Freud, dans un raccourci qu'il n'argumente pas (mais qui tient sans doute à la tendance

1. *Ibidem*, p. 508-509 ; p. 654-655 ; p. 604-605.

vers « le plus bas possible », c'est-à-dire le zéro, le néant, donc la mort), comme « un puissant motif de croire en une pulsion de mort » [1]. Remarquons pourtant combien, dans ce passage, il peut sembler difficile de distinguer clairement ce qui relève de la tendance qui, donnée comme subsidiaire, est incarnée par le principe de plaisir, de ce qui appartient à la fonction majeure portée par le principe de constance.

Même s'il ne veut pas encore se décider pour l'une ou l'autre de ces formulations (absence d'excitation, ou maintien le plus bas possible, ou entretien d'un niveau constant), Freud entend bien faire une distinction « tranchée » entre la *tendance*, propre au principe de plaisir, et la *fonction* qu'elle est là pour servir : « faire en sorte que l'appareil psychique soit absolument sans excitation, ou maintenir en lui constant, ou le plus bas possible, le quantum d'excitation ». Cette fonction « participerait de **l'aspiration la plus générale de tout ce qui vit à retourner au repos du monde anorganique.** Nous avons tous fait l'expérience que le plus grand plaisir qui nous soit possible, celui de l'acte sexuel, est lié à l'extinction momentanée d'une excitation parvenue à un haut degré. La liaison de la motion pulsionnelle serait quant à elle une fonction préparatoire qui doit mettre l'excitation en état d'être finalement liquidée dans le plaisir de décharge » [2].

En 1923, *Le moi et le ça* reprend ces vues, envisageant que « le principe de plaisir serve au ça de boussole dans le combat contre la libido qui introduit des perturbations dans l'écoulement de la vie », ce qui conduit à l'idée que « si le principe de constance au sens de Fechner règne sur la vie, qui serait donc alors un glissement vers la mort, ce sont les revendications de l'Éros, des pulsions sexuelles qui, sous forme de besoins pulsionnels, arrêtent la baisse du niveau en introduisant de nouvelles tensions » [3].

L'année suivante, traitant du « Problème économique du masochisme », Freud se sent en mesure de spécifier que « le principe qui

1. *Au-delà du principe de plaisir* (1920g), *Essais de psychanalyse*, Paris, Payot, 1981, p. 43-45 ; *OCF* XV, p. 277-279 ; *GW* XIII, p. 3-5.

2. *Ibidem*, p. 113 ; p. 336 ; p. 67-68.

3. *Le moi et le ça* (1923b), *Essais de psychanalyse*, Paris, Payot, 1981, p. 261 ; *OCF* XVI, p. 290 ; *GW* XIII, p. 275.

domine tous les processus psychiques est un cas particulier de ce que Fechner nomme *tendance à la stabilité* [ou *principe de constance*] et attribue à l'appareil psychique le dessein de réduire à rien la somme d'excitation qui afflue en lui, ou du moins de la maintenir aussi basse que possible ». Barbara Low a proposé de désigner cette tendance comme *principe de Nirvâna*, ce que Freud accepte en tenant à préciser qu'il ne faut pas pour autant identifier le principe de plaisir-déplaisir avec ce principe de Nirvâna, car faire coïncider tout déplaisir avec une élévation et tout plaisir avec un abaissement de la tension d'excitation aboutirait à mettre le principe de Nirvâna (et le principe de plaisir avec lui) totalement au service des pulsions de mort ; ceci impliquerait que sa fonction serait de mettre en garde contre les revendications de la libido et des pulsions de vie – ce qui ne saurait être correct. « Il semble que nous ressentions l'accroissement et le décroissement des grandeurs d'excitation directement dans la série des sentiments de tension, et il n'est pas douteux qu'il existe des tensions s'accompagnant de plaisir et des détentes déplaisantes », comme en témoigne l'état d'excitation sexuelle. Il n'est donc pas possible de rapporter simplement plaisir et déplaisir aux variations de la tension d'excitation, encore qu'ils aient beaucoup à voir. Ils dépendraient plutôt d'un caractère qualitatif de ce facteur, même si nous ne pouvons indiquer en quoi il consiste. Quoi qu'il en soit, il apparaît que « **le principe de Nirvâna, qui ressortit à la pulsion de mort, a subi dans l'être vivant une modification qui l'a transformé en principe de plaisir** » (les deux principes doivent donc être clairement distingués). C'est « la pulsion de vie, la libido qui a obtenu par la force de participer, à côté de la pulsion de mort, à la régulation des processus vitaux ». Ce qui conduit à poser que « le principe de Nirvâna exprime la tendance de la pulsion de mort, le principe de plaisir représente la revendication de la libido, et la modification de celui-ci qu'est le principe de réalité représente l'influence du monde extérieur » – ces principes s'accommodant l'un de l'autre, fût-ce avec des conflits. Le principe de plaisir, agent d'Éros, est bien le « gardien de la vie » [1].

1. « Le problème économique du masochisme » (1924c), *Névrose, psychose et perversion*, Paris, PUF, 1973, p. 287-289 ; *OCF* XVII, p. 11-13 ; *GW* XIII, p. 372-373.

Comme nous l'avons d'emblée souligné, Freud, durant la quinzaine d'années qui suit, ne mentionne plus le principe de constance, alors même qu'il traite encore régulièrement du « principe de plaisir » qui, de fait, le subsume, mais n'en est pas moins à son service. Il faut attendre l'ouvrage ultime, la récapitulation de l'*Abrégé*, pour retrouver une mention du Nirvâna, qui vient alors reprendre les interrogations sur les rapports qu'engage le principe de plaisir avec les pulsions. Après avoir constaté que la question capitale de savoir quand et comment le principe de plaisir peut être surmonté n'a pas encore été résolue, « considérant que le principe de plaisir réclame la diminution, et peut-être même au fond la disparition des tensions nées du besoin (le *Nirvâna*), nous rencontrons la question, non encore élucidée, des relations entre le principe de plaisir et les deux forces originaires, Éros et pulsion de mort » [1].

QUESTIONS ET ENJEUX

Derrière son extrême simplicité apparente (tel « l'appareil réflexe » en physiologie, son modèle, il réduit au plus simple), le principe de constance est sans doute l'une des notions de la théorie freudienne qui interroge le plus la théorie elle-même ; cela tient tant à la nature de ce qui l'anime qu'aux objets théoriques dont il traite : *pulsions* et *énergie*. C'est ainsi qu'au terme de sa quête, Freud ne peut que constater que la question capitale qu'il posait (savoir quand et comment le principe de plaisir peut être surmonté) n'a pu être résolue, pas plus que l'interrogation voisine sur les relations entre principe de plaisir et pulsions ; l'incertitude persista, peut-être plus incisive encore. Aujourd'hui elle demeure, énigme d'autant plus importune qu'elle renvoie aux fondements mêmes de la théorie psychanalytique.

Au départ, le principe de constance se bornait à spécifier les règles de l'écoulement de l'énergie pulsionnelle afin d'en approfondir les modalités ; il contribua ainsi à décrire le fonctionnement dans sa

1. *Abrégé de psychanalyse* (1940a), Paris, PUF, 1949, p. 73-74 ; *OCF* XX, p. 296 ; *GW* XVII, p. 129.

référence énergétique, voire à le justifier par son essence physique – ou à tout le moins physiologique. Il ne sut pourtant l'expliquer, comme en témoignent les à-peu-près des caractères censés le définir : s'agit-il d'une absence d'excitation qui serait la mort elle-même ? ou d'une tendance à maintenir l'excitation le plus bas possible ? Ce « plus bas » se borne-t-il à chercher à les réduire ? À moins qu'il ne s'agisse simplement de l'entretien d'un niveau constant de tension (de préférence *a minima*) retrouvant simplement le travail propre à la poussée de la pulsion ? L'essence et le sens de la psychanalyse changent selon qu'est élue l'une ou l'autre de ces options, et l'on comprend que, après avoir beaucoup hésité, Freud ait refusé de se prononcer.

D'autres interrogations demeurées sans réponse

Constater, comme il le fait, que la question des relations entre le principe de plaisir et les pulsions originaires n'a pas été résolue revient à admettre l'impasse sur laquelle ont débouché les réponses proposées dans *Au-delà du principe de plaisir*. Nous savons l'embarras suscité par l'introduction d'une pulsion de mort comme antonyme complémentaire de l'Éros, tout comme les difficultés qu'elle put poser, la plus dérangeante étant sans doute le constat que toutes les motions pulsionnelles que l'on peut suivre s'avèrent être des rejetons d'Éros, la pulsion de mort demeurant inexorablement muette et – le constat est implicite – n'ayant pas d'existence clinique, et donc pas de véritable réalité psychanalytique. Voilà qui aurait pu remettre en question la pulsion de mort elle-même, mais Freud refusa de l'abandonner explicitement et de la remplacer par une autre pulsion ; il s'estime « forcé de maintenir cette conception » [1], sans d'ailleurs vraiment s'en justifier. Il va pourtant, de fait et sans pour autant la rejeter, prendre à son égard de plus en plus de distance et tendre à lui substituer une pulsion de destruction. Mais celle-ci, en prise sur l'Éros, ne répond pas à la question-clé de savoir quand et comment le principe de plaisir peut être surmonté – et le nécessaire principe de constance persiste à nous interroger.

Certes la pulsion de mort est située à l'intérieur même du sujet, qui en est le premier objet ; elle vise pourtant plus loin et tend à

1. *Le moi et le ça* (1923b), *Essais de psychanalyse*, Paris, Payot, 1981, p. 260 ; *OCF* XVI, p. 289 ; *GW* XIII, p. 275.

l'universel, ne se justifiant que de ce que la fonction assumée par le principe de constance « participerait de l'aspiration la plus générale de tout ce qui vit à retourner au repos du monde anorganique »[1]. C'est là pour Freud une certitude, et ce l'était en ce début du XXᵉ siècle ; ce l'est moins de nos jours où la science tendrait plutôt à considérer que l'anorganique suscite souvent et « naturellement » la vie, voire de façon « cosmique ». Pareille vision aurait peut-être été approuvée par Freud qui avait adopté la position de Goethe pour qui « au commencement était l'acte »[2].

Mais alors une question se pose : et si ce n'était pas la mort qui faisait ici question, fût-ce comme implicite de la pulsion de mort ? Le principe de constance, cette raison d'être du principe de plaisir (que Freud a toujours tenu à bien distinguer tant du principe d'inertie que du principe de Nirvâna), ne pose problème que dès lors qu'on le veut définir comme un retour au zéro (fût-ce comme tendance), voire comme un retour à l'anorganique. On a tôt remarqué l'antinomie entre les deux termes de pulsion et de mort : quoi de plus vivant qu'une pulsion ? La pulsion de mort n'aboutit-elle pas, d'une certaine façon, à animer une mort qui demeure irreprésentable, étant le « non-être » ? La difficulté sur laquelle butte Freud pourrait bien tenir à ce qu'en recourant à la figure de la mort il masque, ou à tout le moins voile sa véritable préoccupation : plus que la mort, ce qui le hante est *la vie* – à la manifestation pulsionnelle de laquelle il cherche, depuis le début de son œuvre, la meilleure entité apte à la compléter et la justifier, fût-ce en invoquant la mort. « Nous tentons de résoudre l'énigme de la vie en faisant l'hypothèse de ces deux pulsions l'une contre l'autre dès la première origine »[3] ; la question qui le retient, et à laquelle il entend apporter une réponse dualiste, porte sur « le but et l'intention de la vie », celle de son origine étant une « question cosmologique » qui demeure hors de nos préoccupations[4]. Pourtant,

1. *Au-delà du principe de plaisir* (1920g), *Essais de psychanalyse*, Paris, Payot, 1981, p. 113 ; *OCF* XV, p. 336 ; *GW* XIII, p. 67-68.

2. *Totem et tabou* (1912-1913a), Paris, Gallimard, 1993, p. 318 ; *OCF* XI, p. 382 ; *GW* IX, p. 194.

3. *Au-delà du principe de plaisir* (1920g), *Essais de psychanalyse*, Paris, Payot, 1981, p. 110 n. 16 ; *OCF* XV, p. 335 n. 1 ; *GW* XIII, p. 66 n. 1.

4. *Le moi et le ça* (1923b), *Essais de psychanalyse*, Paris, Payot, 1981, p. 254 ; *OCF* XVI, p. 284 ; *GW* XIII, p. 269.

si avec la vie et nous en tenant à Éros, nous pouvons nous sentir plus à l'aise, la question d'une deuxième pulsion n'en persiste pas moins, agression et destruction étant bien actes de vie. Ce sont pourtant ces deux forces que Freud tend à adopter à partir de 1924 ; la pulsion de mort est maintenue, certes, mais étroitement intriquée à l'Éros, au point de demeurer inexorablement muette. Alors, *quid* du dualisme, que Freud tient tant à maintenir ?

Deux pulsions, mais une seule énergie

Nous devons ici en revenir à une notion qui, bien qu'appartenant de droit à la doctrine freudienne, n'en est pas moins purement moniste. Il s'agit de cette force, aussi évidente qu'inconnue, qui anime toutes les pulsions, ces « représentants des forces agissantes qui proviennent de l'intérieur du corps et sont transférés à l'appareil psychique »[1] : *l'énergie psychique*, primordiale au point que la psychanalyse peut être proposée comme « théorie énergétique ». Or, quelles que soient les deux pulsions concourantes désignées par Freud (successivement : sexuelle et d'auto-conservation, sexuelle et du moi, sexuelle et de mort), une seule énergie les anime, « indéterminée et indifférente ». On est alors frappé de constater que, de fait, cette unicité de l'énergie réplique l'unicité de l'Éros : toujours on en retrouve une, la pulsion sexuelle opposée à un antagoniste qui a pu varier au fil du temps et des constructions théoriques, au point que cette autre pulsion peut parfois donner l'impression de fonctionner comme un « faire-valoir » de la pulsion sexuelle. Cette concordance unitaire serait-elle fortuite ? La question mériterait sans doute que l'on s'y attarde, mais ce n'en est pas ici vraiment le lieu.

Freud n'envisage donc qu'une seule énergie, d'ailleurs variable en quantité et en qualité. Certes, il distingue une forme librement mobile poussant vers la décharge, propre à l'inconscient et fonctionnant en processus primaire, d'une autre forme liée, appartenant au préconscient et fondant le processus secondaire (la pensée) mais, quelle que soit l'importance de ses enjeux, celle-ci n'est qu'un avatar de celle-là. La tâche initiale de l'appareil psychique est bien de lier l'excitation,

1. *Au-delà du principe de plaisir* (1920g), *Essais de psychanalyse*, Paris, Payot, 1981, p. 77 ; *OCF* XV, p. 305 ; *GW* XIII, p. 35.

cette liaison permettant au principe de plaisir, puis au principe de réalité, de s'affirmer ; il n'en demeure pas moins que tout cela est mis en branle par les excitations, ces expressions physiologiques éprouvées psychiquement d'une énergie provenant de l'intérieur, force d'impact momentanée qui nous sert à définir le vivant mais dont nous ne savons rien, « grand *X* que nous reportons dans chaque nouvelle formule » [1]. Or le plaisir, avec l'accès à la réalité qu'il suscite, dépend du contrôle de l'énergie d'excitation et de sa constance ; disons qu'il appartient à une énergie unique de justifier la constance d'une dualité pulsionnelle… Mais comment ?

S'il est clair qu'il n'y a pas de pulsion sans énergie, on peut se demander en quoi, psychanalytiquement, cette énergie devrait justifier plusieurs pulsions ? Freud admet régulièrement que ses raisons s'appuient essentiellement sur la biologie, et ce quel que soit le couple pulsionnel retenu [2] ; même s'il convient qu'il « peut bien se faire que l'énergie sexuelle, que la libido, au fin fond des choses, ne soit qu'un produit de différenciation de l'énergie à l'œuvre par ailleurs dans la psyché », c'est pour ajouter aussitôt qu'une « telle affirmation concerne des choses qui ont si peu de contenus scientifiques qu'il est tout aussi vain de la combattre que de l'utiliser » [3], témoignant là d'une prudence épistémologique qu'il abandonnera six ans plus tard. Alors, dans cette biologie, *quid* de la vie et de l'énergie qui la définit ? Tentons une réponse : *La vie serait la forme que prend l'énergie de la matière lorsque la matière est biologique.* Bien sûr, comme toutes les définitions, celle-ci est tautologique et, si elle peut nous éclairer sur la relation possible entre *énergie* et *vie*, nous n'en savons pas plus sur l'une et l'autre.

Sans doute le plus remarquable des attributs de l'énergie est d'être « déplaçable et indifférente » (hypothèse dont Freud dit ne pouvoir se passer, et on le comprend), pouvant ainsi venir s'ajouter aux pulsions

1. *Ibidem*, p. 73 ; p. 302 ; p. 31.

2. Par ex. dans : « Pour introduire le narcissisme » (1914c), *La vie sexuelle*, Paris, PUF, 1969, p. 86 ; *OCF* XII, p. 223 ; *GW* X, p. 144. *Au-delà du principe de plaisir* (1920g), *Essais de psychanalyse*, Paris, Payot, 1981, p. 110 ; *OCF* XV, p. 334 ; *GW* XIII, p. 65. *Le moi et le ça* (1923b), *Essais de psychanalyse*, Paris, Payot, 1981, p. 254 ; *OCF* XVI, p. 283 ; *GW* XIII, p. 268.

3. « Pour introduire le narcissisme » (1914c), *La vie sexuelle*, Paris, PUF, 1969, p. 86 ; *OCF* XII, p. 223 ; *GW* X, p. 144.

érotique ou destructive pour en renforcer la poussée ; cette énergie-là, provenant de la réserve de libido narcissique (c'est-à-dire d'une énergie pulsionnelle propre au moi), serait de l'Éros désexualisé [1]. Non seulement est ainsi introduite implicitement l'idée d'une désexualisation de la libido fournissant de l'énergie aux pulsions, mais aussi celle que l'énergie peut y croître plutôt que de tendre vers l'extinction. Que peut-il en être alors, dans l'animation de l'appareil psychique, de la tendance réductrice du principe de constance ? *Non liquet...*

QUE PEUT SIGNIFIER « ALLER AU-DELÀ DU PRINCIPE DE PLAISIR » ?

Pour Freud, devoir « aller au-delà du principe de plaisir » semble aller de soi ; mais lorsqu'il évoque, pour Ferenczi, l'essai qu'il a ainsi intitulé, il en qualifie le titre « d'énigmatique... mystérieux » [2]. Pourtant, loin de toute idée de transcendance, cet « au-delà » constate que le principe de plaisir ne saurait tout expliquer et que, là derrière, doit opérer une autre puissance. Il importe d'ailleurs de souligner que c'est pour répondre à des interrogations cliniques que Freud avance quelques « spéculations » dont la plus marquante est l'hypothèse d'une « pulsion de mort ». Lorsqu'il conclut que le principe de plaisir exprime bien la *tendance* première de la psyché, il ne l'en situe pas moins en dépendance de la *fonction* dominante de réduction des excitations – ce qu'exprime précisément le principe de constance. En somme, il s'agirait d'aller au-delà de la tendance pour retrouver la fonction ; reste à savoir en quoi consiste au juste cette constance, de quoi sont faites les pulsions elles-mêmes et, surtout, comment interagissent-elles ? Tel est bien d'ailleurs l'ultime constat de l'*Abrégé* selon lequel « la question des relations entre le principe de plaisir et les deux forces originaires, Éros et pulsion de mort, n'a pas encore été élucidée » [3].

1. *Le moi et le ça* (1923b), *Essais de psychanalyse*, Paris, Payot, 1981, p. 258 ; *OCF* XVI, p. 287 ; *GW* XIII, p. 272-273.

2. Lettre du 17 mars 1919, dans Ernest Jones, *La vie et l'œuvre de Sigmund Freud*, Paris, PUF, 1969, t. 3, p. 44.

3. *Abrégé de psychanalyse* (1940a), Paris, PUF, 1949, p. 73-74 ; *OCF* XX, p. 296 ; *GW* XVII, p. 129.

Ce n'est pourtant pas faute de l'avoir tenté, mais toute nouvelle avancée a soulevé de nouvelles complications. La difficulté n'est pas tant de comprendre comment la pulsion justifie le principe de plaisir (cela s'entend assez bien) mais de comprendre comment le principe de plaisir peut agir sur la pulsion, étant entendu qu'il ne peut qu'affronter « la libido qui introduit des perturbations dans l'écoulement de la vie ». Ainsi le principe de Nirvâna, apparenté au principe de constance qui ressortit à la pulsion de mort, « a été transformé en principe de plaisir par la pulsion de vie qui s'est imposée face à la pulsion de mort pour réguler les processus vitaux » – ce qui implique clairement une antériorité de celle-ci sur Éros et pourrait laisser supposer qu'elle serait déjà présente, seule, dans l'anorganique ? « Pareille conception ne peut être correcte » dirons-nous, reprenant la remarque de Freud écartant l'idée de réduire plaisir-déplaisir à des variations dans la tension (ce qui mettrait le principe de plaisir au service des pulsions de mort) : plaisir et déplaisir ne sauraient dépendre d'un facteur quantitatif mais seulement d'un facteur qualitatif que, malheureusement, nous ne savons pas identifier. Quoi qu'il en soit, et quelles que soient nos ignorances, « le principe de plaisir, agent d'Éros, est bien le gardien de la vie »[1]. Alors, peut-on penser que le principe de constance – qui l'initie et devrait le justifier – l'est également ?

Claude Le Guen

PRINCIPE DE PLAISIR-DÉPLAISIR, PRINCIPE DE RÉALITÉ

all. : ***Lustprinzip, Realitätsprinzip.*** – angl. : *pleasure principle, reality principle.* – ital. : *principio di (o del) piacere, principio di realtà.* – esp. : *principio de placer, principio de realidad.* – port. : *principio do prazer, principio de realidade*

Le *principe de plaisir-déplaisir* est l'un des grands régulateurs des processus psychiques, qui détermine notamment les processus primaires qui sont sous sa domination. En première théorie des pul-

1. « Le problème économique du masochisme » (1924c), *Névrose, psychose et perversion*, Paris, PUF, 1973, p. 287-289 ; *OCF* XVII, p. 11-13 ; *GW* XIII, p. 372-373.

sions, il caractérise le fonctionnement pulsionnel comme recherche du plaisir et évitement du déplaisir. Le *principe de réalité,* dérivé du principe de plaisir, est un autre grand principe freudien du fonctionnement psychique. Il a pour fonction d'y intégrer la prise en compte du monde extérieur, au service de la recherche de satisfaction : lorsque le principe de réalité s'impose comme principe régulateur, la recherche de satisfaction a recours à des détours et à des ajournements, en fonction des conditions imposées par le monde extérieur, au lieu d'emprunter la voie la plus courte. Le principe de plaisir ne perd pas sa force initiale, et la domination du principe de réalité reste toujours partielle et relative. Mais l'existence d'un *au-delà* du principe de plaisir révèle les limites et les ambiguïtés d'un principe qui avait d'abord semblé universel.

MISE EN SITUATION

Le principe de plaisir-déplaisir *est tôt reconnu (1900) ; il serait d'ailleurs plus juste de dire « de déplaisir et de plaisir » car, si structurellement et sémantiquement le plaisir prévaut, historiquement et fonctionnellement le déplaisir est premier à se manifester : il est le signal qui commande la recherche du rétablissement du plaisir, et le révèle. Ce principe requiert d'emblée une limitation ; c'est la tâche de l'article princeps de 1911 sur « Les deux principes du cours des événements psychiques » en introduisant la notion de* principe de réalité, *les posant conjointement en couple d'opposés, en fait complémentaires : les concepts de principe de plaisir et de principe de réalité. Mais la seconde théorie des pulsions va avoir bien du mal à situer le principe de plaisir par rapport au nouveau dualisme pulsionnel. Certains textes freudiens présentent le devenir psychique comme un passage progressif du seul primat du principe de plaisir au principe de réalité – qui ne contredit pas le principe de plaisir mais tient compte de la réalité pour éviter le déplaisir et atteindre le plaisir.*

LE TEXTE FREUDIEN

PREHISTOIRE DES CONCEPTS

Dès l'« Esquisse d'une psychologie scientifique » (ou « Projet de psychologie scientifique ») (1895), où Freud tente de décrire le fonctionnement d'un appareil psychique, il envisage un état lié des neurones, qui, malgré un investissement marqué, ne laisse passer qu'un faible courant d'énergie psychique ; cette situation caractérise le processus cogitatif[1]. Or l'énergie liée et le recours aux faibles quantités seront les traits économiques propres à l'action de ce qui deviendra le principe de réalité, qui va précisément développer ainsi les activités de pensée.

L'interprétation des rêves (1900) distingue les notions de processus primaire et de processus secondaire[2], pour poser les fondements d'une théorie du refoulement. Rappelons que la constance ne se maintient que par l'automatisme du principe de plaisir-déplaisir, pivot de la théorie de l'économie de l'appareil psychique. Le déplaisir *(Unlust)* est un signal qui va commander la recherche du rétablissement du plaisir. Mais deux voies s'offrent à cette recherche de plaisir. La régulation automatique par le principe de plaisir investit de façon hallucinatoire le souvenir de la satisfaction. Un second système s'impose, capable d'atteindre la perception réelle plutôt que l'hallucination. Ainsi vont se distinguer les processus primaire et secondaire, tandis que le refoulement est instauré sur le modèle de la fuite du souvenir de l'expérience déplaisante ou douloureuse. **Le primat du principe de plaisir-déplaisir se trouve ainsi limité :** le processus secondaire – et notamment la pensée – est en effet régi à la fois par le

1. « Projet de psychologie scientifique » [« Esquisse d'une psychologie scientifique »] (1950c [1895]), *La naissance de la psychanalyse. Lettres à Wilhelm Fliess. Notes et plans (1887-1902)* (1950a [1887-1902]), Paris, PUF, 1956, p. 345-347. – *Lettres à Wilhelm Fliess* (éd. complète), Paris, PUF, 2006, p. 635-638 ; *GW (Nachtragsband)*, p. 422-425.

2. *L'interprétation des rêves* (1900a), Paris, PUF, 1967, p. 511-512 ; *OCF* IV, p. 657-658 ; *GW* II-III, p. 607-608.

principe de plaisir-déplaisir, et par celui de la plus petite dépense possible d'« innervation ». À la recherche de l'identité de perception, qui seule permet la satisfaction hallucinatoire, est ainsi adjointe celle de l'identité par le moyen de la pensée, qui nécessite un détour. La pensée doit s'intéresser aux voies de liaison entre les représentations, sans se laisser égarer par leurs intensités. « La tendance du penser doit donc nécessairement être de se libérer de plus en plus de la régulation exclusive par le principe de déplaisir et de restreindre le développement d'affect dû au travail de pensée à un minimum qui est encore utilisable comme signal. » [1]

À noter que « Un type particulier de choix d'objet chez l'homme », en 1910, évoque en passant la science comme « le plus parfait désengagement d'avec le principe de plaisir » [2] qui nous soit accessible.

Le concept de « principe de realite »

En 1911, dans les « Formulations sur les deux principes du cours des événements psychiques », article « plus introductif qu'exhaustif » [3], le principe de réalité apparaît explicitement ; son importance historique et théorique nous amène à en suivre de près la trame.

Les processus psychiques primaires obéissent à un principe de plaisir-déplaisir (ou plus brièvement principe de plaisir) et tendent à obtenir du plaisir tandis que l'activité psychique se retire des actes qui peuvent susciter du déplaisir (refoulement). Mais la dépendance exclusive au principe de plaisir aboutirait à négliger la réalité du monde extérieur et serait incompatible avec la survie. Seul le nourrisson – et seulement si l'on y ajoute les soins maternels – est près de réaliser un tel système psychique. Il s'agit donc d'examiner la relation de l'homme à la réalité et d'intégrer au corps de la doctrine

1. *Ibidem*, p. 512 ; p. 658 ; p. 608.

2. « Un type particulier de choix d'objet chez l'homme » (1910h), *La vie sexuelle*, Paris, PUF, 1971, p. 48 ; *OCF* X, p. 191 ; *GW* VIII, p. 67.

3. « Formulations sur les deux principes du cours des événements psychiques » (1911b), *Résultats, idées, problèmes, I*, Paris, PUF, 1984, p. 142 ; *OCF* XI, p. 21 ; *GW* VIII, p. 238.

psychanalytique « la signification psychologique du monde extérieur réel » [1].

L'être vivant possède des moyens de se soustraire aux exigences de la réalité : en corrélation avec le refoulement existe la possibilité de traiter les excitations internes comme si elles étaient externes et de créer des fantasmes soumis au principe de plaisir, sans les contraintes de l'activité de pensée. Cette dernière, au contraire, dépend d'un **nouveau principe, explicitement formulé désormais, le principe de réalité.** Il dérive du principe de plaisir mais tient compte de l'échec de l'hallucination de la satisfaction. Ce qui est réel, même si c'était désagréable, est désormais représenté dans l'appareil psychique[2].

Le principe de réalité introduit ainsi dans le fonctionnement de l'appareil psychique une **double contrainte** (que nous pouvons considérer comme la formulation des prémisses du surmoi) : – d'une part celle de la prise en compte et de la représentation de la réalité extérieure, y compris dans ses aspects déplaisants ou décevants, cette intériorisation de l'extérieur le caractérise comme principe ; – d'autre part, celle de la rétention à l'intérieur de l'appareil psychique d'une quantité d'énergie qui n'est libérée que de façon mesurée et contrôlée, accroissant ainsi ses capacités de régulation mais au prix d'une « éducation » de la pulsion, d'un travail psychique permanent. Il n'est donc pas étonnant de voir que la mise en place du principe de réalité, amorcée par l'expérience des premières déceptions, et notamment de l'absence de l'objet primaire, s'accompagne d'élaborations psychiques marquées par le renoncement, voire le deuil, et éveille inévitablement les capacités de nostalgie.

Freud examine systématiquement les conséquences de l'instauration du principe de réalité par « la reconnaissance de ce qui est réel, même si c'est désagréable ». Il note tout d'abord une série d'adaptations de l'appareil psychique : l'importance accrue de la réalité extérieure augmente l'importance des organes des sens et de la conscience, qui s'attache à saisir les qualités sensorielles de la réalité, et non plus seulement ses effets de plaisir-déplaisir. L'attention, la

1. *Ibidem,* p. 136 ; p. 13 ; p. 231.
2. *Ibidem,* p. 136 ; p. 14 ; p. 232.

mémoire et l'acte de jugement en découlent. La suspension de la décharge motrice est ainsi rendue possible par le **processus de pensée** formé à partir de l'activité de représentation : c'est une activité d'épreuve où ne sont déplacées que de petites quantités d'investissement, ce qui suppose une transformation des investissements librement déplaçables en investissements liés ; une élévation du niveau de l'ensemble du processus d'investissement rend cette liaison possible[1]. La pensée permet ainsi à l'appareil psychique de supporter l'accroissement de la tension d'excitation pendant l'ajournement de la décharge. Elle est vraisemblablement inconsciente à l'origine, dépassant simplement la pure activité de représentation au profit des relations entre les impressions laissées par les objets. C'est la liaison aux restes verbaux qui lui donne par la suite des qualités perceptibles à la conscience.

Le principe économique de la moindre dépense amène l'appareil psychique à se cramponner avec ténacité à ses sources de plaisir. L'activité de pensée introduite par le principe de réalité coexiste ainsi avec une **autre forme d'activité de pensée, clivée de la première,** et soumise uniquement au principe de plaisir : la création de **fantasmes,** amorcée par le jeu des enfants et poursuivie sous la forme de rêves diurnes[2].

Le remplacement du principe de plaisir par le principe de réalité ne s'accomplit ni d'un seul coup, ni simultanément pour tout l'appareil psychique ; il s'accomplit d'abord pour les pulsions du moi, tandis que les pulsions sexuelles se comportent d'abord de façon autoérotique : trouvant leur satisfaction sur le corps propre, elles ne parviennent pas d'emblée à la situation de frustration qu'a imposée l'instauration du principe de réalité. Puis le processus de recherche de l'objet connaît une longue interruption du fait de la période de latence. Suspendue dans son développement psychique, **la pulsion sexuelle reste ainsi beaucoup plus longtemps sous la domination du principe de plaisir,** et parfois ne s'y soustrait jamais[3]. Ainsi s'instaurent des relations plus

1. *Ibidem,* p. 138 ; p. 16 ; p. 233.
2. *Ibidem,* p. 139 ; p. 16-17 ; p. 234.
3. *Ibidem,* p. 139 ; p. 17 ; p. 235.

étroites, secondaires, entre pulsion sexuelle et fantasme d'une part, entre pulsions du moi et activités de conscience d'autre part. Le refoulement reste tout-puissant dans la création fantasmatique, inhibant les représentations qui peuvent être source de déplaisir ; ainsi, du fait également de la longue persistance de l'autoérotisme, la satisfaction fantasmatique liée à l'objet sexuel, immédiate et plus accessible, peut être maintenue longtemps à la place de la satisfaction réelle qui exige des efforts et des ajournements. Des processus de pensée devenus rationnels peuvent même être ramenés sous la domination du principe de plaisir. Ce retard à tenir compte de la réalité, inhérent à l'éducation de la pulsion sexuelle, prédispose à la névrose.

Le moi-plaisir ne peut que désirer, tandis que le moi-réalité ne peut tendre qu'à l'utile. Le principe de réalité vise à assurer le principe de plaisir et non à le nier ou à le détruire[1]. Mais l'impression endopsychique du passage au principe de réalité est si forte qu'elle a suscité le mythe religieux de la récompense dans l'au-delà pour les renoncements au plaisir qui ont dû, volontairement ou non, être effectués. Obtenant ainsi un renoncement total aux plaisirs terrestres, les religions n'en restent pas moins commandées par la logique du principe de plaisir, tandis que la science correspond à une plus grande mise en œuvre du principe de réalité. L'*éducation* est une incitation à surmonter le principe de plaisir et à lui substituer le principe de réalité, et se sert à cette fin des primes d'amour dispensées par les éducateurs. Elle échoue nécessairement chez l'enfant gâté qui se croit assuré de cet amour en toute circonstance. L'*art* accomplit une réconciliation des deux principes : l'artiste ne s'accommode pas à l'origine du renoncement à la satisfaction pulsionnelle, et laisse libre cours dans sa vie fantasmatique à ses désirs érotiques et ambitieux. Mais il trouve la voie qui ramène vers la réalité, et donne forme à ses fantasmes pour en faire des réalités d'une nouvelle sorte, considérées comme des images très précieuses de la réalité. Il devient ainsi le héros qu'il voulait devenir, sans avoir eu à transformer réellement le monde extérieur. C'est parce que les autres hommes ressentent la même insatisfaction que lui

1. *Ibidem*, p. 140 ; p. 18 ; p. 236.

à l'égard du renoncement exigé dans le réel, insatisfaction qui fait elle-même partie de la réalité[1].

Tandis que le moi-plaisir devient moi-réalité, les pulsions sexuelles passent de l'autoérotisme initial à l'amour d'objet. Chaque phase de ces deux lignes de développement peut prédisposer à une affection névrotique, et le choix de la névrose dépend du moment où est intervenue l'inhibition de développement prédisposante. Or, dans les processus inconscients (refoulés), l'épreuve de réalité n'est pas valable, la réalité de pensée équivaut à la réalité extérieure, le désir à son accomplissement, du fait du maintien de la « domination du vieux principe de plaisir »[2]. Fantasmes inconscients et souvenirs inconscients sont ainsi peu discernables, mais l'étalon de la réalité empêcherait de comprendre la valeur des fantasmes dans la formation des symptômes.

Principe de plaisir et destins des pulsions

Selon *Totem et tabou* (1913), on peut comparer le développement des visions du monde de l'humanité avec le développement libidinal de l'individu : la phase animiste correspond au narcissisme, la phase religieuse à la trouvaille de l'objet caractérisée par la liaison aux parents, la phase scientifique correspond à la maturité de l'individu qui a renoncé au principe de plaisir et qui, s'adaptant à la réalité, cherche son objet dans le monde extérieur[3], l'enchantement de l'art étant le domaine où se maintient la toute-puissance des pensées.

La théorie du principe de plaisir-déplaisir, ainsi que le rôle du principe de réalité, sont peu modifiés dans « Pulsions et destins des pulsions » en 1915. La vie psychique comporte trois polarités : sujet (moi) / objet (monde extérieur) ; plaisir/déplaisir ; actif/passif. Il est une situation originaire où se rencontrent les deux premières polarités. Tout au début de la vie psychique, le moi se trouve investi par les pulsions, et en partie capable de satisfaire ses pulsions sur lui-même, par une satisfaction autoérotique. Le monde extérieur est alors

1. *Ibidem.*, p. 141 ; p. 19 ; p. 237.

2. *Ibidem*, p. 142 ; p. 20 ; p. 237.

3. *Totem et tabou* (1912-1913a), Paris, Gallimard, 1993, p. 111 ; *OCF* XI, p. 300 ; *GW* IX, p. 111.

indifférent pour ce qui est de la satisfaction, il n'est pas investi par l'intérêt. Le moi coïncide alors avec ce qui est plaisant, et le monde extérieur avec ce qui est indifférent ou éventuellement, comme source d'excitation, déplaisant[1]. Sous l'action du principe de plaisir, les expériences des pulsions d'autoconservation amènent le moi à prendre en lui, à introjecter comme sources de plaisir les objets qui se présentent en lui procurant des satisfactions, tandis qu'il expulse hors de lui ce qui, parmi les excitations internes, provoque du déplaisir. Le moi-réalité du début se trouve ainsi transformé en un moi-plaisir purifié : le monde extérieur se décompose pour ce moi en une partie plaisir, désormais incorporée, et un reste qui lui est étranger, et qui comporte une part de lui-même rejetée dans le monde extérieur et ressentie comme hostile. Les deux polarités en sont infléchies : **le moi-sujet correspond au plaisir (stade du narcissisme primaire), tandis que le monde extérieur est assimilé au déplaisir,** substitué à l'indifférence antérieure. Cette première polarité se trouve associée à la seconde, car le sens originaire de la haine désigne aussi la relation au monde extérieur étranger qui apporte les excitations. L'indifférence devient ainsi un cas particulier de la haine et de l'aversion après avoir été leur précurseur. « L'extérieur, l'objet, le haï seraient, tout au début, identiques. »[2] Quand l'objet s'avère être une source de plaisir, il est aimé mais aussi incorporé au moi : pour le moi-plaisir purifié, l'objet continue à coïncider avec l'étranger et le haï.

L'opposition amour/haine reproduit ainsi la polarité plaisir/déplaisir, tout comme le couple d'opposés amour/indifférence reproduit la polarité entre le moi et le monde extérieur. C'est après que le stade purement narcissique a été relayé par le stade de l'objet que plaisir et déplaisir signifient les relations du moi à l'objet. Si l'objet est source de sensations de plaisir, une tendance motrice veut le rapprocher du moi, l'incorporer dans le moi et l'objet dispensateur de plaisir exerce ainsi un attrait qui nous amène à dire que nous « aimons » l'objet. Si au contraire l'objet est source de sensations de déplaisir, une tendance

1. « Pulsions et destins des pulsions » (1915c), *Métapsychologie,* Paris, Gallimard, 1968, p. 36 ; *OCF* XIII, p. 180 ; *GW* X, p. 228.

2. *Ibidem,* p. 38 ; p. 181 ; p. 229.

s'efforce d'accroître la distance entre lui et le moi, de répéter à son propos la tentative originaire de fuite devant le monde extérieur émetteur d'excitations. Nous ressentons de la répulsion envers l'objet et nous le haïssons. Mais **l'exigence du principe de réalité contribue aux conditions de transformations des pulsions en quête de satisfaction :** le travail psychique qui engage les destins des pulsions est engendré par l'échec de l'hallucination de la satisfaction. Le passage d'un moi-plaisir-purifié à un moi-réalité est une autre forme d'expression des processus que nous avons déjà notés, ou plutôt en montre la genèse. L'ouvrage de 1915 manifeste que ce processus n'est pas seulement la prise en compte de la réalité externe, mais aboutit parallèlement à la constitution d'un autre type de réalité, la réalité psychique.

La même année, « Deuil et mélancolie » n'apporte pas de données théoriques nouvelles aux deux principes, de plaisir et de réalité. Mais les analyses des effets de la perte d'un objet réel dans le deuil, et leur analogie avec la perte d'objet postulée dans la compréhension de la mélancolie, permettent à Freud à la fois de poursuivre l'élaboration de ce qu'il entend par réalité psychique, de préciser le rôle des identifications et de montrer certains **paradoxes du principe de réalité,** puisque la perte de l'objet dans la réalité ne donne pas lieu immédiatement ni aisément au réinvestissement d'un autre objet réel.

En 1917, les *Conférences d'introduction à la psychanalyse* reformulent la conception de la domination du principe de plaisir selon la première topique, sa présence dans les processus primaires, et son action dans la régression et la formation des symptômes[1].

Le principe de plaisir dans la seconde theorie des pulsions

« Dans la théorie psychanalytique, nous admettons sans hésiter que le principe de plaisir règle automatiquement l'écoulement des processus psychiques. »[2] Ainsi commence *Au delà du principe de plaisir* en 1920. Cela signifie que le cours des processus psychiques

1. *Conférences d'introduction à la psychanalyse* (1916-1917), Paris, Gallimard, 1999, p. 452-453, 369-370 ; *OCF* XIV, p. 368-369 ; *GW* XI p. 369-370.

2. *Au-delà du principe de plaisir* (1920g), *Essais de psychanalyse,* Paris, Payot, 1981, p. 43 ; *OCF* XV, p. 277 ; *GW* XIII, p. 3.

est mis en mouvement par une tension empreinte de déplaisir et vise un abaissement de cette tension, par évitement du déplaisir ou production de plaisir. L'analyse du jeu de la bobine amène à reconnaître que, même sous la domination du principe de plaisir, il y a plus d'une voie pour faire de ce qui est empreint de déplaisir l'objet du souvenir et de l'élaboration psychique[1]. La résistance du moi conscient et préconscient est au service du principe de plaisir, elle veut éviter le déplaisir que provoquerait le retour du refoulé[2]. Mais quelle relation avec la contrainte de répétition ? Devant l'ensemble de ces faits, il faut bien admettre la présence active dans la vie psychique, d'une « **contrainte de répétition qui passe outre au principe de plaisir** »[3], compulsion de répétition, rarement présente à l'état pur mais « plus originelle, plus pulsionnelle, que le principe de plaisir qu'elle met à l'écart »[4].

Il existe un « au-delà » du principe de plaisir mis en évidence par la compulsion de répétition, qui ne remet pas en cause le primat du principe de plaisir ni sa modification par le principe de réalité, mais vient rendre compte de situations où l'économie psychique ne parvient plus à ces régulations au service du plaisir. Dans le jeu des enfants, la compulsion de répétition se mêle à la satisfaction pulsionnelle directe, empreinte de plaisir ; elle n'exclut pas forcément le plaisir dans la cure, ni les logiques rationnelles dans les contraintes de destin. Elle est plus manifeste dans les rêves traumatiques, mais même ailleurs, elle est reconnaissable car les motifs connus, liés au principe de plaisir, ne suffisent pas à rendre compte des mouvements pulsionnels. La compulsion de répétition s'exerce ainsi sur toutes les expériences. Les rêves survenant au cours d'une psychanalyse, eux-mêmes, avant de permettre d'éviter l'interruption du sommeil par l'accomplissement de souhait des motions perturbatrices, ce qui suppose la domination du principe de plaisir, « obéissent bien plutôt à la contrainte de répétition »[5] en ramenant le souvenir des traumas psy-

1. *Ibidem,* p. 55 ; p. 288 ; p. 15.
2. *Ibidem,* p. 59 ; p. 290 ; p. 18.
3. *Ibidem,* p. 63 ; p. 293 ; p. 21.
4. *Ibidem,* p. 64 ; p. 294 ; p. 22.
5. *Ibidem,* p. 75 ; p. 304 ; p. 33.

chiques de l'enfance. S'il y a un au-delà du principe de plaisir, il y a aussi une période préliminaire où le rêve répète seulement et ne vise pas encore à accomplir un souhait. Maîtriser et lier l'excitation est la tâche de l'appareil psychique qui prévaut d'abord, non en opposition au principe de plaisir – qui ne peut intervenir qu'ensuite – mais indépendamment de lui et, en partie, sans en tenir compte.

Il s'ensuit un bouleversement topique, et l'élaboration d'une nouvelle théorie des pulsions. Les pulsions de vie incluent désormais non seulement les pulsions sexuelles mais ce qui avait été distingué comme pulsions d'autoconservation (ou pulsions du moi), s'opposant au mouvement muet mais radical de déliaison dû aux pulsions de mort. Si l'autoconservation n'est plus distinguée comme telle de la sexualité, si l'opposition structurelle met désormais aux prises Éros et Thanatos, qu'en est-il de la spécificité d'un principe de réalité qui s'était précisément constitué pour assurer l'autoconservation ?

Le principe de constance, issu de Fechner et donc emprunté à la physique, est rappelé avec force comme expression de la tendance dominante à la réduction, voire à la suppression de la tension d'excitation interne. Le principe de plaisir semble alors se mettre au service des pulsions de mort, dans la mesure où il se rapproche ainsi du principe de nirvana [1] (selon l'expression de Barbara Law) c'est-à-dire de la visée d'abaissement maximal des tensions. Inversement et paradoxalement, le principe de réalité, dérivé du principe de plaisir et venant le limiter, se retrouve implicitement engagé dans l'organisation et la différenciation psychique, permettant une recherche de satisfaction qui ne soit pas incompatible avec la survie comme avec la vie psychique : on peut donc dire qu'il est engagé dans le mouvement des pulsions de vie.

Une des fonctions les plus précoces et les plus importantes de l'appareil psychique est de lier les motions pulsionnelles, de transformer l'énergie d'investissement librement mobile en investissement lié, et les processus primaires en processus secondaires. « Durant cette transposition, il ne peut pas être tenu compte du principe de plaisir »,

1. *Ibidem*, p. 104 ; p. 329 ; p. 60.

mais celui-ci n'est pas pour autant supprimé. La transposition se produit au service du principe de plaisir, c'est un acte préparatoire qui introduit et assure sa domination[1]. Le principe de plaisir est au service de la fonction d'assurer le plus bas niveau possible d'excitation (ou une absence d'excitation). Mais les sensations de plaisir et de déplaisir ne sont pas produites de la même façon par les processus d'excitation non liés que par ceux qui sont liés. La tendance au plaisir est ainsi plus intense au début de la vie, au risque d'être souvent battue en brèche plus tard, elle est plus assurée, mais largement domptée, comme les autres pulsions[2]. Ce qui est frappant, c'est de voir les pulsions de vie venir en perturbatrices, apportant des tensions dont la liquidation est ressentie comme plaisir, tandis que le principe de plaisir, en cherchant l'abaissement des tensions, « semble être tout simplement au service des pulsions de mort »[3]. Ce qui soulève bien sûr de multiples questions.

La constitution de la deuxième topique dans *Le moi et le ça,* en 1923, répond par la **différenciation des instances** à certaines des questions soulevées en 1920. C'est désormais l'élaboration de la théorie du moi qui prend le relais du travail psychique dont le principe de réalité rendait compte. Le moi est en effet une différenciation du ça résultant du contact direct avec la réalité extérieure. « Le moi est la partie du ça modifiée sous l'influence directe du monde extérieur [...] il s'efforce aussi de faire valoir l'influence du monde extérieur sur le ça et ses visées, tend à installer le principe de réalité à la place du principe de plaisir, lequel règne sans restriction dans le ça. »[4] Mais pouvons-nous assigner au principe de plaisir une position psychique solide par rapport aux deux espèces de pulsions et aux instances psychiques[5] ? Freud est amené à l'hypothèse d'une **énergie active dans le moi et le ça, déplaçable et indifférente, qui « travaille**

1. *Ibidem,* p. 112-113 ; p. 336 ; p. 67.
2. *Ibidem,* p. 113-114 ; p. 337 ; p. 68.
3. *Ibidem,* p. 114 ; p. 337 ; p. 69.
4. *Le moi et le ça* (1923b), *Essais de psychanalyse,* Paris, Payot, 1981, p. 237 ; *OCF* XVI, p. 269 ; *GW* XIII, p. 252.
5. *Ibidem,* p. 256 ; p. 285 ; p. 270.

au service du principe de plaisir »[1] pour éviter des stases et faciliter des décharges. Le moi est le lieu de l'angoisse même si ce qu'il redoute n'est pas clair ; il « suit simplement la mise en garde du principe de plaisir »[2]. Le ça n'a pas de volonté unitaire, Éros et pulsion de mort combattent en lui ; on serait tenté de le dire sous la domination des pulsions de mort qui veulent leur repos en réduisant au repos le trouble-paix Éros, selon les signaux adressés par le principe de plaisir, mais ce serait sans doute sous-estimer Éros[3].

Le paradoxe du masochisme

« Le problème économique du masochisme » (1924) reconsidère ces difficultés. Si le principe de plaisir domine les processus psychiques en leur donnant comme buts immédiats l'évitement du déplaisir et l'obtention de plaisir, le masochisme est incompréhensible[4]. D'une part, si la douleur et le déplaisir peuvent être des buts et non plus des avertissements, le principe de plaisir est paralysé, et le déplaisir ne peut plus servir d'indice à la représentation d'une réalité qui limite le principe de plaisir. D'autre part, c'est inconsidérément que nous avons « identifié le principe de plaisir-déplaisir avec ce principe de nirvana[5]. Si le principe de plaisir coïncidait avec le principe de nirvana, ils seraient au service de la pulsion de mort, faisant de la vie, qui est sans repos, un état cherchant l'inertie et l'inorganique. L'accroissement et la diminution de l'intensité des excitations sont ressentis directement : certaines tensions s'accompagnent de plaisir tandis qu'il existe des détentes déplaisantes. L'analogie des *Trois essais sur la théorie sexuelle,* qui définissait le plaisir comme suppression de toute tension sur le modèle de la décharge orgastique masculine, ne peut plus servir de modèle universel ; le plaisir lié à l'excitation des zones

1. *Ibidem,* p. 259 ; p. 288 ; p. 273.
2. *Ibidem,* p. 273 ; p. 300 ; p. 287.
3. *Ibidem,* p. 275 ; p. 301 ; p. 289.
4. « Le problème économique du masochisme » (1924c), *Névrose, psychose et perversion,* Paris, PUF, 1973, p. 287 ; *OCF* XVII, p. 11 ; *GW* XIII, p. 371.
5. *Ibidem,* p. 288 ; p. 12 ; p. 372.

érogènes qui suscite à la fois tension et plaisir retrouve une pertinence irréductible.

Le principe de nirvâna, ressortissant à la pulsion de mort, a connu une modification pour devenir principe de plaisir. La recherche de la plus petite tension possible ne peut être assimilée à la tendance au retour à l'inorganique[1], ce qui libère le principe de plaisir de l'hypothèque de son assimilation aux buts de la pulsion de mort. Mais cela ne fait que rendre moins intelligible encore la démarcation entre principe de plaisir et principe de réalité, puisque même une réalité déplaisante, reconnue comme telle, peut alimenter une recherche de plaisir qu'aucun déplaisir ne saurait réussir à limiter, et qui ne suscite pas le détour ou le délai, mais la recherche de satisfaction directe, fût-elle violente ou douloureuse. Que devient dans ce contexte la déception et l'« épreuve de réalité » à partir desquelles le principe de réalité venait jouer son rôle régulateur ?

Freud parvient néanmoins à établir une « courte mais intéressante série de rapports » : **le principe de nirvâna exprime la tendance de la pulsion de mort ; le principe de plaisir représente la revendication de la libido** ; modification du principe de plaisir, **le principe de réalité représente l'influence du monde extérieur**[2]. Ces définitions posent au moins autant de problèmes qu'elle en résolvent. Mais aucun des trois principes (nirvana, plaisir, réalité) n'est mis hors d'action par l'autre ; même des conflits peuvent survenir, ils s'accommodent le plus souvent l'un de l'autre ; le principe de nirvana recherche la diminution quantitative de la charge d'excitation, celui de plaisir vise un caractère qualitatif du même phénomène tandis que le principe de réalité assure la possibilité de l'ajournement temporel de la décharge et une tolérance temporaire de la tension de déplaisir.

Principe de plaisir et fonctions du moi

Dans l'article de **1925** sur « La négation », une affirmation métapsychologique sur le symbole de la négation pose la thèse de l'article : la dénégation psychanalytique et la négation au sens logique et lin-

1. *Ibidem,* p. 288 ; p. 12 ; p. 373.
2. *Ibidem,* p. 288 ; p. 12-13 ; p. 373.

guistique ont une même origine. Nous retrouvons ici la question de la **genèse du principe de réalité** ainsi que des remarques importantes sur ses fonctions. L'étude du jugement nous dévoile comment s'engendre la fonction intellectuelle à partir du jeu des motions pulsionnelles primaires, notamment à partir des motions orales : cela, je veux le manger ; ou bien : cela, je veux le cracher. Le moi-plaisir originel veut s'introjecter le bon et jeter hors de lui tout le mauvais, ce qui est à la source de l'évaluation des propriétés (bonnes ou mauvaises) attribuées aux objets[1]. On conçoit l'étape importante d'intériorisation que représente la capacité à reconnaître et à garder en soi une réalité même désagréable.

L'autre fonction du jugement, la reconnaissance de l'existence ou de la non-existence réelle d'une chose représentée, est liée à l'**épreuve de réalité.** Le non-réel, le simplement représenté, le subjectif, n'est que dedans, tandis que le réel est présent au-dehors aussi. Originellement, l'existence de la représentation est déjà un garant de la réalité du représenté et l'opposition entre subjectif et objectif n'existe pas dès le début. L'épreuve de réalité doit intervenir à partir du moment où la pensée possède la capacité, par reproduction dans la représentation, de rendre présent ce qui a été une fois perçu sans que l'objet ait besoin d'être encore présent au dehors. Le jugement est ainsi le développement ultérieur, approprié à une fin, de l'inclusion dans le moi ou de l'expulsion hors du moi qui, originellement, se produisait selon le principe de plaisir[2].

En 1926, *La question de l'analyse profane* reprend et synthétise, dans son chapitre III, les élaborations déjà présentées dans *Le moi et le ça*.

Inhibition, symptôme et angoisse (1926) élabore la réflexion freudienne sur l'angoisse-signal. Le moi n'est pas si impuissant que nous le pensons volontiers : lorsqu'il se rebelle contre un processus pulsionnel dans le ça, il lui suffit de donner un signal de déplaisir, à l'aide de « l'instance presque toute-puissante du principe de plaisir »[3]. Par le

1. « La négation » (1925h), *Résultats, idées, problèmes, II,* Paris, PUF, 1984, p. 137 ; *OCF* XVII, p. 169 ; *GW* XIV, p. 13.

2. *Ibidem,* p. 138 ; p. 170 ; p. 14.

3. *Inhibition, symptôme et angoisse* (1926d [1925]), Paris, PUF, 1951, p. 8 ; *OCF* XVII, p. 210 ; *GW* XIV, p. 119.

développement d'une angoisse-signal, le moi réveille le principe de plaisir-déplaisir[1], mais l'angoisse peut demeurer ou ressurgir alors qu'il n'y a plus de danger. Le contrôle par le moi de l'accès à la conscience et du passage à l'action sur le monde extérieur reste marqué par sa dépendance à l'égard du ça et du surmoi : il a bien du mal à maintenir son apparente position de domination. Le danger qui éveille l'angoisse est conçu par Freud comme danger « réel », menace effective pour l'appareil psychique, considérée comme émanant de l'extérieur. La réalité psychique vient prendre la place de la réalité puisque la croyance pose la représentation comme réalité. Le principe de réalité est à l'œuvre dans les fonctions du moi et dans les défenses qu'il est amené à élaborer. L'opposition entre principe de réalité et refoulement semble ainsi beaucoup moins radicale que dans le texte de 1911.

Malaise dans la civilisation (1929) montre l'ampleur des sources de déception et de souffrance ; rien d'étonnant à ce qu'elles aient amené les hommes à modérer leur prétention au bonheur, « tout comme le principe de plaisir lui-même, sous l'influence du monde extérieur, s'est bel et bien remodelé en ce principe plus modeste qu'est le principe de réalité »[2]. Devenir heureux est l'injonction du principe de plaisir[3], mais nous ne pouvons atteindre tout ce que nous désirons ni par l'évitement du déplaisir, ni pas la quête du gain de plaisir. Pour trouver son bonheur dans la voie de l'amour, sans rester dépendant d'un morceau du monde extérieur (l'objet d'amour choisi), il faut déplacer l'accent principal du fait d'être aimé sur celui d'aimer soi-même ; en dirigeant son amour non sur des objets individuels mais dans une même mesure sur tous les humains, on se protège contre la perte d'objet ; en déviant son amour du but sexuel, faisant de la pulsion une motion inhibée quant au but, on évite les désillusions et oscillations de l'amour génital, le remplaçant par un état de tendre sensibilité. C'est une des techniques du principe de

1. *Ibidem*, p. 70 ; p. 260 ; p. 176.

2. *Malaise dans la civilisation* (1930a [1929]), Paris, PUF, 1971, p. 21 ; *OCF* XVIII, p. 263 ; *GW* XIV, p. 435.

3. *Ibidem*, p. 29 ; p. 270 ; p. 442.

plaisir[1] ; plaisir et religion pourraient bien se rejoindre dans ces régions où l'on néglige de différencier le moi d'avec ses objets et ceux-ci entre eux. Une perspective éthique voit dans cette propension à l'amour universel la position la plus élevée. Mais un amour qui ne choisit pas perd une part de sa valeur et se montre injuste envers l'objet d'autant que les hommes ne sont pas tous dignes d'être aimés.

Pour l'individu, le programme du principe de plaisir, trouver le bonheur, est le but principal, l'insertion dans une communauté humaine n'est qu'une condition inévitable : aspiration « égoïste » au bonheur et aspiration à la relation « altruiste » interfèrent[2]. Dans la culture, l'essentiel est la constitution d'une union entre les individus, et le but de rendre heureux est repoussé à l'arrière-plan.

« L'humour » (1927) représente l'une des possibilités de mettre à l'écart la revendication de la réalité, d'imposer le principe de plaisir et de mettre en œuvre une défense efficace contre la possibilité d'une souffrance[3].

Le moi, le ça, et les principes de plaisir et de réalité

Les *Nouvelles conférences d'introduction à la psychanalyse* (1933) reformulent les problèmes posés par les rapports entre les instances psychiques et les principes de plaisir et de réalité. Le ça se remplit d'énergie pulsionnelle, mais n'a aucune organisation si ce n'est la tendance à procurer satisfaction aux besoins pulsionnels sous la pression du principe de plaisir[4]. Le facteur économique (ou quantitatif), intimement connecté au principe de plaisir, domine tous les processus. La relation au monde extérieur est au contraire devenue décisive pour le moi ; il le représente auprès du ça, pour le salut du ça, et doit pour cela percevoir fidèlement le monde extérieur et procéder à des examens de réalité. Il a intercalé pour cela, entre le désir et l'action, le

1. *Ibidem,* p. 53 ; p. 288 ; p. 461.

2. *Ibidem,* p. 101 ; p. 327 ; p. 500.

3. « L'humour » (1927d), *L'inquiétante étrangeté et autres essais,* Paris, Gallimard, 1985, p. 324 ; *OCF* XVIII p. 137 ; *GW* XIV, p. 385.

4. *Nouvelles conférences d'introduction à la psychanalyse* (1933a [1932]), Paris, Gallimard, 1984, p. 102 ; *OCF* XIX, p. 157 ; *GW* XV, p. 80.

travail de pensée, détrônant le principe de plaisir qui domine sans restriction les processus du ça et l'a remplacé par le principe de réalité[1]. L'angoisse-signal déclenche, par l'automatisme du principe de plaisir-déplaisir, le refoulement de la motion pulsionnelle. Mais il est mis en échec par les situations traumatiques, du fait de la grandeur des excitations qu'elles suscitent. Ce qui est redouté, l'objet de l'angoisse, est la survenue d'un moment traumatique qui ne peut pas être liquidé selon la norme du principe de plaisir[2]. Le principe de réalité se trouve ainsi relativisé, puisque le principe de plaisir-déplaisir suffit, grâce à l'angoisse-signal, à éviter les dangers venus du monde extérieur, à moins que ceux-ci, excessifs, ne débordent l'appareil psychique. Le moi témoigne ainsi de sa capacité à manipuler la perception de la réalité pour parvenir à s'en arranger. Mais des moments traumatiques peuvent aussi surgir dans la vie psychique en dehors de la menace d'un danger. Le principe de réalité a pu contribuer à constituer l'angoisse-signal. Mais une fois celle-ci mise en œuvre, comment le monde extérieur peut-il encore influencer le fonctionnement de l'appareil psychique et modifier ses modalités de recherche de satisfaction ? Comment la régulation d'une influence modificatrice issue du monde extérieur, constitutive du principe de réalité, peut-elle encore se frayer une voie ?

« L'analyse avec fin et l'analyse sans fin » (1937) s'intéresse aux modifications du moi. Dès le début, le moi cherche à faire l'intermédiaire, au service du principe de plaisir, entre son ça et le monde extérieur, visant à protéger le ça contre les dangers du monde extérieur[3]. Au cours de cet effort, il apprend à se mettre en position défensive contre son propre ça, également, et à traiter les revendications pulsionnelles comme des dangers extérieurs, parce que la satisfaction pulsionnelle conduirait à des conflits avec le monde extérieur. Il déplace alors, sous l'influence de l'éducation, le combat de l'extérieur vers l'intérieur, et maîtrise le danger intérieur avant qu'il ne soit

1. *Ibidem,* p. 105 ; p. 159 ; p. 82.

2. *Ibidem,* p. 127 ; p. 176 ; p. 100.

3. « L'analyse avec fin et l'analyse sans fin » (1937c), *Résultats, idées, problèmes, II,* Paris, PUF, 1984, p. 250 ; *OCF* XX, p. 37 ; *GW* XVI, p. 80.

devenu extérieur, à l'aide de mécanismes de défense. Les effets du refoulement, un de ces mécanismes de défense, ressemble à la censure d'un manuscrit dont on a déformé et recouvert le texte, sous l'influence tendancieuse de la contrainte du principe de plaisir. « L'appareil psychique ne supporte pas le déplaisir [...] et lorsque la perception de la réalité apporte du déplaisir, elle – c'est-à-dire la vérité – doit être sacrifiée[1]. C'est donc du fait du principe de plaisir que les mécanismes de défense du moi falsifient la perception intérieure et ne nous rendent possible qu'une connaissance déficiente du ça.

Dans l'*Abrégé de psychanalyse* (1938), Freud rappelle l'univers d'auto-perceptions spécifique au ça qui ressent avec acuité les variations de tension des émois pulsionnels (qui deviennent conscientes comme impressions de la série plaisir-déplaisir), lesquelles régissent despotiquement les phénomènes du ça. « Le ça obéit à l'inexorable principe de plaisir »[2], que les autres instances psychiques modifient sans le supprimer. Ce principe exige la diminution voire la suppression des tensions liées aux besoins pulsionnels (principe de nirvana), ce qui pose la question des relations entre le principe de plaisir et les deux forces pulsionnelles, Éros et la pulsion de mort[3].

Le moi, prenant son point de départ dans la perception consciente, soumet à son influence des domaines toujours plus vastes venus du ça, tout en persistant à dépendre du monde extérieur, et assure l'emprise du principe de réalité. Il intercale, « entre l'exigence instinctuelle et l'acte propre à satisfaire cette dernière, une activité intellectuelle qui, une fois bien considérés l'état de choses présent et les expériences passées, s'efforce, au moyen d'essais expérimentaux, de peser les conséquences de la ligne de conduite envisagée »[4]. C'est ainsi que le moi anticipe l'action, soumet pour ainsi dire la recherche de satisfaction à un examen critique préalable. Il détermine ainsi si la tentative

1. *Ibidem*, p. 252 ; p. 38 ; p. 82.

2. *Abrégé de psychanalyse* (1940a [1938]), Paris, PUF, 1967, p. 75 ; *OCF* XX, p. 297 ; *GW* XVII, p. 129.

3. *Ibidem*, p. 76 ; p. 296 ; p. 129.

4. *Ibidem*.

d'atteindre la satisfaction doit être effectuée ou si elle doit être ajournée, ou même si la revendication pulsionnelle ne doit pas être purement et simplement réprimée, car elle se révèle trop dangereuse. Freud réfère explicitement cette délibération à l'action du principe de réalité, réaffirmant ainsi son rôle permanent et soulignant sa fonction d'autoconservation et d'adaptation réaliste. Le moi s'interpose entre le ça et le monde extérieur, satisfait les exigences du premier, recueille les perceptions du second, pour les utiliser comme souvenirs, et doit se prémunir contre les revendications excessives venues des deux côtés. « Dans toutes ses décisions, il obéit aux injonctions d'un principe de plaisir modifié. »[1] Le moi, instance psychique, apparaît ici avec une fonction adaptative radicale, selon l'automatisme d'un principe qui est au service de la régulation de la pression pulsionnelle dans les conditions d'une réalité elle-même source d'une intense pression.

QUESTIONS ET ENJEUX

Le principe de réalité est une transformation du principe de plaisir. La déception est donc le moment-clé de cette transformation. Les pulsions du moi, organisées pour assurer l'auto-conservation, se soumettent au nouveau principe ; on peut même penser que c'est lui qui nous permet de distinguer ces pulsions du moi des pulsions sexuelles, constituant ainsi la première théorie des pulsions, qui oppose pulsions d'auto-conservation et pulsions sexuelles. Car ces dernières, au contraire, restent attachées à la satisfaction autoérotique ; il faut un long processus, marqué par l'organisation œdipienne et l'inhibition de la phase de latence, avant qu'elles ne puissent faire aboutir leur quête d'un objet de satisfaction qui soit à la fois :

— substitut acceptable de l'hallucination de la satisfaction ;

— substitut acceptable de l'objet primaire, halluciné-reconnu, qui a permis la constitution de l'identification primaire ;

1. *Ibidem*, p. 85 ; p. 303 ; p. 136.

— objet d'amour rencontré dans la réalité, selon les modalités d'un choix d'objet total (et non plus partiel) narcissique ou par étayage ;
— objet génital, selon l'organisation que la phase œdipienne et la période de latence ont pu constituer.

Du principe de plaisir au principe de réalité

Ce processus est en quelque sorte le **passage progressif de la domination du principe de plaisir à celle du principe de réalité.** On y voit la psyché se constituer en deux temps, en un fonctionnement d'après-coup. Néanmoins, la puissance originelle du principe de plaisir reste active, même si le principe de réalité a lui aussi pour fonction d'assurer le plaisir, mais en tenant compte des conditions de la réalité : notamment la nécessité de différer la satisfaction, la possibilité de déplacement d'un objet sur un autre (l'objet de la pulsion étant essentiellement contingent), ainsi que la capacité à ne libérer que de petites quantités d'énergie psychique, au lieu de chercher à chaque moment la décharge totale.

Tout au long de l'œuvre freudienne, le principe économique de plaisir-déplaisir garde une grande unité, même si la seconde théorie des pulsions amène à en reconsidérer certains aspects. Le principe de réalité en est indissociable, puisqu'il se constitue par différenciation à partir du principe de plaisir, sous l'action de la réalité extérieure, de façon analogue à la différenciation du moi à partir du ça du fait de la perception de la réalité extérieure.

Mais cette différenciation interne au principe économique ne permet pas de concevoir le principe de réalité comme lié à des pulsions d'auto-conservation (pulsions du moi), qui précéderaient les pulsions sexuelles : d'une part, le principe de réalité a à voir avec la sexualité tout autant que le principe de plaisir ; d'autre part, le plaisir-déplaisir est premier, et c'est seulement l'échec de l'hallucination de la satisfaction, ou plutôt sa limite intrinsèque, qui force l'appareil psychique à un détour par le principe de réalité.

En conséquence, le principe de réalité pose d'emblée le problème épineux de la constitution de l'objet psychique, objet reconnu (retrouvé) dans le monde extérieur, mais qui ne se constitue comme objet proprement psychique qu'en acquérant un statut d'objet interne

– ce qui le soumet à nouveau aux élaborations fantasmatiques et donc au primat du principe de plaisir.

Rappelons que, dans « Deuil et mélancolie », nous rencontrons certains **paradoxes du principe de réalité**, puisque la perte de l'objet dans la réalité ne donne pas lieu immédiatement ni aisément au réinvestissement d'un autre objet réel – ce dont Freud s'étonnait dans « Éphémère destinée » (1915) ; cette remarque est reprise dans *Inhibition, symptôme et angoisse*. Ainsi le travail psychique d'investissement de la réalité extérieure, au service du plaisir, par l'obtention d'une satisfaction non hallucinatoire, manifeste un accrochage à cette réalité, même aux dépens du plaisir, lors de la perte d'un objet d'amour ; or cette permanence de l'investissement n'est pas un maintien direct de l'investissement de l'objet externe, mais passe par son introjection et l'identification à celui-ci. Ce n'est qu'en passant par la réalité psychique que la réalité extérieure est prévalente. Le principe de réalité met donc en œuvre des processus bien plus complexes qu'il ne semblait au premier abord.

D'autant que la prédominance du principe de réalité n'est donc jamais que relative, et ne saurait être confondue avec les lacunes fantasmatiques (par exemple dans l'alexithymie) ou le manque d'activité du préconscient qui peut caractériser la dépression essentielle telle que la conçoit Pierre Marty. S'il y a bien un certain primat du principe de réalité dans la vie sexuelle de l'adulte, celui-ci reste relatif au refoulement œdipien et aux identifications croisées qu'il a rendues possibles : la culpabilité selon *Le moi et le ça* intervient dans la constitution de l'objet comme objet psychique, et contribue à la subjectivation de base, celle par laquelle un « sujet » se constitue en relation avec un « objet » auquel il reconnaît une existence externe, indépendante, qui peut entrer en conflit avec le mouvement pulsionnel qui porte vers cet objet, ou qui en fait un objet rival. Peut-être est-ce ainsi que l'on pourrait tenter de préciser la relation entre le principe de réalité et la notion d'« épreuve de réalité », importante dans l'œuvre freudienne, mais qui n'est ni systématisée, ni mise en relation claire avec le concept de principe de réalité.

L'épreuve de réalité peut en effet correspondre à une conception génétique de l'apprentissage de la réalité : la pulsion est mise à l'épreuve de la réalité, et procède pour ainsi dire par essais et erreurs. Ou bien l'épreuve de réalité vise essentiellement la constitution de l'objet à partir de pôles opposés tels que intérieur/extérieur, plaisant/

déplaisant, introjection/projection. Nous avons vu que le principe de réalité lui-même, dans sa fonction mécanique de régulation, se trouve au carrefour de ces deux voies sans pouvoir se réduire à l'une d'elles. Pour Freud, le névrosé cherche à se détourner d'une réalité intolérable ; le principe de réalité n'est pas seulement la capacité de prise en compte et d'apprentissage des conditions de la réalité (délais, petites quantités d'excitation, représentation d'une réalité même déplaisante, détours de l'activité de pensée). Il réside dans la permanence de la confrontation à une réalité qui résiste aux motions pulsionnelles et en assure ou en empêche la satisfaction : la prévalence du principe de réalité n'est pas l'affaiblissement ou la soumission du principe de plaisir, mais le maintien de la revendication de celui-ci dans une confrontation assumée aux épreuves de réalité : au prix d'une transformation de ses modalités de satisfaction, le principe de plaisir peut alors intégrer une part importante de la réalité extérieure, développer la différenciation fonctionnelle des instances de l'appareil psychique, trouver des objets de satisfaction et augmenter sa capacité de liaison. Le rôle de la négation est un processus de pensée décisif (cf. 1925, « La négation »).

Il est sans doute inutile de rappeler ici la variété et l'importance des modes d'évitement de l'épreuve de réalité, par le refoulement, les autres défenses ou l'idéalisation. Les articles de 1924, « Névrose et psychose », et « La perte de la réalité dans la névrose et dans la psychose », analysent ainsi les *différentes formes d'échec du principe de réalité* et leurs conséquences, notamment le déni, tandis que le clivage du moi sera mis en évidence dans l'article de 1938 (« Le clivage du moi dans le processus de défense »).

Si c'est à partir de l'expérience du déplaisir que se constitue le principe de plaisir, c'est tout aussi paradoxalement à partir des expériences de satisfaction que se constitue le principe de réalité : d'une part à partir des limites de la satisfaction hallucinée, mais aussi à partir des possibilités réelles de satisfaction qui restent ou deviennent accessibles moyennant les détours et les délais de l'épreuve de réalité, les déplacements et substitutions de l'objet psychique, ainsi que les transformations de la pulsion elle-même (renversement, inhibition quant au but, sublimation).

C'est aussi pourquoi le véritable primat du principe de réalité – réconcilié avec le principe de plaisir – est peut-être à chercher du côté des **sublimations créatrices** : l'art, ou l'œuvre. En effet, le mouvement sublimatoire ne renonce nullement aux désirs fantasmatiques et les soustrait au refoulement. Mais l'article de 1911 souligne que, contrairement au névrosé, l'artiste sait **revenir** de son monde interne et faire reconnaître dans la réalité externe, sociale, la valeur de ce monde interne, grâce à la mise en forme qu'il lui fait subir et qui génère une prime de beauté permettant aux autres hommes de reconnaître une légitimité à ces désirs qui reflètent les leurs. C'est ainsi à partir d'une réalité déjà **animée** et **informée** par des motions pulsionnelles que se constitue le principe de réalité : la réalité extérieure n'est pas une pure limitation externe, neutre et négatrice du plaisir, castratrice (en cas de refoulement) ou destructrice (en cas de traumatisme – encore que le traumatisme soit inévitable et participe à la constitution des refoulements originaires...). C'est aussi pourquoi elle peut intervenir dans la constitution d'une réalité autre qu'elle-même, une réalité psychique. Le principe de réalité n'est pas seulement une régulation et une limite de l'automatisme du principe de plaisir ; il est avec le principe de plaisir-déplaisir constitutif de la réalité psychique comme telle, et en assure notamment les capacités de structuration : on peut y voir un mécanisme lié à la différenciation du moi, et aux fonctions régulatrices et défensives de celui-ci ; il contribue également à la constitution du surmoi, qui partage avec le principe de réalité cette caractéristique de faire intervenir **dans** l'appareil psychique lui-même les influences du monde extérieur.

Le caractère paradoxal du principe de plaisir

La première topique présentait un rôle complexe mais univoque de l'action du principe de plaisir dans la vie psychique ; il dominait sans partage les processus psychiques primaires. La deuxième théorie des pulsions met ce principe en grande difficulté. Freud est amené à remettre en cause la relation entre le plaisir et le plus bas degré possible d'excitation, qui désormais désigne la tendance mise en œuvre par les pulsions de mort. Il doit même envisager dans quelle mesure le principe de plaisir peut se mettre paradoxalement au service de cette pulsion de mort. Le principe de réalité, de ce fait, paraît plus décisif pour assurer la vie, mais au prix d'une moindre pulsionnalité et d'une dépendance accrue au monde extérieur (sauf dans les processus de pensée). Dans le masochisme, le principe de plaisir perd même sa capacité de principe d'orientation et de discrimination. Le malaise dans la culture montre les illusions et les impasses de l'aspiration au bonheur générée par le principe de plaisir. Mais il en souligne tout autant la nécessité et la force. Le principe de plaisir sort plus complexe et paradoxal, mais tout aussi essentiel, de cet examen critique radical auquel Freud, avec la deuxième théorie des pulsions, a soumis sa propre pensée.

Dominique BOURDIN

Principe de réalité → Principe de plaisir-déplaisir, principe de réalité

Privation → Frustration

Projection → Paranoïa

Provinces → Instances, systèmes (provinces)

PSYCHANALYSE

all. : ***Psychoanalyse.*** – angl. : *psychoanalysis.* – esp. : *psychoanálysis.* – ital. : *psicoanalisi.* – port. : *psicanálise*

« Psychanalyse est le nom : 1 / d'un procédé d'investigation des processus psychiques, qui autrement sont à peine accessibles ; 2 / d'une méthode de traitement des troubles névrotiques, qui se fonde sur cette investigation ; 3 / d'une série de conceptions psychologiques acquises par ce moyen et qui fusionnent progressivement en une discipline scientifique nouvelle. »[1] Rien n'autorise à modifier, aménager ou compléter cette définition donnée par Freud lui-même. Ajoutons simplement qu'ayant découvert l'inconscient il a dû, pour l'explorer, inventer la psychanalyse.

1. « "Psychanalyse" et "Théorie de la libido" » (1923a), *Résultats, idées, problèmes, II,* Paris, PUF, 1984, p. 51 ; *OCF* XVI, p. 183 ; *GW* XIII, p. 211.

MISE EN SITUATION

Le néologisme psychoanalyse *a été construit par Freud comme le sont tant de « mots savants » allemands (mais aussi français), à partir des deux hellénismes :* Psyche *(âme, psyché) qui avait déjà permis « Psychiatrie » et « Psychologie », et* Analyse. *Si le terme* d'« analyse » *(visant celle de faits psychiques) est utilisé naturellement dans les* Études sur l'hystérie[1], *son association explicite avec psycho- en un nouveau mot ne se fera que quelques mois plus tard. Il est d'ailleurs intéressant de constater que le premier emploi du terme, dans un texte publié, le fut en français en 1896 dans la* Revue neurologique, *et c'est bien le mot français « psychoanalyse » que Freud écrit alors ; l'élision du « o » semble s'être faite en 1919. En 1924, divers écrits sont publiés en France, officialisant le terme de « psychanalyse » dans notre langue (par exemple : « Freud et la méthode psychanalytique » de Henri Claude dans* Les Nouvelles littéraires, *ou l'ouvrage de René Laforgue et René Allendy sur* La Psychanalyse et les Névroses*) ; on peut penser que Édouard Pichon, psychiatre et linguiste, appuya cette correction, lui qui tenait tant à « franciser » la théorie freudienne – ce qui n'allait pas sans agacer Freud, même s'il semble s'être accommodé de « psychanalyse ». Si la chute du « o » est conforme à la langue, cette élision n'est pas une règle pour autant (on connaît ainsi « psychoaffectif » ou « psychoanaleptique »). Quoi qu'il en soit, le français a la singularité, avec le portugais, de parler de psychanalyse là où les autres langues connaissent psychoanalyse (voire « psychoanalysis »).*

« La psychanalyse est ma création », constate Freud, et nul ne le conteste plus. On peut seulement chercher à fixer le moment de sa naissance. Selon lui, elle s'est constituée et a pu se développer lorsqu'il a « rejeté la technique de l'hypnose et introduit celle des associations libres »[2], soit dans une période allant de 1896 (Études sur l'hystérie) *à 1899 (avec l'analyse de « Dora », publiée en 1905)*

1. *Études sur l'hystérie* (1895d), Paris, PUF, 1956, p. 239 ; *OCF* II, p. 55 ; *GW* I, p. 300.

2. *Sur l'histoire du mouvement psychanalytique* (1914d), Paris, Gallimard, 1991, p. 14-15 ; *OCF* XII, p. 250 ; *GW* X, p. 45.

– ce qui justifie de la faire coïncider avec la publication « officielle » de L'interprétation des rêves *en 1900 (1899 en fait), comme on le fait habituellement. Elle s'est constituée dans une relation étroite entre l'exploration clinique des psychonévroses, l'expérience de la pratique thérapeutique, et l'élaboration théorique du fonctionnement psychique. Le rapport théorico-pratique y est fondamental : « L'un des titres de gloire de la psychanalyse est de faire agir de concert l'investigation et le traitement. »*[1]

Sous l'intitulé de « psychanalyse », que faut-il mettre ? Le contenu entier de ce dictionnaire devrait y entrer, et ce serait encore très insuffisant... Aussi, nous aurons la sagesse de nous limiter à la stricte sémantique, voire à la lexicographie ; nous nous en tiendrons à ce que Freud a écrit de la psychanalyse considérée en et pour elle-même, même si parfois ses frontières peuvent apparaître incertaines.

***La situation épistémologique de la psychanalyse** mérite d'être ici posée, d'autant qu'elle est régulièrement discutée par Freud. « Le processus culturel de l'humanité, comme le développement de l'individu, sont des processus vitaux, qui doivent donc participer du processus plus général de la vie »*[2]*. C'est là poser les trois références clés que constituent la biologie (le « processus de vie »), la sociologie avec l'histoire (le « processus culturel »), la psychologie (le développement de l'individu). Ces trois processus délimitent des champs spécifiques ; ils correspondent à des « points de vue » permettant d'approcher les objets de sciences particulières (aussi générales que celles-ci puissent apparaître parfois), et d'en déterminer les spécificités. L'essentiel tient à ce que ces disciplines portent toutes sur un seul et même objet : l'homme. Entre l'organisme, la psyché et la société, cela s'intrique, s'articule, se complète, s'échange, au point que parfois les frontières peuvent se faire incertaines ; ce n'est d'ailleurs pas surprenant puisque, en dernière analyse, il ne s'agit là que de points de vue différents sur une seule et même réalité : l'être humain.*

Le texte freudien s'attache à témoigner de cette consubstantialité elle-même ; le rappel de l'assise biologique du psychisme est régulier et constant, depuis les premiers travaux jusqu'aux tout derniers ; « la

1. « Conseils aux médecins sur le traitement psychanalytique » (1912e), *De la technique psychanalytique*, Paris, PUF, 1953, p. 64 ; *OCF* XI, p. 149 ; *GW* VIII, p. 380.

2. *Malaise dans la civilisation* (1930a [1929]), Paris, PUF, 1971, p. 99-100 ; *OCF* XVIII, p. 326-327 ; *GW* XIV, p. 499.

conscience a une fonction biologique »[1], *si bien que « pour le psychique, le biologique joue véritablement le rôle du roc d'origine sous-jacent »*[2]. *La « part sociale » de l'entreprise freudienne est tout aussi constante, comme en témoigne le constat que près de la moitié de l'œuvre est consacrée à des travaux présentés comme « sociaux » mais qui n'en sont pas moins des temps essentiels dans le développement de la pensée et dans la conceptualisation de la métapsychologie* (depuis Totem et tabou *jusqu'à* Moïse et le monothéisme, *en passant par* Psychologie des foules et analyse du moi*). S'il en est ainsi, c'est que toute discipline traitant du comportement des hommes en société ne peut rien être d'autre que de la psychologie appliquée : « À strictement parler, il n'y a en effet que deux sciences : la psychologie, pure et appliquée, et la science de la nature. »*[3] *Sur ces « sciences de la nature », Freud se fait aussi explicite pour inciter les psychanalystes à ne jamais oublier que « le psychique repose sur l'organique, bien que son travail ne puisse poursuivre le psychique que jusqu'à ce fondement et pas au-delà »*[4], *la « limite » du champ analytique se situant entre cet « au-delà » et son en-deça (idée que l'on retrouve dans la définition de la pulsion comme « concept limite » entre le psychique et le biologique)*[5].

La position freudienne sur ces trois champs anthropologiques est donc fort claire : la biologie, science de la vie et soubassement indispensable au fonctionnement psychique, relève d'un champ qui échappe à la psychanalyse ; la psychologie a pour domaine cette activité psychique en tant que manifestation spécifiquement humaine ; les sciences de la

1. « Analyse d'une phobie chez un petit garçon de cinq ans (Le petit Hans) » (1909b), *Cinq psychanalyses,* Paris, PUF, 1954, p. 196 ; *OCF* IX, p. 126-127 ; *GW* VII, p. 375 (cf. aussi, par exemple, *L'interprétation des rêves* (1900a), ou *Le moi et le ça* (1923b).

2. « L'analyse avec fin et l'analyse sans fin » (1937c), *Résultats, idées, problèmes, II,* Paris, PUF, 1984, p. 268 ; *OCF* XX, p. 55 ; *GW* XVI, p. 99.

3. *Nouvelles conférences d'introduction à la psychanalyse* (1933a [1932]), Paris, Gallimard, 1984, p. 240 ; *OCF* XIX, p. 265 ; *GW* XV, p. 194.

4. « Le trouble psychogène de la vision dans la conception psychanalytique » (1910i), *Névrose, psychose et perversion,* Paris, PUF, 1973, p. 172 ; *OCF* X, p. 185 ; *GW* VIII, p. 101.

5. « Pulsions et destins des pulsions » (1915c), *Métapsychologie,* Paris, Gallimard, 1968, p. 18 ; *OCF* XIII (2e éd.), p. 169 ; *GW* X, p. 214.

société (aussi vaste soit leur champ) ne sauraient en être elles-mêmes qu'une application particulière. Ceci implique un « ordre » épistémologique dans l'étude des organisations : il faut un saut qualitatif pour passer du biologique au psychologique, mais un changement quantitatif suffit pour en arriver à la vie sociale.

Mais ces différents champs s'interpénètrent. C'est ainsi qu'il n'y a pas véritablement d'opposition entre psychologie individuelle et psychologie sociale : « la psychologie individuelle est aussi, d'emblée et simultanément, une psychologie sociale », puisque dans la vie individuelle l'« autre » intervient régulièrement. « Les premiers rapports de l'individu à ses parents et à ses frères et sœurs », mais aussi à bien d'autres, sont à « considérer comme des phénomènes sociaux », qui ne s'opposent donc pas à ce qui est psychique, mais aux processus narcissiques : « L'opposition entre les actes psychiques sociaux et narcissiques se situe donc exactement à l'intérieur même du domaine de la psychologie individuelle. »[1] Il n'existe donc pas de « pulsion sociale » spécifique.

LE TEXTE FREUDIEN

Il va de soi que, tout au long de son œuvre, selon une approche ou une autre, Freud parle de psychanalyse ; il ne traite d'ailleurs que de cela, même si, à l'occasion, il le fait à propos de l'art, de la société ou d'autres phénomènes de civilisation. Mais, de même qu'il prit soin de définir lui-même la psychanalyse, il a tenu à en retracer la genèse, considérant que c'était là, justement, la meilleure façon de la spécifier. Il a ainsi écrit quelques textes qui se préoccupent spécifiquement de la situer et la spécifier : ce sont donc surtout à ceux-ci que nous nous référerons.

Dès **1903**, est rédigée « La méthode psychanalytique de Freud », publiée en 1904 où, comme l'indique son intitulé, « Freud raconte Freud » : il y parle d'ailleurs de lui à la troisième personne. Cette

1. *Psychologie des foules et analyse du moi* (1921c), *Essais de psychanalyse,* Paris, Payot, 1981, p. 123-124 ; *OCF* XVI, p. 5-6 ; *GW* XIII, p. 73-74

« méthode particulière de psychothérapie » est issue du « procédé cathartique » que Joseph Breuer inventa en 1880-1882 (à l'occasion du traitement d'une patiente, qui apparaît sous le nom d'Anna O. dans les *Études sur l'hystérie,* ouvrage écrit en commun) ; il engagea vivement Freud à cette pratique – ce que celui-ci fit sur nombre de malades. Le but était, sous hypnose, de « supprimer les symptômes morbides en replaçant le patient dans l'état psychique où le symptôme était apparu pour la première fois », des souvenirs oubliés resurgissaient et, révélés au médecin « avec d'intenses manifestations émotives », le symptôme disparaissait ; ainsi s'expliquait l'effet thérapeutique (il s'agissait d'une *abréaction,* décharge émotionnelle d'affects « coincés », aboutissant à un effet de *catharsis,* de « purgation » des passions et des humeurs, comme pouvait le faire la tragédie antique selon Aristote). La caractéristique de cette méthode était de s'être débarrassée de la suggestion. Le changement apporté par Freud, à la suite du « retrait » de Breuer pour diverses raisons, « fit un pas de plus en rejetant également l'hypnose », ce qui modifia la conception même de la tâche et, surtout, de la méthode thérapeutique.

La procédure propre à la psychanalyse est alors suffisamment stable pour pouvoir être exposée ; pour l'essentiel, elle ne sera plus modifiée. Freud, « **sans chercher à les influencer d'aucune manière** », **demande à ses patients de s'étendre commodément sur un divan, lui-même s'asseyant derrière hors de leur regard.** Il évite tout procédé susceptible de rappeler l'hypnose (les toucher, fermer les yeux), veillant seulement à leur épargner tout effort musculaire, toute impression sensorielle, qui risquerait de détourner leur attention de leur activité psychique. Comme substitut à l'élargissement du domaine conscient et à la libération des affect que permet l'hypnose, Freud recourt aux **associations, aux** « **idées involontaires généralement considérées comme perturbantes** », et donc ordinairement écartées. Il invite donc les patients à se « **laisser aller** », **à dire tout ce qui leur passe par l'esprit,** même s'ils le trouvent inutile, déplacé, voire stupide. Surtout, il exige qu'ils « **n'omettent pas de révéler une pensée, une idée, sous prétexte qu'ils la trouvent honteuse ou pénible** ». Les oublis témoignent d'un *refoulement* qui se manifeste comme *résistance,* ce qui est devenu « l'une des pierres angulaires de la théorie ».

Ce procédé, en permettant de passer des associations au refoulé, des déformations aux matériaux déformés, rend accessible au conscient ce qui était inconscient. Ainsi, « Freud a **fondé un art d'interpréter dont la tâche est, pour ainsi dire, d'extraire du minerai des idées fortuites le pur métal des pensées refoulées** ». De la sorte, la méthode psychanalytique s'efforce de supprimer les amnésies, de lever les refoulements ; on peut dire aussi que la tâche « consiste à rendre l'inconscient accessible au conscient, ce qui se réalise en surmontant les résistances », mais il est bien rare que l'on puisse atteindre cet état[1]. La technique qu'elle met en œuvre est spécifiée neuf ans plus tard ; elle repose sur la « règle fondamentale » imposée à l'analysé de « raconter sans critique ni sélection tout ce qui lui vient à l'idée », et sur sa contrepartie imposée à l'analyste de « ne porter son attention sur rien de particulier » et de tout écouter avec une « attention également flottante »[2].

C'est à deux ouvrages « historiques », et même « autobiographiques », qu'il appartient, à dix ans de distance, de compléter cet exposé en fonction des évolutions de la recherche – ils apportent des ajouts, nullement des rectifications. Le premier est rédigé en 1914, dans une période où Freud et la psychanalyse se trouvent attaqués « de l'intérieur », d'abord par Alfred Adler dans les années 1909-1910 (il rompt en 1911), mais surtout par Carl Gustav Jung (qui apparaissait comme le dauphin) en 1911-1912, dont les oppositions conduiront Freud, en 1913, à l'inviter à démissionner de l'Association internationale de psychanalyse qu'il présidait depuis sa création trois ans plus tôt. Publié au terme de ces crises, *Sur l'histoire du mouvement psychanalytique* a manifestement pour tâche de réaffirmer tant les spécificités et originalités de la psychanalyse, que le droit exclusif de paternité de Freud à son égard.

D'emblée, il souligne : « **La psychanalyse est en effet ma création.** » Pendant dix ans, il fut le seul psychanalyste (d'ailleurs fort attaqué) et

1. « La méthode psychanalytique de Freud » (1904a), *De la technique psychanalytique,* Paris, PUF, 1953, p. 1-6 ; *OCF* VI, p. 11-15 ; *GW* V, p. 3-8.

2. « Conseils aux médecins sur le traitement psychanalytique » (1912e), *De la technique psychanalytique,* Paris, PUF, 1953, p. 62-63 ; *OCF* XI, p. 146 ; *GW* VIII, p. 377-378.

si, en cette année1914, il n'est plus seul depuis longtemps, il entend défendre son œuvre et tient à affirmer : « Je m'estime autorisé à soutenir le point de vue selon lequel [...] personne mieux que moi ne peut savoir ce qu'est la psychanalyse, en quoi elle se distingue d'autres modes d'exploration de la vie psychique, ce qui doit être désigné par ce nom ou qu'il vaut mieux nommer autrement. » [1]

Il reprend alors le récit de ses premières expériences avec la méthode cathartique de Breuer, qui le conduisirent à élaborer sa propre technique psychanalytique ; il relate comment ils se séparèrent en raison, notamment, de leurs divergences sur « l'origine sexuelle des forces pulsionnelles de la névrose » (qui se trouve, à nouveau, refusée par Adler et Jung). Après que Breuer ait su rejeter la suggestion, lui-même dut abandonner l'hypnose et inventer une nouvelle technique ; la catharsis a « constitué un stade préalable de la psychanalyse [qui ne] commença qu'au moment où fut rejetée la technique de l'hypnose et introduite celle des associations libres » [2].

Cette transformation fut aussi rendue possible par la conceptualisation, liée à la reconnaissance du rôle de la sexualité, de « *la théorie du refoulement* [devenue] le pilier sur lequel repose l'édifice de la psychanalyse ». La théorie psychanalytique s'est constituée en tentant de faire comprendre ce qui se passe lorsqu'on essaie de ramener les symptômes à leurs sources infantiles : **on découvre alors une *résistance* et un *transfert* et « toute orientation de recherche qui reconnaît ces deux faits et les prend comme point de départ de son travail est en droit de se nommer psychanalyse »**, et ce, même si les résultats sont autres. Ainsi élaborée, **la théorie psychanalytique est un résultat de la psychanalyse, et non un présupposé.** La mise en évidence de la *sexualité infantile,* tout aussi importante, fut un acquis plus tardif, découlant lui aussi de la pratique et de la clinique, en dehors, voire à l'encontre de tout présupposé théorique (comme le fait Jung). Ce n'est qu'à ce moment de son récit que Freud évoque le rêve : son interprétation fut le premier fruit apporté par le remplacement de l'hypnose par

1. *Sur l'histoire du mouvement psychanalytique* (1914d), Paris, Gallimard, 1991, p. 13 ; *OCF* XII, p. 249 ; *GW* X, p. 44.

2. *Ibidem,* p. 14-15 ; p. 250 ; p. 45.

l'association libre, et là aussi **ce qui se découvre est le conflit intérieur, lié à la sexualité,** comme source des déformations du rêve. « En déroulant l'histoire de cette genèse, je crois avoir mieux montré ce qu'est la psychanalyse que par une présentation systématique. »[1]

Lorsque, deux ans plus tard, Freud prononce ses *Conférences d'introduction à la psychanalyse* avec une intention pédagogique affirmée, il commence par énoncer ce qu'elle est : « **La psychanalyse est un procédé pour traiter médicalement les malades nerveux** » et, « **dans le traitement analytique, il ne se passe rien d'autre qu'un échange de mots entre l'analysé et le médecin** ». Le patient parle, il relate des expériences passées et des impressions présentes, il dit ses plaintes, avoue ses désirs et ses élans affectifs. Le médecin écoute, cherche à diriger le cheminement des pensées du patient, le met en garde, attire son attention sur certaines directions, éclaircit quelques points, observe les réactions, les acceptations et les refus ainsi suscités[2]. À la fin du volume, il en vient au fond : « **En tant que science, la psychanalyse n'est pas caractérisée par la matière qu'elle traite, mais par la technique avec laquelle elle travaille** » ; c'est pourquoi elle peut être appliquée à l'histoire des civilisations et des religions, à la mythologie tout aussi bien qu'aux névroses, sans pour autant dénaturer son essence. « **Elle ne poursuit pas d'autre fin et elle n'opère pas autre chose que la mise au jour de l'inconscient dans la vie psychique.** »[3]

En 1922, Freud est amené à rédiger un article de commande sur la « Psychanalyse » pour le *Handwörterbuch der Sexualwissenschaft* (Lexique de la science de la sexualité) de Max Marcuse. C'est pour lui l'occasion d'exposer et définir la théorie analytique, maintenant qu'elle est parvenue à maturité, sous une forme condensée, comme l'exige un « lexique » – ce qui fait de ce texte une référence majeure lorsqu'il s'agit de la spécifier. Freud commence donc par donner la définition de la psychanalyse, celle même que nous avons reprise pour introduire cet article. Il poursuit en en retraçant l'histoire car, « **pour**

1. *Ibidem*, p. 27-37 ; p. 257-263 ; p. 53-59.

2. *Conférences d'introduction à la psychanalyse* (1916-1917), Paris, Gallimard, 1999, p. 19 et 22 ; *OCF* XIV, p. 9 et 11 ; *GW* XI, p. 7 et 9.

3. *Ibidem*, p. 492 ; p. 402 ; p. 403-404.

comprendre la psychanalyse, le mieux est encore de s'attacher à sa genèse et à son développement». Il va en résumer les grands acquis: commençant par « la libre association » et « l'art de l'interprétation », il traite ensuite assez longuement des rêves, puis plus particulièrement de la sexualité (de l'infantile surtout), du développement de la libido (avec l'objet et l'Œdipe), du refoulement et du transfert, pour en arriver au narcissisme; elle a été enrichie et approfondie, mais il ne peut ici l'évoquer que succinctement – de façon tellement succincte, d'ailleurs que, dans cet texte publié en 1923, ne sont pas plus mentionnés la pulsion de mort que le ça et le surmoi…

En cours de route, Freud a désigné « **les piliers de la théorie psychanalytique** » : **il s'agit de l'hypothèse de processus inconscients, de la théorie de la résistance et du refoulement, de l'importance accordée à la sexualité et au complexe d'Œdipe. Ce sont là ses contenus principaux, et les fondements de sa théorie**; « **qui n'est pas en mesure de souscrire à tous ne devrait pas compter parmi les psychanalystes** » [1]. L'article se termine en caractérisant celle-ci comme **science empirique**: en aucune façon elle n'est un système, comme en produit la philosophie qui part de quelques concepts bien définis pour tenter de saisir l'univers mais qui, pour finir, n'est plus disponible pour de nouvelles découvertes et de meilleurs orientations. « **Elle s'attache bien plutôt aux faits de son domaine de travail, tente de résoudre les problèmes immédiats de l'observation, s'avance en tâtonnant en suivant l'expérience, toujours inachevée, toujours prête à aménager ou modifier ses doctrines.** » Tout comme la physique ou la chimie, elle accepte un manque de clarté dans ses concepts majeurs, du provisoire dans ses présupposés, attendant de ses avancées à venir une détermination plus rigoureuse [2].

En 1925, Freud est invité à participer à un recueil de « Monographies médicales », rédigées par des médecins réputés, dans lesquelles ils expliquent leur discipline et exposent leurs travaux; c'est ainsi que nous disposons de cette deuxième « Autoprésentation ». Il

1. *Sur l'histoire du mouvement psychanalytique* (1914d), Paris, Gallimard, 1991, p. 30; *OCF* XII, p. 259; *GW* X, p. 54.

2. « "Psychanalyse" et "Théorie de la libido" » (1923a), *Résultats, idées, problèmes, II,* Paris, PUF, 1984 p. 51-72; *OCF* XVI, p. 183-204; *GW* XIII, p. 211-229.

ne pouvait échapper aux redites, il retrace l'historique de ses travaux, et va aussi faire part de ses nouveaux acquis touchant au narcissisme, à la théorie des pulsions et aux psychoses. Soulignant la part croissante prise par le complexe d'Œdipe, il remarque que « **la psychologie des profondeurs mise au jour par la psychanalyse est justement la psychologie de la vie psychique normale** » [1]. Il évoque bien, cette fois, Éros et la pulsion de mort, ce qui lui est l'occasion de rappeler quelques principes. Certes, les « **concepts suprêmes** » **de la psychanalyse ne sauraient être clairs et précis, qualités impossibles, voire superflues dans les sciences de la nature** ; même la physique n'aurait pu évoluer comme elle l'a fait si elle avait dû attendre que ses principaux concepts (matière, force, gravitation, énergie et autres) atteignent toute la clarté et la précision qu'ils auront par la suite – ce serait une injustice grossière que de traiter la psychanalyse autrement que comme n'importe quelle autre science de la nature. Après avoir évoqué sa « tentative d'une "métapsychologie" » (avec ses trois « points de vue » : dynamique, topique, économique), constaté qu'il avait dû réduire ses ambitions et la laisser à l'état d'ébauche, il explique en être venu à « subdiviser l'appareil psychique [...] en un moi, un ça et un surmoi » [2].

Mais, on le voit, aussi importantes soient-elles, ce sont là des extensions des connaissances, des progressions dans le champ analytique ; ce ne sont aucunement des remises en question de la discipline elle-même, bien au contraire. Le jugement sur celle-ci est porté en conclusion de ce travail : « **Le mot psychanalyse lui-même est devenu plurivoque. Après avoir, à l'origine, désigné un procédé thérapeutique spécifique, il est maintenant aussi le nom d'une science, celle du psychique inconscient.** » Cette science ne saurait, à elle seule, que rarement régler un problème dans sa totalité ; elle n'en paraît pas moins appelée à fournir d'importantes contributions à des champs variés du savoir : « Le domaine d'application de la psychanalyse

1. *Sigmund Freud présenté par lui-même* (1925d), Paris, Gallimard, 1984, p. 93-94 ; *OCF* XVII (« Autoprésentation »), p. 103 ; *GW* XIV, p. 82.

2. *Ibidem*, p. 97-99 ; p. 105-107 ; p. 84-87.

s'étend exactement aussi loin que celui de la psychologie, à laquelle elle ajoute un complément d'une portée considérable. »[1]

En 1926, c'est encore à l'occasion de sa participation à un ouvrage destiné à un large public (il s'agit cette fois de l'*Encyclopædia Britannica*) que Freud redit rapidement l'histoire de la psychanalyse, la définit brièvement comme **méthode particulière de traitement des affections névrotiques et science des processus psychiques inconscients,** dont l'influence thérapeutique tient au remplacement d'actes psychiques inconscients par des conscients. Il en indique le contenu, n'apportant rien ici de nouveau[2]. La même année, il rédige un long plaidoyer pour montrer que si *« personne ne doit exercer l'analyse qui n'en ait acquis le droit par une formation déterminée »,* il lui paraît sans importance que ce praticien soit ou non médecin[3] ; il s'attache longuement à en expliquer les raisons. Au fil de sa démonstration, il en vient à indiquer le « destin » qu'il lui souhaite : *« psychologie des profondeurs »,* théorie de l'inconscient, elle peut s'avérer indispensable à toutes les sciences qui ont à s'occuper de la culture humaine, de sa genèse, de l'établissement et de ses grandes institutions (art, religion, ordre social…). « L'utilisation de l'analyse pour la thérapie des névroses n'est qu'une de ses applications ; peut-être l'avenir montrera-t-il que ce n'est pas la plus importante. »[4] Le *but* en est « une analyse du patient aussi complète que possible » : il s'agit de l'enrichir à partir de son moi propre en lui apportant les énergies qui, par le refoulement, se trouvent liées stérilement dans l'inconscient. **« Ce que nous faisons ainsi, c'est du ministère des âmes au meilleur sens. […] Notre procédé analytique est le seul dans lequel se trouve garantie cette précieuse rencontre entre guérir et chercher. »**[5]

1. *Ibidem,* p. 119, p. 118 ; p. 96.

2. « Psycho-Analysis » (1926f), *Résultats, idées, problèmes, II,* Paris, PUF, 1984, p. 154-155 ; *OCF* XVII, p. 290 ; *GW* XIV, p. 300-301.

3. *La question de l'analyse profane* (1926e), Paris, Gallimard, 1985, p. 112-113 ; *OCF* XVIII, p. 60 ; *GW* XIV, p. 267.

4. *Ibidem,* p. 136-137 ; p. 75-76 ; p. 283.

5. *La question de l'analyse profane* (1926e), Paris, Gallimard, 1985, p. 150 ; *OCF* XVIII, p. 84-85 ; *GW* XIV, p. 293.

Au fil de sa correspondance, il livre quelques commentaires, pas toujours optimistes. Ainsi, pour Sandor Ferenczi, il évoque « le sombre avenir qui attend la psychanalyse si elle ne réussit pas à faire son trou en dehors de la médecine » ; à Marie Bonaparte il rappelle l'impuissance de l'analyse face aux psychoses, soulignant que « nous avons besoin de trouver un moi normal avec lequel on puisse entrer en contact », que nous ne pouvons qu'espérer que la chimie organique ou l'endocrinologie apportent un jour des solutions – « cet avenir est encore très distant, mais on devrait étudier tout cas de psychose du point de vue analytique, car ce savoir guidera un jour la thérapeutique médicamenteuse »[1].

S'il avait tenu, en 1926, à redire que la psychanalyse ne doit pas être confinée au traitement de névroses mais qu'elle concerne toute la culture humaine avec l'art, la religion et la société (ou tout au moins les sciences qui s'occupent de sa genèse)[2], il semble bien qu'en 1933 sa position sur sa vocation culturelle se soit infléchie. Ainsi, dans les *Nouvelles conférences*, il entreprend de la situer par rapport à la philosophie, voire aux croyances. Il procède alors à une mise en garde : **la psychanalyse est une science spécialisée, une branche de la psychologie (psychologie des profondeurs ou psychologie de l'inconscient), qui est absolument « inapte à former une vision du monde qui lui soit propre, il lui faut admettre celle de la science »**. Freud utilise ici le terme de *Weltanschauung*, notion spécifiquement allemande difficile à traduire, précise-t-il ; elle désigne « une construction intellectuelle qui résout de façon unitaire tous les problèmes de notre existence à partir d'un hypothèse qui commande le tout, ne laissant par conséquent aucune question ouverte ». Une telle « vision du monde », chère aux philosophes, peut apparaître comme un idéal ; il faut pourtant savoir que si la pensée scientifique postule aussi l'homogénéité de l'explication du monde, elle ne le fait qu'en tant que programme tourné vers l'avenir et exclut toute autre source

1. *In* E. Jones, *La vie et l'œuvre de Sigmund Freud*, Paris, PUF, 1969, t. III, p. 339 (lettre à S. Ferenczi du 13 mai 1928), et p. 506-507 (lettre à M. Bonaparte du 15 janvier 1930).

2. *La question de l'analyse profane* (1926e), Paris, Gallimard, 1985, p. 150 ; *OCF* XVIII, p. 84-85 ; *GW* XIV, p. 293.

que celle de l'élaboration d'observations soigneusement vérifiées. « L'esprit et l'âme sont des objets de la recherche scientifique exactement de la même manière que n'importe quelle chose étrangère à l'homme. » Il n'en demeure pas moins que « la psychanalyse a un droit particulier à se faire le porte-parole d'une "vision du monde" scientifique, parce qu'on ne peut lui faire le reproche d'avoir négligé le psychique dans l'image du monde. Sa contribution à la science consiste précisément dans l'extension de la recherche au domaine psychique. » [1] On aurait pu penser que c'était là l'occasion de redire que la « théorie de l'inconscient » a vocation à se pencher sur toutes les sciences qui ont à s'occuper de la culture humaine – ne serait-ce que pour distinguer cette ambition d'une *Weltanschauung* –, mais Freud n'en dit mot.

Et lorsqu'en 1938 il reprend la question dans son dernier ouvrage, l'*Abrégé de psychanalyse,* revenant sur sa découverte que le psychisme est inconscient, il témoigne d'une ambition qui, sans être nouvelle est autre ; nous ne saurions d'ailleurs dire si elle est plus modeste ou plus grandiose. Il entend « faire de la psychologie une branche, semblable à toutes les autres, des sciences naturelles ». Les phénomènes qu'étudie la psychanalyse sont tout aussi inconnaissables que ceux de ces autres sciences, mais « il est possible d'établir des lois qui les régissent » ; cela débouche sur une création d'hypothèses et de concepts nouveaux qui ne peuvent avoir, eux aussi, qu'une valeur approximative. En cela, la psychanalyse est bien semblable aux autres sciences naturelles, mais elle présente une grande singularité : si, comme les autres sciences, elle s'appuie sur ce que nous transmet notre appareil psychique, « comme c'est justement cet appareil que nous étudions, l'analogie cesse ici ». Il nous faut alors traduire nos observations dans un matériel conscient, en nous servant des lacunes dans les processus psychiques, et reconstituer ce qui manque de façon plausible ; ce faisant, nous ne pouvons qu'« ajouter aux phénomènes psychiques inconscients une série complémentaire de faits conscients », et « la certitude relative de notre science du psychisme

1. *Nouvelles conférences d'introduction à la psychanalyse* (1933a [1932]), Paris, Gallimard, 1984, p. 211-212 ; *OCF* XIX, p. 242-243 ; *GW* XV, p. 170-171.

repose sur la puissance convaincante de ces déductions »[1]. Pour asseoir sa scientificité, la psychanalyse semble bien s'être résolue à renoncer (provisoirement ?) à revendiquer ses droits sur les autres sciences humaines.

QUESTIONS ET ENJEUX

« La psychanalyse est ma création », rappelle Freud avec force. Il en élabora la méthode dans le courant de l'année 1895 ; le premier exposé véritable fut donné en 1903, et il contient déjà l'essentiel. Ce qui viendra s'ajouter par la suite consiste en aménagements et en développements, en découvertes venant s'intégrer dans l'ensemble existant, en hypothèses étayées mais à vérifier, en théories élaborées sur un certain nombre de propriétés du fonctionnement psychique ; sur la méthode psychanalytique elle-même, il n'y aura rien à ajouter ou à retirer, tout au plus quelques aménagements pourront être apportés. On peut la rejeter mais, si on l'accepte, on doit la prendre comme un tout, la recevoir comme un aboutissement ; elle n'offre guère lieu à discussions, et celles-ci ne sauraient porter que sur les découvertes que permet l'application de la psychanalyse, non sur la psychanalyse elle-même. Cet « absolutisme » apparent n'est que la conséquence de sa revendication d'appartenance aux sciences naturelles. On ne redéfinit pas, on ne modifie pas les attributs et les paramètres d'une science : si on doit le faire, on change de science, c'est-à-dire que l'on en construit une autre.

« En tant que science, la psychanalyse n'est pas caractérisée par la matière qu'elle traite, mais par la technique avec laquelle elle travaille », et c'est pourquoi Freud peut s'autoriser à l'appliquer à d'autre champs que celui des névroses ; elle est valide partout où il y a de la vie psychique, et donc de l'inconscient[2]. Pourtant, ce sont surtout les relations de la psychanalyse à d'autres champs du savoir

1. *Abrégé de psychanalyse* (1940a [1938]), Paris, PUF, 1967, p. 21-22 ; *OCF* XX, p. 248-249 ; *GW* XVII, p. 80-81.

2. *Conférences d'introduction à la psychanalyse* (1916-1917), Paris, Gallimard, 1999, p. 492 ; *OCF* XIV, p. 402 ; *GW* XI, p. 403.

qui suscitèrent – et continuent à provoquer – discussions et contestations, bien plus que la « technique » elle-même. Certes, des aménagements furent régulièrement proposés et, sans parler d'Alfred Adler et Carl Gustav Jung, cela commença dès Sandor Ferenczi et Otto Rank pour se poursuivre avec Wilhelm Reich. Mais, ou les innovations furent rapidement abandonnées, ou elles amenèrent leurs protagonistes à refuser la psychanalyse. Par contre, la clarification des rapports aux *autres disciplines* contraignit Freud à s'attacher à leur réfutation. C'est ainsi que quelques points reviennent de façon récurrente, avec le souci de situer clairement la psychanalyse, tant face à celles qui apparaissaient comme des menaces (telles la médecine et la philosophie), qu'à l'égard de celles sur lesquelles elle s'attribue des droits (les arts et la littérature, les religions et le champ social).

La *philosophie* suscite d'autant la méfiance de Freud qu'elle l'a vivement attiré, jusqu'à avoir, à dix-huit ans, « décidé de passer le doctorat de philosophie ». Il peut encore parler, vingt ans plus tard, de « l'espoir d'atteindre par la même voie [la médecine] mon premier but : la philosophie », car il n'a aspiré, durant ses années de jeunesse, « qu'aux connaissances philosophiques » et il compte bien réaliser ce vœu en passant de la médecine à la psychologie[1]. Mais, douze ans plus tard, c'est la dénégation : il a une « relation singulière avec la philosophie dont la nature abstraite lui est si antipathique qu'il a finalement renoncé à l'étudier »[2]. Dorénavant, la méfiance domine, et il n'aura de cesse d'opposer à la philosophie – avec son esprit de système, utilisant quelques concepts fondamentaux bien définis pour tenter de saisir l'univers, se retrouvant alors sans espace pour de nouvelles découvertes – la psychanalyse qui s'attache aux faits, tente de résoudre les problèmes qu'elle observe, « s'avance en tâtonnant sur le chemin de l'expérience, toujours inachevée, toujours prête à aménager ou modifier ses théories »[3]. Les philosophes

1. *Lettres de jeunesse* (1990a [1871-1881]), Paris, Gallimard, 1990, p. 137 (lettre du 7 mars 1875. – *La naissance de la psychanalyse. Lettres à Wilhelm Fliess. Notes et plans (1887-1902)* (1950a [1887-1902]), Paris, PUF, 1956, p. 125 (le 1er janvier 1896) et p. 143 (2 avril 1896) ; *Lettres à Wilhelm Fliess* (éd. complète), Paris, PUF, 2006, p. 205 et 233.

2. *Les premiers psychanalystes (minutes de la Société psychanalytique de Vienne)* (1976a), Paris, Gallimard, t. I (1906-1908), 1976, p. 372 (le 1er avril 1908).

3. « "Psychanalyse" et "Théorie de la libido" » (1923a), *Résultats, idées, problèmes, II*, Paris, PUF, 1985, p. 72 ; *OCF* XVI, p. 203 ; *GW* XIII, p. 229.

refusent la thèse, voire l'idée même d'un inconscient, tant elle leur apparaît hermétique – ce qui ne peut que mobiliser méfiance et défiance chez Freud.

La *médecine* était censée le conduire à la philosophie, via la psychologie ; elle est pourtant devenue la discipline dont il se méfie le plus car, plus qu'une simple tentation intellectuelle, elle s'avère être une menace concrète dans la mesure où elle tente de s'incorporer la psychanalyse – et, pour se faire, s'efforce de la dénaturer et la dévorer. C'est pourquoi, régulièrement, il indique avec force que la psychanalyse n'a rien à voir ni a faire avec la médecine. Il renforcera cette conviction au fil des années : il importe avant tout que « la psychanalyse ne soit pas avalée par la médecine, trouvant sa demeure définitive au fond d'un traité de psychiatrie, au chapitre thérapie » – d'autant que « ce qu'on appelle formation médicale me semble être un pénible détour pour accéder à la profession d'analyste », elle l'encombre de choses sans intérêts et risque de fausser son mode de pensée, le déviant de la saisie des phénomènes psychiques[1]. Il en vient à évoquer en 1928, dans une lettre à Sandor Ferenczi, « le sombre avenir qui attend la psychanalyse si elle ne réussit pas à faire son trou en dehors de la médecine »[2].

La *psychiatrie,* en revanche, peut en recevoir beaucoup, à commencer par le fondement psychologique qui lui fait défaut[3]. En effet, elle est demeurée essentiellement descriptive et classificatrice, à orientation plus somatique que psychologique, et il lui « manque des possibilités d'explication des phénomènes observés » – nous nous autoriserons à remarquer ici que, depuis, la situation n'a fait qu'empirer. Pourtant, la psychanalyse ne s'oppose nullement à la psychiatrie mais aspire, tout au contraire, à lui fournir une infrastructure[4]. En tant que psychologie des actes psychiques profonds, inconscients, elle devrait « devenir le chaînon entre la psychiatrie et toutes les sciences de l'esprit », telles que

1. *La question de l'analyse profane* (1926e), Paris, Gallimard, 1985, p. 137 et 143 ; *OCF* XVIII, p. 76 et 79-80 ; *GW* XIV, p. 283 et 288.

2. Citée *in* E. Jones, *La vie et l'œuvre de Sigmund Freud,* Paris, PUF, 1969, t. III, p. 339.

3. *Conférences d'introduction à la psychanalyse* (1916-1917), Paris, Gallimard, 1999, p. 27 et 536-537 ; *OCF* XIV, p. 15 et 438-439 ; *GW* XI, p. 14 et 439.

4. « "Psychanalyse" et "Théorie de la libido" » (1923a), *Résultats, idées, problèmes, II,* Paris, PUF, 1985, p. 70 ; *OCF* XVI, p. 201 ; *GW* XIII, p. 227.

l'histoire de la civilisation et de la littérature, la science des religions et la pédagogie[1].

Une certaine ambiguïté concernant le *champ de la psychanalyse* se dévoile pourtant à propos de ces « sciences de l'esprit ». Freud a toujours pensé que, « science des processus psychiques inconscients », la psychanalyse ne saurait être cantonnée à la seule thérapeutique. Comme le montrent bien ses écrits, le traitement des névroses ne doit représenter que l'une de ses applications ; peut-être même n'est-elle pas la plus importante. En tant que théorie de l'inconscient, « elle peut devenir indispensable à toutes les sciences qui s'occupent de la genèse de la culture humaine et de ses grandes institutions » (art, religion, société). Il n'en demeure pas moins que, lors de sa création, elle fut conçue à partir du traitement des névroses, qu'elle y demeure appuyée, jusqu'à s'y fonder. La question se pose alors de savoir dans quelle mesure la méthode est liée à cette pratique, épistémologiquement dépendante d'elle ? Dans quelle mesure peut-elle tendre à s'en affranchir ? Au prix de quels aménagements, voire de quelles modifications, peut-elle être transposée dans d'autres champs ?

En tant que « science de l'inconscient psychique », il est bien clair qu'à chaque fois que celui-ci est à l'œuvre – et il l'est, de fait, dans toutes les activités humaines – la psychanalyse se trouve concernée car, d'une façon ou d'une autre, elle est impliquée par tout ce qui est humain. Il en va ainsi pour ce qui relève de la *connaissance,* c'est-à-dire de la psychanalyse en tant qu'ensemble de « conceptions psychologiques ». Pour autant, cela ne saurait préjuger du succès du « procédé d'investigation » appliqué à ces processus, et encore moins de la pertinence d'un éventuel « traitement », pour reprendre les trois points de la définition freudienne de la psychanalyse. Il nous faut donc déplacer notre regard.

En fait, le « champ » est déterminé par la *nature de la psychanalyse* ; j'aurais envie de dire par son « être ». Nous devons la considérer comme une « *praxis* ». C'est, en fait, ce qu'indique Freud en constatant que « notre procédé analytique est le seul dans lequel se trouve garantie cette précieuse rencontre entre guérir et chercher »[2]. Ceci nous impose de nous repencher sur ce que Freud put définir, en 1925,

1. « Psycho-Analysis » (1926f), *Résultats, idées, problèmes, II,* Paris, PUF, 1984, p. 158 ; *OCF* XVII, p. 295 ; *GW* XIV, p. 305.

2. *Ibidem,* p. 150 ; p. 84-85 ; p. 293.

comme étant « les piliers de la théorie psychanalytique », à savoir : les processus inconscients, le refoulement, la sexualité infantile avec le complexe d'Œdipe, le transfert – « qui n'est pas en mesure de souscrire à tous ne devrait pas compter parmi les psychanalystes », conclut-il. À y regarder d'un peu près, il s'agit là de tout autre choses que d'une énumération de concepts-clés. Ce faisant, Freud nous fournit une spécification de la psychanalyse elle-même, en fonction de son champ de travail. Nous avons : – la situation du psychisme comme inconscient ; – le fonctionnement psychique avec le refoulement ; – le moteur pulsionnel dans la sexualité infantile ; – le développement de l'histoire individuel avec l'Œdipe ; – l'instrument pour comprendre et agir qu'est le transfert et son interprétation (auquel peut être jointe l'association libre et l'attention également flottante). Paraphrasant Freud, nous pourrions dire que là où manque une de ces données de base, il n'y a pas de psychanalyse. Pour se situer clairement dans le dire freudien, cette assertion ne va pas sans soulever quelques problèmes.

C'est en fonction du recours à la méthode psychanalytique que les objets pathologiques – qui demeurent son champ d'application privilégié – peuvent être qualifiés comme « psychonévroses de transfert ». C'est dans le cadre du traitement individuel que furent élaborées des notions spécifiques capables de rendre compte de ce qui se passe lors de la mise en œuvre de cette méthode : il s'agit de la technique de la libre association, conduisant à l'analyse du refoulement et des résistances et, partant, à celle du transfert – transfert qui s'avère d'ailleurs, *in fine*, le moteur autant que l'instrument de la connaissance de l'inconscient, la raison même des techniques qui en permettent l'exploration. Aussi pertinents soient-ils dans l'approche individuelle, ces procédés, qui sont aussi des processus, ne sauraient, d'aucune façon, être appliqués tels quels aux productions sociales. Nous devons bien constater que, dans les différents domaines où Freud pense que la psychanalyse peut « devenir indispensable » aux sciences qui s'occupent de la culture humaine, de sa genèse et de ses grandes institutions – telles que les arts, les religions, les sociétés et leurs organisations – ne peut être utilisé l'outil tellement singulier qui, en donnant prise sur l'objet, permet d'accéder à sa connaissance : nous référons là, bien sûr, le *transfert*. La question est alors posée de savoir si, là où manque l'un des « piliers » de la doctrine psychanalytique, là donc ou le transfert n'est pas possible, il est encore légitime de parler de psychanalyse ?

On pourrait caresser l'espoir de trouver un autre outil qui, par quelque spécificité non encore reconnue, s'avérerait apte à remplir la même fonction dans le cadre des grandes institutions des sociétés. Mais, à bien y regarder, cela pourrait bien s'avérer déboucher sur une impasse. En effet, nous nous trouvons face à une situation quasiment aporétique puisque le transfert est avant tout un fait social. De fait, il n'est rien d'autre que l'enracinement et la signification « sociale » de la psychanalyse, la façon qu'elle a d'articuler le récit de l'individu à son histoire sociale (œdipienne pour l'essentiel, mais pas seulement), et de l'y resituer pour en dégager le sens ; l'artifice de la focalisation du transfert sur le psychanalyste se justifie d'être le déplacement et la condensations des avatars de cette sociabilité, qui ne peut s'accomplir que sous le couvert d'un « dialogue » interindividuel qui ne peut, qui ne doit donc être qu'un leurre. Que pourrait-on imaginer qui opère de la sorte sur et avec des institutions sociales ?

Si nous prenons le problème par l'autre bout, celui de la cure analytique, justement dite « individuelle » parce qu'elle postule un individu qui s'adresse à un autre, quelqu'un qui a, qui est un « moi » qui associe, refoule et, surtout, transfère. Il n'est d'ailleurs pas indispensable qu'il soit névrosé pour être « traité » par la psychanalyse ; en fait, peu importe l'existence ou non d'une telle névrose, la normalité et la pathologie n'étant que des moments particuliers d'une « série complémentaire » qui va de la « normalité » aux psychoses profondes. Nous pouvons alors nous dire que si, comme le veut Freud, l'analyse des névrosés ne doit être qu'une forme – à côté d'autres plus culturelles et sociales – d'application de la psychanalyse, l'analyse « individuelle », ne se spécifiant plus par la pathologie, doit être d'une nature différente des applications « sociales », fussent-elles entendues au sens large.

N'est-ce pas là ce qu'indique Freud lorsqu'il constate qu'il existe effectivement de grandes ressemblances entre l'évolution des civilisations et celle des individus, toutes deux usant des mêmes moyens d'action ; mais qu'il serait hasardeux de parler de civilisations ou de cultures « névrosées » par la civilisation elle-même, car non seulement il ne s'agit là que d'analogies mais, pas plus que les êtres humains, « les concepts ne sauraient être arrachés sans danger de la sphère dans laquelle ils sont nés et se sont développés ». De surcroît, le diagnostic de névroses collectives est particulièrement ardu car, alors que la névrose individuelle se reconnaît aisément par le contraste que le malade offre avec son entourage consi déré comme « normal », « pareille toile de fond nous fait défaut dans le cas d'une maladie collective du même genre », fût-elle tout autant pathologique. La question se pose alors de savoir par quoi remplacer cette référence, à supposer même qu'on le puisse ? « Quant à l'application thérapeutique de nos connaissances… à quoi servirait donc l'analyse la plus pénétrante de la névrose sociale, puisque personne n'aurait l'autorité nécessaire pour imposer à la collectivité la thérapeutique voulue ? »[1] Ajoutons que, pour tout compliquer, nous participons pleinement de cette société, fût-elle malade, que nous y sommes immergés et ne disposons d'aucun instrument qui équivaudrait à ce que peut être le « transfert/contre-transfert » en analyse individuelle ; si le transfert représente bien l'ordre social dans la relation individuelle psychanalytique, il n'a plus aucun sens replacé dans sa socialité originelle.

C'est bien ce dont témoigne aussi le dernier constat freudien, portant sur cette extrême singularité de la psychanalyse qui tient à ce que nous ne pouvons échapper à l'inévitable et nécessaire confusion entre notre objet d'étude (l'appareil psychique) et notre instrument d'étude. Ainsi se révèle un hiatus avec les « autres » sciences de la nature, mais tout autant avec celles qui ont pour objet la culture humaine, sa genèse et ses grandes institutions. Le transfert ne peut être son propre instrument d'exploration que dans la relation singulière qui le signifie, et – selon ce que nous pouvons aujourd'hui concevoir – il ne saurait jamais l'être sur des institutions de société. C'est peut-être là ce qui a pu conduire Freud à l'assertion, tout d'abord assez étonnante, que, « à strictement parler, il n'y a en effet que deux sciences : la psychologie, pure et appliquée, et la science de la nature »[2].

Claude Le Guen

1. *Malaise dans la civilisation* (1930a [1929]), Paris, PUF, 1971, p. 105-106 ; *OCF* XVIII, p. 331-332 ; *GW* XIV, p. 504-505.

2. *Nouvelles conférences d'introduction à la psychanalyse* (1933a [1932]), Paris, Gallimard, 1984, p. 240 ; *OCF* XIX, p. 265 ; *GW* XV, p. 194.

PSYCHANALYSE APPLIQUÉE

all. : *angewandte Psychoanalyse.* – angl. : *applied psychoanalysis.* – esp. : *psicoanálisis aplicado.* – ital. : *psicoanalisi applicata.* – port. : *psicanálise aplicada*

En conformité avec l'usage, qui connaît « sciences et arts appliqués », on parle de « psychanalyse appliquée » lorsque l'approche et la méthode psychanalytiques sont utilisées dans des domaines autres que celui de la cure analytique proprement dite tout en relevant, en principe, des sciences humaines : ce sont ceux où œuvre l'inconscient, donc des lieux où prédomine une activité psychique. Ils recouvrent les principales activités anthropiques, à commencer par les *Geisteswissenschaft* (« sciences de l'esprit » et/ou « sciences humaines »). Freud put ainsi désigner : la *science du langage* et la *philologie,* la *biologie,* la *philosophie,* l'*esthétique,* l'*histoire du développement,* celle des *civilisations* et des *religions* ainsi que leurs productions et leurs activités, la *sociologie* avec l'*économie,* la *pédagogie*[1]… mais il appliqua aussi la réflexion psychanalytique à l'étude de créateurs et de leurs œuvres *littéraires, artistiques, scientifiques, politiques, culturelles,* allant de *Moïse* au *Président Wilson* en passant, entre autres, par *Léonard de Vinci* et *Michel-Ange.*

Stricto sensu, et en conformité avec le dire et la pensée de Freud, la cure psychanalytique n'est pourtant elle-même qu'une application de la psychanalyse, mais d'autant plus singulière qu'elle l'initia et qu'elle la spécifie, au point d'y être pleinement identifiée et d'en apparaître comme le parangon.

MISE EN SITUATION

C'est que l'usage a ses raisons, et qui sont fortes : pour de multiples raisons donc (conditions de sa création, ampleur du champ d'exercice

1. Par exemple dans « L'intérêt de la psychanalyse » (1913j), *Résultats, idées, problèmes, I,* Paris, PUF, 1984, p. 198-213 ; *OCF* XII, p. 110-125 ; *GW* VIII, p. 403-420.

effectif, spécificité de l'usage des procédés du transfert et de la libre association, codifications d'une méthodologie, insertion dans les institutions sociales et thérapeutiques... pour ne citer que les plus évidentes) la pratique de la cure s'est vu conférer un statut majeur qui pourrait justifier de considérer les autres applications comme de simples accessoires, dépendances, voire au mieux compléments. Voilà pour ce qui en est de la pratique.

Mais si l'on doit situer la psychanalyse dans une perspective plus vaste et viser son statut épistémologique, nous devons nous référer à la considération freudienne qui revendique pour elle le champ bien plus large que réclame sa vocation d'être ***la science de l'inconscient***[1]. *« Même la sociologie, qui traite du comportement des hommes en société, ne peut être autre chose que de la psychologie appliquée. À strictement parler il n'y a, en effet, que deux sciences : la psychologie, pure et appliquée, et la science de la nature »*[2] *– ce qui nous conduit, de fait, à la biologie, support et condition nécessaire à une psychologie. Freud entend donc étudier les processus psychiques inconscients, les formations qu'ils organisent et présentent individuellement ou socialement, les fonctionnements de « l'appareil » qui les produit et les meut – ce faisant, il s'agit toujours là de psychanalyse.*

On voit ainsi Freud osciller tout au long entre deux approches du champ psychanalytique : tantôt pragmatique avec la prégnance des références cliniques et la prééminence de la cure, tantôt généraliste, voire spéculative, englobant la civilisation et nombre d'activités et productions humaines.

Ce faisant, la ***situation épistémologique*** *de la psychanalyse se trouve posée et argumentée par Freud qui entend la situer et la définir, dans sa singularité, au sein même des sciences naturelles. « Le processus culturel de l'humanité, comme le développement de l'individu, sont des processus vitaux, qui doivent donc participer du processus plus général de la vie »*[3] *; sont ainsi impliquées les trois références clés de ce que l'on nommera plus tard les sciences humaines : la biologie (le « processus de*

1. Par exemple dans *Sigmund Freud présenté par lui-même* (1925d), Paris, Gallimard, 1984, p. 119 ; *OCF* XVII (« Autoprésentation »), p. 118 ; *GW* XIV, p. 96.

2. *Nouvelles conférences d'introduction à la psychanalyse* (1933a [1932]), Paris, Gallimard, 1984, p. 240 ; *OCF* XIX, p. 265 ; *GW* XV, p. 194.

3. *Malaise dans la civilisation* (1930a), Paris, PUF, 1971, p. 99-100 ; *OCF* XVIII, p. 326-327 ; *GW* XIV, p. 499.

vie »), la sociologie avec l'histoire (le « processus culturel »), la psychologie avec le développement psychique individuel (le « processus psychique »). Chacun de ces procès délimite un champ spécifique ; ils correspondent à des « points de vue » permettant d'approcher les objets de sciences particulières (apparussent-elles comme généralistes) et de les spécifier. L'essentiel tient à l'objet commun à ces disciplines : l'homme. Entre l'organisme, la psyché et la société, cela s'intrique, s'articule, se complète, s'échange, au point que les frontières se font parfois incertaines ; ce qui ne saurait surprendre puisque, en dernière analyse, l'objet demeure le même (on put d'ailleurs rattacher la pensée freudienne au positivisme).

Tout au long, le texte freudien s'attache à montrer combien ces trois domaines sont consubstantiels l'un à l'autre ; le rappel de l'assise biologique du psychisme est régulier et constant depuis les premiers travaux jusqu'aux derniers ; « la conscience a une fonction biologique » [1]*, si bien que « pour le psychique le biologique joue véritablement le rôle du roc d'origine sous-jacent »* [2]*. Il en va ainsi parce que, « à strictement parler, il n'y a en effet que deux sciences : la psychologie, pure et appliquée, et la science de la nature »* [3]*. Sur ces « sciences de la nature », Freud se fait pressant pour inciter les psychanalystes à ne jamais oublier que « le psychique repose sur l'organique, bien que son travail ne puisse poursuivre le psychique que jusqu'à ce fondement et pas au-delà »* [4]*, la « limite » du champ analytique se situant entre cet « au-delà » et son « en-deçà » (idée que l'on retrouve dans la définition de la pulsion comme « concept limite » entre le psychique et le biologique* [5]*).*

1. « Analyse d'une phobie chez un petit garçon de cinq ans (Le petit Hans) » (1909b), *Cinq psychanalyses*, Paris, PUF, 1954, p. 196 ; *OCF* IX, p. 126-127 ; *GW* VII, p. 375 (voir aussi, par ex., *L'interprétation des rêves* ou *Le moi et le ça*).

2. « L'analyse avec fin et l'analyse sans fin » (1937c), *Résultats, idées, problèmes, II*, Paris, PUF, 1984, p. 268 ; *OCF* XX, p. 55 ; *GW* XVI, p. 99.

3. *Nouvelles conférences d'introduction à la psychanalyse* (1933a [1932]), Paris, Gallimard, 1984, p. 240 ; *OCF* XIX, p. 265 ; *GW* XV, p. 194.

4. « Le trouble psychogène de la vision dans la conception psychanalytique » (1910i), *Névrose, psychose et perversion*, Paris, PUF, 1973, p. 172 ; *OCF* X, p. 185 ; *GW* VIII, p. 101.

5. « Pulsions et destins des pulsions » (1915c), *Métapsychologie*, Paris, Gallimard, 1968, p. 18 ; *OCF* XIII (2e éd.), p. 169 ; *GW* X, p. 214.

La position freudienne à l'égard de ces trois dimensions anthropologiques est ainsi fort claire : – la biologie, science de la vie et soubassement indispensable au fonctionnement psychique, relève d'un champ qui échappe à la psychanalyse mais qu'elle ne peut méconnaître ; – la psychologie a pour domaine cette activité psychique en tant que manifestation spécifiquement humaine ; – les sciences sociales (aussi vastes soient leurs champs) ne sauraient en être elles-mêmes qu'une application particulière. Ceci implique un « ordre » épistémologique dans l'étude des organisations : il faut un saut qualitatif pour passer du biologique au psychologique (on change de champ), mais un changement quantitatif suffit pour en arriver à la vie en société (le champ est le même) – étant entendu que ces différents champs se rencontrent et se recouvrent, voire se retrouvent, sans pour autant perdre leurs spécificités.

LE TEXTE FREUDIEN

Le champ des activités humaines où opère de l'inconscient est si vaste, celles auxquelles s'intéressa Freud (les *Geisteswissenschaft* : sciences de l'esprit et/ou sciences humaines) si nombreuses, que nous ne saurions rapporter les nombreuses occurrences apparaissant au fil de son œuvre. Dans la nouvelle édition de ce dictionnaire nous avons pensé devoir introduire quelques entrées majeures qui, à la suite de Freud, peuvent être considérées comme impliquant la psychanalyse, ou en être des applications (« Biologie », « Civilisation et société », « Croyance, religion ») ; pour les autres, nous nous bornerons ici aux aperçus généraux visant à élargir le champ conceptuel, tels qu'il les énonce régulièrement.

Bien que les spécialités proprement médicales ne l'aient jamais attiré, son « vénéré maître » Brücke pensa devoir l'inviter, paternellement mais fermement, à tenir compte des contraintes qu'impliquait tant le mariage qu'il envisageait que sa mauvaise situation matérielle, jusqu'à l'exhorter vivement à abandonner la recherche en physiologie pour pratiquer la médecine en cabinet ; il choisit alors la seule spécialité qui ne le rebutait pas, voire l'intéressait et se trouvait, de surcroît, peu pratiquée à Vienne à l'époque : les maladies nerveuse et, plus précisément, la psychiatrie[1]. Il se trouva ainsi pouvoir disposer de conditions propices à satisfaire sa vive curiosité et à explorer tant les aspects méconnus de la psychologie que les disciplines extérieures. C'est ainsi qu'il s'appliqua à l'étude des rêves et des actes manqués aussi bien qu'aux états psychonévrotiques ; il le fit tant pour illustrer la méthode d'investigation du psychisme qu'il venait d'inventer que ce sur quoi elle avait débouché : la reconnaissance de l'existence d'un inconscient. Là fut donc l'objet de ses premières publications d'importance. Assez rapidement (dans un ouvrage précisément consacré à l'application de la méthode psychanalytique à l'ethnologie), il constate que « d'une part les névroses présentent des concordances frappantes et profondes avec les grandes productions sociales de l'art, de la religion et de la philosophie, et qu'elles en apparaissent de l'autre comme des distorsions ». Il rattache cette similitude au fait que « les névroses sont des formations sociales : elles cherchent à accomplir par des moyens privés ce qui a été engendré dans la société par un travail collectif »[2].

La même année, dans un travail qui entend préciser l'intérêt qu'il peut y avoir à ce que, à côté de la psychologie, la psychanalyse s'intéresse aux « sciences non psychologiques », il réfère celles auxquelles il estime que son apport pourrait être fécond : la *science du langage* (avec la philologie), la *philosophie* (dans la mesure où celle-ci est fondée sur la psychologie), la *biologie* (de par sa mise en évidence du rôle de la fonction sexuelle), l'*histoire du développement* (la vie psychique de l'adulte dérive de celle de l'enfant et rien ne périt des formations infantiles), l'*histoire de la civilisation* (il existe une même source dynamique pour les productions psychiques des individus et celles des communautés), l'*esthétique* (les pulsions à l'œuvre dans l'art sont les mêmes que celles qui poussent d'autres individus à la névrose), la *sociologie* (les fondements affectifs du rapport de l'individu à la société sont essentiels, et les relations et exigences sociales sont sources

1. *Sigmund Freud présenté par lui-même* (1925d), Paris, Gallimard, 1984, p. 17-20 ; *OCF* XVII (« Autoprésentation »), p. 57-59 ; *GW* XIV, p. 35-36.

2. *Totem et tabou* (1912-1913a), Paris, Gallimard, 1993, p. 182-183 ; *OCF* XI, p. 281 ; *GW* IX, p. 91.

de névroses), la *pédagogie* (on ne peut comprendre les enfants que si l'on comprend sa propre enfance)[1]. Pour autant, « **toute analyse de phénomènes psychologiques ne mérite pas le nom de psychanalyse** » et il ne saurait suffire d'en décomposer les manifestations. Pour être justifié à l'invoquer, il convient de pouvoir « ramener une formation psychique à d'autres qui ont précédé et à partir desquelles elle s'est développée » ; c'est ainsi qu'en faisant « dériver la vie psychique de l'adulte de celle de l'enfant » on éclaire la préhistoire des peuples par l'enfance de l'individu[2].

En 1914, comme il le fait régulièrement lorsqu'il a dû insister sur une approche que l'on pourrait qualifier d'universalisante, Freud revient à ce qui spécifie la psychanalyse dans sa pratique elle-même : « La théorie psychanalytique est une tentative pour faire comprendre deux expériences [propres à la cure] : **le fait du transfert et celui de la résistance. Toute orientation de recherche qui reconnaît ces deux faits et les prend comme point de départ de son travail est en droit de se nommer psychanalyse**, même si elle arrive à d'autres résultats que les miens ». Il nomme « les piliers de la théorie psychanalytique » : l'hypothèse de processus inconscients, la théorie de la résistance et du refoulement, l'importance accordée à la sexualité et au complexe d'Œdipe ; tels sont les contenus principaux et les fondements de la théorie psychanalytique : « qui n'est pas en mesure de souscrire à tous ne devrait pas compter parmi les psychanalystes »[3]. Ceci laisse ouvert un large champ d'autant que, comme il le précisera dix ans plus tard, « le mot psychanalyse lui-même est devenu plurivoque et, après avoir à l'origine désigné un procédé thérapeutique spécifique, il est maintenant aussi le nom d'une science, celle du psychique inconscient ». Cette science, à elle seule, ne saurait que rarement régler un problème dans sa totalité ; elle n'en paraît pas moins appelée à fournir d'importantes contributions à des champs variés du savoir : « Le champ

1. « L'intérêt de la psychanalyse » (1913j), *Résultats, idées, problèmes, I*, Paris, PUF, 1984, p. 198-213 ; *OCF* XII, p. 110-125 ; *GW* VIII, p. 403-420.

2. *Ibidem*, p. 205 et 207 ; p. 117 et 119 ; p. 411-412 et 414.

3. *Sur l'histoire du mouvement psychanalytique* (1914d), Paris, Gallimard, 1991, p. 29-30 ; *OCF* XII, p. 259 ; *GW* X, p. 54.

d'application de la psychanalyse s'étend exactement aussi loin que celui de la psychologie, à laquelle elle ajoute un complément d'une portée considérable »[1].

En 1916-1917, les *Conférences d'introduction à la psychanalyse* qui, sous couvert d'initier un public profane, font le point des acquis psychanalytiques et en situent les bases, spécifient : la psychanalyse entend « dévoiler le terrain commun à partir duquel devient compréhensible la rencontre d'une perturbation corporelle avec une perturbation psychique » et, pour ce faire, elle doit écarter les présupposés qui lui demeurent étrangers, qu'ils soient anatomiques, chimiques ou physiologiques ; elle ne doit travailler qu'avec des concepts purement psychologiques[2]. L'édifice de la psychanalyse devra « être assis un jour sur ses fondations organiques, [mais] nous ne les connaissons pas encore. **En tant que science, la psychanalyse n'est pas caractérisée par la matière qu'elle traite mais par la technique avec laquelle elle travaille.** On peut l'appliquer à l'histoire de la culture, à la science des religions et à la mythologie tout aussi bien qu'à la doctrine des névroses, sans faire violence à son essence. **Elle ne poursuit pas d'autre fin et n'opère pas autre chose que la mise au jour de l'inconscient dans la vie psychique** »[3].

Pour autant, elle ne saurait être sauvage et livrée à toutes les errances : « personne ne doit exercer l'analyse qui n'en ait acquis le droit par une formation déterminée », étant entendu qu'il est sans importance que son praticien soit ou non médecin[4] – ce dont Freud donne longuement les raisons. Il est, à la suite, conduit à indiquer le « destin » qu'il lui souhaite : cette « *psychologie des profondeurs* » peut s'avérer indispensable à toutes les sciences devant s'occuper de la civilisation, de sa genèse et de l'établissement des grandes institutions (art, religion, ordre social et autres). « L'utilisation de l'analyse

1. *Sigmund Freud présenté par lui-même* (1925d), Paris, Gallimard, 1984, p. 119 ; *OCF* XVII (« Autoprésentation »), p. 118 ; *GW* XIV, p. 96.

2. *Conférences d'introduction à la psychanalyse* (1916-1917), Paris, Gallimard, 1999, p. 27 ; *OCF* XIV, p. 15 ; *GW* XI, p. 14.

3. *Ibidem*, p. 492 ; p. 402 ; p. 403-404.

4. *La question de l'analyse profane* (1926e), Paris, Gallimard, 1985, p. 112-113 ; *OCF* XVIII, p. 60 ; *GW* XIV, p. 267.

pour la thérapie des névroses n'est qu'une de ses applications ; peut-être l'avenir montrera-t-il que ce n'est pas la plus importante »[1]. Si, par une espèce de facilité, « nous avons pris l'habitude de distinguer une analyse médicale des applications de l'analyse, cela n'est pas correct car, en réalité, **la ligne de démarcation se situe entre la psychanalyse scientifique et ses applications dans les domaines médical et non médical** »[2]. Freud n'a pas jugé bon de définir ce qu'il entendait par « psychanalyse scientifique » ; sans doute la chose lui paraissait-elle évidente. Peut-être convient-il alors de référer ici la *Weltanschauung* scientifique telle qu'il va l'évoquer en 1933.

En effet, dans les *Nouvelles conférences*, entreprenant de situer la psychanalyse par rapport aux philosophies et aux croyances, il met en garde : la psychanalyse est une science spécialisée, une branche de la psychologie (psychologie des profondeurs ou psychologie de l'inconscient), qui est absolument « inapte à former une conception du monde (*Weltanschauung*) qui lui soit propre, elle doit adopter celle de la science, [...] étant entendu que si celle-ci postule l'homogénéité de l'explication du monde, elle la situe comme programme dont l'accomplissement est déplacé dans l'avenir ». Il n'en demeure pas moins que « la psychanalyse a un droit particulier à parler au nom d'une *Weltanschauung* scientifique, parce qu'on ne peut lui faire le reproche d'avoir négligé le psychique dans l'image du monde. Sa contribution à la science consiste précisément dans l'extension de la recherche au domaine psychique. Sans une telle psychologie la science serait vraiment très incomplète »[3]. D'avoir posé que « le psychique est en soi inconscient a permis de faire de la psychologie **une branche des sciences naturelles semblable à toutes les autres** » ; certes, les phénomènes qu'elle étudie sont en eux-mêmes tout aussi inconnaissables que ceux des autres sciences, comme la physique ou la chimie, mais il est possible d'établir des lois qui les régissent, débouchant sur une création d'hypothèses et de concepts nouveaux qui ne peuvent avoir,

1. *Ibidem*, p. 136-137 ; p. 75-76 ; p. 283.

2. *Ibidem*, p. 152-153 ; p. 86 ; p. 295.

3. *Nouvelles conférences d'introduction à la psychanalyse* (1933a [1932]), Paris, Gallimard, 1984, p. 212-213 ; *OCF* XIX, p. 242-243 ; *GW* XV, p. 170-171.

eux aussi, que valeur approximative. En cela, la psychanalyse est bien semblable aux autres sciences naturelles, mais elle présente une grande singularité : si, comme les autres sciences, elle s'appuie sur ce que nous transmet notre appareil psychique, « comme c'est justement cet appareil que nous étudions, l'analogie cesse ici ». Il nous faut alors traduire nos observations dans un matériel conscient, en nous servant des lacunes dans les processus psychiques, et reconstituer ce qui manque de façon plausible ; ce faisant, nous ne pouvons qu'« ajouter aux phénomènes psychiques inconscients une série complémentaire de faits conscients », et « la certitude relative de notre science du psychisme repose sur la puissance convaincante de ces déductions » [1]. Ainsi, il semble bien que, pour asseoir la scientificité de la psychanalyse, Freud ait dû se résoudre à renoncer à revendiquer ses droits à l'appliquer aux autres sciences humaines.

QUESTIONS ET ENJEUX

Si, à l'occasion, Freud affiche une attitude déterminée – on pourrait la qualifier de « militante » – sur la vocation de la psychanalyse à s'impliquer dans tous les domaines où peut être reconnu de l'inconscient, sa position est en fait plus nuancée et sa pratique théorique le conduit progressivement à différencier ce qui relève de la cure analytique proprement dite de l'implication de l'inconscient dans les sciences et activités humaines. Ceci dit, poser la question des applications de la psychanalyse se complique en raison d'une certaine indétermination des termes mêmes de *psychanalyse* et d'*inconscient*.

Si on peut considérer que le premier a été assez clairement défini par Freud, l'extension de son champ n'en est pas évidente pour autant. Ainsi, lorsqu'on lit que « même la sociologie, qui traite du comportement des hommes en société, ne peut être rien d'autre que de la psychologie appliquée [et que,] à strictement parler, il n'y a, en effet, que deux sciences : la psychologie, pure et appliquée, et la

1. *Abrégé de psychanalyse* (1940a [1938]), Paris, PUF, 1985, p. 21-22 ; *OCF* XX, p. 248-249 ; *GW* XVII, p. 80-81.

science de la nature »[1], on peut penser que la psychanalyse a vocation à englober les sciences sociales (même si elle ne prétend nullement être toute la psychologie) et que la question de son application à celles-ci ne devrait même pas avoir à être posée. Nous avons déjà eu à souligner que nombre d'ouvrages de Freud associent étroitement l'étude du comportement des hommes en société avec celle du fonctionnement psychique individuel (le meilleur exemple en étant *Psychologie des foules et analyse du moi*), les deux approches s'étayant l'une l'autre.

D'autre part, si Freud put définir la psychanalyse comme « science de l'inconscient »[2], le statut épistémologique de ce dernier n'en est pas pour autant évident. « En tant que science, la psychanalyse n'est pas caractérisée par la matière qu'elle traite, mais par la technique avec laquelle elle travaille. On peut l'appliquer à l'histoire des civilisations, à la science de la religion et à la mythologie tout autant qu'à la doctrine des névroses, sans faire violence à son essence. Elle ne poursuit pas d'autre fin et elle n'opère pas autre chose que la mise au jour de l'inconscient dans la vie psychique. »[3] L'inconscient serait donc spécifié par la technique de sa mise au jour, et non par ce qu'il est en lui-même, par sa substance et sa matière même (*Stoff*), aussi immatérielle soit-elle. Six ans plus tard, un autre commentaire paraît conforter cette position : « Psychanalyse est le nom d'un procédé d'investigation des processus psychiques qui autrement sont à peine accessibles, d'une méthode de traitement des troubles névrotiques qui se fonde sur cette investigation, d'une série de conceptions psychologiques acquises par ce moyen et qui fusionnent progressivement en une discipline scientifique nouvelle. »[4] Ainsi la psychanalyse est d'abord une technique de recherche conduisant à un traitement, fournissant ainsi le socle d'une théorie à vocation scientifique ; on est donc en droit de penser que toute recherche qui vise à « mettre au

1. *Nouvelles conférences d'introduction à la psychanalyse* (1933a [1932]), Paris, Gallimard, 1984, p. 240 ; *OCF* XIX, p. 265 ; *GW* XV, p. 194.

2. Par exemple dans *Sigmund Freud présenté par lui-même* (1925d), Paris, Gallimard, 1984, p. 119 ; *OCF* XVII (« Autoprésentation »), p. 118 ; *GW* XIV, p. 96.

3. *Conférences d'introduction à la psychanalyse* (1916-1917), Paris, Gallimard, 1999, p. 492 ; *OCF* XIV, p. 401-402 ; *GW* XI, p. 403-404.

4. « "Psychanalyse" et "Théorie de la libido" » (1923a), *Résultats, idées, problèmes, II*, Paris, PUF, 1984, p. 51 ; *OCF* XVI, p. 183 ; *GW* XIII, p. 211.

jour l'inconscient dans la vie psychique » peut se réclamer de la psychanalyse. Sans doute peut-elle s'en réclamer, voire l'appliquer ; est-elle psychanalytique pour autant ? La méthode d'investigation comme le terrain d'application que la psychanalyse a construits sont tellement spécifiques qu'ils ne sauraient être exportés ; non seulement la cure analytique est le lieu d'élection de la psychanalyse, mais elle est le seul moment où celle-ci soit véritablement réalisable. En effet, si elle repose bien sur ces *piliers* théoriques que sont l'hypothèse de processus inconscients et l'importance des pulsions sexuelles, elle est d'abord déterminée par les expériences du transfert, du refoulement et de la résistance, si bien que qui n'est pas en mesure d'y souscrire « ne devrait pas compter parmi les psychanalystes ». Transfert et résistance appartiennent à la pratique de la cure, et à elle seule, jusqu'à la spécifier ; on ne voit pas de quelle façon ces « expériences », ces « techniques » tellement singulières pourraient « s'appliquer à l'histoire des civilisations, à la science de la religion ou à la mythologie ». Il y a là, sinon une contradiction, tout au moins un hiatus entre les deux vocations analytiques. En somme, si la psychanalyse est bien la science de l'inconscient, la reconnaissance d'un inconscient ne saurait suffire pour avoir affaire à une psychanalyse : effectivement, celle-ci « n'est pas caractérisée par la matière qu'elle traite, mais par sa technique », et si de nombreux domaines du savoir, en particulier dans les sciences humaines (*Geisteswissenschaft*), peuvent en tirer profit, pour autant Freud ne prétend nullement les régenter. S'il revendique bien un droit d'application des connaissances acquises sur l'inconscient à d'autres champs que celui de la cure, il est très conscient de leurs limites et spécificités ; la psychanalyse se borne à leur fournir un appoint qu'elle pense profitable mais, « à elle seule, elle ne peut que rarement venir à bout d'un problème » [1].

De surcroît, de « telles applications supposent des connaissances spécialisées que l'analyste ne possède pas, tandis que ceux qui les possèdent ne connaissent rien à l'analyse et ne veulent peut-être rien en connaître. Il en est donc résulté que les analystes, en dilettantes munis d'un équipement plus ou moins suffisant, souvent ramassé à la hâte, ont entrepris des incursions dans ces domaines du savoir comme la mythologie, l'histoire des civilisations, l'ethnologie, la science de la

1. *Sigmund Freud présenté par lui-même* (1925d), Paris, Gallimard, 1984, p. 119 ; *OCF* XVII (« Autoprésentation »), p. 118 ; *GW* XIV, p. 96.

religion, etc. Ils ne furent pas mieux traités que de vulgaires envahisseurs par les savants qui étaient établis dans ces domaines, leurs méthodes tout comme leurs résultats furent d'abord refusés dans la mesure où on y prêta attention »[1]. Depuis, il n'est pas certain qu'aient beaucoup changé tant le dilettantisme des analystes que la méfiance hostile des spécialistes ; aussi, l'application des méthodes de la psychanalyse à d'autres champs demeure-t-elle le plus souvent en suspens.

Reste que, grâce à la psychanalyse et parmi bien d'autres réalisations, on a pu, par exemple, « suivre les voies enchevêtrées qui mènent de l'impulsion du désir inconscient jusqu'à la réalisation dans l'œuvre d'art, on a appris à comprendre l'action affective de l'œuvre d'art sur celui qui la reçoit »[2]. On peut penser que le constat de Freud que la psychanalyse est devenue « indispensable pour la compréhension du normal » est aujourd'hui avéré ; on peut espérer que l'extension de « ses présupposés et résultats à d'autres domaines de l'activité psychique » se fait, mais comme à son insu. Reste à espérer que se vérifie la vision de Freud selon laquelle « la voie vers les lointains, celle de l'intérêt universel, lui est ouverte »[3].

Claude Le Guen

Psychanalyse personnelle → Association libre, attention en égal suspens (flottante), règle fondamentale

Psychonévrose → Névroses et choix de la névrose

Psychose → Névroses et choix de la névrose

Psychothérapies → Psychanalyse

1. *Nouvelles conférences d'introduction à la psychanalyse* (1933a [1932]), Paris, Gallimard, 1984, p. 195 ; *OCF* XIX, p. 229-230 ; *GW* XV, p. 156.
2. « Petit abrégé de psychanalyse » (1924f), *Résultats, idées, problèmes, II*, Paris, PUF, 1984, p. 79 ; *OCF* XVI, p. 94 ; *GW* XIII, p. 73.
3. *Sigmund Freud présenté par lui-même* (1925d), Paris, Gallimard, 1984, p. 79 ; *OCF* XVII [Autoprésentation], p. 94 ; *GW* XIV, p. 73.

PULSION (motion pulsionnelle)

all. : ***Trieb*** (***Triebregung***). – angl. : *drive* (*instinctual impulse*). – esp. : *instinto* (*impulso instintual*). – ital. : *pulsione* (*moto pulsionale*). – port. : *impulso* (*moção impulsora*)

Il nous a ici paru qu'il convenait, suivant Freud, de traiter la pulsion comme un tout, sans faire de sort particulier à la « motion pulsionnelle », Freud semblant employer indifféremment Trieb *et* Triebregung*; nous nous sommes aussi refusés à des entrées séparées pour les notions qui situent l'évolution des pulsions et leur pluralité, ainsi que pour les concepts qui la spécifient : sa poussée, sa source, son but et ses objets, auxquels nous avons adjoint ses destins, en conformité avec le texte freudien, pour conclure sur leur éventuelle théorie. Nous avons cependant dû réserver un traitement particulier aux objets dans la mesure où le terme a une extension plus grande que celle « d'objet de la pulsion » : on trouvera donc une entrée propre pour « objets ». Si ce regroupement nous paraît s'imposer, il ne va pas sans entraîner quelques difficultés pour respecter l'ordonnancement habituel à ce dictionnaire : déjà, avec la mise en situation, mais aussi pour les questions et enjeux qui sont tout à la fois différents pour chacun de ces termes et, pour l'essentiel, plutôt univoques. Nous nous sommes résolu à les traiter dans le corps du texte, les y fondant, mais nous conservons cette section pour l'ensemble de la notion de pulsions. En revanche, à la suite, les diverses pulsions conservent chacune leur entrée propre.*

I – PULSION

Représentance psychique d'une source de stimulations correspondant à une énergie propre (par exemple, la *libido* pour la pulsion sexuelle), s'écoulant de façon constante de l'intérieur du corps, la « pulsion » se pose comme concept-limite entre psychique et somatique. Les pulsions sont toutes semblables, ne devant leurs effets qu'aux quantités d'excitation qu'elles portent : elles n'ont aucune qualité propre, n'étant que la mesure du travail psychique exigé. À

chacune on peut reconnaître une source (localisation somatique, elle permet de distinguer les diverses pulsions), une poussée (c'est leur facteur moteur), un but (invariable, équivalant à la satisfaction, il les signifie), ainsi que des objets (circonstanciels, éminemment variables, ils en sont les moyens) ; on ne saurait fuir une pulsion car elle correspond à un besoin que seule sa satisfaction peut supprimer. Si on peut distinguer un assez grand nombre de pulsions, à commencer par les diverses « pulsions partielles », il convient de privilégier l'étude des « pulsions originaires » qui fonctionnent de façon dualiste ; dans ces oppositions complémentaires, si la désignation du second terme a changé (des pulsions d'auto-conservation jusqu'à la pulsion de mort), le premier est demeuré le même, tout en recouvrant un champ toujours plus large (des pulsions sexuelles jusqu'à Éros).

Avec la deuxième théorie pulsionnelle cette définition évolue, l'accent tendant à passer du quantitatif au qualitatif. Elle a dû être complétée : une pulsion est une poussée, inhérente au vivant, vers le rétablissement d'un état antérieur abandonné sous des influences extérieures ; elle est une sorte d'élasticité organique. La vie psychique apparaît comme un jeu de forces pulsionnelles, issues du corps, dotées d'un formidable pouvoir. Elles agissent à l'arrière-plan des besoins impérieux du ça : cause ultime de toute activité, les pulsions sont, par nature, conservatrices. Il n'en demeure pas moins que si « la doctrine des pulsions est notre mythologie », elle apparaît comme « un domaine obscur de la psychanalyse ».

MISE EN SITUATION

En allemand, Trieb *est un mot suffisamment courant pour que Freud puisse se rapporter à la façon dont « la pensée populaire s'en tire avec les pulsions : on postule des pulsions aussi nombreuses et aussi diverses qu'on en a besoin »*[1]. *En revanche, en français, les*

1. *Nouvelles conférences d'introduction à la psychanalyse* (1933a [1932]), Paris, Gallimard, 1984, p. 129 ; *OCF* XIX, p. 178 ; *GW* XV, p. 101.

choses sont moins évidentes, et si la traduction par « pulsion » s'est suffisamment imposée pour ne plus faire vraiment problème, il convient pourtant de remarquer que, comme souvent, elle n'est que partiellement satisfaisante, privilégiant le sens mécanique de Trieb *au détriment de son sens somatique, voire « animal » (pendant tout un temps, « instinct » lui fut d'ailleurs préféré, au risque de quelques difficultés pour distinguer l'allemand* Instinkt, *qui se rencontre parfois chez Freud). On débouche ainsi sur un autre embarras lorsqu'il faut traduire* Druck *pour lequel « poussée » semble s'imposer ; on aboutit alors au pléonasme de « poussée de la pulsion », avec lequel nous avons dû apprendre à faire.*

Le terme de « pulsion » apparaît en 1905 dès les premières pages des Trois essais sur la théorie sexuelle. *Si l'idée était implicite en 1895 dans l'« Esquisse d'une psychologie scientifique »* [1], *elle se confondait encore avec celle d'excitation. Assez difficile à définir, ce « concept fondamental conventionnel encore assez confus pour l'instant, [mais] dont nous ne pouvons nous passer »* [2], *ne cessera d'être repris. Sa définition perdurera, complétée au fil des travaux, notamment après 1920 : celle que nous proposons ici reprend celles avancées par Freud, au fil de ces périodes successives* [3].

La notion se dégage à l'occasion de l'étude de la sexualité (et plus particulièrement de la sexualité infantile), mais elle ne saurait

1. « Esquisse d'une psychologie scientifique » (1950c [1895]), *La naissance de la psychanalyse*, Paris, PUF, 1956, p. 316-318 par exemple.

2. *Métapsychologie* (1991d [1915-1917]), Paris, Gallimard, 1991, p. 12 ; *OCF* XIII, p. 166 ; *GW* X, p. 211.

3. Cette définition est reprise de celles données par Freud à différentes périodes ; soit, dans l'ordre : – *Trois essais sur la théorie sexuelle* (1905d), Paris, Gallimard, 1987, p. 83 (ajout de 1915) ; *OCF* VI, p. 101 ; *GW* V, p. 67. – « Pulsions et destins des pulsions » (1915c), *Métapsychologie*, Paris, Gallimard, 1968, p. 14, 18 et 20 ; *OCF* XIII (2e éd.), p. 167, 169 et 171 ; *GW* X, p. 212-213, 214 et 216. – *Au-delà du principe de plaisir* (1920g), *Essais de psychanalyse*, Paris, Payot, 1981, p. 80 ; *OCF* XV, p. 308 ; *GW* XIII, p. 38. – *Nouvelles conférences d'introduction à la psychanalyse* (1933a [1932]), Paris, Gallimard, 1984, p. 130 ; *OCF* XIX, p. 178-179 ; *GW* XV, p. 102-103. – *Abrégé de psychanalyse* (1940a [1938]), Paris, PUF, 1985, p. 7 ; *OCF* XX, p. 237 ; *GW* XVII, p. 70. – « Psycho-Analysis » (1926f), *Résultats, idées, problèmes, II*, Paris, PUF, 1984, p. 155 ; *OCF* XVI, p. 291 ; *GW* XIII, p. 301. – *Abrégé de psychanalyse* (1940a [1938]), Paris, PUF, 1985, p. 7 ; *OCF* XX, p. 237 ; *GW* XVII, p. 70.

lui être exclusive et, aux pulsions sexuelles (libidinales) viennent s'opposer les pulsions d'auto-conservation (ou pulsions du moi), sur le modèle de la vieille opposition de la faim et de l'amour. D'autres couples pulsionnels se succéderont, tant il est vrai que si la désignation de leurs deux termes est une « construction auxiliaire » et provisoire[1]*, l'essentiel tient à leur opposition. Ainsi, à celle entre pulsions du moi et pulsions sexuelles sera « ensuite substituée celle entre libido narcissique et libido d'objet » (amour de soi et amour de l'autre). Finalement, à la pulsion de vie qui assure « la conservation de soi et la conservation de l'espèce sous le concept d'Éros, [est] opposé le silencieux travail de la pulsion de mort ou de destruction »*[2]*. Freud parle aussi bien de* Triebregung *que de* Trieb, *le premier terme devant peut-être souligner la part agissante, actuelle de la pulsion, sans que la chose apparaisse systématique. L'usage a semblé s'établir de traduire* Triebregung *par « motion pulsionnelle », expression qui nous semble assez peu parlante, pouvant même être source de confusions ; pour notre part, nous évoquerions plutôt un « élan pulsionnel » (comme on parle d'un « élan du cœur »), mais ce ne saurait être là un véritable problème.*

LE TEXTE FREUDIEN

Situations pulsionnelles

Nous l'avons rappelé d'emblée : tout au long de son œuvre, Freud tient à redire qu'aussi fondamentale que soit la pulsion, le concept en demeure assez confus et « la théorie des pulsions fut celle qui donna lieu aux tâtonnements les plus laborieux »[3] ; il lui faut donc toujours

1. « Pulsions et destins des pulsions » (1915c), *Métapsychologie*, Paris, Gallimard, 1968, p. 21 ; *OCF* XIII (2e éd.), p. 171 ; *GW* X, p. 217.

2. *Sigmund Freud présenté par lui-même* (1925d), Paris, Gallimard, 1984, p. 96 ; *OCF* XVII, p. 104-105 ; *GW* XIV, p. 83-84.

3. *Malaise dans la civilisation* (1930a [1929]), Paris, PUF, 1971, p. 71 ; *OCF* XVIII, p. 303 ; *GW* XIV, p. 476.

reprendre le constat que **la psychanalyse ne dispose pas d'une théorie des pulsions solidement assise**[1].

Il s'avère même difficile de caractériser simplement les pulsions, au point que dans l'ouvrage fondateur de la *Métapsychologie,* au premier chapitre (précisément intitulé « Pulsions et destins des pulsions »), Freud, comme se gardant de toute définition, se borne à annoncer qu'il va « discuter quelques termes qui sont utilisés en rapport avec le concept de pulsion ». Cette prudence trouve sa justification lorsqu'il en vient à en considérer le statut, qui lui apparaît tout de même assez particulier : « **La doctrine des pulsions est, pour ainsi dire, notre mythologie.** Les pulsions sont des êtres mythiques, grandioses dans leur indétermination. Nous ne pouvons dans notre travail faire abstraction d'elles un seul instant et cependant nous ne sommes jamais certains de les voir nettement. »[2]

Lorsque nous regardons la pulsion **du point de vue psychique,** nous constatons qu'elle *« est soumise au principe de plaisir »* ; si nous nous plaçons **du côté biologique,** nous la regardons comme *« un concept-limite entre le psychique et le somatique »* en considérant que la fonction du système nerveux est « de maîtriser les excitations » : la pulsion est la « mesure de l'exigence de travail imposée au psychique en conséquence de sa liaison au corporel ». Provenant de sources d'excitations intérieures à l'organisme, elle se manifeste comme *force constante* à laquelle on ne saurait échapper. Surtout, pour asseoir le concept, trois termes apparaissent essentiels : sa *poussée,* sa *source* et son *but,* auxquels s'ajoutent ses *objets.* À eux quatre, de façon concourante, ils permettent de spécifier la pulsion.

Si nous prenons en compte **leur fonctionnalité,** *la source et le but* ont une fonction explicative finaliste ; répondant aux questions sur les « pourquoi » ils débouchent sur une approche qualitative. « Bien que le fait d'être issu de la source somatique soit l'élément absolument déterminant pour la pulsion, elle ne nous est connue, dans la vie psychique, que par ses buts. » *La poussée et l'objet* sont plus descriptifs :

1. *Sigmund Freud présenté par lui-même* (1925d), Paris, Gallimard, 1984, p. 95-96 ; *OCF* XVII, p. 104 ; *GW* XIV, p. 83.

2. *Nouvelles conférences d'introduction à la psychanalyse* (1933a [1932]), Paris, Gallimard, 1984, p. 129 ; *OCF* XIX, p. 178 ; *GW* XV, p. 101.

ils répondent aux questions sur les « comment », annonçant plutôt le quantitatif.

Si nous considérons leurs **niveaux de complexité,** nous devons alors rapprocher *la source et la poussée* (ce sont d'ailleurs les deux « facteurs » auxquels Freud impartit l'« essence » de la pulsion). La source produit la poussée, toutes deux étant simples, univoques et constantes, non assujetties aux processus de défense du moi ; elles sont au plus près du « biologique » et leurs déterminations sont exclusivement « internes » – ce qui justifie qu'elles ne soient pas modifiables. Ceci fait que l'une comme l'autre ont généralement été considérées comme des « données » sur lesquelles il n'y a pas lieu de revenir (elles n'ont d'ailleurs suscité qu'assez peu de travaux dans la postérité freudienne). *Le but et l'objet* sont beaucoup plus complexes (et le second bien plus encore que le premier). Celui-là varie dans ses voies, celui-ci dans ses moyens. Surtout : l'objet est en lui-même un moyen pour la pulsion, alors que le but la justifie. Le but cherche comment se réaliser et, dans ce dessein, il impose un objet, élisant celui qui lui apparaît alors comme étant l'instrument le plus apte à atteindre le but. Ainsi, même si chacun vise à apaiser l'excitation et à satisfaire les exigences d'une pulsion qui ne peut venir que de l'« intérieur », pour ce faire, tous deux doivent nécessairement se tourner vers l'« extérieur » ; ils sont plus « sociaux », « altruistes », comme disait Freud. Si le but final reste bien invariable, la diversité des voies n'en suscite pas moins des buts intermédiaires qui se combinent et/ou s'échangent. Et pareillement, s'il n'y a bien qu'un objet premier (la mère) qui sera recherché tout au long de la vie, ses transformations et ses vicissitudes seront nombreuses car, étant le seul des quatre termes à ne pas être originairement lié à la pulsion, l'objet est aussi ce qu'il y a de plus variable en elle[1]. Cette mobilité permet la mise en œuvre de *processus défensifs* (ce que ne sauraient produire la source ou la poussée) : ce sont le retournement-renversement pour le but, le déplacement et le refoulement pour l'objet. La complexité de ce dernier justifie l'abondance des travaux qui s'y rapportent, comme

1. « Pulsions et destins des pulsions » (1915c), *Métapsychologie,* Paris, Gallimard, 1968, p. 17-20 ; *OCF* XIII, p. 168-171 ; *GW* XI, p. 214-216.

l'extension considérable de la « théorie de l'objet » dans le corpus psychanalytique, « au-delà » de la pulsion elle-même.

Évolutions pulsionnelles

Que les pulsions évoluent est impliqué par leur nature « active », dussent-elles opérer un retour à un état antérieur ; pourtant, si l'idée est tôt présente, elle ne sera véritablement explicitée que dans la deuxième partie de l'œuvre.

Le terme même d'*originaires* réservé aux grandes oppositions pulsionnelles (les pôles puissent-ils en être changés) indique bien qu'**elles sont censées être là « dès le début ».** Reste cependant à situer ce début, et à reconnaître ce qui s'ensuit ; c'est là poser la question de l'évolution des pulsions **selon la phylogenèse,** que Freud n'aurait su négliger. Jusqu'à l'élaboration de la dernière théorie pulsionnelle, il s'en soucie assez peu, se bornant à évoquer les **étayages successifs,** d'abord des pulsions partielles entre elles, puis celui des pulsions sexuelles sur ces pulsions du moi, jusqu'à aboutir à la « génitalité » (avec la reproduction) – il est vrai que c'est loin d'être négligeable.

En 1920, tirant les conséquences de l'universalité pulsionnelle dualiste – dont les oppositions qui œuvrent dans le psychisme ne sont finalement qu'une forme particulière –, il pose l'apparition même de la vie sur terre comme « début » des pulsions, se refusant à les cantonner à la seule humanité. Son postulat de la finalité conservatrice de toutes les pulsions organiques, dont le but ne peut être que le rétablissement d'un état antérieur, convient bien à la pulsion de mort, toute muette qu'elle soit. Il n'en va pas de même avec l'Éros qui ne peut que poser problème puisqu'il persévère à lier et créer des unités toujours plus grandes. « Il nous faut alors **mettre les résultats effectifs du développement au compte d'influences extérieures** » sans lesquelles l'être vivant élémentaire originaire n'aurait jamais eu à changer, à supposer même qu'il eut survécu.

Quelque chose a dû se passer pour **amorcer une évolution** ; « ce qui laisse, en dernière analyse, sa marque sur le développement des organismes, devrait être l'histoire du développement de la terre et de sa relation au soleil ». Il y aurait eu, « un jour », sur la matière inanimée, « l'action d'une force qu'on ne peut encore absolument pas se représenter » (et Freud alors, pour bien affirmer la continuité de l'évolution depuis les plus lointaines origines, indique que ce processus pourrait « préfigurer celui qui plus tard a fait apparaître la conscience dans une certaine couche de la matière vivante »). Il est vraisemblable que cela s'est répété pendant une très longue période, dans une succession de recréations et de morts, « jusqu'au jour où ces influences externes déterminantes se transformèrent, obligeant la substance qui survivait à des détours toujours plus compliqués » pour revenir à l'état antérieur de la matière inanimée. Ce sont ces détours qui « **nous apparaissent aujourd'hui comme phénomènes vitaux** » [1].

Voilà donc pour l'évolution des pulsions selon la phylogenèse, que Freud n'aurait su négliger ; lorsqu'il la prend **au niveau ontogénétique,** ses étapes suivent d'assez près celles de l'évolution même de la théorie psychanalytique – c'est d'ailleurs en retraçant l'histoire de celle-ci qu'il en trace le meilleur tableau. Si la fonction sexuelle est présente dès le début, il lui faut s'étayer sur les autres fonctions vitales pour se développer jusqu'à prendre son indépendance à leur égard ; « il lui faut accomplir une évolution longue et compliquée avant de devenir ce qui est connu comme la vie sexuelle normale de l'adulte ». Avant d'apparaître comme un tout, elle est constituée de l'activité d'une série de *composantes pulsionnelles,* fonctions de *zones érogènes,* survenant en partie en *couples d'opposés* (sadisme-masochisme, regarder-exhiber). Donc, au départ non centrée, et plutôt *autoérotique.* Ces *pulsions partielles* vont ensuite se regrouper : dans une première phase avec prédominance des composantes *orales,* une seconde phase étant *sadique-anale,* pour aboutir à la troisième phase, tardive, marquée par le primat *génital.*

« Au cours de cette évolution, beaucoup d'éléments de la pulsion sont laissés de côté comme inutilisables au regard de cette fin dernière. » L'énergie des pulsions sexuelles – et seulement elle – est appelée *libido* ; il fallut pourtant constater que « la libido n'effectue pas toujours de manière impeccable cette évolution ; [pour diverses

1. *Au-delà du principe de plaisir* (1920g), *Essais de psychanalyse,* Paris, Payot, 1981, p. 80-83 ; *OCF* XV, p. 308-310 ; *GW* XIII, p. 38-40.

raisons] il peut se produire des *fixations* de la libido en certains points du parcours évolutif » qui vont imposer d'y faire retour, lors de refoulements ultérieurs, sous la forme de *régressions* aboutissant aux symptômes et déterminant le choix de la névrose. Parallèlement, et en fonction de ces processus, l'objet est trouvé et investi par la pulsion ; l'enfant peut passer de l'autoérotisme au premier objet d'amour : la mère. Cette évolution libidinale aboutit à instaurer le complexe d'Œdipe[1].

PLUSIEURS PULSIONS

Unicité des pulsions

L'implication pulsionnelle est toujours plurielle – « duelle » en fait –, même lorsque la recherche conduit momentanément à privilégier une seule pulsion ; c'est là une conséquence directe de ce que Freud désignait comme son *dualisme fondamental,* qui peut être défini comme postulant « un tout composé de deux principes premiers opposés et irréductibles ». Qu'il s'agisse de la polarité des pulsions du moi et des pulsions sexuelles, ou de celle des pulsions de mort et des pulsions de vie, **cette dualité n'a de sens qu'à fonder une unité** (Freud parle alors d'un « *individu* »), unité contradictoire en elle-même mais néanmoins contraignante – c'est pourquoi nous l'avons ici qualifiée comme « unicité ». **À la base de ceci se trouve le constat énergétique** de la psychanalyse (certains diraient : le postulat) : toute pulsion, qui se définit comme « mesure du travail psychique exigé »[2], n'est finalement qu'une des formes prise par l'énergie psychique. C'est d'ailleurs ce qui permet à Freud de reprendre en 1923 une idée avancée dès 1914[3], envisageant « une énergie déplaçable, en soi indifférente », susceptible de venir s'ajouter à une motion pulsionnelle, libidinale ou destructrice – hypothèse qui lui paraît finalement

1. *Sigmund Freud présenté par lui-même* (1925d), Paris, Gallimard, 1984, p. 59-61 ; *OCF* XVII (« Autoprésentation »), p. 82-84 ; *GW* XIV, p. 60-62.

2. *Trois essais sur la théorie sexuelle* (1905d) (ajout de 1915), Paris, Gallimard, 1987, p. 83 ; *OCF* VI, p. 100 ; *GW* V, p. 67.

3. « Pour introduire le narcissisme » (1914c), *La vie sexuelle,* Paris, PUF, 2e éd., 1970, p. 85 ; *OCF* XII, p. 222 ; *GW* X, p. 143.

aussi indispensable que le postulat dualiste[1], dans la mesure, nous semble-t-il, où elle vient affirmer l'unité du vivant.

Pluralité des pulsions

Ceci posé, il nous faut bien tenir compte du « pluriel », qui se trouve toujours impliqué dans l'idée « pulsionnelle ». Nous devons nous interroger avec Freud : « Combien peut-on poser de pulsions ? Et lesquelles ? [...] L'arbitraire a le champ libre. » Certains, note-t-il en 1915, parlent d'une pulsion de jeu, d'une pulsion de destruction, d'une pulsion grégaire... Pourquoi pas. Il importe pourtant de se demander si toutes ces « spécialisations » ne mériteraient pas une « dissection » plus poussée pour être ramenées aux « seules pulsions originaires insécables », les seules à pouvoir prétendre avoir une importance[2]. **Il y a pourtant, « à l'œuvre, dans le moi, d'autres pulsions** encore que les pulsions libidinales d'auto-conservation », mais nous les connaissons peu et comprenons mal leurs relations avec les composantes libidinales ; la notion de « libido narcissique » a pu étendre notre champ, même si elle doit finalement être rattachée à l'Éros[3]. En fait, nous touchons là au vaste domaine des *« pulsions partielles »* qui, rassemblées toutes ensemble (bel exemple de la vocation unifiante d'Éros), composent la pulsion sexuelle ; pour ce faire, elles s'unissent, se désagrègent et se réunissent toujours davantage en organisations déterminées[4].

S'il est vrai que « la pensée populaire postule des pulsions aussi nombreuses et aussi diverses qu'on en a besoin » quitte à les abandonner, derrière ces pulsions de circonstance « se cache quelque chose de sérieux et de violent », d'approche difficile et qui, partant de ces deux

1. *Le moi et le ça* (1923b), *Essais de psychanalyse,* Paris, Payot, 1981, p. 257 ; *OCF* XVI, p. 287 ; *GW* XIII, p. 273.

2. « Pulsions et destins des pulsions » (1915c), *Métapsychologie,* Paris, Gallimard, 1968, p. 21 ; *OCF* XIII (2e éd.), p. 171 ; *GW* X, p. 216.

3. *Au-delà du principe de plaisir* (1920g), *Essais de psychanalyse,* Paris, Payot, 1981, p. 101et 110, n. 16 ; *OCF* XV, p. 327 ; *GW* XIII, p. 57.

4. « "Psychanalyse" et "Théorie de la libido" » (1923a), *Résultats, idées, problèmes, II,* Paris, PUF, 1984, p. 62 ; *OCF* XVI, p. 193 ; *GW* XIII, p. 220.

grands besoins que sont la faim et l'amour, conduit jusqu'à l'opposition Éros-pulsion de mort. **Aux sources de la pulsion sexuelle se trouvent nombre de pulsions partielles,** indépendantes et provenant de différentes parties du corps, se satisfaisant dans le *plaisir d'organe* ; elles ont des destins variés, certaines étant éliminées, d'autres détournées, ou encore conservées dans des rôles secondaires... Ainsi se distinguent les pulsions partielles orale, anale et phallique (définissant les stades de mêmes noms), pour aboutir à la pulsion génitale, mais sans que, pour autant, disparaisse totalement chacune d'entre elles[1]. Une énigme demeure pourtant (d'autant qu'elle n'est pas envisagée) : la pulsion de mort peut-elle impliquer quelque chose comme des pulsions partielles qui lui seraient propres ? Mais la question a-t-elle même un sens ?

Dualité des pulsions

Il n'en demeure pas moins qu'il faut faire retour aux *pulsions originaires,* à celles-là qui témoignent du « dualisme fondamental ». Freud y revient avec constance, et refait souvent le récit de leur évolution dans et avec la théorie, depuis l'opposition entre pulsions du moi (auto-conservation, faim) et pulsions sexuelles (libidinales, amour), distinguant ensuite libido narcissique et libido d'objet, ce qui amène à l'opposition entre pulsions du moi et pulsions d'objet sexuelles, ces dernières devant à leur tour être regroupées en pulsions libidinales opposées à d'autres pulsions situées dans le moi, assimilées aux pulsions de destruction... « La spéculation transforme cette opposition en celle des pulsions de vie (Éros) et des pulsions de mort. »[2] À chaque phase de cette conceptualisation, **nous retrouvons, toujours, deux**

1. *Nouvelles conférences d'introduction à la psychanalyse* (1933a [1932]), Paris, Gallimard, 1984, p. 129 et 133 ; *OCF* XIX, p. 178 et 180-181 ; *GW* XV, p. 101-102 et 104-105.

2. « Pulsions et destins des pulsions » (1915c), *Métapsychologie,* Paris, Gallimard, 1968, p. 21-22 ; *OCF* XIII (2ᵉ éd.), p. 171-172 ; *GW* X, p. 216-217. – Et *Au-delà du principe de plaisir* (1920g), *Essais de psychanalyse,* Paris, Payot, 1981, p. 101 et 110, n. 16 ; *OCF* XV, p. 326-327 et 335, n. 1 ; *GW* XIII, p. 57 et 66, n. 1. – Et *Nouvelles conférences d'introduction à la psychanalyse* (1933a [1932]), Paris, Gallimard, 1984, p. 138-139 ; *OCF* XIX, p. 185-186 ; *GW* XV, p. 109-110.

groupes de pulsions, chacun d'eux représentant l'une des « pulsions originaires fondamentales », insécable, essentielle – l'une d'elles demeurant, avec constance, la pulsion sexuelle, fût-elle rebaptisée Éros. Aux yeux de Freud, la question de la dualité pulsionnelle (ou de sa réfutation) est indiscutablement celle qui prime toutes les autres car, pour lui, **elle engage le destin de la psychanalyse** (d'où sa véhémence à l'encontre de Carl Gustav Jung).

Mais si elle est bien « déterminante », cette **dualité n'a de sens qu'à poser une « opposition »** qui, à être nécessairement complémentaire, n'en est pas moins potentiellement conflictuelle. On pourrait même considérer qu'en cette affaire la conflictualité est « première » : si la dualité n'implique pas nécessairement de conflit, l'opposition non seulement le postule, mais présuppose deux termes. C'est même là ce qui, régulièrement, va revenir interroger Freud, l'amenant à réviser l'identification des pulsions qui s'opposent ; lorsqu'il lui faut, avec la libido narcissique, inclure les pulsions du moi parmi les pulsions sexuelles, il se met en quête d'une nouvelle opposition. Il débouche finalement sur Éros-pulsion de mort, mais pour devoir constater que seuls apparaissent les « rejetons de l'Éros » et qu'il devient « difficile de maintenir notre dualisme fondamental, [mais...] nous sommes forcés de le maintenir » [1]. Il faut alors se demander pourquoi une telle nécessité ? Et aussi impérative ?

Tout simplement **pour que ça vive** ! Lorsque Freud imagine les conditions qui permirent l'apparition de la vie, il fait appel à une « force extérieure » qui vient animer l'inerte, recommençant une infinité de fois jusqu'à ce qu'advienne le vivant, mais au prix d'une lutte continuelle pour survivre [2] ; si rien n'était intervenu pour « forcer » ce qui se trouvait là, s'opposant à son inertie, la vie ne serait jamais apparue. Lorsque, considérant qu'une organisation entièrement soumise au principe de plaisir et négligeant la réalité du monde extérieur ne pourrait se maintenir en vie, n'aurait même pas pu apparaître, que pourtant « le nourrisson est bien près de réaliser un tel système

1. *Le moi et le ça* (1923b), *Essais de psychanalyse*, Paris, Payot, 1981, p. 260 ; *OCF* XVI, p. 289 ; *GW* XIII, p. 275.

2. *Au-delà du principe de plaisir* (1920g), *Essais de psychanalyse*, Paris, Payot, 1981, p. 82-83 ; *OCF* XV, p. 309-310 ; *GW* XIII, p. 39-40.

psychique », il place l'incise qui corrige et permet que « ça vive » : « à condition d'y ajouter les soins maternels »[1], l'extérieur étant alors spécifié comme « social », fonction de la relation à une autre. Ceci est encore souligné quatre ans plus tard : l'état originaire n'aurait pu se développer « si chaque être individuel ne passait par une période de *détresse* et de *soins* pendant laquelle ses besoins pressants sont satisfaits par l'intervention de l'extérieur »[2].

Voilà pourquoi Freud est « obligé de maintenir son dualisme fondamental ». S'il peut concevoir qu'une « énergie déplaçable, en soi indifférente »[3], demeure une hypothèse nécessaire, ce n'est que parce qu'elle vient s'ajouter à l'une des pulsions existantes : une force qui n'aurait rien sur quoi agir serait si vaine qu'elle ne saurait exister, et **il n'y a pas plus de force en soi que de pulsion isolée.**

II – POUSSÉE DE LA PULSION

all. : ***Drang.*** – angl. : *pressure.* – esp. : *presión.* – ital. : *spinta* . – port. : *pressão*

La poussée est le facteur moteur de la pulsion, la somme de force ou la mesure d'exigence de travail qu'elle représente. Déterminant énergétique variable mais permanent, toujours actif, elle est l'essence même de toute pulsion.

« Poussée » est le premier des termes proposés par Freud pour caractériser et définir la pulsion. En 1915, il l'inscrit définitivement comme concept de la *Métapsychologie* (nous venons d'ailleurs d'en reprendre la définition). En 1933, la poussée n'est plus seulement un caractère de la pulsion, mais devient la pulsion elle-même « que

1. « Formulations sur les deux principes du cours des événements psychiques » (1911b), *Résultats, idées, problèmes, I,* Paris, PUF, 1984, p. 136-137, n. 2 ; *OCF* XI, p. 14-15, n. 2 ; *GW* VIII, p. 232, n. 1.

2. « Pulsions et destins des pulsions » (1915c), *Métapsychologie,* Paris, Gallimard, 1968, p. 37, n. 1 ; *OCF* XIII (2e éd.), p. 181-182, n. 1 ; *GW* X, p. 227, n. 1.

3. *Le moi et le ça* (1923b), *Essais de psychanalyse,* Paris, Payot, 1981, p. 258 ; *OCF* XVI, p. 287 ; *GW* XIII, p. 273.

nous représentons comme **un certain quantum d'énergie qui pousse vers une direction déterminée**; [et] c'est de cette poussée qu'elle tient son nom de pulsion »[1]. La redondance qui fonde, en français, le syntagme « poussée de la pulsion », même s'il force le sens par rapport à l'allemand, souligne combien « le caractère "poussant" est une propriété générale des pulsions, et même l'essence de celles-ci ». Dès 1915, en fait, la définition de la pulsion est strictement identique à celle de sa poussée: c'est « une mesure de l'exigence de travail qui est imposée au psychisme en conséquence de sa liaison au corporel » – ce qui peut se résumer en une formule: « **Toute pulsion est un morceau d'activité.** »[2]

L'idée que cette activité, que cette énergie donc, doit se traduire quantitativement, apparaît dès 1894 (s'inspirant en partie des travaux des physiologistes Ernst W. von Brücke et Hermann L. F. von Helmholtz, comme de ceux du physicien et psychologue Gustav Theodor Fechner): dans les fonctions psychiques il y a « quelque chose qui a tous les caractères d'une quantité, [...] capable d'augmentation, de diminution, de déplacement et de décharge » ; nous ne saurions la mesurer, mais c'est « un peu comme une charge électrique »[3]. Le « principe fondamental » d'une expression quantitative de l'activité neuronique (psychique), impliquant l'idée d'une poussée, est repris l'année suivante comme *« principe d'inertie »*[4]. Dès lors implicite dans l'œuvre, elle ne sera pourtant véritablement spécifiée et singularisée qu'en 1915 dans la *Métapsychologie*; elle n'aura pas à être remise en question par la suite et sous-tendra, de fait et de façon permanente, toute l'élaboration freudienne.

La détermination par le quantitatif, telle que signifiée par la « poussée », implique: que « **les pulsions sont toutes semblables**

1. *Nouvelles conférences d'introduction à la psychanalyse* (1933a [1932]), Paris, Gallimard, 1984, p. 130-131 ; *OCF* XIX, p. 179 ; *GW* XV, p. 103.

2. « Pulsions et destins des pulsions » (1915c), *Métapsychologie*, Paris, Gallimard, 1968, p. 18 ; *OCF* XIII, p. 169 ; *GW* X, p. 214.

3. « Les psychonévroses de défense » (1894a), *Névrose, psychose et perversion*, Paris, PUF, 1973, p. 14 ; *OCF* III, p. 18 ; *GW* I, p. 74.

4. « Esquisse d'une psychologie scientifique » (1950c [1895]), *La naissance de la psychanalyse*, Paris, PUF, 1956, p. 315-316.

qualitativement », qu'elles *n'agissent qu'en raison des « quantités d'excitation qu'elles portent »*, et que *leur diversité peut « se laisser ramener à la différence des sources pulsionnelles »*. (Il est à remarquer que si le concept de « poussée » est très proche de celui de « libido » de par sa référence quantitative prévalente, il s'en distingue en ce que ses implications ne sont pas exclusivement sexuelles.) Cette référence « poussante » est une notion qui apparaît tellement essentielle à Freud pour définir la nature des pulsions qu'il peut écrire, à la suite, que la distinction « entre deux groupes de ces pulsions originaires [à l'époque il s'agit de celle entre » pulsions d'auto-conservation « et » pulsions sexuelles «] n'a pas la significativité d'une présupposition nécessaire », comme peut l'être la poussée qui représente la tendance biologique de l'appareil psychique[1]. *C'est dire l'importance de la nature « poussante » de la pulsion,* qui ne sera d'ailleurs jamais remise en cause.

La prévalence du « quantitatif », qui s'exprime au travers du « point de vue économique », postule que si l'énergie subit des variations, elle demeure toujours en action ; agissant constamment, elle peut certes être qualifiée de « constante », mais il importe de bien savoir qu'ici **la constance désigne la permanence de la charge énergétique** (« la pulsion qui n'agit jamais comme une force d'impact momentané »), son niveau, son degré d'intensité demeurant variable, ce qui la différencie radicalement tant de la « constante » des physiciens que de la tendance au retour à zéro du « principe de constance ». La poussée de la pulsion, comme d'ailleurs la pulsion elle-même (fût-elle « de mort »), ne disparaît qu'avec la mort proprement dite.

Ces attributs de la poussée ne vont pas sans entraîner quelques complications dans la conceptualisation de la pulsion de mort. En effet, conformément à la définition même des pulsions, ces « forces qui agissent à l'arrière-plan des besoins impérieux du ça »[2], *la pulsion de mort est aussi, est pleinement une force, qui ne saurait donc échapper à sa nature foncièrement « active »*. Mais, en dépit de cette activité

1. « Pulsions et destins des pulsions » (1915c), *Métapsychologie*, Paris, Gallimard, 1968, p. 20 ; *OCF* XIII, p. 171 ; *GW* X, p. 217.

2. *Abrégé de psychanalyse* (1940a [1938]), Paris, PUF, 1967, p. 7 ; *OCF* XX, p. 238 ; *GW* XVII, p. 70.

postulée, elle-même ne se « manifeste » pas (tout au moins directement) et toutes « les motions pulsionnelles dont nous pouvons suivre la trace se révèlent être des rejetons de l'Éros ». Il convient alors de porter le constat que *« les pulsions de mort sont pour l'essentiel muettes »* [1]. Mais si leur *but* est bien la mort, leur *poussée* n'en est pas moins active, comme elle l'est pour toute pulsion ; sinon la mort, qui est bien leur but, ne serait jamais atteinte. D'où la question : comment une poussée, active par définition, peut-elle demeurer muette ?

Remarquons que « **les sensations qui ont le caractère du plaisir n'ont, en soi, rien qui pousse de façon pressante** » **alors que** « ***les sensations de déplaisir ont ce caractère [poussant] au plus haut point*** » ; elles « poussent au changement, à la décharge ». Si nous nommons plaisir ce qui devient conscient, le déplaisir est « un "autre chose" dans l'écoulement des processus psychiques, autre d'un point de vue et quantitatif et qualitatif » ; cet « autre chose » se comporte « comme une motion refoulée et peut déployer des forces poussantes sans que le moi ne s'aperçoive de la contrainte qu'il subit » – tout ceci permettant de justifier que « les sensations sont ou bien conscientes ou bien inconscientes » [2]. Ainsi la poussée, induisant un « autre chose » et ne se cantonnant plus au quantitatif, en vient à déborder sur le qualitatif de par son effet sur le « devenir conscient ». Mais que peut-il en être de cet « autre chose » ? On peut imaginer qu'il renvoie à l'hypothèse, « dont nous ne pouvons absolument pas nous passer », qu'existe « dans la vie psychique une énergie déplaçable, en soi indifférente, qui peut venir s'ajouter à une motion qualitativement différenciée » [3], comme une « poussée en plus » ; justement parce qu'elle est indifférente, elle est en mesure de s'ajouter à celle qui est différenciée. Elle semble bien se comporter alors comme cet « autre chose » qualifié comme déplaisir – mais elle entraîne le risque implicite d'une option moniste.

1. *Le moi et le ça* (1923b), *Essais de psychanalyse,* Paris, Payot, 1981, p. 260 ; *OCF* XVI, p. 289 ; *GW* XIII, p. 275.

2. *Ibidem,* p. 233-234 ; p. 266-267 ; p. 249-250.

3. *Ibidem,* p. 258 ; p. 287 ; p. 272-273.

La « pulsion serait une **poussée inhérente à l'organisme vivant vers le rétablissement d'un état antérieur** »[1]. La « compulsion de répétition », telle qu'elle doit justifier un « au-delà » du principe de plaisir, apparaît avant tout comme une manifestation « poussante »[2], le caractère « poussant » travaillant pour lui-même, indifférent au but. La raison en est que les motions pulsionnelles ne peuvent qu'être « conformes au type du processus nerveux librement mobile et poussant vers la décharge », et ne sont nullement assujetties au processus lié. S'il en va ainsi, c'est que « les manifestations d'une compulsion de répétition [...] présentent à un haut degré le caractère pulsionnel », indifférentes à ce que leur poussée satisfasse ou s'oppose au principe de plaisir – ce serait même là ce qui pourrait justifier que cette compulsion ait un « caractère démoniaque » qui tient, pour l'essentiel, à la poussée[3].

III – SOURCE DE LA PULSION

all. : ***Triebquelle.*** – angl. : *source of the drive.* – esp. : *fuente del instinto.* – ital. : *fonte della pulsione.* – port. : *fonte do impulso*

La source est d'abord somatique, à l'origine localisée et proprement interne, elle correspond à une excitation qui, dans le psychisme, est représentée par la pulsion dont elle est le principe actif.

Ce concept qui, comme nous l'avons vu, représente l'exigence causaliste dans la théorie des pulsions, avant même d'être signifié dans ses rapports avec les notions complémentaires de poussée, de but et d'objet, doit d'abord être entendu en fonction d'un concept que l'on pourrait dire, paradoxalement, « contraire » à celles-ci – puisqu'elle doit marquer « le lieu où ça s'arrête », « le moment où c'est autre chose ».

1. *Au-delà du principe de plaisir* (1920g), *Essais de psychanalyse,* Paris, Payot, 1981, p. 80 ; *OCF* XV, p. 308 ; *GW* XIII, p. 38.

2. *Ibidem,* p. 54-55 ; p. 287 ; p. 14.

3. *Ibidem,* p. 77-78 ; p. 305-306 ; p. 35-36.

Il s'agit de la notion de *concept-limite* entre le psychique et le somatique, tel qu'il doit qualifier la pulsion en tant que « **représentant psychique des excitations** » **issue du corps** ; il s'agit donc bien là de la pulsion elle-même, mais c'est plus spécialement sa source, moment et lieu d'où elle jaillit, qui est ici en cause et la justifie. Cela postule une *référence somatique,* et suppose de se placer au point où ça passe d'un domaine à l'autre, où ça va *du biologique au psychique* ; en un tel lieu, si la pulsion est clairement située *du côté psychique,* elle est *aux limites* – alors que l'excitation serait de l'« autre côté », celui du biologique[1]. Ainsi la pulsion, représentant psychique, est située aux limites du biologique, et de fait hors de son champ, à l'encontre même de ce qu'elle doit représenter : les excitations, qui demeurent somatiques. Dans la théorie des pulsions, la source marque ce point « limite » où, en jaillissant, ça passe du biologique au psychique ; elle est « le processus somatique localisé » qui engendre l'excitation qui va se représenter psychiquement par la pulsion. Plus encore qu'un lieu (somatique), *la source est l'occasion, le moment où du biologique devient psychique* en se représentant. Ainsi, « l'étude des sources pulsionnelles déborde le champ de la psychologie », et c'est bien pourquoi « une connaissance plus exacte de ces sources n'est pas rigoureusement indispensable » : nous pouvons les laisser à la biologie, même si elles sont déterminantes pour la pulsion. Nous touchons là à l'essence même de la théorie, et même de la pensée freudienne, dans laquelle la thèse concernant la contrainte biologique sur l'appareil psychique doit être considérée comme une présupposition nécessaire et indispensable[2] ; de ceci découle la notion freudienne, sur laquelle nous ne saurions trop insister, posant la *nature « interne », absolue et exclusive des sources des pulsions.*

Si le mot « source » apparaît tout naturellement dès les premiers travaux, il n'y revêt encore aucune spécificité et connote simplement l'idée d'« origine » d'un processus, interne ou externe ; on ne peut alors lui reconnaître que des rapports lointains avec le concept qui

1. « Pulsions et destins des pulsions » (1915c), *Métapsychologie,* Paris, Gallimard, 1968, p. 18 ; *OCF* XIII, p. 169 ; *GW* X, p. 214.

2. *Ibidem,* p. 20-21 ; p. 171 ; p. 217.

devra contribuer à spécifier la pulsion[1]. En 1905, les *Trois essais sur la théorie sexuelle* en fournissent la première définition, telle qu'elle sera maintenue par la suite : « Par "pulsion" nous ne pouvons, de prime abord, rien désigner d'autre que la représentance psychique d'une source endosomatique de stimulations, s'écoulant de façon continue, par opposition à la "stimulation" produite par des excitations sporadiques et externes. » De même est déjà affirmé que « ce qui différencie les pulsions les unes des autres, en les dotant de caractères spécifiques, est leur rapport à leurs sources somatiques et à leurs buts. La source de la pulsion est un processus excitateur dans un organe, et le but immédiat de la pulsion consiste à supprimer cette stimulation d'organe »[2]. Bien plus que métaphore d'un lieu, la source suggère l'idée d'un jaillissement. Étant, ainsi et réciproquement, pôles actif et inactif d'une même excitabilité, moments complémentaires d'un même mouvement, la source et le but sont étroitement liés et se justifient l'un par l'autre.

En 1914, ces définitions seront reprises et systématisées dans « Pulsions et destins des pulsions » où elles contribueront à fournir les bases mêmes de la métapsychologie, celle-ci étant avant tout une « théorie des pulsions » et des processus qu'elles mettent en œuvre. Il sera alors possible à Freud de confirmer : – « **Par source de la pulsion on entend un processus somatique localisé dans un organe ou une partie du corps et dont 1'excitation est représentée dans la vie psychique par la pulsion » ; – « les pulsions sont toutes semblables qualitativement » ; – ce qui permet de distinguer « diverses pulsions se laisse ramener à la différence des sources pulsionnelles »**[3].

Mais quelles sont ces sources, et donc ces différentes pulsions ? Sans s'y opposer formellement, Freud marque toujours de grandes réserves quant à « l'arbitraire » de leur multiplication, considérant nécessaire, par l'approfondissement de la notion de source, d'en réduire la variété

1. Voir, par exemple, « Esquisse d'une psychologie scientifique » (1950c [1895]), *La naissance de la psychanalyse*, Paris, PUF, 1956, p. 352.

2. *Trois essais sur la théorie sexuelle* (1905d), Paris, Gallimard, 1987, p. 83-84 ; *OCF* VI, p. 101-102 ; *GW* V, p. 67-68.

3. « Pulsions et destins des pulsions » (1915c), *Métapsychologie*, Paris, Gallimard, 1968, p. 19-21 ; *OCF* XIII, p. 170-171 ; *GW* X, p. 215-216.

descriptive jusqu'au plus petit nombre possible de « pulsions originaires non décomposables », les seules à avoir une importance[1]. En 1905, il avait fait correspondre les sources pulsionnelles aux zones érogènes alors reconnues (bucco-labiales ou orales, rectales et anales, les phalliques et clitoridiennes n'étant reconnues qu'en 1923[2]) dont l'excitation se représente dans la vie psychique sous la forme de « pulsions partielles » correspondantes. Elles revêtent une importance particulière puisqu'*il appartiendra à chacune d'elles, par son primat momentané, de spécifier les stades successifs d'organisations libidinale* : stades oral puis anal – auxquels viendra s'ajouter en 1923 le stade phallique.

À côté d'elles, qui sont ainsi directement reliées à une source somatique d'excitation érogène, furent proposées d'autres pulsions partielles aux sources imprécises dans leur localisation ou leur érogénéité (telles la musculature pour la pulsion d'emprise, ou l'œil pour la scoptophilie et le voyeurisme-exhibitionnisme). D'autres encore n'ont pas de sources somatiques directement reconnues, et se présentent comme indépendantes de l'activité sexuelle des zones érogènes[3] – telle la « pulsion à la cruauté » avec le sadisme et le masochisme. En fait, les unes et les autres apparaissent plus déterminées par leur but que par leur source (par la suite, la plupart ne seront d'ailleurs plus rangées explicitement parmi les pulsions proprement dites).

En 1910, la réduction du nombre des pulsions fondamentales aboutit à une première dualité, opposant les pulsions sexuelles aux pulsions d'auto-conservation (ou pulsions du moi)[4]. *Les pulsions partielles, déterminées par les sources, deviennent alors des composantes de la pulsion sexuelle.* **Les sources des pulsions d'auto-conservation, dont la faim est le modèle, étayent les sexuelles :** le nourrissage,

1. *Ibidem.*

2. « L'organisation génitale infantile » (1923e), *La vie sexuelle,* Paris, PUF, 1969 ; *OCF* XVI, 1992.

3. *Trois essais sur la théorie sexuelle* (1905d), Paris, Gallimard, 1987, p. 81 et 121 ; *OCF* VI, p. 100 et 128 ; *GW* V, p. 66 et 93.

4. « Le trouble psychogène de la vision dans la conception psychanalytique » (1910i), *Névrose, psychose et perversion,* Paris, PUF, 1973, p. 170 ; *OCF* X, p. 182 ; *GW* VIII, p. 97-98.

l'apaisement de la faim étaye l'oralité. Tout en étant relativisé et désigné comme une simple construction auxiliaire et provisoire, ce modèle sera repris et systématisé en 1914, non sans conséquences quant à l'harmonie de la construction théorique : si la localisation de « sources organiques multiples » correspondant à autant de pulsions partielles demeure évidente, leur regroupement en une pulsion sexuelle « les rassemblant tardivement en une synthèse plus ou moins complète » pose problème [1], et la notion de source tend à perdre de la simplicité que lui conférait la clarté d'un support anatomique (c'est ainsi qu'en 1923 est introduit un stade phallique défini par le seul organe mâle, quel que soit le sexe anatomique du sujet) [2].

À ces difficultés, la notion d'étayage est censée fournir une solution, non seulement par l'étayage des pulsions sexuelles sur les pulsions d'auto-conservation, mais surtout par les étayages successifs des pulsions partielles entre elles, jusqu'à leur regroupement et leur harmonisation au sein du stade génital. Il n'en demeure pas moins que ceci **ne résout pas la question de savoir en quel lieu érogène situer l'éventuelle source de cette pulsion totale.** Doit-on considérer que les sources partielles sont elles-mêmes « globalisées », par exemple dans le phallus supposé symboliser ce regroupement (chez l'homme tout au moins) [3] ? Ou ne serait-ce pas plutôt le corps tout entier qui serait en jeu (ce qui ne va pas sans nous interroger sur la fonction à attribuer au narcissisme introduit en 1914) comme l'indiquera en 1938 la remarque finale portée sur les « zones érogènes » : si ce sont bien des « parties du corps d'où part principalement la libido, c'est à vrai dire le corps tout entier qui constitue une zone érogène » [4] ? Ou bien doit-on considérer que les pulsions partielles persistent telles quelles, explication qui justifierait leurs réapparitions lors des régressions mais laisserait en suspens la question de savoir ce qu'il en est de leur

1. *Métapsychologie* (1991d [1915-1917]), Paris, Gallimard, 1991, p. 21-24 ; *OCF* XIII, p. 171-173 ; *GW* X, p. 216-219.

2. « L'organisation génitale infantile » (1923e), *La vie sexuelle*, Paris, PUF, 1969, p. 114 ; *OCF* XVI, p. 309 ; *GW* XIII, p. 297.

3. *Ibidem*.

4. *Abrégé de psychanalyse* (1940a [1938]), Paris, PUF, 1967, p. 11 ; *OCF* XX, p. 239 ; *GW* XVII, p. 73.

réunion, de leur « synthèse », et ne permettrait guère de parler d'une « véritable organisation de la libido à la phase génitale » [1] ? Ou faudrait-il faire intervenir un nouveau critère, quasi téléologique, visant à satisfaire « la conservation de l'espèce » [2] ? Sans doute pourrait-on considérer qu'une ressaisie organisatrice des pulsions partielles, comme de leurs sources, s'effectue après coup – mais Freud n'en dit rien. Quoi qu'il en soit, la multiplicité de ces hypothèses montre combien il est malaisé de cerner une source véritablement somatique ; il est permis de penser que ces difficultés contribuèrent à l'élaboration de la dernière opposition pulsionnelle.

En fait, Freud va paraître les négliger au point que la question de la localisation des sources proprement dites semble être l'une de ces délaissées de « la théorie des pulsions, [qui] est la partie la plus importante mais aussi la plus incomplète de la doctrine psychanalytique » [3]. Pour spécifier les stades et les modalités pulsionnelles, à partir de 1920 ce sont les **modes de relations aux objets** qui passent au premier plan, alors même que **la notion de buts tend à prendre la prééminence sur celle de sources.** Dans *Au-delà du principe de plaisir,* celles-ci tendent à se confondre avec les pulsions elles-mêmes (leur totalisation aboutissant à une unification dans les deux pulsions fondamentales) : « Les sources les plus abondantes de l'excitation interne sont ce qu'on appelle les pulsions de l'organisme, les représentants de toutes les forces agissantes qui proviennent de l'intérieur du corps et sont transférés à l'appareil psychique. » [4] Pour ce qui en est de la fonction à leur attribuer, Freud paraît se satisfaire de considérer que « les pulsions du moi trouvent leur origine dans le fait que la matière inanimée a pris vie et cherche à rétablir l'état inanimé », les « pulsions sexuelles [… tendant] à la fusion de deux cellules germinales différenciées » [5]. On ne

1. *Ibidem,* p. 16 ; p. 244-245 ; p. 77-78.

2. *Métapsychologie* (1991d [1915-1917]), Paris, Gallimard, 1991, p. 23 ; *OCF* XIII, p. 172 ; *GW* X, p. 217-218.

3. Ajout de 1924 aux *Trois essais sur la théorie sexuelle* (1905d), Paris, Gallimard, 1987, p. 84, n. 1 ; *OCF* VI, p. 102, n. 1 ; *GW* V, p. 67, n. 1.

4. *Au-delà du principe de plaisir* (1920g), *Essais de psychanalyse,* Paris, Payot, 1981, p. 77 ; *OCF* XV, p. 305 ; *GW* XIII, p. 35.

5. *Ibidem,* p. 89 ; p. 316 ; p. 46.

peut d'ailleurs manquer de remarquer la similitude existant entre les sources posées comme jaillissement interne continu d'excitation, et les pulsions de vie elles-mêmes.

Le problème se complique encore, jusqu'à devenir aporétique, avec la question (d'ailleurs non posée) d'une « source de la pulsion de mort » – d'autant qu'il « ne saurait être question de confiner chacune des deux pulsions fondamentales [Éros et pulsion de mort] dans une quelconque des régions du psychisme, car on les rencontre nécessairement partout »[1]. On peut penser *a fortiori* qu'il est encore moins question de pouvoir les cantonner dans une quelconque région corporelle.

Pourtant, le postulat posé en 1914 (« l'élément déterminant pour la pulsion est d'être issue d'une source somatique ») est maintenu avec une nouvelle force en 1920 ; le problème posé par la source pulsionnelle ne saurait donc être évacué. En fait, il se trouve déplacé, et c'est la notion même de « biologique » qui doit acquérir une nouvelle dimension en se « psychisant » : dans « l'état initial, toute l'énergie disponible de l'Éros se trouve dans le moi-ça encore indifférencié et sert à neutraliser les tendances destructrices qui y sont également présentes ». Ainsi, **le moi-ça est devenu la source pulsionnelle** ; et cela va se poursuivre tout au long de la vie, même si les destins de la pulsion de mort sont obscurs et muets, ceux de la libido étant d'observation relativement facile : la notion de source se retrouve alors dans l'idée que, durant toute la vie, *le moi demeure le « grand réservoir » d'où les investissements libidinaux partent vers les objets*[2].

On le voit, le « destin » métapsychologique des sources de la pulsion nous montre exemplairement – sans doute en raison même de leur relative marginalité – que le « tournant » de 1920-1923 (représenté par la deuxième théorie des pulsions et la nouvelle topique) est un bouleversement plus grand encore, plus novateur qu'il pouvait apparaître d'abord : il représente un changement *qualitatif* dans la théorie et signifie l'abandon définitif d'un biologisme mécaniciste

1. *Abrégé de psychanalyse* (1940a [1938]), Paris, PUF, 1967, p. 9 ; *OCF* XX, p. 237-239 ; *GW* XVII, p. 71-72.

2. *Ibidem*, p. 9-10 ; p. 239-240 ; p. 72-73.

(exigeant la désignation de sources clairement identifiées) au profit d'une dynamique des processus psychiques qui, tout en reconnaissant la place originelle et incontournable de la biologie, la situe en corrélation avec la vie psychique.

IV – BUT DE LA PULSION

all. : ***Triebziel.*** – angl. : *aim of the drive.* – esp. : *meta del instinto.* – ital. : *meta pulsionale.* – port. : *finalidade do instinto*

Le but d'une pulsion est toujours la satisfaction, qui ne peut être obtenue qu'en supprimant l'état d'excitation à la source de la pulsion.

C'est d'abord par le but que les pulsions se révèlent et peuvent nous être connues, ce qui explique la place particulière du concept de but dans la théorie des pulsions. Chaque pulsion étant dépendante et complémentaire de sa source, *le but final en demeure invariable* mais, situé à l'autre extrémité du processus pulsionnel, *il peut être atteint par diverses voies, suscitant ainsi des buts intermédiaires* qui se combinent ou s'échangent entre eux[1].

Si l'idée de « but » est implicite dans la pensée freudienne dès ses origines, répondant à une véritable conviction finaliste, elle mettra un certain temps à s'expliciter dans l'œuvre ; c'est ainsi que le mot n'est même pas mentionné dans *L'interprétation des rêves*. En 1905, il figure dès les premières pages des *Trois essais sur la théorie sexuelle,* s'annonçant d'abord en référence à l'« opinion populaire », que Freud reprend alors à son compte, pour qui le but de l'instinct sexuel serait l'union sexuelle : « Le but sexuel est l'acte auquel pousse la pulsion », sa normalité tenant à l'union des parties génitales qui, par l'accouplement, aboutit à la résolution de la tension sexuelle et à l'extinction temporaire de la pulsion[2]. Il s'intéresse alors surtout aux

1. « Pulsions et destins des pulsions » (1915c), *Métapsychologie,* Paris, Gallimard, 1968, p. 18-20 ; *OCF* XIII, p. 169-170 ; *GW* X, p. 214-216.

2. *Trois essais sur la théorie sexuelle* (1905d), Paris, Gallimard, 1987, p. 38 et 57 ; *OCF* VI, p. 68 et 82 ; *GW* V, p. 34 et 49.

« déviations », c'est-à-dire aux perversions et notamment à celles qui portent sur le but.

De celui-ci, au fil de l'ouvrage, il en vient à proposer les premières définitions, et commence par en indiquer quelques caractères propres. Se spécifiant en fonction de la source, **le but immédiat de la pulsion est de supprimer la stimulation d'organe.** Il doit donc, *in fine,* être considéré lui aussi comme déterminé par le somatique, quand bien même le but sexuel demeure de « substituer à la sensation de stimulation projetée sur la zone érogène une stimulation externe qui la suspende en provoquant la sensation de satisfaction »[1]. Ce jeu entre l'intérieur et l'extérieur n'est pas sans rapports avec les vicissitudes que connaît l'objet pulsionnel ; pourtant, l'étroite dépendance du but à l'égard de la source (celle-ci étant strictement interne) oblige à considérer qu'*il a, pour l'essentiel, une visée interne.*

Tout ceci est repris, développé et systématisé en 1914 dans « Pulsions et destins des pulsions »[2]. Le but dépend donc étroitement des sources pulsionnelles, chacune d'entre elles agissant pour son propre compte et déterminant une pulsion partielle ; *c'est alors le plaisir d'organe qui, connoté par le stade libidinal correspondant, détermine le but partiel* de chacune (oral, anal, phallique), la fonction de reproduction étant le but final, global, qui ne pourra être atteint qu'au stade génital, lorsque sera accomplie la synthèse des pulsions partielles qui « se font généralement connaître comme pulsions sexuelles ». Dans plusieurs cas, pour individualiser certaines pulsions (scoptophilie et sadisme notamment), la référence au but peut apparaître plus déterminante que celle à la source ; il s'agit alors de pulsions partielles fonctionnant en couples d'opposés.

Ceci contribue à déterminer le fonctionnement pulsionnel, puisque ***les pulsions partielles ne disparaissent jamais complètement*** *et peuvent se remplacer l'une l'autre lors de la recherche de la satisfaction* (notamment au cours des névroses) ; ceci leur confère une certaine labilité – d'autant que le renversement constitue la défense spécifique

1. *Ibidem,* p. 84 et 109 ; p. 102 et 120 ; p. 68 et 85.

2. « Pulsions et destins des pulsions » (1915c), *Métapsychologie,* Paris, Gallimard, 1968, p. 18 ; p. 169 ; p. 214.

capable d'agir sur les buts (remarquons ici que, différence essentielle, il ne saurait y avoir de défense visant les sources)[1]. C'est ainsi que *les buts apparents, intermédiaires ou substitutifs, peuvent apparaître fort éloignés des buts originaires* – la sublimation en étant l'exemple le plus abouti puisqu'elle est « la capacité d'échanger le but, qui est à l'origine sexuel, contre un autre qui n'est plus sexuel mais qui est psychiquement parent avec le premier »[2].

La nouvelle distinction pulsionnelle vient modifier le sens à attribuer au but. *Jusqu'en 1915 nous étions dans le registre actif :* la pulsion est par nature active puisqu'elle implique l'acte qui satisfait, qui apaise l'excitation produite à la source[3], le but lui-même se définissant comme étant l'acte, censé la satisfaire, auquel pousse la pulsion[4]. À partir de 1920, la source n'est plus véritablement référée (tout au moins dans le sens qu'elle avait encore en 1915), même si elle est implicite à la nouvelle théorie pulsionnelle, et demeure nécessaire à la définition du but. Surtout, il faut dorénavant constater que *le but ultime de l'acte pulsionnel est l'inactivité,* fût-elle suprême (la mort), même si ce qui « pousse » ne peut être qu'actif par essence. Résultat extrême de la thèse de la « nature conservatrice des pulsions », le but devient passif puisque visant le rétablissement d'un état antérieur à 1'excitation et à 1'activité : « **Le but de toute vie est la mort.** » Même « ce qui nous apparaît aujourd'hui comme phénomènes vitaux » ne serait alors que « détours sur le chemin qui mène à la mort », apparences qui tiennent à ce que « l'organisme ne veut mourir qu'à sa manière »[5].

Leur destin ultime étant ainsi posé, les pulsions n'en ont pas moins des spécificités qui vont varier. **La nouvelle dualité pulsionnelle (Éros-pulsion de mort) ne vient nullement remplacer les anciennes, mais elle**

1. *Ibidem,* p. 24-30 ; p. 173-177 ; p. 218-223.

2. « La morale sexuelle "civilisée" et la maladie nerveuse des temps modernes » (1908d), *La vie sexuelle,* Paris, PUF, 1969, p. 33 ; *OCF* VIII, p. 205 ; *GW* VII, p. 150.

3. « Pulsions et destins des pulsions » (1915c), *Métapsychologie,* Paris, Gallimard, 1968, p. 16 ; *OCF* XIII, p. 168 ; *GW* X, p. 213.

4. *Trois essais sur la théorie sexuelle* (1905d), Paris, Gallimard, 1987, p. 38 ; *OCF* VI, p. 67 ; *GW* V, p. 34.

5. *Au-delà du principe de plaisir* (1920g), *Essais de psychanalyse,* Paris, Payot, 1981, p. 80-83 ; *OCF* XV, p. 308-311 ; *GW* XIII, p. 38-41.

les complète (selon un processus qui n'est pas sans rappeler, dans la théorie, celui de la succession des stades par étayages dans la description de l'évolution de l'enfant). C'est ainsi que celles qui étaient les pulsions d'auto-conservation, et ne sont plus dès lors désignées que comme « pulsions partielles », *doivent assurer à l'organisme sa propre voie vers la mort* et, pour ce faire, il leur appartient d'éloigner, parmi les possibilités de retour à l'inorganique, celles qui ne leur sont pas immanentes – elles « conservent » bien la vie mais en fonction du but final : assurer vers la mort une voie qui soit « conforme » [1].

Les pulsions sexuelles posent un problème plus compliqué puisque, tendant par tous les moyens vers ce but unique qu'est la fusion de deux cellules germinales différenciées d'une façon déterminée, elles paraissent échapper à la règle posée en ne permettant pas de repérer clairement vers quel état antérieur elles tendraient à faire retour[2]. Freud en est alors réduit à invoquer la fable platonicienne de l'androgyne[3]. On doit d'ailleurs remarquer que la notion de « liquidation de la tension », qu'implique la réalisation du but, aboutit à une idée voisine de celle de pulsion de mort – ce que Freud va expliciter en écrivant que, de par son but, « le principe de plaisir [qui tend à l'extinction de l'excitation] semble être en fait au service de la pulsion de mort ».

V – OBJET DE LA PULSION

all. : ***Triebobjekt.*** – angl. : *object of the drive.* – esp. : *objeto del instinto.* – ital. : *oggetto pulsionale.* – port. : *objeto do instinto*

L'objet est ce en quoi et par quoi la pulsion peut atteindre son but. À l'origine il ne lui est pas lié, mais lui est adjoint comme moyen particulier apte à rendre la satisfaction possible.

Le terme apparaît en janvier 1895, dans la *Correspondance avec Fliess,* pour évoquer l'« objet sexuel », puis dans l'« Esquisse d'une

1. *Ibidem.*
2. *Ibidem,* p. 89 ; p. 316 ; p. 46.
3. *Ibidem,* p. 106-107 ; p. 331-333 ; p. 62-64.

psychologie scientifique » à propos de l'expérience de satisfaction : il s'agit d'un objet extérieur qui permet la suppression de stimulus endogènes[1]. Dans les *Trois essais sur la théorie sexuelle* est décrit l'étayage de l'objet sexuel sur l'objet de la pulsion d'auto-conservation : lorsque la première satisfaction sexuelle est liée à l'ingestion d'aliments, la pulsion a, avec le sein, un objet situé à l'extérieur du corps propre ; ce n'est que plus tard qu'elle va le perdre, sans doute lorsque l'enfant peut avoir une représentation globale de la personne possédant l'organe assurant la satisfaction. **La pulsion sexuelle devient alors autoérotique** (prenant une partie du corps propre comme objet). Ce n'est qu'après la période de latence que se rétablit le rapport originel à l'objet – c'est pourquoi l'enfant tétant le sein est devenu le modèle des rapports amoureux : ainsi, pour l'adulte, « **la découverte de l'objet est à vrai dire une redécouverte** ». Même après la séparation entre activité sexuelle et ingestion d'aliment, un élément subsiste de ce premier temps : sur ce modèle, « l'enfant apprend à *aimer* d'autres personnes », qui pallient ses manques et satisfont ses besoins ; les soins nécessaires de la mère sont une source continuelle d'excitation sexuelle, et « elle ne fait que remplir son devoir lorsqu'elle apprend à l'enfant à aimer ». L'angoisse infantile est d'abord le témoignage de la découverte du manque de l'objet aimé, ce qui se retrouvera, méconnu, dans l'angoisse de l'adulte devenu névrosé de par une libido insatisfaite. Lors de l'Œdipe, se mettent en place les choix d'objets spécifiques qui le définissent, puis l'ajournement de la maturation sexuelle durant la latence permet d'ériger la barrière contre l'inceste. Lors de la puberté sont réveillés les choix d'objets œdipiens, d'abord établis dans la représentation – d'où les fantasmes pubertaires incestueux, violemment rejetés[2]. À l'âge adulte, « les choix d'objet de l'adulte se font en s'étayant assez librement sur ces modèles »[3].

1. *La naissance de la psychanalyse. Lettres à Wilhelm Fliess. Notes et plans (1887-1902)* (1950a [1887-1902]), Paris, PUF, 1956, p. 96 et 336. – *Lettres à Wilhelm Fliess* (éd. complète), Paris, PUF, 2006, p. 135 et 626.

2. *Trois essais sur la théorie sexuelle* (1905d), Paris, Gallimard, 1987, p. 164-169 ; *OCF* VI, p. 160-164 ; *GW* V, p. 123-127.

3. *Ibidem*, p. 173 ; p. 166 ; p. 129.

C'est ainsi que **de la relation au premier objet dépendra la vie amoureuse ultérieure** : une fixation pourra déterminer une évolution psychonévrotique, voire perverse, ou plus heureusement le choix amoureux s'étayera normalement sur les modèles œdipiens. Ces choix d'objets ne vont pas toujours sans « aberrations » résultant d'une fixation (fétichique et homosexuelles notamment), soulignant ainsi tant la mobilité du choix objectal post-œdipien que sa nature bisexuelle. La conformation normale risque de laisser peu apparente l'indépendance relative de l'objet et de la pulsion, qu'il importe pourtant de souligner.

En 1914, la pleine prise en compte du *narcissisme* conduit au constat que « **l'être humain a deux objets sexuels originaires : lui-même et la femme qui lui donne ses soins** ». Ainsi convient-il dorénavant de distinguer : – le *choix d'objet narcissique,* selon lequel l'objet est choisi en fonction du sujet lui-même pris comme modèle et comme étant son propre objet d'amour ; – le *choix d'objet par étayage* (il est le premier découvert) qui témoigne de l'investissement de l'objet-mère, de celle qui soigne et nourrit. Ces deux types de choix d'objet coexistent chez chacun, mais celui par étayage serait plutôt propre à l'homme, le choix narcissique étant plus féminin, chaque type pouvant prédominer dans l'un ou l'autre sexe. On peut ainsi aimer *selon le type de choix d'objet narcissique* : ce que l'on est soi-même, ou ce que l'on a été soi-même, ou la personne qui fut une partie du propre soi. *Selon le type de choix d'objet par étayage :* on aime la femme qui nourrit, l'homme qui protège, leurs substituts[1]. L'introduction d'un objet narcissique a, entre autres mérites, celui de mettre en évidence que, lorsqu'on parle d'un « objet de la pulsion », la pulsion demeure toujours la référence prévalente, l'objet – aussi grande soit l'importance qu'il peut prendre – n'en étant qu'un attribut particulier.

L'année suivante, « Pulsions et destins des pulsions » souligne **l'originalité de l'objet par rapport à la pulsion** : il ne lui est pas originairement lié, ne se justifie que comme « moyen » pour atteindre son but, et

1. « Pour introduire le narcissisme » (1914c), *La vie sexuelle,* Paris, PUF, 2e éd.,1970, p. 94-95 ; *OCF* XII, p. 233-234 ; *GW* X, p. 156-157.

que par son aptitude à la satisfaire ; il en est l'élément le plus variable, il peut être une partie du corps propre aussi bien qu'un objet étranger, il peut toujours être remplacé et peut servir plusieurs pulsions ; lorsque les liens de l'objet à la pulsion sont particulièrement forts, on parle de *fixation*[1]. Freud s'attache aux relations de la pulsion à l'objet, d'abord dans le couple *sadisme-masochisme* : le processus débute par une action violente, manifestation de puissance sur l'objet, puis cet objet est abandonné et remplacé par la personne propre en même temps que le but devient passif, enfin un objet étranger est recherché qui doit assumer le rôle du sujet (c'est là le masochisme, et non plus seulement un tourment infligé à soi-même). Dans le couple *voyeurisme-exhibitionisme,* les pulsions ayant alors pour but de « regarder » et « se montrer », on rencontre les mêmes stades : activité de regarder un objet étranger, abandon de l'objet avec retournement sur le corps propre et renversement du but en passivité, enfin introduction d'un autre sujet auquel on se montre pour être regardé. Dans les deux cas, le but actif apparaît avant le passif, mais on découvre un stade antérieur, autoérotique. Pour la pulsion de regarder, il s'agit de trouver l'objet dans le corps propre ; ce stade semble pourtant manquer dans le sadisme qui, d'emblée, se dirige sur un objet extérieur. Nous connaissons encore mal les autres composantes pulsionnelles ; nous pouvons pourtant dire qu'elles sont autoérotiques, leur objet s'effaçant au profit de l'organe (ce qui n'est le cas ni pour l'œil dans la pulsion de regarder, ni pour la musculature dans le sadisme). **Le moi autoérotique ne se soucie pas du monde extérieur et n'a besoin de l'objet que pour apaiser les pulsions d'auto-conservation** ; éprouvant l'excitation pulsionnelle comme déplaisante, puisqu'elle ne peut être pleinement satisfaite par l'autoérotisme, il prend en lui les objets sources de plaisir qui se présentent et les introjecte. L'entrée de l'objet dans le stade du *narcissisme primaire* suscite un mouvement de haine qui vise l'objet de la pulsion d'auto-conservation, source d'excitations déplaisantes : « **L'extérieur, l'objet, le haï seraient tout au début identiques.** » Lorsque l'objet se découvre comme source de plaisir, une

1. « Pulsions et destins des pulsions » (1915c), *Métapsychologie*, Paris, Gallimard, 1968, p. 19 ; *OCF* XIII, p. 170 ; *GW* X, p. 215.

tendance motrice tend à le rapprocher du moi qui l'« aime » et veut se l'incorporer[1]. Ceci pose la question de la *perte de l'objet* et de ses éventuelles conséquences, que Freud abordera dans « Deuil et mélancolie »[2].

Tout ce dont nous avons eu à traiter jusqu'ici relève du fonctionnement psychique *selon la première topique* (c'est ainsi que le moi dont il s'est agi est le « moi total », et pas encore le « moi-instance »). C'est encore celle-ci qui, pour l'essentiel, régit *Psychologie des foules et analyse du moi* en 1921 : l'identification à l'objet est ambivalente dès le début puisque, lors de la phase orale, en le mangeant, l'enfant incorpore et anéantit l'objet convoité. Le garçon peut prendre le père comme objet sexuel (il veut l'*avoir*), mais il peut aussi s'identifier à lui (il veut l'*être*) ; la différence tient à ce que « le lien porte sur le sujet ou l'objet du moi », ce qui fait que **l'identification est possible avant tout choix d'objet** – mais il faut convenir qu'il « est bien difficile de donner de cette différence une représentation métapsychologique concrète ». Avec la formation de symptômes, et donc de refoulements (notamment chez les femmes hystériques), il arrive souvent que le choix régresse à l'identification, le moi s'appropriant les qualités de l'objet[3]. L'identification suppose le renoncement à l'investissement d'objet; l'état amoureux, comme l'hypnose, montrent que c'est alors l'idéal du moi qui tient la place de l'objet.

Avec la deuxième topique, l'incorporation orale cannibalique de l'objet, renvoyant au père de la préhistoire personnelle se trouve à l'origine du surmoi. Plus généralement, l'objet perdu ou abandonné est à nouveau érigé dans le moi, les sédiments des investissements d'objet, accumulés dans le moi, en formant le « caractère » ; ainsi, **le moi contient « l'histoire » de ses choix d'objets.** Modifié par les introjections, le moi s'offre comme objet d'amour au ça : « Tu peux m'aimer, moi aussi, vois comme je ressemble à l'objet. »[4]

1. *Ibidem*, p. 26 et 30-39 ; p. 174 et 176-183 ; p. 220 et 222-229.

2. « Deuil et mélancolie » (1917e [1915]), *Métapsychologie*, Paris, Gallimard, 1968, p. 150-151 ; *OCF* XIII, p. 265-266 ; *GW* X, p. 430-431.

3. *Psychologie des foules et analyse du moi* (1921c), *Essais de psychanalyse*, Paris, Payot, 1981, p. 168 ; *OCF* XVI, p. 43-44 ; *GW* XIII, p. 116.

4. *Le moi et le ça* (1923b), *Essais de psychanalyse*, Paris, Payot, 1981, p. 242 ; *OCF* XVI, p. 274 ; *GW* XIII, p. 258.

Dans l'*Abrégé de psychanalyse*, Freud confirme que : **le sein nourricier de la mère est bien le premier objet érotique,** ce qui permet à l'amour d'apparaître en s'étayant sur la satisfaction du besoin mais, « en ce temps, l'enfant ne différencie certainement pas le sein de son propre corps » ; **il faudra que le sein lui manque pour que la séparation puisse s'opérer, le sein devenant un objet.** Comme, en outre, la mère apporte ses soins à l'enfant, éveillant maintes sensations érotiques, **elle « devient pour les deux sexes l'objet du premier et du plus puissant des amours,** prototype de toutes les relations amoureuses ultérieures ». Ici, le fondement phylogénétique prédomine, aussi les conditions objectives du nourrissage et des soins importent peu[1].

VI – DESTINS DES PULSIONS

all. : ***Triebschicksale.*** – angl. : *vicissitudes of instincts.* – esp. : *destino del instinto.* – ital. : *destino pulsionale.* – port. : *destino do instinto*

Notion introduite en métapsychologie pour décrire les réactions psychiques à la force des pulsions, les destins pulsionnels n'ont jamais acquis de véritable statut conceptuel ; ils occupent une place incertaine et variable dans la théorie, bien qu'intéressant très directement la pratique – sans doute parce qu'ils sont demeurés relativement obscurs. Ils tendent souvent à se confondre avec les modes de défense contre les pulsions (sur lesquels s'est surtout portée la recherche), et débouchent sur les possibles développements pulsionnels, notamment en fonction du traitement psychanalytique.

La notion est traitée en 1915 dans le premier chapitre de la *Métapsychologie* (qui porte justement le titre de « Pulsions et destins des pulsions »), dans lequel Freud entend d'abord définir les pulsions puis, à la suite, indiquer leurs effets, leurs fonctions et leur rôles, placés sous le qualificatif de « destins » – ce qui nous a conduit à y consacrer une entrée.

1. *Abrégé de psychanalyse* (1940a [1938]), Paris, PUF, 1967, p. 59 ; *OCF* XX, p. 283 ; *GW* XVII, p. 115.

Les différentes pulsions, d'origine somatique et agissant sur le psychisme, ne se différencient pas qualitativement : elles sont toutes semblables et leur devenir est d'abord fonction de la quantité d'excitations qui les anime, leurs effets sur le psychique se laissant ramener à la différence de leurs sources corporelles. Si le but final est toujours la satisfaction, l'atteindre n'est pas si simple : divers mouvements vont ainsi pouvoir opérer, transformant leurs manifestations, leurs intensités et leurs apparences, jusqu'à aboutir à des réalisations éloignées des actions imposées par les buts originaires. Ceci n'est cependant vrai que pour les pulsions sexuelles ; celles d'auto-conservation n'ont pas de telles latitudes, devant impérativement satisfaire des besoins organiques.

Au cours du développement et de la vie, les pulsions peuvent connaître différents « destins », susciter différentes *défenses* directement à leur encontre : – le renversement dans le contraire ; – le retournement sur la personne propre ; – le refoulement ; – la sublimation[1]. Pour l'essentiel « **les destins pulsionnels consistent en ce que les *motions pulsionnelles sont soumises à l'influence des trois grandes polarités qui dominent la vie psychique*** ». On peut ainsi reconnaître une polarité *biologique* pour l'activité-passivité, une polarité *réelle* pour le moi-monde extérieur, une polarité *économique* pour le plaisir-déplaisir[2].

En 1926, les préoccupations de Freud se réorientent : plutôt que vers les « destins des pulsions », « notre intérêt se tourne vers *les destins du refoulé* », toute la question étant de savoir si celui-ci demeure inchangé et inchangeable ? Si les anciens désirs refoulés demeurent bien dans l'inconscient, comme en témoignent leurs rejetons, comment agissent-ils : directement ou par l'intermédiaire des rejetons ? Une autre hypothèse peut être envisagée : « Si c'était son destin de s'épuiser dans l'investissement de ses rejetons, [il pourrait être] ranimé par régression au cours de la névrose. » Ces questions sont importantes car la suppression réelle d'une ancienne motion de

1. « Pulsions et destins des pulsions » (1915c), *Métapsychologie*, Paris, Gallimard, 1968, p. 18-25 ; *OCF* XIII, p. 169-173 ; *GW* X, p. 214-219.

2. *Ibidem*, p. 44 ; p. 187 ; p. 232.

désir est bien différente d'un simple refoulement[1] ; elles ne seront pourtant guère reprises pendant près de dix ans. La question demeure difficile car nous ne savons toujours pas « si la relation à la source somatique confère à la pulsion une spécificité et laquelle ». S'il semble avéré que des **motions issues de source différentes peuvent s'associer et « partager leur destin »**, nous ne comprenons pas vraiment comment ; il y a des modifications et des échanges dans la relation au but, ainsi que dans celle à l'objet (qui se relâche plus facilement), comme dans la sublimation. On voit là « tout ce qui, dans les propriétés et les destins des pulsions, se soustrait encore à notre compréhension »[2].

En 1937, dans ce texte majeur, Freud consacre une dizaine de paragraphes à ce qui n'était, dix ans plus tôt, qu'une note de bas de page : le devenir et les changements de la force pulsionnelle sous l'effet du traitement. Il le fait de façon pragmatique, sur un mode que l'on pourrait qualifier de « théorico-pratique ». Nous avons à nous occuper de « la force pulsionnelle actuelle » (et non plus tant de la « constitutionnelle ») qu'il importe de « dompter » par l'analyse, d'intégrer dans le moi afin de la rendre accessible, même si on ne sait pas trop par quelles voies. Tout au long de la vie, les pulsions peuvent se renforcer, que ce soit « normalement » (puberté, ménopause...), ou lors de maladies qui voient céder le domptage. « **L'analyse amène le moi, qui a mûri et s'est fortifié, à réviser les anciens refoulements infantiles.** » À cette occasion, certains peuvent être détruits, d'autres reconnus, ou encore reconstruits de façon plus solide. « Ces nouvelles digues ont une tout autre solidité que les premières », et elles céderont moins facilement à l'accroissement pulsionnel. « La correction après coup du processus de refoulement originaire, laquelle met fin à la puissance excessive du facteur quantitatif, serait donc l'opération proprement dite de la thérapie analytique. » C'est là ce que dit la théorie. La pratique est plus nuancée : s'il peut effectivement arriver que l'analyse réduise le renforcement pulsionnel, d'autres fois elle se limite à

1. *Inhibition, symptôme et angoisse* (1926d [1925]), Paris, PUF, 1951, p. 67, n. 1 ; *OCF* XVII, p. 257, n. 1 ; *GW* XIV, p. 173, n. 1.

2. *Nouvelles conférences d'introduction à la psychanalyse* (1933a [1932]), Paris, Gallimard, 1984, p. 131-132 ; *OCF* XIX, p. 179-180 ; *GW* XV, p. 103-104.

élever la résistance des inhibitions ; surtout, **les changements se font par étapes, par transitions, et sont plus ou moins complets, laissant subsister des fragments des organisations antérieures.** Ainsi « l'analyse, avec sa prétention de guérir des névroses en assurant la domination sur les pulsions, a toujours raison en théorie, mais pas toujours en pratique », tout dépend de l'intensité de la force pulsionnelle : on peut améliorer la domination du moi analysé sur les pulsions, mais elle demeure imparfaite car la transformation de la défense demeure incomplète, et **c'est finalement le rapport de forces pulsionnelles entre les instances qui est déterminant**[1].

VII – THÉORIE DES PULSIONS

all. : ***Trieblehre.*** – angl. : *theory of instincts.* – esp. : *teoria del instinto.* – ital. : *teoria pulsionale.* – port. : *teoria do instinto*

En psychanalyse, la théorie des pulsions n'existe que par prétérition, sans impliquer pour autant une dénégation. Freud n'en parle que pour déplorer son absence, ce qui ne l'empêche pas d'user des attributs et caractères qu'il reconnaît aux pulsions pour établir la théorie du fonctionnement psychique. Si la pulsion est un « concept-limite entre psychique et biologique », les pulsions sont « aux limites » de la science psychanalytique, sans doute dans la mesure où, concept éminemment psychique, elles ne se justifient véritablement que par la biologie.

Les traducteurs proposent assez souvent « doctrine » pour rendre *Lehre,* mot allemand qui implique d'abord une idée d'« enseignement ». Si, dans la langue française classique, une doctrine était l'ensemble des connaissances enseignées (ce qui correspond assez bien aux implications de *Lehre*), le mot tend aujourd'hui à renvoyer à un ensemble de croyances postulant des vérités essentielles aux résonances religieuses ; le mot fleure plus le dogmatisme que la réflexion scientifique, et doit donc être manié avec précaution. Pour connoter la

1. « L'analyse avec fin et l'analyse sans fin » (1937c), *Résultats, idées, problèmes, II,* Paris, PUF, 1984, p. 239-245 ; *OCF* XX, p. 25-31 ; *GW* XVI, p. 68-74.

pulsion, Freud use régulièrement de *Lehre,* et non pas de l'hellénisme « théorie », auquel il recourt tout aussi régulièrement à propos de la *libidotheorie* (appliqué à la pulsion, il utilise pourtant assez souvent l'adjectif *theoretisch*) ; nous pouvons nous en autoriser, peut-il sembler, pour parler de « théorie des pulsions » à défaut d'un terme parfaitement pertinent pour traduire *Lehre* – et sans perdre de vue que parler d'une « doctrine des pulsions » semble parfaitement recevable.

C'est à partir du moment où, en 1914, Freud réalise que les pulsions d'auto-conservation sont aussi de nature libidinale et qu'il lui faut concevoir l'existence d'une libido narcissique s'opposant à la libido d'objet, qu'il porte le constat de « **l'absence complète d'une théorie des pulsions** » en psychologie et, hélas, dans la psychanalyse elle-même. Il va le redire régulièrement, et le déplorer. À chaque fois, il refait l'historique de ses idées, lesquelles s'appuient, dès le départ, sur la conviction qu'il doit y avoir « une séparation originaire entre les pulsions sexuelles et d'autres qui seraient les pulsions du moi ». Mais, si cette hypothèse s'avère féconde pour l'analyse des névroses, si elle correspond bien à la distinction courante entre faim et amour, elle s'appuie surtout sur des considérations biologiques – ce qui peut conduire à devoir, à l'occasion, la réviser[1].

On pouvait se satisfaire de la première opposition dans la mesure où elle laissait indéterminées, inaccessibles à l'analyse, les pulsions du moi (d'auto-conservation) ; mais on demeurait dans l'ignorance de leurs éventuelles différences qualitatives avec les pulsions sexuelles[2]. Surtout, d'avoir reconnu qu'une libido narcissique se défendait contre la demande d'amour d'objet – donc contre celle de la sexualité – vient remettre en question le principe même d'opposition pulsionnelle. D'où le constat renouvelé : « Aucun besoin n'est ressenti en psychologie de manière plus pressante que celui d'une doctrine des pulsions offrant une assise solide sur laquelle on puisse continuer à bâtir. Mais rien de tel n'est disponible, il faut que **la psychanalyse, en des essais tâtonnants, s'efforce de se donner une doctrine des pulsions.** » Cela va

1. « Pour introduire le narcissisme » (1914c), *La vie sexuelle,* Paris, PUF, 2e éd., 1970, p. 85-86 ; *OCF* XII, p. 222-223 ; *GW* X, p. 143-144.

2. « "Psychanalyse" et "Théorie de la libido" » (1923a), *Résultats, idées, problèmes, II,* Paris, PUF, 1984, p. 73 ; *OCF* XVI, p. 204-205 ; *GW* XIII, p. 230.

déboucher sur l'opposition entre l'Éros et la pulsion de mort (ou de destruction), travaillant de façon convergente et antagoniste. Cette construction entend d'abord « fixer quelques-unes des représentations théoriques les plus importantes de la psychanalyse, mais elle va bien au-delà de celle-ci » – ce qui n'est pas sans l'exposer à bien des critiques. Pourtant, dans les sciences de la nature, il ne faut guère espérer disposer de concepts fondamentaux clairs et de définitions nettes ; ce serait d'ailleurs superflu, voire impossible[1].

Freud revient alors sur ses tentatives antérieures de généralisations théoriques, construites à partir de l'expérience analytique. En 1911, ce fut d'abord la reconnaissance de la prédominance du *principe de plaisir-déplaisir* relayé par le « principe de réalité ». Puis, en 1915, il se « lança dans la tentative d'une *métapsychologie* » (étayée par les coordonnées de la dynamique, de la topique et de l'économique) posée comme « objectif ultime » qui resta pourtant à l'état d'ébauche car « le temps d'une telle fixation théorique n'était pas encore venu ». Enfin, en 1923, les derniers travaux spéculatifs subdivisent l'appareil psychique en un *moi,* un *ça* et un *surmoi.* Assez curieusement, dans cette revue de ses théories successives, Freud ne mentionne pas les pulsions ; il n'évoque pas, cette fois, son hypothèse sur l'antagonisme entre un Éros éclatant de vie et une pulsion de mort inexorablement muette, « spéculation » qu'il semble pourtant avoir considérée comme son élaboration la plus aboutie concernant une éventuelle théorie des pulsions[2].

Et cela revient, obsédant : « De toutes les parties, lentement développées, de la théorie analytique [ici, Freud emploie le mot allemand *Theorie*] la doctrine *[Lehre]* des pulsions fut celle qui donna lieu aux tâtonnements les plus laborieux. Pourtant, elle était une partie si indispensable à l'ensemble qu'il fallut bien mettre quelque chose à sa place » – ce fut donc d'abord la faim et l'amour, pour finir avec Éros et la mort[3]. En 1933, Freud peut conclure, superbement : « Pour

1. *Sigmund Freud présenté par lui-même* (1925d), Paris, Gallimard, 1984, p. 95-97 ; *OCF* XVII, p. 104-105 ; *GW* XIV, p. 83-84.

2. *Ibidem,* p. 98-100 ; p. 106-107 ; p. 85.

3. *Malaise dans la civilisation* (1930a [1929]), Paris, PUF, 1971, p. 71-75 ; *OCF* XVIII, p. 303-306 ; *GW* XIV, p. 476-479.

ainsi dire, **la théorie des pulsions est notre mythologie.** Les pulsions sont des être mythiques, grandioses dans leur indétermination. Nous ne pouvons dans notre travail faire abstraction d'elles un seul instant, et cependant nous ne sommes jamais certains de les voir nettement. »[1]

QUESTIONS ET ENJEUX

Lorsque Freud explique comment s'est fait jour la notion de *pulsions* (assez tardivement en fait puisque, si on la devine dès 1895, si le mot apparaît en 1905, on peut considérer que l'idée ne s'explicite véritablement qu'en 1915), il l'impute clairement au travail sur les « névroses de transfert » qui permirent de comprendre que celles-ci résultaient toutes d'un « conflit entre les revendications de la sexualité et celles du moi » [dont le but est l'auto-conservation de l'individu]. Aussi « spéculatives » que finissent par apparaître les élaborations sur les pulsions, elles s'enracinent dans l'expérience clinique. Le poids de la référence à une « réalité » de la douleur névrotique est encore renforcé par le fait qu'à ses « racines » (selon le mot de Freud), qu'aux sources de la pulsion se trouve un processus somatique localisé. C'est d'ailleurs ce qu'introduit le constat que la pulsion est « un concept-limite entre le psychique et le somatique », représentance psychique de ce qui émane du corps[2].

Mais la pulsion est, tout autant, *un concept-limite pour la théorie.* Il ne serait pas faux de dire qu'elle est toute la psychanalyse dans la mesure où elle fonde la théorie du fonctionnement psychique, celui-ci ne se justifiant que par elle ; elle le fait avec toute la légitimité que lui apportent ses ancrages, tant cliniques que somatiques, avec tout ce que le *concret* peut avoir de déterminant. Mais elle est aussi ce qu'il y a probablement de plus *abstrait* dans la psychanalyse, concept qui s'est toujours avéré rebelle à la théorie où elle persiste à

1. *Nouvelles conférences d'introduction à la psychanalyse* (1933a [1932]), Paris, Gallimard, 1984, p. 129 ; *OCF* XIX, p. 178 ; *GW* XV, p. 101.

2. « Pulsions et destins des pulsions » (1915c), *Métapsychologie,* Paris, Gallimard, 1968, p. 18-22.

manquer, ou à tout le moins à demeurer incomplète. C'est là sans doute ce qui suscita la succession de modèles qui, à la différence de ce qui se passe généralement dans les révisions conceptuelles de Freud, ne se bornent pas à s'enrichir et se compléter, mais s'invalident véritablement pour se remplacer ; avec le dernier, d'ailleurs, opère un véritable changement des perspectives et des repères méthodologiques.

Telle que la pulsion est définie par la première topique, toute sa problématique s'organise alors autour de la notions de *quantitatif* qui s'avère à ce moment déterminante puisque la pulsion n'est rien d'autre que « la mesure du travail psychique exigé ». Pour sa part, le *qualitatif* ne peut qu'être aléatoire, « les pulsions n'ayant aucune qualité propre »[1] – ce qui ne va pas sans poser quelques difficultés lorsqu'il faut les différencier, comme l'impose l'approche clinique. De surcroît, la réflexion amène à considérer que « seules les pulsions originaires insécables peuvent prétendre avoir une importance », mais celles-ci, fussent-elles regroupées, doivent pouvoir être distinguées et identifiées comme peut seule le permettre une approche qualitative, qui ne semble pas alors possible et que Freud doit donc, explicitement, remettre à plus tard[2].

En fait, c'est là-dessus, sur ce changement de paradigme, que se produit la grande révision de 1920, au point que l'on peut se demander si, à la base du concept et à compter de ce moment, il s'agit toujours de la même pulsion. En situant celle-ci « au-delà du principe de plaisir », Freud relativise la référence quantitative, voire y renonce pour spécifier la pulsion – ce qui n'est pas sans conséquence pour la compréhension du fonctionnement psychique. Le principe de plaisir, en effet, tel qu'il découle des développements de 1900, reposait sur l'idée que l'appareil psychique est construit sur le plan d'un appareil réflexe dont la motilité est la voie de décharge : l'accumulation quantitative d'excitation y est désignée comme *déplaisir* et sa diminution comme *plaisir,* le courant de l'un à l'autre étant le *désir,* seul capable de mobiliser l'appareil en mouvement, le cours de l'excitation y étant automatiquement réglé par la perception du

1. *Trois essais sur la théorie sexuelle* (1905d) (ajout de 1915), Paris, Gallimard, 1987, p. 83 ; *OCF* VI, p. 102 ; *GW* V, p. 67.

2. « Pulsions et destins des pulsions » (1915c), *Métapsychologie,* Paris, Gallimard, 1968, p. 20-21.

quantum de plaisir et de déplaisir[1]. C'est cette mécanique que remet d'abord en question l'*Au-delà* avec la nouvelle dualité pulsionnelle. Annoncée donc dès 1920, cette mutation s'explicite au mieux en 1924, à propos du masochisme, en partant de quelques constats. D'abord, il n'est plus possible d'identifier le principe de plaisir au principe de nirvana puisque, tout plaisir coïncidant avec un abaissement de la tension dans le psychisme, les deux principes se tiendraient « totalement au service des pulsions de mort », laissant forcloses les pulsions de vie. Ensuite, « il n'est pas douteux qu'il existe des tensions s'accompagnant de plaisir et des détentes déplaisantes, [dont] l'état d'excitation sexuelle est l'exemple le plus frappant » : plaisir et déplaisir « ne dépendent pas de ce facteur quantitatif, mais d'un caractère de celui-ci que nous ne pouvons désigner que comme qualitatif » – mais nous ignorons ce qu'il peut être. Il fallut que, dans l'être vivant, la pulsion de vie transforme le principe de nirvana, qui ressort à la pulsion de mort, en principe de plaisir ; ainsi la libido s'avère être le « gardien de la vie »[2]. C'est en fait la perspective économique elle-même, ou tout au moins l'approche qu'elle commande, qui se trouve ainsi bouleversée, même si elle n'est pas abandonnée pour autant. Freud pourra ainsi, partant d'une remarque sur sa nouvelle théorie de l'angoisse (de processus automatique qu'elle était, elle devient un signal intentionnel du moi cherchant à influencer l'instance plaisir-déplaisir), constater que celle-ci « nous libère de cette obsession de l'économique »[3].

Il semble légitime de considérer que cette « libération » va permettre de concevoir les trois nouvelles instances (ça, moi, surmoi), et surtout les processus qui commandent leurs relations et ont permis leur genèse à partir de la première (le ça). La nouvelle conception pulsionnelle a dégagé le terrain pour les nouvelles *topique* et *économique, Le moi et le ça* peut alors prolonger *Au-delà du principe de plaisir*. Reste pourtant à situer le point de vue *dynamique*… Celui-ci est l'expression métapsychologique la plus directe de la théorie

1. *L'interprétation des rêves* (1900a), Paris, PUF, 1967, p. 508-510 ; *OCF* IV, p. 653-655 ; *GW* II-III, p. 603-605.

2. « Le problème économique du masochisme » (1924c), *Névrose, psychose et perversion,* Paris, PUF, 1973, p. 288 ; *OCF* XVII, p. 12-13 ; *GW* XIII, p. 372-373.

3. *Inhibition, symptôme et angoisse* (1926d [1925]), Paris, PUF, 1951, p. 64 ; *OCF* XVII p. 255 ; *GW* XIV, p. 270-271.

énergétique, fondamentale puisque la psychanalyse cherche à dévoiler dynamiquement les métamorphoses et développements des forces pulsionnelles psychiques originelles[1] : ce sera redit bien après 1920, la dynamique représentant, au sein des processus psychiques, le jeu de forces d'origine pulsionnelle qui s'activent ou s'inhibent, se combinent, entrent dans des compromis[2]. Redisons-le : la dynamique exprime l'énergie au travail dans les pulsions. Ce qui nous ramène à la difficile problématique posée par Freud : il y a *une* énergie, mais il y a *deux* pulsions fondamentales, ce qui ne va pas sans poser quelques problèmes quant à la vocation dualiste, d'autant que cette énergie n'est pas simplement une force posée aux origines et dont il n'y aurait plus lieu de parler : tout au contraire, elle perdure tout au long de la vie et nous la retrouvons comme énergie déplaçable, en soi indifférente, venant s'ajouter à l'une ou l'autre des deux grandes pulsions, complément indispensable au postulat dualiste[3]. Se pose alors la question qui embarrassait tant Freud : pourquoi ne pas s'en tenir à l'unicité de cette énergie et considérer les pulsions auxquelles elle s'ajoute comme deux formes particulières qu'elle prendrait alors ? Mais le conflit deviendrait ainsi un produit « dérivé », ne serait plus qu'une conséquence des deux directions prises par l'investissement énergétique ; il perdrait sa fonction « originelle ».

Pourtant, on pourrait croire que la psychanalyse se présente et se développe comme si elle était bâtie sur une seule pulsion : « Encore et toujours nous nous apercevons que les motions pulsionnelles dont nous pouvons suivre la trace se révèlent être des rejetons de l'Éros. »[4] Les pulsions de mort demeurant inexorablement muettes, on ne peut en appuyer l'idée que sur des « spéculations », d'abord biologiques mais aussi épistémologiques. La question hante Freud... Tout au long de l'œuvre, se retrouve et s'impose la pulsion sexuelle – celle de vie, l'Éros, étant son aboutissement et, pourrait-on dire, sa transfiguration. Historiquement, la notion d'une pulsion sexuelle s'est dégagée assez

1. *Un souvenir d'enfance de Léonard de Vinci* (1910c), Paris, Gallimard, 1987, p. 175 ; *OCF* X, p.161-162 ; *GW* VIII, p. 208.

2. « Psycho-Analysis » (1926f), *Résultats, idées, problèmes, II,* Paris, PUF, 1984, p. 155 ; *OCF* XVII, p. 291 ; *GW* XIV, p. 302.

3. *Le moi et le ça* (1923b), *Essais de psychanalyse,* Paris, Payot, 1981, p. 257 ; *OCF* XVI, p. 287 ; *GW* XIII, p. 273.

4. *Ibidem,* p. 260 ; p. 288 ; p. 275.

lentement, d'ailleurs assez difficilement d'abord, mais s'est faite imparable avec la découverte d'une sexualité infantile; elle s'est précisée et affirmée avec la psychanalyse elle-même, à laquelle elle tend de plus en plus à s'identifier. Elle perdure au fil du développement de la théorie en tant que pulsion sexuelle, seule changeant la pulsion qui lui est opposée, des pulsions du moi à celles de mort; elle-même demeure identique à elle-même tout en agrandissant son champ, recouvrant et unissant les autres forces poussantes connaissables, conformément à sa vocation « de vie ». Dans la praxis, elle apparaît comme LA pulsion. D'où l'interrogation récurrente: et si elle était la seule ? Il fallut donc à Freud une solide conviction dualiste pour maintenir la dualité pulsionnelle. Il est vrai que celle-ci apporte une ingénieuse solution à des difficultés majeures rencontrées dans la pratique. Face au « masochisme immanent », aux « réactions thérapeutiques négatives », au « sentiment de culpabilité » quasiment inébranlable de certains névrosés, aux « régressions profondes », on est obligé, pour les comprendre, d'aller « au-delà » de la conviction que pourrait suffire la seule explication par l'aspiration au plaisir: « Seule l'action conjuguée et antinomique des deux pulsions originaires, Éros et pulsion de mort, explique la bigarrure des manifestations de la vie, aucune de ces pulsions n'intervenant jamais seule. » [1] Reste à savoir pourquoi l'amour et la haine ne pouvaient suffire en cette affaire ?

Quoi qu'il en soit, les pulsions ont beaucoup grandi depuis leur entrée, presque circonstancielle, en psychanalyse; elles sont dorénavant des « êtres mythiques, grandioses dans leur indétermination. Nous ne pouvons dans notre travail faire abstraction d'elles un seul instant et cependant nous ne sommes jamais certains de les voir nettement » [2].

Claude Le Guen

Pulsions d'auto-conservation → Pulsions du moi, pulsions d'auto-conservation

1. « L'analyse avec fin et l'analyse sans fin » (1937c), *Résultats, idées, problèmes, II*, Paris, PUF, 1984, p. 258 ; *OCF* XX, p. 44-45 ; *GW* XVI, p. 88-89.

2. *Nouvelles conférences d'introduction à la psychanalyse* (1933a [1932]), Paris, Gallimard, 1984, p. 129 ; *OCF* XIX, p. 178 ; *GW* XV, p. 101.

PULSION DE MORT

all. : ***Todestrieb.*** – angl. : *death drive.* – esp. : *instinto de muerte.* – ital. : *pulsione di morte.* – port. : *impulso de morte*

La pulsion de mort est l'une des deux pulsions fondamentales originelles, avec la pulsion de vie (Éros), toutes deux étant dans une relation consubstantielles. Visant strictement l'intérieur, elle peut devenir pulsion de destruction lorsque, mélangée à l'autre pulsion et recourant à la motricité, elle se tourne vers l'extérieur. La pulsion de mort se définit par son but : le retour à l'inanimé ; pour ce faire, elle détruit les liaisons effectuées par Éros. Si le sadisme, et plus encore le masochisme, permettent d'entrevoir ce que peut être la pulsion de mort en et par elle-même, celle-ci demeure inexorablement, fondamentalement muette. Elle n'en est pas moins, pour Freud, une nécessité épistémologique, ou tout au moins spéculative.

MISE EN SITUATION

Dès le XVIII*e siècle, les naturalistes, avec Carl von Linné, évoquent la fonction biologique de la mort, mais c'est surtout à la fin du* XIX*e et au début du* XX*e siècle qu'elle est véritablement mise en discussion, notamment à la suite des travaux d'August Weismann (et de son ouvrage* Sur la vie et la mort*) qui considère la substance vivante comme composée d'une partie vouée à la mort, le soma, et une autre immortelle, le germen. Freud s'y réfère très explicitement dans* Au-delà du principe de plaisir, *y trouvant des analogies avec ses propres vues, même s'il ne « s'est pas occupé de la substance vivante, mais des forces qui agissent en elles » ; il va d'ailleurs l'évoquer assez longuement*[1]. *Ces débats continuèrent et se poursuivent encore (avec F. M. Burnet, F. Jacob, E. Beutler, G. C. Williams, B. Charlton, T. Kirwood, J. Dausset, pour ne citer que ceux-là), parfois téléo-*

1. *Au-delà du principe de plaisir* (1920g), *Essais de psychanalyse,* Paris, Payot, 1981, p. 91-98 ; *OCF* XV, p. 317-324 ; *GW* XIII, p. 48-54.

logiques, voire métaphysiques, sans parvenir à trancher pour savoir si la mort est une exigence biologique ou une contingence de la vie difficilement évitable ; il semble pourtant bien que le postulat freudien, présenté comme une évidence, voulant que la mort se réduise à un retour à l'état antérieur apparaît de plus en plus incertain. Quoi qu'il en soit, ce que nous avons voulu ainsi montrer est que – contrairement à ce que les psychanalystes pensent souvent –, la discussion menée par Freud sur les « forces » de vie et de mort ne tombe pas soudainement du ciel métapsychologique, voire métaphysique, mais est issue de débats savants menés à l'époque, et toujours d'actualité.

Ce que Freud y apporte de nouveau est de situer la mort au sein même des « forces qui agissent dans le vivant », forces qui transcendent largement le psychisme, même si c'est par l'entremise de celui-ci que Freud peut engager son questionnement. Dans ce contexte, l'originalité du terme de « pulsion de mort » doit être souligné : c'est une pure création freudienne de l'année 1920 ; jusque-là, les analystes (fût-ce pour en rejeter l'idée) parlaient de pulsions d'agression, voire de destruction – ce qui est sensiblement différent, et le restera. Alors que l'agression vise un objet d'abord extérieur, la destruction d'un objet qui peut être aussi le sujet lui-même, la pulsion de mort est exclusivement située à l'intérieur même de l'individu, dans son être le plus profond, que d'ailleurs elle constitue, associée à la pulsion de vie. La mort est alors assimilée à l'« inanimé », état antérieur à la vie auquel est censé aspirer toute pulsion (équivalence qui ne va pas forcément de soi). Le concept même de « pulsion de mort » a posé bien des difficultés à Freud, soulevant diverses contradictions, qui ne furent sans doute pas étrangères à l'extrême réticence des analystes à en accepter la notion. Si de nos jours elle peut sembler mieux acceptée, c'est souvent au prix d'une édulcoration dont le premier effet est d'escamoter sa mutité intrinsèque : on a alors, le plus souvent, affaire à de simples pulsions d'agression, voire de destruction, évacuant ce qu'a pu avoir de scandaleux le concept proprement freudien.

Il convient de remarquer qu'en 1923-1924 (voire en 1921 dans une note) Freud parle régulièrement de « pulsions de mort »[1]*, alors*

1. *Au-delà du principe de plaisir* (1920g) [ajouté en 1921], *Essais de psychanalyse*, Paris, Payot, 1981, p. 111, n. 16 ; *OCF* XV, p. 335 n.1 ; *GW* XIII, p. 66, n. 1. – « "Psychanalyse" et "Théorie de la libido" » (1923a), *Résultats, idées, problèmes, II*, Paris, PUF, 1984, p. 76 ; *OCF* XVI, p. 208 ; *GW* XIII, p. 232. – *Le moi et le ça* (1923b),

que l'Éros est toujours au singulier (il est vrai qu'il peut parler de « pulsions de vie » !). Il ne s'explique pas sur l'usage de ces formes ; on peut seulement supposer, en interprétant une note de 1921, que le pluriel prolongerait celui appliqué jusque-là aux « pulsions du moi » [1].

LE TEXTE FREUDIEN

Comme chacun sait, la pulsion de mort fut introduite dans le corpus freudien dans *Au-delà du principe de plaisir.* Mais un an plus tôt, dans une lettre à Lou Andreas-Salomé (du 1er août 1919), après lui avoir annoncé le suicide de Viktor Tausk, Freud indique qu'il a « choisi maintenant comme aliment le thème de la mort, j'y suis venu en butant sur une curieuse idée des pulsions et me voici obligé de lire tout ce qui concerne cette question, comme par exemple, et pour la première fois, Schopenhauer. Mais je ne le lis pas avec plaisir » [2].

On peut penser que le résultat de sa réflexion, sur cette « curieuse idée » à propos des pulsions qui le conduisit au thème de la mort, fut l'élaboration de la pulsion de mort dans *Au-delà du principe de plaisir,* en **1920** où, s'interrogeant sur la relation entre pulsion et compulsion de répétition, il repart de l'idée selon laquelle « **une pulsion serait une poussée inhérente à l'organisme vivant vers le rétablissement d'un état antérieur** », état abandonné sous l'action de forces extérieures. Il se dit fort tenté de poursuivre une telle hypothèse, aussi étrange lui apparaisse-t-elle, « jusqu'à ses dernières conséquences ». Si cette idée de « retour » doit être retenue, alors toutes les pulsions sont conservatrices, régressives, et le développement ne peut provenir que

---

Essais de psychanalyse, Paris, Payot, 1981, p. 256, 269, 272, 275 ; *OCF* XVI, p. 285, 297, 299, 301 ; *GW* XIII, p. 271, 284, 287, 289.

1. *Au-delà du principe de plaisir* (1920g), *Essais de psychanalyse,* Paris, Payot, 1981, p. 111, n. 16 ; *OCF* XV, p. 335, n. 1 ; *GW* XIII, p. 66, n. 1 (note ajoutée en 1921).

2. Lou Andreas-Salomé, *Correspondance avec Sigmund Freud (1912-1936),* Paris, Gallimard, 1970, p. 126.

d'influences extérieures perturbatrices – et il en va ainsi pour l'être élémentaire qui se bornait à répéter ; en dernière analyse, le développement des organismes sous les influences extérieures recouvrirait l'histoire du développement de la terre et de sa relation au soleil. Les pulsions organiques conservatrices se sont assimilé les modifications ainsi imposées, les ont conservées et les répètent, donnant l'impression fausse de tendre vers le changement alors qu'elles ne font que chercher un état ancien par d'autres voies. Le but final de tout ce qui est organique ne peut être que l'état initial anorganique ; *« le non-vivant était là avant le vivant »*, aussi ***« le but de toute vie est la mort »***. Savoir comment un jour « l'action d'une force qu'on ne peut encore absolument pas se représenter » suscita la vie dans la matière inanimée demeure un mystère (peut-être ce processus préfigurait-il celui qui plus tard fit apparaître la conscience ?), mais la tension ainsi imposée à la substance inanimée chercha à se réduire : « Ainsi était donnée la première pulsion, celle du retour à l'inanimé. » Puis, « pendant toute une longue période, il se peut que la substance vivante ait été ainsi recréée sans cesse et soit morte facilement jusqu'au jour où des influences externes déterminantes se transformèrent, obligeant la substance qui survivait encore à dévier toujours davantage de son cours vital originaire et à faire des détours toujours plus compliqués » ; ce sont ces détours pour atteindre la mort qui nous apparaissent comme phénomènes vitaux – c'est-à-dire, peut-on penser (mais Freud ne l'écrit pas), comme travaillant en tant que pulsion de vie[1].

On le voit – et comme annoncé à Lou Andreas-Salomé –, le thème de cette « rêverie » aux « résonances mystiques » (ce dont Freud se défend) est d'abord la mort, et surtout le retour du vivant vers la mort. La pulsion ne sera prise en compte qu'ensuite, comme moyen pour atteindre ce but : l'« inanimé » – Éros n'apparaissant que bien après. Il est assez remarquable que la première apparition du terme « pulsion de mort » soit difficile à repérer. Elle est faite d'abord entre parenthèses pour évoquer « l'opposition entre pulsions du moi (de

1. *Au-delà du principe de plaisir* (1920g), *Essais de psychanalyse,* Paris, Payot, 1981, p. 80-83 ; *OCF* XV, p. 308-310 ; *GW* XIII, p. 38-41.

mort) et pulsions sexuelles (de vie) » (Freud précisant, par une note ajoutée en 1925 , que « le terme de “pulsion du moi” est utilisé ici comme une dénomination provisoire, reliée à la première terminologie de la psychanalyse »). La seconde occurrence a lieu trois pages plus loin dans ce qui ressemble à une dénégation (« si la mort est une acquisition tardive des êtres vivants [supérieurs], il n’y a plus lieu de faire état de pulsions de mort remontant à l’apparition de la vie »). Pour enfin arriver à l’énoncé spécifique : « Dans l’obscurité présente de la doctrine des pulsions, nous aurions bien tort de rejeter toute idée qui vient nous promettre quelque lumière. Nous sommes partis de la grande opposition entre pulsions de vie et de mort. » [1] En fait, Freud est surtout « parti » d’une **tendance originaire de la substance vivante à faire retour à l’état anorganique,** le terme de « pulsion de mort » faisant son entrée d’une façon que l’on a envie de qualifier de subreptice. Il convient ici de lever une ambiguïté : quelques pages plus loin, après avoir précisé que la notion de « libido narcissique » (et de libido étendue jusqu’aux cellules individuelles) put aboutir à transformer la pulsion sexuelle en un Éros qui en maintient la cohésion, permettant de poser que **les pulsions sexuelles sont la part d’Éros qui est tournée vers l’objet,** Freud indique que « la spéculation nous conduit à admettre que cet Éros est à l’œuvre dès le début de la vie et qu’il entre en opposition comme “pulsion de vie” à la “pulsion de mort” qui est apparue du fait que la substance anorganique a pris vie. Nous tentons ainsi de résoudre l’énigme de la vie en faisant l’hypothèse de ces deux pulsions l’une contre l’autre dès la première origine » [2]. Toute la question est de savoir de quelle origine première il s’agit, puisque Freud ne le précise pas. Si on tient à la cohérence de la pensée freudienne, en tenant compte de ce qui est écrit quelques pages plus haut sur le même sujet, on doit penser qu’il s’agit là de la vie humaine, voire de la vie individuelle. Mais il demeure possible de considérer qu’il s’agirait plutôt de la vie originelle telle qu’elle apparut lors-

1. *Ibidem* (pages dans l’ordre de citation) : p. 90, 86, n. 6, 93, 101 ; p. 316, 313, n. 1, 319, 327 ; p. 46, 43, n. 2, 49-50, 57.

2. *Ibidem,* p. 110, n. 16 ; p. 335, n. 1 ; p. 66, n. 1.

qu'une force extérieure « anima » une substance inerte, mais ce serait faire ici se contredire Freud...

Cette polarité des pulsions est à rapprocher de celle entre amour (tendresse) et haine (agressivité), toute la difficulté étant de savoir s'il est possible d'accorder les deux. De longue date, nous savons que la composante sadique de la pulsion sexuelle peut se rendre indépendante et, comme perversion, dominer toute la vie sexuelle ; elle peut aussi, comme pulsion partielle, dominer l'organisation prégénitale. Pour autant, comment l'Éros, qui conserve la vie, peut-il produire la pulsion sadique, dont le but est de nuire à l'objet ? Ce sadisme ne serait-il pas une pulsion de mort repoussée du moi par la libido narcissique, et qui ne deviendrait manifeste qu'en visant l'objet ? « Il entre alors au service de la fonction sexuelle. » Au stade oral de la libido, l'emprise sur l'objet coïncide encore avec son anéantissement, puis la pulsion sadique se sépare et enfin, au stade génital, elle maîtrise l'objet sexuel. Ce faisant, « le sadisme expulsé hors du moi a montré la voie aux composantes libidinales de la pulsion sexuelle » qui vont viser l'objet[1].

Psychologie des foules et analyse du moi, en 1921, se borne à noter que les hommes manifestent « une aptitude à la haine, une agressivité, dont l'origine est inconnue, et à laquelle on serait tenté d'attribuer un caractère élémentaire », une note renvoyant ici à *Au-delà du principe de plaisir* et à l'opposition entre pulsions de vie et de mort[2]. En 1923 « "Psychanalyse" et "Théorie de la libido" » rappelle cette polarité, insistant sur leurs fondements biologiques[3].

C'est *Le moi et le ça,* en 1923, qui assoit véritablement la théorie de la pulsion de mort. Les deux espèces de pulsions se mélangent abondamment, mais sans qu'on sache trop comment. « La mise en liaison des organismes élémentaires unicellulaires en être vivants pluricellulaires serait parvenue à neutraliser la pulsion de mort de la cellule individuelle et à **dériver les tendances destructrices sur le**

1. *Ibidem,* p. 101-102 ; p. 327 ; p. 57-58.

2. *Psychologie des foules et analyse du moi* (1921c), *Essais de psychanalyse,* Paris, Payot, 1981, p. 163-164 ; *OCF* XVI, p 40 ; *GW* XIII, p. 111.

3. « "Psychanalyse" et "Théorie de la libido" » (1923a), *Résultats, idées, problèmes, II,* Paris, PUF, 1984, p. 76 ; *OCF* XVI, p. 208 ; *GW* XIII, p. 232.

monde extérieur au moyen d'un organe particulier », qui n'est autre que la musculature ; la pulsion de mort se manifesterait dorénavant contre le monde extérieur et d'autres êtres vivants – vraisemblablement d'une façon seulement partielle – en tant que *pulsion de destruction*. Ce serait à partir de là qu'elle serait mélangée à la pulsion de vie mais, **si les deux pulsions peuvent s'unir, elles peuvent aussi se désunir de façon plus ou moins complète** ; la composante sadique de la pulsion sexuelle est un exemple de leur union, le sadisme autonome pervers l'est de leur désunion partielle. Il existe bien d'autres exemples. Ainsi, la pulsion de destruction est au service de l'Éros aux fins de décharge alors qu'une régression de la libido repose sur une désunion… Il est aisé de trouver à représenter Éros. Pour la pulsion de mort, c'est une autre affaire, et **nous devons nous satisfaire d'un représentant de la pulsion de destruction, donc partiellement libidinalisée, à laquelle la haine montre la voie.** Or la haine n'est pas seulement le compagnon régulier de l'amour (ambivalence), voire son précurseur, elle peut aussi se transformer en amour et l'amour en haine : « Si cette transformation, plus qu'une simple succession temporelle, est un remplacement, alors manifestement le sol se dérobe pour une différenciation aussi fondamentale que celle entre pulsions érotiques et pulsions de mort, qui présuppose des processus physiologiques aux directions opposées. » Ainsi les exemples de la paranoïa et l'apparition d'une homosexualité peuvent venir nous interroger. Il est cependant possible d'invoquer ici un autre mécanisme : dans la paranoïa il y aurait une ambivalence précoce, la transformation amour-haine se faisant par un déplacement réactionnel de l'investissement, de l'énergie libidinale étant apportée à la motion hostile ; dans l'homosexualité, l'attitude hostile, n'ayant aucune perspective de satisfaction, serait relayée par une attitude amoureuse qui offre plus d'occasions de décharge. Nous échappons ainsi au dilemme posé par une transformation directe haine-amour, inconciliable avec une différence qualitative des deux pulsions. Mais, pour ce faire, nous avons dû supposer l'existence dans la vie psychique (moi ou ça) « **d'une *énergie déplaçable en soi indifférente,* pouvant s'ajouter à une motion qualitativement différenciée, érotique ou destructrice, et augmenter son investissement global** ». Reste à savoir ce qu'elle est, d'où elle vient, de quoi elle ressort et ce qu'elle signifie[1]. On peut penser qu'elle est de la « libido désexualisée », donc *sublimée.* Elle sert Éros en instaurant cet ensemble unitaire auquel aspire le moi et, « si nous incluons dans ces déplacements les processus de pensée au sens large, alors le travail de pensée lui aussi est alimenté par la sublimation des forces de pulsions érotiques ». Cette transposition en libido est donc une désexualisation. Mais en s'emparant de la libido objectale pour s'imposer comme unique objet d'amour, « le moi travaille à l'encontre des desseins de l'Éros et se met au services des motions pulsionnelles adverses ». Lorsque ce moi est encore en formation, toute la libido est dans le ça qui en envoie une partie sur des investissements d'objets érotiques ; plus tard, le moi renforcé cherche à s'en emparer pour s'imposer au ça comme objet d'amour. « **Encore et toujours nous nous apercevons que les motions pulsionnelles dont nous pouvons suivre la trace se révèlent être des rejetons de l'Éros** » – ce qui pourrait bien remettre en question « notre dualisme fondamental, mais puisque nous sommes forcés de maintenir cette conception, l'impression s'impose à nous que **les pulsions de mort sont pour l'essentiel muettes et que tout le bruit de la vie provient surtout de l'Éros** »[2].

La *mélancolie* nous montre un surmoi extrêmement puissant, impitoyable envers le moi ; « ce qui maintenant règne dans le surmoi est, pour ainsi dire, une pure culture de la pulsion de mort » – de fait il n'est pas rare que le moi soit ainsi mené à la mort. Ceci pose la question du traitement, par l'individu, des « dangereuses pulsions de mort » : elles peuvent être en partie désarmées par des adjonctions érotiques, en partie déviées vers l'extérieur sous forme d'agression, mais « pour leur plus grande partie elles poursuivent indubitablement leur travail interne sans entraves ». Dans la mélancolie, le surmoi peut rassembler les pulsions de mort parce qu'il se fait hypermoral, aussi cruel que seul peut l'être le ça amoral. Il est apparu suite à une identification au modèle paternel (plus précisément, au surmoi de celui-ci), ce qui s'est accompagné d'une désexualisation, voire d'une

1. *Le moi et le ça* (1923b), *Essais de psychanalyse,* Paris, Payot, 1981, p. 254-258 ; *OCF* XVI, p. 284-287 ; *GW* XIII, p. 269-273.
2. *Ibidem,* p. 259-260 ; p. 288-289 ; p. 274-275.

sublimation qui pourrait bien aboutir à une désunion pulsionnelle, la composante érotique n'ayant plus la force de lier toute la part adjointe de destruction ; de cette désunion le surmoi tirerait sa cruauté. Dans la *névrose obsessionnelle,* la désunion de l'amour et de l'agressivité résulte d'une régression dans le ça, processus qui s'est étendu au surmoi qui s'en prend alors au « moi innocent ». Dans les deux cas, le surmoi punit le moi de son identification en usant de l'agressivité mêlée à la libido [1].

Entre les deux pulsions, le moi n'est pas impartial ; l'identification et la sublimation le mettent du côté des pulsions de mort dans le ça afin de maîtriser la libido, ce qui l'expose à ces mêmes pulsions au risque de périr lui-même. Mais, pour ce faire, « il a dû lui-même se remplir de libido, il devient ainsi représentant de l'Éros et dès lors veut vivre et être aimé ». Le ça, qui n'a pas constitué une volonté unitaire, ne saurait montrer au moi de l'amour ou de la haine. « Nous pourrions présenter les choses **comme si le ça se trouvait sous la domination des muettes mais puissantes pulsions de mort** qui veulent le repos et veulent amener au repos ce trouble-paix d'Éros, en suivant les signaux du principe de plaisir ; mais nous craindrions de sous-estimer ainsi le rôle de l'Éros. » [2]

L'année suivante, « Le problème économique du masochisme » s'attache à étudier le rapport du principe de plaisir aux pulsions de mort et aux pulsions de vie (libidinales). Partant du « principe de Fechner » de *tendance à la stabilité* (qui implique pour l'appareil psychique de réduire le plus possible la somme d'excitation) fut proposé un *principe de nirvàna,* mais ce fut une erreur de l'identifier au principe de plaisir-déplaisir : si tout déplaisir coïncidait avec une élévation, tout plaisir avec un abaissement de la tension d'excitation, le principe de nirvana (et donc celui de plaisir) serait tout au service des pulsions de mort ; seulement, **il est certain qu'il existe des tensions s'accompagnant de plaisir et des détentes déplaisantes,** comme en témoigne d'évidence l'état d'excitation sexuelle. Plaisir et déplaisir ne sauraient donc être exclusivement rapportés aux variations quantitatives de l'excitation : « Il semble qu'ils ne dépendent pas de ce facteur

1. *Ibidem,* p. 268-270 ; p. 296-298 ; p. 283-285.
2. *Ibidem,* p. 272 et 274-275 ; p. 299 et 301 ; p. 287 et 289.

quantitatif, mais d'un caractère de celui-ci, que nous ne pouvons désigner que comme qualitatif » – mais nous sommes incapables de dire en quoi il consiste. Quoi qu'il en soit, le principe de nirvana, qui ressortit à la pulsion de mort, a subi une modification qui l'a transformé en principe de plaisir. Cette modification est le fait de la pulsion de vie qui vient ainsi, de force, réguler les processus vitaux avec la pulsion de mort : « Le principe de *Nirvàna* exprime la tendance de la pulsion de mort, le principe de *plaisir* représente la revendication de la libido et la modification de celui-ci, le principe de *réalité* représente l'influence du monde extérieur. » [1]

La libido doit rendre inoffensive la pulsion de mort qui règne au plus profond des êtres vivants et cherche à les ramener à l'état de stabilité inorganique ; elle le fait en en dérivant une partie au-dehors, avec l'aide de la musculature, contre les objets du monde extérieur. Elle devient alors pulsion de destruction, voire pulsion d'emprise ou volonté de puissance. Une partie se met au service de la fonction sexuelle : c'est là le sadisme proprement dit. Mais une autre partie demeure dans l'organisme où elle se trouve liée à l'aide de la coexcitation sexuelle : là est le masochisme originaire érogène. Nous ignorons comment peut « s'accomplir ce domptage de la pulsion de mort par la libido » ; nous pouvons seulement supposer qu'il se produit une union entre les deux pulsions, en proportions variables. **Nous n'avons jamais affaire à des pulsions de vie et de mort à l'état pur, mais seulement à des mélanges ;** nous ne savons pas plus quelles parts des pulsions de mort échappent à ce domptage. Disons, au prix d'une certaine inexactitude, que la pulsion de mort à l'œuvre dans l'organisme (le sadisme originaire) est identique au masochisme ; sa plus grande part ayant été déplacée sur les objets, demeure son « résidu » dans l'intérieur en tant que masochisme proprement dit, érogène, qui serait donc un vestige de la phase durant laquelle s'est accompli cet alliage d'Éros et de la pulsion de mort. Dans certaines circonstances, le sadisme (pulsion de destruction), qui a été projeté vers l'extérieur, peut être retourné vers l'intérieur, introjecté comme il l'était en

1. « Le problème économique du masochisme » (1924c), *Névrose, psychose et perversion*, Paris, PUF, 1973, p. 287-289 ; *OCF* XVII, p. 11-13 ; *GW* XIII, p. 372-373.

situation première : c'est là le masochisme secondaire qui se surajoute au masochisme originaire[1].

Le retournement du sadisme se produit régulièrement lors de la *répression culturelle des pulsions,* ce qui se traduit par une augmentation du masochisme dans le moi. La destruction qui fait retour de l'extérieur est aussi reprise par le surmoi qui dresse son sadisme contre le moi ; « le sadisme du surmoi et le masochisme du moi se complètent mutuellement et s'unissent pour provoquer les mêmes conséquences ». Le masochisme moral peut témoigner de l'union pulsionnelle. S'originant dans la pulsion de mort, il correspond à la partie demeurée à l'intérieur mais, heureusement, il a une composante érotique (tirée de son origine œdipienne) et « **même l'autodestruction de la personne ne peut se produire sans signification libidinale** »[2].

Il est assez remarquable qu'un travail de l'importance d'*Inhibition, symptôme et angoisse* (1926), qui explore attentivement tant le fonctionnement psychique que la problématique névrotique, néglige complètement la pulsion de mort. Il en est d'ailleurs de même pour ce grand texte « social » qu'est *L'avenir d'une illusion* (1927). En revanche, le thème de la répression culturelle des pulsions se devait d'être repris et développé dans *Malaise dans la civilisation* en 1930. L'homme a en lui un très fort penchant à l'agression qui cherche naturellement à se satisfaire sur son prochain : *homo homini lupus.* Cette tendance agressive est en nous-même et chez autrui ; elle constitue le principal facteur de perturbation dans nos rapports sociaux, menaçant constamment de ruine la société civilisée. Mais, tout aussi bien, nous trouvons l'agressivité au fond de toutes les relations tendres et amoureuses ; elle imprègne les relations sexuelles, sources d'envie et d'hostilité. « Il n'est manifestement pas facile aux hommes de renoncer à satisfaire ce penchant à l'agression qui est le leur ; ils ne s'en trouvent pas bien. »[3]

Ce sont des « spéculations sur le début de la vie et des parallèles biologiques » qui conduisirent à poser, face à la pulsion qui veut

1. *Ibidem,* p. 291-292 ; p. 15-16 ; p. 376-377.

2. *Ibidem,* p. 297 ; p. 22-23 ; p. 383.

3. *Malaise dans la civilisation* (1930a [1929]), Paris, PUF, 1971, p. 64-65 et 67-68 ; *OCF* XVIII, p. 297-298 et 300 ; *GW* XIV, p. 470-471 et 473.

conserver la vie, une autre pulsion, opposée, qui tend à la dissoudre pour faire retour à l'état anorganique des origines : nous avons « Éros et la pulsion de mort ». Or il était difficile de confirmer dans les faits l'hypothèse de cette pulsion de mort. Il fallut alors supposer qu'elle travaillait silencieusement – ce qui n'était en rien une preuve. Plus solide apparut l'idée qu'**une part de cette pulsion, se tournant contre le monde extérieur comme pulsion à l'agression et à la destruction, se trouvait ainsi mise au service de l'Éros,** anéantissant quelque chose d'autre (hostile ?) au lieu du sujet ; à l'inverse, si cette agression vers l'extérieur est restreinte on voit s'intensifier l'autodestruction. De surcroît, il semble bien que les deux espèces de pulsion n'apparaissent pratiquement jamais séparées l'une de l'autre ; elles se mélangent de façons variables et se font ainsi méconnaissables (le sadisme en serait un bon exemple). Cette hypothèse d'une pulsion de mort a suscité bien des résistances parmi les psychanalystes. Freud lui-même eut d'abord comme une « répugnance » à l'admettre mais, avec le temps, ces conceptions, qu'il n'avait défendues qu'à titre d'essai dit-il, « se sont imposées à moi avec une telle force que je ne puis plus penser autrement ; du point de vue théorique, elles sont incomparablement plus fructueuses que n'importe quelles autres ». Maintenant, « l'ubiquité de l'agression et de la destruction non érotisée » semble évidente, même si l'autodestruction se dérobe à toute appréhension lorsqu'elle n'est pas clairement accompagnée d'érotisme. La pulsion de mort ne se devine que difficilement derrière l'Éros, comme un résidu, et « elle se dérobe à nous là où elle n'est pas trahie par son alliage avec l'Éros », comme dans le sadisme. Mais là même où elle est sans visée sexuelle (notamment dans la rage de destruction aveugle) « on ne peut méconnaître que son assouvissement est relié à une jouissance narcissique extraordinairement élevée, du fait qu'elle fait voir au moi ses anciens souhaits de toute-puissance enfin réalisés. Domptée, inhibée quant au but, la pulsion de destruction orientée sur les objets donne au moi la satisfaction de ses besoins vitaux et la domination sur la nature »[1]. Mais, ainsi libidinalisée, elle ne saurait plus être une « pure pulsion de mort ».

1. *Ibidem*, p. 73-77 ; p. 304-308 ; p. 477-481.

Trois ans plus tard, les *Nouvelles conférences d'introduction à la psychanalyse* ne pouvaient que reprendre cette problématique en repartant du constat que la théorie des pulsions repose, pour l'essentiel, sur des considérations biologiques. Redire qu'il y a les pulsions sexuelles (Éros) et les pulsions d'agression (destruction) peut sembler un simple « essai de transfiguration théorique de l'opposition banale entre aimer et haïr ». Il n'empêche que cette hypothèse a souvent été ressentie comme une innovation à éliminer ; sans doute est-il intolérable de ne pas réserver la pulsion agressive aux animaux. Pourtant, **sadisme et masochisme nous fournissent d'excellents exemples du mélange de l'Éros avec l'agressivité ; ce rapport nous paraît exemplaire, toutes les motions pulsionnelles consistant sans doute en de tels mélanges, selon des rapports variés**[1]. Lorsqu'à « une époque immémoriale et d'une manière qu'on ne peut se représenter, la vie est née un jour de la matière inanimée », alors a dû se constituer une pulsion dont le but était de rétablir l'état inorganique ; ce serait là « l'expression d'une *pulsion de mort* qui ne saurait être absente d'aucun processus de vie »[2].

L'expérience nous montre que nous rencontrons un *besoin inconscient de punition,* continuation de la conscience dans l'inconscient, qui doit correspondre à une part d'agression intériorisée reprise par le surmoi. Si les termes n'étaient pas impropres, nous le nommerions « sentiment de culpabilité inconscient ». Il serait bien possible que toute agression extérieure soit liée par le surmoi et ainsi dirigée contre le moi, ou encore qu'elle exerce « son activité muette et inquiétante en tant que libre pulsion de destruction dans le moi et le ça », mais, en fait, nous n'en savons rien. Lorsque le surmoi s'instaure, il doit utiliser l'agression dirigée contre les parents. Les pulsions sexuelles rendent certes difficile la vie en société, mais les pulsions d'agression sont pires encore, menaçant la coexistence entre les hommes : une limitation de l'agressivité est le premier sacrifice que la société exige de l'individu. Cela est permis par « l'instauration du surmoi, qui tire

1. *Nouvelles conférences d'introduction à la psychanalyse* (1933a [1932]), Paris, Gallimard, 1984, p. 139-141 ; *OCF* XIX, p. 106-107 ; *GW* XV, p. 110-111.

2. *Ibidem,* p. 144 ; p. 190 ; p. 114.

à lui les motions agressives dangereuses et amène en quelque sorte une garnison dans une place qui inclinerait à la rébellion », mais le moi supporte mal ces sacrifices ; « par bonheur, **les pulsions d'agression ne sont jamais seules, elles sont toujours alliées aux pulsions érotiques** »[1].

En 1937, dans « L'analyse avec fin et l'analyse sans fin », conscience de culpabilité et besoin de punition posent la question de la relation du moi au surmoi. Elles doivent être réexplorées, non pas tant dans leur partie connaissable car psychiquement liée par le surmoi, que dans d'autres, liées ou non, qui œuvrent à bas bruit. Les manifestations du masochisme, de la réaction thérapeutique négative et de la conscience de culpabilité nous obligent à considérer que l'aspiration au plaisir ne saurait seule dominer le cours des événements psychiques ; tous témoignent de l'existence d'une pulsion dont le but est l'agression, voire la destruction, et qui doit dériver de « l'originaire pulsion de mort de la matière animée ». Ce n'est que par son action, conjuguée à celle d'Éros, que peut s'expliquer « la bigarrure des manifestations de la vie ». Parvenir à savoir comment cela opère serait une tâche fort gratifiante ; pour le moment, nous ne pouvons que nous incliner, impuissants, devant l'hégémonie de ces forces – « influencer psychiquement le simple masochisme met déjà notre capacité à rude épreuve ». Pourtant, outre la pathologie, de nombreux faits de la vie psychique normale attestent de l'activité d'une pulsion de destruction. L'impression domine que la *« tendance au conflit »* est quelque chose d'indépendant qui s'ajoute à la situation, quelle que soit la quantité de libido ; sans doute témoigne-t-elle d'une part d'agression libre. Cela ne devrait-il pas nous conduire à réviser tout ce que nous savons du conflit psychique ? **Nos conflits internes seraient une intériorisation de l'agression, équivalent des combats extérieurs que menait jadis l'homme primitif**[2].

L'Abrégé de psychanalyse, en 1938, est l'occasion pour Freud, précisant le point d'aboutissement de ses recherches, de redire combien il

1. *Ibidem,* p. 147-149 ; p. 191-194 ; p. 116-118.

2. « L'analyse avec fin et l'analyse sans fin » (1937c), *Résultats, idées, problèmes, II,* Paris, PUF, 1984, p. 258-260 ; *OCF* XX, p. 44-46 ; *GW* XVI, p. 88-90.

a hésité et tergiversé, avant de « se résoudre à n'admettre l'existence que de deux pulsions fondamentales : l'*Éros* et la *pulsion de destruction* » – avec un Éros qui établit des unités toujours plus grandes, qui conserve et qui lie, alors que l'autre pulsion, au contraire, brise les rapports et détruit, « son but final étant de ramener ce qui vit à l'état inorganique, et c'est pourquoi nous l'appelons aussi *pulsion de mort* ». Mais si, ce faisant, celle-ci se conforme au principe de retour à l'état antérieur, il faut convenir qu'Éros échappe à ce principe car cela supposerait qu'au départ il y avait aussi, déjà, une substance vivante. Les deux pulsions fondamentales sont biologiquement antagonistes ou combinées : manger est une destruction de l'objet pour l'incorporer, l'acte sexuel est une agression qui vise à l'union la plus intime. **Cet accord et cet antagonisme pulsionnel confèrent à la vie toute sa diversité ;** toute modification dans les rapports et proportions entre ces pulsions est lourde de conséquences – toutes deux se rencontrent nécessairement partout. À l'état initial, « toute l'énergie disponible de l'Éros, que nous appellerons désormais *libido,* se trouve dans le moi-ça encore indifférencié et sert à neutraliser les tendances destructrices qui y sont également présentes [...]. Ensuite, il devient relativement facile d'observer les destins ultérieurs de la libido. En ce qui concerne la pulsion de destruction, cette observation est plus malaisée ». **Lorsqu'elle agit intérieurement en tant que pulsion de mort, elle reste muette ; nous ne pouvons la connaître que lorsqu'elle se tourne vers l'extérieur en tant que pulsion de destruction,** diversion indispensable à la conservation de l'individu et qui s'accomplit grâce au système musculaire. Avec le surmoi, des charges considérables d'agression se fixent dans le moi, sur le mode autodestructeur ; c'est là un des plus grands dangers sur la voie de la civilisation. « Réfréner son agressivité, en effet, est en général malsain et pathogène. » Mais, toujours, une fraction d'auto-destruction demeure à l'intérieur de l'individu jusqu'au moment où elle réussit enfin à le tuer : « L'individu meurt de ses conflits internes, tandis qu'au contraire l'espèce succombe après une lutte malheureuse contre le monde extérieur. » [1]

1. *Abrégé de psychanalyse* (1940a [1938]), Paris, PUF, 1967, p. 8-10 ; *OCF* XX, p. 237-239 ; *GW* XVII, p. 70-72.

QUESTIONS ET ENJEUX

De toutes les innovations freudiennes, la pulsion de mort fut *la moins bien acceptée* des psychanalystes ; elle est aussi, au-delà des controverses, celle qui suscite le plus d'interrogations, soulève le plus d'objections, alimente le plus de contradictions. Freud lui-même n'y est venu qu'après bien des réticences ; elle a fini par lui apparaître nécessaire, mais il ne l'a jamais « aimée » : « La pulsion de mort n'est pas pour moi un besoin du cœur ; elle m'apparaît seulement comme une hypothèse inévitable pour des raisons à la fois biologiques et psychologiques. »[1]

Dans son œuvre, on peut distinguer *trois grandes périodes*. Il commence par récuser vivement l'idée d'une « pulsion d'agression » avancée par Alfred Adler en 1909, puis celle d'une « pulsion de destruction » proposée par Sabina Spielrein en 1912 ; c'est alors une époque marquée par la « tendance à mettre la mort de côté, à l'éliminer de la vie, à la passer sous silence car notre propre mort ne nous est pas représentable »[2]. En 1920, il reprend l'idée de destruction mais va au-delà de ce qui était proposé pour situer la pulsion de mort à l'intérieur même de l'individu comme expression de la tendance au retour à l'état antérieur ; il pense ainsi échapper à l'objection qu'il avait formulée selon laquelle « l'attribut de toutes les pulsions tient à leur essence active, poussante » et qu'une pulsion d'agression ne conserverait plus « comme spécificité que sa relation à un certain but sans les moyens de l'atteindre ». La pulsion de mort est alors une « hypothèse » qu'il entend mettre à l'épreuve, l'opposant à la pulsion sexuelle et sauvant ainsi le dualisme pulsionnel. À partir de 1924, tout en conservant le concept, il insiste sur l'inéluctable mélange Éros-pulsion de mort et l'impossibilité de distinguer une pulsion « pure », ce qui le conduit à surtout parler de pulsions d'agression et de destruction, la pulsion de mort paraissant alors désigner plutôt sa part abstraite, « cosmique », « spéculative ». Cette

1. *Correspondance de Sigmund Freud avec le pasteur Pfister* (1963 [1909-1939]), Paris, Gallimard, 1966, p. 191 (lettre du 7 février 1930).

2. « Considérations actuelles sur la guerre et sur la mort » (1915b), *Essais de psychanalyse*, Paris, Payot, 1981, p. 26 ; *OCF* XIII (2e éd.), p. 144-145 ; *GW* X, p. 341.

évolution de la pensée, passant du refus à l'absolutisme et de celui-ci à la prudence, peut sembler significative des embarras rencontrés.

Si, au fil des textes, Éros s'avère correspondre à une élaboration théorique parfaitement aboutie et remarquablement construite, il est loin d'en aller de même pour la pulsion de mort qui, de fait, *ne « s'anime » que lorsqu'elle s'unit à la pulsion sexuelle,* au point que l'on ne sait pas toujours si les contradictions qui apparaissent tiennent à la pulsion de mort elle-même où aux difficultés rencontrées pour la faire travailler avec les instances (ça, moi, surmoi) ou avec d'autres polarité (amour-haine au premier chef), voire avec les mécanismes propres au fonctionnement psychique (pratiquement jamais évoqués). C'est que la pulsion de mort pourrait bien être inconnaissable en elle-même (comme l'inconscient) puisqu'elle est inexorablement muette, de la même façon que « le mutisme est dans le rêve une représentation usuelle de la mort »[1]. Nous pourrions ajouter qu'elle porte l'innommable : pas de grand mythe pour faire écho à Éros, et « pour désigner l'énergie de la pulsion de destruction nous ne disposons pas d'un terme analogue à celui de "libido" »[2]. Si la mort, non-être absolu, est si manifestement irreprésentable qu'elle échappe à toute iconographie, la pulsion de mort, pour sa part, ne peut se deviner qu'une fois recouverte des habits d'Éros, si bien qu'on doit considérer qu'elle est, en elle-même, autant invisible que muette. Voilà qui, certes, contraint à en situer l'exploration dans la spéculation, et non dans une expérience qui ne peut que lui demeurer extérieure.

On aurait pu penser que *l'opposition des pulsions de vie et de mort* devait conférer à la notion même de pulsion de mort la clarté et la simplicité qu'apportent généralement les polarités de fondamentaux. En fait, leur opposition se révèle assez vite fuyante, voire insaisissable. Cela s'illustre peut-être au mieux dans le texte ultime, l'*Abrégé de psychanalyse,* où Freud fait un état concis et précis de la question. Partant de l'existence de deux pulsions fondamentales, opposées l'une à l'autre (Éros et pulsion de destruction), après avoir rappelé le but de chacune, il se sent autorisé à penser que le but final de la deuxième est de ramener ce qui vit à l'état inorganique qui l'a précédé, illustration de

1. « Le motif du choix des coffrets » (1913f), *L'inquiétante étrangeté et autres essais,* Paris, Gallimard, 1985, p. 71 ; *OCF* XII, p. 57 ; *GW* X, p. 29.

2. *Abrégé de psychanalyse* (1940a [1938]), Paris, PUF, 1967, p. 9 ; *OCF* XX, p. 238-239 ; *GW* XVII, p. 72.

la tendance de toute pulsion à restaurer un état antérieur. Partant du principe que le vivant est né de la matière inanimée, il pense pouvoir assimiler celle-ci à la mort. S'il n'en discute pas, nous pouvons néanmoins remarquer la différence, voire l'opposition entre l'inanimé (défini comme n'ayant ni vie, ni mouvement) et la mort (spécifiée comme cessation de la vie) ; voilà qui ne peut que compliquer la notion de retour à l'état antérieur, d'autant qu'elle se trouve mise à mal avec encore plus d'acuité par le constat que fait, que refait Freud, que cette formule ne saurait s'appliquer à l'Éros « car cela équivaudrait à postuler que la substance vivante, ayant d'abord constitué une unité, s'est plus tard morcelée et tend à se réunir à nouveau »[1]. Ce dilemme pourrait bien être aporétique : – ou toutes les pulsions tendent à faire retour à l'état antérieur et Éros, ne pouvant remplir ce critère, ne saurait être une pulsion ! – ou Éros tend bien à faire retour et ce ne peut être que vers de l'animé, postulant ainsi que la vie précède la mort ! Deux éventualités inacceptables pour Freud...

C'est la question de l'*antériorité* qui se trouve ainsi posée, et se retrouve tout au long de la réflexion sur les deux pulsions fondamentales. Lorsque la pulsion de mort est introduite dans l'*Au-delà du principe de plaisir,* elle l'est certes précautionneusement, mais c'est sans doute le texte où son origine est explicitée au mieux, même s'il s'agit d'une « rêverie profonde ». Au départ, en des temps incroyablement lointains, se trouve une substance inanimée et, par rapport à elle, un extérieur d'où provient une « force qu'on ne peut encore absolument pas se représenter », qui la rencontre, la trouble, créant une tension qui doit être réduite : « Ainsi était donnée la première pulsion, celle du retour à l'inanimé », et il est possible que, durant très longtemps, la substance vivante ait dû être ainsi recréée, jusqu'à ce que les influences externes (voire cosmiques), en se modifiant, obligent la substance survivante « à dévier toujours davantage de son cours vital originaire et à faire des détours toujours plus compliqués pour atteindre son but : la mort » ; ce seraient ces détours vers la mort qui nous apparaîtraient aujourd'hui comme « phénomènes vitaux ». Ainsi, peut-on penser, aurait débuté la pulsion de vie[2]. (Nous nous autorisons ici une incise pour remarquer que les dernières avancées

1. *Ibidem*, p. 8 ; p. 237 ; p. 70.

2. *Au-delà du principe de plaisir* (1920g), *Essais de psychanalyse*, Paris, Payot, 1981, p. 80-83 ; *OCF* XV, p. 308-310 ; *GW* XIII, p. 38-40.

des sciences ne donnent pas tort à Freud, même si elles font remonter l'apparition de la vie beaucoup plus tôt qu'il ne pouvait le penser : a été réalisée en laboratoire la démonstration d'un « comportement darwinien à l'échelle moléculaire » avec sélection, amplification et mutation dans une population d'ARN précurseur de l'ADN (qui ne préjuge pas de ce qui put se passer de « vivant » auparavant), modèle de ce qui put se produire il y a quelque 3,8 milliards d'années, donc moins d'un milliard d'années après la formation de la terre – ce qui peut nous laisser rêveur quant à la fragilité du vivant et à son obstination à faire retour à l'inerte.) Pour revenir à Freud lui-même, la pulsion de mort est donc première (c'est redit trois ans, puis dix ans plus tard[1]), la pulsion de vie n'étant apparue que bien longtemps après. Pour autant, nous ne savons trop ni comment situer, ni à quoi identifier cette force originelle aussi extérieure qu'irreprésentable, souvent, peut-être toujours recommencée, plutôt énigmatique et qui, effectivement, pourrait sembler avoir quelques « résonances mystiques » lorsqu'on envisage son « extérieur ».

Nous rencontrons ainsi une notion tout aussi essentielle : l'*extériorité*. Cette « force » originelle agit de l'extérieur, et c'est bien ce qui l'oppose, ou au moins la différencie de la pulsion qui agit *de* l'intérieur ; reste à dire *sur* quoi agit celle-ci. Par définition, elle agit sur des « objets », et c'est parfaitement clair avec Éros : la libido investit des objets, au point d'ailleurs que le narcissisme lui-même n'est jamais qu'un choix d'objet particulier, le moi se traitant lui-même comme objet. La pulsion de mort peut-elle avoir un objet ? Elle a un but, c'est certain : la mort, la désunion de ce qu'a lié et institué Éros – c'est même là ce qui la définit. Ceci dit, elle est en quelque sorte son propre but. A-t-elle une source ? On ne voit pas très bien ce qu'elle pourrait être (ce n'est d'ailleurs jamais évoqué), si ce n'est la vie elle-même. Peut-elle donc avoir un objet ? On serait d'abord tenté de répondre : le sujet, ou plutôt l'individu (pour respecter la terminologie freudienne) qu'elle doit détruire en son corps. En fait, elle vise beaucoup plus large, le ça tout autant que le moi, l'autre pulsion et, sans doute, elle-même pareillement – ce qui ne saurait constituer un objet. Les

1. « "Psychanalyse" et "Théorie de la libido" » (1923a), *Résultats, idées, problèmes, II*, Paris, PUF, 1985, p. 76 ; p. 208 ; p. 232. Et *Nouvelles conférences d'introduction à la psychanalyse* (1933a [1932]), Paris, Gallimard, 1984, p. 144 ; *OCF* XIX, p. 190 ; *GW* XV, p. 114.

seuls objets qu'elle peut avoir sont ceux de la pulsion de vie. L'objet est bien une spécificité libidinale. D'ailleurs, de quel investissement pourrait-il disposer ? En somme, il faut considérer que l'extérieur n'existe pas pour la pulsion de mort (sinon elle devient destruction, signant ainsi la part prise par Éros) ; elle n'est qu'intérieur. Ces quelques remarques sur les rapports de la pulsion de mort aux trois « points de vue » qui fondent la métapsychologie – sa source est la vie, son but est elle-même, ses objets sont ceux d'Éros – nous laissent penser qu'elle se fait ainsi transcendante à la pulsion, ce qui ne va pas sans nous rappeler, une fois de plus, les protestations de Freud à l'encontre des « résonances mystiques » dont pourrait être soupçonnée sa théorie.

Ce faisant, nous avons impliqué une autre notion de base, puisque la *réalité* voit le principe qui la fonde construit sur les rapports que l'individu, se reconnaissant comme tel, engage avec l'extérieur. À suivre ce que nous venons de voir concernant cet extérieur, la seule réalité que puisse connaître la pulsion de mort est elle-même – Freud ne part-il pas du constat imparable que la mort est au terme de la vie, comme sa réalité suprême, comme le plaisir suprême de la « petite mort » ?

Il est en fait bien d'autres questions soulevées par cette pulsion ; nous ne saurions traiter de toutes. Remarquons cependant celle posée par le *conflit*. « L'individu meurt de ses conflits internes » [1] : l'aphorisme paraît convaincant. Pourtant, une question demeure : conflits entre quoi et quoi ? Entre les deux grandes pulsions ? Mais tout conflit véritable suppose un antagonisme dans le but poursuivi ; or ici, les deux ont le même but : le retour à l'état antérieur, c'est-à-dire la mort – simplement, l'une veut y aller directement, l'autre préférant les détours... On pourrait penser qu'il tient à ce que l'une cherche à unir toujours plus, l'autre à défaire, à détruire – mais de tirer chacune de son côté ne saurait empêcher d'avoir une action concourante. Pour vraiment trouver le conflit, il faut passer par les instances (thème qui mériterait aussi de se voir développé), mais il est alors le fait d'une libidinisation. Remarquons que juste avant d'introduire l'aphorisme de la mort par conflits internes, Freud note que la fraction d'autodestruction demeurée dans l'individu ne réussit à le tuer que lorsque

1. *Abrégé de psychanalyse* (1940a [1938]), Paris, PUF, 1967, p. 10 ; *OCF* XX, p. 239 ; *GW* XVII, p. 72.

sa libido est entièrement épuisée ou désavantageusement fixée ; en somme, il meurt lorsque manquent les raisons de conflits, donc les conflits, qui seraient la vie elle-même – ce qui ne saurait nous surprendre, et nous débouchons sur le truisme du postulat freudien : on meurt d'avoir vécu.

En elle-même, la mort ne saurait être une alternative conflictuelle ; elle peut seulement être une réponse au conflit en supprimant tout conflit. Freud fut ainsi conduit à supposer une « *tendance au conflit* » indépendante, venant s'ajouter aux processus, renvoyant sans doute à une part d'agression libre. Il s'est alors interrogé pour savoir si cela ne devrait pas conduire « à réviser tout ce que nous savons du conflit psychique », nos conflits internes étant une intériorisation de l'agression renvoyant aux combats extérieurs de l'homme primitif[1]. Cette tendance indépendante au conflit n'est pas sans nous évoquer « l'hypothèse d'une énergie déplaçable en soi indifférente » qui viendrait s'ajouter à l'une ou à l'autre des deux pulsions[2] ; mais là, elle aurait trouvé son but, le conflit, sans que les tenants en soient bien clairs, les aboutissants fussent-ils pulsionnels.

Le conflit est un moteur essentiel du *fonctionnement psychique* ; c'est là d'ailleurs une raison supplémentaire pour le rattacher à la pulsion de vie (« tout le bruit de la vie provient d'Éros »[3]). Or, celui-ci n'est pratiquement jamais évoqué à propos de la pulsion de mort. C'est à peine si *Inhibition, symptôme et angoisse,* ouvrage de 1926 largement consacré au conflit, mentionne celle-ci fort brièvement[4]. Nous devons bien en conclure qu'elle n'y a aucun rôle, aucune place – alors que la libido y est abondamment traitée. Pour une pulsion, cela peut surprendre mais, Freud n'abordant jamais la question sous cet angle, nous ne pouvons que constater cette absence ; elle souligne, nous semble-t-il, le caractère « abstrait » du concept, voire la faiblesse de sa prise sur la concrétude psychique.

1. « L'analyse avec fin et l'analyse sans fin » (1937c), *Résultats, idées, problèmes, II,* Paris, PUF, 1984, p. 258-260 ; *OCF* XX, p. 44-46 ; *GW* XVI, p. 88-90.

2. *Le moi et le ça* (1923b), *Essais de psychanalyse,* Paris, Payot, 1981, p. 258 ; *OCF* XVI, p. 287 ; *GW* XIII, p. 273.

3. *Ibidem,* p. 260 ; p. 289 ; p. 275.

4. *Inhibition, symptôme et angoisse* (1926d [1925]), Paris, PUF, 1951, p. 48 ; *OCF* XVII, p. 241 ; *GW* XIV, p. 155.

Mais il est une question que nous aurions peut-être dû nous poser en premier : *que peut être la mort* de la pulsion de mort ? Est-ce bien la même que celle pour laquelle n'existe pas d'équivalent dans notre inconscient, inconscient qui se conduit comme s'il était immortel et ne croit pas à la mort personnelle, seulement à la mort des autres, à commencer par celle qu'impose le deuil[1] ? Ou ne serait-ce pas plutôt, avec sa prégnance imparable en sa concrétude, l'angoisse de mort qui « propose à la psychanalyse un problème difficile, car la mort est un concept abstrait au contenu négatif, pour lequel on ne saurait trouver une correspondance inconsciente »[2] ? Face à la trivialité organique de la mort au quotidien, la pulsion de mort est sans doute l'élaboration la plus abstraite de la psychanalyse, voire la plus insaisissable – ne fonctionnerait-elle pas alors comme résistance ? Max Schur, généraliste devenu psychanalyste qui fut pendant plus de dix ans le médecin personnel de Freud (qu'il aida d'ailleurs à mourir), était sans doute le mieux placé pour noter que « ce qui a partiellement déterminé l'introduction de la pulsion de mort [tient au fait que] Freud s'est constamment efforcé de composer avec le problème de la mort en le traitant comme un problème scientifique »[3]. Peut-être... Il n'en demeure pas moins que toute cette sophistication se soutient de ce que la pulsion de mort vise à replacer la mort au plus profond de nous-même – ce que justement nie notre inconscient.

Celui des analystes, peut-on penser, s'est montré actif pour nier la pulsion de mort – ce que Freud déplora. Il est d'ailleurs assez curieux de constater qu'à l'occasion la notion leur apparaît plus choquante qu'elle peut l'être *dans d'autres disciplines,* voire dans des sciences plus orthodoxes. Il y a trente ans, l'épistémologue Georges Canguilhem, examinant les travaux biologiques alors les plus récents, se demandait « pourquoi une théorie comme celle que Freud a esquissé sous l'appellation de "pulsion de mort" a rencontré tant de résistance », et formait le vœu d'un réexamen à la lumière de ces acquis[4]. Si, en son temps,

1. « Considérations actuelles sur la guerre et sur la mort » (1915b), *Essais de psychanalyse,* Paris, Payot, 1981, p. 36 ; *OCF* XIII (2e éd.), p. 153 ; *GW* X, p. 350.

2. *Le moi et le ça* (1923b), *Essais de psychanalyse,* Paris, Payot, 1981, p. 273 ; *OCF* XVI, p. 300 ; *GW* XIII, p. 288.

3. Max Schur, *La mort dans la vie de Freud,* Paris, Gallimard, 1975.

4. Georges Canguilhem, art. « Vie », *Encyclopaedia Universalis,* vol. XVI, p. 769.

Freud pouvait regretter que « la physiologie ne nous apporte aucune compréhension des voies et des moyens par lesquels peut s'accomplir ce domptage de la pulsion de mort par la libido »[1], il pourrait aujourd'hui considérer que quelques pas ont pu être faits en découvrant la notion d'*apoptose*, cette mort programmée de la cellule, suicide cellulaire nécessaire à la survie des organismes pluricellulaires dans lesquels s'équilibrent la reproduction par mitose et l'autodestruction par apoptose – belle image du travail de la mort dans le vivant, mais qui ne saurait, pour autant, représenter la pulsion de mort, car la mort de l'apoptose est au service de la vie, et non pas tendance au retour à l'inanimé.

Cela l'aurait sans doute satisfait, certes, mais on peut penser que là n'était pas la véritable raison de son questionnement, celui-ci fût-il une gageure.

Lorsqu'en 1930 il constate que sa conception d'une pulsion de mort opposée à une pulsion de vie est, du point de vue théorique, des plus fructueuses, qu'elle apporte « cette simplification vers laquelle nous tendons dans notre travail scientifique »[2], que vise-t-il exactement ? En 1915, après avoir rappelé qu'il a proposé de distinguer deux groupes de pulsions originaires, celui des pulsions d'auto-conservation et celui des pulsions sexuelles, il ajoute que « cette distinction n'a pas l'importance d'une présupposition nécessaire comme, par exemple, l'hypothèse concernant la tendance biologique de l'appareil psychique, [et qu'elle] est une simple construction auxiliaire qui ne sera conservée qu'aussi longtemps qu'elle s'avérera utile et pourra être remplacée par une autre sans que cela change grand-chose aux résultats de notre travail »[3] (la désignation des termes de l'opposition n'est qu'une commodité révisable, l'essentiel tenant à l'opposition de deux principes). L'ultime changement verra donc désignés, en 1920, Éros et pulsion de mort mais, dès 1923, il faut constater que, « encore et toujours nous nous apercevons que les motions pulsionnelles dont nous pouvons suivre la trace se révèlent être des rejetons de l'Éros » et qu'il s'avère

1. « Le problème économique du masochisme » (1924c), *Névrose, psychose et perversion,* Paris, PUF, 1973, p. 292 ; *OCF* XVII, p. 16 ; *GW* XIII, p. 377.

2. *Malaise dans la civilisation* (1930a [1929]), Paris, PUF, 1971, p. 75 ; *OCF* XVIII, p. 306 ; *GW* XIV, p. 479.

3. « Pulsions et destins des pulsions » (1915c), *Métapsychologie,* Paris, Gallimard, 1968, p. 21 ; *OCF* XIII (2e éd.), p. 171 ; *GW* X, p. 217.

difficile de « maintenir notre dualisme fondamental mais, puisque nous sommes forcés de le maintenir », il faut considérer que les pulsions de mort sont muettes, tout le bruit de la vie provenant de l'Éros[1] : là encore, aussi difficile soit le maintien de l'opposition dualiste, c'est sur elle que doit reposer la théorie, négligeant la mutité de la pulsion de mort. Nous sommes donc fondé à penser qu'il en va de même en 1930, alors même que, depuis 1924, il tend à parler plutôt de pulsion de destruction que de pulsion de mort, sans doute en raison même des silences, voire de l'absolu silence de celle-ci. Lorsque Freud considère que sa nouvelle dualité s'avère « fructueuse » puisqu'elle apporte la « simplification » vers laquelle nous tendons, sa satisfaction doit-elle être attribuée à la pulsion de mort, dont il redit à la suite que « la soif de destruction, tournée au-dedans, se dérobe en majeure partie à toute aperception lorsqu'elle n'est pas teintée d'érotisme », ou ne tient-elle pas, plutôt, au respect de son exigence dualiste, toujours maintenue et ainsi confortée ?

Selon ses propres dires, l'hypothèse de la pulsion de mort repose pour l'essentiel sur des raisons purement théoriques (et d'abord biologiques), ce qui lui donne une certaine fragilité[2] ; si très régulièrement elle est qualifiée de « spéculation », c'est pour préciser que c'est une spéculation nécessaire. Si Freud avait accepté d'opposer à la pulsion libidinale une pulsion d'agression (il parle volontiers de très forte « tendance à l'agression », de l'« agressivité » qui est au fond de toutes les relations amoureuses[3]), voire une pulsion de destruction, bien des problèmes auraient disparu – à commencer par la mise en concordance, tant souhaitée, entre la polarité de l'amour et de la haine avec celle des deux pulsions. Mais ce ne sont ni l'agression, ni la destruction qui lui posent problème, et son exigence est ailleurs. Sans être énoncé avec autant de force que l'exigence dualiste, il semble bien que le recentrage sur le sujet lui-même lui apparaisse tout aussi fondamental et devant être maintenu, une fois prise en compte l'importance déterminante de l'extérieur (depuis les soins donnés par la mère jusqu'aux rapports à la société et au monde

1. *Le moi et le ça* (1923b), *Essais de psychanalyse,* Paris, Payot, 1981, p. 260 ; *OCF* XVI, p. 289 ; *GW* XIII, p. 275.

2. *Malaise dans la civilisation* (1930a [1929]), Paris, PUF, 1971, p. 76 ; *OCF* XVIII, p. 307 ; *GW* XIV, p. 480.

3. *Ibidem,* p. 65 et 68 ; p. 298 et 300 ; p. 471 et 473.

physique) ; c'est sans doute pourquoi l'essentialité de la mort doit se trouver dans celle « du sujet par le sujet », et ne saurait être portée par la mort d'un autre, fatalement libidinalisée.

Ceci posé, il n'en demeure pas moins que la question qui hante véritablement Freud, bien plus que la mort, est *la vie* – à la manifestation pulsionnelle de laquelle il cherche, depuis le début de son œuvre, la meilleure entité à opposer. C'est « le but et l'intention de la vie » qui réclame, qui exige une réponse dualiste. La question de *son origine* serait la véritable question freudienne, « cosmologique »[1]. Nous tenons là peut-être l'une des raisons qui fait que sa théorie de l'Éros s'avère remarquablement aboutie, alors que celle de la pulsion de mort reste boiteuse, pour ainsi dire ; ce qui mène à constater qu'il n'y a pas de véritable polarité entre les deux théories qui ont pour tâche de rendre compte de la dualité postulée, et ce, même si elles doivent s'appuyer l'une sur l'autre. Il y aurait eu d'abord le constat de l'inanimé et l'impératif posé d'y faire retour, amenant à considérer qu'à l'origine de la vie opère déjà la pulsion de mort – même si, sur celle-ci, Freud est alors à peu près aussi muet qu'elle peut l'être elle-même. À l'inverse, les pulsions sexuelles, telles qu'elles vont devoir fonder Éros, ont très longuement préoccupé Freud. Ce sont les complexifications apportées aux rôles des pulsions sexuelles, lorsqu'il fallut les étendre aux pulsions du moi et au narcissisme (établissant, dans la théorie aussi, des unités toujours plus grande), qui imposèrent de chercher un autre terme à leur opposer pour respecter le principe dualiste. Puisqu'il fallait que soit aussi respecté le principe de la primauté de la compréhension de l'individu considéré dans sa singularité (quelle que soit l'importance de ses nécessaires extensions aux autres), la meilleure réponse apparut être la pulsion de mort. De fait, celle-ci fonctionne comme un faire-valoir d'Éros.

« Résoudre l'énigme de la vie »[2], tel est bien le fond du projet de Freud. Lorsque, dans *Au-delà du principe de plaisir,* il explique l'originel pulsionnel, remontant aux temps immémoriaux où une force extérieure suscita la vie dans la matière inerte, il place une incise

1. *Le moi et le ça* (1923b), *Essais de psychanalyse,* Paris, Payot, 1981, p. 254 ; *OCF* XVI, p. 284 ; *GW* XIII, p. 269.

2. *Au-delà du principe de plaisir* (1920g), *Essais de psychanalyse,* Paris, Payot, 1981, p. 110, n. 16 ; *OCF* XV, p. 335, n. 1 ; *GW* XIII, p. 66, n. 1.

assez stupéfiante, à bien y regarder : « Il s'agissait peut-être d'un processus préfigurant celui qui plus tard a fait apparaître la conscience dans une certaine couche de la matière vivante. »[1] C'est là, dans l'histoire cosmologique, faire un saut de plus de trois milliards d'années si l'on s'en tient à la matière vivante, de près d'un milliard si on entend élire l'apparition des premiers êtres pluricellulaires (comme Freud semble le faire)[2], union de cellules qui correspondrait ainsi à la première réussite, au premier triomphe d'Éros, dans sa vocation de constituer des unités toujours plus grandes. En dépit de l'immensité de ce saut temporel, cette naissance de la vie ultra-primitive n'en est pas moins proposée comme *modèle de la naissance de la vie psychique* ! Là encore, c'est bien d'abord de vie pulsionnelle qu'il s'agit, la seule qui importe vraiment : l'Éros.

Claude LE GUEN

PULSION D'EMPRISE

all. : ***Bemächtigungstrieb.*** – angl. : *drive to master.* – esp. : *instinto de dominio.* – ital. : *pulsione d'impossessamento.* – port. : *impulso pava de dominio*

Pulsion partielle liée à la musculature, non sexuelle mais s'unissant régulièrement aux pulsions sexuelles, la pulsion d'emprise vise un objet extérieur pour se l'approprier. D'abord reconnue comme étant à l'origine de la cruauté infantile et des pulsions scopiques, sa libidinisation va lui conférer une fonction dans le sadisme ; c'est celui-ci qui sera retenu après 1920 (alors que la notion de pulsion d'emprise tombe en désuétude) pour signifier comment l'emprise peut diriger vers l'objet la pulsion de mort qui visait le moi.

1. *Ibidem,* p. 82 ; p. 310 ; p. 40.

2. « Le problème économique du masochisme » (1924c), *Névrose, psychose et perversion,* Paris, PUF, 1973, p. 297 ; *OCF* XVII, p. 23 ; *GW* XIII, p. 383.

MISE EN SITUATION

Le mot d'emprise s'est assez naturellement imposé pour traduire Bemächtigung, *même s'il peut paraître un peu timide par rapport au terme allemand ; il est vrai que la brutalité est ici renforcée par la référence pulsionnelle, forcément violente. Le destin théorique de la notion fut hésitant : d'abord bien présente en 1905 pour décrire l'appropriation violente de l'objet, posée comme pulsion partielle liée à la source musculaire, la pulsion d'emprise va se faire de plus en plus discrète dans le texte freudien, sans être pour autant rejetée. Plus descriptive que conceptuelle, la notion n'a pas été véritablement travaillée par Freud, même s'il semble lui reconnaître implicitement une place non négligeable dans les relations aux objets.*

LE TEXTE FREUDIEN

La pulsion d'emprise est introduite en 1905 dans les *Trois essais sur la théorie sexuelle* ; c'est d'ailleurs l'ouvrage où Freud en traite le plus. Il y est d'abord question d'un « appareil d'emprise » (au fil du texte, celui-ci semble concerner la vue et le toucher et, surtout, l'appareil musculaire), terme qui ne sera pas repris ; c'est de lui qu'émaneraient les agressions dans les pratiques sexuelles, restes d'appétits cannibaliques, renvoyant à cet autre grand besoin (la faim), antérieur ontogénétiquement à la pulsion sexuelle[1]. Chez le garçon, les manipulations de l'onanisme relèvent d'une pulsion d'emprise. Surtout, il appartient à celle-ci de rendre compte de la cruauté infantile qui éclate lorsqu'elle n'est pas encore arrêtée par la « capacité de compatir » (qui se forme plutôt tardivement) ; on doit penser qu'elle gouverne la vie sexuelle prégénitale. On le voit, ce

1. *Trois essais sur la théorie sexuelle* (1905d), Paris, Gallimard, 1987, p. 70-71 ; *OCF* VI, p. 92 ; *GW* V, p. 58.

sont là plutôt des notations pour exprimer l'existence d'une tendance à s'emparer de l'objet, mais « l'analyse approfondie de cette pulsion n'a pas encore abouti ». Sous une forme sublimée (et associée au plaisir scopique), elle correspond à la *pulsion de savoir* qui, elle, ne saurait être une composante pulsionnelle élémentaire mais est dirigée très précocement sur les questions sexuelles, et n'est peut-être même éveillée que par elles seules. Dans l'organisation sadique-anale, plutôt que masculin-féminin, les deux pôles sont actif-passif, « **l'activité étant exercée par la pulsion d'emprise par l'intermédiaire de la musculature** », la passivité par la muqueuse érogène intestinale, chaque tendance ayant des objets différents[1].

En 1913, à propos de la névrose obsessionnelle, l'opposition actif-passif est reprise selon une perspective « biologique » et posée comme antériorité à l'opposition masculin-féminin; « l'activité est due à la pulsion d'emprise au sens large », et « **nous l'appelons précisément sadisme quand nous la trouvons au service de la pulsion sexuelle** » – elle assure des services auxiliaires importants dans la vie sexuelle normale. Freud reprend là également la notion d'une *pulsion de savoir,* rejeton sublimé et intellectualisé de la pulsion d'emprise, qui se substitue souvent au sadisme dans la névrose obsessionnelle; « sa récusation, sous la forme du doute, y occupe une large place »[2]. L'emprise est mentionnée deux ans plus tard, toujours à propos de l'organisation sadique-anale, pour référer une *tendance vers l'objet*: l'endommager ou le détruire est indifférent; c'est là un stade préliminaire de l'amour qui, dans sa façon de traiter l'objet, se différencie à peine de la haine[3].

L'introduction en 1920 d'une *pulsion de destruction,* ou *pulsion de mort,* déplace la problématique. Si une pulsion d'emprise est d'abord évoquée pour tenter d'expliquer (à propos du « jeu de la

1. *Ibidem.* Dans l'ordre des citations: p. 114, 121, 123, 129; p. 124, 128-129, 130-131, 125; p. 89, 93-94, 95, 90.

2. « La disposition à la névrose obsessionnelle. Une contribution au problème du choix de la névrose » (1913f), *Névrose, psychose et perversion,* Paris, PUF, 1973, p. 194 et 196; *OCF* XII, p. 90 et 92; *GW* VIII, p. 448 et 450.

3. « Pulsions et destins des pulsions » (1915c), *Métapsychologie,* Paris, Gallimard, 1968, p. 42; *OCF* XIII (2e éd.), p. 185; *GW* X, p. 231.

bobine ») l'activité de l'enfant répétant une expérience déplaisante, c'est pour être écartée[1]. Le sadisme, cette vieille connaissance, est alors mis en cause, que ce soit comme pulsion totale perverse ou comme pulsion partielle dominante ; toute la question est de savoir comment l'Éros, qui conserve la vie, peut susciter la pulsion sadique qui veut nuire à l'objet ? On peut supposer que ce sadisme est une pulsion de mort repoussée du moi par la libido narcissique, et qui n'apparaît qu'avec l'objet. En 1913, la pulsion d'emprise devenait le sadisme en s'associant simplement à la pulsion sexuelle, maintenant elle serait une **forme de la pulsion de mort** ; lorsque Freud constate qu'à la phase orale l'« emprise amoureuse » coïncide encore avec l'anéantissement de l'objet, qu'au stade génital existe bien une « fonction de maîtriser l'objet sexuel », il importe de noter qu'il parle alors de « maîtrise » *(Bewältigung)* et non plus d'emprise *(Bemächtigung)*[2]. Lorsqu'il décrit la façon dont la libido rend inoffensive cette pulsion destructrice en la dérivant vers les objets extérieurs grâce à la musculature, il conclut qu'elle « se nommerait alors pulsion de destruction, pulsion d'emprise, volonté de puissance » – on a envie d'ajouter « peu importe alors le nom qu'elle reçoit », l'important étant qu'« une partie de cette pulsion soit placée directement au service de la fonction sexuelle où elle a un rôle important. **C'est là le sadisme proprement dit** »[3].

Une dernière mention en est faite en 1933 pour indiquer que, tout érotique qu'elle soit, la pulsion d'auto-conservation a besoin de l'agression pour s'imposer et que, tout pareillement, lorsque la pulsion d'amour se dirige sur des objets, il lui faut un apport de pulsion d'emprise pour s'approprier son objet[4].

1. *Au-delà du principe de plaisir* (1920g), *Essais de psychanalyse,* Paris, Payot, 1981, p. 54 ; *OCF* XV, p. 286-287 ; *GW* XIII, p. 13-14.

2. *Ibidem,* p. 102 ; p. 327-328 ; p. 58.

3. « Le problème économique du masochisme » (1924c), *Névrose, psychose et perversion,* Paris, PUF, 1971, p. 293 ; *OCF* XVII, p. 15-16 ; *GW* XIII, p. 376.

4. « Pourquoi la guerre ? » (1933b), *Résultats, idées, problèmes, II,* Paris, PUF, 1984, p. 210 ; *OCF* XIX, p. 76 ; *GW* XVI, p. 20-21.

QUESTIONS ET ENJEUX

Le relatif abandon de la pulsion d'emprise par Freud fait qu'elle ne soulève guère de problèmes particuliers ; tout au plus peut-on s'interroger sur les raisons de ce désintérêt alors que les *Trois essais sur la théorie sexuelle*, ouvrage princeps, lui consacre tout de même une certaine place. Il y reconnaît que « l'analyse approfondie de cette pulsion n'a pas encore abouti », mais pourquoi avoir ajourné cet approfondissement, pourquoi ne s'en être pas ressaisi à la lumière d'une compulsion de répétition opérant au-delà du plaisir sadique ? On peut penser que cela résulte déjà d'une certaine difficulté, alors éprouvée, à situer cette pulsion. Serait-ce une pulsion partielle qui, si elle trouve bien sa source dans une activité musculaire manifeste, s'avère difficile à circonscrire, tendant à englober tout le corps (d'où la complexité des rapports et oppositions entre activité et passivité) ? Ou ne serait-elle pas alors plutôt (annonçant la reconnaissance de leur appartenance aux pulsions libidinales) une pulsion d'auto-conservation non sexuelle mais omniprésente dans la sexualité (comme peut en témoigner le passage d'actif-passif à masculin-féminin), marquant le décalage entre sa nature très « primaire » (cannibalique) et la grande sophistication de sa forme sublimée en pulsion de savoir ? *Non liquet*...

Claude LE GUEN

Pulsions de vie → Éros, pulsions de vie

PULSIONS DU MOI, PULSIONS D'AUTO-CONSERVATION

all. : ***Ichtriebe, Selbsterhaltungstriebe.*** – angl. : *ego-drive, drives of self-preservation.* – esp. : *instintos del yo, instintos de auto-conservation.* – ital. : *pulsioni dell'io, pulsioni d'autoconservazionz.* – port. : *impulsos do ego, impulsos de autoconservação*

Ces deux termes, employés par Freud à partir de 1910, de même parfois que l'expression « pulsions de conservation du moi », sont d'abord à peu près synonymes et répondent au besoin d'opposer aux

pulsions sexuelles un groupe de pulsions dont le but est de conserver la vie et de satisfaire les besoins du moi corporel. On peut considérer qu'elles sont au service de la pérennité de l'individu, en opposition aux pulsions sexuelles qui sont l'expression des exigences de l'espèce (ainsi s'opposent *Selbsterhaltung-* et *Arterhaltungstriebe*). D'autre part, elles répondent à la nécessité de fournir un étayage aux pulsions sexuelles et sont à différencier de l'autoérotisme. Elles ont amené à reconsidérer la question théorique de la nature de la pulsion et de l'énergie de la pulsion, et l'on voit que Freud hésite parfois entre qualifier de libido ou simplement d'intérêt voire de besoin l'énergie des pulsions du moi ou d'auto-conservation. À partir de la deuxième topique elles sont intégrées, non sans hésitation, au groupe des pulsions de vie ou à l'Éros.

MISE EN SITUATION

*Si les deux expressions, pulsion du moi ou d'auto-conservation, ne peuvent pas réellement se distinguer l'une de l'autre, il faut cependant souligner que le concept de pulsion du moi prend un relief particulier entre « Pour introduire le narcissisme » (1914) et celle des pulsions de vie et de mort (*Au-delà du principe de plaisir, *1920). Les variations de sens sont nombreuses dans cette période, car la notion de pulsion du moi (ou à un moindre degré, d'auto-conservation) est utilisée au gré des nécessités du développement de la théorie. Au terme de ces élaborations, ou de ces spéculations, Freud éprouve le besoin de clarifier l'évolution de ces concepts dans une note de* Au-delà du principe de plaisir *dont nous citons ici la seconde partie ajoutée en 1921, car elle reprend rétrospectivement l'ensemble de la question et laisse ouverte la relation des pulsions d'auto-conservation ou du moi avec les pulsions de vie et de mort. Cette note est aussi la conclusion d'un mouvement de la pensée de Freud et constitue une étape dans le développement théorique ; c'est pourquoi nous faisons ici, pour elle, une entorse à nos usages : « […] À l'origine nous appelions ainsi toutes les directions pulsionnelles qui ne nous étaient pas connues précisément et que l'on pouvait séparer des pulsions sexuelles dirigées vers l'objet. Nous mettions les pulsions du moi en* *opposition aux pulsions sexuelles, dont l'expression est la libido. Plus tard, nous nous rapprochâmes de l'analyse du moi et nous reconnûmes qu'une partie des "pulsions du moi" est elle aussi de nature libidinale et a pris le moi propre comme objet. Les pulsions d'auto-conservation narcissiques devaient donc maintenant être comptées parmi les pulsions sexuelles libidinales. L'opposition entre pulsions du moi et pulsions sexuelles devenait l'opposition entre pulsions du moi et pulsions d'objet, les deux étant de nature libidinale. Une nouvelle opposition prit la place de la précédente, celle-ci entre les pulsions libidinales (du moi et d'objet), et d'autres, qui sont à situer dans le moi et doivent peut-être être désignées comme les pulsions de destruction. La spéculation la transforme en opposition des pulsions de vie (Éros) et des pulsions de mort.* »[1]

LE TEXTE FREUDIEN

En 1905, dans les *Trois essais sur la théorie sexuelle*[2], les données sur lesquelles s'appuie la conception des pulsions d'auto-conservation sont posées, alors même qu'elles ne sont pas encore désignées, c'est-à-dire : conservation de la vie, autoérotisme, théorie de la libido, hypothèse d'une énergie non sexuelle. C'est seulement un ajout de 1915[3] qui oppose la libido du moi ou libido narcissique à la libido d'objet.

« Le trouble psychogène de la vision dans la conception psychanalytique » (1910)[4] est un texte bref qui reprend ce qui a déjà été abordé dans des écrits précédents et prend en compte, au niveau de l'organe, le conflit entre la pulsion sexuelle, partielle, et ce qui est nommé ici

1. *Au-delà du principe de plaisir* (1920g), *Essais de psychanalyse*, Paris, Payot, 1981 (trad. personnelle), p. 110, n. 1 ; *OCF* XV, p. 335 ; *GW* XIII, p. 67 (ajout de 1921).

2. *Trois essais sur la théorie sexuelle* (1905d), Paris, Gallimard, 1987, p. 159 ; *OCF* VI, p. 156 ; *GW* V, p. 119.

3. *Ibidem*, p. 159 ; p. 119.

4. « Le trouble psychogène de la vision dans la conception psychanalytique » (1910i), *Névrose, psychose et perversion*, Paris, PUF, 1973, p. 170 ; *OCF* X, p. 182 ; *GW* VIII, p. 98.

« pulsion du moi au service de l'auto-conservation ». Le moi est défini de façon floue et cependant dynamique comme un « concept collectif *(Gesammtbegriff)* composé chaque fois (à chaque conflit) différemment ». Le moi se sent menacé par les prétentions des pulsions sexuelles et s'en défend par des refoulements.

« Toutes les pulsions organiques qui sont à l'œuvre dans notre âme peuvent être classées, suivant les mots du poète, en "faim" et en "amour". » Le conflit se joue au niveau de chaque organe qui doit « servir deux maîtres à la fois » : cette formulation montre la continuité de la pensée qui amènera dans *Le moi et le ça* (1923) à décrire le moi comme une pauvre créature au service de trois maîtres, ce moi qui n'est encore, rappelons-le, qu'un « concept collectif » (à entendre comme rassemblement d'éléments conceptuels divers) variable au gré des conflits. Ce qui est en cause ici est ce qui se joue du fait que les mêmes organes, ou systèmes d'organes, sont à la disposition des pulsions sexuelles et des pulsions du moi. La bouche sert au baiser aussi bien qu'à manger et à communiquer par la parole, les yeux ne perçoivent pas seulement les modifications du monde extérieur importantes pour la conservation de la vie, mais aussi l'attrait des objets qui peuvent les élever au rang d'objets du choix amoureux. « Plus est intime la relation qu'un organe doué de cette fonction bilatérale contracte avec l'une des grandes pulsions, plus il se refuse à l'autre. Ainsi, pour ce qui concerne le regard, la pulsion sexuelle partielle qui l'utilise, le plaisir sexuel de voir, peut, si elle est excessive, attirer la contre-offensive des pulsions du moi. Les représentations dans lesquelles s'expriment ces aspirations sont alors refoulées et la relation de l'œil et de la vision au moi est perturbée. Le moi a perdu sa domination sur l'organe qui maintenant se met entièrement à la disposition de la pulsion sexuelle refoulée. »

Les pulsions du moi sont évidemment en accord avec le principe de réalité et en relation étroite avec les activités de conscience. Les « Formulations sur les deux principes du cours des événements psychiques » (1911)[1] reprennent en d'autres termes ce qui a été vu dans

1. « Formulations sur les deux principes du cours des événements psychiques » (1911b), *Résultats, idées, problèmes, I,* Paris, PUF, 1984, p. 140-141 ; *OCF* XI, p. 18-19 ; *GW* VIII, p. 236-237.

« Le trouble de la vision... », mais elles introduisent une **scission entre le moi-plaisir et le moi-réalité** au service duquel travaillent les pulsions du moi. Le point important est que la relation des pulsions sexuelles et des pulsions du moi n'est plus décrite seulement en termes de conflit, comme dans le texte précédent, mais aussi en termes de complémentarité : les pulsions sexuelles subissent un retard dans leur prise en compte de la réalité, de l'objet, tandis qu'elles s'attachent à l'autoérotisme, cependant que les pulsions du moi, du moi-réalité, « tendent vers l'utile et s'assurent contre les dommages ». L'opposition entre les deux types de pulsion, entre les deux modèles de moi, repose sur un retard du développement de la pulsion sexuelle, qui reste fixée à la satisfaction immédiate que procure l'autoérotisme.

On peut considérer que la notion de pulsion du moi ou d'auto-conservation constitue les prémisses d'un mouvement qui porte l'intérêt sur le moi. L'épanouissement de ce mouvement apparaît avec « Pour introduire le narcissisme » [1]. À ce propos, notons d'abord la relation à ce que Freud appelle l'**égoïsme pulsionnel** : le narcissisme est en effet défini comme « le complément libidinal à l'égoïsme des pulsions d'auto-conservation » qui se distingue peu en fait de ce qui sera désigné comme **intérêt du moi,** opposé à la libido du moi. Plus loin, il est indiqué que les pulsions autoérotiques existent dès l'origine et que quelque chose, une nouvelle action psychique, doit venir s'ajouter à l'autoérotisme pour donner forme au narcissisme. Ceci laisse entendre que l'égoïsme est alors investi de libido, sur un mode autoérotique à l'origine, ce qui peut évoquer un étayage originaire entre auto-conservation et érotisme.

Quoi qu'il en soit, lorsque le moi est développé, la question de l'énergie des pulsions du moi se pose à nouveau et il s'agit alors de savoir si cette énergie est ou non d'ordre libidinal ; en d'autres termes, s'il y a lieu de **distinguer énergie des pulsions du moi et libido du moi et, dès lors, libido du moi et libido d'objet.** Freud penche pour cette hypothèse qui l'oppose à Carl Gustav Jung, tout en remarquant que l'on pourrait imaginer une énergie indifférente qui ne deviendrait

1. « Pour introduire le narcissisme » (1914c), *La vie sexuelle,* Paris, PUF, 2e éd., 1970, p. 82 ; *OCF* XII, p. 218 ; *GW* X, p. 138-139.

libido que par l'acte de l'investissement d'objet. Mais la suite de ce texte revêt l'allure d'une défense de la conception freudienne des pulsions et des libido, en opposition à la déviation théorique jungienne d'une libido unique et indifférenciée.

Deux ordres d'arguments sont apportés en faveur d'une **séparation originaire des deux types de pulsions,** d'une part le recours à la distinction « populaire » de la faim et de l'amour, le populaire étant ici à entendre comme référence à l'usage de la langue, dont on connaît la valeur aux yeux de Freud ; d'autre part, des considérations « biologiques » selon lesquelles l'individu est à la fois à lui-même sa propre fin et le maillon d'une chaîne à laquelle il est assujetti contre sa volonté. On ne peut ici que citer ces propos essentiels éclairant le dualisme pulsionnel de la première topique : l'individu « tient la sexualité pour une de ses fins, tandis qu'une autre perspective nous montre qu'il est un simple appendice de son plasma germinatif... La distinction des pulsions sexuelles et des pulsions du moi ne ferait que refléter cette double fonction de l'individu »[1].

Dans ce texte encore, deux développements concernent d'une part **l'étayage des pulsions sexuelles sur les pulsions du moi,** ce qui revient à réduire l'opposition de la faim et de l'amour : les personnes (la mère) qui ont affaire avec l'alimentation, les soins, la protection de l'enfant deviennent les premiers objets sexuels. D'autre part, et surtout, le **sentiment d'estime de soi** est rattaché aux pulsions du moi, à la libido narcissique. Ce sentiment est augmenté dans les paraphrénies, abaissé dans les névroses de transfert. Chez le paraphrène, en effet, la libido a été retirée des personnes et des choses du monde extérieur, sans investir d'autres objets dans les fantasmes. Dès lors, elle investit le moi, notamment sous forme de délire des grandeurs[2].

Par ailleurs, être aimé élève l'estime de soi, aimer l'abaisse. Le moi, les pulsions du moi, s'appauvrissent dans l'investissement d'un objet, surtout s'il n'est pas conforme au moi, ou plutôt aux exigences de l'idéal du moi, tandis que la satisfaction amoureuse accomplie,

1. *Ibidem,* p. 85-86, p. 222 ; p. 143.

2. Le modèle du paraphrène est le président Schreber, et Freud renvoie en note à la discussion de la « fin du monde » dans son analyse. Il a regroupé paranoïa et *dementia praecox* sous la dénomination de paraphrénie.

l'amour payé de retour, par un objet satisfaisant, valorisent le moi. La *maladie organique* modifie également la distribution de la libido, comme cela semble aller de soi. Le malade affligé de douleurs et de malaises abandonne son intérêt pour les choses du monde extérieur, y compris ses objets d'amour. Freud cite à ce propos le poète Busch parlant d'une rage de dents : « Son âme se resserre au trou étroit de la molaire. »[1] Il en conclut que libido et intérêt du moi ont ici le même destin et sont à nouveau impossibles à distinguer l'un de l'autre.

L'*hypocondrie* se traduit aussi par des sensations corporelles pénibles et comporte une action semblable sur le partage de la libido. L'hypocondriaque retire intérêt et libido, particulièrement celle-ci, aux objets du monde extérieur, et concentre l'un et l'autre sur l'organe qui l'occupe. Le modèle de l'organe douloureux se trouve dans l'organe génital en état d'excitation, et par extension dans toute zone érogène, du fait d'une **stase de la libido,** libido du moi en l'occurrence et par opposition à la stase de la libido sexuelle dans les névroses de transfert. Ceci fait de l'angoisse hypocondriaque le pendant, de la part de la libido du moi, de l'angoisse névrotique. La stase de libido du moi à partir d'un certain degré entraîne un déplaisir, tout comme le fait l'excès de tension libidinale sexuelle. D'où la contrainte à sortir des limites du narcissisme et à placer la libido sur les objets. On voit ainsi aussi bien l'origine commune des pulsions du moi et des pulsions sexuelles que leur opposition résumée dans la formule : « Un solide égoïsme préserve de la maladie, mais à la fin l'on doit aimer pour ne pas tomber malade. »[2] Il y a une relation originaire des pulsions du moi et des pulsions sexuelles ; les premières satisfactions sexuelles autoérotiques sont vécues en conjonction avec l'exercice de fonctions vitales qui servent à la conservation de l'individu, et les pulsions sexuelles s'étayent donc sur la satisfaction des pulsions du moi, d'où le choix des premiers objets sexuels, la mère ou son substitut. Le **sommeil** représente un retrait narcissique des positions de la libido sur la personne propre, ou, plus exactement sur le désir de dormir. *L'égoïsme des rêves vient bien s'insérer dans ce contexte.*

1. *Ibidem,* p. 89 ; p. 226 ; p. 148-149.
2. *Ibidem,* p. 91 ; p. 229 ; p. 151.

On pourrait penser que le texte « Pulsions et destins des pulsions » (1915)[1] va combler ce que Freud considère dans « Pour introduire le narcissisme » comme « le manque d'une théorie des pulsions ». Certes, il y délimite le champ des pulsions et critique la multiplication de termes spécialisés (pulsions de jeu, ou grégaire, etc.) ; il propose d'en revenir à la distinction de deux groupes de pulsions spécialisées : les pulsions sexuelles et les pulsions du moi ou d'auto-conservation. Mais aussitôt il précise que cette distinction n'a que la valeur d'une construction auxiliaire qui a été imposée par l'étude des névroses de transfert et qu'il est tout à fait possible qu'une avancée dans l'étude des névroses narcissiques oblige à grouper autrement les pulsions originaires – on peut voir là une annonce des transformations ultérieures de la théorie des pulsions.

Pour revenir aux **rapports de l'autoérotisme et des pulsions** : à l'origine, tout au début de la vie, le moi est investi par les pulsions qu'il est en partie capable de satisfaire sur lui-même, de façon autoérotique. Si les pulsions sexuelles, capables de satisfaction autoérotique, se prêtent au développement qui s'opère sous la domination du principe de plaisir, celles qui ne le peuvent troublent cet état et « préparent les progrès »[2]. Les besoins, et notamment ceux des pulsions du moi au cours de la phase de détresse, sont satisfaits par l'intervention de l'extérieur et de ce fait préservés de tout développement. Ainsi le moi peut être autoérotique et ne pas avoir besoin du monde extérieur, tandis que les expériences des pulsions d'auto-conservation lui imposent la nécessité de ce recours : « *C'est d'abord par les pulsions d'auto-conservation que l'objet est apporté du monde extérieur au moi et l'on ne peut contester que le sens originaire de la haine désigne aussi la relation au monde extérieur étranger qui apporte les excitations.* » Les pulsions d'auto-conservation, puisqu'elles ne peuvent jamais être satisfaites de façon autoérotique, provoquent, **dans la haine,** le développement vers l'objet. « On peut même soutenir que les prototypes véritables de la relation de haine ne proviennent pas de

1. « Pulsions et destins des pulsions » (1915c), *Métapsychologie,* Paris, Gallimard, 1968 ; *OCF* XIII ; *GW* X.

2. *Ibidem,* p. 37 n. 1 ; *OCF* XIII, p. 180, n. 1 ; *GW* X, p. 228, n. 1.

la vie sexuelle mais *de la lutte du moi pour sa conservation et son affirmation.* » L'importance de la relation des pulsions d'auto-conservation avec le **développement de la haine,** en réaction au déplaisir suscité par les objets excitants, est telle que les pulsions du moi et les pulsions sexuelles peuvent en venir à une opposition qui répète celle de la haine et de l'amour[1]. Quand les pulsions du moi dominent la fonction sexuelle comme c'est le cas au stade de l'organisation sadique-anale, elles donnent au but pulsionnel lui-même les caractères de la haine.

L'**ambivalence,** la haine mêlée à l'amour, est en partie fondée « dans des réactions de refus de la part des pulsions du moi, réactions qui, dans les fréquents conflits entre les intérêts du moi et ceux de l'amour, peuvent se réclamer de motifs réels et actuels ». Lorsque la relation d'amour à un objet est rompue et que la haine la remplace, nous pouvons avoir l'impression de voir l'amour se transformer en haine. Mais, dans ce cas, même si la haine est motivée dans la réalité elle est renforcée par la régression de l'amour au stade préliminaire sadique. Ainsi la haine prend un caractère érotique, régressif, et de cette façon *la continuité d'une relation d'amour est garantie.*

L'amour s'attache donc aux objets sexuels et seulement à eux, tandis que les objets reconnus comme nécessaires à l'auto-conservation ne reçoivent qu'un amour affaibli, ainsi que le montre l'usage de la langue : aimer bien, etc., ce qui montre la persistance des effets de la haine originaire à leur égard.

Dans les *Conférences d'introduction à la psychanalyse*[2] la question du **conflit psychique** et des pulsions d'auto-conservation est reprise[3], bien que la psychanalyse des névroses de transfert n'offre pas un bon accès à leur *démontage.* L'on apprend ainsi à connaître tout au plus les résistances qui s'opposent à l'analyse. Du conflit qui se déroule entre pulsions sexuelles et pulsions du moi, on pourrait aussi bien dire qu'il a lieu entre diverses aspirations purement sexuelles. En tel

1. *Ibidem,* p. 43 ; p. 184 ; p. 231.

2. *Conférences d'introduction à la psychanalyse* (1916-1917), Paris, Gallimard, 1999 ; *OCF* XIV ; *GW* XIV.

3. *Ibidem,* p. 444-447 ; p. 362-364 ; p. 363-365.

cas, il y en a toujours une qui est pour ainsi dire conforme au moi, tandis que l'autre provoque sa défense. *On ne sort donc pas du conflit entre moi et sexualité.* La nécessité de la vie (*Not des Lebens* ou *anankè*), qui n'est pas contradictoire à d'éventuelles « tendances évolutives internes », est une « éducatrice sévère », vis-à-vis de laquelle pulsions sexuelles et pulsions du moi ne se comportent pas de la même manière. Les pulsions du moi sont plus faciles à éduquer, elles se plient aux exigences de la réalité, car elles ne peuvent obtenir les objets dont elles ont besoin d'une autre manière. Les pulsions sexuelles ne connaissent pas au début la nécessité de l'objet, elles sont étayées *à l'instar de parasites* sur d'autres fonctions corporelles ; elles peuvent de plus se satisfaire de façon autoérotique. Tout cela entraîne leur entêtement déraisonnable et leur résistance à l'éducation. Du début à la fin de leur évolution, elles travaillent en vue d'un gain de plaisir. Il en est de même au début pour ce qui concerne les pulsions du moi, mais, sous l'influence de *l'institutrice Nécessité*, le principe de réalité remplace pour elles le principe de plaisir : le moi apprend à différer la satisfaction, le gain de plaisir, à en abandonner certaines sources[1].

La XXVIe conférence sur « la théorie de la libido et le narcissisme » offre un résumé de ce qui a été avancé précédemment, en insistant encore sur le rôle de *l'éducatrice Nécessité* pour ce qui concerne les pulsions du moi, et aussi sur le fait que l'insatisfaction de ces dernières, notamment celle de la faim et de la soif, n'a jamais pour conséquence la survenue d'angoisse. Il est légitime de séparer pulsions sexuelles et pulsions du moi, mais la question reste de savoir jusqu'à quelle profondeur « nous voulons porter son tranchant ». Les deux groupes de pulsions se présentent comme des dénominations visant des sources d'énergie de l'individu. Discuter de la question de savoir si elles sont ou non différentes ne peut être menée sur les concepts eux-mêmes mais sur les faits biologiques qui se trouvent derrière. Ceux-ci restent peu connus, et tout cela entre peu en ligne de compte dans la tâche analytique… ce qui avait déjà été avancé dans « Pour introduire le narcissisme ». Pourtant, l'intérêt de cette discussion entamée contre

1. *Ibidem,* p. 450-452 ; p. 367-369 ; p. 368-370.

la **conception de Jung d'une unité primordiale de toutes les pulsions,** et en conséquence, d'une « libido » qui s'extériorise en tout, est de ne pas laisser éliminer la fonction sexuelle, ce qui obligerait à parler de libido sexuelle et asexuelle. *Le nom de libido reste à juste titre réservé aux forces pulsionnelles de la vie sexuelle.* Les investissements énergétiques des pulsions d'auto-conservation sont nommés « intérêt ».

Le sens de l'égoïsme (des pulsions d'auto-conservation) est précisé, par rapport au narcissisme : l'**égoïsme** ne désigne que ce qui est utile pour l'individu, le narcissisme en est le complément libidinal. Si l'on parle de narcissisme on prend en considération non seulement l'utilité pour l'individu mais sa satisfaction libidinale. L'égoïsme est évident et constant, le narcissisme correspond à l'investissement libidinal du moi, variable. La distinction entre libido et intérêt, pulsions sexuelles et pulsions du moi, a été imposée par la prise en compte du conflit d'où proviennent les névroses de transfert ; *la libido reste la libido, qu'elle soit tournée vers les objets ou vers le moi propre, et qu'elle ne se transforme jamais en intérêt égoïste, et inversement*[1]. Il est extrêmement probable que les pulsions du moi soient entraînées, sur un mode secondaire, par les incitations pathogènes de la libido qui refuse de se subordonner à la réalité du monde, à l'*ananké*. L'angoisse devant le réel *(Realangst)* n'est pas le fait des pulsions égoïstes du moi mais de la libido du moi, la part affective de cette angoisse relève de la libido du moi, tandis que l'**action** à l'égard du réel angoissant revient à la pulsion de conservation du moi[2].

Au-delà du principe de plaisir vient bouleverser la théorie des pulsions et particulièrement celle des pulsions du moi et d'auto-conservation. Dans la suite de la réflexion sur le traumatisme psychique et la contrainte de répétition, Freud reprend la définition de la pulsion comme « poussée inhérente à l'organisme vivant vers le rétablissement d'un état antérieur que cet être vivant a dû abandonner sous l'influence perturbatrice de forces extérieures »[3]. Elle serait

1. *Ibidem*, p. 529-533 ; p. 432-436 ; p. 432-436.

2. *Ibidem*, p. 544-545 ; p. 444-445 ; p. 445-446.

3. *Au-delà du principe de plaisir* (1920g), *Essais de psychanalyse*, Paris, Payot, 1981, p. 80 ; *OCF* XV, p. 308 ; *GW* XIII, p. 38.

une sorte d'**élasticité organique**, ou l'**expression de l'inertie** dans la vie organique. Freud ne le précise pas à ce moment, mais la première impression est que cette définition, qu'elle soit nouvelle ou pas, convient d'autant plus aux pulsions d'auto-conservation que l'accent est porté sur la nature conservatrice du vivant exprimée par les pulsions. Elles seraient vouées à assurer le **retour du vivant vers le non-vivant,** et cela en suivant tous les détours que des influences externes déterminantes ont imposés à la substance vivante, au fil des générations et de l'expérience individuelle.

La conception même d'auto-conservation se trouve alors mise en cause : s'il est postulé que le but de l'ensemble de la vie pulsionnelle soit la mort, la contradiction avec l'idée même d'auto-conservation ne peut être résolue que par celle d'une pulsion « conservant le programme », pour ainsi dire, suivant sa propre voie vers la mort. *L'organisme ne veut mourir qu'à sa manière.* Il s'en déduit que *ces gardiens de la vie ont eux-mêmes été à l'origine des suppôts de la mort*[1]. Mais il ne peut en être ainsi, se reprend Freud. Les pulsions sexuelles ont un destin particulier, bien qu'elles conservent l'espèce. Les cellules germinales travaillent en opposition au mouvement vers la mort et obtiennent ce qui peut apparaître comme une immortalité potentielle. En ce sens, elles sont véritablement les pulsions de vie, encore que si elles conservent la vie de l'espèce, elles ne font peut-être que prolonger le chemin qui la mène à la mort. Elles s'opposent donc, conformément à la théorie des névroses, à l'ensemble des autres pulsions qui conduisent à la mort, au sens vu précédemment. **Cet ensemble répond à celui des « pulsions du moi ».** Notons d'une part que Freud considère sous cet angle les pulsions du moi comme des pulsions partielles qui assurent à l'organisme sa propre voie vers la mort et éloignent parmi les possibilités de retour à l'organique celles qui ne sont pas *immanentes* ; d'autre part il ajoute en 1925 que le terme « pulsions du moi » est une dénomination provisoire, même si elle semble s'être perpétuée[2].

1. *Ibidem,* p. 83, (*trabanten* traduit par suppôts signifie plutôt satellites) ; *OCF* XV, p. 308 ; *GW* XIII, p. 38.

2. *Ibidem,* p. 82-86 ; p. 310-313 ; p. 40-43.

Seul le groupe des pulsions du moi, qui poussent *(drängen)* vers la mort, mérite à proprement parler le qualificatif de conservateur – ou plutôt de régressif – correspondant à une contrainte de répétition. Celles-ci cherchent à rétablir l'état antérieur, inanimé ; elles se trouvent donc confirmées dans leur statut de suppôts de la mort et représentent une loi naturelle inexorable, l'*anankè*. Freud se demande d'ailleurs si cette hypothèse répandue n'est pas une illusion, une consolation, au sens où il vaudrait mieux subir le sort naturel et inexorable que d'être victime d'un accident que l'on aurait pu éviter[1].

Le moi est considéré comme le réservoir véritable et originaire de la libido et il doit partir de là pour s'étendre vers l'objet ; en retour, il reçoit la libido retirée aux objets. Cet **investissement narcissique du moi le place parmi les objets sexuels** où il est *reconnu comme prévalent*. La libido narcissique est donc aussi la manifestation de la force des pulsions sexuelles, ce qui *oblige à identifier celles-ci aux pulsions d'auto-conservation*. L'opposition entre pulsions du moi et pulsions sexuelles devient alors inadéquate puisqu'une partie des pulsions du moi se voit reconnaître une nature libidinale. Pour autant rien ne change à la théorie fondamentale des névroses de transfert : elles restent le résultat d'un conflit entre le moi et l'investissement libidinal d'objet. Freud pose alors cette question : si les pulsions d'auto-conservation sont de nature libidinale il n'y a peut-être pas d'autres pulsions que libidinales ? Du moins n'en existe-t-il pas qui soient visibles... répond-il, sans développer davantage, ce qui laisse penser que l'invisible se réfère aux pulsions de mort et à l'hypothèse antérieure, et apparemment récusée, selon laquelle les pulsions du moi seraient à l'origine des satellites de la mort. En effet, la *séparation tranchée*, d'abord retenue entre **pulsions du moi-pulsions de mort** d'un côté, et **pulsions sexuelles–pulsions de vie** de l'autre, a laissé place à une nouvelle opposition, plus tranchée encore, **entre pulsions de vie** et **pulsions de mort.** Nous laissons de côté ici le fait que ces précisions entrent dans la polémique avec Jung, Freud voulant montrer combien sa conception de la libido est décidément *dualiste*, à

1. *Ibidem*, p. 89-90 ; *OCF* XV, p. 315-316 ; *GW* XIII, p. 46.

l'opposé de la théorie jungienne. Pourtant, ainsi qu'il l'a déjà fait, il regrette que l'analyse du moi n'ait pas suffisamment progressé et ne puisse démontrer l'existence d'autres pulsions du moi, autres que celles qui ont un lien avec les pulsions sexuelles ou libidinales [1].

La question de la haine en opposition à l'amour, déjà étudiée, permet une nouvelle approche : comment déduire de l'Éros, qui conserve la vie, la pulsion sadique qui a pour but de nuire à l'objet ? Nous avons vu dans « Pulsions et destins des pulsions » que **la haine trouve sa source dans les pulsions de conservation du moi** ; en tant que relation à l'objet, elle est plus ancienne que l'amour et provient du refus originaire que le moi narcissique oppose au monde extérieur qui apporte des excitations. De plus, la régression au stade de l'organisation sadique-anale donne au but pulsionnel lui-même les caractères de la haine. Ce même problème est repris dans *Au-delà du principe de plaisir* où le sadisme est désigné comme **à proprement parler une pulsion de mort** [2], repoussée hors du moi par l'influence de la libido narcissique, il devient alors manifeste en se rapportant à l'objet. Ce serait là un exemple où peut-être mise en évidence une pulsion de mort, sous forme déplacée, qui semble être ici considérée comme une de ces pulsions du moi, si difficiles à observer. Pourtant, le problème du masochisme n'est pas évoqué à ce moment.

Cet ensemble d'idées nouvelles à propos des pulsions du moi et particulièrement des pulsions d'auto-conservation et de leur investissement par la libido narcissique – qui ne cherchent pas à abolir les conceptions précédentes – représente une avancée complexe, reconnue et ressaisie dans la note que nous avons citée plus haut dans l'historique.

La théorie des pulsions établie dans *Au-delà du principe de plaisir* est développée dans *Le moi et le ça* [3] où l'accent est particulièrement porté sur la pulsion de mort. Le caractère conservateur des pulsions, à nouveau affirmé, doit être nettement différencié de la fonction des

1. *Ibidem*, p. 99 ; p. 325 ; p. 56

2. *Ibidem*, p. 102-103 ; p. 327 ; p. 58.

3. *Le moi et le ça* (1923b), *Essais de psychanalyse*, Paris, Payot, 1981 ; *OCF* XVI ; *GW* XIII.

pulsions d'auto-conservation (à noter que le terme de « pulsions du moi » n'est pas repris ici) ; ceci nous rappelle la distinction, apparue dans le texte précédent, entre les pulsions d'auto-conservation investies de libido narcissique, et la part inconnue des pulsions du moi dont le rapport aux pulsions de mort restait indéterminé. Désormais, l'hypothèse retenue est celle d'une pulsion de mort qui a *pour tâche de ramener le vivant organique à l'état inanimé,* tandis que l'Éros poursuit le but de compliquer la vie *en rassemblant la substance vivante éclatée en particules, et naturellement, en plus, de la maintenir*. Les deux pulsions se comportent là, au sens le plus strict, de façon conservatrice, puisque la pulsion de mort n'a d'autre but que de rétablir un état qui a été perturbé par l'apparition de la vie. Elle serait la cause de la continuation de la vie et en même temps des tendances vers la mort. La vie elle-même serait un combat et un compromis entre ces deux tendances. À chaque espèce de pulsions serait attribué un processus physiologique particulier (construction et destruction, *Aufbau und Zerfall*). Dans chaque morceau de substance vivante les deux pulsions seraient actives, en un mélange inégal dans lequel une substance pourrait assumer la représentation principale de l'Éros.

Une impression d'imprécision ressort de ce texte, témoignant sans doute du refus d'en revenir à une conception qui ferait des pulsions du moi des satellites de la mort, mais introduit cependant la notion de mélange *(Mischung)* des pulsions. Après la séparation des pulsions, la manifestation vers l'extérieur de la pulsion de destruction, qui est une partie de la pulsion de mort, s'exerce notamment par le moyen de la musculature, ce qui relève, on peut le penser mais Freud ne le précise pas, des pulsions d'auto-conservation.

À nouveau, le problème *des relations des pulsions d'auto-conservation et d'agression* se trouve posé dans *Malaise dans la civilisation* (1929)[1] – avec plus qu'un malaise de la part de Freud qui avoue son sentiment de trop répéter des choses connues et allant de soi ; mais l'important est de pouvoir déterminer si **la reconnaissance d'une pulsion d'agression autonome** signifie une modification de la

1. *Malaise dans la civilisation* (1930a [1929]), Paris, PUF, 1971 ; *OCF* VIII ; *GW* XIV.

théorie des pulsions[1]. En fait, il reprend l'opposition de la faim et de l'amour qui, selon Ferdinand Schiller, assurent la cohésion des rouages du monde : la faim représente les pulsions qui visent à conserver l'être individuel, l'amour a pour fonction la conservation de l'espèce, les deux types pulsionnels entrant nécessairement en conflit. La pulsion sadique est prise à nouveau comme modèle de la complexité **d'une pulsion orientée vers l'objet mais dans un but dénué d'amour** ; elle se rattache aux pulsions du moi, notamment par sa proximité avec les pulsions d'emprise, sans visée libidinale. « On passa par-dessus cette discordance », remarque Freud, en rappelant la théorie non désavouée selon laquelle la névrose serait l'issue d'un combat entre les intérêts de l'auto-conservation et les exigences de la libido ; il rappelle alors que les changements théoriques ont été liés au progrès de la recherche, allant du refoulé au refoulant, des pulsions d'objet au moi[2].

L'introduction du narcissisme, c'est-à-dire de la compréhension du fait que le moi est investi de libido, ouvrait à la réflexion sur les névroses traumatiques, sur les psychoses et les états qui leur sont proches. Surtout, **les pulsions du moi étaient maintenant reconnues comme libidinales,** mais il persistait quelque chose, comme une certitude qui ne serait pas encore justifiée : **les pulsions ne peuvent pas être toutes de la même espèce.** Ainsi s'introduit l'idée de la pulsion de mort, à partir de la spéculation que nous avons suivie dans *Au-delà du principe de plaisir*. Freud ne reprend pas ici l'hypothèse initiale d'une communauté entre pulsions d'auto-conservation et pulsions de mort, elles sont en effet de nature différente. Il montre, à propos du sadisme, **le lien essentiel de la pulsion de destruction à l'Éros et aux satisfactions libidinales narcissiques,** notamment dans l'expression de la rage destructrice. Il relève aussi les relations entre les pulsions d'auto-conservation et la pulsion de mort lorsque celle-ci est modérée et domptée, *en quelque sorte inhibée quant au but,* relations qui permettent la satisfaction des besoins vitaux et la domination sur la nature.

1. *Ibidem,* p. 58 et suivantes ; p. 303 ; p. 476.
2. *Ibidem,* p. 60 ; p. 304 ; p. 477.

Les textes ultérieurs n'apportent pas de développements remarquables. Les *Nouvelles conférences d'introduction à la psychanalyse* offrent une nouvelle vue d'ensemble sur les pulsions du moi : elles « rassemblent tout ce qui a affaire avec la conservation, l'affirmation, l'agrandissement de la personne »[1].

L'*Abrégé de psychanalyse*[2] fait entrer dans le cadre des pulsions de vie aussi bien les pulsions opposées l'une à l'autre de conservation de soi et de conservation de l'espèce, que l'opposition entre amour du moi et amour d'objet.

QUESTIONS ET ENJEUX

La question essentielle porte sur le rapport entre l'agression et le groupe des pulsions du moi, comportant les pulsions d'auto-conservation. Il faut remarquer que la position de Freud à cet égard a été constante au travers des variations portant sur la conception des pulsions. Une de ces avancées eut lieu dans la controverse avec Alfred Adler qui proposait l'idée d'une *pulsion d'agression autonome*. Freud avait lui-même affirmé antérieurement que la pulsion comportait une part d'agressivité. Il reprend une idée de cet ordre dans l'analyse du « petit Hans ». Il rend alors en apparence hommage à l'ouvrage d'Adler portant sur l'instinct d'agression *(Aggressionsbetrieb)*[3], et pourtant il n'a « jamais pu acquiescer à cette manière de voir » qu'il considère comme une généralisation trompeuse. « Je ne puis me résoudre à admettre une pulsion spéciale d'agression à côté des pulsions déjà connues de conservation et sexuelles ». Il ajoute une note en 1923, où il distingue la pulsion de destruction ou de mort de la pulsion d'agression d'Adler. Cette dernière « confisque une caractéristique générale des pulsions en faveur d'une seule ». Il condamne ici, comme en toute occasion, une théorie moniste de la pulsion. Il précise, en 1909, qu'il

1. *Nouvelles conférences d'introduction à la psychanalyse* (1933a [1932]), Paris, Gallimard, 1984, p. 130 ; *OCF* XIX, p. 178 ; *GW* XV, p. 102.

2. *Abrégé de psychanalyse* (1940a [1938]), Paris, PUF, 1967, p. 10 ; *OCF* XX, p. 239 ; *GW* XVII, p. 72.

3. A. Adler, *Der Aggressionsbetrieb im leben und in der Neurose* (1908).

s'en tient à la conception « qui laisse à chaque pulsion sa propre faculté à devenir agressive »[1]. Le mélange des deux pulsions de destruction et de vie dont il affirmera constamment la nécessité était déjà virtuellement établi. En tout cas, le caractère agressif, impulsif, était conçu comme un attribut universel et indispensable de toute pulsion, conditionnant la capacité à mettre la motricité en branle.

Cependant, la problématique de l'agression inhérente aux pulsions d'auto-conservation n'est pas véritablement établie. Elle paraît aller de soi, notamment pour ce qui concerne la faim, le besoin de mordre ou déchirer pour dévorer qui constituent le modèle même de la pulsion d'auto-conservation opposée à l'amour qui caractérise la pulsion sexuelle. Pourtant, c'est précisément la question de la haine qui va condenser les oppositions pulsionnelles et les tentatives de séparer les deux modèles initiaux et plus tard le groupe des pulsions de vie et des pulsions de mort. La difficulté est grande en raison de la conception de l'étayage des pulsions sexuelles sur les pulsions d'auto-conservation, ce qui semble un *a priori* indiscutable. Pourtant, le plaisir éprouvé autour de la zone érogène que constituent les lèvres dans « la première et la plus vitale des activités de l'enfant : la tétée du sein maternel »[2], peut difficilement être considéré comme un plaisir non sexuel. Freud le fait pourtant en admettant que l'érogénéité de la zone n'interviendrait que secondairement, par la recherche d'un plaisir *déjà vécu et remémoré*. Faut-il admettre que la première fois, pour ce qui concerne le plaisir sexuel, serait nécessairement la seconde ? Pour cela, il faut rattacher à celle-ci la période d'attente, qui comprend la satisfaction hallucinatoire. Seule la première fois comporterait le plaisir attaché à satisfaction de la pulsion d'auto-conservation, c'est-à-dire la satisfaction du besoin, et dès lors la sensation voluptueuse apparaîtrait « par étayage sur *une des fonctions vitales* du corps », à un moment où elle ne connaît encore aucun objet sexuel. À partir de là elle devient autoérotique et son but sexuel est alors sous la domination d'une zone érogène[3].

1. « Analyse de la phobie d'un garçon de cinq ans », *Cinq psychanalyses*, Paris, PUF, 1954, p. 192-193 ; *OCF* IX, p. 123 ; *GW* VII, p. 371-372.

2. *Trois essais sur la théorie sexuelle* (1905d), Paris, Gallimard, 1987, p. 105 ; *OCF* VI, p. 117 ; *GW* V, p. 82.

3. *Ibidem*, p. 104 et suivantes ; p. 116 et suivantes ; p. 81 et suivantes.

L'introduction du narcissisme permet d'avancer dans la conception du plaisir et de la relation avec la libido, car il est « le complément libidinal à l'égoïsme des pulsions d'auto-conservation ». Freud ne développe pas ce qu'il entend par « égoïsme », mais on peut le déduire de la genèse de *la haine dont les prototypes proviennent de la lutte du moi pour sa conservation et son affirmation*[1]. En effet, le moi originaire, qui est sans doute égoïste et non investi de libido, « poursuit avec l'intention de les détruire tous les objets qui sont pour lui source de sensations de déplaisir », et à l'origine, ils le sont tous, jusqu'à ce que l'amour amène à incorporer ou dévorer l'objet, dans un acte d'amour et de haine, d'ambivalence. Il sera précisé que le moi « prend en lui, dans la mesure où ils sont sources de plaisir, les objets qui se présentent », il les introjecte, et d'autre part il expulse hors de lui tout ce qui provoque du déplaisir.

L'*indifférence* est aussi une caractéristique du moi égoïste et de ses pulsions d'auto-conservation. C'est selon Freud un cas spécial de la haine : « L'extérieur, l'objet, le haï seraient tout au début, *identiques*. » Au moment où l'objet est aimé, en tant que source de plaisir reconnue, il est incorporé au moi, si bien que le monde extérieur, l'objet, coïncident à nouveau avec l'étranger et le haï. On le voit, la capacité libidinale du moi, son investissement par la libido narcissique, commence par la discrimination de l'objet introjectable dans un monde jusque-là indifférent, c'est-à-dire aussi indifférencié. Il le redevient d'ailleurs aussitôt car l'objet aimé devient identique au moi qui l'introjecte, le reste retombant dans l'indifférence ou la haine[2]. Les mêmes éléments, repris dans « La négation » (1925), montrent que « le langage des motions pulsionnelles les plus anciennes, les motions orales » exprime les décisions du jugement : une chose est-elle bonne, à introjecter, ou mauvaise, à rejeter, à cracher – ce qui amène à rattacher la négation, successeur de l'expulsion, à la pulsion de destruction[3].

Nous ne développerons pas ici la *question de l'analité et de ses rapports avec le sadisme et le masochisme* car il est difficile de distinguer ce qui relève, dans ce cas, d'une pulsion agressive et destructrice auto-

1. « Pulsions et destins des pulsions » (1915c), *Métapsychologie*, Paris, Gallimard, 1968, p. 41 ; *OCF* XIII, p. 185 ; *GW* XII, p. 230.

2. *Ibidem*, p. 38-39.

3. « La négation » (1925h), *Résultats, idées, problèmes, II*, Paris, PUF, 1985, p. 137-139 ; *OCF* XVII, p. 169-171 ; *GW* XIV, p. 13-15.

conservatrice ou d'un mouvement libidinal. En fait, auto-conservation et investissement libidinal paraissent ici généralement liés, mais les problèmes du masochisme et du sadisme originaires, dans leur rapport avec la pulsion de destruction, restent obscurs. On peut toutefois retenir au titre de l'auto-conservation la nécessité de l'expulsion, de l'évacuation, sans doute originaires sans que le caractère pulsionnel en soit d'emblée établi.

On peut donc considérer que le modèle des pulsions d'auto-conservation reste la pulsion orale et ses fonctions d'incorporation, d'introjection et finalement d'identification. Nous pouvons reprendre la métaphore du sein que propose Freud en exemple de l'opposition de l'être et l'avoir[1] : « Modèle : sein. Le sein est un morceau de moi, je suis le sein. Plus tard seulement : je l'ai, c'est-à-dire je ne le suis pas… » De cette façon très condensée, nous voyons comment l'objet est d'abord partie de l'être, incorporé ou plutôt indistinct du corps qui l'a fait sien, et qu'il ne devient objet que par l'effet d'une perte douloureuse qui, comme nous l'avons vu, suscite la haine et le désir d'introjecter.

Pierre CHAUVEL

PULSIONS SEXUELLES (avant Éros) et LIBIDO PULSIONNELLE

all. : ***Sexualtrieb.*** – angl. : *sexual drive.* – esp. : *instinto sexual.* – ital. : *pulsione sessual.* – port. : *instinto sexual*

Spécifiées par leur énergie propre, la *libido,* les pulsions sexuelles suivent une évolution : d'abord pulsions partielles autoérotiques de sources organiques, elles ont des objets correspondants qu'elles utilisent pour tenter d'atteindre leur but : le plaisir d'organe ; elles coexistent et finissent par se regrouper à la puberté dans la pulsion sexuelle totale, les zones érogènes se plaçant sous le primat de la zone génitale, pour finir à l'âge adulte par se mettre aussi au service de la reproduction. Les pulsions sexuelles furent les premières pulsions à

1. « Résultats, idées, problèmes » (1941f [juin 1938]), *Résultats, idées, problèmes, II*, Paris, PUF, 1984, p. 286 ; *OCF* XX, p. 44-45 ; *GW* XVII, p. 151.

« entrer » en psychanalyse ; elles se situent en opposition complémentaire aux pulsions d'auto-conservation (ou « du moi ») sur lesquelles elles s'étayent ; celles-ci, comme celles qui relèvent du narcissisme, se révélèrent ensuite être elles-mêmes libidinales. Dans un dernier temps, s'étendant très largement, la pulsion sexuelle devient l'« Éros » opposé à la pulsion de mort ; même alors, les pulsions sexuelles gardent leur spécificité en tant que part d'Éros tournée vers l'objet. Il y a ainsi *des* pulsions sexuelles, toutes portées par une énergie unique, qui leur est propre : la libido. Dans les réaménagements successifs de la théorie des pulsions, dont le postulat fondamental est l'opposition complémentaire entre deux pulsions, la pulsion sexuelle représente l'élément constant, la désignation qui a survécu à toutes les révisions.

MISE EN SITUATION

Lorsque « la pulsion sexuelle se transforme en Éros »[1] *elle ne disparaît évidemment pas mais, assurément, elle « se transforme », et d'abord dans sa situation et sa signification théorique. C'est ce qui nous a conduit à réserver une entrée propre à ce que l'on pourrait appeler « la pulsion sexuelle proprement dite », désignant ainsi celle qui s'explicite à partir de 1905 et saura perdurer au travers des développements de la théorie ; elle est le représentant constant d'une opposition pulsionnelle fondamentale toujours maintenue. Elle se trouve au centre d'un complexe de notions nombreuses, se renvoyant et s'éclairant (voire, à l'occasion, s'obscurcissant) les unes les autres avec, au premier rang d'entre elles, son quasi-synonyme, la* libido *(latinisme désignant le « désir amoureux ») qui fut introduite plus de dix ans plus tôt comme « quantum de libido » avant de devenir « libido des pulsions ».*

En soi, le terme de pulsions sexuelles *ne pose guère de problèmes, si ce n'est celui, régulièrement rappelé par Freud, provoqué par ses rapports étroits avec le principe de plaisir, et donc avec le désir (d'où l'implication libidinale) – avec, pour corollaire que, pas plus que la pulsion qui*

1. *Au-delà du principe de plaisir* (1920g), *Essais de psychanalyse,* Paris, Payot, 1981, p. 110 n. 16 ; *OCF* XV, p. 335 n. 1 ; *GW* XIII, p. 66 n. 1.

l'anime, la sexualité ne saurait être réduite à la fonction de reproduction. Les pulsions sexuelles, dites « partielles » tant qu'elles ne sont pas regroupées et unifiées, tiennent leur unité fondamentale de l'énergie unique qui les sous-tend : la libido, justement – même si elles ne sauraient se réduire à celle-ci. « À chaque manifestation pulsionnelle participe de la libido, mais en elle tout n'est pas libido », « l'autre chose » ainsi impliquée ouvrant bien des questions[1]*. Ceci explique que, tout en réservant une entrée propre à la seule « libido », nous ne pouvions traiter des « pulsions sexuelles (avant l'Éros) » sans en lier l'étude à leur libido.*

Au fil de l'œuvre et des remaniements théoriques, la pulsion sexuelle étend son champ, s'appropriant d'abord les pulsions de conservation du moi puis, très vite, les pulsions narcissiques, avant que la spéculation conduise à la fondre dans l'une des deux grandes pulsions fondamentales originelles : l'Éros comme aspiration unitaire de la vie. Avant d'en arriver là avec Au-delà du principe de plaisir *en 1920, trois grands textes fondent ce que l'on doit considérer comme la théorie des pulsions sexuelles (même si Freud regrette régulièrement de ne pas disposer d'une théorie des pulsions) :* Trois essais sur la théorie sexuelle *en 1905, « Pour introduire le narcissisme » en 1914, « Pulsions et destins des pulsions » en 1915 ; les* Conférences d'introduction à la psychanalyse *en font ensuite une recension.*

LE TEXTE FREUDIEN

Alors que Freud mentionne la *libido* dès 1894 dans ses *Lettres à Fliess,* il attendra plus de dix ans pour concevoir le concept de *pulsions,* qui seront d'ailleurs référées d'emblée à la sexualité. Si l'on peut considérer que la notion de *pulsion sexuelle* est implicite dès les travaux pré-analytiques[2], elle n'est explicitée qu'en 1905 – dans le

1. *Malaise dans la civilisation* (1930a [1929]), Paris, PUF, 1971, p. 76, n. 2 ; *OCF* XVIII, p. 307, n. 2 ; *GW* XIV, p. 480, n. 2.

2. Par exemple, dans « Qu'il est justifié de séparer de la neurasthénie un certain complexe symptomatique sous le nom de "névrose d'angoisse" » (1895b), *Névrose, psychose et perversion,* Paris, PUF, 1973, p. 31 ; *OCF* III, p. 50 ; *GW* I, p. 334.

même mouvement qui introduit le terme de « pulsions ». Elle l'est même dès la première phrase des *Trois essais sur la théorie sexuelle* : « Le fait de besoins sexuels chez l'homme et chez l'animal se traduit, en biologie, par l'hypothèse d'une “pulsion sexuelle”. » D'emblée est posée **l'analogie avec la pulsion d'alimentation : la faim** ; mais il manque un terme au langage populaire qui pourrait correspondre à celle-ci – « la science use en ce cas de celui de *“libido”* » [1]. On ne peut qu'être sensible aux références tant à la biologie qu'à la première pulsion du moi.

L'étude de **la sexualité infantile doit permettre de dévoiler les traits et le développement de la pulsion sexuelle,** à partir de ses différentes sources[2]. En un premier temps, elle est *autoérotique,* provenant de zones érogènes et de pulsions isolées qui, chacune pour son compte, recherchent un certain plaisir. Cela se poursuit tout au long de la période dite de *latence* pendant laquelle les organes génitaux préparent leur développement pour parvenir au moment où ils peuvent émettre les produits sexuels : c'est le temps de la *puberté.* Avec son avènement, un nouveau but sexuel se fait jour, à la réalisation duquel collaborent toutes les pulsions partielles, les zones érogènes se plaçant sous le primat de la zone génitale, jusqu'à **se constituer comme pulsion sexuelle adulte et trouver *l'objet sexuel*** ; le nouveau but sexuel attribuant des fonctions différentes aux deux sexes, leurs développements divergeront. La pulsion sexuelle se met alors au service de la fonction de reproduction ; pour ce faire, il faut que les prédispositions originelles et les particularités des pulsions partielles soient prises en compte[3]. Celles-ci furent satisfaites, dans la petite enfance, par les soins de la mère (ou de son substitut) qui embrasse, berce, soigne des zones qui sont de fait érogènes, même si la mère l'ignore ; c'est là, pour l'enfant, une source continuelle de satisfaction et d'excitation sexuelle – d'autant qu'elle lui « fait don de sentiments issus de sa

1. *Trois essais sur la théorie sexuelle* (1905d), Paris, Gallimard, 1987, p. 37 ; *OCF* VI, p. 67 ; *GW* V, p. 33 (Freud emploie ici le terme germanique de *Geschlechtstrieb*).

2. *Ibidem,* p. 93 ; p. 107 ; p. 73.

3. *Ibidem,* p. 143-145 ; p. 145-147 ; p. 108-110.

propre vie sexuelle, et le prend tout à fait clairement comme substitut d'un objet sexuel à part entière ». À son insu, **ses marques de tendresse éveillent la pulsion sexuelle de l'enfant,** déterminant son intensité future[1]. La fréquence des penchants pervers impose l'idée que, dans l'espèce humaine, « la prédisposition aux perversions est la prédisposition originelle et universelle de la pulsion sexuelle, à partir de laquelle le comportement sexuel normal s'est développé lors de la maturation sous l'effet de modifications organiques et d'inhibitions psychiques »[2].

Donc, **c'est l'assemblage des pulsions partielles qui constitue la pulsion sexuelle.** Elle est plus puissante chez l'homme que chez les animaux supérieurs – en tout cas plus constante, devenue permanente en ayant triomphé de la périodicité. Elle peut aussi déplacer son but sans perdre en intensité, mettant ainsi une grande quantité de forces au service du travail culturel : on appelle *sublimation* cette capacité d'échanger le but, à l'origine sexuel, contre un autre qui ne l'est plus mais lui demeure psychiquement apparenté ; en revanche, il arrive aussi qu'une fixation tenace la fasse dégénérer en « anomalies sexuelles ». Sa force originaire varie suivant les individus, cette part innée décidant pour chacun de son aptitude à sublimer ; néanmoins, une certaine dose de satisfaction sexuelle directe paraît indispensable, au risque de la névrose[3]. Cette longue phase d'autoérotisme, jointe à la période de latence, suspend le développement psychique de la pulsion sexuelle, faisant perdurer la domination du principe de plaisir à laquelle beaucoup de personnes ne peuvent jamais se soustraire. Une conséquence de tout ceci est qu'à peu près chez tous les sujets, mais sur un mode secondaire, apparaît une **relation étroite entre pulsion sexuelle et fantasme d'une part, pulsions du moi et conscience d'autre part**[4].

1. *Ibidem,* p. 166 ; p. 161 ; p. 124.

2. *Ibidem,* p. 179 ; p. 169 ; p. 132.

3. « La morale sexuelle "civilisée" et la maladie nerveuse des temps modernes » (1908d), *La vie sexuelle,* Paris, PUF, 1969, p. 33-34 ; *OCF* VIII, p. 203-204 ; *GW* VII, p. 150-151.

4. « Formulations sur les deux principes du cours des événements psychiques » (1911b), *Résultats, idées, problèmes, I,* Paris, PUF, 1984, p. 139 ; *OCF* XI, p. 17 ; *GW* VIII, p. 234-235.

Lorsque les pulsions sexuelles trouvent leurs premiers objets en étayage sur les pulsions du moi, elles le font sur le même modèle que les premières satisfactions sexuelles en étayage sur les fonctions corporelles d'auto-conservation ; en outre, la « tendresse » parentale trahit son caractère : « l'enfant est un jouet érotique ». Tout ceci augmente beaucoup les apports libidinaux aux investissements infantiles des pulsions du moi, ce qui sera déterminant dans le développement ultérieur [1]. Pourtant, et « aussi étrange que cela paraisse, il semble que **quelque chose dans la nature même de la pulsion sexuelle n'est pas favorable à la réalisation de la pleine satisfaction** ». Cela tient d'abord à l'instauration en deux temps du choix d'objet avec, entre eux, celle de la barrière de l'inceste : « L'objet final de la pulsion sexuelle n'est plus l'objet originaire, mais seulement son substitut », fatalement insatisfaisant. De plus, la pulsion sexuelle émane d'une grande série de composantes qui ne pourront toutes être intégrées dans sa configuration ultime et devront, avant de l'atteindre, être réprimées ou utilisées autrement ; ainsi en est-il, avant tout, pour les composantes pulsionnelles coprophiliques et sadiques. Mais, en dépit de l'éducation et de la culture, « les processus fondamentaux qui procurent l'excitation amoureuse demeurent inchangés » ; l'excrémentiel demeure inséparablement lié au sexuel, et d'abord en raison de la situation des organes génitaux. « L'amour, dans son fond, est aujourd'hui tout aussi animal qu'il l'a toujours été. Les pulsions amoureuses sont difficilement éducables, leur éducation aboutit tantôt à trop, tantôt à trop peu. » [2]

Il apparaît alors nécessaire d'**intercaler un troisième stade** entre celui de l'*autoérotisme* et celui du *choix d'objet* ou, à tout le moins, de décomposer le premier. Dans ce stade intermédiaire, les pulsions sexuelles isolées de l'enfant se sont réunies et ont trouvé un objet qui n'est pas un objet externe : « C'est son propre moi, qui est constitué à peu près à ce moment-là. » La clinique conduit à **le désigner comme *stade du narcissisme*** : « la personne se comporte comme si elle était amoureuse d'elle-même » – en ces temps, il n'est pas encore possible

1. « Sur le plus général des rabaissements de la vie amoureuse » (Contribution à la psychologie de la vie amoureuse, II) (1912d), *La vie sexuelle*, Paris, PUF, 1969, p. 57 ; *OCF* XI, p. 131 ; *GW* VIII, p. 80.

2. *Ibidem*, p. 64-65 ; p. 139-140 ; p. 89-90.

de séparer les pulsions du moi et les désirs libidinaux. On peut pressentir que cette organisation narcissique ne sera jamais totalement abandonnée, même lorsque la libido aura trouvé des objets externes ; les investissements d'objets sont « des émanations de la libido qui reste attachée au moi, et ils peuvent de nouveau être réintégrés en elle »[1].

La reconnaissance du narcissisme, dont l'importance s'affirme de plus en plus, se trouve largement reprise dans les travaux suivants[2], jusqu'à l'article-clé de **1914** : « Pour introduire le narcissisme », qui conduit à repenser les pulsions et, ce faisant, à compléter le modèle du fonctionnement psychique lui-même. Il convient, dorénavant, de nous représenter un **investissement libidinal originaire du moi,** dont une partie sera ensuite cédée aux objets mais, fondamentalement, l'investissement du moi persiste. L'étude des symptômes névrotiques ne nous dévoile pas immédiatement la part de libido ainsi cachée, mais seulement ses émanations sous la forme d'investissements d'objet pouvant être émis puis retirés. Il y a comme une « **opposition entre la libido du moi et la libido d'objet** : plus l'une absorbe, plus l'autre s'appauvrit » ; ainsi, dans la passion amoureuse, la personnalité est dessaisie au profit de l'objet. Dans le narcissisme, les différentes énergies psychiques se trouvent réunies, indiscernables, et **seul l'investissement d'objet permet de distinguer une énergie sexuelle, la libido, d'une énergie des pulsions du moi** ; ce qui nécessite quelques précisions. Aux tout débuts de l'individu, il n'existe pas encore de moi et celui-ci doit se développer. En revanche, les pulsions autoérotiques existent dès l'origine : « Quelque chose, une nouvelle action psychique, doit donc venir s'ajouter à l'autoérotisme pour donner forme au narcissisme. » Plus difficile est de se prononcer sur la question de savoir pourquoi l'attribution au moi d'un investissement primaire de libido ne nous dispense pas de distinguer entre une libido sexuelle et une énergie non sexuelle des pulsions du moi ? Certes, « des repré-

1. *Totem et tabou* (1912-1913a), Paris, Gallimard, 1993, p. 208-209 ; *OCF* XI, p. 298-299 ; *GW* IX, p. 109-110.

2. « La disposition à la névrose obsessionnelle. Une contribution au problème du choix de la névrose » (1913f), *Névrose, psychose et perversion,* Paris, PUF, 1973, p. 193 ; *OCF* XII, p. 89 ; *GW* VIII, p. 446.

sentations telles que celle d'une libido du moi, d'une énergie des pulsions du moi, etc., ne sont ni particulièrement claires à saisir, ni suffisamment riches en contenu » ; elle découlent de l'hypothèse séparant les pulsions sexuelles des pulsions du moi, qui s'est trouvée justifiée par l'analyse des névroses de transfert, d'autant que toutes les autres explications ont radicalement échoué. Il faut pourtant reconnaître que « **l'hypothèse de pulsions du moi et de pulsions sexuelles séparées, et donc la théorie de la libido, repose pour une très petite part sur un fondement psychologique et s'appuie essentiellement sur la biologie** » [1].

Les premières satisfactions sexuelles autoérotiques sont associées à l'exercice de fonctions d'auto-conservation de l'individu, **les pulsions sexuelles s'étayent sur la satisfaction des pulsions du moi** – étayage dont témoigne le fait que les personnes qui nourrissent, soignent et protègent (la mère et son substitut), deviennent les premiers objets sexuels. Mais, « à côté de ce type et de cette source de choix d'objet, que l'on peut nommer *type par étayage* », nous avons trouvé « des personnes qui ne choisissent pas leur objet d'amour ultérieur sur le modèle de la mère, mais bien sur celui de leur propre personne ; de toute évidence, ils se cherchent eux-mêmes comme objet d'amour, en présentant le type de choix d'objet qu'on peut nommer *narcissique* ». Pour autant, nous ne pouvons opposer rigoureusement deux groupes selon leur type de choix d'objet (par étayage ou narcissique). Nous devons penser que, pour chacun, les deux voies menant au choix d'objet sont ouvertes, si bien que « l'être humain a deux objets sexuels originaires : lui-même et la femme qui lui donne ses soins ; en cela **nous présupposons le narcissisme primaire de tout être humain,** narcissisme qui peut éventuellement venir s'exprimer de façon dominante dans son choix d'objet » [2].

Dans « Pulsions et destins des pulsions » en 1915, après avoir constaté que, s'étant développée à partir de l'étude des psychonévroses, la psychanalyse n'a pu jusqu'à présent « apporter de

1. « Pour introduire le narcissisme » (1914c), *La vie sexuelle,* Paris, PUF, 1969, p. 83-86 ; *OCF* XII, p. 219-223 ; *GW* X, p. 140-144.

2. *Ibidem,* p. 93-94 ; p. 231 ; p. 153-154.

renseignements relativement satisfaisants que sur les pulsions sexuelles », Freud émet l'espoir prudent qu'en s'étendant aux autres psychonévroses elle pourra améliorer sa connaissance des pulsions du moi. Pour ce qui est des pulsions sexuelles, nous savons maintenant qu'elles sont « **nombreuses, issues de sources organiques multiples, qu'elles se manifestent d'abord indépendamment les unes des autres et ne sont rassemblées en une synthèse plus ou moins complète que tardivement** ». Cet essai reprend alors ce que l'on sait de leur développement, partant de l'autoérotisme et du plaisir d'organe pour aboutir à la fonction de reproduction et la pulsion sexuelle adulte, depuis l'étayage sur les pulsions d'auto-conservation jusqu'à la découverte de l'objet, une part de narcissisme étant toujours maintenue. Elles sont remarquables par leur capacité à se remplacer l'une l'autre, d'échanger facilement leurs objets – ce qui leur permet de mener des actions éloignés des buts originaires : c'est la *sublimation*[1].

Après avoir rappelé les acquis récents sur le narcissisme, Freud précise (en note) que **les pulsions sexuelles qui exigent d'emblée un objet, comme les besoins propres aux pulsions du moi qui ne peuvent jamais se satisfaire de façon autoérotique, troublent l'état narcissique et préparent la progression** : « De fait, l'état originaire narcissique ne pourrait connaître ce développement si chaque être individuel ne passait par une période de *détresse* et de *soins* pendant laquelle ses besoins pressants sont satisfaits par l'intervention de l'extérieur et ainsi préservés de tout développement. »[2] L'amour est narcissique à l'origine, avant de s'étendre aux objets incorporés au moi, sources de plaisir, jusqu'à coïncider avec la tendance sexuelle totale ; ses stades préliminaires correspondent à des buts sexuels provisoires, pendant que les pulsions sexuelles achèvent leur développement. Le premier but consiste à incorporer en dévorant, et ce type d'amour doit être qualifié d'ambivalent ; avec l'organisation sadique-anale domine la tendance à l'emprise de l'objet sans souci de l'endommager ou le détruire, amour

1. « Pulsions et destins des pulsions » (1915c), *Métapsychologie,* Paris, Gallimard, 1968, p. 24-25 ; *OCF* XIII (2e éd.), p. 173 ; *GW* X, p. 218-219.

2. *Ibidem,* p. 37 ; p. 181-182 ; p. 227.

qui se distingue peu de la haine ; seule l'organisation génitale fera de l'amour l'opposé de la haine. En résumé, on peut dire que **les pulsions sexuelles sont soumises aux trois grandes polarités dominant la vie psychique** : la polarité biologique se manifestant par l'activité-passivité, la polarité réelle par les rapports moi-monde extérieur, la polarité économique par les jeux entre plaisir-déplaisir [1].

Les écrits suivants se bornent à répéter et confirmer tout ceci, insistant encore sur l'extrême importance des pulsions sexuelles et de leur énergie, la *libido*, « facteur de loin le plus important pour la compréhension des affections névrotiques, les névroses étant pour ainsi dire les affections spécifiques de la fonction sexuelle ». L'individu progresse du narcissisme à l'amour d'objet, la libido du moi persistant néanmoins, si bien que « **le moi est un grand réservoir d'où se déverse la libido destinée aux objets et vers lequel elle reflue à partir des objets** » [2].

Le bilan est fait dans ce grand ouvrage récapitulatif de 1916-1917 que sont les *Conférences d'introduction à la psychanalyse*, n'apportant guère de nouveautés sur les pulsions sexuelles et la libido, comme si là-dessus la somme du savoir pouvait être close ; il n'en constitue pas moins une référence indispensable, de par sa vocation didactique même. Freud n'y cesse de s'étonner de l'importance déterminante, vitale, des premiers mouvements pulsionnels (téter le sein de la mère), conduisant l'amour depuis les grands besoins organiques jusqu'à la pulsion génitale adulte « normale », suivant une évolution très complexe, marquée de phases successives [3]. De temps en temps est souligné un point de vue resté jusque-là discret comme, par exemple, l'indication que les développements du moi et de la libido sont « l'effet des héritages, des répétitions abrégées du développement que l'humanité a dans son ensemble parcouru depuis ses temps originaires ». On doit aussi prendre en compte « l'influence de la nécessité, cette grande préceptrice » qui contraint pulsions sexuelles et pulsions du moi à

1. *Ibidem*, p. 42 et 44 ; p. 185 et 187 ; p. 231 et 232.

2. « Une difficulté de la psychanalyse » (1917a), *L'inquiétante étrangeté et autres essais*, Paris, Gallimard, 1985, p. 180 ; *OCF* XV, p. 45 ; *GW* XII, p. 5-6.

3. *Conférences d'introduction à la psychanalyse* (1916-1917), Paris, Gallimard, 1999, p. 398-399 et 417-418 ; *OCF* XIV, p. 324 et 339-340 ; *GW* XI, p. 324-325 et 340-341.

remplacer le principe de plaisir par une forme modifiée tenant compte de la réalité, aboutissant à ce que l'évitement du déplaisir en vient à être placé presque sur le même plan que le gain de plaisir[1]. Pour se résumer, Freud illustre les rapports entre libido du moi et libido d'objet par une image qu'il affectionne : il compare la projection de libido sur les objets aux prolongements protoplasmiques qu'étendent vers l'extérieur certains êtres vivants très simples (amiboïdes), tandis que le principal de la libido reste dans le moi. Ainsi, « **la libido du moi peut être sans encombre transposée en libido d'objet, et celle-ci être à son tour accueillie dans le moi** ». « La libido reste libido, qu'elle soit tournée vers des objets ou vers le moi propre » ; mais il faut convenir que cette affirmation, qui correspond à la séparation entre pulsions sexuelles et pulsions du moi, ne découle pas directement de l'expérience analytique – elle doit pourtant « être maintenue pour des raisons heuristiques (jusqu'à son échec éventuel) »[2].

Serait-ce un échec de cette permanence de la libido dont cherche à rendre compte le recours à la pulsion de mort ? Sans doute pas, puisque l'énergie de celle-ci demeure énigmatique[3] (il n'y a pas de « *destrudo* »). Il n'en demeure pas moins que le changement qui se met en place en 1920 va au-delà de la remise en question de l'omnipotence du principe de plaisir ; elle représente plus que l'apparition d'une nouvelle pulsion. **C'est le statut même des pulsions sexuelles qui se trouve modifié, même si elles sont maintenues en tant que telles, même si leur nouveau statut peine à se trouver.** « La libido de nos pulsions sexuelles coïnciderait avec l'Éros des poètes et des philosophes qui maintient la cohésion de tout ce qui vit. » Il nous faut « reconnaître la pulsion sexuelle comme étant l'Éros qui conserve tout et fait dériver la libido narcissique du moi des apports de libido au moyen desquels les cellules du soma adhèrent les unes aux autres »[4]. Il est certain que, dès

1. *Ibidem*, p. 449 et 452 ; p. 366-367 et 369 ; p. 367 et 370.

2. *Ibidem*, p. 528 et 533 ; p. 431 et 435 ; p. 431 et 435-436.

3. *Malaise dans la civilisation* (1930a [1929]), Paris, PUF, 1971, p. 76 ; *OCF* XVIII, p. 307 ; *GW* XIV, p. 480.

4. *Au-delà du principe de plaisir* (1920g), *Essais de psychanalyse*, Paris, Payot, 1981, p. 98 et 100 ; *OCF* XV, p. 324 et 326 ; *GW* XIII, p. 54 et 56.

lors, le but de la pulsion sexuelle ne se limite plus à l'obtention du plaisir ; on avait pu penser un moment que les pulsions sexuelles s'appropriaient les pulsions d'auto-conservation, mais on a maintenant l'impression que ce sont celles-ci qui les accaparent : même s'il peut aussi viser le plaisir, le but est d'abord de maintenir uni le soma. De surcroît, avec « la pulsion sexuelle qui se transforme en Éros », il faut « admettre que cet Éros est à l'œuvre dès le début de la vie », avant même, sans doute, que n'apparaisse l'autoérotisme des pulsions partielles ; toute l'évolution des pulsions sexuelles qui s'ensuit, si longuement décrite, n'est plus, dans l'évolution de la vie, qu'un moment secondaire, aussi important soit-il[1]. Certes, « ce qu'on appelle communément pulsions sexuelles » demeure, mais elles ne sont plus que « cette part d'Éros qui est tournée vers l'objet » – ce qui est certes encore beaucoup, mais relève d'un autre statut.

C'est là pourquoi il nous a semblé nécessaire, dans ce dictionnaire, de bien distinguer deux entrées : l'une pour les pulsions sexuelles, l'autre pour Éros.

QUESTIONS ET ENJEUX

Puisque nous venons, dans la dernière section de notre compte rendu du *texte freudien*, d'évoquer la grande question que soulève la *transformation de la pulsion sexuelle en Éros*, autant commencer par là notre discussion de ce qui est ici engagé. Nous avons constaté que, bien plus que d'un aménagement, il s'agissait là d'un changement de statut de la pulsion sexuelle. Celle-ci, dans sa forme complète, était l'aboutissement d'une lente évolution des pulsions partielles qui, d'une certaine façon, ne devenaient qu'après coup « sexuelles » au sens psychique du terme, une fois opéré leur regroupement pour constituer la nouvelle unité globalisante. Jusque-là, le plaisir se réduit au plaisir d'organe, suscitant un besoin et non pas un désir ; c'est bien pourquoi le moteur de la première des pulsions partielles, donnée comme modèle à la libido, est la faim qui,

1. *Ibidem*, p. 110, n. 16 ; p. 335, n. 1 ; p. 66, n. 1.

pour satisfaire son avidité, détruit l'objet – sans que, pour autant, soit évoquée une pulsion de destruction qui là, effectivement, n'a pas lieu d'être. Dans le parcours qui mène du besoin au désir, du biologique au psychique, se forme la pulsion sexuelle et, avec elle, la sexualité – tout au moins la sexualité humaine – et il ne serait pas faux de dire que celle-ci est un aboutissement. Tout au contraire, dans une opposition point par point au premier état de la pulsion sexuelle, Éros est l'originel, antérieur à tout mouvement biologique et psychique puisqu'il lui appartient de les fonder et de les perpétuer; il est d'emblée toute la pulsion, les formes partielles ne survenant qu'ensuite dans une longue succession d'aménagements pour aboutir enfin à « notre » pulsion sexuelle, telle que nous en traitons le plus souvent. Mais – et nous percevons là toute l'audace de la pensée freudienne – la pulsion sexuelle ne devient pas caduque pour autant. Lorsqu'en 1933 Freud écrit que « les pulsions sont des êtres mythiques, grandioses dans leur indétermination » [1], il ne désigne pas seulement Éros et pulsion de mort mais, tout aussi bien, toutes les pulsions, à commencer par les sexuelles. Si le statut de celles-ci change en 1920, c'est parce qu'elles s'inscrivent maintenant dans une autre perspective: alors que les pulsions sexuelles expliquaient le psychisme et son fonctionnement, il appartient maintenant à Éros de justifier la vie, ce qui l'anime et la maintient; la vie psychique en fait bien sûr partie, et tout ce qui a été élaboré sur les pulsions sexuelles demeure actuel et valide, avec peut-être même encore plus de force à pouvoir s'appuyer sur quelque chose de beaucoup plus vaste, pour s'en justifier. Que cela soulève de nouveaux problèmes est bien le moins, et Freud ne cessera de s'y confronter, à commencer par le plus difficile d'entre eux: la nature, voire le statut de l'énergie qui anime les pulsions, quelles qu'elles soient – question qui vient d'ailleurs interroger ces pulsions elles-mêmes, à commencer par leur dualité postulée, dont le principe s'avère souvent difficile à maintenir [2].

Cette question des rapports, des intrications même (j'aurais envie de parler de « consubstantialité ») entre énergie et pulsion nous a conduit à en introduire la référence dès notre titre : *pulsions sexuelles et libido*. Il n'est d'ailleurs pas toujours facile de les distinguer,

1. *Nouvelles conférences d'introduction à la psychanalyse* (1933a [1932]), Paris, Gallimard, 1984, p. 129 ; *OCF* XIX, p. 178 ; *GW* XV, p. 101.

2. *Le moi et le ça* (1923b), *Essais de psychanalyse,* Paris, Payot, 1981, p. 260 ; *OCF* XVI, p. 289 ; *GW* XIII, p. 275.

d'autant que non seulement Freud parle régulièrement de « pulsions libidinales », mais passe allégrement d'un terme à l'autre, les posant à l'occasion comme synonymes. C'est ainsi qu'il peut encore annoncer à ses auditeurs imaginaires, en 1933, qu'il va « les conduire dans le domaine de la théorie de la libido ou doctrine des pulsions »[1] ; et en 1938, alors qu'il choisit, dans l'*Abrégé de psychanalyse,* d'intituler un bref chapitre (cinq pages) « Théorie des pulsions », il en consacre trois à traiter explicitement de la « libido »[2]. Cette apparente « confusion » tient, tout simplement, à la nature même des pulsions qui n'ont aucune qualité propre et ne sont que la mesure du travail psychique exigé, c'est-à-dire de la quantité d'énergie à l'œuvre[3] – et donc, pour la pulsion sexuelle, sont fonction de la grandeur de libido. Il convient d'ailleurs de noter qu'au départ, la notion de « libido » est importée d'un champ autre, fût-il voisin, et que de même qu'il y a un « quantum d'affect », il y a « un quantum de libido »[4] ; « libido est un terme emprunté à la doctrine de l'affectivité. Nous désignons ainsi l'énergie, considérée comme grandeur quantitative – quoique pour l'instant non mesurable – de ces pulsions qui ont affaire avec tout ce que nous résumons sous le nom d'amour »[5].

En principe donc, les choses sont simples et les précisions abondent, univoques, sous la plume freudienne. Pour n'en référer que quelques-unes : – la libido est, dans la vie psychique, la manifestation dynamique de la pulsion sexuelle[6] ; – le concept de *libido* est une force quantitativement variable, permettant de mesurer les processus et les transpositions dans le domaine de l'excitation sexuelle qui, par son origine particulière, se distingue qualitativement de l'énergie à la base des processus

1. *Nouvelles conférences d'introduction à la psychanalyse* (1933a [1932]), Paris, Gallimard, 1984, p. 128 ; *OCF* XIX, p. 177 ; *GW* XV, p. 101.

2. *Abrégé de psychanalyse* (1940a [1938]), Paris, PUF, 1967, p. 9-11 ; *OCF* XX, p. 238-240 ; *GW* XVII, p. 71-73.

3. « Pulsions et destins des pulsions » (1915c), *Métapsychologie,* Paris, Gallimard, 1968, p. 18 ; *OCF* XIII (2e éd.), p. 169 ; *GW* X, p. 214.

4. *Trois essais sur la théorie sexuelle* (1905d), Paris, Gallimard, 1987, p. 158 ; *OCF* VI, p. 156 ; *GW* V, p. 118.

5. *Psychologie des foules et analyse du moi* (1921c), *Essais de psychanalyse,* Paris, Payot, 1981, p. 150 ; *OCF* XVI, p. 29 ; *GW* XIII, p. 98.

6. « "Psychanalyse" et "Théorie de la libido" » (1923a), *Résultats, idées, problèmes, II,* Paris, PUF, 1984, p. 62 ; *OCF* XVI ; p. 193 ; *GW* XIII, p. 220.

psychiques en général[1] ; – elle représente la force avec laquelle la pulsion sexuelle survient dans la vie psychique, analogue à ce que sont la faim, la volonté de puissance, etc., dans les pulsions du moi[2]. Mais, quoi qu'il en soit, la libido reste libido, qu'elle soit tournée vers des objets ou vers le moi propre[3]. Il n'en demeure pas moins qu'une « libido du moi », une « énergie des pulsions du moi », et autres notions du même genre, ne sont ni particulièrement claires à saisir, ni suffisamment riches en contenu et, d'ailleurs, il n'est après tout pas exclu qu'au fin fond des choses la libido ne soit qu'un produit de différenciation de l'énergie à l'œuvre dans la psyché[4]. Après 1920, à la différence de ce qu'il advient aux pulsions sexuelles, le statut de la libido demeure, inchangé. Simplement, c'est bien la libido de nos pulsions sexuelles qui coïncide alors avec l'Éros des poètes et des philosophes qui maintient la cohésion de tout ce qui vit[5], elle est toute l'énergie de l'Éros et sert à neutraliser les tendances destructrices[6] ; c'est parce que le concept de libido a été étendu aux cellules individuelles que nous voyons la pulsion sexuelle se transformer en cet Éros qui cherche à provoquer et à maintenir la cohésion des parties de la substance vivante – retrouvant ainsi, dans la détermination théorique, l'antériorité de la libido sur la pulsion sexuelle, celle-ci se ramenant désormais à représenter la part d'Éros tournée vers l'objet[7].

Si les deux notions de libido et de pulsion sexuelle s'avèrent effectivement suffisamment proches pour se voir souvent confondues, elles renvoient pourtant à des registres différents, comme pouvait le laisser prévoir leurs origines théoriques distinctes, la libido découlant

1. *Trois essais sur la théorie sexuelle* (1905d), Paris, Gallimard, 1987 (ajouté en 1915), p. 157 ; *OCF* VI, p. 155 ; *GW* V, p. 118.

2. « Une difficulté de la psychanalyse » (1917a), *L'inquiétante étrangeté et autres essais,* Paris, Gallimard, 1985, p. 178 ; *OCF* XV, p. 44 ; *GW* XII, p. 4.

3. *Conférences d'introduction à la psychanalyse* (1916-1917), Paris, Gallimard, 1999, p. 397 ; *OCF* XIV, p. 323 ; *GW* XI, p. 323.

4. « Pour introduire le narcissisme » (1914c), *La vie sexuelle,* Paris, PUF, 2ᵉ éd., 1970, p. 83 et 86 ; *OCF* XII, p. 219 et 223 ; *GW* X, p. 140 et 144.

5. *Au-delà du principe de plaisir* (1920g), *Essais de psychanalyse,* Paris, Payot, 1981, p. 98 et 100 ; *OCF* XV, p. 324 et 326 ; *GW* XIII, p. 54 et 56.

6. *Abrégé de psychanalyse* (1940a [1938]), Paris, PUF, 1967, p. 9 ; *OCF* XX, p. 238-239 ; *GW* XVII, p. 72.

7. *Au-delà du principe de plaisir* (1920g), *Essais de psychanalyse,* Paris, Payot, 1981, p. 110 n. 16 ; *OCF* XV, p. 335 n. 1 ; *GW* XIII, p. 66 n. 1.

fort tôt de la théorie de l'affect avec tout ce que cela implique de prégnance clinique, la pulsion sexuelle étant une construction plus tardive imposée par la théorie du fonctionnement psychique. On peut penser que l'on doit retrouver ces filiations dans les choix qui s'opèrent, au fil de l'élaboration et selon le contexte, de référer plutôt l'une ou l'autre, Freud en venant parfois à une espèce de condensation, en forme de compromis, sous la forme de « pulsions libidinales ». Cette proximité de la libido avec le concret de la clinique se retrouve dans le fait qu'il lui incombe d'*investir* le moi et les objets : « Les concepts de libido du moi et de libido d'objet tirent leur valeur de leur origine : une élaboration à partir des caractères intimes des processus névrotiques et psychotiques. » [1] La théorie de la libido est une théorie des investissements (ce qui est impliqué par sa parenté avec celle des affects), alors que la théorie des pulsions sexuelles (qui se justifient elles-mêmes de leur opposition aux pulsions du moi, dussent-elles en venir à les phagocyter) est d'abord une théorie de la sexualité infantile.

Nous ne saurions éviter de nous interroger sur les *rapports entre pulsions sexuelles et notion de plaisir,* puisque toute la théorie du fonctionnement et du développement psychique s'opère sous la domination du principe de plaisir-déplaisir qui commande la régulation des pulsions sexuelles, depuis le plaisir d'organe de l'autoérotisme des toutes premières pulsions partielles, jusqu'aux plaisirs de la sublimation, certes plus « élevés », mais néanmoins libidinaux, fussent-ils désexualisés. Les destins mêmes des pulsions sont régis par la soumission des motions pulsionnelles à trois grandes polarités dont la troisième, l'économique, est celle du plaisir-déplaisir. L'important, pour l'économie psychique et son fonctionnement, réside dans la quête du plaisir et dans son obtention, et nullement dans la qualité du plaisir lui-même (une fois de plus cela tient à ce que les pulsions sexuelles, pas plus que les autres, n'ont de qualité propre : elles ne peuvent exprimer que la quantité d'énergie, de libido). Ceci explique la nécessité vitale, aux temps premiers de l'état originaire narcissique, que puisse être apportée satisfaction aux besoins, dans cette période de détresse et d'attente de soins – éprouvés qui correspondent à la première

1. « Pour introduire le narcissisme » (1914c), *La vie sexuelle,* Paris, PUF, 2e éd., 1970, p. 86 ; *OCF* XII, p. 223 ; *GW* X, p. 144.

manifestation du principe de plaisir-déplaisir, tel qu'il commande le développement[1].

On mesure alors ce que peut représenter d'audace de vouloir, de devoir aller « au-delà » de ce principe : il est bel et bien *vital* ; l'écarter ne peut qu'aboutir à la mort – et c'est bien elle que rencontre Freud. Certes, psychanalytiquement parlant, l'essentiel dans la pulsion de mort n'est pas la mort mais la pulsion ; il n'empêche que c'est bien l'acte de mourir qui conduit Freud à en concevoir l'idée. Les faits cliniques évoqués en faveur de l'existence d'une pulsion de mort – y compris la compulsion de répétition – se révèlent explicables sans elle, et il faut bien constater que, « encore et toujours nous percevons que les motions pulsionnelles dont nous pouvons suivre la trace se révèlent être des rejetons de l'Éros, [...] que les pulsions de mort sont pour l'essentiel muettes, que tout le bruit de la vie provient surtout de l'Éros » ; seules des considérations épistémologiques et la solide conviction dualiste de Freud lui imposent de maintenir une pulsion de mort[2]. L'idée première, au départ de sa démarche, est le constat de certitude que « tout être vivant meurt » ; il le fait suivre de postulats peut-être moins évidents (la mort est un retour à l'anorganique, et on meurt pour des raisons internes) que nous ne discuterons pas ici[3]. Ce que nous voulons retenir est que *le vivant meurt* et, ajouterons-nous à la suite de ce que nous venons de rappeler, que lorsqu'il meurt le plaisir n'agit plus, n'anime plus, il cesse d'engendrer le bruit de la vie. Ça meurt et pourtant ça vivait et, si ça vivait, plaisir et déplaisir étaient là, aussi inhibés, aussi méconnaissables puissent-ils apparaître parfois. C'est pourquoi « dépasser » le plaisir débouche inexorablement sur cette mort mais, face à elle, il n'est plus possible de se satisfaire de la seule pulsion libidinale. Face à l'« anorganique » il faut un « organique » qui dépasse le seul plaisir, quelle qu'en soit l'essentialité : c'est pourquoi ce n'est plus au principe de plaisir de justifier la vie psychique mais, « au-delà », au principe de vie qui maintient la cohésion de tout ce qui vit, à « l'Éros qui conserve tout »

1. « Pulsions et destins des pulsions » (1915c), *Métapsychologie,* Paris, Gallimard, 1968, p. 18, 37 et 44 ; *OCF* XIII (2e éd.), p. 169, 182 et 187 ; *GW* X, p. 214, 227 et 232.

2. *Le moi et le ça* (1923b), *Essais de psychanalyse,* Paris, Payot, 1981, p. 260 ; *OCF* XVI, p. 289 ; *GW* XIII, p. 275.

3. *Au-delà du principe de plaisir* (1920g), *Essais de psychanalyse,* Paris, Payot, 1981, p. 82 ; *OCF* XV, p. 310 ; *GW* XIII, p. 40.

et permet que « les cellules du soma adhèrent les unes aux autres » [1]. L'idée est grandiose, mais avec le plaisir n'est-ce pas le psychique qui s'estompe ? L'Éros est tellement vaste, cosmique, ultime, régnant même sur la matière inanimée, qu'il pourrait bien tendre à faire négliger la vie psychique et, avec elle, la psychanalyse qui se donne pour tâche d'en rendre compte. Freud a perçu la menace et, très régulièrement, il redonne aux pulsions sexuelles toute leur valeur, toute leur importance. Certes, comme il put l'imaginer à l'occasion, il aurait pu faire du couple de la haine et de l'amour la base de l'opposition dualiste qui lui était nécessaire ; c'eut été méconnaître la mort, et le constat qu'il y a « autre chose » que le plaisir – et donc autre chose que la vie.

Claude LE GUEN

1. *Ibidem*, p. 98 et 100 ; p. 324 et 326 ; p. 54 et 56.

Q

QUANTITATIF-QUALITATIF (quantité-qualité)

all. : ***quantitativ-qualitativ (Quantität-Qualität)***. – angl. : *quantitative-qualitative (quantity-quality)*. – esp. : *cualitativo-cunatitativo (cualidad-cantidad)*. – ital. : *quantitativo-qualitativ(quantità-qualità)*. – port. : *quantitadivo-qualitadivo (quantitade-qualidade)*

Très tôt utilisées par Freud, le *quantitatif* et le *qualitatif* sont des références très présentes tout au long de son œuvre. D'abord « notions » de quantité et, plus accessoirement, de qualité, elles deviendront les « facteurs » quantitatif et qualitatif dans le cadre de la métapsychologie. Ceux-ci doivent permettre de spécifier les points de vue économique, dynamique et topique de la théorie énergétique. Les deux notions doivent être considérées comme indissociables et coextensives.

MISE EN SITUATION

Le recours à ces deux notions est directement et explicitement inspiré par la « Psychophysique » de celui que Freud nommait « le grand Fechner », et à qui il emprunta l'idée selon laquelle « la scène des rêves est une autre scène »[1], *comme il le fit d'ailleurs d'autres notions devenues très freudiennes, telles que les principe de constance et principe de plaisir-déplaisir*[2]*; toutes sont soutenues par la référence énergétique. Dans cet article, nous nous attacherons essentiellement aux rapports et aux articulations entre les deux notions de quantité et de qualité, renvoyant pour le reste aux entrées « Économique » et, plus accessoirement, « Quantum » (dans « Refoulement »).*

Les questions portant sur la qualité, la quantité, et leurs rapports sont, depuis Aristote, familières à la philosophie, puis aux sciences. En reprenant ces deux catégories fondamentales de l'entendement kantien, Freud ne peut que retrouver les difficultés que leurs relations n'ont cessé de poser – d'autant qu'en psychanalyse, comme Freud s'en est aperçu très tôt, la quantité énergétique, bien que mesurable en principe et par définition, ne peut être mesurée[3]*. Tout le problème tient aux relations et aux passages du quantitatif au qualitatif, et réciproquement – ce qui, nous l'avons dit, est loin d'être spécifique de la psychanalyse : si quelqu'un parle d'une longueur d'onde de 650 nm (nanomètres), il réfère une mesure parfaitement identifiable et tout physicien comprendra qu'il s'agit de la couleur rouge ; oui, mais laquelle ? Les tables qui figurent dans les manuels de colorimétrie indiquent que cette mesure correspond environ à un rouge moyen… Et voilà ! En voulant qualifier la couleur autrement que par une longueur d'onde on se retrouve avec deux appréciations parfaitement approximatives (« environ » et « moyen »), tout en sachant pourtant que l'on demeure dans le rouge. Nous sommes passé dans la réalité des sensations, approximatives mais tellement plus signifiantes. En psychanalyse, nous pouvons, tout aussi bien et tout aussi objectivement, dire que nous constatons un peu ou beaucoup*

1. *L'interprétation des rêves* (1900a), Paris, PUF, 1967 ; *OCF* IV, p. 589 ; *GW* II-III, p. 541.

2. *Au-delà du principe de plaisir* (1920g), *Essais de psychanalyse*, Paris, Payot, 1981 ; *OCF* XV, p. 278 ; *GW* XIII, p. 4.

3. « Les psychonévroses de défense » (1894a), *Névrose, psychose et perversion*, Paris, PUF, 1973, p. 14 ; *OCF* III, p. 17-18 ; *GW* I, p. 74.

d'angoisse, à tel moment, chez tel patient, retrouvant la situation de l'amoureux qui effeuille la marguerite pour apprécier si elle l'aime un peu, beaucoup...

LE TEXTE FREUDIEN

Dès les années 1890, la question du quantitatif et du qualitatif se pose au neurophysiologiste expérimentateur qu'est Freud ; il estime alors, selon l'enseignement de ses maîtres Hermann L. F. von Helmholtz et Ernst W. von Brücke, que toute argumentation psychologique doit s'appuyer sur des expérimentations physiologiques, donc physiquement mesurables.

C'est dire qu'en **1895** la tentative de mise en forme de son « rêve », dans l'« Esquisse d'une psychologie scientifique » directement influencée par la *psychophysique* de Gustav Theodor Fechner, ne peut que s'y confronter. Tout ce travail est, de fait, dominé par la problématique de la *quantité* et de la *qualité*, de la quantité surtout. Les toutes premières lignes indiquent que « dans cette Esquisse nous avons cherché à faire entrer la psychologie dans le cadre des sciences naturelles, c'est-à-dire à représenter les processus psychiques comme des états quantitativement déterminés de particules matérielles distinguables ». Comme en physique, nous avons là l'énergie et la matière, et ça donne les deux idées principales du projet : « Ce qui distingue l'activité du repos est d'ordre quantitatif », et « les particules matérielles en question sont les neurones » [1]. C'est peu dire que ces notions y sont abondamment traitées, au point que l'index, à l'item « quantité », indique les pages 315 à 396, ce qui va de la première à la dernière page de l'ouvrage. La « qualité » y est certes présente, mais en dépendance de la quantité ; elle est introduite par le constat que « notre conscient ne livre que des *qualités* alors que les sciences

1. « Esquisse d'une psychologie scientifique » (1950c [1895]), *La naissance de la psychanalyse,* Paris, PUF, 1956, 1956, p. 315.

naturelles ne reconnaissent que des *quantités* », auxquelles elles s'efforcent de rapporter les qualités de nos sensations ; la structure du « système neuronique » (qui doit servir à retenir hors des neurones une quantité d'excitation, sa fonction étant de la décharger) est de transformer les quantités extérieures en qualités intérieures. Cette transformation est rapportée d'une part à la réduction des quantités extérieures en très petites quantités, et d'autre part à une périodicité des excitations extérieures pour lesquelles les organes des sens jouent un rôle déterminant de tamis, ne laissant passer que des excitations ayant une période déterminée et entrant dans des séries. Partant de là, Freud va pouvoir, entre autres, poser le *principe de l'inertie* des neurones et de l'*abaissement des quantités à zéro,* étudier la mise en place de *défenses* contre l'afflux d'excitations et leur effraction, décrire des *processus primaire et secondaire,* mais aussi s'intéresser à la douleur, à l'angoisse et aux autres *affects,* sans compter l'introduction *d'une énergie libre et d'une énergie liée.* En somme, est mise en place, à travers le fonctionnement du système neuronique, tout ce qui deviendra le fonctionnement psychique[1]. Mais tout ceci se trouve alors conceptualisé selon la terminologie « neuronique » propre à l'ouvrage, et dans l'esprit « physico-psychologique », voire neuro-mécaniciste, qui l'inspire (celui qu'un mois plus tard Freud désignera comme « une sorte d'aberration »)[2]. Nous n'en détaillerons pas la teneur, même si ce travail fourmille d'intuitions qui seront reprises ultérieurement pour être réinterprétées selon une inspiration proprement psychanalytique.

Dès **1900**, *L'interprétation des rêves* jette les bases de la théorie de la quantité et de la qualité des processus psychiques. Freud commence par situer clairement le facteur qualitatif. Par son lieu d'abord : **la conscience, qui doit être considérée comme « un organe sensoriel pour l'appréhension des qualités psychiques** » ; par sa nature, ensuite : « Les excitations de plaisir et de déplaisir s'avèrent être presque l'unique qualité psychique lors des transpositions d'éner-

1. *Ibidem.* Nous ne pouvons ici qu'imiter l'Index de l'ouvrage et donner comme pages de référence : p. 315-396.

2. Lettre du 29 novembre 1895, p. 119.

gie à l'intérieur de l'appareil. » Aucun autre processus que le plaisir et le déplaisir ne saurait donc être objet de conscience, puisque aucun n'a de qualité psychique. Ainsi s'explique que ce soit au plaisir-déplaisir qu'échoie la tâche de réguler les investissements avant que, s'affinant, les représentations puissent devenir plus indépendantes des signes de déplaisir, ce qui se fera par la connexion avec le système du langage qui a ses qualités propres ; ainsi, la conscience devient aussi « l'organe sensoriel pour une partie de nos processus de pensée » [1].

Dans tout ceci, donc, la perception joue un grand rôle puisque son excitation qualitative permet d'en réguler la quantité ; la conscience, en percevant de nouvelles qualités de plaisir et de déplaisir, dirige et répartit les quantités mobiles d'investissements dans l'appareil psychique, ordinairement inconscient. Si, en un premier temps, le principe du déplaisir règle automatiquement ces déplacements, on peut penser qu'ensuite « la conscience fasse subir à ces qualités un second réglage plus fin », pouvant s'opposer au premier afin de permettre à l'appareil d'investir et d'élaborer ce qui dégage du déplaisir. Le surinvestissement régulateur, par cet organe des sens qu'est la conscience, crée une nouvelle série qualitative, et un nouveau réglage (là serait un des privilèges de l'homme sur l'animal). « **Les processus de pensée sont en eux-mêmes dépourvus de qualité** ; le plaisir et le déplaisir qui les accompagnent sont, en effet, freinés parce qu'ils pourraient troubler la pensée » ; il faut donc associer ces processus à des souvenirs de mots pour leur conférer une qualité, les appeler à la conscience et obtenir ainsi un nouvel investissement mobile [2].

En 1912, dans le cours d'une discussion à la Société psychanalytique de Vienne, après avoir remarqué que caractériser la conscience comme organe sensoriel ne saurait être qu'une comparaison, Freud précise que « ce que nous appelons des » qualités « n'a pas d'équivalent dans la psyché réelle ; elles sont créées uniquement par l'organe de la conscience à partir des processus purement quantitatifs de la

1. *L'interprétation des rêves* (1900a), Paris, PUF, 1967, p. 488 ; *OCF* IV, p. 629 ; *GW* II-III, p. 580.

2. *Ibidem*, p. 523-524 ; p 671-672 ; p. 621-622.

psyché »[1]. Dans un chapitre ajouté en **1915** aux *Trois essais sur la théorie sexuelle,* il revient sur le rapport de la quantité à la qualité en repartant de **la libido, cette force quantitativement variable** qui, en raison de son origine sexuelle, **revêt aussi un caractère qualitatif** : nous nous représentons alors un *quantum de libido* dont le représentant psychique serait la *libido du moi* dont les variations pourraient expliquer les phénomènes psychosexuels, mais il faut qu'elle devienne *libido d'objet* en investissant des objets pour être accessible à l'étude analytique[2]. La même année, la *Métapsychologie* spécifie le *montant, le quantum d'affect* comme correspondant à « la pulsion en tant qu'elle s'est détachée de la représentation et trouve une **expression conforme à sa quantité dans des processus qui sont ressentis sous forme d'affects** », et plus particulièrement d'angoisse. Freud peut désormais parler du « facteur quantitatif » de la pulsion[3].

À la suite, les *Conférences d'introduction à la psychanalyse* (1916-1917) vont récapituler les acquis, partant du constat que le plaisir est lié à la diminution de la quantité d'excitation, le déplaisir à une augmentation. Redisant toute l'importance du facteur quantitatif, de la grandeur des énergies non seulement dans la formation des symptômes névrotiques mais dans tout le fonctionnement psychique, Freud nous propose ce facteur comme équivalant à un point de vue *économique* ; il souligne la portée de son rôle, car une analyse purement qualitative, une conception simplement *dynamique* serait insuffisante. **Pour qu'il y ait conflit, il faut que « certaines intensités d'investissement aient été atteintes, même si les conditions de contenu sont depuis longtemps présentes** » ; les facteurs constitutionnels eux-mêmes ne deviendront pathogènes qu'en fonction de la prépondérance quantitative de telle pulsion partielle sur telle autre. « On peut même imaginer que les dispositions de tous les humains sont qualita-

1. *Les premiers psychanalystes (minutes de la Société psychanalytique de Vienne)* (1983a), Paris, Gallimard, 1983, t. IV (1912-1918), p. 162-163 (séance du 11 décembre 1912).

2. *Trois essais sur la théorie sexuelle* (1905d), Paris, Gallimard, 1987, p. 157-158 ; *OCF* VI, p. 156 ; *GW* V, p. 118.

3. « Le refoulement » (1915d), *Métapsychologie,* Paris, Gallimard, 1968, p. 55-56 ; *OCF* XIII (2e éd.), p. 198 ; *GW* X, p. 255-256.

tivement identiques et qu'elles ne se différencient que par ces rapports quantitatifs. » **Le facteur quantitatif est décisif** pour entrer ou non dans la névrose ; si le but final de l'activité psychique – aspiration au plaisir et évitement du déplaisir – est bien qualitatif, du point de vue économique il consiste à maîtriser les quantités d'excitation[1].

Les textes dits de la nouvelle théorie des pulsions et de la nouvelle topique se borneront à reprendre ces données, avec toutefois cette précision, apportée par *Au-delà du principe de plaisir,* que dans les rapports complexes entre force des sensations, et dans leurs modifications, « il est vraisemblable que le facteur déterminant de la sensation est le taux de diminution ou d'augmentation dans un temps donné »[2]. La prépondérance du facteur quantitatif, et donc du point de vue économique, est réaffirmée en 1922[3].

En **1924,** « Le problème économique du masochisme » apporte une **correction d'importance.** En effet, si tout plaisir devait correspondre à un abaissement de la tension d'excitation, le principe serait au service des pulsions de mort et jouerait contre les revendications de la libido, ce qui ne saurait être correct. Les variations quantitatives de l'excitation suscitent des sentiments de tension, « et il n'est pas douteux qu'il existe des tensions s'accompagnant de plaisir et des détentes déplaisantes », l'excitation sexuelle en étant l'exemple le plus frappant. Même s'ils ont beaucoup à voir avec la tension d'excitation, il semble que plaisir et déplaisir « **ne dépendent pas de ce facteur quantitatif, mais d'un caractère de celui-ci, que nous ne pouvons désigner que comme qualitatif** » ; ce pourrait être l'écoulement temporel, le rythme des variations de la quantité d'excitation, nous l'ignorons[4].

1. *Conférences d'introduction à la psychanalyse* (1916-1917), Paris, Gallimard, 1999, p. 475-476 ; *OCF* XIV, p. 387-388 ; *GW* XI, p. 389-390.

2. *Au-delà du principe de plaisir* (1920g), *Essais de psychanalyse,* Paris, Payot, 1981, p. 44 ; *OCF* XV, p. 278 ; *GW* XIII, p. 4.

3. « Sur quelques mécanismes névrotiques dans la jalousie, la paranoïa et l'homosexualité » (1922b [1921]), *Névrose, psychose et perversion,* Paris, PUF, 1973, p. 276-277 ; *OCF* XVI, p. 93 ; *GW* XIII, p. 202-203.

4. « Le problème économique du masochisme » (1924c), *Névrose, psychose et perversion,* Paris, PUF, 1973, p. 288 ; *OCF* XVII, p. 12 ; *GW* XIII, p. 372.

En 1926, *Inhibition, symptôme et angoisse* va poursuivre cette réévaluation du quantitatif à l'occasion de la nouvelle théorie de l'angoisse qui, en en faisant « un signal intentionnel du moi visant à influencer l'instance plaisir-déplaisir, **nous libère de cette obsession de l'économique** ». Si l'importance des relations quantitatives est toujours affirmée, celles-ci ne peuvent être saisies que par un raisonnement récurrent[1].

Une certaine perplexité demeure en dépit de quelques certitudes, à commencer par celle qui, en liant le facteur quantitatif au principe de plaisir, pose que la décharge des investissements pulsionnels émane du ça. Mais **leur énergie y est beaucoup plus mobile que dans le moi, produisant ces déplacements et condensations qui font si totalement abstraction de la qualité de l'investi** – ce qui amène cette réflexion : « On donnerait beaucoup pour pouvoir mieux comprendre ces choses ! » On entrevoit pourtant que, notamment dans le rapport de l'angoisse au traumatisme, ces « choses » soulèvent la question des quantités relatives[2].

Il appartient à l'*Abrégé de psychanalyse*, en **1938**, de **clarifier le statut** de ces deux facteurs. Il est remarquable de constater que le quantitatif n'y apparaît que très brièvement, au début, pour remarquer l'inachèvement des processus qui aboutissent à l'instauration d'un état normal : « Ils ne se réalisent que partiellement, de sorte que l'issue dépend des rapports quantitatifs. » En revanche, on est frappé de constater que tout un chapitre de ce petit livre s'intitule « Les qualités psychiques » ; il leur est consacré.

Les processus psychiques ont « trois qualités : ils peuvent être soit conscients, soit préconscients, soit inconscients ». Mais cette présentation simplifiée des trois qualités risque d'embrouiller les choses, d'autant que, plutôt que d'une véritable théorie, il ne s'agit que d'un compte rendu qui, plus qu'à expliquer les faits, cherche à les serrer d'aussi près que possible. Il est cependant important de **connaître les**

1. *Inhibition, symptôme et angoisse* (1926d [1925]), Paris, PUF, 1951, p. 64 et 82 ; *OCF* XVII, p. 255 et 269 ; *GW* XIV, p. 170 et 186.

2. *Nouvelles conférences d'introduction à la psychanalyse* (1933a [1932]), Paris, Gallimard, 1984, p. 103-104 et 127 ; *OCF* XIX, p. 157-158 et 176-177 ; *GW* XV, p. 81 et 100.

rapports entre les qualités du psychisme et ses instances, encore qu'ils soient loin d'être simples. Les processus du moi peuvent devenir conscients grâce au langage qui établit un lien étroit entre les contenus du moi et les restes mnésiques visuels et, surtout, auditifs ; ceci permet à certains processus internes, telles les représentations, de devenir conscients – encore faut-il distinguer entre ce qui vient du dehors et du dedans, ce que permet l'épreuve de réalité. **La qualité du conscient-préconscient caractérise le moi ; elle lui est exclusive. Pour ce qui est du ça, sa seule qualité est l'inconscient.** Ainsi la division topique en moi et en ça correspond aux qualités de conscient et d'inconscient, même si « ces qualités ne sont qu'un indice et non l'essentiel de la différence ».

Nous touchons là l'énigme véritable qui se découvre lorsqu'on veut comprendre « la vraie nature de l'état qui se traduit dans le ça par la qualité d'inconscient et dans le moi par la qualité de préconscient, et en quoi consiste la distinction entre ces deux états. Nous avouons n'en rien savoir ». Tout ce que nous pouvons dire est qu'une certaine énergie anime la vie psychique, qu'elle existe sous deux formes : l'une mobile et l'autre liée ; investissements et surinvestissements déterminent une sorte de synthèse permettant à l'énergie libre de se transformer en énergie liée. « Notre savoir s'arrête là, mais nous soutenons fermement que la différence entre l'état inconscient et l'état préconscient tient, lui aussi, à de semblables relations dynamiques » – ce qui revient à dire, dans la terminologie freudienne, qu'elles sont qualitatives [1].

QUESTIONS ET ENJEUX

La question de la qualité et de la quantité est étroitement liée à celle du plaisir et du déplaisir, et ce tout au long de l'œuvre ; ce sont leurs rapports qui varient et, surtout, l'importance qu'il convient d'accorder à chaque facteur dans la théorie.

1. *Abrégé de psychanalyse* (1940a [1938]), Paris, PUF, 1967, p. 17 et 23-27 ; *OCF* XX, p. 245 et 250-254 ; *GW* XVII, p. 78 et 82-86.

Dès *L'interprétation des rêves,* « les excitations de plaisir et de déplaisir s'avèrent être presque l'unique qualité psychique lors des transpositions d'énergie » [1] : c'est l'époque où il appartient aux différences qualitatives de poser la distinction entre conscience et inconscient, déterminant l'objet de la psychanalyse et fondant la première topique ; à cette époque, le facteur qualitatif tend à être au premier plan. À partir de 1915, avec la systématisation de la *Métapsychologie,* le point de vue économique, donc quantitatif, prend une importance majeure, jusqu'à faire déclarer insuffisant le point de vue dynamique, qualitatif [2]. Certes le but final de l'activité psychique est le gain de plaisir et l'évitement du déplaisir ; il est donc bien qualitatif. Il n'en demeure pas moins que la tâche prépondérante de l'appareil consiste à maîtriser les grandeurs d'excitation qui régulent ces sensations : elle est quantitative, le point de vue économique en rend compte et l'économique domine [3], jusqu'à conduire Freud à affirmer que « le progrès de notre connaissance nous pousse toujours de plus en plus à mettre au premier plan le point de vue économique » [4]. Mais dès l'année suivante, en 1924, le masochisme le conduit à rectifier les choses et à juger inconsidérée la réduction du plaisir-déplaisir à des variations quantitatives ; ce principe ne saurait dépendre de ce facteur économique, mais plutôt d'un caractère « que nous ne pouvons désigner que comme qualitatif ». L'un des arguments évoqués est celui de la satisfaction dans l'acte sexuel qui montre qu'il « n'est pas douteux qu'il existe des tensions s'accompagnant de plaisir et des détentes déplaisantes ». Ceci est d'autant plus intéressant que, sept ans plus tôt, le même acte sexuel était censé « laisser peu de doutes » sur un plaisir lié à la diminution de la tension d'excitation et le déplaisir à une augmentation [5] – ce qui nous laisse

1. *L'interprétation des rêves* (1900a), Paris, PUF, 1967, p. 488 ; *OCF* IV, p. 629 ; *GW* II-III, p. 580.

2. *Conférences d'introduction à la psychanalyse* (1916-1917), Paris, Gallimard, 1999, p. 452 ; *OCF* XIV, p. 369 ; *GW* XI, p. 370.

3. *Ibidem,* p. 476 ; p. 388 ; p. 390.

4. « Sur quelques mécanismes névrotiques dans la jalousie, la paranoïa et l'homosexualité » (1922b [1921]), *Névrose, psychose et perversion,* Paris, PUF, 1973, p. 277 ; *OCF* XVI, p. 93 ; *GW* XIII, p. 203.

5. *Conférences d'introduction à la psychanalyse* (1916-1917), Paris, Gallimard, 1999, p. 452 ; *OCF* XIV, p. 369 ; *GW* XI, p. 370.

penser que c'est bien une évolution dans la pensée freudienne qui s'est opérée entre-temps. C'est ce qui sera confirmé deux ans plus tard dans *Inhibition, symptôme et angoisse* où Freud souhaite explicitement se « débarrasser de l'obsession de l'économique »[1]. Dorénavant, il tend à équilibrer les rapports entre les facteurs ; surtout, après ces revirements, il doit en venir à avouer son ignorance face à l'énigme des rapports entre facteurs qualitatif et quantitatif[2].

En principe, ces deux notions devraient être parfaitement claires puisqu'il faut bien considérer que, pour fonctionner, l'appareil psychique utilise une certaine quantité d'énergie ; ce qui est de l'ordre du fonctionnement est nécessairement quantitatif. Il n'y en a pas moins « quelque chose » à faire fonctionner, un « appareil » psychique précisément qui, pour être reconnu et identifié, doit pouvoir être « qualifié » : ce qui relève de la structure est qualitatif. Cela s'illustre au mieux avec les deux topiques, dont toute la problématique est bien celle des rapports entre qualités et structures. Une fois ceci posé, tout se complique si le contexte conduit à privilégier l'une de deux notions, et plus encore si l'on en vient à les prendre également en compte jusqu'à les faire travailler ensemble ; c'est alors chacune d'elles qui tend à s'obscurcir et qui voit ses spécificités se perdre. C'est ainsi que, de même que Freud indique qu'entre les instances il n'y a pas de frontières nettes, que les champs s'estompent et, « qu'après avoir séparé, il nous faut à nouveau laisser se fondre ce que nous avons séparé »[3], de la même façon il n'est pas toujours aisé de circonscrire ce qui est quantitatif et ce qui est qualitatif, comme nous l'avons vu avec plaisir-déplaisir. Tout le problème tient à ce que, au-delà de ces repères faussement commodes, il s'agit toujours, dans l'appareil et dans son fonctionnement, d'un seul et même psychisme. Seules des commodités d'étude peuvent justifier de le parcelliser, mais elles ne doivent pas faire perdre de vue que c'est là un artifice réducteur : Freud le rappelle régulièrement et s'est trouvé ainsi conduit à multiplier les approches par « facteurs » et « instances », par « points de vue » et « complexes », chacune d'elles n'étant qu'une

1. *Inhibition, symptôme et angoisse* (1926d [1925]), Paris, PUF, 1951, p. 64 ; *OCF* XVII, p. 255 ; *GW* XIV, p. 170.

2. *Abrégé de psychanalyse* (1940a [1938]), Paris, PUF, 1967, p. 24-27 ; *OCF* XX, p. 251-254 ; *GW* XVII, p. 83 et 84.

3. *Nouvelles conférences d'introduction à la psychanalyse* (1933a [1932]), Paris, Gallimard, 1984, p. 109 ; *OCF* XIX ; *GW* XV.

façon particulière d'aborder une totalité – et il est certain que des idées aussi générales que celles de qualité et de quantité représentent une gageure.

On peut penser que la pratique psychanalytique est amenée, de fait, à privilégier le facteur économique, donc quantitatif ; ce serait alors celui-ci qui serait le mieux à même de rendre compte du travail de la cure. C'est sans doute vrai mais, là aussi, il est parfois embarrassant d'avoir à fixer les frontières. Ainsi, les phénomènes de transfert et de contre-transfert, même s'ils mettent en jeu, à l'évidence, des facteurs de quantité et de qualité, semblent bien ne pouvoir être réductibles qu'à eux-mêmes.

« Nous inférons l'existence d'une quantité de processus en eux-mêmes "inconnaissables". Nous insérons ensuite ceux-ci parmi les processus dont nous sommes conscients. [...] Avouons-le, il est souvent très difficile d'aboutir à une décision, ce qui d'ailleurs se traduit par de nombreux désaccords entre les psychanalystes. » [1]

Claude Le Guen

Quantum → Refoulement → Quantitatif-qualitatif (quantité-qualité)

1. *Abrégé de psychanalyse* (1940a [1938]), Paris, PUF, 1967, p. 71 ; *OCF* XX, p. 295 ; *GW* XVII, p. 127.

R

RÉACTION THÉRAPEUTIQUE NÉGATIVE

all. : ***negative therapeutische Reaktion.*** – angl. : *negative therapeutic reaction.* – esp. : *reccion terapeutica negative.* – ital. : *reazione terapeutica negativa.* – port. : *reacao terapeutica negativa*

La réaction thérapeutique négative est un fait clinique observé chez certains patients, qui réagissent « de façon inversée » aux progrès de la cure. Toute résolution partielle provoque chez eux une aggravation de leur état à la place de l'amélioration escomptée. Il s'agit d'une forme de résistance particulièrement puissante, fournissant à Freud une référence clinique aux élaborations théoriques fondamentales de la deuxième topique : relations du moi au surmoi, masochisme et pulsion de mort.

Assurant la satisfaction du sentiment de culpabilité inconscient, la réaction thérapeutique négative est l'expression clinique par excellence du masochisme moral, forme extrême du masochisme du moi dans sa relation à un surmoi sadique. Indice indéniable « de l'existence dans la vie psychique d'une puissance que, d'après ses buts, nous appelons pulsion d'agression ou de destruction et que nous dérivons de l'originaire pulsion de mort de la matière

inanimée »[1], elle témoigne d'une désunion pulsionnelle, provoquant la libération de quantités excessives de la pulsion de destruction tournée vers le dedans.

MISE EN SITUATION

La réaction thérapeutique négative est une forme particulière de la résistance au traitement qui ne sera conceptualisée qu'en 1923 dans Le moi et le ça, *avec l'avènement de la deuxième topique. Mais la « réaction inversée » au traitement qui la caractérise n'est pas vraiment alors une découverte clinique. La résistance est décrite dès 1904 comme ce « qui fait que le malade se cramponne à sa maladie et par là lutte contre son rétablissement »[2] ; l'aggravation des symptômes en cours de traitement en est une manifestation souvent inévitable[3].*

De même, l'intensité de cette forme de résistance ne lui est pas spécifique puisque, tout au long de l'œuvre, la résistance au traitement est qualifiée de « massive », d'une « rare puissance », et pour la vaincre l'analyste doit livrer « un combat acharné ».

Il convient, en effet, de différencier la clinique, finalement assez pauvre, de la résistance et les différentes théorisations qui purent en être faites. L'analyse des résistances est un fil rouge dans l'histoire de l'élaboration de la psychanalyse, la résistance étant reconnue comme « l'une des pierres angulaires de la théorie »[4] ; Freud y revient à chaque étape de sa construction de l'édifice métapsychologique. L'enjeu est fondamental puisqu'il s'agit, par l'élaboration théorique des facteurs de résistances, de comprendre les échecs du travail analytique.

1. « L'analyse avec fin et l'analyse sans fin » (1937c), *Résultats, idées, problèmes, II*, Paris, PUF, 1984, p. 258 ; *OCF* XX, p. 45 ; *GW* XVI, p. 88.

2. « De la psychothérapie » (1904), *De la technique psychanalytique*, Paris, PUF, 1972, p. 14 ; *OCF* VI, p. 51 ; *GW* V, p. 18.

3. « Remémoration, répétition et perlaboration » (1914g), *De la technique psychanalytique*, Paris, PUF, 1972, p. 110 ; *OCF* XII, p. 192 ; *GW* X, p. 132.

4. « La méthode psychanalytique de Freud » (1904a), *De la technique psychanalytique*, Paris, PUF, 1972, p. 4 ; *OCF* VI, p. 14 ; *GW* V, p. 6.

Jusqu'à l'analyse de l'homme aux loups, rédigée en 1914, la résistance est rapportée au transfert, qui, à la fois « oppose au traitement la plus forte des résistances » [1] *et édifie le terrain sur lequel il faut remporter la victoire. La résistance de transfert est paradoxale, puisqu'elle met en péril la pratique psychanalytique en même temps qu'elle la fonde et la définit. L'aggravation des symptômes en cours de cure est inévitable, imputée en totalité aux phénomènes de transfert qui font que « le patient cède à la compulsion de répétition, qui a remplacé l'impulsion à se souvenir »* [2]*. Jusqu'alors les échecs de la cure semblaient techniques, dus aux difficultés dans le maniement du transfert, voire à l'impatience des médecins qui ne prenaient pas suffisamment en compte la nécessité d'un temps de « perlaboration des résistances », le traitement leur semblant « piétiner sur place »* [3]*. L'analyse de l'homme aux loups marque un tournant dans la théorisation des résistances ; la résistance de Sergueï est effectivement considérable : chaque fois qu'un symptôme paraissait avoir été définitivement résolu, il tentait de nier cet effet par l'aggravation du symptôme liquidé. Certes ces réactions négatives au progrès de la cure purent être mises sur le compte du transfert négatif, de l'esprit de bravade du patient et de son esprit de contradiction ; mais cette cure difficile est l'occasion pour Freud d'explorer des causes de résistances que la seule névrose de transfert ne saurait expliquer. Ainsi, la considérable résistance au changement est rattachée à son aptitude à la fixation, définie comme un trait constitutionnel relié au concept d'entropie ; l'autre facteur de résistance est le narcissisme excessif responsable de la persistance d'une force inconsciente homosexuelle tenace, entravant l'évolution normale de la cure analytique* [4] *; enfin et surtout, la question du masochisme est omniprésente dans toute la discussion théorique du cas. Rappelant la névrose infantile de Sergueï, Freud évoque la « méchanceté » du petit garçon dont le but était de pousser le père à le battre, pour obtenir la satisfaction sexuelle masochique désirée ; « la correction espérée*

1. « La dynamique du transfert » (1912b), *De la technique psychanalytique*, Paris, PUF, 1972, p. 52 ; *OCF* XI, p. 109 ; *GW* VIII, p. 366.

2. « Remémoration, répétition et perlaboration » (1914g), *De la technique psychanalytique*, Paris, PUF, 1972, p. 109 ; *OCF* XII, p. 191 ; *GW* X, p. 130.

3. *Ibidem*, p. 114 ; p. 195 ; p. 135.

4. « Extrait de l'histoire d'une névrose infantile (L'homme aux loups) » (1918b [1914]), *Cinq psychanalyses*, Paris, PUF, 1970, p. 417 ; *OCF* XIII, p. 115 ; *GW* XII, p. 154.

trouvait encore à satisfaire son sentiment de culpabilité »[1]*. Il note, comme en passant, que dans ce cas, le conflit moral fait défaut. Mais, faute d'avoir suffisamment pris en compte la dimension masochique du transfert homosexuel de son patient, Freud ne fait pas explicitement de celle-ci un facteur de résistance au traitement.*

Il faudra l'étude de certains types de caractère, dégagés par le travail analytique, entrant en résonance avec des personnages tirés de la littérature (Lady Macbeth de Shakespeare et Rosmersholm d'Ibsen), pour que Freud découvre qu'il est possible d'échouer et devenir malade « du fait du succès », tout comme on le devient à la suite d'une frustration[2]*. S'amorce là une totale remise en cause du principe de plaisir, qui va ouvrir toute la réflexion de la période d'après 1920.*

Le concept de réaction thérapeutique négative s'inscrit dans cet Au-delà du principe de plaisir*; il est d'une importance fondamentale, puisqu'il donne une forme clinique, objectivable à toutes les hypothèses formulées dans la deuxième partie de l'œuvre. Théorisée en 1923 dans Le moi et le ça comme sentiment inconscient de culpabilité, la réaction thérapeutique participe à l'introduction de nouvelles instances en révélant la pathologie de la relation entre le moi et le surmoi. Rapportée, en 1924, dans « Le problème économique du masochisme », au besoin de punition, elle devient la référence clinique par excellence du masochisme moral. Enfin, reconnue comme manifestation du sadisme du surmoi, et du masochisme du moi, elle est en 1937 directement référée à la pulsion de mort dans « L'analyse avec fin et l'analyse sans fin ». En donnant une forme clinique observable au travail silencieux de la pulsion de mort, Freud ouvre la question de son analysabilité et, effectivement, la même année, dans « Constructions dans l'analyse », s'opère un renversement de la réaction thérapeutique négative qui, d'obstacle majeur à la poursuite de l'analyse, devient, par son articulation au travail de construction dans la cure, un repère précieux pour le travail analytique.*

1. *Ibidem*, p. 414-415 ; p. 110-111 ; p. 149-150.

2. « Quelques types de caractère dégagés par le travail psychanalytique » (1916d), *L'inquiétante étrangeté et autres essais*, Paris, Gallimard, 1990, p. 168 ; *OCF* XV, p. 38 ; *GW* X, p. 389.

LE TEXTE FREUDIEN

Dans une lettre à C. G. Jung du 21 novembre 1909, Freud reconnaît, dans le sadisme réprimé d'un malade, « la cause la plus fréquente de l'échec de la cure : la meilleure vengeance à l'égard du médecin, combinée à l'autopunition »[1]. Mais cette idée de l'échec de la cure en lien avec le couple sadisme-masochisme sera laissée de côté pendant de nombreuses années. Le terme même de « réaction thérapeutique négative » apparaît pour la première fois en 1923 dans *Le moi et le ça* ; Freud y propose de reprendre les pensées exposées dans *Au-delà du principe* en les reliant à différents faits de l'observation analytique. « Une nouvelle expérience » a montré que chez certaines personnes l'autocritique et la conscience morale sont inconscientes et produisent des effets importants ; certains patients réagissent étrangement, « de façon inversée » aux progrès de la cure : « Lorsqu'on leur donne espoir et qu'on leur montre qu'on est satisfait de la situation du traitement, elles semblent insatisfaites et aggravent régulièrement leur état [...]. Toute résolution partielle qui devrait avoir pour conséquence – et qui l'a réellement chez d'autres – une amélioration ou une rémission temporaire des symptômes, provoque chez elles un renforcement momentané de leur souffrance ; **leur état s'aggrave au lieu de s'améliorer**. Elles témoignent de ce qu'on nomme *la réaction thérapeutique négative* »[2]. Quelque chose, chez elles, s'oppose à la guérison qui leur apparaît comme un danger ; **le besoin d'être malade l'emporte sur la volonté de guérir**. Il y a un obstacle plus fort que ceux que nous connaissons déjà, comme l'inaccessibilité narcissique, l'opposition au médecin, et la fixation aux bénéfices de la maladie ; il s'agit d'un facteur « moral », d'un sentiment de culpabilité inconscient qui se manifeste seulement sous forme de résistance à la guérison de la part du patient qui ne veut pas renoncer à la punition par la souffrance.

1. *Sigmund Freud – C. G. Jung : Correspondance*, vol. I, Paris, Gallimard, 1975, p. 349.

2. *Le moi et le ça* (1923b), *Essais de psychanalyse*, Paris, Payot, 1981, p. 264 ; *OCF* XVI, p. 292 ; *GW* XIII, p. 278.

Ces faits cliniques attendent encore une élaboration théorique, mais ils mettent en évidence les relations entre moi et surmoi : le sentiment de culpabilité inconscient est l'expression de la domination du surmoi sur le moi, d'autant plus forte que le complexe d'Œdipe a été fort et que son refoulement s'est produit rapidement : le moi « se soumet à l'impératif catégorique de son surmoi » qui tire son origine des premiers investissements d'objets du ça, plonge profondément dans le ça et reste plus éloigné de la conscience que le moi. Ce sentiment de culpabilité inconscient reste muet pour le patient « qui ne se sent pas coupable, mais malade ». **Le sentiment de culpabilité inconscient « joue un rôle économique décisif, dans un grand nombre de névroses, et oppose à la guérison les plus solides obstacles »** [1].

Dans une note de bas de page, Freud souligne les difficultés posées par cet obstacle sur lequel le praticien ne peut agir qu'indirectement, en tentant de le transformer en sentiment de culpabilité conscient. La tâche est plus facile s'il s'agit d'« un sentiment de culpabilité emprunté, c'est-à-dire quand il est le résultat d'une identification à une autre personne qui fut jadis l'objet d'un investissement érotique ». Le sentiment de culpabilité est alors tout ce qui reste d'une relation amoureuse abandonnée, dans un processus d'identification proche du processus mélancolique ; on peut même espérer une brillante réussite thérapeutique si on découvre l'ancien investissement d'objet caché derrière le sentiment inconscient de culpabilité. L'issue peut aussi dépendre d'un autre facteur tenant à la personne de l'analyste, qui doit permettre au malade de le mettre à la place de son idéal du moi ; il serait alors tentant pour le médecin de se mettre dans le rôle d'un sauveur, d'un messie, ce qui est contraire aux règles de l'analyse dont le but est de permettre au moi du malade de décider en toute liberté [2].

Comment le surmoi peut-il faire preuve d'une telle dureté envers le moi ? Une nouvelle hypothèse apparaît, faisant intervenir la désunion pulsionnelle, et la libération de la pulsion de mort : l'idéal du moi tirerait son caractère de dureté de la désunion pulsionnelle inhérente au processus d'identification avec le modèle paternel qui le fonde.

1. *Ibidem.*
2. *Ibidem.*

Toute identification s'accompagne d'une désexualisation, ou même d'une sublimation, et la composante érotique n'est plus assez forte pour assurer la liaison de la destruction qui devient libre. Ainsi, dans le processus identificatoire de la mélancolie, la composante destructrice se retranche dans le surmoi qui fait rage contre le moi, comme s'il s'était emparé de tout le sadisme disponible. « Ce qui règne maintenant dans le surmoi, est une pure culture de la pulsion de mort ». Plus généralement, « parmi les conséquences des névroses graves, il faut particulièrement souligner la désunion pulsionnelle et la place prépondérante prise par la pulsion de mort » [1].

Le rôle de la pulsion de mort dans la réaction thérapeutique négative est précisé dans « Le problème économique du masochisme » (1924), où Freud reprend sa description de la réaction thérapeutique négative proposée en 1923 pour la compléter par ses nouvelles théorisations du masochisme, et notamment la définition d'un masochisme moral. La satisfaction du sentiment de culpabilité inconscient, telle qu'elle s'exprime dans la réaction thérapeutique négative, est « la forme extrême, indubitablement pathologique du masochisme » [2]. La souffrance qui accompagne la névrose est ce qui la rend précieuse pour la tendance masochiste, et la satisfaction du sentiment de culpabilité inconscient est le plus considérable bénéfice de la maladie.

Il convient alors de distinguer le prolongement inconscient de la morale, conséquence de la désexualisation, donc de la désunion pulsionnelle qui accompagne la formation du surmoi, et le masochisme moral qui trouve son origine dans la pulsion de mort tournée vers l'intérieur. « Dans le premier, l'accent porte sur le sadisme accru du surmoi auquel se soumet le moi, dans le second, il porte au contraire sur le masochisme propre du moi qui réclame punition, qu'elle vienne du surmoi, ou de l'extérieur, des puissances parentales » [3]. Certes, dans les deux cas, il s'agit de la relation entre moi et surmoi, et d'un besoin de punition, satisfait par la souffrance. Mais **le sadisme du**

1. *Ibidem*, p. 264-272 ; p. 292 -300 ; p. 279-288.

2. « Le problème économique du masochisme » (1924c), *Névrose, psychose et perversion*, Paris, PUF, 1973, p. 293 ; *OCF* XVII, p. 18 ; *GW* XIII, p. 379.

3. *Ibidem*, p. 296 ; p. 21 ; p. 381.

surmoi est le plus souvent conscient, tandis que la tendance masochiste du moi reste inconsciente et ne peut qu'être déduite du comportement de la personne : « Le sadisme du surmoi et le masochisme du moi se complètent mutuellement et s'unissent pour provoquer les mêmes conséquences »[1]. Le sentiment de culpabilité inconscient, tel qu'il s'exprime dans la réaction thérapeutique négative, peut être traduit en besoin de punition de la part d'une puissance parentale. Or, le désir d'être battu par le père est très proche du désir d'avoir des rapports sexuels passifs avec lui ; ainsi, le sens inconscient du contenu du masochisme moral nous devient clair : « Par le masochisme moral, la morale est resexualisée, le complexe d'Œdipe ressuscité, une voie régressive est frayée de la morale au complexe d'Œdipe »[2]. Le masochiste est tenté de commettre le « péché » pour provoquer la punition par les reproches de sa conscience morale sadique, ou bien par le châtiment de cette ultime puissance parentale que figure le Destin. Dans ce but, le masochiste doit « détruire les perspectives qui s'ouvrent à lui dans le monde réel et éventuellement anéantir sa propre existence réelle »[3]. **Le danger du masochisme moral tient à son origine puisée dans la pulsion de mort : il correspond à la partie de celle-ci qui n'a pas été tournée vers l'extérieur sous forme de pulsion de destruction.** Mais, témoin classique de l'union pulsionnelle, il a aussi la signification d'une composante érotique. Ainsi, « même l'autodestruction de la personne ne peut se produire sans satisfaction libidinale »[4].

Un an plus tard, dans *Inhibition, symptôme et angoisse*, Freud est en mesure de classer les différentes sortes de résistance à l'analyse : elles proviennent des trois directions du moi, du ça et du surmoi. Trois formes de résistance émanent du moi : la première est la résistance de refoulement, la deuxième la résistance de transfert, la troisième provient du bénéfice secondaire de la névrose qui consiste en l'incorporation du symptôme par le moi renforçant sa fixation (la difficulté

1. *Ibidem*, p. 297 ; p. 22 ; p. 383.
2. *Ibidem*, p. 296 ; p. 21 ; p. 381.
3. *Ibidem*, p. 297 ; p. 22 ; p. 382.
4. *Ibidem*, p. 297 ; p. 23 ; p. 383.

de défaire les liens de conciliation entre le moi et le symptôme montre la tendance du moi à la synthèse). Il y a une quatrième résistance : celle du ça, liée à l'emprise de la compulsion de répétition, responsable de la nécessité de perlaborer. La cinquième résistance, celle du surmoi, fut la dernière reconnue ; elle est la plus obscure mais est loin d'être la plus faible : « Elle semble prendre racine dans le sentiment de culpabilité ou le besoin de punition s'opposant à tout succès, et par conséquent à la guérison par l'analyse »[1]. Nous y reconnaissons la réaction thérapeutique négative, même si Freud ne la nomme pas ici ; elle va rester implicite dans tous les écrits suivants traitant du sentiment de culpabilité et du masochisme moral.

Ainsi *La question de l'analyse profane* confirme que **la résistance du surmoi est la plus redoutable des résistances** dans la mesure où elle prend sa source dans le bénéfice de la maladie liée au sentiment de culpabilité inconscient ; la maladie est utilisée comme moyen d'autopunition par le névrosé obligé de faire comme s'il était dominé par un sentiment de culpabilité : sa moralité s'exerce sur un mode primitif, le surmoi continuant à punir le moi comme le père sévère punit l'enfant – le surmoi du névrosé n'est pas devenu suffisamment impersonnel du fait d'une mutation incorrecte de son complexe d'Œdipe[2]. Pour expliciter la satisfaction du masochisme moral par les punitions infligées par un surmoi sadique, Freud s'appuie sur la clinique et, plus précisément, sur le cas de l'homme aux loups dont la discussion théorique a reconnu la grande place à attribuer au masochisme ; il utilise également la biographie d'un autre « type de caractère russe », Dostoïevski (il lui consacre un article en 1928), qui était « dans les petites choses un sadique envers l'extérieur, et dans les choses les plus importantes un sadique envers lui-même, donc un masochiste »[3] ; sa très forte pulsion de destruction se dirigeait contre sa propre personne, et s'exprimait sous forme de masochisme et de

1. *Inhibition, symptôme et angoisse* (1926d [1925]), Paris, PUF, 1951, p. 88-89 ; *OCF* XVII, p. 274 ; *GW* XIV, p. 192-193.

2. *La question de l'analyse profane* (1926e), *OCF* XVIII, p. 48-49 ; *GW* XIV, p. 254.

3. « Dostoïevski et le parricide » (1928 [1927]), *Résultats, idées, problèmes, II*, Paris, PUF, 1984-1985, p. 163 ; *OCF* XVIII (« Dostoïevski et la mise à mort du père »), p. 209 ; *GW* XIV, p. 401.

sentiment de culpabilité. Cet exemple est l'occasion de montrer le rôle de la bisexualité dans le masochisme du moi : « **Toute punition est bien, dans son fond, la castration et, comme telle, est satisfaction de la vieille attitude passive envers le père** » [1]. La composante passive de la féminité refoulée joue un rôle majeur pour conditionner ou renforcer la névrose ; c'est elle qui marque la frontière, par ailleurs assez floue, entre normalité et pathologie. Les attaques de mort de Dostoïevski, qui revêtent un caractère épileptique, sont à comprendre comme une identification avec le père au niveau du moi, identification autorisée par le surmoi en tant que punition : « Tu voulais tuer le père pour être toi-même le père ; maintenant tu es le père, mais le père mort » – et « maintenant le père te tue » [2]. Pour le moi, le symptôme de mort est à la fois une satisfaction du désir masculin et une satisfaction masochique. Pour le surmoi, c'est une satisfaction sadique, punitive. Freud explique la passion du jeu de Dostoïevski par son besoin d'autopunition : « Quand le sentiment de culpabilité était satisfait par les punitions qu'il s'était infligées à lui-même [...], il s'autorisait à faire quelques pas sur la voie du succès » [3].

Dans les *Nouvelles conférences d'introduction à la psychanalyse*, en 1933, Freud considère le besoin de punition comme responsable de la réaction thérapeutique négative ; il en pose sa théorisation comme **le point de départ de sa dernière théorie des pulsions** : le besoin de punition, « le pire ennemi de notre effort thérapeutique », participe à toute maladie névrotique puisqu'il est le motif de la résistance, mais il faut que le sentiment de culpabilité soit particulièrement puissant pour que se manifeste la réaction thérapeutique négative. C'est là l'occasion, pour Freud, d'en préciser une nouvelle fois le contenu : « Quand on leur a communiqué la solution d'un symptôme qui devait être suivie normalement d'une disparition, au moins temporaire, du symptôme, on obtient chez eux, au contraire, un renforcement momentané du symptôme et de la souf-

1. *Ibidem*, p. 170 ; p. 216 ; p. 408-409.
2. *Ibidem*, p. 170 ; p. 217 ; p. 409.
3. *Ibidem*, p. 176 ; p. 222 ; p. 415.

france »[1]. Il ajoute qu'une parole optimiste, ou une louange pour leur comportement dans la cure, suffit à provoquer une nette aggravation de leur état. Ce besoin inconscient de punition correspond à une part d'agression, reprise par le surmoi et intériorisée. Mais Freud hésite ici entre une première hypothèse où toute l'agression revenue du monde extérieur serait dirigée contre le moi, après avoir été liée par le surmoi, et une deuxième hypothèse où « une partie de cette agression exerce son activité muette et inquiétante en tant que libre pulsion de destruction dans le moi et le ça »[2]. Il avoue son ignorance mais dit pencher pour cette dernière.

Et, effectivement, dans l'article fondamental de 1937 « L'analyse avec fin et l'analyse sans fin », avec le besoin de punition qui la définit, **la réaction thérapeutique négative est rattachée directement au travail silencieux de la pulsion de mort.** Ce texte s'ouvre par un rappel du cas du jeune Russe, Sergueï, plus connu sous le nom d'homme aux loups et décrit ici comme « un cas d'auto-inhibition de la cure [qui] était en danger d'échouer, justement de par son succès partiel » ; le moyen technique violent de fixation d'un terme à l'analyse, s'il a rendu une partie du matériel accessible, n'a pu cependant empêcher qu'une autre partie, se trouvant ensevelie, se perdît pour l'effort thérapeutique ; il y eut, par la suite, reprises d'incidents morbides, prolongements de sa névrose et, à l'occasion, « reliquats du transfert », le tout avec un caractère, fugacement mais clairement, paranoïaque[3]. Après avoir inventorié les facteurs susceptibles de rendre l'analyse interminable, Freud suppose que ces oppositions au succès thérapeutique doivent avoir une base plus profonde ; il s'agit du « comportement des deux pulsions originaires, leur répartition, mélange et désalliage, choses qu'il ne faut pas représenter limitées à une seule et unique province de l'appareil psychique, ça, moi et surmoi » ; lors du travail analytique peut émaner des résistances

1. *Nouvelles conférences d'introduction à la psychanalyse* (1933a [1932]), Paris, Gallimard, 1984, p. 148 ; *OCF* XIX, p. 193 ; *GW* XV, p. 117.

2. *Ibidem*, p. 147 ; p. 192 ; p. 117.

3. « L'analyse avec fin et l'analyse sans fin » (1937c), *Résultats, idées, problèmes, II*, Paris, PUF, 1984, p. 232-233 ; *OCF* XX, p. 18-19 ; *GW* XVI, p. 60-61.

une impression extrêmement puissante, comme « une force qui se défend contre la guérison par tous les moyens et veut absolument s'accrocher à la maladie et à la souffrance »[1]. C'est là dire la nécessité de prendre en compte le point de vue économique à côté des points de vue dynamique et topique : « **Le résultat final dépend toujours du rapport de forces relatif des instances qui luttent entre elles.** »[2] Une partie de cette force est localisée dans la relation du moi au surmoi et elle peut être identifiée comme conscience de culpabilité et besoin de punition ; cette partie nous est connaissable car liée psychiquement par le surmoi, mais une autre part doit être encore à l'œuvre, que ce soit sous une forme liée ou libre. Le tableau clinique de la réaction thérapeutique négative, dans lequel sont rassemblées les manifestations masochistes de tant de personnes ainsi que la conscience de culpabilité des névrosés, amène à penser que l'aspiration au plaisir n'est pas seule à dominer le cours des processus psychiques. « Ces phénomènes sont des indices indéniables de l'existence dans la vie psychique d'une puissance que, d'après ses buts, nous appelons pulsion d'agression ou de destruction et que nous dérivons de l'originaire pulsion de mort de la matière inanimée »[3]. Mais aucune pulsion n'intervient jamais seule, et le masochisme moral reste le témoin classique de l'union des deux pulsions originaires, Éros et Thanatos.

Cependant la même année, dans « Constructions dans l'analyse », on peut être surpris de voir introduit ce qui ressemble à un renversement : l'obstacle puissant à la poursuite de l'analyse qu'est la réaction thérapeutique négative paraît s'inverser, devenant un repère pour l'analyste lui permettant de vérifier la validité d'une construction : « Si l'analyse est sous la pression de facteurs puissants qui entraînent par force une réaction thérapeutique négative, tels qu'un sentiment de culpabilité, un besoin masochiste de souffrance, une opposition farouche au secours apporté par l'analyste, le comportement du patient, une fois la construction communiquée, rend souvent très facile

1. *Ibidem*, p. 258 ; p. 44 ; p. 88.
2. *Ibidem*, p. 245 ; p. 31 ; p. 74.
3. *Ibidem*, p. 258 ; p. 45 ; p. 88.

la décision recherchée » car, en effet, « si la construction est fausse rien n'est changé chez le patient, mais si elle est juste ou s'approche de la vérité il y réagit par une aggravation évidente de ses symptômes et de son état général »[1].

En 1938, dans l'*Abrégé*, Freud individualise deux sources de résistances particulièrement coriaces qui n'émanent pas du moi et peuvent être réunies comme « besoin d'être malade » ou « besoin de souffrir » ; elles ont cependant deux origines différentes et doivent être distinguées. Dans un premier cas le facteur de résistance est le sentiment, ou conscience de culpabilité (terme impropre puisque le malade ne le ressent ni ne le connaît) ; il provient d'un surmoi particulièrement dur et cruel et cette résistance rend notre travail intellectuel inefficace dans la mesure où elle demeure prête à remplacer une névrose par une autre, voire par une maladie organique : une seule chose importe, être malheureux. Nous pouvons combattre cette résistance en la rendant consciente et en démantelant lentement le surmoi hostile. Face au deuxième cas nous sommes particulièrement désarmés ; il s'agit de névrosés chez qui « la pulsion d'autoconservation a subi un véritable retournement » : ces patients n'ont d'autres buts que de se nuire à eux-mêmes et de se détruire, ils ne supportent pas l'idée d'une possible guérison et tous les moyens leur sont bons pour contrecarrer nos efforts. Nous ne nous expliquons pas encore parfaitement ces cas, mais nous pensons que, chez eux, « des désunions des pulsions ont dû se produire sur une large échelle et provoquer la libération de quantités excessives de pulsion de destruction tournée vers le dedans »[2]. Ces deux facteurs – sentiment de culpabilité issu des relations entre le moi et le surmoi, et profondes modifications de l'économie pulsionnelle – déterminent la gravité d'un cas.

1. « Constructions dans l'analyse » (1937d), *Résultats, idées, problèmes, II*, Paris, PUF, 1984, p. 277 ; *OCF* XX, p. 68-69 ; *GW* XVI, p. 52.

2. *Abrégé de psychanalyse* (1940a [1938]), Paris, PUF, 1985, p. 48-49 ; *OCF* XX, p. 273 ; *GW* XVII, p. 106.

QUESTIONS ET ENJEUX

Forme clinique de la résistance au traitement, la réaction thérapeutique négative est porteuse d'un double paradoxe. Le premier lui est spécifique : c'est, dans un premier temps, l'amélioration du patient qui provoque son aggravation dans un temps second. Le deuxième est un caractère général de la résistance qui veut que toute résistance puisse être à la fois fermeture comme obstacle au traitement, et ouverture vers de nouvelles perspectives de travail analytique.

De quoi la réaction thérapeutique négative est-elle la marque ? Freud insiste sur l'aspect « redoutable » de cette résistance qui est « le pire ennemi de notre effort thérapeutique » ; avec elle il décrit effectivement un processus en impasse, un cercle vicieux où tout échec – et celui du traitement en particulier – est vécu par le patient comme un châtiment qui alimente la jouissance masochique. Évoquant celle de l'homme aux loups, il y constate l'absence de conflit moral : le névrosé utilise sa maladie pour satisfaire son sentiment de culpabilité inconscient et se conduit « comme s'il était dominé par ce sentiment » mais, en fait, la régression incestueuse et la resexualisation de la relation aux parents (qui définissent le masochisme moral) révoquent la conscience morale ; s'opère une disqualification de la topique par confusion du moi et du surmoi qui, dans leur relation érotisée, se rapprochent du ça : « le sadisme du surmoi et le masochisme du moi se complètent mutuellement et s'unissent pour provoquer les mêmes conséquences »[1]. S'enfermant dans la jouissance de sa réaction négative, le patient se dégage de la conflictualité, donc de l'analysabilité ; à la névrose de transfert fait suite la perversion du masochisme moral, produisant un système fermé autoérotique ; son but est la souffrance elle-même, « qu'elle soit infligée par une personne aimée ou indifférente, cela ne joue aucun rôle ; elle peut être tout aussi bien causée par des puissances ou des circonstances impersonnelles »[2] : jouissant de sa souffrance il devient, dans son enfermement narcissique, inaccessible à l'autre, et d'abord à l'ana-

1. « Le problème économique du masochisme » (1924c), *Névrose, psychose et perversion*, Paris, PUF, 1973, p. 297 ; *OCF* XVII, p. 22 ; *GW* XIII, p. 383.

2. *Ibidem*, p. 293 ; p. 17 ; p. 378.

lyste. C'est là un moment d'immobilisme dans la cure au cours duquel le fonctionnement psychique semble s'autodétruire – Freud dit son désarroi devant ces patients chez qui « la pulsion d'autoconservation a subi un véritable retournement »[1].

Mais alors, comment transformer la réaction thérapeutique négative, obstacle majeur à la poursuite de la cure, en un processus analysable ? Autrement dit : comment trouver une voie de retour vers la relation transférentielle, barrée par la régression narcissique ? Il faut alors se souvenir de ce que, ainsi que Freud le rappelle à plusieurs reprises, la réaction thérapeutique négative est une réponse à une intervention de l'analyste ressentie comme séductrice : une louange sur le comportement, ou « quelques paroles optimistes sur le progrès de la cure »... Inscrite dans la relation analytique, elle devient une résistance de transfert tout en restant inaccessible à toute interprétation du transfert négatif. Il s'agit là, en effet, d'un obstacle « plus fort que l'attitude négative à l'égard du médecin ». Freud doit reconnaître que les quelques suggestions qu'il peut offrir (évoquer son « sentiment de culpabilité » au patient qui rétorque qu'il « ne se sent pas coupable mais malade », se mettre à la place de son idéal du moi en jouant le rôle « d'un sauveur des âmes » mais c'est « tout à fait contraire aux règles de l'analyse ») sont très incertaines ; « il faut reconnaître honnêtement qu'il y a là une nouvelle barrière aux effets de l'analyse ; sa tâche n'est pas de rendre impossibles les réactions morbides mais d'offrir au moi du patient la liberté de se décider pour ceci ou pour cela »[2]. L'analyste n'a pas d'autre choix que de lutter contre le surmoi hostile, de s'efforcer de réduire ses prétentions afin de lentement, patiemment le « démanteler » en passant peut-être par la reconstruction d'anciennes identifications, d'anciennes relations d'objet conservées et jalousement cachées... Alors la réaction thérapeutique négative aura bien été un moment mutatif inscrit dans la dynamique du processus analytique qui l'a produit.

En 1937, dans « Constructions dans l'analyse » s'opère un changement de perspective avec un renversement de la négativité : la réaction thérapeutique négative peut devenir une confirmation de la

1. *Abrégé de psychanalyse* (1940a [1938]), Paris, PUF, 1985, p. 49 ; *OCF* XX, p. 273 ; *GW* XVII, p. 106.

2. *Le moi et le ça* (1923b), *Essais de psychanalyse*, Paris, Payot, 1981, p. 264-265 ; *OCF* XVI, p. 292-293 ; *GW* XIII, p. 279-280.

justesse d'une construction. Si « une construction est juste, ou si elle représente un pas vers la vérité, il y réagit par une aggravation évidente des symptômes ». La réaction thérapeutique négative, d'obstacle majeur, peut devenir un moment mutatif de la cure, ouvrant peut-être l'accès à des « modifications du moi » jusque-là impénétrables. Elle s'inscrit alors dans une série allant de la simple dénégation jusqu'à des formes extrêmes de résistance correspondant à un masochisme insurmontable. Le concept de réaction thérapeutique négative permet à Freud de relativiser la gravité de la pathologie et de supprimer les lignes de démarcation, notamment celles entre névrose et perversion. En élargissant la réaction thérapeutique à la résistance en général, en affirmant que « ce facteur, le besoin de punition, participe à toute maladie névrotique », il inscrit la dimension masochique dans la cure, et la sort du contexte des pathologies lourdes qui sont référées à la pulsion de mort.

Il convient cependant de ne pas oublier qu'elle est une manifestation du masochisme moral qui demeure dangereux car, provenant « du fait qu'il a son origine dans la pulsion de mort, il correspond à la partie de celle-ci qui a évité d'être tournée vers l'extérieur sous forme de destruction » [1], ce qui est l'occasion pour Freud de rappeler (dans l'*Abrégé*) qu'il y a des personnes qui n'ont pas d'autre but que de s'autodétruire parce que, chez elles, « les désunions des pulsions ont dû se produire sur une large échelle et provoquer la libération de quantités excessives de la pulsion de destruction tournée vers le dedans » [2].

Le résultat de la lutte engagée contre les résistances dépend de rapports quantitatifs, et ce sont ces « disharmonies quantitatives qui sont responsables des inadaptations et souffrances névrotiques » [3].

Françoise Cribier

Réactionnelle (formation) → Formations

1. « Le problème économique du masochisme » (1924c), *Névrose, psychose et perversion*, Paris, PUF, 1973, p. 297 ; *OCF* XVII, p. 23 ; *GW* XIII, p. 383.

2. *Abrégé de psychanalyse* (1940a [1938]), Paris, PUF, 1985, p. 49 ; *OCF* XX, p. 273 ; *GW* XVII, p. 106.

3. *Ibidem*, p. 53 ; p. 277 ; p. 110.

RÉALITÉ (réalité extérieure, épreuve de réalité, réalité psychique)

all. : ***Realität.*** – angl. : *reality*. – esp. : *realidad*. – ital. : *realtà*. – port. : *realidade*

La réalité est une référence constante en psychanalyse, sans doute plus encore dans l'implicite que dans l'explicite, puisqu'il lui appartient de signifier ce qui relève du psychisme ; elle l'est tant sous sa forme de *réalité extérieure* dont doit témoigner l'épreuve de réalité, que sous celle de *réalité psychique* ; à chacune d'elles correspond de fait un « principe » : principe de réalité et principe de plaisir.

MISE EN SITUATION

Le mot de « réalité » pose d'autant moins de difficulté de traduction qu'il est, en principe, d'une sémantique fort claire. La notion de réalité, en revanche, a l'opacité de son évidence : s'agit-il du monde tel qu'il est, ou du monde tel qu'il est perçu ou ressenti ? Et entre les deux, quelle réalité ? On le voit, la métaphysique n'est pas loin... Pourtant René Descartes, dans ses Principes, *considère que « la réalité devrait être rangée parmi ces notions qui sont d'elles-mêmes si claires qu'on les obscurcit en les voulant définir ». Pareille position est d'ailleurs rejointe par les logiciens modernes, tels Georg Cantor, Gottlob Frege et Bertrand Russel, pour qui la réalité appartient aux « axiomes fondamentaux, ils requièrent l'évidence, et ensuite cela se développe sur les définitions et déductions logiques ». Les psychanalystes ne sauraient échapper au piège : la réalité qu'ils considèrent tend à se confondre avec le champ des représentations, sous toutes leurs formes, y compris dans leurs origines perceptives. Avec elle, nous sommes confronté aux évidences sensibles et, in fine, elle est indémontrable – et donc indéfinissable. Les dictionnaires, avec cet art de la tautologie qu'ils affectionnent, la définissent comme « le caractère de ce qui est réel », le réel étant « ce qui concerne les choses et pas seulement l'idée ou le mot » – ce qui ne va pas sans nous faire penser à la distinction freudienne entre représentation de chose et représentation de mot...*

LE TEXTE FREUDIEN

GENERALITES FREUDIENNES

Lorsque Freud emploie le terme de « réalité » seul, il le fait le plus souvent dans une expression métaphorique qui en souligne la concrétude (par exemple il parlera du « sol de la réalité »[1]). C'est toujours une telle réalité « évidente », « terrienne » qu'il implique et sur laquelle il s'appuie, même s'il doit, psychanalytiquement, la connoter de façon singulière. Il convient de noter qu'il emploie à peu près indifféremment les termes « réalité extérieure » et « monde extérieur », en usant comme de synonymes ; on peut tout au plus penser – sans que cela ait rien de systématique – qu'il nomme la « réalité » lorsqu'il entend spécifier la relation engagée avec elle, et qu'il parle de « monde » lorsqu'il la situe de façon plus générale. En fait, bien plus que de la réalité elle-même, **c'est du rapport à la réalité qu'il se préoccupe.**

Il s'y confronta d'emblée. Dès 1890, à propos de ce que « perçoit » l'hypnotisé, il s'interroge sur ce qu'il y a là de réel[2], mais c'est en 1895, avec l'« Esquisse d'une psychologie scientifique », qu'il place le rapport à la réalité au cœur de ses élaborations, tant cliniques que théoriques. Dès ce moment (et il ne se démentira jamais là-dessus), il va en faire une référence, une base et une donnée essentielles pour la compréhension tant du fonctionnement psychique que de sa genèse, lui attribuant de fonder la distinction entre processus primaires et processus secondaires, entre perceptions et souvenirs ; il va aussi montrer son importance dans le « choix névrotique »[3].

Avançant dans sa réflexion, il sera conduit à reconnaître différents aspects et modalités de référence à la réalité, chacun spécifié par un déterminant (ceux-ci parfois proches les uns des autres). Il va ainsi

1. « Sur les types d'entrée dans la névrose » (1912c), *Névrose, psychose et perversion*, Paris, PUF, 1973, p. 177 ; *OCF* XI, p. 121 ; *GW* VIII, p. 324.

2. « Traitement psychique » (1905b [1890]), *Résultats, idées, problèmes, I*, Paris, PUF, 1984, p. 16.

3. « Esquisse d'une psychologie scientifique » (1950c [1895]), *La naissance de la psychanalyse*, Paris, PUF, 1956, p. 343-345.

créer de nouveaux termes notionnels, tels la « réalité psychique », le « principe de réalité », voire le « moi-réalité », qu'il constituera méta-psychologiquement en 1911 (même si le terme n'est pas encore officialisé) dans un texte fondateur : « Formulations sur les deux principes du cours des événements psychiques » dans lequel il pose, notamment, le couple régulateur formé par principe de réalité et principe de plaisir. Dans le même écrit, il énonce fermement un précepte qu'il maintiendra tout au long : « **Qu'on ne se laisse jamais entraîner à introduire l'étalon de réalité dans les formations psychiques refoulées** ; on risquerait alors de sous-estimer la valeur des fantasmes dans la formation des symptômes. » [1] Bien que refusant fermement toute transcendance, il admet que **la réalité, en elle-même, demeure « inconnaissable »** – tout comme l'inconscient, d'ailleurs. Il en va ainsi pour la simple raison que « nous ne pouvons atteindre l'état de chose réel puisque nous sommes évidemment obligés de traduire toutes nos déductions dans le langage même de nos perceptions, désavantage dont il nous est interdit à jamais de nous libérer » [2]. L'approche de la réalité garde dans l'œuvre freudienne une remarquable stabilité, s'appuyant sur la solide conviction que la psychanalyse ne saurait avoir qu'une approche matérialiste du monde.

Dans notre saisie de la réalité selon Freud, par commodité d'exposition, nous traiterons séparément chacun des principaux lexèmes qu'il nous a proposés, sans méconnaître ce que l'exercice peut avoir d'artificiel ; nous aurions pu, bien souvent, intervertir des paragraphes, ou en inclure certains sous un intitulé voisin, sans nuire à la cohérence. C'est que, à la source de chaque notion, se trouve toujours une référence commune qui les unit, qui perdure et contraint chacune d'entre elles : l'idée, combien rétive et retorse, de réalité. Il est pourtant un concept que nous n'abordons ici que rapidement car nous lui avons réservé une entrée propre : il s'agit

1. « Formulations sur les deux principes du cours des événements psychiques » (1911b), *Résultats, idées, problèmes, I,* Paris, PUF, 1984, p. 142 ; *OCF* XI, p. 20 ; *GW* VIII, p. 237-238.

2. *Abrégé de psychanalyse* (1940a [1938]), Paris, PUF, 1967, p. 70-71 ; *OCF* XX, p. 295 ; *GW* XVII, p. 127.

du principe de réalité qui, associé au principe de plaisir, constitue l'une des fonctions princeps du psychisme. Disons que, dans ce concept, le « principe » y est sans doute plus important que la réalité, ce qui justifie de lui réserver un traitement à part.

I – RÉALITÉ EXTÉRIEURE ET ÉPREUVE DE RÉALITÉ

La réalité extérieure désigne tout ce qui se situe en dehors de l'individu, qu'il s'agisse d'objets matériels, de personnes ou de phénomènes (Freud parle à l'occasion de « monde » extérieur) ; elle se traduit par une perception qu'une action peut faire disparaître, à l'encontre de ce qu'il en est pour la réalité psychique, permettant ainsi de référer une *épreuve de la réalité*.

Entre toutes les réalités, la réalité extérieure est celle qui apparaît comme la plus proche de l'évidence des vérités premières. Elle vise tout ce qui se trouve au-dehors de l'individu, et réfère ce qui est tangible. Très tôt, elle est reconnue entièrement **dépendante de la perception** et, avec elle, de la motilité ; c'est dire les rapports étroits qu'elle engage avec la conscience et le moi.

Si la réalité physique est bien la première réalité à s'imposer à l'esprit de par sa concrétude et, en quelque sorte, sa solidité, lorsque Freud parle de « réalité extérieure » il vise, en fait et avec constance, la **réalité sociale** – c'est-à-dire celle qui se définit par les relations et échanges que l'individu entretient avec autrui. C'est ainsi que, dès les premiers temps de la vie, l'état de dépendance absolue du nourrisson implique, pour lui, une réalité qui ne se situe pas tant dans la matérialité du lait qu'il ingurgite, que dans le fait que ce soit « quelqu'un » qui le lui donne. C'est ce qui permettra de poser que « l'opposition entre la psychologie individuelle et la psychologie sociale, qui peut à première vue nous paraître très importante, perd beaucoup de son acuité si on l'examine à fond ». La place de l'autre dans la vie psychique de l'individu est telle que « la psychologie individuelle est aussi, d'emblée et simultanément, une psychologie sociale » et, tout aussi bien, « les premiers rapports de l'individu à ses parents peuvent être considérés comme des phénomènes sociaux »[1].

La réalité est souvent nommée dans l'« Esquisse d'une psychologie scientifique », où il incombe aux neurones de fournir un « indice de réalité » sous la forme d'une inhibition, due au moi, qui empêche la représentation de devenir hallucination; cela se fait en fonction de la décharge d'excitation, en liaison avec l'investissement perceptif[2]. Deux ans plus tard, dans une lettre à Wilhelm Fliess du 21 septembre 1897, c'est sur le constat qu'« **il n'existe dans l'inconscient aucun "indice de réalité"** » que Freud se trouve contraint d'abandonner sa *neurotica*, c'est-à-dire la théorie de la séduction réelle d'enfants passifs par des adultes pervers: rien ne permet de distinguer la vérité de la fiction. Une autre lettre, de 1899, annonce la découverte selon laquelle le psychisme émane du couple d'opposés que forme la réalité avec la réalisation du désir[3].

Ce thème est repris dans *L'interprétation des rêves*, en 1900, où la réalité figure en contrepoint de la figuration du rêve. Surtout, Freud pose que « **l'inconscient est le psychique lui-même et son essentielle réalité** », qui nous demeure aussi inconnue que celle du monde extérieur, et ce n'est pas la conscience qui peut nous renseigner là-dessus (à noter que si le principe de réalité y est bien mentionné, c'est dans un rajout de 1919)[4].

INTRODUCTION DE NOUVEAUX CONCEPTS

En **1911**, paraît un texte des plus importants sur la théorie du fonctionnement psychique, « Formulations sur les deux principes du cours des événements psychiques », qui s'attache, entre autres, à définir la

1. *Psychologie des foules et analyse du moi* (1921c), *Essais de psychanalyse*, Paris, Payot, 1981, p. 123 ; *OCF* XVI, p. 5 ; *GW* XIII, p. 73.

2. « Esquisse d'une psychologie scientifique » (1950c [1895]), *La naissance de la psychanalyse*, Paris, PUF, 1956, p. 343-344 et 382-383.

3. *La naissance de la psychanalyse. Lettres à Wilhelm Fliess. Notes et plans (1887-1902)* (1950a [1887-1902]), Paris, PUF, 1956, p. 191 et 246.

4. *L'interprétation des rêves* (1900a), Paris, PUF, 1967, p. 520 et 526 ; *OCF* IV, p. 668 et 675 ; *GW* II-III, p. 617-618 et 625.

relation à la réalité. Celle-ci justifie la faillite névrotique (et psychotique) qui s'exprime dans les rapports engagés avec la réalité extérieure : Freud a remarqué, depuis longtemps déjà, que toute névrose aboutit à « expulser le malade hors de la vie réelle, de le rendre étranger à la réalité. [...] Le névrosé se détourne de la réalité parce qu'il la trouve intolérable ». À la suite, un **principe de réalité** peut être posé. La fragilisation de la réalité extérieure résulte de sa situation secondaire par rapport aux processus primaires, les plus anciens ; un temps, ceux-ci furent les seuls présents dans le psychisme. Au lieu d'une satisfaction hallucinatoire, il faut « se résoudre à représenter l'état réel du monde extérieur et à rechercher une modification réelle ». Ce faisant, un nouveau principe psychique est introduit : ce qui est représenté n'est plus ce qui est agréable, mais ce qui est réel, même si c'est désagréable. Ce nouveau principe, le principe de réalité donc, conjointement avec le principe de plaisir, régit dorénavant le fonctionnement psychique et doit assumer une fonction fondamentale en métapsychologie. Il fait jouer à la *perception* un rôle croissant : « L'importance accrue de la réalité extérieure augmente elle-même l'importance des organes des sens tournés vers ce monde extérieur, et de la conscience qui y est attachée. » Pareillement, la décharge *motrice* prend alors une nouvelle fonction « dans la mesure où elle va être employée à une modification appropriée de la réalité ; elle se change en action ». En référence au principe de réalité, Freud pose alors un **moi-réalité** (et un *moi-plaisir* fonction du *principe de plaisir*) dont la fonction est de tendre vers l'utile et de protéger le moi des dommages. En se substituant au principe de plaisir, le principe de réalité ne l'a pas supprimé pour autant ; il cherche seulement à le contrôler avec l'espoir de gagner ainsi, plus tard, un plaisir plus assuré[1].

L'année suivante, « Sur les types d'entrée dans la névrose » revient sur la « disposition névrotique ». Cela peut se jouer **en fonction d'un objet réel du monde extérieur** par rapport auquel il importe d'apprécier si la frustration ou la satisfaction sont « réelles », pouvant alors conduire à se « détourner de la réalité » (introversion), cette régression

1. « Formulations sur les deux principes du cours des événements psychiques » (1911b), *Résultats, idées, problèmes, I*, Paris, PUF, 1984, p. 135-142 ; *OCF* XI, p. 13-20 ; *GW* VIII, p. 230-238.

conduisant à un conflit avec la partie restée *en relation avec la réalité*. Alors se forment des symptômes : « Le fait que l'ensemble du processus soit parti d'une frustration réelle trouve son effet dans ce résultat que les symptômes qui permettent de retrouver le *sol de la réalité* représentent des satisfactions substitutives. » Mais d'autres fois, c'est la « tentative pour s'adapter à la réalité et pour remplir l'*exigence de la réalité* » qui, en se heurtant à des difficultés internes insurmontables, provoque la névrose. Dans le premier cas, la modification du monde extérieur est au premier plan et l'individu tombe malade parce que le vécu de l'événement l'empêche de renoncer à la satisfaction, dans le second c'est la modification interne et l'impossibilité de s'adapter à de nouvelles exigences de la réalité qui provoquent la maladie[1].

En **1915**, le terme de « **réalité psychique** » apparaît[2] ; les processus à l'œuvre se précisent. Tout au début, lorsque le petit être peut se soustraire aux excitations par une action musculaire, il les situe à l'extérieur, plaçant à l'intérieur les excitations qu'il ne peut ainsi écarter ; mais ces excitations pulsionnelles vont alors amener le système nerveux à des activités compliquées qui tendent à modifier suffisamment le monde extérieur de telle sorte pour qu'il puisse satisfaire la source interne[3]. Le moi, *a priori* interne, se trouve ainsi projeté à l'extérieur, ce qui explique que, dominé par le principe de plaisir, il s'introjecte les objets sources de plaisir, et expulse ceux qui provoquent du déplaisir ; c'est là un bon critère objectif pour ce *moi-réalité du début,* qui « se transforme ainsi en un *moi-plaisir* purifié qui place le caractère de plaisir au-dessus de tout autre ». En ce temps premier, cela passe par les pulsions d'auto-conservation et aboutit à ce que « l'extérieur, l'objet, le haï seraient tout au début identiques »[4].

1. « Sur les types d'entrée dans la névrose » (1912c), *Névrose, psychose et perversion,* Paris, PUF, 1973, p. 175-177 ; *OCF* XI, p. 119-123 ; *GW* VIII, p. 323-326.

2. In « Considérations actuelles sur la guerre et sur la mort » (1915b), *Essais de psychanalyse,* Paris, Payot, 1981, p. 36 ; *OCF* XIII (2e éd.) ; *GW* X, p. 351. – Et aussi : « L'inconscient » (1915e), *Métapsychologie,* Paris, Gallimard, 1968, p. 98 ; *OCF* XIII (2e éd.), p. 228 ; *GW* X, p. 286.

3. « Pulsions et destins des pulsions » (1915c), *Métapsychologie,* Paris, Gallimard, 1968, p. 15-16 ; *OCF* XIII (2e éd.), p. 167-168 ; *GW* X, p. 212-213.

4. *Ibidem,* p. 38-39 ; p. 182-183 ; p. 228.

Il va donc falloir que s'**institue une *épreuve de réalité*** qui puisse fournir au moi le critère lui permettant de distinguer ce qui est réel de ce qui ne l'est pas : « Une perception qu'une action peut faire disparaître est reconnue comme extérieure, comme réalité ; si cette action ne change rien, c'est que la perception vient de l'intérieur du corps, elle n'est pas réelle. » Et Freud d'ajouter que « l'épreuve de réalité n'a pas à être autre chose que ce dispositif » et qu'« **elle est l'une des grandes institutions du moi** ». C'est elle qui, distinguant entre perception et représentation, permet d'échapper à l'hallucination ; le rapport au monde extérieur s'en trouve changé mais (comme cela avait été noté vingt ans plus tôt) dorénavant, toute régression tendra à faire retour de la réalité extérieure vers l'intérieure, pouvant même aller jusqu'à l'hallucination et « ainsi se placer au-delà de l'épreuve de réalité » [1].

Les rapports du moi avec la realite

« La perception joue pour le moi le rôle qui, dans le ça, échoie à la pulsion » ; c'est pourquoi « il lui revient de commander les accès à la motilité ». Nous ne saurions nous en étonner puisque c'est la réalité extérieure qui a, précisément, suscité le moi : « **Le moi est la partie du ça qui a été modifiée sous l'influence directe du monde extérieur.** » [2] Comme le moi, la réalité ne peut se constituer que grâce à un travail constant qui lui permet d'être saisie comme telle ; cela permet de faire apparaître la « *fonction de jugement* qui doit prononcer qu'une propriété est ou n'est pas à une chose, et doit concéder ou contester à une représentation l'existence dans la réalité » [3] ; « **l'acte de jugement doit décider impartialement si une représentation déterminée est vraie ou fausse, c'est-à-dire si elle est ou non en accord avec la réalité** ».

1. « Complément métapsychologique à la théorie du rêve » (1917d [1915]), *Métapsychologie,* Paris, Gallimard, 1968, p. 141-143 ; *OCF* XIII (2e éd.), p. 257-258 ; *GW* X, p. 423-424.

2. *Le moi et le ça* (1923b), *Essais de psychanalyse,* Paris, Payot, 1981, p. 237 ; *OCF* XVI, p. 269 ; *GW* XIII, p. 252.

3. « La négation » (1925h), *Résultats, idées, problèmes, II,* Paris, PUF, 1984, p. 136-137 ; *OCF* XVII, p. 168-169 ; *GW* XIV, p. 13.

Mais ceci est loin d'être toujours facile. Le réexamen de l'angoisse conduit au constat que la menace de castration, avec l'angoisse qu'elle suscite, doit être assimilée à une angoisse face à un danger réel (ou du moins jugé comme tel). Le *danger réel* est un danger connu, et une angoisse peut apparaître face à cette réalité (ce qui avait déjà pu être qualifié d'« angoisse réaliste » [1]). L'angoisse névrotique naît devant un danger inconnu, qui est de fait un danger pulsionnel : si celui-ci vient à la conscience, et devient connu du moi, il n'y a plus de différence avec un danger réel – ce qui rend possible la cure. **La revendication pulsionnelle est bien réelle ; l'angoisse névrotique a donc, elle aussi, un fondement réel**[2].

Les choses se compliquent encore avec les *nouvelles instances*. En 1938, dans l'*Abrégé de psychanalyse*, Freud en situe la problématique avec concision. Ainsi, « la satisfaction d'une exigence pulsionnelle, non insupportable en soi, peut cependant susciter une réaction dangereuse du monde extérieur, de sorte que c'est alors l'exigence pulsionnelle même qui se mue en danger », **danger suscité par « un monde intérieur bien trop exigeant », mais agi par « un monde extérieur qui menace de détruire le moi ».** Lorsque celui-ci se voit atteint, lorsqu'il se rapproche le plus du ça, il y a une perturbation des rapports à la réalité extérieure ; une psychose se déclenche soit lorsque la réalité devient intolérable, soit lorsque les pulsions subissent un énorme renforcement[3]. À partir de cinq ans, tout change lorsqu'une fraction du monde extérieur doit être abandonnée en tant qu'objet pour être intégrée au moi par l'identification : désormais, elle appartient au monde intérieur, où elle constitue le *surmoi* qui surveille et menace le moi avec sévérité. Héritier du complexe d'Œdipe, instauré après la liquidation de celui-ci, le surmoi prend bien la place des parents, mais « son excessive rigueur n'est pas à l'image d'un modèle réel, il correspond à l'intensité de la lutte défensive menée contre les

1. *Conférences d'introduction à la psychanalyse* (1916-1917), Paris, Gallimard, 1999, p. 498-500 ; *OCF* XIV, p. 408-410 ; *GW* XI, p. 408-410.

2. *Inhibition, symptôme et angoisse* (1926d [1925]), Paris, PUF, 1951, p. 27 et 94 ; *OCF* XVII, p. 226 et 279 ; *GW* XIV, p. 137 et 198.

3. *Abrégé de psychanalyse* (1940a [1938]), Paris, PUF, 1967, p. 75-77 ; *OCF* XX, p. 297-299 ; *GW* XVII, p. 130-132.

tentations du complexe d'Œdipe ». Le moi se sent flatté s'il parvient à le satisfaire : « C'est ainsi que le surmoi, devenu fraction du monde intérieur, continue cependant à assumer pour le moi le rôle d'un monde extérieur. » [1] Ainsi, dans les rapports et échanges entre réalité-monde extérieur et réalité-monde intérieur, se révèle une évidente **indétermination de la réalité extérieure,** qui ne peut que susciter une certaine fragilité de ce qu'elle engage.

Dans ces derniers travaux, Freud va aussi introduire la notion de *clivage,* processus défensif mis parfois en place pour tenter de résoudre un « **conflit entre la revendication de la pulsion et l'objection faite par la réalité** ». Ce procédé, habituel chez le petit enfant (notamment face à la menace de castration), n'en opère pas moins une « déchirure dans le moi » [2] et, chez l'adulte, il pourra conduire à la psychose ; tel est le *clivage du moi* : « Au lieu d'une unique attitude psychique, il y en a deux ; l'une, la normale, tient compte de la réalité alors que l'autre, sous l'influence des pulsions, détache le moi de cette dernière. Les deux attitudes coexistent, mais l'issue dépend de leurs puissances relatives. [...] Dans toute psychose existe un clivage du moi. » [3]

II – RÉALITE PSYCHIQUE

La réalité psychique désigne toutes les formations psychiques qui demeurent soumises au principe de plaisir, s'opposant ainsi à la réalité matérielle. Elle n'a pas moins de concrétude et de prégnance que celle-ci, elle est même encore plus déterminante qu'elle pour toute la vie psychique, et pour son fonctionnement.

En introduisant la notion d'une réalité psychique, Freud va bien au-delà des traditionnelles discussions sur les rôles respectifs à attri-

1. *Ibidem,* p. 82-83 ; p. 303-304 ; p. 136-137.

2. « Le clivage du moi dans le processus de défense » (1940e [1938]), *Résultats, idées, problèmes, II,* Paris, PUF, 1984, p. 284-285 ; *OCF* XX, p. 222-223 ; *GW* XVII, p. 60-61.

3. *Abrégé de psychanalyse* (1940a [1938]), Paris, PUF, 1967, p. 78 ; *OCF* XX, p. 300 ; *GW* XVII, p. 133.

buer à l'esprit et à la matière ; il sort du dilemme en avançant qu'en elles-mêmes, et non seulement par le constat de leurs effets, les productions psychiques ont une réalité propre dont la concrétude est au moins égale à celle de la réalité matérielle. C'est ainsi notre conception contemporaine de la réalité, jusqu'au plus profond d'elle-même, qu'il bouleverse.

L'idée apparaît dès 1895 dans l'« Esquisse d'une psychologie scientifique », mais sous une forme encore mal aboutie ; Freud parle alors, à côté des affects et désirs, d'une « réalité de pensée » qui, à côté des « indices de la réalité extérieure », correspondrait à des « indices de décharge par la voie verbale »[1]. Puis, en 1897, en même temps qu'il informe Fliess de son renoncement à la « théorie de la séduction », il montre que ce qui a pu le conduire à cette révision est sa « conviction qu'**il n'existe dans l'inconscient aucun "indice de réalité"**, de telle sorte qu'il est impossible de distinguer l'une de l'autre la vérité et la fiction investie d'affect »[2]. Entendant dorénavant s'attacher à établir les modalités de cette « distinction », il peut bientôt annoncer : « Réalité-réalisation d'un désir, tel est le couple d'opposés d'où émane notre psychisme » ; la voie est dès lors ouverte à la reconnaissance du rêve comme « réalisation de désir d'une pensée refoulée », le symptôme étant, pour sa part, « la réalisation de désir de la pensée refoulante »[3].

La notion est déjà présente dans *L'interprétation des rêves* : la faculté qu'a le rêve de refondre son contenu représentatif en images sensorielles fournit « des indices de réalités inconnues »[4] (en 1914, lors de la quatrième édition, le terme de « réalité psychique » est ajouté[5]). On peut cependant considérer que c'est en **1915** que la **réalité psychique** entre dans le corpus, quatre ans après l'introduction d'un principe de réalité s'opposant au principe de plaisir ; ainsi est

1. « Esquisse d'une psychologie scientifique » (1950c [1895]), *La naissance de la psychanalyse,* Paris, PUF, 1956, p. 383.

2. *La naissance de la psychanalyse. Lettres à Wilhelm Fliess. Notes et plans (1887-1902)* (1950a [1887-1902]), Paris, PUF, 1956, p. 191 (lettre du 21 septembre 1897).

3. *Ibidem,* p. 246 (lettre du 19 février 1899).

4. *L'interprétation des rêves* (1900a), Paris, PUF, 1967, p. 520 ; *OCF* IV, p. 601 ; *GW* II-III, p. 553.

5. *Ibidem,* p. 526 ; p. 675 ; p. 625.

explicité l'aboutissement de sa théorie. Il s'agit d'abord de souligner l'importance de cette réalité par rapport à la « réalité de fait »[1], puis d'indiquer les caractères des processus inconscients qui, soumis au principe de plaisir, ignorent la réalité et **remplacent la réalité extérieure par la réalité psychique**[2]. La question se pose, notamment à propos des hallucinations, de savoir comment le sujet peut alors lui-même s'y retrouver. Le critère qui lui permet d'identifier le lieu d'une réalité (psychique ou matérielle) est la possibilité de changement : « Une perception qu'une action peut faire disparaître est reconnue comme extérieure, comme réalité ; si cette action ne change rien, c'est que la perception vient de l'intérieur du corps, elle n'est pas réelle. » On le voit, en cela **la motricité est aussi nécessaire que la perception** – « l'*épreuve de réalité* n'a pas à être autre chose que ce dispositif »[3]. De ceci, il ressort que **la réalité extérieure est modifiable et l'intérieure immuable** ; avoir la dureté du roc devient l'attribut de la réalité psychique.

En psychanalyse, nous opérons avec l'inconscient « comme avec quelque chose de sensoriellement palpable ». Dans la vie infantile, « si les événements correspondent à la réalité, tant mieux ; si la réalité les récuse, ils sont formés d'après tels ou tels indices et complétés par l'imagination » ; **les effets sont les mêmes, que les événements infantiles soient produits par la fantaisie ou la réalité**[4].

Le retour régressif défensif à cette situation infantile (dans laquelle, avec les processus primaires, la réalité psychique dominait) avait déjà été reconnu comme marquant l'entrée dans la névrose, quelle que soit la forme particulière qu'elle prenne[5]. Dans les psychoses, la domina-

1. « Considérations actuelles sur la guerre et sur la mort » (1915b), *Essais de psychanalyse,* Paris, Payot, 1981, p. 36 ; *OCF* XIII (2e éd.), p. 154 ; *GW* X, p. 351.

2. « L'inconscient » (1915e), *Métapsychologie,* Paris, Gallimard, 1968, p. 100 ; *OCF* XIII (2e éd.), p. 228 ; *GW* X, 286.

3. « Complément métapsychologique à la théorie du rêve » (1917d [1915]), *Métapsychologie,* Paris, Gallimard, 1968, p. 142-143 ; *OCF* XIII (2e éd.), p. 258 ; *GW* X, p. 423-424.

4. *Conférences d'introduction à la psychanalyse* (1916-1917), Paris, Gallimard, 1999, p. 356 et 471 ; *OCF* XIV, p. 288 et 384 ; *GW* XI, p. 288 et 385.

5. « Formulations sur les deux principes du cours des événements psychiques »

tion de la réalité psychique va tendre à l'absolutisme, et ce d'autant que ce sont « les processus narcissiques » qui s'opposent à la réalité extérieure, à l'environnement[1]. « La perte de la réalité serait, pour la psychose, donnée au départ, pour la névrose, il y aurait lieu de penser qu'elle y est évitée » ; névrose et psychose n'en sont pas moins toutes deux l'effet de la rébellion du ça contre la réalité extérieure. « **La névrose ne dénie pas la réalité, elle veut seulement ne rien savoir d'elle ; la psychose la dénie et cherche à la remplacer.** »[2] Mais ce procédé de déni, en lieu et place du refoulement, n'est pas réservé aux seules psychoses ; c'est même « un caractère général des névroses » que ce recours à « deux attitudes psychiques différentes, opposées et indépendantes », l'une émanant du moi, l'autre du ça – mais, quoi qu'il en soit, le moi ne saurait réussir pleinement et, toujours, les deux attitudes contradictoires persistent conjointement, reflets de la réalité psychique à côté de la réalité matérielle[3]. Même si nous ne pouvons connaître qu'une faible part de ces processus, nous n'en devons pas moins savoir estimer leurs parts relatives avant de choisir d'entreprendre, avec quelque espoir de succès, une cure psychanalytique.

QUESTIONS ET ENJEUX

Les difficultés qui apparaissent avec la *réalité en psychanalyse* tiennent d'abord aux indécisions que comporte la notion elle-même. En posant l'inconscient comme « quelque chose de sensoriellement

(1911b), *Résultats, idées, problèmes, I,* Paris, PUF, 1984, p. 135 ; *OCF* XI, p. 13 ; *GW* VIII, p. 230. – Voir aussi « Sur les types d'entrée dans la névrose » (1912c), *Névrose, psychose et perversion,* Paris, PUF, 1973, p. 177-180.

1. *Psychologie des foules et analyse du moi* (1921c), *Essais de psychanalyse,* Paris, Payot, 1981, p. 123 ; *OCF* XVI, p. 5 ; *GW* XIII, p. 73.

2. « La perte de la réalité dans la névrose et dans la psychose » (1924e), *Névrose, psychose et perversion,* Paris, PUF, 1973, p. 299-301 ; *OCF* XVII, p. 37-39 ; *GW* XIII, p. 363-365.

3. *Abrégé de psychanalyse* (1940a [1938]), Paris, PUF, 1967, p. 80 ; *OCF* XX, p. 302 ; *GW* XVII, p. 134-135.

palpable », avec une réalité psychique « immuable », Freud accroît les incertitudes en déplaçant les limites et les conditions de ces indécisions. En chemin, il nous confronte notamment aux questions posées par la *croyance* et, surtout, par la *vérité* (thème sur lequel il revient régulièrement, ce pourquoi nous lui avons réservé une entrée dans ce dictionnaire) et, tout aussi bien, par l'*hallucination* et le *jugement*.

C'est là se retrouver confronté au *statut de la pensée,* pensée qui, avec le langage et au service de l'épreuve de réalité, permet d'opérer un jugement, comme le remarquait Freud dès 1895 [1]. La question que nous avons à nous poser – même si Freud ne la pose pas explicitement – est de savoir comment l'activité de pensée se situe par rapport à la réalité, et plus particulièrement à la réalité psychique ? Ses qualités propres lui permettent de supporter les variations d'excitation ; elle est une activité d'épreuve qui, déplaçant de très petites quantités d'investissement et les liant, opère une dépense minimum ; d'abord inconsciente, la pensée acquiert par la suite des qualités propres à la conscience par la liaison aux restes verbaux [2]. Par les représentations de mot les processus de pensée interne sont transformés en perceptions et, par un surinvestissement, ils sont effectivement perçus comme venant de l'extérieur et, de ce fait, tenus pour vrais [3]. Il nous semble alors que nous devons considérer que les activités de pensée, comme celles de langage qui les accompagnent (quels que soient leurs éventuels rapports avec le principe de plaisir, et pas seulement dans la sublimation), participent au premier chef de l'épreuve de réalité, mais n'entrent pas, à proprement perler, dans le champ de la réalité psychique.

Il n'est pas indifférent que ce soit en s'interrogeant sur la *réalité des scènes de séduction* par des adultes, telles que rapportées par des patientes, que Freud en vint à se convaincre que, « dans l'inconscient, n'existe aucun "indice de réalité" », ce qui lui permit de « concrétiser » cet inconscient et de jeter les bases de la psychanalyse. Cette problé-

1. « Esquisse d'une psychologie scientifique » (1950c [1895]), *La naissance de la psychanalyse,* Paris, PUF, 1956, p. 346.

2. « Formulations sur les deux principes du cours des événements psychiques » (1911b), *Résultats, idées, problèmes, I,* Paris, PUF, 1984, p. 138-139 ; *OCF* XI, p. 16-17 ; *GW* VIII, p. 234.

3. *Le moi et le ça* (1923b), *Essais de psychanalyse,* Paris, Payot, 1981, p. 235 ; *OCF* XVI, p. 267 ; *GW* XIII, p. 250.

matique se retrouve dans les enjeux très « réalistes » de la pratique de la cure ; elle est le mieux à même de nous permettre de porter une appréciation pertinente sur la concrétude de la réalité psychique qui demeure pérenne, parfois intangible lorsqu'elle se prend et se fige dans des formations psychonévrotiques. Encore convient-il de ne jamais perdre de vue que la prise en compte des rapports de la réalité psychique à la réalité extérieure ne saurait se limiter à ceux qu'engage l'analysé mais doit, tout aussi bien, appréhender ceux de l'analyste – c'est même là ce qui conditionne ses capacité de compréhension de l'inconscient et d'analyse du transfert et du contre-transfert. Mais, à côté de ces circonstances quasiment expérimentales, nous devons surtout considérer que la reconnaissance d'une réalité psychique correspond à une nécessité épistémologique, qui a d'ailleurs été un préalable requis pour fonder la psychanalyse – c'est pourquoi elle fut tôt posée.

En concevant la notion de réalité psychique, Freud opère une *véritable inversion* des critères que nous attribuons habituellement à la réalité ; en fait, il les subvertit. Il devait en arriver là car une telle « réalisation » du psychisme était un préalable nécessaire pour parvenir à situer et circonscrire celui-ci. Si aucune réalité propre ne pouvait lui être attribuée, il fallait l'assimiler aux réalités physiques reconnues, mesurables et calculables (ce qui était, après tout, ce que Freud lui-même avait pratiqué en neurophysiologie, jusqu'à sa malheureuse tentative de synthèse entre celle-ci et la psychologie dans l'« Esquisse d'une psychologie scientifique » ; c'est aussi ce que tente, encore aujourd'hui, le cognitivisme). Ou bien il n'y avait plus qu'à se résoudre à le considérer comme relevant de l'ineffable et de l'irreprésentable (telle une activité poétique), voire du transcendantal (et rejoindre la métaphysique). S'il n'était pas possible d'attribuer à l'inconscient et au psychisme une réalité propre, parfaitement singulière, son étude perdait tout objet spécifique et une psychanalyse n'avait plus ni sens, ni projet.

L'œuvre freudienne met en évidence combien *la réalité psychique exerce sa dominance,* et très largement, en raison même de la préexistence du principe de plaisir qui, tout en régnant inexorablement sur le ça, influe fortement sur les autres instances, tout au plus capables de le modifier (ainsi que le conclut l'*Abrégé de psychanalyse*). C'est pourquoi la réalité psychique, immuable, est finalement plus absolutiste que la réalité extérieure, même si celle-ci façonne le moi de façon indélébile. Il n'en demeure pas moins qu'une « question d'une importance théorique capitale n'a pas encore été résolue : quand et comment le principe de plaisir peut-il être surmonté ? ». Le principe de réalité a certes pour fonction de l'aménager, tendant à protéger autant qu'il le peut un moi qu'il a suscité ; mais son succès ne peut être que partiel. Il ne saurait surmonter véritablement le principe de plaisir ; celui-ci pourrait bien ne pouvoir l'être, *in fine*, que par le triomphe de la pulsion de mort : si Freud ne le dit pas explicitement, on peut pourtant penser que c'est quelque chose de cet ordre qui le conduit à cette autre question, « non encore élucidée, des relations entre le principe de plaisir et les deux forces primitives, l'Éros et la pulsion de mort ». Mais il doit se résoudre à laisser sans réponse ces deux grandes énigmes [1].

Il faut convenir qu'en introduisant une réalité psychique, Freud est venu tout compliquer dans notre approche de la réalité, interdisant de continuer à se satisfaire des convictions cartésiennes et logiciennes que nous évoquions dans notre introduction (« réalité suffisamment claire pour qu'il soit inutile de la définir », « axiome fondamental requérant l'évidence »). Toute la difficulté tient maintenant dans les relations, pourtant nécessaires, entre réalité extérieure (de fait) et réalité psychique (la percevant). Dorénavant, les repérages cherchant à distinguer entre ce qui est situé **à** l'intérieur, et ce qui vient **de** l'extérieur, ne sont envisageables qu'à passer **par** l'intérieur ; l'opposition du dedans et du dehors perd sa concrétude et ne se justifie guère que par les commodités d'approche qu'elle peut offrir. Ainsi, à la suite de Freud, put être construite la notion d'« objets internes », associant deux termes antinomiques, sans que cela ait pu sembler faire problème, tout au moins aux psychanalystes.

Les psychanalystes donc, devenus coutumiers du terme de « réalité psychique », pourraient bien méconnaître tout ce que la notion put avoir de bouleversant, jusqu'à remodeler subrepticement les modes de pensée. Il est vrai qu'elle est apparue dans un contexte bien particulier, dans un début de siècle qui voit naître puis s'épanouir la théorie des quantas avec ses remises en question de la nature même de la réalité physique. Si certaines harmoniques peuvent ainsi apparaître entre ces champs tellement dissemblables, c'est surtout parce que des situations « aux limites » imposent de nouvelles approches ; se situant

1. *Abrégé de psychanalyse* (1940a [1938]), Paris, PUF, 1967, p. 73-74 ; *OCF* XX, p. 296 ; *GW* XVII, p. 129.

au sein d'une époque qui leur est commune, elles ne peuvent que se recouper. Dans un tout autre champ – mais cette fois de façon directe –, la notion va, de façon exemplaire, inspirer explicitement le surréalisme dans son investigation d'une « pensée surréelle », en art et en littérature, jusqu'à transformer l'un et l'autre, bien au-delà de ceux qui s'en réclament. Disons que c'est sans doute l'infiltration insidieuse de toute la pensée occidentale par l'idée d'une « réalité psychique » qui témoigne de l'influence déterminante de la psychanalyse, jusque chez ceux qui la combattent. Lorsqu'elle se fit jour, elle apparut sans doute moins provocante que ne le semblaient alors les concepts-clés, la sexualité infantile d'abord, mais aussi l'inconscient. On est pourtant en droit de penser que la réalité psychique était, de fait, plus révolutionnante encore.

Claude Le Guen

Réalité extérieure → Négation → Réalité

Réalité psychique → Réalité

REFOULEMENT

all. : ***Verdrängung.*** – angl. : *repression.* – esp. : *represión.* – ital. : *repressione.* – port. : *repressão*

Le refoulement est le produit des rapports que le psychisme doit engager avec la réalité ; il vise à aménager les difficultés, les conflits, voire les traumatismes suscités par celle-ci au travers des objets qui la représentent, protégeant ainsi le moi des exigences pulsionnelles. Processus essentiel du fonctionnement psychique, résultante de la conjonction d'une action refoulante (venue du moi) et d'une attraction (par le « déjà refoulé »), il contribue tant à la constitution du moi qu'à sa perpétuation et sa défense – ce qui ne peut se faire que selon les contraintes du ça et du surmoi. Il exige un effort constant pour éloigner du conscient et repousser dans l'inconscient (où elles constituent le « refoulé ») les représentations (représentant la pulsion) dont la satisfaction serait susceptible de provoquer un déplaisir ; le

refoulement assure ainsi le contrôle de l'affect de déplaisir associé à cette représentation.

MISE EN SITUATION

L'usage psychanalytique du terme est en conformité avec l'usage antérieur et courant : sont refoulées des personnes indésirables, mais également des tendances jugées condamnables ; c'est ainsi qu'ayant d'abord cru avoir initié et spécifié le terme, Freud dut convenir que Arthur Schopenhauer l'avait précédé en décrivant, à propos de la folie, une « répulsion à admettre un aspect pénible de la réalité [qui] recouvre parfaitement le contenu de mon concept de refoulement »[1]. *En France le langage courant préfigurait l'usage psychanalytique puisque Victor Hugo, par exemple, pouvait écrire que « ce prêtre étudiait sans cesse, ce qui l'aidait à porter sa chasteté, mais rien de plus dangereux qu'un tel refoulement... »*[2]. *Ce n'en est pas moins Freud qui, fort tôt, en « invente » le concept (se trouvant ainsi conduit à celui d'inconscient) ; il va l'utiliser comme cadre de réflexion et comme instrument de connaissance. C'est bien pourquoi « on peut partir du refoulement comme d'un centre auquel se rattachent tous les pans de la doctrine psychanalytique »*[3]. *Mais, s'il en est bien « le pilier », « son élément le plus essentiel, il n'est lui-même rien d'autre que l'expression théorique d'une expérience »*[4] *: il demeure ancré dans la clinique et, surtout, dans la pratique de la cure. Aussi sophistiquée que puisse en apparaître parfois sa théorie, la notion est tout à fait concrète, si bien que lorsque Freud entend l'expliciter, il aime proposer l'image d'un gardien empêchant des perturbateurs de pénétrer dans un salon : c'est là « une assez bonne image du processus du*

1. *Sur l'histoire du mouvement psychanalytique* (1914d), Paris, Gallimard, 1991, p. 28 ; *OCF* XII, p. 257 ; *GW* X, p. 53.

2. Victor Hugo : *Quatre-vingt treize*.

3. *Sigmund Freud présenté par lui-même* (1925d), Paris, Gallimard, 1984, p. 52 ; *OCF* XVII, p. 77 ; *GW* XIV, p. 55-56.

4. *Sur l'histoire du mouvement psychanalytique* (1914d), Paris, Gallimard, 1991, p. 29 ; *OCF* XII, p. 258 ; *GW* X, p. 54.

refoulement » [1]. *Aussi le mot* Verdrängung *(qui peut aussi être traduit par : déplacement, éviction, supplantation, suppression) est bel et bien, comme souvent, directement emprunté au langage courant ; il en va d'ailleurs de même de celui de « défense », tellement voisin, et avec lequel il entretient de nombreuses correspondances conceptuelles, voire maintient d'étroites proximités au point de pouvoir, de devoir désigner le refoulement comme « une défense particulière ».*

Pour ce qui est du concept, nous dit Freud, « la théorie du refoulement est le pilier sur lequel repose l'édifice de la psychanalyse, autrement dit son élément le plus essentiel » [2] *– ce qu'il confirmera tout au long. S'il est donc vrai qu'en ce sens « le refoulement est toute la psychanalyse », cela ne facilite guère notre tâche : nous devons nous limiter tout en espérant rester fidèle aux développements freudiens. Heureusement, le concept de refoulement recouvre un champ homogène en dépit de son étendue. Dans un souci heuristique, nous prendrons quelques libertés avec l'ordonnancement du parcours du texte freudien pour, à la suite de Freud, décomposer le concept en notions secondes et dérivées afin d'en sérier l'approche. Il convient cependant de ne jamais perdre de vue que toutes concourent à définir et préciser un seul et même processus, totalisation de sa diversité.*

LE TEXTE FREUDIEN

I – SITUATION DU CONCEPT

GÉNÉRALITÉS FREUDIENNES

Le refoulement est donc le pilier de la psychanalyse, son élément le plus essentiel, expression théorique d'une expérience, nous dit Freud ;

1. *Sur la psychanalyse (cinq conférences)* (1910a), Paris, Gallimard, 1991, p. 59 ; *OCF* X, p. 22 ; *GW* VIII, p. 22-23. – Mais aussi *Conférences d'introduction à la psychanalyse* (1916-1917), Paris, Gallimard, 1999, p. 375-376 ; *OCF* XIV, p. 305-306 ; *GW* XI, p. 305-306.

2. *Sur l'histoire du mouvement psychanalytique* (1914d), Paris, Gallimard, 1991, p. 29 et 30 ; *OCF* XII, p. 258-259 ; *GW* X, p. 54-55.

il « est une acquisition du travail analytique » [1]. Qui plus est, il est l'un de ses tout premiers acquis, « la plus vieille pièce de notre terminologie psychanalytique » [2].

Révélé par la pratique, issu très directement de l'expérience clinique, le refoulement est surtout le concept théorique par excellence, au point que Freud choisit de donner à l'ouvrage qu'il lui consacra de fait le titre de *Métapsychologie* (1915) ; un chapitre lui est consacré dans la récapitulation des *Conférences d'introduction à la psychanalyse,* et il occupe une grande place dans *Inhibition, symptôme et angoisse.* Il ne serait nullement exagéré de dire que « la métapsychologie, c'est le refoulement ». Que le terme (comme d'ailleurs la plupart de ceux qui connotent les « purs » concepts freudiens) ne soit importé de nulle discipline savante, mais simplement emprunté au langage courant, témoigne de son enracinement revendiqué dans la pratique immédiate. Sa fertilité théorique s'illustre de ce que non seulement toutes les grandes réélaborations freudiennes se firent sur le refoulement et à partir de lui, mais que toutes les dissidences majeures se tentèrent contre lui (fût-ce implicitement). Il est d'ailleurs à noter qu'elles ignorèrent plus qu'elles ne combattirent véritablement ce concept typiquement freudien qui, à la fin de l'œuvre, apparaît parfaitement abouti et quasiment « définitif ». « **La doctrine du refoulement est la clé de voûte de la compréhension des névroses [...] ; on peut partir du refoulement comme d'un centre auquel se rattachent tous les pans de la doctrine psychanalytique.** » [3]

Élaboration et développement de la notion

De grandes phases peuvent être reconnues dans le développement de l'idée ; nous allons voir assez rapidement leur contenu, nous réservant de revenir ensuite sur certains thèmes.

1. *Ibidem.*

2. « Le fétichisme » (1927e), *La vie sexuelle,* Paris, PUF, 1969, p. 134 ; *OCF* XVIII, p. 126 ; *GW* XIV, p. 312.

3. *Sigmund Freud présenté par lui-même* (1925d), Paris, Gallimard, 1984, p. 51-52 ; *OCF* XVII, p. 77-78 ; *GW* XIV, p. 55-56.

En **1892 le terme apparaît** pour la première fois dans la *Communication préliminaire* : le refoulement, lié au traumatisme, y est désigné comme cause de l'amnésie pathogène, principe explicatif étiologique qui conduit à envisager une méthode thérapeutique mettant en action un mouvement opposé. À cette époque, il est encore présenté comme intentionnel : une représentation apparaît pénible parce qu'inconciliable avec la « conscience morale » qui, la « refoulant », la traite comme « non arrivée » ; ce refoulement, signe de perturbation psychique, est censé justifier l'aspect psychogène de toute psychonévrose. Même ainsi conçu et partant de ce que Freud appelle la « volonté d'oublier », **le refoulement implique l'idée d'une motivation non consciente** – ce qui engage dès lors vers la conception d'un inconscient[1]. Dans l'« Esquisse d'une psychologie scientifique », en 1895, Freud cherche encore à trouver une explication neurologique ; il va très vite déboucher sur un constat d'échec qui se fera, pour l'essentiel, sur le refoulement et la sexualité infantile : « Ce n'est pas le mécanisme qui ne s'accorde pas, [...] mais bien l'explication du refoulement » – le « mécanisme » psychique fonctionne, mais pas l'explication du refoulement. À partir de la renonciation au mécanicisme biologique de l'« Esquisse d'une psychologie scientifique »[2], Freud va pouvoir avancer très vite dans l'élaboration de la psychanalyse.

Dès **1896,** les notions de base sont en place : « **Seules des représentations à contenu sexuel peuvent être refoulées** » et « **les traumatismes infantiles agissent après coup,** comme des expériences nouvelles mais alors de façon inconsciente », « le retour des souvenirs refoulés [signe] l'échec de la défense »[3].

En **1900,** *L'interprétation des rêves* montre que **les rêves sont eux-mêmes des retours du refoulé.** *Deux systèmes* contiennent les germes

1. *Études sur l'hystérie (communication préliminaire)* (1893a), Paris, PUF, 1956, p. 7, 133, 217 ; *OCF* II, p. 30, 188, 294 ; *GW* I, p. 89, 234, 269.

2. Lettre à Fliess du 8 octobre 1895 (rédigée juste après avoir terminé « Esquisse d'une psychologie scientifique » (1950c [1895]), *La naissance de la psychanalyse,* Paris, PUF, 1956, p. 112 ; voir aussi celle du 29 novembre 1895, *op. cit.,* p. 119.

3. « Nouvelles remarques sur les psychonévroses de défense » (1896b), *Névrose, psychose et perversion,* Paris, PUF, 1973, p. 65 et 67 ; *OCF* III, p. 128 et 130 ; *GW* I, p. 385 et 386.

de l'inconscient et du préconscient[1], et introduisent les notions de *« processus primaire »* et *« processus secondaire »* : le premier laisse écouler librement les quantités d'excitation et fonctionne selon le principe de déplaisir-plaisir, le second inhibe cet écoulement et opère selon le principe de la plus petite dépense. Voilà qui nous donne « **la clef de la théorie du refoulement, le second système ne peut investir une représentation que lorsqu'il est capable d'inhiber le développement du déplaisir qui peut en venir** »[2].

Dans les années **1895-1910**, il devient possible, **avec la découverte de la sexualité infantile, de faire du refoulement le moteur du fonctionnement psychique** ; la sexualité normale suppose que, durant l'enfance, le refoulement maintienne la pulsion sexuelle dans certaines voies, la perversion provenant d'un défaut de refoulement[3]. L'intérêt se porte alors sur le « retour du refoulé », ce qui conduit inexorablement à la sexualité infantile et au complexe d'Œdipe.

En **1915**, grâce aux progrès dans la connaissance du refoulement – et puisque « **refoulement et inconscient sont corrélatifs** » –, Freud peut élaborer une **théorie de l'inconscient** qui se veut « définitive » ; elle est dès lors désignée comme ***Métapsychologie***, titre même de l'ouvrage qui lui est consacré et dont le refoulement est l'argument princeps. Pour qu'il y ait refoulement, il faut que le motif de déplaisir soit plus fort que le plaisir, ce qui implique de le « mettre à l'écart et le tenir à distance du conscient », mais ceci suppose que l'activité consciente en vienne à se distinguer de l'inconscient : *il faut un début*. On doit donc admettre une première phase, un *refoulement originaire* qui refuse la prise en charge dans le conscient de la représentance psychique de la pulsion, produisant ainsi une fixation : « **Le représentant correspondant subsiste, à partir de là, de façon inaltérable et la pulsion demeure liée à lui.** » C'est avec des rejetons de ce représentant refoulé que d'autres représentations ou

1. *L'interprétation des rêves* (1900a), Paris, PUF, 1967, p. 509 ; *OCF* IV, p. 655 ; *GW* II-III, p. 605.

2. *Ibidem,* p. 511 ; p. 657 ; p. 607.

3. *Trois essais sur la théorie sexuelle* (1905d), Paris, Gallimard, 1987, p. 181 ; *OCF* VI, p. 170 ; *GW* V, p. 133.

chaînes de représentations, venues d'ailleurs, vont entrer en relation, ayant alors ainsi le même destin que le refoulement originaire : ce seront donc dorénavant des « refoulements après coup » qui, dans ce deuxième stade du refoulement, constitueront les *« refoulements proprement dit »*. Il se produit ainsi un double mouvement, conjonction de deux forces agissant sur ce qui est à refouler : **une répulsion venue du conscient, et une attraction par le refoulé originaire inconscient.** Aussi actif que soit le refoulement, il n'empêche pas le représentant de persister dans l'inconscient, de s'organiser, de former des rejetons, d'établir des liaisons ; **c'est là ce qui constitue le *« refoulé »*** [1]. Celui-ci, inconscient, est fait de « représentations de chose » seules. Ces *rejetons du refoulé,* représentants de la pulsion, prolifèrent dans l'ombre, chaque rejeton pouvant connaître un destin particulier : un peu plus ou un peu moins de déformation et le résultat change du tout au tout ; **le refoulé apparaît ainsi essentiellement mobile,** exerçant en direction du conscient une pression continue qui doit être équilibrée par une contre-pression incessante [2]. Mais, à côté de la *représentation,* il convient de considérer un autre représentant de la pulsion dont le destin peut être différent : le *montant (quantum) d'affect,* facteur quantitatif de la représentance pulsionnelle ; la finalité du refoulement étant l'évitement du déplaisir, on comprend que le destin de celui-ci soit beaucoup plus important que celui de la représentation : **si un refoulement n'a pas réussi à empêcher la survenue d'angoisse, il a échoué** [3] (il convient de noter ici que les formations de substitut et les symptômes ne sont pas des produits directs du refoulement, mais relèvent du retour du refoulé). Ce but spécifique du refoulement qu'est la répression du développement de l'affect explique l'importance de l'*inhibition,* ce qui autorise à parler d'affects « inconscients » [4].

1. « Le refoulement » (1915d), *Métapsychologie,* Paris, Gallimard, 1968, p. 47-49 ; *OCF* XIII (2e éd.), p. 192-193 ; *GW* X, p. 250.

2. *Ibidem,* p. 50-53 ; p. 194-196 ; p. 251-254.

3. *Ibidem,* p. 55-56 ; p. 197-198 ; p. 255-256.

4. « L'inconscient » (1915e), *Métapsychologie,* Paris, Gallimard, 1968, p. 84 ; *OCF* XIII (2e éd.), p. 219 ; *GW* X, p. 277.

Les *Conférences d'introduction à la psychanalyse,* en **1916-1917,** vont reprendre tout ceci, en apportant d'intéressantes précisions et corrections. Le but de la cure est devenue l'*analyse des résistances,* résistances qui correspondent à des refoulements, conditions à la formation du symptôme (il convient néanmoins de savoir que tout ceci a été acquis sur les seules névroses de transfert). Résultats d'un compromis entre deux aspirations opposées, **les symptômes représentent autant le refoulé que le refoulant** qui a concouru à leur genèse. Freud insiste ici sur la nécessité de ne pas confondre *régression* et *refoulement*: le refoulement consiste à rendre inconscient un acte appartenant au système *Pcs,* ou à l'empêcher d'accéder au système préconscient: « **Aucune relation à la sexualité n'est donc inhérente au concept de refoulement** » – il s'agit d'un processus purement psychologique, et même d'un concept topique-dynamique; le terme de « régression », pour sa part, n'est que descriptif[1].

En **1920,** il faut bien constater que le but fixé – « rendre conscient l'inconscient » – s'avère difficile à atteindre, le patient répétant le refoulé plutôt que le remémorant. Les résistances n'émanent pas du refoulé inconscient, mais des systèmes mêmes qui ont produit le refoulement; les motifs de ces résistances étant inconscients, il faut renoncer à opposer conscient et inconscient mais bien plutôt le *moi* (de par sa cohésion, il sera identifié comme une instance trois ans plus tard) et le *refoulé* – le noyau du moi étant lui-même inconscient. Cette nouvelle terminologie, dynamique, permet de dire que la résistance provient du moi, et la répétition du refoulé. Si la résistance est bien au service du principe de plaisir, la répétition ramène aussi des expériences passées qui ne peuvent, et n'ont jamais pu, comporter de plaisir; une compulsion de répétition y pousse[2].

Le refoulement vient imposer le renoncement aux buts proprement sexuels, modifiant les relations qui sont dorénavant dominées par des **pulsions inhibées quant au but**; ce sont ces inhibitions qui per-

1. *Conférences d'introduction à la psychanalyse* (1916-1917), Paris, Gallimard, 1999, p. 374-382 et 433-436; *OCF* XIV, p. 304-311 et 353-355; *GW* XI, p. 304-311 et 353-355.

2. *Au-delà du principe de plaisir* (1920g), *Essais de psychanalyse,* Paris, Payot, 1981, p. 57-59 et 61; *OCF* XV, p. 288-290 et 292; *GW* XIII, p. 16-18 et 20.

mettent aux sentiments de devenir *« tendres »* – même si, dans l'inconscient, les tendances sexuelles précoces subsistent inentamées[1]. En **1923**, une « nouvelle topique » peut alors être mise en place. On savait (depuis 1915) que, par surinvestissement, les représentations de mot permettent de transformer les processus de pensée interne en perceptions ; nous découvrons maintenant que « ne peut devenir conscient que ce qui fut autrefois perception » et que, pour parvenir au conscient, ce qui est interne doit se transformer en perception externe. Ce qui devient conscient comme plaisir et déplaisir est, quantitativement et qualitativement, un « autre chose » dans l'écoulement pulsionnel ; « cet autre chose se comporte comme une motion refoulée ». Il devient maintenant clair que les processus de pensée interne sont transformés en perception par les représentations de mot, et les pensées sont perçues comme venant de l'extérieur. Ainsi se parachève notre représentation du moi et Freud peut, à la suite, désigner comme *moi* ce qui part de la perception et est d'abord préconscient, désigner comme *ça* l'autre partie du psychisme dans laquelle le moi se continue (partie qui est inconsciente) dans laquelle se fond le refoulé tout en n'étant que l'une de ses parties ; « la perception joue, pour le moi, le rôle qui, dans le ça, échoie à la pulsion ». Dorénavant, l'opposition ne se situe plus entre des systèmes *(Cs-Pcs/Ics)* mais entre des instances *(Moi-Ça)*. Même s'il faut constater qu'il y a « des éléments qui sont inconscients sans être refoulés », il importe dans la cure de s'attacher autant au refoulant qu'au refoulé, car « **le refoulé n'est séparé du moi que par les résistances du refoulement tandis qu'il peut communiquer avec lui par le ça** ». Le surmoi-idéal du moi va apparaître comme une « formation réactionnelle » au refoulement de l'Œdipe ; plus celui-ci aura été puissant et précoce, plus sévère et plus exigeant sera le surmoi[2].

Les difficultés rencontrées tant dans les élaborations théoriques que dans la pratique de la cure conduisent à une « nouvelle dualité pulsionnelle » et à une « seconde topique ». En **1926**, l'expérience

1. *Psychologie des foules et analyse du moi* (1921c), *Essais de psychanalyse,* Paris, Payot, 1981, p. 176 ; *OCF* XVI, p. 49 et 50 ; *GW* XIII, p. 122-123.

2. *Le moi et le ça* (1923b), *Essais de psychanalyse,* Paris, Payot, 1981, p. 229-237 et 246-247 ; *OCF* XVI, p. 262-269 et 277-278 ; *GW* XIII, p. 244-252 et 262-263.

clinique et des questionnements théoriques imposent de renouveler la théorie de l'angoisse : « **C'est l'angoisse qui produit le refoulement** et non pas, comme je l'ai jadis pensé, le refoulement qui produit l'angoisse. »[1] **Le refoulement devient ainsi un « mécanisme de défense** » parmi d'autres, tout en demeurant un « processus à part », nucléaire ; resitué et réaménagé, il ne perd en rien sa place et sa fonction centrale dans la praxis analytique. Il est dorénavant bien acquis que tous les refoulements, qui sont des mesures de défenses primitives du moi immature et faible, se produisent dans la première enfance ; par la suite aucun nouveau refoulement ne s'accomplit, mais le moi, qui a mûri, qui s'est fortifié et cherche à dominer les pulsions, continue d'utiliser les anciens refoulements tout en les réaménageant – et ce tout au long de la vie[2].

Si, dans le refoulement, Freud distingue bien trois « stades » successifs (refoulement originaire, refoulement proprement dit, retour du refoulé), il centre son étude sur le second stade, qui fut d'ailleurs le premier qu'il rencontra, et sur lequel il a pu bâtir la métapsychologie. Nous reprendrons ces différents concepts en suivant cet ordre « historique », plutôt que la « chronogenèse » du texte, d'autant que, conceptuellement et méthodologiquement, il s'avère le plus justifié.

II – LE REFOULEMENT PROPREMENT DIT (ou : REFOULEMENT APRÈS COUP, ou : REFOULEMENT SECONDAIRE)

Deux idées (presque deux images), deux mots (d'usage courant), reviennent régulièrement chez Freud tout au long de son œuvre lorsqu'il veut faire entendre ce qu'est le refoulement. C'est d'abord celui de **résistances,** pour désigner ce qui s'efforce de contrecarrer le mou-

1. *Inhibition, symptôme et angoisse* (1926d [1925]), Paris, PUF, 1951, p. 27 ; *OCF* XVII, p. 226 ; *GW* XIV, p. 137.

2. « L'analyse avec fin et l'analyse sans fin » (1937c), *Résultats, idées, problèmes, II,* Paris, PUF, 1984, p. 242 ; *OCF* XX, p. 28 ; *GW* XVI, p. 71.

vement pulsionnel, le mettant alors « en situation de refoulement » ; c'est ensuite, indiquant la direction, celui de **fuite,** qui évoque la réaction face à une menace externe « mais, dans le cas de la pulsion, la fuite ne peut servir à rien, car le moi ne peut s'échapper à lui-même »[1]. Ces deux idées impliquent celle de **défense** (le sujet doit « se défendre »). En 1925, le refoulement finira d'ailleurs par être de nouveau considéré comme un processus de défense mais dorénavant, parmi ceux-ci, « il est néanmoins quelque chose de tout à fait particulier qui est plus nettement séparé des autres mécanismes [de défense] que ceux-ci ne le sont entre eux »[2]. Cette révision n'apportera que quelques corrections (la plus importante concernant le mécanisme de l'angoisse) et la théorie du refoulement demeurera conforme à l'énoncé très complet donné en 1915 dans la *Métapsychologie.*

Le ***refoulement proprement dit,*** deuxième stade du refoulement dans l'évolution psychique (donc apparu après le refoulement originaire), **concerne les rejetons psychiques du représentant refoulé** et les associations qui peuvent s'y rattacher ; de ce fait même ils ne peuvent que renvoyer au premier d'entre eux, et « ces représentations connaissent le même destin que le refoulé originaire. **Le refoulement proprement dit est donc un *refoulement après coup*** ». Lorsque, à côté du plaisir attendu, la satisfaction d'une pulsion entraîne un déplaisir plus grand, lorsque le motif du déplaisir acquiert une puissance supérieure à celle du plaisir de satisfaction, le moi doit se défendre contre ce qui représente la pulsion, en tenir le représentant à distance du conscient, le mettre à l'écart en le refoulant dans l'inconscient ; pour l'essentiel, « **refoulement et inconscient sont corrélatifs** »[3]. Pourtant, l'inconscient ne saurait se limiter au refoulement et il convient de faire une place en son sein, au plus près du biologique, à « des formations psychiques héritées, quelque chose

1. Par exemple dans : « Le refoulement » (1915d), *Métapsychologie,* Paris, Gallimard, 1968, p. 45 ; *OCF* XIII (2e éd.), p. 191 ; *GW* X, p. 250.

2. « L'analyse avec fin et l'analyse sans fin » (1937), *Résultats, idées, problèmes, II,* p. 251 ; *OCF* XX, p. 37 ; *GW* XVII, p. 81.

3. « Le refoulement » (1915d), *Métapsychologie,* Paris, Gallimard, 1968, p. 48-49 ; *OCF* XIII (2e éd.), p. 193 ; *GW* X, p. 250-251.

d'analogue à l'instinct des animaux : c'est là que se constitue le noyau de l'inconscient »[1].

LES PROCESSUS EN ŒUVRE

Mais, pour mettre ainsi « à l'écart » le représentant pulsionnel, le mouvement proprement refoulant de rejet et de refus (provenant du système perception-conscience) ne saurait suffire. **Pour que puisse se former un refoulement, il faut nécessairement qu'ai été mis en place un « déjà refoulé » qui attire à lui,** par une véritable contrainte venue de l'intérieur (de l'inconscient), ce qui est à refouler. Redisons-le : le refoulement est la résultante d'un double travail d'attraction et de répulsion agissant sur les représentants de la pulsion. La force attractive participe de la « vie » du refoulé de la même façon que l'acte de « refouler » procède de la force répulsive[2]. Un tel travail n'est possible que parce que des refoulements plus anciens ont déjà produit des refoulés maintenus en tant que représentations inconscientes ; ce sont là les *rejetons de l'inconscient* qui vont attirer les représentations avec lesquelles ils peuvent établir des liaisons, ces associations les faisant alors éprouver comme inopportunes. Refoulées, ces nouvelles représentations vont enrichir le contenu de l'inconscient.

Le refoulement l'ayant **soustrait à la conscience, *le rejeton du refoulé,* représentant de la pulsion, va pouvoir se développer** ; comme l'inconscient lui-même, il est vivant et capable d'évoluer[3]. « Le refoulement refuse à la représentation écartée la traduction des mots qui doivent rester reliés à l'objet. » C'est ainsi qu'une représentation consciente ne se distingue d'une inconsciente ni par des « inscriptions » distinctes dans chaque système, ni par une différence d'investissements fonctionnels : simplement, « la représentation consciente comprend la représentation de chose plus la représenta-

1. « L'inconscient » (1915e), *Métapsychologie,* Paris, Gallimard, 1968, p. 109 ; *OCF* XIII (2e éd.), p. 235 ; *GW* X, p. 294.

2. « Le refoulement » (1915d), *Métapsychologie,* Paris, Gallimard, 1968, p. 48-49 ; *OCF* XIII (2e éd.), p. 193 ; *GW* X, p. 250-251.

3. « L'inconscient » (1915e), *Métapsychologie,* Paris, Gallimard, 1968, p. 101 ; *OCF* XIII (2e éd.), p. 230 ; *GW* X, p. 415.

tion de mot qui lui appartient, [alors que] la représentation inconsciente est la représentation de chose seule » ; de ce fait, la première est surinvestie par rapport à la seconde, amenant ainsi le processus secondaire à se substituer au primaire[1]. **Cette mise à l'abri du rejeton du refoulé dans l'inconscient lui permet de « proliférer alors dans l'obscurité** et de trouver des formes d'expression extrêmes » (ainsi se forment les symptômes, qui ne sont eux-mêmes que des rejetons).

Cette activité tend à *faire retour à la conscience*, ce qui devient possible lorsque ces rejetons se sont éloignés du représentant refoulé, qu'ils se soient laissés déformer ou que des rejetons intermédiaires se soient intercalés. Pour que soit toléré ce retour, il convient de ne pas dépasser une certaine intensité d'investissement au-delà de laquelle celui-ci s'ouvrirait la voie vers la satisfaction ; « le refoulement travaille donc de manière tout à fait individuelle ». De surcroît, **il est extrêmement mobile et la représentation refoulée demeure toujours active, cherche à s'exprimer dans la conscience et doit être régulièrement contrée.** Ceci représente une action permanente car le refoulé exerce une pression continue, en direction du conscient, qui doit être équilibrée par une contre-pression constante ; c'est dire que **le refoulement exige un travail permanent,** que « maintenir le refoulement suppose donc une dépense constante de force ; le supprimer signifie, du point de vue économique, une épargne »[2]. Là se trouve la justification de la thérapie analytique.

Dans les cures se manifestent divers éléments constitutifs du processus : levées du refoulement dans les meilleurs des cas, apparition de rejetons du refoulé, retours du refoulé (les formations de substitut et les symptômes en sont des indices, même si leurs mécanismes de formation peuvent différer de ceux du refoulement). Mais **le refoulement lui-même demeure muet au moment où il opère** et nous n'en pouvons prendre connaissance qu'après coup : « Le mécanisme d'un refoulement ne nous est accessible qu'en remontant des résultats du

1. *Ibidem,* p. 118-119 ; p. 242 ; p. 300.

2. « Le refoulement » (1915d), *Métapsychologie,* Paris, Gallimard, 1968, p. 50-53 ; *OCF* XIII (2e éd.), p. 194-196 ; *GW* X, p. 252-254.

refoulement jusqu'à celui-ci. »[1] Cette « remontée » au fil d'associations entre rejetons de plus en plus anciens, ce renvoi le long des liaisons déjà effectuées, constituent le processus même du refoulement ; tous « les rejetons psychiques du représentant refoulé connaissent le même destin que le refoulé originaire » qui, en dernière analyse, étaie et justifie tous les refoulements après coup[2]. **Tout « après-coup » ne prend sens que par rapport à *une situation traumatique* initiale** sans laquelle l'événement actuel, réduit à lui-même, demeurerait anodin ; c'est donc finalement le traumatisme, celui qui a marqué (déterminé ?) le premier refoulement et entraîné une *fixation* (« première phase qui précède et conditionne tout refoulement »[3]), qui va se perpétuer dans et par les refoulements ultérieurs, si bien que « souvent, peut-être chez tous, ce patrimoine instinctif garde le pouvoir de tirer à soi des processus psychiques plus élevés »[4].

L'ANGOISSE (ET LES INVESTISSEMENTS)

Le traumatisme nous renvoie à **l'angoisse, qui est l'occasion et la raison du refoulement.** Freud en élabora deux théories successives : – dans la première (aboutie en 1915 dans la *Métapsychologie*), la pulsion s'exprime directement par un sentiment de déplaisir qui est dû à la tension psychique, et auquel le moi ne peut échapper, l'énergie d'investissement de la motion refoulée étant automatiquement transformée en angoisse ; – selon la seconde (celle que l'on doit considérer comme définitive et qui est élaborée en 1926 dans *Inhibition, symptôme et angoisse*), il faut que le plaisir attaché à la satisfaction de la motion pulsionnelle soit transformé en déplaisir, provoquant ainsi la production par le moi d'un signal de refoulement,

1. *Ibidem*, p. 57 ; p. 198 ; p. 256.

2. *Ibidem*, p. 48-49 ; p. 193 ; p. 250.

3. « Remarques psychanalytiques sur l'autobiographie d'un cas de paranoïa *(dementia paranoides)* (Le Président Schreber) » (1911c [1910]), *Cinq psychanalyses*, Paris, PUF, 1954, p. 311 ; *OCF* X, p. 289 ; *GW* VIII, p. 303.

4. « Extrait de l'histoire d'une névrose infantile (L'homme aux loups) » (1918b [1914]), *Cinq psychanalyses*, Paris, PUF, 1954, p. 419 ; *OCF* XIII (2e éd.), p. 118 ; *GW* XII, p. 156.

faisant que « le moi retire son investissement (préconscient) au représentant pulsionnel à refouler, et l'utilise à libérer le déplaisir (l'angoisse) » [1].

Face à deux plaisirs dont les satisfactions s'opposent, **le moi perçoit l'un comme plus dangereux et va le transformer en déplaisir pour le rejeter** (c'est ainsi que s'organisent et se développent les rapports structurants entre *principe de plaisir* et *principe de réalité*). Ce processus de transformation, ce « retournement-en-son-contraire » constitue un préalable indispensable au refoulement ; la survenue, voire la simple menace du déplaisir, déclenchera *ce signal d'alarme qu'est l'angoisse,* qui elle-même provoquera le refoulement du représentant pulsionnel. Dans ce renversement du plaisir en déplaisir, la liaison avec et par les représentations vient changer l'affect en angoisse, conférant à leur irréductible rapport une signification particulière : raison d'être du refoulement, « ce désir ardent qui se transforme en angoisse » [2] (même réduit au minimum dans l'« angoisse-signal ») renvoie à ce qu'il y a de proprement irréalisable en tout désir, d'inconciliable entre ce qui émane de la pulsion et ce qui témoigne des rapports aux réalités du monde. **L'angoisse est le produit de la menace qui rend le désir impossible à satisfaire dans sa totalité ;** il s'agit là, en fait, d'une situation de *conflit* mais, quelle que soit son occurrence, celui-ci pourra, en dernière analyse, être ramené à une opposition entre deux forces visant des satisfactions pulsionnelles opposées. Avec la révision de la théorie de l'angoisse, la séquence « investissement - retrait d'investissement - contre-investissement » du rejeton du refoulé doit à son tour être réaménagée.

Dans la première topique, tout se passait comme si le moi prélevait un échantillon de la motion pulsionnelle, véhiculée par le rejeton, pour en éprouver les qualités affectives : la fuite devant le souvenir de la douleur représentait le modèle et le premier exemple du refoulement ; pour ce faire, il fallait que le préconscient investisse le souvenir déplaisant pour en inhiber l'écoulement, et donc entraver le

1. *Inhibition, symptôme et angoisse* (1926d [1925]), Paris, PUF, 1951, p. 9 ; *OCF* XVII, p. 211 ; *GW* XIV, p. 120.

2. *Ibidem*, p. 61 ; p. 252 ; p. 167.

développement du déplaisir – cette inhibition pouvant n'être que partielle, un début de déplaisir demeurant cependant nécessaire pour alerter le préconscient[1]. *Selon la deuxième topique,* le danger ne vient plus directement de l'inconscient, et ne provient d'ailleurs pas plus du ça ; **la menace émane du surmoi :** « C'est à la colère, à la punition du surmoi, à la perte de son amour que le moi donne valeur de danger et c'est à elles qu'il répond par le signa1 d'angoisse. »[2] Freud a donc opéré un renversement des places respectives du retrait d'investissement et du signal d'angoisse.

On peut recentrer l'économie du refoulement en disant que **le moi réactive une trace mnésique porteuse de déplaisir en lui accordant l'investissement qu'il vient de retirer au représentant pulsionnel** ; ainsi est mis en jeu le principe de plaisir. « Dans ces conditions l'énigme de la transformation de l'affect lors du refoulement disparaît. Mais, par là, nous avons concédé au moi qu'il puisse exercer une influence profonde sur les processus qui se déroulent dans le ça. »[3] Si le moi peut acquérir une telle force, c'est parce que plaisir et déplaisir n'ont pas la même origine : tenant à la satisfaction souhaitée de la pulsion, *le plaisir attendu provient du ça,* alors que *le déplaisir éprouvé dans le moi est provoqué par le surmoi* ; de surcroît, ce déplaisir peut provenir de deux sources : la création d'un signal de déplaisir (signal d'angoisse), et l'échec des mesures de contre-investissement.

Si un refoulement *« raté »* (ou non pleinement « réussi ») suscite de nombreux rejetons du refoulé (qui déplacés, isolés, abréagis et/ou retournés en leur contraire, vont persister dans le ça), l'angoisse, quant à elle, pourra être *« suspendue »* par le moi qui va la lier en formant des symptômes[4] ; plus ou moins bien « liés », **ces affects vont réactiver le conflit et provoquer de nouveaux refoulements,** et donc de

1. *L'interprétation des rêves* (1900a), Paris, PUF, 1967, p 511 ; *OCF* IV, p. 656-657 ; *GW* II-III, p. 606-607.

2. *Inhibition, symptôme et angoisse* (1926d [1925]), Paris, PUF, 1951, p. 64 ; *OCF* XVII, p. 255 ; *GW* XIV, p. 170.

3. *Ibidem,* p. 8-9 ; p. 211 ; p. 120.

4. *Ibidem,* p. 66 ; p. 257 ; p. 172.

nouveaux rejetons du refoulé, points d'articulation entre le refoulement et le retour du refoulé.

Le modèle par excellence de ce processus nous est fourni par le *complexe d'Œdipe* et ses remaniements ultérieurs ; il constitue le traumatisme par excellence : le moteur du refoulement est l'angoisse de castration[1]. Ainsi se trouve parachevée la métapsychologie du refoulement : si c'est bien au *surmoi* qu'il incombe de donner au moi le signal, « l'ordre » de refouler, il ne le fait qu'*en fonction du désir infantile qu'il condamne* – et il le fait d'autant plus durement qu'il est lui-même infiltré par le ça dont il n'est, finalement, qu'un rejeton particulier, mais combien important ! La menace impliquée dans l'ordre donné par le surmoi est celle d'une perte d'amour et de l'estime de soi (atteinte à l'intégrité narcissique) qui se trouve représentée au mieux par la menace de castration[2]. Le moi pouvait jusqu'alors supporter l'accroissement de déplaisir lié aux rejetons du refoulé ; maintenant ce n'est plus un rejeton quelconque qui le menace et, face au surmoi, la tâche du moi se fait plus difficile : ce rejeton dominant et stable aura, selon les cas, des exigences différentes ; si, en règle générale, la motion pulsionnelle à refouler demeure isolée, il peut arriver qu'elle « échappe à toute influence [...] et la lutte défensive contre la motion pulsionnelle désagréable s'achève par la formation d'un symptôme »[3].

AFFECT (MONTANT, QUANTUM, VALEUR D'– ; RÉPRESSION DE L'–)

Il convient d'introduire ici une remarque terminologique à propos du mot quantum, proposé en 1967 dans le Vocabulaire de la psychanalyse et généralement retenu ensuite, pour traduire le Betrag allemand. S'il a bien le mérite d'impliquer la quantité, il a l'inconvénient de s'y limiter strictement, « physiquement » pourrait-on dire (évoquant la théorie des quanta), et d'escamoter la référence économique prévalente de « somme à dépenser », de « montant monétaire » (d'une facture, par exemple)

1. *Ibidem*, p. 26 ; p. 225 ; p. 136.

2. « Névrose et psychose » (1924b), *Névrose, psychose et perversion*, Paris, PUF, 1973, p. 284.

3. *Inhibition, symptôme et angoisse* (1926d [1925]), Paris, PUF, 1951, p. 13-14 ; *OCF* XVII, p. 215 ; *GW* XIV, p. 124-125.

qu'implique fortement Betrag. *On doit d'ailleurs remarquer que l'édition française des* Œuvres complètes de Freud *est heureusement venue corriger ceci en retenant « montant d'affect », le risque traductif (mineur) étant là d'évoquer un mouvement de bas en haut qu'ignore le mot allemand ; notons que, écrivant en français en 1893, Freud parle de « valeur affective » en un sens qui semble bien correspondre à* Betrag[1]. *À ce propos, et dans la lignée des glissements sémantiques induits par la traduction de termes en rapport avec l'affect, nous devons remarquer qu'en traduisant Besetzung par « investissement » on ne commet certes pas un contresens, mais on risque d'induire une interprétation erronée renvoyant à l'économie (par exemple : des investissements financiers) par une espèce de contagion du « montant » d'affect, alors que le mot allemand n'a aucune implication économique mais indique une « occupation » (par exemple d'une maison ou d'un pays).*

Quelle que soit la façon dont on le traduit, bien plus qu'un substrat, Betrag *implique une dépense (d'énergie en l'occurrence, ce qui est fondamental) à montant variable, et c'est bien en ce sens qu'il peut être la référence de base dans les théories de l'angoisse et du refoulement. Il s'agit, pour Freud, d'insister sur sa valeur économique et de spécifier clairement que, à la différence de ce qu'il en est pour les représentations, tout affect est fonction d'une quantité : il y a plus ou moins d'affect, alors qu'une représentation « est » ou « n'est pas ».*

Tel que nous venons de le décrire, le refoulement peut être assimilé à un « représentant pulsionnel », c'est-à-dire une **représentation investie d'un montant d'énergie psychique** (libido, intérêt). Il convient donc de « décomposer » ce refoulement : à côté de la représentation existe un autre représentant de la pulsion dont le destin est tout à fait différent ; il s'agit du « montant d'affect qui correspond à la pulsion en tant qu'elle s'est détachée de la représentation et trouve une expression conforme à sa quantité dans des processus qui sont ressentis sous forme d'affects ». Le destin possible de ce « facteur quantitatif » du représentant pulsionnel est triple : ou la pulsion est tout à fait réprimée, ou elle apparaît

1. « Quelques considérations pour une étude comparative des paralysies motrices organiques et hystériques » (1893c), *Résultats, idées, problèmes, I,* Paris, PUF, 1984, p. 57 ; *OCF* I, p. 363 ; *GW* I, p. 53.

comme un affect, ou elle est transformée en angoisse. La raison d'être du refoulement étant l'évitement du déplaisir, il s'ensuit que « **le destin du montant d'affect appartenant au représentant est de loin plus important que celui de la représentation** » [1] (remarquons d'ailleurs que ce constat avait déjà pu être énoncé dès *L'interprétation des rêves* qui note que « c'est précisément cette transformation d'affect qui est l'essence de ce que nous avons appelé le refoulement » [2]).

Une pulsion ne pouvant jamais devenir objet de la conscience, et ne pouvant être présentée dans l'inconscient que par une représentation, la question se pose de savoir comment situer ces affects par rapport à l'inconscient ? L'affect lui-même peut être perçu mais méconnu ; son propre représentant, la représentation qui lui était attachée, ayant été refoulés, il a dû « se rattacher à une autre représentation qui est maintenant tenue par la conscience pour la manifestation de cette dernière » ; mais seule sa représentation a succombé au refoulement et, de fait, **l'affect n'a jamais été inconscient.** Quant à son destin, il peut être soit de subsister tel quel, soit de se transformer en un autre affect (principalement en angoisse), soit d'être réprimé (son développement étant empêché). En fait, « **la répression du développement de l'affect est le but spécifique du refoulement** » ; celui-ci n'est pas « achevé » tant que n'est pas obtenue cette maîtrise, cette « répression » de l'affect. Si les représentations inconscientes, une fois refoulées, demeurent dans l'inconscient, l'affect inconscient réprimé ne laisse qu'un rudiment avorté ; il n'y a donc pas, au sens strict, d'affects inconscients comme il y a des représentations inconscientes, même si des formations d'affects susceptibles de devenir conscientes peuvent exister dans l'inconscient. « Toute la différence vient de ce que les représentations sont des investissements tandis que les affects et sentiments correspondent à des processus de décharge dont les manifestations finales sont perçues comme sensations » [3] ; **la répression porte**

1. « Le refoulement » (1915d), *Métapsychologie*, Paris, Gallimard, 1968, p. 56 ; *OCF* XIII (2e éd.), p. 198 ; *GW* X, p. 256.

2. *L'interprétation des rêves* (1900a), Paris, PUF, 1967, p. 513 ; *OCF* IV, p. 659 ; *GW* II-III, p. 609.

3. « L'inconscient » (1915e), *Métapsychologie*, Paris, Gallimard, 1968, p. 83 et 84 ; *OCF* XIII (2e éd.), p. 219-220 ; *GW* X, p. 277.

donc sur des sensations, et non pas sur des représentations qui sont refoulées.

Cette prépondérance de l'affect pour spécifier le refoulement, et le distinguer d'autres défenses, est illustrée par une proposition plus tardive, dans « Le fétichisme » (1927), indiquant qu'afin de bien séparer le destin de la représentation de celui de l'affect, il convient de « réserver l'expression "refoulement" à l'affect », et de parler de « déni » lorsqu'il s'agit essentiellement de la représentation[1]. Cette proposition qui, au premier abord, paraît contredire celle qui veut que l'affect soit réprimé et la représentation refoulée, ne fait finalement que tirer les conséquences de l'assertion selon laquelle la répression du développement de l'affect est le but spécifique du refoulement.

III – LE REFOULÉ

« **Tout refoulé demeure nécessairement inconscient, mais le refoulé ne recouvre pas tout l'inconscient.** »[2] Une certaine perpétuation du refoulé est nécessaire à maintenir la permanence de l'histoire, la continuité et la totalité de l'humain. Proliférant dans l'obscurité, le refoulé, au travers des rejetons qui le représentent, se déforme jusqu'à pouvoir tromper la censure et accéder à la conscience. Poussé par la pulsion, **il exerce, en direction du conscient, une pression continue** ; il est extrêmement mobile et labile, tout comme ses produits (objets, représentations, rejetons du refoulé), chaque rejeton pouvant connaître un destin particulier[3].

Si le refoulement témoigne bien des efforts du moi pour organiser une part du ça[4], **le refoulé est le produit de l'organisation du moi**

1. « Le fétichisme » (1927e), *La vie sexuelle,* Paris, PUF, 1970, p. 134 ; *OCF* XVIII, p. 126-127 ; *GW* XIV, p. 312-313.

2. « L'inconscient » (1915e), *Métapsychologie,* Paris, Gallimard, 1968, p. 65 ; *OCF* XIII (2e éd.), p. 207 ; *GW* X, p. 264.

3. « Le refoulement » (1915d), *Métapsychologie,* Paris, Gallimard, 1968, p. 50-53 ; *OCF* XIII (2e éd.), p. 194-196 ; *GW* X, p. 252-253.

4. *Inhibition, symptôme et angoisse* (1926d [1925]), Paris, PUF, 1951, p. 13 et 7 ; *OCF* XVII, p. 215 et 209 ; *GW* XIV, p. 125 et 118.

dans le ça. Enfin et surtout, il n'est pas connaissable directement puisqu'il participe pleinement de l'inconscient ; il est bel et bien une partie constituante du ça dont il ne se distingue que par sa genèse, étant développé par le moi à partir du ça [1] – et c'est bien parce qu'il est un produit du moi qu'il peut nous être compréhensible.

Rejetons, retours et destins du refoulé

Il existe des rejetons de l'inconscient qui ne sont pas refoulés, mais, si la quantité d'énergie dont ils sont investis dépasse un certain degré, un conflit se déclenche, entraînant le refoulement [2] ; celui-ci ne saurait empêcher la persistance dans l'inconscient de ces représentants de la pulsion que sont **les rejetons du refoulé** qui continuent donc à s'organiser, formant et établissant des liaisons. C'est ainsi que ces rejetons vont permettre au refoulé inconscient de **faire retour au plus près de la conscience.** Qualitativement préconscients, ils n'en sont pas moins des productions de l'inconscient puisqu'ils dérivent du refoulé : *ces retours du refoulé se présentent comme fantasmes, rêves, symptômes, associations...* « C'est leur origine qui est décisive pour leur destin. » La double appartenance des rejetons du refoulé au préconscient et au conscient, comme leur situation en deçà de la censure, font d'eux **l'instrument de retour du refoulé et le point d'action du refoulement** ; ils sont ainsi aux fondements mêmes de la clinique psychanalytique. Modes de représentations du mouvement pulsionnel conditionnés par les refoulements antérieurs, ils pérennisent le refoulement. Produit d'un conflit apparu à l'occasion d'un traumatisme, chaque rejeton pourra éventuellement se perpétuer en atteignant le statut de *« formation substitutive »*, de symptôme ; ainsi, il apparaît comme un rejeton évolué engagé secondairement dans le processus défensif. Le rejeton peut être protecteur parce qu'il est constitutionnellement conflictuel, et qu'il est bien une défense : **il n'est pas de**

1. *L'homme Moïse et la religion monothéiste* (1939a), Paris, Gallimard, 1986, p. 191 ; *OCF* XX, p. 176 ; *GW* XVI, p. 203.

2. « Le refoulement » (1915d), *Métapsychologie*, Paris, Gallimard, 1968, p. 54 ; *OCF* XIII (2e éd.), p. 197 ; *GW* X, p. 254.

rejeton qui ne s'origine des premiers conflits, comme il n'est pas de refoulement qui ne naisse des premières défenses[1].

Il s'est rapidement avéré essentiel de parvenir à comprendre le **retour du refoulé**, tant pour établir la clinique que pour conduire la cure ; il fallut pourtant un certain temps à Freud pour parvenir à proposer une conception « définitive » de ce processus. En 1907, il le représente comme suscité par l'abaissement du contre-investissement et la montée de la pulsion (pouvant être facilitée par des facteurs externes) sans que cependant le refoulé, même s'il est capable d'action, puisse remonter de lui-même à la surface. L'hypothèse est alors que « c'est précisément ce qui avait été choisi comme moyen du refoulement qui devient le porteur de ce qui revient : dans et derrière l'instance refoulante, le refoulé finit par s'affirmer victorieusement »[2]. Pour ingénieuse qu'elle puisse paraître, cette explication n'en doit pas moins être remaniée dès 1909 : s'il est bien vrai que « ce qui doit être refoulé arrive, avec le temps, régulièrement à pénétrer dans ce qui le refoule »[3], il le fait par une voie entièrement nouvelle. Il faut renoncer à l'idée que ça revient comme c'est venu : **le mouvement de retour du refoulé ne dépend pas de celui du refoulement mais du développement du moi,** le processus du refoulement étant, pour sa part, fonction de la phase libidinale[4]. Dans la séquence en trois phases (fixation-refoulement proprement dit-retour du refoulé) il convient de souligner que **le retour du refoulé se produit au point de fixation** lui-même[5], le

1. « L'inconscient » (1915e), *Métapsychologie,* Paris, Gallimard, 1968, p. 101-103 ; *OCF* XIII (2e éd), p. 230-232 ; *GW* X, p. 289-290.

2. *Le délire et les rêves dans la « Gradiva » de Jensen* (1907a), Paris, Gallimard, 1986, p. 173 ; *OCF* VIII, p. 69 ; *GW* VII, p. 60.

3. « Remarques sur un cas de névrose obsessionnelle (L'homme aux rats) » (1909d), *Cinq psychanalyses,* Paris, PUF, 1970, p. 246 ; *OCF* IX, p. 195 ; *GW* VII, p. 443.

4. *Correspondance Sigmund Freud-Sandor Ferenczi* (1992a [1908-1914]), Paris, Calmann-Lévy, 1992, t. I, p. 250-251 (lettre à Ferenczi du 6 décembre 1910) ; également citée par E. Joncs, *La vie et l'œuvre de Sigmund Freud,* Paris, PUF, 1961, t. II, p. 472.

5. « Remarques psychanalytiques sur l'autobiographie d'un cas de paranoïa *(dementia paranoides)* (Le Président Schreber) » (1911c [1910]), *Cinq psychanalyses,* Paris, PUF, 1954, p. 312 ; *OCF* X, p. 290 ; *GW* VIII, p. 305.

problème résidant alors dans l'articulation entre refoulement et retour du refoulé, comme tout aussi bien dans leurs différences ; le refoulement a une genèse et un destin, il est orienté.

En 1915, le mécanisme devient clair. Comme nous l'avons déjà vu, **le retour du refoulé permet aux rejetons du refoulé de devenir conscients sous la forme de formations substitutives et de symptômes** ; ceci est rendu possible par de grandes déformations vis-à-vis de l'inconscient, dans lesquelles persistent néanmoins beaucoup de caractères invitant au refoulement[1]. Comportements, traits de caractère, propos quotidiens, lapsus et actes manqués, symptômes plus ou moins bruyants, en sont des exemples ; les plus significatifs sont sans doute les rêves tels que les autorise la baisse de vigilance de la conscience durant le sommeil : riches efflorescences au plus proche de l'inconscient, ils sont transitoires et, au réveil, les refoulements sont produits de nouveau[2]. Ces retours se font selon des équilibres mouvants, en fonction de déterminations internes et externes ; mouvements issus de l'inconscient et se manifestant dans la conscience, ils ne permettent cependant à aucun moment une prise de conscience de ce qui a été refoulé et qui doit demeurer méconnaissable : l'ignorance de ce qui produit ces rejetons demeure même la raison d'être et la condition de ces retours – qui sont, par excellence, l'objet sur lequel travaille le psychanalyste.

Alors qu'on pourrait les penser proches de la conscience, **beaucoup de formations préconscientes demeure inconscientes, l'attraction de l'inconscient étant la plus forte.** Leur tendance à « faire retour » n'en est pas moins puissante, et certains rejetons parviennent à tourner *la censure* située à la frontière du préconscient et de l'inconscient. Ils atteignent un haut degré d'organisation, accroissent leur investissement dans le préconscient jusqu'à une certaine intensité puis, lorsqu'ils tentent de s'imposer à la conscience, ils sont reconnus et « se voient refoulés à une nouvelle frontière : la censure entre préconscient et conscient ». La première censure fonctionne contre

1. « L'inconscient » (1915e), *Métapsychologie*, Paris, Gallimard, 1968, p. 105 ; *OCF* XIII (2e éd.), p. 233 ; *GW* X, p. 291.

2. « Le refoulement » (1915d), *Métapsychologie*, Paris, Gallimard, 1968, p. 53 ; *OCF* XIII (2e éd.), p. 196 ; *GW* X, p. 254.

l'inconscient lui-même, la seconde agit contre les rejetons préconscients de l'inconscient. Pour que le refoulé devienne conscient, un simple acte de perception ne saurait donc suffire : il faut qu'en plus opère un *surinvestissement*[1].

Si le refoulement vise bien l'affect, son moyen d'action est la représentation et c'est elle qui, déformée, fera retour ; pour détourner et éloigner le moi du rejeton de l'inconscient, le statut de représentation de mot est refusé au rejeton du refoulé, l'énergie que porte l'affect étant déchargée en circulant le long des chaînes de représentation. Ainsi le refoulement n'est *directement* actif que sur les représentations, et *indirectement* sur les affects qu'elles drainent : il ne saurait porter sur des chaînes coupées de leur source inconsciente, ni s'exercer sur d'autres voies de décharge des affects[2].

Les **destins du refoulé** ont très tôt préoccupé Freud. Dès 1900, il affirme que les « désirs de notre inconscient, refoulés mais toujours actifs, sont pour ainsi dire immortels »[3]. Et, en 1933, il doit constater que « nous avons tiré bien trop peu de choses, pour notre théorie, de ce fait absolument hors de doute : **l'inaltérabilité du refoulé, qui demeure insensible au temps** »[4]. S'il est clair qu'il faut considérer que *le destin du refoulé est de persister dans l'inconscient,* la question demeure de savoir s'il y demeure « changé » ou « inchangé » ? Si la motion pulsionnelle refoulée, conservant son investissement, peut « persister inaltérée dans le ça bien que sous la pression constante du moi », elle peut aussi « subir une destruction complète au cours de laquelle sa libido est dérivée définitivement vers d'autres voies »[5].

Un peu plus tôt, en **1926,** à la lumière de l'introduction du moi et du ça, est avancée une hypothèse fort nouvelle : « Nous pressentons qu'il ne va pas de soi, qu'**il n'est peut-être même pas habituel que le**

1. « L'inconscient » (1915e), *Métapsychologie,* Paris, Gallimard, 1968, p. 106-107 ; *OCF* XIII (2e éd.), p. 233-234 ; *GW* X, p. 291-292.

2. *Ibidem,* p. 118-120 ; p. 241-243 ; p. 300-301.

3. *L'interprétation des rêves* (1900a), Paris, PUF, 1967, p. 471 ; *OCF* IV, p. 607 ; *GW* II-III, p. 559.

4. *Nouvelles conférences d'introduction à la psychanalyse* (1933a [1932]), Paris, Gallimard, 1984, p. 103 ; *OCF* XIX, p. 157 ; *GW* XV, p. 81.

5. *Ibidem,* p. 124 ; p. 174 ; p. 97-98.

refoulé subsiste ainsi inchangé et inchangeable. » Si la motion pulsionnelle originaire a bien été inhibée par le refoulement et détournée de son but, la question qui se pose est alors de savoir si « son ébauche s'est maintenue dans l'inconscient et s'est montrée résistante face aux influences de la vie susceptibles de la modifier et de la dénaturer ? » Se fait ainsi jour une nouvelle « possibilité : celle que l'ancien désir soit ranimé par régression au cours de la névrose, aussi inactuel qu'il puisse être ». Et Freud d'ajouter, point important, que c'est en étudiant le déclin du complexe d'Œdipe qu'il a dû prendre en compte « la différence entre le simple refoulement et la suppression réelle d'une vieille motion de désir »[1]. Mais, par la suite, cette idée ne sera jamais reprise, que ce soit pour l'approfondir, la confirmer, l'écarter ou la condamner.

IV – LE REFOULEMENT ORIGINAIRE ET LES PREMIERS REFOULEMENTS

L'essence du refoulement étant de mettre à l'écart les représentants et les tenir à distance du conscient, l'existence d'une conscience, le préalable d'un moi est la condition nécessaire pour que ça puisse refouler. Puisque « le refoulement n'est pas un mécanisme de défense présent à l'origine, **il ne peut s'instituer avant qu'une séparation marquée entre les activités psychiques conscientes et inconscientes se soit produite** »[2] ; avec la deuxième topique, on doit considérer que **le refoulement postule un « moi »**. Pour pouvoir refouler, il faut en avoir les moyens : le processus de refoulement impliquant nécessairement une répulsion (émanant du moi et de la perception-conscience) travaillant conjointement avec une attraction (par le déjà refoulé présent dans l'inconscient), la question se pose de savoir comment peut opérer un tout premier refoulement alors que la conscience est encore

1. *Inhibition, symptôme et angoisse* (1926d [1925]), Paris, PUF, 1951, p. 67, n. 1 ; *OCF* XVII, p. 257-258 ; *GW* XIV, p. 172-173.

2. « Le refoulement » (1915d), *Métapsychologie,* Paris, Gallimard, 1968, p. 47 ; *OCF* XIII (2e éd.), p. 192 ; *GW* X, p. 249.

à naître : rien n'ayant encore pu être refoulé, comment pourrait-il y avoir une attraction ?

« **Un *refoulement originaire,* première phase du refoulement, consiste en ce que le représentant psychique (représentant-représentation) de la pulsion se voit refuser la prise en charge dans le conscient.** » Il s'agit là d'un rejet, simple « refus » (qui n'est pas sans annoncer ce qui sera élaboré comme « déni ») mais – et c'est l'essentiel pour son destin – **il induit une *fixation*** : à partir de là, le représentant correspondant subsiste de façon inaltérable et la pulsion lui demeure liée[1]. Mais cette représentation inconsciente n'ayant encore reçu aucun investissement préconscient, elle ne saurait s'en voir retirer ; un autre processus doit intervenir pour produire le tout premier refoulement et le perpétuer : « **Le *contre-investissement,* par lequel le préconscient se protège contre la poussée de la représentation inconsciente, est le seul mécanisme du refoulement originaire** »[2] – ce contre-investissement étant la défense, la première, mise en œuvre pour la circonstance. S'appuyant sur lui, les refoulements « après coup » (c'est-à-dire tous les refoulements qui lui succéderont) y ajouteront le retrait de l'investissement préconscient. On peut penser qu'à ce moment originaire apparaît la conscience (selon la deuxième topique, ce sera la différenciation du moi d'avec le ça) ; il devrait aussi permettre de relier l'ensemble « principe de plaisir - processus primaire » avec celui formé par « principe de réalité - processus secondaire ». Le premier refoulé exerce dorénavant une attraction sur les contenus à refouler ; **tout le fonctionnement psychique vise à s'étayer sur ce rapport à l'originaire et à le faire perdurer :** ainsi, « le rôle important des traumatismes de la petite enfance serait de fournir à l'inconscient un matériel qui le préserverait de l'usure lors de l'évolution subséquente »[3].

Avec la deuxième topique naissent de nouvelles hypothèses. La plupart des refoulements auxquels nous avons affaire sont des refoule-

1. *Ibidem,* p. 48 ; p. 193 ; p. 250.

2. « L'inconscient » (1915e), *Métapsychologie,* Paris, Gallimard, 1968, p. 88-89 ; *OCF* XIII (2e éd.), p. 222 ; *GW* X, p. 280.

3. « Extrait de l'histoire d'une névrose infantile (L'homme aux loups) » (1918b [1914]), *Cinq psychanalyses,* Paris, PUF, 1954, p. 419 ; *OCF* XIII (2e éd.), p. 118 ; *GW* XII, p. 156.

ments après coup, présupposant des refoulements originaires antérieurs ; mais nous sommes trop peu renseignés sur ces stades préalables du refoulement, constate Freud. La première angoisse serait celle de la naissance, expérience qui confère à l'angoisse ses traits caractéristiques : « Il est très plausible que des facteurs quantitatifs, comme la force excessive de l'excitation et l'effraction du pare-excitation, soient les conditions immédiates des refoulements originaires. » C'est dire que le processus se rapproche des sources somatiques de la pulsion : « Un symbole d'affect est une nécessité biologique pour la situation de danger. » Il faut un traumatisme pour que puisse apparaître un refoulement, tout comme il faut disposer d'un moi pour être traumatisé – et pouvoir refouler. Le premier traumatisme doit donc être concomitant du premier refoulement, celui-ci étant mis en œuvre par celui-là grâce au premier contre-investissement – qui est contre-investissement du traumatisme. Une idée se fait jour : « Il se peut que l'apparition du surmoi marque la limite séparant le refoulement originaire du refoulement après coup, mais il est impossible d'en décider actuellement. » [1] Cette hypothèse ne sera pas reprise.

Les premiers refoulements

Puisant naturellement son énergie dans le ça, le *surmoi* n'en est pas moins un « produit » (d'ailleurs relativement tardif) du travail psychique et de la maturation du moi : il est « l'héritier du complexe d'Œdipe » et, plus précisément, du complexe de castration. **Le surmoi est un rejeton du refoulé au plus près du refoulé œdipien,** se comportant « comme s'il n'y avait pas eu de refoulement, comme s'il connaissait la motion agressive dans sa teneur exacte et avec son plein caractère d'affect, traitant le moi sur la base de cette présupposition » [2] ; il se comporte donc bien *comme si* il venait signifier les premiers refoulements, mais ce n'est qu'un leurre pour contrôler le déjà-refoulé, puisqu'il n'est lui-même qu'un *rejeton du refoulé.*

1. *Inhibition, symptôme et angoisse* (1926d [1925]), Paris, PUF, 1951, p. 10 ; *OCF* XVII, p. 212 ; *GW* XIV, p. 121.
2. *Ibidem,* p. 38 ; p. 234-235 ; p. 147.

Quoi qu'il en soit, nous ne saurions oublier que « tous les refoulements se produisent dans la première enfance, que ce sont des mesures de défenses primitives du moi immature et faible ». À proprement parler, il ne s'en crée plus à partir d'un certain moment – disons après la fin de l'Œdipe : « Les anciens refoulements se maintenant, le moi continue de recourir à leurs services en vue de la domination sur les pulsions. » En somme, **il y a réutilisation et actualisation des refoulements de l'enfance, mais il n'y a pas création de nouveaux refoulements.** Lorsque apparaîtront de nouvelles menaces pour le moi (à commencer par celles émanant du surmoi), il sera fait appel à ces anciens refoulements et, de la sorte et dorénavant, les « nouveaux conflits sont, comme nous le disons, liquidés par "refoulement après coup" » [1].

La question s'est posée de savoir quels processus pouvaient s'acquitter de la tâche de défense avant que l'organisation psychique ait atteint le stade où elle devient capable de refouler, ce qui suppose un **temps antérieur à celui du refoulement originaire,** donc précédant la séparation entre activités conscientes et inconscientes. Freud suppose alors que « ce sont d'autres destins pulsionnels, comme la transformation dans le contraire, le retournement sur la personne propre », qui opèrent[2]. Bien que, dans le même ouvrage, soit avancée l'hypothèse qui développe la notion de refoulement originaire, et bien que le sujet traité soit le même, le rapprochement des deux idées n'est pas opéré, pas plus que ne sont étudiées leurs éventuelles relations.

V – LA LEVÉE DU REFOULEMENT

Lever les refoulements est le but assigné par Freud à la psychanalyse, but qui n'a jamais varié : dès 1904 il s'agit « d'extraire du minerai des idées fortuites le pur métal des pensées refoulées » [3], en 1918 il

1. « L'analyse avec fin et l'analyse sans fin » (1937c), *Résultats, idées, problèmes, II,* Paris, PUF, 1985, p. 242.

2. « Le refoulement » (1915d), *Métapsychologie,* Paris, Gallimard, 1968, p. 46-49 ; *OCF* XIII (2e éd., 1994), p. 191-193 ; *GW* X, p. 248-250.

3. « La méthode psychanalytique de Freud » (1904a), *De la technique psychanalytique,* Paris, PUF, 1953, p. 4-5 ; *OCF* VI, p. 14 ; *GW* V, p. 7.

faut « ramener jusqu'au conscient du malade les éléments psychiques refoulés »[1], en 1938 le psychanalyste est celui qui est « en mesure de deviner le matériel refoulé »[2]. Il situe clairement les choses en 1916-1917 : « Nous pouvons exprimer le but de nos efforts par diverses formules : rendre l'inconscient conscient, lever les refoulements, combler les lacunes induites par l'amnésie, tout cela revient au même. »[3] L'important demeure que « là où était du ça doit advenir du moi »[4]. Parmi les diverses désignations retenues par Freud pour qualifier ce but, nous privilégierons celle de *levée du refoulement* qui nous apparaît la plus explicite.

Par *la levée du refoulement,* la cure psychanalytique se donne pour tâche de ramener le refoulé jusqu'au conscient. La régression qu'elle induit, la levée des contre-investissements, la dynamique même du processus mis en œuvre peuvent déjà y aboutir : par la « ruse » thérapeutique que représente l'analyse du transfert (et donc des résistances), le retour du refoulé se trouve détourné tant de ses voies habituelles que de ses objectifs propres ; il en vient ainsi à dévoiler ce qu'il devait cacher et, devenu interprétable, permet la « correction après coup » du refoulement. Avec l'actualisation de l'affect retrouvé qui l'accompagne, la levée du refoulement va en mobiliser de nouveaux ; elle renvoie alors à d'autres refoulements qui deviennent à leur tour accessibles à l'analyse.

Devant rendre préconscient quelque chose de refoulé, **le travail de la cure va chercher à mettre en place des termes intermédiaires *Pcs* ;** « la conscience » se maintient donc à sa place sans que, pour autant, l'*Ics* ait à « remonter » jusqu'au *Cs* – il n'y a pas de retour « en personne » du refoulé, ce qui permet de comprendre que la remémoration échappe à la reviviscence hallucinatoire. Par un surinvestissement, les

1. « Les voies de la thérapie psychanalytique » (1919a), *De la technique psychanalytique,* Paris, PUF, 1953, p. 132 ; *OCF* XV, p. 100 ; *GW* XII, p. 184.

2. *Abrégé de psychanalyse* (1940a [1938]), Paris, PUF, 1967, p. 42 ; *OCF* XX, p. 267 ; *GW* XVII, p. 99.

3. *Conférences d'introduction à la psychanalyse* (1916-1917), Paris, Gallimard, 1999, p. 552 ; *OCF* XIV, p. 451 ; *GW* XI, p. 451-452.

4. *Nouvelles conférences d'introduction à la psychanalyse* (1933a [1932]), Paris, Gallimard, 1984, p. 110 ; *OCF* XIX, p. 163 ; *GW* XI, p. 86.

représentations de mot permettent de transformer les processus de pensée interne en perceptions ; « toute connaissance provient de la perception externe »[1]. Ainsi Freud en vient à proposer de désigner comme *moi* ce qui part de la perception et est d'abord préconscient, l'autre partie du psychisme dans laquelle le moi se continue, qui est inconsciente et dans laquelle se fond le refoulé, devenant le *ça*. « La perception joue, pour le moi, le rôle qui, dans le ça, échoie à la pulsion. »

Ce n'est que tardivement, en **1937** que, tirant les enseignements d'une expérience de plusieurs décennies et d'évolution dans sa pratique, Freud s'attache à tenter de comprendre comment liquider un conflit pulsionnel. « L'analyse amène le moi, qui a mûri et s'est fortifié, à réviser ces anciens refoulements ; quelques-uns sont détruits, d'autres reconnus mais nouvellement construits en matériaux plus solides. » Reste à espérer que ces « nouvelles digues » sauront résister à l'accroissement pulsionnel : « **La correction après coup du processus de refoulement originaire**, laquelle met fin à la puissance excessive du facteur quantitatif, **serait donc l'opération proprement dite de la thérapie analytique.** » Malheureusement, la force des pulsions (le facteur quantitatif) fait que **nous n'avons à faire qu'à des modifications partielles** ; cette « transformation ne se fait jamais complètement, de sorte que des restes des fixations libidinales antérieures peuvent être maintenues » ; le travail de l'analyste rencontre ses limites face à une force pulsionnelle puissante, qui s'avère ne pouvoir être maîtrisée suffisamment[2]. Certes, l'effet thérapeutique est bien de rendre conscient le refoulé mais, hélas, l'analyste interprète pour lui et non pour l'analysé tant que le moi de celui-ci n'a pas abandonné ses résistances, c'est-à-dire ses défenses[3].

Freud est ainsi amené, la même année, à reprendre l'étude du processus à l'œuvre dans la relation analytique. Comparant celle-ci à une

1. *Le moi et le ça* (1923b), *Essais de psychanalyse*, Paris, Payot, 1981, p. 233-235 ; *OCF* XVI, p. 266-267 ; *GW* XIII, p. 249-251.

2. « L'analyse avec fin et l'analyse sans fin » (1937c), *Résultats, idées, problèmes, II*, Paris, PUF, 1984, p. 239-245 ; *OCF* XX, p. 25-31 ; *GW* XVII ; p. 68-74.

3. *Ibidem*, p. 254 ; p. 40 ; p. 84.

scène de théâtre, il note que cela se fait à deux personnages, chacun jouant son rôle dans deux pièces distinctes : l'analysé doit se remémorer quelque chose qu'il a vécu et refoulé et qu'ignore l'analyste, analyste qui, à travers des indices échappés à l'oubli, des répétitions de réactions des premiers âges que met au jour le transfert, devine, reconstruit ce qui a été oublié. « **La façon et le moment de communiquer ces constructions, c'est là ce qui constitue la liaison entre les deux parties du travail analytique** » qui se poursuivent parallèlement. Pour autant, ces constructions (qui ne sont pas véritablement des interprétations), même si elles emportent la conviction du patient lorsqu'elles sont pertinentes, ne l'amènent pas toujours, pour autant, à remémorer le refoulé ; parfois elles amènent l'émergence de souvenirs très vivaces, de détails voisins du contenu de la construction, comme si « la "poussée vers le haut" du refoulé, activée par la communication de la construction, avait cherché à amener à la conscience ces traces mnésiques significatives », qu'une résistance avait déplacées[1]. Cela ressemble à une levée du refoulement, avec même le bénéfice attendu pour le patient, mais sans que le refoulement ait été véritablement levé ; le « moi adulte » continue à se défendre contre des dangers qui, bien présents dans la petite enfance, n'existent plus dans la réalité, et il résiste, en toute inconscience. Bien sûr, il ne sait pas qu'il refoule, et il existe donc une résistance qui s'oppose à la découverte des résistances – c'est celle-ci qui, dans les meilleurs des cas, doit d'abord être levée[2].

L'analyse des résistances peut seule permettre de parvenir à une prise de conscience du refoulé : la « véritable » levée du refoulement (portant sur la représentation *et* l'affect), avec la libération d'énergie libidinale qu'elle suscite et l'unification du moi qu'elle provoque, demeure la pierre de touche du changement dans la cure, comme de sa vocation thérapeutique. De fait, on peut considérer que les résistances se définissant en fonction du transfert ; **comprendre la levée du refoulement relève plus de la théorie de la cure que de la théorie du refoulement.**

1. « Constructions dans l'analyse » (1937d), *Résultats, idées, problèmes, II,* Paris, PUF, 1985, p. 271-278 ; *OCF* XX, p. 62 et 72 ; *GW* XVI, p. 45 et 68.

2. « L'analyse avec fin et l'analyse sans fin » (1937c), *Résultats, idées, problèmes, II,* Paris, PUF, 1984, p. 253-254 ; *OCF* XX, p. 39-40 ; *GW* XVII, p. 83-84.

VI – LE REFOULEMENT ORGANIQUE

Nous avons eu quelque embarras à situer ce sous-chapitre, ne sachant trop s'il devait être placé au début, en tant que préalable « organique » du refoulement, ou au contraire à la fin, comme un élément marginal ? Le développement métapsychologique du concept ne s'appuyant aucunement sur la notion, n'usant pas du terme, même si celui-ci est censé y être implicitement présent, nous avons choisi de le situer en clôture.

Le refoulement organique du plaisir olfactif est le résultat de l'atrophie de l'odorat chez l'homme, consécutive à la station debout ; il pourrait avoir un grand rôle dans l'aptitude aux névroses en raison des liens étroits de l'instinct sexuel à l'odorat dans l'organisation animale. Le dégoût, la pudeur en sont le résultat, comme les aspirations idéales et élevées sont de fait organiquement déterminées et héréditairement fixées. Tout refoulement a un noyau organique.

L'idée et le nom d'un « refoulement organique » s'impose très tôt à Freud qui peut écrire à Wilhelm Fliess, dès 1897, qu'un élément organique entrerait en jeu dans le refoulement, résultant de l'abandon d'anciennes zones sexuelles, hypothèse se rattachant « au rôle modifié des sensations olfactives : au port vertical, aux narines s'éloignant du sol et, par cela même, à une foule de sensations antérieurement intéressantes qui, émanant du sol, devenaient repoussantes » [1]. Cette description, demeurée pratiquement inchangée, réapparaît au long de l'œuvre.

Il semble bien qu'en 1900, dans *L'interprétation des rêves*, c'est elle qu'il vise lorsqu'il évoque des « désirs d'origine infantile que l'on ne saurait détruire ni inhiber, [...] dont la réalisation serait contraire aux représentations-but de la pensée secondaire ». Ils sont à la source du refoulement en général mais apparaissent plus particulièrement,

1. *La naissance de la psychanalyse. Lettres à Wilhelm Fliess. Notes et plans (1887-1902)* (1950a [1887-1902]), Paris, PUF, 1956, p. 205 (lettre n° 75 du 14 novembre 1897).

concomitamment au dégoût, en fonction de souvenirs qui n'ont jamais été accessibles au préconscient et ne sauraient donc les inhiber, bien qu'ils leur aient transféré la force de leur désir [1] ; le préconscient « s'en détourne » et ils sont alors laissés à eux-mêmes, « refoulés » – et lorsque « le désir inconscient refoulé est renforcé organiquement » il prend une force nouvelle et tente de pénétrer de force la conscience.

En 1905, évoquant les « digues » dressées sur la voie des pulsions sexuelles pour en resserrer le cours (dégoût, pudeur, aspirations idéales esthétiques et morales), Freud « éprouve le sentiment que leur édification est l'œuvre de l'éducation, et il est certain que l'éducation y contribue largement. En réalité, corrige-t-il, cette évolution vers des sentiments "élevés" **est organiquement déterminée, héréditairement fixée, et peut à l'occasion s'effectuer sans le moindre concours de l'éducation.** L'éducation reste entièrement dans le domaine qui lui est assigné lorsqu'elle se borne à suivre les lignes qui lui ont été tracées organiquement, et à leur imprimer une forme plus nette et plus profonde » [2].

Confirmant toute l'importance de la sexualité infantile, Freud indique que, plutôt que les influences accidentelles, doivent être pris en compte des facteurs constitutionnels et, « au lieu de la "défense" conçue comme purement psychologique, le "refoulement sexuel" organique » [3]. Distinction qu'il précisera, dans le même temps, en indiquant qu'il « avait nommé "défense" le refoulement conscient et "refoulement" le refoulement inconscient (organique) » [4]. Chez l'animal, on connaît les liens étroits entre l'instinct sexuel et l'odorat ; à l'homme, ceux-ci fournissent une base originaire qui serait universelle : « **Il n'y a pas de refoulement qui n'ait un noyau organique** [et] toute la théorie des névroses est incomplète aussi longtemps qu'on

1. *L'interprétation des rêves* (1900a), Paris, PUF, 1967, p. 513-514 ; *OCF* IV, p. 659-660 ; *GW* II-III, p. 609-610.

2. *Trois essais sur la théorie sexuelle* (1905d), Paris, Gallimard, 1987, p. 99-100 ; *OCF* VI, p. 112-113 ; *GW* V, p. 78.

3. « Mes vues sur le rôle de la sexualité dans l'étiologie des névroses » (1906a), *Résultats, idées, problèmes, I,* Paris, PUF, 1984, p. 120 ; *OCF* VI, p. 316 ; *GW* V, p. 157.

4. *Les premiers psychanalystes (minutes de la Société psychanalytique de Vienne)* (1976a), Paris, Gallimard, 1976, t. I (1906-1908), p. 46 (séance du 24 octobre 1906).

n'a pas jeté de lumière sur le noyau organique du refoulement. »[1] Ceci sera confirmé, pratiquement dans les mêmes termes, dans « L'homme aux rats »[2], dans « L'intérêt de la psychanalyse »[3], puis, encore vingt ans plus tard, dans *Malaise dans la civilisation* où est réaffirmé qu'il revient « à ce "refoulement organique" d'ouvrir la voie à la civilisation »[4].

Le refoulement organique s'inscrit dans ce que l'on pourrait appeler l'« exigence » organique et phylogénétique de Freud, toujours maintenue et répétée, régulièrement recoupée avec les exigences culturelles.

QUESTIONS ET ENJEUX

La théorie du refoulement est à la base de la métapsychologie telle qu'elle fut d'abord élaborée dans le cadre de la première topique, partant du fonctionnement psychique entre *Ics* et *Pcs*. Elle le demeure avec la deuxième topique et les nouvelles instances, même si le refoulement se trouve relativisé, s'avérant être lui-même une défense faisant partie des « techniques dont se sert le moi dans ses conflits »[5]. Son rôle n'en demeure pas moins prépondérant, « tout à fait particulier, plus nettement séparé des autres mécanismes de défense que ceux-ci ne le sont entre eux »[6] : il demeure « la clé de voûte, le pilier

1. *Ibidem*, Paris, Gallimard, 1978, t. II, p. 260 et 318 (séance du 17 novembre 2009).

2. « Remarques sur un cas de névrose obsessionnelle (L'homme aux rats) » (1909d), *Cinq psychanalyses*, Paris, PUF, 1970, p. 260 ; *OCF* IX, p. 213 ; *GW* VII, p. 462.

3. « L'intérêt de la psychanalyse » (1913j), *Résultats, idées, problèmes, I*, Paris, PUF, 1984, p. 211-212 ; *OCF* XII, p. 123-124 ; *GW* VIII, p. 418-419.

4. *Malaise dans la civilisation* (1930a [1929]), Paris, PUF, 1971, p. 49-50, n. 1 et p. 58, n. 1 ; *OCF* XVIII, p. 286 et p. 293, n. 1.

5. *Inhibition, symptôme et angoisse* (1926d [1925]), Paris, PUF, 1951, p. 92 ; *OCF* XVII, p. 277 ; *GW* XIV, p. 196.

6. « L'analyse avec fin et l'analyse sans fin » (1937c), *Résultats, idées, problèmes, II*, Paris, PUF, 1984, p. 251 ; *OCF* XX, p. 37 ; *GW* XVII, p. 81.

de la compréhension des névroses »[1]. C'est bien ce que cherche à exprimer la définition que nous proposons, reprise de Freud, et selon laquelle le refoulement est un processus engagé par le moi afin de se protéger en aménageant les traumatismes et conflits qui renvoient aux exigences pulsionnelles. Cela paraît clair, et l'on peut dire que la théorie du refoulement est sans doute l'une des parties les plus abouties de la psychanalyse. Il n'en subsiste pas moins quelques difficultés, voire quelques obscurités, que nous avons déjà pu éprouver à la lecture du texte freudien ; nous allons revenir plus particulièrement sur certaines d'entre elles.

Les *caractères spécifiques* propres au refoulement sont donc, en principe, très clairs ; ils n'en comportent pas moins certains risques de confusion. Dans ses *Conférences d'introduction à la psychanalyse*, Freud exhorte ses auditeurs à ne surtout pas confondre *régression* et refoulement ; puis il ajoute que le refoulement consistant à renvoyer dans le système inconscient un acte psychique, ou à lui refuser l'accès au système préconscient, « aucune relation à la *sexualité* n'est inhérente au concept de refoulement, je vous prie de bien le noter » : il représente un processus purement psychologique, et il s'agit même là d'un concept topique – dynamique qui ne concerne que la seule structuration de l'appareil psychique. La régression, qui vise le retour de la libido à des étapes antérieures, n'a aucune localisation reconnue dans cet appareil et le facteur organique y est prépondérant, quelle que puisse être son influence sur le psychisme – et elle est grande ; il convient de se souvenir que le terme de « régression » est purement descriptif[2]. On retrouve ainsi la conception qui attribue une détermination biologique première à la sexualité, ce qui la distingue nettement de la théorie fonctionnelle propre au refoulement. Voilà qui ne va pas sans nous évoquer la « fonction biologiquement indispensable de réaction à l'état de danger » qui spécifie l'angoisse[3], la question de son origine nous faisant « quitter le terrain proprement psychologique pour le domaine voisin de la

1. *Sigmund Freud présenté par lui-même* (1925d), Paris, Gallimard, 1984, p. 51 ; *OCF* XVII, p. 77 ; *GW* XIV, p. 55.

2. *Conférences d'introduction à la psychanalyse* (1916-1917), Paris, Gallimard, 1999, p. 433-436 ; *OCF* XIV, p. 353-355 ; *GW* XI, p. 353-355.

3. *Inhibition, symptôme et angoisse* (1926d [1925]), Paris, PUF, 1951, p. 57 ; *OCF* XVII, p. 249 ; *GW* XIV, p. 164.

physiologie »[1]. Cette conception a justement conduit à réviser ses rapports au refoulement : « C'est l'angoisse qui produit le refoulement et non pas, comme je l'ai jadis pensé, le refoulement qui produit l'angoisse » ; « jamais l'angoisse ne naît de la libido refoulée »[2] – ce qui ne fait que réaffirmer la prééminence du biologique (angoisse et régression) sur le psychologique (refoulement). Si, d'un point de vue descriptif, après le refoulement on constate bien l'apparition d'une certaine quantité d'angoisse en lieu et place de la manifestation de libido attendue, il ne saurait s'agir là d'une transformation directe de la libido en angoisse. L'étude des névroses actuelles avait montré que le refoulement inflige une perturbation à la libido du ça : il n'est donc pas exclu que de la libido puisse alors se transformer en angoisse, comme on l'avait d'abord cru. C'est pourquoi il « ne faut pas établir de liens trop serrés entre l'angoisse et la formation de symptômes »[3] dont le but est d'éviter la situation de danger signalée par l'angoisse : ainsi « l'angoisse de castration » débouchera sur « la peur de la castration » – dont « l'angoisse de mort » elle-même est un analogon. L'angoisse de castration apparaît maintenant comme le noyau de la théorie de l'angoisse et du refoulement. Mais l'angoisse étant de la libido transformée, elle est une émanation de la sexualité, et on voit combien l'assertion selon laquelle il n'y aurait aucune relation entre sexualité et refoulement doit être relativisée. Ceci nous rappelle clairement que la théorie du refoulement ne vise, en effet, qu'à décrire « comment » ça fonctionne, et entend s'y limiter ; il n'en faut pas moins s'interroger sur les « pourquoi », et en appeler alors à la sexualité et à la théorie libidinale.

Le problème posé par le *refoulement originaire* tient à ce qu'il est lui-même une tentative de réponse à une difficulté : à la différence de ce qui s'est passé pour les mouvements défensifs, il n'est pas issu de l'expérience et de la pratique de la cure ; sa création répond à une nécessité méthodologique posée par le fonctionnement du refoulement proprement dit. En effet, celui-ci résulte de la conjonction d'un double mouvement : répulsion d'un côté exercée par le préconscient (plus tard ce sera par le moi), attraction de l'autre par ce qui a déjà été refoulé dans l'inconscient (ce sera le ça) ; ceci implique que la

1. *Ibidem*, p. 9-10 ; p. 211-212 ; p. 120-121.
2. *Ibidem*, p. 28 ; p. 226 ; p. 137.
3. *Ibidem*, p. 29 ; p. 228 ; p. 140.

conscience soit déjà différenciée de l'inconscient, ce qui est concomitant avec l'apparition du moi – justifiant ainsi le qualificatif d'originaire. Rappelons quelle en est la problématique : avant cette émergence, il ne saurait y avoir un « déjà refoulé » produit par le moi, puisque celui-ci n'existe pas encore ; Freud pose alors un « premier refoulé » (procédant d'un contre-investissement) qui correspond à une fixation et peut dorénavant attirer les refoulements à venir (ils se feront donc « après coup »), seuls refoulements accessibles, connaissables – ce pourquoi on les désigne aussi comme « refoulements proprement dits ». Tous ces refoulements, que l'on peut dire « de seconde main », ne pourront que renvoyer au temps premier : telle est l'impérative raison du refoulement originaire, postulat né d'une nécessité logique, et non pas constat issu d'une expérience pratique. De par sa nature, il ne saurait accéder à la conscience, et ne peut être que construit à partir des refoulements après coup, qui ne sont eux-mêmes connus que par leurs « ratés », rappelons-le ; la question de connaître les conditions de leur apparition n'est pas résolue pour autant. Disons que cela ne va pas sans faire courir le risque d'introduire une certaine faiblesse dans la théorie ; Freud l'a ressenti, jusqu'à constater que « nous sommes encore bien trop peu renseignés sur ces stades préalables du refoulement », allant jusqu'à imaginer que l'apparition du surmoi pourrait être la limite entre originaire et après-coup[1]. Il ne maintiendra pas explicitement cette hypothèse, sans doute parce qu'elle soulève plus de problèmes qu'elle n'en résout ; il ne nous semble pourtant pas inutile d'évoquer les difficultés qu'elle a pu poser, car elles n'ont sans doute pas été sans conséquences sur le développement de la réflexion.

Cette idée que la survenue du surmoi marquerait le passage de l'originaire à l'après-coup pose d'abord une *questions métapsychologique* : il se passe une longue période entre l'apparition du moi (à la fin de la première année) et celle du surmoi (vers cinq ans, à la fin de l'Œdipe dont il est l'« héritier »), et il est difficile d'imaginer que ces cinq années soient dépourvues de refoulements (c'est ce qui nous a conduit à introduire une section sur les « premiers refoulements »). Nous ne pouvons d'ailleurs qu'être frappé de ce qu'alors que Freud revient, dans ce même ouvrage *(Inhibition, symptôme et angoisse)*, au concept de *défenses* pour y réintégrer le refoulement, il ne reprend

1. *Ibidem*, p. 10 ; p. 212 ; p. 121.

pas l'hypothèse de la *Métapsychologie* posant l'existence de défenses (renversement du contenu et retournement sur la personne) opérant avant que soit atteint le stade où le psychisme devient capable de refouler. Mais c'est surtout l'*Œdipe féminin* qui fait problème, et on doit remarquer que Freud commence à en reprendre la question dans les mêmes temps où il évoque l'apparition du surmoi comme limite entre originaire et après-coup ; il va lui falloir cinq ans de plus pour la faire véritablement progresser, reconnaissant à la relation de la fille à sa mère toute sa singularité (essentiellement en 1931 avec « Sur la sexualité féminine » et en 1933 dans l'article « La féminité » des *Nouvelles conférences d'introduction à la psychanalyse*). On peut penser qu'examinant l'hypothèse surmoïque, il a dû s'interroger sur ce qu'il pouvait en être de la genèse du refoulement originaire, et donc de tous les refoulements qui s'ensuivent, chez une petite fille dont « la formation du surmoi » sera supposée plus tardive, moins forte et plus dépendante[1]. Il semblerait qu'il ait fallu à Freud passer par la réflexion métapsychologique sur l'origine du refoulement originaire pour accepter de reconsidérer l'organisation et le fonctionnement du complexe d'Œdipe de la petite fille…

Après la question des débuts du refoulement – et comme à l'autre bout de l'histoire – sans doute convient-il de s'interroger sur celle des *destins du refoulé*. Elle n'est d'ailleurs pas sans rapports avec la précédente : en posant que tous les refoulements après coup renvoient in fine à l'originaire, on leur attribue une « fixité » dans ce qu'il faut bien appeler une répétition. Comme en écho, l'idée que les désirs refoulés seraient « virtuellement immortels » est une constante de la pensée freudienne qui sera encore réaffirmée avec force en 1932, Freud insistant sur « l'inaltérabilité du refoulé, qui demeure insensible au temps »[2]. Cela est nécessaire tant à maintenir la permanence de l'histoire, la continuité et la totalité de l'humain, qu'à permettre d'établir une théorie cohérente de la formation du psychisme ; s'appuyant ainsi sur la persistance de l'infantile chez l'adulte, la cure analytique devient possible. Pourtant, il est une autre constante de la pensée freudienne qui veut que les rejetons du refoulé continuent de s'organiser, de travailler, de se reproduire, de se déformer pour tenter

1. *Nouvelles conférences d'introduction à la psychanalyse* (1933a [1932]), Paris, Gallimard, 1984, p. 173 ; *OCF* XIX, p. 213 ; *GW* XV, p. 138-139.

2. *Ibidem,* p. 103.

de faire retour à la conscience[1], ce qui donne quelques chances de pouvoir les analyser et va conduire au constat que le moi, mobile et labile comme ses produits (à commencer par le refoulé), « exerce une influence profonde sur les processus qui se déroulent dans le ça »[2]. Enfin sera avancée l'idée que l'analyse peut « amener le moi à réviser les anciens refoulements : quelques-uns sont détruits, d'autres reconnus, mais nouvellement construits en matériaux plus solides »[3].

Alors, *changement ou pas changement* ? La thèse de la possibilité d'un changement, d'une « transformation du refoulé », posée comme une conséquence de la distinction entre un moi et un ça, est clairement avancée en 1926. Elle l'est dans une de ces notes en bas de page qui sont souvent l'occasion de glisser une rectification essentielle (on pense à « l'identification au père de la préhistoire personnelle » que vient corriger le constat qu'il « serait plus prudent de dire "identification aux parents" »[4]) : « Il n'est peut-être pas habituel que le refoulé subsiste ainsi inchangé et inchangeable », nous dit Freud ; et comme il maintient que les anciens désirs refoulés persistent dans l'inconscient, la question se pose de comprendre leurs effets : agissent-ils directement ou par l'intermédiaire de leurs rejetons ? Ou ne faut-il pas plutôt penser que « l'ancien désir est ranimé par régression »[5], hypothèse qui semble avoir sa faveur, mais pose bien des questions. Quoi qu'il en soit, Freud n'y est jamais revenu, sans pour autant en condamner la thèse. Le problème demeure donc entier, et il ne nous appartient pas ici, dans un ouvrage comme celui-là, de tenter de le résoudre.

Le *refoulement organique* nous intrigue tant il paraît *a priori* loin, presque étranger au refoulement lui-même. On ne saurait pourtant l'ignorer (ce qui est pourtant fait par l'immense majorité des auteurs), ne serait-ce que parce qu'il apparaît extrêmement tôt dans l'œuvre

1. « Le refoulement » (1915d), *Métapsychologie,* Paris, Gallimard, 1968, p. 49 ; *OCF* XIII, p. 193-194 ; *GW* X, p. 251.

2. *Inhibition, symptôme et angoisse* (1926d [1925]), Paris, PUF, 1951, p. 8 ; *OCF* XVII, p. 210 ; *GW* XIV, p. 119.

3. « L'analyse avec fin et l'analyse sans fin » (1937c), *Résultats, idées, problèmes, II,* Paris, PUF, 1985, p. 242 ; *OCF* XX, p. 28 ; *GW* XVI, p. 71.

4. *Le moi et le ça* (1923b), *Essais de psychanalyse,* Paris, Payot, 1981, p. 243 ; *OCF* XVI, p. 275 ; *GW* XIII, p. 259.

5. *Inhibition, symptôme et angoisse* (1926d [1925]), Paris, PUF, 1951, p. 67, n. 1 ; *OCF* XVII, p. 257, n. 1 ; *GW* XIV, p. 172-173, n. 1.

freudienne et qu'il sera toujours rappelé et maintenu, toujours identique. Sans doute sa fonction apparaît-elle essentielle aux yeux de Freud, devant, une fois de plus, inscrire le refoulement, et donc la psychanalyse, dans le destin biologique de l'homme – le liant, ce faisant, aux autres créatures vivantes. On retrouve ainsi l'une de ces grandes préoccupations freudiennes – ici l'ancrage biologique du psychisme et de la psychanalyse – qui commandent et ordonnent toute sa recherche.

Claude Le Guen

Refusement → Frustration

Règle fondamentale → Association libre, attention en égal suspens (flottante) et règle fondamentale

RÉGRESSION

all. : ***Regression.*** – angl. : *regression.* – esp. : *regressió* . – ital. : *regressione.* – port. : *regressão*

La régression tient à la capacité des éléments les plus avancés du développement psychique de faire retour jusqu'à un point de fixation d'une phase antérieure, les deux mécanismes travaillant en étroite dépendance. D'abord découverte dans le rêve comme retour de la représentation à l'image sensorielle d'où elle est issue, la régression témoigne de la direction imposée à l'appareil psychique par la pulsion ; visant toujours la libido, elle résulte de la conjonction de la résistance à l'accès à la conscience avec l'attraction par des souvenirs encore vifs.

On peut décrire trois sortes de régression : une *topique* selon l'appareil psychique, une *temporelle* qui reprend des formations antérieures et peut concerner le développement du moi et/ou de la libido, une *formelle* où prévalent des modes primitifs de figuration ; toutes trois se rejoignent pour n'en former qu'une : ce qui est le plus ancien est aussi le plus primitif, situé au plus près de la perception.

Le retour du refoulé se fait à partir du point de fixation que va atteindre la régression. Le traitement analytique tente de les rendre conscientes en refaisant ce chemin, ce qui suscite des conflits avec les forces qui la provoquèrent en un temps où elle était opportune mais qui, dans la cure, se muent en résistances.

Par sa capacité particulière au retour en arrière, la régression témoigne de l'extraordinaire plasticité des développements psychiques qui ne sauraient être limités quant à leur direction. Un stade plus élevé de développement, une fois abandonné, peut ne plus pouvoir être atteint de nouveau ; en revanche, les états primitifs peuvent toujours être réinstaurés car ils sont impérissables. Ceci contribue à faire assurer à la régression une fonction défensive essentielle.

La régression n'a pas de localisation dans le système psychique ; elle ne lui est d'ailleurs pas totalement liée, même si elle exerce sur lui une influence très puissante ; dépendante de la libido, le facteur organique y est le plus éminent. L'explication métapsychologique peut être cherchée dans un « démélange des pulsions », c'est-à-dire dans le fait que les composantes érotiques qui, au début de la phase génitale, étaient venues s'ajouter aux investissements destructifs de la phase sadique, s'en voient séparées.

MISE EN SITUATION

Comme pour la fixation, son terme complémentaire, ni la terminologie, ni la traduction, ne posent problème ; le mot (« savant » à ses débuts) vient directement du latin et se retrouve semblable dans nos cinq langues de référence. Si, dans l'œuvre freudienne, le terme revient régulièrement tout au long des écrits, la notion est plus particulièrement étudiée dans quelques textes qui, à intervalles à peu près réguliers, la reprennent en lui adjoignant une nouvelle perspective qui la complète : L'interprétation des rêves *en 1900, « Le Président Schreber » en 1911, les* Conférences d'introduction à la psychanalyse *en 1917,* Inhibition, symptôme et angoisse *en 1926, et enfin les* Nouvelles conférences d'introduction à la psychanalyse *en 1933.*

La régression est une notion à la fois simple, dans la mesure où elle est surtout descriptive, et fort complexe, en raison même de tout ce qu'elle met en œuvre. Elle se situe au cœur de la conception freudienne du psychisme.

LE TEXTE FREUDIEN

Très schématiquement, on peut repérer trois phases (et trois thèmes) dans l'étude de la régression. *Dans un premier temps,* qui débute en **1900** et se prolonge jusque vers 1915, Freud s'intéresse d'abord à un processus éminemment normal du fonctionnement psychique, plus particulièrement à l'œuvre dans le *travail du rêve.* S'il ne situe pas alors la régression dans les névroses c'est que, comme il le remarquera lui-même, à cette époque il est surtout préoccupé par l'hystérie, dont elle est absente. Il va, certes, faire quelques incursions dans le champ des névroses mais reviendra plutôt au rêve, puis à la cure avec le transfert. Suit, de **1915** à **1919**, *une période de bilan et de transition,* dominée par ce monument constitué par les *Conférences d'introduction à la psychanalyse* ; il y reprend ce qu'il a déjà avancé, le développe, et annonce les nouvelles recherches. Dans les années **1920** débute le *troisième temps,* avec ses deux moments forts de 1926 et 1933 : la réflexion se tourne alors plutôt vers *la pathologie de la régression* avec l'étude des psychonévroses et, plus particulièrement, de la névrose obsessionnelle, de la mélancolie, mais aussi des névroses narcissiques.

La régression dans les rêves et les névroses (1900-1915)

La régression dans le rêve est mentionnée dès les *Lettres à Fliess* [1], mais c'est en **1900**, avec *L'interprétation des rêves,* qu'elle est précisée. Pour « décrire la marche du rêve hallucinatoire », avec sa façon de

1. *La naissance de la psychanalyse. Lettres à Wilhelm Fliess. Notes et plans (1887-1902)* (1950a [1887-1902]), Paris, PUF, 1956, p. 176 (manuscrit L du 2 mai 1897).

se limiter à des représentations (généralement visuelles) et d'exclure la motricité, Freud indique que **l'excitation ne se dirige pas vers l'extrémité motrice de l'appareil psychique, mais vers son extrémité sensorielle** : elle suit une voie *rétrograde,* sa direction est « *régrédiente* » (la « *progrédiente* » étant celle qui va de l'inconscient à l'état de veille). Il convient donc alors de parler d'une *régression.* Si elle est une particularité du rêve, elle peut aussi se rencontrer dans d'autres processus de la pensée normale (mémorisation, réflexion) également marqués par un retour, allant des représentations vers les traces mnésiques qui les ont suscitées. Mais, distinction d'importance, « pendant la veille ce retour en arrière ne va jamais au-delà des images mnésiques », et ne fait pas revivre les perceptions sur un mode hallucinatoire. En appelant « *régression* dans le rêve » le retour de la représentation à l'image sensorielle d'où elle est issue, « nous n'avons fait que donner un nom à un phénomène inexplicable ». Cette démarche n'est pourtant pas inutile car elle permet de **rattacher le processus « au schéma d'un appareil psychique doué d'une direction** » : et si le rêve est bien une régression à l'intérieur de l'appareil psychique, il devient compréhensible que les processus de relation dans ses pensées se perdent ou se brouillent au cours de son travail, seules subsistant les images de perception[1].

Le rêve a la faculté de « refondre son contenu représentatif en images sensorielles ». Ce trait « régrédient » nous fournit des indices sur des réalités inconnues mais témoigne, là aussi, de la résistance à l'accès à la conscience ; il est aussi un effet de l'attraction exercée par la vivacité sensorielle des souvenirs. Dans le sommeil, la régression est facilitée par l'interruption du courant « progrédient », alors qu'à l'état de veille il y a plutôt un renforcement des autres motifs. Dans la formation des symptômes névrotiques son rôle est aussi important que dans le rêve, mais Freud n'en traite pas plus avant dans cet ouvrage.

Il distingue une *régression topique* selon son schéma de l'appareil psychique, une *régression temporelle* lorsqu'elle reprend des formations psychiques antérieures, une *régression formelle* quand des

1. *L'interprétation des rêves* (1900a), Paris, PUF, 1967, p. 460-461 ; *OCF* IV, p. 596-597 ; *GW* III, p. 548-549.

modes de figuration archaïques prennent la place des modes habituels ; pourtant, dans la plupart des cas, en fait **ces trois sortes de régression se rejoignent et n'en font qu'une,** « car ce qui est plus ancien dans le temps est aussi primitif au point de vue formel et est situé dans la topique psychique le plus près de l'extrémité de perception ». En somme, « le rêve est comme une *régression* au plus ancien passé du rêveur » qui « revit » des émotions et des modes d'expression de son enfance, derrière lesquelles se devine « l'enfance phylogénétique, le développement du genre humain » que ne fait que répéter, en l'abrégeant, celle de l'individu[1].

La régression n'est plus mentionnée durant près de dix ans. En 1909, l'histoire de « L'homme aux rats » fournit l'occasion d'illustrer, par les symptômes d'une névrose obsessionnelle, les modalités de « **la régression de l'acte à la pensée** » qui, selon son intensité, va prendre dans ce cas le caractère d'obsessions ou d'actes compulsionnels[2]. C'est deux ans plus tard, en **1911**, que dans « Le Président Schreber » est apporté un complément d'importance : reprenant la notion de *« fixation »* (introduite dans les *Trois essais sur la théorie sexuelle*) comme base d'une prédisposition à la névrose, Freud considère maintenant la régression comme un « courant rétrograde de la libido » qui, lorsqu'il est puissant et ne trouve pas d'autre issue, **peut venir buter sur une fixation** (narcissique par exemple), sexualisant les pulsions sociales et annihilant les sublimations. On peut considérer que lorsqu'il y a échec du refoulement, et donc retour du refoulé, son irruption « **prend naissance au point où eut lieu la fixation et implique une régression de la libido jusqu'à ce point précis** »[3].

La régression ne peut avoir qu'un rôle prépondérant dans la cure et, en 1912, Freud remarque que dans les psychonévroses, où sont réactivées les imaginations infantiles, **la libido régressant, le traite-**

1. *Ibidem,* p. 465-467 ; p. 601-602 ; p. 563-564.

2. « Remarques sur un cas de névrose obsessionnelle (L'homme aux rats) » (1909d), *Cinq psychanalyses,* Paris, PUF, 1954, p. 258 ; *OCF* IX, p. 210 ; *GW* VII, p. 459-460.

3. « Remarques psychanalytiques sur l'autobiographie d'un cas de paranoïa *(dementia paranoides)* (Le Président Schreber) » (1911c [1910]), *Cinq psychanalyses,* Paris, PUF, 1954, p. 307-312 ; *OCF* X, p. 284-290 ; *GW* VIII, p. 298- 304.

ment analytique n'a plus qu'à la suivre pour tenter de « la rendre à nouveau accessible au conscient pour finalement la mettre au service de la réalité ». Cela ne peut se faire qu'au prix de conflits, les forces ayant provoqué la régression devenant des « *résistances* »[1]. La même année, le rôle de la *frustration* dans la névrose est mis en évidence : lorsqu'elle devient suffisamment forte, la libido se détourne de la réalité pour investir la vie fantasmatique, « au sein de laquelle elle se créent de nouvelles formations de désir et ranime les traces de formations plus anciennes, oubliées ». Devenue occasion de conflits avec la partie de la personnalité restée en relation avec la réalité, cette régression entraîne la formations de symptômes, puis une maladie manifeste[2].

L'année suivante est redit que, dans l'hystérie, la génitalisation et l'introduction de la fonction de reproduction acquises lors de la puberté, « succombent au refoulement, mais sans régression au stade prégénital »[3].

DÉVELOPPEMENTS, RÉCAPITULATIONS ET BILAN (1915 À 1918)

À partir de 1915, sont produits une série de textes qui, sans vraiment se centrer sur la régression, apportent d'intéressantes remarques. Ils sont inaugurés par les « Considérations actuelles sur la guerre et sur la mort », dans lesquelles il apparaît que le développement psychique a la particularité que « **tout stade de développement antérieur se maintient à côté du stade ultérieur né de lui** » ; l'état pulsionnel initial peut ne pas se manifester pendant longtemps, mais il subsiste et peut un jour revenir au premier plan, « comme si tous les développements ultérieurs avaient été annulés, ramenés en arrière ». Cette *plasticité* opère, pour l'essentiel, selon une direction régrédiente ; un

1. « La dynamique du transfert » (1912b), *De la technique psychanalytique,* Paris, PUF, 1953, p. 53-54 ; *OCF* XI, p. 110-111 ; *GW* VIII, p. 367-368.

2. « Sur les types d'entrée dans la névrose » (1912c), *Névrose, psychose et perversion,* Paris, PUF, 1973, p. 176-177 ; *OCF* XI, p. 120-121 ; *GW* VIII, p. 324.

3. « La disposition à la névrose obsessionnelle. Une contribution au problème du choix de la névrose » (1913f), *Névrose, psychose et perversion,* Paris, PUF, 1973, p. 197 ; *OCF* XII, p. 94 ; *GW* VIII, p. 452.

stade plus récent et plus développé, qui se trouve abandonné, peut très bien pouvoir n'être jamais atteint de nouveau, alors que les états primitifs sont toujours susceptibles d'être de nouveau instaurés : « **Le psychique primitif est, au sens le plus plein, impérissable.** » Ce retour à des états antérieurs des affects et des fonctions caractérise les maladies mentales, mais c'est encore l'état de sommeil qui fournit « le plus remarquable exemple de la plasticité de la vie psychique » ; chaque nuit, nous nous débarrassons de notre moralité, « comme d'un vêtement que nous remettons le matin » – opération inoffensive puisque nous sommes condamnés à rester inactifs, paralysés par le sommeil. « **Seul le rêve peut nous renseigner sur la régression de notre vie affective à l'un des tout premiers stades de développement** » ; c'est pourquoi tous nos rêves sont purement égoïstes[1].

Il est frappant de constater que dans la *Métapsychologie,* en 1915, la régression n'est pratiquement pas mentionnée dans les trois premiers essais qui, pourtant, sont sans doute les plus proprement « métapsychologiques » (nous allons le voir, elle occupait une place centrale dans l'un des sept qui furent retirés). Dans le « Complément métapsychologique à la théorie du rêve », après avoir redit que « le rêve est absolument égoïste », Freud revient sur la régression pour constater que le processus part du *Pcs,* est renforcé par l'*Ics* et revient à travers l'*Ics* vers la conscience ; « **cette régression est la troisième phase de la formation du rêve** ». Il s'agit là d'une régression « topique », la « temporelle » suivant, pour sa part, le développement libidinal. Les deux peuvent ne pas coïncider mais elles le font dans les désirs du rêve, pour retourner jusqu'à l'accomplissement hallucinatoire du désir. Dès 1900, dans la description de la formation du rêve au travers de la régression, a déjà été dit comment des investissements de souvenirs de choses restés dans l'inconscient sont travaillés par le processus primaire jusqu'à « former le contenu manifeste du rêve en condensant ces souvenirs et en déplaçant de l'un à l'autre les investissements », alors que les représentations de mot doivent être des « restes frais et actuels » pour être traités de la même façon ; voilà qui conduit à la règle selon laquelle le

1. « Considérations actuelles sur la guerre et sur la mort » (1915b), *Essais de psychanalyse,* Paris, Payot, 1981, p. 22-23 ; *OCF* XIII, p. 141 ; *GW* X, p. 337-338.

travail du rêve s'attache peu aux mots, ceux qui y apparaissent n'étant pas des créations nouvelles, mais « sont formés à partir de paroles du jour précédant ».

Dans la *schizophrénie*, les mots eux-mêmes sont objets du processus primaire ; dans le rêve, ce sont les représentations de chose auxquelles les mots ont été ramenés : pour sa part, **le rêve connaît une régression topique permettant une libre circulation entre investissements de mot et de chose** (elle est coupée dans la schizophrénie). Or « les interprétations du rêve que nous faisons dans la pratique psychanalytique affaiblissent précisément le sentiment de cette différence ». En suivant à la trace le travail du rêve, allant des pensées latentes aux éléments du rêve, usant du double sens des mots, suivant les ponts verbaux entre champs différents, nous évoquons tantôt le trait d'esprit, tantôt la schizophrénie, oubliant alors que « toutes les opérations portant sur des mots ne sont pour le rêve qu'une préparation à la régression aux représentations de chose ». Le rêve s'achève lorsque « le contenu de pensée, transformé par régression et remanié en un fantasme de désir, devient conscient comme perception sensorielle » ; il va alors subir l'élaboration secondaire. **La régression des pensées du rêve aux représentations de chose résulte de l'attraction exercée par les représentants pulsionnels inconscients (souvenirs refoulés) sur les pensées en mots.** Mais ceci ne saurait suffire à expliquer l'hallucination, sinon toute régression assez intense produirait une hallucination avec croyance en sa réalité ; or ce n'est pas le cas, comme le montre l'existence de ces méditations régressives avec images mnésiques visuelles très nettes, que nous ne considérons pas pour autant comme réelles. « L'hallucination doit donc être plus que le fait de ranimer régressivement des images mnésiques » ; elle consiste en un investissement du système perception-conscience se produisant de l'intérieur et, pour halluciner, **il est nécessaire que la régression atteigne ce système lui-même, se plaçant au-delà de l'épreuve de réalité**[1].

« Deuil et mélancolie » s'attache plus particulièrement au travail occasionné par la *perte de l'objet*, et à la façon dont celle-ci est

1. « Complément métapsychologique à la théorie du rêve » (1917d [1915]), *Métapsychologie*, Paris, Gallimard, 1968, p. 133-144 ; *OCF* XIII, p. 252-259 ; *GW* X, p. 418-425.

transformée en *perte du moi*. Pour ce faire, il faut une forte fixation à l'objet jointe à une faible résistance de son investissement, contradiction qui exige que le choix d'objet ait été narcissique, de telle sorte que son investissement, s'il rencontre des difficultés, puisse régresser jusqu'au narcissisme, voire jusqu'au narcissisme originaire. Sans doute cette régression, depuis l'investissement d'objet jusqu'à la phase orale qui est propre au narcissisme, peut-elle s'intégrer dans les traits caractéristiques de **la mélancolie qui « emprunte une partie de ses caractères au deuil et l'autre partie au processus de la régression, à partir du choix d'objet narcissique jusqu'au narcissisme »** [1].

Le brouillon, récemment retrouvé, de l'un des essais rejetés, *Vue d'ensemble sur les névroses de transfert,* situe la régression comme **« le facteur et destin pulsionnel le plus intéressant »** ; absente de l'*hystérie d'angoisse,* elle est forte dans l'*hystérie de conversion* où elle concerne le moi, et dans la *névrose obsessionnelle* dans laquelle, au service du refoulement (et non du retour du refoulé), elle vise la libido. Aussi intéressants que soient ces commentaires, il convient de ne pas perdre de vue que le texte est un brouillon que Freud a choisi de rejeter. De façon générale, il redit que la régression remonte au moins jusqu'à une fixation (constitutive et/ou précocement acquise) dans les développements du moi ou de la libido, **point qui représente la disposition à la névrose et le facteur le plus déterminant dans son choix** [2].

Le bilan peut être dressé, en **1917-1918,** venant conclure cette période de la réflexion freudienne : c'est la tâche des *Conférences d'introduction à la psychanalyse* qui font le point et dressent l'état de la question. Le rapport de la fixation à la régression est fondamental, notamment pour le choix de la névrose : au cours du développement, la fixation est « la rémanence d'une tendance partielle à un stade antérieur », et la régression tient au fait que « les parties qui sont

1. « Deuil et mélancolie » (1917e [1915]), *Métapsychologie,* Paris, Gallimard, 1968, p. 158-160 ; *OCF* XIII (1994), p. 270-273 ; *GW* X, p. 436-438.

2. *Vue d'ensemble sur les névroses de transfert. Un essai métapsychologique* (1985a [1915]), Paris, Gallimard, 1986, p. 26-28 ; *OCF* XIII, Paris, PUF, 1988, p. 289-291 ; *GW (Nachtragsband),* p. 5-7.

parvenues plus loin peuvent facilement aussi, en un mouvement rétrograde, revenir à l'un des stades antérieurs ». Les deux mouvements ne sont pas indépendants puisque **plus la fixation est forte, plus la régression sera active.** Le développement de la libido induit *deux sortes de régression : l'une par retour aux premiers objets, l'autre par retour à des phases antérieures.* Les régressions objectales s'observent surtout dans les névroses de transfert, les régressions libidinales dans les névroses narcissiques. Il importe d'**éviter toute confusion entre *régression* et *refoulement*.** Le refoulement est ce qui fait devenir inconscient un processus appartenant au préconscient, voire même ce qui n'y a pas été admis en raison de la censure : « Aucune relation à la sexualité n'est donc inhérente au concept de refoulement ; je vous prie de bien le noter. » S'il en va ainsi, c'est parce que le refoulement est un processus purement psychologique, entièrement topique, fonction des différents systèmes qui composent l'appareil psychique : « Le refoulement est précisément un concept topique-dynamique, **la régression un concept purement descriptif.** » En relation avec la fixation, **la régression désigne uniquement le retour de la libido à des phases de développement antérieures** – ce qui diffère totalement du refoulement ; la régression de la libido (que nous ne savons localiser dans l'appareil psychique) ne doit sans doute pas être qualifiée comme processus purement psychologique : « **Même si elle exerce l'influence la plus puissante qui soit sur la vie psychique, le facteur organique n'en est pas moins en elle le plus éminent.** »

L'étiologie des névroses met en évidence les différences entre refoulement et régression : celle-ci fut découverte beaucoup plus tard que celui-là car, dans les premiers temps de la recherche psychanalytique, les circonstances avaient privilégié l'*hystérie* ; or la régression vers une phase antérieure, la plus remarquable, manque dans cette névrose (les névroses narcissiques devraient apporter de nouvelles modifications). Par contre, *la régression de la libido vers la phase sadique-anale est le fait marquant de la symptomatologie obsessionnelle,* l'élan amoureux lui-même y prenant le masque de l'impulsion sadique. Pour peu qu'existe, simultanément, une régression sur l'objet et sur les personnes les plus aimées, les représentations obsédantes apparaissent monstrueuses. À remarquer que, lorsqu'elle n'est pas accompagnée de refoulement, la régression de la libido aboutit à une perversion, mais jamais à une névrose[1].

Lorsqu'un nouveau mode de satisfaction libidinale se heurte aux exigences de la réalité, pour répondre au conflit les deux forces doivent « se réconcilier » à la faveur d'un *compromis, qui n'est autre que le symptôme*; la libido est souvent prête à élire un autre objet en place de celui qui lui est refusé, mais il arrive que la réalité se montre intraitable, obligeant la libido à régresser pour chercher satisfaction dans des organisations dépassées ou des objets abandonnés : elle y est attirée par les fixations laissées à ces stades (ce sont des « *immobilisations* » libidinales). Pourtant, « **la voie de la perversion s'écarte carrément de celle de la névrose** » ; lorsqu'elle ne rencontre pas d'opposition du moi, il n'y a pas lieu à névrose « et la libido parvient à quelque satisfaction réelle, même si elle n'est plus normale ». Mais bien souvent le moi refuse la régression, ce qui crée un conflit ; la libido doit alors chercher une voie pour se satisfaire, et donc se soustraire au moi (ce que lui permettent les fixations que peut maintenant retrouver la régression) mais, « du même coup, elle a également renoncé à toute l'éducation acquise », ne faisant d'ailleurs que suivre son caractère immuable ; les représentations auxquelles elle s'applique désormais appartiennent au système inconscient, sont soumises aux processus primaires (condensation et déplacement surtout) : la situation est la même que celle de la formation de rêves[2].

Le symptôme fournit une satisfaction substitutive en faisant régresser la libido à des phases antérieures, à leurs objets ou leur organisation. Le névrosé recherche dans son passé une période où, sa libido étant satisfaite, il était heureux, dût-il remonter jusqu'à sa toute première enfance (ou tout au moins aux représentations qu'il s'en donne) ; c'est ce que le symptôme cherche à reproduire mais, maintenant déformée par la censure née du conflit, la satisfaction est souvent douloureuse, si bien que ce qui fut satisfaction suscite la répulsion. Les

1. *Conférences d'introduction à la psychanalyse* (1916-1917), Paris, Gallimard, 1999, p. 433-437 ; *OCF* XIV, p. 353-356 ; *GW* XI, p. 353-356.

2. *Ibidem*, p. 456-457 ; p. 372-373 ; p. 373-374.

symptômes apparaissent étranges et, « en tant que moyen de satisfaction libidinale, incompréhensibles », négligeant l'objet et abandonnant la réalité externe : ils remplacent une action extérieure par une intérieure, un acte par une adaptation, « ce qui, encore une fois, correspond à une régression hautement significative du point de vue phylogénétique » [1].

La régression dans les psychonévroses

La question va rester en l'état durant une dizaine d'années. C'est « en passant » que la régression, cette « notion descriptive », est mentionnée ici ou là, depuis 1918 avec « L'homme aux loups », jusqu'à l'« Autoprésentation » de 1925, en passant par les trois grands *Essais* de 1920, 1921 et 1923. Pour être brèves, ces évocations sont cependant loin d'être anodines, comme celle qui rappelle que « toutes les pulsions organiques sont conservatrices, acquises historiquement, dirigées vers la régression et le rétablissement de quelque chose d'antérieur » [2]. Il faut pourtant attendre la révision théorico-clinique de 1926 pour que la régression revienne au premier plan.

En **1926** donc, dans *Inhibition, symptôme et angoisse,* Freud s'interroge particulièrement sur le déclenchement et l'organisation des névroses. Il reprend alors le cas du « petit Hans » et, surtout, celui de « L'homme aux loups » qui montre clairement que « la représentation d'être dévoré par le père est l'expression, dégradée par régression, d'une motion tendre passive, qui représente le désir d'être aimé par le père comme objet au sens de l'érotisme génital ». N'y a-t-il que substitution d'une expression régressive au représentant, ou ne serait-ce pas plutôt la motion génitale qui serait régressivement dégradée dans le ça ? Difficile d'en décider… Cette interrogation n'en a pas moins le mérite de montrer que **le moi peut tenter de faire régresser la pulsion plutôt que de la refouler** ; s'il y parvient, il porte à la motion une atteinte plus profonde que n'aurait pu faire le refoulement – mais il est vrai que bien souvent, « après l'avoir forcé à régresser, il fait ensuite

1. *Ibidem,* p. 464-466 ; p. 378-379 ; p. 380-381.

2. *Au-delà du principe de plaisir* (1920g), *Essais de psychanalyse,* Paris, Payot, 1981, p. 81 ; *OCF* XV, p. 309 ; *GW* XIII, p. 39.

subir à la pulsion le refoulement »[1]. Cette **fonction défensive de la régression** se révèle dans la *névrose obsessionnelle,* qui est maintenant devenue « l'objet le plus intéressant et le plus fécond de la recherche analytique », ne serait-ce que par tous les problèmes qu'elle continue de poser. Au plus profond, on y trouve une couche de symptômes hystériques très anciens ; lors de sa formation (comme dans l'hystérie), le moi dresse des défenses contre les revendications libidinales du complexe d'Œdipe mais, assez rapidement, un facteur constitutionnel s'avère déterminant pour la symptomatologie de l'obsessionnel : l'organisation génitale de sa libido se révèle faible et peu résistante, ce qui va faire **régresser l'organisation génitale depuis la phase phallique jusqu'au premier stade sadique-anal,** occurrence qui va s'avérer déterminante pour la suite.

À ce point, Freud place une incise pour indiquer qu'**un démélange des pulsions serait l'explication métapsychologique la plus profonde de la régression** : elle tiendrait au fait que « les composantes érotiques, qui étaient venues s'ajouter, avec le début de la phase génitale, aux investissements destructifs de la phase sadique, s'en voient séparées » (cette explication semble un peu différente de celle donnée dans *Le moi et le ça*[2], mais Freud ne poursuit pas sur ce thème). C'est pourtant bien le moi, avant même que le surmoi ne soit formé, qui impose la régression en lui permettant de remporter son premier succès dans la lutte défensive contre la revendication libidinale. Il importe ici de bien distinguer la tendance la plus générale à la défense, du refoulement lui-même qui n'en est que l'un des mécanismes particuliers. Le moteur en est toujours le complexe de castration, et c'est ce qu'illustre très clairement l'obsédé (plus encore que l'homme normal ou l'hystérique). Chez lui, lors du déclin de l'Œdipe marqué par la *formation du surmoi* et l'édification des barrières morales dans le moi, ces processus sont exagérés : **à la destruction du complexe vient alors s'ajouter la dégradation régressive de la libido,** amenant le surmoi à renforcer sa sévérité et contraignant le moi à développer d'impor-

1. *Inhibition, symptôme et angoisse* (1926d [1925]), Paris, PUF, 1951, p. 24 ; *OCF* XVII, p. 223 ; *GW* XIV, p. 134.

2. *Le moi et le ça* (1923b), *Essais de psychanalyse,* Paris, Payot, 1981, p. 255 ; *OCF* XVI, p. 284 ; *GW* XIII, p. 269-270.

tantes formations réactionnelles (scrupules, pitié, propreté...). Le surmoi entend châtier implacablement la poursuite de l'onanisme de la première enfance qui, bien qu'étayé maintenant sur des représentations régressives sadiques-anales, n'en représente pas moins la part non contrainte de l'organisation phallique. Pourtant, sous la forme d'actions compulsionnelles, l'onanisme réprimé se fraye une voie vers la satisfaction. On peut alors penser que **le trait fondamental de la névrose obsessionnelle est la régression de la libido,** chercher à y relier le caractère du surmoi puisque, tirant son origine du ça, celui-ci ne saurait se soustraire à la régression et au démélange des pulsions qui y sont alors intervenues[1].

La puberté est un moment décisif pour l'obsessionnel car le travail de génitalisation, interrompu par l'Œdipe, reprend avec force ; ce qui a été antérieurement fixé revient pour déterminer ce renouveau. Non seulement les motions agressives de l'enfance sont réactivées, mais **une part plus ou moins grande des nouvelles motions libidinales doit s'engager dans les voies tracées par la régression** : elles vont apparaître en prenant une forme agressive et destructrice. Les puissantes formations réactionnelles, associées au déguisement des tendances érotiques, font que la lutte contre la sexualité se poursuit désormais au nom de la moralité : « Le moi étonné se dresse contre les suggestions d'actes de cruauté et de violence qui lui sont dépêchées dans la conscience par le ça, sans soupçonner que par là il combat des désirs érotiques, parmi lesquels certains eussent sans cela échappé à ses reproches. » C'est ainsi que, dans la névrose obsessionnelle, l'instance défensive est devenue plus intolérante, et les forces propres à la défense plus insupportables, le tout se déroulant « sous l'influence d'un seul facteur : la régression de la libido »[2].

Ce n'est qu'au terme d'un développement complexe, selon « plusieurs organisations » prégénitales « auxquelles la libido peut se fixer et auxquelles elle fait retour en cas de refoulement ultérieur (régression) », que les pulsions sexuelles vont instituer le « primat des zones

1. *Inhibition, symptôme et angoisse* (1926d [1925]), Paris, PUF, 1951, p. 33-36 ; *OCF* XVII, p. 230-232 ; *GW* XIV, p. 142-144.

2. *Ibidem,* p. 37 ; p. 234 ; p. 146-147.

génitales » ; ce sont précisément ces fixations infantiles de la libido qui vont décider du choix ultérieur de la psychonévrose, celles-ci apparaissant comme « des inhibitions de développement de la libido » [1].

Sept ans plus tard, en **1933**, les *Nouvelles conférences d'introduction à la psychanalyse* posent la question du destin, dans le ça, de la charge libidinale de la motion pulsionnelle combattue. Depuis 1926, on sait que, n'étant pas transformée en angoisse par le refoulement, sa destinée est variable. Elle peut conserver son investissement libidinal et persister inaltérée dans le ça, elle peut aussi subir une destruction complète et dériver définitivement sa libido vers d'autres voies (comme dans la liquidation « normale » du complexe d'Œdipe). Enfin, dans nombre de cas, au lieu d'un refoulement se produit dans le ça « un rabaissement de la libido, une régression de l'organisation libidinale à un stade antérieur » : ainsi, **dans la névrose obsessionnelle, régression libidinale et refoulement agissent conjointement**[2].

La compréhension de ces phases de l'organisation libidinale a d'ailleurs progressé : nous savions déjà qu'à côté des structures les plus développées persistent des structures antérieures, nous comprenons qu'une représentance permanente dans l'économie libidinale et dans le caractère leur sont ainsi conférées ; il est même fréquent que des régressions à des phases antérieures s'avèrent caractéristiques de certaines formes de maladie. Comme exemples, nous avons les transpositions pulsionnelles dans l'érotisme anal et la façon dont celui-ci se reporte en investissant le pénis – pénis qui va d'ailleurs, aussi et peut-être plus encore, retrouver régressivement une racine orale car, après la cessation de l'allaitement, il hérite du mamelon de l'organe maternel[3].

Les textes ultérieurs, et notamment l'*Abrégé de psychanalyse*, mentionnent la régression, à l'occasion, mais sans rien y ajouter.

1. « Psycho-Analysis » (1926f), *Résultats, idées, problèmes, II,* Paris, PUF, 1951, p. 157 ; *OCF* XVII, p. 294 ; *GW* XIV, p. 304.

2. *Nouvelles conférences d'introduction à la psychanalyse* (1933a [1932]), Paris, Gallimard, 1984, p. 124-125 ; *OCF* XIX, p. 174 ; *GW* XV, p. 98.

3. *Ibidem,* p. 134-136 ; p. 182-183 ; p. 106-107.

QUESTIONS ET ENJEUX

Il pourrait sembler que la régression ait un statut ambigu en psychanalyse puisque, comme nous l'avons vu, elle est à la fois un processus parfaitement normal du fonctionnement psychique et la marque de graves pathologies. Elle exerce une influence puissante sur la vie psychique, mais son principe supérieur est le facteur organique. Elle peut défendre le moi, mais n'est pas véritablement une défense. Si le lecteur de Freud est ainsi amené à se poser quelques questions, lui-même s'en pose assez peu à ce sujet, demeurant tout à fait au clair avec ces complexités. S'il complète la notion et la précise, il ne la révise ni ne la remet en doute ; les ambiguïtés que nous avons rencontrées ne sont finalement que le témoignage de l'étendue du champ très vaste qu'elle recouvre (c'est lorsque nous ne la rencontrons pas, comme, en principe, dans l'hystérie d'angoisse, que nous nous interrogeons).

Freud demande à la régression de préciser, de clarifier ce champ, qui est en somme celui du psychisme ; il va le faire, plus particulièrement, dans les *Conférences d'introduction à la psychanalyse*. Ainsi lorsque, avec des mots forts, il entend nous « exhorter avant tout à ne pas confondre *régression* et *refoulement* et [nous] aider à avoir des idées plus claires sur les relations entre les deux processus ». Au-delà de la nature des deux notions il entend de fait poser, dans ce texte peut-être plus qu'ailleurs et en termes simples, l'*épistémologie* qui fonde la psychanalyse. Travaillant entre les différents systèmes psychiques *(Pc-Cs, Pcs, Ics)* et les agissant, *le refoulement est un processus topique-dynamique, purement psychologique,* qui n'a aucune relation à la sexualité (et Freud d'insister : « Je vous prie de bien le noter ») ; c'est avant tout un concept métapsychologique. *La régression est simplement descriptive,* tout au moins au premier abord, mais elle va prendre en analyse une signification tout à fait spéciale puisqu'elle ne saurait se réduire au retour d'un stade supérieur à un stade inférieur ; si c'était le cas, le refoulement lui serait subordonné puisque, après tout, c'est ce qu'il fait – mais lui, de surcroît, peut retenir un acte psychique au stade inférieur sans qu'il ait à rétrograder (ainsi qu'il le fait dans l'hystérie d'angoisse). La régression, nécessairement en relation avec la fixation, concerne exclusivement la libido et son retour à des étapes antérieures de son évolution ; elle intéresse essentiellement la sexualité et se trouve donc être, fondamentalement, « tout à fait différente dans son essence du refoulement qui en est tout à fait indépendant ». Ainsi, la régression de la libido ne saurait être un processus purement psychologique ; même si elle est tout à fait déterminante pour la vie psychique, « le facteur organique n'en est pas moins en elle le plus éminent ».

Deux champs nous sont ainsi désignés, communicants mais parfaitement distincts : d'un côté celui de la régression qui recouvre ce qui se trouve déterminé, d'abord et pour l'essentiel, par l'organique avec, au premier rang, la sexualité ; de l'autre celui du refoulement où prend place ce qui, relevant de la structuration en systèmes psychiques séparés, est purement psychologique, fournissant l'essence même de la métapsychologie. Toute la psychanalyse se situe dans l'association de ces deux champs et dans leurs articulations, comme dans la tension qui en résulte (l'Œdipe en étant sans doute la meilleure illustration). Cette rencontre peut se représenter par la distinction/comparaison entre régression et refoulement[1].

La fixation est le processus complémentaire constant et nécessaire à la régression ; il lui est, en quelque sorte, consubstantiel, au point qu'il serait tout à fait légitime de traiter ensemble les deux notions comme formant un seul processus, celui de *fixation-régression,* chacun des codéterminants correspondant à un moment particulier. Pourtant, et bien qu'insistant régulièrement sur leur indissociabilité, Freud tient à les distinguer car, à côté de leur complémentarité, chacun d'eux possède ses particularités et son propre champ d'action. Nous ajouterons que leurs statuts apparaissent assez différents : si, comme y insiste Freud, la notion de régression est surtout *descriptive* et déductive, celle de fixation est plutôt *explicative* et inductive, ayant à charge non seulement de fournir le point d'arrêt dans la régression, mais aussi le choix de la voie où elle s'engage. Entre les deux mouvements, cela fonctionne un peu comme dans le refoulement entre la force qui repousse (émanant du système *Pc-Cs,* et de l'extérieur) et celle, le « déjà-refoulé », qui attire (depuis l'intérieur, l'*Ics*) ; à ceci près, pourtant, qu'avec le refoulement (nous venons de le rappeler), nous avons affaire à des systèmes psychiques, alors qu'avec la fixation-régression ce sont des mouvements libidinaux (avec leurs objets et leurs positions).

1. *Conférences d'introduction à la psychanalyse* (1916-1917), Paris, Gallimard, 1999, p. 434-436 ; *OCF* XIV, p. 353-355 ; *GW* XI, p. 354-355.

Nous n'en retrouvons pas moins, dans l'un et l'autre cas, l'exigence absolue de conjonction de deux forces apparemment contraires mais de fait concourantes.

Ceci nous conduit à nous interroger sur les rapports entre *régression* et *poussée de la pulsion*. Pourrait-on penser que la régression serait comme une poussée « à l'envers », allant dans l'autre sens et retournant en arrière ? Ce serait, à tous les sens, un contresens et, pour le moins, une confusion conceptuelle. La pulsion, telle qu'elle émane du biologique, exerce une poussée constante depuis sa source jusqu'à son but, qu'elle atteint grâce à des objets qu'elle investit. Lorsqu'elle cesse de pousser, la vie s'arrête, c'est la mort : la pulsion de mort elle-même ne pousse pas « à l'envers », en arrière, mais cherche à annuler toute poussée. C'est là dire que, par sa nature même, la pulsion ne peut pousser que dans une seule direction, toujours la même, contraignant et entraînant tout ce qui dépend d'elle – à commencer par la régression. Même si c'est bien toujours de libido qu'il s'agit, le retour ne porte nullement sur la pulsion, mais sur les investissements libidinaux des objets et les phases de développement libidinal ; c'est certes la poussée pulsionnelle qui meut la régression (comme elle meut tout), mais en suivant toujours la même direction, de la source au but, même si parfois la voie pour atteindre celui-ci doit faire retour aux premiers objets et aux phases antérieures. On pourrait dire qu'il y a une « flèche de la pulsion » comme il y a une flèche du temps (les deux étant d'ailleurs superposables), qui n'est autre que celle de l'histoire. Il n'en demeure pas moins que l'introduction de la pulsion de mort, avec le principe de répétition, pose ici problème, présupposant que toutes les pulsions organiques se dirigent vers la régression, répétant les modifications vitales qui leur ont été imposées, donnant ainsi « l'impression fallacieuse de forces qui tendent vers le changement et le progrès alors qu'elles ne font que chercher à atteindre un but ancien par des voies à la fois anciennes et nouvelles »[1], but qui – selon Freud – ne peut être que la mort. Remarquons pourtant que cette vision ne saurait remettre en cause ce que nous avons désigné comme « flèche de la pulsion », puisque c'est le but seul qu'elle redéfinit, et non la poussée.

1. *Au-delà du principe de plaisir* (1920g), *Essais de psychanalyse*, Paris, Payot, 1981, p. 81-82 ; *OCF* XV, p. 309-310 ; *GW* XIII, p. 39-40.

La *formation des symptômes* illustre parfaitement cette façon qu'a la régression de suivre la poussée pulsionnelle en reprenant d'anciennes voies. Ils sont l'effet d'un conflit de la libido avec une réalité souvent impitoyable ; insatisfaite, prête à tous les compromis, attirée par ses anciennes fixations, elle ne trouve bien souvent que la régression pour issue. Ce faisant, la libido ne renonce pas à suivre sa route, mais elle l'infléchit en fonction de ce qu'elle a délaissé d'elle-même durant son évolution. Le moi, ne pouvant pas accepter ces régressions, relance le conflit. La libido trouve la voie bloquée mais doit impérativement suivre sa poussée et « dépenser sa réserve d'énergie d'après les exigences du principe du plaisir » ; elle n'a plus alors qu'à se séparer du moi, aidée par les fixations que celui-ci avait déjà dû refouler puis laissées le long du chemin. Pour poursuivre sa route (revient-elle en arrière ?), la libido doit se soustraire au moi et à ses lois ; comme elle n'en doit pas moins obéir à sa poussée, elle applique désormais son énergie aux représentations propres à l'inconscient, se soumettant à ses processus (comme dans le rêve)[1].

À la suite, nous devons évoquer, trop rapidement, *l'absence de régression dans l'hystérie d'angoisse,* retrouvant les questions posées par le rapport entre refoulement, régression et symptômes. Dans l'hystérie d'angoisse, la libido n'est pas détournée du psychique mais convertie en angoisse, ce qui suscite un refoulement, sans régression au stade prégénital, les pulsions étant réordonnées sous un autre stade[2]. C'est le caractère positif (du type accomplissement d'un souhait) qu'y réalisent les symptômes. Dans l'hystérie, les deux intentions (satisfaction sexuelle ou défense contre celle-ci) étant les résultats de compromis, représentant autant le refoulé que le refoulant, parviennent la plupart du temps à coïncider – ce qui, peut-on penser, dispense de la régression, celle-ci devant nécessairement viser directement la satisfaction sexuelle[3]. En ce cas, il y a bien défense par le symptôme, sans qu'il y ait lieu de régresser.

1. *Ibidem,* p. 456-457 ; p. 372-373 ; p. 373-374.

2. « La disposition à la névrose obsessionnelle. Une contribution au problème du choix de la névrose » (1913f), *Névrose, psychose et perversion,* Paris, PUF, 1973, p. 197 ; *OCF* XII, p. 94 ; *GW* VIII, p. 452.

3. *Conférences d'introduction à la psychanalyse* (1916-1917), Paris, Gallimard, 1999, p. 382 ; *OCF* XIV, p. 311 ; *GW* XI, p. 311.

Il put arriver que Freud, à propos de la régression, parle de « *l'extraordinaire complexité du sujet* », qui exige la solution préalable de nombre de problèmes[1] ; nous avons vu toute l'importance qu'ils peuvent prendre. Néanmoins, la notion ne lui apparaît jamais obscure, même pas difficile, seulement compliquée – comme le psychisme lui-même, dont elle constitue l'un des processus majeurs.

Claude LE GUEN

Remémoration → Oubli

« Rendre non advenu » → Annulation rétroactive et isolation

RENVERSEMENT-RETOURNEMENT (retournement d'une pulsion, renversement dans le contraire, retournement sur la personne propre)

all. : ***Verkehrung ins Gegenteil-Wendung gegen.*** – angl. : *reversal-turning.* – esp. : *transformación on lo contrario-vuelta.* – ital. : *conversione nell'opposto-riflessione.* – port. : *transformação no contrário-retorno*

Le renversement est la transformation inverse d'un représentant, d'une représentation, d'un objet, d'un but de la pulsion (par exemple : soi-même au lieu d'un autre, amour changé en haine), ce qui a permis de décrire un *renversement dans le contraire* (au sein duquel se distinguent le « passage de l'activité à la passivité » et le « renversement du contenu ») et un *retournement sur la personne propre* ; ces différentes formes, qui sont le plus souvent intriquées, relèvent en fait d'un même processus à fonction défensive.

1. « La dynamique du transfert » (1912b), *De la technique psychanalytique*, Paris, PUF, 1953, p. 54, n. 1 ; *OCF* XI, p. 110, n. 3 ; *GW* VIII, p. 367.

MISE EN SITUATION

Nous avons choisi, d'abord pour des raisons de méthode, de regrouper les « renversements » et divers « retournements » cités par Freud, sous un seul intitulé. Les traductions françaises des termes allemands ne posent guère de problèmes ; on peut cependant remarquer que si Wendung gegen *indique bien un « retournement à l'envers »,* Verkehrung ins gegenteil *signifie « transformation en son contraire » et que sa traduction française usuelle par « renversement dans le contraire » est un pléonasme (sans doute justifié par le souci d'éviter la confusion avec le sens tardif de renverser comme « jeter à la renverse, abattre »). En fait, « renversement » et « retournement » sont des synonymes : il s'agit toujours d'inverser, de « tourner de façon que l'une des faces ou des extrémités vienne à la place qu'occupait précédemment la face ou l'extrémité opposée »* [1]*. En somme, les différences ne peuvent viser que ce sur quoi porte l'inversion (représentation, but, affect...). Aussi Freud, après avoir dans sa* Métapsychologie *décrit différents procédés, en vient à constater qu'ils « se rejoignent ou se confondent » ; il paraît dès lors légitime de considérer ces différentes « tentatives de défenses » comme les modalités d'un même processus, pour lequel nous avons retenu en français le terme de « renversement », tout en sachant que retournement aurait été tout aussi acceptable.*

Le renversement fut bien le premier introduit, dès L'interprétation des rêves, *où il lui incombe d'abord de figurer le « non », puis de référer la transformation de l'affect de plaisir en déplaisir ; dans la suite de l'œuvre, à partir de 1915, il concerne la défense, usant de l'inversion du but (actif-passif) comme de celle du contenu (amour-haine), et débouche sur l'énigme du masochisme ; enfin, à propos du refoulement en 1926, il visera la relation du moi au ça (le retournant contre lui-même). Ainsi le renversement, dans ses diverses modalités, suit de près la progression de la réflexion métapsychologique.*

1. Cf. le *Grand dictionnaire de la langue française* de P. Robert.

LE TEXTE FREUDIEN

De la figuration du « non » au renversement de l'affect

Le renversement apparaît dès **1900,** dans *L'interprétation des rêves* où, présenté comme une **forme de la figuration,** il est désigné comme « l'un des moyens que le travail du rêve emploie le plus souvent et le plus volontiers ». S'il représente, parmi d'autres, une forme du travail de déformation imposé par la censure, l'une de ses principales fonctions est de **représenter la contradiction,** ***le non*** que, pas plus que l'inconscient, le rêve ne saurait exprimer directement. **Le renversement dans le contraire, qui permet l'accomplissement d'un désir en dépit de la censure,** est le plus fréquent ; la représentation est alors tellement déformée que le rêve devient inintelligible. En fait, souvent, le renversement n'apparaît pas lui-même mais est représenté par un élément proche, figurant dans un contenu déjà formé qui se trouve « renversé comme après coup »[1]. Il peut aussi agir dans le temps, l'issue de l'incident servant, par exemple, à introduire le rêve.

Surtout, et tout aussi bien, **le retournement opère sur les affects pour les transformer en leur contraire** « grâce à l'enchaînement associatif très serré des idées qui lient la représentation d'une chose à son opposé » ; ainsi un accomplissement de désir peut remplacer une chose désagréable (et l'affect qui l'accompagne) par son contraire, rendant la situation supportable, voire agréable – ce que Freud va résumer en disant que « comme toute autre forme de déplacement, cette transformation est un **procédé au service de la censure** ». Il faut que quelque processus vienne renverser le plaisir en déplaisir, « et *c'est précisément cette transformation d'affects qui est l'essence de ce que nous avons appelé "refoulement"* » (Freud donne l'exemple de l'apparition du dégoût)[2].

1. *L'interprétation des rêves* (1900a), Paris, PUF, 1967, p. 272 et 281-282 ; *OCF* IV, p. 359 et 370-372 ; *GW* II-III, p. 320 et 331-333.

2. *Ibidem* ; p. 401-402 et 513 ; p. 520-522 et 659 ; p. 474-475 et 609.

Assez curieusement, le terme n'apparaîtra plus durant les quinze années suivantes ; il semble bien que ce n'ait été là qu'un temps de latence théorique, puisque la notion sera conceptualisée dans la *Métapsychologie*. En fait, dès 1900, nombre de ses attributs ont déjà été mis en place.

Les défenses par le renversement

En 1915 donc, le renversement est reconnu plus largement dans le fonctionnement psychique ; il l'est à partir de l'étude des processus de défense contre les exigences pulsionnelles, procédés qui permettent une certaine réalisation du désir en contournant la censure. Nous constatons que c'est bien là ce que fait le *refoulement*. Pourtant sa possibilité théorique pose une difficulté : pourquoi une motion pulsionnelle devrait-elle subir un tel destin ? Comment l'atteinte du but pulsionnel peut-elle procurer du déplaisir au lieu du plaisir ? « C'est là quelque chose de difficile à concevoir car il n'existe pas de telles pulsions, et une satisfaction pulsionnelle est toujours plaisir. » Il faut donc admette un processus qui vienne **transformer le plaisir de satisfaction en déplaisir,** qui l'inverse (la réponse à cette énigme n'apparaîtra que dix ans plus tard).

De surcroît, le refoulement ne saurait exister d'emblée et un autre procédé doit l'avoir précédé ; Freud avance l'hypothèse selon laquelle, avant que l'organisation psychique ait atteint le stade où elle devient capable de refouler – donc en un temps proche des origines – « **ce sont d'autres destins pulsionnels, comme la transformation dans le contraire, le retournement sur la personne propre, qui s'acquittent de la tâche de défense** »[1]. Dans la transformation par le renversement dans le contraire, nous pouvons distinguer d'une part le *retournement d'une pulsion de l'activité à la passivité* (comme dans les couples d'opposés sadisme-masochisme et voyeurisme-exhibitionnisme) qui concerne les *buts* de la pulsion (« tourmenter » est remplacé par « être tourmenté », « regarder » par « être regardé »), et d'autre part le *renversement du contenu,* qui ne se trouve que dans le seul cas de la

1. « Le refoulement » (1915d), *Métapsychologie,* Paris, Gallimard, 1968, p. 46 et 48-49 ; *OCF* XIII (2e éd.), p. 191 et 193 ; *GW* X, p. 248 et 249-250.

transformation de l'amour en haine – la différence tenant à ce que l'un change d'objet et conserve le but, alors que l'autre change de but et conserve l'objet. Partant de là, on peut comprendre le *retournement sur la personne propre* en prenant pour modèle le masochisme qui « est précisément un sadisme retourné sur le moi propre » (proposition qui sera renversée dix ans plus tard) ; l'exhibitionnisme, pour sa part, inclut de regarder son propre corps. À noter que ces deux cas mettent en œuvre un changement d'objet, le but demeurant le même. Il est cependant clair que, dans tous ces exemples, « **retournement sur la personne propre et retournement de l'activité à la passivité se rejoignent ou se confondent** ». Pour préciser les choses, repartons du couple sadisme-masochisme, et constatons que : – le sadisme est une activité de violence contre un autre pris comme objet ; – dans le masochisme, cet objet est remplacé par la personne propre, est retourné sur elle dans le même temps que le but pulsionnel actif se transforme en but passif ; – un autre objet doit alors être trouvé pour, selon ces renversements, assumer le rôle du sujet[1].

On peut remarquer que « aimer-être aimé » correspond au retournement de l'activité en passivité ; nous pouvons ramener ceci (tout comme pour la pulsion de regarder) à la situation fondamentale de *« s'aimer soi-même »* (ce qui renvoie au narcissisme)[2]. En fait, quels qu'en soient les modalités particulières et les avatars, c'est **le même processus psychique qui est à l'œuvre : le renversement.** Il fonctionne également dans la mélancolie, où les auto-reproches sont en fait des reproches contre l'objet d'amour, renversés de celui-ci sur le moi propre[3].

Le renversement est mentionné brièvement dans « Un enfant est battu » (1919) pour indiquer qu'il « **correspond à une régression de l'objet au moi** »[4]. *Au-delà du principe de plaisir* revient en 1920 sur le

1. « Pulsions et destins des pulsions » (1915c), *Métapsychologie,* Paris, Gallimard, 1968, p. 25-28 ; *OCF* XIII, p. 174-175 ; *GW* X, p. 219-220.

2. *Ibidem,* p. 34-35 ; p. 180 ; p. 225-226.

3. « Deuil et mélancolie » (1917e [1915]), *Métapsychologie,* Paris, Gallimard, 1968, p. 156 ; *OCF* XIII, p. 269 ; *GW* X, p. 434.

4. « Un enfant est battu. Contribution à la genèse des perversions sexuelles » (1919e), *Névrose, psychose et perversion,* Paris, PUF, 1973, p. 233 ; *OCF* XV, p. 136 ; *GW* XII, p. 214.

masochisme, donné comme un retournement en arrière du sadisme sur le moi propre, précisant surtout qu'un « retournement de la pulsion de l'objet vers le moi n'est, par principe, rien d'autre que son retournement du moi vers l'objet » ; le masochisme serait donc un retour à une phase antérieure de la pulsion, une régression[1]. *Le moi et le ça* (1923) reprend le thème et montre que **l'action du surmoi est « un déplacement, un retournement sur le moi propre »**[2]. C'est l'année suivante que Freud reprendra véritablement la notion, s'intéressant alors plus particulièrement au retournement du sadisme contre la personne propre.

L'ÉNIGME DU RETOURNEMENT DU MASOCHISME

Dans « Le problème économique du masochisme » (1924), à la lumière de sa nouvelle théorie des pulsions, Freud se confronte à l'énigme du masochisme, le principe de plaisir-déplaisir ne pouvant plus s'y réduire à des variations de la quantité d'excitation : un caractère qualitatif doit s'y adjoindre, aussi indéterminé soit-il. Si les principes de nirvâna (exprimant la tendance de la pulsion de mort), de plaisir (représentant la revendication de la libido) et de réalité (comme influence du monde extérieur) peuvent entrer en conflit, en règle générale ils s'accommodent l'un de l'autre, leurs buts se rencontrant dans le traitement de l'excitation (par baisse quantitative pour l'un, par le caractère qualitatif pour l'autre, par l'ajournement pour le troisième). La conclusion aboutit à « désigner le principe de plaisir comme gardien de la vie ». **Mais c'est bien le masochisme, dans ses jeux de renvois avec son envers, le sadisme, qui a conduit à ces réflexions.** Freud en distingue trois formes : l'*érogène* (c'est le masochisme proprement dit), dont le fondement est biologique et qui établit les deux autres, tant le *féminin* (le moins énigmatique, même si Freud ne le décrit que chez l'homme), que le *moral* (à la relation relâchée avec la sexualité). Pour bien les comprendre, il faut repartir

1. *Au-delà du principe de plaisir* (1920g), *Essais de psychanalyse*, Paris, Payot, 1981, p. 103 ; *OCF* XV, p. 328 ; *GW* XIII, p. 69.

2. *Le moi et le ça* (1923b), *Essais de psychanalyse*, Paris, Payot, 1981, p. 270 ; *OCF* XVI, p. 297 ; *GW* XIII, p. 284.

de l'énigme économique que représente le *plaisir de la douleur*, et plus particulièrement d'une notion avancée dès 1905 : **la *coexcitation libidinale* apparaît maintenant comme régissant l'ensemble des processus** depuis ce moment où chez les êtres vivants la libido, rencontrant la pulsion de mort qui y régnait, s'est efforcée de la rendre inoffensive en la dérivant vers le monde extérieur par la motricité ; elle en fait ainsi une pulsion d'emprise ou de destruction. De celle-ci, une partie se met au service de la sexualité où elle constitue le sadisme proprement dit, mais une autre « demeure dans l'organisme où elle se trouve liée libidinalement par la coexcitation sexuelle » : c'est là le *masochisme originaire, érogène*. De ce moment se produirait une union aux proportions variables entre les deux grandes pulsions, pouvant parfois aboutir à une certaine désunion. Le masochisme érogène, avec tout ce qu'il contient de pulsion de mort, serait donc un vestige de cette phase de formation où s'est réalisée l'union pulsionnelle. Pour sa part, le sadisme peut être réintrojecté, régressant à sa situation première, suscitant un masochisme secondaire qui se surajoute à l'originaire. On le voit, le renversement originaire du sadisme en son contraire, tel qu'il était avancé en 1915, est maintenant abandonné ; **le retournement du sadisme n'est que secondaire**, et la primauté est dorénavant donnée au masochisme érogène qui, depuis l'angoisse de la dévoration par le père renvoyant à l'organisation orale primitive, va « prendre part à toutes les phases de développement de la libido », empruntant à celle-ci tous ses travestissements, au fil des stades d'organisation et des régressions, jusqu'à l'organisation génitale définitive.

Le *masochisme moral* est remarquable en raison de sa relation relâchée avec la sexualité, dans la mesure où c'est alors la souffrance en tant que telle qui importe, et non la personne qui l'inflige. Il convient pourtant, écartant l'hypothèse d'un retournement vers l'intérieur de la pulsion de destruction qui ferait rage contre le propre soi, de maintenir là encore la référence à l'investissement érotique ; on le voit, **le rôle du renversement semble se trouver relativisé**[1]. Pourtant, et

1. « Le problème économique du masochisme » (1924c), *Névrose, psychose et perversion,* Paris, PUF, 1973, p. 287-293 ; *OCF* XVII, p. 13-17 ; *GW* XIII, p. 373-378.

pour finir, Freud insistera sur l'importance du retournement du sadisme contre la personne propre lors de la répression culturelle des pulsions[1].

RETOURNEMENT DU ÇA PAR LE MOI, RÉGRESSIONS, DÉFENSES

Dans *Inhibition, symptôme et angoisse* (1926), Freud commence par reprendre l'« **énigme** » **du renversement de l'affect lors du refoulement : la transformation du plaisir en déplaisir** ; il peut enfin l'éclairer. Le refoulement est assimilable à une tentative de fuite face au danger venu de l'intérieur ; le moi retire alors l'investissement au représentant à refouler, l'utilisant pour libérer du déplaisir. Si cela est possible (alors que retrait et/ou décharge ne devraient résulter que d'une augmentation d'investissement), c'est qu'il ne s'agit pas là d'un processus économique, l'angoisse du refoulement ne faisant que reproduire, sous forme d'affect, une image mnésique préexistante. Le moi va dévier l'excitation visée dans le ça et, par ce que Freud a pu qualifier ailleurs de « ruse », **retourner le ça contre lui-même, renversant la** « **toute-puissance du principe de plaisir** » pour la contraindre à s'inhiber ou se dévier elle-même ; ainsi s'explique la transformation du plaisir en déplaisir, ce renversement de l'affect[2].

Freud revient ensuite sur la représentation de la dévoration par le père qui, bien qu'appartenant au fond archaïque typique de l'enfance, ne laisse de nous surprendre. Pourtant, l'expérience analytique montre qu'elle n'est que l'*expression dégradée par régression* d'une motion tendre passive (le désir érotique d'être aimé par le père) qui se travestit en s'exprimant selon les représentations propres à la phase, pourtant déjà surmontée, menant de l'organisation orale à la phase sadique. On peut penser qu'il ne s'agit là que d'une substitution de représentation ; ou alors, plus grave et plus vraisemblable, d'une dégradation régressive de la motion génitale. Quoi qu'il en soit, cela montre que la régression peut constituer une défense encore plus forte que le refoulement ; mais ce qui est à refouler ici étant une motion hostile au père il se

1. *Ibidem*, p. 297 ; p. 22 ; p. 383.

2. *Inhibition, symptôme et angoisse* (1926d [1925]), Paris, PUF, 1951, p. 7-9 ; *OCF* XVII, p. 209-211 ; *GW* XIV, p. 118-120.

produit **un renversement, une transformation de la motion en son contraire** : au lieu de l'agression *contre* le père apparaît l'agression *par* le père (la peur en place de l'attaque). La racine sadique-anale d'une telle agression étant déjà régressive, il lui suffit de se dégrader encore, fût-ce légèrement, pour parvenir au stade oral et à la dévoration ; nous avons donc là, **tout à la fois, défense, renversement et régression.** C'est d'ailleurs un processus similaire qui se produit à l'égard de la motion opposée de tendresse passive à l'égard du père, alors qu'elle est déjà parvenue au niveau phallique (ces deux motions formant un couple d'opposés). Pour tout compliquer, les processus défensifs portent aussi sur l'investissement tendre de la mère : ainsi le refoulement (car, pour finir, c'est bien ce processus qui est en cause) porte sur toutes les composantes de l'Œdipe, dans un jeu de régressions et de renversements [1].

Le terme ne va plus guère apparaître dans les écrits freudiens (si ce n'est, en passant, dans « Sur la prise de possession du feu » [2]). La notion n'est pas abandonnée pour autant, comme en témoigne, en 1938, l'*Abrégé de psychanalyse* qui reprend brièvement ce qui avait été avancé en 1924, mentionnant les effets malsains d'une agressivité retournée contre soi-même. Il y a un **retournement de la pulsion de mort vers l'extérieur pour la transformer en pulsion de destruction,** grâce à la musculature ; pulsion qui peut, en un deuxième temps, se retourner vers l'intérieur et agir comme une autodestruction [3].

QUESTIONS ET ENJEUX

L'élaboration freudienne du renversement présente *quelques singularités.* La première tient aux longues pauses entre quelques ouvrages qui lui consacrent plusieurs pages : une quinzaine d'années

1. *Ibidem*, p. 23-26 ; p. 222-224 ; p. 133-135.

2. « Sur la prise de possession du feu » (1932), *Résultats, Idées, problèmes II*, Paris, PUF, 1985, p. 192 ; *OCF* XIX, p. 32 ; *GW* XVI, p. 4.

3. *Abrégé de psychanalyse* (1940a [1938]), Paris, PUF, 1967, p. 9-10 ; *OCF* XX, p. 239 ; *GW* XVII, p. 72.

entre *L'interprétation des rêves* et la *Métapsychologie,* puis une dizaine d'autres entre celle-ci et « Le problème économique du masochisme ». C'est d'autant plus frappant que la notion n'est en rien abandonnée durant ces temps, qui ressemblent ainsi à des latences élaboratives. La deuxième rencontre qui peut surprendre est celle du terme « énigme », assez peu fréquent chez Freud, pour qualifier certains résultats du renversement, et ce à deux reprises : en 1924 à propos du masochisme, puis du refoulement en 1926, mais à chaque fois pour marquer le même étonnement face à la transformation du plaisir en déplaisir – ce qui semble contraire aux présupposés de la théorie de l'écoulement pulsionnel (on pense, bien sûr, à un « au-delà du principe de plaisir »). Ceci ne fait que souligner que si le renversement apparaît d'abord comme une notion simple, il se découvre de plus en plus complexe.

Sous ses différentes formes, et comme l'indique la sémantique, le renversement doit d'abord exprimer l'inverse, le *contraire.* Ce « contraire », cette inversion est un acte qui ne saurait être ramené à une topologie, telle l'image inversée dans le miroir : le renversement n'est jamais un simple jeu de va-et-vient assurant un retour au *statu quo ante.* Il ne saurait demeurer isolé et nous avons toujours affaire à des suites de renversements interagissant ; aussi implique-t-il un fonctionnement en après-coup, fût-ce indirectement. Il est, par lui-même, un processus complet aboutissant nécessairement à un changement, et c'est pourquoi sa fonction peut être défensive. Le processus est dynamique et économique ; il peut s'illustrer dans les couples d'opposés (masochisme-sadisme, par exemple) qui, dans leurs jeux de renversements, se définissent plus par ce qui les unit que par ce qui les oppose. Le renversement figure le « non » aux débuts de l'œuvre, et ne cessera d'ailleurs de le représenter ; mais son rôle s'élargit et, dans les derniers textes, il lui appartiendra de réorienter la pulsion de mort vers l'extérieur. Toujours, sa fonction est défensive (même lorsque la personne semble en pâtir, comme dans le masochisme ou la mélancolie) ; c'est même là ce qui le justifie et a permis d'en étendre le champ, jusqu'à en faire un constituant du fonctionnement psychique. Certes, invoquer la défense en appelle au conflit mais, si le renversement ressort bien d'un conflit, il n'est pas conflit par lui-même : en bonne défense, il est plutôt une tentative de l'éviter, voire de le résoudre.

Au mitan de l'œuvre, Freud s'attache à explorer plus encore le renversement du *plaisir en déplaisir.* Il est ainsi conduit (et il le sera périodiquement) à reprendre le refoulement et le renversement lui-même puis, à la suite, les relations qu'engage le moi avec le ça et le monde extérieur ; tout ceci ne peut que le conduire au réexamen des rapports pulsionnels. Pourtant, et comme l'implique la primauté du principe de plaisir-déplaisir, c'est d'abord, c'est surtout le principe de réalité qui s'avère déterminant. Comme ces principes, le renversement est *omniprésent* dans le fonctionnement psychique ; chacune de ses manifestations conduit à la constitution d'une formation nouvelle. C'est un renversement du cours du narcissisme originel vers l'objet, puis un renversement de l'objet vers le moi, qui aboutit au narcissisme secondaire ; le retournement du sadisme sur la personne propre, accompagné du renversement de l'activité en passivité, aboutit au masochisme originel (renversant la première hypothèse d'un sadisme précurseur). Faut-il rappeler que non seulement le refoulement se fonde sur le renversement plaisir-déplaisir, mais que le contre-investissement participe du renversement, et que l'Œdipe n'est lui-même qu'inter-relations et successions de renversements (à travers les Œdipe positif et négatif, les changements d'objets, l'ambivalence). Soulignons enfin que tous les renversements jouent sur les « polarités qui dominent la vie psychique, [...] sur les trois oppositions : sujet (moi)/objet (monde extérieur), plaisir/déplaisir, actif/passif » [1] – et que, tout aussi bien, l'idée de renversement implique celle de couples d'opposés, qu'elle contient.

Mais cette omniprésence ne va pas sans poser quelques questions. Nous commencerons par celles que pose son rapport avec la *régression*. Elles sont explicités dans *Inhibition, symptôme et angoisse,* mais dès *L'interprétation des rêves* la régression est déjà définie comme devant « faire retour » (dans le rêve, retour à l'image d'où elle est issue) ; il est certain que ce « retour », surtout lorsqu'il est temporel, fait écho au « retournement », au renversement dans le temps. Mais, en dépit de cette proximité, il ne faut pas perdre de vue que le renversement a sa dynamique propre, qui n'implique pas nécessairement une régression ; celle-ci n'est jamais loin, mais pas toujours évidente, comme peuvent en témoigner les renversements théoriques sur la primauté du sadisme ou du masochisme dans le renversement de l'un en l'autre. On pourrait sans doute faire entrer la régression

1. *Métapsychologie* (1991d [1915-1917]), Paris, Gallimard, 1991, p. 35 ; *OCF* XIII, p. 181 ; *GW* X, p. 226.

dans une théorie plus générale du renversement mais, dans l'œuvre freudienne, celle-là est demeurée essentiellement descriptive, alors que celui-ci a pu se conceptualiser.

On ne saurait non plus éviter de s'interroger sur les liens qu'engage le renversement avec la *négation,* d'autant qu'il la figure dans le rêve (dans l'inconscient) en recourant à une représentation opposée. Pour autant, les deux notions ne sauraient s'équivaloir et « la psychanalyse nous a déjà montré plus d'une fois qu'opposition n'est pas toujours contradiction »[1]. Mais comment les différencier ? Disons que le *non* exprime un refus avant de signifier un contraire (et ce dès le développement de l'enfant) ; au cours du processus de défense, il doit précéder le renversement, à charge à celui-ci d'accomplir l'opération destinée à réaliser le refus (c'est bien ce qu'illustre le travail du rêve). L'inconscient ignorant la négation, celle-ci ne peut émaner que du conscient-préconscient, du moi qui, percevant la menace, la reconnaissant grâce à sa fonction de jugement[2], s'oppose à la motion pulsionnelle dangereuse en déclenchant le signal de déplaisir ; c'est par le « non » qu'est lancé le processus défensif (qui, bien souvent, est d'ailleurs renversement). Toute la difficulté théorique tient à l'utilisation d'un processus inconscient (le renversement) pour exprimer une notion que l'inconscient ignore (le non). Pourquoi un cheminement aussi compliqué ? On rejoint là l'« énigme » posée par la transformation du plaisir en déplaisir, résolue en posant que le moi, déviant l'excitation visée dans le ça, retourne le ça contre lui-même pour contraindre la motion pulsionnelle à s'inhiber ou se dévier elle-même. Nous touchons là à l'essence des processus de défense mis en place par le moi : morceau du ça modifié par les menaces du monde extérieur et devant emprunter son énergie au ça, pris entre les exigences contradictoires de ses « trois maîtres » (réalité, ça et surmoi), le moi ne peut qu'avoir recours aux ruses, aux compromis, essayer les contraires[3]...

Nous avons remarqué qu'à partir de 1924 la notion de renversement est comme relativisée, sans être pour autant abandonnée. On peut

1. *Conférences d'introduction à la psychanalyse* (1916-1917), Paris, Gallimard, 1999, p. 281.

2. « La négation » (1925h), *Résultats, idées, problèmes, II,* Paris, PUF, 1984 ; *OCF* XVII, 1992 ; *GW* XIV.

3. *Nouvelles conférences d'introduction à la psychanalyse* (1933a [1932]), Paris, Gallimard, 1984, p. 106-108 ; *OCF* XIX, p. 159-161 ; *GW* XV, p. 83-84.

penser que se trouve ainsi préparée la redécouverte, à la fin de l'œuvre, d'un concept qui vient poser autrement le traitement des motions opposées, proposer une autre solution au conflit entre la satisfaction pulsionnelle et l'objection faite par la réalité. Ce procédé, qui écarte l'alternative de la transformation, est le *clivage*. Confronté à un conflit suscité par la menace d'un danger en cas de satisfaction d'une puissante revendication pulsionnelle à laquelle il est attaché, le moi de l'enfant peut recourir à un renversement (du but, de l'objet, du contenu...), mais il peut aussi esquiver ce choix par le clivage qui « répond au conflit par deux réactions opposées, toutes deux valables et efficaces » : d'une part l'enfant ignore la réalité et l'interdit, d'autre part il reconnaît le danger et assume l'angoisse sous forme d'un symptôme ; il n'y a plus lieu de choisir, et pas de raison de renverser – mais, hélas, cette « habile solution » va provoquer une déchirure définitive dans le moi[1]. S'il est vrai que « dans toute psychose existe un *clivage du moi* », l'adoption de deux attitudes opposées est en fait un caractère général des névroses qui ne fait qu'exprimer le fait que l'une des attitudes relève du moi alors que l'autre émane du ça[2]. On est cependant en droit de penser que le clivage, qui dénie le conflit, constitue une défense encore plus archaïque que ne peut l'être le renversement, qui le retourne ; c'est ce qui nous a conduit à le mentionner ici.

Claude LE GUEN

RÉPÉTITION

all. : ***Wiederholung.*** – angl. : *repetition.* – esp. : *repetición.* – ital. : *repetizione.* – port. : *repetição*

La répétition est un processus psychique sous-jacent à l'intemporalité de l'inconscient, effet de la poussée constante de la pulsion et du caractère toujours actif des motions pulsionnelles refoulées. Elle est une contrainte interne du fonctionnement psychique et se manifeste

1. « Le clivage du moi dans le processus de défense » (1940e [1938]), *Résultats, idées, problèmes, II*, Paris, PUF, 1984, p. 284 ; *OCF* XX, p. 222 ; *GW* XVII, p. 60.

2. *Abrégé de psychanalyse* (1940a [1938]), Paris, PUF, 1967, p. 78 et 80-81 ; *OCF* XX, p. 300 et 301-302 ; *GW* XVII, p. 133 et 134-135.

en particulier comme compulsion (ou contrainte) de répétition, notamment dans la cure, au sein du transfert et du fait des résistances. La compulsion de répétition tente de lier les excitations excessives, transformant la passivité en activité. Lorsqu'un événement traumatique a fait effraction, débordant les défenses de l'appareil psychique, la compulsion de répétition – qui peut être agie ou qui produit des rêves traumatiques (cauchemars répétitifs) – correspond à une tentative de liaison de l'événement traumatique, mais aussi à un échec de celle-ci. La compulsion de répétition est alors l'indice d'une destructivité non liée, et a conduit Freud en 1920 à formuler l'hypothèse de la pulsion de mort et à soutenir le caractère conservateur des pulsions, qui visent à restaurer un état antérieur.

MISE EN SITUATION

La répétition est omniprésente, multiforme, et Freud s'en avise très tôt. Mais la conceptualisation freudienne de la répétition s'élabore en plusieurs temps, notamment la mise en évidence de ses manifestations dans la cure en 1914, et son enjeu métapsychologique en 1920. Elle ne sera d'ailleurs jamais univoque car le processus lui-même ne l'est pas. Il comporte le paradoxe d'être à la fois particulièrement simple dans son essence de force qui pousse à reproduire ce qui est déjà advenu, et particulièrement complexe et radical dans ses effets. La répétition relève des points de vue économique et dynamique : elle est au cœur du conflit psychique et de ses manifestations.

LE TEXTE FREUDIEN

AVANT 1914 : OMNIPRÉSENCE DES RÉPÉTITIONS

Dès l'« Esquisse d'une psychologie scientifique » (1895) et les *Études sur l'hystérie* (1895), ainsi que *L'interprétation des rêves* (1900), les références à ce qui se répète sont nombreuses. Le symptôme est répétitif par essence, comme les claquements de langue et le bégaiement d'Emmy von N., et c'est son insistance qui manifeste la trace refoulée. Ainsi la même patiente, dans ses états de « tempête sous le crâne », répète les accès de désespoir vécus pendant le traitement de sa fille[1] ; de même, la douleur à la cuisse d'Élisabeth von R... correspond à la formation d'une zone hystérogène là où son père posait sa jambe très enflée[2]. Dans le rêve, les désirs infantiles manifestent leur activité et leur permanence, et les rejetons du refoulé répètent le même, mais sous des figurations déguisées et sans cesse renouvelées. Les actes manqués étudiés dans la *Psychopathologie de la vie quotidienne* (1901) fourmillent d'exemples d'insistance par la répétition. Les rejetons de l'inconscient se signalent par l'inattendu mais aussi par la répétition. Mais à ce moment de son œuvre, Freud constate des répétitions, il n'élabore pas encore le concept psychanalytique de répétition.

« Un cas de guérison hypnotique » (1892-1893) s'impose, parmi les références à la répétition qui datent de la période où Freud pratique l'hypnose ; en effet, c'est la répétition du succès[3] thérapeutique – permettre l'allaitement – qui amène l'expression du transfert négatif jusque-là peu compréhensible : la honte d'avoir eu besoin de l'hypnose.

La « lettre 113 du 17 décembre 1896 à Fliess » présente la phase de clownisme de l'accès hystérique selon Charcot comme un mimétisme de la contrainte de répétition *(Wiederholungszwang)* des séducteurs qui répètent une satisfaction de leur jeunesse, par des cabrioles et des grimaces[4]. C'est le premier emploi freudien de l'expression « contrainte de répétition ». D'autres mentions de la répétition parsèment les lettres à Wilhelm Fliess : répétition volontaire d'une sensation de douleur indiquant la fixation (manuscrit L), goût des enfants

1. *Études sur l'hystérie* (1895d), Paris, PUF, 1985, p. 62 ; *OCF* II, p. 98 ; *GW* I, p. 134.

2. *Ibidem*, p. 117 ; p. 167 ; p. 210.

3. « Un cas de guérison hypnotique », *Résultats, idées, problèmes, I*, Paris, PUF, 1984, p. 35 et 40 ; *OCF* I, p. 322 et 325 ; *GW* I, p. 8 et 13.

4. *Lettres à Wilhelm Fliess*, Paris, PUF, 2006, p. 277 ; *La naissance de la psychanalyse. Lettres à Wilhelm Fliess. Notes et plans (1887-1902)* (1950a [1887-1902]), Paris, PUF, 1956, p. 161.

pour la répétition (lettre du 20 août 1899), et surtout l'« Esquisse d'une psychologie scientifique » : le frayage dans les neurones ψ dépend d'une part de la grandeur de l'impression, d'autre part de la fréquence des répétitions du processus d'excitation[1]. Pour évacuer ses investissements par la voie d'une satisfaction, le moi ne peut qu'exercer son influence sur la répétition d'expériences vécues de douleurs et d'affects[2]. La déliaison de déplaisir liée aux souvenirs s'atténue à chaque répétition[3], tandis que les répétitions de l'expérience vécue de satisfaction suscitent les états de désir, qui eux-mêmes impliquent des états de souhait et des états d'attente[4].

« Sur les souvenirs-écrans » (1899) s'achève par l'affirmation que l'image mnésique du souvenir d'enfance « ne peut pas être la répétition fidèle de l'impression reçue jadis »[5] ; rien d'une reproduction de l'impression originelle n'est jamais parvenu à la conscience.

Comme le précise *L'Interprétation du rêve* (1900), il ne se reproduit pas non plus dans le rêve de répétitions d'expériences vécues[6], mais des fragments de reproduction associés à des modifications. Parmi les rêves typiques, l'un provient de la demande infatigablement répétée des enfants – selon ce besoin sans mesure de répétition insatiable de ce qui a plu, si caractéristique de l'enfance[7] – à être jetés en l'air : « Voilà que des années après, ils se procurent cette répétition dans le rêve, mais dans le rêve ils enlèvent les mains qui les ont tenus, de sorte qu'à présent ils planent et tombent librement. »[8] Comme accomplissements de souhaits, les rêves sont par essence des répétitions, qui font revivre en particulier les impressions de

1. *Ibidem,* « Projet d'une psychologie », p. 608 ; *La naissance de la psychanalyse,* p. 320 ; *GW* XIX, p. 393.

2. *Ibidem,* p. 631 ; p. 341 ; p. 416.

3. *Ibidem,* p. 663 et 685 ; p. 369 et 391 ; p. 450 et 470.

4. *Ibidem,* p. 666 ; *La naissance de la psychanalyse,* p. 372 ; *GW* XIX, p. 452.

5. « Sur les souvenirs-écrans » (1899a), *Névrose, psychose et perversion,* Paris, PUF, 1973, p. 131 ; « Des souvenirs-couverture », *OCF* III, p. 275 ; *GW* I, p. 552.

6. *L'interprétation des rêves* (1900a), Paris, PUF, 1967, p. 27 ; *OCF* IV *(L'interprétation du rêve),* p. 48 ; *GW* II-III, p. 21-22.

7. *Ibidem,* p. 233 ; p. 308 ; p. 274.

8. *Ibidem,* p. 236 ; p. 313 ; p. 278.

l'enfance[1], notamment celles qui sont issues des jeux de mouvement[2] ; les jugements dans le rêve répètent des prototypes présents dans les pensées du rêve[3] ; de plus, le travail du rêve dispose d'un moyen symbolique de figurer la répétition : « La répétition temporelle d'un acte devient régulièrement dans le rêve la multiplication en nombre d'un objet. »[4] La répétition est également sous-jacente au destin de la première activité psychique d'hallucination de la satisfaction, qui vise l'identité de perception, définie comme « la répétition de cette perception qui est connectée à la satisfaction du besoin. »[5] Dès 1900, à propos de la régression, apparaît aussi la thèse phylogénétique : le développement de l'individu est une « répétition abrégée »[6] de celui du genre humain. Bien des élaborations ultérieures de la notion de répétition ne seront que le développement (mais qui, à partir de 1914, sera appliqué à la cure…) de remarques déjà esquissées dans l'étude des rêves.

Le mot d'esprit et sa relation à l'inconscient (1905) reprend la thématique de la répétition comme source de plaisir infantile, utilisé par exemple dans le comique de situation[7] ; ce plaisir a pour destin d'être interrompu par l'attitude critique[8], mais demeure souvent à propos des rimes, allitérations et refrains, c'est-à-dire des formes littéraires de répétition de sonorités verbales[9]. Il faut noter cependant, avec Pascal et Bergson, qu'une reproduction ou une similitude trop exacte, notamment entre deux visages, évoque une mécanisation de la vie, une dérive du vivant vers le non-vivant qui peut produire un

1. Cf. aussi *Sur le rêve* (1901a), Paris, Gallimard, 1988, p. 105 ; *GW* II-III, p. 680.

2. *L'interprétation des rêves,* p. 337-338 ; *L'interprétation du rêve, OCF* IV, p. 440-441 ; *GW* II-III, p. 398.

3. *Ibidem,* p. 391 ; p. 508 ; p. 462.

4. *Ibidem,* p. 320 ; p. 419 ; p. 377.

5. *Ibidem,* p. 481 ; p. 620 ; p. 571.

6. *Ibidem,* p. 467 ; p. 602 ; p. 554.

7. *Le mot d'esprit et sa relation à l'inconscient* (1905c), Paris, Gallimard « Folio », 1988, p. 396 ; *GW* VI, p. 258.

8. *Ibidem,* p. 240 ; p. 144.

9. *Ibidem,* p. 230 ; p. 136.

effet comique[1]. Les effets de malaise et d'inquiétante étrangeté n'en sont pas envisagés en 1905.

Les *Trois essais sur la théorie sexuelle* (1905) réaffirment que l'ontogenèse est une répétition de la phylogenèse, tant qu'une expérience de vie ne la modifie pas[2]. Freud, après avoir indiqué l'enfant repu au sein comme norme d'expression de la satisfaction sexuelle de la vie ultérieure, évoque le besoin de répétition de la satisfaction, désormais séparé du besoin d'ingestion de nourriture : l'étayage se construit donc sur l'expérience du besoin de répétition des satisfactions[3], particulièrement intense pour les zones génitales, ce qui éveille l'onanisme[4] (dont Freud, lors d'ajouts de 1915, distingue trois phases : onanisme du nourrisson, floraison sexuelle vers quatre ans, masturbation de la puberté). Le plaisir lié aux sensations de mouvement (parfois inversé en angoisse) est ici encore particulièrement associé aux recherches et aux effets de répétition : nourrisson jeté en l'air, jeux de balançoire, chemin de fer[5]. Il faut néanmoins poser une adhésivité ou capacité de fixation particulière chez les futurs névrosés et pervers pour comprendre que les manifestations sexuelles prématurées aient chez eux une force de répétition susceptible d'imposer ses voies à la pulsion sexuelle dans leur vie ultérieure[6].

« Actions compulsionnelles et exercices religieux » (1907) mentionne que peuvent devenir compulsives n'importe quelles activités, si elles sont enjolivées par des adjonctions et rythmées par des pauses et des répétitions[7]. Dans les « Remarques sur un cas de névrose obsessionnelle (L'homme aux rats) » (1909), l'analyse de l'homme aux rats conduit Freud à réfléchir au doute obsessionnel : « C'est ce

1. *Ibidem,* p. 367 ; p. 238.

2. *Trois essais sur la théorie sexuelle* (1905d), Paris, Gallimard « Folio », 1987, p. 29 ; *OCF* VI, p. 64 ; *GW* V, p. 29.

3. *Ibidem,* p. 105 et 109 ; p. 117 et 119 ; p. 82 et 85.

4. *Ibidem,* p. 114 ; p. 123 ; p. 89.

5. *Ibidem,* p. 134 ; p. 138-139 ; p. 102-103.

6. *Ibidem,* p. 195 ; p. 180 ; p. 144.

7. « Actions compulsionnelles et exercices religieux », *Névrose, psychose et perversion,* Paris, Gallimard, 1973, p. 134 ; « Actions de contrainte et exercices religieux », *OCF* VIII, p. 138 ; *GW* VII, p. 131.

même doute, menant, dans les mesures de protection, à l'incertitude et à la répétition continuelle pour conjurer cette incertitude, qui parvient finalement à ce que ces mesures de protection deviennent aussi inexécutables que la résolution d'aimer originellement inhibée. »[1] Prétendue protection contre l'action interdite, l'action de contrainte est finalement au fond, selon *Totem et tabou* (1913) la répétition de ce qui est interdit[2].

D'autre part, la répétition se manifeste aussi dans l'existence de substituts à l'objet d'amour perdu : ainsi, *Un souvenir d'enfance de Léonard de Vinci* (1910) montre que les têtes d'enfant sont des reproductions de la tête de Léonard enfant, et surtout que « les femmes en train de sourire ne sont rien d'autre que des répétitions de Catarina, sa mère »[3].

Dans le repas totémique (*Totem et tabou,* 1913), Freud évoque la force liante du repas partagé, qui doit se répéter pour se renforcer et devenir durable. « Le repas totémique, peut-être la première fête de l'humanité, serait la répétition et la cérémonie commémorative de cet acte criminel mémorable, par lequel tant de choses prirent leur commencement, les organisations, sociales, les restrictions morales et la religion. »[4] Les frères, par leur pacte, excluent la répétition du destin paternel et ajoutent à l'interdit de tuer le totem, religieusement fondé, celui du meurtre du frère, socialement fondé[5]. Le souvenir de ce premier grand acte sacrificiel s'avère indestructible et l'effort pour l'oublier conduit au contraire à sa répétition non déformée sous la forme du sacrifice divin[6]. Par le même acte qui offre au père la plus

1. « Remarques sur un cas de névrose obsessionnelle (L'homme aux rats) » (1909d), *Cinq psychanalyses,* Paris, PUF, 1954, p. 256 ; *OCF* IX, p. 208 ; *GW* VII, p. 457.

2. *Totem et tabou* (1912-1913a), Paris, Gallimard, 1993, p. 150 ; *OCF* XI, p. 256 ; *GW* IX, p. 65.

3. *Un souvenir d'enfance de Léonard de Vinci* (1910c), Paris, Gallimard, 1987, p. 199 (édition bilingue) ; *OCF* X, p. 138 ; *GW* VIII, p. 183.

4. *Totem et tabou* (1912-1913a), Paris, Gallimard, 1993, p. 290 ; *OCF* XI, p. 361 ; *GW* IX, p. 172.

5. *Ibidem,* p. 296 ; p. 365 ; p. 176.

6. *Ibidem,* p. 304 ; p. 371 ; p. 182.

grande expiation possible, le fils atteint lui aussi le but de ses souhaits contre le père et devient lui-même dieu, à côté, voire à la place du père, tandis que l'ancien repas totémique retrouve vie comme communion où les frères s'identifient au fils. Dans cette réalisation radicale de l'ambivalence, la communion chrétienne est en même temps une nouvelle élimination du père, répétition de l'acte à expier[1]. Par ailleurs, le héros tragique doit souffrir, parce qu'il est le père originaire, et la grande tragédie des temps originaires trouve dans la tragédie une « répétition tendancieuse »[2] : la faute tragique est celle que le héros doit prendre sur lui pour délivrer le chœur du fardeau de sa faute.

Les répétitions dans la cure

Dans l'analyse de Hans – « Analyse d'une phobie chez un petit garçon de cinq ans » (1909) –, Freud évalue pour la première fois l'importance et le sens des répétitions dans la cure : nous ne devons pas nous étonner du retour des mêmes désirs, de façon répétée au cours de l'analyse ; ce sont les interprétations analogues qui créent l'impression de monotonie ; « pour Hans ce ne sont pas de simples répétitions, mais des développements progressifs, depuis l'allusion timide jusqu'à la clarté pleinement consciente, exempte de toute déformation »[3]. « Sur l'engagement du traitement » (1913) évoque la façon dont les patients font l'anamnèse de leurs troubles et racontent les épisodes de leur vie pour indiquer la nécessité d'une reprise ultérieure : « Chaque parcelle de l'histoire devra plus tard être racontée de nouveau, et c'est seulement lors de ces répétitions qu'apparaîtront des ajouts qui livrent les corrélations importantes, inconnues du malade. »[4]

1. *Ibidem*, p. 308 ; p. 375 ; p. 186.

2. *Ibidem*, p. 311 ; p. 376 ; p. 188.

3. « Analyse d'une phobie chez un petit garçon de cinq ans (Le petit Hans) » (1909b), *Cinq psychanalyses*, Paris, PUF, 1954, p. 185 ; PUF « Quadrige », p. 266 ; *OCF* IX, p. 114 ; *GW* VII, p. 362.

4. « Le début du traitement » (1913c), *De la technique psychanalytique*, Paris, PUF, 1953, p. 95 ; « Sur l'engagement du traitement », *OCF* XII, p. 470 ; *GW* VIII, p. 469.

Remémoration ou répétition

Le premier texte où Freud effectue une élaboration conceptuelle délibérée de la notion de répétition relève des écrits sur *De la technique psychanalytique*. Il s'agit de l'article de 1914, « Remémoration, répétition et perlaboration », qui amorce un tournant théorique majeur, même si celui-ci ne sera pleinement manifesté que dans les années 1920-1923. En effet, cet article indique déjà les limites du modèle du rêve et du fantasme, et manifeste le recours à l'agir plutôt qu'à des actes purement psychiques, lorsque la force de la résistance ou des défenses déborde ce que nous appelons aujourd'hui les capacités de symbolisation. C'est dans cet article qu'est conceptualisée pour la première fois, avec seulement deux occurrences de l'expression, la notion de compulsion ou contrainte de répétition *(Wiederholungszwang)*.

Dans cet article, la répétition apparaît en effet comme un échec de la remémoration, un agir en place du souvenir, un avatar non directement analysable du transfert. Il s'inscrit dans une configuration spécifique du transfert où le souvenir oublié est répété, mis en actes au lieu d'être remémoré. La répétition introduit donc un modèle nouveau, lié à l'agir, aux côtés (ou chez certains patients à la place) de celui du rêve. L'analyste décèle dans la répétition reconnue comme agir transférentiel la forme prise par la résistance, permettant que la perlaboration intervienne pour que puisse être remémoré ce qui est d'abord agi et qui répète des agirs anciens. L'article est essentiel en ce qu'il montre comment passer de l'acte à la compréhension du sens de l'acte et à l'appropriation de ce sens par le patient en une véritable remémoration.

L'argumentation freudienne commence par situer la répétition parmi les différentes formes d'oubli, et donc les obstacles à la remémoration : l'oubli se réduit fréquemment à une dissociation des impressions ou événements vécus ; ils sont connus mais on n'y pensait pas ; l'amnésie infantile est, elle, compensée par les souvenirs-écrans. Quant au souvenir des affects et aux fantasmes, il est fréquent de se souvenir de quelque chose qui n'avait jamais été oublié, parce que cela n'avait jamais été conscient. C'est ainsi que dans le transfert l'oubli peut se manifester par la répétition agie, non reconnue comme telle par le patient : ainsi se montre-t-il par exemple insolent envers l'analyste, au lieu de se remémorer les insolences par lesquelles il provoquait son père. Le patient n'a aucun souvenir de ce qu'il a oublié ou refoulé, il ne fait que le traduire en actes. Le fait oublié reparaît, mais sous forme d'action. Le malade répète cet acte sans savoir qu'il s'agit d'une répétition.

Les exemples cités par Freud sont significatifs : non seulement l'insolence ou l'insoumission envers l'autorité parentale, mais des comportements dont le sens est moins évident : le patient ne se souvient pas de s'être senti déconcerté et privé d'appui lors de ses investigations infantiles d'ordre sexuel, mais il apporte des idées et des rêves confus, se plaint de ne réussir en rien et de ne pas mener à bien ses entreprises. Il ne se rappelle plus sa honte de certaines activités sexuelles et sa crainte d'être découvert, mais il a honte de son traitement et le tient secret. Et, surtout, il commence sa cure par une répétition de même type : il réagit à l'énoncé de la règle fondamentale non par un torrent d'informations, mais par le silence et la conviction de ne penser à rien et de n'avoir rien à dire ; il répète ici une attitude homosexuelle qui prend la forme d'une résistance contre l'apparition de ce souvenir. Tout au long du traitement, cette compulsion à la répétition demeure active, car c'est là sa manière de se souvenir.

Si nous regardons les rapports de cette « compulsion de répétition » [1] avec le transfert et la résistance, nous observons que « le transfert n'est lui-même qu'un fragment de répétition » [2] : la répétition est le transfert du passé oublié non seulement à la personne du médecin, mais dans tous les autres domaines de l'existence présente. Le patient chez qui la compulsion de répétition est prévalente (à la différence de celui qui pendant un temps parfois assez long peut rapporter ses souvenirs aussi aisément que lorsque l'on employait la technique hypnotique) met en œuvre des répétitions non seulement dans sa relation au psychanalyste, mais dans toutes ses autres occupations et relations actuelles.

Plus la résistance est grande, plus la mise en actes, c'est-à-dire la répétition, se substitue au souvenir. Dans l'hypnose au contraire, les

1. « Remémoration, répétition et perlaboration » (1914g), *De la technique psychanalytique,* Paris, PUF, 1953, p. 109 ; *OCF* XII, p. 190 ; *GW* X, p. 130.

2. *Ibidem.*

souvenirs resurgissent de façon idéale parce que la résistance est supprimée. Lorsque la cure débute selon un transfert positif faible, modéré, l'exhumation des souvenirs est au début aussi facile que dans l'hypnose et les symptômes s'apaisent aussi pour un temps. Mais si le transfert devient hostile ou excessif, et qu'il exige de ce fait le refoulement, le souvenir fait aussitôt place à la mise en actes. À partir de ce moment, les résistances vont déterminer l'ordre des diverses répétitions [1]. Le malade tire du passé les armes avec lesquelles il se défend contre la continuation de l'analyse.

Mais qu'est-ce qui est ainsi répété ? Tout ce qui émane des sources du refoulé : inhibitions, attitudes inadéquates, traits de caractères pathologiques, symptômes. En mettant en évidence la compulsion de répétition, Freud ne découvre donc aucun fait nouveau, mais, comme il le précise lui-même, il donne plus de cohérence aux tableaux cliniques. La maladie reste une force agissante au cours de la cure et c'est fragment par fragment que l'état morbide est apporté dans le champ d'action du traitement. Ce que le patient vit comme actuel, le psychanalyste doit le rapporter au passé.

Au laboratoire de l'hypnose, aseptisé, la technique nouvelle de la psychanalyse substitue donc l'évocation d'un fragment de vie réelle, qui ne peut être dénuée de risques. L'aggravation des symptômes au cours du traitement est souvent inévitable. Car l'instauration même du traitement change l'attitude du malade vis-à-vis de ses symptômes ; jusque-là, il a sous-estimé l'importance de la maladie et appliqué le refoulement aux manifestations de sa névrose, ignorant les causes de sa phobie, ou le sens de ses idées obsédantes et le but de ses impulsions obsessionnelles. Or il lui faut désormais cesser de dédaigner sa maladie mais y voir une partie de lui-même, adversaire digne d'estime et qui a ses raisons d'être, dans une certaine réconciliation du malade avec le refoulé qui se manifeste par ses symptômes ; celle-ci peut passer par une exacerbation des conflits et un renforcement de certains symptômes. Ces aggravations sont nécessaires mais passagères – on ne peut terrasser un ennemi en son absence –, mais la résistance peut exploiter la situation et abuser de la permission d'être malade dans

1. *Ibidem*, p. 110 ; p. 191 ; p. 131.

une luxuriance des symptômes (déplorés ou considérés comme une excuse). D'autres dangers peuvent surgir : certaines motions pulsionnelles jusque-là silencieuses parviennent à se répéter ; et le comportement du patient, en dehors du transfert, peut entraîner passagèrement des désastres dans la vie du sujet – parfois au point de priver de toute valeur la guérison recherchée. Pour éviter les impulsions capables d'entraîner ces désastres, le malade ne doit prendre aucune décision grave tant que le traitement se poursuit.

La tactique de l'analyste est liée à son but : le rappel du souvenir au sens strict, la reproduction dans le domaine psychique. Il lutte pour maintenir sur le terrain psychique les impulsions que le patient voudrait transformer en actes. C'est un triomphe du traitement quand le travail de la remémoration liquide ce que le patient voudrait décharger par une action. Lorsque le transfert aboutit à un attachement utilisable de quelque façon, le traitement est en mesure d'empêcher tous les actes itératifs les plus importants du malade et d'utiliser *in statu nascendi* les intentions de celui-ci comme matériaux pour le travail thérapeutique.

Le maniement du transfert est donc le principal moyen d'enrayer la compulsion de répétition et de la transformer en une raison de se souvenir[1]. La compulsion de répétition devient anodine et même utile, si ses droits sont limités et que le psychanalyste ne la laisse subsister que dans un domaine circonscrit. Le transfert est l'arène qui lui convient, le lieu où il lui est permis de se manifester dans une liberté quasi totale, et nous lui demandons de nous révéler tout ce qui se dissimule de pathogène dans le psychisme du sujet. Les symptômes prennent une signification de transfert (même quand il n'y a pas eu répétition prévalente, mais simplement respect des règles de l'analyse), et la névrose est remplacée par une névrose de transfert dont le travail thérapeutique peut guérir le patient. Le transfert crée ainsi un domaine intermédiaire entre la maladie et la vie réelle, à travers lequel s'effectue le passage de l'une à l'autre. Maladie artificielle, il est accessible aux interventions de l'analyste ; tranche de vie réelle, mais provisoire, rendue possible par des conditions [de cadre] favorables, il

1. *Ibidem,* p. 113 ; p. 194 ; p. 134.

ouvre le chemin de la remémoration : à partir des réactions de répétition qui se manifestent dans le transfert, des voies connues conduisent au réveil des souvenirs. Ceux-ci surgissent ensuite, comme d'eux-mêmes, une fois les résistances surmontées. Mais il ne faut pas croire qu'il suffise d'identifier les résistances et de les nommer au patient pour qu'elles disparaissent ; il y faut le temps de la perlaboration, celui qui permet au patient de bien connaître cette résistance qu'il ignorait, de la vaincre et de poursuivre malgré elle et en obéissant à la règle fondamentale, le travail commencé.

Publiée en 1918, la cure de « L'homme aux loups » s'est déroulée en 1914, et se trouve donc contemporaine de l'article princeps sur la répétition. Après la motion sadique envers le petits animaux et la phobie de ceux-ci (substituts des rivaux), l'apparition de la phobie du papillon est une « répétition du mécanisme qui en rêve a engendré la phobie du loup »[1] (car ce n'est pas l'angoisse devant le père, mais celle du loup qui est devenue consciente), réactivant une scène infantile (avec Grouscha) où fut formulée la menace de castration. On y voit se déployer la résistance liée à la répétition de la passivité homosexuelle vis-à-vis du père, au point que Freud en vient à fixer autoritairement un terme à la cure, agissant lui aussi la position paternelle de domination. Il est fort probable que certaines des notations de l'article « Remémoration, répétition et perlaboration » ont leur origine dans ce que Freud a vécu et découvert lors de la cure de Sergueï.

Dans la discussion des « Remarques sur l'amour de transfert » (1914) pour évaluer l'authenticité de l'amour de transfert, et son rôle de résistance si le transfert est passionnel, l'argument selon lequel l'amour de transfert n'est composé que de « répétitions et de décalques de réactions antérieures, y compris infantiles »[2], ne peut finalement être retenu pour invalider l'amour de transfert, puisque cela caractérise tous les mouvements amoureux. Si l'analyste cédait, le triomphe apparent de la patiente serait un désastre pour la cure : ce serait agir et

1. « Extrait de l'histoire d'une névrose infantile (L'homme aux loups) » (1918b [1914]), *Cinq psychanalyses,* Paris, PUF, 1954, p. 412 ; PUF « Quadrige », p. 602 ; *OCF* XIII, p. 109 ; *GW* XII, p. 147.

2. « Observations sur l'amour de transfert » (1915a [1914]), *De la technique psychanalytique,* Paris, PUF, 1953, p. 126 ; *OCF* XII, p. 208 ; *GW* X, p. 316.

répéter dans la vie ce qu'il s'agit de se remémorer et de ne reproduire que comme matériel psychique[1], et rester prisonnière des mêmes symptômes, au lieu de libérer des fixations infantiles sa capacité d'amour, afin de la vivre réellement, après le traitement.

Les *Conférences d'introduction à la psychanalyse* de 1916-1917 ne comportent pas de chapitre consacré à la répétition ; néanmoins, les emplois du terme (ou de termes apparentés) sont fréquents, notamment, ce qui ne saurait surprendre, à propos des symptômes (XVIIe leçon), de la répétition de la phylogenèse dans l'ontogenèse (XXIIe leçon), des névroses traumatiques (XXIVe leçon), de l'angoisse (XXVe leçon), de la résistance et du transfert – où il s'agit de transformer la répétition en souvenir[2] (XXVIIe leçon). À propos des actions compulsionnelles et des ruminations, « une partie dont on ne soupçonne pas l'importance remonte à la masturbation, comme une répétition et une modification camouflée de celle-ci »[3], qui accompagne les formes les plus diverses des fantasmes sexuels.

Compulsion de répétition et pulsion de mort

« L'inquiétante étrangeté » (1919) aborde la répétition par le double[4]. La répétition non intentionnelle de ce qui est de même nature provoque, sous certaines conditions, le sentiment d'inquiétante étrangeté et réveille la détresse de certains rêves, imposant l'idée de néfaste et d'inéluctable. Comment dériver ces impressions de l'expérience infantile ? Dans l'inconscient, « on peut reconnaître la domination d'une contrainte de répétition émanant des motions pulsionnelles, qui dépend vraisemblablement de la nature la plus intime des pulsions elles-mêmes, qui est assez forte pour se placer au-dessus du principe de plaisir, qui confère à certains aspects de la

1. *Ibidem,* p. 124 ; p. 206 ; p. 314.

2. *Conférences d'introduction à la psychanalyse,* Paris, Gallimard, 1999, p. 563 ; *Leçons d'introduction à la psychanalyse, OCF* XIV, p. 460 ; *GW* XI, p. 461.

3. *Ibidem,* p. 289 ; p. 393 ; p. 319 ; p. 320.

4. « L'inquiétante étrangeté » (1919h), *L'inquiétante étrangeté et autres essais,* Paris, Gallimard « Folio », 1985, p. 236 ; « L'inquiétant », *OCF* XV, p. 168 ; *GW* XII, p. 246.

vie d'âme un caractère démonique »[1], et se manifeste chez le petit enfant comme chez le névrosé. Cette compulsion de répétition interne (déjà largement caractérisée comme elle le sera en 1920) provoque le sentiment d'inquiétante étrangeté. « Avec l'animisme, la magie et la sorcellerie, la toute-puissance des pensées, la relation à la mort, la répétition non intentionnelle et la castration, nous avons à peu près épuisé l'ensemble des facteurs qui font que l'angoissant devient l'inquiétant. »[2] Lorsque quelque chose paraît apporter une confirmation aux anciennes convictions animistes mises à l'écart, nous avons le sentiment de l'inquiétant, qui n'existe plus ainsi – même devant les plus remarquables conjonctions entre souhait et accomplissement, les répétitions les plus énigmatiques d'expériences vécues, ou les perceptions visuelles génératrices d'illusion – chez celui qui a liquidé en lui, radicalement et définitivement, ces convictions animistes.

Au-delà du principe de plaisir (1920) s'appuie sur l'analyse des compulsions de répétition mises en œuvre d'une part dans la névrose traumatique, d'autre part dans le « jeu de la bobine » : elles permettent de montrer qu'il existe des actes psychiques qui ne relèvent pas du principe de plaisir ; elles conduisent également à postuler l'existence d'une pulsion de mort qui cherche le retour à l'inanimé (ce qui est donc aussi l'effort pour retrouver une situation antérieure, donc une contrainte de répétition), et se caractérise par la déliaison. Ce second temps de l'élaboration du concept de répétition est essentiel encore dans l'ensemble de la pensée freudienne.

Le déplaisir névrotique est du plaisir qui ne peut être ressenti comme tel. Mais un certain nombre de faits cliniques fondés sur la répétition ne peuvent s'expliquer ainsi et semblent contredire le primat du principe de plaisir. Les névroses traumatiques, sur lesquelles la guerre a focalisé l'attention, sont caractérisées par l'effroi suscité quand se produit une situation d'extrême danger sans que le sujet y soit préparé, tandis qu'une blessure concomitante empêche souvent l'apparition de cet affect. L'horreur de l'expérience traumatique fait

1. *Ibidem,* p. 242 ; p. 172 ; p. 251.
2. *Ibidem,* p. 248 ; p. 177 ; p. 256.

retour sous forme de cauchemars, ce qui remet en question la fonction du rêve comme réalisation de désir. Freud insiste sur le caractère somatique de telles névroses, sous la forme de l'ébranlement de l'organisme et de l'afflux d'excitations, en même temps que sur l'aspect psychique sous la forme de l'effroi. L'afflux d'excitation menace l'intégrité du patient, il ne peut y répondre ni par une décharge adéquate ni par une élaboration psychique. Débordé dans ses fonctions de liaison, il répétera de façon compulsive la situation traumatique sous forme de rêves identiques et peu élaborés, qui sont des répliques de la situation traumatique telle qu'elle a été vécue[1]. La répétition est fixation au traumatisme, et au moment du traumatisme.

Une autre observation semble déroger au principe de plaisir : c'est le jeu du petit-fils de Freud connu sous le nom de « jeu de la bobine ». Âgé de dix-huit mois, il lance loin de lui les petits objets, poussant en même temps un cri de satisfaction « o-o-o-o-o » interprété par l'entourage comme signifiant *« fort »* (c'est-à-dire « loin »). Tous ses jouets servent à ce jeu : être loin *(fortsein)*. Freud assiste à une forme plus complète de cette activité qui lui permet d'interpréter le renoncement pulsionnel exprimé par ce jeu. Muni d'une bobine attachée à une ficelle, le petit garçon lance la bobine derrière son lit en criant « o-o-o-o-o », puis tire la ficelle pour récupérer la bobine en criant joyeusement *« da ! »*. L'enfant simule ainsi le départ et le retour de sa mère. Mais, le plus souvent, c'est la première partie du jeu et elle seule, le départ, qui est inlassablement répétée. Comment accorder avec le principe de plaisir la répétition, longuement reprise dans un jeu compulsif, de cette expérience pénible du départ de la mère ? Freud y voit la transformation de la passivité (il subit le départ et l'absence de sa mère) en une activité qui lui redonne la maîtrise de la situation et de ses affects (il déclenche et le départ et le retour de la bobine qui représente sa mère)[2]. L'enfant opère une mise en scène, qui est aussi une mise en sens. Depuis les élaborations de Sandor Ferenczi et

1. *Au-delà du principe de plaisir* (1920g), *Essais de psychanalyse*, Paris, Payot, 1981, p. 49-51 ; *OCF* XV, p. 282-283 ; *GW* XIII, p. 9-11.

2. *Ibidem*, p. 51-55 ; p. 284-288 ; p. 11-15.

d'Anna Freud, on peut également y déceler un processus d'identification à l'agresseur, autre forme de la contrainte de répétition.

Dans la cure, comme le montrait en 1914 « Remémoration répétition et perlaboration », la répétition du refoulé sous forme d'un agir actuel donne lieu à la névrose de transfert avec l'effort de l'analyste « de pousser dans le souvenir le plus de choses possible et d'en autoriser le moins possible à entrer dans la répétition » [1]. Pour comprendre cette compulsion de répétition qui se manifeste dans la cure, il importe de reconnaître que ce n'est pas le refoulé qui résiste à la cure ; la résistance provient du moi, même si elle est inconsciente. Mais la compulsion de répétition doit être attribuée à l'inconscient (aidé par la docilité envers le médecin du fait du complexe parental inconscient, ajoute Freud en note en 1923) ; elle ne pouvait se manifester avant que le travail de la cure n'ait relâché le refoulement[2]. Si la résistance du moi est au service du principe de plaisir, dans quelle relation au principe de plaisir se trouve la compulsion de répétition, cette « manifestation de la force du refoulé » [3] ? La majeure partie de ce que la contrainte de répétition fait revivre apporte du déplaisir, en mettant au jour des motions pulsionnelles refoulées, mais cela ne contredit pas le principe de plaisir. Le fait nouveau, c'est que « la contrainte de répétition ramène aussi ces expériences vécues du passé qui ne comportent aucune possibilité de plaisir et qui, même en leur temps, ne peuvent avoir été des satisfactions, serait-ce pour les motions pulsionnelles depuis lors refoulées » [4]. Elles ne paraissent pas susceptibles non plus de produire du plaisir dans la répétition actuelle ; néanmoins, les répétitions transférentielles font revivre ces expériences passées, qui seraient pourtant moins douloureuses comme souvenirs ou comme rêves. Une compulsion y pousse. On constate également un « destin démonique » dans la répétition inconsciemment intentionnelle de traumatismes et de situations pénibles

1. *Ibidem*, p. 56 ; p. 289 ; p. 17.
2. *Ibidem*, p. 59 ; p. 290 ; p. 18.
3. *Ibidem*.
4. *Ibidem*, p. 60 ; p. 290-291 ; p. 18.

voire destructrices, contrainte qui n'est pas différente de la compulsion de répétition des névrosés.

Devant l'ensemble de ces faits, il faut bien admettre la présence active, dans la vie psychique, d'une « contrainte de répétition qui passe outre au principe de plaisir »[1], compulsion de répétition, rarement présente à l'état pur mais « plus originelle, plus pulsionnelle, que le principe de plaisir qu'elle met à l'écart »[2]. Dans le jeu des enfants, la compulsion de répétition se mêle à la satisfaction pulsionnelle directe, empreinte de plaisir ; elle n'exclut pas forcément le plaisir dans la cure (même si la contrainte à répéter dans le transfert les expériences infantiles passe outre au principe de plaisir, et représente, surtout en fin de cure, un obstacle thérapeutique[3]), ni les logiques rationnelles dans les contraintes de destin. Elle est plus manifeste dans les rêves traumatiques, mais partout elle est reconnaissable : les motifs connus, liés au principe de plaisir, ne suffisent pas à rendre compte des mouvements pulsionnels. La compulsion de répétition s'exerce ainsi sur toutes les expériences. Les rêves survenant au cours d'une psychanalyse, eux-mêmes, avant de permettre d'éviter l'interruption du sommeil par l'accomplissement de souhait des motions perturbatrices, ce qui suppose la domination du principe de plaisir, « obéissent bien plutôt à la contrainte de répétition »[4] en ramenant le souvenir des traumas psychiques de l'enfance. S'il y a un au-delà du principe de plaisir, il y a aussi une période préliminaire où le rêve répète seulement et ne vise pas encore à accomplir un souhait. Maîtriser et lier l'excitation est la tâche de l'appareil psychique qui prévaut d'abord, non en opposition au principe de plaisir – qui ne peut intervenir qu'ensuite – mais indépendamment de lui et, en partie, sans en tenir compte. Le caractère hautement pulsionnel de la compulsion de répétition est manifeste, et là où cette contrainte se manifeste en opposition au principe de plaisir, elle prend un caractère démoniaque[5].

1. *Ibidem,* p. 63 ; p. 293 ; p. 21.
2. *Ibidem,* p. 64 ; p. 294 ; p. 22.
3. *Ibidem,* p. 79 ; p. 307 ; p. 37.
4. *Ibidem,* p. 75 ; p. 304 ; p. 33.
5. *Ibidem,* p. 78 ; p. 306 ; p. 36.

La contrainte à la répétition est en corrélation avec le pulsionnel si l'on admet qu'une pulsion est une poussée inhérente à l'organique et visant à réinstaurer un état antérieur. Les pulsions conservatrices obligent donc à la répétition[1]. L'être vivant élémentaire ne ferait que répéter le même cours de vue et les succès de l'évolution proviennnent d'influences externes qui la perturbent. Les changements du cours de la vie imposés par contrainte donnent l'impression trompeuse de forces qui tendent à la modification et au progrès, tandis que le but final de tout ce qui est organique est le retour à un état ancien abandonné. Le caractère régrédient des pulsions correspond à une contrainte de répétition. Le rôle des pulsions de vie se borne à maintenir, comme source interne de plaisir, la modification imposée par contrainte, Éros visant à regrouper l'organique en des unités toujours plus grandes (à partir des répétitions de la vie organique associant les deux cellules germinales de la reproduction sexuée[2]), tandis que la compulsion de répétition « démoniaque » manifeste l'existence d'une force de déliaison, antagoniste de la libido, car visant la décharge de toute énergie pulsionnelle jusqu'au niveau zéro selon le principe de Nirvana ; les compulsions de répétition témoignent d'une pulsion de mort à l'œuvre au cœur du vivant. Néanmoins, la tâche de déterminer le rapport des processus de répétition pulsionnels avec la domination du principe de plaisir demeure, et Freud s'y emploie par l'élaboration des notions de liaison (acte préparatoire qui introduit la domination du principe de plaisir) et d'intrication pulsionnelle.

Prolongements

Après 1920, l'élaboration de la notion psychanalytique de répétition est achevée. Freud la rappelle à l'occasion et n'apportera que peu de véritables compléments : l'idée d'une résistance du ça, l'élaboration des transferts négatifs, la répétition du meurtre et de sa commémoration dans la constitution d'une tradition.

« Théorie et pratique de l'interprétation du rêve » (1923) rappelle l'élaboration, dans *Au-delà du principe de plaisir,* du problème

1. *Ibidem,* p. 81 ; p. 309 ; p. 39.
2. *Ibidem,* p. 104 ; p. 330 ; p. 60.

économique de savoir comment les expériences infantiles pénibles peuvent se frayer une voie vers la reproduction dans les rêves. Il fallut leur concéder, dans la contrainte de répétition, une poussée extrêmement forte pour surmonter, avec l'aide du travail de la cure, le refoulement qui, au service du principe de plaisir, s'oppose au retour de ces expériences. « C'est le transfert positif qui fournit cette aide à la contrainte de répétition. Il s'est ainsi constitué une alliance de la cure avec la contrainte de répétition, alliance qui se dirige d'abord contre le principe de plaisir, mais veut dans sa visée dernière ériger le règne du principe de réalité. » [1] Mais il advient trop souvent que la compulsion de répétition se libère des obligations de cette alliance, et ne se contente pas de ce retour du refoulé sous formes d'images de rêve.

On peut s'étonner du fait que des textes fondamentaux par rapport à la seconde théorie des pulsions, et aux remaniements de la conception de l'appareil psychique qui s'ensuivent, tels que *Le moi et le ça* (1923) ou en 1924 « Le problème économique du masochisme », ne fassent quasiment pas intervenir la compulsion de répétition. Tout au plus peut-on considérer, dans *Le moi et le ça,* que les expériences phylogénétiques – sous-jacentes notamment aux fantasmes originaires et à la formation du surmoi –, portent la marque d'une répétition à l'œuvre (déjà comprise ainsi par Freud en 1900). Ce que la biologie et les destins de l'espèce humaine ont créé dans le ça est repris par le moi et revécu par lui sur le plan individuel. Mais comment la biologie et les destins collectifs créent-ils quelque chose dans le ça qui soit susceptible de passer d'individu à individu (selon un modèle à vrai dire quelque peu lamarckien) ? Il n'y a pas transmission héréditaire directe : « Il semble que les expériences vécues du moi se perdent tout d'abord pour le patrimoine héréditaire, mais que, si elles se répètent avec une force et une fréquence suffisante chez de nombreux individus, se succédant de génération en génération, elles se transposent, pour ainsi dire, en expériences vécues du ça, dont les empreintes sont maintenues par hérédité. » [2]

1. « Remarques sur la théorie et la pratique de l'interprétation du rêve » (1923c), *Résultats, idées, problèmes, II,* Paris, PUF, 1985, p. 88 ; « Théorie et pratique de l'interprétation des rêves », *OCF* XVI, p. 176 ; *GW* XIII, p. 311.

2. *Le moi et le ça* (1923b), *Essais de psychanalyse,* Paris, Payot, 1981, p. 251 ; *OCF* XVI, p. 282 ; *GW* XIII, p. 267.

Dans son « Autoprésentation » de 1924, Freud résume ses élaborations de 1920 sur la pulsion de mort ou de destruction travaillant sans bruit, la pulsion étant conçue comme une élasticité du vivant, une poussée à la restauration de situations antérieures. « Cette nature par essence conservatrice de la pulsion est illustrée par les manifestations de la contrainte de répétition. »[1] L'action conjointe et antagoniste d'Éros et de la pulsion de mort produit l'image de la vie.

Inhibition, symptôme et angoisse (1926) comporte des reprises de la notion de répétition. D'une part, Freud propose une nouvelle description des symptômes de la névrose obsessionnelle, qui insiste sur l'annulation rétroactive où intervient si fréquemment la compulsion de répétition, dont la mise à exécution s'accompagne d'une conjonction de visées en lutte les unes avec les autres. Ce qui n'est pas advenu comme on l'aurait souhaité est par la répétition toujours non advenu, mais d'une autre façon, ce qui ajoute aux motifs de s'attarder à ces répétitions[2]. D'autre part, lorsque le moi a pu se défendre contre une motion pulsionnelle dangereuse, il a inhibé cette partie du ça, mais a en même temps renoncé à une part de sa souveraineté : si le moi n'a plus besoin de se défendre contre une nouvelle motion pulsionnelle analogue à celle qui a été refoulée, les conséquences de la limitation du moi deviennent manifestes. Le cours de la nouvelle motion pulsionnelle tombe sous l'influence de la compulsion de répétition[3] et – outre les autres manifestations déjà bien connues de la compulsion de répétition – l'angoisse-signal d'alarme entraîne des inhibitions qu'aucun danger réel ne continue à justifier. On comprend la nécessité de la perlaboration : « Une fois supprimée la résistance du moi, il reste encore à surmonter la puissance de la contrainte de répétition, l'attraction des prototypes inconscients sur le processus pulsionnel refoulé »[4], facteur que l'on peut qualifier de « résistance de

1. *Sigmund Freud présenté par lui-même* (1925d), Paris, Gallimard, 1984, p. 96-97, *OCF* XVII (« Autoprésentation »), p. 105 ; *GW* XIV, p. 84.

2. *Inhibition, symptôme et angoisse* (1926d [1925]), Paris, PUF, 1981, p. 42 ; *OCF* XVII, p. 237 ; *GW* XIV, p. 150.

3. *Ibidem*, p. 81 ; p. 268 ; p. 185.

4. *Ibidem*, p. 88 ; p. 274 ; p. 192.

l'inconscient »[1]. Pour sa part, l'angoisse est « d'une part attente du trauma, d'autre part une répétition atténuée de celui-ci »[2].

La question de l'analyse profane (1926) s'affronte à l'élaboration des impasses de la cure liées à la compulsion de répétition : vécus traumatiques et transfert passionnel. La différenciation d'un moi est un pas vers la conservation de la vie ; de l'anéantissement on ne peut rien tirer. Mais « quand on a heureusement surmonté un trauma, on prête attention à l'approche de situations analogues, et on signalise le danger par une répétition abrégée des impressions vécues lors du trauma – par un affect d'angoisse »[3]. Quant au transfert passionnel, il est des cas où l'on ne devient pas maître du transfert déchaîné et où l'on est obligé d'interrompre l'analyse, mais on doit au moins avoir lutté de toutes ses forces contre les mauvais esprits. Céder aux exigences du transfert du patient est non seulement interdit, mais inefficace. « Le névrosé ne peut pas être guéri du seul fait qu'on lui a rendu possible la répétition non corrigée d'un cliché inconscient déjà tout prêt en lui. »[4]

Malaise dans la civilisation (1929) évoque, parmi les œuvres de la culture, l'ordre comme une sorte de contrainte de répétition bénéfique, sur le modèle des régularités astronomiques, qui permet une bonne utilisation du temps et de l'espace, et ménage les forces psychiques en établissant quand, où et comment quelque chose doit être fait, selon un dispositif préétabli qui épargne hésitations et oscillations[5]. Mais, au lieu de s'imposer dès le début et sans contrainte, il se heurte à un penchant naturel à la négligence et à l'irrégularité. Dans son étude des rapports entre conscience morale et culpabilité, le texte rappelle l'ambivalence contre le père de la horde primitive et son destin : l'amour se fait jour dans le remords de l'acte meurtrier,

1. *Ibidem.*

2. *Ibidem,* p. 96 ; p. 281 ; p. 199.

3. *La question de l'analyse profane* (1926e), Paris, Gallimard, 1985, p. 58 ; *OCF* XVIII, p. 25 ; *GW* XIV, p. 229.

4. *Ibidem,* p. 101 ; p. 53 ; p. 259.

5. *Malaise dans la civilisation* (1930a [1929]), Paris, PUF, 1971, p. 41 ; *OCF* XVIII, p. 280 ; *GW* XIV, p. 452.

érige le surmoi, crée les restrictions devant empêcher une répétition de l'acte[1]. Mais comme le penchant à l'agression se répète dans les générations suivantes, le sentiment de culpabilité persiste aussi et se renforce à chaque agression réprimée.

Dans « Angoisse et vie pulsionnelle », trente-deuxième des *Nouvelles conférences d'introduction à la psychanalyse* (1933), Freud rappelle ses thèses essentielles essentielles sur les deux pulsions antagonistes fondamentales, en insistant sur leur caractère conservateur, leur tendance à réinstaurer tout état antérieur qui a été perturbé, suscitant les phénomènes que nous pouvons qualifier de contrainte de répétition. De ce point de vue, l'embryologie est tout entière contrainte de répétition, et la tendance à guérir en serait aussi une trace. Dans la cure, la contrainte de répétition suscite rêves et réactions transférentielles, « se plaçant même au-dessus du principe de plaisir »[2]. Certaines personnes répètent toujours dans leur vie les mêmes réactions, sans correction d'après l'expérience, ou semblent être poursuivies par un destin inexorable qu'elles suscitent à leur insu ; la contrainte de répétition prend alors un caractère démoniaque[3].

« L'analyse avec fin et l'analyse sans fin » (1937) propose des critères de fin d'analyse. L'analyse est terminée quand les séances cessent avec deux conditions : que le patient ne souffre plus de ses symptômes, ait surmonté ses angoisses et ses inhibitions ; que l'analyste juge qu'il y a eu suffisamment de refoulé rendu conscient et d'incompréhensible élucidé, suffisamment de résistance vaincue pour que l'on n'ait pas à craindre la répétition des processus pathologiques[4].

« Constructions dans l'analyse » (1937) s'intéresse au travail de l'analyste : ses conditions sont meilleures que celles de l'archéologue parce qu'il a à sa disposition un matériel qui n'est pas inerte, abîmé

1. *Ibidem*, p. 90 ; p. 319 ; p. 492.

2. *Nouvelles conférences d'introduction à la psychanalyse* (1933a [1932]), Paris, Gallimard, 1984, p. 144 ; « Nouvelle suite des leçons d'introduction à la psychanalyse », *OCF* XIX, p. 114 ; *GW* XV, p. 114.

3. *Ibidem*.

4. « L'analyse avec fin et l'analyse sans fin » (1937c), *Résultats, idées, problèmes, II*, Paris, PUF, 1984, p. 235 ; *GW* XVI, p. 63.

et parfois détruit comme celui des fouilles, au risque de reconstructions qui ne soient que vraisemblables, mais a accès aux répétitions de réactions remontant aux premiers âges de l'enfance et à « tout ce que, lors de telles répétitions, le transfert met au jour » [1].

Rappelant sobrement le caractère à peu près inévitable de l'apparition du transfert négatif, du fait de l'ambivalence, l'*Abrégé de psychanalyse* (1938) signale qu'il s'agit d'une répétition du passé [2].

L'homme Moïse et la religion monothéiste (1938) reprend l'élaboration de la tentative de liaison du traumatisme par une répétition qui est fixation au traumatisme. Les traumatismes, fondamentaux dans toute structuration psychique, peuvent être caractérisés selon leurs effets maturatifs positifs (la contrainte de répétition y joue comme répétition du même et non comme répétition de l'identique, à la différence de la névrose traumatique), ou au contraire selon leurs conséquences désorganisatrices et destructrices [3]. Le traumatisme précoce a deux effets possibles : l'évitement, qui fait qu'aucun des événements oubliés ne peut être remémoré ni même répété, et la fixation au traumatisme qui suscite au contraire la contrainte à répéter le traumatisme. Dans ce dernier cas, la répétition fait revivre l'expérience oubliée, et la rend ainsi réelle, présente et active. Elle est alors à la fois un échec de la symbolisation et une tentative de symbolisation. Elle a une fonction paradoxalement commémorative de la situation ou de l'événement dont elle évite le souvenir.

D'autre part, ce qui est fondateur s'instaure dans la conjonction du traumatique et de la répétition. C'est ainsi que le repas totémique où est dévoré l'animal d'ordinaire vénéré est la répétition solennelle du parricide qui a fait commencer l'ordre social, les lois morales et la religion [4]. Dans les situations traumatiques, individuelles ou collectives, le réveil de la trace mnésique oubliée, du fait d'une répétition

1. « Constructions dans l'analyse » (1937d), *Résultats, idées, problèmes, II*, Paris, PUF, 1985, p. 272 ; *GW* XVI, p. 46.

2. *Abrégé de psychanalyse* (1940a [1938]), Paris, PUF, 1967, p. 44 ; *OCF* XX, p. 268 ; *GW* XVII, p. 101.

3. *L'homme Moïse et la religion monothéiste* (1939a), Paris, Gallimard, 1986, p. 163 ; *OCF* XX, p. 154-155 ; *GW* XV, p. 180.

4. *Ibidem*, p. 236 ; p. 210 ; p. 240.

récente de l'événement, est d'une importance décisive ; le meurtre de Moïse serait une telle répétition ; plus tard, ce fut le meurtre judiciaire du Christ – comme si la genèse du monothéisme n'avait pu se passer de ces événements[1]. « Une tradition qui ne serait fondée que sur de la communication ne pourrait pas produire le caractère de contrainte qui appartient aux phénomènes religieux ».[2]

QUESTIONS ET ENJEUX

L'importance des répétitions qui caractérisent toute la vie psychique, témoignent de l'intemporalité de l'inconscient et rendent possibles tant le transfert que le retour du refoulé, s'est imposée à Freud bien avant 1914.

Polymorphisme des répétitions

Dans un premier temps, avant toute élaboration conceptuelle, l'omniprésence et le polymorphisme des répétitions sont flagrants : le symptôme se répète et répète le passé, le rêve répète l'infantile, le désir se répète sans cesse sans jamais laisser place au renoncement ou à l'oubli, les substituts représentent mais aussi répètent l'investissement de l'objet, les compulsions exacerbent les capacités de répétition, apparemment sans fin, le trauma tend à se répéter, les répétitions dans la cure sont la règle, le repas totémique commémore et, d'une certaine façon, répète le meurtre…

La répétition prend dans l'œuvre freudienne un sens nouveau lorsque Freud prête attention à la portée de ses manifestations dans la cure. Il s'ensuit la nouveauté de 1914 : ce qui fait question n'est pas répéter en se remémorant, mais les situations où le patient en vient à répéter au lieu de se remémorer.

1. *Ibidem*, p. 198 ; p. 181 ; p. 208.
2. *Ibidem*.

La compulsion de répétition

La notion de répétition est un concept double dans la théorie freudienne, pas seulement parce qu'il faut distinguer entre le fait des répétitions et le sens psychanalytique des répétitions agies qui sont le seul accès au matériel psychique, mises en évidence en 1914 (« Remémoration, répétition et perlaboration »); de cette situation, ce n'est qu'en 1937 (« Constructions dans l'analyse ») que Freud tirera toutes les conséquences.

On peut dire que c'est moins la répétition que la compulsion de répétition qui est un concept freudien, et son caractère de contrainte est essentiel. Elle aussi est double, et de plus marque le passage d'un moment de la théorie à un autre : elle est d'abord une tendance propre à l'inconscient intemporel, visant à reproduire dans le présent les désirs de l'enfance, sous forme agie lorsque le passé fut traumatique et s'avère inaccessible à la remémoration. Mais elle peut passer outre au principe de plaisir et mettre en jeu des quantités d'énergie extrêmes. Cette caractéristique économique lui est essentielle. C'est alors qu'elle acquiert un aspect démoniaque, car elle peut être dans certains cas purement automatique, in-sensée, visant la décharge pure et pourtant impuissante à l'effectuer. Les névroses de destinée, « destin démonique » (selon la traduction des *Œuvres complètes de Freud*), dans la répétition inconsciemment intentionnelle de traumatismes et de situations pénibles voire destructrices, sont fréquement invoquées par Freud pour témoigner de cet aspect inéluctable. La compulsion de répétition s'oppose alors à la forme de répétition qui vise au plaisir selon le principe de constance, et qui est compatible avec la libido, car elle assure précisément la constance des représentations et des traces mnésiques. La répétition, en ce cas, n'exclut pas la liaison ni même le nouveau.

La compulsion de répétition relève du refoulé inconscient, ou du ça (Freud emploie les deux formulations) qui ne tend à rien d'autre qu'à vaincre la pression qui pèse sur lui pour se frayer un chemin vers la conscience ou vers la décharge par l'action réelle. Cette conception aboutie, qui est celle de 1920, rend compte de l'écart avec le texte de 1914 où, par rapport à l'objectif de remémoration, la poussée de la compulsion qui mettait en œuvre une décharge par l'agir manifestait la résistance du patient au processus de la cure. Désormais, le regard se focalise sur le mouvement pulsionnel lui-même, et c'est le moi qui en freine s'il le peut la manifestation, et donc qui se fait agent de la résistance. Mais même après 1920, l'oscillation demeure : la compulsion de répétition peut être une résistance dans la cure, à la remémoration ou au caractère modéré du transfert ; inversement, le moi, par ses défenses et ses refoulements, freine autant qu'il le peut l'expression des répétitions et surtout leur élucidation. La répétition a en effet partie liée avec deux des cinq formes de résistance qui sont mentionnées dans *Inhibition, symptôme et angoisse* en 1926 : d'une part, la résistance de transfert, qui relève des phénomènes de refoulement, mais provoque dans l'analyse des manifestations caractéristiques parmi lesquelles la mise en acte des souvenirs, leur répétition en place de leur remémoration ; d'autre part, elle relève de la résistance du ça qui rend la perlaboration nécessaire. On voit cependant que c'est le modèle de 1914 plutôt que celui de 1920 qui est sous-jacent à cette caractérisation des résistances.

On peut aussi reconnaître dans la théorisation d'Otto Rank sur le fantasme de retour au sein maternel (ou les élaborations de Sandor Ferenczi dans *Thalassa*) une autre forme de développement de la tendance universelle à la répétition, accueillie avec méfiance et réserves par Freud, qui refuse pour le moins d'y référer l'ensemble du fonctionnement psychique ou ses tendances les plus essentielles.

Compulsion de répétition et théorie pulsionnelle

La voie freudienne est en effet fort différente : si la tendance à la répétition peut s'exprimer par des fantasmes, ce qui en est déjà une manifestation psychique très élaborée échappant aux formes économiques démoniaques les plus lourdes, la compulsion de répétition est avant tout une réalité élémentaire, économique, qui nous instruit sur la nature des pulsions.

Ce n'est pas par hasard si c'est l'analyse des compulsions de répétition qui soutient l'argumentation de Freud lorsqu'il introduit l'idée de pulsion de mort. La force de la contrainte de répétition, susceptible de se déployer indépendamment du principe de plaisir, sans en tenir compte, oblige à relativiser celui-ci. Il ne s'instaure que secondairement, et il peut être débordé. Ce qui est premier, c'est la nécessité de lier les excitations. Or quel est l'effet de la perturbation introduite par une excitation intense ? C'est de susciter un mouvement de retour à l'état antérieur. Telle est finalement l'essence des pulsions et de leur force ; elles sont conservatrices et restauratrices.

C'est en ce sens que la pulsion de mort est première : la première perturbation est l'apparition de la vie. La pulsion de mort est la tendance de toutes les choses animées à retrouver un état antérieur où la tension soit nulle, c'est-à-dire à retrouver la mort, puisque partout le non-vivant a précédé la vie. Le but de la vie est ainsi la mort et la vie elle-même un détour dans la tendance universelle au néant. Ce mouvement de retour à l'inanimé englobe les répétitions démoniaques dans une répétition essentielle, le retour vers la mort.

Il est plus difficile à Freud de penser la restauration de l'état antérieur dans les pulsions de vie. L'importance de leur caractère libidinal est essentiel et Freud recourt au modèle biologique de la fusion des cellules sexuelles pour rendre compte de ce que Éros répète en établissant des liaisons.

La compulsion de répétition anime ainsi le conflit originel, fondamental, mettant en jeu les formes les plus primitives de l'activité psychique. Elle témoigne aussi de l'intrication pulsionnelle, lorsque peut s'instaurer un lien libidinal et le principe de plaisir, et de ses moments de désintrication, lorsqu'elle se fait démoniaque, aveugle et insensible à tout ce qui n'est pas sa force déferlante.

Dominique Bourdin

Représentant → Pulsion

REPRÉSENTATION, REPRÉSENTATIONS DE CHOSE ET DE MOT

all. : ***Vorstellung (Repräsentanz** o. **Repräsentant), Ding-** ou **Sachvorstellung, Wortvorstellung.*** – angl. : *representation (representative), thing-presentation, word presentation.* – esp. : *representación (representante, representencia), repr. de la cosa, repr. de la meta.* – ital. : *rappresentazione (rappresentanza o. rappresentante), rappr. di cosa, rappr. di parola.* – port. : *representação (equivalante o. correspondente), repr. de coisa, repr. de palavra*

Terme essentiel de la métapsychologie, il désigne les diverses modalités d'expression psychique de la pulsion, elle-même définie comme concept limite entre le somatique et le psychique. Son sens varie au cours du développement de la pensée de Freud, mais dès l'origine il désigne un investissement sensoriel, visuel (de « chose », d'objet) ou acoustique (de mot, et par extension, de mots lus). La représentation permet le développement du psychisme, la formation et le développement de la pulsion en lien avec l'affect, qui en constitue, voire représente, l'élément quantitatif. Outre les représentations de mot et de chose, divers aspects rattachables ou complémentaires à ce concept doivent être pris en compte, essentiellement le représentant, ou la représentance psychique qui constitue le soubassement pulsionnel nécessaire à la constitution de la représentation proprement dite.

MISE EN SITUATION

Freud emprunte le terme de **Vorstellung** *au langage ordinaire où il a le même sens que* **représentation** *en français, et signifie tout autant la pensée ou l'imagination. Il est particulièrement illustré par Arthur Schopenhauer dans un sens qui désigne de façon générale le primat de la pensée en même temps que l'inaccessibilité directe de la chose comme objet de connaissance. De même que l'objet est du point de vue étymologique une chose placée, jetée devant soi pour être vue ou étudiée, la représentation est un objet psychique que l'on situe devant soi dans une démarche imaginaire, éventuellement projective ou alternativement projective et introjective. Elle est toujours le résultat d'un travail psychique, distinct de celui de la perception, qui cependant ne résulte pas d'un processus purement passif. Il faut noter que l'idée de répétition contenue dans le mot français (re-présentation) est absente dans le terme allemand* Vorstellung.

Il appartient aussi, et initialement surtout, au langage de la neurologie, tout particulièrement pour ce qui concerne les représentations de mot et de chose. Ainsi Freud indique, dans ses textes neurologiques, que « la représentation de mot est reliée à la représentation d'objet uniquement par l'image sonore »[1]*, ou encore « la relation entre la représentation de mot et la représentation d'objet me paraît mériter davantage l'intitulé de » symbolique « que celle existant entre un objet et une représentation d'objet ». Il apparaît que dès ce moment les concepts neurologiques sont utilisés pour une théorie plus générale du langage, voire de la pensée.*

Le concept de « représentation inconciliable » est de plus en plus présent dans les premiers écrits de Freud, toujours associé à la question des défenses et du refoulement, notamment dans les Études sur l'hystérie. *À partir de* L'interprétation des rêves *et des* Trois essais sur la théorie sexuelle, *le lien de la représentation avec la pulsion « qui lui donne vie » devient prédominant, et sera développé essentiellement dans la* Métapsychologie *qui constitue la référence essentielle.*

Signalons aussi que le mot Darstellung peut aussi être traduit par représentation au sens de « représentation théâtrale, picturale, etc. ». Il est traditionnellement rendu par « figuration » dans les traductions de Freud, ce qui souligne sa signification plus concrète (situé là au lieu de situé devant). On a proposé de le traduire par « présentation », ce qui convient dans de nombreuses occurrences, et en tout cas le distingue des sens possibles de la représentation proprement métapsychologique, tout en gardant la proximité des deux termes.

LE TEXTE FREUDIEN

Le terme de « représentation » est assez largement utilisé dans *L'interprétation des rêves* sans avoir un statut très défini. Tantôt proche du sens métapsychologique qu'il prendra à partir de 1915, tantôt synonyme de pensée ou d'idée, il apparaît cependant qu'il est issu du matériel brut *(Rohmaterial)* des traces mnésiques[2], ou des images sensorielles, vers lesquelles la régression le renvoie. Si la figuration est plus largement et plus précisément évoquée dans ce texte,

1. *Contribution à la conception des aphasies* (1891b), Paris, PUF, 1983, p. 128.

2. *L'interprétation des rêves* (1900a), Paris, PUF, 1967, p. 461 ; *OCF* IV, p. 596 ; *GW* II-III, p. 548.

c'est pour en développer les caractères propres, et très accessoirement pour l'opposer à la représentation, justement en raison de l'imprécision relative du mot à ce moment-là. En effet, il n'est pas fait clairement référence à l'opposition de représentation de chose ou de mot, bien que le concept de préconscient soit largement développé. Freud n'indique le plus souvent que le statut conscient ou inconscient, voire volontaire ou involontaire, de la représentation. Par contre, il souligne l'importance du transfert des intensités d'une représentation à une autre grâce au processus de condensation (ou de compression). Remarquons cependant qu'il oppose, à propos de « l'enfant qui brûle », deux aspects du rêve dont l'un est la figuration de la scène comme actuelle, l'autre la transformation de la pensée en images visuelles et en discours[1]. Ce deuxième aspect « pensé » correspond sans doute au représenté.

C'est en effet le rapport de la représentation à la pensée qui est généralement retenu dans ce texte, ainsi que le terme de « **représentation-but** » ou représentation de but *(Zielvorstellung)* volontaire ou involontaire. La méthode d'analyse en général, du rêve en particulier, consiste d'abord à repousser toute représentation-but, dirigeant l'attention sur des éléments isolés et de noter les pensées involontaires qui viennent à l'esprit, ce qui permet d'arriver aux pensées latentes. Ainsi, **l'abandon des représentations-but est la condition de l'association libre.** En fait, on n'y renonce que pour laisser apparaître les pensées-but « inconnues, ou selon l'expression moins précise : inconscientes », car toute pensée ou représentation a nécessairement un but, sauf en cas de troubles psychiques de l'ordre de l'*amentia*[2]. La renonciation au but constitue une règle essentielle tant pour le patient que pour l'interprète. Pour le premier, qui garde à l'esprit les représentations-but du traitement, survient alors une représentation-but qu'il ne soupçonne pas en la personne du médecin, ce qui permet, en même temps que l'association libre, l'ouverture au transfert ; le second devra *faire taire toute critique, tout préjugé, tout parti pris*

1. *Ibidem,* p. 454 ; p. 587 ; p. 539.
2. *Ibidem,* p. 447-452 ; p. 578-585 ; p. 532-537.

affectif ou intellectuel pour saisir les représentations involontaires ou intermédiaires.

Le sens du but de la représentation est d'abord rapporté à la recherche de la satisfaction du désir du rêve ou au désir conscient du rêveur (ou du patient). À partir de la définition du but de la pulsion en 1915, on peut avancer qu'il s'agit de la satisfaction de l'excitation ou du besoin pulsionnel, et que le but est déterminé par la source de la pulsion. Celle-ci est définie comme un « processus somatique qui est localisé dans un organe ou une partie du corps et dont l'excitation est *représentée* dans la vie psychique par la pulsion [1] ». De plus, la source n'est *connue dans la vie psychique que par ses buts,* dont la représentation est inconsciente.

Les rapports de la pensée et de la représentation sont évoqués en passant, dans *Formulations sur les deux principes du cours des événements psychiques*. La suspension de la décharge motrice est assurée par *le processus de pensée qui se forme à partir de l'activité de représentation.* « La pensée est vraisemblablement, à l'origine, inconsciente dans la mesure où elle se borne à s'élever au-dessus de la pure activité de représentation en se tournant vers les relations entre les impressions laissées par les objets ; elle n'acquiert par la suite des qualités perceptibles à la conscience que par la liaison avec les restes verbaux. » [2] Ainsi **la pensée inconsciente se forme à partir de représentations inconscientes en se tournant vers les relations entre les représentations,** et c'est seulement ensuite que le surinvestissement permettrait que la pensée devienne consciente. Ce processus concerne-t-il l'ensemble « représentation et représentation des relations entre les représentations », dans le même temps ou en deux temps séparés ? Ce n'est pas précisé et peut-être vaut-il mieux garder l'incertitude topique de la relation des représentations et de la pensée, ce qui a un rapport avec les faibles quantités d'investissement dont sont dotés les proces-

1. « Pulsions et destins des pulsions » (1915c), *Métapsychologie,* Paris, Gallimard, 1968, p. 20 ; *OCF* XIII, p. 168 ; *GW* X, p. 215.

2. « Formulations sur les deux principes du cours des événements psychiques » (1911b), *Résultats, idées, problèmes, I,* Paris, PUF, 1984, p. 138 ; *OCF* XI, p. 16 ; *GW* VIII, p. 233-234.

sus de la pensée dans leur activité de mise en suspension de l'action et de l'ajournement de la décharge.

L'importance de la projection vers l'extérieur des perceptions internes de processus de sentiment et de pensée, qui sont projetées tout comme les perceptions sensorielles, est mise en évidence dans *Totem et tabou*. Elles sont utilisées pour la mise en forme du monde extérieur, alors qu'elles devraient relever du monde intérieur. Les conditions où se produisent ces processus sont insuffisamment connues, d'où l'introduction de l'hypothèse selon laquelle l'attention n'était pas à l'origine tournée vers le monde intérieur, mais vers les stimuli venant du monde extérieur. Elle ne recevait des processus endopsychiques que les informations qui pouvaient concerner les développements de plaisir et de déplaisir.

C'est seulement quand se forme un langage de pensée abstrait par la connexion des restes sensoriels des représentations de mot avec des processus internes que ceux-ci deviennent progressivement susceptibles de perception.

La publication de la *Métapsychologie*, en 1915, marque un temps essentiel dans l'élaboration du concept et dans sa théorisation.

Représentance ou représentant psychique. Représentant de la représentation

Il convient de noter dès l'abord que le terme de *Repräsentant* légitimement traduit par représentant n'est utilisé, du moins dans l'ensemble de la *Métapsychologie*, que lorsque Freud définit la pulsion qui « nous apparaît comme un concept frontière entre le psychique et le somatique, comme le *représentant* psychique des excitations issues de l'intérieur du corps et parvenant au psychisme comme une mesure de l'exigence de travail qui est imposée au psychique en conséquence de sa liaison au corporel » [1]. Cette occurrence est essentielle en ce sens qu'elle indique le passage de l'excitation somatique à sa représentation, et plus précisément la frontière qui les sépare et impose un travail pour la traverser. Ailleurs le terme *Repräsentanz* est constamment

1. « Pulsions et destins des pulsions » (1915c), *Métapsychologie*, Paris, Gallimard, 1968, p. 18 ; *OCF* XIII (2e éd.), p. 167 ; *GW* X, p. 214.

utilisé par Freud, et rendu dans la plupart des traductions antérieures à la parution des *OCF.P* par *représentant* ou *représentance*, sans que ce choix obéisse à une règle précise, mais on peut penser que, dans ce dernier cas, il s'agit de désigner une capacité à représenter, ou bien que celle-ci se trouve déjà à l'origine d'une représentation. Signalons un sens juridique obsolète en rapport avec l'évaluation de monnaie ou de médaille, qui est peut-être à retenir si l'on pense au montant ou quantum d'affect. Mais on ne peut affirmer que ce soit cela précisément qui ait justifié le choix de ce terme. Quoi qu'il en soit, nous utiliserons dans la suite de ce texte le terme représentant pour traduire *Repräsentanz*.

Les deux appellations s'opposent à *Vorstellung*, qui n'est déjà plus la virtualité d'une représentation mais la représentation (de chose, d'objet, ou de mot) issue de traces mnésiques organisées par la pulsion (sa représentance) ou l'organisant.

Cette question est reprise à propos du refoulement originaire. En effet celui-ci « consiste en ceci que le représentant psychique (représentant-représentation) de la pulsion se voit refuser la prise en charge dans le conscient » [1]. Le **refoulement originaire** s'applique à un représentant d'origine interne, suffisamment représentatif pour qu'il puisse être reconnu par l'instance refoulante. Il n'est pourtant pas représentation *(Vorstellung)*, dont le refoulement sera l'affaire du refoulement secondaire, mais représentant de la représentation (*Vorstellungsrepräsentanz*, éventuellement traduit par représentant-représentation). Rappelons que les termes latins ont une signification généralement plus abstraite que les mots germaniques, ce qui tendrait à en souligner le caractère de postulat. Pourtant, ce représentant psychique, qui se voit refuser l'admission dans le conscient, est à l'origine d'une *fixation*, qui fixe l'un à l'autre pulsion et représentant psychique, dès l'origine et *de façon inaltérable*. Il constitue l'élément majeur de la **formation de l'inconscient secondaire**, tant par **l'attraction** exercée par le refoulé originaire sur ses rejetons psychiques, que par la « répulsion » venant du conscient.

1. « Le refoulement » (1915d), *Métapsychologie*, Paris, Gallimard, 1968, p. 48 ; *OCF* XIII (2e éd.), p. 191 ; *GW* X, p. 250.

Cependant, le représentant psychique, pulsionnel, est décrit aussi de façon plus générale, comme « une représentation ou un groupe de représentations investies d'un quantum (ou montant, ou quantité, *Betrag*) déterminé d'énergie psychique (libido, intérêt) ». Le représentant est désigné ici comme une représentation investie d'énergie psychique, de libido lorsqu'il s'agit de pulsion sexuelle. On peut toutefois retenir que sa spécificité concerne le stade originaire de la représentation : il apparaît comme un premier degré de la représentation, correspondant à la fixation primaire où la trace mnésique se trouve investie et prend par la suite le statut de représentation à proprement parler, qu'elle soit de chose ou de mot. Dans les deux cas, la représentation devient séparable, du moins partiellement, de l'investissement au cours du processus du refoulement secondaire.

Quant à la **représentance,** dans la mesure où on peut l'individualiser, elle paraît désigner le processus d'investissement de la trace mnésique où s'origine la représentation. Représentant ou représentance sont concevables comme ce qui, à côté de la représentation, est ce « quelque chose d'autre qui représente la pulsion »... « Pour désigner cet autre élément du représentant psychique le nom de quantum d'affect est admis ; il correspond à la pulsion, en tant qu'elle s'est détachée de la représentation et trouve une expression conforme à sa quantité dans des processus qui sont ressentis sous forme d'affects. » [1]. On voit qu'une ambiguïté persiste sur la nature du représentant, investissement d'énergie ressenti sous forme d'affect, sans pour autant cesser d'être représentation.

Ceci laisse ouvertes deux questions au moins : que serait une représentation dépourvue d'énergie ? Et surtout **qu'est-ce que l'affect** ? Nous renvoyons ici à l'entrée propre à ce terme, remarquant seulement qu'il varie d'une définition apparemment purement énergétique-économique à l'idée qu'il représente « de très anciennes expériences vécues traumatiques » qui sont même éventuellement pré individuelles.

1. *Ibidem,* p. 55 ; p. 195 ; p. 255.

« Une pulsion ne peut jamais devenir objet de la conscience, seule le peut la représentation qui la représente. »[1] Le représentant de la pulsion est une première étape, nécessairement inconsciente, de l'accès à la conscience d'un aspect de la pulsion qui doit encore trouver une **trace de souvenir** apte à le représenter. Ce qui est répété et généralisé ainsi : « **Dans l'inconscient aussi, la pulsion ne peut être représentée que par la représentation.** »

Notons que dans le « Complément métapsychologique à la théorie du rêve » la question du représentant de la pulsion est reprise, à propos de la régression des pensées de rêve préconscientes : elle est « évidemment la conséquence de l'attraction que ces représentants pulsionnels *Ics* – par exemple des souvenirs refoulés d'expériences vécues – exercent sur les pensées formulées en mots »[2]. Ceci souligne le caractère en soi inconscient du représentant opposé à la plasticité de la représentation qui, aussi bien qu'elle se charge éventuellement de nouveaux affects en quête de représentation, peut changer sa position topique de l'inconscient au préconscient et inversement. Ces déplacements et changements ne s'effectuent cependant pas sans transformations.

Ainsi, la représentation, sous ses diverses formes, subit un **destin,** pour reprendre le terme utilisé pour définir les défenses comme destins des pulsions en 1915 : renversement dans le contraire, retournement sur la personne propre, refoulement et sublimation, qui s'opposent à l'expression pulsionnelle directe. En ce sens, le destin de la représentation pulsionnelle ne peut être que le **refoulement,** lorsqu'elle ne peut être admise dans le *Pcs-Cs*. Mais reste le problème de l'investissement de la pulsion refoulée qui reste capable d'action dans l'*Ics*. Sa représentation dans ce cas a conservé son investissement *ics* et perdu seulement l'investissement qui appartient au système *Pcs* (nous voyons que l'investissement dont il est question ici est celui du représentant de la pulsion, l'investissement qui se traduit sous la forme de l'affect étant celui du *Pcs*).

1. « L'inconscient » (1915e), *Métapsychologie,* Paris, Gallimard, 1968, p. 82 ; *OCF* XIII (2e éd.), p. 216 ; *GW* X, p. 275.

2. « Complément métapsychologique à la théorie du rêve » (1917d [1915]), *Métapsychologie,* Paris, Gallimard,1968, p. 139 ; *OCF* XIII (2e éd.), p. 256 ; *GW* X, p. 421.

Le destin de la représentation peut désormais se résumer ainsi : « retrait de l'investissement préconscient, conservation de l'investissement inconscient ou substitution à l'investissement préconscient d'un investissement inconscient ». Mais un tel refoulement de la représentation ne peut se maintenir qu'au prix d'un contre-investissement du *Pcs,* qui le protège de la poussée qui s'exerce sur la représentation inconsciente. Il se pourrait d'ailleurs que l'investissement retiré à la représentation soit utilisé pour le contre-investissement.

« Le noyau de l'inconscient est constitué par des représentants de la pulsion qui veulent décharger leur investissement, donc par des motions de désir » [1]. Par cette assertion qui introduit l'étude des propriétés particulières du système *Ics,* est relancée la question de ce qu'est un représentant pulsionnel et de ses rapports avec la **motion de désir,** équivalente à la motion pulsionnelle (qui supplantera pratiquement celle de la représentation dans la seconde topique). Il se confirme que le représentant de la pulsion est l'investissement d'une trace mnésique, investissement d'énergie dans le système *Ics,* qui reste libre, puisque inconscient, et donc susceptible de déplacements et de condensation, mais aussi de décharge dans l'innervation somatique sous forme d'affect. La trace mnésique (*Erinnerungspur,* trace de souvenir) se distingue totalement de la mémoire du système *Pcs* : elle peut être investie d'une énergie qui reste libre et constitue alors la représentation inconsciente. Néanmoins, c'est elle qui fixe les expériences vécues de l'*Ics*[2].

Représentations et interprétation

Le statut de la représentation est affecté par le travail de la cure, notamment par l'**interprétation dont le but est en effet de modifier la topique de la représentation.** Freud souligne que, à défaut de désigner les « actes psychiques » selon leurs rapports aux pulsions et aux buts, on les désigne comme conscients ou inconscients, ce qui est ambigu puisque le terme inconscient est tantôt descriptif, tantôt systématique. Mais la notion de préconscient permet de ne considérer que la

1. *Ibidem,* p. 96 ; p. 225 ; p. 285.
2. *Ibidem,* p. 100 ; p. 227 ; p. 288.

question de l'inconscient systématique et, de ce fait, d'étudier les conditions du passage de la représentation de l'inconscient au conscient. Ainsi les **conditions du devenir-conscient d'une représentation** (mais il pourrait s'agir d'un autre acte psychique) sont examinées dans les conditions de la cure et deux hypothèses sont évoquées. Selon l'hypothèse **topique,** une représentation inconsciente peut connaître une nouvelle inscription dans le *Cs* ; selon l'hypothèse **fonctionnelle,** c'est le changement d'état de la représentation qui détermine son caractère conscient ou inconscient : « Si l'on communique à un patient une représentation qu'il a, à un moment donné, refoulée, et que l'on a devinée, cela ne change d'abord rien à son état psychique. » Loin d'obtenir la levée du refoulement, c'est un refus *(Ablehnung)* qui est d'abord opposé à la représentation refoulée. Pour le moment, on ne constate que la présence de la même représentation sous une double forme, en des endroits différents de son appareil psychique : d'une part le souvenir conscient de la trace acoustique de la représentation qui lui a été communiquée, et d'autre part, à côté de ce souvenir, mais sous l'ancienne forme, le souvenir inconscient de ce qui a été vécu. Il est évident qu'avoir entendu ou avoir vécu quelque chose sont deux choses différentes. L'hypothèse purement topique ne peut donc être retenue. L'hypothèse fonctionnelle amène à considérer que la levée du refoulement n'interviendra que lorsque les résistances seront abolies, et que la nouvelle représentation qu'offre l'interprétation aura permis de retrouver les traces mnésiques inconscientes. Mais ce travail dépasse de loin la prise en compte des seules représentations isolées, « [...] la distinction de la représentation inconsciente d'avec la représentation consciente doit être déterminée tout autrement. »[1]

Cette distinction va donc être abordée à partir des censures. La censure essentielle, le refoulement, située entre *Ics* et *Pcs* est complétée par une **deuxième censure,** entre *Pcs* et *Cs,* dont les conséquences sont moindres pour ce qui concerne le statut de la représentation et ne mettent en cause que la quantité d'investissement qu'elle reçoit. En examinant le rôle de l'interprétation sur la position topique d'une représentation, le problème de la transposition d'une représentation

1. *Ibidem,* p. 75-81 ; p. 211-215 ; p. 271-275.

(précisément de l'*acte psychique* qui constitue la représentation) de l'*Ics* au *Cs* se trouve résolu. Il ne s'agit ni d'une fixation nouvelle (deuxième inscription qui se situerait dans le *Pcs-Cs*) ni d'un changement d'état portant sur la représentation elle-même sans que la situation topique ne change, mais d'un nouvel investissement ou plutôt d'un **surinvestissement,** un nouveau progrès dans l'organisation psychique, est-il précisé pour en souligner l'importance. C'est le surinvestissement qui justifie de parler de « plus haute mise en forme psychique » pour caractériser le *Cs,* alors même que le *symptôme : « fait d'être conscient (**Bewusstheit**)* »[1] voit son importance contestée, du point de vue de la compréhension métapsychologique.

Son intérêt est pourtant de permettre l'accession des rejetons au Pcs puis au Cs, à partir de l'Ics, et ainsi de frayer la voie d'une abolition du refoulement. On peut aussi considérer que le **surinvestissement permet d'échapper à l'*attraction*** *(Anziehung)* **qu'exerce l'*Ics* sur les représentations *Pcs,*** et cela essentiellement dans le cadre de la cure, du transfert. Cela souligne l'importance du jeu des investissements, contre-investissements défensifs et surtout surinvestissements, notamment dans la dynamique de l'interprétation. Dans la cure, nous invitons le patient à former quantité de rejetons de l'inconscient, donc à les surinvestir, afin de surmonter les obstacles au devenir conscient (ou à la prise de conscience). C'est finalement le surinvestissement du *Pcs* qui importe plus que le *symptôme « conscience »* en lui-même.

Représentation de chose, représentation de mot

L'essentiel de cette opposition est de soutenir la théorie du refoulement, ou première censure située entre inconscient et préconscient, et celle du préconscient, séparé du conscient par la seconde censure. Rappelons les incertitudes concernant la nature du refoulement : résultait-il d'une double inscription, la représentation inconsciente, établie à partir des traces mnésiques, était-elle suivie d'une seconde inscription dans le système *Pcs-Cs* , ou encore s'agissait-il

1. « L'inconscient » (1915e), *Métapsychologie,* Paris, Gallimard, 1968, p. 105-107 ; *OCF* XIII (2e éd.), p. 233-234 ; *GW* X, p. 291-292.

d'investissements fonctionnels distincts, au même lieu ? Dans « L'inconscient »[1] il est définitivement établi que « la représentation consciente comprend la représentation de chose plus la représentation de mot afférente, l'inconsciente est la représentation de chose seule ». Le rôle du surinvestissement est ici encore essentiel dans le bouleversement économique qui permet l'introduction du langage et de la pensée verbale, consciente : « le système *Pcs* apparaît, du fait que cette représentation de chose est surinvestie de par la connexion avec les représentations de mot lui correspondant. Ce sont ces surinvestissements qui entraînent une organisation psychique supérieure, et qui rendent possible le relais du processus primaire par le processus secondaire régnant dans le *Pcs* ». Dans la cure, la seconde censure peut être levée par le surinvestissement, imposé par la règle fondamentale qui oblige à former « quantité de rejetons de l'*Ics* », rejetons qui ne peuvent être que des représentations de mots. À partir de là, la levée du refoulement, œuvre de la première censure, peut être accomplie.

L'étude des processus schizophréniques permet une nouvelle avancée dans la compréhension des deux types de représentation, à partir des particularités de langage de divers malades[2]. Dans ces cas, la prédominance de la représentation de mot sur la représentation de chose est manifeste : c'est l'**identité de l'expression verbale,** et non la similitude des choses désignées, qui permet par exemple de substituer un pore de la peau à un vagin. Il ne s'agit pas là d'un processus de symbolisation : tout comme le cynique (au sens du philosophe), le schizophrène ne symbolise pas, il démétaphorise car, pour lui aussi, dans cet exemple, « un trou est un trou ». Les investissements d'objet sont abandonnés tandis que les investissements des représentations de mot sont maintenus : « Nous voyons maintenant ce que nous pouvons appeler la représentation d'objet consciente se scinder en représentation de mot et représentation de chose. » Les termes *représentation de mot* et *représentation de chose* ne sont pas équivalents : la représentation de chose est en rapport avec les images mnésiques

1. *Ibidem,* p. 118 ; p. 240 ; p. 300.
2. *Ibidem,* p. 110-123, p. 234-242 ; p. 294-303.

des premiers objets, leurs traces ou d'autres qui en dérivent. Un surinvestissement les relie aux représentations de mot correspondantes. Ainsi se réalisent les conditions permettant l'accès au processus secondaire qui règne dans le *Pcs*.

Le rapport de l'investissement d'objet, de la perception, de la représentation de chose et de mot, aux **processus de pensée** est fortement souligné au terme de l'étude sur « L'inconscient ». Il avait déjà été indiqué dans *L'interprétation des rêves* que « les processus de pensée sont en eux-mêmes dépourvus de qualité ; le plaisir et le déplaisir qui les accompagnent sont en effet freinés parce qu'ils pourraient troubler la pensée. Pour donner une qualité à ces processus, l'homme les associe à des souvenirs de mots dont les restes de qualité suffisent à appeler l'attention de la conscience » [1]. Mais représentations de mot et représentations de chose proviennent également de perceptions sensorielles, ce qui amène à soulever la question de savoir *pourquoi les représentations d'objet ne peuvent devenir conscientes par le moyen de leurs propres restes perceptifs ?*

Deux raisons à cela :

— La pensée fonctionne dans des systèmes qui n'ont rien gardé des *restes perceptifs originaires,* c'est en ce sens que les processus de pensée sont dépourvus de qualité, et « ont besoin pour devenir conscients d'un renforcement par de nouvelles qualités ». Nous retrouvons ici la nécessité du **surinvestissement et voyons désormais qu'il n'est concevable qu'en lien avec une représentation,** et non comme un apport énergétique ou libidinal isolé.

— « De plus, le lien avec des mots permet de doter de qualité des investissements qui ne pouvaient apporter avec eux aucune qualité tirée des perceptions elles-mêmes, parce qu'ils correspondent seulement *à des relations entre les représentations d'objet. De telles relations qui ne sont devenues saisissables que par des mots constituent une partie capitale de nos processus de pensée* » [2]. Ce lien avec les mots ne réalise pas le devenir conscient, mais seulement sa possibilité ;

1. *L'interprétation des rêves* (1900a), Paris, PUF, 1967, p. 524 ; *OCF* IV, p. 672 ; *GW* II-III, p. 622.

2. Souligné par nous.

il caractérise ainsi le *Pcs,* dont la conception et l'étude reposent essentiellement sur les théories de la représentation et du refoulement.

La **question de la qualité** est posée dans toute sa complexité, elle concerne l'investissement et sans doute l'affect, qui n'est cependant pas nommé, elle est apportée par les **représentations de mot, qui seules permettent de saisir les relations entre les représentations d'objet.** On peut voir là les bases d'une théorie de la relation d'objet, que Freud ne développe pas ici. Ce qu'il avance comprend une conception de la relation des représentations d'objet, incluant les rapports des représentations de chose et de mot et, de ce fait, du refoulement.

Représentations pulsionnelles (représentant, représentations de chose, de mot, d'objet) et motion pulsionnelle

Le terme de « **motion pulsionnelle** » nécessite une brève discussion terminologique, car il ne répond que de façon approximative au *Triebregung. Regung* est un terme tout à fait banal, désignant mouvement ou excitation, alors que motion est une utilisation un peu forcée d'un mot désignant un texte soumis à l'approbation d'une assemblée. Cependant, l'usage s'est établi en faveur de la motion pulsionnelle, reposant sur l'étymologie : *motio* en latin signifie en effet mise en mouvement. D'autre part, il existe un parallèle entre motion et émotion et *Regung* et *Erregung,* ce dernier mot désignant plus généralement l'excitation en allemand. Retenons que le sens de *Triebregung* se situe approximativement entre mouvement et excitation pulsionnelle.

Nous devons surtout remarquer que ce terme, de sens plutôt dynamique, est utilisé comme équivalent de **représentation investie,** quel que soit le type de représentation en cause, et cela même dans la *Métapsychologie.* Dans les textes ultérieurs il prévaut de plus en plus et, dans la seconde topique, le terme de « représentation » n'apparaît que rarement, en dehors des discussions autour de la dénégation et du déni et des rapports avec la perception et la projection dans *Le moi et le ça.* On peut considérer que **désormais la représentation est incluse dans le concept de motion,** et que l'intérêt se porte sur la dynamique pulsionnelle, la représentance en étant suffisamment établie.

Le « Complément métapsychologique à la théorie » du rêve porte notamment sur les relatives différences entre représentations et motions pulsionnelles. Dans un premier temps, les processus en jeu dans le rêve sont étudiés et plus particulièrement la question des motions pulsionnelles ou de désir, qui prennent forme dans le retrait et la *reviviscence du séjour dans le corps maternel* que réalise le sommeil. On conçoit qu'il n'y ait pas place pour un système représentatif dans cette régression narcissique absolue. Ce n'est que lors de la survenue d'une excitation, d'un trouble d'origine interne dans le cas étudié, que le rêve va se former, **dans un mouvement d'abord projectif**[1], transformant la revendication interne, la motion pulsionnelle ou de désir, en événement externe, dont nous savons qu'il est une représentation bien que ce ne soit pas rappelé à ce moment. Nous déduisons pourtant que la **représentation à proprement parler est un processus projectif, défensif, par rapport à la motion perturbante.** La motion comporte déjà une représentation, et l'on peut admettre que la motion de désir qui trouble le sommeil comporte une représentation inconsciente au plus près des désirs primitifs et des traces de souvenir primaires. Elle subit une transformation défensive notamment par le travail de projection, qui prend en compte la figurabilité et permet une représentation onirique.

Nous ne soulignerons de l'autre problème, celui de la régression vers la perception dans le rêve, que le *rebroussement du cours de l'excitation, du Pcs, à travers l'Ics, jusqu'à la perception* et de là à l'accomplissement hallucinatoire du désir, qui caractérise le processus du rêve et la manière dont il traite les représentations. Celles-ci régressent de la représentation de mot à la représentation de chose et à des *investissements de souvenirs de chose* à partir desquels le processus primaire, en utilisant condensation et déplacement, formera le contenu manifeste du rêve. Dans ce travail du rêve les représentations de mot ne sont prises en compte qu'à la condition **d'être des restes *frais* et actuels de perception, et non l'expression de pensées**[2].

1. « Complément métapsychologique à la théorie du rêve » (1917d [1915]), *Métapsychologie*, Paris, Gallimard, 1968, p. 126 et 128 ; *OCF* XIII (2e éd.), p. 245 et 247 ; *GW* X, p. 412 et 414.

2. *Ibidem*, p. 135 ; p. 251 ; p. 419.

En d'autres termes, la représentation de mot est à ce moment-là au plus près de la trace mnésique d'excitation et, en tout cas, de la représentation de la chose qui la traduit, elle bénéficie alors de son investissement. Le travail du rêve s'attache peu aux représentations de mot, les échangeant les unes pour les autres, car l'essentiel est de trouver une *figuration plastique* commode. Notons encore que la limite entre perception et représentation repose alors sur l'épreuve de réalité, et particulièrement sur la distinction du dehors et du dedans : ce qu'une action musculaire fait disparaître est une réalité extérieure, **ce qui persiste vient *de l'intérieur du corps,*** et est une motion pulsionnelle. Nous retrouvons l'importance de la projection au dehors du représentant pulsionnel qui est importun ou inadmissible à l'intérieur de l'appareil psychique.

La question de la représentation n'est pas particulièrement reprise dans *Au-delà du principe de plaisir*. Pourtant, il y est noté que l'absence de pare-excitation, qui puisse protéger la couche corticale réceptrice des excitations provenant de l'intérieur, entraîne des perturbations économiques comparables aux névroses traumatiques. Les sources les plus abondantes d'une telle excitation interne sont *« les pulsions de l'organisme, les représentants de toutes les forces agissantes qui proviennent de l'intérieur du corps et sont transférés à l'appareil psychique »*[1]. Ainsi est reconnu le caractère de la pulsion, identifiée au représentant, conformément à la définition initiale de la *Métapsychologie* où elle est considérée comme le **représentant psychique** des excitations issues de l'intérieur du corps[2]. Cette fois, le caractère traumatique des excitations pulsionnelles est mis en évidence et rapporté à la libre mobilité des investissements qui caractérise le processus primaire. Les conséquences en sont considérables dans la théorie du cauchemar, de la névrose traumatique et surtout du sens de la compulsion de répétition.

Dans *Le moi et le ça,* ce qui a été précédemment établi dans la *Métapsychologie* est repris à grands traits : la véritable différence

1. *Au-delà du principe de plaisir* (1920g), *Essais de psychanalyse,* Paris, Payot, 1981, p. 77 ; *OCF* XV, p. 305 ; *GW* XIII, p. 35.

2. « Pulsions et destins des pulsions » (1915c), *Métapsychologie,* Paris, Gallimard, 1968, p. 18 ; *OCF* XIII (2e éd.), p. 167 ; *GW* X, p. 214.

entre une représentation *ics* et une représentation *pcs,* qualifiée de pensée, « consiste en ceci que la première s'accomplit sur un quelconque matériel qui reste non reconnu, tandis que dans la dernière (la représentation *pcs*), vient s'ajouter la connexion avec des *représentations de mot.* »... « La question : comment quelque chose devient-il conscient ? s'énonce donc de façon plus adéquate : comment quelque chose devient-il préconscient ? Et la réponse serait : par connexion avec les représentations de mot correspondantes. » L'intérêt se porte alors au destin des sensations et sentiments, qui sont directement conscients sans l'intermédiaire des représentations de mot. Il en est de même lorsque, restant inconscients, ils apparaissent sous forme de déplaisir ou de douleur. Le *Pcs,* dans ce cas, fait défaut.

L'**hallucination** est liée aux investissements des restes mnésiques, qui sont contenus dans des systèmes immédiatement contigus au système *Pc-Cs* et s'y propagent directement ; de ce fait, elle est proche de la perception, mais étrangère aux processus de représentation. Quant aux représentations (pensées), Freud complète ce qui avait été précédemment avancé à propos du rôle de la projection, en établissant la complexité de la relation avec la perception : par l'intermédiaire des représentations de mot, les processus internes sont transformés en perception. D'où la proposition : « **toute connaissance provient de la perception externe** ». Par l'intermédiaire des représentations de mot, les processus de pensée interne sont transformés en perceptions puis, « **par un surinvestissement de la pensée, les pensées sont perçues effectivement – comme venant de l'extérieur – et de ce fait tenues pour vraies** ». Il est à noter que Freud n'emploie pas le terme de « projection » pour désigner le processus en cause. Il reprend le jeu de mots classique entre *wahrnehmen* (percevoir) et *für wahr gehalten* (tenu pour vrai), sans développer la question de la vérité de la perception. Il observe cependant que la perception se distingue de l'hallucination en ce que son investissement reste dans le système mnésique, tandis que l'hallucination devient effective et indiscernable de la perception lorsque l'investissement de la trace mnésique passe complètement sur l'élément *Pc.*

Cette approche apparaît d'une grande complexité, renforcée par l'utilisation du terme de « pensée » comme synonyme de « représentation », désignant alors essentiellement (mais pas seulement) les représentations de mot. Notons encore, à propos de la représentation de chose, « la significativité des restes mnésiques optiques – restes mnésiques de choses ». Si les processus de pensée peuvent devenir conscients par retour aux restes visuels, il reste que la pensée en images n'est qu'une façon imparfaite de devenir conscient, plus proche des processus inconscients que la pensée en mots[1].

En 1925, un nouvel abord en est proposé dans « La négation », alors que la représentation n'est apparemment plus au premier plan de la réflexion théorique : il s'agit de la considérer en tant qu'elle est niée. La fonction de jugement et la symbolisation sont envisagées en lien avec la nouvelle conception des pulsions, notamment dans l'opposition de l'affirmation, qui est du domaine de l'Éros, à la négation, « successeur de l'expulsion » et qui relève de la pulsion de destruction. Pour nous limiter à la représentation, nous voyons que, déniée, **elle contourne le refoulement** et devient consciente formellement, puisqu'elle est énoncée, sans être pour autant acceptée puisqu'elle reste niée : les destins de la représentation et de l'affect connaissent ici une séparation particulièrement nette, qui amène d'ailleurs à se demander si leurs divergences ne relèvent pas toujours d'une négation.

Il importe surtout de délimiter aussi clairement que possible les domaines de la négation et du déni : c'est essentiellement la place de la représentation qui est alors en cause. Il faut reconnaître que si les concepts sont apparemment bien différents, il n'en est pas de même avec les termes qui les désignent. Déni et dénégation sont deux formes bien proches pour signifier la négation, qui ne s'opposent que dans le langage de l'analyse. En allemand, l'ambiguïté est moindre : *Verneinung* désigne la (dé)négation, *Verleugnung,* plutôt le reniement, le désaveu, avec une nuance de refus de reconnaître et aussi quelque mauvaise foi, qui le rapproche du mensonge. Dans les deux cas, la représentation existe ou a existé. Elle est reconnue intellectuellement dans la dénégation, sans levée réelle du refoulement.

Nous faisons ici une parenthèse pour noter que le déni est, pour sa part, un effet du clivage du moi (qui sera étudié dans les textes sur

1. *Le moi et le ça* (1923b), *Essais de psychanalyse,* Paris, Payot, 1981, p. 231-235 ; *OCF* XVI, p. 264-267 ; *GW* XIII, p. 247-250.

« Le fétichisme » et « Le clivage du moi »[1]); parfaitement reconnue par une partie du moi, la représentation est alors ignorée de l'autre partie avec, selon Freud, une certaine « ruse ». Mais c'est bien, en fait, la prise en considération de la seule négation qui apporte un éclairage nouveau sur la représentation et son sens car elle est essentielle à la **fonction de jugement,** fonction « intellectuelle » qui suppose l'accès à la symbolisation. « **Au moyen du symbole de négation la pensée se libère des limitations du refoulement** », ce qui permet d'admettre, sous forme négative, des représentations inacceptables pour le conscient ou le moi. Certes, jugement voire condamnation ne sont que l'acceptation intellectuelle du refoulé, et non la levée du refoulement, mais leur fonction est essentielle pour ce qui concerne la représentation. La négation permet d'abord de refuser d'admettre en soi une chose considérée comme mauvaise, de refuser d'admettre en soi sa représentation, représentation de chose. Introduire ou refuser une représentation s'origine dans le fait de manger ou au contraire de cracher une chose du monde extérieur, ce qui devient symbolisable par la capacité de refuser, de nier.

Au-delà de cette première étape de la constitution de la représentation il revient encore à la négation de juger de son existence au dehors, dans la réalité. Il s'agit en effet de savoir si « quelque chose de présent dans le moi comme représentation peut aussi être retrouvé dans la perception (réalité). C'est une question de dehors et de dedans. Le non-réel, le simplement représenté, le subjectif, n'est que dedans; l'autre, le réel, est présent *au dehors* aussi ». Ainsi sont posés sous une nouvelle forme les problèmes complexes des rapports entre perception, représentation et pensée autour de la détermination du réel et du non-réel, ce qui est rendu possible, répétons-le, par le symbole de négation qui ouvre ainsi au développement du moi-réel définitif[2].

1. « Le fétichisme » (1927e), *La vie sexuelle,* Paris, PUF, 1970, p. 133-138 ; *OCF* XVIII, p. 123-132 ; *GW* XIV, p. 311-317. – « Le clivage du moi dans le processus de défense » (1940e [1938]), *Résultats, idées, problèmes, II,* Paris, PUF, 1984, p. 283-286 ; *OCF* XX, p. 221-224 ; *GW* XVII, p. 59-62.

2. « La négation » (1925h), *Résultats, idées, problèmes, II,* Paris, PUF, 1984, p. 135-139 ; *OCF* XVII, p. 167-171 ; *GW* XIV, p. 11-15.

L'*Abrégé de psychanalyse* propose une ultime définition des pulsions qui en fait des **forces que nous supposons derrière les tensions de besoin du ça, et qui représentent les exigences corporelles dans la vie psychique.** Le reste du chapitre consacré à la *théorie des pulsions* reprend l'opposition de l'Éros et de la pulsion de destruction et décrit les forces en cause dans le conflit, avec une brève allusion à l'investissement des représentations objectales qui permettent de transformer la libido narcissique en libido d'objet[1].

QUESTIONS ET ENJEUX

Nous avons vu la complexité de la notion de représentation, comme des concepts qui lui sont associés, qui, dès l'origine débouchent sur la nécessité et la difficulté d'élaborer la notion d'inconscient et d'établir une métapsychologie. *Que la pulsion soit un concept limite entre le somatique et le psychique oblige à définir ce dernier* (il ne s'agit pas de négliger le premier terme, le somatique, ni de le considérer comme déjà connu, mais de reconnaître qu'il n'entre pas dans la dimension des rapports métapsychologiques en eux-mêmes, quelle que soit son importance décisive dans le développement psychique).

On peut admettre que le psychique commence avec la représentation, au sens le plus large, incluant la trace mnésique, et notamment dans l'extension que lui donne Freud qui souligne non seulement l'importance des résidus ou des précipités des expériences de la préhistoire personnelle, mais aussi les « restes » venant des générations antérieures. Quoique l'on puisse penser de ces aspects marqués de néo-lamarckisme, on doit constater que leur prise en compte réelle dans la métapsychologie est aussi modeste que celle du soma. Les précipités en cause ne sont d'ailleurs pas considérés comme issus de représentations, bien qu'ils ne puissent guère relever d'une autre origine.

1. *Abrégé de psychanalyse* (1940a [1938]), Paris, PUF, 1967, p. 7-11 ; *OCF* XX, p. 237-239 ; *GW* XVII, 70-73.

Mais les restes des expériences de la préhistoire personnelle sont d'une tout autre importance : qu'ils soient considérés comme mythe (comme celui du père de la préhistoire), ou comme fantasmes de scènes originaires (observation du coït des parents, séduction, castration ou retour à la vie intra-utérine) leur statut relève de représentations inconscientes, ce qui pose la question d'un originaire antérieur aux traces mnésiques, quelle que soit la manière dont on le définisse. Les fantasmes originaires, développés à partir de représentations – on dirait plus volontiers : de représentants – s'organisent finalement en mythes personnels.

On soulignera que l'objet de la pulsion devrait être désigné comme la représentation de l'objet ; certes, c'est une évidence, car l'objet représenté surgit du fait de l'absence de l'objet réel, objet de la satisfaction, mais la confusion est constante entre l'objet réel, dont on ne peut nier l'importance, et l'objet de la pulsion qui n'est autre que sa représentation, et constitue l'objet du désir. C'est aussi parce qu'il est représenté que l'objet est « contingent » et trouve facilement des substituts, ce qui n'exclut pas sa permanence lorsqu'il est l'objet d'une pulsion fixée.

Il faudrait *s'interroger sur l'abandon* de facto *de la représentation dans la deuxième topique.* Qu'est-ce qui le justifie ? Ou tout au moins l'explique ? La motion, le mouvement pulsionnel, semble indiquer assez clairement que la raison serait d'ordre dynamique. La notion de représentation ne tendrait-elle pas vers la phénoménologie ? L'important ne serait pas le fait de représenter mais le mouvement que cela implique. C'est sans doute pourquoi l'affect qui accompagne la représentation (et qui la justifie) est resté au premier plan de la réflexion théorique, comme en témoigne *Inhibition, symptôme et angoisse* où il est resté une notion dynamique.

Pour ce qui concerne la relation de l'affect et de la représentation, une autre distinction vient à la fois éclairer et renforcer la difficulté : « Toute la différence vient de ce que les représentations sont des investissements – fondés sur des traces mnésiques –, tandis que les affects et sentiments correspondent à des processus de décharge dont les manifestations finales sont perçues comme sensations. » Freud reconnaît alors qu'il ne peut s'exprimer « actuellement » (nous sommes en 1915) plus clairement sur cette différence, dont nous retenons *le rapprochement et la distinction entre l'investissement et la représentation,* d'une part, et d'autre part, *la décharge ressentie comme affect* lors de la séparation de la représentation et d'une partie de son investissement[1]. Ceci répond sans doute partiellement à l'opposition de l'énergie liée et de l'énergie libre. Il reste que l'affect n'est pas nécessairement un processus ponctuel ni même bref, sous forme d'accès d'angoisse, de tristesse avec larmes, ou de sentiments joyeux liés à telle représentation ou tel événement (nécessairement représenté). Il existe des états durables, états d'angoisse ou sentiment de culpabilité, conscient ou inconscient, ce dernier étant particulièrement discuté par Freud. Ces états affectifs durables peuvent difficilement être considérés comme des processus de décharge. À moins que l'on considère l'éventualité d'un processus auto-entretenu d'élévation de l'excitation et de libération perçues comme affect de façon apparemment continue, ce qui le distinguerait d'une stase libidinale. Quoi qu'il en soit, l'usage du terme de « décharge » accroît la difficulté de compréhension dans ce cas ; parler d'*éconduction* comme le proposent les auteurs des *Œuvres complètes de Freud.* tente de répondre à cette difficulté, laissant plus aisément concevoir la reprise en compte du quantum d'affect par la même représentation, ou par une autre, si la première représentation a été refoulée, mais il le fait au prix d'autres gros inconvénients (nous les discutons dans l'article intitulé « Décharge, tension et stase » du présent dictionnaire).

Pierre CHAUVEL

Renversement d'une pulsion → Renversement-retournement

RÉPRESSION

all. : ***Unterdrückung***. – angl. : *suppression*. – esp. : *supresión*. – ital. : *repressione*. – port. : *supressão*

La répression vise la pulsion et, plus précisément, son représentant : l'affect. Là est le but spécifique du refoulement ; réprimer et refouler sont deux activités voisines et conjuguées, même si le caractère inconscient de la deuxième apparaît plus marqué. Ce qui est réprimé

1. « L'inconscient » (1915e), *Métapsychologie,* Paris, Gallimard, 1968, p. 84 ; *OCF* XIII (2e éd.), p. 217-218 ; *GW* X, p. 277.

persiste et reste capable de rendement psychique, représentant un important travail qui entraîne une dépense énergétique constante pouvant aboutir à un grave appauvrissement en énergie. La répression culturelle des pulsions est, avec la maîtrise des forces naturelles, la base de la civilisation ; il lui appartient de retenir une grande partie des composantes destructives sociales, les empêchant de s'exercer en retournant le sadisme contre la personne propre.

MISE EN SITUATION

La répression engage des rapports étroits avec le refoulement, au point d'être parfois confondue avec lui. D'autant que, pour ce qui est des mots, l'anglais (imité par l'espagnol) a choisi de rendre Verdrängung *(que nous traduisons par « refoulement ») par* « repression », *et* Unterdrückung *(notre « répression ») par* « suppression », *engageant de fait certains traducteurs anglais-français à intervertir les termes et à frôler le contresens. Pour ce qui est des notions, Freud les a lui-même régulièrement associées. S'il put les distinguer clairement dès* L'interprétation des rêves, *ce fut dans une simple note en bas de page signalant quelques « lacunes » et « omissions » : « J'ai négligé de dire quelle différence je faisais entre les mots "réprimé" et "refoulé" ; le lecteur aura compris que le dernier accentue davantage le caractère inconscient. »* [1] *Telle qu'indiquée, la différence ne va pas sans nuance et le lecteur comprend aisément que si le refoulé est plus proche de l'inconscient que le réprimé, cette indication est à prendre avec prudence et ne doit surtout pas être systématisée. Lorsque, quinze ans plus tard, il précise que « la répression du développement de l'affect est le but spécifique du refoulement »* [2], *il ne remet nullement en cause la répartition entre conscient et inconscient, mais entend intriquer ainsi profondément les deux termes, déplaçant l'intérêt du*

1. *L'interprétation des rêves* (1900a), Paris, PUF, 1967, p. 515, n. 1 ; *OCF* IV, p. 661, n. 1 ; *GW* II-III, p. 611, n. 1.

2. « L'inconscient » (1915e), *Métapsychologie*, Paris, Gallimard, 1968, p. 84 ; *OCF* XIII (2e éd.), p. 219 ; *GW* X, p. 277.

lieu (topique) sur le processus (dynamique), marquant de fait une dépendance de l'un à l'autre (de ce qui vise un but à ce qui l'incarne).

Considérer la répression comme plus proche de la conscience, et le refoulement plus enraciné dans l'inconscient, permet effectivement d'ordonner les mouvements psychiques et fournit des repères. Cela ne doit pourtant pas faire oublier que les limites conscient/inconscient demeurent fluctuantes et qu'elles sont loin d'être toujours aisément repérables, l'essentiel étant plutôt à chercher dans les modalités de passages de l'un à l'autre – c'est même là ce qui conduisit Freud à imaginer de les situer entre un moi et un ça. L'étude de l'œuvre, comme la réflexion sur la pratique, montrent bien que les différences entre refoulement et répression ne sont pas aisées à faire entrer dans une systématique de l'appariement conscience-répression et inconscient-refoulement, tendant à les déborder. C'est ainsi qu'en 1927, il va pouvoir décrire le déni de l'absence de pénis de la femme en constatant que ce n'est pas là un fait nouveau nécessitant un nouveau terme mais que, bien au contraire, « la plus vieille pièce de notre terminologie psychanalytique, le mot » refoulement « se rapporte déjà à ce processus pathologique ». D'une façon assez surprenante (si l'on veut bien se souvenir qu'il a dit et répété que « la représentation est refoulée et l'affect réprimé ») il va poursuivre en indiquant cette fois que si, dans le refoulement, « on veut séparer plus nettement le destin de la représentation de celui de l'affect et réserver l'expression "refoulement" pour l'affect, pour le destin de la représentation il serait juste de dire déni [Verleugnung] »[1], *ne faisant alors nulle mention de la répression qui semble bien être cette fois assimilée purement et simplement au refoulement afin d'attribuer à la représentation l'acte du déni. Pour l'instant, nous laisserons ouverte cette option terminologique, d'autant que Freud ne la reprendra jamais ; nous soulignerons seulement ce qu'elle illustre de l'indétermination volontaire à laquelle il est conduit pour traiter des notions de refoulement et répression, indétermination qui n'est certes pas une confusion mais nous semble plutôt le maintien d'une ambiguïté, voire d'une ambivalence (il aimait se placer sous les auspices tutélaires du Janus bifrons). Disons plutôt que chacune des notions est indispensable à la compréhension de l'autre – et s'il y a*

1. « Le fétichisme » (1927e), *La vie sexuelle,* Paris, PUF, 1969, p. 134 ; *OCF* XVIII, p. 126-127 ; *GW* XIV, p. 313.

certes des « ambiguïtés » dans le texte freudien, elles semblent être d'abord et surtout le reflet de celles inhérentes à la notion elle-même.

C'est pourquoi il apparaît assez artificiel d'opposer, comme ce put être fait[1]*, un « sens large » de la répression à un « sens plus étroit » ; l'étude des textes montre que les deux sens sont constamment présents tout au long de l'œuvre même si, circonstanciellement et selon les nécessité de l'argumentation, l'un ou l'autre peut, à tel moment, se trouver mis en avant. Ainsi, en 1915, la* Métapsychologie, *se centrant sur le refoulement pour expliquer les rapports conscient-inconscient dans le fonctionnement psychique, privilégie l'étude du refoulé, et donc l'affect (l'approche apparaissant alors « plus étroite »). À partir de 1923, l'investigation, ayant marqué un nouveau progrès avec* Le moi et le ça, *elle permit de « passer du "refoulé" au "refoulant" »*[2] *; le champ dut alors s'étendre à d'autres notions (se faire « plus large ») – ce qui, entre autres, conduisit tout naturellement à « la réintroduction du vieux concept de défense, mais en posant qu'il doit désigner de façon générale toutes les techniques dont se sert le moi dans ses conflits »*[3]*. Non seulement – comme il en est depuis son introduction dans la théorie du fonctionnement psychique – la répression fait indiscutablement partie de ces « techniques » défensives, mais il ne serait sans doute pas erroné de la considérer comme en étant l'archétype. L'accent mis ensuite sur la « répression culturelle » ne fera d'ailleurs que confirmer cette vocation de la répression à être généralisée.*

LE TEXTE FREUDIEN

Dès **1894**, au fil de la *Correspondance* avec Wilhelm Fliess, on rencontre le mot « répression » pour connoter une notion qui tend à rendre compte du fonctionnement psychique : **la répression est**

1. Cette opposition fut notamment introduite par J. Laplanche et J.-B. Pontalis (dans leur *Vocabulaire de la psychanalyse,* Paris, PUF, 1967), puis reprise par d'autres.

2. *Malaise dans la civilisation* (1930a [1929]), Paris, PUF, 1971, p. 72 ; *OCF* XVIII, p. 304 ; *GW* XIV, p. 477.

3. *Inhibition, symptôme et angoisse* (1926d [1925]), Paris, PUF, 1951, p. 92 ; *OCF* XVII, p. 277 ; *GW* XIV, p. 196.

assimilée à une défense, associée à l'angoisse et à la tension sexuelle[1]. Ces références, qui la caractérisent, seront maintenues dans la suite de l'œuvre.

La répression participe moins de l'inconscient que le refoulement

En **1900**, dans *L'interprétation des rêves,* Freud pose deux systèmes (qui vont déboucher sur l'*Ics* et le *Cs*) : un primaire et un secondaire, avec une instance qui réprime et une qui est réprimée. Lorsque des désirs indésirables se manifestent, ils doivent être refoulés mais ne disparaissent pas pour autant : ils sont inhibés ; « l'expression courante "réprimer" ces impulsions est très exacte », et lorsqu'un de ces désirs réprimés s'accomplit malgré tout, l'inhibition surmontée par le système conscient produit un déplaisir[2]. Ce faisant, le travail du rêve non seulement supprime les impulsions motrices dirigées vers l'extérieur et réduit le contenu de la pensée, mais réprime aussi les affects ; alors que les représentations sont transformées, « **les affects, liés aux pensées du rêve, sont réprimés** ».

Il existe une véritable répression de l'inconscient qui s'avère nécessaire pour empêcher l'expression d'un état affectif qui fut autrefois plaisir mais que le refoulement a transformé en déplaisir ; les représentations susceptibles d'en susciter doivent alors être réprimées. Il y a des « désirs d'origine infantile que l'on ne saurait détruire ni inhiber » et dont l'accomplissement provoquerait pourtant un sentiment de déplaisir. N'ayant jamais été accessibles au préconscient, les affects, qui s'y rattachent, échappent à l'inhibition et doivent impérativement être réprimés : « **C'est précisément cette transformation d'affects qui est l'essence de ce que nous avons appelé "refoulement".** » Le rêve montre, de façon exemplaire, que **ce qui est réprimé persiste** et trouve pendant la nuit le chemin de la conscience pour réapparaître déformé ; cette reconnaissance de la persistance du réprimé permet d'énoncer

1. *La naissance de la psychanalyse. Lettres à Wilhelm Fliess. Notes et plans (1887-1902)* (1950a [1887-1902]), Paris, PUF, 1956, p. 84 (manuscrit E de juin 1894).

2. *L'interprétation des rêves* (1900a), Paris, PUF, 1967, p. 207 ; *OCF* IV, p. 275 ; *GW* II-III, p. 241.

l'aphorisme selon lequel « l'interprétation des rêves est la voie royale qui mène à la connaissance de l'inconscient dans la vie psychique ».

Parvenu presque à la fin de l'ouvrage, et comme en passant, se bornant à une note de bas de page, Freud remarque qu'il a négligé intentionnellement (combler ces lacunes exigerait trop d'efforts et le recours à des éléments étrangers au rêve), « de dire quelle différence il faisait entre les mots "réprimé" *(unterdrückt)* et "refoulé" *(verdrängt)* ; le lecteur aura compris que le dernier accentue davantage le caractère inconscient », et que donc **le réprimé est plus proche de ce qui est conscient.** Cette indication, malgré l'apparente désinvolture avec laquelle elle est avancée, est au cœur même de la compréhension du fonctionnement psychique, comme le montrera la suite de l'œuvre[1].

L'analyse doit donc s'attacher à ce qui se trouve réprimé pour le débusquer et le comprendre ; c'est ce que montre l'étude clinique (dès 1909) : en s'efforçant de rendre conscient le refoulé, l'analyse n'annule pas pour autant le résultat du refoulement – ce qui a été réprimé le demeurant ; mais « elle remplace le refoulement, qui est un processus automatique et excessif, par une maîtrise tempérée et appropriée des instincts exercée à l'aide des plus hautes instances psychiques ; en un mot, *elle remplace le refoulement par la condamnation* », réprimant ainsi les pulsions destructives. De ce qui apparaît comme une « répression des instincts », Freud tire une conclusion qui peut d'abord surprendre : cela prouverait « que la conscience [qui doit ici être entendue en son sens premier, phénoménologique, désignant les processus capables de parvenir à notre conscient] a une fonction biologique et qu'avec son entrée en scène un avantage important est assuré »[2]. Ceci va se confirmer en 1914 avec les cas de « L'homme aux loups » : celui-ci, sous l'influence de l'éducation religieuse donnée par sa mère, se transforma de telle sorte que son « organisation

1. *Ibidem,* références selon l'ordre des citations : p. 207, 399, 409, 432, 493-494, 513-516 ; *OCF* IV, p. 275, 517-518, 530, 558-559, 637, 659-663 ; *GW* II-III, p. 241, 470-471, 483, 511-512, 588, 609-613.

2. « Analyse d'une phobie chez un petit garçon de cinq ans (Le petit Hans) » (1909b), *Cinq psychanalyses,* Paris, PUF, 1954, p. 196 ; *OCF* IX, p. 126 ; *GW* VII, p. 375.

sexuelle sado-masochique fut condamnée à prendre fin lentement, la phobie des loups disparaissant rapidement et, au lieu de la répudiation de la sexualité par l'angoisse, apparut une forme plus haute de la répression »[1]. Remarquons qu'en 1912-1913 avait été souligné qu'il n'existe pas de répressions qui ne laissent de phénomènes résiduels ; « la répression la plus forte est obligée de laisser de la place à des motions substitutives déformées et à des réactions consécutives à celles-ci »[2].

En **1915**, toute une part de la *Métapsychologie* est consacrée au refoulement, ce qui conduit Freud à reprendre et préciser la fonction de la répression. Le problème d'abord posé est celui du « destin des pulsions » en général, et de l'affect en particulier. **L'affect n'est pas refoulé mais il peut être réprimé,** son développement étant alors franchement empêché (c'est là un de ses destins majeurs) ; s'il en va ainsi c'est que, si ces investissements que sont les représentations peuvent être refoulés, les affects sont des sentiments correspondant à des processus de décharge qui doivent être réprimés afin d'empêcher le déplaisir. Ainsi « nous savons que **la répression du développement de l'affect est le but spécifique du refoulement** ». Si les représentations inconscientes, une fois refoulée, demeurent dans l'inconscient, **l'affect inconscient réprimé ne laisse qu'un rudiment avorté** ; c'est pourquoi il n'y a pas, au sens strict, d'affects inconscients comme il y a des représentations inconscientes, même si, dans l'inconscient, il peut très bien y avoir des formations d'affects susceptibles de devenir conscientes. Pour bien comprendre la différence, il ne faut pas perdre de vue que « les représentations sont des investissements tandis que les affects et sentiments correspondent à des processus de décharge dont les manifestations finales sont perçues comme sensations ». Ce qui revient à dire que **la répression porte sur des sensations,** et non pas sur des représentations[3].

1. « Extrait de l'histoire d'une névrose infantile (L'homme aux loups) » (1918b [1914]), *Cinq psychanalyses,* Paris, PUF, 1954, p. 414 ; *OCF* XIII, p. 112 ; *GW* XII, p. 149.

2. *Totem et tabou* (1912-1913a), Paris, Gallimard, 1993, p. 315 ; *OCF* XI, p. 379 ; *GW* IX, p. 191.

3. « L'inconscient » (1915e), *Métapsychologie,* Paris, Gallimard, 1968, p. 83 et 84 ; *OCF* XIII, p. 219-220 ; *GW* X, p. 277-278.

Entre *L'interprétation des rêves* et la *Métapsychologie,* les travaux dits « *cliniques* » (« Le petit Hans », puis la première rédaction de « L'homme aux loups ») ont été l'occasion d'apporter quelques précisions sur les rapports entre refoulement et répression. Le « résultat » du refoulement n'est pas annulé par l'analyse, dont le moyen est autre : « **elle remplace le refoulement par la condamnation** », recourant « à l'aide des plus hautes instances psychiques » [1]. C'est la même voie que suivra l'homme aux loups qui, grâce à sa mère et à l'éducation, put amener son organisation sado-masochique à prendre fin lentement, sa phobie des loups disparaissant alors rapidement : « **Au lieu de la répudiation de la sexualité par l'angoisse, apparaît une forme plus haute de la répression.** » Ainsi, par une sublimation proposée par les instances parentales a pu être trouvée une issue au refoulement, ce qui est mieux accepté par le préconscient – en l'occurrence, cela prit la forme de la piété [2].

À être sans doute nécessaire, cette façon de condamner, de réprimer, est loin d'être sans conséquences dommageables : **accroissant les exigences morales,** portée par les imagos parentales, imposant un effort d'éducation et de civilisation de plus en plus grand, **la société aboutit à une constante répression pulsionnelle** – celle-ci doit être considérée comme étant une véritable « **répression culturelle** », qui conduit aux « manifestations réactionnelles des affections névrotiques » [3].

De la repression culturelle au surmoi

Ces « formes plus hautes de la répression » rencontrent les **nouvelles instances** psychiques, introduites en **1923** dans *Le moi et le ça* ; au premier rang d'entre elles se dresse le surmoi-idéal du moi – les deux

1. « Analyse d'une phobie chez un petit garçon de cinq ans (Le petit Hans) » (1909b), *Cinq psychanalyses,* Paris, PUF, 1954, p. 196 ; *OCF* IX, p. 126 ; *GW* VII, p. 375.

2. « Extrait de l'histoire d'une névrose infantile (L'homme aux loups) » (1918b [1914]), *Cinq psychanalyses,* Paris, PUF, 1954, p. 414 ; *OCF* XIII, p. 112 ; *GW* XII, p. 149.

3. « Considérations actuelles sur la guerre et sur la mort » (1915b), *Essais de psychanalyse,* Paris, Payot, 1981, p. 20 ; *OCF* XIII, p. 139 ; *GW* X, p. 335.

termes sont interchangeables chez Freud, mais on doit noter que l'idéal du moi fut proposé dès 1914 dans « Pour introduire le narcissisme »[1]. Il appartient à **la répression d'en assurer le fonctionnement** ; ainsi, contrairement à ce qui pourrait sembler, ce n'est pas le surmoi-idéal du moi qui ordonne la répression de l'agressivité vers l'extérieur, mais au contraire celle-ci qui rend l'idéal du moi sévère et agressif, dans une espèce de retournement de l'idéal contre le moi[2].

« Le retournement du sadisme contre la personne propre se produit régulièrement lors de la *répression culturelle des pulsions* qui retient une grande partie des composantes pulsionnelles destructives de s'exercer dans la vie », elle s'explique par la participation surmoïque ; le retrait de la pulsion de destruction peut augmenter le masochisme du moi mais, lorsqu'elle fait retour, « le sadisme du surmoi et le masochisme du moi se complètent mutuellement et s'unissent pour provoquer les mêmes conséquences » ; ainsi s'explique que **la répression pulsionnelle engendre un sentiment de culpabilité**, « la conscience morale devenant d'autant plus sévère et sensible que la personne s'abstient d'agressions contre d'autres »[3].

« **Les deux bases de la culture humaine sont la domination des forces de la nature et la restriction *[Beschränkung]* de nos pulsions** » ; sans cette dernière, les pulsions sexuelles déchaînées anéantiraient l'œuvre de civilisation. La société s'y oppose de tous ses moyens ; elle pose « un idéal de haute moralité, **la moralité étant la répression des instincts** », exigeant de tous le respecte de cet idéal – mais elle est incapable d'offrir un dédommagement à cette renonciation ; l'individu est ainsi « contraint à vivre au-delà de ses moyens, tandis que ses besoins instinctifs, non satisfaits, subissent la pression constante des exigences de la civilisation ». C'est la tâche de la psychanalyse de montrer les faiblesses d'un tel système et d'en recommander l'aban-

1. « Pour introduire le narcissisme » (1914c), *La vie sexuelle,* Paris, PUF, 1969, p. 98-101 ; *OCF* XII, p. 237-239 ; *GW* X, p. 161-163.

2. *Le moi et le ça* (1923b), *Essais de psychanalyse,* Paris, Payot, 1981, p. 270 ; *OCF* XVI, p. 297 ; *GW* XIII, p. 284.

3. « Le problème économique du masochisme » (1924c), *Névrose, psychose et perversion,* Paris, PUF, 1973, p. 297 ; *OCF* XVII, p. 22 ; *GW* XIII, p. 383.

don : il convient d'accorder plus de satisfaction à certaines pulsions et, pour d'autres, de remplacer la répression « par un procédé meilleur et plus précis » [1].

La puberté est, individuellement et socialement, un moment particulièrement sensible, marqué par le renouveau de la sexualité et la réactivation de l'agressivité infantile, conjuguées à de nouvelles motions libidinales. « Par suite du déguisement des tendances érotiques et à cause de l'existence dans le moi de puissantes formations réactionnelles, la lutte contre la sexualité se poursuit désormais sous la bannière de la moralité. » Le moi ne peut que s'opposer aux suggestions de cruauté et de violence venues du ça, loin de soupçonner qu'il combat ainsi des désirs érotiques, et « le surmoi hypersévère persiste alors d'autant plus énergiquement à réprimer la sexualité que celle-ci a pris des formes si repoussantes » [2]. La civilisation exige de l'individu un renoncement culturel aux pulsions par « répression, refoulement ou quelque autre mécanisme », et c'est ainsi que sont régis les rapports sociaux, prolongeant la situation œdipienne. La sévérité du surmoi n'est pas tant celle qui fut exercée par le père ou qui lui fut attribuée, mais bien notre propre agressivité contre lui ; aussi, « **la conscience, à l'origine, provient de la répression d'une agression,** et elle se trouve ensuite renforcée par de nouvelles répressions semblables » [3].

QUESTIONS ET ENJEUX

La formule qui attribue la répression aux affects est quasiment pléonastique puisque ceux-ci se définissent comme « correspondant à

1. « Résistances à la psychanalyse » (1925e), *Résultats, idées, problèmes, II,* Paris, PUF, 1985, p. 130-132 ; *OCF* XVII, p. 131-133 ; *GW* XIV, p. 106-107.

2. *Inhibition, symptôme et angoisse* (1926d [1925]), Paris, PUF, 1951, p. 37 ; *OCF* XVII, p. 234 ; *GW* XIV, p. 146.

3. *Malaise dans la civilisation* (1930a [1929]), Paris, PUF, 1971, p. 47 et 87 ; *OCF* XVIII, p. 285 et 317 ; *GW* XIV, p. 457 et 489.

des processus de décharge » (les représentations recevant des investissements qui doivent être refoulés)[1]. Cette évidence posée, il n'en faut pas moins garder à l'esprit que, dans la pratique mais aussi dans le fonctionnement théorique, la distinction entre *refoulement et répression* s'avère d'autant plus délicate et difficile qu'elle n'est que relative. Mais alors, sur quoi peut véritablement se fonder la distinction et les appariements entre ces deux notions ?

Lorsqu'en 1926, Freud impute à « une répression considérable des affects » les inhibitions globales massives[2], il conforte la conjonction entre affect et répression posée dès 1915. Puisque « le destin du quantum d'affect appartenant au représentant est de loin plus important que celui de la représentation »[3], « la répression du développement de l'affect est le but spécifique du refoulement, et le travail de celui-ci reste inachevé tant que le but spécifique n'est pas atteint »[4]. Ce disant, il assujettit bel et bien le refoulement à la répression, celle-ci étant alors la raison d'être de celui-là – ce qui ne fait d'ailleurs qu'exprimer autrement le constat de subordination qu'engagent les représentations par rapport à l'affect. N'y aurait-il pas ainsi comme un paradoxe : affect et répression seraient plus primaires, et donc plus propices à la régression, que ne le sont représentation et refoulement ? Mais, tout aussi bien, ces deux-ci seraient les plus proches de l'inconscient, affect et répression dépendant plutôt de la conscience (« il n'y a pas, au sens strict, d'affects inconscients comme il y a des représentations inconscientes »[5]). Les processus les plus en prise sur la pulsion et le biologique, donc les plus marqués par l'archaïsme et potentiellement les plus régressifs, relèveraient davantage de la conscience que les plus secondarisés et les plus élaborés – ce qui ne va pas sans nous rappeler les assertions selon lesquelles « la conscience [ici entendue en son sens premier] a une fonction biologique »[6] et,

1. « L'inconscient » (1915e), *Métapsychologie,* Paris, Gallimard, 1968, p. 84 ; *OCF* XIII, p. 220 ; *GW* X, p. 278.

2. *Inhibition, symptôme et angoisse* (1926d [1925]), Paris, PUF, 1951, p. 5 ; *OCF* XVII, p. 208 ; *GW* XIV, p. 117.

3. « Le refoulement » (1915d), *Métapsychologie,* Paris, Gallimard, 1968, p. 56 ; *OCF* XIII, p. 198 ; *GW* X, p. 256.

4. « L'inconscient » (1915e), *Métapsychologie,* Paris, Gallimard, 1968, p. 84 ; *OCF* XIII, p. 220 ; *GW* X, p. 278.

5. *Ibidem.*

6. « Analyse d'une phobie chez un petit garçon de cinq ans (Le petit Hans) »

surtout, qu'il « ne faut pas oublier qu'un symbole d'affect est une nécessité biologique »[1]. (Notons que pareille « contradiction » apparente se retrouve dans le cas du contre-investissement tel qu'il fonde le refoulement originaire : il est en état de précession par rapport aux autres investissements et en représente la forme la plus primaire, mais peut tout aussi bien travailler à ce qu'il y a de plus élaboré, comme la sublimation.)

En reprenant le texte freudien, il est ainsi frappant de constater la mise en place, de fait, d'une « hiérarchie » (le mot, ici, n'est pas de Freud). Ainsi : au lieu du refoulement peut apparaître « une forme plus haute de la répression »[2], la sublimation en l'occurrence ; dire que « la méthode inappropriée de la répression par la voie du refoulement doit être remplacée par un procédé meilleur et plus sur »[3] postule que d'autres moyens de défense peuvent être préférables à ces deux-ci, et que le refoulement se trouve en dépendance de la répression dont il n'est qu'une méthode particulière. Mais parler de « la non-satisfaction de puissantes pulsions [... par] répression, refoulement ou quelque autre mécanisme »[4] implique clairement que l'importance de cette affaire tient à la « non-satisfaction pulsionnelle » plus qu'au procédé à mettre en œuvre pour y aboutir, qu'il s'agisse de « répression, refoulement ou quelque autre mécanisme » – peu importe, pourrait-on ajouter, l'important étant la gradation dans les formes que peut prendre la répression.

Si nous tentons maintenant de situer ces rapports « hiérarchiques », nous relevons que Freud nous propose au moins trois niveaux : – d'abord un vaste processus, la répression, qui englobe tous les mouvements (pas toujours bien différenciés) qui réprouvent, condamnent,

---

(1909b), *Cinq psychanalyses*, Paris, PUF, 1954, p. 196 ; *OCF* IX, p. 126 ; *GW* VII, p. 375.

1. *Inhibition, symptôme et angoisse* (1926d [1925]), Paris, PUF, 1951, p. 9-10 ; *OCF* XVII, p. 211-212 ; *GW* XIV, p. 120-121.

2. « Extraits de l'histoire d'une névrose infantile (L'homme aux loups) » (1918b [1914]), *Cinq psychanalyses*, Paris, PUF, 1954, p. 414 ; *OCF* XIII, p. 112 (souligné par moi) ; *GW* XII, p. 149.

3. « Résistances à la psychanalyse » (1925e), *Résultats, idées, problèmes, II*, Paris, PUF, 1985, p. 132 ; *OCF* XVII, p. 133 ; *GW* XIV, p. 107.

4. *Malaise dans la civilisation* (1930a [1929]), Paris, PUF, 1971, p. 47 ; *OCF* XVIII, p. 285 ; *GW* XIV, p. 457.

excluent, restreignent, interdisent, repoussent... ; – au sein de cette nébuleuse, le refoulement a une place particulière, privilégiée même, puisqu'il est l'une des principales modalités de la répression ; – à l'occasion, plutôt que ce refoulement peut être mise en œuvre, dans certains cas, une autre forme de répression plus spécialisée que Freud qualifie de « culturelle », au sein de laquelle la sublimation apparaît comme une forme bénéfique. Cette succession est d'ailleurs celle qu'implique naturellement la progression qui va du biologique (dont la répression est au plus près), jusqu'au social (qui met en œuvre la répression culturelle), la part proprement psychique se situant à leur confluence avec la liaison de la pulsion.

Il convient aussi d'évoquer les rapports entre *répression et inhibition,* qui sont en fait contenus dans ceux engagés avec le refoulement. La question apparaît dès *L'interprétation des rêves* pour indiquer comment « les désirs refoulés existent encore, mais sont inhibés » : il y a répression de ces pulsions, mais si un de ces désirs réprimés en vient à s'accomplir, l'inhibition surmontée par le système conscient se traduit par un déplaisir – autrement dit : la répression engendre l'inhibition, celle-ci étant un relais sur la voie du refoulement. C'est d'ailleurs repris plus loin : « La répression de l'affect résulte de l'inhibition et de la censure sur les impulsions qu'elle réprime. » [1] En 1926, *Inhibition, symptôme et angoisse* reprend et confirme la thèse[2]. Nous avons affaire à un processus global, initié par la répression et relayé par l'inhibition pour aboutir au refoulement.

Nous ne pouvons, *in fine,* que poser la question de la place à conférer à la répression par rapport aux autres mécanismes de défense. Dans cet article, nous devrons nous contenter d'à peine l'effleurer, nous bornant à signaler qu'il convient sans doute – comme le laisse déjà entendre sa position « prééminente » par rapport au refoulement – d'attribuer à la répression un rôle central au sein de toute la fonction défensive : elle serait non seulement à l'origine mais aussi au centre du plexus défensif ; de surcroît, elle « engloberait » les autres défenses et les resignifierait.

Claude LE GUEN

1. *L'interprétation des rêves* (1900a), Paris, PUF, 1967, p. 207 et 399 ; *OCF* IV, p. 275 et 518 ; *GW* II-III, p. 241 et 471.

2. *Inhibition, symptôme et angoisse* (1926d [1925]), Paris, PUF, 1951, p. 5 ; *OCF* XVII, p. 208 ; *GW* XIV, p. 117.

RÉSISTANCE

all. : *Widerstand.* – angl. : *resistance.* – esp. : *resistencia.* – ital. : *resistenza.* – port. : *resistência*

Les résistances sont la manifestation, pendant le travail analytique, de la force qui a produit et maintenu le refoulement, force qui peut être mesurée par les efforts nécessaires pour la vaincre ; elles correspondent à l'action de la censure. Si elles prennent des formes variées et changeantes, les résistances concentrent leurs assauts sur la règle fondamentale de « tout dire » ; suivant pas à pas le traitement et le déterminant, elles s'expriment avec le plus de force dans le *transfert.* Exigeant une dépense continuelle d'énergie, elles présupposent un contre-investissement ; comme elles témoignent du retour dans la cure des mécanismes de défense qui résistent à leur propre liquidation, il faut laisser du temps au patient pour bien les connaître, les *perlaborer* et les vaincre.

L'inconscient n'oppose aucune résistances, mais ce sont elles qui ont permis d'aboutir à la conception d'un inconscient, puis d'un ça avec un moi qui résiste – car c'est le moi qui, pour maintenir le refoulement, produit les résistances, résistances qui doivent être attribuées au surmoi, cette instance particulière dans le moi. La découverte que, tout en appartenant au moi elles sont inconscientes et isolées à l'intérieur du moi, conduit à relativiser la distinction topique. L'extraordinaire impression de puissance que donne, lors du travail analytique, la force des résistances se défendant contre la guérison par tous les moyens, s'accrochant à la maladie et à la souffrance, a pu conduire à l'idée d'une pulsion de mort.

La psychanalyse elle-même suscite des résistances de la part de la société qui considère qu'elle remet en cause l'ordre social en attribuant toute son importance à la sexualité dans le fonctionnement psychique ; la société en vient ainsi à se comporter, à l'égard de la psychanalyse, exactement comme le névrosé en traitement.

MISE EN SITUATION

L'idée de « résistance » lui vient tout naturellement à l'esprit lorsque Freud cherche à rendre compte de ce qui se passe dans les psychothérapies qu'il entreprend avec des hystériques : il a le sentiment très clair que la malade lui résiste, que ce soit à ses demandes d'explication et de remémoration, à ses suggestions, ou même à ses tentatives d'hypnose. Lorsqu'il retrace l'histoire de sa découverte des processus inconscients et de son élaboration de la psychanalyse, il part à chaque fois de la confrontation aux résistances qu'opposent les patients pour en induire un refoulement sous-jacent. La résistance est toujours une résistance au traitement ; elle est d'abord une rencontre clinique très concrète dont on peut inférer des interprétations théoriques : ainsi put naître la psychanalyse.

Le terme de « résistance » renvoie explicitement à la notion de lutte, ce qui conduit Freud tout naturellement à user de références martiales pour la qualifier ; dès l'« Esquisse d'une psychologie scientifique » elle témoigne d'une « rare puissance », et tout au long de l'œuvre implique avec constance l'idée de « combat acharné ». C'est pourquoi il faut la vaincre, et il appartient à l'analyste de remporter la victoire sur la résistance névrotique. À ce propos, et même si dictionnaires et germanistes sont unanimes à traduire uberwinden *par « vaincre » et* Uberwindung *par « victoire », un embarras est apparu à propos de la traduction retenue pour les* Œuvres complètes de Freud *: on y parle de « surmonter », et du « surmontement » de la résistance. Mis à part que ce dernier terme est un archaïsme à défaut d'un néologisme, d'ailleurs inconnu des dictionnaires (il faut remonter au* Littré *de 1877 pour le trouver mentionner, sans plus, daté du* XVIe *siècle), « surmonter » a un sens beaucoup plus faible que « vaincre », ce qu'illustre l'allemand en attribuant à* uberwinden *le sens de « surmonter » seulement lorsqu'il s'accompagne de* Hindernis, Schwierigkeit, Scham *qui signifient respectivement « obstacle », « difficulté », « pudeur » – sinon, il implique* Gegner, *qui est un « adversaire », ce qui est bien ce qu'est la résistance pour Freud. « Surmonter » pourrait convenir pour qualifier, à propos du refoulement, ce que l'on désigne habituellement comme sa « levée »* (Haufhebung) *et, plutôt qu'à* uberwinden, *cela correspondrait à* uberwunden *qui signi-*

fie « dépasser ». C'est pourquoi, dans ce dictionnaire, nous refusons cette édulcoration de la terminologie freudienne et considérons qu'il appartient bien à l'analyste de « vaincre » la résistance.

LE TEXTE FREUDIEN

La résistance apparaît dès **1893** dans les *Études sur l'hystérie,* avec le cas d'Élisabeth von R... ; elle va être explicitée à la suite : « Par mon travail psychique je devais vaincre chez le malade une force psychique qui s'opposait à la prise de conscience », raconte Freud pour expliquer comment il en est venu à l'idée que cette force avait déjà concouru à la formation du symptôme, ce qui suggérait l'idée d'une défense contre l'idée inconciliable en la rejetant hors du conscient ; il s'agit là d'une « résistance » – ce qui conduit à l'idée de refoulement[1]. La notion est reprise en 1895 dans l'« Esquisse d'une psychologie scientifique » où il lui incombe de s'opposer, avec une rare puissance, à toute pensée relative à l'idée refoulée ; sa force est d'ailleurs la même que celle qui servit à refouler[2]. Dans ses *Lettres à Fliess,* Freud lui fait part de ses avancées dans la compréhension des névroses : dans les obsessions, au cours du traitement, la « moralité » n'est que ce dont se sert la résistance en vue d'une défense ; dans l'hystérie le travail analytique, qui consiste à déterrer le caractère infantile de la résistance enseveli sous le refoulement, retrouve, en descendant de plus en plus profond, les fantasmes superposés suivant leur résistance croissante[3].

L'interprétation des rêves, en 1900, évoque « **la censure de la résistance qui empêche les pensées du rêve de parvenir à la**

1. *Études sur l'hystérie (communication préliminaire)* (1893a), Paris, PUF, 1956, p. 122-124 et 216-217 ; *OCF* II, p. 176-182 et 231-234 ; *GW* I, p. 220-222 et 267-269.

2. « Esquisse d'une psychologie scientifique » (1950c [1895]), *La naissance de la psychanalyse,* Paris, PUF, 1956, p. 362.

3. *Lettre à Fliess,* manuscrits K du 1er janvier 1896, p. 135, et M du 25 mai 1997, p. 179, lettre du 27 octobre 1897, p. 200.

conscience »[1] expliquant l'oubli du rêve pendant la veille ; la nuit, le sommeil l'affaiblit, favorisant la régression propre au travail du rêve ; lors de la remémoration, elle se manifeste surtout sous la forme d'oublis. Cette régression est sans doute aussi un effet de la résistance qui empêche la pensée d'accéder à la conscience, tout autant que le résultat de l'attraction exercée par des souvenirs à grande vivacité sensorielle[2] – ce qui n'est pas sans laisser pressentir ce que sera la description du fonctionnement du refoulement. (Il convient de noter que nombre des mentions de la résistance qui figurent dans cet ouvrage ont été ajoutées entre 1910 et 1925.)

En **1904,** faisant un premier point sur sa « méthode », Freud souligne que « **la résistance est devenue l'une des pierres angulaire de sa théorie** » ; elle témoigne de ce qui a été refoulé[3]. Il en fait plusieurs mentions dans les récits cliniques du « petit Hans »[4] et de « L'homme aux rats »[5] où il commence par indiquer que « vaincre les résistances est une condition du traitement à laquelle nous n'avons pas le droit de nous soustraire ».

La resistance est liee au travail analytique

C'est **de 1910 à 1915,** dans ce que l'on appelle habituellement les *« écrits techniques »,* que vont surtout être étudiées les résistances – ce qui est significatif de leur fonction dans le corpus. Le projet est énoncé en 1910 : « Actuellement nos efforts tendent directement à trouver et à vaincre les "résistances" et nous pensons à juste titre que les

1. *L'interprétation des rêves* (1900a), Paris, PUF, 1967, p. 439 ; *OCF* IV, p. 568 ; *GW* II-III, p. 520.

2. *Ibidem,* p. 447 et p. 465-466 ; p. 578-579 et p. 601 ; p. 530-531 et p. 553.

3. « La méthode psychanalytique de Freud » (1904a), *De la technique psychanalytique,* Paris, PUF, 1953, p. 4 ; *OCF* VI, p. 97 ; *GW* V, p. 6.

4. « Analyse d'une phobie chez un petit garçon de cinq ans (Le petit Hans) » (1909b), *Cinq psychanalyses,* Paris, PUF, 1954, p. 166, 179, 181 ; *OCF* IX, p. 91, 106, 108-109 ; *GW* VII, p. 338, 354, 356.

5. « Remarques sur un cas de névrose obsessionnelle (L'homme aux rats) » (1909d), *Cinq psychanalyses,* Paris, PUF, 1954, p. 207 et 318, 225, 229, 248-249 ; *OCF* IX, p. 145 et 159, 167-168, 172, 198 ; *GW* VII, p. 391 et 407, 416, 421, 447.

complexes se révéleront sans peine dès que les résistances auront été découvertes et écartées. »[1]

Le *transfert* s'avère être la plus forte des résistances, ce qui peut sembler paradoxal puisqu'il est aussi le plus efficace des facteurs de réussite. Pour qu'il puisse s'établir, la quantité de libido apte à se tourner vers la réalité doit diminuer, sa partie inconsciente capable d'alimenter les fantasmes s'en trouvant accrue d'autant ; une régression est alors activée, le traitement analytique suit la libido en tentant de la rendre consciente afin de la mettre au service de la réalité. Mais, à chaque fois que se découvre ainsi une cachette de la libido, « un conflit surgit : toutes les forces qui ont provoqué la régression se muent en "résistances" contre nos efforts ». Si la régression de la libido disponible n'était pas justifiée par un rapport au monde extérieur (une frustration généralement) – et avait donc été opportune en son temps – elle ne se serait jamais produite ; elle a toujours été soumise aux « éléments complexuels de l'inconscient », régressant lorsque l'attirance de la réalité devient moindre ; pour la libérer, il faut relâcher l'attraction de l'inconscient et lever le refoulement. Ainsi s'explique l'énorme rôle de « **la résistance qui suit pas à pas le traitement et y imprime son empreinte sur toute idée, tout acte** du patient qui représente un compromis entre les forces tendant à la guérison et celles qui s'y opposent ». C'est **là que surgit le transfert, justement parce qu'il satisfait la résistance** : « Toutes les fois que l'on se rapproche d'un complexe pathogène, c'est d'abord la partie du complexe pouvant devenir transfert qui se trouve poussée vers le conscient et que le patient s'obstine à défendre avec la plus grande ténacité » ; si l'on parvient à vaincre cette résistance, le traitement va s'en trouver facilité. L'intensité et la durée d'un transfert dépendent de la résistance. Mais on ne peut vraiment comprendre comment le transfert sert la résistance qu'en distinguant un transfert « positif » de sentiments tendres, et un autre « négatif » hostile. Dans le premier, les sentiments tendres (pouvant devenir conscients) prolongent dans l'inconscient leur fondement érotique : « Originellement, nous

1. « Perspectives d'avenir de la thérapeutique analytique » (1910d), *De la technique psychanalytique,* Paris, PUF, 1953, p. 26-27 ; *OCF* X, p. 66-67 ; *GW* VIII, p. 107-108.

n'avons connu que des objets sexuels. » Nous pouvons conclure que, dans l'analyse, **le transfert devient une résistance quand il est négatif, ou lorsque dominent les éléments érotiques refoulés.** En rendant le transfert conscient, nous écartons ces deux composantes affectives ; ce qui est capable de devenir conscient demeure et devient le facteur du succès. « **Rien n'est plus difficile en analyse que de vaincre les résistances,** mais n'oublions pas que ce sont justement ces phénomènes-là qui nous rendent le service le plus précieux en nous permettant de mettre en lumière les émois amoureux secrets et oubliés des patients, et en conférant à ces émois un caractère d'actualité. »[1] **L'analyste peut apprécier la force d'une résistance à la mesure des efforts qu'il doit déployer pour la vaincre ;** encore faut-il qu'il « ne tolère en lui aucune résistance susceptible d'empêcher les perceptions de son inconscient d'arriver jusqu'à son conscient », ce qui impose la *règle de l'analyse personnelle de l'analyste*[2].

En **1914**, un texte majeur, « Remémoration, répétition et perlaboration », fait une large part aux résistances en commençant par étudier, là encore, leurs rapports au transfert – et, avec celui-ci, à la compulsion de répétition. Le transfert n'est lui-même « qu'un fragment de répétition et la répétition est le transfert du passé oublié ». C'est pourquoi, à toute occasion, **la répétition remplace l'impulsion à se souvenir, suscitant la résistance** : elle sera d'autant plus grande que la répétition (agie) se substituera au souvenir. Lorsque le transfert est modéré, la remémoration est aussi facile que dans l'hypnose et les symptômes s'apaisent ; si le transfert devient hostile ou excessif, exigeant de refouler, la mise en acte remplace le souvenir : alors « les résistance vont déterminer l'ordre des diverses répétitions »[3]. Si la technique analytique exige que l'analyste communique au patient les résistances découvertes, le plus souvent celui-ci ne les reconnaît pas et peut même les accentuer. C'est qu'il ne suffit pas de nommer la résis-

1. « La dynamique du transfert » (1912b), *De la technique psychanalytique,* Paris, PUF, 1953, p. 52-60 ; *OCF* XI, p. 109-116 ; *GW* VIII, p. 366-374.

2. « Conseils aux médecins sur le traitement psychanalytique » (1912e), *De la technique psychanalytique,* Paris, PUF, 1953, p. 67 ; *OCF* XI, p. 149 ; *GW* VIII, p. 381.

3. « Remémoration, répétition et perlaboration » (1914g), *De la technique psychanalytique,* Paris, PUF, 1953, p. 109-110 ; *OCF* XII, p. 190-191 ; *GW* X, p. 130-131.

tance pour la faire disparaître : « **Il faut laisser au malade le temps de bien connaître cette résistance qu'il ignorait, de la *perlaborer,* de la vaincre** et de poursuivre, malgré elle et en obéissant à la règle analytique fondamentale, le travail commencé. » Ainsi pourront ensuite être mises au jour les motions pulsionnelles refoulées qui alimentent la résistance. Cette *perlaboration des résistances* est, dans la pratique, une tâche ardue et une épreuve de patience, mais c'est elle « qui exerce sur les patients la plus grande influence modificatrice » [1].

La même année, Freud revient sur les conséquences que put avoir la découverte de l'apparition de résistances lorsqu'il traitait ses patients sans le recours à l'hypnose ; il comprit alors que l'hypnose recouvrait cette résistance et ne permettait pas de comprendre ses implications : c'est pourquoi l'histoire de la psychanalyse n'a pu commencer qu'avec l'abandon de l'hypnose. « La prise en considération théorique du fait que cette résistance coïncide avec une amnésie conduit alors inévitablement à la conception de l'activité psychique inconsciente qui est propre à la psychanalyse » ; **la théorie psychanalytique repose sur la compréhension de deux expériences cliniques frappantes et inattendues : le transfert et la résistance** – au point que « toute orientation de recherche qui reconnaît ces deux faits et les prend comme point de départ de son travail est en droit de se nommer psychanalyse, même si elle arrive à d'autres résultats que les miens ». Mais il ne faut pas s'attendre à ce que, pour autant, celle-ci soit acceptée ; les résistances qu'elle a mises en évidence chez les malades sont tout aussi bien à l'œuvre chez les bien-portants et, pour les mêmes raisons, suscitent des *résistances à la psychanalyse* elle-même [2].

Tout ceci est confirmé en 1915, dans deux textes [3]. Ce l'est surtout en **1916-1917** dans les *Conférences d'introduction à la psychanalyse* : l'interprétation du rêve s'effectue contre une résistance qui porte sur

1. *Ibidem,* p. 114-115 ; p. 195-196 ; p. 135-136.

2. *Sur l'histoire du mouvement psychanalytique* (1914d), Paris, Gallimard, 1991, p. 29-30 et 41-42 ; *OCF* XII, p. 258-259 et 266 ; *GW* X, p. 54 et 62.

3. « Observations sur l'amour de transfert » (1915a [1914]), *De la technique psychanalytique,* Paris, PUF, 1953, p. 119-120 ; *OCF* XII, p. 202 ; *GW* X, p. 310 ; et « L'inconscient » (1915e), *Métapsychologie,* Paris, Gallimard, 1968, p. 65-66 ; *OCF* XIII (2e éd.), p. 207 ; *GW* X, p. 264.

les idées décisives pour la mise au jour de l'inconscient – découverte qui fut surprenante et dérangeante[1]. Freud va ensuite en traiter longuement (la XIXe *Conférence* s'intitule d'ailleurs « Résistance et refoulement »). La résistance du patient est une constante dès le moment où nous entreprenons une analyse ; **elle prend des formes très variées et changeantes, mais concentre d'abord ses assauts sur la règle fondamentale et son exigence de « tout dire ».** Les résistances intellectuelles sont les plus aisées à vaincre. Beaucoup plus difficiles sont celles qui amènent le patient, au lieu de se souvenir, à répéter dans le transfert des positions et motions affectives infantiles (particularités de caractère, positions du moi) ; heureusement, elles contiennent, sur les périodes les plus importantes du passé, un matériel d'une grande richesse, devenant ainsi les meilleurs points d'appui de l'analyse – même si toutes les occasions sont bonnes au malade pour alimenter ses résistances. Quoi qu'il en soit, **cette « résistance des névrosés à l'élimination de leurs symptômes est devenue le fondement de notre conception dynamique des névroses »[2].**

L'existence du symptôme présuppose qu'un processus psychique, empêché de devenir conscient, fonctionne comme un substitut de ce qui n'a pas eu lieu, survenu là où s'est levée une violente rébellion contre sa venue à la conscience : « C'est au titre d'inconscient qu'il a eu le pouvoir de former un symptôme. » Pendant la cure, c'est la même rébellion qui se manifeste comme résistance, nous mettant en face d'un *refoulement*. Celui-ci est le résultat de l'action du gardien qui, veillant entre les systèmes de l'inconscient et du préconscient, n'autorise pas la motion à passer ; il s'agit là de ce qu'on appelle la ***censure,* qui se révèle sous la forme de *résistance*[3].**

Celle-ci est mentionnée en 1918, dans l'étude du cas de « L'homme aux loups », pour justifier la technique particulière de fin de cure alors mise en œuvre[4]. « Les voies de la thérapie psychanalytique »

1. *Conférences d'introduction à la psychanalyse* (1916-1917), Paris, Gallimard, 1999, p. 148-150 ; *OCF* XIV, p. 115-117 ; *GW* XI, p. 114-115.

2. *Ibidem*, p. 365-369 ; p. 296-302 ; p. 296-301.

3. *Ibidem*, p. 373-376 ; p. 303-306 ; p. 303-306.

4. « Extrait de l'histoire d'une névrose infantile (L'homme aux loups) » (1918b

(1919), reprennent ce qui put être déjà dit sur résistance et transfert, en apportant cette note qui annonce les textes sur le « clivage » : « Le névrosé nous apporte un psychisme déchiqueté, fissuré par les résistances » mais, lorsqu'on peut éliminer celles-ci, nous voyons le psychisme se coordonner et la grande unité que nous appelons « moi » s'agréger les émois pulsionnels jusqu'alors détachés et écartés de lui ; ainsi, en levant les résistances, se réalise d'elle-même la psychosynthèse[1].

C'EST D'ABORD LE MOI QUI RESISTE, MAIS IL N'EST PAS SEUL

La théorie du moi, avec celle des instances, est ainsi en passe d'être révisée. En **1920,** *Au-delà du principe de plaisir* poursuit la mise en place de cette réévaluation en s'appuyant sur la compréhension du mécanisme des résistances, dont témoigne la *compulsion de répétition.* Freud souligne alors que le refoulé, que **l'inconscient n'oppose aucune résistance** puisqu'il tend, tout au contraire, à se frayer un chemin vers la conscience ; la résistance dans la cure provient des systèmes supérieurs qui produisirent jadis le refoulement, dont les motifs sont d'abord inconscients. Plutôt que le conscient et l'inconscient il convient d'opposer « le *moi,* avec sa cohésion, et le *refoulé* ». Une grande part du moi est elle-même inconsciente, et le *préconscient* n'en recouvre qu'une petite partie. Partant de cette « terminologie systématique ou dynamique, nous pouvons dire que **la résistance de l'analysé provient de son moi** » (la compulsion de répétition devant être attribuée au refoulé inconscient), et qu'elle est au service du principe de plaisir, cherchant à éviter le déplaisir lié à la libération du refoulé – alors que les efforts de l'analyse font appel au principe de réalité[2]. *Le moi et le ça* (1923) reprend tout ceci, l'introduction des nouvelles instances n'apportant pas (peut-être curieusement ?) de

[1914]), *Cinq psychanalyses,* Paris, PUF, 1954, p. 328-329 ; *OCF* XIII (2e éd.), p. 9 ; *GW* XII, p. 34.

1. « Les voies de la thérapie psychanalytique » (1919a) [1918]), *De la technique psychanalytique,* Paris, PUF, 1953, p. 134 ; *OCF* XV, p. 101-102 ; *GW* XII, p. 186.

2. *Au-delà du principe de plaisir* (1920g), *Essais de psychanalyse,* Paris, Payot, 1981, p. 58-59 ; *OCF* XV, p. 289-290 ; *GW* XIII, p. 17-18.

nouvelles formalisations sur le fonctionnement des résistances ; toutefois, c'est ici que se révèle la *réaction thérapeutique négative*, qui vient d'être reconnue et qui est alors désignée comme étant une *résistance*, et sans doute la pire de toutes[1].

En 1924-1925 Freud revient sur « Les résistances à la psychanalyse », titre même de l'article (en français) qu'il leur consacre, et thèse qu'il évoqua très tôt et maintiendra toujours, dans les même termes. Il vise là les **résistances de l'environnement social à l'encontre de la psychanalyse** elle-même. Au-delà de celles que suscite toute véritable innovation, il convient de les attribuer surtout à la grande importance que l'analyse reconnaît à l'« instinct sexuel » dans le fonctionnement psychique ; par là, elle attente aux bases de la société qui contraint l'homme « à vivre psychologiquement au-delà de ses moyens », laissant non satisfaits ses besoins instinctifs – ainsi **la société en vient à se comporter à l'égard de la psychanalyse exactement comme le névrosé en traitement.** Il faut ajouter que « l'interprétation psychanalytique des rapports du moi conscient à l'inconscient tout-puissant » constitue une sérieuse humiliation infligée à l'amour-propre humain, humiliation psychologique qui vient s'ajouter à l'humiliation biologique provoquée par la théorie de la descendance de Darwin, et à l'humiliation cosmologique due à Copernic. Il est vrai qu'il convient de prendre en compte les difficultés à se faire une opinion sur la psychanalyse pour quelqu'un qui n'en a pas fait l'expérience par soi-même ; cette méconnaissance vient grandement renforcer les résistances à la psychanalyse[2].

Il faut attendre **1926** et *Inhibition, symptôme et angoisse* pour qu'en soit reprise et précisée la dynamique : aussi diverses soient-elles, **les résistances exigent une dépense continuelle d'énergie, et présupposent un *contre-investissement***[3]. Abandonner ses résistances est, pour le moi, une tâche difficile, nécessitant dans la cure des efforts

1. *Le moi et le ça* (1923b), *Essais de psychanalyse*, Paris, Payot, 1981, p. 228 et 264 ; *OCF* XVI, p. 262 et 292 ; *GW* XIII, p. 243-244 et 278-279.

2. « Résistances à la psychanalyse » (1925e), *Résultats, idées, problèmes, II*, Paris, PUF, 1984, p. 129-133 ; *OCF* XVII, p. 130-135 ; *GW* XIV, p. 104-109.

3. *Inhibition, symptôme et angoisse* (1926d [1925]), Paris, PUF, 1951, p. 85 ; *OCF* XVII, p. 271 ; *GW* XIV, p. 189.

opiniâtres, tâche qui avait pu être désignée comme « *perlaboration* » douze ans plus tôt. Sa dynamique est maintenant comprise : une fois vaincue la résistance du moi, restent à surmonter l'emprise de la compulsion de répétition et l'attraction sur le refoulé des prototypes inconscients ; après tout, on pourrait parler là de « *résistance de l'inconscient* ». Freud est alors conduit à individualiser « **cinq sortes de résistances,** provenant de trois directions, le moi, le ça et le surmoi, le moi étant la source de trois formes de résistance différant par leur dynamique ». Nous avons ainsi : – la *résistance de refoulement,* dont il a surtout été question jusqu'ici ; – la *résistance de transfert,* de même nature mais dont les manifestations, au cours de l'analyse, sont bien plus nettes ; – le *bénéfice de la maladie,* résistance qui émane aussi du moi mais est d'une tout autre nature car elle est produite par l'intégration du symptôme dans le moi et exprime le refus du moi de renoncer à une satisfaction ; – la *résistance du ça* est justement celle qui impose la perlaboration ; – la *résistance du surmoi,* qui a été reconnue la dernière, provient du sentiment de culpabilité ou du besoin de punition et, s'opposant à la guérison, elle est la plus obscure mais pas toujours la plus faible[1]. Ceci va être brièvement repris, la même année, dans *La question de l'analyse profane*[2].

En **1933 et 1937,** l'étude des résistances est activement reprise. Les *Nouvelles conférences d'introduction à la psychanalyse* commencent par rappeler que le travail d'interprétation du rêve doit s'effectuer contre des résistances, qui ont d'ailleurs aussi leur part dans sa constitution ; éminemment variables, elles sont l'indice d'un conflit entre les revendications pulsionnelles et les résistances qui se dressent contre elles[3]. **Toute la théorie psychanalytique est bâtie sur la résistance qui se manifeste durant la cure :** les idées s'arrêtent, ou alors s'éloignent loin du thème traité, le patient peut alors éprouver des sensations pénibles, mais sa résistance demeure tout aussi inconsciente que le refoulé que

1. *Ibidem,* p. 88-89 ; p. 274 ; p. 192-193.

2. *La question de l'analyse profane* (1926e), Paris, Gallimard, 1986, p. 49 ; *OCF* XVIII, p. 48-49 ; *GW* XIV, p. 254-255.

3. *Nouvelles conférences d'introduction à la psychanalyse* (1933a [1932]), Paris, Gallimard, 1984, p. 29 et 81 ; *OCF* XIX, p. 99 et 140 ; *GW* XV, p. 19 et 62-63.

nous cherchons à abolir. D'où provient-elle ? Certainement pas du refoulé qui, au contraire, pousse pour accéder à la conscience. **La résistance est une manifestation du moi qui veut maintenir le refoulement.** Maintenant que nous l'attribuons au surmoi, instance particulière dans le moi qui représente les exigences restrictives et rejetantes, nous disons que le refoulement en est l'œuvre ; si, dans l'analyse, la résistance ne devient pas consciente, c'est soit que surmoi et moi travaillent alors inconsciemment, soit que des parties des deux sont inconscientes : nous devons conclure que moi-surmoi et conscient d'une part, refoulé et inconscient d'autre part, ne coïncident de nulle façon [1]. Disons que **le moi s'est séparé du ça par des résistances de refoulement,** que le refoulement ne se poursuit pas dans le ça, mais que le refoulé conflue avec le reste du ça [2]. Des réflexions, telles que celles-ci sur la théorie des pulsions, comme celles qui conduisirent à la révision de la relation entre moi et inconscient, résultent du constat que le patient qui résiste n'en sait souvent rien ; ce n'est pas seulement la résistance qui lui est inconsciente, ce sont aussi ses motifs : il faut les attribuer à un fort *besoin de punition* qui appartient aux désirs masochistes [3].

Quatre ans plus tard, en **1937,** ces thèmes sont longuement repris dans un **important texte conclusif** qui porte d'abord sur la technique mais aussi, peut-être même surtout sur ses implications théoriques : « L'analyse avec fin et l'analyse sans fin ». Dans la cure, en répétant les mécanismes de défense du moi, l'analysé nous les révèle, nous aidant dans notre tâche ; encore faut-il mettre au jour ce qui est enfoui dans le ça (ce que, dès ses débuts, l'analyse chercha à faire). Nous oscillons constamment entre les deux : « Dans un cas nous voulons rendre conscient quelque chose du ça, dans l'autre corriger quelque chose dans le moi. » Autrefois opportuns, **les mécanismes de défense reviennent dans la cure comme résistances à leur liquidation,** ce qui aboutit à ce que « la guérison elle-même soit traitée par le moi comme un nouveau danger ». L'analyse ne peut agir qu'en rendant le refoulé conscient, ce que doivent permettre interprétations et constructions,

1. *Ibidem,* p. 95-96 ; p. 151-152 ; p. 74-75.
2. *Ibidem,* p. 107 ; p. 160 ; p. 84.
3. *Ibidem,* p. 146 ; p. 191 ; p. 115.

mais cette tâche est impossible tant que le moi maintient les résistances. **Bien qu'appartenant au moi, elles sont inconscientes et comme isolées à l'intérieur du moi ;** comme elles se reconnaissent pourtant plus facilement que ce qui a de tous temps été enfoui dans le ça, on pourrait penser qu'il devrait être possible de les rendre conscientes en les mettant en rapport avec le reste du moi. Mais, pendant ce travail sur les résistances, le moi oublie la règle fondamentale de l'analyse et s'oppose à la mise au jour du ça ; sous l'influence des motions de déplaisir suscitées par le renouvellement des conflits défensifs, il suscite des transferts négatifs qui peuvent passer au premier plan, abolissant la situation analytique ; l'analyste devient un étranger hostile. Mauvaise surprise : nous découvrons alors qu'il « **existe ainsi véritablement une résistance contre la mise au jour de résistances** » ; les mécanismes de défense se muent non seulement en résistances à la prise de conscience des contenus du ça, mais aussi à l'analyse elle-même, et donc à la guérison.

Pendant la cure, il y a comme une « modification du moi » ; **son issue dépend de la force et de la profondeur des résistances** propres à cette modification. Là encore, on mesure l'importance du facteur quantitatif : « L'analyse ne peut mettre en œuvre que des quantités déterminées et limitées d'énergies qui ont à se mesurer aux forces hostiles. » Mais les modifications du moi ne sont pas le résultat des seuls premiers combats défensifs. Il existe des « variétés de moi, originaires et innées », et chacun choisit les quelques défenses qu'il va utiliser : « Chaque moi particulier est doté dès le départ de dispositions individuelles » dont nous savons bien peu de choses ; en outre, il ne faut ni surestimer la différence entre l'hérité et l'acquis (l'hérité étant pour une part ce que les ancêtres ont acquis), ni exagérer la différence entre le ça et le moi (puisque à l'origine ça et moi ne sont qu'un). Mais si, ce faisant, nous comprenons que les résistances du moi peuvent être héréditairement déterminées aussi bien qu'acquises dans des combats défensifs, « la distinction topique – s'agit-il du moi, s'agit-il du ça – a pour notre recherche beaucoup perdu de sa valeur ». Il nous faut alors identifier des **résistances d'un autre genre, non localisables,** sans doute liées à des rapports fondamentaux dans l'appareil psychique, et on peut compter au nombre de celles-ci tant la *viscosité de la libido* que *son extrême mobilité.* Ajoutons que la motion pulsionnelle met une lenteur manifeste à suivre les nouvelles voies ouvertes par le travail analytique, ce qui peut être qualifié, un peu approximativement, de *résistance provenant du ça*.

La résistance se trouve une autre base, encore plus profonde, pour dresser un obstacle au succès thérapeutique : il s'agit de la répartition, du mélange et du démélange des deux pulsions originaires, qui ne sauraient être limitées à une seule province de l'appareil psychique, ça, moi ou surmoi. **Confrontés à la puissance des résistances lors du travail analytique, à cette force qui s'oppose à la guérison par tous les moyens et s'accroche à la maladie et à la souffrance, telles les manifestations du masochisme immanent, de la réaction thérapeutique négative et de la conscience de culpabilité, on ne peut qu'être conduit à l'idée d'une pulsion de mort**[1].

QUESTIONS ET ENJEUX

La résistance serait donc une notion « évidente » : d'abord simple constat de la clinique, plus précisément rencontre fâcheuse dans la pratique de la cure posant un problème technique, elle doit justifier les constructions théoriques qui cherchent à en rendre compte. Mais avec celles-ci, avec l'explicitation des processus auxquels elle renvoie et la découverte des forces qu'elle met en œuvre, les choses se compliquent. Pourtant, en elle-même, la résistance ne devrait pas soulever de problèmes particuliers puisqu'elle témoigne simplement du fait que, lors du traitement analytique, « quelque part quelque chose résiste », tant aux changements supposés souhaitables qu'à la simple découverte de ce qui se passe. La seule problématique consiste alors à situer ce « quelque part » et ce « quelque chose ». Pour ce qui est du lieu, il apparaît d'abord clairement que tout part du moi, auquel viendra se joindre le surmoi, cette « instance particulière dans le moi ». Mais, dans ses derniers travaux, Freud doit constater qu'il est souvent difficile de décider, dans ce qui opère, s'il s'agit du moi ou

1. « L'analyse avec fin et l'analyse sans fin » (1937c), *Résultats, idées, problèmes, II*, Paris, PUF, 1984, p. 253-258 ; *OCF* XX, p. 39-44 ; *GW* XVI, p. 83-88.

du ça, et qu'alors cette distinction topique perd beaucoup de sa valeur ; en outre, il lui apparaît que les résistances modifient le moi et qu'une bonne part d'inné s'exprime en elles. Il aboutit ainsi à l'idée qu'il y aurait des résistances « autres », non localisables, sans doute liées à des rapports entre les processus psychiques : ce seraient des résistance du ça. Le « quelque part » s'est donc finalement révélé très relatif, voire accessoire ; de surcroît, le « quelque chose » s'avère alors bien plus divers et insaisissable qu'on pouvait d'abord le penser. Si, à cela, on ajoute que la pulsion de mort devrait être considérée comme constituant peut-être la plus puissante des résistances, on doit bien constater que la notion « évidente » de résistance a perdu beaucoup de sa limpidité et de sa simplicité initiale ; elle a, indiscutablement, changé de statut.

On le voit, de phénomène produit « localement » par la cure, correspondant au travail de la censure dans la vie psychique en général, la résistance en vient à prendre une valeur beaucoup plus large. Il est assez remarquable qu'elle ait été quelque peu négligée lors de l'élaboration de la deuxième topique, comme si Freud ne savait alors trop où la situer entre les nouvelles instances et leurs processus propres. Il faut attendre près de quinze ans pour la voir reprise, réévaluée, échappant alors au cadre, malgré tout restreint, du traitement analytique.

Pour autant, sa place n'a jamais été remise en question. C'est bien en s'appuyant sur la résistance qui se manifeste durant l'analyse – constat toujours réitéré – que se fonde la pratique de la cure et se bâtit toute la théorie psychanalytique. Ce qui est révisé très progressivement tout au long de l'œuvre, jusqu'au grand bouleversement de « L'analyse avec fin et l'analyse sans fin » en 1937, ce sont les implications dynamiques et économiques de la résistance, la topique ne suffisant plus à en rendre compte – c'est celle-ci qui se trouve alors affaiblie. En admettant l'existence de « résistances du ça », ce n'est pas tant un déplacement de lieu qu'opère Freud qu'un changement de « point de vue » ; il faut, là aussi, reconnaître toute l'importance accordée aux processus pulsionnels (s'appuyant notamment sur les notions de « viscosité » et de « mobilité » de la libido). L'entrée en jeu de la pulsion de mort, aussi mystérieuse demeure-t-elle, accentue encore l'ampleur de la révision conceptuelle. De simples difficultés rencontrées dans la conduite de la cure qu'elles étaient aux débuts, les résistances sont devenues les révélateurs des forces les plus puissantes et les plus profondes, un instrument proprement métapsychologique pour en approfondir la compréhension. Ainsi, au fil de l'œuvre, loin d'assister à un amoindrissement de la portée théorique des résistances, on en découvre, au contraire, un renforcement.

Claude LE GUEN

Retournement d'une pulsion → Renversement-retournement

Retournement sur la personne propre → Renversement-retournement

Retrait d'investissement → Investissement

RÊVE

all. : ***Traum.*** – angl. : *dream.* – ital. : *sogno.* – esp. : *sueño.* – port. : *sonho*

Le rêve est une formation de l'inconscient dont le contenu manifeste, hallucinatoire, renvoie à un contenu latent susceptible d'interprétation, à partir du récit du rêve et des associations du rêveur. Il est gardien du sommeil lorsque les restes diurnes reçoivent un renforcement de sources pulsionnelles inconscientes ; le désir du rêve, inconscient, remanie des contenus préconscients et leur donne une figuration hallucinatoire, selon la logique associative des processus primaires. Compris par Freud comme une réalisation de désir, puis plus tardivement comme une tentative de réalisation de désir, le rêve est une voie royale d'accès aux fantasmes inconscients et à l'infantile refoulé. Le travail du rêve, qui régresse aux processus primaires, est caractérisé par deux procédés fondamentaux, la condensation et le déplacement, par la transposition des contenus en figurations visuelles (tandis que les paroles sont reprises de restes diurnes), par le recours au symbolisme et par l'effacement apparent des liens logiques – même s'il est aussi un compromis, car il subit une élaboration secondaire préconsciente.

MISE EN SITUATION

La psychanalyse naît de l'abandon de l'hypnose au profit des associations libres et de la découverte de l'interprétation des rêves. Il est impossible de rendre compte exhaustivement de l'ensemble des propos freudiens sur le rêve. Nous tenterons simplement de dresser un inventaire des textes dans lesquels le rêve est au centre du propos, en dégageant la permanence mais aussi les remaniements de la pensée freudienne sur le rêve.

LE TEXTE FREUDIEN

LE RÊVE DANS LES ÉCRITS FREUDIENS

L'interprétation des rêves (1900)

Ouvrage princeps de Freud, *L'interprétation des rêves* est une somme théorique et clinique que nous ne pouvons résumer ici. L'ouvrage fourmille d'exemples d'analyses de rêves ; nous nous bornerons à indiquer son plan et quelques thèses essentielles. Le premier chapitre est une étude détaillée de la littérature antérieure sur le rêve. Le second s'attache à la méthode d'interprétation à partir de l'analyse du rêve de l'injection faite à Irma. Le troisième chapitre soutient la thèse centrale du rêve comme accomplissement de désir, avec notamment la présentation de rêves d'enfant. C'est à la déformation dans le rêve qu'est consacré le quatrième chapitre, en appui sur l'analyse du « rêve de l'oncle » et de celui du « souper manqué ». Le matériel et les sources du rêve sont étudiés au chapitre cinq qui comporte une première analyse du rêve de la « monographie botanique » et nombre d'autres exemples[1].

1. *L'interprétation des rêves* (1900a), Paris, PUF, 1926, 1967 ; *OCF* IV *[L'interprétation du rêve]* ; *GW* II-III.

Deux chapitres (VI et VII), consacrés au travail et à la psychologie des processus du rêve, sont particulièrement instructifs. Le rêve est assimilé à un rébus, et Freud rappelle la distinction essentielle entre contenu manifeste et contenu latent (ou pensées du rêve) ; puis il s'attache systématiquement à l'étude des *procédés de la formation du rêve,* travail de condensation et travail de déplacement, prise en considération de la figurabilité, traitement des paroles, des affects, des liens logiques, des absurdités, du rôle des restes diurnes et de l'élaboration secondaire. Ouvert par le « rêve de l'enfant qui brûle » et par des réflexions sur l'oubli des rêves, le septième et dernier chapitre décrit le fonctionnement de l'appareil psychique, revient sur la notion d'accomplissement de désir, étudie les formes de la régression onirique et l'importance de l'infantile, définit la conscience comme organe de perception des qualités psychiques, et fonde le concept de processus primaires en dégageant la fonction du refoulement.

Écrits complémentaires 1899-1915

Un certain nombre d'écrits complémentaires accompagnent et prolongent les élaborations de 1900.

« Une prémonition onirique accomplie » (1899)[1] critique l'idée de prémonition à partir d'un exemple de rêve compris finalement comme rêve d'après coup, forme du processus de censure.

Sur le rêve (1901)[2] est un article qui reprend et vulgarise les thèses de l'interprétation des rêves, sur le rêve comme accomplissement de désir et sur les procédés du travail du rêve, à partir du commentaire systématique du « rêve de la table d'hôte ».

« Fragment d'une analyse d'hystérie (Dora) » (1901)[3] présente certains aspects de la cure de Dora en particulier à partir de l'analyse

1. « Une prémonition onirique accomplie » (1899), *Résultats, idées, problèmes, I,* Paris, PUF, 1984, p. 109-111 ; *OCF* V, p. 11-13 ; *GW* XVII, p. 21-23.

2. *Sur le rêve* (1901a), Paris, Gallimard, 1988, p. 125 ; *GW* II-III.

3. « Fragment d'une analyse d'hystérie (Dora) » (1905e [1900]), *Cinq psychanalyses,* Paris, PUF, 1954, 1970 (PUF « Quadrige », 2008) ; *OCF* VI, p. 236 ; *GW* V, p. 163-286.

de deux rêves, celui du « coffret à bijoux » de maman et celui de la ville inconnue liée à la mort des parents.

Le délire et les rêves dans la « Gradiva » de Jensen (1907)[1], malgré son titre, s'attache surtout au délire de Norbert Hanold, aux stratégies de Gradiva pour se faire reconnaître et à la dimension transférentielle implicite du récit. L'analyse des rêves d'angoisse, les défenses de Hanold contre ses rêves, la mise en évidence de condensations et de déplacements, le traitement des restes diurnes témoignent d'une application assez systématique des thèses de *L'interprétation des rêves* au récit de Jensen.

Cinq leçons sur la psychanalyse (1909)[2], qui rassemble les conférences d'introduction à la psychanalyse prononcées par Freud à la Clark University lors de son voyage aux États-Unis, consacre sa troisième leçon aux processus et à l'interprétation des rêves.

« Suppléments à l'interprétation du rêve » (1911)[3] est un bref article paru dans le *Zentralblatt für Psychoanalyse* qui s'attache à quelques symboles oniriques de l'organe génital masculin : le chapeau, le petit, et diverses configurations de bâtiments ; le fait d'être écrasé par un véhicule y apparaît comme symbole du commerce sexuel.

« Rêves dans le folklore » (1911)[4], écrit avec David E. Oppenheim, rassemble un matériel onirique autour de la symbolique du pénis et surtout de l'excrément, qui prolonge les réflexions freudiennes de l'époque sur l'analité, issues de la réflexion sur la névrose obsessionnelle, tout en faisant place à son intérêt de plus en plus affirmé pour les mythologies, les contes et les traditions populaires.

1. *Le délire et les rêves dans la « Gradiva » de Jensen* (1907a), Paris, Gallimard, 1986 ; *OCF* VIII ; *GW* VII, p. 31-125.

2. *Cinq leçons sur la psychanalyse* (1909), Paris, Payot, 1973 ; « De la psychanalyse », *OCF* X, p. 2-55 ; *GW* VIII, p. 3-60.

3. « Suppléments à l'interprétation du rêve » (1911a), *L'interprétation des rêves*, Paris, PUF, 1926, 1967, p. 309-314 et 349-350 ; *OCF* XI, p. 1-10. ; *GW* II-III, p. 365-370 et 412-413.

4. S. Freud (et D.E. Oppenheim), « Rêves dans le folklore » (1958a [1911]), *Résultats, idées, problèmes, I*, Paris, PUF, 1984, p. 109-111 ; *OCF* XI, p. 55-84 ; *GW (Nachtragsband)*, p. 576-600.

« Demande d'information de l'éditeur sur les rêves d'enfance » (1912)[1] est une brève notice de Freud invitant les psychanalystes à collecter des rêves dont les rêveurs ont été, enfants, spectateurs d'un commerce sexuel. « Rêves d'enfance ayant une signification spéciale » (1913)[2] présentait dans le *Zentralblatt* une communication de Mira Gincburg qui répondait à la demande ci-dessus.

« Un rêve utilisé comme preuve » (1913)[3] rapporte celui d'une garde-malade qui révèle un endormissement qu'elle a dénié la veille. Ce rêve suscite l'intérêt théorique de Freud car il semble contredire la thèse de l'accomplissement de souhait, mais témoigne en fait d'un désir infantile et actuel plus profond, celui d'avoir un enfant. Il y traite également du devenir des restes diurnes dans le rêve.

« Matériaux de contes dans les rêves » (1913)[4] comporte deux analyses de rêves dans lesquels les associations manifestent des références à des contes, *Rumpelstilzchen,* un conte de Grimm, et *Le Petit Chaperon rouge*. De l'analyse de ces rêves on peut espérer des indications pour l'interprétation psychanalytique des contes.

« L'intérêt de la psychanalyse » (1913) comporte à la fin de sa première partie une reprise synthétique des thèses psychanalytiques sur le rêve et le travail du rêve[5]. Dans la langue du rêve, les concepts sont encore ambivalents : substitution de contraires et condensation d'opposés y sont fréquents[6].

« Présentation figurée de "la grande performance" dans le rêve » (1914)[7] – article, pour l'essentiel, inséré en 1919 dans *L'interpréta-*

1. « Demande d'information de l'éditeur sur les rêves d'enfance » (1912), *OCF* XI, p. 181-183 ; *GW (Nachtragsband)*, p. 612.

2. « Rêves d'enfance ayant une signification spéciale » (1913), *OCF* XI, p. 181-183 ; *GW (Nachtragsband)*, p. 613.

3. « Un rêve utilisé comme preuve » (1913a), *Névrose, psychose et perversion,* Paris, PUF, 1973, p. 199-207 ; *OCF* XII, p. 9-20 ; *GW* X, p. 12-22.

4. « Matériaux de contes dans les rêves » (1913), *Résultats, idées, problèmes, I,* Paris, PUF, 1984, p. 215-221 ; *OCF* XII, p. 25-33 ; *GW* X, p. 2-9.

5. « L'intérêt de la psychanalyse » (1913j), *Résultats, idées, problèmes, I,* Paris, PUF, 1984, p. 192-194 ; *OCF* XII, p. 104-106 ; *GW* VIII, p. 396-398.

6. *Ibidem.*

7. « Présentation figurée de "la grande performance" dans le rêve » (1914),

tion des rêves – présente un rêve qui auto-interprète le comportement du rêveur dans sa cure, s'arrachant à sa position féminine inconfortable. Il s'agit d'une thématique d'angoisse de castration.

Complément métapsychologique à la théorie du rêve (1915)

Cet article fait partie des synthèses rédigées en 1915 par Freud pour constituer une *Métapsychologie*. Il commence par des considérations sur le sommeil, « réactivation du séjour dans le ventre de la mère »[1], retirement presque total du monde environnant, retour au narcissisme primitif et régression jusqu'à la satisfaction hallucinatoire de désir[2]. L'intérêt porté au sommeil, du fait des réflexions menées en 1914 dans « Pour introduire le narcissisme », amène une réinterprétation de la fonction du rêve : « Un rêve nous annonce que quelque chose s'est passé qui voulait perturber le sommeil, et il nous permet de discerner la façon dont cette perturbation a pu être écartée défensivement. »[3] Le narcissisme du sommeil accepte ici une exception – avec laquelle s'amorce la formation du rêve – du fait des restes diurnes, qui reçoivent « un renforcement venu des sources de motions pulsionnelles inconscientes »[4], car le refoulé pulsionnel ne participe pas au désir de dormir. Une partie des contre-investissements est maintenue et la censure entre *Ics* et *Pcs,* bien qu'affaiblie, demeure active. Au total, le rêve est aussi une projection, l'extériorisation d'un processus interne[5], et « le souhait du rêve prend forme, lequel donne expression à la motion inconsciente dans le matériel des restes du jour préconscients »[6]. La régression topique et la prise en considération de la figurabilité caractérisent le rêve. Freud différencie ensuite la « psychose de

---

L'interprétation des rêves, *Paris,* PUF, *1926, 1967, p. 352-353 ;* OCF XII, *p. 327-330. ;* GW II-III, *p. 416-417.*

1. « Complément métapsychologique à la théorie du rêve » (1917d [1915]), *Métapsychologie,* Paris, Gallimard, 1968, p. 124 ; *OCF* XIII, p. 245 ; *GW* X, p. 412.

2. *Ibidem,* p. 124 ; p. 246 ; p. 413.

3. *Ibidem,* p. 125-126 ; p. 247 ; p. 414.

4. *Ibidem,* p. 128 ; p. 248 ; p. 415.

5. *Ibidem,* p. 126 ; p. 247 ; p. 414.

6. *Ibidem,* p. 130 ; p. 249 ; p. 417.

souhait hallucinatoire du rêve »[1] des pathologies hallucinatoires et montre pourquoi le rêve peut se dispenser de l'épreuve de réalité.

Conférences d'introduction à la psychanalyse (1916)

Elles consacrent au rêve la deuxième des trois séries d'exposés, soit les conférences V à XV. Le rêve est une formation symptomatique universelle, mais il semblait irrationnel et indigne de l'attention scientifique, par réaction contre la surestimation antérieure qui en faisait un messager des dieux riche de significations prémonitoires. Il est donc difficile de se pencher rationnellement et rigoureusement sur le rêve, cette « autre scène »[2] que la scène vigile, qualitativement différente (V^e^ conférence). La sixième conférence s'attache aux présuppositions et à la technique de l'interprétation, la septième établit la distinction entre contenu manifeste et contenu latent. Puis vient l'examen des rêves d'enfants, de la censure et de ses effets de déformations, de la symbolique, des procédés du travail du rêve – condensation, déplacement d'accent, figurabilité, élaboration secondaire. Après des analyses d'exemples de rêves, dans la XIIe conférence, Freud souligne la régression (sous le titre de « traits archaïques ») et la présence de l'infantile dans le rêve, avant de mettre en valeur l'accomplissement de désir permis par le rêve (XIVe conférence), puis d'indiquer les incertitudes qui demeurent tout en déjouant les éventuelles critiques.

Compléments et problèmes spécifiques

— « Compléments à la doctrine du rêve » (1920)[3] est le titre d'une communication faite au VIe congrès international de psychanalyse, à La Haye, qui annonçait la parution prochaine d'*Au-delà du principe de plaisir*. Le texte qui nous reste est le compte rendu qu'en donna l'*Internationale Zeitschrift für Psychoanalyse,* sans que nous sachions

1. *Ibidem,* p. 135 ; p. 253 ; p. 420.

2. *Conférences d'introduction à la psychanalyse* (1916-1917), Paris, Gallimard, 1999, p. 115 ; *OCF* XIV, p. 88 ; *GW* XI, p. 86 (*Introduction à la psychanalyse,* p. 76).

3. « Compléments à la doctrine du rêve » (1920), *OCF* XV, p. 339-342 ; *GW (Nachtragsband),* p. 622-623.

s'il fut rédigé par Freud ; ce résumé évoque une modification nécessaire de la thèse du rêve comme accomplissement de désir, à partir de l'existence, outre les rêves de désir et les rêves d'angoisse, de rêves de punition, accomplissement de souhait de l'instance critique. Les rêves traumatiques sont une exception plus radicale à la définition habituelle du rêve. Freud récuse l'idée de rêves à dimension prospective, car il ne s'agit que d'une activité préconsciente en état de demi-sommeil.

— « Rêve et télépathie » (1922), est écrit quelques mois après « Psychanalyse et télépathie » (1921), que Freud concluait en rejetant les miracles de l'occultisme, tout en montrant les possibilités d'induction de pensée entre deux personnes proches. Ni dans sa propre existence, ni avec ses patients, il n'a connu de rêve télépathique. Ceux qui sont rapportés dans la littérature sur ce sujet ne sont pas soumis à une investigation analytique. La communication rapportée prend appui sur deux lettres, envoyées par un correspondant qui croit pouvoir comprendre un rêve comme annonce télépathique d'une naissance gémellaire inattendue. Mais l'intérêt pour la télépathie, sous-tendu par les penchants animiques, tend toujours à empêcher de soumettre vraiment le rêve à l'analyse. De toute façon, un message télépathique, passivement reçu, n'a rien à voir avec la formation d'un rêve, car « l'essence du rêve consiste dans le procès spécifique du travail de rêve, qui fait passer des pensées préconscientes (restes du jour), à l'aide d'une motion de souhait inconsciente, dans le contenu de rêve manifeste »[1]. Le second exemple ne fait que confirmer que les cas de message ou d'opérations télépathiques sont nettement rattachés aux excitations qui relèvent du complexe d'Œdipe[2], mais n'ont rien à faire avec l'essence du rêve, même si les processus télépathiques sont favorisés par l'état de sommeil.

— Les dix « Remarques sur la théorie et la pratique de l'interprétation du rêve » (1922) accompagnent de façon indépendante une réédition de *L'interprétation des rêves*. La première notation, technique,

1. « Rêve et télépathie » (1922a), *Résultats, idées, problèmes, II*, Paris, PUF, 1984, p. 35 ; *OCF* XVI, p. 131 ; *GW* XIII, p. 177.

2. *Ibidem*, p. 47 ; p. 143 ; p. 190.

distingue diverses voies : l'interprétation systématique d'un rêve, qui invite à associer élément par élément, celle qui part d'un élément privilégié sans visée exhaustive, ou encore celle qui néglige le contenu manifeste du rêve pour partir des événements de la veille, susceptibles de fournir des restes diurnes. Si le rêveur est familier de la technique de l'interprétation, on peut aussi s'en remettre, sans autre prescription, à ses associations[1]. Les remarques suivantes envisagent les résistances, les types de rêve selon la puissance du désir inconscient ou la présence forte de restes du jour, l'écart éventuel entre les rêves et la vie de veille, l'utilisation de l'interprétation des rêves dans la cure, l'isolation des points de vue opposés d'un conflit d'ambivalence par des rêves successifs (permettant de mener chaque motion à son terme) la suggestibilité du rêveur, les rêves qui surgissent pendant une cure. Sont envisagés les rêves traumatiques, exception effective, et les rêves de punition, exception apparente de la tendance du rêve à accomplir le souhait[2], ainsi que la présence du moi sous plusieurs formes dans un même rêve[3].

— « *Psychanalyse* » (1923), article destiné au lexique de Max Marcuse, consacre trois paragraphes au rêve[4] : l'interprétation des rêves, la théorie dynamique de la formation des rêves, la symbolique mise en œuvre dans le rêve. Il s'agit d'une reprise des thèses psychanalytiques fondamentales, avec une insistance sur la psychanalyse comme art d'interprétation et sur la fonction des symboles.

— « Josef Popper Lynkeus et la théorie du rêve » (1923)[5] est un bref article où Freud commente le récit *Rêver de la même façon que veiller* du réformateur social et inventeur Josef Popper Lynkeus qui affirme le sens de tous les rêves, leur limpidité parfois, leur dimension

1. « Remarques sur la théorie et la pratique de l'interprétation du rêve » (1923c), *Résultats, idées, problèmes, II,* Paris, PUF, 1985, p. 80 ; *OCF* XVI, p. 131 ; *GW* XIII, p. 177.

2. *Ibidem,* p. 88 ; p. 176 ; p. 311.

3. *Ibidem,* p. 91 ; p. 179 ; p. 314.

4. « "Psychanalyse" et "Théorie de la libido" » (1923a), *Résultats, idées, problèmes, II,* Paris, PUF, 1984, p. 57-60 ; *OCF* XVI, p. 189-191 ; *GW* XIII, p. 216-218.

5. « Ma rencontre avec Josef Popper-Lynkeus » (1923), *Résultats, idées, problèmes, II,* Paris, PUF, 1984, p. 93-95 ; *OCF* XVI, p. 315-319 ; *GW* XIII, p. 357-359.

cachée et impudique le plus souvent. Freud rapproche ces remarques courageuses de ses propres réflexions sur la déformation dans le rêve qui, du fait de la censure, donne à nos rêves un aspect embrouillé et insensé.

— « Quelques suppléments à l'ensemble de l'interprétation des rêves » (1925) s'attache à approfondir certains aspects : les limites de l'interprétable, la responsabilité morale par rapport au contenu du rêve, et la question des rêves prophétiques ou prémonitoires. Freud insiste sur le caractère indispensable des associations du rêveur[1]. La possibilité d'interpréter dépend aussi de ses résistances. Le texte revient sur la multivocité des rêves[2] et sur les rapports entre la profusion des associations à propos d'un rêve et la forme du rêve lui-même : il n'est jamais de rapport simple entre le contenu manifeste et les pensées latentes du rêve.

Révisions

Intitulée « Révisions de la doctrine du rêve », la XXIXe leçon des *Nouvelles conférences d'introduction à la psychanalyse* (1933) reprend la doctrine du rêve, ce qui est le plus caractéristique de cette jeune science qu'est la psychanalyse[3]. Partant de la littérature psychanalytique sur le rêve, mais aussi de l'expérience des récits de rêve dans les cures et de la pratique de l'interprétation, Freud rappelle ses thèses classiques sur la censure et le travail du rêve, puis souligne l'importance des symboles, les références implicites aux motifs des contes et des mythes, les problèmes d'expression des liens logiques, le cas particulier des rêves de punition, mais surtout le problème posé par les rêves qui répètent une expérience vécue traumatique, qu'il s'agisse de névroses traumatiques ou de traumas de l'enfance. « Nous disons que le rêve est un accomplissement de souhait ; si vous voulez tenir compte

1. « Quelques suppléments à l'ensemble de l'interprétation des rêves » (1925i), *Résultats, idées, problèmes, II*, Paris, PUF, 1984, p. 142 ; *OCF* XVII, p. 178 ; *GW* I, p. 562-563.

2. *Ibidem*, p. 144 ; p. 180 ; p. 564.

3. *Nouvelles conférences d'introduction à la psychanalyse* (1933a [1932]), Paris, Gallimard, 1984, p. 13 ; *OCF* XIX, p. 87 ; *GW* XV, p. 6.

des dernières objections, dites au moins que le rêve est la tentative d'un accomplissement de souhait »[1], car la fixation traumatique peut empêcher la fonction du rêve – la transformation des traces mnésiques de l'événement traumatique en accomplissement de souhait – de réussir à s'accomplir[2].

À la suite, la XXXe leçon, sur « Rêve et occultisme », clarifie les rapports entre l'investigation psychanalytique des rêves et les connexions traditionnelles entre les rêves et la mystique ou l'occultisme[3]. Il faut écarter à la fois le préjugé intellectualiste, qui rejetterait tout cela sans examen, et la crédulité si fréquente, tant sont répandus la croyance aux miracles et le désir de se soustraire à la rigueur de la pensée. Permanentes, sans développement historique, les thèses de l'occultisme relèvent d'un intérêt religieux. Mais on peut regarder de plus près, par rapport au rêve, les faits considérés comme télépathiques. Or, même en ce cas, ce qui nous instruit, c'est l'analyse du rêve, non la télépathie, et rien ne garantit la réalité objective de cette dernière !

L'*Abrégé de psychanalyse*, en 1938, consacre un chapitre à l'interprétation du rêve. Il rappelle les thèses freudiennes fondamentales, y compris les deux origines de la formation d'un rêve (émergence d'un désir inconscient, ou bien reste diurne renforcé par un élément inconscient), souligne le retrait narcissique du sommeil, soutenu par une motion régressive de retour à la vie intra-utérine. Le texte s'attache aux preuves du rôle joué par le ça dans la formation du rêve : retour de souvenirs oubliés et de perspectives plus vastes que celles de la conscience ; usage illimité du langage symbolique ; retours d'impressions infantiles ; matériaux de l'héritage archaïque de l'histoire et la préhistoire humaine. La valeur inestimable du rêve, « remaniement inconscient de pensées préconscientes », c'est que « les pensées préconscientes qui l'expriment sont traitées, au cours de l'élaboration du rêve, comme si elles étaient des éléments inconscients du ça » – même si le rêve est un compromis car l'organisation du moi intervient dans l'élaboration secondaire, sorte de résistance du

1. *Ibidem*, p. 43 ; p. 111 ; p. 30.
2. *Ibidem*, p. 43-44 ; p. 111 ; p. 31.
3. *Ibidem*, p. 46 ; p. 112 ; p. 32

vaincu, qui vise à faire accepter par le moi le contenu du rêve[1]. Sont rappelés les procédés du travail du rêve, condensation, déplacement, figurations ou « mots » primitifs aux sens opposés, la complexité des relations entre le rêve manifeste et le contenu latent, l'importance des associations du rêveur. Sur le plan dynamique, l'élaboration du rêve a « pour mission essentielle de remplacer une exigence par une réalisation de désir »[2] qui, de façon hallucinatoire, satisfait la motion pulsionnelle, ou liquide le conflit, lève un doute ou réalise un projet et ce faisant… le rêve, en gardien du sommeil, satisfait d'abord le désir du moi de continuer à dormir. « Tout rêve constitue une tentative de préserver le sommeil de ce qui le trouble et cela par le moyen d'une réalisation de désir. » Enfin, les mécanismes inconscients décelés dans l'étude de l'élaboration des rêves aident aussi à comprendre la mystérieuse formation des symptômes[3].

QUESTIONS ET ENJEUX

VUE D'ENSEMBLE DU TRAVAIL DU RÊVE

L'image du rébus

Si Freud ouvre le chapitre VI de *L'interprétation des rêves* par l'analogie du rébus, c'est pour la démentir aussitôt, car la complexité des relations entre le réseau des pensées du rêve et l'ensemble des éléments du contenu manifeste et des associations qu'il suscite n'a rien à voir avec l'univocité des correspondances dans un rébus. Mais de ce fait, l'oubli de parties importantes d'un rêve n'invalide pas son interprétation. Ce que pose le rébus, c'est la distinction radicale entre deux plans différents, et le fait que le sens du rêve ne peut être donné par le contenu manifeste. Seule « l'autre scène », celle des pensées du rêve contient un sens que l'interprétation vise à élucider. Le rêve est le

1. *Abrégé de psychanalyse* (1940a [1938]), Paris, PUF, 1967, p. 30-31 ; *OCF* XX, p. 256-258 ; *GW* XVII, p. 89-90.

2. *Ibidem*, p. 34 ; p. 259 ; p. 92.

3. *Ibidem*, p. 36 ; p. 260-261 ; p. 93-94.

résultat d'un travail psychique, non seulement pour déjouer la censure, mais parce qu'il s'agit d'un remaniement inconscient de contenus préconscients ou de l'expression sous forme de figurations préconscientes, d'un désir inconscient que le rêve vise à réaliser.

Notons que la dimension du rêve comme psychose transitoire permettant un accomplissement de désir n'est pas démentie par Freud dans l'œuvre ultérieure. Simplement, elle peut échouer, soit parce que le rêve ne parvient pas à être gardien du sommeil et que le rêveur se réveille. Soit parce que le rêve traumatique répète le trauma sans réussir à le transformer. Mais dans le cas des rêves de punition, l'accomplissement de désir de l'instance critique a bien lieu, même si c'est aux dépens du moi.

Mentionnons enfin que le rêve est l'un des grands domaines où Freud parle de travail psychique. Condensation et déplacement sont très souvent formulés comme travail de condensation et travail de déplacement.

Les procédés essentiels

Les procédés essentiels du travail du rêve, qui sont aussi les principaux processus primaires sont soulignés chaque fois qu'est rappelée la conception psychanalytique du rêve et de son interprétation. *Condensation, déplacement, figurabilité, symboles,* méritent des articles spécifiques et ne sont donc pas repris dans cette vue d'ensemble.

Les paroles dans le rêve

Le langage du rêve est plastique, et les paroles ou discours qui y figurent n'ont pas fait l'objet de transformations spécifiques. Ce sont des conglomérats de fragments d'origine diverse, morcelés, juxtaposés mais non transformés[1] (à l'exception de quelques formations de néologismes relevant de la condensation, tels *Autodidasker*), ou bien les paroles sont traitées comme des restes diurnes, avec beaucoup d'arbitraire[2].

1. *L'interprétation des rêves,* Paris, PUF, 1926, 1967, p. 357 ; *OCF* IV, p. 466 ; *GW* II-III, p. 421.

2. *Ibidem,* p. 357 et 358 ; p. 466 et 468 ; p. 421 et 423.

Le traitement des affects

Ce qui permet de ne pas s'égarer dans la transposition du latent au manifeste, avec les déplacements et substitutions qu'elle implique, c'est que la qualité de l'affect demeure ; il correspond au désir, et non à son déguisement. La censure ne peut que le réprimer partiellement, et donc l'atténuer, ou le mettre en rapport avec une représentation par contraste pour le déplacer[1]. Divers exemples illustrent cette séparabilité décisive de la représentation et de l'affect, ainsi que certains renforcements de l'affect qui peuvent se produire. Les affects sont fréquemment composés de plusieurs affluents qui se rejoignent. La force pulsionnelle de l'affect s'y manifeste comme particulièrement liée aux désirs œdipiens.

Le traitement des liens logiques

Le rêve n'a apparemment pas de moyen d'exprimer la relation d'opposition, le non. En fait, des procédés de la figuration, tels « mettre à la place de » peuvent être utilisés, ou encore des inversions, des transformations dans le contraire. L'alternative « ou bien... ou bien » est remplacée par la juxtaposition des deux possibilités. Le rêve ne représente pas les relations logiques et laisse là toutes les conjonctions[2]. La corrélation logique est présentée dans le rêve sous forme de simultanéité[3].

On sait que les rêves de la même nuit appartiennent au même ensemble ; mais des interruptions dans le rêve, ou la succession des rêves, peuvent être des pensées intercalées, un peu comme des propositions subordonnées[4]. De même, la causalité est fréquemment présentée par un rêve préliminaire qui adjoint ensuite la principale comme rêve principal[5]. L'ordre peut être inversé mais le rêve le plus court est la cause par rapport au rêve le plus long. Finalement, le traitement des liens logiques dans les rêves n'est qu'un cas particulier de la question de la figurabilité.

1. *Ibidem,* p. 401-403 ; p. 520-522 ; p. 474-475.
2. *Ibidem,* p. 269 ; p. 356 ; p. 317.
3. Ibidem, p. 271 ; p. 358 ; p. 319.
4. *Ibidem,* p. 288 ; p. 380 ; p. 341.
5. *Ibidem,* p. 271-272 ; p. 358-359 ; p. 319-320.

Le jugement et les calculs dans le rêve

Un jugement qui figure dans le rêve est généralement la reproduction d'un prototype présent dans les pensées du rêve, parfois même mal raccordé au reste du contenu manifeste. Rêver d'une activité intellectuelle, calcul ou jugement, n'est donc pas faire en rêve cette opération intellectuelle. Le temps peut être traduit en espace : on voit par exemple les scènes et les personnes de l'enfance comme tout au loin, au bout d'un long chemin [1]. Les nombres et les calculs qui surviennent dans les rêves ont souvent valeur superstitieuse, ou sont des fragments de souvenirs. En tout cas, « le travail de rêve ne calcule absolument pas, ni juste ni faux ; il se contente d'assembler, sous la forme d'un calcul, des nombres apparaissant dans les pensées du rêve et pouvant servir d'allusions à un matériel qui n'est pas susceptible d'être présenté » [2].

L'absurdité

L'absurdité dans le contenu du rêve n'est souvent qu'une apparence qui s'évanouit dès que l'on commence à comprendre le sens du rêve. C'est une situation fréquente pour les rêves qui ont trait au père mort : l'autorité paternelle a éveillé la critique de l'enfant qui repère assez tôt toutes les faiblesses de son père. Mais l'affection profonde est également présente et cette ambivalence suscite une censure particulièrement sévère. D'autres absurdités s'éclairent lorsque l'on parvient à rendre compte de la signification d'éléments du rêve (par exemple un intervalle de cinq ans considéré comme s'il ne comptait pas) sans chercher à leur reconnaître une cohérence logique directe avec les autres éléments manifestes. La multiplication des exemples rapportés témoigne de ce que l'absurdité du contenu manifeste est finalement une forme courante d'expression du rêve, d'autant plus grande que la censure est plus importante.

L'élaboration secondaire

L'ultime facteur de formation du rêve est l'élaboration secondaire [3], qui vient précisément rationaliser le rêve et en atténuer les

1. *Ibidem*, p. 350 ; p. 457 ; p. 413.
2. *Ibidem*, p. 357 ; p. 466 ; p. 421.
3. *Ibidem*, p. 416 sq. ; p. 539 sq. ; p. 492 sq.

éventuelles absurdités par des liaisons secondaires. Des scénarios tout faits, issus de rêveries diurnes ou de schémas narratifs préalables s'offrent à ce lissage des apparences. La sélection du matériel du rêve doit ainsi être acceptable pour la conscience.

Les restes diurnes

Peu évoqués en 1900, où Freud s'interroge davantage sur les sources somatiques du rêve, et sur le « phénomène fonctionnel » étudié par Herbert Silberer[1], les restes diurnes prendront une place de plus en plus grande dans la compréhension ultérieure du remaniement par le ça de contenus préconscients. Le rêve est un sang-mêlé du fait de sources préconscientes éventuelles qu'il ne faut pas confondre avec l'élaboration secondaire, remaniement préconscient de la figuration du rêve destiné à atténuer le sentiment d'incohérence ou d'absurdité par des liaisons secondaires rationalisantes.

La psychologie des processus du rêve

Freud termine le chapitre VI de *L'interprétation des rêves* sur le travail du rêve par un résumé qui souligne notamment combien le travail du rêve, qui ne juge jamais, est une forme de pensée radicalement distincte de celle de la veille. Il vise à soustraire à la censure ce qui est rêvé, procède par déplacement des intensités psychiques et prend en compte leur figurabilité, procède à des condensations extrêmes mais modifie peu les affects, qui sont réprimés plutôt que refoulés. Il achève l'interprétation des rêves par un long chapitre consacré à la « psychologie des processus du rêve », c'est-à-dire à la mise en rapport entre les **moyens de formation du rêve,** mis en œuvre par le travail du rêve, et l'ensemble de la vie psychique. Comment concevoir l'appareil psychique, les inscriptions inconscientes de traces mnésiques, les relations entre perception et mémoire, la régression, le statut de la conscience pour que le travail du rêve et les fonctions du rêve qui ont été décrits soient possibles ?

Dominique BOURDIN

1. *Ibidem*, p. 428-430 ; p. 554-556 ; p. 507-509.

S

SADISME et MASOCHISME

all. : *Sadismus* et *Masochismus*. – angl. : *sadism* et *masochism*. – esp. : *sadismo* et *masochismo*. – ital., port. : *sadismo* et *masoquismo*

Sadisme et masochisme forment un couple d'opposés qui relève des pulsions partielles et fait partie de la sexualité infantile prégénitale caractérisée par une perversion polymorphe. La zone érogène correspondant au sadisme est la motricité et plus particulièrement la préhension. Le masochisme est compris par Freud, dans un premier temps, comme le retournement du sadisme (actif) en passivité. Le sadisme se prête particulièrement à la constitution d'organisations prégénitales à dominante orale ou anale. La régression sadique-anale caractérise notamment la névrose obsessionnelle. À partir de 1924, Freud reconnaît l'existence, au-delà du principe de plaisir, d'un masochisme originaire. Masochisme et sadisme primaires sont les premières intrications par Éros de la pulsion de mort. Au masochisme érogène primaire, il convient d'adjoindre le masochisme féminin, ainsi que le masochisme moral qui se manifeste tout particulièrement par le sentiment (inconscient) de culpabilité, ou besoin de punition.

MISE EN SITUATION

Sadisme et masochisme sont dans la pensée freudienne à la fois bien délimités et complexes. Même s'ils forment un couple d'opposés, sadisme et masochisme ne sont pas nécessairement symétriques et leurs rapports ne se limitent pas aux possibilités de retournement de l'un dans l'autre ni à une complémentarité des objets d'investissement.

Comme destins pulsionnels, ils sont décrits en 1915 dans la Métapsychologie. *Mais leur compréhension et leur statut changent avec l'entrée en jeu de la seconde théorie des pulsions (1920) et de la deuxième topique (1923) : sadisme et masochisme constituent les premières intrications pulsionnelles, les premières liaisons. Leurs formes originaires, l'antériorité de l'un par rapport à l'autre, le lien entre sadisme et pulsion de mort, le rapport paradoxal du masochisme au principe de plaisir constituent alors les enjeux essentiels des élaborations freudiennes et permettent une articulation renouvelée et féconde entre métapsychologie et psychopathologie.*

LE TEXTE FREUDIEN

Désirs sadiques et masochistes

Dans ***L'interprétation des rêves*** (1900), à l'occasion de l'étude des rêves de « contre-souhait » qui semblent contredire la définition du rêve comme accomplissement de désir, Freud évoque les rêves qui accomplissent un souhait masochiste. Le masochisme y est renversement en son contraire de la composante sadique, et Freud qualifie de « masochistes idéels » ceux qui recherchent non la douleur corporelle, mais l'humiliation et les tourments de l'âme. Les rêves de déplaisir sont pour eux des accomplissements de souhait, la satisfaction de leurs penchants masochistes. Tel cet homme rêvant d'être dépouillé par un frère homosexuellement investi[1]. Ces « rêves de punition » peuvent être, si l'on veut, distingués des rêves qui accomplissent un souhait, mais ce n'est qu'une concession de langage[2].

À propos de la symbolique sexuelle dans les rêves, Freud analyse un rêve d'excitation et de satisfaction sexuelle qui évoque les bagarres et poursuites entre enfants, dans une cage d'escalier que l'on dévale : le rêveur poursuit une petite fille, pour la punir, et obtient d'elle un acte sexuel ; Freud souligne la composante sadique de ce rêve de pollution[3].

La fréquence des fantasmes et désirs masochistes, ainsi que leur résonance universelle, apparaissent également dans la suite de l'œuvre, que ce soit en **1905** à propos des personnages fictifs des drames[4], ou à propos des fantasmes passifs et masochistes de Norbert Hanold, soulignés à la fin de la ***Gradiva*** **(1906)**[5].

Sadisme et masochisme dans la sexualité infantile

En **1905**, le premier des ***Trois essais sur la théorie sexuelle*** consacre un paragraphe à « la plus fréquente et la plus significative de toutes les perversions »[6] : le couple d'opposés que forment le sadisme et le masochisme (selon la dénomination de Krafft-Ebing, qui écarte le terme d'« algolagnie »), qui consistent à prendre plaisir à la cruauté (physique ou morale), qu'il s'agisse d'infliger de la douleur ou de la subir. Il est aisé de montrer les racines du sadisme dans le développement sexuel normal : la sexualité masculine comporte une adjonction d'agression, et « le sadisme correspondrait alors à une composante

1. *L'interprétation des rêves* (1900a), Paris, PUF, 1967, p. 144-145 ; *OCF* IV, p. 194-195 ; *GW* II-III, p. 165.

2. *Ibidem,* p. 406 ; p. 526 ; p. 479.

3. *Ibidem,* p. 318 ; p. 416 ; p. 375.

4. « Personnages psychopathiques à la scène » (1905-1906), *Résultats, idées, problèmes, I,* 1984, p. 124 ; *OCF* VI, p. 322-323 ; *GW (Nachtragsband),* p. 657b-658a.

5. *Le délire et les rêves dans la « Gradiva » de Jensen* (1907a), Paris, Gallimard, 1986, p. 245 ; *OCF* VIII, p. 124 ; *GW* VII, p. 122.

6. *Ibidem,* p. 68 ; p. 91 ; p. 56.

agressive de la pulsion sexuelle devenue autonome, poussée à l'extrême et amenée par déplacement en position principale »[1]. Quant au masochisme, il résulte de la surestimation sexuelle, conséquence psychique du choix d'un objet sexuel. « La douleur y est surmontée, comme le dégoût et la pudeur qui s'étaient opposées à la libido en tant que résistances. »[2] Cruauté et pulsion sexuelle ont un rapport intrinsèque car la libido comporte un facteur agressif ; certains auteurs y voient un reste de désirs cannibaliques, donc une participation de l'appareil d'emprise. Toute douleur implique peut-être aussi une possibilité de plaisir.

Qui éprouve du plaisir à engendrer de la douleur chez l'autre peut aussi jouir de la douleur née de relations sexuelles : la perversion active est accompagnée de sa contrepartie passive, et un apport aux symptômes provient du penchant opposé[3]. « Un sadique est toujours aussi en même temps un masochiste »[4], même si l'une des positions, active ou passive, est prépondérante et donne sa forme manifeste à l'activité sexuelle. La cruauté précoce révèle une activité sexuelle intense et prématurée de zones érogènes, parfois (comme dans les *Confessions* de Jean-Jacques Rousseau) éveillée ou renforcée par les châtiments corporels et la stimulation douloureuse de la peau des fesses – racine érogène de la pulsion passive, masochiste, à la cruauté[5].

L'exercice musculaire est pour l'enfant un puissant besoin qui lui procure un très grand plaisir. Ce plaisir inclut-il une satisfaction sexuelle ? Est-il occasion d'excitation sexuelle ? Il est fréquent de connaître les premiers états d'excitation génitale à l'occasion de bagarres ou de luttes entre camarades de jeu, qui mettent en œuvre non seulement l'effort musculaire mais des contacts cutanés avec l'adversaire. La joute musculaire et plus tard verbale (taquinerie) avec une personne est un signe précurseur du choix d'objet dirigé sur

1. *Ibidem,* p. 69 ; p. 91 ; p. 57.
2. *Ibidem,* p. 70 ; p. 92 ; p. 58.
3. *Ibidem,* p. 82 ; p. 101 ; p. 66.
4. *Ibidem,* p. 71 ; p. 93 ; p. 59.
5. *Ibidem,* p. 121-122 ; p. 129 ; p. 94.

elle. « On devrait reconnaître dans le fait que l'excitation sexuelle est favorisée par l'activité musculaire l'une des racines de la pulsion sadique. »[1] Freud mentionne d'ailleurs le problème complexe de la relation entre la tension d'excitation et les éprouvés de déplaisir et de plaisir[2] (qui ne trouveront de réponses qu'en 1920 et 1924).

L'observation du commerce sexuel entre adultes est compris par le petit enfant comme une maltraitance et une violence, donc de façon sadique. Cette impression de la prime enfance contribue beaucoup à déplacer ultérieurement le but sexuel vers le sadisme[3].

Après le suçotement, une deuxième phase prégénitale est l'**organisation sadique-anale.** La relation d'opposition qui caractérise la vie sexuelle y est déjà développée, en termes d'opposition entre actif et passif (pas encore entre masculin et féminin). « L'activité est instaurée au moyen de la pulsion d'emprise en rapport avec la musculature du corps, et ce qui prend valeur d'organe à but sexuel passif, c'est avant tout la muqueuse intestinale érogène. »[4] Les tendances opposées ont chacune ses objets, qui ne coïncident pas, et d'autres pulsions partielles entrent également en jeu de manière autoérotique. On y trouve la polarité sexuelle et l'objet étranger mais pas la subordination à la fonction de reproduction.

Dans un article de **1908,** ***Des théories sexuelles infantiles,*** Freud présente la **conception sadique de la relation sexuelle** (déjà évoquée en 1905) comme la troisième des théories sexuelles infantiles typiques : les enfants comprennent le coït comme « quelque chose que la partie la plus forte inflige avec violence à la plus faible, et le comparent, surtout les garçons, à une bagarre »[5], analogue aux bagarres entre enfants, qui ne sont d'ailleurs pas dépourvues d'une adjonction d'excitation sexuelle. Cette interprétation occulte le rapport entre l'acte sexuel et la naissance des enfants, mais réveille « l'obscure

1. *Ibidem,* p. 136 ; p. 139 ; p. 104.
2. *Ibidem,* p. 146 ; p. 147 ; p. 110.
3. *Ibidem,* p. 126 ; p. 132 ; p. 97.
4. *Ibidem,* p. 129 ; p. 135 ; p. 99.
5. « Les théories sexuelles infantiles » (1908c), *La vie sexuelle,* Paris, PUF, 1969, p. 23 ; *OCF* VIII, p. 237 ; *GW* VII, p. 182.

impulsion à une activité cruelle »[1], impulsion sadique précoce liée à l'excitation du pénis, elle-même éventuellement éveillée ou renforcée par des impressions recueillies dans la chambre des parents. Cette conception sadique du coït fait partie des composantes sexuelles innées, plus ou moins intenses, et devine en partie l'essence de l'acte sexuel et la lutte des sexes qui la précède ; elle peut être renforcée par la réticence de la femme à l'acte sexuel, s'il ne lui apporte nul plaisir, mais la crainte d'une grossesse, et que son attitude apparaisse à l'enfant censé dormir comme une défense contre un acte de violence. À moins que ce ne soit toute la vie du couple qui manifeste une lutte permanente. La découverte éventuelle de taches de sang dans le linge de sa mère est pour l'enfant une confirmation, erreur qui comporte le fragment de vérité d'une évocation de la défloration, et qui est à l'origine du symptôme de l'horreur du sang chez certains névrosés.

Dans l'« **Analyse de la phobie d'un garçon de cinq ans** » **(1909)**, le souhait de Hans de « taquiner » le cheval est doublement agencé, composé d'un désir sadique obscur pour la mère et d'une poussée à la vengeance envers le père qui lui a menti[2]. Mais chez Hans, la transformation du penchant à l'agression en compassion s'est effectuée très précocement, et la part de sadisme est réprimée[3]. Il aime profondément son père envers qui il éprouve des souhaits de mort, et l'embrasse à l'endroit qu'il vient de battre. Reconstruisant les complexes et souhaits inconscients qui suscitèrent la phobie de Hans, Freud met également en évidence l'ambivalence envers la mère et le désarroi résultant des théories sexuelles infantiles. L'angoisse est à expliquer par les penchants à l'agression, hostiles envers le père et sadiques envers la mère – ce qui ne justifie pas la thèse d'Alfred Adler, qui a hypostasié en une pulsion particulière, la pulsion d'agression, un caractère universel indispensable à toutes les pulsions, (précisément ce qu'elles ont de « pulsionnel »)[4].

1. *Ibidem.*

2. « Analyse d'une phobie chez un petit garçon de cinq ans (Le petit Hans) » (1909b), *Cinq psychanalyses,* Paris, PUF, 1954, 2003, p. 151 ; PUF « Quadrige », 2008, p. 226 ; *OCF* IX, p. 74 ; *GW* VII, p. 318.

3. *Ibidem.*, p. 173 ; p. 251 ; p. 99 ; p. 346.

4. *Ibidem,* p. 193 ; p. 275 ; p. 123 ; p. 371.

Les pulsions sadiques et leurs destins (clinique)

Divers écrits des années suivantes poursuivent l'exploration clinique des destins du sadisme. Mais c'est la cure de « L'homme aux loups » qui en analyse la complexité. Selon les notes du ***Journal d'une analyse,*** consacré aux premières séances de « L'homme aux rats » (1908), Ernst Lanzer évoque le 11 novembre le désir de voir sa cousine allongée, sans défense, dans un fantasme nécrophilique ; lors de la séance du 17 novembre, qui suit immédiatement, il évoque des sentiments agressifs envers une jeune fille, sur fond d'humeur joviale, puis un rêve où il copulait avec sa jeune sœur et la tape sur le derrière qu'il lui donne au réveil. La punition infligée par le père visait donc un méfait commis envers les sœurs, « simplement sadique ou déjà sexuel ? » [1], se demande Freud, opposant ainsi l'agressivité sadique prégénitale à l'excitation génitale.

Reprenant ce cas dans « **Remarques sur un cas de névrose obsessionnelle** » **(1909),** Freud s'interroge sur l'ambivalence de son patient, notamment sur la haine réprimée dans l'inconscient du fait même de l'amour. Si une telle ambivalence est caractéristique de la névrose obsessionnelle, la haine inconsciente existe également dans l'hystérie et dans la paranoïa, et le rapport avec la composante sadique de la libido reste inexpliqué. Freud en reste donc à une hypothèse provisoire : la composante sadique de l'amour serait particulièrement développée, constitutionnellement, et, de ce fait, réprimée trop radicalement et de façon prématurée, donnant lieu au tableau de la névrose : tendresse consciente poussée à son comble par réaction et « sadisme continuant à agir dans l'inconscient en tant que haine » [2].

Dans les ***Cinq leçons sur la psychanalyse*** **(1909),** en décrivant la sexualité infantile, Freud distingue les activités autoérotiques et les composantes pulsionnelles précoces de la libido « plaisir-désir de

1. *L'homme aux rats. Journal d'une analyse,* Paris, PUF, 1974, p. 143 ; *GW* XIX, p. 541.

2. « Remarques sur un cas de névrose obsessionnelle (L'homme aux rats) » (1909d), *Cinq psychanalyses,* Paris, PUF, 1954, 2003, p. 255 ; PUF « Quadrige », 2008, p. 371 ; *OCF* IX (« Remarques sur un cas de névrose de contrainte »), p. 207 ; *GW* VII, p. 456.

causer des douleurs (sadisme), avec sa contrepartie passive (masochisme) »[1], à côté du plaisir-désir de regarder, actif et passif.

Un souvenir d'enfance de Léonard de Vinci **(1910)** comporte une remarque sur sa sexualité infantile qui déduit de sa compassion excessive envers les animaux de « puissants traits sadiques »[2] qui ont donné lieu à une formation réactionnelle.

« **Du rabaissement généralisé de la vie amoureuse** » **(1912)** mentionne – aux côtés du choix sexuel instauré en deux temps (qui ne donne accès qu'à des substituts), du recul de l'olfaction, de la persistance de l'analité, et du caractère animal de l'amour – les pulsions sadiques comme l'un des facteurs qui font que « quelque chose dans la nature de la pulsion sexuelle elle-même »[3] n'est pas favorable à une pleine satisfaction. Ce que la culture veut faire des pulsions sexuelles « ne semble pas pouvoir être atteint sans une perte sensible de plaisir »[4], la persistance des motions sexuelles non utilisées se manifestant dans l'activité sexuelle comme insatisfaction.

« **La disposition à la névrose obsessionnelle** » **(1913)** présente une régression sadique-anale, manifestée par « des formations réactionnelles contre des motions érotiques-anales et sadiques »[5]. Dans la névrose obsessionnelle, les motions de haine et d'érotisme anal jouent un grand rôle (cf. Ernest Jones, « Haine et érotisme anal dans la névrose de contrainte », 1913), car elles deviennent par régression les représentantes des pulsions génitales. Le cas révèle aussi une période de fantasmes de fustigation sadiques. L'opposition entre masculin et féminin (introduite par la fonction de reproduction) n'est pas encore

1. *Cinq leçons sur la psychanalyse* (1910a), Paris, Payot, 1973, p. 52 ; *OCF* X, p. 43 ; *GW* VIII, p. 46.

2. *Un souvenir d'enfance de Léonard de Vinci* (1910c), Paris, Gallimard, 1991, p. 261 (édition bilingue) ; *OCF* X, p. 158 ; *GW* VIII, p. 204.

3. « Sur le plus général des rabaissements de la vie amoureuse (Contribution à la psychologie de la vie amoureuse, II ») (1912d), *La vie sexuelle,* Paris, PUF, 1969, p. 64 ; *OCF* XI (« Du rabaissement généralisé de la vie amoureuse »), p. 139 ; *GW* VIII, p. 90.

4. *Ibidem,* p. 65 ; p. 141 ; p. 90.

5. « La disposition à la névrose obsessionnelle. Une contribution au problème du choix de la névrose » (1913f), *Névrose, psychose et perversion,* Paris, PUF, 1973, p. 192 ; *OCF* XII, p. 88 ; *GW* VIII, p. 446.

présente lors du choix d'objet prégénital. « À sa place nous trouvons l'opposition entre tendances à but actif et tendances à but passif, qui se soudera plus tard à l'opposition des sexes. »[1] La « pulsion d'emprise ordinaire, que nous appelons précisément sadisme lorsque nous la trouvons au service de la fonction sexuelle »[2] procure l'activité.

« **Considérations actuelles sur la guerre et sur la mort** » **(1915)**, réfléchissant sur l'élaboration de l'ambivalence, souligne que la préexistence chez l'enfant de fortes motions « mauvaises » devient la condition d'un retournement particulièrement net de l'adulte vers le « bien ». Les enfants les plus égoïstes peuvent devenir des citoyens secourables capables de sacrifices. « La plupart des exaltés de la compassion, des philanthropes, des protecteurs d'animaux se sont développés à partir de petits sadiques et de bourreaux d'animaux. »[3] Il n'y a aucune extermination du mal, mais des inhibitions, des changements de but et des formations réactionnelles qui donnent l'illusion d'un changement de contenu des motions primitives.

L'***Extrait de l'histoire d'une névrose infantile*** **(1914)** montre comment la répression de l'onanisme donne à la vie sexuelle de « L'homme aux loups », de trois ans et trois mois jusqu'à quatre ans, un caractère sadique-anal : il devient irritable, tourmenteur, exerce sa cruauté sur de petits animaux. Parallèlement, il développe des fantasmes opposés, dans lesquels les garçons sont châtiés, battus notamment sur le pénis ; ou bien l'héritier du trône est enfermé dans un espace étroit et battu. Freud postule un sentiment de culpabilité portant sur l'onanisme. En tout cas, les tendances passives sont survenues en même temps que les actives-sadiques ou peu après. « Cela correspond à l'ambivalence du malade, d'une netteté, d'une intensité et d'une persistance inhabituelles, qui pour la première fois se manifeste ici dans la formation homogène des couples de pulsions partielles

1. *Ibidem*, p. 194 ; p. 90 ; p. 448.

2. *Ibidem*.

3. « Considérations actuelles sur la guerre et sur la mort » (1915b), *Essais de psychanalyse*, Paris, Payot, 1981, p. 17 ; *OCF* XIII (« Actuelles sur la guerre et la mort »), p. 135 ; *GW* X, p. 333.

opposées. »[1] Chez « L'homme aux loups », aucune des positions libidinales ne fut supprimée du fait d'une position ultérieure, mais elle subsistait à côté des autres, suscitant une oscillation incessante. Les tendances masochistes se déplacèrent sur un autre objet sexuel, le père admiré, objet du courant passif dans la phase sadique-anale, relayant l'ancienne identification. « Le sadisme maintenait l'identification immémoriale avec le père ; dans le masochisme, il s'était élu celui-ci comme objet sexuel. »[2] Les accès de fureur servaient envers sa Nania à des fins actives sadiques, envers le père, ils avaient des visées masochistes : « Il voulait, en faisant montre de sa méchanceté, obtenir par contrainte châtiment et coups de la part du père et se procurer ainsi la satisfaction sexuelle masochiste souhaitée. Ses accès de cris étaient donc tout simplement des tentatives de séduction. »[3] Il y trouvait la satisfaction de son sentiment de culpabilité. Un tel ensemble est typique : en se montrant indomptable, l'enfant veut provoquer la punition et cherche dans le châtiment l'apaisement de sa conscience de culpabilité en même temps qu'une satisfaction de sa tendance sexuelle masochiste.

Le rêve des loups, à quatre ans, suscite de l'angoisse, récusation du souhait de satisfaction sexuelle par le père qui a suscité le rêve. Être mangé par les loups était une transposition régressive du souhait d'être coïté par le père, c'est-à-dire satisfait comme l'est a mère. Son dernier but sexuel, l'attitude passive envers le père, succombe à un refoulement, et l'angoisse devant le père en prend la place, sous la forme de la phobie du loup. Le rêve correspond à une transformation de son organisation sexuelle. Jusque-là, les opposés sont pour lui actif et passif, et son but sexuel depuis la séduction est un but passif : être touché à l'organe génital, puis, par régression sadique-anale, il devient le but masochiste d'être châtié. La différence des sexes n'entre pas en ligne de compte. Mais l'activation de la scène originaire dans le rêve le

1. « Extrait de l'histoire d'une névrose infantile (L'homme aux loups) » (1918b [1914]), *Cinq psychanalyses,* Paris, PUF, 1954, 2003, p. 340 ; *OCF* XIII, p. 24 ; *GW* XII, p. 51.

2. *Ibidem,* p. 371 ; p. 553 ; p. 61 ; p. 94.

3. *Ibidem,* p. 341 ; p. 517 ; p. 25 ; p. 52.

ramène à l'organisation génitale, à l'existence du vagin et à l'opposition entre masculin et féminin. De là, il aurait pu progresser jusqu'à l'organisation génitale et transformer son masochisme vis-à-vis du père en attitude féminine envers lui, en homosexalité. Mais le rêve suscite l'angoisse et le renvoie à une régression plus radicale, avec clivage et déplacement sur un substitut paternel (être mangé par le loup) par la protestation de sa masculinité narcissique[1]. Être coïté par le père, but féminin, tombe désormais sous le coup d'un refoulement – suscitant l'angoisse devant le loup –, ce que ne provoquait pas le but sexuel passif d'être battu par le père sur l'organe génital ou sur le panpan. À partir du rêve, l'homme aux loups est homosexuel dans l'inconscient, au niveau du cannibalisme dans la névrose, tandis que l'attitude masochiste antérieure reste dominante. Les trois courants ont des buts sexuels passifs, l'objet est le même, il s'agit de la même motion sexuelle, mais elle est clivée selon trois niveaux distincts. La connaissance de l'Histoire sainte permet alors à l'homme aux loups de sublimer son attitude masochiste prédominante envers le père : il devient le Christ, qui s'est laissé maltraiter et sacrifier pour l'honneur de son Père – avec la question significative de savoir si celui-ci eut un derrière, et, du fait refoulement de l'homosexualité passive, avec le scrupule à se poser de telles questions. Mais l'enfant se rebella aussi contre le caractère passif de sa conception du Christ et, même dans sa sublimation, commença à dénier son idéal masochiste préalable par des critiques contre la religion. Plus tard, sous l'influence d'un maître allemand, il put à la fois cesser de dépecer les petits animaux et trouver dans l'engouement pour l'armée une sublimation de son sadisme, se débarrassant de ses positions passives sous l'influence d'un homme[2].

La fin de l'étude problématise ces analyses, insistant sur l'effet de la séduction pour maintenir la passivité du but sexuel, sur la transformation d'une grande part du sadisme en masochisme, sur les effets traumatiques du rêve, sur la reconnaissance de l'angoisse de castration. Le refoulement, dans ce cas, est un succès de la masculinité, tandis que le refoulé est la position homosexuelle au sens

1. *Ibidem*, p. 371-372 ; p. 553 ; p. 61 ; p. 94.
2. *Ibidem*, p. 376 ; p. 559 ; p. 67 ; p. 100-101.

génital, sans modification de l'essentiel de l'organisation sexuelle sadique-anale. « La victoire de la masculinité se montre en ceci seulement que désormais aux buts sexuels passifs de l'organisation dominante (qui sont masochistes, mais non pas féminins) on réagit avec angoisse. Il n'existe là aucune motion sexuelle masculine victorieuse mais seulement une motion passive et une rébellion contre celle-ci. »[1]

LES PULSIONS SADIQUES ET LEURS DESTINS *(MÉTAPSYCHOLOGIE)*

« **Pulsions et destins des pulsions** » synthétise en **1915** la compréhension freudienne des pulsions. Les pulsions sexuelles sont nombreuses, étayées sur l'auto-conservation, issues de sources organiques multiples (probablement la musculature en ce qui concerne le sadisme) ; elles visent l'accession au plaisir d'organe et exercent d'abord leur activité indépendamment les unes des autres. Les couples d'opposés sadisme-masochisme et plaisir à regarder - exhibition manifestent clairement la potentialité du renversement dans le contraire, par le retournement de l'activité vers la passivité. Le retournement sur la personne propre apparaît notamment dans le masochisme, sadisme retourné sur le moi propre. « L'observation analytique ne laisse subsister aucun doute sur le point que le masochiste partage la jouissance de la fureur exercée contre sa personne »[2] ; l'essentiel dans le processus est donc le changement d'objet, le but demeure non modifié.

Comment s'entremêlent ces processus qui peuvent coïncider ? Pour le couple d'opposés sadisme-masochisme, *a* / le sadisme est une violence exercée contre une autre personne prise comme objet (Freud exclut un sadisme originellement tourné vers soi-même – comme dans la pulsion de regarder –, même s'il en évoque la possibilité à partir des tentatives de maîtrise de ses propres membres) ; *b* / cet objet est abandonné et remplacé par la personne propre, tandis qu'en même temps s'accomplit la transformation du but pulsionnel actif en un but passif (ce que montre le devenir de la pulsion sadique dans la névrose obsessionnelle, où la manie de tourmenter devient auto-tourment, auto-

1. *Ibidem,* p. 411 ; p. 601 ; p. 108 ; p. 146.

2. « Pulsions et destins des pulsions » (1915c), *Métapsychologie,* Paris, Gallimard, 1946, p. 25 ; *OCF* XIII, p. 172 ; *GW* X, p. 220.

punition, mais non pas masochisme) ; *c* / de nouveau est cherchée une personne étrangère, objet qui, du fait de la transformation de but intervenue, assurera le rôle du sujet actif. C'est ce qu'on appelle communément masochisme. La satisfaction s'y produit par la voie du sadisme originel, le moi passif se fantasmant à sa place antérieure, cédée désormais à quelqu'un d'autre. Il est douteux qu'il existe une satisfaction masochiste plus directe : « Un masochisme originel qui ne serait pas né du sadisme de la façon décrite, ne semble pas se rencontrer. »[1] Une note de 1924 évoquant « Le problème économique du masochisme » atteste du changement ultérieur de la pensée freudienne sur ce point.

Le but originel du sadisme est de terrasser, non d'infliger de la douleur ; mais une fois advenue la mutation en masochisme, les douleurs se prêtent aisément au but passif masochiste, car, comme d'autres sensations de déplaisir, elles empiètent sur l'excitation sexuelle et provoquent ainsi du plaisir, au nom duquel on peut aussi consentir à la douleur. Ce n'est que lorsque le but masochiste de ressentir des douleurs est advenu que l'on peut aussi se constituer, rétroactivement, le but sadique d'infliger des douleurs dont on jouit masochiquement – du fait de l'excitation sexuelle qui les accompagne – en les provoquant chez d'autres, par une identification avec l'objet souffrant. « Jouir de la douleur serait donc un but originellement masochiste, mais qui ne peut devenir un but pulsionnel que chez celui qui relève originellement du sadisme. »[2] La compassion ne relève pas de la transformation pulsionnelle du sadisme, mais d'une formation réactionnelle contre la pulsion. Dans ces transformations, la direction pulsionnelle active, plus ancienne, subsiste dans une certaine proportion à côté de la plus récente, passive ; leur coexistence instaure de l'ambivalence (selon l'excellent terme d'Eugen Bleuler), qui peut varier dans des proportions considérables. Par ailleurs, « la mutation du sadisme en masochisme signifierait un retour à l'objet narcissique, tandis que, dans les deux cas, le sujet narcissique est échangé par identification avec un autre moi, étranger »[3]. Car le retournement sur

1. *Ibidem,* p. 26 ; p. 173 ; p. 220.
2. *Ibidem,* p. 28 ; p. 174 ; p. 221.
3. *Ibidem,* p. 32 ; p. 177 ; p. 224.

le moi propre et le renversement de l'activité en passivité sont dépendantes de l'organisation narcissique du moi. L'étude du couple d'opposés complexe amour-haine montre dans ses stades préliminaires un mode de l'amour ambivalent (s'incorporer ou dévorer), compatible avec la suppression de l'existence séparée de l'objet, puis au stade de l'organisation prégénitale sadique-anale, « une poussée à l'emprise, à laquelle l'endommagement ou l'anéntissement de l'objet sont indifférents »[1]. Dans ses formes sadique-orale et sadique-anale, l'amour se différencie à peine de la haine.

Un ajout de **1915** aux ***Trois essais sur la théorie sexuelle*** précise que l'extension de la notion de sadisme va d'une attitude purement active, puis violente, envers l'objet sexuel à une satisfaction exclusive (qui mérite seule le nom de perversion) à l'asservissement et à la maltraitance de celui-ci[2]. La dénomination de masochisme englobe également toutes les attitudes passives de la vie sexuelle ; sa manifestation la plus extrême est la liaison de la satisfaction à la douleur physique ou morale infligée par l'objet sexuel, ce qui paraît plus éloigné du but sexuel normal que ne l'est le sadisme. Mais survient-il jamais de façon primaire ? Souvent, « le masochisme n'est rien d'autre qu'une continuation du sadisme par retournement contre la personne propre, qui prend ainsi avant tout la place de l'objet sexuel »[3]. Dans les cas extrêmes, d'autres facteurs (complexe de castration, sentiment de culpabilité) fixent l'attitude sexuelle passive originelle. En tout cas, « sadisme et masochisme occupent une place particulière parmi les perversions, étant donné que l'opposition entre activité et passivité qui en est la base fait partie des caractères généraux de la vie sexuelle »[4].

« **Deuil et mélancolie** » (**1915**) explicite le destin du sadisme dans la mélancolie : l'investissement d'amour du mélancolique a pour une part régressé à l'identification, mais, pour une autre part, sous

1. *Ibidem,* p. 41-42 ; p. 183 ; p. 231.

2. *Trois essais sur la théorie sexuelle* (1905d), Paris, Gallimard, 1987, p. 69 ; *OCF* VI, p. 91 ; *GW* V, p. 57.

3. *Ibidem,* p. 69-70 ; p. 92 ; p. 57-58.

4. *Ibidem,* p. 70 ; p. 92 ; p. 58.

l'influence du conflit d'ambivalence, il a « été reporté au stade du sadisme, qui en est plus proche » [1], ce qui résout l'énigme de la tendance au suicide du mélancolique, malgré le montant gigantesque de libido narcissique qui semblerait devoir faire obstacle à l'autodestruction. Le retournement contre soi à partir d'une impulsion meurtrière existe dans toutes les névroses, mais la mise en acte de cette intention suppose davantage : le moi ne peut se tuer que lorsqu'il se traite comme un objet. « Ainsi, dans la régression à partir du choix d'objet narcissique, l'objet a certes été supprimé, mais il s'est pourtant avéré plus puissant que le moi lui-même » [2], qui a été terrassé par l'objet (comme dans l'état amoureux).

REPRISES ET COMPLÉMENTS

Jusqu'en 1919, Freud reformule et complète une théorisation désormais bien élaborée, en dépit de l'existence de points obscurs ou problématiques.

Dans l'article de **1917 « Sur les transpositions des pulsions, en particulier dans l'érotisme anal »**, le point de départ de la réflexion sur le développement de la libido est la reconnaissance d'organisations prégénitales, avant la phase du primat génital, dans lesquelles le sadisme et l'érotisme anal jouent des rôles organisateurs essentiels[3]. L'étude du devenir des pulsions érotiques-anales, à partir des transpositions symboliques auxquelles elles donnent lieu laissent quelque peu en suspens les destins du sadisme, qui seront repris en deuxième théorie des pulsions.

La troisième des **« Contributions à la psychologie de la vie amoureuse, Le tabou de la virginité » (1917)** analyse certains aspects de la « sujétion par le sexe », selon l'expression de von. Krafft-Ebing, et les défenses que les cultures ont instaurées. Freud y note que le tabou du sang des menstrues ou de la défloration est en corrélation avec

1. « Deuil et mélancolie » (1917e [1915]), *Métapsychologie,* Paris, Gallimard, 1968, p. 162 ; *OCF* XIII, p. 271 ; *GW* X, p. 438.

2. *Ibidem,* p. 161 ; p. 271 ; p. 439.

3. « Sur les transpositions des pulsions, plus particulièrement dans l'érotisme anal » (1917c), *La vie sexuelle,* Paris, PUF, 1969, p. 106 ; *OCF* XV, p. 55 ; *GW* X, p. 403.

l'interdit du meurtre et forme une défense contre le plaisir-désir de meurtre car « le primitif ne peut tenir le phénomène énigmatique du flux sanguin menstruel à distance de représentations sadiques »[1], telles que la morsure par un animal du monde des esprits, signe éventuel d'un commerce sexuel avec cet esprit.

Dans la troisième partie des ***Conférences d'introduction à la psychanalyse*** **(1917)**, il est remarquable que Freud ne revienne guère sur les destins du couple d'opposés sadisme et masochisme, à l'exception d'une évocation descriptive des énigmatiques sadiques et de leurs pendants, les masochistes, dans la cohorte des pervers adultes[2]. Il rappelle seulement l'extrême force des motions sexuelles sadiques dans la névrose obsessionnelle[3], qui sont donc perverses dans leur but, et décrit l'organisation sadique-anale (stade préliminaire le plus proche de la phase du primat génital) : « Ce qui nous apparaît comme masculin dans les activités de cette phase, quand nous les considérons à partir de la phase génitale, se révèle être l'expression d'une pulsion d'emprise qui déborde facilement dans le domaine du cruel. »[4]

Sadisme et masochisme originaires

Au-delà du principe de plaisir **(1920)**, en posant la grande opposition entre pulsions de vie et pulsions de mort, rappelle la polarité qui existe dans l'amour d'objet entre l'amour (tendresse) et la haine (agression). Freud a toujours reconnu, depuis les *Trois essais sur la théorie sexuelle* de 1905, une composante sadique de la pulsion sexuelle, susceptible de se rendre autonome et de dominer comme perversion l'ensemble de la vie sexuelle d'un individu. Elle est également pulsion partielle dominante dans l'une des organisations prégénitales. « Mais comment faire dériver de l'Éros, qui conserve la vie, la pulsion sadique qui a pour but l'endommagement de

1. « Le tabou de la virginité » (1918a [1917]), *La vie sexuelle*, Paris, PUF, 1969, p. 70 ; *OCF* XV, p. 84 ; *GW* XII, p. 166.

2. *Conférences d'introduction à la psychanalyse* (1916-1917 [1915-1916]), Paris, Payot, 1973, p. 286 ; Gallimard, 1999, p. 388 ; *OCF* XIV, p. 316 ; *GW* XI, p. 316.

3. *Ibidem*, p. 286 ; p. 388 ; p. 319 ; p. 319.

4. *Ibidem*, p. 307 ; p. 416 ; p. 338 ; p. 339.

l'objet ? »[1] Freud fait alors l'hypothèse que ce sadisme est à proprement parler « **une pulsion de mort qui a été repoussée du moi par l'influence de la libido narcissique,** de sorte qu'elle ne vient à apparaître qu'au niveau de l'objet »[2] et entre au service de la fonction sexuelle : au stade d'organisation orale de la libido, l'emprise amoureuse coïncide encore avec l'anéantissement de l'objet ; plus tard, la pulsion sadique se sépare, et finalement, au stade du primat génital, elle se charge de maîtriser l'objet sexuel dans la mesure où l'exige l'acte sexué. Le sadisme expulsé hors du moi a montré la voie aux composantes libidinales de la pulsion sexuelle, qui vont ensuite s'orienter vers l'objet. « Là où le sadisme originel ne connaît ni modération ni fusion, s'instaure l'ambivalence amour-haine de la vie amoureuse que nous connaissons bien. »[3]

Irreprésentable, cette thèse peut paraître quasiment mystique. Mais, loin d'être un artifice pour sortir d'embarras, elle repose sur des réflexions antérieures. Les observations cliniques avaient donné à penser que le masochisme, pulsion partielle complémentaire du sadisme, était à comprendre comme un retournement en arrière du sadisme sur le moi propre. Mais un retournement de la pulsion de l'objet vers le moi n'est rien d'autre qu'une inversion du mouvement de retournement du moi vers l'objet, ce qui est le point nouveau affirmé en 1920 (en référence explicite aux intuitions de Sabina Spielrein dans son travail sur *La destruction comme cause du devenir*). « Le masochisme, le retournement de la pulsion sur le moi propre, serait donc en réalité un retour à une phase antérieure de cette pulsion, une régression. »[4] Il faut alors corriger l'ancienne présentation du masochisme, trop unilatérale, car il peut y avoir un **masochisme primaire.**

1. *Au-delà du principe de plaisir* (1920g), *Essais de psychanalyse,* Paris, Payot, 1981, p. 102 ; *OCF* XV, p. 327 ; *GW* XIII, p. 58.

2. *Ibidem.*

3. *Ibidem,* p. 102 ; p. 328 ; p. 58.

4. *Ibidem,* p. 103 ; p. 328 ; p. 59.

La problématisation du masochisme

La problématisation du masochisme a commencé en fait un an auparavant, jouant certainement un rôle dans la nouvelle conception pulsionnelle. S'attachant à l'étude de la genèse du masochisme, à partir d'un fantasme révélateur complexe, « **Un enfant est battu** » réexamine en **1919** les rapports respectifs du masochisme et du sadisme.

Fréquent chez les névrosés et sans doute chez d'autres, le fantasme précoce « un enfant est battu » suscite du plaisir, donne habituellement une satisfaction onanique, et se répète d'innombrables fois. Son aveu dans l'analyse s'effectue avec honte et culpabilité. L'école et les lectures le renforcent, mais il est pénible d'être témoin de scènes analogues réelles. Qui est l'enfant battu et qui bat l'enfant ? Les réponses restent floues : « On ne pouvait tout d'abord pas même décider si le plaisir attaché à la fantaisie de fustigation était à qualifier de sadique ou de masochiste. »[1] L'histoire de ces fantasmes précoces de fustigation est complexe. Ils ne sont pas masochistes, car l'enfant battu n'est jamais celui qui fantasme ; mais on ne peut les appeler immédiatement sadiques, car il n'est jamais non plus l'enfant qui bat. Chez les filles (quatre cas sur six patients), celui qui bat est un adulte, plus tard clairement reconnu comme le père. La première phase (encore présexuelle) est donc : le père bat l'enfant (haï de moi)[2] ; donc il n'aime que moi. Une deuxième phase, qui ne devient pas consciente, est clairement masochiste : je suis battue par le père. La troisième phase, celle qui est consciente et communiquée, ressemble à la première, mais ce n'est plus le père qui fouette, la patiente est spectatrice, les enfants battus (souvent des garçons) sont nombreux. Cette fois le fantasme est porteur d'une excitation sexuelle forte qui conduit à la satisfaction masturbatoire.

Mais par quelle voie ce fantasme dorénavant sadique, par lequel des petits garçons étrangers et inconnus sont battus est-il devenu « le fonds désormais permanent de la tendance libidinale de la petite

1. « Un enfant est battu. Contribution à la genèse des perversions sexuelles » (1919e), *Névrose, psychose et perversion,* Paris, PUF, 1973, p. 221 (mais la phrase citée manque) ; *OCF* XV, p. 121 ; *GW* XII, p. 200.

2. *Ibidem,* p. 225 ; p. 125-126 ; p. 204.

fille »[1] ? La première phase conduit à l'établissement d'un choix d'objet incestueux précoce, qui subit ensuite un refoulement, accompagné d'une conscience de culpabilité dont l'expression directe est la deuxième phase. « Chaque fois la conscience de culpabilité est le facteur qui transmue le sadisme en masochisme »[2], sans toutefois constituer tout le masochisme auquel l'amour a sa part. Chez ces enfants dont la pulsion sadique est précocement venue au premier plan, l'organisation génitale succombe aisément au refoulement, mais surtout connaît une régression : « le père m'aime » était pris au sens génital ; par la régression, il se transforme en « le père me bat ». « Ce être battu est maintenant une conjonction de conscience de culpabilité et d'érotisme ; il n'est pas seulement la punition de la relation génitale prohibée, mais aussi le substitut régressif de celle-ci »[3], dont il reçoit l'excitation libidinale qu'il déchargera par la masturbation ; ce n'est qu'à partir de là « qu'on a l'essence du masochisme »[4]. Généralement inconsciente du fait de l'intensité du refoulement et de la force de la culpabilité, la deuxième phase suscite des rêveries diurnes qui la déguisent ; elle suppose en outre chez le garçon le remplacement de l'activité par la passivité – ce qui peut en atténuer le refoulement. Dans la configuration définitive de la troisième phase, le fantasme semble redevenu sadique, mais la satisfaction est masochiste car elle prend en charge l'investissement libidinal refoulé ainsi que la conscience de culpabilité. Les nombreux enfant battus – presque sans exception des garçons, dans les deux sexes, car le détournement de l'amour incestueux pour le père éveille le complexe de masculinité des filles – sont des substituts de l'enfant qui fantasme.

La genèse des perversions s'éclaire : il s'agit toujours du renforcement et de la mise au premier plan d'une composante sexuelle, mais en la situant dans l'ensemble des processus de développement typiques de la sexualité infantile : l'amour d'objet incestueux, le complexe d'Œdipe. « Elle surgit d'abord sur le terrain de ce complexe et, après

1. *Ibidem,* p. 226 ; p. 127 ; p. 205.
2. *Ibidem,* p. 229 ; p. 130 ; p. 208.
3. *Ibidem,* p. 229 ; p. 130-131 ; p. 209.
4. *Ibidem,* p. 229 ; p. 131 ; p. 209.

qu'il s'est effondré, elle est souvent la seule chose qui en reste, héritière de sa charge libidinale et obérée par la conscience de culpabilité qui y est attachée. »[1]

Le fantasme de fustigation serait ainsi un précipité du complexe d'Œdipe. Il semble confirmer que le masochisme n'est pas une manifestation pulsionnelle primaire mais qu'il prend naissance dans une retournement du sadisme sur la personne propre, donc par une régression de l'objet au moi[2]. Certes, il existe dès le début des pulsions à but passif, surtout chez la femme, mais la passivité n'est pas le tout du masochisme. « La mutation du sadisme en masochisme semble se produire sous l'influence du sentiment de culpabilité qui est partie prenante dans l'acte de refoulement. »[3] Le refoulement provoque trois effets : il rend inconscient l'accès à l'organisation génitale, fait régresser celle-ci au stade anal antérieur, et transforme le sadisme de ce stade en masochisme passif, qui redevient narcissique (car la conscience de culpabilité se scandalise autant du sadisme que du choix incestueux) ; tout ceci implique la faiblesse de l'organisation génitale. La conscience de culpabilité semble une forme cicatricielle, relevant d'une instance qui, comme conscience morale critique, affronte le reste du moi. La deuxième phase, inconsciente et masochiste, provoque des effets sur le caractère : une susceptibilité et une irritabilité particulière envers les personnes de la série paternelle ; aisément vexées, ces personnes suscitent la situation fantasmée, et sont « battues » par le père pour leur plus grand malheur ; ce même fantasme est peut-être à la base du délire de revendication paranoïaque.

Les cas masculins ne se sont pas avérés tout à fait analogues au matériel féminin, mais surtout se comportaient comme de véritables masochistes au sens de la perversion sexuelle : satisfaction exclusivement onaniste avec des fantasmes masochistes, ou dispositifs masochistes leur permettant l'érection et l'éjaculation ou la mise en œuvre d'un coït normal. Chez ces hommes masochistes, on ne peut suivre l'analogie avec la femme, mais on constate qu'ils se mettent régulière-

1. *Ibidem*, p. 232 ; p. 134 ; p. 212.
2. *Ibidem*, p. 233 ; p. 136 ; p. 214.
3. *Ibidem*, p. 234 ; p. 136 ; p. 214-215.

ment dans un rôle de femme, et « leur masochisme coïncide donc avec une position féminine »[1], même si la fiction d'un vilain garçon, page ou apprenti, est maintenue. Dans les fantaisies comme dans les dispositifs, les personnes qui châtient sont chaque fois des femmes. En est-il déjà de même dans le fantasme infantile de fustigation ? La fantaisie consciente : être battu par la mère, n'est pas primaire, elle est précédée d'un stade préliminaire inconscient : je suis battu par le père, semblable à ce que nous avons rencontré chez les filles. Que signifie « être battu » dans le fantasme masculin ? C'est être aimé au sens génital, rabaissé par régression. L'énoncé originel n'est donc pas être battu, mais être aimé par le père, transmué dans le fantasme conscient : être battu par la mère. Chez le garçon, il s'agit donc dès le début d'un fantasme passif, procédant de la position féminine envers le père. Elle correspond aussi bien que le fantasme féminin au complexe d'Œdipe, et il faut abandonner l'idée d'un parallélisme manifeste au profit d'un autre caractère commun : « Dans les deux cas la fantaisie de fustigation découle de la liaison incestueuse au père. »[2] Ainsi, chez la fille, la fantaisie masochiste inconsciente est issue de la position œdipienne normale ; chez le garçon, de la position inversée, qui prend le père pour objet d'amour. Le garçon se soustrait à son homosexualité par son refoulement et le remaniement de son fantasme ; le fantasme conscient ultérieur a pour contenu une position féminine sans choix d'objet homosexuel. Lors du même processus, la fille se fantasme en homme sans devenir elle-même masculinement active, elle se dérobe à la revendication de la vie amoureuse et n'accepte plus qu'en spectatrice à l'acte qui remplace un acte sexuel. La régression semble agir aussi sur le contenu inconscient, car ce qui demeure dans l'inconscient après le refoulement, ce n'est pas le fantasme passif d'être aimé par le père mais celui d'être battu par lui. Le mouvement de refoulement n'est cependant pas complet, puisque le garçon dote d'attributs masculins les femmes qui battent, tandis que la fille ne se débarrasse pas du père, ne va pas jusqu'à battre elle-même, et s'assimile aux petits garçons battus. Ni la bisexualité de

1. *Ibidem,* p. 237 ; p. 140 ; p. 218.
2. *Ibidem,* p. 238 ; p. 141 ; p. 220.

Wilhelm Fliess, le combat entre les caractères sexués étant alors le motif du refoulement, ni la protestation virile d'Alfred Adler ne rendent compte des complexités du fantasme de fustigation.

La thèse freudienne trouve sa formulation en **1924**, dans le « **Le problème économique du masochisme** ». La tendance masochiste est énigmatique : si le principe de plaisir domine la vie pulsionnelle, le masochisme est incompréhensible. Si douleur et déplaisir peuvent être des buts, et pas seulement des avertissements, le principe de plaisir, gardien de notre vie, est paralysé, ce qui rend le masochisme très dangereux. En règle générale, principe de nirvana (relevant de la pulsion de mort), principe de plaisir et principe de réalité s'accordent pour atténuer la charge de stimulus, lui donner sa qualité et suspendre la décharge pour laisser-faire temporairement la tension de déplaisir.

On peut différencier trois formes de masochisme : érogène, féminin et moral. Le premier, le plaisir à la douleur posé comme condition de l'excitation sexuelle, est à la base des deux autres formes. La troisième forme, en un sens la plus importante, n'a été que récemment prise en compte par la psychanalyse, en tant que sentiment de culpabilité, la plupart du temps inconscient ; elle est bien élucidée et intégrée dans nos connaissances. C'est par le masochisme féminin, le plus accessible à l'observation et le moins énigmatique, que Freud commence sa présentation.

Le masochisme féminin est connu par des fantasmes d'hommes masochistes (soit conduisant à la masturbation, soit constituant en eux-mêmes la satisfaction sexuelle), qui concordent avec les agencements réels de pervers masochistes (qu'ils soient une fin en soi ou une condition de l'érection). Le contenu manifeste est d'être baillonné, ligoté, fouetté, maltraité, inconditionnellement soumis, souillé et rabaissé, parfois même mutilé. Le masochiste veut être traité comme un petit enfant dépendant, en détresse, mais surtout méchant. Le fantasme met dans une situation caractéristique de la féminité : être castré, être coïté, ou enfanter, d'où le nom de masochisme féminin, même si ses éléments renvoient à la vie infantile. Parmi les tortures (moins impressionnantes que dans le sadisme), la castration, et l'aveuglement qui la représente, figurent négativement en ce qu'il ne doit arriver nul dommage aux organes génitaux ou aux yeux. Un sentiment de culpabilité (transition avec le masochisme moral) manifeste s'exprime : un crime doit être expié. Derrière la rationalisation superficielle des contenus masochistes, se cache la relation à la masturbation infantile.

Ce masochisme féminin repose entièrement sur le masochisme primaire, érogène, constitué par le plaisir pris à la douleur. Dès les *Trois essais sur la théorie sexuelle* de 1905, est décrite la co-excitation libidinale lors de tensions de douleur et de déplaisir, qui serait le fondement physiologique du masochisme érogène. Mais cela n'éclaire nullement la relation constitutive du masochisme avec le sadisme. La théorie des pulsions montre qu'une part de la pulsion destructrice, dérivée vers l'extérieur, est placée au service de la fonction sexuelle et constitue le sadisme. « Une autre part ne participe pas à ce report vers l'extérieur, elle demeure dans l'organisme et là elle est liée lidbidinalement, à l'aide de la co-excitation sexuelle déjà mentionnée ; en elle, nous avons à reconnaître le masochisme érogène originel. » [1]

Comment s'effectue « ce domptage de la pulsion de mort » [2] par la libido ? Nous pouvons faire l'hypothèse d'une mixtion et d'un amalgame des deux espèces de pulsions, en des proportions très variables. Nous n'avons affaire qu'à des intrications et désintrications de pulsions. La pulsion de mort agissant dans l'organisme, ou sadisme originaire, est identique au masochisme. Après déflexion de sa part principale vers l'extérieur, et son report sur les objets, « demeure, comme son résidu dans l'intérieur, le masochisme proprement dit, érogène, qui d'un côté est devenu une composante de la libido, de l'autre a encore toujours pour objet l'être propre » [3]. Ce masochisme est donc témoin et vestige de la phase de formation où se produisit l'alliage de la pulsion de mort et de l'Éros. Dans certaines circonstances, le sadisme ou pulsion de destruction, tourné vers l'extérieur, projeté, peut être de nouveau introjecté, régressant à la situation antérieure en donnant le masochisme secondaire qui s'ajoute au masochisme originel. Le masochisme érogène participe à toutes les phases

1. « Le problème économique du masochisme » (1924c), *Névrose, psychose et perversion,* Paris, PUF, 1973, p. 291 ; *OCF* XVII, p. 16 ; *GW* XIII, p. 376.

2. *Ibidem.*

3. *Ibidem,* p. 292 ; p. 16 ; p. 376.

du développement de la libido : angoisse d'être dévoré par l'animal-totem (père) dans l'organisation orale, souhait d'être battu par le père et rôle des nattes dans la phase sadique-anale, castration (même si elles est déniée plus tard) comme précipité de la phase phallique, situations de la féminité, être coïté et enfanter.

Le masochisme moral relâche sa relation à la sexualité, et même la condition que les souffrances soient infligées par la personne aimée. La souffrance elle-même est désormais ce qui importe. On est tenté de négliger la libido et de faire l'hypothèse de la seule pulsion de destruction, tournée vers l'intérieur et faisant rage contre soi-même. Mais l'usage de la langue, en nommant masochistes ceux qui se font dommage à eux-mêmes, garde l'idée d'une relation à l'érotisme. Les patients qui s'opposent à la conduite de la cure par une réaction thérapeutique négative cherchent la satisfaction d'un sentiment de culpabilité inconscient qui relève du bénéfice de la maladie, constitué par l'ensemble des forces qui ne veulent pas abandonner l'état de maladie et se rebellent contre la guérison. La souffrance de la névrose est précieuse pour la tendance masochiste, et la névrose disparaît parfois quand le malheur advient dans la situation réelle : ce qui importait était de maintenir une certaine dose de souffrance. Les patients ne reconnaissant pas aisément le sentiment de culpabilité inconscient, que l'on gagne à nommer « besoin de punition ». Le moi réagit avec angoisse à la perception d'être resté en deçà des exigences posées par son idéal, le surmoi. Pourquoi le surmoi prend-il ce rôle revendicateur, qui suscite la peur du moi ? Le surmoi conserve des caractères essentiels aux personnes introjectées, puissance, sévérité ; avec la démixtion des pulsions, la sévérité connaît un accroissement. Le surmoi, conscience morale à l'œuvre peut alors devenir cruel et impitoyable envers le moi. Démesurément inhibées par la morale, ces personnes masochistes morales sont sous la domination d'une morale particulièrement sensible, d'une surmorale inconsciente. Mais il est une différence, même si dans les deux cas, il s'agit d'un beoin qui est satisfait par la punition et la souffrance : dans l'excès de morale, l'accent porte sur le sadisme accru du surmoi, dans le masochisme, il porte sur le moi qui réclame punition du surmoi ou des puissances parentales externes. Le sadisme du surmoi est alors crûment conscient, tandis que les aspirations masochistes renstent généralement inconscientes.

Le souhait fantasmatique si fréquent d'être battu par le père est tout proche de celui d'entrer dans une relation sexuelle passive (féminine) avec le père, dont il n'est qu'une déformation régressive. Or le masochisme moral resexualise la morale, et revivifie le complexe d'Œdipe, ce qui n'est à l'avantage ni de l'individu ni de la morale, perdue pour une part dans le masochisme. Le masochisme crée des tentations dans le but d'encourir le châtiment et d'expier (comme dans certains caractères russes typiques), poussant le masochiste à faire ce qui est inapproprié, contre son propre avantage, et à détruire les perspectives qui s'ouvrent à lui dans le monde réel, voire à anéantir son existence. Le reournement du sadisme sur la personne propre a rgulièrement lieu lors de la répression pulsionnelle culturelle. « Cette part de la pulsion de destruction qui s'est retirée, se fait jour dans le moi en tant qu'accroissement du masochisme. » [1] Mais la destruction qui fait retour par l'extérieur se voit incluse dans le surmoi et renforce le sadisme de celui-ci envers le moi. Sadisme du surmoi et masochisme du moi se complètent et expliquent que la répression pulsionnelle suscite, fréquemment voire généralement, un sentiment de culpabilité et que la conscience soit d'autant plus sévère et sensible que la personne s'abstient de l'agression contre d'autres. Ce n'est pas l'exigence morale qui est primaire et entraîne le renoncement pulsionnel, mais le renoncement pulsionnel effectué sous la contrainte de puissances extérieures crée la conscience morale qui ensuite exige à son tour un renoncement pulsionnel.

Le masochisme est ainsi le témoin classique de l'intrication pulsionnelle ; il est dangereux parce qu'il provient de la pulsion de mort, correspondant à la part de celle-ci qui a échappé au retournement vers l'extérieur comme pulsion de destruction, mais il a la signification d'une composante érotique et procure une satisfaction libidinale, même dans l'auto-destruction.

PROLONGEMENTS ET RAPPELS

***Le moi et le ça* (1923)**, en présentant au chapitre IV la nouvelle théorie des pulsions, désigne **le sadisme comme représentant de la pulsion de mort.** « Dans la composante sadique de la pulsion sexuelle

1. *Ibidem*, p. 297 ; p. 22 ; p. 383.

nous aurions devant nous un exemple classique de mixtion pulsionnelle au service d'une fin, dans le sadisme devenu perversion, le prototype d'une démixtion, à la vérité non poussée jusqu'à l'extrême. »[1] La pulsion de destruction est régulièrement mise au service d'Éros, à des fins de décharge ; les régressions de la libido, comme le retour de la génitalité à la phase sadique-anale, sont des démixtions pulsionnelles. Ce sont les contributions sadiques à l'Éros qui imposent à Freud l'attachement à sa conception dualiste des pulsions de vie et de mort, car « les pulsions de mort sont pour l'essentiel muettes », tandis que « le bruit de la vie » provient surtout d'Éros[2].

Dans la mélancolie, le surmoi fait rage contre le moi, comme s'il s'était emparé de tout le sadisme disponible dans l'individu. « La composante destructrice s'est déposée dans le surmoi et tournée contre le moi »[3], faisant régner dans le surmoi une culture pure de la pulsion de mort.

Inhibition, symptôme et angoisse, en **1926,** rappelle au chapitre IV la problématique de « L'homme aux loups », puis examine au chapitre V les conditions de la régression sadique-anale dans la névrose obsessionnelle, qui est une démixtion des pulsions – mettant les composantes érotiques à l'écart des investissements destructifs de la phase sadique – et relève peut-être d'un facteur temporel (et non constitutionnel)[4]. Le sentiment de culpabilité ou les restrictions à valeur d'auto-punition procurent des satisfactions de motions pulsionnelles masochistes, qui ont reçu de la régression un renforcement[5]. Le fait que le sadisme apparaisse désormais comme le représentant de la pulsion opposée à l'Éros semble faire exploser la thèse antérieure des phases successives de l'organisation de la libido ; c'est oublier que nous n'avons presque jamais

1. *Le moi et le ça* (1923b), *Essais de psychanalyse,* Paris, Payot, 1981, p. 255 ; *OCF* XVI, p. 284 ; *GW* XIII, p. 270.

2. *Ibidem,* p. 260 ; p. 289 ; p. 275.

3. *Ibidem,* p. 268 ; p. 296 ; p. 283.

4. *Inhibition, symptôme et angoisse* (1926d [1925]), Paris, PUF, 1951, p. 34-35 ; *OCF* XVII, p. 231 ; *GW* XIV, p. 143.

5. *Ibidem,* p. 60 ; p. 235 ; p. 147.

affaire à des motions pulsionnelles pures, mais à des alliages des deux pulsions.

« **Dostoïevksi et la mise à mort du père** », en 1927, affirme que « la très forte pulsion de destruction chez Dostoïevski, qui aurait facilement fait de lui un criminel, est, dans la vie, principalement dirigée contre la personne propre (vers l'intérieur et non pas vers l'extérieur) et s'exprime ainsi comme masochisme et sentiment de culpabilité » [1], même si sa personne garde des traits sadiques (irritabilité, intolérance). Caractère pulsionnel, Dostoïevski, à partir de son extrême affectivité et de sa prédisposition pulsionnelle perverse, reste sadique vers l'extérieur pour de petites choses, tout en étant sadique vers l'intérieur, donc masochiste, dans les grandes. S'y ajoute la névrose, alors qu'il existe aussi des masochistes à part entière, non névrosés. La haine du père est inacceptable à cause de l'angoisse devant le père ; la menace de castration est effroyable. Le surmoi est devenu sadique, « le moi devient masochiste, c'est-à-dire dans son fond, fémininement passif » [2]. Dostoïevski est ainsi un être à prédisposition bisexuelle particulièrement forte, qui peut se défendre avec une intensité particulière contre la dépendance à l'égard d'un père particulièrement dur. Dans sa ***réponse à la critique de Theodor Reik*** sur son article sur Dostoïevski, en **1929**, Freud souligne que la clairvoyance de Dostoïevski se limite aux formes pathologiques tandis que de l'amour il ne connaît que « le désir pulsionnel brut, la soumission masochiste et l'amour par compassion » [3].

En **1929, *Malaise dans la civilisation*** est l'occasion de reprendre les réflexions sur la notion de pulsion d'agression. L'une des pulsions d'objet, la pulsion sadique, se rattachait sur bien des points aux pulsions du moi, dans une étroite parenté avec les pulsions d'emprise sans visée libidinale ; « le sadisme pourtant appartenait manifestement à la vie sexuelle, le jeu de la cruauté pouvait remplacer celui de

1. « Dostoïevski et le parricide » (1928b [1927]), *Résultats, idées, problèmes, II*, Paris, PUF, 1984-1985, p. 163 ; *OCF* XVIII (« Dostoïevski et la mise à mort du père »), p. 209 ; *GW* XIV, p. 401.

2. *Ibidem*, p. 170 ; p. 216 ; p. 408.

3. « Extrait d'une lettre à Théodor Reik » (1930f [1929]), *OCF* XVIII, p. 230 ; *GW* XIX, p. 669.

la tendresse »[1]. L'introduction du narcissisme, puis de la pulsion de mort, difficile à mettre en évidence conduisent Freud à repenser le sadisme, déjà connu comme pulsion partielle de la sexualité, mais réinterprété comme un des alliages entre Éros et pulsion de mort, « particulièrement fort, celui de la tendance d'amour avec la pulsion de destruction, de même que, dans sa contrepartie, le masochisme, on serait en présence d'une liaison de la destruction, orientée vers l'intérieur, avec la sexualité »[2]. La nouvelle théorie des pulsions opère, sans violer les faits, la simplification et la clarification à laquelle aspire le travail scientifique : le sadisme et le masochisme ont toujours montré les manifestations, fortement alliées avec de l'érotisme, de la pulsion de destruction, orientée vers l'extérieur et vers l'intérieur ; mais comment avoir longtemps omis de voir l'ubiquité de l'agression et de la destruction non érotique et négligé de lui accorder toute sa place dans l'interprétation de la vie ? Si elle n'est pas teintée d'érotisme, la soif de destruction orientée vers l'intérieur échappe à l'observation. Freud lui-même rappelle s'être longtemps défendu contre l'idée d'une pulsion de destruction, et bien d'autres refusent de reconnaître le penchant inné de l'homme au « mal », à l'agression, à la destruction et par là à la cruauté.

Le surmoi est une instance, la conscience morale, une de ses fonctions qui surveille et juge les actions et les visées du moi, et exerce une activité de censure. Le sentiment de culpabilité, « perception, impartie au moi, de la surveillance à laquelle celui-ci est soumis »[3], évalue la tension entre les tendances du moi et les exigences du surmoi. L'angoisse devant cette instance critique, le besoin de punition, est une « manifestation pulsionnelle du moi qui est devenu masochiste sous l'influence du surmoi sadique »[4] : il utilise, aux fins d'une liaison érotique avec le surmoi, une part de la pulsion à la destruction interne qui est présente en lui.

1. *Malaise dans la civilisation* (1930a [1929]), Paris, PUF, 1971, p. 72 ; *OCF* XVIII *(Le Malaise dans la culture)*, p. 303 ; *GW* XIV, p. 476.

2. *Ibidem*, p. 75 ; p. 305 ; p. 478.

3. *Ibidem*, p. 96 ; p. 323 ; p. 496.

4. *Ibidem*.

En **1931**, « **Sur la sexualité féminine** » étudie le développement libidinal féminin. Freud y souligne les activités sexuelles de la fille dirigées vers la mère, tendances orales, sadiques et finalement phalliques, avant d'être éventuellement transférées sur le père. Les souhaits agressifs oraux et sadiques apparaissent sous la forme qui leur a été imposée par un refoulement précoce comme l'angoisse d'être tuée par la mère, susceptible de justifier le vœu de mort envers la mère s'il devient conscient[1]. Une autre manifestation est l'angoisse et la fureur de l'enfant lors des lavements intestinaux imposée par la mère, que Ruth Mac Brunswick rapproche de l'orgasme après la stimulation génitale : à la phase anale, en réponse à la stimulation passive intense de cette zone, intervient une explosion de plaisir-désir d'agression, manifestée directement en fureur, ou, s'il y a répression, indirectement en angoisse. Si la phase préœdipienne est identique chez les filles et chez les garçons, si l'activité sexuelle phallique envers la mère est avérée, il ne faut pas sous-estimer l'hostilité qui accompagne l'acte de se détourner de la mère, ce que prend en compte Hélène Deutsch dans son travail sur le masochisme féminin et sa relation à la frigidité[2].

Les ***Nouvelles conférences d'introduction à la psychanalyse*** (**1933**) rappellent dans la XXXIIe leçon, « Angoisse et vie pulsionnelle », les organisations prégénitales et la venue au premier plan des impulsions sadiques et anales lors de la deuxième phase (tout aussi affirmées et actives chez les filles que chez les garçons, précise la leçon suivante sur « La féminité »). Freud explicite la réinterprétation de la deuxième théorie des pulsions, supposant une pulsion d'agression et de destruction, hypothèse à laquelle il aurait été conduit par l'appréciation des phénomènes du sadisme et du masochisme. Le sadisme rattache la satisfaction sexuelle à la condition que l'objet sexuel subisse des souffrances, des mauvais traitements et des humiliations, le masochisme correspond au besoin d'être soi-même cet objet maltraité. Une part de ces deux tendances peut exister dans la satisfaction sexuelle normale,

1. « Sur la sexualité féminine » (1931b), *La vie sexuelle*, Paris, PUF, 1969, p. 150 ; *OCF* XIX, p. 22 ; *GW* XIV, p. 531.

2. *Ibidem*, p. 153 ; p. 26 ; p. 535.

mais il y a perversion quand elles deviennent prépondérantes ou exclusives.

Le sadisme entretient une parenté avec la masculinité, le masochisme avec la féminité. Tous deux sont des phénomènes énigmatiques, surtout le masochisme ; achoppements dans la conception du principe de plaisir, ils deviennent pierre angulaire de la nouvelle théorie des pulsions, car ce sont deux excellents exemples de l'intrication des deux espèces de pulsions, de l'Éros avec l'agression. Ce rapport est prototypique, et toutes les motions pulsionnelles consistent en de telles mixtions et alliages des deux espèces de pulsions, en proportions diverses et avec des possibilités de désintrication qui ouvrent largement le champ des recherches psychopathologiques. Si nous faisons abstraction de la composante érotique du masochisme, il est le garant d'une tendance à l'auto-destruction. Si le moi renferme à l'origine en lui toutes les motions pulsionnelles, « il en résulte la conception que le masochisme est plus ancien que le sadisme, le sadisme étant, lui, une pulsion de destruction tournée vers l'extérieur, laquelle acquiert ainsi le caractère de l'agression »[1]. Si l'agression ne peut trouver satisfaction dans le monde extérieur, elle peut reculer et augmenter ainsi la mesure d'auto-destruction interne. « Il semble effectivement qu'il nous faille détruire d'autres choses et d'autres êtres pour ne pas nous détruire nous-mêmes, pour nous préserver de la tendance à l'auto-destruction. Une triste révélation, à coup sûr, pour l'homme de l'éthique ! »[2] Or la répression de l'agression est particulièrement forte – « constitutionnellement prescrite et socialement imposée »[3] – chez la femme, favorisant « l'extension de fortes motions masochistes qui réussissent en effet à lier érotiquement les tendances destructives tournées vers l'intérieur. Le masochisme est donc, comme on dit, authentiquement féminin »[4]. Mais on le rencontre très fréquemment

1. *Nouvelles conférences d'introduction à la psychanalyse* (1933a [1932]), Paris, Gallimard, 1984, p. 142 ; *OCF* XIX, p. 188 ; *GW* XV, p. 112.

2. *Ibidem,* p. 142 ; p. 188-189 ; p. 112.

3. *Ibidem,* p. 155 ; p. 199 ; p. 123.

4. *Ibidem.*

chez les hommes ; que dire, si ce n'est qu'ils montrent des traits féminins très nets ?

« **L'analyse avec fin et l'analyse sans fin** » **(1937)** souligne la permanence des organisations infantiles orale et sadique-anale et les fixations qui peuvent y ramener, même dans le développement libidinal normal – comme dans le devenir des civilisations. « On pourrait parfois douter que les dragons du temps originaires soient vraiment morts jusqu'au dernier. » [1] Étudiant les différents types de résistance, Freud évoque les forces qui se défendent contre la guérison : masochisme si fréquent, réaction thérapeutique négative, conscience de culpabilité névrotique, « indices indéniables de l'existence dans la vie de l'âme d'une puissance, que d'après ses buts nous appelons pulsion d'agression ou de destruction, et que nous dérivons de l'originaire pulsion de mort de la matière animée » [2], ce qui ne permet plus de garder la croyance que le cours des événements psychiques est dominé par l'aspiration au plaisir. Ce sont les trois mêmes facteurs qui, selon « **Constructions dans l'analyse** » **(1937)**, peuvent susciter chez le patient une aggravation des symptômes lorsque la construction que propose l'analyste est exacte.

En **1937**, dans ***L'homme Moïse et la religion monothéiste,*** Freud récapitule sa conception du traumatisme précoce, qui échappe au souvenir et se rattache à des impressions de nature sexuelle et agressive (sans nette distinction entre les deux, comme dans la conception sadique du coït) [3]. Un exemple clinique d'enfant affecté de troubles du sommeil illustre l'identification au père, puis l'effet traumatique de la menace de castration amenant une position passive et une identification à la mère maltraitée, l'émergence à l'adolescence d'une impuissance sexuelle avec des fantasmes sado-masochistes, enfin le retour partiel du refoulé dans un comportement despotique où réparait l'identification au père [4]. Freud applique ensuite le même schéma

1. « L'analyse avec fin et l'analyse sans fin » (1937c), *Résultats, idées, problèmes, II,* Paris, PUF, 1984, p. 244 ; *OCF* XX, p. 30 ; *GW* XVI, p. 73.

2. *Ibidem,* p. 258 ; p. 45 ; *GW* XVI, p. 89.

3. *L'homme Moïse et la religion monothéiste* (1939a), Paris, Gallimard, 1986, p. 161 ; *OCF* XX, p. 153 ; *GW* XVI, p. 179.

4. *Ibidem,* p. 167-169 ; p. 158-159 ; p. 184-185.

(traumatisme à contenu sexuel agressif, oubli et latence, puis retour du refoulé) à l'histoire des sociétés et des religions.

En **1938**, l'***Abrégé de psychanalyse,*** traitant au chapitre III du développement de la libido, rappelle le surgissement de pulsions sadiques, encore isolées, lors de la phase orale et de l'apparition des premières dents, puis leur présence marquée dans la phase sadique-anale où la satisfaction est recherchée dans l'agression et la fonction excrémentielle. Freud propose à cette occasion une définition claire de sa conception finale du sadisme : « Si nous nous arrogeons le droit d'inclure les tendances agressives dans la libido, c'est parce que nous pensons que le sadisme est une combinaison de pulsions purement libidinales avec des tendances purement destructives, combinaison qui dès lors persistera à jamais. »[1] Une note exclut que les réactions pulsionnelles purement destructrices, sans éléments libidinaux, puissent procurer du plaisir. De même, les résidus de pulsion de mort restés dans le moi ne produisent pas de plaisir ; le masochisme est, comme le sadisme, une combinaison de pulsions libidinales et de pulsions destructives.

QUESTIONS ET ENJEUX

Sadisme et masochisme sont essentiels à trois titres : cliniquement par leur fréquence et leur importance dans la sexualité infantile ; métapsychologiquement, ils sont une raison déterminante pour l'instauration et la compréhension d'une deuxième théorie des pulsions qui en modifie la compréhension et dont ils éclairent en retour la portée ; enfin, l'énigme du masochisme, qui a amené Freud à réinterroger de façon critique sa référence au principe de plaisir, témoigne de la complexité de la clinique et de l'importance du point de vue économique.

1. *Abrégé de psychanalyse* (1940a [1938]), Paris, PUF, 1967, p. 14-15 ; *OCF* XX, p. 243 ; *GW* XVII, p. 76.

De la sexualité infantile aux fantasmes pervers

Dans la sexualité infantile, sadisme et masochisme sont des exemples de pulsions partielles organisées en couples d'opposés qui manifestent particulièrement clairement la parenté entre sexualité infantile et perversion. Ils témoignent de l'importance de la notion de zone érogène au-delà d'une théorie des stades libidinaux mais aussi au-delà de l'idée d'une localisation étroite, puisque c'est la musculature, donc la motricité (laquelle trouve ainsi son ancrage dans la pensée psychanalytique) qui sous-tend le sadisme. Ainsi la psychanalyse ne peut-elle sous-estimer **le corps et sa motricité** dans le déploiement des mouvements pulsionnels. D'autre part, ces pulsions partielles sont orientées vers un objet, avant même le rassemblement narcissique des autoérotismes, et semblent dès la première topique **à la racine de l'objectalité** dans le jeu et le développement des pulsions libidinales.

On comprend la **force des fixations qui peuvent faire régresser** la sexualité à des positions perverses sadiques ou masochistes. D'autant que les motions pulsionnelles sadiques montrent très tôt leur puissance dans la constitution des **organisations prégénitales sadiques-anales** et dans la possibilité d'y régresser qui sous-tend toute l'élaboration théorico-clinique de la névrose obsessionnelle. Toute la question de l'ambivalence s'y trouve engagée. Dans la dernière partie de son œuvre, Freud retient l'idée de Karl Abraham d'une phase sadique orale, mais il ne lui a jamais consacré autant d'importance, ramenant au contraire les fantasmes d'être mangé par le père ou la mère à leur signification œdipienne.

L'intérêt de Freud se porte autant sur les **fantasmes pervers** des névrosés que sur les agirs pervers. Mais dans le cas du masochisme moral, la distinction n'est plus si évidente. D'une manière plus générale, la clinique du sadisme et surtout du masochisme **brouille les repères** et force à complexifier la pensée. Freud semble, au moins dans un premier temps, comprendre aisément les mouvements sadiques, et ne pouvoir envisager le masochisme que comme un retournement sur soi et un renversement en son contraire d'un sadisme originel. Mais les questions demeurent : comment comprendre que la destructivité du sadisme et du masochisme puissent relever des pulsions libidinales ?

Sadisme et emprise

Il est plus aisé de traiter la question si l'on réduit le masochisme à un retournement du sadisme et le sadisme lui-même à une relation d'emprise. C'est approximativement la réponse freudienne de la première topique, à ceci près que l'on constate des oscillations entre une emprise auto-conservatrice, étayage du sadisme, et une emprise libidinale, difficile à distinguer du sadisme – lequel aurait comme première fonction de maintenir l'objet sexuel pour rendre possible le coït !

En fait, le sadisme ne peut être réduit à l'emprise que si l'on considère comme secondaire (et dérivé d'un masochisme retourné régressivement en sadisme) le fait d'infliger des douleurs par rapport à celui de terrasser et dominer l'objet. Telle est bien la première position freudienne, aux dépens peut-être de la dimension proprement libidinale de la jouissance perverse. Il s'ensuit que si le sadisme est primaire, et le masochisme seulement secondaire, la **jouissance sadique** n'est finalement que secondaire (et même au second degré) par identification à la jouissance douloureuse du masochiste qui est son objet.

Le caractère féminin du masochisme

Freud a toujours maintenu à la fois la relation et la distinction entre l'opposition actif-passif – déterminante dans le sadisme et le masochisme – et l'opposition masculin-féminin. Mais, lors de la phase prégénitale essentielle de l'organisation sadique-anale, la distinction des sexes n'est pas élaborée et le seul accès à leur différence est la mise en œuvre de l'opposition entre actif et passif.

Telle est l'une des grandes raisons, au moins aussi déterminante que l'anatomie, qui associent aussi étroitement le masochisme à la féminité. L'association du sadisme et du masculin, généralement évoquée comme allant de soi, est en même temps brouillée par l'existence de désirs actifs aussi intenses dans les deux sexes et d'une phase phallique qui leur est commune. Quant au masochisme, si l'une de ses formes est bien le masochisme féminin, c'est surtout chez des hommes que Freud le décrit. Le masochisme qu'il étudie chez les filles se manifeste comme un fantasme de fustigation, à point de départ sadique, subissant une transformation inconsciente de retournement masochiste qui lui donne sa dimension d'excitation sexuelle manifeste pour devenir, sous une forme plus neutre dans laquelle sadisme et masochisme ne se distinguent pas clairement, le fantasme conscient chargé de honte.

Le masochisme des hommes les conduit à une position féminine génitale adressée au père, qui parfois régresse à la passivité sadique-anale (toujours libidinale), tandis que l'un des destins du masochisme chez les filles est une désexualisation manifeste au profit d'une position masculine.

C'est en tout cas la régulière transformation de l'activité en passivité qui sous-tend la complexité de la clinique du masochisme, laquelle témoigne des difficultés et des diversités des **destins de la passivité.**

Le sadisme primaire

Il faut souligner la fermeté du refus freudien, tout au long de l'œuvre, de la « protestation masculine » imaginée par Alfred Adler qui non seulement lui sert d'explication simplificatrice universelle, mais qui donnerait à l'agressivité une source pulsionnelle indépendante de la libido. Freud maintient ainsi nettement le **caractère libidinal du sadisme, qui n'est pas la destructivité pure.** Néanmoins, il est sensible à la difficulté de faire dériver des pulsions sexuelles l'agressivité destructrice, l'explication par l'emprise ne suffisant pas à en rendre compte ; c'est ce qui l'amène, dans *Au-delà du principe de plaisir,* à changer radicalement de position. Il explique, dans les *Nouvelles conférences d'introduction à la psychanalyse,* que ce sont les questions liées au sadisme et à l'origine de la destructivité, ainsi qu'au masochisme contredisant l'universalité du principe de plaisir, qui l'ont obligé à repenser sa théorie pulsionnelle et à concevoir une opposition entre pulsions de mort et pulsions de vie (d'autant que le narcissisme empêchait de concevoir un investissement de soi-même auto-conservatif et non libidinal), c'est-à-dire à radicaliser les forces constitutives du psychisme.

En première théorie des pulsions, le sadisme est logiquement premier, puisqu'il porte la force de la poussée active de la pulsion, laquelle inclut l'agressivité dans un mouvement d'abord libidinal. Certes, il est des pulsions à but passif, mais la référence au principe de plaisir empêche de concevoir que le but pulsionnel puisse être la douleur, sinon par retournement sur soi de l'agressivité visant l'objet.

L'ANTÉRIORITÉ DU MASOCHISME SUR LE SADISME ?

En seconde théorie des pulsions, la destructivité de la pulsion de mort est d'abord interne. C'est par un mouvement de déflexion vers l'extérieur qu'elle va s'exercer sur des objets. De ce point de vue, il est clair qu'il existe un **masochisme primaire,** contrairement à ce qui semblait à Freud avant 1920.

Il faut veiller à distinguer entre l'antériorité logique dans la théorie pulsionnelle et les conséquences théorico-cliniques dans l'interprétation des faits psychopathologiques. En effet, il est clair que la seconde théorie des pulsions pose une antériorité logique du masochisme sur le sadisme. Mais Freud indique également que le masochisme effectif (cliniquement constatable) est formé de ce qui reste de pulsion de mort dans le moi, dirigé vers le moi et intriqué avec Éros, lorsque intervient la défense qui expulse la destructivité hors du moi pour la diriger vers les objets en tant que pulsion de destruction. Autrement dit, sadisme et masochisme, qui sont des réalités cliniques et non une théorisation pulsionnelle, sont **tous deux, dans leurs formes primaires, simultanément mis en œuvre par un psychisme en construction qui se défend de l'auto-destruction.**

Ce qu'il y a d'entièrement nouveau dans cette conception des pulsions est l'idée que le mouvement pulsionnel suscite une défense de survie tant à l'intérieur qu'à l'extérieur. L'existence d'une pulsion de mort impose d'expulser une part importante de la destructivité ; Éros doit impérativement lier celle qui demeure à l'intérieur comme celle qui est projetée sur l'extérieur. C'est pourquoi **les premiers mouvements masochistes et sadiques sont primaires** ; il existe un masochisme primaire, qui ne doit rien au retournement sur soi-même de motions sadiques. Mais il existe aussi un sadisme primaire, fait à la fois de tentatives d'emprise et de mouvements de destruction, selon l'intensité de la destructivité et l'intensité des motions libidinales. Il n'existe pas d'auto-conservation non libidinale : **seul Éros peut lier,** à l'intérieur, comme à l'extérieur, ce qui est intrinsèquement menacé par les pulsions de destruction.

Sadisme et masochisme sont ainsi les premières liaisons de la pulsion de mort, et le sadisme retrouve même une antériorité logique dans la possibilité d'identifier la pulsion de mort, car celle-ci est muette si elle n'entre pas dans une intrication libidinale. C'est pourquoi son appréhension clinique ne peut s'effectuer que par les pulsions de destruction, qui sont à l'œuvre dans des agirs destructeurs, parfois presque dénués de toute participation libidinale – de toute excitation proprement sexuelle et de tout plaisir (et sans doute aussi dans les désorganisations psychosomatiques). Mais Freud les reconnaît aussi dans les comportements et fantasmes élaborés du sadisme et du masochisme, déployant toutes les **formes cliniques secondaires de ces motions pulsionnelles, notamment dans la réaction thérapeutique négative et dans le sentiment de culpabilité** (ou besoin de punition). On y retrouve toutes les formes secondaires de transformations – renversement en son contraire, retournement sur le moi propre, déflexion vers l'extérieur de l'agressivité interne – abordées dans la première partie de l'œuvre freudienne, ou mises en évidence dans l'analyse des fantasmes de fustigation.

Le sentiment de culpabilité

Si le masochisme érogène originaire est, à partir des premières formes de liaison érotique de la destructivité interne, à la base de toutes les autres formes de masochisme, le masochisme moral est le plus important cliniquement ; il se présente fréquemment sous la forme du **sentiment de culpabilité inconscient,** plus facile à faire reconnaître comme **besoin de punition.** Freud interprète le plus souvent ce sentiment de culpabilité en termes œdipiens. Mais parfois le masochisme moral se radicalise. L'objet paternel dont on attend le châtiment est impersonnalisé et généralisé (comme dans la forme consciente du fantasme de fustigation) ; à la limite, il y a désobjectalisation puisque peu importe qui punit, seule la souffrance est recherchée, voire activement provoquée.

Freud analyse cette nouvelle configuration de l'intrication pulsionnelle et du conflit psychique selon la deuxième topique : sexualisation d'un **surmoi sévère et impitoyable,** complémentarité entre le **sadisme du surmoi** et le **masochisme du moi.** Le conflit est interne, et s'effectue entre les instances psychiques, avec un risque non négligeable de désunion pulsionnelle au profit de la l'auto-destructivité, même s'il demeure une satisfaction libidinale qui rend difficile l'abandon d'une telle position pulsionnelle – au risque des réactions thérapeutiques négatives et du refus de la guérison.

S'il est indéniable que la réflexion freudienne finale sur le sadisme et le masochisme témoigne de destins libidinaux plus sombres que ne l'étaient les premières descriptions du sadisme et du masochisme en termes de pulsions partielles, il ne faut pas tant y voir un « pessimisme » freudien, que l'effet d'une prise en compte plus radicale des réalités et des impasses cliniques, mais aussi de la complexité psychique qui ne s'est dévoilée que peu à peu. Freud dut **abandonner l'universalité du principe de plaisir comme base des fonctionnements psychiques,** et même remettre en cause le fait que ses effets soient toujours au service de la vie. L'élucidation de l'énigme du masochisme fut une réévaluation importante de sa pensée, dans laquelle s'imposa l'importance essentielle des facteurs économiques. Ajoutons qu'après l'éclaircissement du masochisme, Freud en vint très logiquement à s'occuper des destins de la morale, de formes de défense radicales comme le déni et le clivage et des effets (négatifs mais aussi positifs) du traumatisme.

Réalités cliniques puissantes et complexes, le sadisme et le masochisme ont contribué à l'approfondissement de la métapsychologie freudienne dont elles ont suscité le renouvellement et la radicalisation.

Dominique BOURDIN

Satisfaction (expérience de) → Désir et besoin

Scène originaire → Fantasmes originaires

SÉDUCTION

all. : ***Verführung.*** – angl. : *seduction.* – esp. : *seducción.* – ital. : *seduzione.* – port. : *sedução*

Excitation éprouvée par un enfant passif qui fantasme une scène dans laquelle cet état est provoqué par l'excitation d'adulte(s), le fantasme originaire de séduction intervient dans le complexe d'Œdipe et dans le pré-Œdipe. Résultat d'influences internes et externes subies dans un état réceptif de passivité, elle implique une certaine réalité et fait intervenir autrui. Elle a eu un rôle historique important dans la mesure où il fallut à Freud renoncer à une « théorie de la séduction »

traumatique et réaliste pour pouvoir élaborer une « théorie de l'inconscient » et, avec elle, celle de la psychanalyse.

MISE EN SITUATION

Du latin classique « seductio » *qui indique l'action de mener à part, de séparer, le mot s'est vu attribuer par le latin ecclésiastique la signification de mensonge, de trahison et de corruption (on retrouve le serpent séduisant Ève, qui à son tour séduit Adam), et, même si dès la Renaissance elle a été relativisée, la séduction conserve cette connotation péjorative – elle est d'ailleurs d'autant plus suspecte qu'elle est plaisante. Les dictionnaires s'accordent pour la référer à un « charme » (qui tend donc à une sujétion, fût-elle consentante), exerçant une attraction venue de l'extérieur (généralement d'une autre personne mais, l'idée évoluant, ce peut être aussi un objet, un paysage, une œuvre, voire une idée). Cette référence obligée à un agent tiers tend à faire glisser le mal, le péché sur le séducteur, « le malin », sans pour autant exonérer pleinement la personne séduite, pourtant généralement innocente. Tel est le « péché originel », ce soubassement culturel de ce que Freud saura reconnaître comme « séduction originaire ».*

Lorsqu'il parle de séduction, il s'agit d'abord de celle exercée sur de jeunes enfants passifs (le plus souvent des petites filles) par des adultes ou des enfants plus âgés ; ce qui en est décrit ressort alors de constats cliniques, d'expériences thérapeutiques. Si, aujourd'hui, la séduction n'apparaît plus au tout premier plan des écrits psychanalytiques, elle a tenu une place essentielle, fondatrice dans l'œuvre freudienne. Il en est ainsi à trois périodes déterminantes : – d'abord au moment pré-analytique des premières recherches où les récits qui en sont donnés par les patients sont considérés comme renvoyant à des événements réels, la « théorie » qui en est proposée étant censée expliquer l'étiologie des psychonévroses, à commencer par l'hystérie ; – à mi-œuvre, elle prend place parmi les « fantasmes originaires » dont la fonction organisatrice est d'autant plus forte qu'elle est universelle car, au-delà des expériences individuelles, ils renvoient à l'histoire de l'espèce et des civilisations, à un « héritage » phylogénétique ; – dans la dernière période, l'entrée en scène des protagonistes change, le père n'apparaît qu'en second et la première séductrice se révèle être la mère (d'autant que les soins qu'elle doit réellement prodiguer à l'enfant ne peuvent que lui procurer du plaisir, éveillant sa sensualité), ce qui conduit à reconsidérer l'organisation œdipienne et, plus particulièrement, celle de la fille. Mais, dans ces différentes approches, c'est bien de la même séduction infantile qu'il s'agit, ancrée dans une réalité qui, si elle s'avère psychique en fin de compte, a aussi un soubassement historique, tant individuel que culturel – ici, Freud parle régulièrement du « sol de la réalité » [1].

LE TEXTE FREUDIEN

Des traumatismes sexuels infantiles à l'infantilisme de la sexualité

Dès **1893,** puis dans les années suivantes et jusqu'en 1897 dans sa correspondance avec Wilhelm Fliess, Freud rapporte nombre d'exemples de séductions précoces, de petites filles mais aussi parfois de garçons ; il pense avoir ainsi trouvé tant la cause de l'hystérie que des autres psychonévroses [2] ; c'est ce que, au cours de l'année 1896, il confirme dans diverses publications [3]. Entre-temps, dans l'« Esquisse d'une psychologie scientifique » en 1895, il donne un exemple de séduction subie à l'âge de huit ans, désignée ici comme « attentat sexuel », dont l'effet ne se manifesta qu'*après coup* lors de la puberté,

1. Encore en 1933 dans les *Nouvelles conférences d'introduction à la psychanalyse* (1933a [1932]), Paris, Gallimard, 1984, p. 162 ; *OCF* XIX, p. 204 ; *GW* XV, p. 129.

2. *La naissance de la psychanalyse. Lettres à Wilhelm Fliess. Notes et plans (1887-1902)* (1950a [1887-1902]), Paris, PUF, 1956, p. 67, 87, 99, 117, 158-159.

3. « L'hérédité et l'étiologie des névroses » (1896a), *Névrose, psychose et perversion,* Paris, PUF, 1973, p. 55 et 58 ; *OCF* III, p. 116 et 120 ; *GW* I, p. 417 et 421. – « Nouvelles remarques sur les psychonévroses de défense » (1896b), *Névrose, psychose et perversion,* Paris, PUF, 1973, p. 66 ; *OCF* III, p. 129 ; *GW* I, p. 385. – « Sur l'étiologie de l'hystérie » (1896c), *Névrose, psychose et perversion,* Paris, PUF, 1973, p. 96, 99, 106 ; *OCF* III, p. 163, 167, 175 ; *GW* I, p. 440, 444, 452.

et ne fut compris que bien plus tard dans l'analyse (moment important dans l'élaboration de la théorie analytique puisque sont à cette occasion introduites les deux notions fondamentales de « diphasisme sexuel » et d'« après-coup »)[1].

Le 21 septembre 1897, après plusieurs mois de doutes et de réexamens pénibles, il avoue à son ami : « Je ne crois plus à ma *neurotica* », c'est-à-dire à la réalité de séductions infantiles exercées par des adultes, comme cause de l'hystérie ; elle mène à trop de déceptions dans les analyses. La fuite des malades qui semblaient les plus prometteurs, l'absence de succès « total » et les réussites partielles pouvant s'expliquer plus simplement, une fréquence trop grande et peu croyable de pères supposés pervers et de cas d'hystérie, s'ajoutant à l'impossibilité de distinguer la vérité du fantasme comme à la conviction qu'il n'existe dans l'inconscient aucun « indice de réalité » – tout cela ne pouvait que l'amener douloureusement à cet abandon : « Maintenant, je ne sais plus où j'en suis, car je n'ai encore acquis de compréhension théorique ni du refoulement, ni du jeu de forces qui s'y manifeste. »[2] À la suite, il ne va plus guère rendre compte de ses réflexions sur la question, mais différentes mentions montrent qu'il progresse. En 1898 : – abordant le « roman familial », il remarque que lorsque la séductrice est une domestique qui est vraiment passé à l'acte, l'histoire se trouve mentionnée deux fois dans les analyses : – la première en tant que fantasme relatif à la mère, la seconde en tant que souvenir réel se rapportant à une bonne ; – traitant de l'énurésie, il la lie à des excitations sexuelles, spontanées ou provoquées par séduction[3]. La même année, dans un bref article, il maintient que la véritable étiologie des psychonévroses se trouve dans les expériences vécues concernant la vie sexuelle durant l'enfance, et il précise que **leur action la plus importante se manifeste après coup,** succédant à une

1. « Esquisse d'une psychologie scientifique » (1950c [1895]), *La naissance de la psychanalyse,* Paris, PUF, 1956, p. 364-366.

2. *La naissance de la psychanalyse. Lettres à Wilhelm Fliess. Notes et plans (1887-1902)* (1950a [1887-1902]), Paris, PUF, 1956, p. 190-191.

3. *Ibidem,* p. 229 et 237.

certaine maturation tant somatique que psychique, et pouvant alors susciter des formations psychopathologiques[1].

Il attendra 1905 et les *Trois essais sur la théorie sexuelle* pour reparler de la séduction comme d'une activité sexuelle déterminée par des causes internes *et* des occasions externes. À propos de son importance dans l'onanisme précoce, il tient à préciser qu'il ne saurait admettre qu'il en ait surestimé l'importance en 1896, bien qu'il méconnusse à l'époque tout le poids des facteurs constitutionnels et du développement sexuel[2]. Il note que des influences externes peuvent interrompre prématurément, voire supprimer la période de latence ; à cette occasion on découvre que **la pulsion sexuelle de l'enfant est en fait perverse polymorphe**[3].

« Mes vues sur le rôle de la sexualité dans l'étiologie des névroses » (titre d'un article de 1906) ne cesse de le préoccuper, ce qui le conduit au réexamen de ses écrits de 1895 et 1896 et, notamment, de ceux portant sur l'opposition faite entre les névroses communes dont l'étiologie est actuelle, et les psychonévroses provoquées par des expériences sexuelles précoces. Si ces propositions lui paraissent toujours exactes, il doit maintenant dépasser ce point de vue : il avait alors surestimé la fréquence des séductions sexuelles par des adultes ou des enfants plus âgés, et méconnu le rôle des fantasmes des hystériques concernant leur enfance, qui sont en fait des tentatives de défense contre le souvenir de l'activité sexuelle infantile (masturbation). En abandonnant l'hypothèse « traumatique » il peut comprendre que cette sexualité infantile oriente la vie sexuelle post-pubertaire, ce qui lui permet de modifier sa conception des symptômes hystériques : ceux-ci résultent des fantasmes des années de puberté – correction qui permit de « **remplacer les "traumatismes sexuels infantiles" par l'"infantilisme de la sexualité"** »[4]. Faisant le point en 1914 sur

1. « La sexualité dans l'étiologie des névroses » (1898a), *Résultats, idées, problèmes, I,* Paris, PUF, 1984, p. 92 ; *OCF* III, p. 235 ; *GW* I, p. 510-511.

2. *Trois essais sur la théorie sexuelle* (1905d), Paris, Gallimard, 1987, p. 117 ; *OCF* VI, p. 126 ; *GW* V, p. 91.

3. *Ibidem,* p. 184 ; p. 172 ; p. 136.

4. « Mes vues sur le rôle de la sexualité dans l'étiologie des névroses » (1906a),

l'*Histoire du mouvement psychanalytique*, il revient encore sur sa méprise : elle aurait pu devenir fatale pour cette jeune science en accordant foi aux récits de séductions infantiles des hystériques, jusqu'à en faire la cause de leur névrose ; il dut ensuite reconnaître que ce n'était là que fantasmes destinés à recouvrir et embellir l'activité autoérotique de l'enfance[1].

La séduction comme fantasme originaire

Dans les mêmes temps (**1905**), Freud élabore la notion de « *fantasmes originaires* », la séduction étant l'un d'entre eux[2]. C'est maintenant ce qu'elle peut avoir d'originaire qui retient Freud. Ces fantasmes **représentent des événements de l'enfance nécessairement requis, appartenant au fond permanent de la névrose** : « S'ils sont contenus dans la réalité, alors c'est bon ; si la réalité les a refusés, alors ils sont fabriqués à partir d'amorces et complétés par le fantasme. Le résultat est le même. » Ces fantasmes sont qualifiés d'originaires parce qu'ils appartiennent à un patrimoine phylogénétique, et sont donc le lot de l'espèce : « Il me paraît tout à fait possible que tout ce qui nous est aujourd'hui raconté dans l'analyse au titre de fantasme, la séduction des enfants, le déclenchement de l'excitation sexuelle par l'observation des rapports parentaux, la menace de castration – ou plutôt la castration – a été une fois, dans les premiers temps de la famille humaine, réalité, et que l'enfant qui fantasme ne fait que boucher les trous de la vérité individuelle avec de la vérité préhistorique. »[3]

Certes, on aimerait savoir si ce qui est raconté dans une cure correspond à un fantasme ou à un événement réel, mais « il n'est au fond pas

---

Résultats, idées, problèmes, I, Paris, PUF, 1984, p. 116-117 ; *OCF* VI, p. 313 ; *GW* V, p. 154.

1. *Sur l'histoire du mouvement psychanalytique* (1914d), Paris, Gallimard, 1991, p. 31-32 ; *OCF* XII, p. 259-260 ; *GW* X, p. 55-56.

2. « Communication d'un cas de paranoïa en contradiction avec la théorie psychanalytique (1915f), *Névrose, psychose et perversion,* Paris, PUF, 1973, p. 215 ; *OCF* XIII (2e éd.), p. 318 ; *GW* X, p. 242.

3. *Conférences d'introduction à la psychanalyse* (1916-1917), Paris, Gallimard, 1999, p. 471-472 ; *OCF* XIV, p. 384-385 ; *GW* XI, p. 386.

très important que cette question soit tranchée » ; ces trois « scènes » **« sont incontestablement un patrimoine atavique, un héritage phylogénétique, mais elles peuvent tout aussi bien constituer une acquisition de la vie individuelle »** [1].

En approfondissant le *complexe d'Œdipe,* qui le préoccupe de plus en plus, Freud va retrouver la séduction. En 1925, lors d'une nouvelle histoire de la psychanalyse, il revient une fois de plus sur la désastreuse erreur de ses débuts imputant la cause des psychonévroses à une séduction réellement agie, comme s'il lui fallait encore s'en justifier. Cette fois, il apporte cependant une note nouvelle à ses commentaires en constatant, à la lumière de ses dernières recherches, qu'il s'était « trouvé là confronté pour la première fois au *complexe d'Œdipe,* qui devait prendre par la suite une signification prépondérante, mais que je ne distinguais pas encore sous un travestissement aussi fantasmatique. **La séduction à l'âge infantile conserva d'ailleurs sa part dans l'étiologie** » [2].

La première séductrice

À partir de **1931** c'est surtout l'Œdipe féminin qui l'intrigue. Il découvre que la masturbation clitoridienne de la petite fille, d'abord sans fantasmes, débouche assez vite sur celui d'une **mère séductrice,** ce qui ne fait d'ailleurs que rendre compte de l'influence des soins corporels donnés par la mère sur l'éveil de l'érotisme. C'est à cette occasion que la fillette ressent ses premières et ses plus fortes sensations génitales, de par la réalité des attouchements inévitables, dont les petites filles (les petits garçons aussi, peut-on penser, mais Freud ne le dit pas) aiment les sensations jusqu'à demander à leur mère de les répéter (il n'y a là pas l'ombre d'un trauma). Si dans des fantasmes plus tardifs le père apparaît comme le séducteur sexuel, ce n'en est pas moins à la mère qu'incombe « d'ouvrir la phase phallique de

1. « Extrait de l'histoire d'une névrose infantile (L'homme aux loups) » (1918b [1914]), *Cinq psychanalyses,* Paris, PUF, 1954, p. 399 ; *OCF* XIII (2e éd.), p. 95 ; *GW* XII, p. 131.

2. *Sigmund Freud présenté par lui-même* (1925d), Paris, Gallimard, 1984, p. 57-58 ; *OCF* XVII, p. 81-82 ; *GW* XIV, p. 59-60.

l'enfant » ; ainsi s'établit d'abord « un lien exclusif à la mère, intense et passionné » qui peut, de surcroît, s'étendre jusqu'à la quatrième ou la cinquième année : « La phase de pré-Œdipe de la femme atteint par cela une importance que nous ne lui avions jamais attribuée jusqu'ici. »[1].

Le thème va être repris deux ans plus tard dans les *Nouvelles conférences d'introduction à la psychanalyse,* non sans qu'ait été évoqué, une fois encore, l'épisode fâcheux de la croyance en une réalité de la séduction par le père ; ce qui devait plus tard conduire à « reconnaître dans ce fantasme l'expression du complexe d'Œdipe typique chez la femme ». Mais **la véritable séductrice est la mère** d'autant que, « dans ce cas, **le fantasme touche le sol de la réalité** »[2] – ce qui ne va pas sans poser la question de la différence avec ce qui se passe dans le rapport du garçon à sa mère. Lui aussi, inévitablement, a bénéficié des soins maternels qui ont ouvert la phase phallique ; pour lui aussi, affronts, déceptions amoureuses, jalousie, séduction avec l'interdit qui la suit, sont à l'œuvre ; elles ne parviennent pourtant pas à l'éloigner de l'objet maternel. Il doit y avoir, chez la petite fille, un facteur spécifique qui, ajouté à l'intensité de sa phase préœdipienne, expliquerait le destin de son attachement maternel ; ce facteur « réside dans le complexe de castration », la petite fille reprochant à sa mère son manque de pénis, et ne le lui pardonnant pas[3]. S'il y a trauma, c'est dans la castration qu'il se situe, pour elle comme pour le garçon.

Nous ne sommes pas insensible à ce que le tout dernier écrit, en dépit de sa brièveté, évoque à nouveau les abus sexuels, des séductions pouvant être perpétrées dans la réalité par des adultes ou des enfants plus âgés, éveillant la réceptivité sexuelle de l'enfant et canalisant ses propres tendances dans des voies dont elles ne pourront plus sortir – d'où névroses, perversions…[4]

1. « Sur la sexualité féminine » (1931b), *La vie sexuelle,* Paris, PUF, 1969, p. 145, 150 ; *OCF* XIX, p. 17, 23 ; *GW* XIV, p. 525, 532.

2. *Nouvelles conférences d'introduction à la psychanalyse* (1933a [1932]), Paris, Gallimard, 1984, p. 161-162 ; *OCF* XIX, p. 203-204 ; *GW* XV, p. 128-129.

3. *Ibidem,* p. 166-167 ; p. 207-208 ; p. 133.

4. *Abrégé de psychanalyse* (1940a [1938]), Paris, PUF, 1967, p. 57 ; *OCF* XX, p. 281-282 ; *GW* XVII, p. 113-114.

QUESTIONS ET ENJEUX

La seule véritable difficulté présentée par la séduction est celle que, très tôt, rencontra Freud lorsqu'il lui fallut admettre qu'il s'était laissé abusé par les récits de ses patientes hystériques : dans la plupart des cas, il s'agissait en fait de *fantasmes de l'enfance*, et non d'événements réels. Cette « erreur » l'a bouleversé, semble-t-il, d'autant qu'il a clairement perçu combien elle aurait pu égarer et détruire la jeune science analytique ; au long de ses écrits, il est revenu à plusieurs reprises sur ce fourvoiement, comme on le fait sur une vieille blessure. C'est pourtant la croyance en la réalité de la séduction qui lui fit, fort tôt, découvrir tant le diphasisme de la maturation sexuelle que son fonctionnement en après-coup ; c'est en réfléchissant à ce qui l'avait ainsi conduit à se méprendre qu'il put en venir à concevoir quelques notions fondamentales, que ce soit la réalité psychique, ou la sexualité infantile avec le complexe d'Œdipe. En « renonçant à sa neurotica », Freud ne fait pas que renoncer à la réalité des passages à l'acte d'une tierce personne, il découple la séduction du traumatisme, ce qui le conduit à comprendre que le fantasme de séduction est une défense (une projection) contre une culpabilité liée au souvenir des masturbations infantiles. Mais s'il est bien exact que c'est le fantasme qui importe en psychanalyse et fonde les psychonévroses, la réalité ne perd pas ses droits pour autant et, tout au long de ses travaux (jusqu'au dernier d'entre eux), Freud tient à redire qu'il existe *réellement* des cas de séductions précoces infligeant, eux, de graves traumatismes à l'enfant – mais, d'une certaine façon, ils sortent du cadre de la psychanalyse. Dans la conduite de la cure, il importe d'ailleurs assez peu de savoir ce qui, dans les récits des patients, appartient plutôt au souvenir ou plutôt au fantasme, d'autant qu'il va de soi que, le plus souvent, le patient l'ignore lui-même.

On peut se demander si le « traumatisme » infligé à Freud par le constat, en 1897, de son fourvoiement avec sa « théorie de la séduction » de 1895-1896, n'a pas insidieusement perduré chez ses successeurs, qui tendent parfois à rabattre indûment la séduction sur la traumatisme ; non pas tant avec les élucubrations de certains commentateurs (Jeffrey M. Masson par exemple) que par ce qui ressemble à une fascination (une séduction ?) qui fait privilégier ce moment récusé de l'élaboration de la théorie psychanalytique : souvent, lorsque des psychanalystes évoquent la séduction chez Freud – y compris dans les dictionnaires – ils impliquent, pour l'essentiel, cette séduction psychanalytiquement abandonnée, amenuisant, voire négligeant celle des fantasmes originaires et, plus encore, celle du pré-Œdipe qui, demeurant étrangère à toute référence traumatique, n'en est pas moins fort importante pour la psychanalyse.

Ce temps premier de l'élaboration de la « théorie de la séduction » eut l'inconvénient de susciter une confusion : la notion de traumatisme demeure comme « accrochée » à celle de séduction, en dépit du renoncement, de la récusation même, que Freud porta à l'encontre de cette association (a pu être ainsi développée une « théorie de la séduction généralisée » qui, pour ingénieuse qu'elle soit, n'en aboutit pas moins à escamoter la part biologique de la sexualité).

Nous ne saurions trop insister sur l'importance de deux facteurs dans la séduction, à savoir : la position *passive,* et la part de *réalité.*

L'*état de passivité* est une condition impérative pour que soit élaboré un fantasme de séduction ; cette passivité permet de projeter la responsabilité sur un tiers, accomplissant ainsi sa fonction défensive. Nous ne pouvons alors qu'évoquer la polarité de la vie psychique entre activité et passivité, précurseur du pôle masculin-féminin, la féminité ayant plutôt des buts passifs, quitte à se faire active pour les imposer. Serait-ce pour cela que l'on rencontre plutôt des fillettes séduites dans la clinique freudienne ?

Le *rapport à la réalité* est omniprésent lorsqu'on a affaire à la séduction. Dans les premiers travaux, il s'agit de celle qu'auraient réellement exercée des adultes ; avec la phylogenèse révélée par la découverte des fantasmes originaires, ce sera celle qui imprègne l'histoire de l'humanité et en émane ; il s'agit enfin de la réalité des premiers soins prodigués par la mère lorsque s'éclaire la période préœdipienne. L'exigence de référence à une réalité pour rendre compte d'une séduction, quelle que soit la façon dont on l'aborde, demeure une constante de l'élaboration freudienne, toute la question étant de bien savoir de quelle réalité il s'agit. Il importe de souligner que, même après avoir dû renoncer à la réalité des séductions précoces par des adultes dans la genèse des psychonévroses, pour les remplacer par l'activité fantasmatique infantile, Freud maintient fermement et jusqu'au bout (contrairement à ce qui s'écrit parfois) l'existence de séductions bien réelles, aux effets traumatiques, que la clinique peut avoir à connaître ; mais celles-ci se situent dans un autre registre psychopathologique et thérapeutique. Le rapport à une réalité, notons-le, est impliqué dans la notion même de séduction qui, aussi fantasmatique soit-elle, engage nécessairement un tiers agissant (le sujet enfant demeurant passif).

En prenant place parmi les *fantasmes originaires,* la séduction s'associe étroitement aux deux autres, la castration et l'observation des rapports sexuels des parents ; comme eux, elle est en fait en dépendance du premier de ces « schémas phylogénétiques que l'enfant apporte en naissant », et qui n'est autre que le complexe d'Œdipe[1], ancrant le petit d'homme dans l'histoire de l'espèce.

Il nous faut enfin souligner que, parmi les traits que la séduction partage avec les autres fantasmes originaires – soit la *passivité* et *l'excitation partagée* –, ceux qui impliquent un *tiers* et une *sujétion* sont particulièrement impliqués avec elle, et peut-être plus encore que pour les deux autres ; cela tient à son rapport à la réalité. Ainsi peut-on, en clinique, faire le tri entre ce qui renvoie à la séduction plaisante, condition même de l'effectivité du rôle de la première séductrice, et ce qui s'avère séduction traumatique, suppose une rupture du pare-excitation, et est le fait de l'adulte séducteur du petit enfant.

Claude LE GUEN

Sensuel (courant) ⟶ Courant tendre et courant sensuel (tendresse)

SÉRIES COMPLÉMENTAIRES

all. : ***Ergänzungsreihe.*** – angl. : *complemental series.* – esp. : *serie complementaria.* – ital. : *serie complementare.* – port. : *série complementar*

Les « séries » associent différents éléments étiologiques dont l'innombrable diversité de figurations peut être ordonnée par paires de facteurs, variant en sens inverse et se complétant. Pour l'essentiel, elles sont à l'œuvre dans les psychonévroses, dans le développement de la libido et le transfert – ce faisant, elles intéressent un champ important du fonctionnement psychique.

1. « Extrait de l'histoire d'une névrose infantile (L'homme aux loups) » (1918b [1914]), *Cinq psychanalyses,* Paris, PUF, 1954, p. 418 ; *OCF* XIII (2e éd.), p. 117 ; *GW* XII, p. 155.

MISE EN SITUATION

Si Freud peut utiliser seul le terme de « série », le plus souvent il le connote d'un adjectif ; c'est ainsi que la « série » est d'abord « étiologique » (jusqu'en 1910, année où le terme est souvent employé seul, sans qualificatif), puis « psychique » (en 1912), et enfin « complémentaire » (à partir de 1915), expression qui est finalement retenue. Si ce que doit désigner la « série » demeure identique pour l'essentiel, ces changements langagiers n'en correspondent pas moins à une sériation conceptuelle allant de la recherche des causes à l'organisation du fonctionnement psychique lui-même. Surtout, ces qualificatifs contribuent tous à définir et à préciser ce qui est ici visé : la série est causale, insérée dans le fonctionnement psychique, constituée d'éléments qui se complètent les uns les autres. Dans la mesure où elle représente, en psychanalyse, les principes de causalité et de complémentarité, il semble envisageable de la considérer elle-même comme un principe du fonctionnement psychique, *au même titre que ceux de constance, de plaisir et de réalité – et ce, même si la série n'a jamais été ainsi qualifiée par Freud de façon explicite.*

LE TEXTE FREUDIEN

Apparue dès **1896,** reprenant la notion médicale selon laquelle plusieurs facteurs concourent pour que « la maladie devienne manifeste », tendant à dépasser l'alternative endogène-exogène, l'idée importante alors avancée par Freud est qu'il convient d'ajouter que les « **facteurs sexuels méritent de se voir attribuer une place particulière dans la série étiologique** » [1] déterminant la névrose. Les rapports avec l'histoire personnelle vont se préciser à partir de **1910,** indiquant, par exemple, comment l'idéalisation va s'efforcer d'inscrire le grand

1. « Sur l'étiologie de l'hystérie » (1896c), *Névrose, psychose et perversion,* Paris, PUF, 1973, p. 102 ; *OCP* III, p. 169 ; *GW* I, p. 447. Voir aussi : « La sexualité dans l'étiologie des névroses » (1898a), *Résultats, idées, problèmes, I,* p. 83 ; *OCF* III, p. 225 ; *GW* I, p. 500.

homme « dans la série des modèles infantiles » et, ce faisant, de faire revivre en lui la représentation enfantine du père[1] ; ou encore, comment pourra être regroupée « une identification antérieure à deux personnes, ou leur appartenance à une même série » (qui doit ici expliquer la « réaction paranoïde »)[2].

Mais déjà, sans quitter l'étiologie, l'intérêt se trouve orienté vers les raisons profondes qui agissent le fonctionnement psychique ; il se porte vers le **premier objet** : si tous les objets d'amour doivent être des substituts changeables de la mère (on ne saurait s'arrêter à l'une de leurs figurations, celles-ci se mouvant en s'associant), on comprend qu'ils forment une série – mais cela va contre la condition de fidélité à l'objet. Cette « coalescence » du permanent (le premier objet) et du labile (tous les objets suivants), conduit à énoncer que **« l'irremplaçable qui agit dans l'inconscient se manifeste dans chacun des objets qui forment une série infinie ».** Ce faisant, les substituts ne peuvent que faire « regretter l'absence de la satisfaction désirée », celle-ci s'avérant impossible, prise au leurre des successions dans la série, dans une espèce de quête sans fin d'un désir fatalement inassouvi ; « si les objets d'amour doivent être avant tout des substituts de la mère, il devient compréhensible qu'ils constituent une série »[3]. Le transfert peut illustrer cette appétence et, surtout, utiliser cet « investissement libidinal en état d'attente », tout prêt à se porter sur l'analyste ; « cet investissement va s'attacher à des prototypes, conformément à des clichés déjà présents chez le sujet. [...] **Le patient intègre le médecin dans l'une des "séries psychiques" qu'il a déjà établie dans son psychisme** » ; il y a « transfert » d'un modèle préexistant, par exemple de l'*imago* paternelle, « mais qui n'est pas lié à ce prototype et peut se réaliser aussi suivant les images maternelle, fraternelle, etc. »[4].

1. *Un souvenir d'enfance de Léonard de Vinci* (1910c), Paris, Gallimard, 1987, p. 168 ; *OCF* X, p. 157 ; *GW* VIII, p. 202.

2. « Remarques psychanalytiques sur l'autobiographie d'un cas de paranoïa *(dementia paranoides)* (Le Président Schreber) » (1911c [1910]), *Cinq psychanalyses,* Paris, PUF, 1954, p. 297 ; *OCF* X, p. 273 ; *GW* VIII, p. 286.

3. « Un type particulier de choix d'objet chez l'homme » (1910h), *La vie sexuelle,* Paris, PUF, 1969, p. 1 ; *OCF* X, p. 195 ; *GW* VIII, p. 71.

4. « La dynamique du transfert » (1912b), *De la technique psychanalytique,* Paris, PUF, 1953, p. 51-52 ; *OCF* XI, p. 108-109 ; *GW* VIII, p. 365-366.

Si le nombre des éléments constituant une série tend vers l'« infini », il n'en demeure pas moins que se retrouvent des **constantes** dans leur organisation ; ainsi, **ils tendent à se représenter et à travailler en couples,** si bien que nous trouvons toujours « deux facteurs, constitution sexuelle et vécu, [...] fixation de la libido et frustration, qui sont représentés de telle manière que l'un croît quand l'autre diminue ». À chaque extrémité de la série se trouvent les cas extrêmes. Il y a ceux « dont vous pouvez dire avec conviction : du fait de la singularité de l'évolution de leur libido, ces gens-là seraient tombés malades de toute façon ; [...] à l'autre bout se trouvent les cas sur lesquels vous ne pouvez porter que le jugement inverse, à savoir qu'ils auraient certainement échappé à la maladie si la vie ne les avait pas mis dans telle ou telle situation ». Entre les deux, **toutes les variantes de combinaisons sont possibles** : « Je vous propose de qualifier des séries de ce genre de *séries complémentaires,* et vous avertis que nous aurons encore l'occasion d'établir d'autres séries de ce type. » [1]

La complexité de telles séries se verra accrue par la nécessaire référence aux conflits et aux fixations, ce qui conduit à décomposer la fixation elle-même de la libido de l'adulte « en deux autres facteurs : la disposition héritée et la disposition acquise pendant la tendre enfance » ; ainsi, « avec le facteur du vécu infantile, **la constitution sexuelle constitue à son tour une » série complémentaire** « tout à fait analogue à celle dont nous avons d'abord pris connaissance entre disposition et vécu accidentel chez l'adulte ». Un tel « dispositif », avec ses superpositions et ses emboîtements de séries, ne peut que susciter « une grande variété de dispositions ». Cependant, même si elles en viennent naturellement à se rapprocher et s'associer, les corrélations entre les différents facteurs de la série ne sont pas données dès le départ[2]. Ainsi, la description causaliste (nullement abandonnée) se trouve complétée d'une explication de fonctionnement, conceptualisant alors la notion en l'intégrant de fait dans la métapsychologie.

1. *Conférences d'introduction à la psychanalyse* (1916-1917), Paris, Gallimard, 1999, p. 441 ; *OCF* XIV, p. 359-360 ; *GW* XI, p. 360 (l'explication sera reprise en 1933, presque mot pour mot, dans les *Nouvelles conférences d'introduction à la psychanalyse* (1933a [1932]), Paris, Gallimard, 1984, p. 169 ; *OCF* XIX, p. 209 ; *GW* XV, p. 135).

2. *Ibidem,* p. 460-461 ; p. 375 ; p. 377-378.

À lire ces propos de Freud de 1916-1917, repris en 1933, on pourrait s'attendre au constat que **ce qui est d'ordre traumatique** vienne dès lors prendre place dans les séries complémentaires. Pourtant, l'idée ne sera explicitée que tardivement, en 1938 ; ce « retard » tient peut-être à ce que cette introduction des traumatismes dans une série ne peut que conduire tant à une réévaluation du trauma lui-même qu'à la relativisation de sa fonction : « Un événement agit comme un traumatisme sur telle constitution et n'aurait pas un tel effet sur une autre. Il en résulte alors la représentation de ce qu'on nomme une *série complémentaire* mobile, dans laquelle deux facteurs concourent à la réalisation étiologique. [...] Cette réflexion nous amène à penser que **la différence entre étiologie traumatique et non traumatique peut être laissée de côté comme étant inessentielle** en ce qui concerne l'analogie recherchée. »[1] Pareille réflexion est lourde de conséquences, à commencer dans ses implications économiques. On peut penser qu'elle devrait aussi conduire à une réévaluation de la répétition elle-même : si tout événement agissant sur une constitution donnée, à commencer par les traumatismes, voit son effet relativisé par son intégration dans une série complémentaire mobile, c'est bien aussi le sens de sa répétition qui ne peut que se trouver relativisé à son tour ; nous avons peut-être là un instrument pour mieux en explorer les aléas et les contradictions (et on pense à la distinction qui put être opérée entre répétition et reproduction du même).

QUESTIONS ET ENJEUX

La « série », qu'elle soit étiologique, psychique, complémentaire (ou ne soit pas qualifiée), est d'abord utilisée par Freud pour justifier l'étiologie des psychonévroses, et cette fonction sera toujours réaffirmée. Mais, à la suite et tout aussi bien, elle va impliquer les notions de « désir » et de « manque » (pour user de termes plus actuels) et

1. *L'homme Moïse et la religion monothéiste* (1939a), Paris, Gallimard, 1986, p. 160 ; *OCF* XX, p. 152 ; *GW* XVI, p. 178.

permettre de comprendre le développement de la libido – ce qui conduit notamment à la nécessité de sa référence dans l'interprétation du transfert. Au-delà de sa détermination « étiologique » première, sa constitution « complémentaire » apparaît déterminante – au point que c'est ce qualificatif qui sera finalement retenu et privilégié par Freud pour l'intégrer dans la théorie du fonctionnement psychique.

Les notions de causalité et de complémentarité, qui sont aux fondements de celui-ci, définissent donc la notion de « série », comme nous l'avons signalé d'entrée ; c'est pourquoi nous nous sommes permis de poser que la série complémentaire devait être considérée comme l'un des principes du fonctionnement psychique. Ceci implique de la retrouver à l'œuvre dans la métapsychologie, même là où elle n'est pas explicitement référée – ce qui est effectivement le cas à propos de concepts et de notions fort divers. À côté de l'enchaînement qui mène du besoin au désir, l'un des meilleurs exemples se trouve sans doute dans l'apparition, la « causation » du refoulement, tel qu'il résulte de la conjonction de ces facteurs complémentaires que sont l'attraction par le « déjà refoulé » (représentant le facteur de fixation de la libido) et la « répulsion » suscitée par la survenue d'un conflit (produit à l'occasion d'un événement vécu accidentel). Mais nous pourrions, tout aussi bien, référer l'action complémentaire, conjointe et opposée d'Éros et de la pulsion de mort ; la notion même de mélange-démélange des pulsions fonctionne, de fait, comme une série. Ajoutons que l'idée de série ne peut qu'interroger celle de répétition, comme peut en témoigner le transfert à qui il appartient d'illustrer la série [1] et la répétition [2].

Constatant l'importance de la notion dans la pensée freudienne et son rôle dans le fonctionnement psychique, on ne peut qu'être surpris de constater que l'idée de *série complémentaire* se trouve si peu utilisée de nos jours, lorsqu'elle n'est pas tout simplement ignorée, que ce soit en clinique (alors qu'elle est une notion « d'abord » clinique) ou dans la théorie (alors qu'elle fonctionne « surtout » comme base du fonctionnement psychique).

Claude LE GUEN

1. Cf. « La dynamique du transfert » (1912b), *De la technique psychanalytique,* Paris, PUF, 1953, p. 51-52 ; *OCF* XI, p. 108-109 ; *GW* VIII, p. 365-366.

2. Cf. *Au-delà du principe de plaisir* (1920g), *Essais de psychanalyse,* Paris, Payot, 1981, p. 57-58 ; *OCF* XV, p. 288-289 ; *GW* XIII, p. 16-17.

SEXUALITÉ

all. : ***Sexualität.*** – angl. : *sexuality.* – esp. : *sexualidad.* – ital. : *sessualità.* – port. : *sexualidade*

« La sexualité est un fait biologique qui, bien que d'une extraordinaire importance pour la vie psychique, est psychologiquement difficile à saisir. » Tout en prenant pleinement en compte ce « fait », la psychanalyse se refuse à limiter la sexualité à la génitalité et à la fonction de reproduction : elle l'étend en un concept beaucoup plus large. D'abord reconnue comme englobant l'amour et la tendresse, la sensualité et l'érotisme, les diverses formes du désir (libidos), elle est ensuite identifiée à la pulsion de vie et à sa fonction de liaison – d'où le nom d'Éros pour l'opposer à la pulsion de mort. Apparue extrêmement tôt (pratiquement dès l'origine), la sexualité se développe progressivement durant les cinq premières années de la vie pour déboucher sur le complexe d'Œdipe, organisant et structurant l'appareil et le fonctionnement psychique – d'où l'importance déterminante de la sexualité infantile qui conditionne la sexualité adulte, tant normale que pathologique. Fort difficile à définir et à spécifier elle est, *in fine,* l'Éros de Platon, unissant, embrassant et conservant toutes choses.

MISE EN SITUATION

Si le terme de « sexualité » s'entend sans grande difficulté pour le sens commun, il n'en va pas de même en psychanalyse, non seulement de par l'extension prise par le concept mais aussi, et tout simplement, parce que « nous ne sommes pas en possession d'un signe caractéristique généralement reconnu pour la nature sexuelle d'un processus » [1]. *Fait biologique déterminant la vie psychique, la sexualité n'en demeure pas moins fort difficile à saisir psychologique-*

1. *Conférences d'introduction à la psychanalyse* (1916-1917), Paris, Gallimard, 1999, p. 407 ; *OCF* XIV, p. 331 ; *GW* XI, p. 331.

ment[1]. *Tout en en débordant les acceptions usuelles, la psychanalyse n'en récuse aucune et, pour elle, la sexualité recouvre le sens élargi du mot « aimer »*[2] *– Freud use d'ailleurs à peu près indifféremment des termes d'érotisme, d'amour et de sexualité*[3]. *L'expérience clinique, l'observation des enfants et les cures des névrosés ont imposé l'élargissement de la notion bien au-delà des organes génitaux et de la reproduction ; on connaissait déjà les perversions et les déviances sexuelles, on découvrit que, dès les débuts de la vie, il y a des excitations génitales et des activités érotiques. Ainsi, tout comme les théories du refoulement, de la résistance et du transfert – ces autres « piliers de la doctrine » –, la reconnaissance d'une « sexualité infantile » est un acquis de la pratique psychanalytique, un résultat de sa recherche, dont va découler la sexualité de l'adulte, normale ou anormale, dans une suite de processus combinant, décomposant et réprimant*[4].

Cette reconnaissance sut s'imposer assez tôt, mais le développement de ses implications ne pouvait être que progressif. Durant les premières années, pré-analytiques, il n'était pas encore question de sexualité mais, confronté aux effets d'impressions actuelles sexuelles au cours des traitements qu'il menait, Freud s'aperçut qu'il ne pouvait les comprendre qu'en les ramenant au passé et, ce faisant, il « trouva souvent plus que ce qu'il désirait trouver », devant remonter de plus en plus loin dans l'histoire, dépasser le temps de la puberté jusque-là considérée comme l'époque traditionnelle de l'éveil des motions sexuelles : les traces conduisaient bien jusqu'aux premières années de l'enfance[5].

Le rôle immense des joies amoureuses de satisfactions psychiques et physiques, points culminants de la jouissance, ne saurait être

1. *Malaise dans la civilisation* (1930a [1929]), Paris, PUF, 1971, p. 58 ; *OCF* XVIII, p. 292 ; *GW* XIV, p. 465.

2. « À propos de la psychanalyse dite "sauvage" » (1910k), *De la technique psychanalytique,* Paris, PUF, 1953, p. 37 ; *OCF* X, p. 208-209 ; *GW* VIII, p. 120.

3. *Les premiers psychanalystes (minutes de la Société psychanalytique de Vienne)* (1979a), Paris, Gallimard, 1979, t. III (1910-1911), p. 244 (séance du 3 mai 1911).

4. « L'intérêt de la psychanalyse » (1913j), *Résultats, idées, problèmes, I,* Paris, PUF, 1984, p. 202-203 ; *OCF* XII, p. 114-115 ; *GW* VIII, p. 408-409.

5. *Sur l'histoire du mouvement psychanalytique* (1914d), Paris, Gallimard, 1991, p. 30-31 ; *OCF* XII, p. 259 ; *GW* X, p. 55.

contesté[1] *; pour autant, « cela n'est pas facile d'indiquer ce qui constitue le contenu du concept "sexuel" »*[2]*. L'étude de la vie sexuelle des pervers et des enfants démontrèrent à Freud le rôle déterminant de la « sexualité » saisie dans toute son amplitude, bien au-delà de la reproduction. On peut faire ici un parallèle intéressant avec ce qui put se passer avec les concepts de « conscient » et « psychique » qui paraissaient jusque-là identiques, mais qu'il fallut élargir jusqu'à reconnaître l'existence d'une part psychique non consciente ; de même, il fallut mettre en valeur un sexuel non génital et, bien sûr, ce qui se découvre alors (l'inconscient comme la sexualité) s'avère beaucoup plus déterminant, plus important, que le déjà connu.*

Pour spécifier la manifestation dynamique, quantitative de la pulsion sexuelle dans la vie psychique[3]*, Freud introduit le terme latin de « libido » (qui désigne, tout simplement, le désir amoureux). Les choses n'en sont pas forcément plus simples, d'autant que la vie sexuelle, que la fonction libidinale « ne survient pas comme quelque chose d'achevé, qu'elle ne croît pas non plus en restant semblable à elle-même, mais qu'elle traverse une série de phases successives qui ne se ressemblent pas ». Si on recouvre bien la santé en « vivant pleinement » sa sexualité, le chemin reste semé d'embûches, d'autant que ce n'est là qu'un effet secondaire de la psychanalyse, puisqu'elle n'agit qu'en « remplaçant de l'inconscient par du conscient, en traduisant de l'inconscient en conscient »*[4]*.*

La nouvelle dualité pulsionnelle élargit encore le concept en accordant la libido de la psychanalyse « avec l'Éros des poètes et des philosophes qui maintient la cohésion de tout ce qui vit »[5] *; la*

1. « Observations sur l'amour de transfert » (1915a [1914]), *De la technique psychanalytique,* Paris, PUF, 1953, p. 128 ; *OCF* XII, p. 210 ; *GW* X, p. 319.

2. *Conférences d'introduction à la psychanalyse* (1916-1917), Paris, Gallimard, 1999, p. 385-386 ; *OCF* XIV, p. 313 ; *GW* XI, p. 313-314.

3. « "Psychanalyse" et "Théorie de la libido" » (1923a), *Résultats, idées, problèmes, II,* Paris, PUF, 1985, p. 62 ; *OCF* XVI, p. 193 ; *GW* XIII, p. 220.

4. *Conférences d'introduction à la psychanalyse* (1916-1917), Paris, Gallimard, 1999 (on peut se reporter plus particulièrement au chap. XX : « La vie sexuelle humaine », mais aussi au XXI : « Évolution de la libido et organisations sexuelles »), p. 385 à 405 ; *OCF* XIV, p. 313-330 ; *GW* XI, p. 313-330.

5. *Au-delà du principe de plaisir* (1920g), *Essais de psychanalyse,* Paris, Payot, 1981, p. 98 ; *OCF* XV, p. 324 ; *GW* XIII, p. 54.

sexualité, en tant qu'objet de la psychanalyse, ne saurait se limiter à recouvrir la poussée vers l'union sexuelle ou vers la sensation de plaisir génital, elle indique « bien plutôt l'Éros du Banquet *de Platon embrassant tout et conservant toutes choses »* [1]*. Sont ainsi reconnues, au sein de la sexualité, des manifestations « quantitatives » (la libido) et des manifestations « qualitatives » (Éros), toutes deux indispensables à spécifier conjointement la sexualité.*

LE TEXTE FREUDIEN

Les *Lettres à Wilhelm Fliess* témoignent de la progression, plutôt laborieuse, des réflexions sur la sexualité et les liens, difficiles à appréhender, qu'elle engage avec le refoulement ; (c'est là d'ailleurs ce qui conduit Freud à rejeter son « Esquisse d'une psychologie scientifique » [2]). La même année 1895, dans un article introduisant la notion de « névrose d'angoisse » (reprenant la teneur du manuscrit G de cette correspondance), Freud retient les « influences provenant de la *vie* sexuelle » [3], mais sans plus. Fin 1897, l'abandon de la « théorie de la séduction » ouvre à une meilleure compréhension de la sexualité infantile ; des hypothèses peuvent être faites sur **l'origine sexuelle du déplaisir** qui pourrait être lié aux zones orales et anales, sièges de décharges sexuelles chez l'enfant ; abandonnées par l'homme normal adulte, celles-ci peuvent revenir après coup à partir des représentations de leurs traces mnésiques, sans décharge libidinale mais avec

1. « Résistances à la psychanalyse » (1925e), *Résultats, idées, problèmes, II,* Paris, PUF, 1984, p. 130 ; *OCF* XVII, p. 131 ; *GW* XIV, p. 105.

2. *La naissance de la psychanalyse. Lettres à Wilhelm Fliess. Notes et plans (1887-1902)* (1950a [1887-1902]), Paris, PUF, 1956 (éd. complète, PUF, 2006), lettres des 8 et 15 octobre 1895.

3. « Qu'il est justifié de séparer de la neurasthénie un certain complexe symptomatique sous le nom de "névrose d'angoisse" » (1895b), *Névrose, psychose et perversion,* Paris, PUF, 1973, p. 24 ; *OCF* III, p. 41 ; *GW* I, p. 325.

une décharge de déplaisir[1]. La *bisexualité* est mentionnée, autant en raison des difficultés qu'elle suscite que des avantages cliniques qu'il peut y avoir à considérer « chaque acte sexuel comme un événement impliquant quatre personnes ». Citons aussi, sur la voie de la remontée vers les sources les plus profondes, l'évocation de l'autoérotisme « qui renonce à avoir un but psychosexuel et réclame seulement la sensation qui satisfait localement » ; si, plus tard, l'allo-érotisme s'y substitue, il est probable qu'il persiste comme courant particulier[2].

Les bases d'une théorie de la sexualité

C'est en **1905**, avec les *Trois essais sur la théorie sexuelle* que, conformément à l'intitulé, s'élabore véritablement une théorie de la sexualité. James Strachey considérait ce livre comme un ouvrage-clé de la psychanalyse, sans doute le plus important avec *L'interprétation des rêves* (publié cinq ans plus tôt, bien que la rédaction des deux ouvrages eût été simultanée, le second ayant dû attendre en raison de quelques surprises rendant son élaboration plus difficile[3]). On peut aussi penser que Freud attachait une grande importance à l'ouvrage si on se reporte aux révisions et additions qu'il accumulera pour « tenir compte des progrès de notre connaissance, en intercalant des passages et en modifiant le texte »[4] – et ce jusqu'en 1924 (les plus importantes en 1915), c'est-à-dire jusqu'à ce que soient abouties la nouvelle théorie pulsionnelle et la nouvelle topique. Tous ces addenda ne vont d'ailleurs pas sans compliquer la réalisation de notre intention de faire une lecture chronologique du texte freudien…

Freud pose **l'existence « biologique » d'une « pulsion sexuelle »**, analogue à la pulsion d'alimentation qui témoigne de cet autre besoin qu'est la faim ; sa part quantitative et dynamique sera désignée comme

1. *La naissance de la psychanalyse. Lettres à Wilhelm Fliess. Notes et plans (1887-1902)* (1950a [1887-1902]), Paris, PUF, 1956 (éd. complète, PUF, 2006)], manuscrit K du 1er janvier 1896, et lettre du 14 novembre 1897.

2. *Ibidem,* lettres du 1er août 1899 et du 9 décembre 1899.

3. *Ibidem,* lettres des 21 septembre 1899 et du 11 octobre 1899.

4. « L'organisation génitale infantile » (1923e), *La vie sexuelle,* Paris, PUF, 1969, p. 113 ; *OCF* XVI, p. 305 ; *GW* XIII, p. 293.

« *libido* » en 1910. Il nomme « ***objet sexuel*** **la personne dont émane l'attraction sexuelle et** ***but sexuel*** **l'acte auquel pousse la pulsion** », et constate que, par rapport à ces deux pôles, existent nombre de déviations[1]. Celles-ci révèlent que la pulsion est d'abord indépendante de son objet, et que son essentiel est ailleurs ; les motions sexuelles sont mal maîtrisées par les activités psychiques supérieures : le point faible du développement culturel reste la sexualité[2]. En outre, la sexualité comporte une part d'*agression* qui peut s'autonomiser et s'hypertrophier sous forme de sadisme[3]. « La toute-puissance de l'amour ne se manifeste peut-être jamais plus fortement que dans ses égarements ; dans le domaine de la sexualité, les choses les plus élevées et les plus viles sont partout liées les unes aux autres. »[4]

Il existe des « ***zones érogènes*** » **dont les excitations relèvent de pulsions sexuelles partielles**[5], particulièrement manifestes chez l'enfant et pouvant être, plus tard, à l'origine de *perversions* ; celles-ci correspondent à des racines innées de la pulsion sexuelle, partagées à la base par tous les hommes. Dans la mesure où les névrosés sont restés à l'état infantile de leur sexualité ou y ont été ramenés, la vie sexuelle de l'enfant prend une grande importance en psychanalyse, et il importera d'en suivre le procès évolutif jusqu'à son aboutissement sous forme de perversion, de névrose, voire de vie sexuelle normale[6]. Si le nouveau-né apporte avec lui les germes des motions sexuelles qui vont se développer mais aussi subir des répressions, qui seront interrompues par des poussées régulières ou des particularités individuelles, c'est surtout autour de la troisième ou quatrième année que la vie sexuelle des enfants devient accessible à l'observation[7].

1. *Trois essais sur la théorie sexuelle* (1905d), Paris, Gallimard, 1987, p. 37-38 ; *OCF* VI, p. 67 ; *GW* V, p. 33-34.
2. *Ibidem,* p. 54-56 ; p. 80-82 ; p. 46-48.
3. *Ibidem,* p. 69 ; p. 91 ; p. 57.
4. *Ibidem,* p. 74 ; p. 95 ; p. 61.
5. *Ibidem,* p. 84 ; p. 102 ; p. 68.
6. *Ibidem,* p. 88-89 ; p. 105 ; p. 71.
7. *Ibidem,* p. 98 ; p. 111-112 ; p. 77.

La puberté mène la vie sexuelle infantile à sa forme définitive. Jusqu'ici autoérotique pour l'essentiel, la pulsion trouve maintenant l'objet sexuel ; toutes les pulsions partielles se regroupent, la zone génitale prime. Un nouveau but sexuel est donné qui, assignant aux deux sexes des fonctions différentes, fait diverger considérablement leur développement sexuel – celui de l'homme apparaissant plus compréhensible que celui de la femme qui donne l'impression de subir une involution infantile. Le courant sensuel et le courant tendre (qui renferme ce qui subsiste de la sexualité infantile) doivent converger vers l'objet et le but sexuels pour assurer la normalité de la vie sexuelle[1].

Tout au long de la vie, des actions motrices (comme les jeux de lutte corporelle) et des processus affectifs assez intenses, fussent-ils déplaisants comme l'inquiétude ou l'épouvante (voire la tension et le travail intellectuel), peuvent procurer une excitation sexuelle[2]. Mais une question demeure : quelle est la provenance, l'essence de la tension sexuelle qui accompagne le plaisir lors de la satisfaction des zones érogènes ? La réponse est rendue plus difficile du fait que, lors de l'acmé du plaisir, lié à l'évacuation des produits sexuels, toute tension est supprimée : « Plaisir et tension sexuelle ne peuvent donc être liés entre eux que de façon indirecte. »[3] (L'aveu d'ignorance, porté à la suite, sera corrigé en 1915, puis en 1920, pour reconnaître un *fondement chimique* à l'excitation sexuelle.) En cette année 1905, la question de la différence des sexes reçoit une réponse univoque : l'activité autoérotique des zones érogènes étant identique pour les deux sexes durant l'enfance, non seulement il n'y a pas de différence entre eux mais on doit considérer que le caractère de la sexualité des petites filles est entièrement masculin ; « si l'on était capables de donner un contenu plus précis aux concepts de “masculin et féminin”, il serait même possible de soutenir que la libido est, de façon régulière et conforme à des lois, de nature masculine, qu'elle se manifeste chez

1. *Ibidem*, p. 143-144 ; p. 145 ; p. 108.
2. *Ibidem*, p. 135-137 ; p. 139-141 ; p. 103-105.
3. *Ibidem*, p. 151-152 ; p. 151 ; p. 114.

l'homme ou chez la femme, et abstraction faite de son objet, que celui-ci soit l'homme ou bien la femme » [1].

La toute première satisfaction sexuelle fut liée à l'ingestion d'aliments et la pulsion sexuelle trouva dans le sein maternel un objet sexuel extérieur au corps propre. Elle le perdit plus tard, peut-être lorsque l'enfant put se représenter la personne de sa mère ; elle devient alors autoérotique puis, le temps de latence passé, le rapport originel se rétablit : c'est pourquoi « **l'enfant tétant le sein de sa mère est devenu le modèle de tout rapport amoureux. La découverte de l'objet est à vrai dire une redécouverte** » [2].

En conclusion de cet ouvrage, Freud convient de l'insuffisance de nos connaissances sur « les processus biologiques qui constituent l'essence de la sexualité », des connaissances fragmentaires ne permettant pas d'en établir « une théorie qui permette de comprendre aussi bien le normal que le pathologique » [3].

Tendresse, sensualité et culture

Les travaux qui suivent reprennent différents éléments de cette « théorie sexuelle », la complétant et la précisant, s'attachant d'abord à souligner l'extraordinaire quantité de forces qu'elle met à la disposition du travail culturel en changeant son but pour *sublimer* ce qui était à l'origine sexuel[4]. Puis, dans les années **1911-1913,** sont publiés quelques articles importants précisant divers points de cette théorie. La longue interruption dans le développement sexuel (apparue avec la quête de l'objet et persistant jusqu'à la puberté) est dorénavant désignée comme « *période de latence* » ; avec l'autoérotisme elles font que la sexualité oppose une forte résistance à l'établissement du principe de réalité, imposant de fait « une relation plus étroite entre, d'une part, la pulsion sexuelle et le fantasme et, d'autre part, les pulsions du moi et les activités de

1. *Ibidem,* p. 161 ; p. 158 ; p. 120-121.
2. *Ibidem,* p. 164-165 ; p. 160-161 ; p. 123.
3. *Ibidem,* p. 196 ; p. 181 ; p. 145.
4. « La morale sexuelle “civilisée” et la maladie nerveuse des temps modernes » (1908d), *La vie sexuelle,* Paris, PUF, 1969, p. 33 ; *OCF* VIII, p. 203 ; *GW* VII, p. 150.

conscience »[1]. Freud précise qu'il « utilise les termes d'érotisme, d'amour et de sexualité de façon interchangeable », tout en distinguant strictement le plaisir sexuel du plaisir général[2]. **Toutes les relations, tous les sentiments de notre vie « sont génétiquement rattachés à la sexualité »**, aussi « purs » puissent-ils se présenter à la conscience ; c'est bien ce qui va, dans la cure, provoquer le transfert, tout comme la résistance qui lui est liée[3].

Entre les deux courants nécessaires à assurer un comportement amoureux normal, la distinction est clarifiée : **le courant « tendre » est le plus ancien, issu des années de la petite enfance,** étayé sur la pulsion d'auto-conservation, dirigé sur les personnes les plus proches et celles qui dispensent les soins ; accompagné d'apports érotiques, il correspond au *choix d'objet infantile primaire* : « Les pulsions sexuelles trouvent leurs premiers objets dans l'étayage sur les évaluations des pulsions du moi, exactement comme les premières satisfactions sexuelles sont éprouvées en étayage sur les fonctions corporelles nécessaires au maintien de la vie. » La « tendresse » parentale, qui a un caractère érotique, vient accroître chez l'enfant les apports érotiques à l'investissement des pulsions du moi. **Un puissant courant « sensuel » s'y adjoint à la puberté** ; ne méconnaissant pas ses buts, il parcourt les voies antérieures et investit libidinalement les objets du choix infantile primaire mais, se heurtant à la barrière de l'inceste érigée entre-temps, il tend à chercher des objets étrangers avec lesquels puisse être menée une vie sexuelle réelle. « Ces objets étrangers seront encore et toujours choisis d'après le modèle (l'*imago*) des objets infantiles mais, **avec le temps, ils attireront à eux la tendresse qui était enchaînée aux objets antérieurs.** »

Il apparaît pourtant que « quelque chose dans la nature même de la pulsion sexuelle n'est pas favorable à la réalisation de la pleine satis-

1. « Formulations sur les deux principes du cours des événements psychiques » (1911b), *Résultats, idées, problèmes, I,* Paris, PUF, 1984, p. 139 ; *OCF* XI, p. 17 ; *GW* VIII, p. 234-235.

2. *Les premiers psychanalystes (minutes de la Société psychanalytique de Vienne)* (1979a), Paris, Gallimard, 1979, t. III (1910-1911), p. 244.

3. « La dynamique du transfert » (1912b), *De la technique psychanalytique,* Paris, PUF, 1953, p. 57 ; *OCF* XI, p. 113-114 ; *GW* VIII, p. 371.

faction ». Ce serait là une conséquence : – d'une part du choix de l'objet en deux temps (avec la barrière de l'inceste entre les deux, l'objet final de la pulsion sexuelle n'étant plus l'objet originaire mais l'un de ses substituts dans une série infinie d'objets dont aucun ne peut être pleinement satisfaisant), – d'autre part de la longue série de composantes dont est issue la pulsion sexuelle, qui ne pourront toutes être intégrées, certaines devant d'abord être réprimées ou modifiées. Dans son fond, l'amour demeure *animal,* aussi les pulsions amoureuses ne sont guère éducables : « **Concilier les revendications de la pulsion sexuelle avec les exigences de la civilisation est chose tout à fait impossible.** » [1]

Freud décide alors de faire le point : « La psychanalyse a rendu justice à la fonction sexuelle de l'homme en étudiant en détail l'importance de celle-ci, mise en évidence par de nombreux poètes et maints philosophes, mais jamais reconnue par la science, pour la vie psychique et pratique. » Pour ce faire, elle a dû élargir le concept de sexualité en prenant en compte la sexualité infantile qui s'avère différente de celle dite « normale » de l'adulte : elle embrasse toutes ces activités qui seront, plus tard, opposées à celle-ci comme perversions, et sembleront alors immorales. **La sexualité normale de l'adulte découle de la sexualité infantile** par une série de processus, de combinaisons, de décompositions et de répressions plus ou moins réussis, qui ouvrent la voie à des régressions pathologiques. Surtout, cette sexualité est constituée par une série de pulsions partielles rattachées à certaines régions du corps (les zones érogènes) et susceptibles de se présenter d'emblée en *couples d'opposés* avec un but à la fois actif et passif, étayées sur les fonctions d'auto-conservation (nutrition, excrétion…) ; c'est ainsi que l'adulte ne prendra pas simplement les organes sexuels comme objet sexuel, mais le corps tout entier de la personne aimée. Les références à l'activité et à la passivité sont à peu près les seuls éléments à notre disposition pour parler de tendances psychiques « masculines » et « féminines » – ce qui est bien peu, d'autant que ces caractères désignent les buts pulsionnels et non la pulsion ; la

1. « Sur le plus général des rabaissements de la vie amoureuse. (Contribution à la psychologie amoureuse, II) » (1912d), *La vie sexuelle,* Paris, PUF, 1969, p. 57-58 et 64-65 ; *OCF* XI, p. 130-132 et 139-141 ; *GW* VIII, p. 79-81 et 89-91.

coexistence psychique entre « actif » et « passif » « reflète **la bisexualité des individus qui appartient aux présupposés cliniques de la psychanalyse** »[1].

L'INVESTISSEMENT LIBIDINAL DU MOI

En 1914, « **Pour introduire le narcissisme** » conduit à de nouvelles élaborations en postulant un **investissement libidinal originaire du moi qui, après en avoir cédé une part aux objets, persiste.** Freud illustre ceci de l'une de ses images favorites : cet « investissement du moi persiste et se comporte envers les investissements d'objet comme le corps d'un animalcule protoplasmique envers les pseudopodes qu'il a émis ». Dans cet article, il utilise surtout le terme de *libido* (déjà proposé dans les *Trois essais sur la théorie sexuelle*), mais c'est bien de sexualité qu'il s'agit là pour l'essentiel, sexualité ici surtout conçue *quantitativement,* en termes d'investissements. Maintenant, Freud peut **opposer une libido du moi à une libido d'objet : « Plus l'une absorbe, plus l'autre s'appauvrit.** » Mais, durant la petite enfance, dans l'état du narcissisme, les deux sont réunies, indiscernables, et ce n'est qu'avec l'investissement objectal qu'une énergie sexuelle peut être distinguée de celle des pulsions du moi. Il conviendra, dorénavant, de distinguer les deux libidos (du moi et d'objet), concepts élaborés à partir des processus névrotiques et psychotiques, découlant de l'hypothèse précédente opposant pulsions sexuelles et pulsions du moi, retrouvant ainsi la distinction populaire entre la faim et l'amour. Il convient pourtant de reconnaître que cette hypothèse « repose pour une très petite part sur un fondement psychologique et s'appuie essentiellement sur la biologie » ; elle est révisable, pour peu que le travail psychanalytique amène une autre présupposition, mieux utilisable[2].

1. « L'intérêt de la psychanalyse » (1913j), *Résultats, idées, problèmes, I,* Paris, PUF, 1984, p. 202-203 et 205 ; *OCF* XII, p. 114-115 et 116-117 ; *GW* VIII, p. 408-409 et 410-411.

2. « Pour introduire le narcissisme » (1914c), *La vie sexuelle,* Paris, PUF, 1969, p. 83-86 ; *OCF* XII, p. 220-223 ; *GW* X, p. 141-144.

Pour autant, la reconnaissance de la sexualité infantile, tout comme celle du refoulement et des résistances, n'est pas un présupposé : elle est un résultat, un acquis de la psychanalyse, fût-il plus tardif ; elle n'a pourtant pas été obtenue par observations directes de l'enfant, mais fut « au début presque exclusivement fondée sur les résultats de l'analyse d'adultes qui rétrograde dans le passé » [1].

À partir de **1915**, des vues nouvelles apparaissent, la théorie s'affirme, et d'abord sous la forme de corrections et de compléments apportés aux *Trois essais sur la théorie sexuelle*. **La sexualité infantile se découvre, pour l'essentiel, *autoérotique*,** les différentes pulsions partielles tendant, de façon indépendante, à l'acquisition de plaisir ; elles vont normalement, à l'occasion de la puberté, devoir s'organiser en un tout solide, dominé par une zone érogène unique, permettant à l'individu d'atteindre son but sexuel dans un objet sexuel étranger – ce sera finalement à la vie sexuelle adulte de permettre la satisfaction du plaisir en se mettant au service de la fonction de reproduction[2]. Des découvertes physiologiques, alors récentes, sur « le fondement chimique de l'excitation sexuelle », confortent Freud dans son hypothèse d'une *libido* comme force variable « permettant de mesurer les processus et les transpositions dans le domaine de l'excitation sexuelle », à différencier de l'énergie psychique en général – ce qui lui attribue un caractère qualitatif la différenciant des autres processus physiologiques par un chimisme particulier ; **l'excitation sexuelle vient de tous les organes du corps**[3].

Les notions de *« masculin »* et de *« féminin »* apparaissent toujours aussi confuses. Si elles semblent peu équivoques à l'opinion commune, elles se découvrent scientifiquement des plus incertaines. On les emploie souvent, en psychanalyse, au sens d'*activité* et de *passivité* ; c'est d'ailleurs là ce qui permet de « décrire la libido comme masculine, car la pulsion est toujours active même quand elle s'est fixé un

1. *Sur l'histoire du mouvement psychanalytique* (1914d), Paris, Gallimard, 1991, p. 30 et 33 ; *OCF* XII, p. 259 et 261 ; *GW* X, p. 55 et 56.

2. *Trois essais sur la théorie sexuelle* (1905d), Paris, Gallimard, 1987, p. 127-128 et 130 ; *OCF* VI, p. 133-134 et 135-136 ; *GW* V, p. 98 et 100.

3. *Ibidem*, p. 157-158 ; p. 155-156 ; p. 118.

but passif ». L'observation montre que les pures masculinité ou féminité n'existent pas : « chaque individu présente bien plutôt un mélange de ses propres caractères sexuels biologiques et de traits biologiques de l'autre sexe », dans un amalgame d'activité et de passivité, que celles-ci dépendent ou non de caractères biologiques[1]. Telle est la *bisexualité foncière* de l'être humain.

Sur ces acquis peut s'édifier la *Métapsychologie* ; et elle le fait d'abord sur des bases biologiques, avec le constat de la singularité de la sexualité dont les tendances dépassent l'individu pour viser à la conservation de l'espèce ; l'une des conséquences en est la question dite « téléologique » : l'individu est-il l'essentiel, la sexualité étant l'une de ses activités et sa satisfaction l'un de ses besoins ? Ou bien est-il un appendice momentané du germen agi par le sexuel, qui le transcende ? L'étude de la vie pulsionnelle n'apparaît possible qu'en partant de celle des troubles psychiques et, plus particulièrement, de ceux relatifs aux pulsions sexuelles. Nombreuses, issues de sources organiques multiples, celles-ci se manifestent d'abord indépendamment, puis tendent assez tardivement à se rassembler ; chacune d'elle vise à obtenir le *plaisir d'organe* avant de s'unir pour se mettre au service, génitalisé, de la *fonction de reproduction*. À leur apparition, les pulsions sexuelles s'étayent sur les pulsions de conservation et ne s'en détachent que progressivement, mais jamais totalement ; ainsi **elles sont guidées dans la découverte de l'objet et se distinguent par leur capacité à les échanger et à se remplacer l'une l'autre** – elles sont ainsi capables de réalisations éloignées des buts premiers, ce qui va permettre la sublimation[2].

RÉÉLABORATION DE LA THÉORIE DE LA SEXUALITÉ : LE PRÉGÉNITAL

En 1916-1917, les *Conférences d'introduction à la psychanalyse* consacrent spécifiquement trois chapitres à la sexualité, l'évoquent dans d'autres (soit, au total, une bonne centaine de pages) ; c'est dire

1. *Ibidem*, p. 161 ; p. 158 ; p. 121.

2. « Pulsions et destins des pulsions » (1915c), *Métapsychologie*, Paris, Gallimard, 1968, p. 22-25 ; *OCF* XIII (2e éd.), p. 172-173 ; *GW* X, p. 217-219.

qu'après les *Trois essais sur la théorie sexuelle,* cette *Introduction* est un moment important de l'élaboration de la théorie de la sexualité.

Une fois de plus, Freud souligne combien il est difficile de dire ce que contient le concept « *sexuel* » ; les repères usuels s'avérant par trop approximatifs, mieux vaut renoncer à le définir[1]. À la suite, il traite de la clinique des « pervers », de l'examen psychanalytique des névrosés et de leurs symptômes, enfin de la sexualité infantile. **À la base de tout se trouve** « **l'acte de téter le sein de la mère,** chose de loin la plus importante dans la vie et qui satisfait d'un coup les deux grands besoins vitaux » : **dans cet acte s'origine toute la vie sexuelle,** c'est le prototype auquel feront souvent retour les fantasmes, là se trouve le premier objet sexuel qui guidera la recherche d'objets ultérieurs. Pourtant, cet objet-sein est tout d'abord abandonné, le nourrisson le remplaçant par le suçotement d'une partie de son corps (pouce, langue...) ; ce faisant, « la sexualité infantile s'étaie sur les grands besoins organiques et elle se comporte autoérotiquement »[2].

Si les perversions purent conduire à modifier et étendre le concept de sexualité, c'est **l'étude de la sexualité infantile qui s'avère décisive** ; elle semble pourtant « se volatiliser dans l'indéterminable » à mesure que l'on s'approche de ses débuts, d'autant que « nous ne sommes pas en possession d'un signe caractéristique généralement reconnu pour la nature sexuelle d'un processus » – alors que les perversions sexuelles des adultes sont parfaitement tangibles, bien que n'ayant rien à faire avec la fonction de reproduction. De même qu'il faut admettre l'existence d'un « psychique » qui n'est pas conscient, il faut reconnaître celle d'un « sexuel » qui n'est pas génital[3].

Il importe donc de comprendre le mieux possible **la vie sexuelle de l'enfant durant sa première période d'organisation lâche, dite « prégénitale** », au cours de laquelle, plutôt que les pulsions partielles génitales, se trouvent au premier plan les pulsions sadiques-anales, avec l'opposition actif-passif comme précurseur de la polarité sexuelle

1. *Conférences d'introduction à la psychanalyse* (1916-1917), Paris, Gallimard, 1999, p. 385-386 ; *OCF* XIV, p. 313-314 ; *GW* XI, p. 313-314.

2. *Ibidem,* p. 398-399 ; p. 324 ; p. 324-325.

3. *Ibidem,* p. 407-408 ; p. 331-332 ; p. 331-332.

à laquelle elle se soudera ensuite. L'apparence masculine de certaines activités de cette phase est en fait l'expression d'une « pulsion d'emprise » qui déborde facilement dans le sadisme, tout comme certaines tendances à but passif qui se rattachent aussi à la zone érogène anale ; des pulsions de « regarder » et « savoir » se mobilisent – en fait, l'organe génital ne participe à la vie sexuelle de cette époque que dans l'acte d'uriner. Si les pulsions partielles ne manquent pas d'objets, ceux-ci ne coïncident pas nécessairement en un objet unique ; l'organisation sadique-anale n'en est pas moins le stade le plus proche de celui du primat génital. Plus en arrière, nous devinons un stade encore plus primitif, dans lequel la zone buccale érogène a le rôle principal. **Cette vie sexuelle est comme dispersée dans l'activité des diverses pulsions partielles qui, isolées, tendent chacune au plaisir d'organe** avec, ici ou là, des amorces d'« organisation prégénitale » ; celle-ci, lorsqu'elle survient, n'est pas achevée, elle ne croît pas en demeurant semblable à elle-même mais traverse une série de phases successives dissemblables jusqu'au moment crucial de subordination au primat des organes génitaux.

Les processus permettant de trouver l'objet sont assez « embrouillés », et il n'est pas possible d'en faire une présentation d'ensemble ; ils opèrent en suivant les stades successifs déterminés par la prédominance d'une pulsion partielle mais, à chaque fois, l'objet trouvé est presque identique au premier objet d'amour, à la mère ; « **nous parlons d'amour quand nous mettons au premier plan l'aspect psychique des tendances sexuelles** », négligeant provisoirement les exigences pulsionnelles « sensuelles » à la base de celles-ci. Lorsque la mère devient véritablement l'objet d'amour, le travail du refoulement a déjà commencé, laissant ignorer à l'enfant une part de ses buts sexuels ; ce « choix de la mère » implique l'entrée dans le *complexe d'Œdipe,* de tant d'importance dans l'élucidation psychanalytique des névroses[1].

De la libido à l'Éros

Freud en arrive alors aux réorganisations théoriques des années 1920 ; la sexualité n'apparaît pourtant pas comme un thème privilégié

1. *Ibidem,* p. 416-419 ; p. 338-341 ; p. 338-341.

dans les trois grands « essais », même si elle est loin d'en être absente. En **1920,** *Au-delà du principe de plaisir* reprend l'idée que « **la libido de nos pulsions sexuelles coïnciderait avec l'Éros des poètes et des philosophes qui maintient la cohésion de tout ce qui vit** »[1]. D'instaurer une « libido narcissique » et d'étendre le concept aux cellules individuelles permet de convertir les pulsions sexuelles en cet Éros dont elles deviennent la part tournée vers l'objet; la « spéculation » le situe à l'origine, le désignant comme « pulsion de vie » pour l'opposer à la « pulsion de mort »[2].

Il faut attendre trois ans pour que, dans « Théorie de la libido », la manifestation dynamique de la sexualité soit explicitement désignée comme « libido » ; elle est composée de pulsions partielles qui ne se réunissent que progressivement et peuvent se désagréger de nouveau. Les *zones érogènes* déterminent la succession de stades (oral, sadique-anal, génital) durant cette période initiale de la vie sexuelle qui se termine vers la cinquième année; elle est relayée par une période de latence durant laquelle s'édifient des formations de protection contre les désirs du complexe d'Œdipe, réactivés et durement refoulés lors de la puberté, alors que se développent pleinement les pulsions sexuelles. Cette évolution est déterminée par la sexualité initiale de l'enfance. « **Ce développement diphasé de la fonction sexuelle, interrompu par la période de latence, semble être une particularité biologique de l'espèce humaine et recéler la condition nécessaire à la naissance des névroses.** »[3]

La même année 1923, dans *Le moi et le ça,* l'étude de l'apparition du surmoi (cette nouvelle instance) montre qu'il résulte de la conjonction du facteur biologique qu'est le long état de détresse et de dépendance infantile de l'être humain, avec le facteur historique que représente son complexe d'Œdipe dont le refoulement est lié à l'instauration diphasée de sa vie sexuelle. L'issue en est une identification

1. *Au-delà du principe de plaisir* (1920g), *Essais de psychanalyse,* Paris, Payot, 1981, p. 98 ; *OCF* XV, p. 324 ; *GW* XIII, p. 54.

2. *Ibidem,* p. 110 n. 16 ; p. 335, n. 1 ; p. 66, n. 1.

3. « "Psychanalyse" et "Théorie de la libido" » (1923a), *Résultats, idées, problèmes, II,* Paris, PUF, 1984, p. 62-63 ; *OCF* XVI, p. 193-195 ; *GW* XIII, p. 220-222.

au père ou à la mère, selon la force relative des dispositions sexuelles masculine et féminine ; « c'est là l'une des façons dont la bisexualité intervient dans les destins du complexe d'Œdipe », mais il en est une autre plus importante encore, conséquence de ce que le complexe d'Œdipe complet « est double, positif et négatif, sous la dépendance de la bisexualité originaire de l'enfant ». Ses choix d'objet et ses premières identifications en sont encore plus obscurcies, d'autant que cette même bisexualité pourrait bien déterminer l'ambivalence à l'égard des parents [1].

Analysant les « Résistances à la psychanalyse », en **1925**, Freud constate qu'en attribuant une grande importance à la sexualité dans la vie psychique, la psychanalyse a mis en jeu des forces affectives plus encore que des résistances intellectuelles. Dire que les symptômes névrotiques sont des satisfactions substitutives aux pulsions sexuelles insatisfaites, que ces éléments sexuels détournés de leurs fins immédiates et dirigées vers d'autres buts contribuent grandement aux performances culturelles de l'individu et de la communauté, dire cela apparaît à certains comme un attentat contre la dignité du genre humain – ceux-là oublient tant Schopenhauer qui insistait sur l'extrême importance de la vie sexuelle, que Platon pour qui l'Éros embrasse tout et conserve toutes choses. Surtout, en renonçant au conte d'une enfance asexuelle, en mettant en évidence des intérêts et activités sexuels chez les tout petits enfants, en reconnaissant cette vie sexuelle infantile précoce culminant dans le complexe d'Œdipe, la psychanalyse offense tant l'individu que la communauté sociale [2].

L'année suivante, *Inhibition, symptôme et angoisse* s'ouvre en rappelant combien « l'accomplissement de la fonction sexuelle normale présuppose un déroulement compliqué, où la perturbation peut intervenir à chaque étape » [3]. Dans cet ouvrage est discutée la partition entre les motions pulsionnelles, notamment dans le cas du complexe

1. *Le moi et le ça* (1923b), *Essais de psychanalyse,* Paris, Payot, 1981, p. 247, 253-254 et 245-246 ; *OCF* XVI, p. 278, 283 et 276-277 ; *GW* XIII, p. 263, 268-269 et 261.

2. « Résistances à la psychanalyse » (1925e), *Résultats, idées, problèmes, II,* Paris, PUF, 1984, p. 129-132 ; *OCF* XVII, p. 130-133 ; *GW* XIV, p. 104-108.

3. *Inhibition, symptôme et angoisse* (1926d [1925]), Paris, PUF, 1951, p. 2 ; *OCF* XVII, p. 206 ; *GW* XIV, p. 114.

d'Œdipe ; **seul le courant tendre vers la mère est purement érotique, le courant agressif doit être rattaché à la pulsion de destruction.** Ceci posé, une difficulté subsiste dans la doctrine des pulsions ; lorsqu'on a suivi le développement de la libido du stade oral au génital, toutes les composantes de la pulsion sexuelle se sont trouvées sur le même plan, mais il est ensuite apparu que le sadisme représentait la pulsion de mort, ce qui semble faire éclater la construction précédente. Nous ne devons pourtant pas oublier que nous n'avons jamais affaire à des motions pulsionnelles pures mais à des alliages des deux pulsions dans des proportions diverses ; l'investissement sadique peut donc être traité comme investissement libidinal et la motion agressive contre le père peut, comme la motion tendre pour la mère, être refoulée. **Le refoulement est dans une relation particulière avec l'organisation génitale de la libido,** et lorsque le moi doit se défendre contre la libido à des stades plus précoces, il recourt à d'autres défenses[1].

Chez l'homme, après un premier épanouissement qui s'étend jusqu'à la cinquième année, la vie sexuelle connaît une énergique interruption pour reprendre ensuite à la puberté et renouer avec ses débuts – ce qui conduit à penser qu'au cours de l'évolution de l'espèce s'est produit un événement capital qui aurait laissé, comme sédiment historique, cette interruption du développement sexuel. Quoi qu'il en soit, **la plupart des revendications pulsionnelles de la sexualité infantile sont traitées par le moi comme des dangers contre lesquels il doit se défendre,** si bien que les motions de la puberté, apparemment conformes aux normes du moi, risquent de succomber à l'attraction par les prototypes infantiles et de devoir être, de ce fait, refoulées ; le contact précoce du moi avec la sexualité a la même influence que le contact prématuré avec le monde extérieur[2].

L'amour est l'un des fondements de la civilisation ; ce thème est repris, confirmé et développé en **1930** dans *Malaise dans la civilisation.* Si l'amour sexuel (génital) procure à l'homme les plus fortes satisfactions, s'il est le modèle de tout bonheur, il dépend de l'objet choisi, exposant aux plus fortes souffrances en cas de dédain ou de

1. *Ibidem,* p. 47-48 ; p. 240-242 ; p. 154-156.
2. *Ibidem,* p. 83 ; p. 269-270 ; p. 187.

perte[1]. Mais la vie sexuelle du « civilisé » se trouve gravement menacée, par la pression civilisatrice sans doute, mais aussi par « quelque chose tenant à **l'essence de la fonction elle-même qui nous refuse la pleine satisfaction** et nous pousse sur d'autres voies » ; les implications de la théorie de la bisexualité (constat biologique) doivent jouer un rôle, mais nous ne n'avons pas encore trouvé ses connexions avec la doctrine des pulsions[2]. Nous devons aussi constater **l'opposition entre culture et sexualité** qui tiendrait au fait que l'amour est un rapport à deux, tandis que la culture repose sur des relations entre un grand nombre. Le rapport amoureux enlève tout intérêt pour le monde environnant : le couple d'amoureux se suffit à lui-même, sans avoir non plus besoin, pour être heureux, de l'enfant qu'ils auraient en commun. « Dans aucun autre cas l'Éros ne trahit aussi nettement le noyau de son être, son dessein de faire un à partir de plusieurs » ; et quand il y parvient dans l'état amoureux, il s'en tient là[3].

Une sexualité féminine

Avec le début des années **1930,** la question de « La sexualité féminine » est enfin abordée dans sa spécificité, et d'abord en 1931 dans un article qui porte ce titre. Chez l'enfant, qu'il soit garçon ou fille, les mêmes forces libidinales sont à l'œuvre et, pendant un certain temps, s'engagent dans les mêmes chemins et arrivent aux mêmes résultats. Mais des facteurs biologiques (peut-être biochimiques) interviennent, qui font dévier des buts qui, au départ, étaient actifs (tendances que nous qualifions de « masculines »). Peu importe d'ailleurs à la psychologie le nombre et la nature des substances provoquant l'excitation sexuelle : la psychanalyse retient **l'existence d'une seule libido dont les buts (les modes de satisfaction) sont actifs *et* passifs**[4].

1. *Malaise dans la civilisation* (1930a [1929]), Paris, PUF, 1971, p. 52 ; *OCF* XVIII, p. 287-288 ; *GW* XIV, p. 460-461.

2. *Ibidem,* p. 57-58 ; p. 292-293 ; p. 465.

3. *Ibidem,* p. 60 ; p. 294 ; p. 467.

4. « Sur la sexualité féminine » (1931b), *La vie sexuelle,* Paris, PUF, 1969, p. 151-152 ; *OCF* XIX, p. 24-25 ; *GW* XIV, p. 533-534.

Le thème est longuement repris en 1933 dans les *Nouvelles conférences d'introduction à la psychanalyse*. Après avoir refait l'historique de « notre mythologie », de la théorie des pulsions depuis l'opposition entre pulsions du moi et pulsions sexuelles, de l'identification de la libido et des caractères pulsionnels, de l'évolution des différentes zones érogènes et des stades, et après avoir redit toute la valeur de ces acquis, Freud s'attache maintenant aux progrès récents qui portent surtout sur les *phases prégénitales* et ce qui en subsiste dans les phases ultérieures, contribuant à la formation du caractère et du narcissisme… jusqu'à l'opposition entre *Éros* et les *pulsions d'agression*[1].

S'il semble bien que le sadisme est plus proche de la masculinité, le masochisme de la féminité, « comme s'il existait une relation secrète » entre eux, nous n'en savons pas plus : pour la théorie de la libido le sadisme, et surtout le masochisme, demeurent énigmatiques. Sans doute sommes-nous là en présence du mélange de l'Éros avec l'agressivité ; sans doute aussi toutes les motions pulsionnelles consistent-elles en de tels mélanges, dans des rapports variés. Les pulsions érotiques y introduiraient la diversité de leurs buts sexuels, les agressives n'admettant que des atténuations dans leur tendance monotone. De tels mélanges peuvent se désagréger, avec les plus graves conséquences – mais nous comprenons encore mal ces nouveaux points de vue. Personne n'a jusqu'à présent essayé de les exploiter dans le travail analytique[2].

Les différences entre petites filles et petits garçons dans le développement de la sexualité se découvrent de plus en plus complexes, celles-ci ne pouvant plus être simplement rabattues sur ceux-là. Le stade précoce d'attachement de la fillette à sa mère se révèle extrêmement riche de contenus, tenace et déterminant : « Nous ne pouvons pas comprendre la femme si on ne prend pas en considération cette phase de l'*attachement préœdipien à la mère.* » Ces relations libidinales sont très diverses, et encore bien mal connues[3] ; disons que la libido est « la

1. *Nouvelles conférences d'introduction à la psychanalyse* (1933a [1932]), Paris, Gallimard, 1984, p. 129-139 ; *OCF* XIX, p. 178-186 ; *GW* XV, p. 101-110.

2. *Ibidem,* p. 141 ; p. 187-188 ; p. 111-112.

3. *Ibidem,* p. 160 ; p. 203 ; p. 127.

force pulsionnelle de la vie sexuelle », celle-ci restant dominée par la polarité masculin-féminin. On doit écarter l'idée que chaque sexualité aurait sa libido particulière, masculine ou féminine : « **Il n'y a qu'une seule libido qui est mise au service de la fonction sexuelle masculine aussi bien que féminine.** » **La libido n'a pas de sexe.** Si on tient à assimiler l'activité à la masculinité, on peut l'appeler masculine, mais sans oublier qu'elle représente aussi des aspirations aux buts passifs. On ne saurait parler de « libido féminine », et il semblerait qu'une **contrainte plus grande s'exerce sur la libido lorsqu'elle sert la féminité.** Pour parler « téléologiquement », l'accomplissement du but biologique relève plutôt de l'agressivité de l'homme, demeurant pourtant dépendant du consentement de la femme[1].

En 1937, se confirme qu'il n'y a rien à retrancher à la théorie des trois phases successives dans le développement libidinal ; il a seulement fallu ajouter que les passages de l'une à l'autre s'effectuent progressivement, « de sorte qu'**à tous moments des fragments de l'organisation antérieure subsistent à côté de la plus récente** » ; c'est ainsi que la transformation ne se fait jamais complètement et que « des restes de fixations libidinales antérieures peuvent être maintenues jusque dans la configuration définitive »[2].

L'*Abrégé de psychanalyse,* rédigé en 1938, consacre tout un chapitre au « Développement de la fonction sexuelle » sans rien apporter de nouveau ; il permet à Freud de fournir un dernier état de la théorie de la sexualité, depuis ses sources somatiques et son apparition ultra précoce chez l'enfant, jusqu'aux divergences entre filles et garçons. Il va conclure ce résumé en insistant sur deux points d'importance considérable : – les phénomènes doivent « être décrits aux points de vue dynamique et économique » (la répartition quantitative de la libido) ; – l'étiologie des troubles psychiques se découvre dans l'enfance[3].

1. *Ibidem,* p. 176 ; p. 215 ; p. 141.

2. « L'analyse avec fin et l'analyse sans fin » (1937c), *Résultats, idées, problèmes, II,* Paris, PUF, 1984, p. 244 ; *OCF* XX, p. 30 ; *GW* XVI, p. 74.

3. *Abrégé de psychanalyse* (1940a [1938]), Paris, PUF, 1967, p. 12-17 ; *OCF* XX, p. 241-245 ; *GW* XVII, p. 74-78.

Plus loin dans l'ouvrage est évoqué « un intéressant désaccord entre la théorie et l'expérience ». Alors qu'en principe toute exigence pulsionnelle devrait occasionner les mêmes refoulements, l'observation révèle invariablement que **les excitations pathogènes émanent des pulsions partielles de la sexualité** ; « les symptômes névrotiques constituent toujours soit la satisfaction substitutive de quelque tendance sexuelle, soit des mesures pour entraver cette satisfaction, soit encore, et c'est le cas le plus général, un compromis entre les deux ». Il y a là une lacune théorique ; il est d'autant plus difficile d'y pallier que « **la plupart des tendances de la vie sexuelle ne sont pas purement érotiques, mais proviennent d'un alliage de pulsions érotiques et de pulsions destructives** » [1]. Il est cependant hors de doute que les pulsions qui se manifestent physiologiquement comme étant d'ordre sexuel jouent, dans la causation des névroses, un rôle d'une importance inattendue. Ce rôle est-il exclusif ? Il n'est pas encore possible de se prononcer, mais il faut se rappeler qu'au cours du développement de la civilisation, aucune fonction n'a été aussi énergiquement et aussi largement réprimée que la fonction sexuelle

QUESTIONS ET ENJEUX

Les questions que soulève la théorie sexuelle en psychanalyse ne sont guère différentes de celles que la sexualité elle-même pose à l'humanité : elle est une notion à la fois fort simple, au point qu'on hésite même à exposer des choses tellement connues, et pourtant très difficile, énigmatique même – comme la pulsion, en somme, dont elle est une modalité. Ainsi que Freud le rappelle régulièrement, *la sexualité est d'abord un fait biologique* étant, avec l'alimentation, la respiration et quelques autres, l'une des grandes fonctions vitales manifestes. Si elle est bien l'une d'entre elles, elle n'en diffère pas moins de toutes : les autres assurent la survie de l'individu, elle doit garantir celle de l'espèce ; non seulement elle la perpétue mais elle la diversifie, faisant de chacun un être unique. Elle a la puissance, la

1. *Ibidem*, p. 55-56 ; p. 280 ; p. 112.

force impérative des grands besoins de la vie ; Freud la découvre « indomptable ».

C'est là déjà beaucoup. Mais, avec l'humanité, ça se complexifie énormément – et d'abord, justement, pour des raisons biologiques. Alors que chez tous les mammifères l'activité sexuelle est épisodique, limitée, rythmée et conditionnée par l'œstrus (cette période durant laquelle la femelle est fécondable), chez les humains elle est permanente : potentiellement, c'est tout de suite et tout le temps, même si la fécondation demeure périodique ; l'activité sexuelle et la fonction de reproduction se retrouvent ainsi dissociées. En outre, et de façon tout aussi singulière, la maturation sexuelle est « diphasée », elle se fait en deux temps séparés par une période de latence et la deuxième, tardive, permet seule d'aboutir à une fécondation.

Il est bien clair que, tout biologique que cela soit au départ, de telles particularités ne peuvent qu'être déterminantes pour la condition humaine, au point qu'il peut sembler légitime de considérer, comme le fait Freud, que ce sont elles qui permirent d'aboutir à la culture, cette autre spécificité humaine. Quoi qu'il en soit, le fonctionnement psychique ne peut que refléter ces modalités et spécificités – même s'il le fait, parfois, de façons détournées et transposées ; c'est même là ce qui peut rendre parfois si opaques les cheminements sexuels. Freud eut le grand mérite de savoir les reconnaître et les dévoiler, à l'encontre d'un consensus qui préférait n'en rien savoir. Cela ne se fit pas sans peine, ne fût-ce que pour seulement y voir clair ; ce fut une longue conquête, se heurtant sans cesse aux difficultés que pose déjà la simple définition de la sexualité, voire celles que soulève la tentative de caractériser un processus comme sexuel. Ceci a pu conduire Freud à parler épisodiquement de « psychosexualité » afin de bien marquer que, dans la vie sexuelle, « il ne faut ni négliger, ni sous-estimer le facteur psychique »[1]. Si cette paraphrase (qu'il ne reprendra pas) a le mérite de marquer la singularité humaine, elle a l'inconvénient d'escamoter ce qui en fonde la spécificité et fait tant problème : l'enracinement du psychique dans le biologique *par* le sexuel – ce qui, justement, rend la sexualité si difficile à saisir[2]. Elle n'en est pas moins d'une

1. « À propos de la psychanalyse dite “sauvage” » (1910k), *De la technique psychanalytique,* Paris, PUF, 1953, p. 37 ; *OCF* X, p. 208-209 ; *GW* VIII, p. 120.

2. *Malaise dans la civilisation* (1930a [1929]), Paris, PUF, 1971, p. 58 ; *OCF* XVIII, p. 292 ; *GW* XIV, p. 465.

« extraordinaire importance » puisqu'elle se confond avec l'amour et avec Éros dont la vocation est de lier les motions pulsionnelles et d'unir l'appareil psychique – elle est « l'Éros du *Banquet* de Platon, embrassant tout et conservant toutes choses »[1].

Mais s'arranger de ce « *Un* » final, embrasser ce « *Tout* », n'est pas si simple. D'entrée, nous butons sur le mystère, sur le scandale que constitue *l'existence de deux sexes*. Comment pouvons-nous être identiques, d'une espèce commune, si nous sommes deux ? Comment l'énergie qui nous anime tous, fût-elle libidinale, peut-elle être unique au point qu'il n'y a qu'*une seule libido*, et tout en même temps être duale, inexorablement ? Pendant longtemps, Freud s'arrangea de ce qui pouvait paraître aporétique en considérant que la petite fille n'était qu'un petit garçon dépourvu de pénis; il affectionnait d'ailleurs le mythe platonicien de l'androgyne originel. Il faut dire que la différence des sexes a toujours posé de difficiles questions culturelles, et d'abord aux religions qui déployèrent des trésors d'imagination pour l'expliquer, voire l'escamoter, c'est selon... Les premiers Pères de l'Église tendirent d'ailleurs assez longtemps à considérer que les femmes n'appartenaient pas au genre humain – ce qui, après tout, se situait dans la logique propre aux croyances des Écritures: le Dieu monothéiste ayant définitivement éliminé la grande Déesse Mère, il ne pouvait être lui-même que Mâle, se faire toujours ainsi présenter et représenter lorsqu'il tolérait de l'être – comme il fit l'homme à son image il n'existe aucune place imaginable pour une femme dans une telle configuration. Mais, comme disait Jean-Martin Charcot, selon Freud, la théorie ne saurait empêcher les faits d'exister. Il fallut se rendre à l'évidence : chez les humains aussi, il y a bien deux sexes. Pour les Églises ce constat fut une concession avec restriction, pour la biologie une certitude; pour la psychanalyse aussi, mais la question demeure de savoir s'il y a *deux sexualités* ?

La réponse de Freud est complexe dans la mesure où il entend maintenir une conception unitaire de l'humanité et de son appareil psychique et, tout à la fois et au travers de cette unicité, rendre compte de son fonctionnement selon la différence des sexes – comment pourrait-il d'ailleurs faire autrement ? Il n'y a qu'une seule libido, qui est aussi bien mise au service de la fonction sexuelle masculine que féminine; il n'y a qu'une seule pulsion sexuelle. Simplement,

1. « Résistances à la psychanalyse » (1925e), *Résultats, idées, problèmes, II*, Paris, PUF, 1984, p. 130 ; *OCF* XVII, p. 131 ; *GW* XIV, p. 105.

celle-ci peut avoir des buts actifs *et* passifs, les actifs coïncidant avec ce que, par convention, on pose habituellement comme le masculin, les passifs avec le féminin – étant entendu que *tous les humains sont fondamentalement bisexuels,* donc actifs *et* passifs dans des proportions essentiellement variables (on retrouve le fonctionnement en « série complémentaire »). L'unité de l'humanité est préservée, les sexes sont sauvegardés.

Pour autant, les choses ne sont pas forcément plus claires car, si – comme Freud le redit régulièrement – la sexualité est une notion des plus difficiles à cerner et à définir, la bisexualité (qui est d'abord un « présupposés clinique ») complique encore le problème pour peu que l'on cherche à voir clair dans les choix d'objet et les identifications (On aurait pu croire que, comme l'espérait Freud, les modernes avancées de la biochimie, après un siècle ou presque, apporteraient des éclairages forts sur les sexualités. Ils l'ont d'ailleurs fait mais, un peu comme prévu, il s'est avéré naïf d'en attendre de véritables lumières sur les spécificité des processus psychiques mis en œuvre ; les travaux sur les transsexuels, notamment, n'ont fait que confirmer l'étendue de nos ignorances.) Encore aujourd'hui, « la doctrine de la bisexualité demeure dans une grande obscurité, et nous ne pouvons, en psychanalyse, que ressentir comme une grave perturbation le fait qu'elle n'ait pas encore trouvé de connexion avec la doctrine des pulsions » [1].

La découverte et la prise en considération de la *sexualité infantile* fut sans doute ce qui, en son temps, provoqua le plus d'indignation et suscita le plus de résistance. Il fallut d'ailleurs un certain temps à Freud pour se résoudre à l'admettre, puis à reconnaître la profondeur de ses racines et à en tirer les conséquences. Elle lui apparut d'abord comme une conséquence logique de la thèse considérant que « les névrosés sont restés à l'état infantile de leur sexualité, ou y ont été ramenés », idée qui ne peut que conduire à explorer la vie sexuelle de l'enfant et à chercher à comprendre de quelle façon elle va déterminer celle de l'adulte et s'y perpétuer. Même si celle-ci est déterminée par celle-là, qui l'a préparée, même si elle l'aménage et la prolonge, elle n'en est pas moins « quelque chose de différent » car la sexualité infantile, autoérotique, s'étaie d'origine sur les fonctions d'auto-conservation et reste dominée par les pulsions partielles et leurs zones érogènes qui vont, dans la vie

1. *Malaise dans la civilisation* (1930a [1929]), Paris, PUF, 1971, p. 58 ; *OCF* XVIII, p. 292 ; *GW* XIV, p. 465.

sexuelle normale de l'adulte, se regrouper sous le primat d'une zone érogène unique pour atteindre le but sexuel dans un objet sexuel étranger ; l'acquisition de plaisir entre alors au service de la fonction de reproduction – mais que d'errements, que d'accidents possibles au long de ce chemin évolutif. On le voit, il ne s'agit pas là d'une simple variation quantitative, mais d'une véritable transformation qualitative ; si c'est bien toujours la sexualité qui œuvre chez l'adulte, ce n'est plus la même sexualité que celle qui s'est développée chez l'enfant.

L'une des plus grandes singularités de la vie sexuelle infantile tient à son développement discontinu en deux phases séparées par une latences, signifié par l'Œdipe – fait tellement singulier que Freud pense devoir le situer comme vestige de quelque événement préhistorique capital. Avec la puberté, la plupart des revendications pulsionnelles infantiles apparaissent au moi comme des dangers dont il doit se défendre, mais qui risquent d'attirer les motions sexuelles conformes jusqu'à les faire succomber au refoulement, entravant le développement de la sexualité adulte : « Nous touchons ici l'étiologie la plus directe des névroses »[1] – névroses qui ne sont rien d'autre que la persévération à l'état adulte des revendications d'une sexualité restée à l'état infantile. La notion est aussi claire que convaincante, certes ; pour autant, l'articulation « normale » des deux sexualités, infantile et adulte, ne va pas sans poser problème.

De par les contradictions qu'elle porte, de par les conflits qu'elle ne peut que susciter, de par les défenses qu'elle met en œuvre pour y répondre, cette situation paradoxale serait aux source de la culture humaine ; elle serait l'essence même de l'humanité : *« l'amour admis comme l'un des fondements de la civilisation »*. Mais cette civilisation, au cours de son développement, n'a réprimé aussi énergiquement et aussi largement aucune autre fonction qu'elle ne l'a fait avec la sexualité. On peut se demander là encore si, au-delà de cette pression, ne se produirait pas dans ce heurt « quelque chose tenant à l'essence de la fonction elle-même qui nous refuse la pleine satisfaction et nous pousse sur d'autres voies »[2]. Demeure ici comme une énigme…

Claude Le Guen

1. *Inhibition, symptôme et angoisse* (1926d [1925]), Paris, PUF, 1951, p. 83 ; *OCF* XVII, p. 269-270 ; *GW* XIV, p. 187.

2. *Malaise dans la civilisation* (1930a [1929]), Paris, PUF, 1971, p. 52 et 57-58 ; *OCF* XVIII, p. 287-288 et 292 ; *GW* XIV, p. 460-461 et 465.

Souhait (accomplissement de) → Désir et besoin

Source de la pulsion → Pulsion

Souvenir → Oubli

Stades → Phases, stades, organisations libidinales

Stase → Décharge, tension et stase

Stimulation → Excitation (stimulation)

SUBLIMATION

all. : ***Sublimierung.*** – angl. : *sublimation.* – esp. : *sublimaciòn.* – ital. : *sublimazione.* – port. : *sublimação*

La sublimation est un destin de la pulsion caractérisé par un déplacement de son but sexuel originaire et une transformation de son objet. Les objets et buts pulsionnels sublimés permettent de dépasser les conflits intrapsychiques et sont admis ou valorisés par le socius. La sublimation peut être considérée comme une défense réussie.

MISE EN SITUATION

Le terme sublimation vient du bas latin sublimis, *c'est-à-dire « haut, élevé ». Il dériverait de* sub *au-dessus de, et de* limus *(la fange) ou de* limen *(la limite). Il se réfère au langage chimique dans lequel la sublimation désigne un passage sans transition d'un état de la matière à un autre, mais Freud récuse cette parenté et, dans une lettre à Jung, tient à distinguer le* Sublimierung *analytique de la sublimation chimique avec ses connotations métaphoriquement idéalisantes. Ces valeurs idéales imprègnent l'usage du terme bien que la sublimation chimique désigne simplement l'opération par laquelle un corps solide, volatilisé par la chaleur dans un vase clos, arrive contre la paroi supérieure de ce vase où il repasse à l'état solide et s'y fixe. Mais il se trouve que les alchimistes lui accordèrent une grande importance, cette opération censée se dérouler dans « l'Œuf des sages » (où cuit la pierre philosophale) devant être effectuée par un cœur pur. Avant sa prise dans la théorie analytique, les poètes allemands – et Goethe en particulier dont on sait l'importance pour Freud – en firent un usage métaphorique, jusqu'à lui faire désigner progressivement une transformation (de sentiments, d'état d'âme) proche d'une purification. Freud avait à disposition, dans sa langue, deux termes :* die Sublimation *attesté dans un usage esthétique et* das Sublimieren *pour le processus chimique, mais il créa le substantif* die Sublimierung *qui se distingue des deux autres et dont le suffixe indique plus nettement une activité, un processus. Bien qu'en allemand la parenté de sublimation (*Sublimierung*) et de sublime (*Erhaben*) ne soit pas marquée comme dans la langue française, leurs liens sont attestés par un certain usage et ces proximités sémantiques sont à interroger. Freud avait probablement rédigé un article sur la sublimation pour sa* Métapsychologie, *mais il fait partie de ceux qui ne nous sont pas parvenus et ce concept, s'il parcourt l'ensemble de l'œuvre freudienne, n'est, à aucun moment, véritablement repris de façon synthétique. Si la sublimation lance un défi à la conceptualisation psychanalytique, sa théorie n'en paraît pas moins soigneusement élaborée par Freud au fil de ses remaniements théoriques. Ses successeurs en ont plus fait la critique qu'ils n'en ont véritablement fait progresser la théorie. Son importance, pour Freud, était certaine, et il insista à plusieurs reprises sur la nécessité de l'approfondir ; de plus il répondait ainsi indirectement aux attaques dirigées contre « l'amoralité » de la psychanalyse en désignant comme destin possible de la pulsion ce processus essentiel à la civilisation. Cependant, il importe de ne pas confondre sublimation et conscience morale, dont le rapport au refoulement est bien différent.*

Destin fondamental mais particulier de la pulsion, la sublimation suit et indexe de son questionnement les transformations et remaniements de la théorie freudienne, entre première et deuxième théorie des pulsions, entre première et deuxième topique, prenant toute sa force au moment de l'introduction du narcissisme.

LE TEXTE FREUDIEN

La première émergence du mot dans l'œuvre freudienne se trouve dans une lettre à Fliess[1] à propos des fantasmes hystériques, « sublimations » présentées comme des « enjolivements », des constructions protectrices. Ces souvenirs « sublimés » le sont dans un sens particulier apparenté aux mécanismes, ultérieurement étudiés, de déformation dans le rêve. Les « sublimations » ne désignent là que des déguisements protecteurs et l'emploi imprécis du terme, dans ce sens idéalisant ultérieurement récusé, est essentiellement descriptif.

Dans « Dora » (1905), les sublimations sont confrontées aux perversions et aux troubles des psychonévrosés. Tous ces destins pulsionnels ont leur origine dans les prédispositions sexuelles non différenciées de l'enfant, qui peuvent être soit maintenues telles quelles, soit refoulées, soit sublimées[2]. Ces vues sont développées encore plus clairement dans les *Trois essais sur la théorie sexuelle* (1905), dans lesquels une des premières définitions psychanalytiques de la sublimation l'assimile à un **détournement**, loin des buts sexuels, **de l'énergie des forces pulsionnelles**, détournement qui est à l'origine des acquisitions sociales les plus importantes[3]. Déjà sont marqués là les traits essentiels d'un processus complexe, jamais élaboré par Freud de façon synthétique, mais qui est censé offrir aux pulsions partielles une issue autre que le refoulement et les perversions. Cette issue est rendue possible par la plasticité de la pulsion, sa capacité d'échanger un but contre un autre. Cependant, dans les *Trois essais*, la sublimation n'est pas encore clairement distinguée de la formation réactionnelle que Freud qualifie de « sous-espèce » de sublimation.

1. Lettre n° 61 à W. Fliess du 2 mai 1897, dans *La naissance de la psychanalyse*, Paris, PUF, 1986, p. 173 ; *Lettres à Wilhelm Fliess*, Paris, PUF, 2006, p. 303 ; *Briefe an Wilhelm Fliess*, Francfort-sur-le-Main, S. Fischer, 1985, p. 253.

2. « Fragment d'une analyse d'hystérie (Dora) » (1905e [1900]), *Cinq psychanalyses*, Paris, PUF, 1975, p. 36 ; *OCF* VI, p. 230 ; *GW* V, p. 210.

3. *Trois essais sur la théorie sexuelle* (1905d), Paris, Gallimard, 1987, p. 189-190 ; *OCF* VI, p. 176-177 ; *GW* V, p. 140-141.

Dans « La morale sexuelle “civilisée” » (1908), Freud précise les caractères de cette transformation pulsionnelle qui concerne alors essentiellement le but de la pulsion, la sublimation étant « cette capacité **d'échanger le but qui est à l'origine sexuel contre un autre qui n'est plus sexuel** mais qui est psychiquement parent avec le premier »[1], mais cette capacité, écrit-il alors, est loin d'être partagée par tous, et Freud note le caractère rare et idéal d'un tel processus. Or, si le but ultime d'une pulsion est toujours la satisfaction, elle peut néanmoins emprunter des chemins indirects et s'éloigner de l'apaisement sexuel direct. Il insiste aussi sur l'énergétique en cause, dans la mesure où la sublimation permettrait une réalisation pulsionnelle sans perdre essentiellement en intensité de l'extraordinaire quantité de forces des pulsions partielles. Cette vue que l'on pourrait qualifier d'optimiste va être progressivement nuancée et sur ce point Freud affirme nettement dans *Malaise dans la civilisation* (1930) que les activités sublimatoires ne permettent pas un mode de satisfaction aussi intense que celui d'une pulsion restée sauvage[2]. Ce souci économique est très présent quand Freud traite de la sublimation. Si, dans les *Trois essais*, il associait la solution sublimatoire, comme la solution perverse, à une quantité pulsionnelle excessive, ses réflexions restent alors à un niveau descriptif, dans la mesure où il ne dispose pas encore des éléments de la seconde topique pour montrer les mécanismes permettant la mise en jeu et le développement du processus sublimatoire.

Cette description se fait plus précise dans *Un souvenir d'enfance de Léonard de Vinci* (1910). En reprenant la genèse de la pulsion d'investigation ébauchée dans les *Trois essais*, il montre à l'œuvre chez Léonard cette troisième voie qu'offre la sublimation, dans laquelle la curiosité sexuelle infantile ne débouche ni sur le refoulement total qui aurait amené l'inhibition de pensée, ni sur un retour du refoulé sous forme d'une sexualisation excessive de la pensée elle-même, mais bien sur une formidable transformation pulsionnelle, qu'il présente ici pour ainsi dire comme un raté heureux d'un refoulement

1. « La morale sexuelle “civilisée” et la maladie nerveuse des temps modernes » (1908d), *La vie sexuelle*, Paris, PUF, 1969, p. 33 ; *OCF* VIII, p. 203 ; *GW* VII, p. 150.

2. *Malaise dans la civilisation* (1930a), Paris, PUF, 1971, p. 24 ; *OCF* XVIII, p. 266 ; *GW* XIV, p. 437.

insuffisamment puissant[1]... Mais Freud clôt son ouvrage, dans un mouvement de retrait respectueux qu'il a souvent lorsqu'il aborde l'étude d'un grand créateur, sur un aveu d'ignorance quant aux causes d'une telle possibilité, et le recours explicatif à une « aptitude » à la sublimation.

C'est dans « Pour introduire le narcissisme » (1914) que Freud se montre le plus explicite quant à sa définition différentielle de la sublimation. Elle est dès lors bien distinguée tant du refoulement, que de l'idéalisation ou des formations réactionnelles. La sublimation représente l'issue libidinale qui permet de satisfaire les exigences du moi sans amener le refoulement. Elle est nettement différenciée de la formation d'idéal du moi (lequel n'est pas, alors, distingué du surmoi) qui, augmentant les exigences du moi, exige un refoulement plus intense, et, à la différence de l'idéalisation, elle est modification de la pulsion elle-même et non exaltation de son objet[2]. Si elle concerne la libido d'objet, elle n'entre néanmoins pas en conflit avec la libido narcissique et implicitement la sublimation semble déjà dans ce texte être présentée comme un mode de dépassement des conflits pulsionnels. Cependant dans « Pulsions et destins des pulsions » (1915), la sublimation, bien que non étudiée dans ce texte, est présentée comme l'un des quatre destins possibles de la pulsion – avec le renversement dans le contraire, le retournement sur la personne propre, et le refoulement – et elle partage leur sort d'être un mode de défense contre les pulsions[3]... La contradiction peut être levée si l'on entend ici défense dans un sens très large, marquant l'issue nouvelle trouvée par une pulsion douée de plasticité et en butte à divers empêchements, et non comme un mécanisme défensif lié à un conflit interne.

Les textes de Freud jusqu'aux années 1920, sans apporter de modifications substantielles à sa conception de la sublimation, comportent souvent des notations intéressantes. Ainsi dans la première des

1. *Un souvenir d'enfance de Léonard de Vinci* (1910c), Paris, Gallimard, 1987, p. 85 ; *OCF* X, p. 105 ; *GW* VIII, p. 147-148.

2. « Pour introduire le narcissisme » (1914c), *La vie sexuelle*, Paris, PUF, 1969, p. 98-99 ; *OCF* XII, p. 237 ; *GW* X, p. 161-162.

3. « Pulsions et destins des pulsions » (1915c), *Métapsychologie*, Paris, Gallimard, 1968, p. 24 ; *OCF* XIII, p. 172 ; *GW* X, p. 219.

Conférences d'introduction à la psychanalyse, il souligne l'instabilité de l'organisation résultant de la répartition individuelle entre refoulements et sublimations[1], et dans la 22e il revient sur l'importance du point de vue économique : la sublimation relève, en dernier ressort, de la capacité individuelle à suspendre une quantité de libido, donc à ajourner le plaisir direct, et l'équilibre individuel, face aux exigences de la civilisation, dépend de l'importance de la fraction de la libido qui peut être ainsi détournée[2].

À dater des années 1920, sont développés les mécanismes en jeu dans la sublimation. En effet, c'est à partir de l'introduction de la seconde topique qu'est permise une compréhension plus précise de certains changements qualitatifs, intrapulsionnels, qui accompagnent le changement de but pulsionnel et qui sont liés à l'identification. Ébauchée dans « Pour introduire le narcissisme », la théorie de la sublimation est reprise dans le sens d'une transformation de la libido objectale en libido narcissique qui permettrait un **changement de but pulsionnel conforme aux exigences du moi à travers une désexualisation.** Dans l'analyse des identifications infantiles et du déclin du complexe d'Œdipe, cette sublimation apparaît comme un mouvement fondamental, théoriquement nécessaire à leur compréhension, et qui a dès lors une fonction métapsychologique dépassant la simple description. Dans « La disparition du complexe d'Œdipe » (1924), Freud expose le conflit œdipien en termes de conflit entre libido narcissique et libido objectale : sa résolution passe par l'abandon des investissements d'objet qui sont remplacés par des identifications, or celles-ci supposent un changement de but pulsionnel, les tendances libidinales sont alors en partie « désexualisées et sublimées », en partie « inhibées quant aux buts »[3]. Et Freud de se demander, à titre d'hypothèse, si toute sublimation ne se produirait pas par l'intermédiaire du moi qui commencerait par **transformer la libido objectale en libido narcissique**

1. *Conférences d'introduction à la psychanalyse* (1916-1917), Paris, Gallimard, 1999, p. 29 ; *OCF* XIV, p. 17 ; *GW* XI, p. 16.

2. *Ibidem*, p. 439 ; p. 358 ; p. 358-359.

3. « La disparition du complexe d'Œdipe » (1924d), *La vie sexuelle*, Paris, PUF, 1969, p. 120 ; *OCF* XVII, p. 30 ; *GW* XIII, p. 399.

pour lui assigner éventuellement d'autres buts. Mais les termes de désexualisation et de sublimation, s'ils se recoupent, ne se recouvrent pas : la désexualisation est une « espèce de sublimation », correspondant à l'abandon des buts sexuels directs, elle ne serait en quelque sorte que le premier temps du processus de sublimation, celui-ci demandant, en un deuxième temps, l'assignation d'un nouveau but.

Dans la lignée des problèmes posés par le remaniement de la théorie pulsionnelle après l'introduction de la pulsion de mort, la question économique devient celle de la désunion pulsionnelle. On peut penser que l'action de la pulsion de mort est nécessaire à la désexualisation, que le mélange entre pulsion de vie et pulsion de mort est ce qui permet l'atténuation de la charge érotique crue, la transformation qualitative de la pulsion sexuelle. Mais après la sublimation liée au processus identificatoire œdipien, « la composante érotique n'a plus [...] la force de lier la totalité de la destruction qui s'y adjoignait et celle-ci devient libre, comme tendance à l'agression et à la destruction »[1]. La sublimation entraînerait donc une destructivité libre et accrue[2]. Ceci n'est pas le moindre des problèmes induits par la question de la sublimation et l'on retrouve là, sous une autre forme, les notations antérieures sur l'instabilité résultant de ce processus, sa fragilité et, peut-être même, la question de sa parenté avec la perversion, honnie par la société, mais, elle, souvent d'une grande stabilité...

Une évaluation complète des diverses orientations freudiennes quant à la sublimation, même si parfois le concept n'est pas nommé, doit aussi tenir compte des mises en jeu de celle-ci au fil de ses recherches sur la production artistique et certains créateurs (cf. « La création littéraire et le rêve éveillé »[3] [1908] ou « Dostoïevski et le parricide »[4] [1928]). On y voit à l'œuvre la subtilité de la pensée de

1. *Le moi et le ça* (1923b), *Essais de psychanalyse*, Paris, Payot, 1981, p. 270 (chap. 5 : « Les relations de dépendance du moi ») ; *OCF* XVI, p. 297-298 ; *GW* XIII, p. 284-285.

2. *Ibidem*, p. 272 ; p. 299 ; p. 287.

3. « Le créateur littéraire et la fantaisie » (1908e), *L'inquiétante étrangeté et autres essais*, Paris, Gallimard, 1985 ; *OCF* VIII ; *GW* VII.

4. « Dostoïevski et le parricide » (1928b), *Résultats, idées, problèmes, II*, Paris, PUF, 1985 ; *OCF* XVIII ; *GW* XIV.

Freud qui met en relief la relation de la sublimation au monde extérieur, sa valeur sociale, et son mode particulier de dépassement des conflits.

Dans *Malaise dans la civilisation* (1930), où il aborde également le problème de la sublimation de l'agressivité, il y revient de manière plus théorique en s'interrogeant sur les conditions de possibilité de bonheur pour les êtres humains : la sublimation, capacité de déplacement de la libido qui permet une grande souplesse à l'appareil psychique, reste une voie de choix mais qui n'est pas à la portée de tous, écrit-il à nouveau, et les exemples qu'il donne sont ceux du penseur et de l'artiste. Cette définition, ici restrictive, du champ des sublimations comme création, est tempérée par l'évocation du rôle, dans l'économie de la libido, que peut jouer pour tout un chacun le simple travail, s'il est librement choisi [1]. Il est à noter que Freud associe là les sublimations au lien actif, maintenu ou retrouvé, avec la réalité extérieure, en les distinguant des plaisirs imaginaires ou des jouissances esthétiques, celles-ci reliées aux pulsions inhibées quant au but. Ce lien avec la réalité extérieure fait partie intrinsèque de la sublimation, qui permet par exemple à l'artiste, après s'être détourné de la réalité extérieure frustrante, de laisser en un premier temps libre cours dans sa réalité intérieure aux fantasmes, mais ensuite de retrouver la voie qui le ramène du monde des fantasmes à la réalité [2]. Pour ce faire, il retire à l'expression de ceux-ci tout caractère susceptible de rebuter son public, et réussit à dissimuler « leur provenance des sources prohibées ». Il parvient ainsi, à travers ses rêves éveillés incarnés dans la réalité, à ce que les refoulements soient, « au moins temporairement, surpassés ou supprimés » [3].

Dans les années 1910-1913, les textes de technique analytique (« Conseils aux médecins sur le traitement psychanalytique » [4]) ou

1. *Malaise dans la civilisation* (1930a), Paris, PUF, 1971, p. 25 ; *OCF* XVIII, p. 266-267 ; *GW* XIV, p. 438-439.

2. « Formulations sur les deux principes du cours des événements psychiques » (1911b), *Résultats, idées, problèmes*, *I*, Paris, PUF, p. 141 ; *OCF* XI, p. 19 ; *GW* VIII, p. 236.

3. *Conférences d'introduction à la psychanalyse* (1916-1917), Paris, Gallimard, 1999, p. 478 ; *OCF* XIV, p. 389-390 ; *GW* XI, p. 391.

4. « Conseils aux médecins sur le traitement psychanalytique » (1912e), *De la technique analytique*, Paris, PUF, 1970 ; *OCF* XI ; *GW* VIII.

certains résumés théoriques (*Cinq leçons sur la psychanalyse*[1] ou « L'intérêt de la psychanalyse »[2]) font référence à un champ plus large de sublimations qui peuvent être une des issues privilégiées de la cure analytique – mais Freud invite à la prudence quant à des prétentions excessives. Ainsi dans les *Cinq leçons sur la psychanalyse*, la parabole de la mort du cheval de Schilda[3] vient-elle humoristiquement souligner l'équilibre à trouver entre satisfactions directes et plaisirs substitutifs : les propriétaires de ce cheval, admiratifs de sa force mais soucieux d'économie, réduisirent à rien sa ration d'avoine, ne réussissant qu'à le faire périr d'inanition…

QUESTIONS ET ENJEUX

Les successeurs de Freud, face à l'amplitude et à la relative indétermination des champs que parcourt ce concept de sublimation, se sont plutôt attachés à certaines suggestions freudiennes. Parmi ses élèves directs, Lou Andreas-Salomé développa particulièrement la richesse de ce concept, dans une réflexion liée à ses recherches sur la création, prise dans une acception élargie : en particulier dans « "Anal" et "sexuel" »[4], elle s'interroge sur la funeste parenté théorique entre « sublimé » et « refoulé » si l'on perd de vue les sources pulsionnelles sexuelles ; sa fidélité à Freud semble s'ancrer dans ses premières formulations sur la sexualité polymorphe infantile ; il y a là comme une critique implicite de l'ambiguë notion de désexualisation. Mais elle tend souvent, dans un enthousiasme éclectique, à perdre de vue l'exigence freudienne de spécificité et de clarté conceptuelle. Sa réflexion pointe certaines obscurités freudiennes, en particulier dans

1. *Cinq leçons sur la psychanalyse* (1910a), Paris, Payot, 2001 ; *OCF* X ; *GW* VIII.

2. « L'intérêt de la psychanalyse » (1913j), *Résultats, idées, problèmes, I*, Paris, PUF, 1984 ; *OCF* XII ; *GW* VIII.

3. *Cinq leçons sur la psychanalyse* (1910a), Paris, Payot, 2001, p. 80 ; *OCF* X, p. 55 ; *GW* VIII, p. 59-60.

4. Lou Andreas-Salomé, « "Anal" et "sexuel" » (1916), *L'amour du narcissisme*, Paris, Gallimard, 1980.

le jeu et la différence entre refoulement et sublimation. Mais ses réflexions s'ancraient dans un constant échange avec lui.

Les défenses supposent un conflit dans lequel est pris le moi qu'elles visent à protéger, mais elles lui font parfois payer « un prix trop élevé »[1] alors que la sublimation est « gratuite » : elle ne représente aucune charge économique, ne lèse le moi en aucune manière et même elle « rend hommage à la libido »[2]. Se situant en dehors du conflit, elle n'a ni à défendre, ni à refouler ; elle fournit un si grand gain de plaisir qu'elle peut surmonter et supprimer, provisoirement du moins, les refoulements[3]. C'est ainsi qu'elle peut se dispenser de la complexité du jeu avec les objets pour s'en tenir aux buts et se rapprocher de la pulsion ; elle ignore, ou tout au moins néglige les interdits du surmoi pour tirer plus vers le narcissisme de l'idéal du moi. Mais il ne faut pas oublier, comme on l'a déjà noté, qu'on ne doit surtout pas confondre la *sublimation* qui concerne les pulsions et procure du plaisir avec l'*idéalisation* qui, concernant l'objet, agit en faveur du refoulement, comme Freud l'affirmait clairement dans « Pour introduire le narcissisme ». Cette proximité tant avec le *socius* qu'avec la pulsion fait que la sublimation cherche à s'étendre, à gagner, à conquérir, et nullement à défendre ou réprimer – ce qui a pu conduire à penser que « la sublimation n'est pas une défense, mais une conquête »[4].

Cependant si Freud peut être catégorique dans l'opposition entre refoulement et sublimation qu'il institue comme deux destins pulsionnels antithétiques, quand il tend à en fournir des exemples (comme nous l'avons vu dans *Un souvenir d'enfance de Léonard de Vinci*) les choses se compliquent... L'équilibre peut être très instable puisque la sublimation dépendrait parfois d'un refoulement insuffisamment puissant. Néanmoins, la situation se clarifie en partie, et l'opposition se radicalise à partir de la deuxième topique, et ce dans l'analyse des données du conflit œdipien : celui-ci, face à l'angoisse de

1. « L'analyse avec fin et l'analyse sans fin » (1937c), *Résultats, idées, problèmes, II*, Paris, PUF, 1984, p. 253 ; *OCF* XX, p. 38 ; *GW* XVI, p. 83.

2. Lettre de Freud du 19 décembre 1909, *Correspondance Sigmund Freud – Carl Gustav Jung* (1975a [1906-1914]), Paris, Gallimard, 1975, vol. I, p. 362.

3. *Conférences d'introduction à la psychanalyse* (1916-1917), Paris, Gallimard, 1999, p. 478 ; *OCF* XIV, p. 389-390 ; *GW* XI, p. 391.

4. Claude Le Guen, « Le voyage d'Orphée », *Revue française de psychanalyse*, 62 (4), 1998, p. 1139-1148.

castration, est refoulé dans l'inconscient et le moi doit continuellement mettre en jeu diverses défenses pour éviter le retour du refoulé. La sublimation permet une autre issue, liée au processus de désexualisation par le jeu identificatoire, qui permet de démanteler les données conflictuelles et de les dépasser dans le meilleur des cas. Il y a transformation qualitative de la pulsion et issue aconflictuelle.

Il est vrai que l'usage freudien du terme « désexualisation » a pu induire des ambiguïtés. Ceci est patent à partir des années 1920 quand Freud s'interroge sur la transformation de la libido objectale en libido narcissique qui sous-tendrait le processus de sublimation ; quand il postule l'effet d'une désexualisation qui pourrait contredire, à première vue, l'affirmation de la source indéniablement sexuelle de la sublimation, Freud peut écrire « désexualisé ou sublimé », désignant là avant tout l'abandon du but sexuel direct, comme s'il s'agissait de processus strictement équivalents, mais dans *Le moi et le ça* cette transposition de la libido objectale en libido narcissique, cette désexualisation, n'est parfois qualifiée que d'une « espèce de sublimation » [1]. Cela sous-entendrait qu'il y en a bien une autre…

On peut se demander, à la lecture de textes postérieurs de Freud tels que le « Petit abrégé de psychanalyse » (1924) [2] ou « Angoisse et vie pulsionnelle » (1933), si Freud ne maintient pas parallèlement (au moins) deux conceptions de la sublimation, jamais véritablement explicitées et qui entraînent à confusion : en effet, dans ces deux textes il maintient sa conception plus directement objectale de la sublimation, et ses définitions vont dans la droite ligne de celle donnée, quelque trente ans auparavant, dans les *Trois essais*, sur le destin des pulsions partielles. Il y a là une fidélité à sa première conceptualisation de la sublimation comme destin possible des pulsions partielles qui n'est pas invalidée par celle qui met l'accent sur le versant plus narcissique des sublimations et leur lien avec les identifications post-œdipiennes.

Le rapport dialectique entre libido narcissique et libido objectale, à l'œuvre dans la sublimation, et qui concourt à son rôle de dépassement du conflit intrapsychique, montre le rôle de pivot, même s'il est le plus souvent implicite, que joue la sublimation dans la pensée

1. *Le moi et le ça* (1923b), *Essais de psychanalyse*, Paris, Payot, 1981, p. 242 (chap. 3 : « Le moi et le surmoi ») ; *OCF* XVI, p. 274 ; *GW* XIII, p. 258.

2. « Petit abrégé de psychanalyse » (1924f), *Résultats, idées, problèmes, II*, Paris, PUF, 1985 ; *OCF* XVI ; *GW* XIII.

freudienne. La sublimation se trouve au point d'articulation entre la réalité interne et la réalité extérieure : processus fondamentalement narcissique, elle est d'un même mouvement reliée au monde des autres et du social. Si le champ propre de la psychanalyse est le psychisme individuel, Freud n'a eu de cesse d'articuler le biologique, l'individuel et le social ; ainsi la sublimation se trouve-t-elle au carrefour, ayant sa source dans le pulsionnel ancré dans le biologique et son but dans le champ social. Ne rencontre-t-on pas là une de ses étymologies, un « au-delà des limites », et devrait-on la penser, à l'instar de la pulsion, comme un concept limite pour la psychanalyse ?

La question du jeu entre libido narcissique et objectale parcourt bien des recherches théoriques dans lesquelles la sublimation est interrogée de manière indirecte, et les travaux contemporains ne manquent pas dans lesquels « la sublimation » et « les sublimations » sont ainsi convoquées. Des champs ouverts par Freud, chaque analyste privilégie à un moment un aspect, et l'ampleur des enjeux de la sublimation se prête plus que toute autre peut-être à une telle sélection – qui en dit parfois plus sur les options théoriques propres à chacun que sur le concept même. Cependant, il convient d'en dégager le dénominateur commun qui reste l'affirmation princeps de Freud sur l'origine sexuelle des plus hautes réalisations de l'humanité. Au-delà de sa banalité apparente, cette affirmation demeure le fil rouge des diverses interrogations qui cherchent à différencier la sublimation des autres destins pulsionnels, à la distinguer des défenses à l'œuvre dans les conflits, à comprendre l'articulation d'un enjeu individuel et d'un destin souvent (mais peut-être non exclusivement) collectif. En effet, tout en maintenant le plus souvent le lien retrouvé avec le monde de la culture, le champ social, Freud peut envisager clairement que, grâce à la plasticité de la pulsion, à sa faculté de se déplacer, le travail de pensée est alimenté par la sublimation des forces de la pulsion érotique, et que cette libido « désexualisée » sert à instaurer l'aspiration unitaire qui caractérise le moi[1].

Au regard du champ plus ou moins large des activités sublimées, on peut distinguer les travaux qui s'attachent aux sublimations comme créations (en particulier artistiques) et ceux qui s'interrogent plus largement sur un processus qui concernerait idéalement tout un

1. *Essais de psychanalyse*, Paris, Payot, 1981, p. 259 ; *OCF* XVI, p. 288 ; *GW* XIII, p. 274.

chacun, dans la lignée des élaborations freudiennes sur la sublimation comme issue des pulsions partielles non intégrables ou comme processus à l'œuvre dans la résolution du conflit œdipien. Ainsi, bien loin de voir en la sublimation un don énigmatique échu à quelques-uns, il convient peut-être de l'appréhender comme un destin obligé de l'être humain pensant et désirant, pour ainsi dire condamné à sublimer... même s'il y échoue souvent.

Or, dans la visée d'une compréhension de la sublimation dans son ensemble, peut-être plus que sur cette bipartition un peu sommaire entre sublimations comme créations et sublimation comme processus plus général, doit-on réfléchir sur la relation de ces deux champs avec, d'une part les avatars des pulsions partielles, et d'autre part les destins pulsionnels post-œdipiens. On peut alors se demander s'il ne faut pas insister sur la différence induite par Freud, dans l'évolution de ses formulations de la première à la deuxième topique, entre la sublimation des pulsions partielles, pré ou post-œdipiennes, et celles, résolument post-œdipiennes, liées au travail identificatoire et à l'issue du conflit œdipien. Ainsi peut-on penser, au terme de ce repérage des voies multiples ouvertes par Freud, qu'il conviendrait de ne parler de sublimation qu'en tant que processus, et au pluriel, dans un pluriel qui demande à être articulé.

Hélène PARAT

Substitut (formation de) → Formations

SUGGESTION (hypnose)

all. : ***Suggestion.*** – angl. : *suggestion.* – esp. : *suggestión.* – ital. : *suggestione.* – port. : *suggestão*

La suggestion, possibilité pour le médecin d'influencer psychiquement le patient, est explicitement dans l'hypnose un moyen et une technique de guérison – d'autant qu'une suggestibilité importante est un trait caractéristique de la symptomatologie hystérique. La psychanalyse s'édifie, au contraire, en se différenciant de la suggestion.

Mais la suggestion n'est pas un fait psychique originaire comme le pensait Hippolyte Bernheim. En son essence, la suggestion relève

d'Éros, source de toute cohésion, et n'est qu'une manifestation d'amour. C'est une conviction qui n'est pas fondée sur la perception ni sur le travail de pensée, mais sur la liaison érotique, et qui se manifeste particulièrement dans la psychologie collective. Elle est sous-tendue par le transfert de l'idéal du moi sur le meneur et permet l'identification narcissique aux autres membres du groupe. L'hypnose elle-même est fondamentalement une foule à deux, et l'état amoureux n'est pas loin de l'hypnose. Phénomène partiel de l'état hypnotique qui met en œuvre la libido narcissique, la suggestion est universelle, car, issue de la relation au père de la horde originaire, elle est ancrée dans la sexualité infantile et la dépendance œdipienne. C'est pourquoi elle est sous-jacente au transfert, mais l'analyse de ce dernier permet précisément au psychanalyste d'en dégager le patient. La différenciation entre le transfert et la suggestion directe est au cœur de la réflexion analytique, d'un point de vue technique, pour l'analyse et le maniement du transfert, mais aussi épistémologiquement. Finalement, si la suggestion témoigne de la force d'Éros, la différence entre suggestion directe et transfert reflète et explicite la nécessité d'élaborer une métapsychologie.

MISE EN SITUATION

Dans l'œuvre freudienne, le concept de suggestion, d'une part recouvre largement l'histoire des rapports entre l'hypnose et la psychanalyse, d'autre part se déploie dans une réflexion sur la suggestibilité, caractéristique symptomatique de l'hystérie comme de la psychologie des foules, dont l'étude permet à Freud d'en découvrir l'énigme.

La suggestion s'enracine dans la relation hypnotique et la capacité à faire agir un patient qui a subi une hypnose sans qu'il sache la raison de son acte. De ce point de vue, l'hypnose et la relation de suggestion viennent à l'appui de la reconnaissance de l'existence d'un psychisme inconscient. Il faut donc clairement distinguer entre la suggestion proprement dite (ou la suggestibilité, capacité à se laisser mettre en relation de suggestion) et les autres formes d'incitation et d'influence que peuvent évoquer des termes comme « to suggest » *en anglais, ou « suggérer » en français. Il faut par ailleurs noter l'équivoque, déjà relevée par Forel, qui fait que le même terme de suggestion désigne le procédé thérapeutique qui soumet à une injonction et le processus psychique de soumission à l'influence d'autrui.*

La suggestion est fréquemment invoquée dans l'œuvre freudienne préanalytique, vivement et précisément intéressée par la pratique, la technique et la théorie de l'hypnose. Freud insiste ensuite conjointement, d'une part sur la suggestibilité de l'hystérique, d'autre part, dans des mentions éparses mais fréquentes, sur le refus de la suggestion directe dans la psychanalyse proprement dite. La différence entre suggestion et transfert est ici essentielle.

Mais la question de la suggestion ressurgit en 1921 dans le cadre de l'interrogation sur les mécanismes de la psychologie collective et de la culture. Tout en suivant les auteurs classiques (Tarde, Gustave Le Bon, Mac Dougall) sur l'importance et la généralité de la suggestion, et en s'accordant notamment avec Le Bon pour poser l'équivalence entre situation de foule et relation hypnotique, Freud refuse de faire de la suggestion un fait psychique originaire fondamental. La suggestibilité est une des manifestations d'Éros. La compréhension de la suggestion implique donc la prise en compte de la seconde théorie des pulsions. Elle suppose surtout la référence au père de la horde originaire, père idéalisé sous-jacent au meneur mis à la place de l'idéal du moi de chacun des individus d'une foule.

La fin de l'œuvre continue à interroger, sur une base épistémologique et métapsychologique enfin clarifiée, la différence entre les effets du transfert et ceux de la suggestion. Freud s'y sent plus libre pour reconnaître la dette de la psychanalyse envers l'hypnose, sans risque de confusion.

LE TEXTE FREUDIEN

De 1887 à 1892, Freud consacre plusieurs écrits à la suggestion, notamment des recensions d'ouvrages : en 1888, *Der Hypnotismus* d'Obersteiner, en 1889 *Der Hypnotismus* de Forel et *Die suggestion und ihre Heilwirkung* de Hippolyte Bernheim. En 1891, il rédige l'article « Hypnose » dans le *Bums Therapeutischem Lexicon.*

Dans sa *lettre à Fliess* du 29 août 1888, Freud se montre sévère à l'égard de Bernheim dont les vues lui semblent trop étroites : « La théorie suggestive, c'est-à-dire de l'introsuggestive, de Bernheim est un common-place exerçant sa magie sur les médecins allemands qui n'ont pas besoin de faire un grand pas pour passer de la théorie de la simulation, à laquelle ils sont présentement attachés, à la théorie de la suggestion. » [1]

En 1890, *Traitement psychique* (daté par erreur de 1905 dans les *Gesammelte Werke* et dans la *Standard Edition*) reprend la description de l'état hypnotique : les actes de l'hypnotisé obéissent à la suggestion tandis qu'il ne fait rien de sa propre initiative. Les expériences de suggestion d'hallucination négative comme celles de suggestion d'actes posthypnotiques « provoquent chez le spectateur la conviction inébranlable de l'emprise insoupçonnée du psychique sur le corporel » [2]. Si l'on demande à l'hypnotisé d'expliquer son acte, il ne peut en donner la raison ou invente un prétexte, sans se souvenir de la véritable raison, la suggestion qui lui a été communiquée. Freud souligne le gain scientifique apporté par la connaissance des faits hypnotiques et la force de l'autorité hypnotique, en notant simplement l'effet d'accoutumance et de dépendance envers l'hypnotiseur qui peuvent s'installer. Mais il montre ensuite les conditions et les limites de l'hypnose thérapeutique, en soulignant l'existence des résistances à la suggestion, notamment lorsqu'il s'agit de renoncer à un symptôme, ainsi que la nécessité de répéter les traitements. Si « le pouvoir curatif de la suggestion hypnotique est bien réel » [3], on peut attendre davantage encore d'efficacité du « traitement psychique moderne » encore tout récent.

Un compte rendu de 1892, « Sur l'hypnose et la suggestion » [4] présente deux conférences de Freud au Club médical de Vienne

1. *La naissance de la psychanalyse. Lettres à Wilhelm Fliess. Notes et plans (1887-1902)* (1950a [1887-1902]), Paris, PUF, 1956, p. 53-54 (lettre 5) ; *Lettres à Wilhelm Fliess* (éd. complète), Paris, PUF, 2006, p. 38-39 (lettre 5 du 29 août 1888).

2. « Traitement psychique » (1905b [1890]), *Résultats, idées, problèmes, I*, Paris, PUF, 1984, p. 17 ; *OCF* I, p. 170 ; *GW* V, p. 308.

3. *Ibidem,* p. 22 ; p. 174 ; p. 314.

4. « Bericht über einen Vortrag "Über Hypnose and Suggestion" » (1892), *GW* XIX, p. 165-178.

(7 avril et 4 mai 1892). Dans la première, Freud examine les notions de suggestion et d'hypnose, dans la seconde, il traite de la fonction thérapeutique de l'hypnose. Exposant les succès et les indications de l'hypnose, mais aussi les objections qu'on peut lui faire, Freud témoigne de son intérêt mais aussi de réserves par rapport à Bernheim et à l'école de Nancy ; il invite ses collègues à rendre visite à Bernheim et à se laisser instruire par l'étude de la suggestion.

En 1893, la réflexion menée avec Joseph Breuer sur le *Mécanisme psychique des phénomènes hystériques* évoque les expériences conduites par Jean-Martin Charcot en utilisant des suggestions verbales directes pour produire des paralysies hystériques[1]. Si le mécanisme du symptôme hystérique est plus clair qu'à l'époque de Charcot, la cause interne de l'hystérie reste à découvrir. La même année, dans un article rédigé avec Breuer et intitulé « Pour une théorie de l'attaque hystérique »[2], celle-ci est comprise comme retour d'une réminiscence (souvenir inconscient) du traumatisme psychique qui a produit l'hystérie (ainsi que des traumatismes associés), Freud prenant appui sur sa propre expérience des traitements par suggestion hypnotique. Toujours en 1893, dans « Un cas de guérison hypnotique... », Freud rapporte un cas clinique de guérison par l'hypnose : à deux reprises, à un an d'intervalle, la suggestion hypnotique que Freud mit en œuvre libéra de son trouble une amie, « hystérique d'occasion », empêchée d'allaiter : manque de lait, douleurs, anorexie, insomnies. Après l'avoir endormie en s'aidant de suggestions hypnotiques, Freud utilisa « la suggestion pour contrer toutes ses craintes et les sensations sur lesquelles les craintes s'appuyaient »[3]. Au réveil, les symptômes avaient disparu mais revinrent avant de disparaître pour toute la durée de l'allaitement, après une seconde séance ; ils réapparurent à la naissance d'un troisième enfant pour disparaître à nouveau dans les mêmes conditions. Ce n'est qu'ensuite que la patiente avoua la

1. *Ibidem,* p. 185.

2. « Pour une théorie de l'attaque hystérique » (1940d [1892]), *Résultats, idées, problèmes, I,* Paris, PUF, 1984, p. 25-28 ; *OCF* II, p. 363-366 ; *GW* XVII, p. 9-13.

3. « Un cas de guérison hypnotique avec des remarques sur l'apparition de symptômes hystériques par la "contre-volonté" » (1893), *Résultats, idées, problèmes, I,* Paris, PUF, 1984, p. 34 ; *GW* I, p. 6.

honte ressentie à voir l'hypnose lui être utile quand sa volonté s'était avérée impuissante.

La notice nécrologique consacrée à *Charcot* en 1893 mentionne son apport pour la reconnaissance des phénomènes hypnotiques, mais aussi sa limitation de l'hypnose aux hystériques et à une perspective nosographique que les vues de Hippolyte Bernheim, élève de Liébault, disqualifièrent lorsque celui-ci édifia la doctrine hypnotique sur une base plus large en faisant de la suggestion le noyau de l'hypnose[1].

Du traitement par suggestion à l'abandon de l'hypnose

Dès le début, l'intérêt de Freud pour l'hypnose et la suggestion s'accompagnent d'ambivalence. Les *Études sur l'hystérie* en 1895 montrent, avec le traitement d'Emmy von N., la pratique freudienne de l'hypnose et sa transformation *in statu nascendi* ; elles correspondent aussi techniquement au renoncement à l'hypnose et à l'invention de la libre association (avec le passage par l'injonction suggestive à l'état de veille accompagnée de la main posée sur le front). Dans cet ouvrage, la *Communication préliminaire,* écrite en commun avec Breuer en 1893, rappelle la découverte de la disparition du symptôme hystérique, sans retour, quand on réussit à mettre en lumière le souvenir de l'incident déclenchant : « **C'est de réminiscences que souffre l'hystérique.** »[2] Mais on pourrait penser à une suggestion non intentionnelle, suscitée par l'attente de la malade et non par ses paroles, mais en fait il n'en est rien et l'observation de 1881 date d'une période « pré-suggestive » ; elle fut rendue possible par l'autohypnose spontanée de la patiente (Anna O.). Comment comprendre que des événements passés depuis si longtemps exercent toujours une action aussi intense ? Il s'agit de représentations isolées, dissociées du conscient (hypothèse des états hypnoïdes), éventuellement du fait d'un traumatisme. C'est lorsque la réaction de décharge d'affects s'est trouvée entravée que l'affect et sa force restent attachés au souvenir. Le procédé psychothérapique supprime les effets de la réaction qui n'avait

1. « Charcot » (1893), *Résultats, idées, problèmes, I,* Paris, PUF, 1984, p. 72-73 ; *GW* I, p. 34.

2. *Études sur l'hystérie* (1895d), Paris, PUF, 1956, p. 5 ; *OCF* II, p. 27 ; *GW* I, p. 86.

pas été abréagie, « en permettant à l'affect coincé de se déverser verbalement » [1] et amène cette représentation à se modifier par voie associative en l'attirant dans le conscient normal (sous hypnose légère) ou en la supprimant par suggestion médicale (comme dans le somnambulisme on supprime l'amnésie) [2].

Emmy von N... est accessible à l'hypnose et Freud lui enjoint par suggestion directe le sommeil et l'amélioration de tous ses symptômes ; c'est sur le fond de l'amélioration ainsi obtenue qu'elle en vient à raconter des histoires effrayantes d'animaux, et demande à Freud de ne pas s'approcher, de ne rien dire et de ne pas la toucher. Lorsqu'elle parle sous hypnose, elle voit se dérouler avec leurs couleurs les scènes qu'elle évoque, mais la suggestion suffit à mettre fin au récit (et au trouble), comme elle parvient (plus difficilement) à susciter l'état de frayeur lié explicitement au retour de souvenirs du jeune âge (notamment des internements de sa cousine et de sa mère). C'est encore la suggestion hypnotique à laquelle Freud a recours (quand c'est nécessaire) pour éviter l'insomnie ou régulariser le cycle menstruel. L'hypnose permet d'évoquer le deuil de son mari, ou suscite de nouvelles associations ; à l'inverse, les réassurances données hors de l'hypnose semblent relativement sans effet. Surtout, Freud découvre qu'il « ne peut éviter d'écouter jusqu'au bout ce qu'elle a à [...] dire à propos de chaque chose » [3]. Mais elle procède fréquemment à de « fausses associations » dans la compréhension des causes de son angoisse, de la même manière que les patients de Bernheim agissant selon une suggestion post-hypnotique trouvent une fausse raison d'avoir agi ainsi, à défaut de se rappeler l'injonction. Ainsi est établie l'analogie entre les réactions hystériques, lorsque la réminiscence ou la cause effective est inconsciente ou oubliée, et les comportements suscités par la suggestion hypnotique. Freud commente sa chronique des trois premières semaines de traitement en précisant qu'il était alors partisan des idées de Bernheim et attendait de la suggestion

1. *Ibidem,* p. 12 ; p. 38 ; p. 97.

2. *Ibidem.* L'idée est reprise au début du développement sur la psychothérapie de l'hystérie, p. 205 ; *GW* I, p. 252.

3. *Ibidem,* p. 47 ; p. 81 ; p. 115.

beaucoup plus qu'il n'en espérerait aujourd'hui. Revue quelques mois plus tard, Emmy von N. est plus stable et plus paisible, elle a une plus grande activité, mais la tendance à se tourmenter et la prédisposition hystérique n'ont pas disparu : Freud indique ici les limites du traitement suggestif.

Emmy von N... peut délirer. C'est chez elle l'équivalent d'une crise ou d'une attaque hystérique, un moment de confusion hallucinatoire, vite limité aux moments de crampes à la nuque, que son rapide rétablissement empêcha d'analyser complètement. Sous hypnose, elle dispose des souvenirs relatifs aux trois états : conscience vigile normale, délire, état hypnotique, tandis qu'à l'état de veille les autres souvenirs lui font défaut. Incontestablement suggestible, c'est dans le somnambulisme suscité par l'hypnose qu'elle donne l'impression du plus grand épanouissement de sa force mentale. « Cette même malade qui défendait si opiniâtrement ses symptômes morbides contre toutes mes suggestions et ne les abandonnait qu'après une analyse psychique ou une fois bien convaincue, était par ailleurs aussi docile que le meilleur medium d'hôpital dès qu'il s'agissait de suggestions insignifiantes. »[1] Ce n'est pas là contradiction, mais c'est la conséquence (corroborée en note par un autre exemple clinique) du mécanisme de l'idée fixe pathologique qui est due à tant d'incidents intensément agissants que l'on ne peut s'étonner de la voir résister victorieusement à la suggestion d'une représentation contraire. Non seulement la prédisposition ne suffit pas à susciter l'hystérie, il y faut des motifs adéquats, une étiologie déterminée, mais le somnambulisme d'Emmy von N... mit aussi le doute dans l'esprit de Freud sur la thèse de Bernheim – « tout est dans la suggestion » – car même si l'injonction hypnotique pouvait l'éveiller, ce n'était pas la suggestion de Freud qui créait cet état psychique particulier où la mémoire de la patiente disposait de toutes les données de sa vie. Dans ce traitement, Freud recourt à la suggestion de façon habituelle pour énoncer des encouragements, des interdictions et combattre les idées morbides. « Toutefois, je ne me contentai pas de cela, mais recherchai les raisons de

1. *Ibidem*, p. 77-78 ; p. 118 ; p. 156.

l'apparition des divers symptômes, afin d'être en mesure de combattre les fondements mêmes des idées morbides. »[1]

C'est à propos de Mis Lucy R..., qui ne se laissa pas endormir par la tentative hypnotique, que Freud explique comment il en vient à renoncer à évaluer la profondeur de l'hypnose (ce qui provoquait des résistances), puis à **renoncer à celle-ci pour ne proposer que la concentration en position allongée,** yeux fermés[2].

Dans le développement des *Études sur l'hystérie* consacré à la psychothérapie de l'hystérie, Freud reprend l'idée de la résistance à l'hypnose, qu'il y ait ou non refus conscient. Il en vient donc à se passer de l'hypnose, quitte à recourir au procédé de la pression de la main sur le front du patient, dans les cas ou moments difficiles, accompagné de la suggestion qu'à ce moment-là « un souvenir surgira sous la forme d'une image ou bien qu'une idée se présentera à son esprit »[3]. Discutant de cet artifice, Freud souligne l'expérience de la résistance aux associations, qu'il cherche ainsi à surmonter.

Psychanalyse et suggestion

Les années 1896 à 1915 ne comportent que des mentions ponctuelles de la suggestion, mais elles sont fréquentes, soulignant les différences entre la psychanalyse et l'hypnose (notamment pour répondre à des objections ou à des attaques contre la psychanalyse dont les résultats seraient induits par suggestion), rappelant les pratiques de l'hypnose ou évoquant de façon factuelle l'usage de l'hypnose et de la suggestion par Freud lui-même. Mentionnons rapidement les principales occurrences.

En 1896, dans « Sur l'étiologie de l'hystérie »[4], et 1898 dans « La sexualité dans l'étiologie des névroses »[5], Freud se montre soucieux

1. *Ibidem,* p. 79 ; p. 120 ; p. 158.

2. *Ibidem,* p. 85 ; p. 127 ; p. 166.

3. *Ibidem,* p. 217-218 ; p. 235 ; p. 270.

4. « Sur l'étiologie de l'hystérie » (1896c), *Névrose, psychose et perversion,* Paris, PUF, 1974, p. 83-112 ; *OCF* III, p. 150-180 ; *GW* I, p. 423-459.

5. « La sexualité dans l'étiologie des névroses » (1898a), *Résultats, idées, problèmes, I,* Paris, PUF, 1984, p. 76-97 ; *OCF* III, p. 217-240 ; *GW* I, p. 489-516.

de faire reconnaître que s'ouvre une autre voie que celle de la suggestion, que la thérapie psychanalytique ne suggestionne pas le patient mais retrouve l'accès à la réalité de scènes sexuelles infantiles. En 1901, dans la *Psychopathologie de la vie quotidienne,* se référant aux livres d'Eugen Bleuler et de Hippolyte Bernheim sur la suggestion, Freud remarque que, par rapport à l'oubli de projet qui relève des actes manqués, l'attitude normale envers un projet se rapproche de « l'idée post-hypnotique à longue échéance »[1] : le projet sommeille dans la vie psychique jusqu'au moment de sa mise à exécution. En 1904, « De la psychothérapie » souligne la différence entre l'hypnose et la psychanalyse en dénonçant la confusion fréquente qui fait qu'on adresse à Freud des patients pour qu'il les hypnotise ; « en vérité **il existe entre la technique suggestive et la technique analytique la plus grande opposition possible,** cette opposition que le grand Léonard de Vinci a, pour ce qui est des arts, fait tenir dans les formules *per via di porre* et *per via di levare* »[2]. La peinture dépose de la couleur, et travaille donc *per via di porre,* la sculpture ôte de la matière et recourt donc à la *via di levare.* Ainsi, la technique suggestive applique la suggestion à des symptômes dont elle ne cherche pas la provenance, le sens ou la force, tandis que la thérapie analytique veut enlever, retirer, et se préoccupe de la genèse des symptômes morbides.

En 1909, l'« Analyse d'une phobie chez un petit garçon de cinq ans (Le petit Hans) » permet à Freud de répondre aux accusations de suggestion. « Tout serait suggestion », et il serait plus facile de la démasquer chez un enfant (surtout analysé par son propre père) que chez un adulte ; or Hans « a démontré même pendant l'analyse suffisamment d'autonomie pour qu'on puisse l'affranchir du verdict de "suggestion" »[3]. Dans la mise en œuvre des théories sexuelles infantiles, le père de Hans, par exemple, ne s'attendait nullement à

1. *Psychopathologie de la vie quotidienne* (1901b), Paris, Payot, 2001, p. 190 ; Paris, Gallimard, 1997, p. 258 ; *OCF* V, p. 242 ; *GW* IV, p. 169.

2. « De la psychothérapie » (1904), *De la technique psychanalytique,* Paris, PUF, 1953, p. 13 ; *OCF* VI, p. 50 ; *GW* V, p. 17.

3. « Analyse d'une phobie chez un petit garçon de cinq ans (Le petit Hans) » (1909b), *Cinq psychanalyses,* Paris, PUF, 1954, p. 168 ; *OCF* IX, p. 93 ; *GW* VII, p. 340.

l'apparition du *Lumpf* et des thèmes d'excrétion, pas plus qu'aux fantasmes sur les deux plombiers. La même année, dans les *Cinq leçons sur la psychanalyse,* Freud distingue entre transfert et suggestion hypnotique tout en indiquant que **le transfert est la clé de compréhension de la suggestion** : « Le transfert s'instaure spontanément dans toutes les relations humaines, tout aussi bien que dans le rapport du malade au médecin, il est partout le véritable porteur de l'influence exercée par la thérapie et il agit d'autant plus fortement que l'on soupçonne moins sa présence. »[1] La psychanalyse le découvre mais ne le crée pas, et elle s'en sert pour orienter les processus psychiques vers le but souhaité.

En 1910, la « Préface » à un ouvrage de Sandor Ferenczi[2] souligne à la fois que les exigences du traitement analytique sont beaucoup plus élevées que celles des autres traitements psychiques – dont les traitements par suggestion – mais qu'ils apportent aussi beaucoup plus de soulagement et d'accroissement durable des forces des patients pour les tâches de la vie, ce qui explique le progrès irrésistible de cette méthode. Toujours en **1910,** dans « Les chances d'avenir de la thérapie psychanalytique », Freud se montre également relativement optimiste, utilisant comme argument la force et l'influence de la suggestion sociale, jusque-là opposée à la psychanalyse : « Tous nos succès thérapeutiques ont été obtenus contre cette suggestion. »[3] Aujourd'hui, on prétend que la « suggestion peut tout » et elle favorise nombre de tentatives hydrothérapiques, diététiques, électriques. Si elle nous soutient, « nos succès risquent d'être des succès de la suggestion et non de la psychanalyse »[4] ; mais la société ne peut être envers la psychanalyse qu'en position de résistance, car la psychanalyse se comporte envers elle de façon critique et met en évidence sa part de responsabilité dans la cause des névroses. Un autre

1. *Cinq leçons sur la psychanalyse* (1909), Paris, Payot, 1979, p. 62 ; *OCF* X, p. 51 ; *GW* VIII, p. 55.

2. *Préface à : Lélekelemzés, Értekezések a pszichoanalisis köreböl, OCF* X, p. 57-59 ; *GW* VII, p. 469.

3. « Les chances d'avenir de la thérapie psychanalytique » (1910d), *De la technique psychanalytique,* Paris, PUF, 1970, p. 29 ; *OCF* X, p. 68 ; *GW* VIII, p. 110.

4. *Ibidem,* p. 30 ; p. 70 ; p. 112.

article de 1910, « Le trouble de vision psychogène dans la conception psychanalytique » note la possibilité de troubles de la vision par autosuggestion, de même qu'ils peuvent être provoqués par une suggestion hypnotique. Cela ne fait que renforcer l'énigme de ce qui reste caché derrière les concepts d'hypnose, de suggestion et d'autosuggestion. « Quand, sous quelles conditions, une représentation devient-elle si forte qu'elle peut se comporter comme une suggestion et se transposer sans plus de façons en réalité effective ? »[1] Freud répond en évoquant la conception dynamique de la psychanalyse, en termes de conflit psychique entre le conscient et l'inconscient.

En 1911, « Le maniement de l'interprétation des rêves en psychanalyse » assimile à un effet de suggestion les rêves de confirmation, aisément accessibles à l'interprétation, mais ne donnant rien d'autre que ce que la cure avait inféré les jours précédents[2].

Trois mentions marquent l'année **1912** : dans la « Note sur l'inconscient en psychanalyse »[3], rédigée et publiée d'abord en anglais, Freud rappelle les expériences de suggestion post-hypnotique de Bernheim et insiste sur le caractère dynamique de la représentation inconsciente, qu'elle soit suscitée par la suggestion ou liée au symptôme hystérique : il s'agit d'idées actives en ce qu'elles suscitent l'action. Dans les « Conseils au médecin dans le traitement psychanalytique », il donne la consigne de réserve et de silence au médecin sur les communications transférentielles tirées de sa propre vie ; même si elles facilitent sur le moment une communication consciente du patient, elles le rendent plus incapable de surmonter des résistances plus profondes. « Avec elle on quitte le terrain psychanalytique et [...] on se rapproche des traitements par suggestion. »[4] La même année, dans l'article sur « La

1. « Le trouble psychogène de la vision dans la conception psychanalytique » (1910i), *Névrose, psychose et perversion,* Paris, PUF, 1973, p. 167-168 ; *OCF* X, p. 179 ; *GW* VIII, p. 95.

2. « Le maniement de l'interprétation des rêves en psychanalyse » (1912e), *La technique psychanalytique,* Paris, PUF, 1953, p. 48 ; *OCF* XI, p. 48 ; *GW* VIII, p. 356.

3. « Note sur l'inconscient en psychanalyse » (1912g), *Métapsychologie,* Paris, Gallimard, 1968, p. 175-187 ; *OCF* XI, p. 173-180 ; *GW* VIII, p. 430-439.

4. « Conseils aux médecins sur le traitement psychanalytique » (1912e), *De la technique psychanalytique,* Paris, PUF, 1953, p. 69 ; *OCF* XI, p. 152 ; *GW* VIII, p. 385.

dynamique du transfert », Freud examine les situations où le transfert, négatif ou trop érotique et passionnel, se prête à la résistance à la cure. Si ces éléments peuvent être détachés de la personne du médecin, par l'analyse, alors demeure le sentiment positif modéré, composante « capable de conscience et non choquante »[1] qui, en psychanalyse comme dans d'autres méthodes de traitement, est facteur de succès. Il peut être considéré comme reposant sur la suggestion – à condition toutefois de comprendre le terme de suggestion selon la définition de Ferenczi (dans *Introjection et Transfert,* 1909) : « L'influence exercée sur un être humain au moyen des phénomènes de transfert qui sont chez lui possibles. »[2] Décisive, cette définition sous-tend dans la suite de l'œuvre freudienne la possibilité pour Freud de reconnaître sans réserves la composante suggestive du transfert.

En **1913,** ***la préface de Freud au livre du pasteur Pfister,*** *La Méthode psychanalytique,* indique que la psychanalyse, comme l'a fait le traitement par suggestion hypnotique, peut déborder le terrain médical pour se mettre au service de l'éducation, prophylaxie des névroses comme des perversions. Point n'est besoin pour cela d'apprentissage médical car la psychanalyse requiert surtout une formation psychologique préparatoire et un libre regard d'homme[3]. Toujours en 1913, dans ses réflexions *Sur l'engagement du traitement,* Freud avance comme réponse à la confusion entre psychanalyse et suggestion que la confiance initiale du patient dans l'efficacité du traitement analytique n'importe pas, tandis que les attentes initiales sont valorisées comme gages de réussite aux yeux de ceux qui mettent tout sur le compte de la suggestion. La confiance peut être agréable, mais volera en éclats à la première difficulté. « L'analyse n'a nul besoin de confiance »[4], le patient a le droit d'être critique du moment

1. « La dynamique du transfert » (1912b), *De la technique psychanalytique,* Paris, PUF, 1981, p. 58 ; *OCF* XI, p. 114 ; *GW* VIII, p. 371-372.

2. *Ibidem.*

3. « Introduction à *La méthode psychanalytique* du Dr Oskar Pfister » (1913), *OCF* XII, p. 39 ; *GW* X, p. 450.

4. « Le début du traitement » (1913c), *De la technique psychanalytique,* Paris, PUF, 1953, p. 84 ; *OCF* XII, p. 166 ; *GW* VIII, p. 458.

qu'il respecte la règle fondamentale de tout dire, et « la méfiance est justement un symptôme au même titre que ses autres symptômes »[1].

En 1914, Freud rappelle dans la « Contribution à l'histoire du mouvement psychanalytique » le traitement cathartique et sa collaboration avec Joseph Breuer. L'« exploration sous hypnose »[2] satisfaisait mieux son désir de savoir que le recours au traitement avec suggestion sous hypnose profonde (selon les expériences impressionnantes de Liébault et Hippolyte Bernheim) impliquant « la monotone et violente interdiction suggestive détournant de toute recherche »[3]. « Remémoration, répétition et perlaboration » (1914) comporte une remarque conclusive importante : « Cette perlaboration des résistances peut dans la pratique devenir une tâche ardue pour l'analysé et une épreuve de patience pour le médecin. Mais elle est pourtant cette partie du traitement analytique qui a pour effet la plus grande modification sur le patient et qui différencie le travail analytique de toute influence exercée par la suggestion. »[4]

L'ACTION SUGGESTIVE DU TRANSFERT

Dans les *Leçons d'introduction à la psychanalyse* de 1916-1917, Freud évoque un lapsus provoqué par suggestion et pose plus loin la question des souvenirs, existants mais inaccessibles, sur ce qui a pu se passer en état d'hypnose. Mais **c'est à propos du transfert et de la thérapie analytique qu'il se confronte véritablement à l'hypnose.**

Le penchant au transfert des névrosés n'est qu'un accroissement de la capacité universelle des humains à l'investissement libidinal. Bernheim a fondé ainsi la doctrine des phénomènes hypnotiques sur la thèse que les humains sont tous suggestibles. « Sa suggestibilité n'est rien d'autre que le penchant au transfert, pris dans un sens un peu trop restreint, si bien que le transfert négatif n'y trouvait pas sa

1. *Ibidem.*

2. « Contribution à l'histoire du mouvement psychanalytique » (1914d), *Cinq leçons sur la psychanalyse,* Paris, Gallimard, 1991, p. 18 ; *OCF* XII, p. 252 ; *GW* X, p. 47.

3. *Ibidem.*

4. « Remémoration, répétition et perlaboration » (1914g), *De la technique psychanalytique,* Paris, PUF, 1953, p. 115 ; *OCF* XII, p. 195-196 ; *GW* X, p. 136.

place. »[1] Mais Bernheim n'a pu définir ni expliquer la suggestion. Il s'est contenté d'y voir un fait fondamental. Il n'a pas reconnu la dépendance de la suggestibilité par rapport à la libido. Dans la technique psychanalytique, l'hypnose n'est abandonnée que « pour redécouvrir la suggestion sous la forme du transfert »[2]. Freud fait alors place aux objections éventuelles qui interrogent : puisque vous reconnaissez que les psychanalystes travaillent avec la suggestion, que c'est la seule force efficace, à quoi bon le détour par les souvenirs du passé, par la mise à découvert de l'inconscient et par l'interprétation ? Quant aux découvertes suscitées par ces détours, restées cachées dans la suggestion directe, qu'est-ce qui peut alors garantir qu'elles ne sont pas elles-mêmes un résultat de la suggestion (non intentionnelle cette fois) ?

Freud répond à ces objections en récusant la suggestion directe qui, « dirigée contre la manifestation des symptômes », est « un combat entre votre autorité et les motifs de l'état de maladie »[3] – que l'hypnotiseur ne se soucie pas de connaître. Pour Bernheim, dont Freud se dit l'élève en rappelant sa visite de 1889, l'essentiel n'est pas l'hypnose mais la suggestion, qui peut se faire aussi à l'état de veille. La différence avec l'hypnose tient à ce que la thérapie hypnotique cherche à masquer et à maquiller quelque chose dans la vie psychique, tandis que la thérapie analytique cherche à dégager et enlever quelque chose. « La première travaille comme une cosmétologie, la seconde comme une chirurgie. »[4] L'hypnose utilise la suggestion pour interdire les symptômes, renforce les refoulements mais laisse inchangés les processus qui ont mené à la formation du symptôme. La thérapie analytique porte son attaque en direction de la racine, dans les conflits dont procèdent les symptômes et **se sert de la suggestion pour modifier l'issue de ces conflits.** C'est pourquoi la cure analytique suscite des résistances et demande, au médecin comme au malade, un lourd tra-

1. *Leçons d'introduction à la psychanalyse* (1916-1917 [1915-1916]), Paris, Payot, 1973, p. 423 ; *OCF* XIV, p. 462 ; *GW* XI, p. 464 et 429.

2. *Ibidem,* p. 424 ; p. 567 ; p. 463 ; p. 464.

3. *Ibidem,* p. 426 ; p. 569 ; p. 465 ; p. 466.

4. *Ibidem,* p. 428 ; p. 572 ; p. 467 ; p. 468.

vail pour surmonter ces résistances ; la vie psychique du patient s'en trouve modifiée durablement, elle se trouve élevée à un stade supérieur de développement et protégée contre de nouvelles possibilités d'entrée en maladie. Ce « travail qui consiste à surmonter est l'opération essentielle de la cure psychanalytique », c'est une sorte d'éducation après coup effectuée par le malade que le médecin rend possible en s'aidant de la « suggestion qui agit au sens d'une éducation » [1]. De ce fait, le caractère capricieux de la thérapie hypnotique fait place à un travail sur le transfert lui-même ; « il nous est ainsi possible de tirer de la puissance de la suggestion un tout autre profit ; nous la prenons en main, ce n'est pas le malade qui se suggestionne seul comme il l'entend, mais **c'est nous qui guidons sa suggestion** » [2].

Mais l'influence ainsi exercée sur le patient ne rend-elle pas douteuses les découvertes analytiques ? Ne s'agit-il pas d'idées mises dans la tête du patient ? En fait, qui a pratiqué la psychanalyse sait qu'il est impossible de suggestionner le patient de cette façon : on peut influencer sa pensée, non sa maladie. Ce qui n'est pas pertinent ne produit pas d'effet thérapeutique. La rigueur de la technique s'efforce d'éliminer la survenue de succès provisoires obtenus par suggestion. Mais même si ceux-ci s'installent (ce qui est plus un obstacle au travail analytique qu'un facteur favorable), on ne se contente pas du premier succès et l'analyse n'est pas terminée tant que les obscurités ne sont pas élucidées, les lacunes du souvenir comblées, et les occasions des refoulements découvertes. À la différence des traitements purement suggestifs, qui préservent soigneusement le transfert, le transfert est lui-même, dans la thérapie analytique, l'objet du traitement, il est décomposé dans chacune de ses manifestations, et, à la fin d'une cure, il faut que le transfert ait été lui-même déblayé. Si le succès s'installe ou se maintient, il ne repose donc pas sur la suggestion, mais sur le surmontement des résistances et la modification interne ainsi obtenue. Quant aux affirmations de la psychanalyse, elles sont corroborées par les traductions symboliques et les fantasmes de patients (déments et paranoïaques) qui ne sont pas accessibles à la suggestion.

1. *Ibidem*, p. 429 ; p. 573 ; p. 468 ; p. 469.
2. *Ibidem*.

Pour rendre compte des possibilités de guérison par la psychanalyse, Freud décrit ensuite la névrose de transfert et la modification du moi que permet « l'influence de la suggestion médicale »[1] en évitant que ne succombe au refoulement cette réédition des attachements et conflits de la libido, avant de souligner que rêves et refoulement caractérisent tout homme et pas seulement les névrosés.

En conclusion, Freud rappelle les anciennes polémiques contre l'hypnose, qui sont semblables aux attaques actuelles contre la psychanalyse. Mais l'hypnotisme n'a pas tenu ses promesses thérapeutiques initiales. « Nous autres psychanalystes, **nous pouvons nous donner pour ses héritiers légitimes** et nous n'oublions pas tous les encouragements et éclaircissements théoriques que nous lui devons. »[2]

Réfléchissant en 1918 aux « Voies de la thérapie psychanalytique », Freud envisage la nécessité d'adapter la technique psychanalytique aux nouvelles conditions de la vie sociale et à la nécessité de traitements publics, offerts à l'ensemble de la population. Les résistances ne seront pas moindres, car les bénéfices secondaires de la névrose sont encore plus sensibles par rapport à une vie dure. « Nous serons aussi très vraisemblablement obligés, dans l'application de notre thérapie à la masse, d'allier abondamment l'or pur de l'analyse au cuivre de la suggestion directe, et même l'influence hypnotique pourrait retrouver là une place, aussi bien que dans le traitement des névroses de guerre. »[3]

En 1920, dans *Au-delà du principe de plaisir,* deux indications témoignent de **la présence permanente dans l'esprit de Freud de la question de l'« action suggestive » du transfert.** Il rappelle le passage d'une conception interprétative de l'analyse, qui vise le retour du souvenir refoulé, à la prise en compte, vingt-cinq ans plus tard, des situations où le devenir-conscient de l'inconscient n'est pas pleinement atteignable, car le refoulé se répète au lieu d'être remémoré. Dans la première conception, l'influence du médecin s'exerce effectivement

1. *Ibidem,* p. 433 ; p. 577 ; p. 472 ; p. 473.

2. *Ibidem,* p. 440 ; p. 587 ; p. 480 ; p. 482.

3. « Les voies de la thérapie psychanalytique » (1919a) [1918]), *De la technique psychanalytique,* Paris, PUF, 1953, p. 141 ; *OCF* XV, p. 108 ; *GW* XII, p. 193.

pour inciter le malade à abandonner ses résistances : « C'est là que se situe la suggestion agissant en tant que "transfert". »[1] Une note ajoutée en 1923 confirme d'ailleurs que les nouvelles perspectives sur la répétition ne modifient pas ce point, puisque ce qui vient aider la contrainte de répétition, c'est l'« action suggestive » de la cure, équivalente à la docilité envers le psychanalyste, profondément enracinée dans le complexe parental inconscient[2]. L'idée est également formulée par une incise de 1923 qui précise – à propos des rêves cherchant à lier l'excitation – que le souhait (qui sert d'appui à la contrainte de répétition) de faire surgir l'oublié et le refoulé est « favorisé par la suggestion »[3]. Si l'insistance est plus grande et plus précise en 1923, c'est que l'importance et la généralité des phénomènes de suggestion se sont progressivement imposées à la pensée freudienne, au-delà des situations liées aux traitements hypnotiques.

UNIVERSALITÉ DE LA SUGGESTION : PSYCHOLOGIE DES FOULES, RELATION AMOUREUSE

Psychologie des foules et analyse du moi (1921) peut être considéré, dans l'œuvre freudienne, comme l'étude des fonctionnements et des effets de la suggestion non hypnotique. Freud consacre un chapitre à reprendre l'essai de Gustave Le Bon sur la *Psychologie des foules*. Il part de l'interrogation sur la modification psychique que produit la situation de foule : affaiblissement de la superstructure psychique, mise à nu du fondement inconscient, similaire chez tous. Trois causes produisent alors l'apparition de nouvelles propriétés : sentiment de puissance, effets de contagion, suggestibilité. « Un individu inclus un temps au sein d'une masse active se trouve bientôt [...] dans un état spécial qui se rapproche beaucoup de la fascination qui s'empare de l'hypnotisé sous l'influence de l'hypnotiseur. »[4]

1. *Au-delà du principe de plaisir* (1920g), *Essais de psychanalyse*, Paris, Payot, 1981, p. 57 ; *OCF* XV, p. 288 ; *GW* XIII, p. 16.

2. *Ibidem*, p. 59 ; p. 290 ; p. 17.

3. *Ibidem*, p. 75 ; p. 304 ; p. 33.

4. *Psychologie des foules et analyse du moi* (1921c), *Essais de psychanalyse*, Paris, Payot, 1981, p. 130 ; *OCF* XVI, p. 11 ; *GW* XIII, p. 80.

Lorsqu'un individu est pris dans l'appartenance à une foule, une masse psychologique, comme dans l'influence hypnotique, « la personnalité consciente a complètement disparu, volonté et discernement font défaut, sentiments et pensées sont tous orientés dans la direction établie par l'hypnotiseur »[1]. Le Bon notait que l'individu en foule devient un automate sans volonté, n'est plus véritablement conscient de ses actions, perd certaines capacités mais peut, sous l'influence d'une suggestion, exécuter des actions déterminées avec une pulsion irrésistible, plus puissante même que dans la suggestion hypnotique car accrue par « réciprocité » (c'est-à-dire ici contagion). Freud suit G. Le Bon dans son affirmation que l'état de l'individu pris dans la masse est effectivement hypnotique (ce n'est pas une simple comparaison), mais souligne que la contagion n'est qu'une manifestation de la suggestibilité. La contagion est à référer à l'action des individus les uns sur les autres, la suggestibilité a une autre source qu'il convient de déterminer. À ce moment du texte, Freud note simplement que Le Bon laisse dans l'ombre une pièce maîtresse de l'assimilation à l'hypnose : l'influence fascinante de « la personne qui, pour la masse, remplace l'hypnotiseur »[2].

Les masses sont crédules et violentes, enclines à tous les extrêmes, mais veulent aussi être dominées et sont au fond tout à fait conservatrices, attachées à la tradition. Si la foule éveille les instincts brutaux et destructeurs qui sommeillent en l'individu comme survivance du temps originaire, en vue d'une libre satisfaction pulsionnelle, « elles sont également capables, sous l'influence de la suggestion, de hautes performances de renonciation, de désintéressement, de dévouement à un idéal »[3] : à la différence de Le Bon, Freud ne décrit pas seulement le comportement de foules déchaînées (de type émeute ou lynchage) mais les fonctionnements psychiques de masse et leur conformisme radical. Celui-ci est favorisé parce que l'intensification de l'affect est portée à son maximum, ce qui ne favorise pas un libre travail de pensée : non seulement la foule donne une impression de puissance

1. *Ibidem,* p. 131 ; p. 12 ; p. 80.
2. *Ibidem,* p. 132 ; p. 13 ; p. 81.
3. *Ibidem,* p. 135 ; p. 16 ; p. 84.

illimitée, mais elle est mise à la place de l'ensemble de la société humaine, « porteuse de l'autorité, dont on a redouté les punitions, pour l'amour de qui on s'est imposé tant d'inhibitions »[1].

Pour expliquer le double phénomène caractéristique de la psychologie de l'individu dans une situation de masse, l'accroissement des facteurs affectifs et la diminution du jugement, on invoque en général « le mot magique de suggestion »[2]. Même le prestige des meneurs chez Le Bon ne se manifeste que par leur capacité à provoquer la suggestion ; avec d'autres auteurs, il parle de contagion ou d'imitation – conséquences de la suggestion – mais insiste simplement sur le facteur affectif. La tendance à tomber dans le même affect que celui que nous percevons chez l'autre est indubitable, mais la plupart du temps nous pouvons y résister, écarter l'affect ou réagir de manière diamétralement opposée. Pourquoi y cédons-nous généralement en situation de masse ? Les auteurs s'accordent ainsi sur le fait que « les masses se distinguent [...] par une suggestibilité particulière »[3]. Ceci conduit à la thèse, partagée par Bernheim, que « la suggestion (plus exactement l'aptitude à la suggestion) est justement un phénomène originaire qu'on ne peut réduire davantage, un fait fondamental »[4] de la vie psychique humaine. Dès 1889, où il observe les « tours d'adresse » de Bernheim, Freud a ressenti une « sourde opposition » à la « tyrannie de la suggestion »[5]. Il ressentait comme une injustice et une manifestation de violence les reproches faits aux malades indociles : « Vous vous contre-suggestionnez ! » « L'homme avait certes droit à des contre-suggestions lorsqu'on tentait de l'assujettir par des suggestions. Ma résistance s'est alors orientée ultérieurement vers la révolte contre le fait que la suggestion, qui expliquerait tout, devrait elle-même être dispensée d'explications. »[6]

1. *Ibidem,* p. 143 ; p. 23 ; p. 92.
2. *Ibidem,* p. 148 ; p. 27 ; p. 95-96.
3. *Ibidem,* p. 148 ; p. 27 ; p. 96.
4. *Ibidem.*
5. *Ibidem,* p. 149 ; p. 28 ; p. 96-97.
6. *Ibidem,* p. 149 ; p. 28 ; p. 97.

Finalement, sur l'énigme de la suggestion que Freud, comme il le précise, réaborde ici après s'en être tenu à l'écart pendant trente ans, il ne s'est pas produit d'éclaircissement, mais seulement un effort de rigueur terminologique pour ne pas élargir l'idée de suggestion jusqu'à y inclure les idées de recommandation ou d'incitation. Mais rien ne permet encore de penser « l'essence de la suggestion », c'est-à-dire « les conditions dans lesquelles les influences s'instaurent sans fondement logique suffisant » [1]. Freud semble alors déserter ce terrain pour définir respectivement la libido et l'amour ; en fait, conclut ce chapitre, ce sont des relations d'amour, des liaisons de sentiments, qui, cachées « derrière l'écran, le paravent de la suggestion » [2] constituent l'âme de la masse, car elle est maintenue en cohésion par quelque puissance. « Mais à quelle puissance attribuer cette performance, si ce n'est à l'Éros qui maintient tout en cohésion dans le monde ? » [3] Si l'individu dans la masse abandonne sa spécificité et se laisse suggestionner par les autres, c'est parce qu'existe en lui un besoin d'être en bonne entente avec eux, et non en opposition à eux, « donc peut-être après tout "pour l'amour d'eux" » [4]. L'amour sous-tend la suggestion…

Il faut souligner l'importance du chapitre « État amoureux et hypnose » qui, étudiant la surestimation sexuelle et l'idéalisation, en vient à poser que **« de l'état amoureux jusqu'à l'hypnose, il n'y a manifestement pas un grand pas »** [5]. Idéalement, l'hypnose rendrait donc compte de la constitution libidinale d'une masse : toutes deux se caractérisent par un état amoureux avec exclusion des tendances directement sexuelles. Mais ceci supposerait que l'hypnose soit rationnellement élucidée : or beaucoup de choses en elle sont toujours incomprises, et apparaissent comme « mystiques ». Sa relation au sommeil, la façon dont elle est engendrée restent opaques ainsi que la relation spécifique qu'elle implique : « Elle comporte une adjonction de paralysie provenant du rapport d'un être surpuissant à un être

1. *Ibidem*, p. 150 ; p. 28 ; p. 97.
2. *Ibidem*, p. 152 ; p. 30-31 ; p. 100.
3. *Ibidem*, p. 152 ; p. 31 ; p. 100.
4. *Ibidem*.
5. *Ibidem*, p. 179 ; p. 52 ; p. 126.

impuissant, sans défense, ce qui en quelque sorte fait la transition avec l'hypnose d'effroi des animaux. »[1] Même dans la docilité à la suggestion, la conscience morale peut résister, peut-être parce que demeure le savoir qu'il ne s'agit que d'une reproduction jouée, d'un simulacre. Malgré tout, la formulation de la constitution libidinale d'une foule organisée, avec meneur, est désormais possible : « Une telle masse primaire est un certain nombre d'individus qui ont mis un seul et même objet à la place de leur idéal du moi et se sont en conséquence identifiés les uns aux autres dans leur moi. »[2] Une « grande part de ces phénomènes de dépendance appartient à la constitution normale de la société humaine », où ne se trouve qu'un petite part d'originalité et de courage personnel, d'autant que l'influence n'est pas exercée seulement par le meneur, jusque-là unilatéralement mis en évidence, mais aussi par chaque individu sur chaque individu en une « suggestion réciproque »[3] permanente.

S'ensuit la discussion de l'instinct grégaire selon Trotter, thèse que Freud rapproche de la tendance de la libido à se réunir dans des unités de plus en plus englobantes, mais à laquelle il reproche de négliger le rôle du meneur et de ne pas en décrire correctement l'ontogenèse. C'est à la horde originaire que Freud recourt une nouvelle fois pour rendre compte des mécanismes originaires de la vie sociale. En contraignant ses fils à l'abstinence, le père avait suscité les liaisons de sentiment, issues des tendances à but sexuel inhibé, de ses fils avec lui et les uns avec les autres, engendrant les caractéristiques de la psychologie de masse. S'y ajoute, dans l'Armée, l'Église et la famille, le mirage que chaque individu soit aimé de manière égale et équitable. C'est aussi la puissance du regard de l'hypnotiseur (ou la fixation sur un objet qui capte l'attention) dont l'hypothèse qui ramène la masse à la horde originaire permet la compréhension ; car ces techniques reviennent à dire, sans l'énoncer directement : occupez-vous exclusivement de ma personne, le reste du monde est inintéressant. Ainsi est favorisée la position du rapport de dépendance, du transfert sur l'hypnotiseur. Sandor

1. *Ibidem,* p. 180-181 ; p. 53 ; p. 127.
2. *Ibidem,* p. 181 ; p. 54 ; p. 128.
3. *Ibidem,* p. 183 ; p. 56 ; p. 130.

Ferenczi souligne combien ce dernier se met à la place des parents, en position soit maternelle, apaisante, soit paternelle, autoritaire voire menaçante. L'incitation à dormir revient à ordonner de retirer son intérêt du monde pour le concentrer sur la personne de l'hypnotiseur. Par ces mesures, l'hypnotiseur éveille chez le sujet une part de son héritage archaïque (phylogénétique), individuellement revivifié dans le rapport au père, porteur de la représentation d'une personnalité surpuissante et dangereuse, face à laquelle on ne pouvait que prendre une position passive masochiste, au bénéfice de laquelle on était forcé de perdre sa volonté. « Le caractère inquiétant, contraignant, de la formation en masse, qui se montre dans ses phénomènes de suggestion, peut donc être sans doute ramené à bon droit à sa descendance de la horde originaire. » [1] Le meneur de masse est toujours le père originaire redouté, la masse veut toujours être dominée par un pouvoir illimité. Quiconque n'a pas établi en lui une distinction bien nette entre son moi et son idéal du moi, et a besoin d'un chef suprême, attribue aisément une surpuissance à qui donne l'impression d'une force et d'une liberté libidinale supérieures ; les autres vont se laisser emporter « suggestivement », c'est-à-dire par identification. « Le père originaire est l'idéal de la masse, qui à la place de l'idéal du moi domine le moi. L'hypnose a bien droit à cette qualification : une masse à deux ; pour la suggestion il reste comme définition : une conviction qui n'est pas fondée sur la perception ni le travail de pensée, mais sur la liaison érotique. » [2]

Ainsi, contrairement à la thèse de Bernheim pour lequel les phénomènes hypnotiques découlaient de la suggestion, non élucidable comme telle, « **la suggestion est un phénomène partiel de l'état hypnotique, lequel a son véritable fondement dans une disposition inconsciemment conservée à partir de l'histoire originaire de la famille humaine** » [3].

Naissance de la psychanalyse, suggestion et transfert

Les phénomènes de suggestion sont donc désormais, de manière patente tant dans la psychologie collective que dans l'expérience

1. *Ibidem,* p. 196 ; p. 67 ; p. 142.
2. *Ibidem,* p. 196 ; p. 67 ; p. 142-143.
3. *Ibidem,* p. 196 ; p. 67 ; p. 143.

amoureuse, reconnus comme universels, mais secondaires par rapport à la théorie pulsionnelle. Comme nous l'avons déjà mentionné à propos des ajouts de 1923 au texte d'*Au-delà du principe de plaisir,* Freud ne peut éviter de s'interroger à nouveaux frais sur leur rôle dans la cure analytique. En 1922, deux articles font une place à la notion de suggestion – laquelle en revanche n'est pas abordée dans le grand texte métapsychologique de 1923, *Le moi et le ça* ; mais elle vient, la même année, enrichir la réflexion freudienne sur le rêve.

Dans « Psychanalyse », en 1922, Freud rappelle le renoncement à l'hypnose corrélatif du passage à la psychanalyse. La disparition des symptômes obtenus parallèlement à la catharsis restait totalement dépendante de la relation au médecin, elle « se comportait donc comme un succès de la suggestion » [1] qui ne survivait pas à la relation thérapeutique. Au contraire, « le procédé psychanalytique se différencie de tous les procédés suggestifs, persuasifs, etc., en ce qu'il en prétend ne réprimer par voie d'autorité aucun phénomène » [2] psychique chez le patient. La visée de la psychanalyse porte sur la compréhension de la causation du phénomène et vise à modifier de façon durable ses conditions d'apparition. L'influence suggestive du médecin est inévitable ; mais en psychanalyse, elle est orientée vers la tâche, dévolue au patient, de surmonter ses résistances (ce qui opère le travail de guérison). C'est le maniement prudent de la technique qui empêche de falsifier suggestivement les souvenirs du patient, dont l'analyse respecte la singularité. L'éveil des résistances protège d'ailleurs des effets fallacieux de l'influence suggestive.

La même année, les « Remarques sur la théorie et la pratique de l'interprétation du rêve » posent la question de l'influence de la « suggestion » médicale sur les rêves [3]. Il est évident que le contenu manifeste des rêves est influencé par la cure analytique, puisqu'il élabore les incitations fournies par les restes diurnes ; mais sur le

1. « Psychanalyse » (1923a), *Résultats, idées, problèmes, II,* Paris, PUF, 1951, p. 54 ; *OCF* XVI, p. 186 ; *GW* XIII, p. 213.

2. *Ibidem,* p. 69 ; p. 200 ; p. 226.

3. « Remarques sur la théorie et la pratique de l'interprétation du rêve » (1923c), *Résultats, idées, problèmes, II,* Paris, PUF, 1985, p. 84 ; *OCF* XVI, p. 172 ; *GW* XIII, p. 306-307.

travail du rêve, le mécanisme de la formation du rêve, on n'acquiert jamais d'influence. La vraie question consiste à examiner si les pensées latentes, que dégage l'interprétation, peuvent elles aussi subir l'influence de l'analyste. Oui, bien sûr, affirme Freud, puisqu'une part de ces pensées latentes est d'origine préconsciente. Ainsi, « la question de savoir jusqu'où on peut suggérer des rêves coïncide justement avec celle, plus générale, de savoir jusqu'à quel point, dans l'analyse, le patient est accessible à la suggestion ». La question se pose surtout pour les rêves de confirmation, « boitant à la traîne de l'analyse », qui surviennent après une construction de l'analyse sans forcément s'accompagner de l'accès à de nouveaux souvenirs[1]. On ne peut exclure leur caractère plurivoque, le risque qu'ils ne soient fantasmés sur l'incitation du médecin et non promus à partir de l'inconscient du rêveur. Ce doute persiste tant que la suite de l'analyse ne permet pas de le liquider. Freud recourt à la comparaison du puzzle : ce n'est que lorsque tous les emboîtements sont mis en place que le sens et la place de chaque morceau sont situés avec certitude. Ce sont l'ensemble des résistances par le rêve – et des résistances à l'interprétation du rêve – qui sont ici concernées. On songe bien sûr aux rêves « mensongers et hypocrites » de la jeune homosexuelle[2], mais Freud évoque ici un autre patient (l'homme aux loups ?) qui rattachait ses rêves de confirmation à une éventuelle docilité, ou à son désir de guérison – or ce sont les rêves antérieurs à l'analyse, qui ne pouvaient relever d'une suggestion induite par celle-ci, qui vinrent corroborer les autres et s'avérèrent décisifs.

Après 1922, les références à la suggestion sont peu nombreuses, mais il ne faut pas sous-estimer leur importance. Elles visent à l'évaluation, par une psychanalyse désormais assurée d'elle-même (quelles que soient les questions internes qu'elle continue d'affronter), de la dette envers l'hypnose et de l'écart qui sépare psychanalyse et suggestion. C'est donc d'une part à un retour historique de la psychanalyse

1. *Ibidem*, p. 84 ; p. 173 ; p. 307.

2. « Psychogenèse d'un cas d'homosexualité féminine (1920a), *Névrose, psychose et perversion*, Paris, PUF, 1973, p. 264 ; *OCF* XV, p. 255 ; *GW* XII, p. 293.

sur son origine et sur elle-même, d'autre part à des éléments de réflexion sur la force du transfert, que nous avons affaire.

En 1923, le « Petit abrégé de psychanalyse » revient sur la naissance de la psychanalyse et sur les interrogations de Freud par rapport à l'hystérie lorsqu'il fréquentait la Salpêtrière. « On ne surestimera jamais trop l'importance de l'hypnotisme dans la genèse de la psychanalyse. D'un point de vue théorique comme d'un point de vue thérapeutique, la psychanalyse gère un héritage qu'elle a reçu de l'hypnotisme. » C'est dans ce contexte qu'il rappelle les tentatives de Jean-Martin Charcot, et sa capacité à démontrer le caractère hystérique de certaines paralysies survenues après un traumatisme en produisant lui aussi des contractures « par la suggestion d'un traumatisme sous hypnose »[1].

La rétrospective de 1924, « Autoprésentation », est l'occasion d'une reprise des rapports entre hypnose et psychanalyse, donc de la question de la suggestion, envisagée aussi sous l'angle de sa pertinence en psychanalyse. Freud mentionne d'abord la reconnaissance de l'hystérie masculine et la capacité de Charcot à produire des contractures par suggestion hypnotique, comme ce qui l'a notamment frappé auprès de lui ; il évoque également sa pratique de l'hypnose (travail « plein de séduction »[2]) et présente même la suggestion hypnotique comme son principal instrument de travail pendant les premières années de sa pratique médicale. Il évoque alors avec nuances ses contacts avec l'école de Nancy : les thèses de Liébault et surtout les expériences de suggestion hypnotique de Bernheim à l'hôpital, mais aussi leurs limites avec une clientèle privée (y compris une de ses patientes). L'autre limite est celle de la « monotone procédure suggestive », et Freud développe alors un nouvel usage de l'hypnose, en l'utilisant pour « sonder le malade sur la genèse de son symptôme », procédé plus efficace que l'interdiction ou le commandement directs, et qui en outre « satisfaisait aussi le désir de savoir du médecin »[3].

1. « Petit abrégé de psychanalyse » (1924f [1923]), *Résultats, idées, problèmes, II*, Paris, PUF, 1984, p. 99 ; *OCF* XVI, p. 337 ; *GW* XIII, p. 407.

2. *Sigmund Freud présenté par lui-même* (1925d), Paris, Gallimard, 1984, p. 29-30 ; *OCF* XVII (« Autoprésentation »), p. 64 ; *GW* XIV, p. 41.

3. *Ibidem*, p. 33 ; p. 66 ; p. 43.

À propos de ses efforts pour convaincre Joseph Breuer de publier avec lui leurs réflexions sur le mécanisme psychique de l'hystérie, inspirées par le traitement mené par Breuer sur Anna O. (Bertha Pappenheim), il exprime son sentiment sur ce que lui a montré sa visite de 1889 chez Bernheim à Nancy : « Les limites de la capacité opératoire de la suggestion hypnotique. »[1] C'est dire qu'il en avait attendu davantage, et qu'à partir de ce moment la réflexion freudienne, devenue critique par rapport à l'action hypnotique délibérée, se libère pour d'autres hypothèses. En 1924, la reprise de ces données prend encore un sens nouveau par rapport aux élaborations de la deuxième topique. Par rapport à la théorie de la séduction, l'émergence de l'hypothèse fantasmatique (après l'abandon de la *neurotica*) – qui ne veut pas dire qu'il n'y ait jamais de séduction précoce – permet de rencontrer le complexe d'Œdipe, mais suppose d'écarter l'idée que de tels fantasmes pourraient être l'effet de la suggestion de l'analyste[2].

Enfin, et surtout, il y a une mise au point fort claire sur les relations entre psychanalyse et suggestion : **comme d'autres méthodes psychothérapeutiques, la psychanalyse « travaille par le moyen de la suggestion »**, mais la différence est qu'en psychanalyse, celle-ci, suggestion ou transfert, ne détermine pas le succès thérapeutique. Elle est utilisée « pour amener le malade à la production d'un travail psychique » lui permettant le surmontement de ses résistances de transfert, donc une modification durable de son économie psychique. L'analyste rend le transfert conscient au patient, ce qui lui permet d'être convaincu d'y revivre des sentiments issus de ses relations d'objet les plus précoces, retournement qui en fait le meilleur instrument de la cure, et non plus une arme au service des résistances[3].

La réflexion de 1926 sur *La question de l'analyse profane* revient à trois reprises sur la notion de suggestion. À la différence de la confession dans l'Église catholique, celui qui fait une analyse est invité à dire plus qu'il ne sait, à rendre compte de l'écart entre ce qu'il sait de lui, son soi, et une vie d'âme plus élargie, une part de lui pouvant s'opposer à ce

1. *Ibidem*, p. 37 ; p. 68 ; p. 45-46
2. *Ibidem*, p. 58 ; p. 82 ; p. 60.
3. *Ibidem*, p. 72 ; p. 89 ; p. 68.

qu'il croit connaître de lui-même. En quoi l'influence exercée par le psychanalyste est-elle différente d'une hypnose, et ne s'explique-t-elle pas simplement par le fait que le médecin s'occupe longtemps, intensément et très individuellement de son patient ? Ne s'agit-il pas finalement, suppose l'interlocuteur fictif que le texte met en scène, d'une liaison de suggestion à la personne du psychanalyste, dont les effets relèveraient de la suggestion hypnotique ? À ces questions Freud répond avec nuances : oui, l'influence *(Einfluß)* personnelle et particulière de l'analyste mérite une grande attention, mais le rôle qu'elle joue n'est pas le même que dans l'hypnose. Le facteur suggestif n'est pas utilisé pour réprimer les symptômes de souffrance, comme cela arrive dans la suggestion hypnotique[1]. Ainsi l'analyste ne dissuade-t-il pas le patient du bien-fondé de sa culpabilité (ce que le patient lui-même a tenté en vain), mais l'invite à chercher ce qui aurait pu la susciter. D'ailleurs, s'il est bien au début promoteur du traitement, ce facteur suggestif est ensuite un obstacle aux desseins analytiques et oblige l'analyste à des « contre-mesures » ; il faut faire le détour par la compréhension des « desseins analytiques », plus déroutants que la simple suggestion délibérée.

Il y a comme un paradoxe dans les rapports entre l'analyse et la suggestion, car l'analyse doit trouver un moyen de faire face aux résistances du patient ! L'interlocuteur fictif tente à nouveau d'invoquer l'influence personnelle du médecin, ouvrant la voie à une assimilation entre analyse et suggestion. Freud doit donc s'expliquer et admet cette notion d'« influence personnelle » – de la nature d'un état amoureux – qu'il présente même, en termes militaires, comme « l'arme dynamique la plus forte », l'élément nouveau que la psychanalyse introduit et qui permet le changement. La croyance accordée à l'analyste tient aux sentiments particuliers qu'il éprouve envers lui, tout comme l'enfant ne croit que ceux auxquels il est attaché. Cette « influence suggestive » est donc particulièrement grande, Freud en convient. Mais la différence avec les autres techniques psychothérapiques tient à la visée de l'analyse : l'influence du thérapeute n'est pas utilisée pour la répression des symptômes, souligne à nouveau Freud, mais « comme force

1. *La question de l'analyse profane* (1926e), Paris, Gallimard, 1985, p. 37-38 ; *OCF* XVIII, p. 12 ; *GW* XIV, p. 216-217.

de pulsion pour amener le moi du malade au surmontement de ses résistances »[1].

La dernière occurrence intervient à propos de la recherche du profil de l'analyste idéal, puisque la formation médicale s'avère très partielle par rapport aux besoins de formation de l'analyste. Freud ne souhaite pas que la psychanalyse soit avalée par la médecine et trouve refuge dans un chapitre d'un traité de psychiatrie, aux côtés de la suggestion hypnotique et de l'autosuggestion : tels sont donc bien les risques qu'il entrevoit dans une trop grande assimilation entre médecine et psychanalyse. Car l'analyse mérite un « meilleur destin »[2], et peut devenir indispensable à toutes les disciplines qui s'occupent de la genèse de la culture humaine et de ses institutions (art, religion, organisation sociale).

Toujours en 1926, l'article « Psycho-Analysis » est plus explicite et direct. Freud rappelle les trois piliers de la psychanalyse : le refoulement, l'importance des pulsions sexuelles et le transfert. Celui-ci est défini comme le développement de mouvements affectifs envers l'analyste qui, au lieu d'être fondés dans la situation réelle, proviennent de la relation infantile des patients envers leurs parents ; il témoigne de ce que « même l'adulte n'a pas surmonté son ancienne dépendance infantile ; elle coïncide avec le pouvoir que l'on a appelé suggestion » ; l'effet de la suggestion tient à la suggestibilité fondamentale issue de la relation de dépendance œdipienne aux parents. C'est bien pourquoi l'analyste doit apprendre le maniement du transfert ; le traitement analytique peut alors être défini comme une « rééducation de l'adulte » qui rectifie l'« éducation » donnée à l'enfant[3].

Réévaluation de la psychanalyse et de l'hypnose, à l'aune de la suggestion

Dans l'article essentiel de 1937, « Constructions dans l'analyse », réfléchissant au risque de proposer au patient des constructions erro-

1. *Ibidem,* p. 97 ; p. 50 ; p. 256.
2. *Ibidem,* p. 137 ; p. 74 ; p. 283.
3. « Psycho-Analysis » (1926f), *Résultats, idées, problèmes, II,* Paris, PUF, 1984, p. 158 ; *OCF* XVII, p. 294 ; *GW* XIV, p. 305.

nées, Freud en minimise le danger. À part la perte de temps et l'éventuelle dévalorisation de l'analyste aux yeux du patient, il n'y a pas à craindre d'effet négatif : le patient ne sera pas touché et l'erreur ne produira nulle réaction, car « la construction erronée ne laisse pas plus de trace que si elle n'avait jamais été faite ». Freud prend à ce sujet une position très claire : « On a exagéré sans mesure le danger d'égarer le patient par la suggestion, en lui "mettant dans la tête" *[einredet]* des choses auxquelles on croit soi-même mais qu'il ne devrait pas accepter. » Il n'est pas aisé de déterminer si Freud vise ici des adversaires de la psychanalyse, des discussions entre psychanalystes, ou sa propre crainte d'obtenir des résultats thérapeutiques faussés par la suggestion. Ce qui en revanche est explicite, c'est que la mise à l'écart du risque de suggestion est assurée par la rigueur technique et l'appui sur les associations libres : ce n'est que si l'analyste s'est comporté de manière techniquement très « incorrecte » qu'un tel « malheur » peut arriver : « Il aurait avant tout à se reprocher de ne pas avoir laissé parler le patient à son aise. » Et Freud d'ajouter : « Sans me vanter, je puis affirmer que jamais un tel abus de la "suggestion" ne s'est produit dans ma pratique analytique. » [1]

En 1938, l'*Abrégé de psychanalyse* reprend la question décisive : « Les résultats thérapeutiques obtenus grâce à l'emprise *[Herrschaft]* du transfert positif ne seraient-ils pas dus à la *suggestion* ? » En fait, la formulation allemande, comme la traduction anglaise de James Strachey, parlent plus précisément, et sans point d'interrogation, de résultats exposés au soupçon d'être de « nature suggestive ». C'est donc ce que la traduction française actuellement disponible édulcore, la question de l'essence du transfert et de ses effets se trouvant une fois de plus radicalement réinterrogée. La remise en question n'est pas purement rhétorique comme le montre la suite du développement qui fait une large place au contre-argument du transfert négatif : en cas de transfert négatif, « les résultats obtenus sont balayés comme fétus de paille au vent ». Le psychanalyste semble avoir travaillé pour rien et le patient a même perdu sa compréhension de la psychanalyse et sa

1. « Constructions dans l'analyse » (1937d), *Résultats, idées, problèmes, II*, Paris, PUF, 1984, p. 273-274 ; *OCF* XX, p. 65-66 ; *GW* XVI, p. 48-49.

confiance dans le traitement. Qu'est-ce qui alors différencie cependant le transfert de la suggestion ? Simplement le fait que ce que le patient vit sous l'emprise du transfert, s'il comprend qu'il s'agit de transfert (mais seulement à cette condition), « jamais plus il ne l'oublie et cela comporte pour lui une force plus convaincante que tout ce qu'il a acquis par d'autres moyens ». La force du transfert est incomparablement plus puissante que l'emprise de la suggestion, parce qu'il s'agit d'une répétition de l'infantile. L'analyse du transfert met cette force au service du patient, alors qu'il était jusque-là simplement l'objet de cette emprise interne que le transfert, négatif ou positif, ne fait que manifester[1].

Toujours en 1938, à la fin du fragment d'une deuxième version de l'*Abrégé de psychanalyse* rédigé à Londres et intitulé « Some elementary lessons in psycho-analysis », l'hypnose est une dernière fois évoquée (après les idées incidentes et les lapsus) à l'appui de l'idée de l'existence d'actes psychiques inconscients. Il fournit un exemple de cure avec hypnose, mais ce qui nous importe ici est le commentaire de Freud : « Qui a assisté à une telle expérience en a reçu une impression inoubliable et y a gagné une conviction inébranlable. » Il est frappant de voir qu'est repris ici pour l'essentiel le vocabulaire qu'il attribue précisément aux effets du transfert tant dans « Constructions dans l'analyse » (1937) que dans l'*Abrégé de psychanalyse* (1938). Tout au long de sa vie et de son œuvre, Freud s'explique avec l'hypnose. S'il choisit résolument de s'en démarquer et de s'en méfier, c'est pour en retenir la leçon essentielle, devenue claire depuis 1923 *(Le moi et le ça)* et reformulée dans notre texte, juste après le récit de la séance d'hypnose : « Nous estimons maintenant résolue la question de la relation du conscient avec le psychique : la conscience n'est qu'une qualité (propriété) – de plus nullement constante – du psychique. » C'est ce changement de définition du psychique, qui n'est plus identifié au conscient, qui a permis de « créer une large et cohérente théorie de la vie psychique ». Telle est l'œuvre de la psychanalyse ; mais Freud ne renie pas sa dette : c'est à l'hypnose, expérience inoubliable du

1. *Abrégé de psychanalyse* (1940a [1938]), Paris, PUF, 1985, p. 44-45 ; *OCF* XX, p. 269-270 ; *GW* XVII, p. 102-103 (souligné par Freud).

maniement de la suggestion, qu'il doit la prise de conscience de l'existence de phénomènes psychiques inconscients [1].

QUESTIONS ET ENJEUX

Les considérations freudiennes sur la suggestion se caractérisent par leur permanence tout au long de l'œuvre, et la clarté des questions qu'elle pose. Ce qui mérite d'être précisé porte sur les rapports complexes de Freud avec l'hypnose, sur l'usage de la suggestion dans la mise en œuvre et l'analyse du transfert, sur l'universalité de la suggestion et son statut libidinal et métapsychologique.

Freud et l'hypnose

Selon les contextes et les moments, Freud semble osciller face à l'hypnose. Il est incontestable qu'elle l'a fasciné, et qu'elle suscite en même temps chez lui beaucoup d'ambivalence. Par ailleurs, il tend à critiquer les limitations de Charcot au nom des thèses de Bernheim et celles de Bernheim au nom de son admiration pour Charcot. Est-il possible d'être plus précis ?

Le séjour de Freud auprès de Charcot, grâce à sa bourse de la faculté de médecine de Vienne, se déroule d'octobre 1885 à mai 1886. Venu étudier l'anatomopathologie, il y rencontre l'hystérie, expérience déterminante pour son installation en clientèle privée dès son retour. Freud obtient l'accord de Charcot pour traduire en allemand ses *Leçons cliniques*. Si Charcot s'est peu intéressé à la méthode cathartique dont Freud lui a parlé, c'est du séjour à Paris que date le projet d'un article sur les paralysies hystériques qui ne verra le jour qu'en 1893, sept ans plus tard. Les crises hystériques provoquées par Charcot, lors de ses présentations de malades, sur des patientes hystériques en état de somnambulisme hypnotique, ont marqué Freud. Il interroge l'étiologie psychologique de l'hystérie. Ce qu'il reproche à Charcot, souvent

1. « Some elementary lessons in psycho-analysis », *Résultats, idées, problèmes, II*, Paris, PUF, 1984, p. 293 ; *OCF* XX, p. 313-314 ; *GW* XVII, p. 145-146.

implicitement seulement, c'est de se contenter d'une approche nosographique, soucieuse de diagnostic différentiel, sans s'intéresser à la genèse des symptômes hystériques. Toujours persuadé d'une cause somatique non repérable, Charcot ne s'intéresse en effet à la psychologie de l'hystérie que sous l'angle de l'action diagnostique et thérapeutique qu'il peut mettre en œuvre. À Paris, Freud n'a pas rencontré Pierre Janet et si, par la suite, il le cite parfois, il n'a jamais montré d'intérêt pour sa conception de l'automatisme psychique et de la faiblesse de la synthèse mentale, trop liée à la théorie de la dégénérescence. Les remarques de Freud sur les qualités psychiques et la valeur morale de ses patientes hystériques semblent parfois comporter une nuance de polémique implicite envers Janet et les conceptions françaises.

Freud se montre intéressé mais critique envers Bernheim en 1888 ; il assiste à ses expériences hypnotiques en 1889. Il est irrévocablement marqué par les actes produits par l'effet de suggestions post-hypnotiques et par l'incapacité de la pensée consciente à en rendre compte. Ainsi, l'intérêt de Freud pour les expériences hypnotiques ne se dément pas, mais il apprécie peu la pratique autoritaire de Bernheim et lui reproche son peu d'intérêt pour la compréhension de la genèse des symptômes. La différence entre Charcot et Bernheim, c'est que ce dernier s'est intéressé vraiment à l'outil thérapeutique mis en œuvre, la suggestion hypnotique. Mais cette plus grande ouverture se change en opposition plus nette, car la thèse de Bernheim consiste à faire de la suggestibilité, potentiellement universelle, le fait premier, fondamental et irréductible à une explication, de l'hypnose et de ses potentialités. Or, ce qui va retenir Freud dans ses questionnements sur l'hypnose et sur le transfert, c'est justement l'**énigme de la suggestion** (elle ne sera résolue qu'en 1921, par les analyses de *Psychologie des foules et analyse du moi*). En outre, la pratique hypnotique de Freud se heurte à des écueils qu'il ne dissimule pas (notamment dans les *Études sur l'hystérie*). Par ailleurs, il est amené à se défendre énergiquement contre les attaques de suggestion et l'assimilation de la psychanalyse à l'hypnose. Dans cette défense, une difficulté ne peut être évacuée : le transfert repose effectivement sur une relation fondamentale de suggestion. C'est pourquoi, en clarifiant ce point, la définition de Ferenczi de 1909 est essentielle.

L'universalité de la suggestion mise en évidence dans la psychologie de masse permet enfin une réelle compréhension de la nature libidinale de la suggestion comme de son universalité. La fin de l'œuvre freudienne peut ainsi procéder à une réévaluation plus libre de la dette de la psychanalyse envers l'hypnose, sans risque de confusion.

Différence entre l'analyse et la suggestion

À de nombreuses reprises (depuis 1904 jusqu'à 1938), Freud est amené à préciser que le psychanalyste se refuse à toute suggestion directe. C'est également pour éviter les effets de la suggestion qu'il prescrit à l'analyste la réserve sur sa propre vie (« Conseils aux médecins sur le traitement analytique », 1912). La suggestion hypnotique prescrit et interdit ; la psychanalyse ne rejette rien de la vie psychique du patient. La suggestion directe ajoute à la vie psychique une suggestion, pour modifier les actes sans changer la psyché ; la cure psychanalytique agit au contraire *per via di levare* (1904), en permettant la dissolution des symptômes. Le recours à la suggestion directe assujettit le patient à son médecin et ne survit pas à la relation thérapeutique ; la psychanalyse vise une transformation psychique durable.

Notons qu'il est un thème sur lequel Freud ne s'appesantit guère, même s'il est au premier plan de ses réserves par rapport à la pratique de Bernheim, et s'il insiste sur le rôle métapsychologiquement structurel du meneur dans la psychologie de masse : c'est celui de l'« autorité » mise en œuvre par l'hypnotiseur. Il en reste quelque chose dans l'autorité de l'analyste inducteur de transfert, mais loin d'en jouer, l'analyse vise ultimement à dissoudre cette illusion et l'idéalisation qui souvent l'accompagne. La traduction pulsionnelle de cette position d'autorité est indubitablement l'emprise, mais Freud ne l'envisage jamais. C'est vraiment tout au long de l'œuvre aux effets de la suggestion et à la suggestibilité que s'intéresse Freud, laissant dans l'ombre les motivations pulsionnelles de celui qui exerce l'emprise.

Les différences phénoménologiques, inlassablement répétées par Freud, ne suffisent pas à rendre compte de la différence structurelle fondamentale entre suggestion et psychanalyse. Elles se contentent de l'énoncer. De plus, elles sont affaiblies par trois considérations essentielles. La première est que Freud n'exclut pas en 1918 (« Voies de la thérapie psychanalytique », 1918) que « l'or pur de l'analyse » puisse être, à bon droit, mêlé au « cuivre de la suggestion » pour que soient possibles des traitements publics offerts à l'ensemble de la population souffrant de troubles névrotiques. Peut-être y est-il plus difficile de résister à la demande de suggestion directe, ou à sa nécessité pour une efficacité suffisamment rapide. Mais, surtout, les conditions de l'analyse et de la dissolution du transfert ne s'y trouvent pas fréquemment réunies. Par rapport à la suggestion et à l'hypnose, Freud, fidèle aux débuts de sa pratique médicale, où il a bien conscience d'avoir fait comme il a pu (cf. la pression de la main sur le front pour tenter de surmonter, sans hypnose, le fait des résistances), n'est jamais puriste. S'il est essentiel de distinguer clairement la visée et les méthodes de la psychanalyse, on ne peut exclure que les nécessités de l'organisation sociale et des besoins des individus ne suscitent des pratiques mixtes, signalées notamment par la gratuité des soins, à la condition qu'il n'y ait pas de confusion entre les méthodes mises en œuvre. D'autant que la société comme telle ne favorisera jamais la psychanalyse, dans la mesure où celle-ci ne peut que mettre en évidence les sources sociales des névroses. Par ailleurs, c'est la rigueur de la technique de l'analyste qui exclut les risques de suggestion (1917, 1922, 1937), mais il n'est jamais très grave de s'égarer sur ce point (1917, 1922, 1937) car les suggestions non pertinentes sont sans effet sur les symptômes ; surtout, les résistances sont toujours au rendez-vous et savent tempérer l'attente de suggestion de l'analysant comme défaire les « raccourcis » dus à la suggestion liés aux erreurs techniques ou au manque de patience de l'analyste.

La deuxième difficulté naît de l'échec relatif de Freud à retrouver dans le souvenir et la réalité des souvenirs infantiles les preuves de la vérité des thèses psychanalytiques. Comment alors distinguer, à coup sûr, entre suggestion et psychanalyse, notamment lorsqu'il s'agit de sexualité infantile ? « Constructions dans l'analyse » (1937) permet à Freud d'admettre que certains souvenirs restent inaccessibles, sans pour autant invalider l'analyse. **Les constructions de l'analyste ne sont ni des inventions ni des suggestions.** Elles reposent sur le matériel associatif déjà apporté par le patient, en suscitent d'autre, produisent une conviction dont la force et les effets sont perceptibles. Une fois cette nouvelle compréhension du travail interprétatif mise en place, dégagée de la dépendance à une vérité « matérielle », factuelle, qui serait à établir par une preuve, Freud peut reconnaître clairement sa dette envers l'hypnose qui a clairement mis en évidence l'existence d'un psychisme inconscient. En même temps, il ne craint plus de voir confondus avec la suggestion ni l'interprétation (ou la construction) analytique – qui ne tire sa force que de la façon dont elle renvoie le patient à son propre matériel associatif et aux convictions qui s'y font jour –, ni les effets du transfert dont la force relève de l'infantile du patient et non de la persuasion de l'analyste. En définitive, c'est la parole du patient qui lui permet, entendue par un analyste sans préjugés – qui, lui, n'est théoriquement pas entravé par les résistances –, d'accéder au sens et à la vérité inconsciente de son histoire, grâce au double mouvement de la répétition transférentielle et de son dégagement par l'analyse de ce transfert. Au maniement de la suggestion qui caractérisait l'hypnose, la psychanalyse substitue le maniement et l'analyse du transfert.

Transfert et suggestion

La troisième difficulté à expliciter la différence entre psychanalyse et suggestion porte précisément sur la nature du transfert, car il est nécessaire de faire reconnaître un paradoxe : d'une part l'analyse s'interdit toute suggestion directe, d'autre part le ressort même de l'analyse est le transfert, qui repose sur la suggestion. C'est ce point, essentiel, qui finalement clarifie la relation entre psychanalyse et suggestion.

Dans un premier temps (1904), Freud affronte cette difficulté en distinguant entre la suggestion directe, celle de l'hypnose, qui s'ajoute au symptôme pour l'interdire ou le contrer et la voie psychanalytique, qui procède *per via di levare*. Dès le traitement d'Emmy von N…, Freud refuse l'idée de Bernheim, selon laquelle la suggestion viendrait du médecin qui l'imposerait au psychisme suggestionnable du patient. L'argument constant de Freud (1895, 1904, 1905, 1909, 1910, 1912, 1913, 1917, 1920, 1922, 1923, 1926, 1937, 1938) est que le transfert est un point d'appui pour le travail psychique du patient et son acceptation des interprétations de l'analyste : **la suggestion sous-tend la relation**, mais n'est **pas l'outil direct du changement** qui tient seulement au **surmontement des résistances**, et relève non du médecin, mais du patient. La mise en évidence de la perlaboration, en 1914, est un élément essentiel de cette thèse.

Mais, dès 1909, Freud pose clairement que **le transfert est la clé** de la compréhension de la suggestion, non l'inverse. Le transfert s'instaure dans toutes les relations humaines, et c'est lui qui est porteur de l'influence qui s'exerce dans les thérapies, y compris la psychanalyse. Cette clarification repose sur la thèse de Ferenczi, formulée en 1909 dans *Introjection et Transfert*, et que Freud cite en 1912, dans l'article sur « La dynamique du transfert » : « La suggestion est l'influence exercée sur un être humain au moyen des phénomènes de transfert qui sont chez lui possibles. » [1] Il est d'ailleurs à noter que, dans ces mêmes années, Freud prend conscience des phénomènes de contre-transfert – compris comme l'ensemble des réactions inconscientes de l'analyste au transfert de son patient – qu'il invite les analystes à reconnaître et à maîtriser en eux-mêmes (intervention au congrès de Nuremberg, 1910 ; lettre du 10 février 1913 à Binswanger ; « Observations sur l'amour de transfert », 1915).

Désormais, la différence entre psychanalyse et traitement par suggestion est plus aisée à faire reconnaître : la relation de suggestion est inévitable, mais certaines thérapies usent de la « suggestion médicale » pour réprimer le symptôme artificiellement, tout comme la suggestion post-hypnotique fait agir artificiellement l'hypnotisé, indépendamment de sa conscience et de sa volonté. La psychanalyse, au contraire, reconnaît la dimension suggestive de la relation de transfert ; mais elle reconnaît aussi de plein droit l'existence de symptômes et leur bien-fondé dans l'histoire des patients. Cette origine fait qu'aucune autorité ne peut les lever fondamentalement, comme le montrait déjà le traitement d'Emmy von N... Rien ne peut épargner à l'analyste le travail pour comprendre leur genèse. Du côté des patients, l'éveil des résistances contre ce qui remet en question le symptôme est incontournable. La fonction du transfert est d'aider au surmontement de ces résistances, d'éveiller et de soutenir le travail psychique du patient. C'est pourquoi l'analyse est une thérapie exigeante ; c'est pourquoi aussi les changements qu'elle promeut sont durables, et correspondent à un progrès du fonctionnement psychique.

De plus, le transfert, en bien des cas, se met au service des résistances, notamment dans les situations de transfert négatif ou de transfert érotique passionnel. Le travail de l'analyste est donc d'analyser ce transfert, pour le réguler en dissolvant ses manifestations négatives ou trop érotiques. Il est également de renvoyer à leurs

1. « La dynamique du transfert » (1912b), *De la technique psychanalytique*, Paris, PUF, 1953, p. 58 ; *OCF* XI, p. 114 ; *GW* VIII, p. 371-372.

causes les manifestations transférentielles, en les ramenant à leur origine dans la sexualité infantile : la relation infantile aux parents, qui est elle-même, selon Freud, une reproduction dans l'ontogenèse de la relation originaire au père idéalisé de la horde primitive.

Caractère « rééducatif » de l'analyse

Dans « Psycho-Analysis » (1926), texte qui rapproche au maximum le transfert de son appui sur la vulnérabilité universelle à la suggestion, la distinction entre suggestion et analyse est plus claire que jamais : ce n'est pas le médecin qui exerce une suggestion, mais le patient qui fait de toute nouvelle relation une réédition de la dépendance infantile. Le travail du psychanalyste, en maniant le transfert, est de déjouer la dépendance, ce qui effectue du même coup une « rééducation » de l'adulte.

Le lecteur français peut être surpris de voir Freud ne manifester nulle réserve au rapprochement entre psychanalyse et éducation ni à l'assimilation de la cure analytique à une rééducation, non seulement dans sa préface au livre d'Oskar Pfister, mais aussi dans « Psycho-Analysis » (1926). Est-ce une approximation ou un compromis ? Non, mais une réelle similitude en ce qui concerne l'utilisation de la suggestibilité. C'est que la pédagogie, comme l'analyse, use de la suggestion dans l'établissement d'un transfert, mais en visant autre chose qu'elle-même : cette tiercéité garantit la rigueur méthodologique qui permet de prendre appui sur la suggestion sans pour autant provoquer un assujettissement durable. En effet, dans l'éducation comme dans l'analyse, c'est la transformation de la personne qui est visée, non le maintien dans la dépendance, une transformation du moi qui survive à la relation pédagogique ou analytique. On retrouve ici la structure – user de l'influence pour en libérer – qui caractérise les trois « métiers impossibles » : politique, enseignement, psychanalyse.

La position freudienne sur la relation entre psychanalyse et éducation est néanmoins plus nuancée que la mise en évidence de la structure fondamentale triangulée des deux disciplines ne pourrait le laisser croire. En effet, le rapprochement trop étroit entre les deux pourrait promouvoir une psychanalyse éducative et normative que Freud récuse, sauf avec des personnes très jeunes ou en détresse profonde[1]. Les désaccords ultérieurs entre Anna Freud et Mélanie Klein témoignent des deux positions possibles, en psychanalyse d'enfant, sur ces questions.

Car, en dépit des éléments communs, la différence entre (ré)éducation et psychanalyse demeure, et elle est fondamentale : c'est que **le transfert analytique est lui-même objet de l'analyse** et doit idéalement être démantelé à la fin de la cure psychanalytique.

Universalité et statut libidinal de la suggestibilité

La définition de la suggestion proposée par Sandor Ferenczi et la clarification des relations entre transfert, interprétation et perlaboration des résistances permet de mieux situer la psychanalyse, mais ne suffit pas à résoudre « l'énigme de la suggestion ». Il y faut les élaborations sur la psychologie de masse de 1921, dont Freud établit qu'elles sont également une élucidation de l'hypnose, puisque celle-ci est une foule à deux. Notons qu'elles rendent également compte, pour la même raison, de l'état amoureux, qui est de nature hypnotique.

Dans *Psychologie des foules et analyse du moi* (1921), Freud établit notamment que la régression qui intervient pour l'individu en situation de foule ou de masse organisée est un phénomène potentiellement universel. D'autre part, la suggestion n'y est pas première, elle est l'effet d'une modification psychique de type transférentiel, caractérisée par l'intensification de l'affect aux dépens du libre travail de pensée. Ce sont les rapports entre suggestion et libido qui peuvent donner accès à « l'essence de la suggestion », c'est-à-dire aux « conditions dans lesquelles les influences s'instaurent sans fondement logique suffisant »[2]. Car ce sont des relations d'amour, des liaisons de sentiments, qui, cachées « derrière l'écran, le paravent de la suggestion »[3] constituent l'âme de la masse.

1. *Leçons d'introduction à la psychanalyse* (1916-1917 [1915-1916]), Paris, Payot, 1973, p. 410-411 ; Paris, Gallimard, 1999, p. 550-551 ; *OCF* XIV, p. 450 ; *GW* XI, p. 450.

2. *Psychologie des foules et analyse du moi* (1921c), *Essais de psychanalyse,* Paris, Payot,1981, p. 150 ; *OCF* XVI, p. 28 ; *GW* XIII, p. 97.

3. *Ibidem,* p. 152 ; p. 30-31 ; p. 100.

De quelle nature sont ces liens affectifs ? Freud en construit la métapsychologie, en montrant le double mouvement qui les instaure : transfert de l'idéal du moi sur le meneur, liens d'identification narcissique avec les autres membres du groupe. Mais d'où provient la tendance quasi irrépressible à un tel transfert ? Phénomène partiel de l'état hypnotique, la suggestion est universelle, car, issue de la relation au père de la horde originaire, elle est ancrée dans la sexualité infantile et la dépendance œdipienne.

Ainsi, le lien libidinal qui instaure le transfert est également celui qui suscite la régression « hypnotique » qui réveille et accroît la suggestibilité. Idéalement, l'hypnose rendrait donc compte de la constitution libidinale d'une masse : toutes deux se caractérisent par un **état amoureux avec exclusion des tendances directement sexuelles.** Car dans l'état amoureux, marqué par la surestimation sexuelle et l'idéalisation, on constate qu'également « l'objet s'est mis à la place de l'idéal du moi » [1]. Mais alors, il faut aussi inverser les choses et comprendre, grâce à l'analyse de la psychologie de masse, ce qui se passe dans le lien transférentiel et sa potentialité régressive, voire passionnelle.

Dans tous ces cas, comme Freud le précise pour l'état amoureux, « une bonne mesure de libido narcissique déborde sur l'objet » [2]. La relation d'amour objectale donne lieu à une modification psychique de type narcissique : le transfert de l'idéal du moi sur l'objet transforme l'investissement de l'objet en un investissement narcissique. En 1923, Freud reviendra, dans *Le moi et le ça,* sur ces déplacements et transformations de la libido ; ici, il n'explicite pas cette sorte de conversion de la libido objectale en libido narcissique, ou plutôt cet apport supplémentaire de **libido narcissique** à la relation objectale ; on peut penser, simplement, que ce sont les moments d'excès d'investissement narcissique par rapport à la prise en compte de l'objet qui donnent au transfert ses colorations passionnelles ou négatives (par déception). On voit aussi comment, dans ce mouvement, la distinction entre le moi et l'autre se brouille jusqu'à la confusion. La clinique contemporaine explore largement ces configurations.

Freud, lui, ne développe pas ces considérations métapsychologiques, intrapsychiques et interpsychiques. Car c'est toujours le fondement et l'essence de la suggestion qu'il cherche. Ce qui lui importe,

1. *Ibidem,* p. 178 ; p. 51 ; p. 125.
2. *Ibidem,* p. 177 ; p. 50 ; p. 124.

c'est comment la foule « est maintenue en cohésion par quelque puissance. Mais à quelle puissance attribuer cette performance, si ce n'est à l'Éros qui maintient tout en cohésion dans le monde ? » [1] Cette phrase isolée est fondamentale. Elle suffit à faire justice de l'étonnement fréquent selon lequel, dans ce texte de 1921, Freud oublierait ou négligerait ses élaborations de 1920 sur la seconde théorie des pulsions. Il est exact que Freud ne parle pas de la pulsion de mort dans *Psychologie des foules et analyse du moi,* malgré tout ce que la foule peut avoir de destructeur. Mais ce n'est pas parce qu'il ne penserait plus à sa théorie pulsionnelle ! C'est mal comprendre *Au-delà du principe de plaisir* que de n'y voir que l'introduction de la thèse de la pulsion de mort. En fait, Freud réfère explicitement son analyse des phénomènes de suggestion particulièrement manifestes dans les situations de foules organisées au concept d'**Éros, force fondamentale de cohésion.** La suggestion, malgré toutes ses limites et ses ambiguïtés, est un lien affectif, elle relève donc des pulsions de vie… On peut d'ailleurs remarquer que dans les années 1921-1924, lorsque Freud se réfère à la deuxième théorie des pulsions, ce n'est pas pour développer plus avant ses propos sur la pulsion de mort, puisque celle-ci, par définition, est muette à l'état isolé (cf. 1923, *Le moi et le ça,* chap. 5). Les éléments nouveaux portent soit sur l'importance conceptuelle et clinique d'Éros, soit sur le repérage et l'analyse des formes d'intrication entre Éros et pulsion de mort qui font la diversité des manifestations de la vie comme des tableaux cliniques.

Aussitôt après sa formulation en termes de théorie pulsionnelle qui souligne le rôle d'Éros dans la psychologie de masse, dans l'hypnose et dans le transfert, Freud revient à une formulation plus phénoménologique, qui correspond mieux au style du texte de 1921 : l'individu se laisse suggestionner par les autres parce qu'il éprouve le besoin d'être en bonne entente avec eux, et non en opposition à eux, « donc peut-être après tout "pour l'amour d'eux" » [2]. Métapsychologie et phénoménologie concordent pour reconnaître que l'amour sous-tend la suggestion…

Dominique BOURDIN

1. *Ibidem,* p. 152 ; p. 31 ; p. 100.
2. *Ibidem.*

Surinvestissement → Investissement

SURMOI

all. : *Über-Ich.* – angl. : *super-ego.* – esp. : *superyó.* – ital. : *super-io.* – port. : *supergo*

Le surmoi est une instance psychique dont la fonction est de « surveiller le moi », de lui donner des ordres, de le diriger et de le menacer de châtiment, essentiellement de castration. Il s'origine dans l'identification au père et, plus largement, aux parents – ce qui en fait l'héritier du complexe d'Œdipe : il ne s'instaure qu'après le déclin, sinon la disparition de celui-ci. De ce fait, il n'est pas à l'image du modèle réel des parents, mais de leurs *imagos* ; sa rigueur correspond à l'intensité de la lutte défensive contre les tentations issues du complexe œdipien et se trouve ainsi à l'origine des sentiments de culpabilité conscients et, surtout, inconscients. Dans les pathologies les plus lourdes, névroses obsessionnelles graves ou mélancolies, il fait preuve d'intolérance et d'une cruauté impitoyable.

Le surmoi est indépendant du moi et proche du ça inconscient : s'il est en partie accessible à la conscience, son origine demeure l'identification inconsciente au père de la préhistoire personnelle. Mais il constitue aussi, sur le modèle parental, une instance qui protège le moi en même temps qu'il le surveille, interdisant l'amour incestueux ou l'excès des pulsions agressives et destructrices. Il est reconnu comme étant à l'origine des défenses et particulièrement du refoulement, du moins du refoulement secondaire.

MISE EN SITUATION

Le terme de « surmoi » apparaît dans Le moi et le ça *en 1923 ; nombre de ses fonctions étaient pourtant décrites depuis longtemps : la conscience morale* (Gewissen), *le sentiment de culpabilité, la censure du rêve par exemple. C'est avec l'« idéal du moi », désigné dès 1914 dans « Pour introduire le narcissisme », que le démarquage est le plus complexe. Freud préfère pendant longtemps associer les deux mots sous la forme de « surmoi (idéal du moi) », indiquant dès l'abord leurs proximités. Il lui arrive souvent, dans un premier temps, de désigner les mêmes fonctions par l'un ou l'autre terme, le plus souvent en classant les fonctions surmoïques comme appartenant à l'idéal du moi. Par la suite, l'un et l'autre sont plus clairement différenciés, ce qui n'empêche pas que l'idéal du moi soit finalement, notamment dans les* Nouvelles conférences d'introduction à la psychanalyse, *considéré comme une partie du surmoi. Notons que, d'un point de vue topique, il est « sorti du ça, domine le moi et représente les inhibitions de la pulsion, caractéristiques de l'homme ».*

Cet article est consacré à ce que l'on pourrait désigner comme « surmoi proprement dit », quelles que soit ses proximités et affinités avec l'autre notion, « idéal du moi », qui l'a précédé de plusieurs années. Même si, pendant un temps, Freud use des deux termes comme de synonymes, nous avons pensé devoir réserver une entrée distincte à chacun d'eux, tant en raison du développement historique de la pensée freudienne que des spécificités propres à chaque concept.

Quelques textes freudiens ont fondé la notion de surmoi, à commencer par Le moi et le ça, *essai qui l'introduit et en fait l'étude la plus complète ; le concept sera par la suite largement utilisé et sa théorie régulièrement affinée, notamment dans « Le problème économique du masochisme »,* Malaise dans la civilisation *et les* Nouvelles conférences d'introduction à la psychanalyse.

LE TEXTE FREUDIEN

Totem et tabou (en 1912-1913) ne pouvait que référer le tabou à la « conscience morale » *(Gewissen),* ce que Freud fait en des termes qui annoncent ce que sera le surmoi : elle est en effet définie comme la perception interne du rejet de certains désirs, les sources de cette condamnation intérieure étant inconscientes[1]. Un an plus tard, la

1. *Totem et tabou* (1912-1913a), Paris, Gallimard, 1993, p. 175-177 ; *OCF* XI, p. 275-277 ; *GW* IX, p. 85-86.

notion d'un « idéal du moi » est proposée dans « Pour introduire le narcissisme » et, avec lui, nous nous rapprochons du concept surmoïque, qui demandera pourtant près de dix ans pour être spécifié.

LE MOI ET LE ÇA

Donc **en 1923 est conceptualisé le *surmoi***; cela se fait dans ***Le moi et le ça***[1], ouvrage princeps qui entreprend d'exposer ce que l'on désigne habituellement comme « deuxième topique » dans laquelle il vient compléter les premières instances de l'appareil psychique que sont le moi et le ça.

Le surmoi est d'abord introduit comme un synonyme de l'idéal du moi, désignant une différenciation à l'intérieur même du moi. On peut penser que la nécessité d'introduire une nouvelle différenciation, un « niveau » ainsi que le désigne Freud, pourrait indiquer que le surmoi serait dans une relation moins étroite avec la conscience que ce qui avait été déjà désigné comme idéal du moi. Il serait alors en quelque sorte plus conscient que le nouveau concept de surmoi. Pourtant, dès l'abord les deux notions sont apparemment confondues : en effet, l'une et l'autre se forment par une identification de type mélancolique, ou narcissique, au sens où elle est semblable au processus mélancolique : l'objet perdu est réérigé dans le moi, ce qui signifie que l'investissement d'objet est relayé par une identification.

Freud laisse alors de côté la question du surmoi et de l'idéal du moi pour reprendre et développer la théorie générale de l'identification qui est nécessaire à leur conception. Il revient ainsi à la constitution de l'idéal du moi, qui résulte de la première identification de l'individu au **père de la préhistoire personnelle,** identification qui n'est pas « le résultat ou l'issue d'un investissement d'objet ». Elle est en effet « directe, immédiate, plus précoce que tout investissement d'objet ». Cette première institution de l'idéal se révèle cependant plus complexe : le choix d'objet maternel, du sein maternel, qui est le premier objet, va secondairement, mais dès la première période sexuelle, aboutir à une nouvelle identification qui va renforcer

1. *Le moi et le ça* (1923b), *Essais de psychanalyse,* Paris, Payot, 1981, p. 221-275 ; *OCF* XVI, p. 257-301 ; *GW* XIII, p. 237-289.

l'identification primaire. Le choix d'objet paternel ira dans le même sens. Cette complexité dépend de la « disposition triangulaire de la relation œdipienne et de la bisexualité constitutionnelle »[1].

Le jeu des identifications au père et à la mère – mais aussi celui des choix d'objet, constituant le complexe d'Œdipe – est alors résumé en justifiant la dénomination de **surmoi (idéal du moi)** : « *On peut admettre comme résultat le plus général de la phase sexuelle dominée par le complexe d'Œdipe, une sédimentation dans le moi qui consiste dans la production de ces deux identifications accordées de quelque façon l'une à l'autre. Cette modification du moi garde sa position particulière, elle s'oppose au reste du contenu du moi comme idéal du moi ou surmoi.* »[2] Freud continue aussitôt en distinguant, à côté du précepte, « tu dois *(sollst)* être ainsi (comme le père) », l'interdiction suivante : « Tu n'as pas le droit *[darfst]* d'être ainsi (comme le père), c'est-à-dire tu n'as pas le droit de faire tout ce qu'il fait ; certaines choses lui restent réservées. » Ce **double visage** de l'idéal du moi est à rapporter au fait que le refoulement du complexe d'Œdipe n'a pas été une tâche facile. On remarque qu'il parle uniquement là de l'idéal du moi, sans revenir au terme qu'il vient de proposer et qui en rend compte : « le surmoi (idéal du moi) ». Ce qui étonne d'autant plus que l'on peut voir dans la formule qu'il propose une sorte de définition implicite des deux instances en cause ; en effet le devoir qui consiste à être comme le père découle de son instauration en idéal, supposé inatteignable, tandis que l'interdiction s'adresse plutôt aux prérogatives paternelles, essentiellement sexuelles, qui restent interdites à l'enfant – ce qui, de façon générale, définira le surmoi. Notons au passage que l'interdit ne l'est que parce qu'il est au moins pensable de l'atteindre, ce qui est le cas des désirs œdipiens interdits par le surmoi. L'idéal, au contraire, est imposé parce qu'il ne saurait sans doute être atteint, en tout cas ne peut l'être de façon idéale, c'est-à-dire totalement.

Freud se pose alors une ***question économique :*** **d'où vient la force nécessaire à l'accomplissement du refoulement du complexe d'Œdipe,**

1. *Ibidem,* p. 243-244 ; p. 275 ; p. 259.
2. *Ibidem,* p. 246 ; p. 277 ; p. 262.

cette tâche redoutable ? Elle est nécessairement empruntée au père de l'enfant[1] (plus précisément ici du garçon), à son caractère autoritaire, et intolérant aux désirs œdipiens. Autre question importante : la détermination des origines du surmoi (idéal du moi) et **la tentative de séparer ce qui revient à l'hérédité ou à l'acquis.** En fait, l'essentiel se trouve avant tout dans l'état de détresse et de dépendance infantile d'une part, et le complexe d'Œdipe d'autre part, que Freud qualifie de *facteurs biologiques*. Il insiste surtout sur l'importance de l'*instauration diphasée* de la vie sexuelle, conséquence de la phase de latence qui interrompt le développement de la sexualité infantile.

La conception de « l'**être supérieur, l'idéal du moi ou surmoi** », « représentance de notre relation aux parents »[2] a pour conséquence que, par son édification, le moi s'est assuré « son emprise sur le complexe d'Œdipe et en même temps il s'est lui-même soumis au ça ». Ainsi, les rôles de l'une et l'autre instance se départagent, le moi étant désormais le représentant du monde extérieur tandis que le surmoi « se pose en face de lui comme mandataire du monde intérieur, du ça ». Nous pouvons retenir que « l'idéal du moi » a les liens les plus étendus avec l'acquis phylogénétique et l'héritage archaïque de l'individu. Formation substitutive qui remplace la nostalgie pour le père, il contient le germe de toutes les religions, de toute soumission aux maîtres et autorités. **La conscience morale et la censure de la première topique se retrouvent dans l'ensemble du surmoi (idéal du moi) :** de cette manière la première topique se continue dans la seconde. Le conscient et l'inconscient se superposent au moi et au surmoi qui sont à la fois dans les domaines conscient et inconscient. Seul le ça est par définition inconscient. Quant au préconscient, il constitue avec le conscient le noyau du moi. À ce propos, on peut remarquer que dans le schéma de la nouvelle topique en voie d'élaboration, le surmoi n'est pas anticipé ni suggéré ; il semble que ce soient les difficultés rencontrées dans la conception de la place qui pourrait désormais revenir au préconscient qui en viennent à l'imposer. Freud en effet est amené à considérer que si « un individu est donc, selon nous, un ça

1. *Ibidem*, p. 247 ; p. 278 ; p. 263.
2. *Ibidem*, p. 248 ; p. 279 ; p. 264.

psychique, inconnu et inconscient »[1], la question de l'inconscient et du préconscient est à revoir. Le moi est largement inconscient et en communication avec le ça ; seul le refoulé est inconscient et nettement séparé du moi par les « résistances du refoulement », mais il communique cependant avec le moi par la partie inconsciente du moi, en passant par le ça. L'autocritique et la censure, fonctions psychiques des plus élevées, sont le plus souvent inconscientes et produisent d'ailleurs d'autant plus d'effet qu'elles sont inconscientes, notamment sous la forme du paradoxal **sentiment de culpabilité inconscient.** L'ensemble ***Pc-Cs* et *Pcs* n'est plus dès lors capable d'assumer les fonctions de censure et de critique, ce qui conduit à introduire la notion de surmoi** en s'appuyant sur celle d'idéal du moi, d'où une certaine mixité du concept. Mais la part prédominante de sa partie inconsciente est d'emblée soulignée ; c'est une nouveauté par rapport à la conception précédente qui situait l'activité censurante pour une large part dans le domaine du préconscient (première censure ou refoulement à la limite du préconscient et de l'inconscient, deuxième censure entre préconscient et conscient).

Le **sentiment inconscient de culpabilité** est également au centre de l'étude des relations de dépendance du moi ; en fait de la dépendance où le moi se trouve par rapport au surmoi – le point de départ de cette réflexion étant la réaction thérapeutique négative qui ouvre aux **relations du surmoi et de la pulsion de mort.** Le surmoi, comme le moi, tire son origine des premiers investissements d'objet du ça. Cette origine le met en relation avec les *acquisitions phylogénétiques du ça* et en fait la réincarnation de formations antérieures du moi ; il se trouve ainsi proche du ça, *dans lequel il plonge profondément,* et de ce fait il est plus éloigné de la conscience que le moi. Ainsi **le surmoi, qui interdit au moi les investissements et désirs venant du ça, est lui-même une formation essentiellement issue du ça.** L'examen des conséquences du sentiment inconscient de culpabilité va être le premier abord de la situation complexe et contradictoire qui est la conséquence de l'ambiguïté du surmoi, si l'on peut dire. La première conséquence en est donc la **réaction thérapeutique négative** qui se caractérise par « l'inac-

1. *Ibidem*, p. 236 ; p. 268 ; p. 251.

cessibilité narcissique, l'attitude négative à l'égard du médecin et le bénéfice de la maladie auquel on s'accroche. » L'accrochage au bénéfice de la maladie en est la condition économique, quelles que soient les souffrances endurées. Freud en déduit l'existence d'un **facteur « moral »**, qui ne peut qu'évoquer le masochisme moral qui sera défini dans « Le problème économique du masochisme ». Pour le moment il s'en tient à la notion d'un sentiment de culpabilité inconscient qui ne veut pas renoncer à la punition par la souffrance et trouve sa satisfaction dans l'état de maladie. La situation est d'autant plus difficile à modifier que le patient ne se sent pas coupable mais malade. Cette situation, qui ne concerne pas seulement les éventualités extrêmes mais peut-être toutes les névroses graves, se rattache au « comportement de l'idéal du moi »[1]. Le surmoi n'est pas nommé, mais ici les deux termes sont bien équivalents.

Quoi qu'il en soit, les rôles de la culpabilité et du surmoi se trouvent examinés dans deux situations où ils sont particulièrement actifs : **la névrose obsessionnelle grave et la mélancolie.** Dans le premier cas, la culpabilité s'exprime bruyamment sans pouvoir se justifier devant le moi. Ce sont les causes de la culpabilité qui restent inconscientes, c'est-à-dire des impulsions refoulées, inconnues du moi mais connues du surmoi, qui en sait donc « plus long sur le ça inconscient » que le moi. Au contraire, dans la mélancolie, le surmoi s'est aussi *annexé la conscience,* le moi se reconnaît coupable et se soumet sans protester aux châtiments. La différence entre ces deux cas tient à la position du moi par rapport au surmoi : dans le premier cas, la cause de la culpabilité tient aux motions inconvenantes venant du ça, qui restent en dehors du moi et que le surmoi réprime et punit. Dans la mélancolie, le surmoi se déchaîne sur l'objet coupable, introduit par identification dans le moi, qui s'attire la colère du surmoi, fondamentalement destinée à l'objet désormais décevant ou haï.

Freud élargit ensuite l'étude du rôle du surmoi, notamment à l'hystérie. Ici encore la culpabilité est inconsciente car le moi se défend du sentiment de culpabilité que suscite le surmoi de la même façon qu'il se défend contre l'investissement d'objet inacceptable, c'est-à-dire

1. *Ibidem,* p. 263-266 ; p. 292-294 ; p. 279-280.

par le **refoulement.** Si d'habitude le moi entreprend les refoulements « au service et pour le compte du surmoi », cette fois, il utilise cette arme contre son maître, le surmoi lui-même. Dans la névrose obsessionnelle, il se produit un événement comparable : si le sentiment de culpabilité reste inconscient, c'est que le moi tient à distance le matériel que condamnerait le surmoi au moyen du mécanisme qui lui est le plus habituel, celui de la **formation réactionnelle.**

L'augmentation du sentiment inconscient de culpabilité peut faire d'un homme un criminel ; en pareil cas, ce sentiment n'est pas la conséquence mais le *motif* de l'acte qui va permettre de rattacher le sentiment inconscient à quelque chose de réel. Ainsi se manifeste encore **l'indépendance du surmoi à l'égard du moi** conscient et, à l'opposé, la proximité de ses relations avec le ça inconscient. À partir de là se pose la question topique, au sens de la première topique : **le surmoi est-il conscient ou inconscient,** quelles sont ses relations avec les représentations de mots, ou avec les restes verbaux ? La réponse est ambiguë ou plutôt « prudente » : on ne peut nier les origines du surmoi dans l'entendu et le fait qu'il reste accessible à la conscience à partir des représentations de mots, notamment des *concepts* et *abstractions*. Mais le point capital est que l'énergie d'investissement de ces contenus ne provient pas de la perception auditive mais des *sources qui sont dans le ça*.

Dès lors, Freud peut développer la question centrale, celle qui fait tout l'intérêt du surmoi : **l'origine du sentiment de culpabilité,** qui est la forme sous laquelle il se manifeste essentiellement ; en fait le surmoi se manifeste comme critique et le sentiment de culpabilité n'en est que la conséquence, c'est-à-dire *la perception qui correspond, dans le moi, à cette critique*. Il faut revenir sur les formes les plus violentes de la critique et de la haine que peut exercer le surmoi à l'encontre du moi, ce qui conduit à prendre en compte le sadisme, la destructivité, **les pulsions de mort dans la constitution et le rôle du surmoi.** C'est ainsi que la mélancolie montre le surmoi excessivement fort faisant rage contre le moi « avec une violence impitoyable, comme s'il s'était emparé de tout le sadisme disponible dans l'individu ». Ce qui règne dans le surmoi est « pour ainsi dire une pure culture de la pulsion de mort » qui réussit souvent à conduire en effet le moi à la mort.

Ici encore, la situation est différente dans la névrose obsessionnelle, notamment du fait que le suicide ne s'y produit pas, comme si le moi était immunisé de ce danger. L'objet est en effet maintenu et les impulsions amoureuses *(Liebesimpulse),* en raison d'une régression à l'organisation prégénitale (Freud n'en précise pas le type), se transposent en impulsions d'agression contre l'objet. Le moi ne prend pas en lui ces tendances *(Tendenzen),* qui restent dans le ça. Quant au surmoi, il se conduit comme si le moi en était responsable, et le sérieux avec lequel il poursuit les intentions de destruction et d'anéantissement prouvent, que pour ce qui concerne la haine « il ne s'agit pas d'une simple apparence provoquée par la régression, mais d'un réel remplacement de l'amour par la haine ». D'où l'interminable auto-torture qui en résulte, suivie d'une torture de l'objet lorsqu'il peut être atteint[1].

Une question reste ouverte cependant, au delà des éléments déjà avancés : comment se fait-il que « le surmoi puisse devenir une **sorte de lieu de rassemblement des pulsions de mort** » ? Le plus important reste que ce fait soit reconnu, même si son origine est toujours en partie énigmatique. « Le surmoi peut devenir hypermoral et alors aussi cruel que seul le ça peut l'être. » Freud vient pourtant d'affirmer que *le ça est totalement amoral* ! Ce paradoxe apparent rappelle que le surmoi (idéal du moi) avait été précédemment décrit[2] comme une formation réactionnelle énergique contre les premiers choix d'objet du ça ; or, on sait que la formation réactionnelle emprunte l'énergie à la formation qu'elle réprime, et laisse apparaître le réprimé ou le refoulé dans la forme même du refoulant – on peut aussi penser que le surmoi est aussi amoral que le ça, dans les cas retenus pus haut, au sens où il satisfait sa cruauté sous couvert d'hypermoralité. L'agressivité du surmoi à l'égard du moi devient d'autant plus intense que l'*idéal du moi* interdit davantage à ce dernier de se manifester à l'extérieur. Nous retrouvons encore l'ambiguïté des deux termes, et nous pouvons considérer qu'ici la formation réactionnelle est au service du narcissisme et que les exigences qui pèsent sur le moi relèvent

1. *Ibidem,* p. 267-270 ; p. 294-298 ; p. 281-285.
2. *Ibidem,* p. 246 ; p. 277 ; p. 262.

de l'idéal, ce que confirme « la conception de l'être supérieur » inexorable. En quelque sorte, s'ils proviennent l'un et l'autre du père de la préhistoire, le surmoi peut-être figuré par le « **tyran** » et l'idéal du moi par « **l'être supérieur** ». L'un et l'autre sont certes « cruellement interdicteurs », mais l'agressivité et l'intolérance marquent particulièrement le surmoi tandis que l'idéal représente les exigences illimitées du narcissisme. Les composantes érotique et destructive des pulsions se séparent en raison des conditions économiques liées à l'identification et avant tout à l'identification originaire au père.

En effet, « **toute identification de ce genre à le caractère d'une désexualisation, ou même d'une sublimation** » [1]. On peut entendre cela comme le passage d'un investissement érotique à un investissement narcissique, au sens où la libido retirée à l'objet fait retour au narcissisme secondaire, ce qui va de soi pour ce qui concerne l'identification. Quant à la sublimation, on sait qu'elle se produit également aux dépens de l'investissement d'objet, le détournant vers un but autre que la satisfaction directe. L'idéal du moi ne peut en décider mais il peut favoriser ce destin pulsionnel ou en faire une exigence. C'est ainsi que la composante idéale de l'ensemble surmoi (idéal du moi) représente les exigences narcissiques opposées aux investissements libidinaux d'objet et conduit à la désexualisation-sublimation. Elle prive la composante érotique de son énergie et laisse libre l'agressivité. Freud parle ici d'une régression, au sens de régression de la libido vers le narcissisme. Cela pose cependant la question des relations des pulsions de mort et du narcissisme. **Quoi qu'il en soit, le processus régressif commence dans le ça et de là s'étend au surmoi** qui punit le moi avec une sévérité accrue par la libération en lui des forces agressives. Bien qu'il ait « maîtrisé » la libido par identification, le moi reste tout de même responsable de l'investissement libidinal des premiers objets, incestueux et interdits. L'idéal du moi (entendons également le surmoi, l'un et l'autre comme formation réactionnelle opposée aux processus pulsionnels du ça), intervient pour conduire le moi « de la perception des pulsions à la maîtrise des pulsions, de l'obéissance aux pulsions à l'inhibition des pulsions ». La psychanalyse est un outil

1. *Ibidem,* p. 270 ; p. 298 ; p. 285.

pour donner au moi la possibilité de conquérir progressivement le ça, ce qui laisse entendre qu'elle intervient notamment en levant la formation réactionnelle que constitue le surmoi (idéal du moi).

Freud avance encore quelques propositions surprenantes. Ainsi, il rappelle d'abord que le **travail de sublimation** auquel se livre le moi entraîne désunion pulsionnelle et libération des pulsions d'agression dans le surmoi ; le combat contre la libido l'expose au danger de sévices et de mort. Le sort du moi est alors comparé à celui des **protistes** qui périssent du fait des produits de décomposition qu'ils ont eux-mêmes créés : en l'occurrence, les produits de décomposition sont les pulsions d'agression, séparées des pulsions érotiques, et qui apparaissent notamment sous la forme de *morale* agissant dans le surmoi. Est ensuite abordée une théorie de **l'angoisse dès l'origine** – très étendue puisqu'elle comporte l'angoisse de conscience, l'angoisse de mort et l'angoisse de castration, dans leur relation avec la conception du surmoi. L'angoisse de conscience (*Gewissenangst* c'est-à-dire l'angoisse liée à la conscience morale) vient de la position du moi par rapport à l'être supérieur qui menaçait autrefois de castration ; l'**angoisse de castration** s'avère être ainsi « le noyau autour duquel se dépose ce qui deviendra l'angoisse de conscience ».

Quant au mécanisme de l'angoisse de mort, il pourrait être seulement que le moi retire dans une très large mesure son investissement libidinal narcissique, donc s'abandonne lui-même, comme en cas d'angoisse il abandonnerait normalement un autre objet. Ce qui signifie que le moi s'abandonne pour investir le surmoi. Freud note encore que **l'angoisse de mort se joue entre moi et surmoi.** Il prend l'exemple de la mélancolie, encore une fois, pour souligner que le moi se sent dans ce cas haï et persécuté par le surmoi. Cependant, le surmoi n'est pas seulement persécuteur, normalement il protège aussi le moi, lui permet d'être aimé et de vivre, comme le faisaient « jadis le père et plus tard la providence ou le destin ».

La situation que connaît le moi face à un danger considérable est à peu près comparable à celle qui est rencontrée dans la mélancolie : il se voit abandonné par toutes ses forces protectrices, c'est-à-dire par le surmoi. En d'autres termes, il retrouve la situation de la naissance et du premier état d'angoisse, de l'angoisse-nostalgie infantile, liée à la séparation d'avec la mère protectrice. Sans que cela soit développé, le surmoi protecteur apparaît comme instance qui survient dans l'angoisse de séparation, où la mère protectrice disparaît et laisse place au père puis au surmoi paternel, qui apparaît ainsi presque dès l'origine. La nostalgie du père est dès lors associée au surmoi. **L'angoisse de mort, l'angoisse de conscience sont une élaboration de l'angoisse de castration** et, d'une façon générale, l'importance du sentiment de culpabilité « ne permet pas d'écarter l'idée » que l'angoisse névrotique commune ne connaisse un renforcement par le développement d'angoisse entre moi et surmoi. Ainsi il est confirmé que l'angoisse névrotique a une origine antérieure à la formation du surmoi qui ne fait que la renforcer[1].

« Le problème économique du masochisme »

L'année suivante, la question du *sentiment de culpabilité,* conscient et inconscient, est longuement reprise dans « **Le problème économique du masochisme** »[2], le masochisme moral apparaissant en relation avec l'angoisse et la conscience morale ; la *réaction thérapeutique négative,* forme de résistance des plus graves, en étant l'expression. Le sentiment de culpabilité est aussi l'expression d'une **tension entre moi et surmoi** : l'angoisse morale survient lorsque le moi est resté en dessous des exigences du surmoi, dans sa fonction d'idéal. Dans le *Moi et le Ça,* nous avons vu que le surmoi est le représentant du ça tout autant que du monde extérieur, qu'il provient de l'introjection du couple parental au cours de laquelle la relation à ces premiers objets investis a été désexualisée, **permettant de surmonter le complexe d'Œdipe.** Le surmoi conserve les caractères des personnes introjectées, leur sévérité, leur puissance, leur tendance à surveiller et à punir. La désunion pulsionnelle qui accompagne l'introjection de ces objets dans le moi augmente sa sévérité : il se montre inexorable à l'égard du moi – **l'impératif catégorique de Kant est ainsi l'héritier direct du complexe d'Œdipe**[3].

1. *Ibidem,* p. 172-274 ; p. 299-301 ; p. 286-289.

2. « Le problème économique du masochisme » (1924c), *Névrose, psychose et perversion,* Paris, PUF, 1973, p. 287-297 ; *OCF* XVII, p. 11-23 ; *GW* XIII, p. 371-383.

3. *Ibidem,* p. 294-295 ; p. 19 ; p. 380.

Au cours du développement de l'enfant, **le surmoi devient de plus en plus impersonnel** au point que sa dernière figure puisse se confondre avec celle du destin ; il existe un parallèle entre les personnes soumises à un tel surmoi, dont le caractère essentiel est le sadisme à l'égard du moi, et celles qui présentent un masochisme moral. Dans le premier cas le moi est soumis au sadisme du surmoi, dans le second le masochisme du moi réclame punition du surmoi ou de personnes extérieures. En apparence, il y a peu de différences, mais le sadisme du surmoi est le plus souvent très conscient, tandis que le masochisme du moi reste caché à la personne et doit être déduit de son comportement. L'opposition se retrouve aussi dans le fait que la désexualisation du complexe d'Œdipe a lieu lors de l'instauration de la conscience morale et du surmoi tandis que le masochisme moral resexualise la morale et ressuscite ce complexe : « Cela ne s'effectue ni à l'avantage de la morale ni à celui de l'individu. » Mais **le sadisme du surmoi et le masochisme du moi se complètent mutuellement**[1], le masochisme moral retrouvant le masochisme érogène de par la resexualisation de la morale et le traitement sadique imposé par le surmoi au moi féminin.

Une illustration des rapports du masochisme et du surmoi est apportée dans l'étude consacrée à *Dostoïevski* qui montre que son sentiment de culpabilité était satisfait par les punitions qu'il s'infligeait à lui-même ; on peut « faire remonter son extraordinaire sentiment de culpabilité aussi bien que son comportement masochiste à une composante féminine singulièrement forte ». Chez lui, le surmoi est devenu sadique, le moi masochiste, c'est-à-dire féminin passif. Toute punition équivaut à la castration, ce qui satisfait « la vieille attitude passive envers le père », dont le destin lui-même n'est qu'une projection[2].

Ce problème de la féminité avait été plus particulièrement exploré dans « Quelques conséquences psychologiques de la différence anatomique entre les sexes » chez la fille, le motif pour ruiner le complexe d'Œdipe manque car la castration a déjà eu lieu ; on peut en déduire, entre autres, que **chez elle le surmoi ne devient jamais « aussi**

1. *Ibidem,* p. 297 ; p. 22 ; p. 383.

2. « Dostoïevski et le parricide » (1928b [1927]), *Résultats, idées, problèmes, II,* Paris, PUF, 1984, p. 169-170 ; *OCF* XVIII, p. 215-216 ; *GW* XIV, p. 408-409.

impitoyable, aussi impersonnel, aussi indépendant de ses origines affectives que nous l'exigeons de l'homme ». Cependant, au-delà des conséquences que cela entraîne – et notamment en ce qui concerne certains traits de caractère – on ne saurait méconnaître l'existence des prédispositions bisexuelles et de l'hérédité croisée, de sorte que « la masculinité et la féminité pures restent des constructions théoriques au contenu mal assuré »[1]. (Cette problématique du surmoi féminin sera reprise en 1933 dans les *Nouvelles conférences d'introduction à la psychanalyse*[2] sans qu'en soient modifiés fondamentalement les termes.)

Inhibition, symptôme et angoisse

Le surmoi ne peut évidemment qu'avoir une fonction importante pour les *inhibitions,* et ce sont notamment elles qui, en 1926, fournissent matière à ***Inhibition, symptôme et angoisse.*** Elles sont souvent liées au risque d'entraîner un conflit avec le ça qui obligerait à un nouveau refoulement, souvent au service de l'auto-punition en empêchant des activités que le surmoi refuse (notamment professionnelles). La sévérité du surmoi interdit ce qui apporterait profit et succès, et le moi y renonce pour éviter de l'affronter ; on pourrait penser que les deux types de conflit sont proches ou souvent associés : ainsi une activité telle que le jeu du piano, évitée en raison de son érotisation pour ne pas ouvrir un conflit avec le ça, pourrait l'être aussi en raison de la sévérité du surmoi qui interdirait un succès. Ceci dit, on tend à exagérer le rôle du surmoi dans le refoulement ; il n'intervient probablement que dans les refoulements secondaires, après coup, et non dans les originaires provoqués par les premières angoisses, très intenses, et bien antérieures à la différenciation du surmoi[3].

1. « Quelques conséquences psychologiques de la différence anatomique entre les sexes » (1925j), *La vie sexuelle,* Paris, PUF, 1969, p. 131-132 ; *OCF* XVII, p. 201 ; *GW* XIV, p. 29-30.

2. *Nouvelles conférences d'introduction à la psychanalyse* (1933a [1932]), Paris, Gallimard, 1984, p. 173 ; *OCF* XIX, p. 213 ; *GW* XV, p. 138-139.

3. *Inhibition, symptôme et angoisse* (1926d [1925]), Paris, PUF, 1951, p. 10 ; *OCF* XVII, p. 212 ; *GW* XIV, p. 121.

Bien souvent, moi et surmoi suivent un même cours et nous ne pouvons les distinguer que lorsque surviennent tension ou conflit, comme notamment dans la **formation du symptôme.** Les symptômes hystériques, dont la nature de compromis entre besoins de satisfaction et de punition est particulièrement claire, montrent que, en tant que réalisations d'une exigence du surmoi, ils font d'emblée partie du moi [1]. On ne saurait trop souligner l'importance de l'action du surmoi dans les névroses hystériques et obsessionnelles, en particulier pour ce qui concerne « le conflit suraigu entre le ça et le surmoi » dans la névrose obsessionnelle [2] (sans d'ailleurs apporter d'éléments nouveaux à ce qui avait été développé dans *Le moi et le ça*).

Dans la situation de danger en général, lorsque le surmoi est établi, l'instance parentale devient impersonnelle et le danger lui-même plus indéterminé ; l'angoisse de castration qui caractérisait l'angoisse devant l'instance parentale évolue en angoisse morale, en angoisse sociale. De cette façon, s'opposent ce qui relève du « noyau du surmoi », équivalent à l'instance parentale introjectée entraînant la peur de la castration, et ce qui relève de l'évolution ultérieure où prédomine la peur d'être séparé, exclu de la horde. La forme ultime que prend l'angoisse devant le surmoi serait l'angoisse de mort – angoisse pour la vie – *(Todes-(Lebens)-Angst),* où le surmoi parait alors projeté dans les puissances du destin [3]. Remarquons ici que, quelques pages plus tôt, Freud avait dit s'en tenir fermement à l'idée que l'angoisse de mort elle est un « analogon de l'angoisse de castration », dans une situation où le surmoi protecteur – les puissances du destin – abandonne le moi et le laisse sans défense devant tous les dangers [4].

Ainsi apparaît le surmoi dans toute l'étendue de son évolution à partir de l'introjection de l'instance parentale ; **il demeure menaçant et cependant protecteur** vis-à-vis de tous les dangers d'exclusion, de rejet, de perte d'amour, de séparation – dangers dont l'expression centrale reste la menace de castration.

1. *Ibidem,* p. 13-15 ; p. 215-217 ; p. 124-126.
2. *Ibidem,* p. 33-39 ; p. 230-236 ; p. 142-148.
3. *Ibidem,* p. 64-65 ; p. 255 ; p. 170.
4. *Ibidem,* p. 53 ; p. 246 ; p. 160.

« L'HUMOUR »

C'est par une tout autre voie que Freud va poursuivre l'exploration du surmoi : par l'***humour,*** auquel il consacre en 1927 un article portant ce titre. L'humoriste adopte à l'égard des autres l'attitude de l'adulte à l'égard de l'enfant : il s'identifie au père et rabaisse les autres à n'être que des enfants ; vis-à-vis de lui-même son attitude est fondamentalement la même, il se traite comme un enfant tout en jouant le rôle supérieur de l'adulte envers cet enfant ; il met donc en jeu un processus d'identification double – simultanément au père et à l'enfant – que l'on retrouve dans le fonctionnement du surmoi par rapport au moi. Si on se souvient que le surmoi est génétiquement l'héritier de l'instance parentale et tient le moi sous une sévère tutelle, on perçoit toute la dynamique de l'attitude humoristique : **l'humoriste retire au moi l'accent psychique et le reporte au surmoi** ce faisant, le moi et ses intérêts paraissent minuscules au surmoi ainsi « enflé », cette nouvelle répartition de l'énergie permettant de réprimer les possibilités de réaction du moi.

« L'humour serait la contribution au comique par l'intermédiaire du surmoi ». L'enjeu essentiel du texte (qui reprend et poursuit une étude antérieure, menée dans le contexte de la 1re topique[1]) est de concevoir « **le déplacement de l'accent psychique du moi au surmoi** », d'une manière plus générale : de se représenter le déplacement de grandes quantités d'investissement d'une instance à l'autre. Freud montre toute une série d'oppositions des modes de déplacement d'investissements entre le surmoi et le moi dans le cas de l'humour d'une part et de la paranoïa d'autre part, dans celui de l'alternance de manie et de mélancolie et de l'investissement érotique. Ceci laisse penser que la reprise en 1927 de la réflexion sur l'humour est déterminée par la nécessité de reprendre l'ensemble de la question de l'économique dans le cadre de la deuxième topique[2].

1. *Le mot d'esprit et sa relation à l'inconscient* (1905c), Paris, Gallimard, 1990 ; *OCF* VII ; *GW* VI.

2. « L'humour » (1927d), *L'inquiétante étrangeté et autres essais,* Paris, Gallimard, 1985, p. 325-328 ; *OCF* XVIII, p. 138-140 ; *GW* XIV, p. 386-388.

MALAISE DANS LA CIVILISATION

En 1930, dans *Malaise dans la civilisation*[1], trois chapitres (VI, VII et VIII) posent la question de l'**agressivité** et de la **pulsion de destruction,** reprenant l'histoire du développement de l'individu selon cette perspective, avec la question centrale : « Que se passe-t-il en lui qui rende inoffensif son plaisir d'agression ? » Une chose très remarquable, puisqu'il s'agit en effet de l'**introjection de l'agression,** rejeton et représentant principal de la pulsion de mort, renvoyée au point d'où elle était partie, **le moi contre lequel elle est retournée.** Elle est ainsi **reprise par le surmoi,** partie du moi qui s'oppose au reste de ce moi et exerce à son égard la même agressivité qu'il aurait aimé satisfaire à l'égard d'autres, étrangers. Cette tension entre le surmoi sévère et le moi qui lui est soumis, « nous l'appelons conscience de culpabilité *(Schuldbewusstsein)* ; elle se manifeste comme besoin de punition ». Ceci amène à discuter l'ensemble de la **question de la culpabilité** consciente et inconsciente, avant et après l'instauration du surmoi.

Le sentiment de culpabilité *(Schuldgefühl)* est éprouvé lorsque l'on a fait quelque chose que l'on reconnaît être mal, ou que l'on a seulement eu l'intention de le faire. Le mal *(Böse)* étant, non ce qui pourrait être dangereux ou nuisible pour le moi, mais au contraire ce qui serait souhaité ou agréable ; c'est donc un autre qui juge ainsi ou est censé le faire, cet autre étant celui ou celle qui a tiré l'enfant de l'« état de détresse » *(Hilflosigkeit)* et dont il reste dépendant, dépendant de son amour. **Le mal est ainsi au début ce pour quoi on est menacé de perte d'amour ;** à cause de l'angoisse devant cette perte, il faut éviter le mal. Il n'importe donc pas qu'on l'ait fait ou seulement eu l'intention de le faire, dans les deux cas le danger ne survient que si l'autorité découvre la chose. On appelle cet état « mauvaise conscience » *(schlechte Gewissen),* mais à ce stade il ne s'agit à vrai dire que d'angoisse devant la perte d'amour, d'angoisse « sociale », dans la mesure où, pour l'adulte même, la communauté des hommes vient en lieu et place du père ou des deux parents.

1. *Malaise dans la civilisation* (1930a [1929]), Paris, PUF, 1971, p. 79-106 ; *OCF* XVIII, p. 312-332 ; *GW* XIV, p. 484-504.

L'érection du surmoi entraîne un changement qui hausse les phénomènes de conscience morale à un nouveau stade : on peut désormais parler de conscience morale ou de sentiment de culpabilité. Au cours du premier stade, celui-ci, qui vient de l'angoisse devant l'autorité, oblige au renoncement aux satisfactions pulsionnelles. Au second stade, où le sentiment de culpabilité vient de l'angoisse devant le surmoi, celui-ci pousse en outre à la punition : le renoncement aux satisfactions pulsionnelles ne lui suffit pas car il connaît la persistance du désir. « **C'est là un grand inconvénient économique de l'instauration du surmoi.** » En conséquence, le renoncement pulsionnel n'a plus d'effet pleinement libératoire, l'*abstinence vertueuse* ne garantit plus l'amour ; avec le surmoi on a échangé un malheur externe – perte d'amour et punition – contre ce malheur interne durable qu'est le sentiment de culpabilité. L'explication en est que l'enfant a développé en lui une agressivité considérable contre le père en raison des renonciations qui lui ont été imposées ; il se sort de cette situation économique en accueillant en lui, par identification, l'autorité inattaquable. Le surmoi ainsi institué est alors en possession de toute l'agression que l'enfant aurait aimé exercer contre elle ; la sévérité du surmoi représente la propre agressivité que le moi ressentait contre l'objet externe, le père, et non la sévérité réelle de ce dernier, du moins pas totalement. Cette origine du surmoi s'articule à la question de la **mise à mort du père originaire**[1], de la haine que le père suscite, et de l'amour qui amène le remords et l'érection du surmoi par identification.

Freud relève encore une contradiction apparente, à propos du surmoi, entre d'une part l'idée selon laquelle l'énergie agressive qu'il exerce contre le moi vient de l'énergie punitive de l'autorité externe et la prolonge, et d'autre part la conception selon laquelle il s'agit de l'agressivité de l'enfant contre l'autorité inhibitrice non utilisée qui est retournée contre le moi. L'essentiel est qu'il s'agit dans les deux cas d'une énergie tournée vers l'intérieur, et qu'en fait l'observation clinique montre que les deux énergies attribuées au surmoi agissent en général conjointement. Il ajoute, se référant aux auteurs anglais et

1. *Ibidem*, p. 90 ; p. 319 ; p. 491-492.

notamment à Mélanie Klein, que « se fait jour une prédilection pour la doctrine selon laquelle chaque sorte de frustration, de "refusement" *[Versagung]*, chaque satisfaction pulsionnelle empêchée, a ou pourrait avoir pour conséquence un accroissement du sentiment de culpabilité ». Cela ne vaut que pour les pulsions agressives ; la frustration d'une revendication érotique entraîne un accroissement du sentiment de culpabilité : l'empêchement de la satisfaction suscite de l'agressivité contre la personne qui y fait obstacle, et cette agressivité doit être réprimée et reprise par le surmoi contre le moi [1].

Nous pouvons retenir de ce qui, dans cet ouvrage, concerne le surmoi la récapitulation proposée par Freud, même si la citation en est un peu longue : « **Le surmoi est une instance inférée par nous, la conscience morale une fonction que nous lui attribuons à côté d'autres, ayant à surveiller et juger les actions et visées du moi, exerçant une activité de censure.** Le sentiment de culpabilité, la dureté du surmoi, est donc la même chose que la sévérité de la conscience morale, il est la perception, impartie au moi, de la surveillance à laquelle celui-ci est ainsi soumis, il est l'évaluation de la tension entre les tendances du moi et les exigences du surmoi, le besoin de punition, est une manifestation pulsionnelle du moi qui est devenu masochiste sous l'influence du surmoi sadique, c'est-à-dire qu'il utilise, aux fins d'une liaison érotique avec le surmoi, une part de la pulsion à la destruction interne qui est présente en lui. » [2]

Freud introduit la notion de **surmoi culturel** *(Kultur-Über-Ich)* dans un parallèle avec le surmoi individuel. Quinze ans plus tôt, il avait déjà esquissé le rôle essentiel accordé aux événements traversés par l'humanité lors de la période glaciaire, dans un texte non publié de son vivant : *Vue d'ensemble sur les névroses de transfert,* où il s'inspirait de l'idée développée par Sandor Ferenczi selon laquelle c'est spécialement le « dénuement des époques glaciaires qui a poussé vers le développement de la civilisation » [3], entraînant, avec le développement de la culture, ce qui pourra être considéré comme une

1. *Ibidem,* p. 98 ; p. 325 ; p. 498.
2. *Ibidem,* p. 95-96 ; p. 323 ; p. 496.
3. *Vue d'ensemble sur les névroses de transfert. Un essai métapsychologique*

séparation du moi et du surmoi s'inscrivant dans les individus puis dans l'espèce – ainsi peut-on admettre que l'influence des parents liée à la longueur du développement infantile s'associe aux conséquences de l'histoire du développement culturel pour former le surmoi. C'est ce que développera *Malaise dans la civilisation* : « **Le surmoi d'une époque culturelle a une origine semblable à celui de l'homme individuel.** » Son origine repose sur l'impression laissée par de grandes personnalités de meneurs, ou surtout de telles personnalités qui ont été de leur vivant maltraitées ou éliminées de manière cruelle, tout comme le père originaire (le modèle en est Jésus-Christ). Le surmoi culturel pose également de sévères exigences d'idéal dont le non-respect est puni d'« angoisse de conscience morale ». Mais les processus psychiques sont du côté de la masse beaucoup plus accessibles à la conscience qu'ils ne le sont chez l'individu ; chez celui-ci seuls les reproches du surmoi sont manifestes, les exigences elles-mêmes restant souvent inconscientes – l'analyse montre qu'elles coïncident chaque fois avec les préceptes du surmoi culturel. Ses exigences, concernant les relations entre les hommes, sont regroupées en tant qu'*éthique* dont le but, *tentative thérapeutique,* est « d'écarter le plus grand obstacle à la culture, le penchant constitutionnel à s'agresser mutuellement ». C'est ce qu'exprime le commandement de ce surmoi : « Aime ton prochain comme toi-même », à considérer comme le plus récent des commandements culturels du surmoi, en même temps qu'exemple de la démarche non psychologique du surmoi culturel qui donne un ordre impraticable. **Le surmoi individuel se soucie trop peu du bonheur du moi et ne prend pas suffisamment en compte la force pulsionnelle du ça et les difficultés du monde réel.** C'est ce qui oblige, *dans la cure,* à souvent combattre le surmoi et à abaisser ses revendications. Il en est de même du surmoi culturel qui « présume qu'au moi de l'homme tout ce dont on le charge est psychologiquement possible, qu'au moi il incombe de régner sans restriction sur le ça »[1].

(1985a [1915]), Paris, Gallimard, 1986, p. 33-38 ; *OCF* XIII (2e éd.), p. 294-297 ; *GW (Nachtragsband),* p. 11-16.

1. *Malaise dans la civilisation* (1930a [1929}), Paris, PUF, 1971, p. 102-104 ; *OCF* XVIII, p. 328-331 ; *GW* XIV, p. 501-504.

« LE PRÉSIDENT WILSON »

Dans les mêmes temps (1930), en collaboration avec le diplomate américain William C. Bullitt, Freud entreprend la rédaction d'une étude sur *Le président T. W. Wilson* (qui ne sera publiée qu'en 1938). En raison du caractère particulier des relations de Wilson avec son père, le texte insiste sur la question du surmoi : « Ce père de l'enfance, tout-puissant, omniscient, parfait, lorsqu'il est incorporé à l'enfant devient une force psychique interne que nous appelons, en psychanalyse, idéal du moi ou surmoi » ; on doit distinguer son rôle négatif de défense « connu sous le nom de conscience », de son rôle positif de domination, moins facilement perceptible mais plus important. « Il s'exprime par toutes les aspirations conscientes et inconscientes de l'individu. Ainsi du désir insatisfait du garçon de tuer son père naissent l'identification au père, l'idéal du moi et le surmoi. » Certes, la création du surmoi ne résout pas toutes les difficultés du complexe d'Œdipe mais « crée une accumulation pour une certaine partie du courant de la libido qui était, à l'origine, une activité agressive envers le père ». « En échange », le surmoi critique, refoule, s'oppose aux désirs qui ne répondent pas à ses idéaux. Cela n'a que peu de conséquences lorsque la libido est faible et se laisse conduire par le surmoi, ou au contraire lorsque c'est le surmoi qui est faible et qu'il se contente d'observer la libido qui suit son cours. Souvent, les idéaux du surmoi « ne transcendent pas les limites de la nature humaine », ce qui est agréable mais a « le désavantage d'assurer le développement d'un être humain très ordinaire ». À l'opposé (c'est le cas de Wilson), se trouve le surmoi dont les idéaux grandioses exigent l'impossible du moi ; c'est la conséquence de l'identification du père à Dieu : « Quand le fils s'identifie à son père, son père à Dieu, et qu'il érige son père en surmoi, il sent que Dieu est en lui et qu'il est lui-même devenu Dieu. » Cela peut conduire dans un asile d'aliénés, mais celui qui avec un tel surmoi réussit à garder un respect absolu des faits peut accomplir de grandes choses. « Son surmoi exige et obtient beaucoup. »[1] Les

1. S. Freud (avec W. Bullitt), *Le président T. W. Wilson* (1966b [1930-1938]), Paris, Payot « Petite bibliothèque », 1990, p. 80-84. *[Tout laisse penser que le premier chapitre, dont sont extraites ces citations, sont de la main de Freud.]*

considérations sur le couple réalisé par le président Wilson et son père peuvent évoquer le **président Schreber,** mais Freud ne le fait pas, bien qu'il se réfère souvent dans le cas Wilson à la paranoïa, à l'identification féminine et à la passivité envers le père.

NOUVELLES CONFÉRENCES D'INTRODUCTION À LA PSYCHANALYSE

Les ***Nouvelles conférences d'introduction à la psychanalyse*** (en 1933) apportent d'importantes contributions à la théorie du surmoi. Dans la XXIe, intitulée « La décomposition de la personnalité psychique », Freud aborde sur le ton d'un discours aux profanes cultivés, les questions d'instances et de topique en supposant connus les éléments de la première topique. Il propose donc de prendre pour acquis que le moi peut se prendre lui-même pour objet ; pour ce faire, une partie du moi s'oppose au reste dont elle se sépare en se clivant. Considérant la structure « fêlée, fissurée » des malades souffrant de délire d'observation, il en vient à généraliser, sur le modèle de l'hallucination, l'existence **d'une « instance observatrice et menaçante » qui correspond au surmoi persécuteur.** Il l'identifie à la conscience morale qui s'oppose au moi et impose de renoncer aux perspectives de plaisir, et qui punit le moi par des reproches ou en faisant éprouver du repentir, s'il commet l'acte interdit. Cette instance ne correspond pas seulement à la conscience morale, mais aussi à « l'auto-observation, condition préalable et indispensable à l'activité judiciaire de la conscience ». **L'ensemble constitue le surmoi, instance relativement autonome, indépendante du moi.**

La mélancolie en illustre à nouveau la rigueur et la cruauté, le surmoi y représentant « de façon absolue la revendication de la moralité, montrant que le sentiment de culpabilité est l'expression de la tension entre moi et surmoi. Chez le petit enfant, qui est « comme on sait, amoral », le surmoi n'existe pas mais seulement son précurseur : l'autorité des parents qui gouvernent par l'octroi de preuves d'amour et par la menace de punitions qui signifient la perte d'amour. L'**angoisse devant le réel** *(Realangst),* c'est-à-dire *les parents réels,* préfigure l'angoisse de conscience morale ; aussi longtemps que l'angoisse devant le réel domine, il n'est pas nécessaire de parler de surmoi ni de conscience morale. Ceci montre que le surmoi prend progressivement possession du pouvoir, établissant ainsi la » situation secondaire « , qui s'installe donc en relation avec la constitution du surmoi et correspond au déclin du complexe d'Œdipe et au refoulement secondaire. Nous considérons trop volontiers cette situation comme normale, souligne Freud, c'est-à-dire que la situation primaire est volontiers méconnue, ce qu'il a souvent souligné comme refus de reconnaître la sexualité infantile avec, d'une façon générale, les désirs incestueux et l'Œdipe. Ceci nous amène à supposer que le *réel* interdicteur, objet de l'angoisse primaire pré-surmoïque, est méconnu comme le sont les désirs infantiles ou leur punition – notamment la castration. La situation réelle de l'enfant est que le fantasme investi d'affect équivaut totalement et constamment à une réalité extérieure, tandis que la situation secondaire fonde l'intériorité de la menace, le refoulement et l'inconscience des désirs et de leurs conséquences. La réalité psychique n'est pas moins réelle mais elle n'apparaît que par la levée du refoulement, si elle est acceptée par le surmoi. Ce texte semble impliquer que le refoulement primaire, qui n'est pas cité, serait entièrement déterminé par la présence réelle des parents. En effet, **le surmoi n'est pas seulement le successeur de droit de l'instance parentale, mais en est *réellement l'héritier naturel légitime.*** (Nous voyons ici l'insistance de Freud sur la question de la « réalité psychique », qui est certes définitivement admise depuis la fin de la *neurotica,* mais n'en continue pas moins à poser problème.) Le surmoi, cependant, semble faire un choix unilatéral, ne reprenant que la dureté et la sévérité des parents avec leur fonction d'interdiction et de punition, et non leur *sollicitude pleine d'amour*[1]. Là est sans doute la différence entre l'instance surmoïque et la réalité parentale originelle.

Comme dans d'autres textes, **l'importance fondamentale de l'identification** est reprise, décrite comme l'assimilation d'un moi à un autre qu'il imite et prend en soi, ce qui justifie la comparaison avec l'incorporation orale, cannibale. L'origine du surmoi se trouve donc dans l'identification au père, mais Freud ne revient pas sur le fait que cette identification serait antérieure à tout choix d'objet. Au contraire, il rappelle que la création du surmoi est rattachée au

1. *Nouvelles conférences d'introduction à la psychanalyse* (1933a [1932]), Paris, Gallimard, 1984, p. 84-88 ; *OCF* XIX, p. 147 ; *GW* XV, p. 70.

destin du complexe d'Œdipe, qu'il est l'héritier de cette liaison affective. Son abandon entraîne le renoncement aux investissements affectifs placés chez les parents (sans distinguer particulièrement ici le père) ; les identifications, vraisemblablement présentes depuis longtemps, se trouvent ainsi renforcées. Les identifications ultérieures à d'autres personnages se font de la même façon et, s'éloignant de plus en plus de ses modèles originaux, **le surmoi devient de plus en plus impersonnel.** Si les parents sont « tout à fait grandioses à l'époque où le complexe d'Œdipe cède la place au surmoi », ils perdent beaucoup de leur prestige ultérieurement ; les identifications se poursuivent néanmoins et participent à la formation du caractère – mais ceci concerne le moi et non le surmoi. Le surmoi est en effet « **un rapport structurel et ne personnifie pas simplement une abstraction comme celle de la conscience** », il est « le porteur de l'idéal du moi », précipité de l'ancienne représentation parentale et expression de l'admiration pour la perfection que l'enfant attribuait alors aux parents. On le voit ici encore : l'identification surmoïque, y compris la plus originaire et la plus narcissique, celle de l'idéal, ne concerne pas seulement le père mais les parents.

L'auto-observation, la conscience et la fonction d'idéal sont les fonctions du surmoi avec, pour préalables, la longue dépendance de l'enfant à l'égard de ses parents et le complexe d'Œdipe, intimement liés l'un à l'autre. Comme il remonte à l'influence des parents, éducateurs, etc., qui suivent, dans l'éducation de l'enfant, les prescriptions de leur propre surmoi, il s'ensuit que « **le surmoi ne s'édifie pas, en fait, d'après le modèle des parents mais d'après le surmoi parental** ». La première conséquence en est que les parents, qui ont oublié leurs propres difficultés infantiles, sont satisfaits de s'identifier pleinement à leurs propres parents, d'où les restrictions que, sur ce modèle, ils appliquent à leurs enfants. Plus généralement, le surmoi devient porteur de la tradition, des valeurs qui se transmettent d'une génération à l'autre : « Dans les idéologies du surmoi le passé continue à vivre, la tradition de la race et du peuple. » Freud revient alors à la *psychologie des masses* : une masse est une réunion d'individus qui ont introduit la même personne dans leur *surmoi.* Cette fois, très clairement, l'idéal du moi a perdu son statut d'instance et n'est plus considéré que comme une part ou une fonction du surmoi[1].

Les **relations structurales du surmoi** sont représentées dans un schéma où l'on voit que le surmoi plonge dans le ça : en tant qu'héritier du complexe d'Œdipe il a des relations intimes avec lui et se trouve plus éloigné du système de perception que le moi ; ses relations avec le monde extérieur passent donc par le moi. On ne doit pas oublier que Freud insiste, quelle que soit l'importance à ses yeux d'une conception structurale, sur le caractère incertain des frontières entre les instances psychiques, ce qui vaut particulièrement pour les limites du surmoi et du moi. Leur différenciation en effet « intervient **phylogénétiquement en dernier** et est la plus épineuse »[2].

Dans la conférence suivante, qui porte sur « Angoisse et vie pulsionnelle », Freud reprend la question fondamentale de la dureté et de la sévérité du surmoi et de ses conséquences, à propos notamment de la *réaction thérapeutique négative*. Le **besoin de punition** semble constant dans toute névrose ; il est reconnu dans la cure sous la forme d'une résistance inconsciente et relève d'un désir masochiste ; satisfait par la souffrance névrotique, il s'accroche pour cette raison à l'état morbide. Le besoin de punition se comporte comme une partie de la conscience morale dont il est la continuation dans l'inconscient ; il a sans doute la même origine qu'elle et « doit donc correspondre à une part d'agression qui a été intériorisée et reprise par le surmoi ». Là s'origine le **sentiment inconscient de culpabilité.** Cependant, Freud hésite entre deux hypothèses théoriques : ou bien toute agression revenue du monde extérieur est liée par le surmoi et dirigée contre le moi, ou bien une partie de celle-ci exerce « son activité muette et inquiétante en tant que **libre pulsion de destruction dans le moi et le ça** ». Un tel partage paraît vraisemblable. Mais lors de la première installation du surmoi, la part d'agression dirigée contre les parents ne peut s'exercer en raison de l'amour qui leur reste fixé, d'où la sévérité du surmoi qui s'exerce contre le moi et ne correspond pas seulement à la sévérité de l'éducation. Par la suite, lorsque l'agression est à nouveau

1. *Ibidem*, p. 88-94 ; p. 147-150 ; p. 70-73.
2. *Ibidem*, p. 108-109 ; p. 161-162 ; p. 85-86.

réprimée, elle suit la même voie, ouverte à ce **moment décisif** ; la conséquence, dans la cure, en est la **réaction thérapeutique négative** qui consiste en ce que, lorsque l'on a communiqué au patient « la solution d'un symptôme qui devrait être suivie normalement d'une disparition » on obtient une aggravation du symptôme et de la souffrance. « Il suffit de les [les patients] louer pour leur comportement dans la cure » pour obtenir le même résultat. Il s'agit donc d'une manifestation du sentiment de culpabilité inconscient faisant qu'à ces patients conviennent la maladie, ses souffrances et ses empêchements. Les conséquences peuvent en être élargies non seulement à la morale, la pédagogie, la criminalité et l'abandon affectif, mais à l'ensemble de la vie culturelle et sociale. La civilisation n'a pas été édifiée seulement aux dépens des aspirations sexuelles, mais aussi aux dépens des pulsions d'agression. « Une limitation de son agressivité : tel est le premier et peut-être le plus dur sacrifice que la société doit exiger de l'individu. » L'instauration du surmoi permet de réaliser ces exigences de la société *d'une manière ingénieuse,* en amenant une garnison dans la place qui inclinerait à la rébellion. Le moi cependant supporte mal cette répression qui exerce contre lui les tendances destructrices qu'il aurait aimé exercer lui-même contre d'autres ; « c'est une continuation dans le domaine psychique, du dilemme manger ou être mangé qui domine le monde vivant organique » – ce qui reviendrait à dire que le surmoi menace le moi de dévoration s'il ne se soumet pas à ses ordres. Freud conclut que, par bonheur, les pulsions d'agression ne sont jamais seules, elles sont toujours alliées aux pulsions érotiques[1].

Abrégé de psychanalyse

Dans la description rapide qu'il fait de l'appareil psychique dans l'*Abrégé de psychanalyse,* Freud montre la formation du surmoi comme un **précipité de la longue période d'enfance** marquée par la dépendance des parents. Cette instance, dans la mesure où le moi s'en détache ou s'oppose à lui, constitue la troisième puissance dont il doit tenir compte, les deux autres étant le ça et la réalité, les particularités des relations du moi et du surmoi se ramenant toujours aux relations

1. *Ibidem,* p. 147-149 ; p. 192-194 ; p. 116-118.

de l'enfant avec ses parents. Le surmoi subit l'influence des traditions de la famille, de la race et du peuple, ainsi que les exigences du milieu social qu'elles représentent. En dépit de leurs différences, le ça et le surmoi ont un point d'accord : ils représentent les influences du passé – ce qui est hérité pour le ça, ce qui est reçu d'autrui pour le surmoi, le moi étant principalement déterminé par ce qu'il a lui-même vécu, l'accidentel et l'actuel. D'une façon très générale, il convient d'admettre la possibilité d'un surmoi chez les animaux supérieurs, c'est-à-dire dans tous les cas où, comme chez l'homme, a existé une assez longue dépendance infantile[1]. D'un point de vue topique, il est remarquable que le surmoi, tout comme le moi, sont présentés comme incontestablement préconscients, bien que de grandes parties en restent inconscientes phénoménologiquement. Il est vrai que Freud s'interroge, à ce moment, sur la véritable nature du préconscient[2] ?

La **technique psychanalytique** montre le moi névrotique, auquel on tente de porter secours, être notamment inhibé par les sévères interdictions du surmoi : « **Nous nous faisons transférer l'autorité du surmoi** », et nous assumons des fonctions utiles pour le patient en devenant une autorité et un substitut des parents, un maître et un éducateur, ceci étant particulièrement vrai dans la période de la cure où il importe de faire participer le moi affaibli du patient au travail purement intellectuel d'interprétation, comblant ainsi les lacunes de son avoir psychique. Il s'agit là de patients dont le besoin d'être malade est provoqué par le sentiment de culpabilité issu du surmoi et par de profondes modifications de l'économie psychique – ce qui montre l'importance pratique des rapports énergétiques quantitatifs, notamment entre surmoi et moi. « Dieu combat ici aux côtés des plus forts bataillons », mais la victoire n'est jamais certaine[3].

À l'occasion de la reprise des divers caractères du surmoi, Freud montre que le surmoi qui, à l'origine, constitue une partie du monde extérieur abandonnée en tant qu'objet, se trouve intégré dans le moi

1. *Abrégé de psychanalyse* (1940a [1938]), Paris, PUF, 1949, p. 4-6 ; *OCF* XX, p. 234-235 ; *GW* XVII, p. 68-69.

2. *Ibidem*, p. 26 ; p. 253 ; p. 85.

3. *Ibidem*, p. 50-51 ; p. 274-275 ; p. 107-108.

par identification, et s'intègre désormais au monde intérieur ; il continue cependant à assumer pour le moi le rôle d'un monde extérieur et représente à jamais l'influence de l'enfance, notamment en raison des soins, de l'éducation reçus, de la dépendance à l'égard des parents – mais il représente aussi les tendances et les exigences du milieu social. Le surmoi s'assure une place intermédiaire entre le ça et le monde extérieur. Il réunit en lui les influences du présent et du passé. **« Dans l'instauration du surmoi on peut voir, semble-t-il, un exemple de la façon dont le présent se mue en passé. »** [1]

QUESTIONS ET ENJEUX

Apparemment simple en tant qu'instance judiciaire interne, tout en étant d'acquisition phylogénétiquement tardive, le surmoi révèle une grande complexité en raison de sa situation intermédiaire entre le moi et le ça. La difficulté vient notamment de sa proximité avec le moi, dont rien ne le distingue en l'absence de conflit. Ces faits témoignent de sa position théorique incertaine, aussi tard venu dans la théorie qu'il l'est dans la phylogenèse.

Avant sa conceptualisation théorique, ses fonctions étaient assurées par l'ensemble *Cs-Pcs,* sinon par le moi qui n'était pas encore une véritable instance. Mais l'existence d'un sentiment inconscient de culpabilité mettait en cause l'ensemble de la conception des affects et attribuait au conscient ou à la conscience *(Bewusstsein)* – dont les rapports avec la conscience morale *Gewissen* restaient indistincts – des fonctions d'auto-jugement, d'auto-critique beaucoup trop complexes pour être conçus comme des fonctions en « auto- » *(Selbst-)*. Le souci de Freud était d'aboutir à une vision réellement structurelle de l'appareil psychique et particulièrement, dans celui-ci, *le surmoi qui ne devait pas être simplement une personnification de la conscience morale.* Le moi de la deuxième topique aurait pu répondre à cette attente, mais, dès *Le moi et le ça,* Freud s'attache à montrer les dépendances et la faiblesse du moi, « être de surface et de frontière », nécessairement lâche et, surtout, prêt à se briser selon des lignes de clivage préétablies.

1. *Ibidem,* p. 83-84 ; p. 304-305 ; p. 137-138.

Le surmoi semble par contre être structuré pour ainsi dire du dehors, par la culture, le milieu social, renvoyant au réel de la première enfance ; il s'origine dans le soutien et le secours reçus dans la situation de détresse *(Hilflosigkeit)*, avec son contexte d'angoisse ou de peur originelle et indépassable. *L'idée de donner une structure au surmoi semble donc pallier l'inconsistance ou les fêlures du moi.* Le fait qu'il ait son origine dans la réalité parentale et dans les forces de la tradition, venant du « surmoi parental » des parents et des générations antérieures confirme son statut fondateur.

Mais sa cruauté met en doute ce tableau quelque peu rassurant, sinon conformiste. Le surmoi n'est pas seulement le représentant protecteur et conservateur de la tradition. Nous avons vu l'insistance que met Freud à montrer sa violence, son intolérance, finalement son sadisme à l'égard du moi. Même si c'est seulement dans la mélancolie suicidaire qu'il en arrive à être une « culture pure de la pulsion de mort », il est ou risque d'être dans tous les cas le siège d'un *condensé des pulsions agressives dirigées contre le moi.* Cette agressivité qui semble venir du dehors, du père et de ses représentants divers (dont on ne peut exclure la mère phallique) est en fait essentiellement le retour des pulsions agressives dirigées par le moi contre le père ou les parents unis. Il est en effet le plus souvent fait allusion aux « parents » dans les textes de référence du surmoi, le père de la préhistoire caractérisant plutôt l'idéal du moi, du moins lorsque les deux concepts sont nettement séparés.

La structure du surmoi se trouve mise en cause notamment du fait qu'il tire son origine du ça, tout en restant très proche du moi qu'il surveille et dirige – au moins en cas de conflit. Les exigences du surmoi portent à l'origine sur la répression des désirs œdipiens, alors qu'il est lui-même issu de l'Œdipe. Freud insiste sur le fait que si toute frustration a pour conséquence une aggravation de la sévérité ou de l'agressivité du surmoi à l'égard du moi, ceci ne concerne que la répression des motions agressives, qui se retournent en effet contre le moi par l'intermédiaire du surmoi. Les pulsions érotiques ne sont punies qu'indirectement en raison d'un acte ou d'une pensée interdits, sans modifier la charge agressive interne au surmoi.

Nous retrouvons un autre aspect de cette agressivité avec le problème économique du masochisme, et tout particulièrement la *relation érotique de type sado-masochiste qui existe à l'intérieur même du sujet entre surmoi sadique et moi masochiste.* Cette relation est source de jouissance douloureuse et, de ce fait, d'attachement économiquement stable à l'état pathologique. C'est là le point le plus important de la réaction thérapeutique négative qui témoigne du transfert négatif à l'égard du thérapeute – surtout s'il semble attendre succès et reconnaissance de la part du patient. En effet, l'analyste paraît alors vouloir s'imposer comme surmoi bénin et satisfait en place du surmoi sadique-pervers qui règne et fait jouir le moi, en le battant, en le menaçant de le dévorer, de le châtrer, etc. L'alliance du surmoi (consciemment) sadique et du moi (inconsciemment) masochiste permet de sauver le trône et l'autel en mettant en échec le néo-surmoi analytique.

« Nous nous faisons transférer l'autorité du surmoi. » Ceci paraît entrer en contradiction avec ce qui avait été énoncé à propos de l'idéal du moi dans *Le moi et le ça*. Il est vrai que l'interdiction pour l'analyste de se poser comme prophète ou sauveur des âmes concernerait l'idéal du moi, ou la fraction idéalisée du surmoi ; mais il est difficile de se refuser à être prophète ou messie dans le même temps où l'on s'efforce de se faire transférer l'autorité du surmoi. Certes, il est bon de séparer idéal et surmoi, notamment en opposant au narcissisme de l'idéal la position œdipienne du surmoi, mais souvent la confusion demeure possible, comme le montre la dénomination initiale de surmoi (idéal du moi). Le transfert d'autorité sur l'analyste pose également un redoutable problème lorsqu'il s'agit de la partie du surmoi qui appartient au ça « immoral ». Le transfert ne peut être alors que violemment négatif, la violence se retournant contre le moi faible et masochiste auquel l'analyste peut être identifié. D'où l'importance décisive du problème économique : « Dieu combat avec les gros bataillons. » C'est dire la puissance du surmoi, à laquelle se mesure celle que l'on doit lui opposer. On conçoit qu'on puisse être amené à douter d'un succès possible lorsque les rapports quantitatifs sont ainsi trop en défaveur de l'analyse. S'associent alors, chez le patient, *inertie psychique, manque de mobilité de la libido et incapacité du sujet à sublimer ses pulsions* – c'est-à-dire essentiellement des manifestations de passivité.

Freud avait avancé, non sans réticence, la notion de *résistance du ça*, en admettant le fait que l'inconscient peut offrir des résistances et des défenses venant du ça, héréditairement déterminées. Il l'évoque à propos des victoires incertaines de l'analyse et des rapports quantitatifs défavorables, ce qui ne peut qu'évoquer les relations quantitatives des deux pulsions originaires, Éros et pulsion de mort. Lorsque ces dernières sont désignées comme pulsions d'agression, voire de destruction, la question est théoriquement, sinon pratiquement, assez facilement résolue car, dans ces cas, il se peut que le transfert de l'autorité du surmoi soit décisif. Il en va tout autrement s'il s'agit de la pulsion originaire de mort, qu'elle soit ou non en culture pure. La question posée est d'en aborder la nature, et notamment par rapport au surmoi.

Déjà, dans *Le moi et le ça,* à propos de la discussion sur l'*angoisse de mort,* nous avons vu que celle-ci peut se ramener à l'abandon du moi par le surmoi ; le moi se trouve alors dans la situation originaire d'absence de secours, à ceci près qu'il a fait l'expérience d'un secours désormais suivi d'un abandon (Freud désigne cette situation sous le terme de *Sehnsuchtangst* qui peut se traduire par « angoisse-nostalgie »). Le secours vient alors du premier pare-angoisse, la mère ; mais elle est rapidement supplantée par le père, ce qui est à l'origine de la nostalgie du père. Cela concerne aussi bien le père aimé à l'origine du surmoi protecteur, que le père haï à l'origine du surmoi terrifiant qui menace le moi d'abandon. Nous voyons ainsi une première figuration d'un pare-angoisse maternel essentiel et défaillant, qui n'est pas explicitement repris dans la théorie du surmoi. La mère, en effet, n'apparaît que dans le couple parental. On peut penser que son absence originaire, ou sa défaillance primaire dans l'échec du pare-angoisse qu'elle offre, se retrouve dans les références à la pulsion de mort originaire et à l'angoisse de mort dans la séparation. Pour autant, elle ne constitue pas un surmoi d'origine, et c'est peut-être le sens de l'insistance portée, à propos de l'idéal du moi, sur la première identification au père de la préhistoire, antérieure à tout choix d'objet et l'apparition tardive de la mère tant pour ce qui concerne l'idéal que le surmoi. Ces difficultés sont sans doute du même ordre que celles qui apparaissent à propos de l'éventualité d'une identification féminine originaire.

Pierre Chauvel

SYMBOLE, SYMBOLISME, SYMBOLISATION

all. : ***Symbol.*** – angl. : *symbol.* – esp. : *símbolo.* – ital. : *simbolo.* – port. : *símbolo*

La notion de symbole renvoie à une correspondance, souvent métaphorique, entre deux éléments. Freud l'utilise d'abord pour le symptôme hystérique, mais très vite ce sont les symboles dans le rêve, puis les transpositions symboliques qui retiennent son attention, ainsi que la présence des symboles dans les mythes, les contes et l'ensemble de la culture. La figuration dans le rêve favorise, en même temps que la régression aux processus primaires un recours étendu aux symboles : ce sont les figurations universelles ; enracinées dans la genèse du langage, que Freud tend à qualifier de symboliques. Le caractère sexuel des symboles dans les rêves, comme les transpositions pulsionnelles dans le développement de la libido, suscitent une conception beaucoup plus psychanalytique des équivalences symboliques, en particulier dans l'érotisme anal entre fèces, pénis et enfant.

MISE EN SITUATION

Dès le début de son œuvre, Freud a reconnu l'existence de symboles, mais très vite c'est la symbolique du rêve (développée, mais trop intuitivement et sans rigueur par Wilhelm Stekel) qui fixera sa réflexion sur les symboles, même si la symbolisation hystérique n'est jamais oubliée. La familiarisation avec la symbolique des rêves montre son emploi surabondant pour figurer le matériel sexuel, presque comme s'il s'agissait d'un code sténographique. Cette symbolique se retrouve d'ailleurs dans toute l'imagerie inconsciente et dans les représentations collectives populaires : dans le folklore, les mythes, les légendes, les proverbes, les jeux de mots courants – auxquels il s'intéresse particulièrement dans les années 1909-1914. Le rêve emploie cette symbolique pour une figuration déguisée de ses pensées latentes. Parmi les symboles employés, beaucoup ont toujours ou presque le même sens. Mais la plasticité du matériel psychique fait qu'un objet symbolique peut aussi être pris dans son sens propre, et que, parmi plusieurs symboles possibles, ceux qui sont choisis le sont selon des motivations individuelles en relation avec le reste du matériel du rêve. Le contexte seul, éclairé par les associations du rêveur, permet une interprétation exacte.

Si Freud parle de « symbolisation hystérique », et parfois de « symbolique des rêves », il ne conceptualise pas ces notions. Seuls les termes de symbole et de symbolisme – ou de « symbolique », au sens de « la symbolique des rêves » pour désigner l'ensemble des symboles auxquels recourt le rêve – font véritablement partie du corpus freudien. On peut noter en revanche : formation de symbole (Symbolbildung), *interprétation des symboles* (Symboldeutung), *et présentation-figuration au moyen de symboles* (Symboldarstellung).

LE TEXTE FREUDIEN

La reconnaissance des symboles

L'idée de symbole apparaît dès les *Études sur l'hystérie* (1895), dans la contribution de Joseph Breuer à propos du symptôme d'Anna O.[1] ; et dans celle de Freud évoquant la « paralysie fonctionnelle symbolique »[2] d'Élisabeth von R., mais surtout dans sa description des symptômes de Frau Cecilie M., dont les sensations étaient en correspondance directe avec des idées : une émotion « donne un coup au cœur » et elle sent comme un coup de poignard dans la région du cœur[3]. Peut-être ne prend-elle pas le langage pour modèle, mais elle puise à la même inspiration. En tout cas, il n'y a pas seulement symbole mais symbolisation, création de symptôme par un travail psychique très spécifique.

On la retrouve dans le « Projet d'une psychologie scientifique » (1895) où le symbole conscient (le drapeau) est opposé à la symbolisation hystérique inconsciente qui suppose un refoulement et un déplacement[4], puis dans le *manuscrit K* (1er janvier 1896) : dans

1. *Études sur l'hystérie* (1895d), Paris, PUF, 1956, p. 173 ; *OCF* II, p. 239 ; *GW* I, p. 275.

2. *Ibidem*, p. 121 ; p. 164 ; p. 207.

3. *Ibidem*, p. 144-145 ; p. 203-204 ; p. 250-251.

4. « Esquisse d'une psychologie scientifique » (1950c [1895]), in *La naissance de la psychanalyse. Lettres à Wilhelm Fliess. Notes et plans (1887-1902)* (1950a [1887-

l'hystérie, si l'événement traumatique trouve une issue motrice, celle-ci devient « représentation-frontière » et premier symbole du refoulé[1].

La figuration par des symboles dans le rêve

L'interprétation des rêves (1900) consacre une section d'une cinquantaine de pages à la « figuration par symboles ». Après avoir critiqué l'interprétation immédiate purement intuitive de Wilhelm Stekel, Freud attribue la capacité de symbolisation à un don particulier et la rapproche d'une tendance fréquente dans la schizophrénie ; lui-même tend à penser que la symbolique du rêve ressemble à des signes sténographiques fixés une fois pour toutes, d'autant que « cette symbolique n'appartient pas en propre au rêve, mais à l'activité de représentation inconsciente » (comme on la retrouve dans le folklore, les mythes, les légendes, locutions courantes, dans la sagesse des sentences et dans les traits d'esprit). Le rêve se sert de ces symboles pour figurer de façon déguisée ses pensées latentes. Empereur et impératrice ou roi et reine figurent le plus souvent les parents du rêveur ; tous les objets allongés (tronc d'arbre, parapluie, etc.), toutes les armes longues et aiguës (couteau, poignard, pique) représentent le membre viril ; les boîtes, les coffrets, les caisses, les armoires représentent, comme les navires et les vases, le corps de la femme. Les chambres représentent en général des femmes, et il importe de savoir si elles sont ouvertes ou fermées ; le sens de la clé est donc clair tandis que la fuite à travers des chambres est un thème de maison close ou de harem, à moins que, par contraste, il ne symbolise le mariage. Sentiers escarpés, échelles, escaliers, descendre et monter symbolisent l'acte sexuel ; murs et façades des hommes debout, tandis que les tables ou les balcons renvoient aux femmes. Cravates ou nez peuvent renvoyer aux organes génitaux, avec un déplacement du bas vers le haut. Freud

---

1902]), Paris, PUF, 1956, p. 361 ; *Lettres à Wilhelm Fliess* (éd. complète), Paris, PUF, 2006, p. 653 ; *GW (Nachtragsband)*, p. 440-441.

1. « Manuscrit K », *La naissance de la psychanalyse. Lettres à Wilhelm Fliess. Notes et plans (1887-1902)* (1950a [1887-1902]), Paris, PUF, 1956, p. 137 ; *Lettres à Wilhelm Fliess* (éd. complète), Paris, PUF, 2006, p. 653.

examine d'autres symboles moins évidents ou moins avérés, puis analyse de plus près des rêves qui montrent le chapeau comme symbole des organes génitaux masculins, la figuration de l'organe génital par « le petit », tandis que l'écrasement figure l'acte sexuel. Il évoque les représentations sexuelles liées aux bâtiments, aux sentiers et aux fosses, la symbolique urinaire, celle des rêves d'escalier, la figuration de la répétition, l'entrée dans un espace étroit, etc. Cette section comporte nombre d'additions ultérieures.

Il existe des « rêves typiques », dont certains signifient toujours la même chose tandis que d'autres représentent des particularités individuelles. Les rêves de train manqués rejoignent les rêves d'examen dans leur fonction consolatrice qui rassure contre l'angoisse de mort, car partir en voyage est souvent une expression symbolique de la mort. Les rêves de dents arrachées suscitent de la résistance à l'interprétation chez les hommes car ils renvoient souvent à la force pulsionnelle qui imposait la masturbation de la puberté. Les rêves de natation sont fréquents chez ceux qui, enfants, ont mouillé leur lit ; ce à quoi renvoient aussi les rêves d'incendie : l'eau ou l'urine éteignent le feu des excitations interdites, car la symbolique urinaire signifie également l'excitation sexuelle, tandis que les rêves à stimulus intestinal confirment la corrélation entre l'or et l'excrément.

Plus on s'occupe de rêves et plus il devient clair que la plupart des rêves des adultes ont trait à des faits sexuels et expriment des désirs érotiques ; beaucoup d'entre eux se prêtent à une surdétermination et ont une signification bisexuelle, car ils réalisent aussi des tendances homosexuelles latentes. Des rêves d'une innocence frappante contiennent fréquemment des désirs érotiques grossiers. L'idée de déjà vu et l'insistance sur le fait d'avoir déjà été là renvoient fréquemment au seul lieu où nous sommes tous sûrs d'avoir déjà été : à l'intérieur du corps de notre mère[1].

En 1901, *Sur le rêve* évoque l'existence de symboles d'extension universelle à l'intérieur d'une aire culturelle et linguistique, voire des symboles sexuels universels, mais la symbolique du rêve ne pourra jamais

1. *L'interprétation des rêves* (1900a), Paris, PUF, 1967, p. 301-346 ; *OCF* IV, p. 395-452 ; *GW* II-III, p. 355-409.

fonctionner à la manière d'une clé des songes, car **il y a des symbolisations individuelles, et tout le matériel du rêve n'est pas symbolique.** Le symbolisme des rêves n'est qu'un auxiliaire de l'interprétation[1].

EXTENSION DE LA SYMBOLIQUE

Le délire et les rêves dans la « Gradiva » de Jensen (1906) propose, avec l'ensevelissement de Pompéi, une grandiose métaphore symbolisant le refoulement qui « explique » que Norbert Hanold puisse imaginer y trouver l'original du bas-relief qui le fascine, et qui annonce sa sortie de l'ensevelissement où il se tenait[2]. « Actes obsédants et exercices religieux » (1907) met en évidence que le symbolisme des actes obsessionnels rejoint le sens symbolique, souvent ignoré du public, du rituel religieux[3].

L'interprétation que Freud donne au *Souvenir d'enfance de Léonard de Vinci* (1910) doit beaucoup au symbolisme qui serait attaché au vautour, tant à propos de la *coda* comme symbole du membre masculin qui lui permet d'interpréter un fantasme de fellation, que pour la relation entre Léonard et sa mère figurée par une tradition où le vautour vaut comme symbole de maternité[4]. Dans l'étude du *cas Schreber* (1911), l'invention délirante retrouve des symbolismes sexuels (vestibules du ciel de devant évoquant la féminité, tandis que ceux de derrière signifient la masculinité[5]), et surtout crée un mythe solaire où le soleil est identifié avec Dieu et influe sur son destin. Schreber, qui prétend pouvoir, comme l'aigle, fixer le soleil en face sans être puni ni ébloui, se conduit comme un rejeton de la lignée du

1. *Sur le rêve* (1901a), Paris, Gallimard, 1988, p. 138 ; *OCF* V, p. 69 ; *GW* II-III, p. 698.

2. *Le délire et les rêves dans la « Gradiva » de Jensen* (1907a), Paris, Gallimard, 1986, p. 179 ; *OCF* VIII, p. 75 ; *GW* VII, p. 65-66.

3. « Actions compulsionnelles et exercices religieux » (1907b), *Névrose, psychose et perversion,* Paris, PUF, 1973, p. 136, 138, 141 ; *OCF* VIII, p. 140, 142, 145 ; *GW* VII, p. 132, 136, 138.

4. *Un souvenir d'enfance de Léonard de Vinci* (1910c), Paris, Gallimard, 1987, p. 95 et 100 ; *OCF* X, p. 110 et 114 ; *GW* VIII, p. 154 et 157.

5. « Remarques psychanalytiques sur l'autobiographie d'un cas de paranoïa *(dementia paranoides)* (Le Président Schreber) » (1911c [1910]), *Cinq psychanalyses,* Paris, PUF, 1954, p. 300 ; *OCF* X, p. 276 ; *GW* VIII, p. 289.

dieu-soleil, « a retrouvé l'expression mythologique de sa relation filiale au soleil, nous a de nouveau confirmé dans notre conception du soleil comme un symbole du père » [1].

« Suppléments à l'interprétation du rêve » (1911) est un bref article qui s'attache à quelques symboles oniriques de l'organe génital masculin : le chapeau, le petit, et diverses configurations de bâtiments ; le fait d'être écrasé par un véhicule y apparaît comme symbole du commerce sexuel [2] (cet article a été ultérieurement intégré dans *L'interprétation des rêves*). « Rêves dans le folklore » (1911), écrit avec David E. Oppenheim, rassemble un matériel onirique autour de la symbolique du pénis et surtout de l'excrément, qui prolonge les réflexions freudiennes d'alors sur l'analité issues de la réflexion sur la névrose obsessionnelle, tout en faisant place à son intérêt de plus en plus affirmé pour les mythologies, les contes et les traditions populaires. « La symbolique utilisée dans ces rêves recouvre parfaitement celle admise par les psychanalystes » [3] ; les interprétations populaires y voient également des accomplissements de désir. Ainsi, par exemple, le pénis apparaît comme un gros ver de terre qui est entré dans une jeune fille en rampant, puis est ressorti comme un vermisseau (enfant) [4]. *Totem et tabou* (1913) signale le lien entre sacrifice, fête et repas partagé, symbole de la communauté sociale [5].

« L'intérêt de la psychanalyse »(1913) comporte, à la fin de sa première partie, une reprise synthétique des thèses psychanalytique sur le rêve et le travail du rêve. Dans la langue du rêve, les concepts sont encore ambivalents : substitution de contraires et condensation d'opposés y sont fréquents. Cet aspect est développé dans la deuxième partie en tant qu'intérêt linguistique des questions soulevées par la

1. *Ibidem*, p. 323 ; p. 303 ; p. 319.

2. « Suppléments à l'interprétation du rêve » (1911a), *L'interprétation des rêves* (1900a), Paris, PUF, 1967, p. 309-314 et 349-350 ; *OCF* XI, p. 1-10 ; *GW* II-III, p. 365-370 et 412-413.

3. « Rêves dans le folklore » (1958a [1911]), *Résultats, idées, problèmes, I*, Paris, PUF, 1984, p. 109 ; *OCF* XI, p. 55 ; *GW (Nachtragsband)*, p. 576.

4. *Ibidem*, p. 111 ; p. 61 ; p. 579.

5. *Totem et tabou* (1912-1913a), Paris, Gallimard, 1993, p. 279-281 ; *OCF* XI, p. 352-354 ; *GW* IX, p. 163-165.

psychanalyse, notamment en ce qui concerne la nature des symboles du rêve, qui « pourraient être issus des phases les plus anciennes de l'évolution de la langue et de la formation des concepts ». Ce sont avant tout les organes sexuels et les pratiques sexuelles, qui connaissent une présentation symbolique [1].

Malgré tous les éclairages déjà apportés, en dépit de très nombreux exemples cliniques et des rappels fréquents que nous n'avons pu mentionner systématiquement, Freud peut écrire *à Ferenczi,* en 1913 : « **Le symbole est encore pour nous une énigme,** probablement à comprendre sur le plan historique à partir du développement de la pensée et du langage. » [2]

Reprises de la question du symbole

Les *Conférences d'introduction à la psychanalyse* (1916-1917) consacrent la Xe leçon à « la symbolique dans le rêve ». La censure n'est pas l'unique facteur responsable de la déformation dans le rêve et certains éléments, qui ne suscitent pas d'associations, obéissent pourtant à des traductions constantes qui permettent l'interprétation. « **Une telle relation constante entre un élément du rêve et sa traduction, nous l'appelons symbolique, et l'élément du rêve lui-même, nous l'appelons symbole** de la pensée de rêve inconsciente. » [3] Freud estime que le symbolisme (ou symbolique) pourrait bien être le chapitre le plus remarquable de la théorie du rêve. Traduction stable, les symboles réalisent, dans une certaine mesure, l'idéal de l'interprétation antique et permettent parfois, si l'on connaît le rêveur, ses symboles usuels et ses conditions de vie, de comprendre le rêve sans même ses associations – d'autant que des symboles, il ne peut rien dire. Mais ce tour de force flatteur ne peut absolument pas remplacer la technique associative. De plus, l'interprétation symbolique des rêves ren-

1. « L'intérêt de la psychanalyse » (1913j), *Résultats, idées, problèmes, I,* Paris, PUF, 1984, p. 192-194 ; *OCF* XII, p. 104-106 et 111 ; *GW* VIII, p. 396-398 et 404.

2. *Correspondance Sigmund Freud-Sandor Ferenczi* (1992a [1908-1914]), Paris, Calmann-Lévy, 1992, t. I, p. 490 (lettre à Ferenczi du 2 février 1913).

3. *Conférences d'introduction à la psychanalyse* (1916-1917), Paris, Gallimard, 1999, p. 193 ; *OCF* XIV, p. 154 ; *GW* XI, p. 152.

contre de fortes résistances, tandis que le symbolisme n'est pas propre au seul rêve.

L'essence de la relation symbolique tient à une comparaison, d'un type particulier, qui reste à éclaircir. Mais les contours du concept de symbole demeurent flous. « Le rêve ne symbolise pas non plus tout et n'importe quoi, mais seulement des éléments déterminés des pensées de rêve latentes. » [1] La comparaison sous-jacente à certains symboles est évidente, d'autres sont cachées, ou nous échappent. Il est étrange que le rêveur use d'une comparaison sans en avoir conscience, et même n'ait pas envie de reconnaître cette métaphore (Freud parle de « comparaison » là où nous dirions plutôt « métaphore »).

Le champ de ce qui trouve dans le rêve une présentation symbolique n'est pas bien grand : le corps humain, les parents et les membres de la famille, la naissance, la mort, la nudité, et enfin la maison, « seule présentation figurée typique, c'est-à-dire régulière, de la personne humaine comme un tout ». Par rapport à la pauvreté de cette énumération, on est frappé par la **symbolique extraordinairement riche de la vie sexuelle,** des organes génitaux, des relations sexuées : « L'immense majorité des symboles dans le rêve sont des symboles sexuels. » [2] Les contenus désignés sont peu nombreux, la diversité des figurations est extrême. Pour l'organe masculin, le rêve a une multiplicité de présentations figurées qu'il faut nommer symboliques, à commencer par le chiffre trois, ainsi que tous les objets blessants et pointus ; il y a des symboles de l'érection et de la castration (la chute d'une dent), ceux de l'organe génital féminin (à commencer par le coffret à bijoux), les activités rythmiques signifient le commerce sexuel – ce sont là des symboles habituels. Néanmoins, l'interprétation n'en est pas simple, l'ambiguïté serait plutôt de règle. Vivons-nous vraiment au milieu de symboles sexuels ? D'où nous vient leur compréhension ? Les sources en sont très diverses, et très ouvertes : mythes, contes, folklore, traits d'esprit ; on retrouve partout la même symbolique [3] dont le domaine « est extraordinairement grand, la

1. *Ibidem,* p. 195 ; p. 156 ; p. 153.
2. *Ibidem,* p. 196-197 ; p. 157-158 ; p. 154-155.
3. *Ibidem,* p. 203 et 213 ; p. 163 et 171 ; p. 160 et 168.

symbolique du rêve n'en est qu'une petite partie » ; d'ailleurs, bien des symboles usuels ne figurent pas dans les rêves, et des symboles fréquents dans les rêves ne se retrouvent que rarement ailleurs. « On a l'impression d'avoir affaire ici à un mode d'expression ancien, mais disparu, dont se sont maintenus, dans divers domaines, divers éléments », ainsi qu'il en va dans le fantasme de Schreber imaginant « une "langue fondamentale" dont ces relations symboliques seraient les vestiges ». C'est dans les rêves que les symboles sont presque exclusivement sexuels. Ailleurs, s'agit-il d'autres applications pour des symboles originellement sexuels ? Freud pose l'hypothèse d'une relation particulièrement intime entre les véritables symboles et le sexuel, lequel aurait eu (selon H. Sperber) la plus grande part dans la formation même du langage. La relation symbolique serait ainsi le vestige de l'ancienne identité verbale ; ultérieurement seulement, le langage se serait déplacé de la sexualité vers les besoins liés au travail[1].

Entrer dans l'eau ou sortir de l'eau signifient la même chose : naître ou donner naissance ; de même grimper à une échelle ou monter un escalier sont la même chose qu'en descendre. La déformation du rêve tire tout l'avantage possible d'une telle liberté dans la figuration. Ces traits archaïques du rêve sont également inhérents aux systèmes d'expression, langue ou écriture antiques[2]. La symbolique, conclut Freud, est un bon exemple de la façon dont la psychanalyse tisse des liens avec beaucoup d'autres sciences de l'esprit telles que mythologie, linguistique, ethnologie, sciences des religions, etc., et présente un intérêt pour bien d'autres disciplines, ce que ne pouvaient ni la psychiatrie, ni la psychologie.

Un très bref article de 1916 examine « Une relation entre un symbole et un symptôme » : la tête comme le chapeau est un symbole de l'organe génital masculin ; or beaucoup de névrosés obsessionnels ont une horreur et une indignation particulière devant l'idée de décapitation, ce qu'on peut leur interpréter comme une équivalence entre décapitation et castration[3]. On peut en rapprocher le symptôme

1. *Ibidem,* p. 213-215 ; p. 171-173 ; p. 168-170.

2. *Ibidem,* p. 232 ; p. 185 ; p. 183.

3. « Une relation entre un symbole et un symptôme » (1916-1917c), *Résultats, idées, problèmes, I,* Paris, PUF, 1984, p. 237 ; *OCF* XV, p. 7 ; *GW* X, p. 394.

obsessionnel qui consiste à épier pour connaître si on les a salués en premier en ôtant son chapeau et à s'offusquer si on ne les salue pas correctement ; saluer en ôtant son chapeau est s'abaisser devant celui qui est salué, et ils en tirent des tourments sans fin[1]. La résistance à l'interprétation tient là encore à la relation au complexe de castration.

Dans « Parallèles mythologiques à une représentation obsessionnelle plastique », en 1916, Freud part d'un symptôme : un mot et une image – « cul paternel » *(Vaterarsch)* – qui obsèdent un patient qui avait eu des pratiques d'érotisme anal jusqu'à ses dix ans ; sa relation à son père était positive mais ambivalente, et l'image obsessionnelle est une caricature du patriarche, qui se trouve identifié à ses parties génitales. Dans la mythologie grecque, Déméter désespérée, à la recherche de sa fille, rit lorsque son hôtesse Baubo découvre son ventre – anecdote qui est sans doute en lien avec un cérémonial magique ; à Priène on a découvert des terres cuites représentant Baubo : un corps de femme, sans tête ni poitrine, sur le ventre de laquelle un visage est tracé ; la robe relevée entourant cette sorte de visage comme une couronne de cheveux (cf. S. Reinach). Baubo est un contrepoint évident de Méduse (dont Freud traitera six ans plus tard) : elle fait rire au lieu de pétrifier, elle est sexe sans visage mais figure un visage avec cheveux. La figure mythologique vient éclairer le symptôme clinique.

Examinant les situations d'*inquiétante étrangeté* (1917), Freud note qu'un effet inquiétant se produit souvent quand la frontière entre fantasme et réalité est effacée, « quand s'offre à nous de façon réelle quelque chose que nous avions jusque-là tenu pour fantastique, quand un symbole prend en charge la pleine fonction et signification du symbolisé, et caetera »[2].

« Des transpositions pulsionnelles, en particulier dans l'érotisme anal » (1917) s'attache aux voies de développement de la libido, mettant en évidence l'importance des « transpositions pulsionnelles », c'est-à-dire des équivalences symboliques qui permettent le passage

1. *Ibidem*, p. 238 ; p. 8 ; p. 395.

2. « L'inquiétante étrangeté » (1919 h), *L'inquiétante étrangeté et autres essais*, Paris, Gallimard, 1985, p. 251 ; *OCF* XV, p. 179 ; *GW* XII, p. 258.

de la sexualité infantile, notamment anale, à la sexualité génitale : les courants libidinaux se renforcent et se transforment au fur et à mesure que se déploient les passages des excréments au cadeau, au pénis et à l'enfant, ainsi que, par l'intermédiaire de l'expression « le petit », symbole commun entre l'enfant et le pénis. Dans la sexualité féminine, en l'absence de névrose, le souhait infantile visant le pénis se transforme en souhait visant l'homme ; dans d'autres cas, c'est seulement l'enfant qui entraîne le passage de l'amour de soi narcissique à l'amour de l'objet. D'autre part, l'intérêt pour l'excrément devient intérêt pour le cadeau, se perpétue pour une part en intérêt pour l'argent, et pour une autre part est translaté dans le désir d'un enfant[1].

Dans « La tête de Méduse » (1922) sont développées plusieurs thèses denses, bon exemple de la conception freudienne de l'analyse d'un symbole. L'effroi devant Méduse, présentée comme « symbole de l'horreur », est effroi de castration, comme le confirme la multiplication des symboles de pénis et la transformation en pierre du spectateur. La déesse vierge Athéna porte ainsi sur elle l'organe génital effrayant de la mère, la tête de Méduse qui isole, dans la monstration de l'organe génital féminin, ce qui suscite l'horreur. Freud mentionne d'abord, le caractère inhabituel, voire insolite, de sa démarche : l'interprétation de figures mythiques individuelles. Si nous les considérons comme un matériau clinique, où sont les associations ? Le rapprochement entre mythes voisins saurait-il en tenir lieu ? Cette tête de Méduse, qui donnait lieu à de multiples sculptures à visée apotropaïque dans l'Antiquité, provoque l'horreur *(Grauen)*, « rend rigide d'effroi » *(Schreck)*. « Décapiter = castrer » – il s'agit bien d'un « effroi de la castration », effroi rattaché à quelque chose que l'on voit. Le rapprochement des données mythologiques sur la Méduse avec l'histoire de Baubo mettait déjà cet aspect en évidence. « Cette circonstance se produit lorsque le garçon, qui jusque-là ne voulait pas croire à la menace, aperçoit un organe adulte, entouré d'une chevelure de poils, fondamentalement celui de la mère. » Ainsi la tête de Méduse

1. « Sur les transpositions des pulsions, plus particulièrement dans l'érotisme anal » (1917c), *La vie sexuelle*, Paris, PUF, 1969, p. 108-110 ; *OCF* XV, p. 56-59 ; *GW* X, p. 404-407.

(que dans les *Nouvelles conférences d'introduction à la psychanalyse* Freud rapproche de l'araignée, elle aussi symbole de la mère phallique) ne renverrait qu'à l'expérience du seul garçon, non de la fille. La perception du sexe de la mère rend crédible la menace de castration qu'il connaît déjà sans y croire. Le troisième paragraphe s'attache à la donnée figurative des cheveux de serpent ; ils correspondent donc à une multiplication affichée des symboles de pénis ce qui, en en masquant l'absence, revient à la souligner : produits du complexe de castration, ils sont à la fois effroyables en eux-mêmes, et procédé de défense qui atténue l'horreur, puisqu'ils ont un rôle de substitut. Le mythe illustre ainsi, et même confirme une donnée technique : « multiplication du symbole du pénis signifie castration » – il est curieux, épistémologiquement et méthodologiquement, que ce qui vient de servir à interpréter serve aussitôt de confirmation du critère d'interprétation...

Freud continue à chercher des indices et des confirmations de sa thèse. Il s'agit maintenant de la vue de la tête de Méduse qui rend « rigide d'effroi », et « change le spectateur en pierre », ce qui nous ramène à une situation cette fois répétitive, antérieure à la mort de Méduse. Voilà ce qu'elle fait subir à tous ceux qui l'approchent ; or cet effet s'origine aussi dans le complexe de castration. Ici aussi, l'affect est inversé, car la rigidité de pierre « signifie érection, donc [...] consolation apportée au spectateur ». Le pénis érigé prend ici une connotation de réassurance narcissique : « Il a encore un pénis, il s'en assure en devenant lui-même rigide. » La suite du texte s'attache moins au mythe lui-même qu'aux effets de l'exhibition de la tête coupée, thème précisément mis en valeur dans le récit mythique puisque Athéna, protectrice de Persée, place ensuite cette tête sur son bouclier pour que, par son effet d'horreur, elle mette en fuite ses ennemis. La puissance du sexe de la mère sert désormais la défense et la protection (agressive) de la déesse vierge qui « devient, par là, femme inapprochable exerçant sa défense contre tous désirs sexuels ». Ainsi la Méduse n'existe plus, mais sa tête reste symbole de l'horreur[1]. Nous pouvons cependant

1. « La tête de Méduse » (1940c [1922]), *Résultats, idées, problèmes, II,* Paris, PUF, 1985, p. 49-50 ; *OCF* XVI, p. 163-164 ; *GW* XVII, p. 47.

nous demander où réside l'horreur, car la crainte suscitée par la femme vierge n'est pas forcément de l'horreur, tandis que l'érection du pénis, même narcissique et défensive, ne relève pas non plus de ce registre. Le texte freudien répond à cette question par plusieurs arguments successifs – presque trop – comme si la question ne saurait être épuisée…

Dans « Psychanalyse » (1923), trois paragraphes sont consacrés au rêve, et notamment à leur symbolique. Il s'agit d'une reprise des thèses fondamentales, mais l'insistance sur la symbolique est notable, montrant que la communauté du symbole s'étend au-delà de la communauté de la langue. « Les symboles auxquels se rattachent les problèmes les plus intéressants, non encore résolus, semblent être un fragment d'un patrimoine psychique immémorial »[1]. La révision de la théorie du rêve dans les *Nouvelles conférences d'introduction à la psychanalyse* (1933), reprend à son tour les thèses freudiennes sur l'importance des symboles, leur origine et leur portée, mais sans apporter d'élément nouveau[2].

L'homme Moïse et la religion monothéiste (1938) argumente la notion d'héritage archaïque de l'humanité, à partir de l'universalité de la symbolique du langage « savoir originaire que l'adulte a ensuite oublié »[3], alors qu'il use des mêmes symboles dans ses rêves, sans les comprendre. Il s'agit de relations de pensée entre des représentations, qui s'étaient constituées pendant le développement historique de la langue et qui doivent être répétées lorsque s'effectue un développement individuel de la langue, en une sorte d'hérédité de la disposition de pensée.

Enfin, en 1938, l'*Abrégé de psychanalyse* (1938) compte au nombre des preuves du rôle du ça dans la formation du rêve le fait que le rêve fasse un « usage illimité du langage symbolique »[4], dont

1. « "Psychanalyse" et "Théorie de la libido" » (1923a), *Résultats, idées, problèmes, II,* Paris, PUF, 1984, p. 57-60 ; *OCF* XVI, p. 189-191 ; *GW* XIII, p. 216-218.

2. *Nouvelles conférences d'introduction à la psychanalyse* (1933a [1932]), Paris, Gallimard, 1984, p. 34-38 ; *OCF* XIX, p. 103-105 ; *GW* XV, p. 23-26.

3. *L'homme Moïse et la religion monothéiste* (1939a), Paris, Gallimard, 1986, p. 194 ; *OCF* XX, p. 178-179 ; *GW* XVI, p. 205-206.

4. *Abrégé de psychanalyse* (1940a [1938]), Paris, PUF, 1985, p. 30 ; *OCF* XX, p. 256 ; *GW* XVII, p. 89.

la signification échappe le plus souvent au dormeur, et qui tire vraisemblablement son origine de phases antérieures de l'évolution du langage.

QUESTIONS ET ENJEUX

D'abord cas particulier de l'interprétation des rêves, relevant plutôt d'un catalogue d'exemples, la réflexion freudienne sur les symboles s'élargit bien au-delà des rêves pour y revenir, dans une compréhension essentielle du sexuel dans les rêves, mais aussi avec un éclairage important sur les conditions du développement de la libido, le caractère originaire du langage, et l'identité de la psychanalyse.

UN CATALOGUE D'ÉQUIVALENCES ?

Au premier abord, la question des symboles et de la symbolique des rêves paraît surtout descriptive, au moins en 1900, d'autant que Freud se plaît à rassembler et à énumérer les exemples. Son insistance sur l'universalité des symboles, au moins dans une même aire culturelle, tend de plus à les figer en une série d'équivalences toutes prêtes, masquant le sexuel mais révélant le fonctionnement en processus primaire – sauf que le symbole semble alors la négation même du travail psychique, une sorte de prêt-à-porter de la pensée primaire.

Mais, au fur et à mesure que se déploient les domaines où se rencontrent les symboles les plus significatifs, leur abondance même redonne place à la sélection individuelle, et par exemple, la créativité du délire de Schreber conjugue universalité, tradition, et création individuelle de symptômes. La dimension cosmique de son délire importe autant que sa thématique religieuse. Il en vient à penser en termes de langue fondamentale, ce que Freud reprend à son compte. De même, le symptôme hystérique doit beaucoup au langage, tout en restant invention individuelle.

UNE LANGUE FONDAMENTALE ?

Si en 1900 Freud collectionne les symboles, en 1916 dans les *Conférences d'introduction à la psychanalyse* il essaie de penser la relation symbolique. Plus largement, il renouvelle sa propre compréhension des symboles au fur et à mesure qu'il s'attache à eux comme à un langage, langage hérité de la préhistoire de l'humanité. C'est de la genèse même du langage qu'il s'agit (ce qu'il avait déjà pressenti dès les *Études sur l'hystérie*), notamment dans son lien avec le sexuel. On ne saurait sous-estimer l'importance du constat que ce qui est symbolisé dans les rêves, ce sont les organes génitaux et la vie sexuelle. Même les autres thèmes, naissance, mort, relèvent eux aussi soit de l'Œdipe, soit de la libido narcissique… Le langage n'est pas un simple outil, même et surtout s'il condense des significations opposées et garde son équivocité. Il est la condition même de la vie psychique. Les équivalences symboliques ne sont pas un simple habit pour la figuration du rêve, ni une simple preuve de l'unité entre vie de rêve, culture, symptôme. Ils sont une des conditions de la transformation de la pulsion et du développement de la libido – comme le montre dans le détail l'article sur les transpositions pulsionnelles. Nous sommes faits de pulsions mais aussi de langage, et c'est par leur intrication que la force fait sens et que le développement de la libido est rendu possible, en un passage du narcissisme à l'objectalité, du corps propre au désir de l'autre.

En même temps, la symbolique des rêves n'est qu'un chapitre restreint de l'ensemble des possibilités symboliques, tandis que la compréhension des rêves et surtout de son travail débordent de beaucoup le symbolisme. C'est ainsi que la psychanalyse, elle aussi, définit à la fois son identité et son besoin de dialogue avec l'ensemble de la culture.

Dominique BOURDIN

SYMPTÔME

all. : ***Symptom.*** – angl. : *symptom.* – esp. : *sintoma.* – ital. : *sintomo.* – port. : *sintoma*

Un symptôme est une formation de compromis issue d'un conflit ayant suscité une défense non réussie. Dérivant de fantasmes sexuels les symptômes sont, avec les rêves, des rejetons déformés de réalisations de désirs ; reproduisant douloureusement des processus très précoces, leur sens est toujours inconscient. Résultant d'un refoulement, leur formation s'apparente à un retour du refoulé ; ils sont ainsi le substitut d'une satisfaction sexuelle qui a fait défaut, ou une défense en réaction contre celle-ci ; autoérotiques, ils font abstraction de l'objet et se détournent de la réalité. Les conditions de leur apparition dépendent des quantités d'investissement des termes du conflit qui les suscite ; formés afin d'éviter la situation de danger que signale l'angoisse, ils lui sont toujours postérieurs. Le symptôme se comporte comme un corps étranger implanté dans le moi qui peut trouver un certain intérêt, cher payé, à leur formation, suscitant ainsi de fortes résistances à leur analyse.

MISE EN SITUATION

« Symptôme » (attesté dès 1503) est un terme emprunté au langage médical ; comme l'allemand Symptom *(et comme dans nos cinq langues de référence qui usent du même terme, en aménageant la graphie selon leur génie propre), le terme postule un état ou une évolution susceptible de morbidité. Conformément à l'étymologie grecque, nous sommes renvoyés à l'idée de « ce qui tient ensemble », conduisant à « associer à » et, partant, à la notion de « signe de » : un symptôme ne saurait être isolé et, tout aussi bien et peut-être surtout, il a un sens.*

Sur le symptôme psychique, Freud a construit la psychanalyse, sa pratique comme sa théorie ; il ne serait pas erroné de dire que, d'une certaine façon, il justifie la psychanalyse et la contient tout entière. Aussi, il peut apparaître comme une gageure de vouloir le définir – et c'est sans doute pourquoi les vocabulaires et dictionnaires spécialisés préfèrent en général l'esquiver, voire carrément l'omettre. Il ne nous a cependant pas semblé possible d'écarter l'entrée « symptôme » de ce Dictionnaire freudien, *alors même que Freud y a consacré des centaines de pages et des ouvrages entiers ; le problème n'est d'ailleurs pas tant de définir le terme que de rendre compte, avec suffisamment de fidélité, de ce qui justifie la profusion des commentaires, réflexions et discussions qu'il a suscités, directement et indirectement. Précisons d'emblée qu'ici nous ne détaillerons pas les divers symptômes, qu'ils soient « normaux » comme les rêves, oublis, lapsus et autres actes manqués qui ont leurs entrées propres, ou qu'ils soient « pathologiques » tels les phobies, compulsions, ou autres formations propres aux diverses névroses et psychonévroses avec lesquelles ils seront décrits. Nous nous attacherons, dans ce chapitre, au symptôme en tant que tel et, sans doute plus encore, à sa formation.*

Freud donc, médecin neurophysiologiste, chercheur revenu à la clinique, eut à s'intéresser aux maladies, aux malades, et donc à leurs symptômes – qui font ainsi nécessairement partie tant de ses présupposés implicites que de ses acquis de base ; il en traite tout naturellement comme d'une donnée qu'il n'y a pas lieu de redéfinir. En revanche, leur origine comme leur formation retiennent d'emblée toute son attention ; il va savoir y porter un regard neuf et créateur. Tout au long de son œuvre, il y reviendra, mais beaucoup plus pour se compléter que véritablement se corriger, l'essentiel étant énoncé dans ce monument placé à mi-parcours de sa recherche : les Conférences d'introduction à la psychanalyse.

LE TEXTE FREUDIEN

NOMBRE DES PRINCIPAUX ATTRIBUTS DES SYMPTÔMES SONT RECONNUS D'EMBLÉE

Très tôt (**1893-1897**), Freud reconnaît aux symptômes certains caractères qu'ils conserveront : pouvant se former par simple symbolisation et fréquemment surdéterminés[1], **ce sont des formations de compromis qu'il convient de situer en dépendance du refoulement** car

1. *Études sur l'hystérie (communication préliminaire)* (1893a), Paris, PUF, 1956, p. 143 et 234 ; *OCF* II, p. 127 et 344 ; *GW* I, p. 248 et 293.

ils dérivent des fantasmes[1]. *L'interprétation des rêves* (**1900**) montre que ces « réalisations de désir » par excellence que sont les rêves *équivalent à des symptômes* – si bien que « la théorie qui englobe tous les symptômes pathologiques aboutit à cette simple proposition : **ils doivent tous être considérés comme des accomplissements de désir inconscients** »[2]. En dépit de cette équivalence entre rêves et symptômes, nous ne rendrons pas compte ici de cet ouvrage afin de ne pas accumuler les redites avec l'entrée « Rêves » ; nous agirons de même avec la *Psychopathologie de la vie quotidienne* (**1901**) puisque les *oublis, lapsus et autres actes manqués* (dont elle traite) *sont des symptômes* renvoyant à l'histoire infantile et nous permettent « de comprendre les amnésies qui sont à la base de la formation de tous les symptômes névrotiques », tous renvoyant à un matériel refoulé[3].

En **1905**, avec les *Trois essais sur la théorie sexuelle,* il s'avère que **les symptômes sont liés à la sexualité** et sont le résultat d'un conflit. Pourtant, la sexualité dite « normale » ne saurait suffire à les faire naître, car ils sont l'expression de pulsions qui seraient *perverses* (au sens large) si elles s'exprimaient directement dans des fantasmes ou des actes ; « les symptômes se forment donc en partie aux dépens d'une *sexualité anormale ; la névrose est pour ainsi dire le négatif de la perversion* »[4]. **Chaque symptôme est surdéterminé,** l'une au moins des pensées inconscientes qu'il représente renvoyant à un fantasme sexuel ; ses diverses significations n'ont nul besoin de s'accorder ou de se compléter puisqu'il suffit que, fût-ce indirectement, elles renvoient au thème qui a donné naissance aux divers fantasmes. **Les symptômes sont pluridéterminés :** chacun peut correspondre simultanément ou successivement à plusieurs significations,

1. *La naissance de la psychanalyse. Lettres à Wilhelm Fliess. Notes et plans (1887-1902)* (1950a [1887-1902]), Paris, PUF, 1956, p. 147 (lettres à Fliess du 20 mai 1896), p. 181 (du 25 mai 1897), p. 185 (du 31 mai 1897), et p. 246 (du 19 février 1899).

2. *L'interprétation des rêves* (1900a), Paris, PUF, 1967, p. 484 ; *OCF* IV, p. 623 ; *GW* II-III, p. 574.

3. *Psychopathologie de la vie quotidienne* (1901b), Paris, Payot, 1983, p. 54 et 294 ; *OCF* V, p. 54 et 277 ; *GW* IV, p. 54 et 277.

4. *Trois essais sur la théorie sexuelle* (1905d), Paris, Gallimard, 1987, p. 79-80 ; *OCF* VI, p. 99 ; *GW* V, p. 65.

en modifier une ou passer à une autre. Une fois constitué, il est conservé par la névrose même après que se soit estompée la motion pulsionnelle qu'il représente[1].

En **1909,** avec « L'homme aux rats » et l'étude de la névrose obsessionnelle, l'**opposition entre l'amour et la haine** se révèle être comme une nouvelle polarité à l'origine des symptômes. Alors que dans l'hystérie le symptôme représente un compromis exprimant simultanément deux contraires, dans la compulsion obsessionnelle il tend à satisfaire l'un après l'autre en essayant de créer entre eux un lien logique, contre toute logique[2].

Peu de notations nouvelles sont apportées les six années suivantes, la *Métapsychologie* remarquant seulement que si formations de substitut et symptômes coïncident souvent, leurs mécanismes de formation doivent être séparés : le refoulement produit généralement une formation de substitut et laisse des symptômes derrière lui qui sont les indices d'un retour du refoulé et procèdent de tout autres processus. Les uns et les autres n'en ont pas moins en commun « le retrait d'investissement d'énergie (ou de libido, s'il s'agit de pulsions sexuelles) »[3].

UNE VÉRITABLE ÉTUDE DES SYMPTÔMES

En **1916-1917,** les volumineuses *Conférences d'introduction à la psychanalyse* leur sont consacrées, que ce soit à propos de ces symptômes « normaux » que sont les rêves et les actes manqués (thèmes des 1re et 2e parties), ou des symptômes « pathologiques » propres aux psychonévroses (dans la 3e partie).

« **Le rêve lui-même est aussi un symptôme** névrotique, et plus précisément un symptôme qui a pour nous l'avantage inestimable de se

1. « Fragment d'une analyse d'hystérie (Dora) » (1905e [1900]), *Cinq psychanalyses,* Paris, PUF, 1954, p. 33 et 38 ; *OCF* VI, p. 226 et 232-233 ; *GW* V, p. 206 et 213.

2. « Remarques sur un cas de névrose obsessionnelle (L'homme aux rats) » (1909d), *Cinq psychanalyses,* Paris, PUF, 1954, p. 224 ; *OCF* IX, p. 166 ; *GW* VII, p. 414.

3. *Métapsychologie* (1991d [1915-1917]), Paris, Gallimard, 1991, p. 57-58 ; *OCF* XIII, p. 198-199.

rencontrer **chez tous les bien-portants.** »[1] Il a aussi celui d'avoir un *sens* qui peut être fonction de l'expérience vécue du rêveur ; ce sont là des « symptômes individuels » aux contenus significatifs. Plus fréquemment, ce peut être des « symptômes typiques », fonction de la névrose, tous à peu près identiques entre eux ; si leur typicité permet de porter un diagnostic sur la névrose, leur sens demeure opaque à l'interprétation. Ces deux espèces de symptômes sont apparentés ; ceux qui sont typiques doivent remonter à une expérience vécue, elle-même typique, commune à tous les humains, renvoyant à une période très précoce de l'enfance, voire même du nourrisson[2].

Tous les symptômes névrotiques renvoient à des processus inconscients déterminés qui les conditionnent et en contiennent le sens (si celui-ci devient conscient, les symptômes disparaissent). Ils sont le *substitut* de processus psychiques qui n'ont pu se développer jusqu'à la conscience. Il s'est donc produit une « permutation » que la cure analytique va tenter d'inverser ; même si cette thérapie des symptômes est difficile à appliquer, il faut savoir qu'elle « n'agit qu'en transformant de l'inconscient en conscient »[3] (ce sera confirmé quinze ans plus tard par le fameux « là où était du ça doit advenir du moi »[4]). Le « sens » d'un symptôme vise non seulement les impressions venues du dehors et les expériences vécues dont il émane qui furent un jour conscientes, mais aussi et surtout des processus endopsychiques qui purent fort bien ne jamais avoir été conscients, dans la névrose obsessionnelle comme dans l'hystérie[5].

Le refoulement est une condition préalable à leur formation ; sa fonction protectrice fait que **les patients se défendent avec énergie pour conserver leurs symptômes** car : soit ceux-ci se substituent à une satisfaction sexuelle, soit ils constituent une défense contre elle. Ainsi, *dans*

1. *Conférences d'introduction à la psychanalyse* (1916-1917), Paris, Gallimard, 1999, p. 107 ; *OCF* XIV, p. 81 ; *GW* XI, p. 79.

2. *Ibidem,* p. 345-348 ; p. 278-280 ; p. 278-280.

3. *Ibidem,* p. 356-358 ; p. 288-290 ; p. 288-290.

4. *Nouvelles conférences d'introduction à la psychanalyse* (1933a [1932]), Paris, Gallimard, 1984, p 110 ; *OCF* XIX, p. 163 ; *GW* XV, p. 86.

5. *Conférences d'introduction à la psychanalyse* (1916-1917), Paris, Gallimard, 1999, p. 362-363 ; *OCF* XIV, p. 294 ; *GW* XI, p. 294.

l'hystérie, se représente l'accomplissement d'un souhait (c'est le type positif) et les deux intentions coïncident la plupart du temps dans le même symptôme ; *dans la névrose obsessionnelle* domine l'interdit (c'est le caractère négatif) et les desseins sont souvent disjoints en deux actions successives qui se suppriment mutuellement. Cette capacité du symptôme à servir aussi bien la satisfaction sexuelle que son opposé témoigne de ce que, **résultat d'un compromis, il représente autant le refoulé que le refoulant,** pouvant pencher dans un sens ou dans l'autre[1].

Les symptômes, ces formations de compromis, témoignent d'un conflit qui correspond à des conditions particulières le rendant pathogène : il est provoqué par la frustration, la libido devant se chercher d'autres voies et d'autres objets moins satisfaisants, suscitant alors la désapprobation d'une autre part de la personnalité ; à partir de là s'amorce la formation de symptômes. Les deux forces désunies par le conflit se rencontrent à nouveau, se réconcilient en quelque sorte par le compromis – et s'il y a là une forte capacité de résistance, c'est que **le symptôme est ainsi maintenu des deux côtés.** Les aspirations libidinales refoulées parviennent à se satisfaire au prix de certains détours, déformations et atténuations ; les symptômes sont alors la *satisfaction substitutive* devenue nécessaire en raison de la frustration. Il n'en demeure pas moins qu'ils sont nuisibles ou, à tout le moins, inutiles ; ils s'accompagnent d'ailleurs de déplaisir, voire de souffrance. Ils occasionnent, en effet, une importante dépense psychique tant par eux-mêmes que dans la lutte à mener contre eux, pouvant même entraîner un extraordinaire appauvrissement, voire une paralysie face à toutes les tâches de la vie[2].

La censure frappe le souhait à l'origine du symptôme (comme pour le rêve), suscitant un « contre-investissement » qui impose un compromis à travers des déformations multiples, aboutissant à une « ambiguïté ingénieusement sélectionnée qui enferment deux significations qui se contredisent totalement ». On voit la différence avec le rêve où l'intention préconsciente, ne visant qu'à préserver le sommeil, ne s'oppose

1. *Ibidem,* p. 373-382 ; p. 303-311 ; p. 303-311.

2. *Ibidem,* p. 444 et 455-456 ; p. 361-362 et 371-372 ; p. 362 et 372-373.

pas au souhait inconscient puisque le dormeur n'est pas menacé[1]. Le symptôme névrotique a une tout autre fonction puisqu'il doit *fournir un substitut à la satisfaction* que le névrosé ne peut trouver que par une régression à des temps très précoces, antérieurs au choix d'objet et à l'organisation du moi : « **Le symptôme répète en quelque manière ce mode de satisfaction propre à la petite enfance,** déformé par la censure qui procède du conflit, tournant généralement à une sensation de souffrance et mêlé à des éléments issus de l'occasion déclenchante de l'affection. » Ce qui fut autrefois une satisfaction ne peut plus susciter que résistance ou répulsion. *Les symptômes sont indifférents à la réalité externe,* au point qu'ils font, la plupart du temps, abstraction de l'objet dans une sorte de retour à l'autoérotisme des premières satisfactions ; par une action interne remplaçant une action externe – « régression hautement significative » –, ils changent le corps plutôt que le monde extérieur. Tantôt représentations d'expériences vécues, tantôt de fantasmes, par la condensation et le déplacement ils peuvent représenter la satisfaction infantile comprimée dans une seule sensation, réduite à un petit détail – ce qui rend parfois difficile de reconnaître dans les symptômes les satisfactions libidinales qui sont à la source[2].

La libido se retire dans des fantasmes et peut ainsi, en cas de frustration, réinvestir par voie régressive les positions qu'elle a évacuées tout en y restant implantée ; ces fantasmes représentent ce qui, bien que rejeté, ne fut pas complètement abandonné. Ils bénéficient d'une certaine tolérance puisqu'ils évitent le conflit avec le moi aussi longtemps que la libido n'excède pas une limite *quantitative.* Mais son reflux va provoquer une poussée vers la réalisation du souhait inconscient : le conflit devient alors inévitable entre ces fantasmes et le moi, ils sont soumis au refoulement par le moi et, du côté de l'inconscient, abandonnés à l'attraction par l'ancienne satisfaction – ce qui favorise la formation de symptômes. Ainsi, à partir des fantasmes devenus inconscients, la libido remonte jusqu'à une fixation particulière : c'est là l'*introversion,* qui « désigne le détournement de la libido des possibilités de satisfaction réelle et le surinvestissement

1. *Ibidem,* p. 457-458 ; p. 373 ; p. 374.
2. *Ibidem,* p. 464-466 ; p. 379-380 ; p. 380-381.

des fantasmes jusqu'ici tolérés comme inoffensifs ». *Le point de vue économique est là déterminant*[1].

Le moi trouve un intérêt à la préservation des symptômes, à l'instauration comme à la continuation de la névrose. Les fantasmes s'y transposent de manière tangible dans l'hystérie ; dans la névrose obsessionnelle les contre-investissements passent au premier plan et, par le biais des *formations réactionnelles,* dominent le tableau clinique ; dans d'autres névroses les divergences sont encore plus amples et nous savons peu de choses sur la façon dont s'y forment les symptômes[2]. Mais, dans toutes les pathologies, des délires aux névroses traumatiques, « le moi a un intérêt analogue à l'instauration et à la continuation de la névrose »[3].

C'est que **le symptôme offre une satisfaction à la tendance refoulante du moi** ; étant l'expédient le plus commode, il lui épargne un travail pénible. Il est d'ailleurs des cas où il faut bien « concéder que le détournement d'un conflit par la névrose représente la solution la plus inoffensive et, socialement, la plus supportable »[4]. Pourtant, la névrose est pour le moi une mauvaise affaire car *la souffrance attachée aux symptômes aboutit à un surcroît de déplaisir* : « Le moi voudrait se débarrasser de ce déplaisir des symptômes, mais ne pas lâcher le bénéfice de la maladie, et c'est ce à quoi il ne parvient pas. »[5] L'issue est fonction des relations entre le moi et la libido, selon le principe des séries complémentaires[6]. Reste que, dans chaque cas, la libido est utilisée de façon anormale et doit pourvoir aux symptômes de la névrose[7].

En revanche, **dans les névroses actuelles, les symptômes *n'ont pas de « sens »,*** pas de signification psychique ; non seulement ils s'extériorisent principalement sur le corps (ce qui pourrait les rapprocher

1. *Ibidem,* p. 474-475 ; p. 386-387 ; p. 388.
2. *Ibidem,* p. 476-477 ; p. 388-389 ; p. 390.
3. *Ibidem,* p. 483-484 ; p. 394-395 ; p. 396.
4. *Ibidem.*
5. *Ibidem,* p. 486 ; p. 397 ; p. 398.
6. *Ibidem,* p. 441 ; p. 360 ; p. 360.
7. *Ibidem,* p. 490-491 ; p. 400-401 ; p. 402.

des symptômes hystériques), mais *ils sont eux-mêmes des processus corporels* d'où sont absentes les complexités des symptômes psychonévrotiques. Pourtant, ils utilisent également de la libido car celle-ci agit sur la vie corporelle comme sur la vie psychique : *les symptômes des névroses actuelles sont les conséquences somatiques des perturbations sexuelles, alors que ceux des psychonévroses en représentent les effets psychiques.* La proximité des névroses actuelles avec les fonctions organiques est encore soulignée par les similitudes entre leurs symptômes et ceux provoqués par l'influence chronique de substances toxiques exogènes (dans les toxicomanies) ou endogènes (maladie de Basedow par exemple)[1]. La psychanalyse ne se préoccupant que de la mise au jour de l'inconscient dans la vie psychique, et les symptômes des névroses actuelles étant vraisemblablement d'origine toxique, la psychanalyse n'a plus qu'à les abandonner à la médecine[2]. Pourtant, ces symptômes ne sont pas sans intérêt pour la connaissance de la formation des psychonévroses qui, en effet, utilisent souvent **la névrose actuelle comme stade préliminaire, et ses symptômes comme noyau.** Par un processus analogue il n'est pas rare que chez certaines personnes un symptôme somatique se fasse le représentant de tous les fantasmes inconscients qui n'attendaient que l'occasion de s'emparer d'un moyen de s'exprimer[3].

Nous pouvons tirer une règle générale : **la formation de symptômes succède à un développement d'angoisse qu'elle s'efforce de lier,** *tout comme la tentative de fuite devant un danger externe engage à lui faire face et à se défendre*[4].

La thérapie analytique ne cherche pas à éliminer les symptômes, mais entend aller au-delà des refoulements, jusqu'aux dispositions pulsionnelles ; elle n'intervient pas précisément sur les racines repérables des phénomènes mais à distance des symptômes, en un point devenu accessible *par le biais du transfert*[5] dans la mesure où, avec

1. *Ibidem.*
2. *Ibidem,* p. 492 ; p. 402 ; p. 404.
3. *Ibidem,* p. 494-495 ; p. 404-405 ; p. 405-406.
4. *Ibidem,* p. 513 ; p. 420 ; p. 420.
5. *Ibidem,* p. 553-554 ; p. 452-453 ; p. 452-453.

celui-ci, « tous les symptômes ont abandonné leur signification originaire et se sont réorganisés autour d'un nouveau sens [transférentiel] »[1] : l'analyse s'attaque au mal au plus proche de sa racine, du côté des conflits d'où procèdent justement les symptômes[2]. **Le but de la cure demeure de se rendre maître des symptômes,** auxquels la libido du névrosé demeure attachée dans la mesure où ils lui accordent la seule satisfaction de substitution alors possible. Pour ce faire, il convient de remonter jusqu'à leur genèse, de renouveler le conflit dont ils sont issus afin de le guider vers un autre dénouement. Ce travail thérapeutique se fait en deux phases : « Dans la première toute la libido est retirée des symptômes et poussée et concentrée du côté du transfert ; dans la deuxième, on mène jusqu'à son terme le combat qui a pour enjeu ce nouvel objet et on dégage la libido. »[3]

L'homme sain lui-même forme des symptômes et des rêves ; il a aussi procédé à des refoulements qu'il entretient car « une part de sa libido est soustraite à la disposition de son moi ». *Aussi, virtuellement, il est donc un névrosé,* même si le rêve semble être le seul symptôme qu'il puisse naturellement former ; cependant, « si l'on soumet sa vie éveillée à un examen plus serré, on découvre que cette vie prétendument saine est entremêlée d'un certain nombre de formations symptomatiques anodines »[4].

La théorie du symptôme aménagée selon la nouvelle topique

En **1926**, et selon son titre, *Inhibition, symptôme et angoisse* reprend la théorie du symptôme afin de le resituer dans la métapsychologie en utilisant les acquis de la nouvelle topique.

Le symptôme n'est pas inhérent au moi[5], même s'il en dépend. Le processus dont le refoulement a fait un symptôme, fût-ce pour

1. *Ibidem,* p. 564 ; p. 460-461 ; p. 462.
2. *Ibidem,* p. 572 ; p. 467-468 ; p. 469.
3. *Ibidem,* p. 576-577 ; p. 471 ; p. 473.
4. *Ibidem,* p. 580 ; p. 474 ; p. 475.
5. *Inhibition, symptôme et angoisse* (1926d [1925]), Paris, PUF, 1951, p. 5 ; *OCF* XVII, p. 209 ; *GW* XIV, p. 118.

défendre le moi, manifeste maintenant son existence en dehors de lui, la motion émanée du ça et ses rejetons échappant à toute influence. Selon une comparaison familière, *« le symptôme est comme un corps étranger entretenant continuellement des phénomènes d'excitation et de réaction dans le tissu où il s'est implanté »* [1]. La lutte défensive contre la motion pulsionnelle désagréable peut aboutir à la formation de symptôme, comme dans la conversion hystérique, mais en général elle se prolonge en *lutte contre le symptôme lui-même,* nous révélant ainsi deux expressions contradictoires du moi.

La nature de celui-ci le contraint à tenter de concilier, à lier et unifier ; il cherche donc à supprimer le caractère étranger et isolé du symptôme en s'efforçant de se l'incorporer, influençant sa formation. Ainsi, **le symptôme hystérique est un compromis entre le besoin de satisfaction et celui de punition** : « Comme réalisation d'une exigence du surmoi ces symptômes font d'emblée partie du moi, tandis que d'un autre côté ils sont à considérer comme des positions du refoulé, des points où il s'infiltre dans l'organisation du moi ; ils sont, si l'on peut dire, des postes frontières investis à la fois par les deux pays. » Puis, dans un deuxième temps, le moi va considérer que le symptôme ne peut être éliminé, qu'il doit s'y accoutumer et en tirer des avantages ; donc *il le traite comme un fragment du monde extérieur réel* : il va, par exemple, utiliser une gêne fonctionnelle produite par le symptôme pour faire taire une demande du surmoi, ou repousser une exigence de la réalité ; le symptôme contribue ainsi à « l'affirmation de soi, tend de plus en plus à ne faire qu'un avec le moi, et lui devient de plus en plus indispensable » [2].

La *névrose obsessionnelle* tend à laisser toujours plus d'espace aux satisfactions substitutives aux dépens de la frustration. Les mêmes symptômes qui, au départ, limitaient le moi ; grâce à la tendance synthétique de celui-ci, ils en viennent à représenter des satisfactions du moi, **aboutissant à un moi étriqué, réduit à chercher ses satisfactions dans les symptômes,** en arrivant, dans les pires des cas, à la paralysie

1. *Ibidem,* p. 14 ; p. 215 ; p. 125.
2. *Ibidem,* p. 14-15 ; p. 215-216 ; p. 125-126.

de la volonté du moi incapable de choisir entre les forces qui le tirent d'un côté et de l'autre[1].

Le moi n'est pas pour autant inconséquent en tentant d'incorporer le symptôme afin de l'apaiser, mais le symptôme vient tout troubler en perpétuant la motion refoulée qui renouvèle sans trêve son exigence de satisfaction, « forçant ainsi le moi à donner de nouveau le signal de déplaisir et à se mettre en état de défense ». Remarquons alors que, comme lors de leur formation dans les psychonévroses, la lutte contre les symptômes « prend de nombreuses formes, se joue sur différents théâtres, et recourt à de multiples moyens » ; **à chaque fois, à l'arrière-plan du symptôme, se trouve de l'angoisse,** même dans les cas où celle-ci n'apparaît pas[2] (comme par exemple dans l'hystérie de conversion[3]).

Les symptômes sont formés afin de parer à la situation de danger signalée par le développement d'angoisse[4] ; **ils viennent lier l'énergie psychique.** Au moment où elle supprime la situation de danger, la formation de symptômes revêt une double face : – l'une, cachée, provoque dans le ça la modification qui soustrait le moi au danger, – l'autre expose la formation substitutive créée à la place du processus pulsionnel. En fait, nous devrions *« utiliser le terme formation de symptôme lui-même comme synonyme de formation de substitut »*[5].

Le moi connaît les dangers de la réalité. Aussi, lorsqu'il doit se défendre contre certaines pulsions, il les traite comme ces dangers externes ; mais ceux-ci sont intérieurs et il ne lui est pas possible de s'en protéger aussi efficacement : lié intimement au ça, « il ne peut se défendre contre le danger pulsionnel qu'en restreignant sa propre organisation et en s'accommodant de la formation de symptômes comme substitut du préjudice porté par lui à la pulsion »[6].

1. *Ibidem,* p. 38-39 ; p. 235-236 ; p. 148.
2. *Ibidem,* p. 16-17 ; p. 217-218 ; p. 127.
3. *Ibidem,* p. 31 ; p. 228 ; p. 140.
4. *Ibidem,* p. 52 ; p. 245 ; p. 159.
5. *Ibidem,* p. 69-70 ; p. 259-260 ; p. 176.
6. *Ibidem,* p. 83-84 ; p. 270 ; p. 187-188.

Les relations entre le développement d'angoisse et la formation du symptôme

En **1932,** avec les *Nouvelles conférences d'introduction à la psychanalyse,* **symptôme et angoisse se représentent et se relaient mutuellement.** Tout se passe comme si les symptômes étaient créés pour éviter l'angoisse : « Le développement d'angoisse est antérieur, la formation du symptôme postérieure. » Il faut pourtant tenir compte de ce que, dans l'angoisse névrotique, on a peur de sa propre libido, ce qui est bien différent d'une peur réelle : « Le danger est interne au lieu d'être externe, et il n'est pas reconnu consciemment. » Ces rappels faits, Freud revient sur le constat que ces différents résultats ne concordent pas pleinement : *l'angoisse naît d'une libido devenue inutilisable et elle va être relayée par la formation du symptôme – mais « on sent qu'il manque ici quelque chose qui, de morceaux, ferait une unité »* [1]. Pour sortir de cet embarras, il convient de recourir au repérage, lors du refoulement, de ce qui se passe dans le moi et dans le ça. Plusieurs réactions sont alors possibles, et nous ne retiendrons ici que celle qui aboutit à la formation d'un symptôme (pour les autres, nous renvoyons à « Angoisse ») : si l'accès d'angoisse est pleinement développé, *le moi peut opposer à l'excitation inconvenante un contre-investissement qui se réunit avec l'énergie de la motion refoulée pour former le symptôme* [2]. Mais grande est la force de l'attachement au symptôme, comme en témoigne la **réaction thérapeutique négative** ; aboutissement du « besoin masochiste de punition » comme du « sentiment de culpabilité inconscient » lié au surmoi, elle fait qu'au lieu d'obtenir la disparition ou l'atténuation du symptôme après une interprétation, dans la souffrance, celui-ci s'en trouve renforcé [3].

En **1939,** une **ultime récapitulation** est opérée dans *L'homme Moïse et la religion monothéiste.* Si la formation des symptômes névrotiques est bien déterminée tôt dans l'enfance, *ce n'est pas tant la*

1. *Nouvelles conférences d'introduction à la psychanalyse* (1933a [1932]), Paris, Gallimard, 1984, p. 114-116 ; *OCF* XIX, p. 166-168 ; *GW* XV, p. 90-91.

2. *Ibidem,* p. 123 ; p. 173 ; p. 97.

3. *Ibidem,* p. 148 ; p. 193 ; p. 117.

précocité de l'événement qui importe, que l'effet du processus qui va à sa rencontre. Face à l'expérience vécue s'élève une revendication de satisfaction que le moi refuse, d'abord paralysé par son ampleur, puis par le danger qu'il y reconnaît ; c'est alors qu'il instaure un refoulement. Mais la pulsion demeure, se rassemble à nouveau ou est réveillée par une nouvelle incitation ; comme la satisfaction lui reste fermée par la cicatrice du refoulement elle cherche – sans l'assentiment du moi mais aussi sans sa compréhension – à obtenir une satisfaction substitutive en créant un symptôme. « **Tous les phénomènes de formation du symptôme peuvent être décrits à bon droit comme "retour du refoulé".** Leur caractère distinctif est l'importante déformation qu'a subie l'élément qui fait retour par rapport à l'élément originaire. »[1]

QUESTIONS ET ENJEUX

D'emblée donc, *les symptômes s'imposent dans la pratique clinique* de Freud. Comme nous l'avons indiqué, il leur reconnaît très tôt nombre de caractères qu'ils conserveront, la suite des développements s'attachant à les compléter et les enrichir, à les resituer par rapports à la nouvelle topique et la nouvelle dualité pulsionnelle – sans qu'il ait à remettre en question la notion comme il eut à le faire pour d'autres concepts : ainsi de l'angoisse, ce moteur des symptômes qui engage d'importants rapports avec eux sans que, pour autant, la théorie symptomatique se voit modifiée par celle de l'angoisse proposée en 1926. Aussi, ce n'est pas la survenue de bouleversements théoriques, voire parfois de quelques changements de perspective, qui posent problème, mais plutôt l'abondance des attributs des symptômes et la profusion des commentaires freudiens les concernant. Tentons de cerner quelques points-clés.

1. *L'homme Moïse et la religion monothéiste* (1939a), Paris, Gallimard, 1986, p. 230-231 ; *OCF* XX, p. 205-206 ; *GW* XVI, p. 235-236.

En bonne médecine, comme en clinique, *les symptômes sont des êtres morbides renvoyant à une pathologie.* Pourtant, avec les rêves, oublis, lapsus et actes manqués, Freud reconnaît l'existence de « symptômes normaux » à l'interprétation desquels il réserve le destin privilégié d'être, selon sa phrase célèbre sur le rêve, « la voie royale qui mène à la connaissance de l'inconscient »[1] ; ils correspondent à la catégorie des « symptômes individuels » s'opposant à celle des « symptômes typiques » qui, eux, relèvent des diverses névroses et psychonévroses. Mais, au-delà de cette distinction de repérage, il convient de considérer que *tous les symptômes, à commencer par le rêve, sont névrotiques :* « Symptôme est synonyme de signe d'un processus pathologique. »[2] Il en va ainsi du fait même de leurs conditions de formation (le symptôme est bien une « erreur de logique »[3]), mais tout autant en raison de la condition humaine elle-même (« l'homme sain est virtuellement un névrosé, le rêve semblant être le seul symptôme qu'il soit capable de former ») ; cette vie prétendument saine est remplie de formations symptomatiques plus ou moins anodines. Ajoutons que tous les symptômes, même les plus opaques, semblent bien renvoyer à une expérience très précoce, universelle, « commune à tous les humains »[4] – ce qui n'est pas sans nous évoquer l'Œdipe, ce berceau, cette pépinière de tous les symptômes. Cette *universalité* posée, encore convient-il de la situer au sein de la complexité des divers processus du fonctionnement psychique.

Par le symptôme se trouvent mises en question tant les notions de *défense* et de *refoulement* que de *danger* et d'*angoisse*, comme de *moi* et de *ça* – toutes prenant sens par et selon la *pulsion.* Jusqu'à quel

1. *L'interprétation des rêves* (1900a), Paris, PUF, 1967, p. 517 ; *OCF* IV, p. 663 ; *GW* II-III, p. 613-614.

2. *Inhibition, symptôme et angoisse* (1926d [1925]), Paris, PUF, 1951, p. 1 ; *OCF* XVII, p. 205 ; *GW* XIV, p. 113.

3. Lettre à Fliess du 20 mai 1896, in *La naissance de la psychanalyse. Lettres à Wilhelm Fliess. Notes et plans (1887-1902)* (1950a [1887-1902]), Paris, PUF, 1956, p. 148. Dans les *Conférences d'introduction à la psychanalyse,* à propos de la névrose obsessionnelle, il parle d'une « pathologie complètement folle » (p. 332).

4. *Conférences d'introduction à la psychanalyse* (1916-1917), Paris, Gallimard, 1999, p. 107, 345-350 et 580 ; *OCF* XIV, p. 81, 277-281, 474 ; *GW* XI, p. 79, 277-281, 476.

point peuvent-elles se recouper et se disjoindre, se confondre et se distinguer ?

Le symptôme est une formation psychique que Freud spécifie comme « formation de compromis », fonctionnant comme « formation de substitut » et/ou opérant comme « formation réactionnelle ». Ces termes seraient-ils équivalents ? Oui et non... Toutes ces « formations » entendent signifier le symptôme (qu'il soit normal ou névrotique) en tant qu'aboutissement d'un travail psychique dont il est le résultat, les connotations de « compromis », « substitut » et « réaction » indiquant plutôt le procédé pour y parvenir. C'est ainsi qu'en 1915 Freud peut s'interroger et remarquer que symptômes et formations de substituts ne coïncident sans doute pas[1] et, sans se contredire, en venir en 1926 à désigner le symptôme comme un « véritable substitut et rejeton de la motion refoulée », au point de considérer que « nous devrions utiliser le terme formation de symptôme lui-même comme synonyme de formation de substitut »[2].

Il convient pourtant d'*établir une distinction* : refoulements et défenses sont des processus, alors que symptômes, compromis, réactions et substituts sont les *résultats de ces processus* ; c'est bien là ce qui est déterminant pour la conduite de la cure. Tous sont des rejetons, des indices d'un retour du refoulé qui doivent leur apparition à divers mécanismes ayant pour point commun un retrait de la libido ; la mise en œuvre du refoulement n'est pourtant que la condition préalable aux diverses formations, celles-ci étant le substitut de quelque chose qui n'a pas eu lieu, empêché par le refoulement dont c'est précisément la fonction.

Ces refoulements et ces défenses *impliquent le moi,* instance privilégiée de la formation du symptôme, d'ailleurs tout disposé à se l'incorporer après l'avoir suscité. Mais le symptôme s'y refuse, exigeant la satisfaction du souhait érotique inacceptable ayant suscité le conflit, relançant ainsi les processus de défense et entretenant les symptômes ; pour ce faire, nous l'avons vu, la libido remonte jusqu'aux points de fixation, réactivant tant la formation symptomatique que le refoulement. Les relations entre moi et symptôme, au

1. « Le refoulement » (1915d), *Métapsychologie,* Paris, Gallimard, 1968, p. 57-58 ; *OCF* XIII, p. 197 ; *GW* X, p. 255.

2. *Inhibition, symptôme et angoisse* (1926d [1925]), Paris, PUF, 1951, p. 17 et 70 ; *OCF* XVII, p. 214 et 260 ; *GW* XIV, p. 123 et 176.

travers du refoulement, révèlent ainsi leur complexité : si c'est bien le moi qui a suscité le symptôme, celui-ci – émanation du ça incluse dans le moi, et le plus souvent suscitée par le surmoi – mène une existence indépendante et entretient le conflit ; tout ceci implique une dépense continuelle d'énergie, restreint les possibilités de nouveaux investissements, appauvrit le moi et le fait souffrir. Il n'en demeure pas moins que *le symptôme est indissociable du moi* puisque, en dépit de ce qu'il lui inflige, *il en est une formation.*

La *cure analytique* tentera précisément de retrouver, en l'inversant, le chemin qui put conduire à la formation des symptômes : la libido leur est d'abord retirée pour être concentrée sur le transfert, puis l'analyste va tenter de l'en dégager en l'interprétant ; en mettant hors circuit le refoulement, le conflit est ainsi renouvelé, rendant caduque la formation symptomatique de telle manière que, ne pouvant plus de nouveau se dérober au moi, la libido se mette enfin à son service – mais le symptôme suscite des résistances, utilisant les défenses qui mettent en œuvre les mêmes forces que celles qui l'ont institué. Une fois encore, *dans la cure comme ailleurs, la question est quantitative* : plus le moi peut consacrer d'énergie à lier le refoulé, et donc à maîtriser le symptôme, et plus le processus se rapproche d'une élaboration normale, sans toutefois l'atteindre[1]. À l'inverse, l'indépendance et la force des symptômes peut se manifester dans la cure par le pire d'entre eux – et c'est même elle qui est susceptible de l'engendrer : il s'agit de la réaction thérapeutique négative, ce retournement des défenses contre le moi. Mais, même s'il est vrai que *les symptômes sont des produits de la défense,* on ne saurait cependant assimiler défenses et symptômes ; il faut y insister.

Voilà qui nous conduit à nous demander ce qui se passe lorsque les défenses sont prises en défaut. Autrement dit : *quelle position attribuer aux traumatismes par rapport aux symptômes ?* Freud pense d'abord que la névrose serait assimilable à une affection traumatique née de l'incapacité à liquider cette expérience vécue qu'est le trauma ; telle était « la première formule », élaborée avec Joseph Breuer en 1893-1895, à laquelle il doit renoncer et qu'il récuse explicitement en 1916-1917, sans pour autant s'expliquer clairement

1. *Nouvelles conférences d'introduction à la psychanalyse* (1933a [1932]), Paris, Gallimard, 1984, p. 123 ; *OCF* XIX, p. 173-174 ; *GW* XV, p. 97.

sur ce que doit être « la nouvelle formule ». Certes, ce qui est vécu lors du traumatisme ne saurait, en soi, résulter d'un conflit intrapsychique – ce qui exclut la condition première pour la formation d'un symptôme. Plus encore, on comprend que l'essentiel tient à ce que les symptômes sont nécessairement la représentation de processus inconscients, au point que si ceux-ci accèdent à la conscience, laissant apparaître leur sens, les symptômes eux-mêmes disparaissent ; telle est bien la justification de la cure[1]. Le corollaire en est que, *« à partir de processus conscients, ne se forment pas de symptômes »* ; un traumatisme étant d'abord une « expérience vécue »[2], on peut penser qu'il est naturellement conscient et ne saurait donc être un symptôme – mais Freud ne le dit pas explicitement. Cependant, en définissant cette expérience vécue par l'accroissement, par l'excès de stimulations qu'elle provoque jusqu'à rompre le pare-excitation – entraînant un retrait massif de tous les autres systèmes et opérant « sans médiation de l'appareil psychique » (donc sans véritable conflit) – nous nous situons comme « au-delà » du symptôme : l'angoisse elle-même (cette condition du symptôme), se trouve mise hors-jeu et ne peut plus assurer sa fonction de préparation et de protection, livrant le moi au danger et à la peur[3].

Nous nous retrouvons alors face à la *question de l'origine des névroses :* maladies « endogènes » ou « exogènes » ? Résultent-elles d'une fixation de la libido ou d'impressions traumatiques ? Poser un tel dilemme n'apparaît pas très « sage » car, de fait, leur causation met nécessairement en œuvre les deux facteurs, de telle sorte que l'un croît quand l'autre diminue, constituant ainsi une *série complémentaire*[4] ; en quelque sorte, à un bout serait le traumatisme, et le symptôme à l'autre. La *névrose traumatique,* contrairement à ce que l'on pourrait peut-être croire, est loin de conjoindre les deux – ne serait-ce que parce qu'elle est produite par l'effroi, alors que la névrose (avec ses symptômes) est suscitée par l'angoisse qui, justement, protège contre la névrose trau-

1. *Conférences d'introduction à la psychanalyse* (1916-1917), Paris, Gallimard, 1999, p. 356-357 ; *OCF* XIV, p. 288-289 ; *GW* XI, p. 288-289.

2. *Ibidem,* p. 351 ; p. 285 ; p. 284.

3. *Au-delà du principe de plaisir* (1920g), *Essais de psychanalyse,* Paris, Payot, 1981, p. 71-74 ; *OCF* XV, p. 300-303 ; *GW* XIII, p. 29-32.

4. *Conférences d'introduction à la psychanalyse* (1916-1917), Paris, Gallimard, 1999, p. 440-441 ; *OCF* XIV, p. 359-360 ; *GW* XI, p. 359-360.

matique[1]. Pourtant, dans celle-ci, de l'angoisse apparaît régulièrement à l'occasion du « rêve traumatique » qui va travailler à l'encontre de sa fonction « naturelle », obéissant alors à la compulsion de répétition. La névrose traumatique se pose, de fait, comme un cas extrême[2] ; elle pourrait même constituer une exception dont les « relations avec le facteur infantile se sont jusqu'ici soustraites à nos investigations »[3].

Il est un point remarquable qui mérite d'être signalé : *les psychoses apparaissent peu dans les commentaires freudiens consacrés aux symptômes,* dont l'essentiel est dédié aux névroses hystériques et psychonévroses obsessionnelles, bien plus qu'aux « névroses narcissiques », aux psychoses. À propos de ces dernières, il convient d'abord de remarquer que Freud n'en qualifie qu'exceptionnellement les « signes psychiques » comme symptômes ; il peut le faire, à l'occasion, comme dans la *Métapsychologie* où il évoque les « symptômes de la schizophrénie », mais il le fait alors pour signaler leur « ressemblance avec des formations de substituts hystériques ou obsessionnelles » et, surtout, pour insister sur leurs différences et leurs particularités radicales[4]. De façon assez voisine, un an plus tard, il va remarquer que ces symptômes « sont autres en chaque point » de telle sorte que, « dans le cas de la dementia praecox, la libido, dans ses efforts pour revenir aux [...] représentations des objets, attrape effectivement quelque chose d'eux, mais en quelque sorte seulement leurs ombres, je veux dire les représentations de mots qui vont avec »[5]. Serait-ce alors que, dans la psychose, ne se rencontreraient que des « ombres de symptômes » ? Quoi qu'il en soit, nous devons souligner la rareté des passages dans lesquels des symptômes psychotiques sont mentionnés comme tels ; en outre, lorsque exceptionnellement le qualificatif « symptomatique » se trouve associé à la psychose, il apparaît plus connotatoire que

1. *Au-delà du principe de plaisir* (1920g), *Essais de psychanalyse,* Paris, Payot, 1981, p. 50 ; *OCF* XV, p. 382 ; *GW* XIII, p. 10.

2. *Ibidem,* p. 75 ; et *Nouvelles conférences d'introduction à la psychanalyse* (1933a [1932]), Paris, Gallimard, 1984, p. 43 ; *OCF* XIX, p. 110-111 ; *GW* XV, p. 30.

3. *Abrégé de psychanalyse* (1940a [1938]), Paris, PUF, 1985, p. 54 ; *OCF* XX, p. 273 ; *GW* XVII, p. 111.

4. « L'inconscient » (1915e), *Métapsychologie,* Paris, Gallimard, 1968, p. 112 ; *OCF* XIII, p. 237 ; *GW* X, p. 296.

5. *Conférences d'introduction à la psychanalyse* (1916-1917), Paris, Gallimard, 1999, p. 535 ; *OCF* XIV, p. 437 ; *GW* XI, p. 437.

véritablement métapsychologique. Pour ce faire, Freud doit bien avoir quelques raisons, même s'il se fait relativement discret sur celles-ci.

Nous devons alors nous interroger : est-il légitime de considérer – comme cela peut se dire parfois – que *le délire serait un symptôme* ? Aussi surprenant que cela puisse d'abord paraître, il n'est jamais explicitement désigné comme tel par Freud qui le range, sans plus, dans la catégorie des « signes psychiques des psychoses ». Alors que dans les névroses de transfert les symptômes sont expliqués par la mise à l'écart du refoulé hors de la conscience, dans la schizophrénie le refoulement est d'un tout autre ordre : « L'investissement de la représentation de mot n'appartient pas à l'acte de refoulement mais au contraire représente la première des tentatives de restitution et de guérison. »[1] Ainsi, sa fonction apparaît bien différente de celle du symptôme, et tendrait même plutôt, de ce fait, à situer le délire comme *antithétique* du symptôme. Une confirmation est apportée quelque vingt ans plus tard : les délires, comme les constructions que nous bâtissons en psychanalyse, seraient des « tentatives d'explications et de restitution »[2] – ce qui est bien autre chose que ne sauraient être les symptômes, ces formations de compromis suscitées par un conflit. La différence, voire l'opposition entre symptôme et délire semble donc se situer dans leur fonction – mais, redisons-le, Freud n'est guère explicite là-dessus. Il ne nous semblerait cependant pas erroné de considérer qu'en général il préfère *réserver la notion de symptôme aux seules névroses de transfert.*

« On ne traite pas les symptômes » est un sage précepte enseigné dans les meilleurs instituts de psychanalyse ; quelle que soit sa pertinence, et même si l'on peut admettre de n'en parler jamais, il n'en demeure pas moins que les symptômes sont ce qui conduit quelqu'un à venir demander une analyse, que ce sont eux qui, par leurs transformations, leur accentuation ou leur effacement, vont rythmer le fil de la cure, témoigner de son évolution et permettre de la conclure, eux qui vont permettre de comprendre le fonctionnement psychique particulier du patient.

1. « L'inconscient » (1915e), *Métapsychologie,* Paris, Gallimard, 1968, p. 121-122 ; *OCF* XIII, p. 243-244 ; *GW* X, p. 301-302.

2. « L'analyse avec fin et l'analyse sans fin » (1937c), *Résultats, idées, problèmes, II,* Paris, PUF, 1984, p. 280.

Comme nous pouvons le voir à l'examen des différentes psychonévroses, la formation des symptômes qui les spécifient est maintenant assez bien connue ; c'est moins évident en ce qui concerne celle des psychoses (ou tout au moins des « signes psychiques » qui s'y rencontrent). Le champ de la recherche demeure ici largement ouvert.

Claude LE GUEN

Symptôme (formation de) → Formations

Système perception-conscience → Conscience, conscient, perception

Systèmes → Instances, systèmes (provinces)

T

TABOU et INTERDIT

all. : *Tabu* et *Verbot.* – angl. : *taboo* et *prohibition.* – esp. : *tabú* et *prohibido.* – ital. : *tabù* et *interdetto.* – port. : *tabu* et *prohíbido*

Le *tabou* est la forme primitive de l'interdit ; il a toute la rigueur d'un impératif catégorique. Les limitations taboues sont autre chose que les interdits religieux ou moraux, car c'est d'elles-mêmes qu'elles interdisent ; privées de fondement, incompréhensibles de l'extérieur, elles vont de soi pour ceux qui se trouvent sous leur domination. Elles portent sur ce qui est à la fois désiré et évité, et donc marqué d'ambivalence, mais l'interdit lui-même, par son caractère sacré, renforce l'ambivalence. Le pacte social, scellé dans la culpabilité des frères meurtriers du père de la horde, inscrit la culture comme capacité à effectuer une répression pulsionnelle. La notion d'*interdit (Verbot)* sert surtout à décrire les formes secondaires d'organisation sociale : c'est le dispositif qui organise la frustration (ou refusement – *Versagung*), nécessaire mais parfois excessive, tandis que la privation *(Entbehrung)* est l'état qu'entraîne l'interdit.

MISE EN SITUATION

À partir de son interrogation sur « la barrière de l'inceste » et de sa conception évolutionniste du parallèle entre société primitive (enfance de l'humanité), enfance et névrose, Freud en vint à s'interroger sur les formes de l'interdit dans les sociétés primitives, en prenant appui sur les travaux de Wundt, de Frazer et de Robertson Smith. Ces élaborations de 1912-1913 le confrontent à la notion de tabou, et s'inscrivent dans le contexte du débat et de la rupture avec Carl Gustav Jung ; elles forment un deuxième pôle fondamental de l'œuvre freudienne, après L'interprétation des rêves, *qui suscitent en Freud satisfaction et angoisse à la fin de la rédaction de* Totem et tabou. *Ernest Jones, Karl Abraham et Sandor Ferenczi l'encouragent vivement*[1]. *L'omniprésence des références à* Totem et tabou *dans la suite de l'œuvre freudienne (à quoi quelques notes sont ajoutées dans les rééditions de textes antérieurs) témoigne également de l'importance essentielle de la question des manifestations de l'ambivalence et des formes de l'interdit, à partir desquelles Freud reconstruit la transgression nécessaire et peut penser le sentiment de culpabilité inconscient, issu de la culpabilité primaire.* L'interprétation des rêves *et les* Trois essais sur la théorie sexuelle *permettaient de fonder la pensée du sexuel en psychanalyse,* Totem et tabou, *à partir des défenses contre l'inceste, élabore la question du parricide et plus largement du meurtre.*

Mais Freud ne peut penser le tabou sans s'interroger sur son devenir dans le psychisme – quel rapport entre le tabou et l'impératif moral donc avec le surmoi ? – et sur les formes de l'interdit dans les sociétés, car la culture est répression pulsionnelle et donc mise en œuvre d'interdits.

Le terme français d'interdit se prête à des gloses nombreuses sur la parole et sur l'« entre » de l'« inter-dit *», et ces propos sont venus conforter la notion lacanienne d'ordre symbolique. Les termes d'*untersagen *(interdire) et d'*untersagt *(interdit), construits sur un modèle analogue existent bien en allemand ; Freud n'y recourt que*

1. E. Jones, « The inception of "Totem et taboo" », *International Journal of Psycho-Analysis*, XXXVII, 1956, p. 34-35.

très exceptionnellement (12 occurrences au total contre 137 pour le seul terme Verbot*), et dans une signification très déterminée.*

« Chaque ressortissant d'une nation peut, dans cette guerre, constater avec effroi – ce qui, déjà en temps de paix, tendait parfois à s'imposer à lui – que l'État a interdit (untersagen) *à l'individu l'usage de l'injustice non parce qu'il veut l'abolir, mais parce qu'il veut en avoir le monopole », affirme « Considérations actuelles sur la guerre et sur la mort ». Dans « La question de l'analyse profane », le verbe* untersagen *concerne la tendance des autorités à interdire la pratique de l'analyse à tous les profanes. La phrase suivante commente le paradoxe d'une telle interdiction en recourant cette fois au terme* Verbot. Le Malaise dans la culture *utilise* untersagt *pour désigner ce qui est interdit comme perversion; la phrase suivante s'y réfère par la formulation « dans ces interdictions »* (in diesen Verboten). *Un troisième exemple nous est fourni par les* Nouvelles conférences d'introducution à la psychanalyse *lorsque Freud rappelle qu'en* URSS *l'examen critique de la théorie marxiste est interdit. Enfin,* L'homme Moïse et la religion monothéiste *mentionne que le culte d'Amon est* untersagt *pendant le règne du souverain monothéiste Akhenaton.*

Freud recourt ainsi à la racine untersagen *seulement lorsqu'il évoque des situations sociales où l'interdit est officiellement promulgué. Il s'agit donc d'un dire officiel, qui n'est pas nécessairement fondé. Dans plusieurs de ces occurrences, la suite du texte parle ensuite d'interdictions ou d'interdit en utilisant* Verbot, *qui est donc synonyme à ceci près qu'il ne se réfère pas à la promulgation ni à la garantie assurée à l'interdiction par son inscription dans le droit. Ce sont donc les termes allemands de la racine de* Verbot *qui supportent la notion freudienne d'interdit proprement dit.*

LE TEXTE FREUDIEN

I – Le tabou

La question du tabou dans l'œuvre de Freud ne se réduit pas à l'ouvrage de 1913 *Totem et tabou,* mais ce livre correspond néanmoins à son élaboration essentielle, à laquelle se référeront très fréquemment les écrits ultérieurs. Un regard sur les textes antérieurs aide à percevoir la fonction de cette œuvre par rapport aux besoins de compréhension des logiques de l'inconscient et de fondation anthropologique de la clinique psychanalytique.

La barrière contre l'inceste

Freud évoque déjà le rapport entre « l'horreur et l'inceste », ainsi que leur lien aux impératifs sociaux dans le manuscrit N. L'horreur qu'inspire l'inceste, acte impie, repose sur le fait qu'une vie sexuelle commune dès l'enfance rendrait les membres d'une famille incapables de se lier à des étrangers. La « sainteté » correspond au contraire à « ce qui incite les humains à sacrifier, dans l'intérêt d'une plus grande communauté, une partie de leur liberté sexuelle perverse » [1]. Par le choix du champ lexical, mais sans s'en expliquer, Freud pose déjà la thèse d'une origine religieuse des interdits sociaux.

Dans le troisième des *Trois essais sur la théorie sexuelle* (1905), consacré à la puberté, un paragraphe intitulé (jusqu'à l'édition de 1924, où il disparaît) « Barrière contre l'inceste », Freud souligne l'importance de l'ajournement de la maturation sexuelle pour « gagner le temps nécessaire pour ériger, à côté des autres inhibitions sexuelles, la barrière contre l'inceste et se pénétrer des préceptes moraux qui excluent expressément du choix d'objet, en tant que parents du même sang, les personnes aimées de l'enfance. Le respect de cette barrière est avant tout une exigence culturelle de la société, qui doit se défendre contre l'absorption par la famille d'intérêts dont elle a besoin pour établir des unités sociales plus élevées » [2]. Remarquons au passage que cette dernière mention d'unités plus larges anticipe la fonction que la deuxième topique conférera à Éros, celle d'établir des liaisons de plus en plus étendues. Dans le texte des *Trois essais sur la théorie sexuelle,* ni le terme de « tabou » ni celui d'interdit

1. Manuscrit N (mai 1897), in *La naissance de la psychanalyse. Lettres à Wilhelm Fliess. Notes et plans (1887-1902)* (1950a [1887-1902]), Paris, PUF, 1956, p. 185 ; *Lettres à Wilhelm Fliess* (éd. complète), Paris, PUF, 2006, p. 319.

2. *Trois essais sur la théorie sexuelle* (1905d), Paris, Gallimard, 1987, p. 169 ; *OCF* VI, p. 164 ; *GW* V, p. 127.

ne sont utilisés, mais une note ajoutée en 1915[1] relie cette barrière contre l'inceste aux « acquisitions historiques de l'humanité » ; Freud y pose l'hypothèse d'une fixation de cet interdit « par hérédité organique », en se référant à *Totem et tabou.* Ce propos audacieux (lié à la conception freudienne de la phylogenèse, marquée par le modèle évolutionniste qui domine alors la pensée scientifique) est aussitôt nuancé voire contredit par le témoignage même de l'investigation psychanalytique qui montre l'intensité du combat de l'individu contre l'inceste pendant son développement, et la fréquence des transgressions fantasmatiques et même réelles. La question du mode de transmission et de la profondeur de l'inculcation de l'interdit fondamental de l'inceste reste donc posée en 1915. Ce que l'élaboration de *Totem et tabou* a noué, c'est l'enracinement de la réalité clinique dans la préhistoire et l'histoire de l'humanité entière.

Dans les « Remarques sur un cas de névrose obsessionnelle (L'homme aux rats) », Freud ajoute en 1923 une note au texte de 1909 rappelant *Totem et tabou* à propos de la toute-puissance de la pensée, d'abord découverte cliniquement dans cette cure, puis reconnue comme « une partie essentielle du psychisme primitif »[2]. La question des ressemblances et parentés entre les symptômes et la culture est établie par Freud en 1913 *(Totem et tabou)* et en 1915 (« Considérations actuelles sur la guerre et sur la mort »), comme elle avait été étudiée dans le cas particulier des rituels obsessionnels, analogues aux rituels religieux, en 1907[3]. Conjointement au renoncement à l'inceste, se trouve posée la question d'un renoncement à la toute-puissance, à ses illusions comme à ses effets destructeurs. Nous verrons que c'est ce qui reste inentamé ou du moins ambigu dans le tabou, comme dans le symptôme, tandis que l'émergence de la moralité nécessite l'élaboration œdipienne de la castration.

1. *Ibidem.*

2. « Remarques sur un cas de névrose obsessionnelle (L'homme aux rats) » (1909d), *Cinq psychanalyses,* Paris, PUF, 1970, p. 252 ; *OCF* IX, p. 202 ; *GW* VII, p. 451.

3. « Actions compulsionnelles et exercices religieux » (1907b), *Névrose, psychose et perversion,* Paris, PUF, 1973, p. 133-142 ; *OCF* VIII, p. 137-146 ; *GW* VII, p. 129-139.

Ces références à *Totem et tabou* ajoutées en note après coup, dans les rééditions d'ouvrages antérieurs à 1913, confirment que la réflexion freudienne sur l'interdit fondamental, formulé d'abord comme « la barrière de l'inceste », est présente aux fondements de la pensée psychanalytique bien avant d'être conceptualisée comme telle. Elles indiquent comment Freud articule son élaboration du tabou avec ses écrits antérieurs : *Totem et tabou* répond à une partie des surprises et questions suscitées par la clinique, et relance, par l'étude de l'ambivalence, la question de l'élaboration de la culpabilité. L'apparent détour par l'origine de la religion et les modalités de l'interdit dans les sociétés primitives, qui conduisent Freud à élaborer un mythe originaire, organise et centre toute l'œuvre freudienne, comme s'il s'agissait, après *L'interprétation des rêves,* d'un second pôle fondamental ; on le voit dans la place que prennent les thèses de 1913 dans le texte même de nombreux ouvrages ultérieurs. On peut y voir une première forme d'articulation de l'intrapsychique avec l'intersubjectif – ce que Freud conçut surtout, sans toujours le relier directement au transfert, comme le rapport de chaque individu à la culture ainsi qu'à l'héritage « phylogénétique ».

Mais avant 1913, seul un emploi significatif du terme « tabou » peut être relevé. Dans la brève notice « La significativité de l'ordre des voyelles » (1911)[1], Freud, en se référant à un ouvrage de Salomon Reinach (*Cultes, mythes et religions,* 1908), répond aux objections faites à la thèse psychanalytique de la substitution, dans les oublis, les rêves et les idées incidentes, d'un terme à un autre qui a été refoulé et qui n'a en commun avec lui que la séquence de voyelles[2]. Il rappelle le caractère « tabou » du nom de Dieu chez les Anciens Hébreux, qui ne devait être ni prononcé ni écrit. L'interdit a été si strictement observé que la prononciation actuelle du terme Jéhovah, dont la vocalisation initiale reste ignorée, prend appui sur la vocalisation du

1. « La signification de l'ordre des voyelles » (1911d), *Résultats, idées, problèmes, I,* Paris, PUF, 1984, p. 169 ; *OCF* XI, p. 23-25 ; *GW* VIII, p. 348.

2. Outre Stekel, évoqué ici par Freud, voir « Sur le mécanisme psychique de l'oubli » (1898b), *Résultats, idées, problèmes, I,* Paris, PUF, 1984, p. 99-107 ; *OCF* III, p. 241-251 ; *GW* I, p. 517-527 ; et *Psychopathologie de la vie quotidienne* (1901b), Paris, Gallimard, 1997, chapitres 1-3.

terme Adonaï (Seigneur) qui était un substitut autorisé. La notion de tabou apparaît donc dans un contexte de prescription religieuse.

La compréhension freudienne du tabou : ses caractéristiques

Dans sa préface à *Totem et tabou,* Freud indique que « l'analyse du tabou se présente comme la tentative tout à fait solide d'une solution épuisant le problème » [1]. Il s'agit donc d'une synthèse qui se donne pour totale et définitive, parce que nous avons un accès direct au problème du tabou qui « continue d'exister parmi nous » : formulé négativement et portant sur d'autres contenus, le tabou « n'est pourtant de par sa nature psychologique, rien d'autre que l'"impératif catégorique" de Kant qui prétend avoir un effet contraignant et récuse toute motivation consciente ».

Autrement dit, Freud ne semble pas ici distinguer entre l'impératif moral et le tabou. Interdit et tabou seraient synonymes. En fait, le déplacement transformateur est indiqué : autres contenus et formulation négative (un interdit) de ce qui deviendra une prescription morale (un ordre, une règle de comportement). La référence aux *Fondements de la métaphysique des mœurs* (1785) d'Emmanuel Kant indique d'emblée le statut du propos : celui des principes, des fondements de la moralité. En même temps, Freud tire à lui le propos kantien en interprétant le caractère radical et sans réserves (catégorique) de l'impératif kantien dans le sens d'une contrainte absolue qui ferait l'économie de la motivation consciente. Mais Freud a bien précisé que c'est du point de vue « psychologique » qu'il y a équivalence entre tabou et loi morale : la façon dont le tabou s'impose comme contrainte.

C'est dans le deuxième essai du livre, après celui qui est consacré à « La crainte de l'inceste », que le tabou est au centre du propos, puisqu'il s'intitule : « Le tabou et l'ambivalence des motions de sentiment ». Nous en dégagerons les caractéristiques essentielles du tabou.

Freud rapproche le mot polynésien tabou du *kadesh* hébreu, de l'*agos* grec et du *sacer* latin : il signifie à la fois sacré, consacré et

1. *Totem et tabou* (1912-1913a), Paris, Gallimard, 1993, p. 65 ; *OCF* XI, p. 194 ; *GW* IX, p. 4.

inquiétant, dangereux, interdit, impur. Il s'oppose à ce qui est ordinaire et accessible. Il se manifeste essentiellement par des interdits et des restrictions. « Les limitations taboues sont autre chose que les interdits religieux ou moraux. Elles ne sont pas rapportées aux commandements d'un dieu, mais de fait, c'est d'elles-mêmes qu'elles interdisent. »[1] Privées de fondement, incompréhensibles de l'extérieur, elles vont de soi pour ceux qui se trouvent sous leur domination. Se référant essentiellement aux travaux de Wundt, Freud souligne que le tabou violé se venge à l'origine de lui-même ; lorsque existent des représentations de dieux ou de démons, ceux-ci exercent un châtiment automatique. Dans d'autres cas, sans doute par suite d'une évolution, c'est la société qui punit le téméraire et le tabou est ainsi à l'origine des premiers systèmes pénaux de l'humanité. Celui qui a transgressé un tabou devient lui-même tabou, à moins que le danger ne puisse être conjuré par des actions de pénitence et des cérémonies de purification. Même la transgression involontaire est automatiquement punie. Les interdits concernent le plus souvent la faculté de consommer, la liberté de circulation ou d'échange. « Au fondement de tous ces interdits semble se trouver quelque chose comme une théorie prétendant que les interdits sont nécessaires parce que certaines personnes et choses ont en propre une force dangereuse qui se transfère, par contact avec l'objet ainsi chargé, presque comme une contagion. »[2] Tabou désigne tout aussi bien les personnes que les lieux, les objets et les états transitoires (menstruation, puberté, maladie, etc.) qui sont inquiétants et donc sources ou porteurs de cette force, ainsi que l'interdit qui se dégage de cette propriété.

Pourquoi s'intéresser au tabou ? Parce que les interdictions sociales et morales n'en sont peut-être pas aussi loin que nous voudrions le croire et pourraient « avoir dans leur essence une parenté avec ce tabou primitif »[3].

1. *Ibidem,* p. 102 ; p. 219 ; p. 26.
2. *Ibidem,* p. 106 ; p. 223 ; p. 30.
3. *Ibidem,* p. 108 ; p. 224 ; p. 32.

La compréhension freudienne du tabou : son analogie avec la névrose obsessionnelle

Or le psychanalyste connaît des personnes qui se sont créé individuellement des interdits qui s'imposent comme les tabous, et qu'ils observent rigoureusement. La névrose obsessionnelle pourrait s'appeler « maladie de tabou ». Comment ne pas appliquer à l'élucidation de la psychologie des peuples ce qu'a montré l'investigation psychanalytique – à condition, toutefois, de ne pas conclure trop vite à une même essence dès lors qu'il y a des manifestations analogues ? « La concordance la plus immédiate et la plus frappante entre les interdits de contrainte (chez les nerveux) et le tabou consiste [...] en ce que ces interdits sont tout aussi immotivés, et énigmatiques quant à leur provenance. Ils sont survenus un jour et doivent maintenant être respectés par suite d'une angoisse incoercible. Une menace de punition proférée de l'extérieur est superflue, parce qu'il existe une certitude interne (une conscience morale) aux termes de laquelle la transgression conduirait à un malheur insupportable » [1], en particulier un dommage grave à une personne qui leur est chère. Il est curieux de voir Freud assimiler l'interdit impérieux né de ce « pressentiment indéterminé » à la conscience morale. Tout au long des développements de *Totem et tabou,* Freud semble hésiter entre souligner la différence entre le tabou (collectif et névrotique) et la conscience morale ou au contraire la minimiser. Or ce qui les rapproche à ses yeux, c'est essentiellement la rigueur de l'impératif ; c'est donc du côté de l'instance morale interne qu'il y a parenté, tandis que l'objet de la morale ou même de l'interdit religieux en est profondément différent en ce qu'il ne présente ni le même arbitraire ni la même conviction d'une force dangereuse et contagieuse. Ceci contribue d'ailleurs à ce que l'interdit moral soit considérablement moins puissant que le tabou, comme Freud le remarquera bientôt, avec douleur, dans « Considérations actuelles sur la guerre et sur la mort » (1915).

L'interdit capital et nucléaire de la névrose, comme dans le tabou des peuples, est celui du toucher, du contact. Ces interdits ont une formidable capacité de déplacement et s'étendent ainsi de proche en

1. *Ibidem,* p. 115 ; p. 229 ; p. 36.

proche d'un objet à un autre, au risque de rendre « impossible » le monde entier. Tabous et symptômes de la névrose de contrainte ont donc en commun des commandements immotivés, consolidés par une obligation interne ; ils sont capables de déplacement, font donc courir le risque d'une contamination, et suscitent des actions cérémonielles.

Or l'histoire clinique et le mécanisme psychique des maladies de contrainte est connu de la psychanalyse : un fort plaisir-désir de toucher, arrêté par un interdit externe, plus puissant que la pulsion qui fut alors refoulée. Bannie dans l'inconscient, elle n'est pas supprimée, et une situation non liquidée se trouve créée : une fixation psychique. « Du conflit persistant entre interdit et pulsion découle maintenant toute la suite. »[1] L'interdit se fait entendre consciemment, tandis que le désir persistant et la jouissance qui y est attachée sont inconscients, la personne n'en sait rien : la localisation topique différente des deux éléments empêche leur rencontre, ce qui explique que l'ambivalence puisse se maintenir aussi longtemps avec des conséquences massives. À chaque nouvelle avancée de la libido refoulée, l'interdit répond par de nouvelles exacerbations. « L'inhibition réciproque des deux puissances en lutte engendre un besoin d'éconduction, de diminution de la tension régnante, dans lequel on est en droit de reconnaître les motivations de la névrose de contrainte »[2], qui donne ainsi lieu à des actions de compromis, expiations mais aussi substituts de la satisfaction interdite.

Freud applique ensuite cette analyse aux tabous : ils seraient des interdits immémoriaux concernant des activités pour lesquelles existe une forte inclination, interdits transmis de génération en génération, et maintenus parce que le désir de l'action interdite demeure. Or les interdits de tabou les plus anciens et les plus importants sont les deux lois fondamentales du totémisme : ne pas tuer l'animal totem et éviter le commerce sexuel avec les compagnons totémiques de l'autre sexe. « Ce devraient être les plus anciens et les plus forts désirs des hommes. »[3]

1. *Ibidem*, p. 119 ; p. 232 ; p. 39.
2. *Ibidem*, p. 120 ; p. 233 ; p. 40-41.
3. *Ibidem*, p. 122 ; p. 234 ; p. 42.

Tabou, ambivalence, culpabilité

Freud montre alors que cette compréhension du tabou rend compte de leur multiplicité comme de leurs caractéristiques, de l'importance du tabou du toucher ainsi que des états d'exception (privilèges du roi, puberté, accouchement, mort), qui réveillent le désir et le conflit. Pour vérifier et étayer sa démonstration, il s'attache à la description et à l'analyse du conflit d'ambivalence reconnaissable dans certains tabous : tabou de la belle-mère, façon de traiter les ennemis, rapports avec le souverain, tabou des morts. Freud y déploie une vaste réflexion, très fondamentale, sur l'ambivalence des sentiments et les conditions d'élaboration des « conflits d'ambivalence » [1]. Ces développements éclairent la notion d'ambivalence plus qu'ils n'apportent du nouveau sur la notion de tabou en elle-même. Il faut noter un mouvement psychique essentiel : la projection de l'hostilité inconsciente sur les démons, au service de la liquidation du conflit, qui suscite la constitution du monde animiste. La notion de démon, sans doute tirée de la relation aux morts, donne lieu d'une part à la peur des revenants, d'autre part au culte des ancêtres. La double signification du tabou (qui fait partie des mots primitifs incluant des sens opposés[2]) revient toujours : il désigne une certaine ambivalence et tout ce qui s'est développé sur le terrain de cette ambivalence.

Pour Freud, on peut parler d'une conscience morale taboue et d'une conscience de la faute taboue, forme la plus ancienne de la morale, puisque le bien-fondé de la condamnation en cas de transgression est ressenti de l'intérieur, par un « épouvantable sentiment de culpabilité qui est tout aussi évident qu'inconnu quant à sa provenance » [3]. Un courant de désir est sous-jacent : ce que personne ne désire faire n'a pas besoin d'être interdit : tuer les rois, pratiquer l'inceste, maltraiter les morts seraient-ils donc si fortement désirés ? Même aujourd'hui, des désirs aussi violents se manifestent dans les rêves, et font l'objet de

1. *Ibidem*, p. 123, 173, 214, 271 ; p. 235, 274, 303, 346 ; p. 43, 83, 113, 157.

2. « Du sens opposé des mots originaires » (1910e), *L'inquiétante étrangeté et autres essais* (1919h), Paris, Gallimard, 1985, p. 47-60.

3. *Totem et tabou* (1912-1913a), Paris, Gallimard, 1993, p. 175 ; *OCF* XI, p. 276 ; *GW* IX, p. 85.

précautions et d'autopunitions chez les névrosés. La sanction sociale est prévention de la tentation ; le sacrilège ou la transgression font peser une menace sur toute la société. Tel est l'un des fondements de l'ordre pénal humain. Le désir, et notamment le désir sexuel repérable dans l'interdit du toucher des névrosés, n'est pas en mesure d'unir les êtres humains pour une vie sociale. Les névroses sont des formations asociales qui nous apparaissent comme des distorsions des productions culturelles : l'hystérie est ainsi l'image distordue d'une production artistique, la névrose de contrainte celle d'une religion, le délire paranoïaque celle d'un système philosophique. La question de la constitution de la communauté humaine n'en est que plus aiguë.

Tabou, culture, meurtre du père

La troisième section de *Totem et tabou* porte sur l'animisme et la toute-puissance des pensées, présents notamment dans la névrose de compulsion comme dans la pensée primitive : quels sont les rapports entre une vie régulée par les tabous et la croyance à la toute-puissance des pensées ? Freud décrit le mode de pensée engendré par la culpabilité primaire, sa force, sa puissance (en particulier les pratiques magiques), esquissant ainsi toute une théorie de la genèse de la pensée et des symbolisations primaires à travers la description des croyances primitives et de leur retour dans la névrose – en particulier dans la névrose de contrainte (ainsi que dans des pathologies non névrotiques). Il s'ensuit, souligne Freud, une inaccessibilité aux expériences qui pourraient renseigner l'homme sur sa véritable position dans le monde. L'interdit de penser lié aux prescriptions taboues rend confuses et peu élaborées les distinctions entre le dedans et le dehors, entre le fantasme et la réalité extérieure. La force de la réalité psychique (religieuse ou individuelle) s'impose, aux dépens de la prise en compte la résistance du réel, de l'altérité et de la temporalité : l'histoire psychique en devient inintelligible.

Mais, paradoxalement, le tabou est aussi à l'origine de la culture et de la vie intellectuelle : « La première opération théorique de l'homme – la création des esprits – jaillirait donc de la même source que les premières limitations morales auxquelles il se soumet, les prescriptions de tabou. »[1] L'homme y cède une partie de sa toute-puissance aux esprits et sacrifie une part de lui-même. « Ces créations culturelles seraient une première reconnaissance de l'*Anankè* qui s'oppose au narcissisme humain. »[2] L'animisme est en effet un système de pensée, la première théorie complète du monde, dont la cohérence évoque celle de l'élaboration secondaire dans le travail du rêve, qui vise à éliminer l'incohérence du contenu manifeste au profit d'un nouveau sens. La « motivation superstitieuse » ne saurait nous faire déprécier le système animiste « si l'on considère le refoulement pulsionnel comme une mesure du niveau culturel atteint »[3] : la chasteté et la propreté que s'impose le guerrier, l'abstention sexuelle en situation de responsabilité, etc., permettent aussi, même si c'est une corrélation magique qui les fonde, la représentation fondamentale consistant à gagner plus de force par le renoncement à la satisfaction pulsionnelle ; tabou, sacrifice et raisons hygiéniques ou rationnelles de l'interdit ne sont pas à opposer de manière absolue.

Le « Retour infantile du totémisme » (titre du quatrième essai), qui présente le meurtre du père et la constitution dans le repas totémique du lien social entre les frères de la horde primitive, liés par la culpabilité, pose l'immense question de la transgression, ainsi que de la culpabilité comme frein nécessaire aux mouvements de toute-puissance ; est-elle la condition pour l'acceptation du sacrifice pulsionnel, nécessaire pour que la vie sociale soit possible, qu'imposent les interdits sociaux, sous la forme du tabou d'abord, puis sous la forme d'une législation ? Le tabou suscite une inhibition et instaure la possibilité d'une culpabilité archaïque, liée à la crainte du sacré, de l'intouchable, mais totalement isolée de toute préoccupation du tort fait à l'autre ou du souci de sa propre « dignité ». Nous sommes en fait très loin des impératifs kantiens, mais très proches du souci des forces incontrôlables qui menacent l'existence. Le pacte des frères représente un dépassement de ce premier moment, par l'instauration d'une communion orale et d'un contrôle mutuel (anal), scellés tous deux par la

1. *Ibidem*, p. 215 ; p. 303 ; p. 114.
2. *Ibidem*.
3. *Ibidem*, p. 221 ; p. 308 ; p. 119.

culpabilité primaire partagée. S'instaure ainsi un lien social, source d'une organisation désormais législatrice de la vie collective, qui tient compte de tous les autres auxquels chacun est lié par une identification profonde. Bien sûr, l'ambivalence n'est pas levée pour autant et Freud montrera ultérieurement la permanence et les motifs – parfois légitimes – de l'hostilité à la culture du fait des renoncements pulsionnels qu'elle implique. S'ils sont toujours ambigus, ambivalents et susceptibles de dérives pathologiques et de perversion, le tabou et l'interdit législateur, avec la culpabilité qui en est sans doute indissociable, sont vitaux, même dans leur registre primaire, pour la vie sociale et le déploiement de l'humanité et de ses cultures. Le propos freudien implique l'idée d'un originaire (le mythe) qui pose un temps fondateur hors temps, une intemporalité source de répétition. C'est en effet un critère essentiel pour penser la distinction entre d'une part le tabou puis l'interdit affectivement fondé dans l'interdit religieux (et dans la transmission familiale et culturelle précoce) et d'autre part l'interdit subjectivement (et parfois rationnellement) refondé de la loi morale.

En dehors de l'étude du tabou de la virginité, les références au tabou postérieures à 1913 dans l'œuvre de Freud sont des mentions de son étude fondatrice. Celle-ci vient en effet étayer un grand nombre des positions freudiennes.

Le tabou de la virginité

« Le tabou de la virginité » (1918) forme la troisième des trois « Contributions à la psychologie de la vie amoureuse ». Il analyse un comportement de la vie sexuelle des peuples primitifs qui paraît étrange dans notre culture où – du moins à l'époque de Freud – le prix attaché par le prétendant à la virginité de la jeune fille aimée semble aller de soi. L'homme qui apaise le premier désir amoureux de la femme établit avec elle une liaison durable impliquant un certain degré d'assujettissement, rendant possibles les exigences de monogamie du « mariage civilisé ».

Or les peuples primitifs font au contraire déflorer les jeunes filles avant tout rapport sexuel et en dehors du mariage (avec ou sans coït). Pour eux aussi la virginité est importante, mais elle est devenue chez eux l'objet d'un tabou, d'un interdit de type religieux (cf. Crawley, 1902 ; Bartels-Ploss, 1891 ; Frazer et Havelock Ellis). Pour rendre compte de tels faits, Freud écarte le tabou du sang de la défloration, le tabou général du sang étant par ailleurs lié à l'interdit du meurtre. En fait, tous les rapports sexuels ainsi que la femme dans son entier sont tabou ; les restrictions de la vie sexuelle, nombreuses, n'existent pas seulement lors des menstruations, grossesses, délivrances et couches, mais lors des projets importants des hommes, sinon leurs forces seraient paralysées et ils courraient à l'échec. « Là où le primitif a posé un tabou, c'est qu'il redoute un danger et l'on ne peut rejeter le fait que toutes ces prescriptions d'évitement trahissent une crainte essentielle à l'égard de la femme. [...] L'homme redoute d'être affaibli par la femme, d'être contaminé par sa féminité et de se montrer alors incapable. »[1] Dans le tabou concernant le premier acte sexuel avec une jeune fille, il s'agit de refuser ou d'épargner au futur époux quelque chose qui ne peut être séparé du premier acte sexuel l'hostilité envers l'homme, cause éventuelle de frigidité. Car « l'époux n'est pour ainsi dire toujours qu'un substitut, ce n'est jamais l'homme véritable, c'est un autre qui a marqué le premier la capacité amoureuse de la femme [...] cet autre, c'est le père, il n'est jamais que le second »[2]. Ce sont l'intensité et la ténacité de cette fixation qui amènent le rejet de l'homme-substitut, incapable de satisfaire la femme.

Il faut y ajouter le principal responsable de la réaction paradoxale contre l'homme, l'envie du pénis, partie prenante de l'angoisse de castration, éveillée jadis par l'envie devant le frère et les garçons jointe au sentiment d'être lésée et négligée. Freud évoque le rêve d'une jeune mariée qui témoigne du désir de châtrer son époux et de conserver son pénis. « Derrière cette envie du pénis se révèle maintenant l'amertume hostile de la femme envers l'homme, amertume qu'il ne faut jamais complètement négliger dans les rapports entre les sexes. »[3]

1. « Le tabou de la virginité » (1918a [1917]), *La vie sexuelle*, Paris, PUF, 1969, p. 71 ; *OCF* XV, p. 86 ; *GW* XII, p. 168.

2. *Ibidem,* p. 75 ; p. 91 ; p. 174.

3. *Ibidem,* p. 77 ; p. 93 ; p. 176.

La défloration n'a pas seulement pour effet de lier durablement la femme à l'homme ; elle déclenche une réaction archaïque d'hostilité contre l'homme qui peut prendre des formes pathologiques. C'est cette réaction hostile qui justifie le tabou de la virginité, la crainte à laquelle chez les primitifs, l'époux obéit en évitant la défloration. Chez certaines femmes, les deux réactions opposées, sujétion et hostilité, coexistent. Malgré un désaccord permanent avec leur mari, elles ne peuvent le quitter, et la sujétion au premier mari, qui n'est plus aimé, les empêche de se lier à un autre homme. Souvent inconscient, leur besoin d'une vengeance qui n'est pas encore assouvie les empêche de libérer de lui.

Par cette analyse systématique du tabou de la virginité, Freud dresse un tableau complexe de l'ambivalence dans les rapports entre les sexes. Après le tabou portant sur l'inceste – donc fondamentalement sur la différence des générations –, puis la loi qui interdit le meurtre ainsi que le pouvoir sans limites – du fait de la culpabilité devant le meurtre du père jadis accompli –, voici le tabou qui règle les relations et les dangers suscités par la différence sexuelle. Il est lié aux interdits précédents : l'évitement de l'inceste pousse vers un partenaire extérieur ; mais celui-ci doit subir une double hostilité : il est un homme, et il n'est pas le père. C'est désormais la phase phallique de la femme et sa fixation œdipienne qui sont à surmonter. Des dispositifs sociaux opposés peuvent en découler.

II – L'INTERDIT

De quoi parle-t-on lorsqu'il est question d'interdit ? Le terme se réfère aussi bien à un tabou de type religieux qu'à l'intervention concrète de quelqu'un qui s'oppose à un comportement, avec une certaine autorité pour imposer ses vues. S'y ajoute naturellement la question de l'intériorisation des interdits ; via le sentiment de culpabilité, conscient et inconscient, Freud en vient à poser l'existence du surmoi, comme instance psychique héritière de l'Œdipe. Mais précisément l'étude de la genèse du surmoi, et la façon dont son instauration vient englober l'idéal du moi, d'origine et de nature narcissique, pose la question d'autres modes moins élaborés d'intériorisation des interdits, portant éventuellement sur des interdits plus archaïques que les interdits moraux.

Par sa référence au temps nécessaire pour ériger la barrière contre l'inceste – posé en référence à la capacité à « se pénétrer des préceptes moraux » qui fondent cet interdit –, Freud formulait déjà le problème en 1897, dans le manuscrit N[1] où il relie l'horreur de l'inceste à son caractère antisocial et s'efforce de préciser les relations entre pulsion, fantasme, symptôme et angoisse. Il est intéressant de voir qu'à cette époque le terme utilisé prend appui sur la métaphore d'un obstacle matériel, la barrière (invisible pourtant) de l'inceste : il s'agit de savoir comment se constitue l'obstacle invisible qui va nécessiter la latence et permettre le sacrifice d'une partie du mouvement pulsionnel initial – à moins qu'il n'y ait transformation, ou encore renoncement.

À la différence de son étude très systématique de la notion de tabou, Freud ne conceptualise que rarement la notion d'interdit. Il l'utilise au passage, à propos du tabou, de l'Œdipe, de la législation et des renoncements imposés par la vie sociale, et ne s'y arrête véritablement que dans *L'avenir d'une illusion* (1927), en articulant sa compréhension de la culture et des interdits sociaux avec l'analyse des fonctions et de la force des idées religieuses, ce qui l'amène à dégager un autre interdit problématique, l'interdit de penser.

La crainte de l'inceste et l'interdit

Il est clair que l'étude du tabou nous a déjà confrontés à l'interdit qu'il met en place ; c'est le tabou qui porte l'interdit dans la conception freudienne des sociétés primitives et qui rend compte de son instauration dans la horde originaire. Mais un regard plus précis sur la notion même d'interdit nous réserve encore quelques surprises.

Consacré à « La crainte de l'inceste » *(Inzestcheu),* le premier des quatre essais qui composent ***Totem et tabou* (1915)** donne un aperçu de l'interdit dans les sociétés primitives, tel que Freud l'a dégagé de ses lectures anthropologiques. Il prend notamment appui sur

1. Manuscrit N (mai 1897), in *La naissance de la psychanalyse. Lettres à Wilhelm Fliess. Notes et plans (1887-1902)* (1950a [1887-1902]), Paris, PUF, 1956, p. 183-186 ; *Lettres à Wilhelm Fliess* (éd. complète), Paris, PUF, 2006, p. 316-319.

Totemism et Exogamy de James G. Frazer, en se référant aux Aborigènes australiens chez qui le totémisme tient lieu d'institution sociale. L'horreur de l'inceste (traduction de Marielène Weber, connotant à la fois la crainte et l'aversion ; *Abscheu* signifie horreur voire abomination) donne en effet lieu à un interdit rigoureusement appliqué, peut-être parce que la tentation est grande. La sanction de la transgression est activement mise en œuvre par toute la tribu, même s'il n'y a pas eu procréation, « comme s'il s'agissait d'écarter défensivement un danger menaçant la communauté, ou une coulpe pesant sur elle » [1]. La règle totémique, dans une société matrilinéaire, élargit l'interdit à tous les membres du clan de la mère. L'exogamie liée au totem rend de plus impossible pour un homme l'union sexuelle avec toutes les femmes de son propre lignage, qui sont toutes traitées comme des parentes par le sang : le rôle de l'animal totem comme ancêtre semble pris très au sérieux et assimile tous les membres du clan à des parents.

Qu'elles qu'aient été les discussions ultérieures sur la pertinence de la notion de totémisme, ce qui apparaît très clairement dans le développement freudien, c'est l'existence d'une règle rigoureuse, qui est posée de manière absolue, sans justification autre que la règle totémique elle-même. Non seulement sa transgression est passible de sanction, mais, comme le montre l'essentiel du développement freudien, elle donne surtout lieu à des évitements systématiques : entre frères et sœurs, ou avec la belle-mère qui serait pour le gendre une tentation d'inceste, en lui rappelant inconsciemment sa mère. Ces prescriptions d'évitement sont en effet une protection contre l'inceste possible, selon deux modalités : « Dans le premier cas, l'inceste est un inceste direct, la visée de prévention pourrait être une visée consciente ; dans l'autre cas, qui inclut le rapport à la belle-mère, l'inceste serait une tentation en fantaisie, un inceste ayant pour médiation des maillons intermédiaires inconscients. » [2]

Qu'il s'agisse de risque réel ou de fantasme, de danger conscient ou inconscient, la première manifestation de l'existence d'un interdit lié

1. *Totem et tabou* (1912-1913a), Paris, Gallimard, 1993, p. 76 ; *OCF* XI, p. 201 ; *GW* IX, p. 9.

2. *Ibidem,* p. 95 ; p. 217 ; p. 24.

au tabou est l'évitement. L'interdit n'a donc nul besoin de prendre appui sur une règle sociale explicitement promulguée. Il se révèle fondamentalement par la défense qu'il suscite. « Aussi n'est-il pas sans importance pour nous de pouvoir montrer, à propos des peuples sauvages, qu'ils ressentent encore comme menaçants les souhaits d'inceste de l'être humain [...] et qu'ils les tiennent pour dignes des mesures de défense les plus strictes. » [1]

Freud peut alors aisément montrer la concordance avec la psychosexualité de l'enfance : le premier choix d'objet sexuel du garçon est un choix incestueux portant sur les objets d'amour prohibés que sont la mère et la sœur ; on peut décrire les voies par lesquelles l'adolescent se délivre de l'attraction de l'inceste ; la vie psychique du névrosé connaît des fixations incestueuses de la libido par inhibition de développement ou par régression. Freud rappelle aussi les travaux d'Otto Rank (*Le Mythe de la naissance du héros,* 1909) : le thème de l'inceste se trouve au centre de l'intérêt littéraire et, sous d'innombrables variations et déformations, fournit à la poésie son matériau. L'être humain récuse avec une grande aversion ses anciens souhaits d'inceste, refoulés depuis.

L'interdit réévalué, dans la désillusion apportée par la guerre

Il nous reste à voir ce que deviennent alors, dans la suite de l'œuvre freudienne et plus particulièrement dans leurs formes secondaires, l'interdit et la culpabilité.

La question de la portée et de la force des interdits éclate en 1915 dans les propos freudiens, du fait de la désillusion provoquée par la guerre ; Freud l'élabore en 1927 dans *L'avenir d'une illusion,* prenant appui pour cela sur sa réflexion sur les foules (*Psychologie des foules et analyse du moi,* 1921).

« Et voilà que la guerre, à laquelle nous ne voulions pas croire, éclata et apporta... la désillusion » [2], déclare « **Considérations**

1. *Ibidem,* p. 97 ; p. 218 ; p. 25.

2. « Considérations actuelles sur la guerre et sur la mort » (1915b), *Essais de psychanalyse,* Paris, Payot, 1981, p. 13 ; *OCF* XIII, p. 131 ; *GW* X, p. 328.

actuelles sur la guerre et sur la mort » (**1915**). Sanglante, cruelle, acharnée, impitoyable, elle « rejette toutes les limitations auxquelles on se soumet en temps de paix et qu'on avait appelé droit des gens » [1]. La destruction de l'illusion est amère. En tant que citoyen civilisé, Freud se sent « désemparé dans un monde qui lui est devenu étranger » [2], et réexamine la force réelle des interdits sur lesquels repose la vie civilisée et les rapports entre les peuples. En fait, l'État interdit l'usage de l'injustice non pour l'abolir mais pour en avoir le monopole et la moralité est faible dans les rapports entre États, malgré leur prétention à être gardiens des normes morales. Quant à la moralité des individus, elle est « à son origine angoisse sociale et rien d'autre » [3], et la brutalité des comportements en temps de guerre confirme que là où la communauté abolit le blâme, cesse aussi chez les individus la répression de la cruauté, de la perfidie et de la barbarie. Si la contrainte externe permet des remaniements de la vie pulsionnelle, elle ne fonctionne pas seulement par les primes d'amour qu'elle fait espérer, mais par récompenses et punitions. En posant ses exigences morales aussi haut que possible, la société civilisée suscite des phénomènes de réaction et de compensation chez des individus incités à vivre au-dessus de leurs moyens psychologiques, ou à faire preuve d'hypocrisie. La désillusion vient de ce que nous croyons l'effet des interdits sociaux plus profond qu'il ne peut être et les individus plus moraux qu'ils ne sont. Il ne faut donc pas nous étonner des régressions historiques ni du manque de jugement des individus – car l'intelligence elle-même dépend de la vie affective.

Néanmoins, c'est aussi de l'intérieur que surgit la conscience morale, par l'expérience du deuil. Auprès du cadavre de la personne aimée naissent à la fois : l'idée de l'âme et de l'immortalité, la culpabilité et la conscience morale qui formule l'interdit fondamental « Tu ne tueras pas », en réaction contre la satisfaction de la haine cachée derrière le deuil.

1. *Ibidem.*
2. *Ibidem,* p. 15 ; p. 133 ; p. 330.
3. *Ibidem.*

Entre l'interdit social dont l'effet est limité – et finalement précaire – et la répression psychique interne née de la culpabilité devant les souhaits hostiles s'instaure ainsi une relation dialectique complexe qui ne doit pas nous faire oublier qu'en définitive, il n'y a aucune extermination du mal. L'essence la plus profonde de l'homme consiste en ses motions pulsionnelles élémentaires qui ne se transforment (inhibition, retournement, formations réactionnelles, etc.) que partiellement, donnant l'illusion d'un changement de contenu qui nous pousse à surestimer l'aptitude à la civilisation.

Mais un facteur libidinal vient renforcer le lien social. En effet, les foules hautement organisées – Église, armée – se protègent de la désagrégation à la fois par des sanctions externes et par l'attachement au chef suprême qui aimerait chacun d'un égal amour. L'illusion, liée au transfert de l'idéal du Moi de chacun sur le leader, s'accompagne d'une tendance à l'intolérance envers ceux qui n'appartiennent pas au groupe, et la haine entre les individus reprend ses droits lorsque se désagrège l'unité du groupe.

La foule est une reviviscence de la horde originaire. Il faut une condition pour la transformation de la psychologie de la foule en psychologie individuelle ; Freud la reconnaît dans une variante du mythe de la horde : le père y meurt sans qu'il y ait meurtre, et le plus jeune fils qui lui succède échappe alors à la condition de la foule du fait qu'il a accès à la satisfaction sexuelle et amoureuse. Le père de la horde a fait obstacle à la satisfaction des tendances sexuelles de ses fils : « Il les contraignait à faire abstinence et en conséquence à s'attacher affectivement à lui et les uns aux autres par des liens qui pouvaient naître des tendances à but sexuel inhibé. Il les contraignait pour ainsi dire à rentrer dans la psychologie des foules. » [1] Autrement dit, l'interdit massif et arbitraire sur toutes les femmes accaparées par le père est déjà facteur de transformation pulsionnelle et de lien social libidinal, même si, imagine Freud, seul le plus jeune fils (ce qu'il est lui-même) s'humanise vraiment dans la mesure où, ensuite, il a accès à la satisfaction pulsionnelle dans un lien amoureux. L'interdit

1. *Psychologie des foules et analyse du moi* (1921c), *Essais de psychanalyse,* Paris, Payot, 1981, p. 192 ; *OCF* XVI, p. 63 ; *GW* XIII, p. 138.

apparaît ici comme un temps nécessaire, même s'il est persécuteur ; le père persécute tous les fils de manière égale, comme le chef ou le Christ aime de manière égale tous les membres de la foule organisée. La société totémique a pour préalable cette transformation sur laquelle sont édifiés tous les devoirs sociaux, et dont le mécanisme se rapproche de l'hypnose.

Interdits culturels et répression pulsionnelle

Dans ***L'avenir d'une illusion*** **(1927)**, Freud définit la culture humaine de façon classique : tous les savoir-faire de l'homme pour dominer la nature, et tous les dispositifs nécessaires pour régler les relations des hommes entre eux (§ I). mais les hommes ressentent comme une pression pénible les sacrifices que la culture attend d'eux. « La culture doit donc être défendue contre l'individu »[1] et ses motions hostiles à la culture, par ses dispositifs, institutions, interdits et commandements. « On retire ainsi l'impression que la culture a été imposée à une majorité récalcitrante par une minorité qui s'y est entendue pour prendre possession des moyens de puissance et de contrainte. »[2] Une société qui renoncerait à la contrainte et à la répression pulsionnelle est irréalisable, même si nos rêves d'âge d'or se plaisent à l'imaginer. Chez tous les hommes sont en effet présentes des tendances destructives donc antisociales et anticulturelles. La question décisive devient de savoir si on peut alléger les sacrifices pulsionnels demandés aux hommes, et leur permettre de les accepter dans une certaine réconciliation avec la culture (facilitée par l'action de meneurs perçus comme exemplaires et aptes à percevoir les nécessités de la vie), car les hommes n'ont pas spontanément plaisir à travailler et les arguments ne peuvent rien contre leurs passions. Freud développe son argumentation pour montrer que la difficulté est structurelle et n'est pas seulement l'effet de systèmes sociaux défectueux.

Freud définit ensuite l'interdit avec précision (§ II) : « Nous appellerons refusement *[Versagung]* le fait qu'une pulsion ne peut être satis-

1. *L'avenir d'une illusion* (1927c), Paris, PUF, 1971, p. 9 ; *OCF* XVIII, p. 146 ; *GW* XIV, p. 327.

2. *Ibidem,* p. 9 ; p. 146-147 ; p. 327.

faite, interdit *(Verbot)* le dispositif qui fixe ce refusement, et privation *[Entbehrung]* l'état qu'entraîne l'interdit. » La traduction révisée par Freud, plus lisible, disait « frustration » [1] ; mais « interdit » y était traduit par interdiction et non par « interdit », qui correspond mieux au langage anthropologique actuel. Les privations résultant de l'interdit qui touchent tout le monde parce qu'elles portent sur des désirs instinctifs universels sont ceux de l'inceste, du cannibalisme et du meurtre. Seul, d'ailleurs, le cannibalisme est aujourd'hui universellement réprouvé ; la force des désirs incestueux se fait encore sentir derrière l'interdiction ; et il arrive que le meurtre soit reconnu licite, voire commandé. C'est un progrès psychique que la contrainte externe soit peu à peu intériorisée, par une instance psychique particulière, le surmoi. L'étude de l'interdit, concept lié à l'analyse de la culture, ouvre donc très directement sur l'Œdipe et le surmoi, qui en sont le répondant psychique et donc l'un des destins. Freud le rappelle d'ailleurs dans ***Le moi et le ça*** **(1923)**, juste après avoir montré, à partir des identifications œdipiennes, la genèse du surmoi, représentance des parents, et souligné son caractère de conscience morale : « Religions, morale et sentiment social ont été originairement une seule et même chose. » [2] Il faut en rapprocher le propos de la XXXIe des ***Nouvelles conférences d'introduction à la psychanalyse*** **(1933)** qui souligne que « le surmoi de l'enfant ne s'édifie pas, en fait, d'après le modèle des parents mais d'après le surmoi parental ; il se remplit du même contenu, il devient porteur de la tradition, de toutes les valeurs à l'épreuve du temps qui se sont perpétuées de cette manière de génération en génération » [3].

Cette conceptualisation freudienne de l'interdit, développée dans *L'avenir d'une illusion,* est désormais acquise et stable dans la pensée freudienne ; elle nous livre la clé des emplois du terme dispersés dans nombre de textes postérieurs.

1. *Ibidem,* p. 15 ; p. 150 ; p. 331.

2. *Le moi et le ça* (1923b), *Essais de psychanalyse,* Paris, Payot, 1981, p. 250 ; *OCF* XVI, p. 280 ; *GW* XIII, p. 265.

3. *Nouvelles conférences d'introduction à la psychanalyse* (1933a [1932]), Paris, Gallimard, 1984, p. 93 ; *OCF* XIX, p. 150 ; *GW* XV, p. 73.

En 1927 donc, Freud envisage avec une grande force le degré permanent de mécontentement et le risque de dangereuses révoltes de ceux que la culture opprime sans qu'ils aient suffisamment part aux bienfaits et aux apports de cette culture – aux biens économiques, mais surtout aux idéaux et aux créations artistiques, source d'une satisfaction narcissique qui fait partie des puissances qui, au sein même de la culture, contrecarrent avec succès l'hostilité à la culture. Il montre alors (§ III) l'absurdité dangereuse que serait la suppression de la culture, retour à un état de nature – l'interdit est donc indispensable à l'humanisation : certes, l'hostilité à la culture est compréhensible, compte tenu de la pression qu'elle exerce, mais « si l'on imagine ses interdits supprimés, on a alors désormais le droit de choisir pour objet sexuel toute femme qui vous plaît, le droit d'abattre sans scrupule son rival [...] ; on peut, sans lui demander la permission, soustraire à autrui n'importe lequel de ses biens »[1]. Mais les autres feront de même et me traiteront sans plus de ménagements, et seul un individu sera heureux sans restrictions, celui qui aura accaparé par la force tous les moyens de puissance : l'état de nature serait un retour à la horde originaire avec la domination absolue d'un seul sur tous, situation de violence généralisée[2] beaucoup plus lourde à supporter que les restrictions imposées à la pulsion par la civilisation. Dans « Pourquoi la guerre ? », Freud reprendra d'ailleurs en **1932**, en réponse au pacifisme d'Einstein, la discussion de la violence naturelle et de la violence sociale, qui ne sont pas éradicables du fait même du caractère pulsionnel de l'existence humaine. *L'avenir d'une illusion* précise ensuite l'articulation entre nature et culture : la nature ne pose nulle restriction, mais elle ne nous est pas soumise (sinon par l'effort culturel qui l'assujettit en partie), et elle nous met à mort froidement et cruellement. La culture doit rendre possible notre vie en commun et peut progresser. « C'est en effet la tâche principale de la culture, le véritable fondement de son existence, que de nous défendre contre la nature »[3] dont la surpuissance se rap-

1. *L'avenir d'une illusion* (1927c), Paris, PUF, 1971, p. 26 ; *OCF* XVIII, p. 155 ; *GW* XIV, p. 340.

2. *Ibidem.*

3. *Ibidem.*

pelle parfois à nous, lors de catastrophes naturelles, et par la mort inexorable. Les prescriptions de la culture et les menaces du destin (puissance de la nature) pèsent sur l'individu et portent atteinte à son « narcissisme naturel », mais la culture prend en charge le soutien et le réconfort du sentiment de soi qui retrouve l'*Hilflogiskeit,* la détresse (ou désaide) infantile. La force du sentiment religieux s'enracine ici, avec la triple tâche d'exorciser les effrois de la nature, de réconcilier avec la cruauté du destin (surtout face à la mort) et de dédommager des souffrances et privations liées aux interdits de la culture. La culture crée ainsi un « trésor de représentations » [1] dont Freud étudie alors le devenir et la portée. Notons que l'analyse des fonctions de la religion est reprise et condensée dans la XXXVe des *Nouvelles conférences d'introduction à la psychanalyses* (1933). Elle est réélaborée en 1938 selon une perspective moins purement fonctionnaliste dans *L'homme Moïse et la religion monothéiste.*

La suite de l'ouvrage examine le statut d'illusion de la croyance religieuse, qui obéit à une puissante logique du désir, mais qui, par ses dogmes, impose un nouvel interdit, l'interdit de penser (§ V). Devant le recul de fait du sentiment religieux, qui accroît le risque d'une augmentation de l'hostilité à la culture et du refus des interdits, et du fait de l'exigence religieuse qui freine par son interdit l'investigation scientifique de la nature, il importe à la survie de la culture de passer à une éducation qui fonde plus rationnellement les interdits nécessaires, tout en évitant d'en multiplier le nombre et d'en accroître le poids. *Le Malaise dans la culture* discute plus précisément, deux ans plus tard, de la « mutilation tranchante » imposée par le tabou pour l'interdit incestueux et de l'excès d'interdit sexuel de la culture européenne [2], qui reprend la thèse développée dès 1908, dans l'article « La morale sexuelle "civilisée" et la maladie nerveuse des temps modernes » (lequel ne comportait pas la discussion sous-jacente de la notion même d'interdit).

Mais comment donner à des prescriptions rationnelles la même force d'illusion, donc de mobilisation du désir, que celle de la pensée

1. *Ibidem,* p. 21 ; p. 159 ; p. 336.
2. *Malaise dans la culture* (1930a [1929]), *OCF* XVIII, p. 291 ; *GW* XIV, p. 464.

religieuse ? Freud discute longuement, dans les derniers chapitres de *L'avenir d'une illusion,* la question appelant ainsi de ses vœux ce qu'on pourrait appeler une « illusion rationnelle » assez puissante pour refonder la culture : la pensée scientifique, avec son effort pour penser aussi la culture, mobilise le désir de vérité ; elle n'est pas un dogme parce qu'elle est toujours prête à remettre en chantier ses conceptions et représentations, toujours provisoires. Mais comment en faire un idéal partagé alors qu'elle n'a pas le pouvoir rassurant et englobant des convictions religieuses ?

Cette discussion se poursuit dans la suite de l'œuvre freudienne (notamment dans les *Nouvelles conférences d'introduction à la psychanalyse,* et dans « Pourquoi la guerre ? » ; *Moïse et la religion monothéiste* en élargit et en renforce les perspectives). Pour notre question de l'interdit, outre la réaffirmation persistante de son attachement à *Totem et tabou* et aux vues qu'il y développe[1], Freud insiste sur un interdit religieux spécifique, qui différencie pour lui la religion (elle-même fondée aussi sur le meurtre du père primitif, mais représenté sous des formes déguisées) comme étape nouvelle de civilisation par rapport au totémisme et à l'animisme : l'interdiction de se faire une image de Dieu. L'interdit de l'image permet « un progrès dans la vie de l'esprit »[2], dans un « ordre patriarcal restauré » autour du « dieu père seul et unique à domination illimitée » (après le passage par les Déesses mères et par les dieux mâles des polythéismes). Ce progrès tient au dépassement de la magie et de la mystique, encourage les sublimations, mais se paie d'un sentiment de culpabilité croissant. « La religion qui a commencé par l'interdiction de se faire une image de Dieu se développe toujours plus au cours des siècles dans le sens d'une religion des renoncements aux pulsions [...] Mais Dieu est totalement détaché de la sexualité pour être élevé à un idéal de perfection éthique. Or éthique signifie limitation des pulsions. »[3]

1. *L'homme Moïse et la religion monothéiste* (1939a), Paris, Gallimard, 1986, 235-237 ; *OCF* XX, p. 209-210 ; *GW* XVI, p. 239-240.

2. *Ibidem,* p. 177, 218 ; p. 164, 196 ; p. 191, 225.

3. *Ibidem,* p. 219 ; p. 197 ; p. 226.

QUESTIONS ET ENJEUX

La pensée freudienne de l'interdit est donc très construite et très claire. Mais les difficultés de la réception de *Totem et tabou,* du fait de son évolutionnisme, de sa conception phylogénétique, du problème du statut de vérité du meurtre originaire, de son parallèle direct entre vie sociale primitive, névrose infantile et symptôme névrotique, obligent le lecteur d'aujourd'hui à un effort pour prendre la mesure du propos freudien.

Le statut psychique de l'interdit

Si l'évitement et le sacrifice, mais aussi les formations réactionnelles et le renoncement, ou la constitution de compromis entre le désir et la défense, sont des indices d'un interdit qui n'est pas toujours apparent ni conscient, c'est toute l'étude des défenses et des symptômes qui pourrait constituer l'éclairage indispensable de la notion d'interdit. Il est donc impossible et hors de propos d'en rendre compte de façon exhaustive, et nous nous attacherons essentiellement aux mentions explicites d'un interdit repérable.

Dans des pages de 1913, Freud pose l'interdit fondamental comme relevant non d'une interdiction externe, mais d'un sentiment de danger. La défense la plus massive est l'évitement, la sanction n'intervenant que secondairement, en cas d'échec de la défense interne. L'extension totémique ou fantasmatique de l'interdit témoigne d'une logique qui n'est pas celle de l'interdit moral mais qui procède par contiguïté. Comment comprendre ces caractéristiques ?

Nous sommes dans un registre qui indique la proximité de l'angoisse ; non tant une angoisse signal d'alarme (celle que Freud met en évidence en 1926 dans *Inhibition, symptôme et angoisse*) qu'une angoisse que l'on peut dire automatique, mais qui, surtout, naît d'un risque de confusion pesant sur l'être en son identité même.

Tout ceci peut amener à une réinterprétation du propos freudien. D'une part, il n'est pas sûr que nous puissions tenir l'idée d'un parallèle entre la névrose et la jeunesse de l'humanité ; les évidences évolutionnistes ont vécu, les sociétés traditionnelles sont beaucoup plus complexes qu'elles n'apparaissaient il y a cent ans. En revanche, l'universalisme freudien semble avoir triomphé des critiques : il n'est plus possible aujourd'hui de tenir avec Bronislaw Kaspar Malinowski que les indigènes des îles Trobriand ne connaissent pas l'Œdipe ou ont un Œdipe spécifique : l'étude de Bertrand Pulman (*Anthropologie et psychanalyse. Malinowski contre Freud,* 2002) montre les limites de méthode et les erreurs de l'étude de Malinowski qui a fait autorité en anthropologie.

D'autre part, nous ne pouvons relire ces textes en faisant abstraction des travaux ultérieurs de Freud et de l'évolution de la clinique psychanalytique. Les modes d'interdits et de défenses ici décrits renvoient bien davantage aux structures non névrotiques qu'aux névroses. L'angoisse qui suscite l'évitement ressemble étrangement à une angoisse d'intrusion. La clinique des incestes et des relations incestuelles témoigne d'ailleurs des effets d'empiètement psychique et d'identifications aliénantes du non-respect de la barrière de l'inceste. Ce que Freud met en évidence relève donc d'un interdit primaire, dont l'enjeu est la sauvegarde de l'intégrité psychique et la capacité de différenciation. Voilà pourquoi la séparation psychique initiale d'avec la mère est essentielle et l'interdit de l'inceste vital. Sans la reconnaissance de cet interdit, l'existence est vouée à la terreur de l'annexion psychique et de l'intrusion de l'autre. C'est pourquoi l'inceste fait horreur.

En réinterprétant l'interdit de l'inceste comme échange des femmes, Claude Lévi-Strauss réussit le tour de force de désexualiser l'inceste. La pensée psychanalytique au contraire, sans nier l'importance des rapports de parenté et de l'exogamie pour la structuration sociale, ne peut que suivre Freud dans sa mise en évidence du sexuel infantile qui se heurte à l'interdit de l'inceste : c'est la pulsionnalité qui se trouve frappée d'interdit, ce sont les premiers objets d'amour qu'il faut abandonner.

Enfin, même et surtout si le danger s'impose de l'intérieur, la sanction est néanmoins essentielle, car elle montre que tout le groupe social est atteint et menacé par la transgression individuelle. Plus largement, Freud y insiste, le tabou s'impose comme interdit externe, réponse sociale, institutionnalisée, au sentiment de danger facteur d'angoisse. La violence de l'inceste, qui est une violence pulsionnelle, apparaît indirectement par la violence nécessaire pour s'y opposer. Le monde humain suppose une transformation de la force instinctuelle, une psychisation nécessaire à la socialisation, qui passe par la capacité de se donner des interdits : « On n'est pas comme des bêtes. »

C'est que la reconnaissance de l'autre vient poser une limite à la seule force instinctuelle de la pulsion : « Ma mère n'est pas comme les autres femmes. » La régulation du groupe par les interdits sociaux permet l'émergence du *Kulturarbeit,* du travail de la culture qui est d'abord l'effet de la transformation psychique que permettent les différenciations induites par l'interdit de l'inceste : entre l'animal et l'homme, entre ses proches parents et les autres, entre soi-même et ses parents.

La culpabilité fondatrice

Partant de l'horreur de l'inceste, Freud en vient au meurtre du père qui s'appropriait toutes les femmes, en passant par la mise en évidence de l'ambivalence des sentiments. Le désir désavoué de l'inceste et le meurtre accompli du père fondent une culpabilité primaire constituée de deux pôles : d'une part le désir d'inceste demeure malgré l'horreur, l'interdit – et finalement le refoulement ; d'autre part le père mis à mort parce qu'il prenait tout pour lui devient le Père mort idéalisé célébré dans le repas totémique, qui fonde l'interdit d'une paternité tyrannique et permet la fraternité, c'est-à-dire la coexistence et le lien social. Ces pôles s'opposent en ce que, dans le devenir social, l'inceste n'est pas accompli mais la permanence de son désir entretient la culpabilité. Le meurtre est au contraire présenté comme effectif, mais son effet est de fonder l'interdit du meurtre. Nostalgie de la mère et violence envers le père se conjuguent en ce qu'ils disent tous deux qu'il n'est pas de vie sans séparation et rupture.

Ce n'est pas tout le champ de l'interdit social et encore moins de l'interdit moral qui est ainsi décrit. En 1913, Freud ne le précise pas, sinon par sa recherche des formes les plus primitives de société. Mais il veut indiquer combien l'histoire infantile et la psychopathologie répètent ce modèle. Ainsi, chaque enfant n'élabore la notion d'interdit qu'en passant par une phase animique, ce qui suggère une théorie de la genèse de la pensée. Le névrosé obsessionnel régresse à la toute-puissance de la pensée en même temps que sa génitalité régresse à une position sadique-anale.

Nous l'avons vu, la crainte de l'inceste n'est pas commandée par un impératif moral mais par une angoisse, un sentiment de danger ; elle ne relève pas du surmoi, mais participe à ce qui permet sa constitution ;

on peut y voir un surmoi précoce, parce qu'elle induit une culpabilité primaire, mais cette formulation ne va pas sans ambiguïté et risque de confusion, parce qu'elle occulte la différence radicale entre les deux sortes d'interdits (ce que fait Freud dans sa préface à *Totem et tabou* alors même que les pages qui suivent établissent au contraire la distinction). La question posée est celle des formes de l'élaboration de ces données fondamentales de l'interdit et de la culpabilité. Il est à noter que la culpabilité est présente, qu'il y ait ou non transgression. Les conflits d'ambivalence suffisent à l'induire.

Freud utilise l'histoire d'Œdipe, qui nous met en présence d'un parricide et d'un inceste accomplis, pour montrer les désirs de la sexualité infantile et leur refoulement. Dans *Totem et tabou,* il nous montre les mêmes éléments de la culpabilité primaire et leur retour dans la psychopathologie, mais il décrit ce qui est en deçà de leur élaboration œdipienne. L'horreur de l'inceste n'y est pas reliée à l'hostilité envers le père, et la crainte de la rétorsion n'apparaît qu'indirectement, par le pacte entre les frères. C'est le nouage entre le désir d'inceste et l'angoisse de castration qui construit l'Œdipe. Alors le meurtre n'a plus à être accompli, sinon symboliquement par la différenciation et l'autonomie ; et peuvent s'instaurer les identifications œdipiennes à chacun des parents – croisées, secondaires –, moins massives que les identifications narcissiques ; celles-ci demeurent cependant dans le lien social lorsque celui-ci prend la forme de la foule unie dans un même idéal (comme le montre Freud en 1921, dans *Psychologie des foules et analyse du moi.*

La structuration de l'interdit

Au terme de cette étude sur l'interdit dans la pensée freudienne, nous pourrions proposer une chaîne qui articule les diverses strates de notre rapport hétérogène à l'interdit : crainte et horreur devant l'inceste intrusif et menaçant pour l'être comme pour le groupe ; évitement ; instauration d'un tabou, interdit externe absolu sans justification, qui protège de l'angoisse et permet la sanction des transgressions. La culpabilité primaire qui s'ensuit rejoint une autre ligne, celle de la transgression et de la limitation de la toute-puissance : meurtre du père, culpabilité des fils, repas totémique et lien social. À partir de là, l'absolu apodictique et sacré du tabou peut se reformuler en législation fondant et régulant l'ordre social et la gestion de la culpabilité, d'abord sous couvert d'un système religieux fondateur, puis en s'affranchissant peu à peu de celui-ci.

Cette chaîne sociale s'entremêle avec la chaîne individuelle parallèle mise en évidence par les rapprochements faits par Freud avec les symptômes psychiques (paranoïa, névrose obsessionnelle, phobie) : angoisses d'intrusion et d'annihilation, caractère structurant de l'interdit externe porté par les parents, crise et expérience œdipienne, régressions. Ce moment a pour effet de nouer les deux chaînes, car l'instauration du surmoi, formé à partir du surmoi des parents (comme le précisent en 1933 les *Nouvelles conférences d'introduction à la psychanalyse*), permet le retour à un interdit interne, capable de plus de porter un regard critique sur l'interdit externe, au moins à partir de l'adolescence, notamment du fait qu'il englobe l'instance idéale issue du narcissisme (l'idéal du moi).

Nous ne reprendrons pas ici l'étude du caractère impersonnel de l'interdit surmoïque qui est un dégagement de la dépendance aux parents ; il est impersonnel comme le tabou, mais celui-ci est arbitraire, tandis que le surmoi porte (comme l'interdit rationnel) une exigence d'universalité ; mais il est interne, à la différence du tabou. Ce dernier était différenciateur, et indiscutable, mais réveillait une culpabilité primaire faite de terreur et d'horreur. Aboutissant à un arbitraire impersonnel, le déni-clivage, par sa négation du conflit, en porte la trace. L'interdit œdipien prend appui sur des identifications secondaires différenciées, peut rendre compte de lui-même et relève du registre moral, non de celui de la souillure : ses références sont des valeurs, notamment le bien commun et la dignité de la personne humaine. Encore que, naturellement, des perversités faussant la transmission et l'élaboration soient possibles : par exemple, dans les fonctionnements de foule, l'obéissance absolue au leader perçue comme valeur morale. Sans compter l'entremêlement entre identifications œdipiennes secondaires et identifications narcissiques fondées sur le rapport partagé aux idéaux et dont l'effet est – outre l'aspiration à la pureté, retour idéalisé aux logiques animiques du tabou – l'exclusion violente de qui ne partage pas l'idéal[1], surtout s'il ne s'en distingue que par de petites différences[2].

1. *Psychologie des foules et analyse du moi* (1921c), *Essais de psychanalyse*, Paris, Payot, 1981, p. 159-160 ; *OCF* XVI, p. 37 ; *GW* XIII, p. 107.

2. « Le tabou de la virginité » (1918a [1917]), *La vie sexuelle*, Paris, PUF, 1969, p. 72 ; *OCF* XV, p. 87 ; *GW* XII, p. 169.

Il importe de rappeler, bien sûr, que la permanence de l'infantile et la compulsion de répétition font que tous ces niveaux coexistent en chaque individu, rarement articulés entre eux, souvent conflictuels et méconnus (d'autant que le sentiment de culpabilité peut être inconscient). L'hétérogène de notre rapport à l'interdit, constitué de multiples formes et niveaux d'interdit, nourrit sans cesse des rationalisations (justificatrices ou persécutrices) qui masquent les tabous et les culpabilités primaires. Certaines cures nous les montrent cependant avec toute la force des temps originaires...

Dominique BOURDIN

TÉLÉPATHIE et TRANSMISSION DE PENSÉE

all. : ***Telepathie*** et ***Gedankenübertragung***. – angl. : *telepathy* et *thought-transference*. – esp. : *telepatía* et *transmisión del pensamiento*. – ital. : *telepatia* et *transmissione del pensiero*. – port. : *telepatia* et *transmissão de pensamento*

Télépathie et *transmission de pensée* sont des notions très proches, chacune pouvant être assimilée à l'autre. Processus hypothétique mais plausible, le phénomène tient au fait qu'un événement psychique se produisant à un moment déterminé se présente, à peu près simultanément, à la conscience d'une autre personne, sans intervention de moyens de communication connus. Ce genre de transmission pourrait avoir été le mode originel de communication entre individus, repoussé au cours de l'évolution par la communication par signes perceptibles par les organes des sens ; cette méthode archaïque subsisterait à l'arrière-plan et réapparaîtrait dans certaines conditions. Tout ceci est encore plein d'énigmes non résolues mais, s'il existe bien une télépathie, elle doit constituer un phénomène très fréquent, bien que la démonstration en soit difficile.

MISE EN SITUATION

Sans en faire un sujet central de réflexion, Freud s'est toujours montré préoccupé par les questions posées par la télépathie et la transmission de pensée, termes qu'il tend de plus en plus à tenir pour équivalents, après avoir, semble-t-il, voulu les distinguer (il parle ainsi de phénomènes télépathiques « souvent qualifiés inexactement de transfert de pensée » [1]*, mais sans s'expliquer plus avant). Selon Ernest Jones – qui, pour sa part, refusait l'existence de l'une et de l'autre et en disputait avec lui –, il tendait à considérer que, lors de la transmission de pensée (la plus simple et la plus directe), le message verbal est transmis à peu près comme dans une communication téléphonique entre un émetteur et un récepteur, alors que la télépathie requiert une « sensibilité spéciale basée sur une relation émotionnelle proche entre deux personnes »* [2]*, distinction qu'on ne trouve pas énoncée dans le texte freudien, même si elle peut sembler y transparaître. On remarque simplement que lorsqu'il doit choisir un terme pour spécifier un texte, c'est celui de télépathie qui se trouve retenu à chaque fois.*

La traduction pose ici d'autant moins de problème que le lexème « télépathie » est identique dans nos six langues de référence, aux nuances orthographiques près. Le Gedankenübertragung, *qui existait bien avant Freud, a toujours été traduit en français par « transmission de pensée », mais son composant* Übertragung *put en interroger certains puisque c'est là le mot qui, chez Freud, désigne le « transfert » (ce que l'on retrouve dans l'anglais* thought-transference*) ; mais parler de « transfert de pensée » fait courir le risque du faux, voire du contresens, en induisant le lecteur à rechercher des manifestations transférentielles, ici absentes des préoccupations freudiennes.*

On peut aisément reconnaître deux grandes périodes dans les relations de Freud avec la télépathie. Jusque dans les années 1920, il lui témoigne un intérêt épisodique mais certain, n'en témoignant

1. « Quelques suppléments à l'ensemble de l'interprétation des rêves (1925i), *Résultats, idées, problèmes, II,* Paris, PUF, 1984, p. 149 ; *OCF* XVII, p. 186 ; *GW* I, p. 570.

2. E. Jones, *La vie et l'œuvre de Sigmund Freud* (New York, 1957), Paris, PUF, 1969, t. III, p. 432.

pourtant que dans sa correspondance ou lors de discussions privées ; il s'abstient alors de toute publication sur le sujet, sensible aux arguments de ceux (Jones en tête) qui lui font valoir que le rapprochement de l'occultisme et de la psychanalyse risquerait de nuire à celle-ci, voire de la déconsidérer aux yeux du public cultivé et savant. À partir de 1920, il passe outre, écrit deux articles là-dessus (dont l'un ne sera publié qu'après sa mort), et y consacre l'une des Nouvelles conférences d'introduction à la psychanalyse *qui se présente comme le texte « définitif » sur la question, y compris sur la réaffirmation des incertitudes.*

LE TEXTE FREUDIEN

L'ambivalence de Freud apparaît dès ses premiers commentaires. En 1890, il manifeste d'abord un refus, parlant de « la soi-disant "divination de pensée" qui s'explique par les petits mouvements musculaires involontaires accomplis par le "médium" » ; cela n'a rien de surnaturel et il faudrait plutôt parler de « trahison de pensée » (il est vrai qu'il s'agit là de divination, et non de transmission)[1]. En 1901, en revanche, il écrit à Wilhelm Fliess : « **Je crois à la transmission de pensée** et continue à douter de la magie »[2] – indiscutablement, le sujet le préoccupe.

S'il semble bien en avoir assez souvent parlé avec Carl Gustav Jung, c'est surtout sa correspondance avec Sandor Ferenczi qui témoigne de leurs préoccupations communes, et d'un intérêt que l'on a envie de qualifier de complice. Ils discutent d'expériences que Ferenczi a conduites avec une « médium » et qui leur semblent convaincantes ; Freud « souscrit totalement à l'interprétation donnée : elle devine les pensées, et peut-être les pensées inconscientes de

1. « Traitement psychique » (1905b [1890]), *Résultats, idées, problèmes, I,* Paris, PUF, 1984, p. 7 ; *OCF* VII, p. 161 *;* *GW* V, p. 296.

2. *La naissance de la psychanalyse. Lettres à Wilhelm Fliess. Notes et plans (1887-1902)* (1950a [1887-1902]), Paris, PUF, 1956, p. 293. – *Lettres à Wilhelm Fliess* (éd. complète), Paris, PUF, 2006, p. 556 (lettre du 8 mai 1901).

la personne qui la soumet à l'expérience » ; il n'en ajoute pas moins que cette expérience n'a rien à voir avec l'occultisme, qu'il « ne s'agit que de transmission de pensées, [...] pas d'un phénomène ψ, mais de **quelque chose de purement somatique,** ce qui constitue toutefois une nouveauté de premier ordre. Pour l'instant taisons-nous, silence absolu sur l'affaire »[1]. D'autres observations lui « semblent définitivement tordre le cou aux doutes concernant l'existence de la transmission de pensée » ; encore faut-il s'y habituer en pensée, perdre la crainte face à la nouveauté tout en gardant « le secret suffisamment longtemps dans le sein maternel ; mais là finit le doute »[2]. Lorsqu'un peu moins d'un an plus tard Jung propose de « faire aussi la conquête de l'occultisme », Freud écrit pourtant à Ferenczi : « Je vois qu'on ne peut pas vous retenir, vous deux [...] ; ce sont des expéditions dangereuses, et là, je ne peux pas vous accompagner. »[3] Dans les mêmes temps, devant la Société psychanalytique de Vienne, « le Pr Freud remarque qu'à supposer que de telles choses [spiritisme, occultisme, voyance, etc.] existent, **elles sont d'ordre physiologique et non psychologique.** En outre, il semble que *subjectivement,* le moment de la duperie doive toujours être présent »[4].

Nous n'avons pas retrouvé de traces ou de témoignages des réflexions de Freud sur la télépathie durant la douzaine d'années qui s'ensuivit ; on peut néanmoins penser que la question continuait de l'intéresser, comme en témoigne une communication qu'il lit en 1921 aux membres du « Comité » (Karl Abraham, Max Eitingon, Sandor Ferenczi, Ernest Jones, Otto Rank et Hans Sachs) sur *Psychanalyse et Télépathie* (titre donné ultérieurement), mais qui ne sera publié qu'en 1941, en raison des « résistances » qu'il suscita.

Pourtant, dans ce texte, Freud se fait très clair avec l'occultisme dont la condamnation occupe une bonne première partie. Il s'agit là

1. *Correspondance Sigmund Freud-Sandor Ferenczi* (1992a [1908-1914]), Paris, Calmann-Lévy, 1992, p. 87 et 88-89 (lettres du 6 et du 11 octobre 1909).

2. *Ibidem,* p. 220-221 (lettre du 20 août 1910).

3. *Ibidem,* p. 289 (lettre du 11 mai 1911).

4. *Les premiers psychanalystes (minutes de la Société psychanalytique de Vienne)* (1978a), Paris, Gallimard, 1978, t. II (1908-1910), p. 412.

d'une « croyance », de « la vieille croyance religieuse » repoussée par la science, ou même d'une autre, « plus proche encore des convictions surmontées des primitifs » – alors que les analystes procèdent des sciences exactes : ils se contentent de fragments de connaissances, de propositions imprécises toujours à remanier, ils « sont au fond d'incorrigibles mécanistes et matérialistes », même s'ils se gardent de dépouiller l'âme et l'esprit de leurs particularités demeurées inconnues ; s'il leur arrive de s'intéresser au matériel occulte, c'est uniquement parce qu'ils « en attendent de pouvoir exclure définitivement de la réalité matérielle les productions de désir de l'humanité ». C'est dire qu'**est exclu tout travail commun entre analystes et occultistes** (que réclament pourtant ces derniers) ; si l'analyste rencontre des phénomènes occultes, « il ne les évitera pas plus qu'il n'évite les autres » – mais c'est tout. Ceci posé, Freud entend rapporter deux cas qui semblent montrer qu'il y a eu « transmission de pensée ». Ils ont ceci de particulier qu'ils portent sur « des prophéties de diseurs de bonne aventure qui *ne* se sont *pas* accomplies », mais ont vivement impressionné les personnes qui les reçurent dans la mesure où les prédictions (fausses) coïncidaient avec des souhaits (vrais) qu'ils évitaient de se formuler ; « le contenu de la prédiction coïncide avec un accomplissement de désir » et, si on veut le comprendre, on doit considérer qu'il s'agit là d'une transmission de pensée[1].

Dès l'année suivante (1922), Freud revient sur la question, mais en l'abordant cette fois par le rêve. Plus précisément, dans « Rêve et télépathie », il réexamine l'opinion commune voulant que les deux soient dans une relation très intime ; en fait, « ils ont peu à voir l'un avec l'autre ». Hélas, lui-même n'a que peu de matériel, d'autant que, personnellement, il « n'a jamais eu de rêve “télépathique” » ; surtout, il n'a jamais eu l'occasion d'observer, chez un patient, un véritable rêve télépathique, et tout son matériel se limite à deux récits de correspondants, qu'il ne connaît d'ailleurs pas personnellement mais dont tout lui laisse penser qu'ils sont de bonne foi[2]. Il en ressort que les

1. « Psychanalyse et télépathie » (1941d [1921]), *Résultats, idées, problèmes, II*, Paris, PUF, 1984, p. 9-20 ; *OCF* XVI, p. 103-115 ; *GW* XVII, p. 29-40.

2. « Rêve et télépathie » (1922a), *Résultats, idées, problèmes, II*, Paris, PUF, 1984, p. 25-28 ; *OCF* XVI, p. 121-124 ; *GW* XIII, p. 165-168.

« messages télépathiques » « sont clairement liés à des excitations qui appartiennent au domaine du complexe d'Œdipe », ce qui ne saurait être une grande découverte. **S'il y a télépathie, elle n'a rien à voir avec l'essence du rêve** et ne peut donc nous aider à approfondir notre compréhension du rêve ; en revanche, par ses interprétations, la psychanalyse « rend plus intelligibles bien des obscurités des phénomènes télépathiques ». **La seule relation intime entre télépathie et rêve tient à ce que la télépathie est favorisée par l'état de sommeil,** mais que celui-ci ne lui est nullement indispensable. Et Freud de conclure qu'il « n'a pas d'opinion, qu'il ne sait rien là-dessus » [1].

En décembre 1924, il assiste à la présentation d'un rapport du Pr Murray à la « Société pour la recherche psychique » qui lui fait une forte impression, « si forte – écrit-il à Jones – que je suis prêt à renoncer à mon opposition à l'existence de la transmission de pensées, bien que naturellement je ne puisse en rien contribuer à l'expliquer. Je serais même prêt à accorder l'appui de la psychanalyse au domaine de la télépathie ». Cette prise de position semble avoir suscité une forte opposition de Jones et, lorsque trois mois plus tard, Ferenczi propose de présenter ses propres expériences télépathiques au prochain Congrès de psychanalyse, Freud se fait catégorique : « Je suis contre », lui écrit-il, expliquant que ces expériences n'apportent sans doute rien de bien nouveau et que, surtout, ce serait là « lancer un bombe dans la demeure psychanalytique qui exploserait à coup sûr » [2].

La question n'en continue pourtant pas moins de l'occuper et, en 1925, il publie un article, « Additifs à l'ensemble de l'interprétation des rêves », destiné à s'intégrer dans les éditions suivantes de l'ouvrage princeps (ce qui n'a pas été fait, là aussi sans doute, en raison de l'opposition de Jones). Il y reprend les développements avancés dans les articles précédents, d'abord pour récuser l'exclusivité des liens de la télépathie au rêve, puis pour constater qu'après avoir été soumis à la critique, les phénomènes télépathiques n'en représentent pas moins « un matériel considérable que l'on ne peut négliger si aisément » – ce

1. *Ibidem,* p. 28-48 ; p. 124-144 ; p. 169-191.

2. E. Jones, *La vie et l'œuvre de Sigmund Freud,* Paris, PUF, 1969, t. 3, p. 444 (lettre de Freud à Jones du 15 février 1925 ; et p. 445 (lettre de Freud à Ferenczi du 20 mars 1925).

qui vient « **justifier une attitude bienveillante à l'égard du problème de la télépathie, encore qu'elle ne puisse suffire pour établir une conviction assise sur des certitudes** ». Il n'en maintient pas moins la nécessité de conserver, « en matière de télépathie comme ailleurs, toute position de scepticisme et de ne céder qu'avec réticence à la force des preuves ». Il pense avoir pourtant trouvé un matériel assez convaincant, avec des « prophéties non accomplies de diseurs de bonne aventure professionnels » ; il reprend alors, de façon abrégée, les deux cas rapportés en 1921 dans « Psychanalyse et télépathie » qui n'avaient pu être publiés pour des raisons d'opportunité. Il y ajoute un commentaire inspiré par les impressions qu'il a recueillies au fil d'essais pratiqués avec des intimes (Anna et Ferenczi ?), montrant que « la transmission de souvenirs à tonalité fortement affective réussit sans difficultés » et que, si l'on analyse les idées de la personne réceptrice, des concordances apparaissent ; il en conclut donc que « **de telles transmissions se réalisent particulièrement bien au moment où une représentation émerge de l'inconscient** – ou bien, pour m'exprimer en termes théoriques, dès qu'elle passe du "processus primaire" au "processus secondaire" ». S'il demeure très conscient de toute la prudence qui est ici requise, il considère qu'il n'est plus du tout justifié de se taire. Tout ceci ne concerne le rêve que dans cette mesure : s'il y a des messages télépathiques, il est indéniable qu'ils peuvent atteindre le dormeur et être appréhendés par lui dans le rêve ; on peut aussi penser que des messages télépathiques, enregistrés durant la journée, ne sont soumis à élaboration que dans le rêve de la nuit suivante, ce matériel télépathique pouvant d'ailleurs y être altéré et transformé au même titre qu'un autre. « On aimerait bien, à l'aide de la psychanalyse, augmenter ses connaissances en matière de télépathie et les assurer plus solidement. » [1]

En 1933, l'une des *Nouvelles conférences d'introduction à la psychanalyse* est consacrée à la télépathie ; sous le titre « Le rêve et l'occultisme », elle récapitule et, surtout, fait le point. La télépathie est définie, de façon d'abord très prudente, comme « le prétendu fait

1. « Quelques suppléments à l'ensemble de l'interprétation des rêves » (1925i), *Résultats, idées, problèmes, II,* Paris, PUF, 1984, p. 149-152 ; *OCF* XVII, p. 185-188 ; *GW* I, p. 569-573.

qu'un événement qui survient à un moment déterminé arrive à peu près dans le même temps à la conscience d'une personne éloignée dans l'espace », sans user de moyens de communication connus de nous ; la condition implicite est que cet événement concerne une personne à laquelle l'autre porte un vif intérêt affectif : « C'est en quelque sorte un pendant psychique de la télégraphie sans fil. » Freud précise alors que, dans la suite de sa communication, il va « laisser de côté le prudent petit mot de "prétendu" » et faire comme s'il « croyait à la réalité objective du phénomène télépathique » – mais qu'il ne s'est arrêté, de fait, à aucune conviction. Il pense décevoir l'attente de ses auditeurs en redisant que « le phénomène télépathique n'est pas lié au rêve » ; simplement, le sommeil semble bien accueillir le message télépathique (c'est le « rêve télépathique »), qui est alors traité comme n'importe quel autre reste diurne[1]. Ce n'est donc pas le rêve qui peut nous apprendre quelque chose sur la télépathie, mais son interprétation et le travail analytique. Dans l'induction, dans la transmission de pensée (si proche de la télépathie qu'elle peut lui être assimilée) des processus psychiques chez une personne (représentations, états d'excitation, volitions) peuvent se transmettre à une autre personne, sans utiliser des paroles ou des signes ; **voilà qui serait non seulement intéressant mais « important du point de vue pratique » si cela se confirmait.**

Freud reprend alors les exemples qui lui paraissent les plus convaincants, susceptibles d'offrir des « observations particulièrement irréfutables sur la transmission de pensée » ; il s'agit des cas de « prophéties de diseurs de bonne aventure qui *ne* se sont *pas* accomplies », qu'il avait rapportés en 1921, sans les publier, et qu'il reprend ici assez longuement. Dans le premier cas, la « prophétie » annonce des dates, ou plutôt des âges où doivent se produire des événements marquants, qui en fait n'auront jamais lieu, mais les nombres « trouvent leur place dans la vie de la mère de la patiente » et prennent un sens fort dans sa relation œdipienne ; tout s'est passé comme si la patiente avait transmis au mage des pensées préconscientes qui alors la préoccupaient beaucoup. Freud dit avoir rassemblé toute une série de telles

1. *Nouvelles conférences d'introduction à la psychanalyse* (1933a [1932]), Paris, Gallimard, 1984, p. 52-53 ; *OCF* XIX, p. 117-118 ; *GW* XV, p. 38-39.

prophéties, dont il a « retiré l'impression que le diseur de bonne aventure n'avait fait qu'**exprimer les pensées des personnes qui l'interrogeaient et, tout particulièrement, leurs désirs secrets** » ; de telles prophéties peuvent donc être analysées comme des productions subjectives des personnes concernées. Il ne présentera pas tous les cas qu'il connaît, ne serait-ce qu'en raison de son devoir de réserve ; il tient quand même à donner d'autres exemples.

Le second cas concerne une prophétie qui avait été faite à un jeune homme, lui annonçant la mort de son beau-frère par intoxication avec des huîtres, ce qui, bien sûr, n'arriva pas ; il n'en demeure pas moins que le beau-frère est effectivement un amateur passionné d'huîtres et, un an avant la visite à la diseuse de bonne aventure, il avait failli mourir d'une intoxication par les huîtres ; l'analyse montra que le patient, qui affichait une grande affection pour le mari de sa sœur tant aimée, n'avait pas surmonté sa haine, et que c'est ce mouvement qui fut transmis à l'astrologue. Dans le troisième cas (dont l'histoire est assez complexe), c'est un graphologue qui dit ce que sont et prédit ce que feront des tiers, d'ailleurs tout aussi faussement ; il n'en avait pas moins « mis en lumière un puissant désir secret de la personne venue le consulter ». À la question de savoir si l'on peut croire à la réalité objective de telles découvertes, « la psychanalyse ne peut répondre directement, mais le matériel mis au jour avec son aide donne au moins une impression favorable à l'affirmative ». Pour autant, la psychanalyse ne saurait se prononcer sur ce qu'implique ce matériel ; ce n'est plus de son domaine.

Il est seulement possible de rapporter encore quelques faits survenus pendant un traitement analytique, et peut-être même rendus possibles par lui. Freud raconte alors une série de propos tenus par des patients, tous semblant évoquer le nom du Dr Forsyth, lequel passe alors rapidement pour fixer un rendez-vous (il intéresse beaucoup Freud, à ce moment, car il est le premier étranger à revenir après la guerre). Dans les associations du patient qui suit se retrouvent clairement, bien que déformés (germanisés) comme dans les rêves, des mots assonants avec Forsyth. Au terme d'une analyse, minutieuse et « rationaliste », des coïncidences possibles et des hasards éventuels pouvant expliquer cette insistance phonématique, Freud reconnaît que, pour lui, « la balance penche, ici aussi, en faveur de la transmission de pensée ». Certains de ses interlocuteurs vont peut-être penser qu'il est devenu, « avec l'âge, faible d'esprit, dévot et crédule » ; il s'en défend et prévient qu'il continuera à se « plier devant de nouveaux états de fait », et à en tenir compte. Il estime donc qu'il convient de « **penser avec plus de bienveillance à la possibilité objective de la transmission de pensée, et par là même aussi de la télépathie** ». Lorsque, plus de dix ans plus tôt, il s'est trouvé confronté à ces faits, il a éprouvé l'angoisse d'une menace à l'encontre de notre représentation scientifique du monde ; aujourd'hui, il pense qu'il faut avoir bien peu de confiance en la science si on l'estime incapable « d'accueillir et d'élaborer ce qui peut éventuellement se révéler vrai dans les affirmations de l'occultisme » – et, pour ce qui est de la transmission de pensée, « elle semble **franchement favoriser l'extension du mode de pensée scientifique** » **jusqu'au domaine du psychisme,** si difficile à saisir. Dans le processus télépathique, un acte psychique d'une personne suscite le même acte psychique chez une autre ; entre ces deux actes psychiques peut se dérouler « un processus physique où le psychique se transpose à un bout et qui, à l'autre bout, se transpose à nouveau dans ce même psychique » (comme au téléphone). **Ceci ouvrirait de formidables perspectives...** On est conduit à penser qu'une transmission directe de ce genre fut « le mode originel, archaïque de communication entre les individus », qui a été repoussé au cours de l'évolution par la méthode de communication à l'aide de signes reçus par les organes des sens ; « la méthode la plus ancienne pourrait subsister à l'arrière-plan » et réapparaître dans certaines conditions. « **Tout ceci est encore incertain et plein d'énigmes non résolues, mais ce n'est pas une raison pour avoir peur.** »

S'il existe réellement une télépathie, on peut penser qu'elle constitue un phénomène très fréquent, bien que la démonstration en soit difficile. Les fréquentes angoisses des enfants qui croient que leurs parents connaissent toutes leurs pensées sont le pendant parfait de la croyance des adultes en l'omniscience de Dieu, et sans doute sa source[1].

1. *Nouvelles conférences d'introduction à la psychanalyse* (1933a [1932]), Paris, Gallimard, 1984, p. 56-76 ; *OCF* XIX, p. 121-136 ; *GW* XV, p. 42-60.

QUESTIONS ET ENJEUX

L'attitude de Freud à l'égard de la télépathie est assez complexe, non dépourvue d'ambivalence – comme il le dit lui-même – voire de « répugnance »[1]... et de fascination : « Vous comprenez combien il serait remarquable, et peut-être significatif également pour la pratique, que pareilles choses survinssent effectivement. »[2] Il va ainsi osciller, tout au long, entre un rejet que réclamaient vivement Jones et Eitingon, voire Abraham, et un acquiescement que partageaient Ferenczi et, en son temps, Jung. D'où les demandes de silence adressées à ceux-ci, et les retraits de textes accordés à ceux-là ; d'où les hésitations entre la volonté de « cesser de craindre la nouveauté » et le sentiment qu'il « faut garder le secret »[3].

Plus encore que l'impossibilité, qui persiste, de se prononcer nettement sur l'existence ou non de la télépathie, une bonne part des difficultés tient à son statut difficile à définir. Pour Freud, il est d'abord clair qu'il « ne s'agit pas d'une phénomène y, mais de quelque chose de purement somatique » – ce qui n'en constitue pas moins « une nouveauté de premier ordre », tellement nouvelle que mieux vaut garder le silence là-dessus[4]. Devant les analystes viennois est seulement confirmé que, si la télépathie existe, elle est « d'ordre physiologique et non psychologique »[5]. C'est sans doute ce qui fait que, comme c'est redit à maintes reprises, le rêve n'a pas grand chose à voir avec la télépathie, si ce n'est que l'abaissement des défenses pendant le sommeil semble favorable à la réception de ses éventuels messages – elle est donc loin d'être étrangère aux processus du fonctionnement psychique...

1. « Psychanalyse et télépathie » (1941d [1921]), *Résultats, idées, problèmes, II*, Paris, PUF, 1984, p. 11 ; *OCF* XVI, p. 105 ; *GW* XVII, p. 31.

2. *Nouvelles conférences d'introduction à la psychanalyse* (1933a [1932]), Paris, Gallimard, 1984, p. 57 ; *OCF* XIX, p. 121 ; *GW* XV, p. 42.

3. *Correspondance Sigmund Freud-Sandor Ferenczi* (1992a [1908-1914]), Paris, Calmann-Lévy, 1992, p. 220-221 (lettre du 20 août 1910).

4. *Ibidem*, p. 88-89 (lettre du 11 octobre 1909).

5. *Les premiers psychanalystes (minutes de la Société psychanalytique de Vienne)* (1978a), Paris, Gallimard, 1978, t. II (1908-1910), p. 412 (séance du 8 février 1910).

Il semble assez remarquable que plus le temps passe, plus il réfléchit à la question, plus Freud se convainc de l'importance du phénomène télépathique – voire de la réalité de son existence. À partir de 1925, il ne veut plus se laisser censurer : « Malgré toute la prudence requise par la portée, la nouveauté et l'obscurité du sujet, j'ai considéré qu'il n'était plus du tout justifié de garder pour moi ces propos relatifs au problème de la télépathie. » [1] Dans les *Nouvelles conférences d'introduction à la psychanalyse,* il se livre enfin et rejette vigoureusement les appels au silence : « C'est faire preuve, à mon sens, de peu de confiance en la science que de ne pas l'estimer également capable d'accueillir et assimiler ce qui pourrait se révéler vrai dans les affirmations occultes » et, à tout le moins, dans la télépathie ; qui plus est, « la transmission de pensée semble quasiment favoriser l'extension du mode de pensée scientifique au monde mental si difficile à saisir » – on le voit, la télépathie n'est plus cantonnée au physiologique mais intègre le le champ psychique, même si on ne sait trop comment elle peut y être située et, surtout, traitée [2].

En effet, il semble bien que si la télépathie hante Freud, c'est par tout ce qu'elle pourrait représenter d'un point de vue pratique. Il a compris les interactions entre les psychismes des protagonistes de l'acte analytique, ceux-là qui éprouvent transfert et contre-transfert ; il a fondé la technique propre à l'analyse sur ce qui a pu être appelé « communication d'inconscient à inconscient » ; il pense devoir, lorsqu'il veut illustrer « l'attention en égal suspens » de l'analyste, recourir à la même image de transmission par téléphone dont il use pour la transmission de pensée. « En insérant l'inconscient entre le physique et ce qu'on appelait jusqu'alors "psychique", la psychanalyse nous a préparés à admettre des phénomènes comme la télépathie. » [3] Comment ne pas être alors fasciné par celle-ci, par tout ce que l'on pourrait « imaginer » qu'elle ouvrirait dans la pratique ?

Freud a pu montrer que, s'il existe bien des transmissions de pensée, celles-ci doivent se réaliser au moment où une représentation émerge de l'inconscient pour exprimer un souhait, l'accomplissement

1. « Quelques suppléments à l'ensemble de l'interprétation des rêves » (1925i), *Résultats, idées, problèmes, II,* Paris, PUF, 1984, p. 151 ; *OCF* XVII, p. 188 ; *GW* I, p. 572-573.

2. *Nouvelles conférences d'introduction à la psychanalyse* (1933a [1932]), Paris, Gallimard, 1984, p. 77 ; *OCF* XIX, p. 137 ; *GW* XV, p. 59.

3. *Ibidem.*

d'un désir. On a parfois l'impression que la confirmation de la réalité de la télépathie serait, pour lui, la réalisation de son propre désir : « Et pensez à ce qui se produirait si on pouvait se rendre maître de cet équivalent physique de l'acte psychique ! [...] Une fois qu'on s'est habitué à l'idée de télépathie, on peut en tirer beaucoup de choses, pour l'instant, il est vrai, uniquement en imagination. »[1]

Il n'en demeure pas moins que, réalité ou fiction, la télépathie n'appartient pas au champ de la psychanalyse ; Freud le répète à plusieurs reprises et, lorsqu'il lui faut conclure sa XXXe *Conférence* (après avoir rapporté de curieuses choses à propos d'un enfant et de sa mère, tous deux en analyse) il note : « Nous voici donc ramenés à la psychanalyse, dont nous étions partis. »[2] Il était donc bien sur d'autres terres et, les ayant reconnues, il doit les quitter ; il peut alors passer à la conférence suivante sur « La décomposition de la personnalité psychique ».

Claude LE GUEN

TEMPS et ESPACE

all. : ***Zeit*** et ***Raum***. – angl. : *time* et *space*. – esp. : *tiempo* et *espacio*. – ital. : *tempo* et *spacio*. – port. : *tempo* et *espaço*

Temps et espace n'ont pas à désigner autre chose, en psychanalyse, que ce que recouvre leur acception usuelle. Freud implique le sens kantien de « données immédiates de la conscience » et les tient pour des attributs, des dimensions de la réalité extérieure perçue – ce faisant, ils apparaissent essentiels pour le moi.

MISE EN SITUATION

Notre définition se borne à signaler la façon dont Freud traite le temps et l'espace lorsqu'il les évoque, agréant ces « pures intuitions »

1. *Ibidem.*
2. *Ibidem*, p. 79 ; p. 139 ; p. 61.

kantiennes. Même s'il leur reconnaît bien une fonction fondamentale, ces données immédiates de la conscience se rencontrent assez peu dans son œuvre, ce qui ne saurait nous étonner puisque celle-ci est tout entière tournée vers l'exploration de l'inconscient. Si celui-ci est régulièrement spécifié comme « intemporel », « ignorant le temps », les actes psychiques n'en doivent pas moins être situés spatialement[1]*, ce qui conduit à différentes topiques alors que, pour sa part, la référence temporelle n'apparaît que lorsque le recours qualitatif s'avère nécessaire*[2]*.*

Même s'il l'est discrètement, le temps n'en est pas moins plus nommé que l'espace. Cela tient sans doute à ce que Freud tient à souligner qu'il est inconnu de l'inconscient, totalement ignoré par le ça : la plus grande part de ce que nous en connaissons « a un caractère négatif, et ne peut se décrire que par opposition au moi ». Comment traiter de quelque chose qui, dans l'objet de son travail, n'existe pas ? Pourtant, espace et temps sont implicites dès l'instant où la réalité est en cause ; le temps l'est plus particulièrement dans tout ce qui engage l'histoire, à commencer par les différentes genèses, développements et évolutions. Au bout de la pulsion il y a le désir, et c'est lui qui va déterminer l'histoire ; comme Freud le dit admirablement : « Passé, présent, avenir, sont comme enfilés sur le cordeau du désir qui les traverse. »[3]

LE TEXTE FREUDIEN

Dès 1897, dans une « Lettre à Fliess », Freud évoque le « mépris » dont témoignent les productions de l'inconscient (les fantasmes) à l'égard de la chronologie[4]. Assez curieusement, *L'interprétation des*

1. *Les premiers psychanalystes (minutes de la Société psychanalytique de Vienne)* (1979a), Paris, Gallimard, 1979, t. III (1910-1911), p. 84-85.

2. « Le problème économique du masochisme » (1924c), *Névrose, psychose et perversion,* Paris, PUF, 1973, p. 288 ; *OCF* XVII, p. 12-13 ; *GW* XIII, p. 373.

3. « Le créateur littéraire et la fantaisie » (1908e [1907]), *L'inquiétante étrangeté et autres essais,* Paris, Gallimard, 1985, p. 39 ; *OCF* VIII, p. 165 ; *GW* VII, p. 218.

4. *La naissance de la psychanalyse. Lettres à Wilhelm Fliess. Notes et plans (1887-1902)* (1950a [1887-1902]), Paris, PUF, 1956, p. 180-181 (lettre du 25 mai 1897).

rêves ne parle pratiquement pas du temps et de l'espace dans le rêve, ni d'ailleurs dans les systèmes de l'appareil psychique. Il ne sera véritablement traité du temps qu'en 1908, dans une conférence « de circonstance » adressée à un public littéraire, soulignant l'importance du temps dans les « fantaisies » (*das Phantasieren* n'a pas de véritable équivalent français : désignant le fait de créer des fantaisies, il renvoie, d'une certaine façon, à la fantasmatique). « **Une fantaisie en générale flotte entre trois temps, les trois moments de notre activité représentative** » : une impression actuelle vient réveiller un fort désir qui se reporte alors sur le souvenir d'une expérience antérieure (généralement précoce) qui avait vu ce désir s'accomplir ; ce souvenir est projeté vers l'avenir, représenté comme l'accomplissement du désir infantile qui se révèle ainsi organiser les trois temps du passé, du présent et de l'avenir[1].

Quelques années plus tard, s'adressant cette fois à des psychanalystes, il se fait explicite : « **L'inconscient est intemporel** », et si le rêve ne l'est pas totalement c'est parce que, situé entre conscient et inconscient, il implique une part de conscient ; par ailleurs, il a déjà noté que « **l'espace n'entre pas dans le travail de la conscience** », et que ce qui est psychique apparaît dépourvu de dimension spatiale. Le temps est lié à la conscience ; mais si le travail de l'inconscient ne saurait être conçu en termes de temps, il contient des éléments spatiaux : nous *localisons* les actes psychiques, car c'est nécessaire dans notre travail avec les patients. « La vie psychique se divise en deux modes de travail : dans l'un c'est l'élément temporel, dans l'autre c'est l'élément spatial qui est inexistant. »[2]

Les places du temps et de l'espace (du temps surtout) sont clairement identifiées et, dorénavant, leurs rapports à la conscience et à l'inconscient seront redits à l'identique, lorsqu'il y aura lieu, l'occasion s'en présentant d'ailleurs assez rarement : « Les processus du système *Ics* sont *intemporels,* c'est-à-dire qu'ils ne sont pas ordonnés

1. « Le créateur littéraire et la fantaisie » (1908e [1907]), *L'inquiétante étrangeté et autres essais,* Paris, Gallimard, 1985, p. 39 ; *OCF* VIII, p. 165 ; *GW* VII, p. 217.

2. *Les premiers psychanalystes (minutes de la Société psychanalytique de Vienne)* (1979a), Paris, Gallimard, 1979, t. III (1910-1911), p. 84-85 (séance du 18 octobre 1911).

dans le temps, ne sont pas modifiés par l'écoulement du temps, n'ont absolument aucune relation avec le temps. **La relation au temps est aussi liée au travail du système *Cs*.** » [1]

Il est important que le petit enfant, dont l'organisme est encore en état de détresse, puisse se situer et s'orienter dans le monde ; en situant ses perceptions par rapport à ses actions musculaires, il va pouvoir distinguer un « dehors » et un « dedans » : « Une perception qu'une action peut faire disparaître est reconnue comme extérieure, comme réalité ; si cette action ne change rien, c'est que la perception vient de l'intérieur du corps, qu'elle n'est pas réelle. » Cette orientation dans le monde extérieur, spatiale donc, dépend de la conscience, du seul système *Cs (P)* ; c'est à lui qu'il appartient, en fonction de l'innervation motrice, de décider s'il est possible de faire disparaître la perception ou non : « **L'*épreuve de réalité* n'a pas à être autre chose que ce dispositif** » [2]**, essentiellement spatial.**

À partir de 1920, **le temps se trouve évoqué à propos du rapport entre plaisir-déplaisir et quantité d'excitation non liée.** Dans *Au-delà du principe de plaisir* Freud écarte l'idée d'une proportionnalité quantitative et estime plutôt que la sensation est déterminée par « le taux de diminution ou d'augmentation dans un temps donné » [3]. Dans « Le problème économique du masochisme », en 1924, il revient sur les variations des grandeurs d'excitation lors des sentiments de tension, rappelant qu'il existe des tensions s'accompagnant de plaisir et des détentes de déplaisir (dans l'excitation sexuelle notamment). Là encore, il écarte l'idée de les rapporter à la variation (en plus ou en moins) de la tension d'excitation (même s'ils ont effectivement à voir avec elle) et, plutôt que de ce facteur quantitatif, il tend à les faire **dépendre d'un caractère qualitatif qui serait temporel** : « Peut-être s'agit-il du rythme, de l'écoulement temporel des modifications, des

1. « L'inconscient » (1915e), *Métapsychologie,* Paris, Gallimard, 1968, p. 97 ; *OCF* XIII (2e éd.), p. 228 ; *GW* X, p. 286.

2. « Complément métapsychologique à la théorie du rêve » (1917d [1915]), *Métapsychologie,* Paris, Gallimard, 1968, p. 142-143 ; *OCF* XIII (2e éd.), p. 258 ; *GW* X, p. 424.

3. *Au-delà du principe de plaisir* (1920g), *Essais de psychanalyse,* Paris, Payot, 1981, p. 44 ; *OCF* XV, p. 278 ; *GW* XIII, p. 4.

montées et des chutes de la quantité d'excitation ; nous ne le savons pas. »[1]

En 1923, dans *Le moi et le ça,* Freud s'interroge une fois de plus : « Que veut dire : rendre quelque chose conscient ? Comment cela peut-il se produire ? » Il rappelle alors que la conscience forme la *surface* de l'appareil psychique, que le système *Cs (P)* est, spatialement, le premier en partant du monde extérieur, « surface » qui est non seulement fonctionnelle, mais aussi anatomique, et qui va illustrer, quelques pages plus loin, le schéma d'organisation des couches de l'appareil psychique – ce qui permet de conclure que « le moi n'est pas seulement un être de surface, mais lui-même la projection d'une surface » (une note de 1927 précise qu'il « représente la surface de l'appareil mental »)[2].

En 1925, sont publiés deux textes, aussi denses que brefs, qui traitent directement du **fonctionnement de la représentation consciente du temps.** Dans le premier, « Note sur le "bloc-notes magique" », Freud livre une hypothèse sur l'appareil psychique, faite depuis longtemps mais tue jusqu'alors : « **des innervations d'investissements sont envoyées de l'intérieur par coups rapides et périodiques dans le système *Pc-Cs*** » qui, complètement perméable, reçoit les perceptions qu'accompagne la conscience ; elles sont ensuite retirées et, le fonctionnement du système s'arrêtant, la conscience s'évanouit. Pour illustrer ce processus de discontinuité du flux d'innervation, il évoque l'image d'un inconscient qui, par le système *Pc-Cs,* « étendrait vers le monde extérieur des antennes, qui sont rapidement retirées après en avoir comme dégusté les excitations » – et d'ajouter qu'il a « supposé que **ce mode de travail discontinu du système *Pc-Cs* est au fondement de l'apparition de la représentation du temps** »[3]. Dans « La négation », il s'attache à une autre activité éminemment consciente, la *fonction de jugement* qui, pour décider de l'action motrice, doit mettre

1. « Le problème économique du masochisme » (1924c), *Névrose, psychose et perversion,* Paris, PUF, 1973, p. 288 ; *OCF* XVII, p. 12 ; *GW* XIII, p. 372.

2. *Le moi et le ça* (1923b), *Essais de psychanalyse,* Paris, Payot, 1981, p. 230-231 et 236-238 ; *OCF* XVI, p. 263-264 et 269-270 ; *GW* XIII, p. 246-247 et 252-254.

3. « Note sur le "bloc-notes magique" » (1925a [1924]), *Résultats, idées, problèmes, II,* Paris, PUF, 1984, p. 123-124 ; *OCF* XVII, p. 143 ; *GW* XIV, p. 8.

fin à l'ajournement de la pensée, permettant de passer du penser à l'agir. Pour ce faire, il faut procéder à ce qui ressemble à une action d'essai, un tâtonnement moteur à dépenses réduites, tout comme cela se produit lors de la perception, celle-ci n'étant en aucune façon un processus passif ; et il reprend alors sa thèse selon laquelle « le moi envoie périodiquement dans le système de perception des petites quantités d'investissement grâce auxquelles il déguste les stimulus extérieurs pour, après chacune de ces incursions tâtonnantes, se retirer à nouveau ». L'idée de l'article est de montrer comment « la fonction du jugement n'est rendue possible que par la création du symbole de négation ». Si la référence temporelle, « périodique » du processus est bien présente, elle n'est pas explicitée, mais, si Freud rappelle ici que le « non » n'existe pas dans l'inconscient[1], il pourrait tout aussi bien redire que le temps n'y existe pas plus – comme le laisse entendre le rapprochement explicite qu'il fait entre ces deux articles.

Ces thèmes sont repris et développés – aboutis, semble-t-il – en 1933 dans les *Nouvelles conférences d'introduction à la psychanalyse,* dans un passage où Freud tente d'expliciter le peu que nous savons sur « la partie la plus obscure, inaccessible, de notre personnalité » et sur les processus qui s'y déroulent, sur **ce *ça* que nous ne connaissons guère que par son caractère négatif, par opposition au moi** ; c'est un chaos « d'excitations en ébullition » qui se remplit de l'énergie des pulsions, dépourvu d'organisation et de volonté, soumis au principe de plaisir et échappant aux lois logiques comme au principe de contradiction. « On constate avec stupéfaction que **le ça constitue l'exception à la thèse des philosophes selon laquelle l'espace et le temps sont les formes nécessaires de nos actes psychiques** » : rien en lui qui corresponde à une représentation du temps ou à une reconnaissance d'un cours temporel ; surtout – ce qui devrait être pris en considération par les philosophes –, « **il n'y a pas de modification du processus psychique par le cours du temps** ».

Freud redit sa stupeur face au caractère immuable des pensées refoulées dont « nous avons tiré bien trop peu de choses » et que, seul,

1. « La négation » (1925h), *Résultats, idées, problèmes, II,* Paris, PUF, 1984, p. 138 ; *OCF* XVII, p. 170-171 ; *GW* XIV, p. 14-15.

le travail analytique peut laisser deviner (d'où l'effet thérapeutique de l'analyse). **Il appartient au moi de représenter auprès du ça les perceptions d'espace et de temps liées au monde extérieur,** les reproduisant dans leurs traces mnésiques, les soumettant à l'épreuve de réalité pour écarter les ajouts internes. Pour ce faire, il intercale, entre besoin et action, « le délai du *travail de la pensée* pendant lequel il utilise les restes mnésiques de l'expérience », détrônant ainsi le principe de plaisir au profit de celui de réalité. Il organise « la relation avec le temps, si difficile à décrire », transmise par le système de perception dont le mode de travail « fournit l'origine de la représentation du temps », tendant avec force à la synthèse de ses contenus, à la concentration et l'unification des processus psychiques [1].

Par la suite, Freud n'estimera plus nécessaire de revenir sur l'espace et le temps.

QUESTIONS ET ENJEUX

Sans grande originalité là-dessus, Freud a toujours considéré que la relation au temps était « difficile à décrire », reprenant de fait le constat posé par tous ceux qui s'y confrontèrent. Nous l'avons répété, sa référence implicite, et même parfois explicite, se trouve d'abord chez Emmanuel Kant qui sut montrer que le temps n'est pas un concept, mais « une représentation nécessaire qui sert de fondement à toutes les intuitions. [... Qu'il] est donc donné *a priori*. En lui seulement est possible toute réalité des phénomènes » *(Critique de la raison pure)*. Cette position, en dépit des efforts de Edmund Husserl puis de Bertrand Russel, n'a été véritablement dépassée (sans être pour autant infirmée) que par la théorie de la relativité et l'espace-temps einsteinien – mais c'est là une tout autre histoire.

Si Freud éprouve des difficultés avec le temps, ce n'est pas tant sur la genèse de sa perception ; il l'a d'ailleurs décrite assez tôt en étudiant l'apparition des processus de perception-conscience. Les constats, tôt

1. *Nouvelles conférences d'introduction à la psychanalyse* (1933a [1932]), Paris, Gallimard, 1984, p. 102-105 ; *OCF* XIX, p. 156-159 ; *GW* XV, p. 80-82.

fait, que l'inconscient ignore le temps, puis que le temps n'a ni place ni rôle dans le ça, et enfin la confirmation qu'il ne modifie en rien les processus psychiques, ne cessent de le stupéfier. Telle est l'énigme posée par « l'inaltérabilité du refoulé, qui demeure insensible au temps. Il semble pourtant que s'ouvre ici un accès aux découvertes les plus profondes. Malheureusement, je n'ai pas réussi, moi non plus, à aller plus avant dans ce domaine » [1].

L'espace semble provoquer moins de perplexité – et cela, si je puis dire, de tout temps. Cela tient sans doute à ce qu'il est un aspect de la réalité plus tangible, plus immédiat que ne peut l'être le temps, jusque dans ses mesures ; qu'il est même le meilleur moyen, sinon le seul que nous ayons de nous figurer le temps – d'où les « topiques » de l'appareil psychique, commodités nécessaires à nos représentations théoriques. Il est d'ailleurs intéressant de rappeler que, comme nous l'avons vu, Freud attribue ainsi à l'espace une dimension quantitative, économique donc, alors qu'il tend plutôt à situer le temps, dans la dynamique pulsionnelle du plaisir-déplaisir, selon un caractère qualitatif[2].

Claude Le Guen

Tendresse → Courant tendre et courant sensuel (tendresse)

Tension → Décharge, tension et stase

Théorie des pulsions → Pulsion

Topique (point de vue) → Métapsychologie

TRANSFERT et CONTRE-TRANSFERT

all. : ***Übertragung*** et ***Gegenübertragung***. – angl. : *transference* et *countertransference*. – esp. : *transferencia* et *contratransferencia*.

1. *Ibidem*, p. 103 ; p. 157 ; p. 81.
2. « Le problème économique du masochisme » (1924c), *Névrose, psychose et perversion*, Paris, PUF, 1973, p. 288 ; *OCF* XVII, p. 12 ; *GW* XIII, p. 372.

– ital. : *transfert* et *controtransfert*. – port. : *transferência* et *contra-transferência*

Lorsqu'en psychanalyse on parle de *transfert*, il faut entendre le « transfert de sentiments sur la personne du médecin » ; expressions pulsionnelles, de tels sentiments ne sauraient se justifier par la réalité de la cure : ils préexistent à l'analyse, celle-ci ne faisant que les révéler. Le maniement du transfert est le moteur de la cure, l'outil le plus puissant à son service de par son effet d'interprétation et de résolution des symptômes. Si le transfert mobilise d'abord, et le plus souvent, des sentiments tendres (transfert positif), on peut s'attendre à ce que, face à la non-satisfaction de la demande qu'ils expriment, ils se transforment en réactions hostiles (transfert négatif). Le *contre-transfert* en est le pendant chez l'analyste, correspondant à ses réactions inconscientes aux sentiments que le patient transfère sur lui ; c'est l'une des raisons les plus fortes à son analyse personnelle.

MISE EN SITUATION

Le terme de « transfert » n'a, au départ, rien de spécifiquement psychanalytique. Comme le latin transferre, *il indique le fait de « porter d'un lieu dans un autre » ; il signifie un déplacement, notamment d'objets, de personnes, de biens ou de valeurs. Il en va de même en allemand et la traduction de* Übertragung *ne pose pas de véritable problème ; lorsque le mot apparaît sous la plume de Freud, à l'occasion de l'étude des rêves, il a bien ce sens, tirant alors peut-être plus vers le « déplacement » ; c'est ainsi qu'il peut écrire, en le soulignant, que le rêve serait un « substitut de la scène infantile, modifié par le transfert sur quelque chose de récent »* [1]. *Le « transfert dans la cure », tel qu'il va tendre à se spécifier, s'appropriant de fait la notion en la conceptualisant, n'en est pas moins présent dans les premiers écrits sur le traitement des femmes hystériques.*

1. *L'interprétation des rêves* (1900a), Paris, PUF, 1967, p. 464 ; *OCF* IV, p. 600 ; *GW* II-III, p. 552.

Le « contre-transfert » s'impose, dans la clinique de la cure, comme un complément du transfert, tant phénoménologiquement (au transfert de sentiments du patient vient répondre un transfert de sentiment chez le thérapeute) que techniquement (il est à la fois un inconvénient qu'il faut combattre et un instrument à utiliser). Il demeure en étroite dépendance de la théorie du transfert et des résistances. À noter qu'ici l'allemand ne présente pas non plus de difficultés de traduction, le gegen *germanique portant la même ambiguïté que le « contre » français entre le contact (être tout contre) et l'opposition ; on le retrouve dans* Gegenbesetzung *(contre-investissement), mais aussi dans* Gegensatzpaar *(couple d'opposés) où, à juste titre, la traduction privilégie l'opposition.*

Le transfert est une notion étroitement liée à la pratique de la cure, et donc à la « technique », mais qui ne saurait se réduire à celle-ci ; il est, d'une certaine façon, l'essence même de la cure psychanalytique. Tôt décrit, le transfert peut être considéré comme « abouti » en 1917, au point que, tout en étant régulièrement référé, il n'apparaîtra plus utile à Freud d'en faire l'exposé, pratique ou théorique ; il sera cependant repris et confirmé dans l'ouvrage ultime de 1938.

LE TEXTE FREUDIEN

L'usage spécifiquement psychanalytique du terme « transfert » pour désigner une production psychique du, ou plutôt de la « malade » dans sa relation au « médecin », est manifeste dès 1895 dans les *Études sur l'hystérie* ; est ainsi désignée une situation dans laquelle la relation thérapeutique se voit troublée par une « indocilité » qui s'avère résulter de ce que « la malade craint de reporter sur la personne du médecin les représentations pénibles nées du contenu de l'analyse ; c'est là un fait constant dans certaines analyses. **Le transfert au médecin se réalise par une *fausse association*** ». Freud en fournit un exemple et, surtout, note que lorsqu'il parvient à surmonter la difficulté, il constate que le désir qui a effrayé la malade, et qu'elle a projeté sur lui, s'avère le plus proche des souvenirs pathogènes, étant le retour d'un affect lié à un désir interdit qu'elle avait dû repousser autrefois. Il s'agit là d'une « *mésalliance* [en français dans le texte] – à laquelle je donne le nom de faux rapport. Depuis que je sais cela je puis, chaque fois que ma personne se trouve ainsi impliquée, postuler l'existence d'un transfert et d'un faux rapport »[1]. Nous sommes encore à la période de l'hypnose, mais les caractères du transfert sont déjà clairement reconnus, son sens dévoilé ; la technique psychanalytique, avec toute sa singularité, n'a pourtant pas encore été inventée.

En 1900, elle l'est depuis peu. *L'interprétation des rêves* n'a guère à se préoccuper de la cure et, si le transfert y apparaît, c'est plutôt comme un « ingrédient » pour expliquer le mécanisme du rêve lorsqu'une une représentation inconsciente se met en liaison avec une représentation innocente du préconscient, « à laquelle elle transfère son intensité et qui lui sert de couverture. C'est là le phénomène du *transfert,* qui explique tant de faits frappants de la vie psychique des névrosés » ; il peut ne modifier en rien la représentation préconsciente qui prend seulement une intensité imméritée, ou bien la modifier et lui imposer le contenu de la représentation transférée. Ici, le rêve met en évidence le transfert comme expression du « principe associationniste » dans le fonctionnement psychique en général, qui veut que « toutes les représentations qui sont déjà étroitement associées à d'autres se refusent à contracter des associations nouvelles »[2]. C'est bien ce que retrouvera l'expérience du transfert sur l'analyste dans la cure.

Ce sont donc les études cliniques qui offrent l'occasion de spécifier le transfert dans le cadre. C'est ainsi qu'en 1905 l'analyse de *Dora* permet de constater que, durant la cure, la production de symptômes cesse ; la névrose n'en est nullement éteinte pour autant mais s'exerce en produisant des états psychiques généralement inconscients, éveillés à la conscience par l'analyse, rééditions, copies de tendances et de fantasmes dont « **le trait caractéristique est de remplacer une personne antérieurement connue par la personne du médecin** » – ainsi revivent nombre d'états psychiques antérieurs, « non pas comme états passés, mais comme rapports actuels » avec celui-ci. Certains de

1. *Études sur l'hystérie* (1895d), Paris, PUF, 1956, p. 245-246 ; *OCF* II, p. 329-330 ; *GW* I, p. 308-309.

2. *L'interprétation des rêves* (1900a), Paris, PUF, 1967, p. 478-479 ; *OCF* IV, p. 616-617 ; *GW* II-III, p. 568-569.

ces transferts demeurent conformes à leur modèle (stéréotypes), d'autres ont subi une atténuation, une « sublimation », et « sont même capables de devenir conscients en s'étayant sur une particularité réelle, habilement utilisée, de la personne du médecin ou des circonstances qui l'entourent » – ce sont alors « des éditions revues et corrigées ». La notion de transfert ne fait que découler de la théorie de la technique psychanalytique ; il est donc évident qu'on ne saurait éviter ce phénomène, mais qu'on doit alors le « combattre » comme toutes les résistances. Interpréter les rêves, extraire les souvenirs inconscients des associations sont des procédés faciles à apprendre puisque le malade lui-même en donne le texte ; en revanche, « le transfert doit être deviné sans le concours du malade, d'après de légers signes et sans pécher par arbitraire ». Il semble être un grave inconvénient de l'analyse mais, en fait, il n'en est rien ; « **la cure psychanalytique ne crée pas le transfert, elle ne fait que le démasquer** comme les autres phénomènes psychiques cachés » – il est d'ailleurs présent dans les autres traitements mais ceux-ci ne font spontanément appel qu'aux transferts amicaux – sinon, le patient se détache vite du médecin. Dans l'analyse, même les tendances hostiles doivent être éveillées pour être rendues conscientes, et c'est ainsi que sans cesse se détruit et se reconstruit le transfert, **transfert qui, « destiné à être le plus grand obstacle à la psychanalyse, devient son plus puissant auxiliaire** » – mais encore faut-il qu'on réussisse à le deviner et à en traduire le sens[1].

Quatre ans plus tard, dans une autre étude clinique – « Remarques sur un cas de névrose obsessionnelle (L'homme aux rats) –, Freud mentionne, sans s'y attarder, son utilisation du transfert dans cette cure[2]. Ce n'en est pas moins l'annonce de plusieurs années d'intenses réflexions sur le transfert.

Sur ***le transfert et le contre-transfert,*** devons-nous dire, car c'est alors que celui-ci apparaît dans les textes. Il est assez remarquable

1. « Fragment d'une analyse d'hystérie (Dora) (1905e [1900]), *Cinq psychanalyses,* Paris, PUF, 1954, p. 86-88 ; *OCF* VI, p. 295-297 ; *GW* V, p. 279-281.

2. « Remarques sur un cas de névrose obsessionnelle (L'homme aux rats) » (1909d), *Cinq psychanalyses,* Paris, PUF, 1954, p. 225, 229, 235 ; *OCF* IX, p. 167, 172, 179 ; *GW* VII, p. 415, 421, 429.

qu'il ne le fasse que dans des écrits qui n'étaient pas, au départ, destinés à être publiés. Il y est pourtant mentionné d'une façon telle qu'il est clair que le terme est familier aux interlocuteurs ; c'est ainsi que Freud peut écrire à Carl Gustav Jung en 1909, commentant le passage à l'acte amoureux de celui-ci avec Sabina Spielrein, sa patiente : « De telles expériences, si elles sont douloureuses, sont aussi nécessaires et difficiles à épargner » ; c'est à travers elles que « nous pousse la peau dure qu'il nous faut, et on devient maître du "contre-transfert" dans lequel on est tout de même chaque fois placé, et on apprend à déplacer ses propres affects et à les placer correctement »...[1].

Quelques mois plus tard, devant la Société psychanalytique de Vienne, il signale « une règle importante pour l'analyse : **tandis que le patient s'attache au médecin, le médecin est sujet à un processus similaire, celui du "*contre-transfert*"** », contre-transfert qu'il doit complètement surmonter s'il veut rester maître de la situation psychanalytique[2]. La même année, il publie enfin un texte qui prend une position « publique », reconnaissant que le contre-transfert l'a conduit à « des innovations d'ordre technique intéressant la personne même du médecin » qui **réagit à « l'influence qu'exerce le patient sur les sentiments inconscients de son analyste »** ; c'est l'occasion de réaffirmer la nécessité, pour celui-ci, d'être au clair avec ses propres complexes et résistances – ce qui implique d'**avoir lui-même subi une analyse, qu'il ne devra d'ailleurs jamais cesser d'approfondir**[3].

La même année, dans ses conférences américaines, il explique que la suggestion ne peut être comprise que par le transfert, qui en donne la clé ; « **le transfert se constitue spontanément dans toutes les relations humaines** aussi bien que dans le rapport entre le médecin et son malade ». **La psychanalyse ne le crée pas, elle se borne à le révéler** à la conscience et l'utilise pour orienter les processus vers les buts souhaités ; « ce phénomène joue un rôle décisif non seulement pour

1. *Correspondance Sigmund Freud-Carl Gustav Jung* (1975a [1906-1914]), Paris, Gallimard, 1975, vol. I (lettre du 7 juin 1909, p. 309).

2. *Minutes de la Société psychanalytique de Vienne,* Paris, Gallimard, 1978, t. II (1908-1910), p. 436-437 (séance du 9 mars 1910).

3. « Les chances d'avenir de la thérapie psychanalytique » (1910d), *De la technique psychanalytique,* Paris, PUF, 1953, p. 27 ; *OCF* X, p. 67 ; *GW* VIII, p. 108.

convaincre le malade, mais aussi le médecin » : il est essentiel que celui-ci fasse une expérience personnelle de ses effets, qu'il subisse donc lui-même une psychanalyse[1].

En 1912, Freud fait un point approfondi sur le transfert lui-même, dans un article essentiel sur lequel nous devons nous attarder : « La dynamique du transfert ». Dans la mesure où tout individu, de par ses prédispositions et son histoire infantile, vit sa vie amoureuse d'une façon très personnelle, y satisfaisant certaines pulsions et se posant certains buts, il va **tendre à les répéter, au cours de son existence.** Ceci aboutit à « une sorte de *cliché* qui se répète plusieurs fois, se reproduit quand les circonstances extérieures et la nature des objets aimés accessibles le permettent » ; c'est là une attitude tout à fait normale qui se retrouve chez tout individu, toujours plus ou moins frustré dans son besoin d'amour et qui « se tourne inévitablement, avec un certain espoir libidinal, vers tout nouveau personnage qui entre dans sa vie » ; dans un traitement psychanalytique, c'est tout naturellement le médecin qui joue ce rôle. C'est là un phénomène de transfert qui s'établit donc selon des « prototypes », des « clichés », et **le patient ne fait qu'intégrer le médecin dans l'une des « séries complémentaires » qui préexistent** dans son psychisme ; il privilégie souvent l'*imago* paternelle, mais pas seulement, et le transfert peut se réaliser tout aussi bien suivant les images maternelle, fraternelle, etc. – mais, « ce qui donne au transfert son aspect particulier est le fait qu'il dépasse la mesure et s'écarte, de par son caractère même et son intensité, de ce qui serait normal, rationnel ». **C'est lui qui fournit *la plus forte résistance*** à la psychanalyse. Aussi, lorsque les associations viennent à manquer, on peut lever cet obstacle « en assurant au patient qu'il se trouve actuellement sous l'empire d'une idée se rapportant à la personne du médecin ». Si le transfert est bien ce qu'il y a de plus efficace pour la réussite du traitement, il peut aussi devenir ce qu'il y a de plus puissant pour s'y opposer.

Dans tout traitement de psychonévrose, il y a une *introversion* de la libido ; celle-ci s'engage dans la voie de la régression et réactive les

1. *Sur la psychanalyse (cinq conférences)* (1910a), Paris, Gallimard, 1991, p. 110-111 ; *OCF* X, p. 51-52 ; *GW* VIII, p. 55-56.

imaginations infantiles. Le traitement analytique doit suivre la libido pour tenter de la rendre de nouveau accessible au conscient et la mettre au service de la réalité mais, « chaque fois que l'investigation analytique découvre une des cachettes de la libido, un conflit surgit : toutes les forces qui ont provoqué la régression se muent en “résistances” contre nos efforts pour maintenir le nouvel état de choses ». Bientôt, la résistance est si forte qu'elle marque les associations qui apparaissent alors comme un compromis entre les exigences de cette résistance et celles du travail de la cure. « L'expérience montre que c'est ici que surgit le transfert » : lorsque quelque chose peut être reporté sur le médecin, « le transfert a lieu, fournit l'idée suivante et se manifeste sous la forme d'une résistance – **c'est** » **justement parce qu'elle satisfait la résistance** « **que l'idée transférentielle peut se glisser jusqu'à la conscience.** » L'intensité et la durée d'un transfert sont la conséquence et l'expression de la résistance ; le transfert suppose un état de complaisance de la libido demeurée sous l'influence des imagos infantiles, mais son rôle dans la cure ne s'explique que par rapport à la résistance.

Pour comprendre comment le transfert sert la résistance, il faut bien distinguer les deux sortes de transfert : l'un « positif » fait de sentiments tendres, l'autre « négatif » fait de sentiments hostiles ; dans le transfert positif lui-même on distingue des sentiments tendres capables de devenir conscients, et d'autres inconscients qui ont un fondement érotique – mais, « originellement, nous n'avons connu que des objets sexuels ». Nous avons maintenant la clé de l'énigme : « **Le transfert sur la personne de l'analyste ne joue le rôle d'une résistance que dans la mesure où il est un transfert négatif ou bien un transfert positif composé d'éléments érotiques refoulés.** » « Liquider » le transfert en le rendant conscient revient à écarter ces deux composantes de la relation affective. L'élément non choquant, donc apte à devenir conscient, demeure et devient le facteur du succès. « Sur ce point, nous admettons volontiers que les résultats de la psychanalyse se fondent sur la suggestion », à condition de définir celle-ci comme étant « l'influence exercée sur un sujet au moyen des phénomènes de transfert qu'il est capable de produire » – ce qui, remarquons-le, constitue une parfaite tautologie.

Dans les psychonévroses, le transfert négatif coexiste souvent avec le transfert tendre ; c'est là l'*ambivalence* ; dans une certaine mesure, celle-ci est normale mais, chez les névrosés, elle peut atteindre un degré trop élevé et renforcer la résistance. Dès que le patient est en proie à une intense résistance de transfert, il cherche à enfreindre la « règle fondamentale » (révéler tout ce qui lui vient à l'esprit), il oublie tous les engagements pris aux débuts du traitement ; nous pénétrons dans le domaine des processus inconscients auxquels il attribue un caractère d'actualité et de réalité : il veut agir ses passions sans égards pour la réalité elle-même. « Or le médecin cherche à le contraindre à intégrer ces émois dans le traitement et dans l'histoire de sa vie, à le soumettre à la réflexion et à les apprécier selon leur réelle valeur psychique. » Alors s'engage dans la cure, entre l'intellect, le discernement du médecin et les forces pulsionnelles, le besoin de décharge du patient, une lutte qui se joue presque exclusivement dans les phénomènes du transfert. « **C'est sur ce terrain du transfert qu'il faut remporter la victoire** dont le résultat se traduira par une guérison durable de la névrose. »[1]

À la suite (en 1913), à propos de « La disposition à la névrose obsessionnelle » et comme en passant, Freud porte une appréciation que l'on doit considérer comme décisive, tant pour la conduite de la cure que pour signifier : « J'ai affirmé, non sans de bonnes raisons, que **chacun de nous possède, dans son propre inconscient, l'instrument avec lequel il est capable d'interpréter les manifestations de l'inconscient chez l'autre** »[2] –le contre-transfert n'est pas nommé, mais c'est bien de ce qui fait son essence qu'il est ici question.

Le temps est maintenant venu de faire véritablement la **théorie du transfert,** de produire les écrits que nous dirons *« définitifs »*, quitte à reprendre ce qui put être déjà avancé. Freud le fait dans deux publications entre 1914 et 1916 : l'une dans la série des *« écrits techniques »* plus directement adressés aux praticiens de la psychanalyse, l'autre

1. « La dynamique du transfert » (1912b), *De la technique psychanalytique,* Paris, PUF, 1953, p 50-52 ; *OCF* XI, p. 107-109 ; *GW* VIII, p. 364-366.

2. « La disposition à la névrose obsessionnelle. Une contribution au problème du choix de la névrose » (1913f), *Névrose, psychose et perversion,* Paris, PUF, 1973, p. 192 ; *OCF* XII, p. 88 ; *GW* VIII, p. 445.

dans de grandes conférences universitaires qui entendent la présenter à un large public (il appartient d'ailleurs au transfert de les conclure).

En 1914 donc (publiées en 1915), les « Observations sur l'amour de transfert » viennent se situer entre deux autres textes majeurs : « Remémoration, répétition et perlaboration » et « Pour introduire le narcissisme ». La réflexion y part du constat que, dans la pratique de la cure psychanalytique, bien plus que les difficultés à interpréter et à retrouver le refoulé, « **les seuls obstacles vraiment sérieux se rencontrent dans le maniement du transfert** »[1]. À l'évidence, la résistance joue un rôle important dans son apparition ; pendant un temps, suscitant ou tout au moins exprimant son attachement, ce transfert a pu entraîner l'entière collaboration de la malade, mais soudain tout est balayé et elle semble se perdre dans cet amour – et toujours au moment où l'on s'attend à ce qu'elle révèle un matériel profondément refoulé ; l'amour de transfert existait depuis longtemps mais maintenant la résistance l'utilise pour entraver l'analyse[2]. Certes, cet amour n'est qu'une « réédition », « **une répétition de réactions infantiles, mais c'est là le propre même de tout amour et il n'en existe pas qui n'ait son prototype dans l'enfance** » ; ici, le facteur infantile vient donner à l'amour un caractère compulsionnel, quasi pathologique, peu apte à se modifier, ce qui permet justement de le rattacher à ses modèles infantiles – et **c'est bien là que réside l'étonnante fécondité du transfert.**

Pourtant, en dépit de cet aspect « pathologique », on ne saurait nier son authenticité : « rien ne nous permet de dénier à l'état amoureux qui apparaît au cours de l'analyse le caractère d'un amour "véritable" », son apparence « peu normale » rappelant seulement que « tout état amoureux, même en dehors de la situation analytique, rappelle plutôt les phénomènes psychiques anormaux que les états normaux ». L'amour de transfert a pourtant quelques traits propres, spécifiques : **le transfert est provoqué par la situation analytique, il est**

1. « Observations sur l'amour de transfert » (1915a [1914]), *De la technique psychanalytique*, Paris, PUF, 1953, p. 116 ; *OCF* XII, p. 199 ; *GW* X, p. 306.

2. *Ibidem*, p. 119-120 ; p. 202 ; p. 309-310.

accru par la résistance à l'analyse, il tient encore moins compte de la réalité qu'un amour normal.

La façon de procéder du médecin est commandée par le fait que c'est la situation analytique – donc lui-même – qui a déclenché cet amour de transfert, dont « il ne doit tirer aucun profit personnel, le consentement de la patiente n'y pouvant rien changer, toute la responsabilité pesant sur lui seul ». C'est là une lourde charge, et des profanes en ont pris prétexte pour mettre en garde le public contre les « dangers » de la psychanalyse ; « le psychanalyste sait bien qu'il manipule les matières les plus explosives et qu'il doit opérer avec les mêmes précautions et la même conscience que le chimiste. Mais a-t-on jamais interdit à un chimiste, à cause du danger possible, de manipuler des explosifs dangereux que justement leur efficacité rend indispensables » [1].

Les deux dernières *Conférences d'introduction à la psychanalyse,* prononcées en 1917, sont largement consacrées au transfert (la 27e en fait même son titre). Si elles reprennent ce qui fut déjà avancé, elles le font dans une présentation plus générale et plus systématique, aboutissant à une véritable théorie du travail analytique lui-même.

Donc, régulièrement, la cure se trouve perturbée par un « fait nouveau » qui consiste en un **transfert de sentiments sur la personne du médecin, que rien dans la situation de la cure puisse justifier** ; il faut bien présumer que ces sentiments viennent d'ailleurs, qu'ils étaient déjà présents chez la malade et que l'analyse n'a fait que les transférer sur la personne du médecin. Les manifestations du transfert peuvent être violentes, « tempétueuses », ou plus modérées, voire sublimées – « mais dans le fond, c'est toujours la même chose, et on ne saurait jamais méconnaître que cela provient de la même source ». Freud a jusque-là surtout traité du transfert de femmes qu'il avait en analyse ; maintenant, il s'interroge : qu'en est-il avec les patients hommes ? En fait, il n'en va guère autrement que chez les femmes : « C'est le même lien au médecin », la même surestimation, la même jalousie. Entre un homme et un autre, les formes sublimées du transfert sont plus fréquentes, la demande sexuelle directe plus rare, l'homosexualité

1. *Ibidem,* p. 127-130 ; p. 208-211 ; p. 317-320.

manifeste s'effaçant devant les autres utilisations pulsionnelles ; le transfert hostile, ou négatif, est plus fréquent qu'avec les femmes.

Le transfert se produit dès le début du traitement et va d'abord constituer « **le ressort le plus puissant** » de la cure ; en fait, il n'apparaît pas et on n'a pas besoin de s'en soucier aussi longtemps qu'il agit en faveur de l'analyse. Ce n'est que lorsqu'il se transforme en résistance qu'on doit lui prêter attention ; on reconnaît alors celle-ci soit à ce que le rapport à l'analyse devient particulièrement fort, révélant si nettement le besoin sexuel qu'il ne peut qu'éveiller une révolte, soit lorsqu'il laisse paraître des motions hostiles, parfois vives. Ces élans agressifs apparaissent généralement plus tard que les sentiments tendres ; lorsqu'ils sont simultanés, ils reflètent l'ambivalence qui règne dans la plupart de nos relations. **Les sentiments hostiles envers le médecin méritent également le nom de « transfert »,** la situation de cure n'étant pas suffisante pour en rendre compte ; l'existence d'un transfert négatif vient nous confirmer celle du transfert positif (ou tendre).

Dans le maniement du transfert, il est exclu que nous cédions aux demandes du patient, et tout autant que nous le repoussions avec rudesse. Nous surmontons son transfert en lui montrant que « ses sentiments ne sont pas issus de la situation présente et ne s'adressent pas à la personne du médecin, mais qu'ils répètent ce qui s'est déjà passé chez lui auparavant » ; nous l'amenons ainsi à **transformer sa répétition en souvenir.** Alors, de plus forte menace qu'il apparaissait pour la cure, **le transfert, tendre ou hostile, en devient le meilleur outil,** permettant d'accéder aux compartiments les plus fermés de la vie psychique. Une fois que la cure s'est emparée du patient, il arrive que toute la production névrotique se porte sur le seul rapport au médecin ; on n'a plus alors affaire à la maladie antérieure, mais à « **une névrose néocréée et recréée qui remplace la première** ». Tous les symptômes du malade prennent un sens pris dans une relation au transfert ; seuls peuvent rester les symptômes susceptibles de s'adapter à pareil remaniement. L'important est que « **la maîtrise de cette nouvelle névrose artificielle ne fait qu'un avec la liquidation de la maladie** apportée dans la cure, avec la résolution de notre tâche analytique ».

La référence au transfert permet de clarifier la clinique et de mettre en ordre ce qui peut apparaître comme une « nosographie » psychanalytique (Freud n'emploie pas le terme). Cette significativité extraordinaire, « véritablement centrale pour la cure », que prend le transfert dans les hystéries, les hystéries d'angoisse et les névroses obsessionnelles, permet de regrouper celles-ci sous le terme de « ***névroses de transfert*** » (les différenciant de celles dites « narcissiques »). Le transfert est bien la preuve la plus forte de leur nature libidinale ; « notre conviction que les symptômes signifient des satisfactions substitutives libidinales n'a été définitivement confirmée qu'une fois le transfert inséré dans l'ensemble ». Il importe d'ajouter que la capacité d'investir libidinalement des personnes appartient à « tous les êtres humains normaux », **le penchant au transfert des névrosés n'étant qu'un accroissement particulier, mais extraordinaire, de cette propriété générale**[1].

Enfin, il faut reconnaître que les « névrosés narcissiques n'on aucune capacité de transfert ou n'en possèdent que des restes insuffisants » ; ils ne sont pas hostiles au médecin, mais indifférents. C'est pourquoi ce qui peut être mis en œuvre chez les névrosés (le renouvellement du conflit pathogène et le surmontement de la résistance de refoulement) ne saurait s'établir chez eux : ils demeurent comme ils sont[2].

S'attaquer à la névrose est la tâche de l'analyse ; pour ce faire, pour résoudre les symptômes, il faut remonter jusqu'à leur genèse en renouvelant le conflit qui les a suscités, puis les orienter vers une autre issue ; cette révision du refoulement ne peut être que partielle lorsqu'elle porte sur les traces mnésiques : **la part décisive du travail relève du transfert.** C'est lui qui crée de « nouvelles éditions des anciens conflits » dans lesquelles le malade ne peut plus se comporter comme autrefois ; il est maintenant obligé de déplacer toutes ses forces psychiques disponibles sur « le champ de bataille du transfert », là où vont maintenant se rencontrer les forces en lutte.

Toute la **libido (avec tout ce qui s'oppose à elle) est rassemblée sur le seul rapport transférentiel** ; il est dès lors inévitable que les

1. *Conférences d'introduction à la psychanalyse* (1916-1917), Paris, Gallimard, 1999, p. 561-566 ; *OCF* XIV, p. 458-462 ; *GW* XI, 459-464.

2. *Ibidem*, p. 568 ; p. 463-464 ; p. 465.

symptômes se voient dépouillés de libido. À la place de la maladie propre du patient vient celle, artificiellement instaurée, qu'est le transfert : la « maladie du transfert » ; à la place des objets libidinaux irréels les plus divers vient l'objet représenté par le seul médecin, relevant d'ailleurs lui aussi du fantasme. Mais, à l'aide de la suggestion médicale, le nouveau combat mené pour gagner cet objet est élevé au plus haut stade psychique : son déroulement est maintenant celui d'un conflit psychique normal. Un nouveau refoulement est évité, l'aliénation entre moi et libido cesse, « l'unité psychique de la personne est réinstaurée ». Puis la libido se détache de cet objet temporaire du transfert, sans pour autant faire retour à ses objets antérieurs ; elle devient disponible pour le moi. Ce travail thérapeutique se décompose donc en deux phases : dans la première, à partir des symptômes, toute la libido est poussée dans le transfert et s'y concentre ; dans la seconde le combat pour ce nouvel objet est gagné et la libido qui s'y attache s'en trouve libérée. La modification décisive est la mise hors circuit du refoulement dans ce conflit renouvelé, empêchant la libido de se soustraire une fois de plus au moi en fuyant dans l'inconscient ; pour ce faire, il faut que la « suggestion médicale » ait modifié le moi : par « **le travail d'interprétation qui transpose de l'inconscient en du conscient, le moi est agrandi aux dépens de cet inconscient** » (on peut voire là une préfiguration de ce qui deviendra, en termes de seconde topique, l'adage « *Wo Es war, soll Ich werden* » : là où était du ça, du moi doit advenir[1]). Ce que le moi (et déjà celui de la première topique) a pu apprendre, le rend conciliant à l'égard de la libido et enclin à lui concéder quelque satisfaction ; sa crainte devant ses revendications est réduite par la nouvelle possibilité de la liquider en partie par la sublimation. « Plus les processus à l'œuvre dans le traitement coïncident avec cette description idéale, plus le succès de la thérapie psychanalytique sera grand. »[2]

Durant plus de vingt ans, Freud n'éprouve pas le besoin de revenir sur le transfert ; cela ne veut nullement dire qu'il l'abandonne, bien au

1. *Nouvelles conférences d'introduction à la psychanalyse* (1933a [1932]), Paris, Gallimard, 1984, p. 110 ; *OCF* XIX, p. 163 ; *GW* XV, p. 86.

2. *Ibidem*, p. 576-578 ; p. 471-472 ; p. 472-474.

contraire, et il le réfère régulièrement à propos d'un exemple clinique, d'une illustration du travail de la cure, voire d'un résumé des acquis majeurs de la psychanalyse; mais il semble bien ne plus rien avoir à ajouter à la description et à la théorie du transfert, et pas plus à la technique de son maniement. Ce n'est qu'en 1938, dans cet ouvrage quasiment testamentaire qu'est l'*Abrégé de psychanalyse,* qu'il y revient longuement, dans le chapitre consacré à « La technique psychanalytique » ; il n'y apporte rien de véritablement nouveau mais en fait une approche confortée par une longue pratique et les acquis des dernières théorisations – et notamment de la dernière topique.

Il commence par redire son étonnement face à certains faits qui « ne laissent pas de nous surprendre », le plus remarquable de ceux-ci étant le transfert qui fait que le patient ne saurait se contenter de considérer son analyste comme un soutien, voire un conseiller rémunéré (tel « un guide montagnard pendant une difficile ascension »), mais qu'il lui faut absolument en faire « le retour, la réincarnation d'un personnage important de son enfance, de son passé », sur lequel **il transfère des sentiments et des réactions destinées au modèle originel.** Ce facteur a une importance insoupçonnée : « D'une part, il offre un secours irremplaçable et, d'autre part, il peut aussi constituer une source de périls graves. » Ambivalent, comportant à la fois des attitudes positives tendres et d'autres négatives et hostiles à l'égard de l'analyste mis à la place de l'un des parents, père ou mère. Tant qu'il reste positif, il nous rend les plus grands services, modifie toute la situation analytique en minorant le dessein rationnel de ne plus souffrir pour le remplacer par celui de complaire à l'analyste et d'obtenir son amour. **Il devient ainsi le véritable moteur de la cure;** sous son influence le moi se renforce, les symptômes disparaissent et le patient semble guéri « rien que par amour pour son analyste ».

En substituant l'analyste à père ou mère, le patient lui confère « le pouvoir que son surmoi exerce sur son moi » ; **ce nouveau surmoi peut donc « procéder à une *post-éducation* du névrosé et rectifier certaines erreurs » commises autrefois par les parents** – c'est d'ailleurs là-dessus qu'il importe pour le thérapeute de ne pas mesuser de l'influence qu'il a prise. Si tenté qu'il puisse être de devenir le modèle et l'idéal de ses patients, il doit se rappeler que ce n'est pas le but de l'analyse, que ce serait même là faillir à sa tâche.

Un autre avantage du transfert est de faire se dérouler, « sous nos yeux », un fragment important de l'histoire du patient, ce que tous les renseignements n'auraient pu fournir : « **Tout se passe comme s'il agissait devant nous, au lieu de seulement nous informer.** » Mais la situation offre un autre aspect : reproduisant donc l'attitude du patient à l'égard de ses parents, le transfert répète aussi son ambivalence, si bien qu'un jour vient où l'attitude positive à l'égard de l'analyste se transforme en attitude négative et hostile – c'est là aussi une répétition du passé. La recherche de la faveur du père (ou de la mère) a ses racines dans un désir érotique ; un jour ou l'autre « ce même désir s'impose aussi dans le transfert », exige d'être satisfait mais ne peut, dans la situation analytique, aboutir qu'à la frustration, tout rapport sexuel réel entre patient et analyste étant exclu. Ce qui est perçu comme un dédain est alors l'occasion d'un *« retournement du transfert »*. Lorsque celui-ci devient *négatif*, les résultats thérapeutiques survenus grâce au transfert positif « sont balayés comme fétus de paille au vent » et on a l'impression d'avoir « travaillé et peiné pour rien » ; la confiance du patient en l'efficacité du traitement a disparu. C'est parce que dans le transfert positif existe un puissant besoin érotique qui ne peut que rester insatisfait, que souvent il s'inverse et le patient se sent offensé, délaissé, hait l'analyste et est tout prêt à abandonner l'analyse. Il méconnaît, bien sûr, la véritable nature de ces sentiments, « les prend pour des faits nouveaux réels alors qu'ils ne sont que des reflets du passé » ; le risque de l'arrêt de l'analyse est réel, aussi l'analyste doit-il arracher le patient à sa dangereuse illusion, mais il lui faut surtout, d'abord, « **veiller à ce que ni les sentiments amoureux, ni les sentiments hostiles, n'atteignent un degré excessif** » – il le fait **en interprétant le transfert.** « Lorsqu'on réussit, comme il arrive généralement, à éclaircir les patients sur la nature véritable des phénomènes de transfert, on enlève aux résistances une arme puissante, on transforme les dangers en gains. » [1]

1. *Abrégé de psychanalyse* (1940a [1938]), Paris, PUF, 1985, p. 42-45 ; *OCF* XX, p. 267-270 ; *GW* XVII, p. 100-103.

QUESTIONS ET ENJEUX

Jusqu'à son dernier ouvrage, Freud fait régulièrement part de son étonnement face au *transfert* ; celui-ci semble aujourd'hui tellement entré dans notre quotidien qu'il arrive que certains se surprennent de cet étonnement. Pourtant, à bien y regarder, le phénomène demeure saisissant : ne fonctionne-t-il pas comme un délire, comme une psychose, même si Freud préfère le nommer « névrose » ? S'il n'est qu'une manifestation de l'inconscient, ce dernier n'en est pas moins une aporie pour désigner quelque chose qui ne peut, par définition, que nous demeurer insaisissable, inconnaissable de fait, qui nous permet pourtant de connaître le fonctionnement psychique ; le transfert n'est qu'un exemple du paradoxe de l'inconscient, mais quel exemple ! Non seulement il lui revient d'en rendre tangible le fonctionnement, mais il devient aussi le moteur, l'outil pour agir sur cet inconscient et le transformer – en en faisant du conscient.

L'une des choses les plus surprenantes est sans doute qu'une fois reconnue son existence (mais c'est justement elle qui fut difficile à accepter), la compréhension du transfert fut d'emblée aboutie, ses caractères identifiés, la technique de son maniement coulant alors de source. Cela se précisa certes au fil des écrits mais, assez tôt, l'essentiel était acquis, et d'abord dans la pratique elle-même ; sa théorisation, comme la codification de son maniement dans la pratique (avec celle de son complément contre-transférentiel), était suffisamment au point en 1917 pour qu'il n'y ait plus lieu d'y revenir une vingtaine d'années durant. La connaissance du transfert ne nous pose donc guère de problèmes ; en revanche, ses conséquences en posent d'assez considérables.

La surprise freudienne est certes suscitée par le phénomène lui-même, par ce qu'il représente et par son efficience, mais aussi par la puissance des forces libidinales qui l'animent : le transfert est « le moteur », « le meilleur outil », « le ressort le plus puissant » de la cure – mais, bien sûr, tant de puissance ne va pas sans risques, et le transfert est aussi l'occasion des plus grandes menaces contre la poursuite de l'analyse. Cela tient certes à sa face « négative », lorsque est surtout transférée une hostilité qui peut pousser à interrompre la cure si elle ne peut être interprétée à temps. Cela renvoie aussi sans doute, peut-être même surtout, à son compagnon imparable : le contre-transfert ; lorsqu'il est question des conséquences « explosives » que peut avoir la cure, il s'agit bien aussi – et peut-être même surtout – de celles que celui-ci provoque.

Du *contre-transfert,* comme nous l'avons vu, Freud parle peu, très peu même si l'on songe à l'importance et à la dangerosité qu'il lui reconnaît. On peut penser que cette attitude qui, d'emblée, semble correspondre à une prudence embrassée (il commence par ne l'évoquer que dans des textes qui ne doivent pas être publiés) est celle d'un « chimiste devant manier des explosifs ». Aussi Freud entend bien, d'abord, ne considérer le contre-transfert que comme un sous-produit aussi inévitable que fâcheux du transfert, surtout comme un risque de maladresses, comme une provocation à de regrettables dérives de la part du psychanalyste – au point que l'on a parfois l'impression qu'il ne sait trop comment s'arranger de ces égarements (on le voit nettement à l'occasion de ce qu'il désigne comme l'« affaire Spielrein »[1]). Il est pourtant loin de méconnaître les enseignements que l'analyste peut, et même doit retirer de son propre contre-transfert pour la conduite de la cure.

Le « couple analytique » formé par *transfert et contre-transfert* n'est pas sans évoquer cet autre qui régit la cure : celui des « associations libres » et de l'« attention flottante », mais celles-ci ne posent guère de problèmes techniques, ayant la force et la simplicité, la « modestie et le rationalisme » disait Freud, de la concrétude des pratiques bien comprises. Il n'en va pas de même du couple transfert–contre-transfert, l'un et l'autre étant avant tout d'ordre libidinal, émergences pulsionnelles puissantes et violentes, « explosives ». Avec le transfert, le danger provient surtout des difficultés de son maniement ; avec le contre-transfert il semble que le problème demeure assez voisin tant que les sentiments éprouvés par le psychanalyste se limitent à faire écho à ceux qu'exprime le ou la patiente, lui permettant de demeurer vigilant puisqu'il connaît bien les raisons de cette « mésalliance, de ce faux rapport ». Mais on peut penser que les craintes de Freud visent ce que l'on pourrait désigner comme le « transfert de l'analyste », et non plus seulement son contre-transfert. C'est bien en effet de cela qu'on l'entend parler lorsqu'il pose l'équivalence des effets du contre-transfert et du transfert : « Tandis que le patient s'attache au médecin, le médecin est sujet à un processus similaire, celui du "*contre-transfert*" », qui donc l'« attache » au patient

1. *Correspondance Sigmund Freud-Carl Gustav Jung* (1975a [1906-1914]), Paris, Gallimard, 1975, vol. I (lettre du 7 juin 1909, p. 309).

– et on doit penser que la situation peut alors devenir encore plus « explosive ». C'est qu'il est dangereusement semblable au transfert, provoqué comme lui par la situation analytique et par elle seule, tenant comme lui encore moins compte de la réalité qu'un amour normal, prenant comme lui la signification d'une résistance à l'analyse – mais située cette fois chez l'analyste lui-même. Plus que dans les mises en garde, pourtant réitérées avec force, sa seule sauvegarde se trouve dans sa propre psychanalyse, dans son auto-analyse régulièrement poursuivie. Le risque de transgressions est moins grand dans le cas d'une analyse d'un homme par un homme, les sublimations étant plus fréquentes, l'homosexualité manifeste tendant à s'effacer. En revanche, Freud n'évoque jamais le contre-transfert des femmes analystes – dont on sait aujourd'hui qu'il amène beaucoup plus rarement des passages à l'acte, ce qui ne va pas sans nous interroger sur les pathologies contre-transférentielles.

Deux propos de Freud fixent bien le champ où opère le contre-transfert : d'un côté il limite les possibilités du thérapeute car « tout analyste ne peut mener à bien ses traitements qu'autant que ses propres complexes et ses résistances intérieures le lui permettent »[1] ; de l'autre, c'est aussi lui qui offre les capacités de pratiquer une analyse car « chacun de nous possède, dans son propre inconscient, l'instrument avec lequel il est capable d'interpréter les manifestations de l'inconscient chez l'autre »[2]. Le contre-transfert est ainsi tout à la fois une limite et un instrument ; il est aussi dangereux que nécessaire, et la seule façon d'échapper au dilemme est un recours technique, qui s'impose d'ailleurs comme une nécessité absolue : l'analyste doit impérativement être au clair autant qu'il se peut avec ses propres complexes et résistances, donc « avoir lui-même subi une psychanalyse, qu'il ne devra d'ailleurs jamais cesser d'approfondir »[3].

1. « Les chances d'avenir de la thérapie psychanalytique » (1910d), *De la technique psychanalytique*, Paris, PUF, 1953, p. 27 ; *OCF* X, p. 67 ; *GW* VIII, p. 108.

2. « La disposition à la névrose obsessionnelle. Une contribution au problème du choix de la névrose » (1913f), *Névrose, psychose et perversion*, Paris, PUF, 1973, p. 192 ; *OCF* XII, p. 88 ; *GW* VIII, p. 445.

3. « Les chances d'avenir de la thérapie psychanalytique » (1910d), *De la technique psychanalytique*, Paris, PUF, 1953, p. 27 ; *OCF* X, p. 67 ; *GW* VIII, p. 108.

S'il est possible que le transfert, « destiné à être le plus grand obstacle à la psychanalyse, devienne son plus puissant auxiliaire »[1], il semble légitime d'espérer qu'il en aille de même pour le contre-transfert. En fait, cela s'avère plus difficile et bien plus délicat – d'où le malaise de Freud et ses mises en garde répétées face au transfert, et surtout face à ses manifestations d'amour : « Il est exclu que nous cédions aux demandes du patient », mais si, pour surmonter son transfert, nous pouvons montrer à celui-ci que « ses sentiments ne sont pas issus de la situation présente et ne s'adressent pas à la personne du médecin », encore faut-il que le médecin en soit convaincu dans son être, dans sa chair, et ne s'abandonne pas à la satisfaction narcissique si naturelle de se découvrir aimé, oubliant que ce n'est pas vraiment lui qu'on aime – tellement « naturelle » qu'elle amène à considérer que de telles expériences sont « nécessaires et difficiles à épargner » ; c'est sans doute ce qui conduit Freud à témoigner d'une compréhension à la limite de la connivence envers Jung, qui surprend lorsqu'on garde en mémoire la rigueur de ses mises en garde. Il est vrai qu'il lui avoue que, bien que ne s'étant pas lui-même fait prendre ainsi, il en a été plusieurs fois très près : « J'ai eu *a narrow escape* » (je l'ai échappé belle)[2].

Déplacements, répétitions, projections… transfert et contre-transfert sont certes tout cela, mais il sont surtout, et avant tout, l'émergence directe des pulsions, de la libido dans le travail de la cure chez ses protagonistes. Ils en sont le témoignage, d'où leur richesse irremplaçable pour la connaissance des processus ; il sont aussi l'expression de leur puissance, d'où leur grande dangerosité qui ne doit surtout pas être ignorée.

Claude Le Guen

Transmission de pensée → Télépathie et transmission de pensée

1. « Fragment d'une analyse d'hystérie (Dora) (1905e [1900]), *Cinq psychanalyses*, Paris, PUF, 1954, p. 86-88 ; *OCF* VI, p. 295-297 ; *GW* V, p. 279-281.

2. *Correspondance Sigmund Freud-Carl Gustav Jung* (1975a [1906-1914]), Paris, Gallimard, 1975, vol. I (lettre du 7 juin 1909, p. 309).

TRAUMA, TRAUMATISME

all. : ***Trauma.*** – angl. : *trauma.* – esp. : *trauma, traumatismo.* – ital. : *trauma.* – port. : *trauma, traumatismo*

Un trauma est une expérience vécue apportant à la vie psychique, en un bref laps de temps, un accroissement d'excitations externes assez fortes pour ne pouvoir être liquidées selon les normes habituelles ; faisant alors effraction dans le pare-excitation, entraînant un état de sidération, pouvant créer une fixation, ces excitations provoquent des perturbations durables dans l'économie, l'organisation des processus et la gestion de l'énergie. C'est dire que les traumatismes participent d'un processus économique. Ceux de la petite enfance fournissent à l'inconscient un matériel qui le préserverait de l'usure, d'autant qu'ils retrouvent un héritage archaïque phylogénétique[1].

MISE EN SITUATION

Le mot grec τραυμα qui signifie « blessure » fut directement importé par la langue médicale à la fin du XIXe *siècle, même si le mot « traumatique » (relayé par le latin* traumaticus*) est attesté dès 1549 pour désigner tout ce « qui a rapport à une blessure ». En français s'est établie une distinction entre le* trauma *qui désigne une « blessure produite par un agent extérieur agissant mécaniquement », et le* traumatisme *qui réfère « l'ensemble des troubles provoqués dans l'organisme par le trauma » ; en fait l'usage (y compris en médecine) tend à user des deux termes comme de synonymes. À noter que,*

1. Cette définition reprend celles données par Freud dans : – *Conférences d'introduction à la psychanalyse* (1916-1917), Paris, Gallimard, 1999, p. 351 ; *OCF* XIV, p. 285 ; *GW* XI, p. 284. – « Extrait de l'histoire d'une névrose infantile (L'homme aux loups) » (1918b [1914]), *Cinq psychanalyses,* Paris, PUF, 1954, p. 419 ; *OCF* XIII (2e éd.), p. 118 ; *GW* XII, p. 156. – *Au-delà du principe de plaisir* (1920g), *Essais de psychanalyse,* Paris, Payot, 1981, p. 71 ; *OCF* XV, 1996, p. 300 ; *GW* XIII, p. 29. – *L'homme Moïse et la religion monothéiste* (1939a), Paris, Gallimard, 1986, p. 195-196 ; *OCF* XX, p. 178-180 ; *GW* XVI, p. 206-207.

contrairement à une opinion assez répandue, trauma est le terme premier et n'est nullement une abréviation de traumatisme ; c'est au contraire ce dernier qui en est une extension. Trauma fut très tôt transposé pour s'appliquer aux dommages psychiques produits par des émotions violentes ayant des conséquences sur l'ensemble de l'organisation psychique ; Freud en a d'emblée adopté la notion. Il convient de remarquer qu'il n'emploie que le mot « trauma », la langue allemande (comme l'anglaise) ignorant « traumatisme » : on doit donc considérer, en bonne psychanalyse freudienne, que non seulement les deux termes sont parfaitement équivalents, mais qu'il serait sans doute plus pertinent de n'user que du seul trauma, si l'usage n'avait répandu le traumatisme.

Au fil de son œuvre, Freud a suivi plusieurs approches du trauma. On peut ainsi reconnaître trois périodes successives qui, sans s'infirmer, se recoupent et se complètent en élargissant la notion. Dans la première, l'idée apparaît très tôt, naturellement pourrait-on dire, pour indiquer la violence et le bouleversement psychique éprouvés de façon ponctuelle : c'est une circonstance accidentelle qui appartient au vécu, et qui met en jeu la sexualité ; Freud lui confère un rôle privilégié dans la production des symptômes hystériques, et la psychanalyse s'étant d'abord construite sur l'hystérie, la notion de trauma ne pouvait qu'y prendre une place importante. La deuxième période commence en 1914 avec l'histoire clinique de « L'homme aux loups », où l'accent se porte sur la « scène originaire » dont l'effet traumatique est déterminant pour l'organisation de la névrose ; mais d'autres « fantasmes originaires » (séduction et castration) jouent pareillement un rôle majeur dans l'organisation psychique. Si, à partir de 1916, est accentuée la signification énergétique et économique du traumatisme, c'est le recours à la « névrose traumatique » qui, en 1920, conduit à la pulsion de mort par la compulsion de répétition. Enfin, en 1926, le « traumatisme de la naissance » se voit imputer la première angoisse, suscitant le refoulement originaire et, par là, ordonnant le développement psychique. On le voit, de circonstanciel qu'il était aux débuts de l'œuvre, le trauma est devenu structurel.

LE TEXTE FREUDIEN

Traumatisme et hystérie

Le recours à la notion de traumatisme s'impose à Freud dès ses premiers travaux sur l'hystérie, d'abord en référence à Jean-Martin Charcot en 1892[1], de façon plus personnelle à partir de 1893. Dans les *Études sur l'hystérie* il montre, avec Joseph Breuer, le **rapport étroit entre symptômes hystériques et traumatismes psychiques,** illustrant cette thèse de cinq exemples cliniques de phénomènes hystériques dans lesquels *des traumatismes psychiques produits par des incidents ont déclenché un surcroît d'excitation*[2].

Dans pratiquement toutes les publications qui vont suivre, jusqu'à 1900[3], Freud reprend ce thème, le complétant à l'occasion. Il peut ainsi indiquer que la puberté réveille et exacerbe l'excitation infantile, le souvenir agissant comme s'il était un événement actuel, une « action posthume d'un traumatisme sexuel »[4]. Il confirme la même année qu'il s'agit là de *traumatismes sexuels de la première enfance* (d'avant la puberté) correspondant à une irritation effective des organes génitaux (comme dans le coït) : d'ailleurs **ce ne sont pas les événements eux-mêmes qui sont traumatiques, mais « leur reviviscence sous forme de souvenir »**, conduisant au refoulement de celui-ci[5].

1. « Pour une théorie de l'attaque hystérique » (1940d [1892]), *Résultats, idées, problèmes, I,* Paris, PUF, 1984, p. 26-27 ; *OCF* I, p. 363 ; *GW* XVII, p. 9.

2. *Études sur l'hystérie* (1895d), Paris, PUF, 1956, p. 7-8 ; *OCF* II, p. 25 ; *GW* I, p. 82.

3. Citons : – « Étude comparative des paralysies motrices organiques et hystériques » (1893c), *Névrose, psychose et perversion,* Paris, PUF, 1973 ; *OCF* III (PUF, 1989) ; *GW* I. – « Les psychonévroses de défense » (1894a) et « Obsessions et phobies. Leur mécanisme psychique et leur étiologie » (publié en français) (1895c), *Ibidem.* – « L'hérédité et l'étiologie des névroses » (publié en français) (1896a), *Ibidem.* – « Nouvelles remarques sur les psychonévroses de défense » (1896b), *Ibidem.* – « L'étiologie de l'hystérie » (1896c), *Ibidem.*

4. « L'hérédité et l'étiologie des névroses » (publié en français) (1896a), *Névrose, psychose et perversion,* Paris, PUF, 1973, p. 57 ; *OCF* III, p. 118 ; *GW* I, 419.

5. « Nouvelles remarques sur les psychonévroses de défense » (1896b), *Névrose, psychose et perversion,* Paris, PUF, 1973, p. 62-64 ; *OCF* III, p. 124-126 ; *GW* I, p. 380-382.

Le traumatisme n'apparaît pas dans *L'Interprétation de rêves,* tout au moins dans la première édition ; il sera seulement mentionné dans la deuxième en 1909 par une note où Freud indique qu'il a compris « plus tard » qu'un rêve pouvait répéter le trauma initial dont partait la névrose[1]. Cette absence comme cette remarque tardive montrent que, si le traumatisme était suffisamment connu avant 1900, il ne l'était que dans son rapport à l'hystérie et à la sexualité, sans être encore intégré dans une théorie du fonctionnement psychique ; il ne le sera qu'après les *Trois essais sur la théorie sexuelle* (1905) qui, eux-mêmes, ne le mentionnent pas.

Traumatismes, scènes originaires et névroses

C'est donc en 1906 que Freud reprend la notion pour corriger l'appréciation portée une dizaine d'années plus tôt sur la réalité des entreprises de séduction (il avait dû, en fait, l'abandonner dès 1897[2]) : ce sont là des **fantasmes élaborés comme tentatives de défense contre le souvenir d'une activité sexuelle précoce traumatisante** ; si le traumatisme cesse ainsi d'être un facteur étiologique, il lui appartient de déterminer la forme de la névrose éventuelle, et ce d'autant qu'il favorise le refoulement[3]. En 1909, le cas de « L'homme aux rats » fournit l'occasion de le situer par rapport à la névrose obsessionnelle. Dans celle-ci (à l'encontre de l'hystérie où l'amnésie est à l'œuvre), les causes occasionnelles récentes de la névrose demeurent en mémoire mais, le refoulement ayant dépouillé le traumatisme de sa charge affective, ne demeurent comme souvenir conscient qu'une représentation indifférente[4].

1. *L'interprétation des rêves* (1900a), Paris, PUF, 1967, p. 166, n. 1 ; *OCF* IV, p. 222 n. 1 ; *GW* II-III, p. 191.

2. *La naissance de la psychanalyse. Lettres à Wilhelm Fliess. Notes et plans (1887-1902)* (1950a [1887-1902]), Paris, PUF, 1956, p. 190-191.

3. « Mes vues sur le rôle de la sexualité dans l'étiologie des névroses » (1906a), *Résultats, idées, problèmes, I,* Paris, PUF, 1984, p. 117 ; *OCF* VI, p. 312 ; *GW* V, 153. – *Les premiers psychanalystes (minutes de la Société psychanalytique de Vienne)* (1976a), Paris, Gallimard, 1976, t. I (1906-1908), p. 288 (séance du 18 décembre 1907).

4. « Remarques sur un cas de névrose obsessionnelle (L'homme aux rats) » (1909d), *Cinq psychanalyses,* Paris, PUF, 1954, p. 226 ; *OCF* IX, p. 169 ; *GW* VII, p. 417.

En 1914, Freud rédige les « Extraits de l'histoire d'une névrose infantile (L'homme aux loups) » (qu'il ne publiera qu'en 1918). Sa réflexion se porte sur les **effets traumatiques des scènes originaires.** En effet, à quatre ans, ce patient a « remplacé une impression actuelle par un traumatisme imaginaire » survenu à un an et demi, et, s'il a pu le faire, c'est parce que, devant édifier une scène remplissant certaines conditions, il ne pouvait les retrouver qu'en des temps reculés. Ainsi, en réactivant l'image d'un rapport sexuel de ses parents, il comprend la scène et **elle agit alors « à la façon d'un événement récent, mais aussi à la manière d'un traumatisme nouveau,** d'une intervention étrangère analogue à une séduction ». Il s'agit là de l'effet exercé par les fantasmes originaires, transmis phylogénétiquement, qui viennent littéralement contraindre l'organisation psychique ; ce patrimoine instinctif se rapporte régulièrement à la vie sexuelle et constitue le noyau de l'inconscient, gardant le pouvoir d'attirer des processus psychiques supérieurs ; le refoulement serait le retour à ce stade. « **Le rôle important des traumatismes de la petite enfance serait de fournir à l'inconscient un matériel qui le préserverait de l'usure.** »[1] (En 1918, Freud ajoute au texte original une demi-douzaine de pages pour, à la lumière de ses derniers écrits, actualiser sa thèse sur la valeur réelle des scènes originaires.)

La névrose traumatique

Dans les *Conférences d'introduction à la psychanalyse* (1916-1917), si les **fantasmes originaires** sont effectivement spécifiés, leur caractère traumatique n'est pas explicité, même si le contexte le laisse supposer. En revanche, apparaît la notion de **névroses traumatiques,** qui doivent être d'autant distinguées des névroses spontanées (familières à l'analyste) qu'elles sont difficiles à faire entrer dans leur cadre ; il est cependant un point de concordance puisque les deux se fondent sur une *fixation* à l'accident traumatique. Cette situation sera répétée dans les rêves : « C'est comme si ces malades n'étaient pas venus à

1. « Extrait de l'histoire d'une névrose infantile (L'homme aux loups) » (1918b [1914]), *Cinq psychanalyses,* Paris, PUF, 1954, p. 368, 409 et 419 ; *OCF* XIII (2e éd.), p. 57, 107 et 118 ; *GW* XII, p. 89, 144 et 156.

bout de la situation traumatique, comme si celle-ci se trouvait devant eux au titre de tâche actuelle non maîtrisée » (conception proprement « économique ») ; donc **est traumatique ce qui, en un temps bref, accroît si fortement les excitations qu'elles ne peuvent plus être liquidées,** créant une fixation et causant des perturbations énergétiques durables. S'il serait trop réducteur d'assimiler toute névrose à une affection traumatique provoquée par l'incapacité à liquider une expérience affective excessive (ce serait un retour aux formulations de 1893-1895, négligeant les nouvelle observations), on ne saurait pour autant abandonner le point de vue traumatique : simplement, « il devra s'insérer et s'inclure ailleurs ». Il prend place, notamment, dans les *séries complémentaires* qui rendent compte de la causation des névroses par la **rencontre d'un vécu accidentel traumatique avec une fixation de la libido** (elle-même résultant de la constitution héritée et du vécu infantile), ces deux facteurs étant représentés de telle manière que l'un croît quand l'autre diminue. Dans les névroses traumatiques proprement dites (dans les névroses de guerre surtout), existe un motif égoïste du moi, qui aspire à la protection et au bénéfice, mais qui ne saurait créer la maladie à lui seul ; il l'approuve pourtant, l'entretient lorsqu'elle est instaurée et, surtout, interdira la guérison tant que ne pourra être exclue la répétition de ces dangers ou, à tout le moins, obtenu un dédommagement[1].

Dans *Au-delà du principe de plaisir,* en 1920, Freud s'appuie sur **la névrose traumatique pour introduire le principe de répétition et la pulsion de mort.** Il commence par redéfinir comme traumatiques « les excitations externes assez fortes pour faire effraction dans le pare-excitations ». Ainsi **le trauma met le principe de plaisir hors-jeu** ; la tâche prioritaire est maintenant de maîtriser, de lier les excitations qui ont pénétré par effraction, afin de les liquider. La névrose traumatique en apparaît comme la conséquence ; l'effroi conserve toute son importance, résultant d'un manque de préparation par l'angoisse qui aurait dû surinvestir les systèmes recevant en premier l'excitation,

1. *Conférences d'introduction à la psychanalyse* (1916-1917), Paris, Gallimard, 1999, p. 351-352, 460 et 483-484 ; *OCF* XIV, p. 285-286, 357 et 394-395 ; *GW* XI, p. 284-285, 357 et 396.

constituant la dernière ligne de défense. **Pour l'issue des traumatismes, le facteur décisif tient à la différence entre systèmes non préparés et systèmes préparés par surinvestissement.** Les rêves traumatiques (qui ramènent régulièrement la situation de l'accident) tentent de maîtriser rétroactivement l'excitation en réactivant l'angoisse, dont l'omission avait provoqué la névrose traumatique. Nous découvrons là « une fonction de l'appareil psychique qui, sans contredire le principe de plaisir, est pourtant indépendante de lui et semble plus originaire que la recherche du gain de plaisir et l'évitement du déplaisir ». Dans la névrose traumatique, le rêve n'est pas un accomplissement de désir ; pareillement, ceux des cures analytiques ramènent souvent le souvenir des traumatismes psychiques de l'enfance, obéissant plutôt à la compulsion de répétition. Le trauma permet ainsi de corriger la fonction originaire attribuée au rêve (écarter les motifs d'interruption du sommeil en accomplissant le désir des motions perturbatrices), qui exige l'acceptation de la domination du principe de plaisir ; il y aurait un temps antérieur auquel, même en dehors de l'analyse, peuvent renvoyer des **rêves qui, au service de la liaison psychique des impressions traumatiques, obéissent à la compulsion de répétition**[1].

Le traumatisme de la naissance

En 1926, dans *Inhibition, symptôme et angoisse,* Freud approfondit les différents aspects du traumatisme ; il le fait d'abord par rapport à l'*angoisse,* mais aussi aux *symptômes des psychonévroses* (à commencer par l'hystérie), et s'il revient sur la *névrose traumatique*[2], il traite surtout du *traumatisme de la naissance* (notion que Otto Rank avait introduite deux ans plus tôt).

La naissance fournit le prototype d'une expérience d'augmentation d'excitation et de décharge ; **elle suscite la première angoisse, les suivantes n'étant qu'une reproduction de ce qui constitue le premier**

1. *Au-delà du principe de plaisir* (1920g), *Essais de psychanalyse,* Paris, Payot, 1981, p. 71-76 ; *OCF* XV, p. 300-305 ; *GW* XIII, p. 29-34.

2. *Inhibition, symptôme et angoisse* (1926d [1925]), Paris, PUF, 1951, p. 42-43 et 52-53 ; *OCF* XVII, p. 237-238 et 245-246 ; *GW* XIV, p. 150-151 et 159.

traumatisme. Mais si, à cette occasion, il y a bien danger réel, celui-ci ne saurait avoir un contenu psychique, puisqu'il n'y a pas encore de moi constitué ; même si nous admettons que le petit enfant répète l'angoisse à chaque réveil du souvenir, nous ignorons quel est ce souvenir, et ce qui le réveille. Nous devons donc nous rabattre sur les situations dans lesquelles le nourrisson, ou le jeune enfant, découvrant l'angoisse, s'aménage un moi : est en cause, à chaque fois, l'absence de la mère, de la personne aimée et ardemment désirée. **L'angoisse est donc une réaction à l'absence éprouvée de l'objet,** ce qui peut renvoyer à l'angoisse de castration (et, au-delà, à l'angoisse originaire de la naissance). En outre, ces situations de « danger » voient croître l'insatisfaction et la tension du besoin, face auxquelles l'enfant est impuissant. De ce point de vue, cette situation est analogue à celle de la naissance, et en répète le danger : il y a « perturbation économique consécutive à l'accroissement des quantités d'excitation qui exigent d'être liquidées », facteur qui est le véritable noyau dangereux et provoque la réaction d'angoisse. « Nous n'avons pas besoin de supposer que l'enfant ait conservé de sa naissance d'autre indice caractérisant le danger. » [1]

Si le traumatisme de la naissance est le lot commun, déterminant toutes les angoisses à suivre qui signifieront toutes une séparation de la mère, il change selon chacun et la violence de **la réaction d'angoisse varie avec la force du traumatisme.** Le vécu de la situation de danger tient à l'estimation de la faiblesse de nos forces face à celui-ci, à la reconnaissance de notre détresse (matérielle ou psychique), **fondée sur la réalité d'expériences traumatiques** : « Cette situation de danger est la situation de détresse reconnue, remémorée, attendue ; l'angoisse, réaction originaire à la détresse dans le traumatisme, est reproduite ensuite dans la situation de danger comme signal d'alarme ; **le moi, qui a vécu passivement le traumatisme, en répète maintenant de façon active une version atténuée,** dans l'espoir de pouvoir en diriger le cours à sa guise. » C'est ainsi que, par le jeu, l'enfant répète les impressions pénibles afin de les maîtriser et, ce faisant, de lier l'excitation. Le point décisif est « le premier déplacement de la réaction d'angoisse,

1. *Ibidem,* p. 57 et 59 ; p. 248 et 250 ; p. 163 et 165.

qui passe de son origine dans la situation de détresse à l'attente de celle-ci, à la situation de danger » ; c'est ce que retrouve la perte de l'objet[1].

En 1933, les *Nouvelles conférences d'introduction à la psychanalyse* reviennent sur ces problèmes, et d'abord sur celui posé par les **rêves dans les névroses traumatiques** qui, en répétant la situation de trauma, contredisent les premières hypothèses sur la fonction du rêve réalisateur de désir. Mais, lorsqu'on réinsère le rêve dans le contexte général, il faut s'attendre à trouver des résultats obscurcis ou altérés par la confrontation à d'autres forces. Nous devons donc dire plutôt que « le rêve *tente* d'être un accomplissement de désir » et que parfois, **il doit y renoncer, notamment lorsque existe une fixation inconsciente à un traumatisme** qui vient entraver le travail du rêve. Si la névrose traumatique est un cas extrême, des perturbations mineures du fonctionnement du rêve peuvent aussi se produire à l'occasion d'expériences infantiles traumatisantes[2].

Freud revient ensuite au **trauma de la naissance.** La naissance, comme toute situation de danger, provoque un état d'excitation et de tension ressenti comme déplaisir et nécessitant une décharge ; les efforts du principe de plaisir échouent alors, et un tel état apparaît comme un facteur traumatique. « En passant par la série "angoisse névrotique-angoisse réelle-situation de danger", nous arrivons à cette proposition simple : ce qui est redouté, **l'objet d'angoisse est, à chaque fois, l'apparition d'un facteur traumatique** qui ne peut être liquidé selon la norme du principe de plaisir. » Lorsqu'une impression suscite une excitation telle que le principe de plaisir est paralysé et qu'une situation de danger est ainsi créée, il y a facteur traumatique. Celui-ci peut aussi se constituer lorsqu'il n'y a pas de danger, donc pas de signal d'angoisse, mais qu'une motivation nouvelle fait resurgir celle-ci. En témoignent les refoulements tardifs au cours desquels l'angoisse est réveillée comme signal d'une ancienne situation de danger, alors que « les premiers refoulements, **les refoulements**

1. *Ibidem*, p. 78 et 96 ; p. 265 et 281 ; p. 182 et 200.

2. *Nouvelles conférences d'introduction à la psychanalyse* (1933a [1932]), Paris, Gallimard, 1984, p. 42-44 ; *OCF* XIX, p. 110-111 ; *GW* XV, p. 30-31.

originaires se constituent directement à la rencontre du moi avec une revendication libidinale excessive, issue de facteurs traumatiques ; ils forment leur angoisse de manière nouvelle, mais sur le modèle de la naissance ». Nous devons considérer que l'angoisse est tantôt la conséquence directe du facteur traumatique, tantôt un signal de risque de réapparition d'un tel facteur[1].

Les impressions de l'enfance (jusqu'à cinq ans environ) peuvent agir comme des traumatismes sur un moi inachevé, faible, et qui ne sait se défendre contre les tempêtes affectives autrement que par des refoulements prédisposant aux névroses. L'éducation remplit très mal sa tâche et inflige de graves dommages ; mais, même si elle accomplissait au mieux sa fonction, elle ne saurait espérer plus qu'effacer l'influence des traumatismes infantiles accidentels, et elle demeurerait impuissante à agir sur une constitution pulsionnelle rebelle[2].

En 1937, est réaffirmée la double origine des troubles névrotiques produits par l'action conjointe d'un facteur constitutionnel fait de « pulsions excessivement fortes, donc réfractaires au domptage par le moi », et d'un facteur accidentel résultant de « traumatismes précoces, c'est-à-dire prématurés, dont un moi immature n'a pu se rendre maître » ; la prépondérance de ce deuxième facteur est de loin la plus favorable à l'analyse[3]. Le travail analytique a aussi révélé, avec la découverte des fantasmes originaires, que les réactions aux traumatismes précoces ne s'en tiennent pas strictement au vécu, mais peuvent correspondre au modèle d'un événement phylogénétique, d'un traumatisme ancien ainsi transmis ; complexes d'Œdipe et de castration en sont les meilleurs exemples[4].

1. *Ibidem*, p. 127-128 ; p. 176-177 ; p. 100-101.

2. *Ibidem*, p. 197 et 200 ; p. 231 et 234 ; p. 158 et 161.

3. « L'analyse avec fin et l'analyse sans fin » (1937c), *Résultats, idées, problèmes, II*, Paris, PUF, 1984, p. 235 ; *OCF* XX, p. 21 ; *GW* XVI, p. 63.

4. *L'homme Moïse et la religion monothéiste* (1939a), Paris, Gallimard, 1986, p. 195-196 ; *OCF* XX, p. 179-180 ; *GW* XVI, p. 206-207.

QUESTIONS ET ENJEUX

Comme nous l'indiquions d'entrée, *le trauma change de statut* au fil du texte freudien. Au départ, il lui appartient d'expliquer l'apparition des symptômes hystériques : provoqué par le contact avec la réalité d'un être encore fragile, le trauma est une expérience vécue qui se passe mal, suscitant des symptômes en réponse à un agent extérieur. Les traumas sont des accidents dus aux circonstances, des réactions à un danger – et ce, même si l'immaturité du petit enfant les rend inévitables. Trente ans plus tard, le trauma résulte de la représentation d'un événement menaçant, et ne se limite plus à une cause occasionnelle : il appartient au traumatisme de la naissance, par son caractère universel (et même s'il demeure réaction à un danger, bien réel d'ailleurs), d'ordonner tout le fonctionnement psychique puisqu'il se situe tant à la source de la première angoisse que du refoulement originaire ; par eux, le trauma de la naissance détermine toutes les angoisses et refoulements (défenses) à venir. Ce faisant, le trauma structure le psychisme. Entre ces deux moments de la recherche, la prise en compte de l'intensité du trauma dans la névrose traumatique a permis d'une part de généraliser sa fonction dans les événements plus mineurs et, d'autre part, de reconnaître un échec du principe de plaisir conduisant à concevoir une pulsion de mort. Mais là encore, et aussi « fatal » qu'il apparaisse, le trauma n'en demeure pas moins un « accident » ; c'est d'ailleurs ce qui conduit Freud à la notion de « séries complémentaires », à qui il appartient de conjuguer le constitutionnel et l'accidentel (à noter cependant que la part constitutionnelle est elle-même partiellement déterminée par la fixation de la libido, dans laquelle le trauma infantile a joué son rôle). *Le traumatisme est inévitable puisque le nouveau-né doit entrer dans un milieu extérieur d'abord hostile ; tout aussi bien, il est indispensable car il permet d'organiser le fonctionnement psychique* (il est, tout à la fois, potentiellement mortel, et nécessairement vital).

Les *fantasmes originaires* posent un problème particulier, ne serait-ce que parce que Freud ne les désigne pas explicitement comme ayant valeur traumatique. Ceci peut surprendre, dans la mesure où il ne manque jamais de noter l'effet bouleversant, déclencheur d'angoisse, de la scène originaire, de la séduction précoce ou de la menace de castration. On peut penser que c'est précisément leur nature élaborée de formation, de représentation fantasmatique qui fait qu'ils ne sauraient être en eux-mêmes traumatiques. En revanche, on retrouve le trauma « aux deux bouts » du fantasme : au départ il y aurait toujours un élément de réalité qui peut être intrusif, voire effractif, et lors de l'irruption de la représentation l'effet est le plus souvent traumatisant (c'est ce qu'illustre le rêve de l'homme aux loups). On peut donc considérer que le trauma est omniprésent dans les fantasmes originaires, mais n'est pas un élément constituant du fantasme.

Le surcroît, l'effet de surcharge dans le trauma tient à l'*excitation,* cette part du fonctionnement psychique au plus proche du biologique (c'est ce qui permet de concevoir qu'il puisse y avoir un traumatisme à la naissance). Tout en reconnaissant que nous avons beaucoup de mal à dire ce qu'est l'excitation (ce « grand *X* à reporter dans chaque nouvelle formule »), Freud peut malgré tout indiquer qu'elle est la force momentanée d'un impact unique – spécifiant le vivant – qu'une liaison doit réduire ; on voit comment ceci impose au trauma, ce pur produit de l'excitation, d'agir « en un bref laps de temps », son effet nocif tenant à ce que l'excès d'excitation (qui le caractérise) ne peut être réduit. En fait, *le trauma n'est rien d'autre qu'une forme particulière, exagérée, donc pathogène, des effets des excitations et de la décharge* (d'où le recours à une fixation pour tenter de bloquer celle-ci). Même s'il a pu conduire à concevoir la pulsion de mort, le trauma demeure étroitement lié à l'excitation et n'appartient pas directement à la théorie des pulsions (ce qui différencie le mieux ces deux notions est la façon d'agir de l'énergie : impact momentané pour l'excitation ne visant qu'à se décharger, force constante dirigée vers un but pour la pulsion, et ce même si elle dépend aussi de sa source, où elle tend à se confondre avec l'excitation). L'excitation précède et suscite la pulsion, ce qui explique que le trauma puisse être présent d'emblée, dès la naissance, avant l'apparition de quelque chose qui commence à mériter le nom de « moi », moi qui en sera pourtant la victime. La distinction fondamentale entre Éros et pulsion de mort « présuppose l'existence de processus physiologiques aux directions opposées », dont l'excitation est le meilleur représentant, le trauma en étant sa pathologie [1].

1. *Le moi et le ça* (1923b), *Essais de psychanalyse,* Paris, Payot, 1981, p. 256 ; *OCF* XVI, p. 286 ; *GW* XIII, p. 271.

Freud en vient ainsi à énoncer que « l'expression "traumatique" n'a pas d'autre sens qu'un tel sens *économique* »[1]. En effet – et quelles qu'en soient les conséquences qualitatives –, le trauma renvoie avant tout à une problématique des quantités de forces et de contre-forces : excitation et pare-excitation ; violence du choc lui-même et/ou accumulation de chocs minimes, mais aussi gravité des situations circonstancielles ; la causalité résulte des interactions, au sein d'une série complémentaire, entre constitution et accident.

Claude LE GUEN

TRAVAIL et ÉLABORATION PSYCHIQUE

all. : ***Arbeit.*** – angl. : *work.* – esp. : *elaboración.* – ital. : *lavoro.* – port. : *elaboraçela*

La notion de travail psychique est une expression majeure de la théorie énergétique, plus particulièrement de sa fonction dynamique (et à un moindre degré : économique). Le travail, produit par la poussée de la pulsion, s'efforce de contrôler et maîtriser les excitations ; pour ce faire, il en transforme le flux (l'élaboration secondaire en étant la forme la plus aboutie), ce qui exige temps et effort. Émergeant du ça, il concerne au premier chef le moi, plus particulièrement dans ses relations avec la réalité et les autres instances. À la base de tout fonctionnement psychique, le travail s'applique à des champs divers, selon des modes particuliers. Le *« travail du rêve »* est paradigmatique des autres formes ; plus spécifiquement, il convertit les pensées latentes en contenus manifestes, processus que pourra défaire le *« travail de l'interprétation »* dont la forme la plus élaborée demeure la *« perlaboration »* (travail en profondeur) dans la cure analytique.

1. *Conférences d'introduction à la psychanalyse* (1916-1917), Paris, Gallimard, 1999, p. 352 ; *OCF* XIV, p. 286 ; *GW* XI, p. 285.

MISE EN SITUATION

*Lorsqu'il est question de « **travail** » ou d'« **élaboration** » en psychanalyse, c'est bien évidemment de travail et d'élaboration « **psychique** » qu'il s'agit (même s'il peut arriver à Freud, à l'occasion, de parler du travail pris dans le sens d'une production sociale).*

À ces termes peuvent d'ailleurs en être rattachés d'autres, dont nous ne traiterons pas ici, bien qu'ils impliquent l'idée de travail ; dans ceux-ci, le nom (Arbeit) *n'apparaît pas. Il en va ainsi : – des « **processus** » (essentiellement les « processus primaires » animés par une énergie libre, et les « processus secondaires » dont l'énergie est liée) qui, conformément à l'étymologie, supposent une « marche en avant » et indiquent le déroulement d'une suite de phénomènes, les processus se rapportant à l'effet du travail, à son avancée et à sa transformation ; – des « **formations** » (on distingue celles du rêve et du symptôme, mais aussi les formations de compromis, réactionnelles et substitutives, toutes à considérer comme formations de l'inconscient) ; ce sont là des formes organisées, et donc reconnaissables, que produit spécifiquement le travail psychique dans certaines situations, impliquant généralement des défenses. Tous relèvent du « **fonctionnement** » psychique, et tous furent introduits par l'étude du rêve, le « travail du rêve » restant le modèle de référence à leur intelligence.*

En psychanalyse, la notion de travail est tout à fait centrale. Référence fondamentale pour la compréhension du fonctionnement psychique, elle est constitutive de la théorie énergétique au sein de laquelle elle représente d'abord le point de vue dynamique, mais également l'économique ; elle témoigne plus particulièrement du caractère agissant, « poussant » de la pulsion. En allemand, le terme Arbeit *(travail), omniprésent dans le texte freudien, se retrouve dans de nombreux mots composés, ce dont ne rendent qu'imparfaitement compte les traductions françaises. Elles optent le plus souvent pour « travail » (travail du rêve* [Traumarbeit], *travail de deuil* [Trauerarbeit], *travail de pensée* [Denkarbeit], *travail de remémoration* [Erinnerungarbeit], *travail de condensation* [Verdichtungarbeit] *et travail de déplacement* [Verschiebungarbeit], *travail d'interprétation* [Deutungarbeit] *et travail analytique* [Analytikarbeit], *voire travail culturel* [Kulturarbeit], *sans compter quelques autres). Mais, parfois, elles choisissent « élaboration ».*

(Il nous paraît intéressant d'ouvrir ici une parenthèse sémantique à propos des termes de « travail » et de « labeur », celui-ci étant dérivé du latin labor *qui désigne « l'effort, la fatigue » – « labourer » venant de* laborare *qui signifie « travailler dur, avec peine ». Le « labeur » est défini comme étant un « travail pénible et soutenu, dur, patient et assidu », ce qui, remarquons-le, serait le plus proche de l'*Arbeit *allemand ; « travail » vient du latin populaire* tripaliare, *« torturer, tourmenter » (le* tripalium *étant un instrument de torture), mais le mot a perdu ce sens néfaste qui ne s'est maintenu que pour désigner « les douleurs, le travail de l'accouchement » et indique, depuis le* XVIII*e siècle, les « activités de production de ce qui est utile, les façons de le faire, voire l'ensemble de ces activités », la notion d'extrême pénibilité tendant ici à s'effacer, alors qu'elle se maintient pour le labeur, qui se doit d'impliquer ce qui est « laborieux ». Dans ces entrecroisements de sens, « élaborer » introduit un autre glissement puisque, dérivé du latin tardif* elaborare, *il a pris le sens de « produire par le travail, de perfectionner », qui se retrouve dans « élaboration ».*

*Dans les textes français de psychanalyse, à côté de travail, nous parlons donc aussi d'élaboration, essentiellement sous la forme d'« élaboration psychique » (*psychische Verarbeitung, *ou* Bearbeitung, *ou* Verarbeitung*), termes pour lesquels les bons dictionnaire allemand-français indiquent « travailler au sens de façonner, de transformer » (par exemple : travailler le bois), ce qui est effectivement plus proche d'une élaboration – voire du néologisme « perlaboration »* (Durcharbeiten) *pour signifier un « travail, une étude à fond » qui ne s'applique qu'au travail en psychanalyse, de la cure, dans la cure.*

Dans cet article, nous ne détaillerons pas les diverses spécifications des notions de travail et d'élaboration, nous limitant à les évoquer et les situer ; elles seront plus amplement traitées à l'entrée correspondant au terme qui les particularise. Ici, nous entendons nous attacher à la notion même de travail, au-delà de ces connotations particulières, mais en repérant clairement ses principales acceptions. Pour autant, nous n'ignorons pas que cette distinction tient d'abord à un mode d'approche, à un « point de vue », et ne saurait faire oublier que le travail psychique demeure un tout ; ainsi en va-t-il, par exemple, du travail du rêve, qu'on l'aborde par le biais du travail ou du rêve – c'est dire que, même si le texte peut être parfois redondant, les deux entrées renvoient l'une à l'autre. Il convient enfin de souligner l'univocité du terme dans le texte freudien, sa constance sémantique selon ses diverses occurrences au fil de l'œuvre : c'est ainsi *qu'en 1938, dans l'*Abrégé de psychanalyse, *reprenant encore la notion de « travail du rêve » et de « travail analytique », Freud peut redire, pour l'essentiel, ce qu'il avança et développa dès 1900 dans* L'interprétation des rêves.

Nous l'avons indiqué d'emblée : la notion de travail (et avec elle celle d'élaboration) participe de la théorie énergétique. Le travail, sous toutes ses formes, est étroitement lié aux pulsions, ce que Freud énoncera tôt (et confirmera tout au long) : « Les pulsions ne doivent être considérées que comme mesure du travail demandé à la vie psychique. » [1] *Il en va ainsi parce que le travail psychique prend sa source dans l'activité biologique, dont il hérite le caractère contraint, inexorable, comme une « une sorte de nécessité »* [2] *– Freud parlant régulièrement d'« exigence de travail » ; il est une manifestation de la poussée, « poussée à élaborer psychiquement »* [3]*, dont il est une des formes d'expression les plus claires ; il poursuit un but qui est, avec constance, une transformation, à commencer par celle de l'objet.*

LE TEXTE FREUDIEN

Le terme de « travail » apparaît en 1893 dans une acception assez conforme à ce qui sera développé par la suite : « Chaque événement, chaque impression psychique est muni d'une certaine valeur affective dont le moi se délivre par la voie de réaction motrice ou par un travail psychique associatif » – sinon il y a trauma, cause d'hystérie ; cette théorie est celle de « l'abréaction de l'accroissement d'excitation » [4]. Contrairement à ce à quoi l'on pourrait s'attendre, la notion n'est pas

1. *Trois essais sur la théorie sexuelle* (1905d), Paris, Gallimard, 1987, p. 83.

2. *L'interprétation des rêves* (1900a), Paris, PUF, 1967, p. 161 ; *OCF* IV, p. 216 ; *GW* II-III, p. 185.

3. *Au-delà du principe de plaisir* (1920g), *Essais de psychanalyse,* Paris, Payot, 1981, p. 54 ; *OCF* XV, 1996, p. 287 ; *GW* XIII, p. 14.

4. « Quelques considérations pour une étude comparative des paralysies motrices organiques et hystériques » (1893), *Résultats, idées, problèmes, I,* Paris, PUF, 1984, p. 58 (original en français) ; *OCF* II, p. 364 ; *GW* I, p. 54.

reprise en 1895 dans l'« Esquisse d'une psychologie scientifique ». Il faudra attendre sept ans pour la voir réapparaître, mais avec quelle force !

Le travail du rêve

En **1900**, avec *L'interprétation des rêves*, la notion de ***travail psychique*** est reprise, exposée et développée. D'abord simplement mentionnée sans explicitation dans le cours du texte, elle se voit consacrer, à mi-ouvrage, un important chapitre précisément intitulé « travail du rêve », celui-ci apparaissant paradigmatique du « travail psychique » dont il n'est qu'une forme particulière, mais exemplaire. En son sein même peuvent être distingués le travail de *condensation*, le travail de *déplacement* et le travail de *figuration*, avec la *symbolique* ; tous sont des **manifestations de l'activité du travail psychique dont ils sont l'un des modes.**

Le **travail de condensation** fait que le rêve manifeste a moins de contenu que le rêve latent[1], alors même que le **travail de déplacement** remplace un élément latent par un autre plus éloigné, faisant passer l'accent sur un élément sans importance[2]. C'est ainsi que la masse entière des pensées du rêve se trouve *réélaborée*, chacun des éléments étant *surdéterminé*[3] ; de la sorte, dans le travail du rêve se manifeste un pouvoir psychique qui, pour transformer le rêve, agit par le désinvestissement et la surdétermination. Déplacement et condensation commandent la forme de nos rêves[4].

Le « rêvé » contient la *figuration de la réalité* avec le souvenir véritable, le rêve se bornant à figurer le *désir du rêveur* ; le travail du rêve

1. *L'interprétation des rêves* (1900a), Paris, PUF, 1967, p. 247 ; *OCF* IV, p. 326-327 ; *GW* II-III, p. 290. – Voir aussi les *Conférences d'introduction à la psychanalyse* (1916-1917), Paris, Gallimard, 1999, p. 220-222 ; *OCF* XIV, p. 176-177 ; *GW* XI, p. 174-176. Cet ouvrage reprend longuement les thèses de *L'interprétation des rêves*, de façon souvent plus condensée et plus aboutie ; c'est pourquoi nous choisirons parfois de le citer, en référant cette entorse chronologique.

2. *Ibidem*, p. 265-266 ; p. 223-225 ; p. 193-194.

3. *L'interprétation des rêves* (1900a), Paris, PUF, 1967, p. 247 ; *OCF* IV, p. 326-327 ; *GW* II-III, p. 290.

4. *Ibidem*, p. 265-266 ; p. 352 ; p. 313.

utilise le rêve lui-même comme une sorte de refus de la réalité, confirmant ainsi l'idée que le rêve est un accomplissement de désir[1]. Ce qui opère là est le **travail de figuration visuelle,** troisième temps essentiel pour lequel « le travail du rêve emploie tous les moyens à sa portée », et qui consiste notamment à transposer les pensées en images visuelles[2] (le tout étant « dramatisé », comme il sera précisé plus tard[3]). Ainsi, le rêve résulte de la combinaison de la surdétermination, du déplacement, de la condensation, et de l'exigence de figurabilité[4].

Le travail du rêve transforme, il ne crée pas, et notamment pas de discours ; ceux qui peuvent y paraître, sensés ou non, ne sont que des fragments de discours de la veille, employés au gré des pensées du rêve, le sens des mots pouvant être alors totalement transformé[5]. Les pensées du rêve ne sont jamais absurdes ; le travail du rêve ne produit des rêves absurdes que lorsqu'il lui faut figurer les critiques, ironies et railleries.

La *censure* peut « produire des adjonctions et des accroissements », à côté des limitations et des omissions ; elles sont faciles à reconnaître car, rapportées timidement par le rêveur, elles n'interviennent que pour associer deux parties du rêve. Moins bien conservées par la mémoire que les rejetons du matériel du rêve, ces pensées intermédiaires sont oubliées les premières. « Cette partie du travail du rêve se distingue par son caractère tendancieux », s'efforçant d'enlever au rêve ses incohérences pour le faire paraître compréhensible ; **on reconnaît là le travail de l'*élaboration secondaire*** (le terme est quasiment pléonastique, et on doit remarquer que Freud n'évoque jamais une « élaboration primaire », parlant à l'occasion d'« élaboration psychique » au sens de travail psychique, paraissant alors en désigner la part la plus quantita-

1. *Ibidem,* p. 291 ; p. 383 ; p. 344.

2. *Ibidem,* p. 352 ; p. 460 ; p. 415 (voir aussi : *Conférences d'introduction à la psychanalyse* (1916-1917), Paris, Gallimard, 1999, p. 225 ; *OCF* XIV, p. 180 ; *GW* XI, p. 178).

3. *Sigmund Freud présenté par lui-même* (1925d), Paris, Gallimard, 1984, p. 76 ; *OCF* XVII, p. 92 ; *GW* XIV, p. 71.

4. *L'interprétation des rêves* (1900a), Paris, PUF, 1967, p. 378 ; *OCF* IV, p. 493-494 ; *GW* II-III, p. 447.

5. *Ibidem,* p. 357 ; p. 466 ; p. 421.

tive telle qu'elle peut être liée ou dérivée). L'élaboration secondaire est le quatrième élément de la formation du rêve, le moins contraignant, tendant à conférer un semblant de sens très éloigné du sens véritable ; « ce sont là des rêves qui ont, pour ainsi dire, été déjà interprétés une fois avant d'être soumis à notre interprétation au réveil ». Ce quatrième facteur du rêve y contribue surtout par le choix qu'il opère dans les pensées du rêve déjà formées, celles-ci offrant même, parfois, comme une « façade au rêve » toute prête : « J'appelle d'ordinaire *fantasme* cet élément particulier ; pour éviter tout malentendu, disons aussitôt que ce qui y correspond pendant la veille est le rêve diurne. » [1]

Pour résumer cet exposé sur le travail du rêve, disons que « **le travail psychique dans la formation du rêve se divise en deux opérations : la production des pensées du rêve, et leur transformation en contenu du rêve** ». Les pensées elles-mêmes sont « normales, correctes » ; elles appartiennent à la pensée non consciente dont va d'ailleurs aussi dériver, transformée, notre pensée consciente. « Le rêve n'est, au fond, qu'une forme particulière de pensée que permettent les conditions propres à l'état de sommeil », « penser » étant d'ailleurs déjà, en soi, un travail. Le travail du rêve, qui crée cette forme, est l'essence du rêve et en explique la nature particulière ; en revanche, l'autre partie, le travail qui transforme les pensées en *« contenu du rêve »* est propre au rêve. « Ce travail, qui est vraiment celui du rêve, diffère beaucoup plus de la pensée éveillée que tout ce que l'on a cru » ; il y a entre les deux une différence de nature. **Le travail du rêve ne pense pas,** ni ne calcule, ni ne juge ; **il se contente de transformer.**

Son produit, le rêve, doit d'abord être soustrait à la *censure ;* pour ce faire, « le travail du rêve se sert du *déplacement des intensités psychiques,* qui peut aller jusqu'à une "transvaluation de toutes les valeurs" psychiques ». Il doit ensuite traduire les pensées en recourant seulement aux traces mnésiques, visuelles ou auditives – c'est là ce qui impose « la prise en considération de la figurabilité », et donc de nouveaux déplacements portant, cette fois, sur les représentations. Il lui faut enfin produire des intensités plus fortes que celles des pensées du rêve et, pour ce faire, il procède à « une *condensation* qui

1. *Ibidem,* p. 418-419 ; p. 541-542 ; p. 495.

ramasse et concentre les pensées éparses du rêve » ; s'intéressant peu aux *relations logiques,* il ne consent à les figurer que « de façon dissimulée, par des particularités de *forme* » [1].

Le travail du rêve commence dès l'état de veille, sous le contrôle du préconscient. Puis, durant toute la nuit, il y a des modifications par la censure, des attractions par des tableaux inconscients, des pénétrations de force dans la perception ; on peut même penser que « le travail du rêve dure souvent plus d'un jour et une nuit » [2].

Enfin et surtout : **le travail du rêve n'est pas une activité psychique singulière** ; celle-ci est, entre autres, en identité totale avec les particularités des psychonévroses, au point que l'on peut transférer aux rêves les conclusions tirées de l'étude de l'hystérie, et plus particulièrement « le principe suivant : *cette élaboration psychique anormale d'une pensée normale ne peut avoir lieu que lorsque a été transféré, sur cette pensée normale, un désir inconscient d'origine infantile et qui se trouve refoulé* ». C'est bien pourquoi « **la théorie du rêve s'est construite sur l'hypothèse que le désir formateur du rêve provenait toujours de l'inconscient** » [3].

Un an plus tard, en **1901**, paraît *Sur le rêve,* petit ouvrage de commande fait d'extraits de l'œuvre princeps plus ou moins résumés ; s'il tend à négliger l'étude du fonctionnement psychique, il traite assez bien du travail du rêve lui-même. À part quelques récits de rêves inédits, Freud n'y apporte rien de nouveau mais, à l'occasion, fournit des condensés clairs et précis de sa pensée, tel : « **Je nommerai *travail du rêve le* processus de transformation du contenu latent du rêve en contenu manifeste. Le pendant de ce travail, qui opère la transformation inverse, je l'ai nommé travail d'analyse.** » [4] Ou encore : « La *déformation du rêve* est l'œuvre du travail du rêve et sert à la dissimulation, à l'intention de cacher. » [5]

1. *Ibidem,* p. 431-432 ; p. 557-559 ; p. 510-512.
2. *Ibidem,* p. 489-490 ; p. 631 ; p. 582.
3. *Ibidem,* p. 508 ; p. 653 ; p. 603.
4. *Sur le rêve* (1901a), Paris, Gallimard, 1988, p. 60 ; *OCF* V, p. 28 ; *GW* II-III, p. 654.
5. *Ibidem,* p. 113.

On le voit, les acquis sur le travail du rêve (avec ses constituants : travail de déplacement, de condensation et de figuration, ainsi que l'élaboration secondaire) sont parties intégrantes du travail psychique ; on peut considérer que, dès ce moment, l'essentiel est dit. Certaines précisions vont cependant être apportées, et non des moindres. Ainsi, en 1905 dans les *Trois essais sur la théorie sexuelle,* cette indication fondamentale sur la nature des pulsions qui ne posséderaient aucune qualité par elles-mêmes : **les pulsions « ne doivent être considérées que comme mesure du travail demandé à la vie psychique »**[1]. On voit ainsi se dévoiler une autre face du travail psychique, plus en prise sur les points de vue dynamique et économique, dont nous allons maintenant aborder certaines formes.

ÉLABORATION ET « PERLABORATION »

À partir de **1910,** l'intérêt se porte plutôt sur le **travail d'élaboration** : par exemple, dans les souvenirs-écrans, les fantasmes et les rêves, et plus particulièrement lorsqu'un effort est fait pour « rationaliser » un motif inconscient – ce qui est justement là, rappelons-le, la tâche de ***l'élaboration secondaire***[2]. Celle-ci est donnée en 1912-1913, dans *Totem et tabou,* comme « le prototype de toutes les formations de systèmes », depuis l'animisme des primitifs jusqu'à ceux des névrosés[3]. **Sa visée est de s'opposer au travail du rêve** et à son incohérence au profit d'un nouveau « sens » ; cette fonction intellectuelle, qui réclame l'intelligibilité de tout matériel de perception et de pensée – quitte à établir une fausse cohérence – fournit « un excellent exemple de l'essence et des exigences d'un système », non seulement dans le rêve et la vie quotidienne, mais aussi dans les phobies, les compulsions et les délires[4].

1. *Trois essais sur la théorie sexuelle* (1905d), Paris, Gallimard, 1987, p. 83.

2. « Un type particulier de choix d'objet chez l'homme » (1910h), *La vie sexuelle,* Paris, PUF, 1969, p. 53 ; *OCF* X, p. 198 ; *GW* VIII, p. 74.

3. *Totem et tabou* (1912-1913a), Paris, Gallimard, 1993, p. 171 ; *OCF* XI, p. 272 ; *GW* IX, p. 81-82.

4. *Ibidem,* p. 218 ; p. 306 ; p. 116-117.

Mais, comme c'est explicité à plusieurs reprise en 1914, celle-ci n'est qu'une forme plus aboutie d'*élaboration psychique,* ce « moyen privilégié auquel est confié la tâche de maîtriser des excitations qui, sans cela, seraient péniblement ressenties, ou auraient une action pathogène »[1]. C'est ainsi que négation et doute vont être introduits dans l'*Ics* par le travail de la censure, les processus de déplacement et de condensation témoignant là encore de l'activité du processus psychique primaire dans l'inconscient, alors que le processus secondaire domine le système préconscient[2]. Avec eux, le rêve connaît une régression topique qui assure une libre circulation entre investissements de mot (processus secondaire du *Pcs*) et investissements de chose (processus primaire de l'*Ics*), à la différence de ce qui se passe dans les psychoses (schizophrénie). Aussi, « lorsque l'interprétation du rêve suit à la trace le cours du travail du rêve », avec ses doubles sens et ses ponts verbaux, « elle produit une impression qui est tantôt celle du trait d'esprit, tantôt celle de la schizophrénie »[3].

La technique de l'analyse amène Freud à spécifier, brièvement d'ailleurs, une forme d'élaboration propre au travail analytique tel qu'il opère dans la séance. Il s'agit d'opérer un travail en profondeur, un travail à fond dans la cure, un « dur labeur » dirons-nous, qui est désigné en allemand comme *Durcharbeiten* (terme sans véritable équivalent français, pour la traduction duquel A. Berman a proposé en 1953 le néologisme de *« perlaboration »* qui s'est trouvé depuis consacré par l'usage), une perlaboration donc, ce qui ne désigne rien d'autre qu'une élaboration approfondie de l'analyse des résistances par les efforts conjugués de l'analyste et de l'analysé. La notion apparaît en 1914 dans un bref article (« Remémoration, répétition et perlaboration ») qui, à être « petit » (une dizaine de pages) n'en représente pas moins un apport important tant à la théorie de la pratique qu'à celle du fonctionnement psychique ; c'est pourquoi nous devons nous

1. « Pour introduire le narcissisme » (1914c), *La vie sexuelle,* Paris, PUF, 1969, p. 92 ; *OCF* XII, p. 229 ; *GW* X, p. 152.

2. « L'inconscient » (1915e), *Métapsychologie,* Paris, Gallimard, 1968, p. 97 ; *OCF* XIII, p. 228 ; *GW* X, p. 286.

3. « Complément métapsychologique à la théorie du rêve » (1917d [1915]), *Métapsychologie,* Paris, Gallimard, 1991, p. 136 ; *OCF* XIII, p. 254 ; *GW* X, p. 420.

y attarder, d'autant qu'il est explicitement consacré au *travail analytique* et au *travail d'interprétation.*

Après une rapide évocation des premiers procédés (hypnose, catharsis et abréaction), Freud indique en quoi la technique proprement analytique impose « une nouvelle répartition du travail » selon laquelle le médecin s'efforce « d'appliquer son art d'interpréter principalement à reconnaître les résistances qui surgissent et à les faire connaître au malade », le but restant le même qu'autrefois : « Du point de vue descriptif combler les lacunes de la mémoire, au point de vue dynamique vaincre les résistances du refoulement. » Si la remémoration est bien essentielle à ce travail, il n'en faut pas moins relativiser la quantité des matériaux oubliés (dont l'importance se trouve encore réduite par les souvenirs-écrans, si nombreux), d'autant que ces « oublis » tiennent bien souvent à ce que les événements, fantasmes ou autres, n'ont pas été associés à d'autres, ou que leurs liens ont étés supprimés ; surtout, leur « remémoration » ne peut s'effectuer tant que l'analysé n'est pas devenu apte à les « comprendre », c'est-à-dire à les resituer dans le fil associatif de son histoire.

Mais il est des cas où disparaît l'impulsion à se souvenir, remplacée par la compulsion à la répétition : « Le patient n'a aucun souvenir de ce qu'il a oublié et refoulé, et ne fait que le traduire en actes. » Ces actes, qui sont en fait une **façon de se souvenir,** sont des répétitions et c'est ce qu'exploite le transfert, qui « n'est lui-même qu'un fragment de répétition, la répétition étant le transfert du passé oublié ». L'analysé répète donc « tout ce qui, émané des sources du refoulé, imprègne déjà toute sa personnalité », ses inhibitions, ses symptômes, ses angoisses ; c'est là ce qui doit être travaillé à fond car c'est ainsi que pourront être analysées et levées les résistances : « Plus la résistance sera grande, plus la mise en acte (la répétition) se substituera au souvenir. » En allant ainsi de la remémoration à la mise en acte, puis à la répétition et au transfert pour lever les résistances, « nous avons seulement acquis une conception plus cohérente ».

Reste à en tirer les conséquences pour le travail analytique. Les résistances sont puissantes et, pour tenter de les vaincre, l'analyste doit mener « une lutte perpétuelle afin, grâce au travail de la remémoration, de liquider ce que le patient voudrait décharger par une action » ; ce travail de l'analyste repose sur « le maniement du transfert » qui vise à « **remplacer la névrose ordinaire par une névrose de transfert dont le travail thérapeutique va guérir le patient** ». Mais celui-ci doit aussi travailler et, pour ce faire, il convient de lui laisser du temps afin qu'il puisse bien connaître sa résistance, approfondir son travail sur elle, dans le but « de la vaincre et de poursuivre, malgré elle, le travail commencé ». Ainsi définie, **la *perlaboration* résulte des « efforts conjugués de l'analyste et de l'analysé »** ; elle est pour celui-ci une tâche ardue, et pour celui-là une épreuve de patience. Pourtant, « de toutes les parties du travail analytique, elle est celle qui exerce sur les patients la plus grande influence modificatrice, celle aussi qui différencie le traitement analytique de tous les genres de traitements par suggestion ». Et, par un retour de fait aux prémices de l'article, Freud la compare, d'un « point de vue théorique, à l'“abréaction” des charges affectives séquestrées par le refoulement et sans laquelle le traitement hypnotique demeurait inopérant »[1].

Travail du deuil et travail de la mélancolie

En **1915** (publié en **1917**) est rédigé « Deuil et mélancolie », qui associe étroitement le travail de l'un et de l'autre. Il s'agit là d'une nouvelle forme de travail, remarquable entre autres par le fait qu'**elle n'est pas explicitement calquée sur celle du rêve** (celui-ci n'est d'ailleurs pas mentionné dans l'article). Elle a sa propre dynamique même si, à sa façon, elle retrouve certaines formes du travail du rêve.

Dans le **deuil,** l'épreuve de réalité ayant montré que l'objet aimé n'existe plus, toute la libido doit être retirée de ce qui la retenait à cet objet ; mais une position libidinale aussi forte ne saurait être abandonnée sans rébellion, rébellion qui peut aller jusqu'à « maintenir l'objet par une psychose hallucinatoire de désir ». Normalement, le respect de la réalité doit pourtant l'emporter, mais cette tâche demande beaucoup d'investissement et un temps assez long durant lequel « l'existence de l'objet perdu se poursuit psychiquement ». Il faut que chacun des souvenirs, des espoirs, des désirs qui liaient la libido à l'objet soit travaillé, mis sur le métier, surinvesti, le détachement de la libido

1. « Remémoration, répétition et perlaboration » (1914g), *De la technique psychanalytique,* Paris, PUF, 1953, p. 105-115 ; *OCF* XII, p. 187-196 ; *GW* X, p. 126-136.

s'accomplissant à ce prix. C'est là une **activité de compromis avec la réalité qui s'avère extraordinairement douloureuse,** sans que l'on puisse vraiment l'expliquer économiquement. Toujours est-il que « le moi, après avoir achevé le travail du deuil, redevient libre et sans inhibition » [1].

La **mélancolie** opère un travail intérieur semblable à celui du deuil. Elle aussi peut être rapportée à une perte mais : d'une part dans la mélancolie celle-ci serait soustraite à la conscience alors que dans le deuil rien n'est inconscient [2] ; d'autre part, s'il y a bien aussi perte dans la mélancolie, « **la perte de l'objet s'y est transformée en une perte du moi** » [3]. Une analogie essentielle demeure pourtant entre les deux : comme le travail de deuil amène le moi à renoncer à l'objet « en le déclarant mort », le travail de la mélancolie « relâche la fixation de la libido à l'objet en le dévalorisant, en le rabaissant et même, pour ainsi dire, en le frappant à mort » ; ce faisant, il apparaît guidé par « la régression de la libido au narcissisme ». Ou bien cette fureur contre le moi finira par s'épuiser, ou bien l'objet dévalorisé sera abandonné – le moi finit alors par se reconnaître supérieur à l'objet [4].

Récapitulation des acquis

En **1917-1918** les *Conférences d'introduction à la psychanalyse* (rédigées dès 1915-1916) reviennent longuement sur le travail psychique à partir, plus particulièrement, du « Travail du rêve » (titre d'un chapitre), reprenant largement le texte de *L'interprétation des rêves* tout en en précisant les formes, à commencer par les processus de condensation, de déplacement et de figuration (transposition en images visuelles) [5]. Le travail du rêve est également « **un modèle pour**

1. « Deuil et mélancolie » (1917e [1915]), *Métapsychologie,* Paris, Gallimard, 1991, p. 150 ; *OCF* XIII, p. 264-265 ; *GW* X, p. 430.

2. *Ibidem,* p. 151 ; p. 266 ; p. 431.

3. *Ibidem,* p. 158 ; p. 270 ; p. 435.

4. *Ibidem,* p. 172 ; p. 279 ; p. 445.

5. *Conférences d'introduction à la psychanalyse* (1916-1917), Paris, Gallimard, 1999, p. 220-225 ; *OCF* XIV, p. 176-179 ; *GW* XI, p. 174-178.

le mode de production des symptômes névrotiques »[1]. Il renvoie à des processus de notre petite enfance depuis longtemps dépassés, au langage par image, à la relation symbolique, voire à ce qui se passait avant même le développement du langage pensé ; c'est dire que les expressions du travail du rêve sont *archaïques* et *régressives*. Nous pouvons ainsi **mieux comprendre les débuts de notre évolution,** puisque son mode de travail nous ramène non seulement aux premiers âges individuels, mais aussi aux premiers âges phylogénétiques[2].

Tout cet infantile ancien, qui fut autocratique, est à imputer à l'inconscient, ce « royaume psychique particulier » avec ses mécanismes propres qui n'existent nulle part ailleurs ; mais si, telles que les révèle le travail d'interprétation, les pensées du rêve sont bien inconscientes, elles « ne sont pas de ce royaume ». Cette contradiction tient à ce que, pour former les rêves, les restes diurnes (qui ont les caractères propres à notre vie consciente) se joignent à quelque chose venu de l'inconscient : **c'est entre ces restes diurnes et les remontées de l'inconscient que s'effectue le travail du rêve,** conditionnant la régression. « C'est là la vue la plus profonde sur l'essence du rêve à laquelle nous puissions ici parvenir. »[3]

Nous le vérifions une fois de plus : **le travail du rêve est la clé de tout travail psychique.** Ce sera redit en 1923 dans « "Psychanalyse" et "Théorie de la libido" » où, sans rien apporter de nouveau, est effectuée une brève récapitulation des acquis[4].

Nouveaux aperçus

C'est pourtant lors de la même année **1923** que de nouvelles idées vont se faire jour, en fonction de la remise en perspective par les théories des instances et des pulsions. Repartant du travail du refoulement et des résistances, comme des avancées du travail analytique,

1. *Ibidem,* p. 235 ; p. 188 ; p. 186.

2. *Ibidem,* p. 255 ; p. 205 ; p. 203.

3. *Ibidem,* p. 270-271 ; p. 217-218 ; p. 216-217.

4. « "Psychanalyse" et "Théorie de la libido" » (1923a), *Résultats, idées, problèmes, II,* Paris, PUF, 1984, p. 58 et 67 ; *OCF* XVI, p. 189-190 et 199 ; *GW* XIII, p. 217 et 225.

Freud constate **le « travail » effectué par ces nouvelles instances et les relations qu'il engage avec les nouvelles pulsions** ; c'est ainsi que lui apparaît qu'en « désexualisant ou en sublimant la libido du ça, le moi travaille à l'encontre des desseins de l'Éros et se met au service des motions pulsionnelles adverses »[1]. L'identification et la sublimation, notamment, sont explicitement désignées comme « travail »[2]. On voit alors s'étendre le champ de travail du moi comme, dans les *Conférences d'introduction à la psychanalyse,* on avait vu s'étendre celui de l'inconscient.

En **1925,** presque incidemment, Freud se décide à communiquer une conception qu'il dit avoir élaborée depuis longtemps (du temps de la première topique, semble-t-il) mais qu'il avait préféré taire jusque-là. Son hypothèse est que **le système *Pc-Cs* a un « mode de travail discontinu »**, recevant des investissements « de l'intérieur par coups rapides et périodiques pour en être ensuite retirés » (ce qui serait d'ailleurs au fondement de la représentation du temps)[3].

En **1926,** reprenant le travail de l'analyse, s'interrogeant une fois encore sur la lutte du moi pour se défaire des résistances suscitées par le refoulement et les rendre conscientes, Freud est amené, dans *Inhibition, symptôme et angoisse,* à revenir sur quelques notions. La **perlaboration,** cette « phase d'effort opiniâtre », devient plus claire, maintenant que l'on sait que le facteur dynamique qui la rend « nécessaire et compréhensible est l'emprise de la compulsion de répétition, l'attraction exercée par les prototypes inconscients sur le processus pulsionnel refoulé ». On peut ici parler de *« résistance de l'inconscient »* : cette « résistance du ça est responsable de la nécessité de la perlaboration »[4]. Le **deuil** s'éclaire également : puisque l'épreuve de réalité exige de se séparer de l'objet, « la fonction du deuil est de

1. *Le moi et le ça* (1923b), *Essais de psychanalyse,* Paris, Payot, 1981, p. 260 ; *OCF* XVI, p. 289 ; *GW* XIII, p. 274-275.

2. *Ibidem,* p. 272 ; p. 299 ; p. 287.

3. « Note sur le "bloc-notes magique" » (1925a [1924]), *Résultats, idées, problèmes, II,* Paris, PUF, 1984, p. 123-124 ; *OCF* XVII, p. 143 ; *GW* XIV, p. 8.

4. *Inhibition, symptôme et angoisse* (1926d [1925]), Paris, PUF, 1951, p. 88-89 ; *OCF* XVII, p. 273-274 ; *GW* XIV, p. 192.

travailler à ce retrait des investissements hors de l'objet dans toutes les situations où l'objet était doté d'un investissement élevé »[1].

En conclusion

L'*Abrégé de psychanalyse,* en **1938,** fournit une véritable conclusion. « Ce qui confère au rêve son inestimable valeur, c'est le fait que **le matériel inconscient en pénétrant dans le moi y apporte ses méthodes de travail,** c'est-à-dire que les pensées préconscientes qui l'expriment sont traitées, au cours du travail du rêve, comme si elles étaient des éléments inconscients du ça. » On peut y voir aussi les pensées préconscientes, renforcées par une motion pulsionnelle inconsciente, être réduites au niveau inconscient : « **Le travail du rêve consiste donc essentiellement en une élaboration inconsciente de pensée préconsciente.** » Ce faisant, il aboutit à un compromis que le moi exploite en procédant à un travail d'élaboration secondaire. Les lois qui régissent l'inconscient sont ainsi mises en lumière ; elles reposent sur le travail de condensation et de déplacement : « De ces deux tendances notre théorie infère qu'au sein du ça inconscient l'énergie est librement mobile » – ce qui définit le processus primaire. Pour déduire le contenu latent du rêve manifeste, nous devons recourir au travail d'interprétation qui, allant à l'inverse de celui du rêve, permet de rétablir les chaînons intermédiaires.

Reste à expliquer pour quelles raisons le moi se charge du travail du rêve. Pour se former, avec le concours de l'inconscient, tout rêve exige une participation du moi (satisfaction d'une pulsion, liquidation d'un conflit, réalisation d'un projet par exemple) ; poussé par le désir de maintenir le sommeil le moi endormi tend à supprimer la gêne que provoque cette exigence, si bien que l'on doit considérer que « **le travail du rêve a pour fonction essentielle de remplacer une exigence par une réalisation de désir** ». Ajoutons que l'étude du travail du rêve, en expliquant sa formation, nous permet de comprendre la formation des symptômes[2].

1. *Ibidem,* p. 102 ; p. 286 ; p. 205.

2. *Abrégé de psychanalyse* (1940a [1938]), Paris, PUF, 1985, p. 31-36 ; *OCF* XX, p. 257-261 ; *GW* XVII, p. 89-94.

« **Le transfert est la véritable force motrice de la participation du patient au travail analytique** » ; avec lui, le moi se renforce et le patient accomplit certains actes qui, sans cela, eussent été impossibles[1]. La première tâche de l'analyste est d'abord un travail intellectuel auquel le patient va se mettre à participer ; ainsi va-t-il pouvoir aborder une tâche plus ardue, plus dynamique, portant sur les associations, le transfert, les rêves, les actes manqués – tout cela permettant d'aboutir à un travail de construction[2].

QUESTIONS ET ENJEUX

À la suite de Freud, nous avons organisé cette étude du travail psychique en partant du travail du rêve, et y sommes revenu régulièrement. En effet, il en est le *modèle* par excellence, le paradigme et la pierre de Rosette : « Le travail du rêve est un excellent échantillon des processus à l'œuvre dans les couches profondes, inconscientes, de la vie psychique »[3], dont le fonctionnement ne peut guère être appréhendé que par l'étude de ce modèle qui, par exemple, nous permet de « comprendre la mystérieuse formation des symptômes »[4]. De surcroît, le travail du rêve est aussi une *récapitulation* de la petite enfance, des premiers âges tant individuels que phylogénétiques[5].

Pourtant, comme nous le signalions dès notre introduction, la psychanalyse connaît nombre de *formes de « travail » psychique*. Certaines sont à l'œuvre dans le travail du rêve et en participent directement : condensation, déplacement et figuration en sont des modalités significatives. D'autres le reprennent mais en le renversant : ainsi du travail d'analyse « qui opère la transformation inverse » à

1. *Ibidem,* p. 43 ; p. 268 ; p. 101.

2. *Ibidem,* p. 46 ; p. 276 ; p. 103.

3. *Sigmund Freud présenté par lui-même* (1925d), Paris, Gallimard, 1984, p. 76 ; *OCF* XVII, p. 92 ; *GW* X, p. 71.

4. *Abrégé de psychanalyse* (1940a [1938]), Paris, PUF, 1985, p. 36 ; *OCF* XX, p. 261 ; *GW* XVII, p. 94.

5. *Conférences d'introduction à la psychanalyse* (1916-1917), Paris, Gallimard, 1999, p. 255 ; *OCF* XIV, p. 205 ; *GW* XI, p. 203.

celui du rêve[1]. Certaines peuvent même sembler relever d'un tout autre processus, tels le travail du deuil et celui de la mélancolie[2]. Si, pour l'essentiel, tout travail psychique semble bien émaner de l'inconscient, il n'en demeure pas moins que celui-ci peut tout aussi bien s'y opposer, comme il le fait très activement dans l'élaboration secondaire. Face à pareille diversité, la question se pose donc de savoir quels sont les éventuels points communs, quelles peuvent être les constantes en ces différentes formes de travail, susceptibles de justifier l'unité terminologique, encore plus évidente en allemand qu'en français. Au-delà de leurs variations circonstancielles, se trouve-t-il une communauté sémantique qui permettrait d'unifier et de *définir la notion de « travail »* en psychanalyse ?

Si nous cherchons à repérer les *différences,* nous constatons d'abord que la plus évidente porte sur le champ où opère le travail : rêve, deuil, analyse par exemple. Au sein de chacun, tout en concourant à l'ensemble, différents modes particuliers peuvent être distingués par la façon d'opérer ; par exemple, la condensation réduit le volume du rêve alors que le déplacement en remplace un élément. Ce sont là des repères commodes, mais qui demeurent descriptifs pour l'essentiel, nous renseignant peu sur ce que pourrait être l'« essence » du travail psychique, voire sur sa métapsychologie.

Cette description se présente comme celle d'*actions psychiques portant sur des représentations ;* ce sont les différences entre celles-ci (désirs, pertes...) qui suscitent les différents modes de travail. Pour autant, ceux-ci n'en prennent pas moins des modes de fonctionnement sensiblement identiques dans la mesure où ils aboutissent à une *réélaboration* qui apparaît comme le but véritable. Le travail doit transformer, et il le fait par des opérations successives : ainsi le rêve commence par produire ses propres pensées, puis les déforme et les transforme ; le deuil se développe pareillement par étapes. Que ce soit pour désigner les différentes actions ou pour décrire leur modalité, la notion de « forme » est ici essentielle car d'elle découle celle de *mise en forme,* donc de formation de « sens ». C'est bien ce qu'implique la fonction de « réalisation de désir », propre aux symptômes comme

1. *Sur le rêve* (1901a), Paris, Gallimard, 1988, p. 60 ; *OCF* V, p. 27-28 ; *GW* II-III, p. 654.

2. « Deuil et mélancolie » (1917e [1915]), *Métapsychologie,* Paris, Gallimard, 1991, p. 150-158 ; *OCF* XIII, p. 264-271 ; *GW* X, p. 429-437.

aux rêves, et active, de fait, dans tout travail. Nous retrouvons ainsi la notion de représentations, l'accent étant mis cette fois sur leurs contenus.

Nous sommes ainsi directement conduit à la question de savoir *qui,* ou tout au moins *ce qui* travaille. Pour tenter d'y répondre, sans doute convient-il de se rapporter à ce qui opère entre les systèmes *Pc-Cs* et *Ics,* comme disait Freud dès *L'interprétation des rêves* ; de chercher à comprendre comment cela travaille entre les nouvelles instances, écrira-t-il plus tard dans *Le moi et le ça.* Ainsi, le travail du rêve s'effectue dans un entre-deux difficile à appréhender, entre le « royaume psychique particulier » de l'inconscient (avec son infantile ancien) et les pensées du rêve (produits de celles de la veille) qui, bien qu'inconscientes, « ne sont pas de ce royaume » : il faut qu'il y ait mise en rapport de restes diurnes (préconscients) avec des remontées de l'inconscient profond (conditionnant ainsi une régression). Disons-le : ce jeu dialectique d'opposition entre ce qui ressort du « royaume » et ce qui lui est extérieur, s'avère fort complexe, et son économie plus encore ; c'est pourtant là « la vue la plus profonde sur l'essence du rêve à laquelle nous puissions ici parvenir »[1] – et au-delà du rêve lui-même, nous avons là une clé, si ce n'est la clé, de la pensée freudienne du fonctionnement psychique, tant pour sa théorie que pour sa pratique. La nouvelle topique permettra de clarifier quelque peu ceci en montrant l'importance des « résistances du ça », entre autres « responsables de la nécessité de la perlaboration ». Et « si le moi endormi se charge du travail du rêve », c'est bien pour se protéger, et maintenir son sommeil en réalisant un de ses désirs. Tout travail est, en fin de compte, l'œuvre du *moi* dans ses efforts pour s'accommoder du ça, du surmoi et de la réalité.

Nous avons reconnu qu'un travail peut être décomposé en opérations successives, et nous devons considérer qu'il s'agit là d'un processus (sans nous attacher ici à savoir la part de « primaire » et celle de « secondaire »). Autrement dit, tout cela demande du temps, notion que nous allons effectivement retrouver avec constance dans toutes les formes de travail, dont la *durée* est une dimension essentielle. Une production qui peut parfois sembler éphémère, comme un rêve, commence en fait dès la veille, se poursuit toute la nuit, ne

1. *Conférences d'introduction à la psychanalyse* (1916-1917), Paris, Gallimard, 1999, p. 270-271 ; *OCF* XIV, p. 217 ; *GW* XI, p. 216.

s'achève souvent que le lendemain. Ce qui est valable pour cette élaboration « normale » l'est plus encore dans les réélaborations à l'œuvre dans les états psychonévrotiques qui peuvent durer toute une vie mais dont le moteur est (comme pour le rêve qui reste le modèle) un désir inconscient refoulé d'origine infantile. Entre les deux durées (une nuit, une vie), nous rencontrons le travail du deuil et celui de la mélancolie. Enfin, le travail analytique dans la cure, la « perlaboration », ne peut s'effectuer que si du temps, assez de temps, lui en est laissé. Plus généralement, le temps se trouve impliqué dans le fonctionnement psychique lui-même, qui est aussi un travail, mais qui se ferait selon un « mode de travail discontinu » – discontinuité qui serait, d'ailleurs et précisément, au fondement même de la représentation du temps.

Cette notion de durée est corrélative de celle d'*effort*, inhérente à l'idée de travail ; elle en est la marque « laborieuse », souvent douloureuse. Il y a là, bien évidemment, une dépense d'énergie, mais qui est parfois difficilement quantifiable. Ainsi, dans le deuil, elle se mesure d'abord en peine, en temps *et* en souffrance, cette association rendant délicate l'approche économique – mais n'en va-t-il pas de même, parfois, lors de la perlaboration dans la cure ?

Avec le point de vue énergétique, nous sommes renvoyé à la *pulsion* qui est « mesure du travail demandé à la vie psychique » [1]. Cette définition peut d'abord surprendre car, si elle enracine bien le travail dans la pulsion, elle n'en assujettit pas moins celle-ci au travail psychique ; à la réflexion cela s'avère moins surprenant qu'il y peut paraître si on se souvient que le travail, quelle que soit sa forme, a précisément pour fonction de maîtriser *les stimulations et les excitations* [2], ces expressions du versant somatique de la pulsion. Et pour ce faire, nous dit Freud, le travail d'élaboration psychique « doit accomplir des exploits » selon une gradation qui, partant du simple travail d'élaboration psychique (encore pris dans l'inconscient mais permettant déjà de contrôler cette excitation), débouche sur l'élaboration secondaire propre aux activités du moi, pouvant enfin aboutir au long et difficile travail de perlaboration.

1. *Trois essais sur la théorie sexuelle* (1905d), Paris, Gallimard, 1987, p. 83 ; *OCF* VI, p. 102 ; *GW* V, p. 67.

2. « Pour introduire le narcissisme » (1914c), *La vie sexuelle*, Paris, PUF, 1969, p. 92 ; *OCF* XII, p. 229 ; *GW* X, p. 152.

Nous avons répété que le rêve est le modèle de tout travail psychique ; nous n'en avons pas moins dû constater que, *traitant du deuil et de la mélancolie*, Freud ne le réfère jamais explicitement. Y aurait-il là comme une contradiction ? À bien y regarder, nous devons constater que les principes de fonctionnement sont assez semblables. La fonction du travail du rêve est de protéger le sommeil, celle du travail du deuil de revenir au respect de la réalité ; dans l'un et dans l'autre cas nous retrouvons la question de l'articulation du « royaume de l'inconscient » avec la réalité vigile qui le croise. Pour l'un comme pour l'autre, dans le deuil et dans le rêve, la tâche ne peut s'accomplir que si la motion de désir se trouve partiellement satisfaite. Certes, l'un se situant dans un état de conscience (« dans le deuil rien de ce qui concerne la personne n'est inconscient »[1]) et l'autre dans la non-conscience protectrice du sommeil, les procédés ne peuvent être que différents ; il n'en demeure pas moins que, pour maintenir la présence de l'objet, pour se le « re-présenter » consciemment, le deuil tend lui aussi à réaliser la satisfaction hallucinatoire du désir, activant une régression temporelle pouvant aller jusqu'à la psychose[2]. Là encore, le travail du rêve est la clé qui permet de comprendre le travail du deuil, tous deux étant avant tout affaire de désir.

Nous pouvons, à la suite, redire là encore combien, dans l'un et l'autre cas, importe la durée. Si l'analyse de certains rêves « innocents » ne pose guère de problèmes d'interprétation, d'autres, plus empreints du désir névrotique, nécessitent un long travail de perlaboration (qui peut d'ailleurs échouer). Le travail du deuil, nous y avons insisté, nécessite lui aussi un long temps d'élaboration pour désinvestir l'objet perdu (dans la mélancolie, il en va de même, à ceci près que ce qui est perdu est le moi, alors traité comme un objet) ; la séparation d'avec l'objet est « si lente et si progressive qu'à la fin du travail l'énergie qu'il fallait dépenser pour l'effectuer se trouve dissipée »[3], le travail du deuil se révélant ainsi travail de guérison, de protection du moi, comme le fait aussi le rêve gardant le sommeil et les désirs qui l'habitent. On sait combien est important, pour

1. « Deuil et mélancolie » (1917e [1915]), *Métapsychologie,* Paris, Gallimard, 1968, p. 151 ; *OCF* XIII, p. 266 ; *GW* X, p. 431.

2. *Ibidem,* p. 150 ; p. 264-265 ; p. 430.

3. *Ibidem,* p. 168-169 ; p. 276-277 ; p. 442-443.

comprendre les affections pathologiques, de partir des prototypes normaux – et d'abord « des états comme le deuil et l'état amoureux, mais aussi de l'état du sommeil et du phénomène du rêve »[1].

Claude LE GUEN

1. « Complément métapsychologique à la théorie du rêve » (1917d [1915]), *Métapsychologie*, Paris, Gallimard, 1991, p. 125 ; *OCF* XIII, p. 247 ; *GW* X, p. 412.

U-V-Z

Union et désunion des pulsions → Mélange et démélange (union et désunion) des pulsions

VÉRITÉ

all. : *Wahrheit.* – angl. : *truth.* – esp. : *verdad.* – ital. : *verità.* – port. : *verdade*

La vérité est classiquement l'adéquation entre la pensée et la réalité. Mais lorsque Freud, refusant la suggestion au profit de la recherche des événements pathogènes, montre que la pensée peut être inconsciente, et que la réalité psychique est à distinguer de la réalité extérieure, cette définition apparemment limpide perd son caractère opératoire. Le rêve et le délire témoignent de vérités latentes et déformées. Néanmoins, Freud reste longtemps attaché à l'idée d'une vérité référée à la perception pour peu que celle-ci comporte des indices de réalité suffisants ; et il maintiendra toujours l'exigence rationnelle de vérité que le travail scientifique est seul à même de garantir. Mais, à la suite de sa recherche de la réalité des événements originaires, il en vient à reconnaître la force du sentiment d'effectivité *(Wirklichkeit)* qui n'implique pas de répondant nécessaire ni dans la réalité externe ni dans l'évidence apparente du souvenir. La notion de réalité psychique et la force des idées religieuses, conduisent à admettre une « vérité historique » subjectivement vécue à un moment donné, constitutive de la réalité psychique et distincte de la « réalité matérielle » objectivable.

MISE EN SITUATION

Le concept de vérité est philosophique ; qu'a-t-il à voir dans un dictionnaire freudien ? L'importance donnée à la notion de vérité par les post-freudiens, en particulier chez Jacques Lacan par opposition au savoir, fait intervenir une problématique ultérieure, étrangère à l'œuvre freudienne. Les 259 occurrences du terme de « vérité » dans le texte freudien ne sont pas davantage un argument, si l'on en retire les usages non conceptualisés : l'expression « en vérité » ou encore « dire la vérité » (et non mentir ou dissimuler), par exemple. En revanche, il convient de relever les emplois du terme « réalité » qui sont connotés avec les idées de perception et/ou de connaissance de cette réalité. D'autant qu'en allemand les termes de vérité et de perception ont la même racine « wahr » (Wahrheit *et* Wahrnehmung*), ce qui tend d'emblée à référer la question de la vérité à celle des indices de réalité de la perception. Cette problématique, qui implique la différence entre la vérité et la suggestion d'une part, la vérité et l'hallucinatoire d'autre part, court tout au long de la pensée freudienne. La question du jugement est indissociable de celle de l'accessibilité de la vérité, ce que Freud perçoit en 1895 (« Esquisse d'une psychologie scientifique ») comme en 1925 (« La négation »). Chez lui, la notion de vérité est liée à une interrogation centrale sur la possibilité d'atteindre la réalité effective du passé, donc sur la vérité du souvenir et sur la possibilité d'une épreuve de réalité. Mais la recherche de la réalité des événements originaires ne s'est pas avérée capable de rendre compte de l'expérience analytique d'un rapport paradoxal et complexe des hommes à leur vérité psychique.*

La notion de vérité n'est pas seulement théorique ; elle est également éthique et, dans la cure, elle est une pratique. Elle doit rejoindre la notion, elle-même complexe, d'une Wirklichkeit, *qui désigne une réalité effective; l'expression usuelle* « in Wirklichkeit »[1] *(en réalité) est très fréquente, notamment dans les passages polémiques de l'œuvre. Mais Freud fait aussi place au sentiment d'effectivité, à la conviction effective, ce qui rapproche la vérité de la conviction* (Überzeugung). *En même temps, l'apport essentiel de la pensée freudienne porte sur la distinction rendue nécessaire entre « vérité historique » et « vérité matérielle ». Mais comment comprendre cette étrange distinction, à bien des égards paradoxale ?*

Freud a affronté des conflits (avec Wilhem Stekel, Alfred Adler, Carl Gustav Jung), des paradoxes et des apories qui l'ont conduit à complexifier sa conception de la vérité. Une des voies ainsi ouvertes oppose les logiques du désir, sources de la force des illusions, aux exigences de la quête de savoir et de vérité de la pensée scientifique. Les questions posées au tout début de l'œuvre freudienne, dès les années 1890, trouvent une solution beaucoup plus tard, notamment en 1925 (« La négation ») et 1927 (L'avenir d'une illusion), *et surtout à partir de 1937 (« Constructions dans l'analyse » et* L'homme Moïse et la religion monothéiste). *Par ailleurs, l'étude du concept de vérité amène inévitablement à conjoindre deux questionnements, l'un portant sur le fonctionnement de l'appareil psychique, l'autre traitant de la perspective épistémologique, préoccupations qui coexistent sans cesse dans la pensée freudienne.*

LE TEXTE FREUDIEN

PREMIÈRES ÉLABORATIONS

Un *compte rendu critique* de 1892, consacré à l'école de Nancy[2], évoque Ambroise Liébeault en approuvant sa conception de la « part

1. Par exemple, *Leçons d'introduction à la psychanalyse* (1916-1917 [1915-1916]), Paris, Gallimard, 1999, p. 124, 161, 251, 285 ; *OCF* XIV, p. 95, 113, 200, 228 ; *GW* XI, p. 93, 124, 199, 228.

2. « Bericht über einen Vortrag "Über Hypnose und Suggestion" », *Gesammelte Werke XIX Nachtragsband*, p. 166-178.

de vérité » de la suggestion[1] d'une manière significative : quelle est la part de vérité (restée inconsciente) que la suggestion révèle, quelle est la part de vérité de la pratique de l'hypnose – autrement dit, comment comprendre son action thérapeutique ? Dès le début de ses travaux, Freud est intransigeant sur les exigences de rationalité de sa pensée et de sa pratique : il ne suffit pas de guérir, il faut comprendre ce que l'on fait et rendre compte du fonctionnement de l'appareil psychique.

La pensée et sa capacité de vérité sont sous-jacents à certains développements de l'« Esquisse d'une psychologie scientifique » en 1895 : « L'expérience biologique enseigne qu'il est hasardeux de déclencher une décharge lorsque les indices fournis par la réalité ne confirment qu'une partie seulement du complexe [perceptuel] et non sa totalité. »[2] Le jugement permet éventuellement de changer la similarité en identité complète en opérant une distinction entre éléments essentiels et éléments variables. Mais le moi a du mal à se maintenir au niveau de la « recherche pure », et reste pourvu d'investissements en désirs et en buts qui peuvent fausser la connaissance des perceptions. Les erreurs de pensée peuvent être évitées quand le moi dirige une quantité mobile d'investissement vers une région qui ne peut produire une pareille déviation du cours des associations. C'est pourquoi **l'investissement d'indications de la réalité cogitative ou d'indications verbales est la forme « la plus haute et la plus sûre du processus mental de cognition »**[3] ; ces indications de la pensée, qui impliquent l'attention, ont une « incontestable valeur »[4] – moins assurée toutefois que dans les processus de recherche, du fait de la proximité d'investissements affectifs ou de but qui peuvent affecter

1. *Ibidem,* p. 174.

2. « Esquisse d'une psychologie scientifique » (1950c [1895]), *La naissance de la psychanalyse,* Paris, PUF, 1956, p. 346 (ou « Projet d'une psychologie », *Lettres à Wilhelm Fliess,* Paris, PUF, 2006 (édition complète), p. 636 ; *GW* XIX *(Nachtragsband),* p. 423).

3. *Ibidem,* in *La naissance de la psychanalyse. Lettres à Wilhelm Fliess. Notes et plans (1887-1902)* (1950a [1887-1902]), Paris, PUF, 1956, p. 384 ; *Lettres à Wilhelm Fliess,* Paris, PUF, 2006 (édition complète), p. 679 ; *GW* XIX, p. 464.

4. *Ibidem.*

l'impartialité de la pensée. Ce passage, outre la possibilité de connaître malgré la force du désir, établit **la vérité comme valeur,** forme la plus haute de la pensée. Freud ne démentira jamais cet attachement à la connaissance et à la vérité, réussissant à conjoindre un rationalisme intransigeant – qui sous-tend ses conflits ultérieurs avec Stekel puis avec Jung – avec son exploration de la pensée inconsciente et des motions pulsionnelles.

La *lettre à Fliess* du 21 septembre 1897 comporte le revirement décisif : « Je ne crois plus à ma *neurotica*. »[1] L'abandon de la théorie étiologique de la séduction, au profit du fantasme, s'exprime en termes d'abandon d'une croyance, de désillusion. Freud expose les motifs de ne plus croire à ce qui était « plausible ». Le premier est pragmatique : ce sont les échecs dans l'achèvement des analyses ; le second tient à l'impossibilité matérielle et morale, compte tenu de la fréquence de l'hystérie, d'accuser autant de pères de perversion. Mais c'est le troisième motif qui s'avère essentiel, car il tient aux caractéristiques intrinsèques de l'inconscient : c'est « la conviction qu'il n'existe dans l'inconscient aucun "indice de réalité" de telle sorte qu'il est **impossible de distinguer l'une de l'autre la vérité et la fiction investie d'affect** »[2]. À la réalité de l'acte séducteur est ici opposée la force du fantasme et l'importance du rêve, la réalité psychique. La désillusion sur l'étiologie par l'acte pervers fonde la conviction d'une spécificité des processus inconscients caractérisés d'abord par une absence : celle de tout indice de réalité. Les critères habituels de vérité sont inutilisables. La réalité psychique est ainsi dissociée de l'expérience perceptive, et se construit dans une indépendance à l'égard de la réalité externe. Renoncer à croire à l'acte réel comme étiologie universelle révèle une vérité nouvelle, celle du psychisme inconscient.

1. Lettre du 21 septembre 1897 à Wilhelm Fliess, in *La naissance de la psychanalyse. Lettres à Wilhelm Fliess. Notes et plans (1887-1902)* (1950a [1887-1902]), Paris, PUF, 1956, p. 190 ; *Lettres à Wilhelm Fliess,* Paris, PUF, 2006 (édition complète), p. 334.

2. *Ibidem,* in *La naissance de la psychanalyse…,* p. 191 ; *Lettres à Wilhelm Fliess* (édition complète), p. 335.

Rêve et vérité

Dans *L'interprétation des rêves,* en 1900, Freud expose dès le premier chapitre la difficulté liée au récit du rêve : compte tenu de l'oubli des rêves et de l'écart entre ce qui a été rêvé, ce qui en est retenu et ce qui en est rapporté, comment se fier au récit du rêve pour l'exactitude de la reproduction du rêve ? « Quelle valeur reste-t-il donc encore au souvenir que nous avons du rêve ? »[1]

La prise en considération du rêve opère un déplacement paradoxal de l'idée de vérité : l'ancienne croyance populaire au sens des rêves, obstinément maintenue, s'approche davantage de la vérité que le jugement de la science qui les écarte. « Il me faut affirmer que le rêve a effectivement *[wirklich]* une signification et qu'un procédé scientifique d'interprétation du rêve est possible. »[2] C'est d'ailleurs sur la rectification de la croyance populaire, au profit d'une conception complexe de la vérité du désir et de sa temporalité, que Freud achève *L'interprétation des rêves*[3].

La force de la vérité

Dans la *Psychopathologie de la vie quotidienne* (1901), Freud évoque à plusieurs reprises des mensonges ou demi-vérités suscités par les résistances au dévoilement[4]. Mais, à propos d'une situation où il a dû avouer à un patient son erreur et les motifs de celle-ci, il ajoute : « On est étonné de constater que le penchant à la vérité *[Wahrheitsdrang]* est beaucoup plus fort qu'on n'est porté à le croire. Il faut peut-être voir une conséquence de mes recherches psychanalytiques dans le fait que je suis devenu presque incapable de mentir. Toutes les fois où j'essaie de déformer un fait, je commets

1. *L'interprétation des rêves* (1900a), Paris, PUF, 1967, p. 50 ; *OCF* IV, p. 77 ; *GW* II-III, p. 50.

2. *Ibidem,* p. 93 ; p. 135 ; p. 104. (cf. *Sur le rêve* (1901a), Paris, Gallimard, 1988, p. 49 ; *OCF* V, p. 21 ; *GW* II-III, p. 647).

3. *Ibidem,* p. 527 ; p. 677 ; p. 626.

4. Cf. *Psychopathologie de la vie quotidienne* (1901b), Paris, Payot, 2001, p. 92, 114 ; Paris, Gallimard, 1997, p. 137, 165 ; *OCF* V, p. 80 et 171 ; *GW* IV, p. 80 et 99.

une erreur ou un autre acte manqué qui [...] révèle mon manque de sincérité. »[1]

Les résistances au dévoilement du sens des rêves, des lapsus et des actes manqués témoignent de réticences à reconnaître la vérité ; en particulier « tous les hommes dissimulent la vérité en matière de sexualité »[2]. La psychanalyse, au contraire, impose l'exigence de vérité, l'impossibilité de s'y dérober et la capacité à supporter davantage de vérité. Dans cette ligne, Freud écarte les interprétations prémonitoires et prophétiques des rêves et des actes manqués[3], mais « *il y a du vrai dans tout cela* [*Es ist eben etwas Wahres daran,* souligné par Freud], et ce n'est pas autrement que nos erreurs de jugement, même lorsqu'elles ne sont pas morbides, acquièrent à nos yeux une certitude qui entraîne notre conviction »[4]. Ainsi, Freud dégage dès 1905, à propos des interprétations paranoïaques, ce qu'il appellera beaucoup plus tard le « noyau de vérité » des délires, en même temps qu'il décrit le mécanisme de la conviction erronée, entre autres chez les superstitieux.

Le mot d'esprit et sa relation à l'inconscient (1905) situe le mot d'esprit dans sa relation à une vérité paradoxale, masquée et dévoilée. Dans le jeu du sens et du non-sens impliqué par le mot d'esprit, nous trouvons une vérité que nous sommes immédiatement portés à désavouer[5]. Dans la formation du mot d'esprit, l'intention à l'affût, visant le gain de plaisir, ramène l'investissement de la pensée préconsciente à un investissement inconscient (capable de traiter les mots comme des choses et d'utiliser les voies de liaison du travail du rêve[6]) qui permet l'effet de dévoilement. Les histoires de « marieurs » concentrent les références à la vérité : derrière le marieur irréfléchi et la façade

1. *Ibidem,* p. 278 ; p. 359 ; p. 316 ; p. 247.

2. « Mes vues sur le rôle de la sexualité dans l'étiologie des névroses » (1906a), *Résultats, idées, problèmes, I,* Paris, PUF, 1984, p. 114 ; *OCF* VI, p. 309 ; *GW* V, p. 150.

3. Cf. *Psychopathologie de la vie quotidienne* (1901b), Paris, Payot, 2001, p. 320-332 ; Paris, Gallimard, 1997, p. 407-417 ; *OCF* V, p. 352-358 ; *GW* IV, p. 285-291.

4. *Ibidem,* p. 320 ; p. 407 ; p. 352 ; p. 285.

5. *Le mot d'esprit et sa relation à l'inconscient* (1905c), Paris, Gallimard, 1988, p. 48 ; *OCF* VII, p. 25 ; *GW* VI, p. 9.

6. *Ibidem,* p. 318 et tout le chapitre ; p. 205 ; p. 202.

comique, une autre cible permet de **tourner l'interdit de dire**[1]. Le mot d'esprit dénude : il est obscène, agressif ou critique voire blasphématoire. Il utilise le non-sens et la figuration par le contraire, ce qui permet de mentir quand on dit la vérité et de dire la vérité au moyen d'un mensonge. Le mot d'esprit sceptique qui s'attaque à la sûreté de notre jugement lui-même, pose la question des conditions de la vérité : « S'agit-il de vérité quand on décrit les choses telles qu'elles sont sans se préoccuper de savoir comment l'auditeur va comprendre ce qui est dit ? Ou cela n'est-il que vérité jésuitique, et l'authentique souci de la vérité ne consiste-t-il pas bien plutôt à avoir des égards pour l'auditeur et à lui transmettre une reproduction fidèle de son propre savoir ? »[2]

Le délire et les rêves dans la « Gradiva » de Jensen (1906) décline d'autres figures du rapport à une vérité qui se manifeste tout en se déformant ou se voilant. Le délire n'est pas du non-sens, et son sens, loin d'être arbitraire, entretient des rapports – cachés mais déchiffrables – avec la vérité. « **Tout délire recèle un grain de vérité,** quelque chose en lui mérite réellement créance et telle est la source de la conviction du malade qui est ainsi justifiée dans cette mesure. »[3] Longtemps refoulée (le refoulement n'est pas en 1906 distingué du déni et d'autres modes de défense), cette part de vérité parvient à se frayer une voie jusqu'à la conscience ; elle suscite alors un sentiment de conviction particulièrement intense, « attaché maintenant au substitut déformé de la part de vérité refoulée »[4], qu'il protège contre toute attaque de la pensée critique. La conviction se déplace ainsi de la part de vérité inconsciente vers la part d'erreur formée dans la pensée consciente et s'y tient fixée du fait de ce déplacement[5].

1. *Ibidem,* p. 203-204 ; p. 125 ; p. 116.
2. *Ibidem,* p. 219 ; p. 135-136 ; p. 127-128.
3. *Le délire et les rêves dans la « Gradiva » de Jensen* (1907a), Paris, Gallimard, 1986, p. 229 ; *OCF* VIII], p. 112 ; *GW* VII, p. 108.
4. *Ibidem.*
5. *Ibidem,* p. 229 ; p. 113 ; p 108.

SEXUALITÉ ET VÉRITÉ

La question est posée dès 1899 par l'article « Sur les souvenirs-écrans »[1] qui témoigne de la condensation des premiers souvenirs qui échappent à l'amnésie infantile ainsi que du remaniement ultérieur des traces infantiles. Dans divers écrits des années 1905-1909, revient la question de la vérité sur la sexualité. La fréquence de troubles massifs dans la vie sexuelle des nerveux a aiguillé Freud vers sa conception de l'étiologie des névroses ; or, puisque « tous les hommes dissimulent la vérité en matière de sexualité »[2], dans l'investigation, il faut surmonter la dénégation initiale.

Selon « Les explications sexuelles données aux enfants » (1907), les enfants soupçonnent d'autant plus la vérité qu'on la leur cache. Les parents se leurrent sur l'ignorance sexuelle de leurs enfants, car ils ignorent ou négligent la sexualité infantile. L'interrogation la plus brûlante pour les jeunes enfants, souvent liée à la venue d'un frère ou d'une sœur non désiré(e), c'est de savoir d'où viennent les enfants ; or « les réponses que l'on a coutume d'y donner dans la nurserie blessent la pulsion d'investigation honnête de l'enfant »[3] et, souvent, ébranlent sa confiance en ses parents. Ainsi, l'« Analyse d'une phobie chez un petit garçon de cinq ans (Le petit Hans) » (1909) montre que le petit Hans garde rancune à son père de l'avoir leurré avec la fable de la cigogne[4]. Les enfants ne mentent pas sans raison ; il n'y a pas d'arbitraire dans le psychisme, et l'incertitude des dires des enfants est due à la prédominance de leur imagination, celle

1. « Sur les souvenirs-écrans (1899a), *Névrose, psychose et perversion,* Paris, PUF, 1973, p. 113-132 ; *OCF* III, p. 253-276 ; *GW* I, p. 529-554.

2. « Mes vues sur le rôle de la sexualité dans l'étiologie des névroses » (1906a), *Résultats, idées, problèmes, I,* Paris, PUF, 1984, p. 114 ; *OCF* VI, p. 309 ; *GW* V, p. 150.

3. « Les explications sexuelles données aux enfants », *La vie sexuelle,* Paris, PUF, 1969, p. 11 ; *OCF* VIII, p. 153-154 ; *GW* VII, p. 24-25. Voir aussi *Un souvenir d'enfance de Léonard de Vinci,* Paris, Gallimard, 1991, p. 81 et suiv., qui développe en outre les destins de l'investigation sexuelle infantile ; *OCF* X, p. 103 et suivantes ; *GW* VIII, p. 146 et suivantes.

4. « Analyse d'une phobie chez un petit garçon de cinq ans (Le petit Hans) » (1909b), *Cinq psychanalyses,* Paris, PUF, 1954, p. 185 ; *OCF* IX, p. 113 ; *GW* VII, p. 361.

des adultes à leurs préjugés. Les enfants ont « en somme plus de propension à aimer la vérité que n'en ont leurs aînés »[1]. L'enfant construit des théories sexuelles qu'il complète à la prépuberté, en découvrant le vagin et sa destination, mélangeant alors les élaborations de l'enfance aux vérités qui désormais s'imposent à lui[2].

« La morale sexuelle civilisée et la maladie nerveuse des temps modernes » (1908) montre qu'une société qui impose la restriction des relations sexuelles à la seule monogamie conjugale fait peser une pression excessive sur les individus et ne peut pousser l'amour de la vérité au-delà d'une étroite limite[3]. Le refus et la **répression de la vérité** n'apportent aucun gain à la société, car la névrose chronique, lourd handicap tout au long de l'existence, se charge du travail des forces mentales réprimées et fait échouer le dessein civilisateur.

Un souvenir d'enfance de Léonard de Vinci, en 1910, outre son intérêt pour les destins de la curiosité sexuelle infantile, notamment la sublimation, discute la valeur du récit fait par Léonard du vautour qui lui rend visite dans son berceau. Sans doute n'est-ce qu'un fantasme reconstruit, une fantaisie tardive, qui vient justifier par une détermination de destin l'intérêt porté par Léonard au vol des oiseaux. Mais sous-estimer ce matériel serait comme rejeter à la légère celui des légendes, traditions et interprétations fournies par la préhistoire d'un peuple[4]. De la même manière, les souvenirs d'enfance et les fantasmes d'un individu comportent d'inestimables témoignages sur son développement psychique. Ils peuvent être énigmatiques, correspondre à des traces mnésiques qu'il ne comprend pas, mais ce qu'un homme croit se rappeler de son enfance n'est jamais anodin.

Freud termine son étude par une évaluation des possibilités de la psychanalyse dans la reconstruction d'une vérité biographique. N'a-t-il écrit qu'un roman psychanalytique ? Ce sont les lacunes et les

1. *Ibidem,* p. 166 ; p. 91 ; p. 338.

2. « Les théories sexuelles infantiles » (1908c), *La vie sexuelle,* Paris, PUF, 1969, p. 25 ; *OCF* VIII, p. 238 ; *GW* VII, p. 184.

3. « La morale sexuelle civilisée et la maladie nerveuse des temps modernes » (1908d), *La vie sexuelle,* Paris, PUF, 1969, p. 29 ; *OCF* VIII, p. 198 ; *GW* VII, p. 144.

4. *Un souvenir d'enfance de Léonard de Vinci,* Paris, Gallimard, 1991, p. 93-94 ; *OCF* X, p. 109 ; *GW* VIII, p. 153.

incertitudes du matériel qui empêchent de parvenir à un résultat certain, non les insuffisances de la méthode psychanalytique. Mais la psychanalyse ne peut rendre compte de manière déterminée de ce que devient un individu ; les pulsions et leurs transformations sont les points ultimes qu'elle peut atteindre ; il nous faut admettre l'influence décisive des hasards de la constellation parentale, car en fait tout dans notre vie est hasard...

En 1914, l'article essentiel « Remémoration, répétition, perlaboration » s'attache non plus aux seules lacunes de la mémoire, mais aux impossibilités de la remémoration. L'analyste est-il réduit à l'impuissance lorsque le souvenir fait défaut ? Non, car la réalité psychique se manifeste alors par la répétition. L'agir, comme le rêve et le symptôme, est une voie par laquelle la réalité psychique se fait reconnaître, dans la mesure où le maniement du transfert transforme la compulsion de répétition en une raison de se souvenir. La méthode psychanalytique donne accès à une vérité qui est dévoilement, voire révélation, grâce à l'actualisation du passé dans le transfert, y compris sur le mode de la répétition agie et non d'emblée de la remémoration.

La psychanalyse et la vérité

Quelles sont les « Perspectives d'avenir de la thérapeutique analytique » (1910) ? Il faut s'attendre à des résistances « parce que nous détruisons des illusions, on nous accuse de mettre en danger les idéaux »[1]. Comment, en ce cas, la thérapeutique psychanalytique peut-elle se développer ? L'intellect est lui aussi une puissance : « Les vérités les plus incisives finissent par être entendues et reconnues, une fois que les intérêts blessés par elles et les affects éveillés par elle sont revenus de leurs fureurs. »[2] Il ne faut donc pas renoncer à nos efforts pour l'élucidation *(Aufklärung)* du sens secret des névroses, sous prétexte d'un danger pour l'individu et pour le bon ordre social.

« L'intérêt de la psychanalyse » (1913) pose avec force le modèle ineffaçable pour la vie sexuelle des événements les plus précoces et

1. « Perspectives d'avenir de la thérapeutique analytique » (1910d), *De la technique psychanalytique*, Paris, PUF, 1953, p. 30 ; *OCF* X, p. 70 : *GW* VIII, p. 111.

2. *Ibidem.*

insiste sur les facteurs infantiles dans les amours et toute la vie psychique de l'adulte : « On revient toujours à ses premières amours[1], voilà la vérité pure et simple. »[2] La psychanalyse témoigne d'une vérité, à savoir que **la réalité psychique conserve vivants les désirs infantiles,** ce qui conduit à donner toute sa place à la répétition et à complexifier sa conception de la vérité.

En 1914, la « Contribution à l'histoire du mouvement psychanalytique » décrit deux évolutions inverses qui témoignent du rapport intrinsèque entre vérité et psychanalyse : en Amérique, James J. Putnam, d'abord adversaire de la psychanalyse, accueille Sigmund Freud, Carl Gustav Jung et Sandor Ferenczi lors de leur séjour aux États-Unis ; son appui est précieux car il est respecté « pour sa haute moralité et son amour hardi de la vérité »[3]. Inversement, Freud déplore les défections d'Adler et de Jung que le premier contact avec « les désagréables vérités analytiques »[4] a rebutés ; il n'aurait jamais cru possible qu'après une certaine compréhension de l'analyse, quelqu'un puisse y renoncer ou la perdre. Les auteurs qui ont fait défection peuvent soutenir des vérités, mais il ne s'agit plus de psychanalyse[5]. « **Le traitement psychanalytique repose sur la véracité** *[Wahrhaftigkeit],* c'est même à cela qu'est due une grande partie de son influence éducative et de sa valeur éthique. »[6] Le fondement sûr de la vérité s'impose aux patients puisque les analystes exigent une franchise totale *(Wahrhaftigkeit)* ; il devrait aller de soi pour les analystes car « celui qui s'est bien pénétré de la technique analytique n'est plus capable d'avoir recours aux mensonges et aux artifices dont ne saurait se passer le médecin ordinaire »[7]. On le voit, la vérité

1. En français dans le texte.

2. « L'intérêt de la psychanalyse » (1913j), *Résultats, idées, problèmes, I,* Paris, PUF, 1984, p. 206 ; *OCF* XII, p. 118 ; *GW* VIII, p. 412.

3. *Sur l'histoire du mouvement psychanalytique* (1914d), Paris, Gallimard, 1991, p. 58 ; *OCF* XII, p. 275 ; *GW* X, p. 71.

4. *Ibidem,* p. 129 ; p. 295 ; p. 91.

5. *Ibidem,* p. 143 ; p. 306 ; p. 103.

6. « Observations sur l'amour de transfert » (1915a [1914]), *De la technique psychanalytique,* Paris, PUF, 1953, p. 122 ; *OCF* XII, p. 204 ; *GW* X, p. 312.

7. *Ibidem.*

analytique, pénible, est aussi une exigence et un besoin éthique de sincérité. Il reste que cette exigence même est source d'une difficulté de discernement : comment évaluer l'authenticité *(Echtheit)* de l'amour de transfert, qui repose sur une « fausse liaison », « prétendu amour » transposé à partir de l'objet d'amour infantile et des fantasmes tissés autour de lui ? N'est-ce véritablement qu'une réplique des sentiments infantiles ? « Autrement dit, l'amour qui devient manifeste dans le transfert ne mérite-t-il pas d'être considéré comme un amour véritable *[reale]* ? »[1]

Ce que dit le patient n'est pas arbitraire ; ainsi, le mélancolique « doit bien avoir, en quelque façon, raison de décrire quelque chose qui est tel qu'il lui paraît »[2], quand il s'accuse lui-même ; mais le mélancolique qui semble « ne faire que saisir la vérité avec plus d'acuité que d'autres personnes qui ne sont pas mélancoliques »[3], est en même temps dans une méconnaissance profonde du sens de ce qu'il éprouve. Inversement, les hommes témoignent aux morts des égards qui passent avant la vérité, afin de mieux dissimuler le conflit d'ambivalence qui caractérise notre rapport à la mort et nos vœux de mort[4].

La réalité de l'originaire

Paradoxalement, deux textes essentiels pour la compréhension de la notion freudienne de vérité ne comportent pratiquement pas d'occurrences du terme *Wahrheit* (vérité) : dans le contexte de sa polémique avec Jung, Freud affirme la réalité concrète, historique, de l'événement originaire, et cette réalité peut sembler conditionner la vérité de la thèse psychanalytique. Freud est donc en 1913-1914 (et jusqu'en 1918, date de publication de l'étude sur « L'homme aux

1. *Ibidem,* p. 126 ; p. 208 ; p. 316.

2. « Deuil et mélancolie » (1917e [1915]), *Métapsychologie,* Paris, Gallimard, 1991, p. 150 ; *OCF* XIII, p. 264 ; *GW* X, p. 432.

3. *Ibidem,* p. 153 ; p. 267 ; p. 432.

4. « Considérations actuelles sur la guerre et sur la mort » (1915b), *Essais de psychanalyse,* Paris, Payot, 1981, p. 27 et 37-39 ; *OCF* XIII, p. 143 et 153-155 ; *GW* X, p. 342 et 352-354.

loups ») apparemment engagé dans une conception positiviste de la vérité : existe comme vérité théorique et clinique ce qui a pu être factuellement établi, au moins dans sa source. Ainsi, réalité psychique et réalité extérieure (historique et factuelle) seraient articulées d'une manière convaincante pour la pensée scientifique ; de même, l'origine de la culture et l'interprétation des symptômes névrotiques seraient dans un rapport d'analogie qui les confirmerait mutuellement. Néanmoins, dès **1913,** Freud remarque en conclusion de ***Totem et tabou*** que « le haut degré de convergence aboutissant à un vaste ensemble cohérent, tel que nous l'avons atteint dans ces développements, ne peut nous rendre aveugles aux incertitudes de nos présuppositions et aux difficultés de nos résultats » [1].

Dans « **Extrait de l'histoire d'une névrose infantile (L'homme aux loups)** » (1918), le débat est plus systématique. Les fantasmes du patient peuvent être destinés à effacer le souvenir d'un événement (la séduction précoce par sa sœur, passivement vécue) : « Ils atteignaient ce but en remplaçant la vérité historique par une attitude inverse imaginaire. » [2] Le souvenir a donc besoin d'être reconstruit par l'analyste. Or les adversaires de la psychanalyse, Adler et Jung, ne retiennent qu'un élément, déjà connu, qu'ils proclament comme la seule vérité : l'actuel et la régression pour Jung, les mobiles égoïstes pour Adler [3]. Aujourd'hui, dans le combat qui fait rage autour de la psychanalyse, on ne nie plus la vérité *(Wirklichkeit)* des faits *(Tatsachen)* qu'elle a mis en évidence, mais on les élude par des réinterprétations [4]. Le ton est vif, car « l'objet du débat est l'importance qu'il convient d'accorder au facteur infantile » [5] ; il y va de l'existence d'une réalité psychique. Le modèle « positiviste » de vérité auquel Freud se réfère reste celui de l'événement ; vérité historique et vérité

1. *Totem et tabou* (1912-1913a), Paris, Gallimard, 1993, p. 313 ; *OCF* XI, p. 378 ; *GW* IX, p. 189.

2. « Extrait de l'histoire d'une névrose infantile (L'homme aux loups) » (1918b [1914]), *Cinq psychanalyses,* Paris, PUF, 1954, p. 335 ; *OCF* XIII, p. 17 ; *GW* XII, p. 43.

3. *Ibidem,* p. 363 ; p. 51 ; p. 82.

4. *Ibidem,* p. 327 ; p. 7 ; p. 31. L'idée serait peut-être celle de la validité des faits.

5. *Ibidem,* p. 364 ; p. 52 ; p. 83.

psychique se confondent[1]. Une névrose qui éclate à l'âge de quatre ou cinq ans prouve avant tout que les événements infantiles sont à eux seuls capables d'engendrer une névrose[2] : c'est ce que Freud veut établir.

Dans une parenthèse ajoutée en 1918, lors de la publication de « L'homme aux loups », Freud formule avec force et précision la position à laquelle il est parvenu. Elle ne porte pas sur la datation ni même sur la réalité de l'événement infantile : « J'aimerais certes moi-même savoir si la scène primitive, dans le cas de mon patient, était un fantasme ou un événement réel, mais [...] il faut convenir qu'il n'est au fond pas très important que cette question soit tranchée. »[3] Freud articule alors entre elles la réalité de **l'originaire social (préhistorique et/ou phylogénétique)** et la réalité de **l'originaire ontogénétique**[4]. Cette thèse montre l'ampleur et le caractère décisif du chemin théorique parcouru entre 1914 et 1918, et tranche avec netteté le débat avec Jung ; elle est la source de toute la réflexion freudienne ultérieure sur la vérité.

La réalité psychique et la conviction

Les *Leçons d'introduction à la psychanalyse* reformulent en 1916-1917 la position freudienne, partant du constat que la vérité de la psychanalyse est indissociable de l'expérience de sa pratique. La vérité qui se découvre ainsi est que le premier choix d'objet des humains est un choix incestueux et que l'on a « besoin des interdits les plus stricts pour tenir à l'écart de la réalité effective cette inclination infantile persistante »[5]. Les conceptions de la première topique, notamment sur la sexualité infantile, peuvent être mises en rapport avec l'affirmation de leur vérité[6]. Mais les **scènes infantiles ne sont pas toujours**

1. *Ibidem*, p. 365 ; p. 53-54 ; p. 85.
2. *Ibidem*, p. 364 ; p. 52 ; p. 84.
3. *Ibidem*, p. 399 ; p. 94 ; p. 131.
4. *Ibidem*, p. 399-400 ; p. 94 ; p. 131.
5. *Leçons d'introduction à la psychanalyse* (1916-1917 [1915-1916]), Paris, Gallimard, 1929, p. 425 ; *OCF* XIV, p. 347 ; *GW* XI, p. 346.
6. *Ibidem*, p. 440 ; p. 359 ; p. 359.

vraies et peuvent même être « en opposition directe avec la vérité historique ». Les « expériences vécues de l'enfance, construites ou remémorées dans l'analyse, sont tantôt indiscutablement fausses, tantôt d'une exactitude tout aussi établie, et, dans la plupart des cas, faites d'un mélange de vrai et de faux »[1]. Ainsi s'élaborent des fantasmes qui « possèdent une réalité **psychique,** en opposition à la réalité **matérielle,** et nous apprenons peu à peu à comprendre que **dans le monde des névroses la réalité psychique est la réalité déterminante** »[2] – ce dont témoigne l'universalité des fantasmes originaires, qui relèvent d'un fonds phylogénétique et « furent un jour réalité dans les temps originaires de la famille humaine, [... et] l'enfant a simplement comblé les lacunes de la vérité individuelle avec une vérité préhistorique »[3]. Parc naturel protégé, le fantasme est soustrait au principe de réalité.

Cette réflexion de 1917 sur la puissance de la réalité psychique, même en opposition éventuelle avec la réalité matérielle, conduit à la reprise de la question de l'épreuve de réalité. L'article de 1925 sur « La négation » s'y affronte pour montrer comment la fonction intellectuelle se démarque du processus affectif. Le jugement, par sa capacité à mettre en œuvre une épreuve de réalité, est ce qui permet de passer de la pensée à l'action, en mettant un terme à l'ajournement par la pensée. Il est action d'essai, tâtonnement moteur, qui limite la décharge, sur le modèle d'ailleurs du système perceptif. L'étude du jugement, rendu possible par la création du symbole de négation, donne ainsi accès à la compréhension de l'apparition d'une fonction intellectuelle à partir du jeu des motions pulsionnelles primaires (inclusion dans le moi / expulsion hors du moi, opposition caractéristique du principe de plaisir), selon des polarités opposées, qui semblent correspondre à l'opposition entre Éros et les pulsions de destruction. Le jugement, prise de position sur la vérité d'une repré-

1. *Ibidem,* p. 467 ; p. 380 ; p. 382.

2. *Ibidem,* p. 468 ; p. 383 ; p. 383. (C'est Freud qui souligne. L'idée, mise en évidence comme une découverte essentielle, est reprise dans *Sigmund Freud présenté par lui-même* (1925d), Paris, Gallimard, 1971, p. 58 ; *OCF* XVII (« Autoprésentation »), p. 82 ; *GW* XIV, p. 60.)

3. *Ibidem,* p. 472 ; p. 385 ; p. 386.

sentation ou d'une idée, est donc à la fois mû par les pulsions primaires et capable d'une certaine indépendance par rapport à elles.

La croyance, l'illusion, la connaissance

En 1927, *L'avenir d'une illusion,* interroge les dogmes religieux : ils fondent leur revendication à être objets de croyance sur trois motifs peu compatibles entre eux : la croyance des pères originaires, des preuves transmises depuis les premiers âges et l'interdiction d'en douter ou de soulever la question de leur accréditation ; ce qui est désigné comme preuve est rassemblé dans des écrits « qui portent eux-mêmes tous les caractères de la non-fiabilité. Ils sont pleins de contradictions, surélaborés, falsifiés ; là où ils font état d'accréditation par les faits, ils ne sont pas eux-mêmes accrédités » [1]. Leur référence à une révélation divine ne peut fonder la doctrine, puisqu'elle relève de la doctrine elle-même. Il est notable que parmi tout ce que nous communique notre fonds culturel *(Kulturbesitz),* ce qui pourrait être le plus significatif, ce qui a pour tâche d'élucider les énigmes du monde et de nous réconcilier avec les souffrances de la vie, est précisément ce qui est le moins fondé.

Les *représentations religieuses,* qui se donnent comme des dogmes, ne sont pas des précipités de l'expérience ou des résultats de la pensée, mais « **des illusions, accomplissements des souhaits les plus anciens,** les plus forts et les plus pressants de l'humanité ; le secret de leur force, c'est la force de ces souhaits » [2]. L'illusion n'est pas la même chose que l'erreur, ni même nécessairement une erreur ; sa caractéristique est de dériver des souhaits humains, ce qui la rapproche de l'idée délirante. Mais l'idée délirante est en contradiction avec la réalité effective, tandis que l'illusion n'est pas nécessairement fausse, c'est-à-dire irréalisable ou contradictoire avec la réalité [3]. Mais alors, **où s'arrêtera le doute** ? Notre conviction de pouvoir connaître la réalité extérieure par le travail scientifique est-elle mieux fondée ? Si la plupart des hommes

1. *L'avenir d'une illusion* (1927c), Paris, PUF, 1971, p. 37 ; *OCF* XVIII, p. 167 ; *GW* XIV, p. 349.

2. *Ibidem,* p. 43 ; p. 170 ; p. 352.

3. *Ibidem,* p. 45 ; p. 172 ; p. 354.

croient à la vérité de ces doctrines religieuses, ne peut-on craindre qu'en leur enseignant qu'elles sont erronées ou non prouvées, ils se sentent dégagés de tout devoir d'obéissance aux prescriptions de la culture ? Ne faut-il pas craindre que ne recommence le chaos qui a été banni par un travail culturel plusieurs fois millénaire ? Et n'est-il pas cruel de priver d'innombrables hommes de ce réconfort ? La science ne peut suffire aux hommes !

Après avoir évoqué les « réminiscences historiques significatives » [1] que constituent les représentations religieuses, renvoyant à des vérités transformées et travesties, Freud conclut avec netteté : « Non, **notre science n'est pas une illusion.** Mais ce serait une illusion de croire que nous pourrions recevoir d'ailleurs ce qu'elle ne peut nous donner. » [2]

En 1929, *Malaise dans la civilisation* recourt à un lexique connotant la notion de vérité à propos de trois thèmes importants : le délire et les religions comprises comme délire de masse ; la répression pulsionnelle effectuée par la civilisation [3] ; et le démenti de l'illusion que l'homme pourrait être doux, en besoin d'amour, sans méchanceté ni agressivité [4]. Les deux premiers reprennent et poursuivent explicitement les élaborations de *L'avenir d'une illusion,* mais les formulations décrivent davantage l'illusion religieuse en termes de délire. Chacun de nous, sur un point ou sur un autre, de façon analogue au paranoïaque, corrige par une formation de souhait un aspect du monde qu'il ne peut supporter, et inscrit ce délire dans la réalité. Il est un cas significatif, « celui où un assez grand nombre d'hommes s'engagent en commun dans la tentative de se créer une assurance sur le bonheur et une protection contre la souffrance par un remodelage délirant de la réalité effective. C'est comme un tel délire de masse que nous devons aussi caractériser les religions de l'humanité » [5]. Évidemment, celui qui partage encore le délire ne le reconnaît jamais comme tel.

1. *Ibidem,* p. 63 ; p. 186 ; p. 368.
2. *Ibidem,* p. 80 ; p. 197 ; p. 380.
3. *Malaise dans la civilisation* (1930a [1929]), Paris, PUF, 1971, p. 61 ; *OCF* XVIII, p. 294 ; *GW* XIV, p. 467.
4. *Ibidem,* p. 64 ; p. 297 ; p 470.
5. *Ibidem,* p. 27 ; p. 268 ; p 440.

Rappels, débats, accentuations

En 1933, les *Nouvelles conférences d'introduction à la psychanalyse* reviennent sur la notion de vérité. « D'une vision du monde » examine si la psychanalyse conduit à une vision du monde déterminée pour réfuter cette thèse. Comme « science spécialisée », **la psychanalyse ne peut prétendre à une** telle **vision du monde,** mais seulement à participer à celle de la science pour qui il n'est pas d'autre source de la connaissance du monde que l'élaboration intellectuelle d'observations soigneusement vérifiées.

Freud récuse le partage des tâches entre science, philosophie et religion, qui auraient « le même droit à prétendre à la vérité », laissant tout homme « libre de choisir d'où il veut tirer sa conviction et où il veut placer sa croyance ». Cette conception relève d'une vision du monde non scientifique. « C'est un fait que la vérité ne peut être tolérante, qu'elle n'admet ni compromis ni restrictions » [1], que la recherche s'étend à tous les domaines de l'activité humaine et qu'il lui faut devenir « inexorablement critique » [2] lorsqu'une autre puissance veut en confisquer un morceau pour se l'approprier exclusivement. Dans les contestations éventuelles de la science, l'art est en général inoffensif et bienfaisant car il ne prétend à rien d'autre qu'à être illusion ; la philosophie travaille en partie avec les mêmes méthodes que la science, mais reste attachée à l'illusion de pouvoir livrer une image du monde sans lacunes et cohérente. **Seule la religion est l'ennemi sérieux, une puissance énorme** qui dispose des plus fortes émotions des hommes et englobait jadis tout ce qui est activité de l'esprit, y compris ce qui est devenu la science ; il faut comprendre de façon critique l'essence grandiose de la religion et de ses fonctions. La psychanalyse a fourni sa contribution à la critique de la vision du monde religieuse en montrant qu'elle tire son origine de la détresse infantile et que son contenu dérive des besoins et des désirs infantiles prolongés dans la maturité ; la teneur en vérité de la religion peut être négligée, alors même que les différentes religions se querellent entre elles pour

1. *Nouvelles conférences d'introduction à la psychanalyse* (1933a [1932]), Paris, Gallimard, 1984, p. 214 ; *OCF* XIX, p. 244 ; *GW* XV, p. 173.

2. *Ibidem.*

savoir laquelle est en possession de la vérité[1]. Tentative pour maîtriser le monde sensible au moyen du monde de souhaits que nous avons développé en nous, la religion n'y parvient pas, car le monde n'est pas une chambre d'enfant ; les exigences éthiques, indispensables à la société humaine, ont besoin d'un autre fondement.

Par opposition à la vision religieuse du monde, Freud décrit la pensée scientifique qui « aspire à atteindre la concordance avec la réalité, c'est-à-dire avec ce qui existe en dehors de nous, indépendamment de nous, et qui, comme l'expérience nous l'a enseigné, est déterminant pour l'accomplissement ou la faillite de nos souhaits. **Cette concordance avec le monde extérieur réel, nous l'appelons vérité** »[2]. Elle rencontre deux obstacles : l'interdit de pensée que la religion édicte pour son autoconservation, source d'inhibitions graves ; l'anarchisme, scepticisme radical. Ainsi, une vision du monde édifiée sur la science met l'accent sur la consistance du monde extérieur réel ; pour le reste, elle a des traits essentiellement négatifs : se contenter de la vérité, récuser les illusions[3].

La vérité des constructions

La question de la vérité est au cœur du travail analytique. Comment ne pas voir dans l'article de **1927** que la scotomisation, le déni de perception à l'œuvre dans le déni de la castration qu'opère le **fétichisme**[4], met directement en cause la valeur de vérité de la perception, tout en la maintenant comme essentielle ? Le clivage qui permet à la fois de reconnaître et de ne pas reconnaître la mort, de reconnaître et de ne pas reconnaître la castration montre que nous ne pouvons plus conserver désormais un rapport naïf à la vérité. Le courage de la vérité exigé par la méthode psychanalytique conduit aux qualités de normalité et de rectitude psychique *(Korrektheit)* exigées de l'analyste

1. *Ibidem,* p. 224 ; p. 252 ; p. 181.
2. *Ibidem,* p. 228 ; p. 255 ; p. 184.
3. *Ibidem,* p. 243 ; p. 268 ; p. 197.
4. « Le fétichisme » (1927e), *La vie sexuelle,* Paris, PUF, 1969, p. 133-138 ; *OCF* XVIII, p. 123-131 ; *GW* XIV, p. 311-317.

comme le reformule en 1937, « L'analyse avec fin et l'analyse sans fin ».

« Constructions dans l'analyse » formule en 1937 la **conception clinique de la vérité.** L'analyste achève un fragment de construction et le communique à l'analysé. Qu'est-ce qui nous garantit que nos constructions ne sont pas inexactes ? Quels sont donc les indices que nous apporte la réaction du patient à la communication ? Le « oui » de l'analysé est équivoque, et **seules sont fiables les confirmations indirectes,** comme l'apparition de nouveaux souvenirs. Quant au « non », il n'exprime que rarement un refus justifié ; en général, l'analysé ne donnera son accord « qu'après avoir appris la vérité entière »[1], souvent bien loin d'être atteinte. En cas de réaction thérapeutique négative (sentiment de culpabilité, besoin de souffrance masochiste, opposition à l'analyste), la situation est claire : si la construction est fausse, rien ne change ; si elle est juste ou représente un pas vers la vérité, les symptômes s'aggravent[2]. En outre, le chemin qui part de la construction chez l'analyste ne mène pas toujours jusqu'au souvenir chez l'analysé. Parfois, la communication de la construction suscite des souvenirs, très vivaces, excessivement nets, qui portent non sur la construction, mais sur des détails voisins, suscitant même occasionnellement des hallucinations ; cet effet est gage de vérité[3]. **Le délire « contient aussi un morceau de vérité historique »**[4] et sa croyance compulsive tire sa force de la source infantile. Comme les constructions, les délires sont des tentatives d'explication et de restitution, mais ils ne peuvent que remplacer le morceau de réalité dénié dans le présent par un autre morceau de réalité déjà dénié dans la petite enfance. L'humanité a d'ailleurs développé elle aussi des délires inaccessibles à la critique logique et contredisant la réalité, qui exercent sur les hommes un empire extraordinaire : « Leur pouvoir provient de

1. « Constructions dans l'analyse » (1937d), *Résultats, idées, problèmes, II,* Paris, PUF, 1985, p. 275 ; *OCF* XX, p. 68 ; *GW* XIV, p. 51.

2. *Ibidem,* p. 277 ; p. 69 ; p. 52.

3. *Ibidem,* p. 278 ; p. 70 ; p. 53.

4. *Ibidem,* p. 279 ; p. 71 ; p. 54.

leur contenu de vérité historique, vérité qu'ils ont été puiser dans le refoulement de temps originaires oubliés. »[1]

La « vérité historique » et ses enjeux

Dans le *post-scriptum* (1935) de son « Autoprésentation » *(« Selbstdarstellung »),* Freud estime avoir apprécié la religion, dans *L'avenir d'une illusion,* « de façon principalement négative ; je trouvai plus tard la formule qui lui rend mieux justice ; son pouvoir repose à vrai dire sur son contenu de vérité, cette vérité n'est pas une vérité matérielle, mais historique »[2]. C'est du côté de leur forme de vérité (« historique », qui caractérise aussi le noyau du délire) que Freud cherche désormais l'explication de la puissance affective des idées religieuses.

La complexité des trois essais qui forment *L'homme Moïse et la religion monothéiste* (1938) est marquée à la fois par les hésitations de Freud et par un mouvement intérieur puissant. Il reconstruit la préhistoire d'Israël en distinguant deux Moïse, à partir des contradictions du texte biblique sur sa figure historique, malgré la confusion des traditions ; il ne croit pas vains les « efforts tendant à mettre en lumière le noyau de vérité historique qui se cache derrière elles »[3]. La vraisemblance ne protège pas de l'erreur et le vrai n'est pas toujours vraisemblable[4]. Les phénomènes religieux sont le « retour de processus importants, depuis longtemps oubliés, ayant eu lieu au cours de l'histoire primitive de la famille humaine », qui « doivent leur caractère contraignant à cette origine même » et « **agissent sur les êtres humains en vertu de leur contenu de vérité historique** »[5].

Pour les croyants, l'influence si considérable du monothéisme tient à ce qu'il est une part de la vérité éternelle, longtemps voilée, qui se

1. *Ibidem,* p. 281 ; p. 73 ; p. 56.

2. *Sigmund Freud présenté par lui-même* (1925d), Paris, Gallimard, 1971, p. 123-124 *OCF* XVII (« Autoprésentation »), p. 121 ; *GW* XIV, p. 33.

3. *L'homme Moïse et la religion monothéiste* (1939a), Paris, Gallimard, 1986, p. 74 ; *OCF* XX, p. 90 ; *GW* XVI, p. 112.

4. *Ibidem,* p. 80 ; p. 93 ; p. 115.

5. *Ibidem,* p. 137 ; p. 136 ; p. 160.

manifesta à la fin, entraînant naturellement la reconnaissance de tous ; ce présupposé idéaliste et optimiste se heurte au fait que la vie psychique humaine ne manifeste pas une si grande aptitude à reconnaître la vérité ; notre intellect se fourvoie facilement, et il « n'est rien que nous ne croyions plus facilement que ce qui va au-devant de nos illusions fondées sur des désirs, sans égard pour la vérité ». Une restriction doit cependant être ajoutée selon laquelle « la solution des gens pieux contient la vérité, non pas cependant la vérité **matérielle** mais la vérité **historique** »[1] : il n'existe pas un Dieu unique, mais il a existé dans les temps primitifs une personne unique, élevée au rang de divinité, qui est revenue avec force dans le souvenir des humains. Dans la mesure où cette idée est déformée, elle est illusion ; dans la mesure où elle amène le retour de ce qui est passé, on doit l'appeler vérité[2].

QUESTIONS ET ENJEUX

« J'ai une forte aversion pour les simplifications faites aux dépens de la fidélité à la vérité »[3], écrit Freud en 1917. La notion de vérité fait l'objet d'une problématisation progressive, qui connaît un tournant entre 1914 et 1918 où Freud explore toutes les possibilités de fonder la vérité sur la perception des faits, selon une logique positiviste appuyée sur l'héritage kantien de la notion de phénomène, avant de relativiser cette approche au profit d'une conception plus large et complexe de la réalité psychique telle qu'elle se manifeste et se transforme dans la cure. Les préoccupations relatives à la vérité sont constantes dans l'œuvre freudienne, à l'exception des années 1919-1923, période d'élaboration de la seconde théorie des pulsions et de la deuxième topique. Ensuite, l'interrogation reprend avec plus d'acuité encore : comment la logique interne propre à l'appareil psychique s'articule-t-elle avec la réalité extérieure – non seulement l'externe actuel de la perception et de la

1. *Ibidem*, p. 233 ; p. 208 ; p. 238.

2. *Ibidem*, p. 235 ; p. 209 ; p. 239.

3. *Leçons d'introduction à la psychanalyse* (1916-1917 [1915-1916]), Paris, Gallimard, 1999, p. 360 ; *OCF* XIV, p. 292 ; *GW* XI, p. 291.

vie sociale, mais ce qui, jadis externe, a donné lieu à l'intérieur de la réalité psychique du sujet (et de l'histoire des sociétés) à une « vérité historique » ?

La composante subjective de la vérité (la vérité du rêve)

La première difficulté est de penser la vérité d'une réalité purement subjective comme le **souvenir d'un rêve.** La vérité du rêve est cruciale pour fonder l'importance de son interprétation. Une première formulation examine l'exactitude de la reproduction du rêve lors du passage des images de rêve au souvenir puis au récit du rêve. La réflexion sur le travail du rêve témoigne du caractère intrinsèque des déformations, des rationalisations secondaires toujours à l'œuvre, mais aussi de la vérité asymptotique des associations multiples que suscite le rêve. En fait, les réflexions freudiennes posent la possibilité épistémologique d'une vérité subjective, malgré son caractère interne, singulier et unique, alors que la vérité scientifique porte habituellement sur ce qui est objectivable, universel et régulier. L'accent est initialement mis ici sur la difficulté de l'établissement du fait : quel est exactement le rêve ? La vérité subjective est objet de déformations incessantes mais le travail du rêve la montre en même temps sans cesse à l'œuvre. Cette découverte épistémologique tend à modifier l'idée même de vérité.

Le dévoilement de ce qui est caché

Or, il est une tension dans la première partie de l'œuvre freudienne, entre la vérité perçue, provenant de la réalité extérieure et traitée par l'appareil psychique, et la vérité dévoilée, manifestée par le rêve, le symptôme ou l'acte manqué lorsque l'analyse fait apparaître les désirs sous-jacents aux déformations. Par exemple, sommes-nous moralement responsables du caractère immoral de nos rêves [1]. À ce moment, la **vérité que dévoile la psychanalyse** est une rectification – souvent dénonciatrice comme dans la mise en évidence du caractère

1. Cf. *L'interprétation des rêves* (1900a), Paris, PUF, 1967, p. 67-68 ; *OCF* IV *[L'interprétation du rêve]*, p. 100-101 ; *GW* II-III, p. 72-73.

tendancieux des mots d'esprit. Sans réorganiser fondamentalement la notion de vérité, Freud ajoute un niveau latent révélateur derrière les symptômes ou les rêves à première vue incompréhensibles, les motifs conscients et les rationalisations défensives.

Ce qui triomphe alors est la vérité permanente des désirs qui vient corriger, en la situant, la crédulité passée[1]. La vérité du rêve conjugue la temporalité selon l'associativité des processus primaires et l'intemporalité de l'inconscient, c'est-à-dire la permanence des désirs infantiles ; dès 1900, Freud indique en finale de son ouvrage princeps ce qu'il mettra en évidence en 1914 et en 1920 : la place essentielle de la répétition dans la vie psychique. La croyance populaire prenait le désir au premier degré, au pied de la lettre, par la croyance aux rêves prémonitoires ; la pensée freudienne en restitue la complexité temporelle (du fait de la régression), qui manifeste le rapport étrange des hommes à la vérité de leur être et de leurs désirs : ce mouvement par lequel la vérité du désir s'exprime en se cachant derrière la censure et se dévoile dans le mouvement même par lequel elle se dérobe.

L'expérience du transfert et la répétition

Tout part du fait que l'analyse se refuse à procéder par la suggestion. De ce fait, la méfiance ou la confiance consciente du patient sont presque négligeables par rapport aux résistances qui protègent sa névrose. L'expérience du transfert rend néanmoins le patient accessible au traitement, et c'est elle qui ouvre la psychanalyse à une compréhension nouvelle de la notion de vérité. Il est rare que les souvenirs significatifs soient librement disponibles. D'ailleurs, ceux qui s'imposent avec le plus de force, comme les souvenirs-écrans, sont profondément remaniés. C'est dans le transfert et à partir des associations et des interprétations de l'analyste que s'éprouve l'importance des rêves et des souvenirs, ainsi que le retour de certains souvenirs. Mais le transfert est lui-même constitué d'affects et rien ne permet de dénier à l'état amoureux, qui apparaît au cours de l'analyse, le caractère d'un amour authentique *(« echten »)*[2] et

1. *Ibidem*, p. 527 ; p. 677 ; p. 626.

2. « Observations sur l'amour de transfert » (1915a [1914]), *De la technique psychanalytique*, Paris, PUF, 1953, p. 126 ; *OCF* XII, p. 208 ; *GW* X, p. 316.

« véritable »[1]. **La « fausse liaison » du transfert est appelée à faire reconnaître la réalité de l'amour** et de la dépendance d'autrefois.

D'autant que chez certains patients, la remémoration se heurte à des obstacles insurmontables et que les expériences infantiles se répètent dans la cure, sans être remémorées. En 1914, Freud pense que le passage par la répétition est transitoire, et que la perlaboration permettra aux souvenirs de resurgir ensuite, « comme d'eux-mêmes ». En 1937, légitimant la notion de construction, il signale que très souvent le souvenir refoulé ne reparaît pas ; néanmoins une analyse bien menée suscite une conviction tout aussi ferme et une reconstitution thérapeutiquement efficace de l'histoire du patient. Le rapport aux faits primitifs de l'enfance s'est donc modifié entre-temps, dans la théorisation comme dans la pratique des cures.

Du fait originaire à l'épreuve de réalité

Classiquement, une thèse s'établit par le rassemblement d'une collection de faits dont l'interprétation fournit des arguments pour sa validation. Freud va devoir complexifier ce modèle. Dans sa polémique avec Adler et Jung, très fréquemment évoquée, ses efforts portent d'abord sur l'établissement de faits probants ; existe comme vérité théorique et clinique ce qui a pu être factuellement établi, au moins dans sa source. Ainsi *Totem et tabou* vise à établir l'existence du meurtre du père de la horde, et l'histoire de la névrose infantile de « L'homme aux loups » cherche à dater l'observation du coït parental. La reconstruction du fait sous-jacent au rêve de scène primitive de l'homme aux loups légitimerait l'interprétation de ce rêve et fonderait du même coup l'importance de l'histoire infantile singulière. La reconnaissance historique du meurtre du père primitif, au fondement des tabous liés aux interdits de l'inceste et du meurtre, ferait des analogies entre religion primitive et symptômes névrotiques un puissant système de vérités irrécusables pour la pensée scientifique. Si Freud ne récuse pas l'importance du fantasme et s'il n'y a pas de mouvement de retour vers la *neurotica,* il cherche néanmoins, en amont, des faits irrécusables. Il semble ainsi acculé par Jung à une conception positiviste de la psychanalyse, pour maintenir à tout prix

1. *Ibidem,* p. 127 ; p. 209 ; p. 317.

la validité scientifique de ses découvertes. Dans le même temps, il dénonce inlassablement les puissants facteurs affectifs qui expliquent les résistances et les défections de ses adversaires. Les découvertes psychanalytiques dérangent, il y faut le courage de la vérité.

De la réalité de l'originaire à la réalité psychique

Freud ne renoncera jamais à la réalité historique factuelle de l'originaire, même s'il en nuancera la forme de réalisation : ainsi dans le *Moïse,* lorsqu'il admet que la notion de « meurtre du père originaire » est peut-être le résumé de multiples événements analogues, survenus au cours de millénaires. Sa pensée ne tend pas à penser son élaboration comme un mythe hors histoire, mais comme un ensemble de faits historiques, dont l'accumulation aurait finalement dessiné une configuration fondamentale significative. Ce qui va changer, c'est un double déplacement de son intérêt : d'une part, du fait objectif vers la constitution d'une réalité psychique ; d'autre part, de la recherche du passé vers le retour de ce passé dans le présent.

Dans les années 1917-1918, apparaît l'idée que ce qui importe essentiellement dans l'événement primitif, n'est pas l'établissement détaillé et objectif de ce qui s'est passé, mais le fait **qu'il s'est passé quelque chose à partir de quoi s'est constituée une réalité psychique** comportant des **fixations,** qui la rendent inaccessible à certains aspects de l'expérience ultérieure ou de la réalité externe ; celle-ci sera désormais comprise à travers le prisme des premières expériences et des fixations aux traumas. Ainsi, Freud peut dire en 1918 qu'il importe finalement peu que l'homme aux loups ait ou non observé le coït parental : s'il ne l'a pas fait il a pu le fantasmer à partir d'observations de coïts entre animaux (le mouvement de pensée répète tout de même quelque peu la rupture avec la *neurotica*). De toute façon, chacun de nous est marqué par les expériences phylogénétiques fondamentales fondatrices de l'humanisation qui, en 1918, sont résumées par la systématisation des fantasmes originaires et comprises comme un héritage biologique. La compréhension ultérieure de la formation du surmoi sur le modèle du surmoi parental *(Nouvelles conférences d'introduction à la psychanalyse)* et de la notion de tradition *(Moïse),* donnera ultérieurement plus d'ouverture et de souplesse à la pensée ultime de Freud – ce qui ne veut absolument pas dire qu'il renie l'ancrage biologique de la psychanalyse, mais simplement que ses modes de pensée et ses modèles se complexifient.

La fonction de jugement

Le **jugement d'existence** peut alors être repensé. Il est une réalité psychique déjà présente avant toute autonomisation de la fonction intellectuelle, puisque le psychisme s'est constitué en incluant le bon dans le moi ou en rejetant le mauvais hors de soi. La fonction intellectuelle ne survient que plus tard, grâce à la liberté de conserver et de considérer des réalités désagréables, ce qui est rendu possible par la création du symbole de négation (« La négation », 1925).

Juger de l'existence de quelque chose, c'est donc toujours confronter sa perception à sa réalité interne par l'épreuve de réalité et non simplement appréhender directement l'extérieur. Toujours d'abord subjective, la pensée ne s'objective validement qu'à certaines conditions, morales (la rectitude et le courage) autant qu'intellectuelles – que des expériences traumatiques peuvent entraver. Le jugement, qui implique une prise de position sur la vérité d'une représentation ou d'une idée, est donc à la fois mû par les pulsions primaires et capable d'une certaine indépendance. Dans le mouvement par lequel le jugement cherche à retrouver à l'extérieur l'objet qu'il porte en lui (d'abord interne du fait même de l'existence d'une réalité psychique), la question du retour de ce qui a été oublié, refoulé ou dénié, est désormais posée.

Croyance et vérité

« Nous sommes ici, une fois de plus, en présence d'un de ces cas nullement rares où une très ancienne croyance populaire obstinément maintenue semble s'être davantage approchée de la vérité des choses que ne le fait le jugement de la science aujourd'hui en vigueur » [1], affirme Freud dans *L'interprétation des rêves,* à propos des rêves prémonitoires. Cette référence au **savoir populaire obscurément**

1. *L'interprétation des rêves* (1900a), Paris, PUF, 1967, p. 93 ; *OCF* IV, p. 135 ; *GW* II, p. 104. Cf. *Sur le rêve* (1901a), Paris, Gallimard, 1988, p. 49 ; *OCF* V, p. 21 ; *GW* II-III, p. 647.

contenu dans des croyances tenaces, présente dès le début de l'œuvre freudienne, engendre deux courants de pensée différents. L'un précise **en quoi consiste la pensée scientifique,** qui n'est pas une vision du monde ; l'autre, sans renier la nécessité quotidienne de la croyance, va engager un **long débat critique avec les croyances religieuses** : Freud reconnaît leur force, et veut comprendre leur influence, mais les croit dangereuses pour la société de son temps. D'une part, elles ne sont plus au fondement actuel de la culture et ne réussissent donc plus à justifier et maintenir la répression pulsionnelle nécessaire à la vie sociale. D'autre part, elles sont fondées sur des dogmes dont elles récusent l'examen critique et sont ainsi l'agent actif d'un interdit de pensée qui en font l'ennemi direct de la pensée scientifique. De ce point de vue, la pensée religieuse, illusoire, obéit à une logique du désir qui ne se soucie pas de vérité tout en affichant une prétention absolue à la vérité.

La pensée scientifique, alternative à une vision du monde

Freud, à la différence de Nietzsche qui, tout en s'engageant à corps perdu pour témoigner de ce qu'il découvre, dénonce les illusions et les impostures de la conception rationaliste de la connaissance, n'a jamais renoncé à un rationalisme intransigeant. La pensée scientifique n'est pas pour lui une autre vision du monde que celle de la religion, elle est renoncement à toute vision d'ensemble du monde. Ce qu'elle transmet, malgré ses progrès, ce sont des questions qu'elle laisse en suspens, provisoirement ou définitivement, se contentant de savoirs partiels. Une pensée purement rationnelle a peu de force affective, car, par essence, la pensée scientifique est soucieuse de tenir à l'écart les facteurs subjectifs. Mais peut-on se passer d'illusion pour faire accepter les interdits sociaux et les souffrances de la vie ? Et comment développer une attitude scientifique sans faire de la science elle-même une nouvelle illusion, c'est-à-dire en reconnaissant les limites de sa puissance, sans pour autant sacrifier au relativisme ? Le plus remarquable est la complexité du monde, inextricable, qui déborde notre tendance à une causalité simple, sans surdétermination, tandis que notre pensée peut cependant aussi librement imaginer ce qui n'existe pas [1].

1. *L'homme Moïse et la religion monothéiste* (1939a), Paris, Gallimard, 1986, p. 204-205 ; *OCF* XX, p. 186-187 ; *GW* XVI, p. 215.

LES CONSTRUCTIONS

Freud ne prétend pas avoir de réponse générale aux questions épistémologiques qu'il pose, mais, en ce qui concerne la cure analytique, il y répond par l'étude des réactions du patient aux constructions de son analyste : ce n'est jamais la conviction directe qui valide la justesse d'une construction, car les facteurs affectifs – et donc les résistances – y ont trop de part. Ce sont les confirmations indirectes qui sont significatives. L'action effective de la construction sur la production du matériel apporté par le patient permet le retour de souvenirs, c'est-à-dire qu'une confirmation pratique valide la vérité de la pensée, de la même façon qu'un pont bien construit ne s'écroule pas et permet le passage. L'autre forme de confirmation semble plus aléatoire, puisque c'est le sentiment d'effectivité qui peut survenir en l'absence même de souvenir. Mais cette conviction aussi relève d'une **confirmation pratique** : ce qui caractérise le retour d'un élément refoulé ou dénié, c'est sa force affective. Même en l'absence de faits ou de représentations du passé, la réorganisation psychique suscitée par une construction (tandis que d'autres sont sans effet, et invalidées de ce fait) témoigne de la pertinence, au moins partielle, de cette construction.

LA VÉRITÉ HISTORIQUE DES RELIGIONS

Or la puissance de conviction, témoin du retour d'un événement ou d'un aspect de la réalité psychique jusque-là oublié, n'est-ce pas ce qui caractérise aussi tant le délire que les religions ? **Le noyau de vérité historique d'un délire** est ce qui lui donne sa puissance de conviction, malgré tous les démentis de la réalité ; mais, dans le délire, l'élément dénié aujourd'hui fait resurgir la force d'anciens dénis, à partir desquels une reconstruction solitaire du monde est tentée. Le retour du dénié enferme au lieu de libérer, tant qu'il n'est pas rendu à son historicité.

Freud a d'abord tenu les affirmations religieuses dogmatiques pour négligeables, soulignant surtout le caractère de recours maintenu aux *satisfactions infantiles* et l'interdit de pensée. Lorsqu'il remarque que la force des convictions religieuses ne tient pas seulement à l'attitude infantile mais au retour d'un élément de vérité (pré)historique, sous une forme déformée dans les religions monothéistes, il prête davantage d'attention aux dogmes et aux rites : ce qui est perdu comme souvenir se trouve répété dans la conviction religieuse. La référence à la névrose traumatique et à l'effet de la latence est importante : ce qui se joue dans la conviction religieuse, ce sont les **traces traumatiques de l'histoire de l'humanité.** Et l'on peut se demander si, aujourd'hui encore, ce ne sont pas ceux qui ont une histoire traumatique qui vont pouvoir parfois, au lieu d'organiser un délire ou d'affronter la désorganisation, s'attacher plus particulièrement à ces formes de souvenirs amnésiques et commémoratifs qui disent une identité et une histoire sensée, dans une « vision du monde » d'autant plus figée (et parfois violente envers qui ne partage pas le même idéal du moi) que le trauma reste psychiquement menaçant.

La notion de vérité historique

La notion freudienne de « vérité historique » est désormais simple à appréhender : elle résulte du **démantèlement en deux formes de vérité** de ce que Freud avait cherché comme **réalité de l'originaire** : il espérait fonder une vérité factuelle indiscutable, à la fois objective et historique, en pensant la connaissance à partir de l'expérience des sens, sur le modèle kantien de la perception et de l'étude du phénomène, grâce à la rigueur de la méthode d'observation et de discussion scientifique. L'expression de « vérité historique » et le souci d'en soustraire les déformations sont formulés dès 1910, à propos du souvenir de Léonard de Vinci. Mais la mise en forme de la solution, après les efforts finalement insuffisants des années 1912-1915, ne sera établie que par la réflexion de 1938 sur Moïse et sur la force du monothéisme.

Dans les années 1912-1914, Freud cherchait, dans le passé historique des sociétés comme dans l'enfance de Sergueï, des faits comparables aux faits scientifiques objectivables, mais situés dans le passé : une vérité historique au sens courant du terme (c'est-à-dire souvent conçue de façon positiviste, comme s'il n'y avait pas toujours une interprétation du passé) : ça s'est passé ainsi. Or il trouve tout autre chose : **la vérité objectivable, qui peut être universellement reconnue, concerne seulement le présent.** Cette vérité trouvée au-dehors, appréhendée grâce à l'**épreuve de réalité** (et non pas donnée d'emblée dans la perception elle-même marquée par les facteurs affectifs), Freud l'appelle « vérité matérielle », insistant visiblement sur sa consistance externe et évitant le terme trop ambigu de factuel (qui peut indiquer qu'un événement a eu lieu mais ne précise pas comment il est reçu).

Quant à ce qui concerne le passé, la vérité matérielle n'y est plus accessible – même si Freud n'a jamais désespéré d'avoir établi des faits, des événements effectivement survenus. Dès 1899, avec l'étude des souvenirs-écrans, il pose l'importance des déformations et remaniements des souvenirs; en 1937, il y ajoute l'importance à la fois conservatrice et déformante des traditions. La « vérité historique », au sens freudien, ne réduit pas l'histoire psychique au fantasme : quelque chose est arrivé, qui donne ou non lieu à des souvenirs et à des traditions, mais qui en tout cas continue à agir dans la réalité psychique des individus et dans le devenir des sociétés. Ce qui est un jour arrivé tend à faire retour, et la marque de ce retour est la puissance irrationnelle de ses effets. Ainsi, la force de la pensée religieuse ne tient pas d'abord à la cohésion du groupe (1921), ni à l'attachement à l'infantile (1927), mais au retour du trauma (1938). **La vérité historique est une vérité, parce qu'un élément essentiel de la réalité psychique** de l'individu ou de l'histoire du groupe se donne ainsi, comme dans le noyau d'un délire ; mais aussi parce que l'on voit sa vérité pratique à ses effets et que l'on peut postuler qu'un événement traumatique est sous-jacent. Le contenu de la croyance est en rapport complexe avec l'événement initial, au travers de multiples déformations, éventuellement interprétables. **Mais cette vérité est seulement historique,** au sens où ce fut vrai mais où ça ne l'est plus : ce n'est qu'une vérité « subjective » (mais pas forcément consciente) **au sens où elle existe réellement pour la réalité psychique** qui en a été marquée, mais qu'elle n'est pas partageable selon les critères de l'épreuve de réalité (elle n'a pas de corrélation avec une réalité matérielle actuelle) ; il n'est pas possible de la retrouver hors de soi. Le facteur temporel est essentiel : dans la vérité historique, la permanence de l'infantile n'est plus seulement l'intemporalité des désirs qui fonde leur répétition, même si celle-ci est toujours à l'œuvre et peut produire diverses formes de réalisations historiques successives. Le retour du trauma suppose une latence et un écart : la vérité historique manifestée dans les symptômes et les croyances a quelque chose de radicalement anachronique. Or, paradoxalement, c'est la distance historique, donc le temps, qui produit l'anachronisme ; et c'est cet **anachronisme** qui confère à l'élément de vérité historique sa force, et son besoin de liaison ou de décharge dans l'actuel.

Car ce sont les pathologies de l'identité et de l'agir qui sont le plus directement concernées par le retour traumatique de la vérité historique. Le travail de construction de l'analyste trouve ici sa nécessité : ce qui ne peut revenir par le souvenir, le rêve et le fantasme doit être construit ; or la construction, pour être féconde et puissante, doit permettre le retour d'un élément de vérité historique ; encore faut-il que celui-ci puisse être accueilli et accepté, dans la suite de la cure sinon sur le moment, pour que la force de sa vérité historique ne se décharge ni en répétition sans fin, ni en désorganisation clastique, ni en vision du monde clôturante. Alors, l'élément venu du passé pourra être reconnu dans son écart avec la vérité matérielle actuelle, et quelque chose d'une vérité de l'histoire du patient, même reconstruite et non remémorée, pourra s'appréhender.

L'ÉTHIQUE DE LA VÉRITÉ

Ancrée dans le rapport à la réalité que permet la pensée scientifique, et soucieuse de faire droit au retour de la vérité historique de chaque patient, la relation du psychanalyste à la vérité est constitutive. **L'éthique de la vérité** refuse l'emprise de la suggestion et lutte contre tous les interdits de penser. C'est ainsi qu'elle laisse leur libre cours aux fonctionnements psychiques les plus élaborés, capables de faire droit aussi aux éléments les plus archaïques. Il est donc essentiel, pour Freud, que les analystes aiment, désirent et recherchent la vérité, quoi qu'il leur en coûte.

Dominique BOURDIN

Viscosité de la libido → Plasticité et viscosité (de la libido)

Zone érogène → Phases, stades, organisations libidinales

Index

Présentation des auteurs

(par ordre alphabétique)

Nenuka AMIGORENA-ROSENBERG, membre de la Société psychanalytique de Paris

Léopoldo BLEGER, membre de l'Association psychanalytique de France

Dominique BOURDIN, membre de la Société psychanalytique de Paris

Guy CABROL, membre de la Société psychanalytique de Paris

Pierre CHAUVEL, membre de la Société psychanalytique de Paris

Françoise CRIBIER, membre de la Société psychanalytique de Paris

Annick LE GUEN, membre de la Société psychanalytique de Paris

Claude LE GUEN, membre de la Société psychanalytique de Paris

Hélène PARAT, membre de la Société psychanalytique de Paris

Table des matières

DANS LA COLLECTION « DICTIONNAIRES QUADRIGE »

Denis ALLAND, Stéphane RIALS, *Dictionnaire de la culture juridique*
Madeleine AMBRIÈRE, *Dictionnaire du XIXe siècle européen*
Joël ANDRIANTSIMBAZOVINA, Hélène GAUDIN, Jean-Pierre MARGUÉNAUD, Stéphane RIALS, *Dictionnaire des droits de l'homme*
Patrick ARABEYRE, Jean-Louis HALPÉRIN, Jacques KRYNEN, *Dictionnaire historique des juristes français, XIIe-XXe siècle*
Jean-Robert ARMOGATHE, *Histoire générale du christianisme (2 volumes)*
Paul ARON, Denis SAINT-JACQUES, Alain VIALA, *Le dictionnaire du littéraire*
Régine AZRIA, Danièle HERVIEU-LÉGER, *Dictionnaire des faits religieux*
Antoine de BAECQUE, Philippe CHEVALLIER, *Dictionnaire de la pensée du cinéma*
Lucien BÉLY, *Dictionnaire de l'Ancien Régime*
Jamel Eddine BENCHEIKH, *Dictionnaire de littératures de langue arabe et maghrébine francophone*
Antoine BEVORT, Annette JOBERT, Michel LALLEMENT, Arnaud MIAS, *Dictionnaire du travail*
Oscar BLOCH, Walther von WARTBURG, *Dictionnaire étymologique de la langue française*
Pierre BONTE, Michel IZARD, *Dictionnaire de l'ethnologie et de l'anthropologie*
Emilio BONVINI, Joëlle BUSUTTIL, Alain PEYRAUBE, *Dictionnaire des langues*
Massimo BORLANDI, Raymond BOUDON, Mohamed CHERKAOUI, Bernard VALADE, *Dictionnaire de la pensée sociologique*
Raymond BOUDON, François BOURRICAUD, *Dictionnaire critique de la sociologie*
Dominique BOURG, Alain PAPAUX, *Dictionnaire de la pensée écologique*
Alain BOUVIER, Michel GEORGE, François LE LIONNAIS, *Dictionnaire des mathématiques*
Monique CANTO-SPERBER, *Dictionnaire d'éthique et de philosophie morale*
François CHÂTELET, Olivier DUHAMEL, Évelyne PISIER, *Dictionnaire des œuvres politiques*
André COMTE-SPONVILLE, *Dictionnaire philosophique*
Gérard CORNU, *Vocabulaire juridique*
Marie CORNU-VOLATRON, Fabienne ORSI, Judith ROCHFELD, *Dictionnaire des biens communs*
Michel DELON, *Dictionnaire européen des Lumières*
Christian DELPORTE, Jean-Yves MOLLIER, Jean-François SIRINELLI, *Dictionnaire d'histoire culturelle de la France contemporaine*
Roland DORON, Françoise PAROT, *Dictionnaire de psychologie*
Benoît DURIEUX, Jean-Baptiste JEANGÈNE VILMER, Frédéric RAMEL, *Dictionnaire de la guerre et de la paix*
Pierre ENCKELL, Pierre RÉZEAU, *Dictionnaire des onomatopées*
Pierre-Sylvain FILLIOZAT, *Dictionnaire des littératures de l'Inde*
Claude GAUVARD, Alain de LIBERA, Michel ZINK, *Dictionnaire du Moyen Âge*
Claude GAUVARD, Jean-François SIRINELLI, *Dictionnaire de l'historien*
Pierre GEORGE, Fernand VERGER, *Dictionnaire de la géographie*
Pierre GISEL, *Encyclopédie du protestantisme*
Denis HUISMAN, *Dictionnaire des philosophes*
Jean-Yves LACOSTE, Olivier RIAUDEL, *Dictionnaire critique de théologie*
Robert LAFON, *Vocabulaire de psychopédagogie et de psychiatrie de l'enfant*
André LALANDE, *Vocabulaire technique et critique de la philosophie*
Jean LAPLANCHE, Jean-Bertrand PONTALIS, *Vocabulaire de la psychanalyse*
David LE BRETON, Daniel MARCELLI, *Dictionnaire de l'adolescence et de la jeunesse*
Jean LECLANT, *Dictionnaire de l'Antiquité*
Dominique LECOURT, *Dictionnaire de la pensée médicale*
— *Dictionnaire d'histoire et philosophie des sciences*
André LEROI-GOURHAN, *Dictionnaire de la Préhistoire*
Daniel LIGOU, *Dictionnaire de la franc-maçonnerie*
Michela MARZANO, *Dictionnaire de la violence*
— *Dictionnaire du corps*
Pierre MERLIN, Françoise CHOAY, *Dictionnaire de l'urbanisme et de l'aménagement*
Sylvie MESURE, Patrick SAVIDAN, *Le dictionnaire des sciences humaines*
Georges MOUNIN, *Dictionnaire de la linguistique*
Jean-Jacques ORIGAS, *Dictionnaire de littérature japonaise*

Henri Piéron, *Vocabulaire de la psychologie*
Jean-Pierre Poulain, *Dictionnaire des cultures alimentaires*
Paul Poupard, *Dictionnaire des religions*
Michel Prigent, Frank Lestringant, Michel Zink, *Histoire de la France littéraire. Volume I*
Michel Prigent, Jean-Charles Darmon, Michel Delon, *Histoire de la France littéraire. Volume II*
Michel Prigent, Patrick Berthier, Michel Jarrety, *Histoire de la France littéraire. Volume III*
Philippe Raynaud, Stéphane Rials, *Dictionnaire de philosophie politique*
Jacqueline de Romilly, *Dictionnaire de littérature grecque ancienne et moderne*
Jean-François Sirinelli, *Dictionnaire historique de la vie politique française au xxe siècle*
Albert Soboul, *Dictionnaire historique de la Révolution française*
Dominique Sourdel, Janine Sourdel-Thomine, *Dictionnaire historique de l'islam*
Étienne Souriau, Anne Souriau, *Vocabulaire d'esthétique*
Pierre-André Taguieff, *Dictionnaire historique et critique du racisme*
Paul Teyssier, *Dictionnaire de littérature brésilienne*
Agnès Van Zanten, Patrick Rayou, *Dictionnaire de l'éducation*
Roger Zuber, Marc Fumaroli, *Dictionnaire de littérature française du xviie siècle*

Cet ouvrage a été mis en pages par IGS-CP
à L'Isle-d'Espagnac (16)

Imprimé en France
par JOUVE
1, rue du Docteur Sauvé, 53100 Mayenne
septembre 2018 - N° 2789872R

JOUVE est titulaire du label imprim'vert®